GIACOMO DEVOTO

# AVVIAMENTO
## ALLA
# ETIMOLOGIA ITALIANA

## DIZIONARIO ETIMOLOGICO

FELICE LE MONNIER - FIRENZE

*Prima edizione*: dicembre 1966.
*Prima ristampa*: febbraio 1967.
*Seconda ristampa*: novembre 1967.
*Seconda edizione*: novembre 1968.
*Prima ristampa*: aprile 1970.
*Seconda ristampa*: luglio 1976.

8314 – Stabilimenti Tipografici « E. Ariani » e « L'Arte della Stampa » – Firenze

*all'amico Yakov Malkiel*
*studioso di etimologie*

## AVVERTENZA ALLA PRIMA EDIZIONE

L'Italia è ricca di dizionarî etimologici nel senso tradizionale del termine: dal maggiore e ricchissimo di Battisti e Alessio [1] allo snello e così fidato di Migliorini e Duro [2]. Questi sono a loro volta affiancati e collegati da altri due: quello di A. Prati gravitante sui dialetti e fornito di bibliografia [3] e quello di D. Olivieri [4], che è ricco invece di materiale toponomastico.

La corretta informazione è assicurata. Ma, da questi libri di specchiata onestà, il lettore è immobilizzato in una specie di prigione. È quella della filologia romanza, scienza tra le più ricche e varie, ma anche fra le più tiranniche, chiusa nel quadro tradizionale della parentela genealogica, che ha nel latino il suo scudo e il suo limite.

Perché l'etimologia deve proporsi come ideale il traguardo del latino, sentirsi menomata se si ferma al di qua, ma del tutto distaccata da quanto si trova invece al di là? L'etimologia in sé non significa niente: è un fatto erudito, per il quale una parola, staccatasi a suo tempo da un'altra parola, e per ciò stesso dimentica dell'antico legame, viene ricondotta alla sua origine grazie a un procedimento di « ricerca della paternità ». Se noi ci rendessimo conto o avessimo sempre presente che « cattivo » significava un tempo, come è detto anche in questo libro, « prigioniero (del diavolo) », noi falseremmo il significato della parola italiana, oppure le assegneremmo, nel quadro del lessico italiano, un campo di azione diverso da quello che le è proprio.

Ammesso che l'etimologia insegni cose non vere rispetto ai valori attuali, essa deve proporsi di ricostruire situazioni proprie di altri tempi, con caratteri formali fonetici e morfologici diversi dai valori attuali, con valori semantici proprî di questi altri tempi. Solo così la parola diventa fonte di storia; solo così l'etimologia diventa cosa importante.

In questo sforzo di risalire nel tempo, di ricostruire un passato effettivamente morto, l'etimologia secondo i tempi e le mode ha tenuto presenti obiettivi diversi. In passato la promoveva soprattutto la ricerca di nuove parentele linguistiche. Se il

---

[1] *Dizionario etimologico italiano*, 2ª edizione in corso di stampa, Firenze.
[2] *Prontuario etimologico della lingua italiana*, 3ª edizione, Torino 1958.
[3] *Vocabolario etimologico italiano*, Milano 1951.
[4] *Dizionario etimologico italiano*, Milano, 1953.

confronto di una parola come il verbo latino *agĕre* con il verbo sanscrito *ajati* ha contribuito a elaborare la teoria della parentela di tutte le lingue indeuropee, perché non sperare che la stessa attività etimologizzatrice possa condurre a collegare il verbo greco *ageírō* con un tipo arabo come *hašara* ' radunare ', e così gettare le basi di una parentela indeuropeo-semitica? Ci fu chi [1], di etimologia in etimologia, si propose di dimostrare che tutte le lingue discendevano da una primitiva, unica. In tempi più vicini a noi si cercò invece, di discendere dalla raggiunta etimologia verso il basso, verso di noi, costituendo una specie di biografia della parola, a partire dal suo distacco primitivo. Gioiello di questo indirizzo è il dizionario etimologico della lingua francese di W. v. Wartburg [2].

Alquanto diversi dagli indirizzi citati sono quelli che sembrano oggi più attuali. Da una parte si desidera nella etimologia moderna un minimo di motivazione: il lettore deve essere messo in condizione di capire perché la parola *deficiente* deve essere collegata, attraverso il verbo latino *deficĕre*, a un primitivo *facĕre*, mentre *uccisore* NON può essere collegato attraverso il latino *occisor* a un verbo semplice *cadĕre*. Una seconda esigenza è quella di dare il rilievo dovuto, oltre che alle parole che si distaccano e « nascono », anche a quelle che si incrociano e si « sposano »: in italiano « consumare un matrimonio » e « consumare un patrimonio » sembrano impiegare la stessa parola. Ma un tempo non era così, perché i due « consumare » rispecchiano nel primo caso il latino *consummare* e nel secondo il latino *consumĕre*. Lo studio degli incroci è essenziale per tener conto, accanto alla tradizionale etimologia proiettata nella storia, delle esigenze dell'inquadramento lessicale, insito nella cosiddetta etimologia statica o vivente. In questo testo me ne sono servito largamente.

Finalmente, esigenza fondamentale è quella di scegliere la data di nascita appropriata, anche quando questa risalga al di là del convenzionale termine del latino. Per un raffreddore il medico non si informa degli antefatti del paziente, per disturbi nella locomozione sì. Per un furterello di arance il giudice non si informa degli antenati, per un omicida più o meno folle sì.

Da questo deriva la necessità non tanto di una nuova raccolta di etimologie quanto di un avviamento a una etimologia più moderna. Questa deve concentrare la sua attenzione sui segni, che possono fare da guida all'interpretazione, proprio come un trattato di semeiotica medica introduce lo studente a orientarsi nel quadro approssimativo offertogli dal malato. Alla fine di questa indagine non si ha la diagnosi automatica, ma quello stato d'animo che, con termine forse improprio, oso chiamare « patos »: patos del medico che, dopo avere elaborato e coordinato degli indizi, formula una diagnosi; patos del giudice che, dopo aver elaborato e coordinato degli indizi, formula un capo d'accusa; patos (meno drammatico) dell'etimologista che, dopo avere vagliato indizi, attribuisce alla parola una paternità.

Per profittare di un trattato di semeiotica bisogna avere delle conoscenze preliminari. Nel nostro caso, le essenziali sono le seguenti. Il patrimonio lessicale che adoperiamo si divide innanzi tutto in quattro grandi categorie. La prima è costituita

---

[1] Vedi A. TROMBETTI, *L'unità d'origine del linguaggio*, Bologna 1905.
[2] *Französisches Etymologisches Wörterbuch*, 1922 sgg.

da parole irregolari, legate più o meno a imitazioni di suoni della natura, validi in un'area più o meno ampia: tale *babau*, che simboleggia per noi la voce del cane e che viene spiegato senza essere riferito a una parola genitrice. La seconda categoria è costituita dalle parole affluite in età più o meno lontana, per ragioni tecniche, da quelle comunità nazionali che più hanno agito sulla nostra: tale il caso delle parole inglesi nella età attuale, delle francesi durante l'Ottocento, delle greche nell'età romana. A differenza delle precedenti, queste parole hanno una progenitrice che viene presentata così: ABBONARE, dal francese *abonner*. La terza categoria è costituita dalla massa dei latinismi che, a partire dalla età di Dante, hanno fornito al nascente volgare e poi alla lingua letteraria appena costituita, quei termini di cui, per la ristrettezza degli orizzonti agricolo-artigianali-parrocchiali durante l'alto medio evo, il volgare non aveva avuto né possibilità né necessità di disporre. Questi latinismi conservati nei libri sono relativamente fedeli rispetto ai modelli: essi sono indicati in questa forma: ABACO, dal lat. *abăcus*. Anche in questi casi la parola progenitrice è identificata. Importa qui ricordare la regola meccanica dell'accento latino, per la quale, se la penultima vocale porta il segno ˘ della quantità breve, l'accento va sulla sillaba precedente, se non porta nessuna indicazione speciale, deve avere l'accento. La quarta massa è data dalle parole latine che sono state trasmesse da una generazione all'altra, senza nessuna interruzione: esse sono indicate in questa forma: SOLDO lat. *solĭdus*, senza la particella « dal ». Se l'italiano « soldo » è il latino *solĭdus*, vuol dire che non abbiamo ancora raggiunto il momento della sua nascita: questa è anteriore alla costituzione del latino come lingua storicamente concreta. È di fronte a questa quarta categoria di parole che la uscita dalla prigione romanistica è indispensabile.

Per uscire dalla prigione, il lettore deve rendersi conto di parecchi fatti. Prima di tutto deve essere chiara la nozione del latino, quale risultato di una mescolanza di parole « mediterranee », trovate sul posto, e di parole « indeuropee » venute in Italia da regioni dell'Europa centro-orientale in diverse riprese, attraverso uno stillicidio durato per parecchi secoli (XVII-IX a. C.). Le parole mediterranee non corrispondono a una area costante. Talvolta sono indicate qui come « paleoeuropee » e corrispondono allora a una area vastissima che può andare dalla Spagna fino al Caucaso attraverso collegamenti che possono essere sia europei sia anche nordafricani: esempi di parole mediterranee di grande diffusione si possono vedere sotto le voci AUSONIO, MAGIOSTRA, TABARRO. Tal'altra sono invece limitate a determinate zone, p. es. « iberiche » « liguri » e così via. Tal'altra ancora si celano attraverso l'impressionante numero di parole latine, definite nei vari lemmi come « prive di connessioni attendibili » che, estranee come sono al mondo lessicale latino, non mi arrischio a interpretare.

Un altro punto è rappresentato dalle parole sicuramente indeuropee, che a loro volta si dividono in tre categorie: la prima è quella che comprende le parole attestate praticamente in tutte le aree di lingua indeuropea, celtica germanica baltica slava tocaria da occidente a oriente e nella zona più settentrionale; latina italica greca traco-illirica ittita armena e aria, sempre da occidente a oriente ma secondo una disposizione più meridionale: esempio tipico è PADRE, lat. *pater* che « rappresenta la forma originaria del capo della famiglia patriarcale ». Altre parole indeuropee hanno una distribuzione « nordoccidentale: tale MARI, lat. *mare*, parola indeuropea nordoccidentale » perché documentata nelle aree celtica germanica baltica e slava a settentrione, ma solo nel latino a mezzogiorno. Infine parole indeuropee marginali sono quelle che si sono salvate solo nelle zone periferiche e sono state sostituite invece in quelle intermedie: tale è il caso di RE[1] lat. *rex* « antichissima parola.... sopravvivente solo nelle aree estreme latina celtica indiana ». In tutti questi casi il lettore italiano non è interessato a conoscere decine di forme in lingue a lui sconosciute: nella maggior parte dei casi gli basta la disposizione geografica più o meno ricca e varia e qui indicata con l'elenco delle « aree » in cui la parola è effettivamente documentata (vedi la carta alle pp. 488-489).

Fra le parole indeuropee e quelle mediterranee, si inserisce una certa quantità di parole latine sopravvissute in italiano e definite sopra come « prive di connessioni attendibili ». Queste costituiscono un tesoro di parole affidate alla ricerca del futuro. Questa potrà gradatamente ripartirle nell'una o nell'altra delle due categorie maggiori, non appena essa sarà riuscita a enucleare quegli spunti, che fino ad ora non siamo stati in grado di mettere in evidenza.

Da questa disposizione il lettore ricava la immagine plastica di una nebulosa primitiva, che comprende da una parte il tesoro lessicale indeuropeo e dall'altra quello mediterraneo. A questa fase succede un processo di condensazione che conduce alla strettoia del latino confinato, nel periodo delle origini, in un territorio ristrettissimo intorno a Roma. Si ha poi un'altra nebulosa, quella del latino diffuso in tutto il mondo di occidente. Ad esso segue la nuova strettoia, quella del fiorentino, cui finalmente succede la normalizzazione italiana, su un'area più ristretta di quella latina, ma assai più ampia della fiorentina.

Attraverso siffatti accorgimenti, questo « Avviamento » non solo integra i dizionarî maggiori per quanto riguarda la educazione del lettore; ma per la prima volta, al di là dell'italiano, introduce in modo moderno i problemi della etimologia latina, e assicura con questa una prospettiva proporzionata e esauriente.

La scelta dei vocaboli è certo arbitraria. La registrazione di molte parole italiane del tutto trasparenti ha lo scopo di mettere in evidenza i precedenti latini; per questo si registra DISSENZIENTE che ha una certa autonomia rispetto a DISSENTIRE, appoggiato com'è al lat. *dissentiens*, ma non RIVOLTANTE che, nonostante la sua autonomia di significato, si muove all'interno del sistema di RIVOLTARE.

Da quanto precede, è chiaro che questo « avviamento », per la sua stessa natura, non contiene grandi novità in fatto di singole etimologie. D'altra parte è impossibile citare in ogni lemma l'autore e la fonte da cui la spiegazione etimologica dipende. Ho fatto due eccezioni, per RAZZA e per RAGAZZO: mi sarebbe sembrato eccessivamente disinvolto non ricordare gli autori delle due etimologie rispettive, Gianfranco Contini e Giambattista Pellegrini.

*Primavera 1966.*             **G. D.**

## AVVERTENZA ALLA SECONDA EDIZIONE

Circostanze esterne mi hanno impedito di rivedere i materiali qui raccolti come pure sarebbe stato necessario. Mi sono limitato a operare qualche ritocco occasionale e ad accogliere alcuni suggerimenti degli amici Arrigo Castellani e Cesare Grassi, che qui vivamente ringrazio.

Alla cartina delle aree lessicali indeuropee già contenuta nella 1ª edizione (p. 488) ne ho aggiunte altre otto che tutte raccomando all'attenzione del lettore. La 2ª, 3ª, 4ª e 5ª mostrano il progressivo allargamento del latino in Italia: la 6ª e 7ª mostrano i focolai ecclesiastici di conservazione del latino e rispettivamente le zone di particolare alterazione del latino: la 8ª mostra la zona di influenza longobarda; la 9ª la sproporzione del minuscolo territorio da cui il fiorentino è irradiato per diventare lingua letteraria nazionale.

*Inverno 1968.*                                                                 G. D.

# ELENCO DELLE ABBREVIAZIONI

| | | | |
|---|---|---|---|
| *abbreviaz.* | abbreviazione | *dat.* | dativo |
| *abl.* | ablativo | *dav.* | davanti |
| *a. C.* | avanti Cristo | *d. C.* | dopo Cristo |
| *accresc.* | accrescitivo | *declinaz.* | declinazione |
| *accus.* | accusativo | *definiz.* | definizione |
| *agg.* | aggettivo | *deformaz.* | deformazione |
| *aggettiv.* | aggettivale | *denom.* | denominale |
| *aggettivaz.* | aggettivazione | *denominaz.* | denominazione |
| *alchim.* | alchimistico | *deriv.* | derivato |
| *alfab.* | alfabetico | *derivaz.* | derivazione |
| *alteraz.* | alterazione | *deverb.* | deverbale |
| *ampliam.* | ampliamento | *dim.* | dimostrativo |
| *anorm.* | anormale | *dimin.* | diminutivo |
| *ant.* | antico | *direttam.* | direttamente |
| *anteriorm.* | anteriormente | *discend.* | discendente |
| *anticam.* | anticamente | *dissimilaz.* | dissimilazione |
| *applicaz.* | applicazione | *dittongaz.* | dittongazione |
| *ar.* | arabo | *docum.* | documentato |
| *arc.* | arcano | *dor.* | dorico |
| *articolaz.* | articolazione | *ebr.* | ebraico |
| *aspiraz.* | aspirazione | *ecc.* | eccetera |
| *assibilaz.* | assibilazione | *eccl.* | ecclesiastico |
| *assimilaz.* | assimilazione | *egiz.* | egiziano |
| *associaz.* | associazione | *elem.* | elemento |
| *astr.* | astratto | *eol.* | eolico |
| *attrav.* | attraverso | *equival.* | equivalente |
| *aument.* | aumentativo | *erroneam.* | erroneamente |
| *avv.* | avverbio, avverbiale | *es.* | esempio |
| *biz.* | bizantino | *estr.* | estratto |
| *botan.* | botanico, botanici | *etimol.* | etimologico, etimologìa |
| *c.a* | circa | *eufem.* | eufemistico, eufemismo, eufemistica- |
| *cfr.* | confronta | | mente |
| *chiaram.* | chiaramente | *event.* | eventuale, eventualmente |
| *chim.* | chimico | *evidentem.* | evidentemente |
| *class.* | classico | *femm.* | femminile |
| *comp.* | composto | *figur.* | figurato |
| *compar.* | comparativo, comparazione | *figuratam.* | figuratamente |
| *composiz.* | composizione | *fondam.* | fondamentale |
| *concr.* | concreto | *foneticam.* | foneticamente |
| *cong.* | congiunzione | *formaz.* | formazione |
| *congiunt.* | congiuntivo | *frc.* | francese |
| *coniugaz.* | coniugazione | *fut.* | futuro |
| *cons.* | consonante | *genit.* | genitivo |
| *conseg.* | conseguente | *genov.* | genovese |
| *conserv.* | conservato | *geogr.* | geografico |
| *contaminaz.* | contaminazione | *germ.* | germanico |
| *corrispond.* | corrispondente, corrispondenza | *giur.* | giuristi, giuridico |
| *crist.* | cristiano | *gloss.* | glossatori |

| | | | | |
|---|---|---|---|---|
| gr. | greco | prevalentem. | prevalentemente |
| gramm. | grammatici | privat. | privativo |
| grammat. | grammaticale | prob. | probabile, probabilmente |
| ideur. | indeuropeo | procedim. | procedimento |
| imp. | imperiale | progressivam. | progressivamente |
| imperat. | imperativo | pron. | pronome |
| imperf. | imperfetto | propr. | propriamente |
| incoat. | incoativo | protolat. | protolatino |
| incr. | incrociato, incrocio | prov. | provincia |
| indic. | indicativo | provz. | provenzale |
| indirettam. | indirettamente | rad. | radice |
| inf. | infinito | raddopp. | raddoppiato, raddoppiamento |
| ingl. | inglese | rafforzam. | rafforzamento |
| iniz. | iniziale | recentem. | recentemente |
| intens. | intensivo | reg. | regione |
| interiez. | interiezione | regolarm. | regolarmente |
| interpretaz. | interpretazione | rel. | relativo |
| intrans. | intransitivo | rem. | remoto |
| introduz. | introduzione | riduz. | riduzione |
| ion. | ionico | rifl. | riflessivo |
| it. | italiano | risal. | risalente |
| iterat. | iterativo | scient. | scientifico |
| lat. | latino | sec. | secolo |
| leniz. | lenizione | semplificaz. | semplificazione |
| limitatam. | limitatamente | settentr. | settentrionale |
| lit. | lituano | sg. | singolare |
| loc. | locale, locativo | sicuram. | sicuramente |
| longob. | longobardo | signif. | significato |
| m. | morto | sill. | sillaba |
| mediaz. | mediazione | sim. | simili |
| mediterr. | mediterraneo | soluz. | soluzione |
| medv. | medievale | sopravv. | sopravvivente, sopravvissuto |
| merid. | meridionale | sost. | sostantivo |
| mil. | militare | sostantiv. | sostantivale, sostantivato |
| milan. | milanese | sostantivaz. | sostantivazione |
| moment. | momentaneo | sott. | sottinteso |
| mss. | manoscritti | sp. | spagnolo |
| n. | neutro | spec. | specialmente |
| neerl. | neerlandese | specificaz. | specificazione |
| negat. | negativo | strum. | strumento |
| nom. | nominativo | successivam. | successivamente |
| norm. | normale | suff. | suffisso |
| normalm. | normalmente | superl. | superlativo |
| norveg. | norvegese | svolgim. | svolgimento |
| obiettivam. | obiettivamente | ted. | tedesco |
| occl. | occlusivo | terminaz. | terminazione |
| ol. | olandese | tosc. | toscano |
| orig. | originario, origine | tradiz. | tradizione |
| originariam. | originariamente | traduz. | traduzione |
| palat. | palatale | trans. | transitivo |
| paragonab. | paragonabile | trascriz. | trascrizione |
| part. | participio | trattam. | trattamento |
| pass. | passato | ugualm. | ugualmente |
| pegg. | peggiorativo | ulteriorm. | ulteriormente |
| perf. | perfetto | ungh. | ungherese |
| pers. | persona | variaz. | variazione |
| p. es. | per esempio | venez. | veneziano |
| plur. | plurale | verb. | verbale |
| portogh. | portoghese | vezzegg. | vezzeggiativo |
| prec. | precedente | voc. | vocale |
| pref. | prefisso | vocab. | vocabolario |
| prelat. | prelatino | vocat. | vocativo |
| prep. | preposizione | volg. | volgare |
| pres. | presente | zool. | zoologi, zoologico |

**a,** lat. *ad*, pref. e prep. ideur. attestata nell'una o in entrambe le funzioni anche nelle aree oscoumbra, celtica, germanica, frigia, con signif. di avvicinamento. Il valore italiano è « allativo » in senso proprio o figurato e cioè di direzione verso un luogo o un modello (andare a *Roma*, lavorare a *vanvera*).

**a-¹,** dal gr. *a-*, pref. privat. o negat. discendente dalla forma anteconsonantica ṇ- (lat. arc. *en-*, class. *in-*); v. IN. Per la forma antevocalica: v. AN-.

**a-²** (ad-), lat. *ad*, con assimilaz. alla (o raddopp. della) cons. cui si appoggia, v. A.

**àbaco,** dal lat. *abăcus*, questo dal gr. *ábaks -akos* ' tavoletta ', a sua volta dall'ebr. *ābāq* ' polvere (su cui si tracciavano i segni) '.

**abate e abbate,** lat. crist. *abbās, -ātis*, questo a sua volta dall'aramaico *āb* ' padre ', attrav. il gr. *abbâ*. La forma con una sola -*b*- risale a tradiz. settentr.

**àbavo,** dal lat. *abăvus* comp. di *ab-* e *avus*; v. AVO.

**ab-** (gr. *apó*) appare dav. a voc., *i* cons., *d*, *l*, *n*, *r*, *s*.

**abbacchiare,** lat. volg. *abbaclare*, verbo denom. da *bac(ŭ)lum* ' bastone ' con *ad-*; v. BACCHIO.

**abbacchio,** prob. estr. da *abbacchiato* nel senso di ' abbattuto '.

**abbacinare,** verbo denom. da *bacino* (v.) col pref. *a(d)-* ' avvicinare (agli occhi) un bacino (rovente) '.

**àbbaco,** v. ÀBACO (con raddopp. della cons. postonica in parola sdrucciola).

**abbadare,** da *badare* col pref. *a(d)-*.

**abbadessa,** dal lat. *abbatissa* con leniz. sett. di -*t*- in -*d*-; v. ABATE e cfr. BADESSA.

**abbagliare,** verbo denom. dal lat. volg. *baljus* ' lampeggiante '; v. BAGLIORE.

**abbaiare,** da una serie onomatop. *bai*, che imita la voce del cane.

**abbaino,** dal ligure *abaén* e questo da *abatino*, colore della tonaca degli abati, applicato al colore dei pezzi di ardesia che chiudono gli abbaini.

**abbaio,** sost. deverb. di valore durativo da *abbaiare*.

**abbandonare,** dal frc. medv. *à ban donner* ' mettere a disposizione di chicchessia '.

**abbarbicare,** da *barbicare* col pref. *a(d)-*.

**abbaruffare,** verbo denom. da *baruffa* col pref. *a(d)-*.

**abbassare,** verbo denom. da *basso* col pref. *a(d)-*.

**abbastanza,** da *a-²* e *bastanza*, antico astr. di *bastare* (v.).

**abbatacchiare,** verbo denom. da *batacchio* col pref. *a(d)-*.

**abbate,** v. ABATE.

**abbàttere,** lat. volg. *abbattĕre* comp. di *a(d)-* e lat. tardo *battĕre*; v. BÀTTERE.

**abbatuffolare,** verbo denom. da *batùffolo* col pref. *a(d)-*.

**abbazìa,** dal lat. tardo *abbatìa*, deriv. di *abbas* con accentazione greca; cfr. BADIA.

**abbecedario,** dal lat. tardo *abecedarius* incr. col pref. it. *a(d)*.

**abbeverare,** lat. volg. *adbiberare*, forma intens. di *bibĕre* col pref. *a(d)-*.

**abbeveratoio,** nome di strum. da *abbeverare*, con norm. suff. tosc. in -*oio* (da -*oriu*).

**abbiccì,** dalle prime lettere dell'alfabeto *a*, *b*, *c*, con raddopp. destinati a saldare i tre elementi allineati.

**abbiente,** part. pres. sostantiv. fatto sul congiunt. *abbia* anziché sull'inf. *avere*, come il norm. *avente*.

**abbietto,** v. ABIETTO.

**abbiezione,** v. ABIEZIONE.

**abbigliamento,** dal frc. *habillement*.

**abbigliare,** dal frc. *habiller*.

**abbinare,** incr. di *accoppiare* e *combinare* (v.).

**abbindolare,** verbo denom. da *bindolo* (v.) col pref. *a(d)-*.

**abbiosciare,** verbo denom. da *bioscia*.

**abboccare,** verbo denom. da *bocca* col pref. *a(d)-*.

**abbominare** e deriv., v. ABOMINARE e deriv.

**abbonare¹** ' render buono '; v. ABBUONARE.

**abbonare²** ' pattuire un prezzo per prestazioni ripetute ', dal frc. *abonner* incr. col pref. it. *a(d)-*.

**abbondanza,** lat. *abundantia* incr. col pref. it. *a(d)-*.

**abbondare,** lat. *abundare* incr. col pref. it. *a(d)-*.

**abbonire,** verbo denom. da *buono* col pref. *a(d)-*.

**abbordaggio,** dal frc. *abordage* incr. col pref. it. *a(d)-*.

**abbordare,** dal frc. *aborder* incr. col pref. it. *a(d)-*.

**abborracciare,** verbo denom. da *borraccio* ' canovaccio ' col pref. *a(d)-*.

**abborrire** e deriv., v. ABORRIRE e deriv.

**abbozzare¹,** verbo denom. da *bozza¹* col pref. *a(d)-*: ' dare una prima forma '.

**abbozzare²,** verbo denom. da *bozzo¹* col pref. *a(d)-*: ' rassegnarsi '.

**abbracciare,** verbo denom. da *braccio* col pref. *a(d)-*.

**abbrancare¹,** verbo denom. da *branca* col pref. *a(d)-*.

**abbrancare²,** verbo denom. da *branco* col pref. *a(d)-*.

**abbreviare,** dal lat. tardo *abbreviare*, verbo denom. da *brevis* col pref. *a(d)-*; v. BREVE.

**abbriccare,** deriv. dall'it. settentr. *bricco* e questo dal mediterr. *\*brìkka* ' rupe ', ' rilievo aguzzo del terreno '; v. BRICCA.

**abbrivare,** dal provz. *abrivar* ' slanciarsi ' e questo prob. dal gallico *\*brigos* ' forza '.

**abbronzare,** verbo denom. da *bronza* ' brace accesa ' col pref. *a(d)-* (Castellani).

**abbrunare,** verbo denom. da *bruno* col pref. *a(d)-*.

**abbruscare,** da *bruscare* col pref. *a(d)-*.

**abbrustolire,** da un lat. *\*ambustulare* iterat. di *amb-urĕre* analizzato come *\*am-burĕre* e incr. con *a(d)-* e *\*brus(iare)*; v. BRUCIARE. Il passaggio dalla coniugaz. it. in -are a quella in -ire sottolinea il valore conclusivo del verbo.

**abbrutire,** verbo denom. da *bruto* col pref. *a(d)-*.

**abbuonare,** verbo denom. da *buono* col pref. *a(d)-*, col dittongo mantenuto anche fuori d'accento per distinguersi da *abbonare*[2].

**abbuono,** da *(segnare) a buono* cioè ' a credito '.

**abburattare,** verbo denom. da *buratto* col pref. *a(d)-*.

**abdicare,** dal frc. *abdiquer* e questo dal lat. *abdicare*; v. DEDICARE.

**abdicazione,** dal lat. *abdicatio, -onis.*

**abduzione,** dal lat. *abductio, -onis,* nome d'azione di *abducĕre.*

**abecedario,** v. ABBECEDARIO.

**aberrare,** dal lat. *aberrare*; v. ERRARE.

**aberrazione,** dal lat. *aberratio, -onis.*

**abete,** dal lat. tardo *abētem* (class. *abies, -ĕtis*), risal. a un imprecisato tema mediterr., forse ABYET-.

**abiàtico,** lat. *aviatìcus* attrav. una tradiz. it. settentr. che semplifica il gruppo consonantico -bbia- in -bia-; cfr. invece TREBBIO (da *trivium*).

**abietto,** dal lat. *abiectus,* part. pass. di *abicĕre* comp. di *ab-* e *iacĕre,* con norm. passaggio di -ia- in -ie- in sill. interna chiusa e in -i- in sill. interna aperta.

**abiezione,** dal lat. *abiectio, -onis.*

**abigeato,** dal lat. tardo (giur.) *abigeatus, -us,* astr. di *abigeus* ' ladro di bestiame ' deriv. di *abigĕre* ' portar via ', comp. di -ab- e *agĕre* con norm. passaggio di -a- in -i- in sill. interna aperta; v. ÀGILE.

**àbile,** dal lat. *habĭlis* ' maneggevole ', agg. verb. passivo di *habere* passato a valore attivo ' che sa tenere in mano '; v. AVERE.

**abilità,** dal lat. *habilĭtas, -atis.*

**abilitare,** verbo denom. causativo da *àbile* col suff. -itare; cfr. *facilitare* da *fàcile, mobilitare* da *mòbile.*

**abissare,** verbo denom. da *abisso.*

**abisso,** dal lat. *abyssus* e questo dal gr. *ábyssos* (da *a-* e *byssós:* « senza fondo »).

**abitàbile,** dal lat. *habitabĭlis.*

**abitàcolo,** dal lat. tardo *habitacŭlum.*

**abitare,** dal lat. *habitare,* intens. di *habere.*

**abitatore,** dal lat. *habitator, -oris.*

**abitazione,** dal lat. *habitatio -onis.*

**àbito,** dal lat. *habĭtus, -us,* ' contegno ', ' aspetto '.

**abituale,** dal lat. medv. *habitualis.*

**abituare,** dal lat. tardo *habituare,* verbo denom. da *habĭtus, -us.*

**abitùdine,** dal lat. *habitūdo, -ĭnis.*

**abituro,** dal lat. medv. *habiturium,* formato su *tugurium* e quindi con senso peggiorativo. Trattato secondo lo schema non tosc. da -uriu in -uro anziché in -oio; cfr. *rasoio,* lat. *rasorium* o il nome loc. *Petroio* da *Praetorium* (non *\*Petroro*).

**abiurare,** dal lat. *ab-iūrāre* ' negare con giuramento '.

**ablativo,** dal lat. *ablātīvus cāsus* ' il caso che indica l'atto del portar via ', cioè del moto da luogo: ricalcato sul gr. *aphairetikĕ ptôsis.*

**ablazione,** dal lat. *ablātio, -onis,* nome d'azione nel sistema di *auferre,* tratto dal part. pass. *ablatus*; v. LATORE.

**abluzione,** dal lat. *ablūtio, -onis,* nome d'azione di *abluĕre* (comp. di *ab* e *lavĕre,* con norm. passaggio di -av- in -ŭ- in sill. interna davanti a voc.) col passaggio di *au* in -ū- dav. a cons. secondo il rapporto dei part. *lautus* e *ablūtus.*

**abnegazione,** dal lat. tardo *abnegatio, -onis.*

**abnorme,** dal lat. *abnormis.*

**abolire,** dal lat. *abolĕre,* passato alla coniugaz. in -ire-: *abolere* sembra con *delere,* appartenere alla famiglia, di *alĕre* ' alimentare ', con la prep. *ab-* (ideur. APO) come *proles*; v. ALUNNO e cfr. ALIMENTO, INDOLE, PROLE, ALTO, ADULTO, DELEBILE.

**abolizione,** dal lat. *abolitio, -onis.*

**abomaso,** comp. moderno di lat. *ab-* e lat. *omasum*; v. OMASO.

**abominàbile,** dal lat. tardo *abominabĭlis.*

**abominare,** dal lat. *abominari* ' respingere come cattivo presagio ', verbo denom. da *omen* ' presagio ' col pref. *ab-* di allontanamento. *Omen* è privo di connessioni ideur. attendibili.

**abominazione,** dal lat. *abominatio, -onis.*

**abominévole,** dal lat. tardo *abominabĭlis* incr. con gli agg. verb. it. in -évole.

**abominoso,** dal lat. tardo *abominosus.*

**aborìgeno,** dal nome di una antichissima popolazione del Lazio, adattato già dagli antichi in modo da essere deriv. da *ab origine:* ' gli originarî '.

**aborrire,** dal lat. *abhorrĕre,* passato alla coniugaz. in -ire; v. ÒRRIDO.

**abortire,** dal lat. tardo *abortire.*

**abortivo,** dal lat. *abortivus.*

**aborto,** dal lat. *ab-ortus, -us* e cioè ' nascita a vuoto '.

**abracadabra,** dal lat. tardo *abracadabra,* parola magica artificiale.

**abrasione,** dal lat. tardo *abrasio, -onis,* nome d'azione di *abradĕre*; v. RÀDERE.

**abrogare,** dal lat. *ab-rogare* ' ritirare, annullare ' una legge; v. RÒGITO.

**abrogazione,** dal lat. *abrogatio, -onis.*

**abròstine** e **abròstino,** parola paleoligure che si ritrova nel lat. *labrusca,* attributo di ' vite '. Ha perduto l'*l-* iniz. inteso come articolo e documenta il suff. pure ligure -tino- al posto di -co-: uva o vite *\*l'abrùs-tina*; cfr. LAMBRUSCO.

**abròtano,** dal lat. *abrotŏnum* che è dal gr. *abrótonon.*

**àbside,** dal lat. *absĭda, -ae* incr. con lat. imp. *apsis, -ĭdis*; e questo dal gr. *(h)apís, -ídos.*

**abulìa,** dal gr. *abūlía* ' sconsigliatezza ', rianalizzato modernamente in *a-bùlia* ' non-volontà '.

**abusivo,** dal lat. tardo *abusivus.*

**abuso,** dal lat. *abūsus, -us,* astr. di *abuti*; v. USO.

**acacia,** dal lat. *acacia* e questo dal gr. *akakía*; cfr. *gaggìa.*

**acagiù,** dal frc. *acajou* ' anacardio (specie di mandorlo nero) ', e questo dalla lingua tupì (indigena del Brasile) attrav. il portogh. *acaju, caju.*

**acanto,** dal lat. *acanthus* e questo dal gr. *ákanthos.*

**àcaro,** dal lat. scient. *acarus* e questo dal gr. *ákari.*

**acatalèttico,** dal lat. tardo (dei gramm.) *acatalectĭcus.*

**acataletto,** dal lat. tardo (dei gramm.) *acatalectus,* che è dal gr. *akatálēktos.*

**acattòlico,** da *á-* e *cattòlico.*

**acaule,** dal lat. *acaulis* e questo da *caulus* con a-privat. (di orig. gr.). *Caulus* ' gambo ' ha connessioni nelle aree greca, celtica, baltica.

**acca,** si suppone da un lat. *\*hacca.*

**accademia,** da un lat. *\*academĭa* che mantiene l'accento di terz'ultima e riduce la quantità della penultima sill. del gr. *Akadémeia,* giardino di Academo presso Atene. Nel lat. class. è *Academĭa* con accento sulla penultima. La doppia *-cc-* è dovuta a incrocio con it. *a(d)-.*

**accadèmico,** incr. di lat. *Academĭcus* e it. *accademia.*

**accadere,** lat. volg. *\*accadere,* che mantiene il signif. di *accidĕre,* ricalcandone la forma su *\*cadēre* (class. *cadĕre*); cfr. ACCIDENTE e v. CADERE.

**accalappiare,** verbo denom. da *calappio* col pref. *a(d)-.*

**accampamento,** da *accampare.*

**accampare,** verbo denom. da *campo* col pref. *a(d)-.*

**accanire,** da *accanito* (v.).

**accanito,** da *a(d)* e *cane*: ' ridotto a cane '.

**accanto,** da *a(d)* e *canto.*

**accantonare¹,** dal frc. *cantonner* incr. col pref. it. *a(d)-.*

**accantonare²,** verbo denom. da *cantone.*

**accapezzare,** verbo denom. da *capezza* col pref. *a(d)-.*

**accapigliare,** da una base *\*capiglia* ' chiome ' che presuppone un lat. volg. *\*capillia,* collettivo di *capillum* ' capello ' (v.).

**accappatoio,** nome di strum. di un non docum. *\*accappare* verbo denom. da *cappa* col pref. *a(d)-,* con norm. suff. tosc. *-oio* (lat. volg. *-oriu*).

**accasciare,** lat. volg. *\*adquassiare,* comp. di *ad-* e *quassare* ' crollare ' intens. di *quatĕre* ' scuotere ' (v.).

**accatastare¹,** verbo denom. da *catasta* col pref. *a(d)-.*

**accatastare²,** verbo denom. da *catasto* col pref. *a(d)-.*

**accatricchiarsi,** deriv. da *\*catricchia,* forma it. del lat. volg. *\*catricŭla,* metatesi di class. *cratícŭla* ' graticola '.

**accattare,** lat. volg. *\*adcaptare* comp. di *ad* e *captare,* intens. di *capĕre.* L'analogo deriv. class. ha dato *acceptare,* intens. di *accipĕre;* v. ACCETTARE.

**accattivare,** da *cattivare* col pref. *a(d)-.*

**accavalciare,** dal frc. *achevauchier,* deriv. di *chevauchier* ' cavalcare '; v. CAVALCIONI.

**accavigliare,** verbo denom. da *caviglia* col pref. *a(d)-.*

**accecare,** verbo denom. da *cieco* col pref. *a(d)-,* senza dittongo perché fuori d'accento.

**accecatoio,** nome di strum. da *accecare* come *abbeveratoio, frantoio, accappatoio, serbatoio.*

**accèdere,** dal lat. *accedĕre,* comp. di *a(d)* e *cedĕre;* v. CEDERE.

**acceggia** ' beccaccia ', lat. tardo *acceia* di provenienza (per il suff. di deriv.), osco-umbra.

**accelerare,** dal lat. *accelerare,* verbo denom. da *celer;* v. CELERE.

**accelerazione,** dal lat. *acceleratio, -onis.*

**accèndere,** lat. *accendĕre,* comp. di *ad-* e *\*-candĕre* ' infiammare ' che, come verbo, trova una corrispond. approssimativa solo nel sanscrito *candati* ' illumina ', mentre si hanno corrispond. nominali

nelle aree celtica e albanese riconducibili tutte a una rad. (S)KAND, cfr. anche CANDIDO.

**accendino,** da *accèndere* con suff. di nome d'agente *-ino;* cfr. *spazzino.*

**accennare,** da *cennare* col pref. *a(d)-.*

**accensìbile,** dal lat. tardo *accensibĭlis.*

**accensione,** dal lat. tardo *accensio, -onis,* nome di azione di *accendĕre.*

**accento,** dal lat. *accentus, -us,* e questo, comp. di *ad* e *cantus* sul modello del gr. *pros-ō(i)dĭa,* con norm. passaggio di *-a-* in *-e-* in sill. interna chiusa; v. CANTO.

**accentuare,** dal lat. medv. *accentuare.*

**accerito,** incr. di lat. *cerritus* e it. *acceso.* Lat. *cerritus* ' furioso ', deriva da un tema *\*kers* (come *maritus* da *\*mar-*; v. MARITO), senza chiara connessione col tema della dea *Ceres* ' Cerere '.

**acceso,** lat. *accensus,* norm. part. pass. di *accendĕre.*

**accessìbile,** dal lat. tardo *accessibĭlis.*

**accessibilità,** dal lat. tardo *accessibílĭtas, -atis.*

**accessione,** dal lat. *accessio, -onis,* nome d'azione di *accedĕre.*

**accesso,** dal lat. *accessus, -us.*

**accessorio,** dal lat. medv. *accessorius.*

**accestire,** verbo denom. da *césto²* col pref. *a(d)-.*

**accetta,** dal frc. ant. *hachette,* dimin. di *hache,* cfr. ASCIA, AZZA.

**accettàbile,** dal lat. tardo *acceptabĭlis.*

**accettare,** dal lat. *acceptare,* intens. di *accipĕre,* comp. di *ad-* e *capĕre;* v. CAPIRE, con passaggio di *-ă-* in *-ĭ-* in sill. interna aperta, in *-ĕ-* in sill. interna chiusa; cfr. ACCATTARE.

**accettatore,** dal lat. tardo *acceptator, -oris.*

**accettazione,** dal lat. tardo *acceptatio, -onis.*

**accetto,** dal lat. *acceptus* ' gradito '.

**accezione,** dal lat. *acceptio* nel senso giur. di ' accettazione '.

**acchetare,** verbo denom. da *cheto* (v.) col pref. *a(d)-.*

**acchiappare,** da *chiappare* col pref. *a(d)-.*

**acchito,** dal frc. *acquit* e questo da *acquitter* ' liberare '.

**accia,** lat. *acia,* con rafforzam. della cons. palat. dopo l'accento. Lat. *acia* è astr. e collettivo di *acus* ' ago '; v. AGO.

**acciaccare,** verbo denom. da *acciacco.*

**acciacco,** dallo sp. *achaque* ' malattia abituale ' e questo dall'ar. *shaqā'* ' pena '.

**acciaio,** lat. tardo (*ferrum*) *aciarium* e questo da *acies* ' filo della spada '; cfr. ACIDO e AGO: con trattam. tosc. di *-ariu* in *-aio;* cfr. ACCIARO.

**acciarino,** dimin. di *acciaro* (v.).

**acciaro,** lat. tardo *aciarium,* col trattam. merid. di *-ariu* in *-aro;* cfr. ACCIAIO, incr. nell'iniz. *-acc-* con it. *acciaio.*

**accidèmpoli,** dell'interiez. *accidenti!* incr. col nome della città tosc. di Empoli.

**accidentale,** dal lat. tardo *accidentalis.*

**accidente,** dal lat. *accidĕns, -entis,* part. pres. di *accidĕre,* comp. di *ad-* e *cadĕre* con norm. passaggio di *-a-* in *-i-* in sill. interna aperta; cfr. ACCADERE.

**acciderba,** dall'interiez. *accidenti!* incr. eufem. con *erba.*

**accidia,** dal lat. medv. *accidia,* che è dal gr. *akēdia* ' negligenza ', attrav. il lat. class. *acēdia,* caduto poi sotto l'influenza di *accĭdens.*

**accigliare,** verbo denom. da *ciglio* col pref. *a(d)-.*

**accìngere**, dal lat. *accingĕre* (v. CINGERE) ' cingere intorno, prepararsi (al combattimento) '.

**-accio**, lat. volg. *\*acjus*, class. *-acĕus*, suff. formativo di agg. di somiglianza (progressivam. adoperato come peggiorativo), con norm. raddopp. della cons. moment. nel gruppo *-cj-* dopo l'accento.

**acciocché**, da *a ciò che*.

**acciocchire**, verbo denom. da *ciocco* col pref. *a(d)-*.

**accipicchia**, dall'interiez. *accidenti!* incr. eufem. con *picchia*.

**accismare**, dal frc. ant. *acesmer* ' acconciare '.

**acciuffare**, verbo denom. da *ciuffo* col pref. *a(d)-*.

**acciuga**, lat. volg. *\*apiuva*, parola mediterr. imparentata col gr. *aphȳē*, nome di un piccolo pesce; ampliata con suff. lat., e con trattam. fonetico genov. di *-pju-* in *-ciu*.

**acclamare**, dal lat. *acclamare*; v. CHIAMARE.

**acclamazione**, dal lat. *acclamatio, -onis*.

**acclarare**, verbo denom. dal lat. *clarus* col pref. *a(d)-*; v. CHIARO.

**acclimatare**, dal frc. *acclimater*.

**acclive**, dal lat. *acclivis*, v. CLIVO.

**acclività**, dal lat. *acclivitas, -atis*.

**acclùdere**, dal lat. tardo *accludĕre*, comp. di *ad-* e *claudĕre* con norm. passaggio di *-au-* in *-ū-* in sill. interna.

**accoccare**, verbo denom. da *cócca* col pref. *a(d)-*.

**accoccolare**, dalla serie onomatop. *co... co...* col pref. *a(d)-*; v. CÒCCA[2].

**accodare**, verbo denom. da *coda* col pref. *a(d)-*.

**accògliere**, incr. di lat. *\*accolligĕre* e it. *cògliere*.

**accòlito**, dal lat. tardo eccl. *accolĭtus* e questo dal gr. *akólūthos* ' compagno di strada ' (*a-* copulativo e *kéleuthos* ' sentiero ') incr. col pref. it. *a(d)-*, cfr. ANACOLUTO.

**accollare**, verbo denom. da *collo* col pref. *a(d)-*.

**accolta**, forma femm. sostantiv. del part. pass. di *accògliere*; v. CÒLTO.

**accomandare**, da *comandare* col pref. *a(d)-* di direzione.

**accommiatare**, verbo denom. da *commiato* col pref. *a(d)-*.

**accomodare**, dal lat. *accommodare* incr. con it. *comodo*.

**accomodazione**, dal lat. *accommodatio, -onis* incr. con it. *accomodare*.

**acconciare**, da *conciare* col pref. *a(d)-*.

**accondiscèndere**, da *condiscéndere* col pref. *a(d)-*.

**acconsentire**, da *consentire* col pref. *a(d)-*.

**accontare**, dal frc. ant. *acointer*, lat. volg. *\*accognitare* ' venire a conoscersi ', verbo denom. da *cognĭtus* col pref. *a(d)-*; v. CÒGNITO.

**acconto**, da *a conto* (v.).

**accoppare**, verbo denom. da *coppa* col pref. *a(d)-*.

**accoppiare**, verbo denom. da *coppia* col pref. *a(d)-*.

**accorare**, forse dal provz. *acorar*.

**accorciare**, lat. volg. *\*adcurtiare* verbo denom. da *curtus* ' corto '.

**accordare**, lat. volg. *\*adcordare*, che è fatto su *concord-are*. Come termine musicale da *\*acchordare*, e questo dal gr. *khordé* attrav. il lat. class. *chorda*.

**accòrgere**, lat. volg. *\*adcorrigĕre* comp. di *ad-* e *corrigĕre*, con la caduta della voc. *-ĭ-* determinata dalla prima pers. sing. *\*adcorr(ĭ)go*, cfr. *surgo, pergo*: v. SORGERE.

**accòrre**, v. ACCÒGLIERE.

**accórrere**, lat. *accurrĕre* comp. di *ad-* e *currĕre*.

**accorruomo** e **accorr'uomo**, da *accorri, uomo*.

**accorto**, part. pass. di *accorgere* secondo il modello, già attestato in lat. da Livio Andronico, di *sortus* rispetto a *surgĕre*.

**accosciare**, verbo denom. da *coscia* col pref. *a(d)-*.

**accostare**, verbo denom. da *costa* nel senso lat. di ' lato ' col pref. *a(d)-*.

**accosto**, sost. deverb. da *accostare* (v.) irrigidito in forma avverbiale.

**accovacciare**, verbo denom. da *covaccio* col pref. *a(d)-*.

**accovare**, lat. *accubare* comp. di *ad-* e *cubare*; v. COVARE.

**accozzaglia**, da *accozzo* col suff. peggiorativo *-aglia*; cfr. *cianfrusaglia*.

**accozzare** ' mettere insieme ', forma semplificata di *\*accozzonare*, lat. volg. *\*coctionare*, verbo denom. da *coctio -onis* ' mediatore ' col pref. *a(d)*. Lat. *coctio* è di prob. orig. etrusca.

**accozzo**, sost. deverb. da *accozzare*.

**accreditare**, verbo denom. da *crédito* col pref. *a(d)-*.

**accrédito**, sost. deverb. da *accreditare*.

**accréscere**, dal lat. *accrescĕre*; v. CRÉSCERE.

**accrespare**, verbo denom. da *crespo* col pref. *a(d)-*.

**accucciarsi**, verbo denom. da *cuccia* col pref. *a(d)-*.

**accudire**, dallo sp. *acudir*, incr. col pref. it. *a(d)-*.

**accumulare**, dal lat. *accumulare*; v. CUMULO.

**accumulatore**, dal lat. *accumulator, -oris*.

**accumulazione**, dal lat. *accumulatio, -onis*.

**accupare**, verbo denom. da *cupo* (v.) col pref. *a(d)-*.

**accurato**, dal lat. *accuratus*; v. CURA.

**accusàbile**, dal lat. *accusabĭlis*.

**accusare**, dal lat. *accusare* e questo da *ad* e *causare* con norm. passaggio di *-au-* a *-ū-* in sill. interna.

**accusativo**, dal lat. *accūsatīvus cāsus*, caso che definisce ' ciò che è causato ' (e non ciò che è ‹ accusato ›); calco sul gr. *aitiatikḗ ptôsis*.

**accusatore**, dal lat. *accusator, -oris*.

**accusatorio**, dal lat. *accusatorius*.

**acèfalo**, attrav. il lat. tardo *acephălus*, dal gr. *aképhalos*, risultante da *a-* privat. e *kephalḗ* ' testa '.

**acerbità**, dal lat. *acerbĭtas, -atis*.

**acerbo**, dal lat. *acerbus*, formaz. parallela a *probus* v. PROBO e cioè da un tema *bho-* della rad. BHEWĒ, v. FUI, comp. con AKRI- di *acer*, v. ACRE.

**àcero**, dal lat. *acer, -ĕris*, parola ideur. nordoccidentale, attestata p. es. nel ted. *Ahorn* ' acero '.

**acèrrimo**, dal lat. *acerrĭmus*, superl. di *acer*, risultante dal tema *akri-*, v. ACRE, e il suff. *-sĭmo-*, cfr. *maxĭmus, pessĭmus*; v. MASSIMO.

**acervo**, dal lat. *acervus*, senza connessione evidente per la parte radicale, paragonab. a *caterva* per il suff.; v. CATERVA.

**acetàbolo**, dal lat. *acetābŭlum* ' vaso per l'aceto ', nome di strum. del verbo tardi attestato *acetare* ' far l'aceto '.

**acetilene**, dal frc. *acéthylène* e questo da *éthyle* col pref. *ac-* di ' acido ' e il suff. chimico *-ène*. (XIX sec.).

**aceto**, lat. *acetum*, forma sostantiv. di un agg. *\*acetus* che sta al verbo incoat. *acescĕre* ' inacidirsi ' come *exoletus* ' che ha cessato di crescere ' a *exolescĕre* ' cessar di crescere ', cfr. FACETO, mentre, per la rad. v. ACIDO.

**acetone**, dal frc. *acétone*.

**acetosa,** dal frc. (*acide*) *acét(ique*), col suff. it. *-osa*.

**acetoso,** dal lat. tardo *acetosus*.

**acheronte,** dal lat. *Achĕron,* che è dal gr. *Akhérōn, -ontos.*

**acherontèo,** dal lat. tardo *acherontĕus.*

**acheróntico,** dal lat. tardo *acherontĭcus.*

**acidità,** dal lat. *acidĭtas, -atis.*

**àcido,** dal lat. *acĭdus,* norm. agg. in *-ĭdus* di fronte a un verbo di stato come *acēre* ' essere acido '. La rad. AK ' esser puntuto ' è riccamente attestata, con ampliam. varî, nelle aree greca, armena, indiana, slava. In lat. oltre alla forma verb. primitiva, si ha anche l'astr. primitivo *acies* ' filo della spada ', per cui v. ACCIAIO.

**acìdulo,** dal lat. *acidŭlus.*

**àcino,** dal lat. *acĭnus,* di prob. orig. mediterr., come *pampĭnus*; v. PÀMPINO.

**acinoso,** dal lat. *acinosus.*

**acme,** dal gr. *akmế* ' punta '.

**acne,** da erronea lettura del gr. *akmế* ' punta '.

**acònito,** dal gr. *akóniton,* con l'accento mantenuto sulla terz'ultima, a differenza del lat. *aconitum.*

**acqua,** lat. *aqua* col rafforzam. di *-qu-* in *-cqu-*. Lat. *aqua* è parola ideur. nordoccidentale sopravv. identica nel gotico *ahva* e col signif. di ' prateria umida ' nel ted. *Aue*. Il tema AKwĀ indica l'acqua, obiettivam. intesa, priva di connessioni religiose o tecniche, quale appariva nelle reg. nordoccidentali, umide, in contrasto con le aride sudorientali, in cui si è affermato il termine parallelo AP.

**acquaio,** lat. *aquarium* incr. con it. *acqua* e il trattam. tosc. di *-ariu* in *-aio*.

**acquario,** dal lat. *aquarium* incr. con it. *acqua*.

**acquarzente,** dallo sp. *aguardiente* ' acqua ardente ' incr. con it. *acqua* e *arzente*.

**acquàtico,** dal lat. *aquatĭcus* incr. con it *acqua*. *Aquatĭcus* è da *aqua* come *silvatĭcus* da *silva*; v. SELVATICO.

**acquattare,** verbo denom. da *quatto* (v.) col pref. *a(d)-*.

**acquavite,** dal lat. medv. *aqua vitae* ' acqua di vita ', termine degli alchimisti.

**acquazzone,** lat. *aquatio, -onis,* nome d'azione del verbo *aquare* ' dare acqua ' (cfr. GUAZZO) incr. con it. *acqua*.

**acquedotto,** lat. *aquae ductus* ' conduttura d'acqua ', cfr. DOCCIONE.

**acquemoto,** calco su *terremoto*.

**àcqueo,** dal lat. *aqueus* incr. con it. *acqua*.

**acquidoccio,** lat. volg. *aquiducium* tratto dal lat. tardo *aquidŭcus* ' conduttore d'acqua ', incr. con it. *acqua*.

**acquiescente,** dal lat. *adquiescens, -entis* ' colui che si accheta, contenta '; v. QUIETE.

**acquietare,** verbo denom. da *quiete* col pref. *a(d)-*.

**acquirente,** dal lat. *adquĭrens, -entis* comp. di *ad* e *quaero* ' chiedo ', con norm. passaggio di *-ae-* in *-ĭ-* in sill. interna; v. CHIÈDERE.

**acquisire,** verbo estr. dal part. pass. *acquisito.*

**acquisito,** dal lat. *adquisĭtus,* deriv. da *ad* e *quaesitus* ' chiesto ', con norm. passaggio di *-ae-* in *-ĭ-* in sill. interna; v. QUESITO.

**acquisizione,** dal lat. tardo *acquisitio, -onis,* nome d'azione nel sistema di *acquirĕre*.

**acquistare,** lat. volg. *adquis(i)tare,* verbo intens. nel sistema di *adquirĕre*.

**acquisto,** sost. deverb. da *acquistare*.

**acquitrino,** lat. volg. *aquitrinum* che si comporta di fronte ad *aquari* ' approvvigionarsi d'acqua ' come *pistrinum* ' luogo dove si pesta il grano '. di fronte a *pistare,* intens. di *pinsĕre*; cfr. PISTORE.

**acquosità,** dal lat. tardo *aquosĭtas, -atis* incr. con it. *acqua*.

**acquoso,** dal lat. *aquosus* incr. con it. *acqua*.

**acre,** dal lat. *ācer, ācris, ācre,* ampliam. in *-r-* della rad. AK ' esser puntuto ', v. ÀCIDO; con forme ugualm. in *-r-* attestate nelle aree greca, oscoumbra, slava, indiana, celtica.

**acrèdine,** dal lat. tardo *acrēdo, -ĭnis* ' rancore, livore '.

**acribìa,** dal gr. *akríbeia,* astr. di *akribés* ' accurato '.

**acridio,** dal lat. scient. *acridium* che è dal gr. *akrídion* dimin. *akrís* ' cavalletta '.

**acrimonia,** dal lat. tardo *acrimonia* ' livore '.

**acrisìa,** calco su *acrítico* secondo il rapporto di *poesia* a *poetico*.

**acrìtico,** comp. di *a¹-* e *critico*.

**acro-,** dal gr. *ákros* ' estremo '.

**acro-,** dal frc. *acre,* che è dall'ingl. *acre,* e questo dal lat. *ager*.

**acròbata,** dal frc. *acrobate* e questo dal gr. *ákros* e *-batēs* ' chi cammina sulle punte (dei piedi) '.

**acrobàtico,** dal gr. *akrobatikós*.

**acrocoro,** dal gr. *akro-* e *khôros*: « alta regione ».

**acromàtico,** deriv. da un tema *acromato-* ' senza colore '.

**acròmato-,** dal gr. *a-* privat. e *khrôma, -atos* ' colore '.

**acromatopsìa,** comp di *acromato-* e *-opsìa*.

**acromìa,** dal gr. *akhrômía,* comp. di *a-* priv. e *khrôma* ' colore ' col suff. di astr.

**acròpoli,** dal gr. *akrópolis* ' città alta '.

**acròstico,** adattamento del gr. *akróstikha* (pl.) ' versi (*stikha*) disposti in alto (*akro-*) '.

**acroterio,** dal gr. *akrōtḗrion* attrav. il lat. *acroterium*.

**acuire,** dal lat. *acuĕre,* con passaggio alla coniugaz. in *-ire. Acuĕre* è verbo denom. da *acus,* cfr. AGO, come *tribuĕre* di *tribus* e *statuĕre* di *status*.

**aculeato,** dal lat. *aculeatus*.

**acùleo,** dal lat. *aculĕus,* ampliam. di *acus*; v. AGO.

**acume,** dal lat. *acumen,* nome d'agente di *acuĕre*; v. ACUIRE, come *flumen* da *fluĕre*.

**acumetrìa,** da *acu(stico)metria*.

**acuminare,** dal lat. *acuminare.* verbo denom. da *acumen, -ĭnis*.

**acùstica,** dal frc. *acoustique,* e questo dal gr. *akūstikós, akúō*.

**acùstico,** dal gr. *akūstikós*.

**acutàngolo,** dal lat. tardo *acutiangŭlus* comp. di *acutus* e *angŭlus* ricalcato sul gr. *oxygónios*.

**acuto,** dal lat. *acutus,* deriv. di *acus*: ' fornito di punta '.

**ad,** v. A.

**ad-,** v. A-².

**adacquare,** dal lat. tardo *adaquare* incr. con it. *acqua*.

**adagio¹** ' lentamente ', da *ad agio*.

**adagio²** ' motto ', dal lat. *adāgium,* collegato con *prod-ig-ium* e il verbo *aio* (da *agyo*). La rad. di quest'ultimo, ĀG/AG, ha connessioni approssimative nelle aree greca e armena.

**adamantino,** dal gr. *adámas, -antos* attrav. il lat. *adāmas, -antis* e il deriv. aggettiv. in *-ino,* che attira l'accento it. sulla penultima, contro il modello lat. *adamantĭnus*.

**adamìtico**, dal nome della setta degli Adamiti (IV sec. d. C.) che pretendevano di avere riguadagnato l'innocenza di Adamo e quindi il costume di andare in giro nudi.

**adattare**, dal lat. tardo *adaptare* comp. di *ad* e *aptare*; v. ATTO².

**adatto**, incr. di *adattato* e di *atto* (agg.).

**addare**, da *ad* e *dare*.

**addebitare**, verbo denom. da *débito* col pref. *a(d)-*.

**addébito**, sost. deverb. da *addebitare*.

**addendo**, dal lat. *addendum* ' ciò che è da aggiungere ', forma sostantiv. del part. fut. passivo di *addère* ' aggiungere '.

**addentellare**, verbo denom. da *dentello*, dimin. di *dente* col pref. *ad-*.

**addentellato**, da *dentello*, dimin. di *dente*, col pref. *ad-*.

**addentro**, da *a(d) dentro*.

**addestrare**, verbo denom. da *destro* col pref. *a(d)-*.

**addetto**, dal lat. *addictus* nel senso di ' obbligato ', comp. di *ad-* e *dictus*; v. DETTO.

**addì**, da *a(d)- dì*.

**addiacciare** ' agghiacciare ', verbo denom. da *diaccio* col pref. *a(d)-*.

**addiaccio**, da *ad* e il lat. volg. \**iacium*, tratto a sua volta da *iacère* ' giacere '; v. GIACERE.

**addicente**, part. pres. di *addirsi* incr. di lat. *addecère* ' convenire ' e *addicère* ' acconsentire '; v. DICERIA e DICÉVOLE.

**addicévole**, agg. verb. di *addirsi* incr. di lat. *addecère* ' convenire ' e *addicère* ' acconsentire '.

**addietro**, da *a(d) dietro*.

**addìo**, dalla locuzione *a(d) Dio*.

**addire**, lat. *addecère* ' essere conveniente ' assorbito nella famiglia di *addicère* ' assegnare '; v. DIRE.

**addirittura**, da *a(d) dirittura*.

**addirizzare** e **addrizzare**, da *ad* e *dirizzare* o *drizzare* (v.).

**additamento¹**, nome d'azione di *additare* (v.).

**additamento²**, dal lat. *additamentum*, astr. di valore passivo rispetto a *additio* di valore attivo; v. ADDIZIONE.

**additare**, verbo denom. da *dito* col pref. *ad-*.

**additivo**, dal lat. tardo *additivus*.

**addivenire¹**, da *divenire* col pref. *ad-*.

**addivenire²**, da *addi(re)* e *venire* (del lat. dei notai).

**addizione**, dal lat. *additio*, *-onis*, nome d'azione di *addère* comp. di *ad* e *dare* con norm. alternazione di *-ă-* in *-ĭ-* in sill. interna aperta, e in *-ĕ-* quando sia dav. a *-r-*.

**addobbare**, dal frc. *adober* ' armare (il cavaliere) ' e questo dal franco *dubban* ' colpire (sulla spalla) '.

**addolcare**, verbo denom. da *dolco* (v.) col pref. *ad-*.

**addolcire**, verbo denom. da *dolce* col pref. *ad-*.

**addome**, dal lat. *abdomen*, *-ĭnis*, di orig. imprecisata, ancorché inserito in una chiara serie di formaz. lat., quasi derivasse da *abdère*.

**addomesticare**, verbo denom. da *domèstico* col pref. *ad-*.

**addormentare**, lat. volg. \**addormentare*, verbo frequentativo di *dormire* col pref. *ad-*.

**addosso**, da *ad* e *dosso* (v.).

**addurre**, dal lat. *addūcère* incr. con *condurre*.

**adduttore**, dal lat. *adductor, -oris*.

**adduzione**, dal lat. tardo *adductio, -onis*.

**adeguare**, lat. *adaequare* con leniz. di *-qua-* in *-gua-*

**adémpiere** e **adempire**, dal lat. *ad-im-plēre* ' riempire ', passato alle coniugaz. in *-ère* e *-ire*; v. PIENO.

**ademprivio**, dal catalano *empriu*.

**adenite**, dal gr. *adén, -énos* ' ghiandola ', attrav. il lat. tardo *aden*, col suff. *-ite* di orig. greca, che indica, nella terminologia medica, malattia acuta.

**adepto**, dal frc. *adepte*, preso dal lat. *adeptus*, part. pass. di *adipisci* v. ATTO².

**aderenza**, dal lat. tardo *adhaerentia*.

**adèrgere**, da *ergere* col pref. *ad-*.

**aderire**, dal lat. *adhaerère* comp. di *ad-* e *haerere*, passato alla coniugaz. in *-ire*, v. ESITARE².

**adesare**, dal frc. ant. *aisier* che è verbo denom. da *aise*; v. AGIO col pref. it. *ad-*.

**adescare**, dal lat. tardo *adescare* verbo denom. di *esca* ' cibo ' col pref. *ad-*, v. ESCA.

**adesione**, dal lat. *adhaesio, -ōnis*, nome d'azione di *adhaerere*, formato sul supino *adhaesum*.

**adesivo**, agg. durativo tratto dal supino lat. *adhaesum*.

**adèspoto**, dal gr. *adéspotos* ' senza padrone ' (da *a-* privat. e *despótēs* ' signore ').

**adesso**, lat. *ad ipsum (tempus)*, con la *è* aperta sotto l'influenza di *ad pressum* ' dopo '; v. APPRESSO.

**adiacente**, dal lat. *ad-iăcens* ' giacente vicino ', part. pres. di *adiacere* comp. di *ad-* e *iacere*; v. GIACERE.

**adiacenza**, dal lat. tardo *adiacentia* (plur. neutro di *adiăcens*).

**adianto**, attrav. il lat. *adiantum*, dal gr. *adíanton* ' erba che non si bagna ' (da *a-* privat. e *diainō*).

**adibire**, dal lat. *adhibēre*, passato alla coniugaz. in *-ire*.

**àdipe**, dal lat. *adeps, -ĭpis*, con connessioni scarsamente evidenti nell'area umbra e col gr. *áleiphar* ' unguento '.

**adirare**, verbo denom. da *ira* col pref. *ad-*.

**adire**, dal lat. *adīre*, comp. di *ad* e *ire*; v. GIRE.

**àdito¹**, dal lat. *adĭtus*.

**àdito²**, dal lat. *adўtum* che è dal gr. *adўton* ' inaccessibile '.

**adiutore**, dal lat. *adiutor, -oris*, nome d'agente di *adiuvare* tratto dal supino *adiutum*.

**adizione**, dal lat. *aditio, -onis*, nome d'azione di *adire*.

**adizzare**, verbo denom. da *izza* col pref. *ad-*.

**adocchiare**, lat. volg. \**adoculare*, verbo denom. da *ocŭlus* col pref. *ad-*.

**adolescente**, dal lat. *adolescens* ' in via di crescita ', verbo incoat. di *alère* col pref. *ad-* e il valore intrans. di ' crescere '; v. ALUNNO e cfr. COALIZIONE.

**adolescenza**, dal lat. *adolescentia*.

**adombrare**, dal lat. *adumbrare* ' segnare le ombre nella pittura ', verbo denom. da *umbra* col pref. *ad-*.

**adombrazione**, dal lat. *adumbratio, -onis*.

**adonare**, dal frc. *s'adonner*, che risale al lat. volg. \**adonare* verbo denom. da *donum* con pref. *ad-*.

**adone**, dal gr. *Àdōn*.

**adonio**, dal gr. *Adónios*, attrav. il lat. *Adonius*, il metro con cui si invocava Adone.

**adontare**, verbo denom. da *onta* col pref. *ad-*.

**adoperàbile**, agg. verb. passivo di *adoperare*.

**adop(e)rare**, lat. volg. \**adoperare*, verbo denom. da *opus, -èris* col pref. *ad-*.

**adoràbile**, dal lat. tardo *adorabĭlis*.

**adorare**, dal lat. *ad-orare*, ricalcato sul gr. *pros-kynéō*; v. ORARE.

**adoratore**, dal lat. tardo *adorator*, *-oris*.

**adorazione**, dal lat. *adoratio*, *-onis*.

**adornare**, dal lat. *adornare*, comp. di *ad* e *ornare*; v. ORNARE.

**adorno**[1], da *adorn(at)o*, part. pass. di *adornare*.

**adorno**[2], (varietà di falco) incr. di lat. *avis* e gr. biz. *órneos* 'uccello di rapina'; cfr. il sicil. *lavornia*.

**adottàbile**, dal lat. tardo *adoptabĭlis*.

**adottare**, dal lat. *adoptare* comp. di *ad* e *optare*; v. OPTARE.

**adottatore**, dal lat. tardo *adoptator*, *-oris*.

**adottivo**, dal lat. *adoptivus* agg. durativo da un part. *⋆adoptus*; v. OPTARE.

**adozione**, dal lat. *adoptio*, *-onis*, nome d'azione di un verbo *⋆adopĕre*; v. OPTARE.

**adragante**, dal gr. *tragákantha* 'spina (*akántha*) del caprone (*trágos*)', attrav. il lat. *traga(ca)ntha*, disturbato nella trasmissione con la protesi di *σ-*, la leniz. del *t-* e la dissimilaz. sillabica che conduce alla soppressione di *-ca-*.

**adrenalina**, da lat. *ad-*, *ren* e il suff. *-alis*, seguito dal suff. chimico *-ina*.

**adro**, variante di *atro* con leniz. analoga a *ladro* rispetto a lat. *latro*, *cedro* rispetto a lat. *citrus*.

**adstrato**, calco su *sostrato* mediante la sostituzione di *ad-* a *so(b)-*.

**adugge** 'inaridisce' (3ª pers. sg.), da *aduggia* incr. con *sugge* (di *sùggere*).

**aduggiare**, verbo denom. da *uggia* col pref. *ad-*, cfr. AUGGIARE.

**adulàbile**, dal lat. *adulabĭlis*.

**adulare**, dal lat. *adūlari*, che ha le apparenze di un verbo denom., privo però di connessioni attendibili.

**adulatore**, dal lat. *adulator*, *-oris*.

**adulatorio**, dal lat. *adulatorius*.

**adulazione**, dal lat. *adulatio*, *-onis*.

**adulterare**, dal lat. *adulterare* comp. di *alterare* 'render diverso, corrompere' con pref. *ad-* e norm. passaggio di *-ă-* a *-ŭ-* in sill. interna, dav. a *l* non seguìta da *-i-*; v. ALTRO.

**adulteratore**, dal lat. tardo *adulterator*, *-oris*.

**adulterazione**, dal lat. *adulteratio*, *-onis*.

**adulterino**, dal lat. *adulterinus*.

**adulterio**, dal lat. *adulterium*.

**adùltero**, dal lat. *adulter*, sost. deverb. da *adulterare*.

**adulto**, dal lat. *adultus* 'cresciuto', part. pass. del sistema di *adolescĕre*, da *⋆ad-l̥-to-*. Lat. *adolescere* è l'incoat. di *alĕre* comp. col pref. *ad-*; cfr. ALTO e ted. *alt* 'vecchio'.

**adunare**, lat. *adūnāre*, verbo denom. da *unus* col pref. *ad-*.

**adunco**, dal lat. *aduncus* comp. di *ad* e *uncus*; v. UNCINO.

**adunghiare**, verbo denom. da *unghia* col pref. *ad-*.

**adunque**, incr. di *a(d)* e *dunque*.

**adusare**, lat. volg. *⋆adusare*, verbo denom. da *usus*, v. USO, col pref. *ad-*.

**aduso**, da *adus(at)o*, part. pass. di *adusare*.

**adusto**, dal lat. *adustus* 'bruciato', part. pass. di *adurĕre* comp. di *ad-* e *urĕre*, v. USTIONE.

**aedo**, dal gr. *aoidós* 'cantore' secondo lo schema di un adattamento lat. intermedio del tipo *⋆aoedus*.

**aerare**, verbo denom. di *aère*.

**àere**, dal lat. *āēr* e questo dal gr. *aḗr*, *aéros*; cfr. ARIA.

**aèreo**, dal lat. *āĕreus*, adattato agli agg. del tipo *ligneus*, *ferreus*.

**aereo-** e **aeri-**, v. AERO-.

**aero-**, dal gr. *aḗr* con l'ampliam. in *-o-*.

**àerobus**, calco su *àutobus* con *aero-* al posto di *auto-*.

**aerodinàmica**, da *aero-* e *dinàmica*.

**aerodinàmico**, da *aero-* e *dinàmico*.

**aeròdromo**, dal frc. *aérodrome* e questo da *aero-* e *-dromo*.

**aerofagìa**, da *aero-* e *-fagìa*.

**aerofisica**, da *aero-* e *fisica*.

**aerofobìa**, da *aero-* e *fobìa*.

**aerofotografìa**, da *aero-* e *fotografìa*.

**aerofotogrammetrìa**, da *aero-* e *fotogrammetrìa*.

**aerogramma**, da *aero-* e *(tele)gramma*.

**aerolinea**, da *aero-* e *linea*.

**aeròlito**, da *aero-* e *-lito*.

**aerologìa**, da *aero-* e *-logìa*.

**aerometrìa**, da *aero-* e *-metrìa*.

**aeromòbile**, da *aero-* e *mòbile*, calco su *(auto)mobile*.

**aeromoto**, calco su *terremoto*, *maremoto* con *aero-* come primo elemento.

**aeronàuta**, da *aero-* e *nauta* 'navigatore'.

**aeronave**, da *aero-* e *nave*.

**aeropittura**, da *aero-* e *pittura*.

**aeroplano**, da *aero-* e il tema *-plano*, attrav. il frc. *aéroplane*.

**aeroporto**, da *aero-* e *porto*.

**aeroscalo**, da *aero-* e *scalo*.

**aeroscopio**, da *aero-* e il tema *-scopio*.

**aerosòl**, da *aero-* e *sol*.

**aerostàtico**, da *aero-* e *stàtico*.

**aeròstato**, da *aero-* e il gr. *statós* 'che sta', attrav. il frc. *aérostat*.

**aerostazione**, da *aero-* e *stazione*.

**aerostiere**, da *⋆aerost(at)iere*.

**aerotassì**, da *aero-* e *tassì*.

**aeroturismo**, da *aero-* e *turismo*.

**afa**, da *(b)af...*, definiz. onomatop. dell'aprir bocca, dal romanesco *(b)afa* e cfr. SBAFARE.

**afasia**, dal frc. *aphasie* e questo dal gr. *aphasía*, comp. di *a-* privat. e il tema *-phasia*: «privazione della facoltà di parola».

**afelio**, dal grecismo dell'età moderna (XVI sec.) *aphelium* tratto dal gr. *apó-* 'distaccato da' e *hḗlios* 'sole'.

**afèresi**, dal lat. tardo *aphaerĕsis*, che è dal gr. *aphaíresis*, nome d'azione di *aphairéō* 'sottraggo'.

**affàbile**, dal lat. *affabĭlis* 'cui si può parlare'; v. FACONDO.

**affabilità**, dal lat. *affabĭlĭtas*, *-atis*.

**affacciare**, verbo denom. da *faccia* col pref. *a(d)-*.

**affamare**, verbo denom. da *fame* col pref. *a(d)-*.

**affannare**, dal provz. *afanar* 'durar fatica' incr. col pref. it. *a(d)-*.

**affanno**, dal provz. *afan* incr. con it. *affannare*.

**affare**, da *(cosa) a(d) fare*, eventualm. con l'aiuto del frc. *affaire*.

**affascinare**[1], verbo denom. da *fàscino* col pref. *a(d)-*.

**affascinare**[2], verbo denom. da *fascina* col pref. *a(d)-*.

**affatto**, da *a(d) fatto* nel senso di cosa ormai compiuta, completa; v. FATTO.

**affazzonare**, verbo denom. da *fazzone* col pref. *a(d)*, cfr. RAFFAZZONARE.

**affè**, da *a(d) fé* per *a(d) fe(de)*.

**afferente**, dal lat. *affĕrens, -entis*, part. pres. di *afferre*; v. -FERO.

**affermare**, dal lat. *affirmare*, verbo denom. da *firmus* (v. FERMO) col pref. *a(d)-*.

**affermativo**, dal lat. tardo *affirmativus*.

**affermazione**, dal lat. *affirmatio, -onis*.

**afferrare**, dal lat. medv. *ad-ferrare* e cioè 'impugnare il ferro, l'arma', verbo denom. da *ferrum* col pref. *a(d)-*.

**affettare¹**, verbo denom. di *fetta*.

**affettare²**, dal lat. *affectare* 'ostentare' e questo intens. di *afficĕre* 'applicare' comp. di *a(d)* e *facĕre* con norm. passaggio di *-a-* in *-ĭ-* in sill. interna aperta, e in *-e-* in sill. interna chiusa; v. FÀCILE.

**affettazione**, dal lat. *affectatio, -onis*.

**affettivo**, dal lat. tardo *affectivus*.

**affetto¹**, dal lat. *affectus*, part. di *afficĕre*; v. AFFETTARE².

**affetto²**, dal lat. *affectus, -us*, astr. di *afficĕre*; v. AFFETTARE².

**affettuoso**, dal lat. tardo *affectuosus*.

**affezione¹**, dal lat. *affectio, -onis*, nome d'azione di *afficĕre* 'applicare'; v. AFFETTARE².

**affezione²**, dal lat. *affectio -onis*, nel senso passivo del part. *affectus* 'toccato da', 'colpito da'.

**affiatare**, verbo denom. da *fiato* col pref. *a(d)-*, da principio in senso musicale.

**affibbiare**, lat. volg. *affibulare*, verbo denom. da *fibŭla* col pref. *a(d)-*.

**affidare**, dal lat. medv. *affidare*, verbo denom. da *fidus* col pref. *a(d)-*.

**affievolire**, verbo denom. da *fièvole* col pref. *a(d)-*.

**affìggere**, dal lat. *ad-figĕre* 'attaccare' col norm. raddopp. di cons. postonica in parola sdrucciola.

**affigurare**, verbo denom. da *figura* col pref. *a(d)-*.

**affilare**, verbo denom. da *filo* col pref. *a(d)-*.

**affiliare**, dal lat. *affiliare*, verbo denom. da *filius* col pref. *a(d)-*.

**affiliazione**, dal lat. tardo *ad-filiatio, -onis*.

**affinare**, verbo denom. da *fine* (agg.) col pref. *a(d)-*.

**affinché**, da *a(d) fine che*.

**affine**, dal lat. *adfinis* 'confinante', comp. di *ad-* e *finis* 'confine' con valore aggettivale.

**affinità**, dal lat. *adfinitas, -atis*.

**affiorare**, verbo denom. della locuzione *a(d) fiore di* 'alla superficie', sotto la spinta del frc. *afleurer*.

**affiso**, comp. di *fiso* col pref. *a(d)-*.

**affissare**, da *fissare* col pref. *a(d)-*.

**affissione**, dal lat. *affixio, -onis*, nome d'azione di *affigĕre*, formato sul part. meno ant. *-fixus* (invece di *fictus*), v. FISSO.

**affisso**, dal lat. *affixus*, part. pass. di *affigĕre*.

**affittare¹**, dal lat. medv. *adfictare*, verbo denom. della locuzione *(pretium) fictum* '(prezzo) fissato'; v. FITTO.

**affittare²**, verbo denom. da *fitta* (sost.) col pref. *a(d)-*.

**affittire**, verbo denom. da *fitto* (agg.).

**afflato**, dal lat. *ad-flatus, -us* 'soffio', astr. di *ad-flare* 'soffiare'; v. FIATO.

**affliggere**, dal lat. *ad-flïgĕre*, comp di *a(d)-* e *flïgĕre* 'battere', che ha vaghe corrispond. nelle aree baltica, slava, germanica, greca.

**afflizione**, dal lat. *afflictio, -onis*, nome d'azione di *affligĕre*.

**affluente**, dal lat. *affluens -entis*.

**affluenza**, dal lat. *affluentia*.

**affluire**, dal lat. *affluĕre*, passato alla coniugaz. in *-i-*, comp di *a(d)-* e *fluĕre*; v. FIUME.

**afflusso**, dal lat. *affluxus* incr. di part. pass. *affluxus* con astr. *fluxus, -us*; v. FLUSSO. Le forme in sibilante rappresentano una fase più recente rispetto a quelle in dentale, v. FLUTTO.

**affogare**, lat. volg. *affocare* 'uccidere togliendo il respiro' « (prendere) per la gola », verbo denom. della locuzione *ad fauces* 'alla gola' (lat. tardo *ob-focare*) con leniz. sett. di *-c-* in *-g-*.

**affrancare**, verbo denom. da *a(d)-* e *franco*. In senso postale si sente come abbreviaz. di 'affranc(obollare'.

**affràngere**, dal lat. tardo *affrangĕre*, comp. di *a(d)-* e *frangĕre*; v. FRÀNGERE.

**affresco**, da *(dipingere) a(d) fresco*.

**affricano**, v. AFRICANO.

**affricato**, dal lat. *affricatus* 'sfregato', comp. di *ad-* e del part. pass. *fricatus* da *fricare*, v. FREGARE, che ha soppiantato il precedente *frictus* per evitare l'omofonia col part. pass. di *frigĕre*; v. FRITTO.

**àffrico**, lat. *africus*, con norm. raddopp. di *-f-* in posizione postonica di parola sdrucciola (cfr. il torrente *Àffrico* presso Firenze); v. AFRICA.

**affrontare**, lat. volg. *affrontare*, verbo denom. da *frons frontis* col pref. *ad-*; v. FRONTE.

**affronto**, sost. deverb. da *affrontare*.

**affumicare**, dal lat. *fumĭgare*, con la sostituz. tosc. di *-c-* a *-g-* intervocalico per correggere l'apparenza padana di una leniz. (che in realtà non aveva avuto luogo).

**affusolare**, verbo denom. da *fuso* col suff. iterat. in *-olare* e il pref. *a(d)-*.

**affusto**, dal frc. ant. *affust* e questo dal lat. *fustis* 'bastone'; v. FUSTO.

**àfide**, dal lat. scient. *aphis, -idis*, applicato però da principio a indicare non un genere di insetti, ma le cimici.

**afnio** (elem. chim.), dal lat. sc. *Hafnium*, risal. a *Hafnia*, nome latinizzato di Copenaghen.

**afonìa**, da *àfono*, con *-ìa* di astr.

**àfono**, dal gr. *áphōnos* e questo da *a-* privat. e *phōnḗ* 'voce'.

**aforisma** e **aforismo**, dal lat. tardo *aphorismus*, che è dal gr. *aphorismós* 'definizione (da *apó-* e *horízō*). La desinenza in *-a* sottolinea il valore sostantiv. come in *scisma*, *crisma*.

**aforistico**, dal gr. *aphoristikós*.

**àfrica** (stoffa), forma sostantiv. dell'agg. lat. *africus* quasi « (terra) *afrĭca* », ampliam. di *afer, afri*; v. AFRO e cfr. AFFRICO.

**africano** (e **affricano**), da *África* (e *Áffrica*).

**afro**, lat. *afer, afri* 'africano' « (aspro come i prodotti e i frutti) africani ».

**afrodisìa**, forma femm. sostantiv. dell'agg. gr. *aphrodísios* 'proprio di Afrodite, Venere'.

**afrodisìaco**, dal gr. *aphrodisiakós*.

**afrore**, dal lat. medv. *afror, -oris*, astr. di *afer, afri*.

**afta**, dal lat. tardo *aphtae, -ārum*, che è dal gr. *áphthai* 'pustole'.

**àgape**, dal lat. tardo *agápe*, e questo dal gr. *agápē* 'amore, convito dei Cristiani'.

agàrico (fungo), dal lat. *agarìcum* e questo dal gr. *agarikón*, nome di tribù scitica.

àgata (calcedonio), dal lat. *achātēs* e questo dal gr. *akhátēs*; incr. con *agathós* 'buono' e il nome personale *Agatha* in età imprecisabile.

àgave, dal lat. scient. *àgave* e questo dal gr. *agauḗ* 'meravigliosa', femm. di *agaυós*.

agèmina, dall'ar. '*agiam* 'straniero orientale' riferito spec. ai Persiani; cfr. AZZIMINA.

agenda, dal lat. *agenda* (neutro plur. del part. fut. passivo di *agĕre*) 'le cose da trattare'.

agente, dal lat. *agens, -entis*, part. pres. di *agĕre*; v. AGILE.

agenzia, da *agente*, come *mercanzia* da *mercante*.

agévole, lat. *agibĭlis*, incr. in it. col sost. *agio* e il suff. di agg. verb. *-évole*.

aggavignare, verbo denom. da *gavigne* col pref. *a(d)-*.

aggeggio, dal frc. *agiets* 'ninnoli', che è dal lat. *adiecti* 'aggiunti'.

àggere, dal lat. *agger, -ĕris* 'argine', sopravv. per trad. ininterrotta nell'it. *àrgine* (v.).

aggettivo, dal lat. *adiectivum (nomen)* 'nome aggiuntivo' e questo ricalcato sul gr. *epítheton*.

aggetto, dal lat. *adiectum* 'aggiunto', usato come sost. *Adiectum* è il part. pass. di *adicĕre* comp. di *ad* e *iacĕre*; v. GETTARE.

agghiacciare, verbo denom. da *ghiaccio* col pref. *a(d)-*; cfr. DIGHIACCIARE.

agghiadare, verbo denom. da *ghiado* col pref. *a(d)-*.

agghindare, dal frc. *guinder* 'issare' col pref. it. *a(d)-*.

aggio, forse da *agio* (v.) 'comodità o agio (del banchiere)', con la correzione della pronuncia ritenuta a torto settentr.

aggiogare, dal lat. *adiugare*, comp. di *ad* e *iugare*, forma duratura del verbo *iungĕre*, spec. applicato al «legare le viti».

aggiornare¹, verbo denom. da *giorno* col pref. *a(d)-*.

aggiornare² 'rimandare', dal frc. *ajourner*.

aggiotaggio, dal frc. *agiotage* deriv. a sua volta dall'it. *aggio* e di nuovo incr. con it. *aggio*.

aggiudicare, dal lat. *adiudicare*, comp. di *ad-* e *iudicare*; v. GIUDICARE.

aggiudicazione, dal lat. tardo *adiudicatio, -onis*.

aggiùngere, lat. *adiungĕre*, comp. di *ad-* e *iungĕre*; v. GIÙNGERE.

aggiuntivo, dal lat. tardo *adiunctivus*.

aggiunto, lat. *adiunctus*, part. pass. di *adiungĕre*; v. GIÙNGERE.

aggiunzione, dal lat. *adiunctio, -onis*, nome d'azione di *adiungĕre*.

aggiustaggio, dal frc. *ajustage*.

aggiustare, verbo denom. da *giusto* col pref. *a(d)-*.

agglomerare, dal lat. *agglomerare* 'aggomitolare, mettere insieme' e questo da *glomus, -ĕris* 'gomitolo'; v. GHIOMO.

agglutinare, dal lat. *agglutinare*, verbo denom. da *gluten, -ĭnis* 'collo'; v. GLÙTINE, col pref. *a(d)-*.

agglutinazione, dal lat. tardo *agglutinatio, -onis*.

aggottare, verbo denom. da *gotto* col pref. *a(d)-*.

aggradare, verbo denom. da *grado²* col pref. *a(d)-*.

aggradire, da *gradire* col pref. *a(d)-*.

aggraffare, verbo denom. da *graffa* 'unghia' col pref. *a(d)-*.

aggranfiare, verbo denom. da *granfia* col pref. *a(d)-*. Cfr. *arranfiare*.

aggrappare, verbo denom. da *grappa* 'uncino' co pref. *a(d)-*.

aggravare, lat. *aggravare*, verbo denom. da *gravis* col pref. *a(d)-*.

aggravazione, dal lat. tardo *aggravatio, -onis*.

aggravio, sost. deverb. da un verbo presunto *aggraviare* analogico su *alleviare*.

aggredire, dal lat. *aggrĕdi*, passato alla coniugaz. in *-ire*. Lat. *aggrĕdi* è comp. di *gradi* (v. GRADO) col pref. *a(d)-* con norm. passaggio di *-ă-* in *-ĕ-* in sill. interna dav. a cons. dentale.

aggregare, dal lat. *ad-gregare*, verbo denom. di *grex* 'gregge' (v. GREGGE), col pref. *a(d)-*.

aggregazione, dal lat. tardo *aggregatio, -onis*.

aggressione, dal lat. *aggressio, -onis*, nome d'azione di *aggrĕdi*, tratto dal part. pass. *aggressus*; v. INGRESSO e cfr. GRADO¹.

aggressivo, agg. durativo tratto da *aggressus* part. pass. di *aggrĕdi*; v. INGRESSO.

aggressore, dal lat. tardo *aggressor, -onis*, nome d'agente di *aggrĕdi*.

aggricciare, verbo denom. da *griccio* (v.) col pref. *a(d)-*.

aggrinzare, verbo denom. da *grinza* col pref. *a(d)-*.

aggrommare, verdo denom. da *gromma* col pref. *a(d)-*.

aggrondare, verbo denom. da *gronda* col pref. *a(d)-*.

aggrottare, verbo denom. da *grotta* col pref. *a(d)-*.

aggrovigliare, verbo denom. da *groviglio* col pref. *a(d)-*.

aggruppare, verbo denom. da *gruppo* col pref. *a(d)-*.

agguagliare, formaz. parallela a *aggraviare*, v. AGGRAVIO, e *alleviare*, tratta da errata analisi del lat. *aequalis*, it. settentr. *eguale*, in cui il presunto pref. *e-* senza preciso signif., è stato sostituito dal prefisso *a(d)-*.

agguaglio, sost. deverb. da *agguagliare*.

agguantare, verbo denom. da *guanto* col pref. *a(d)-*.

agguatare (arc.), da *guatare* col pref. *a(d)-*.

agguato, sost. deverb. da *agguatare*.

aggueffare, verbo denom. da *gueffa* 'matassa' che è dal longob. *wiffa* 'strofinaccio di paglia', col pref. *a(d)-*; cfr. BIFFA.

aghifoglia, comp. sintattico di *ago-* e *foglia* 'che ha aghi come foglie'.

aghiforme, comp. determinativo di 'ago' e il tema aggettiv. *-forme*.

aghirone, v. AIRONE.

agìbile, dal lat. medv. *agìbilis*, agg. verb. di lat. *agĕre*; v. AGIRE.

àgile, dal lat. *agĭlis* in orig. 'facile da condurre', agg. verb. di *agĕre* 'condurre spingendo', attestato in quasi tutte le aree ideur., indoiranica, armena, gr. (*ágō*), germanica, celtica, osco-umbra: da una rad. AG di valore spiccatamente durativo; cfr. AGRO² 'campo'.

agilità, dal lat. *agilĭtas, -atis*.

agio, dal provz. *aize* 'vicinanza' e questo dal lat. tardo *adiăcens* nel senso di 'vicino, comodo'; cfr. ADDIACCIO.

agiografìa, dal gr. medv. *hagiographia*, comp. di gr. *hágios* 'santo' e *-graphia*, astr. di *gráphō* 'io scrivo'.

agiologìa, dal gr. *hágios* e *-logìa*.

agire, dal lat. *agĕre* attrav. il frc. del '500 *agir*; v. ÀGILE.

agitàbile, dal lat. *agitabĭlis*.

**agitare,** dal lat. *agitare*, forma intens. di *agĕre*.

**agitatore,** dal lat. *agitator, -oris*.

**agitazione,** dal lat. *agitatio, -onis*.

**aglio,** lat. *ālium*, ampliam. di un più ant. *alum*, privo di connessioni attendibili nel campo ideur.

**agnatizio,** dal lat. tardo *agnaticius*.

**agnato,** dal lat. *ad-gnatus* 'generato al fianco' e cioè 'parente in linea maschile', che conserva ancora il senso di 'discendenza' perduto in *natus*; v. NATO.

**agnazione,** dal lat. *agnatio, -onis*, nome d'azione di *agnascor* 'nasco a lato'.

**agnello,** lat. *agnellus*, dimin. di *agnus* risal. a AGwNO-, attestato anche nel gr. *amnós*, con connessioni disturbate nelle aree celtica, germanica, slava.

**agnelotto** o **agnolotto,** dal torinese *agnulòt*, ricondotto alla derivaz. di *agnello* nella prima forma, o adattato alla fonetica tosc. (nella voc. interna e nella sill. finale) nella seconda.

**agnizione,** dal lat. *agnitio, -onis*, nome d'azione del sistema di *agnoscĕre*, tratto dal part. pass. *agnĭtus* che sembra presupporre una rad. monosillabica GNĒ/GNŌ al grado ridotto; v. CÒGNITO e cfr. NOTO.

**agnocasto** (arbusto), dal lat. *agnus castus*, che è dal nome gr. *ágnos*, dapprima riprodotto e poi tradotto perché interpretato come *hagnós* 'puro'.

**àgnolo,** lat. *angĕlus*, col gruppo *-ng'-* trattato come in *spongia* che diventa *spugna* (v.), incr. con *àngiolo*; v. ÀNGELO.

**àgnostico,** dall'ingl. *agnostic* (XIX sec.) e questo dal gr. *ágnōstos* 'inconoscibile'.

**agnusdèi,** lat. *agnus dei* 'agnello di Dio'.

**ago,** dal lat. *acus, -us* con la leniz. settentr. di *-c-* in *-g-*. La forma centro merid. è *aco*, attestata ancora nel territorio aretino. Lat. *acus* deriva dalla rad. AK, v. ACIDO. Per il pref. K- v. CACUME.

**agognare,** lat. volg. *agoniare* e questo da *agōnia* 'lotta, angoscia', a sua volta dal gr. *agōnía*.

**agonale,** dal lat. *agonalis*.

**agone,** dal gr. *agōn, -ônos* attrav. il lat. *agon, -ōnis* 'campo di lotta'.

**agonìa,** dal gr. *agōnía* 'lotta', spec. in senso religioso.

**agonista,** dal lat. tardo *agonista*.

**agonìstico,** dal lat. tardo *agonistĭcus*.

**agonizzare,** dal lat. tardo *agonizare*, che è dal gr. *agōnízō* 'io lotto'.

**agorafobia,** dal gr. *agorá* 'piazza', comp. con *-fobìa*.

**agoraio,** da *àgora* 'aghi', ant. plur. di *ago*, col suff. *-aio* di forma tosc.

**agosto,** lat. *augustus (mensis)* 'mese augusto', in onore dell'Imperatore Augusto, con norm. passaggio di *au-* protonico in *a-*.

**agrario,** dal lat. *agrarius*.

**agresta** 'uva acerba' dal lat. *agrestis* passato alla declinaz. it. in *-o, -a* sotto l'influenza di *agro*[1], *agra*.

**agreste,** dal lat. *agrestis*, forse da più ant. *\*agrestris* deriv. di *ager*; v. AGRO[2].

**agresto,** 'succo acido da uve non mature', da *agresta*, resa di genere maschile.

**agri-,** dal lat. *agri-* e questo da *ager, agri* 'campo'.

**agricola** (sost. m. arc.), dal lat. *agricŏla*.

**agricolo,** dal sost. lat. *agricŏla* 'agricoltore' reso agg. in *-o, -a*.

**agricoltore,** dal lat. *agricultor, -oris*.

**agricoltura,** dal lat. *agricultura*.

**agrifoglio,** dal lat. *acrifolium* 'pianta dalle foglie aguzze' con la cons. sonora sotto l'influenza di *agro*.

**agrimensore,** dal lat. *agrimensor, -oris*.

**agrimensura,** dal lat. *agrimensura*; v. AGRO[2] e MISURA.

**agriotimìa,** dal gr. *agrióthymos* 'di temperamento fiero', comp. di *ágrios* 'fiero' e *thymós* 'animo'.

**agripnìa,** dal gr. *agrypnía* 'insonnia' e questo da *ágrypnos* 'che cerca (invano) il sonno', comp. di *agréō* 'io desidero' e *hýpnos* 'sonno'.

**agrippa** 'bambino che viene alla luce presentando i piedi', dal lat. *agrippa* comp. di *\*agro-* 'che viene di punta, per primo' e *-ppa* forma espressiva con raddopp. consonantico e voc. *a* al posto di *-ped-* cioè 'che viene per primo con i piedi'.

**agrippina** (canapè), dalla statua, in posizione seduta, di Agrippina Maggiore (14 a. C. - 33 d. C.) moglie di Germanico, che si trova nel Museo Capitolino a Roma.

**agro**[1], lat. *ācer, ācris*, con leniz. settentr., deriv. dalla rad. AK di *acĭdus, acies, acus*, ma con la voc. di quantità lunga; v. ACCIAIO, ÀCIDO, AGO.

**agro**[2], dal lat. *ager* 'campo', che si ritrova identico nelle aree umbra, indiana, greca (*agrós*), germanica (ted. *acker*) e, con qualche differenza, nell'armena. Prob. deriv. dalla rad. AG 'condurre spingendo' per indicare, prima ancora che il 'campo', il 'pascolo'.

**agronomìa,** da *agrònomo*, incr. con *-nomìa* secondo elemento di composiz. con valore di 'scienza'.

**agrònomo,** dal gr. *agronómos*, magistrato soprintendente a territorî rurali.

**agrume,** dal lat. medv. *acrumen, -inis*, da prima col valore di 'condimento aspro', incr. con it. *agro*[1].

**aguanno,** variante merid. di *uguanno* (v.) e cfr. AVANNOTTO e AVALE.

**agucchia,** lat. volg. *\*acucŭla*, dimin. di *acus*, incr. con it. *ago*.

**agucchiare,** verbo denom. da *agucchia*.

**aguglia**[1], dal provz. *agulha* (lat. volg. *\*acucŭla*); cfr. GUGLIA.

**aguglia**[2], lat. volg. *\*acŭla* (class. *aquĭla*) incr. con *aguglia*.

**aguzzare,** lat. volg. *\*acutiāre*, intens. di *acuĕre*, succeduto al più semplice e attestato *acūtāre*.

**aguzzino,** dal catalano *algozir* e questo dall'ar. *al-wazīr* 'luogotenente', con la caduta della *l* dovuta forse a incr. con *aguzzare*; cfr. VISÌR.

**aguzzo,** estr. da *aguzz(at)o*.

**ah** (interiezione), onomatopea elementare.

**ahi,** v. AI.

**ài,** onomatopea elementare del dolore; cfr. quella dell'aspirare o sospirare *(b)af* in *afa* (v.) e *sbaf* (v.).

**aia,** lat. *ārea* poi * āria*, a sua volta legato ad *ārēre*, quasi 'essiccatoio'. Col norm. trattam. tosc. di *aria* in *aia*; cfr. ARA, AREA, ÀRIDO.

**ailanto,** dal lat. scient. (dei botan.) *ailanthus* risal. a un modello malese: 'albero del cielo'.

**aimè,** comp. di *ài* (ahi) e *me*.

**aio,** dallo sp. *ayo*, e questo dal gotico *\*hagīa* 'custode'.

**aiola,** lat. volg. *\*arjòla*, class. *areŏla*, dimin. di *area*; cfr. AIA.

**aiolo** 'rete da uccelli', dimin. di *aia*.

**aire,** da *a ire*.

**airone,** dal longob. *haigiro* (attraverso la forma letterale arcaica in *aghirone*), incr. col frc. ant. *hairon*, cfr. lat. medv. *hairō, -onis* (XI sec.).

**aìta,** sost. deverb. estr. da *aitare*.

**aitante,** part. pres. di *aitare*, v. AIUTARE, perciò 'soccorrevole' quindi 'valoroso', prob. incr. con *agitante*.

**aitare,** lat. *adiutare*, attrav. il provz. *aidar* incr. con it. *aiutare*.

**aiutare,** lat. *adiutare*, intens. di *adiuvare*, comp. di *ad* e *iuvare*; v. GIOVARE.

**aiuto,** lat. tardo *adiutus, -us*, astr. di *adiuvare*.

**aizzare,** verbo denom. da *a* e *izza*.

**ala,** lat. *ala* e questa collegata con *axis*. La forma primitiva è AKSLĀ che si ritrova identica nell'area germanica (ted. *Achsel* 'ascella'), cfr. ASCELLA. Una connessione più lontana si può stabilire con *coxa* v. COSCIA.

**alabarda,** dall'alto ted. medio *helm-bart* 'ascia da combattimento'.

**alabastro,** dal lat. *alabastrum*, che è dal gr. *alábastron*.

**àlacre,** dal lat. *alăcer, -cris*; cfr. ALLEGRO.

**alacrità,** dal lat. *alacrĭtas, -atis*.

**alaggio,** dal frc. *halage* e questo da *haler*; v. ALARE[3].

**alalà,** dal gr. *alalà*, ripreso da G. Pascoli.

**alamanna,** dal nome di Ser Alamanno Salviati (m. 1509), il primo che la fece venire in Toscana.

**alamaro,** dallo sp. *alamar* e questo dall'ar. *al-'amāra* 'corda'.

**alambicco,** v. LAMBICCO.

**alano,** dal lat. medv. *alānus*, documentato in Spagna, e questo forse dal popolo degli Alani, originariam. iranici, poi assorbiti dai Germani orientali (Goti e sim.).

**alare[1],** dal lat. *alaris*.

**alare[2],** lat. *Lares* divinità del focolare, v. LARE, incr. con *ala*.

**alare[3],** dal frc. *haler*, che è dall'ol. ant. *halen* 'tirare'.

**alato,** dal lat. *alatus*.

**alba,** lat. *alba*, femm. sostantiv. di *albus* 'bianco': 'la (luce) bianca'; v. ALBO[1].

**albagìa,** forma toscanizzata del ligure *arbasgìa* 'brezza dell'alba' e quindi 'boria' (che deriva invece dall'aria del nord); v. ALBÀSIA.

**albagio[1]** (stoffa), dall'ar. *al-bazz*; cfr. ORBACE.

**albagio[2]** 'bianchiccio' (arc.), da un lat. *\*albasius* deriv. di *albus* 'bianco'.

**albana,** dal lat. *albus* 'bianco'.

**albanella** (falco), deriv. del lat. *albus* 'bianco'.

**albarello,** v. ALBERELLO.

**albàsia** (arc.) 'bonaccia', anteriorm. '(brezza) dell'alba'; da un lat. *\*albasius*, da cui anche l'arc. *albàgio[2]* 'bianchiccio', incr. con it. *alba*.

**albaspina,** dal lat. *alba spina*.

**àlbatro[1]** 'corbezzolo', lat. *arbŭtus* incr. con il suff. *-tro* con conseg. dissimilaz. da *r.... r* in *l.... r* e passaggio di voc. interna ad *a* in parola sdrucciola. Lat. *arbŭtus* è privo di connessioni attendibili.

**àlbatro[2]** (palmipede), dal frc. *albatros*, e questo dall'ingl. *albatros*.

**albèdine,** dal lat. tardo *albedo, -ĭnis*, der. di *albus*.

**albèra** 'pioppo nostrano', lat. *albuelis* incr. con it. *àlbero*.

**alberello,** dimin. di *albero[1]* e cioè 'piopperello', dal nome della pianta da cui normalm. proveniva il legno del vasetto; cfr. BARÀTTOLO.

**alberese,** da un agg. *\*arborensis*, deriv. da *arbor* e

questo ricalcato sul gr. *dendrítēs* 'pietra figurata', incr. poi con it. *àlbero[2]*.

**albergo,** dal gotico *\*hari-baírg* 'riparo dell'esercito' (lat. medv. *albergum*).

**àlbero[1]** 'pioppo', lat. tardo (gloss.) *albărus*, che, per incr. con *albus*, ha assunto il valore di 'albero bianco', poi 'pioppo bianco', poi 'pioppo'.

**albero[2],** lat. *arbor, -ŏris*, con dissimilaz. da *r.... r* a *l.... r* e regolare apofonia di *-ŏ-* in *-ĕ-* in sill. interna aperta: passato al genere maschile e alla declinaz. in *-o*. Lat. *arbor* è privo di connessioni attendibili.

**albicare,** dal lat. *albicare* verbo denom. iterat. di *albus*.

**albicocco,** dall'ar. *al-barqūq* 'susina', e questo dal lat. *praecoquus* attrav. il gr. biz. *praikókion*.

**albino,** dal portogh. *albino*, incr. col lat. *albīnus*.

**albio** 'vasca', lat. *alveus*; v. ALVEO.

**albiolo** 'piccolo abbeveratoio', lat. tardo *albiŏlus*, class. *alveŏlus*.

**albo[1]** 'bianco', dal lat. *albus* che risale a una forma *\*albho-* attestata nell'area osco-umbra e greca, e, nella forma *alpus* (attribuita ai Sabini), legato al filone protolatino.

**albo[2],** dal lat. *album*, agg. sostantiv. indicante una tavoletta dipinta in bianco su cui si scrivevano elenchi di nomi; v. ALBO[1].

**albore,** dal lat. tardo *albor, -oris*, astr. di *albere* 'biancheggiare'.

**albùgine,** dal lat. *albūgo, -ĭnis* 'forfora'.

**album,** dal lat. *album* attrav. l'uso ted. di un *album amicorum* '(libro) bianco (delle scritte) degli amici'; v. ALBO[2].

**albume,** dal lat. *albūmen, -ĭnis*.

**albumina,** dal lat. *albūmen, -ĭnis* col suff. chimico *-ina*, proprio di sostanze organiche, naturali o artificiali.

**albuminuria,** da *albumina* e *-ùria*.

**alburno,** dal lat. *alburnum*, che rappresenta prob. l'inserimento nella famiglia di *albus* di una parola mediterr.

**àlcade** (e **alcalde**), *àlcade* preso attrav. il frc. *alcade*; *alcalde* direttam. dallo sp. *alcalde*, e questo dall'ar. *al-qāḍi* 'giudice'.

**alcàico,** dal lat. *alcaicus* e questo dal gr. *alkaïkós*, dal nome del poeta *Alkaîos* 'Alceo' (VII-VI sec. a. C.).

**alcalde,** v. ALCADE.

**àlcale,** dall'ar. *al-qali* 'potassa' attrav. il lat. medv. *alcali*.

**alcalino,** da *àlcale*.

**alcanna,** dal lat. medv. *alchanna*, che è dall'ar. *al-ḥinnā'*.

**alce,** dal lat. *alces* e questo da un alto ted. ant. *\*alha*, oggi ted. *Elch*.

**alcèdine** 'alcione', dal lat. *alcedo, -ĭnis*, che è dal gr. *alkyŏn* (col suff. *-edo*) forse di comune origine mediterranea.

**alchechengi,** dallo sp. *alquequenje*, che è dall'ar. *al-kākang'*.

**alchermes,** dallo sp. *alquermes* e questo dall'ar. *qirmiz* 'scarlatto'.

**alchimìa,** dall'ar. *(san'a) al-kīmiyā'* '(arte della) pietra filosofale', già nel lat. medv. *chimia*, cfr. CHIMICO.

**alcione,** dal lat. *alcyon, -ŏnis* e questo dal gr. *alkyŏn, -ónos*.

**alcionio,** dal lat. *alcyonĭus*.

**alcmanio**, dal lat. tardo *alcmanĭus* che risale al poeta gr. *Alkmán* (fine del VII sec. a. C.).

**alcol** (*àlcool*, *àlcole*), dall'ar. *al-kuḥl* ' polvere per annerire le sopracciglia ' attrav. il lat. di Paracelso *alcohol* (*vini*) ' essenza (del vino) '.

**alcorano**, dall'ar. *al-qurān*.

**alcova**, dall'ar. *al-qubba* ' tenda o stanza matrimoniale ' attrav. lo sp. *alcoba*.

**alcuno**, lat. *alĭqu(em) unum*, v. ALQUANTO.

**aldeide**, dal lat. scient. *al(cohol) dehid(rogenatum)*.

**aldino**, da Aldo (Manuzio) e discend. (Venezia, fine del XV - fine del XVI sec.).

**aldio**, dal lat. medv. (IX sec.) *aldius* e questo da un longob. *\*ald* ' servo '.

**ale e alè**, dal frc. *allez*.

**àlea**, dal lat. *alea* ' gioco di dadi ', privo di connessioni attendibili.

**aleàtico**, dall'emiliano *aliädga*, reso in forma masch. tosc.; da (*uva*) *\*luliatica* ' (uva) di luglio '.

**aleatore**, dal lat. *aleator*, *-oris*; v. ÀLEA.

**aleatorio**, dal lat. *aleatorius*.

**aleggiare**, verbo denom. da *ala* col suff. iterat. *-eggiare*.

**alena**, lat. medv. (sec. X) *alena*, metatesi di *anhela* ' respiro '; v. ANELARE e cfr. LENA.

**alenare**, dal lat. medv. *\*alenare*, verbo denom. da *alena*.

**alerione**, dal frc. medv. (XII sec.) *alérion* ' aquilotto ' e questo dal franco *adalaro* (oggi ted. *Adler* ' aquila ').

**alerone**, dal frc. *aileron*, deriv. da *aile* ' ala '.

**alesaggio**, dal frc. *alésage*.

**alesare**, dal frc. *aléser*, deriv. dal frc. ant. *alis* ' liscio '.

**alessandrino** (verso), dal *Roman d'Alexandre* poema frc. su Alessandro Magno, del XII sec.

**alessìa** (specie di afasia), dal gr. *léksis* ' parola ' con *a-* privativo e suff. *-ìa* di astr.

**alettone**, doppio deriv. di *ala*.

**alfa**[1] (pianta), dall'ar. *ḥalfā*.

**alfa**[2], dal gr. *álpha*.

**alfabeta**, da *analfabeta* (v.), colla sottrazione del pref. privat. *an-*.

**alfabeto**, dal lat. tardo *alphabētum*, adattamento dal gr. tardo *alphábētos*, deriv. a sua volta dalle due prime lettere della serie, *álpha* e *bêta*.

**alfiere**[1] ' portabandiera ' dallo sp. *alférez* e questo dall'ar. *al-fāris* ' cavaliere '.

**alfiere**[2] (gioco degli scacchi), dall'ar. *al-fīl* ' elefante ' attratto nella famiglia di ' alfiere ' (v.).

**alga**, lat. *alga*, privo di connessioni attendibili.

**àlgebra**, dall'ar. *al-giabr* ' restaurazione ', una delle operazioni più comuni del sistema matematico elaborato dagli arabi.

**algente**, dal lat. *algens*, *-entis*, part. pres. di *algere* ' aver freddo '; v. ÀLGIDO.

**algesìmetro**, dal gr. *álgēsis*, e il tema *-metro* ' misura '.

**algìa**, astr. in *-ia*, tratto dal gr. *álgos* ' dolore ', cfr. ÀLGIDO.

**àlgido**, dal lat. *algĭdus*, non chiaram. collegabile col gr. *álgos* ' dolore ', che deriva da un primitivo *aleg-*, cfr. INDÙLGERE.

**algore**, dal lat. *algor*, *-oris*, astr. di *algere*.

**algoritmo**, dal soprannome di un matematico ar. *al-Khuwārizmī* (IX sec.) attratto nella famiglia del gr. *arithmós*, da cui *aritmetica* (v.).

**algoso**, dal lat. *algosus*, deriv. di *alga*.

**aliante**, part. pres. (del verbo *aliare*), che traduce il frc. *planeur*.

**aliare**, verbo denom. da *alia* variante ant. di *ala*.

**alias**, dal lat. *olias* ' altrimenti '.

**àlibi**, dal latinismo frc. *alibi* già medv. (XIV sec.).

**alicante** (uva e vino), dalla città omonima in Spagna.

**alice**, lat. *hallex*, *-ēcis* ' salsa di pesce ' attrav. una forma it. merid. con *-i-* da *ē*: di orig. oscura.

**alìcolo** ' vivente in terreni ricchi di sali ', dal gr. *háls* ' sale ' e *-colo* (v.).

**alicorno**, dall'it. *liocorno* (v.), incr. col piemontese *alicorn* ' cervo volante '.

**alidada**, dal lat. medv. *alidada*, che è dall'ar. *al-'iḍāda* ' asticciola '.

**àlido**, dal lat. *arĭdus*, incr. con *calĭdus*; v. ÀRIDO e cfr. ARA.

**alidore**, dal lat. *ardor* *-oris*, incr. con it. *àlido*.

**alienàbile**, agg. verb. passivo di *alienare*.

**alienare**, dal lat. *aliēnāre* ' rendere di proprietà altrui '.

**alienato**, dal lat. *alienatus* (*mente*).

**alienazione**, dal lat. *aliēnātio*, *-onis* suscettibile di applicazioni mentali attrav. il costrutto *alienatio mentis* ' demenza '. In senso politico-sociale, calco sul ted. *Entfremdung* ' estraniazione '.

**alienìa** ' mancanza della milza ', da *a-* priv., il lat. *lien* ' milza ' e il suff. *-ìa*.

**alienista**, dal frc. *aliéniste* e questo da *aliéné*.

**alieno**, dal lat. *alienus* ' altrui ', deriv. da *alius* forse attrav. un suff. *-īnus*, dissimilato poi in *-ēnus*, come avviene di regola nel caso delle corrispondenti voc. brevi: *piĕtas* da *\*piītas*; v. PIETÀ.

**alièutica** ' arte della pesca ', dal gr. *halieutikḗ* (*tékhnē*).

**aligero**, dal lat. *alĭger*, comp. di *ali-* (da *ala*) e *-gero* ' che porta ', tema di nome d'agente da *gerĕre*; v. GERENTE.

**aligusta**, lat. *locusta* arrivato attrav. una tradiz. ligure che ha sonorizzato la *-c-* e si è poi incr. con *ligusticus* ' ligure ', annettendo parte dell'articolo. Cfr. ARAGOSTA e LOCUSTA.

**alimentario**, dal lat. *alimentarius*.

**alimento**, dal lat. *alimentum* ' nutrimento ', deriv. di *alĕre* ' nutrire '; v. ALUNNO.

**alinea**, dal lat. medv. *a linea* ' a una linea (nuova) ', ' da capo ', attrav. il frc. *alinéa*.

**aliosso**, dal lat. *aleae ossum* ' osso del dado '.

**alìpede**, dal lat. *alĭpes*, *-ĕdis*.

**aliquota**, (*parte*) *aliquota*, da *alĭquotus* del lat. dei matematici che è deriv. dall'avv. *alĭquot* ' alquanto ', comp. di *ali-*, v. ALTRO, e *-quot*, v. QUOTA.

**aliscafo**, calco su *motoscafo* con *ali-* al posto di *moto(re)*: « scafo alato ».

**alisèo**, dal frc. *alizés* e questo dallo sp. *alisios*.

**alitare**, dal lat. *halitare*, intens. di *halare*; v. ALITO.

**àlito**, dal lat. *halĭtus* ' alito ' e questo da *hālare* ' esalare, emettere un soffio ', prob. da un ant. *\*anslare* con *h-* onomatop. e allungamento di compenso di *ansl-* in *-āl-*. Qualcuno ha visto in *\*anslare* un verbo desiderativo iterativo risal. alla rad. ANĒ di lat. *anĭma*: v. ÀNIMO e cfr. ANÈLITO.

**allacciare**, verbo denom. da *laccio* col pref. *a(d)-*.

**allalì**, dal frc. *hallali*, voce onomatop.

**allampanare**, verbo denom. da *làmpana* ' lampada ', nel senso di ' fusto di lampada ' col pref. *a(d)-*.

**allappare** ' allegare i denti', da una serie onomatop. *l.... p....*

**allarmare**, dal frc. *alarmer* incr. con it. *allarme.*

**allarme**, dalla interiez. *all'arme!* ' alle armi' intesa come sg.: ' (il segnale) di allarme '.

**allativo** (caso della declinazione), calco su *ablativo* con la sostituz. di *a(d)-* di direzione, all'*ab-* di provenienza, cfr. ELATIVO, ILLATIVO.

**allattare**, verbo denom. da *latte* col pref. *a(d)-.*

**allea**, dal frc. *allée* prop. ' andata '.

**alleanza**, dal frc. *alliance.*

**alleare**, dal frc. *allier* e questo dal lat. *alligāre* ' legare insieme '. Cfr. ALLEGARE².

**allegare¹**, dal lat. *allēgāre* ' addurre a scopi legali ', incr. con *alligare* ' collegare '. Lat. *allegare* è verbo denom. da *lex, legis* (v. LEGGE) col pref. *a(d)-.*

**allegare²**, dal lat. *alligare*, comp. di *ad* e *ligare*, incr. con it. *legare.*

**alleggiare**, dal frc. *alegier*, lat. tardo *alleviare* ' alleggerire ', verbo denom. da *levis*, incr. con it. *a(d)-.* Cfr. ALLIBARE.

**alleggio**, dal frc. *allège*; v. ALLEGGIARE.

**allegorìa**, dal gr. *allēgoría* ' l'argomentare con imagini diverse ', attrav. il lat. *allēgoria*, ma senza mantenere l'accento ritratto sulla terz'ultima.

**allegòrico**, dal lat. tardo *allegorĭcus.*

**allegro**, lat. volgare *\*allecrus*, class. *alăcer, -cris*, incr. con la famiglia di *allicĕre* ' attrarre, sedurre ', e passata nella declinaz. in *-o*. La trasmissione romanza ha carattere settentr. come mostra la leniz. della *-c-* in *-g-*. *Alacĕr* è un deriv. della rad. EL sopravv. in *(amb)ulare*, v. AMBULARE.

**allelo-**, dal gr. *allēlōn* ' reciproco '.

**alleluia**, dal lat. *allēlūia*, questo dal gr. *allēlúia* e questo dall'ebr. *hallēlū* ' lodate ' *Yāh* ' Dio '.

**allenare¹**, da *alenare*, incr. col pref. it. *a(d)-* e *lena* (v.).

**allenare²**, verbo denom. da *lene* col pref. *a(d)-.*

**allentare**, verbo denom. da *lento* col pref. *a(d)-.*

**allergìa**, dal gr. *allo-* ' estraneo ' e il tema *-ergìa* tratto dal gr. *érgon*, secondo lo schema di *en-ergìa* propr. ' reazione contro (sostanze) estranee '.

**allerta**, da *all'erta.*

**allestire**, verbo denom. da *lesto* col pref. *a(d)-.*

**allettare¹** ' attrarre ', dal lat. *allectare*, intens. di *allicĕre* ' attrarre ', comp. di *ad* e *lacĕre*; v. DE-LIZIA, DILETTARE: con norm. passaggio di *-ă-* in *-ĕ-* in sill. interna chiusa e in *-i-* in aperta, cfr. LAC-CIO e LEZIO.

**allettare²** ' stendersi (a letto) ', verbo denom. da *letto* col pref. *a(d)-.*

**allevare**, lat. *allevare* ' tirar su ', comp. di *ad-* e *levare*; v. LEVARE.

**alleviare**, dal lat. tardo *alleviare* ' alleggerire '; v. LIEVE.

**allibare** ' alleggerire ', lat. *alleviare* attrav. *allebbiare* (attestato nel dial. pisano), incr. con *levare*. Cfr. ALLEGGIARE.

**allib(b)ire**, lat. *\*allivēre* ' diventar livido ', da *ad* e *livēre*; la forma *allibbire* deriva dalla prima pers. *\*allibbio* corrispond. al lat. *allivео*; v. LIVIDO.

**allibrare**, originariam. verbo denom. da *a(d)-* e *libra* ' libbra ', nome di un'antica tassa; poi passato nel sistema di *libro* e quindi all'immagine di registrazione.

**allibratore**, calco sull'ingl. *bookmaker.*

**allicciare**, verbo denom. da *liccio* col pref. *a(d)-.*

**allidere**, dal lat. *allidĕre* ' urtare ', comp. di *a(d)-* e *laedĕre* con norm. passaggio di *-ae-* in *-i-* in sill. interna; v. LEDERE.

**allievo**, sost. deverb. da *allevare*, con norm. dittongazione della *-e-* (aperta e accentata) in *-ie-* in sillaba aperta.

**alligatore**, dal lat. scient. *alligator*, che è dall'ingl. *alligator*, incr. dello sp. *el lagarto* ' lucertola ' col lat. *ligare.*

**alligazione**, dal lat. *alligatio, -onis* ' legatura, collegamento '. Cfr. ALLEGARE².

**allignare**, dal lat. medv. *allignare* ' far legna ' e cioè ' indurire ', ' maturare ', verbo denom. da *lignum* ' legno ' col pref. *a(d)-.*

**allitterazione**, dal lat. umanistico *allitterātio, -onis* e questo da un presunto *\*ad-litterare* ' allineare lettere '.

**allivellare**, verbo denom. da *livello* col pref. *a(d)-.*

**allo-**, dal gr. *állos* ' altro '.

**allò** (risposta telefonica), dal frc. *allons* ' andiamo '. Cfr. ALÒ.

**allocazione**, dal frc. *allocation.*

**allocco**, dal lat. tardo *ulūcus, uluccus*, analizzato quale ampliam. di un presunto *\*luccus* ' stolto ', incr. con *ad*. Voce onomatop. risal. alla comunità ideur. Cfr. ULULARE.

**allocutivo**, dal lat. *allocutus*, part. pass. attivo di *allŏqui* ' rivolgo la parola ' col suff. it. di agg. durativo *-ivo.*

**allocutore**, dal lat. tardo *allocutor, -oris.*

**allocuzione**, dal lat. *allocutio, -onis*, nome d'azione di *allŏqui* ' rivolger la parola '; v. LOCUZIONE.

**allodiale**, dal lat. medv. *alodialis*; v. ALLODIO.

**allodio**, dal lat. medv. *alodium* e questo dal franco *al-ōd* ' pieno possesso ', passato a indicare ' proprietà immobiliare ', incr. col pref. it. *a(d)-.*

**allòdola**, dal lat. *\*alaudŭla* dimin. di *alauda*, in cui la *a-* iniz. è stata intesa come pref. *a(d)-*; talvolta come parte dell'articolo; v. LODOLA. Lat. *alauda* è di orig. gallica.

**allogare**, verbo denom. da *luogo* col pref. *a(d)-* e la normale assenza del dittongo *uo* fuori della sede d'accento.

**allògeno**, da *allògeni* ' di stirpe straniera ' formato sul modello di *indìgeni* ' di stirpe nazionale, interna ', e ora analizzato come composto di *allo-* e *-geno.*

**alloggiare**, verbo denom. da *loggia* (v.), incr. con *allogare.*

**alloglotto**, calco su *allogeno* (v.), formato di *allo-* ' straniero ' e il gr. *glôtta* ' lingua ': riproducendo così il tipo gr. *allóglōttos* ' di altra lingua '.

**allopatìa**, comp. di *allo-* ' straniero ' e del tema astratto *-patìa.*

**alloppiare**, verbo denom. da *loppio*, variante di *oppio* col pref. *a(d)-.*

**allora**, lat. *ad (i)ll(am) hōram.*

**allorché**, da *allora* e *che.*

**alloro**, lat. *(il)la laurus* (femm.), incr. con *oro*, e col pref. *a(d)-*; divenuto, dopo la separazione del presunto articolo, *l'a(d)laurus* e infine *l'alloro*, con operazione analoga a quella di *allòdola* e *lòdola*; v. LAURO.

**allotrio**, dal gr. *allótrios.*

**allòtropo**, dal gr. *allótropos* ' che si svolge diversamente ' da *allo-* ' altro ' e *tropo-* ' che si svolge '.

allotta 'allora', da all'otta; v. OTTA.

allottare, verbo denom. da lotto col pref. a(d)-.

àlluce, dal lat. hallux, -ucis, privo di connessioni attendibili.

allucinare, dal lat. alucināri 'dormire all'impiedi, divagare', deriv. da un presunto *alus 'stato di incoscienza' (gr. alýō 'sono in stato di incoscienza') come ratiōcinor da ratio; associato poi all'immagine della luce e quindi di un comp. *ad-luc-inari.

allucinazione, dal lat. alucinatio, -onis.

alluda e allude, dal lat. tardo alūta 'corteccia di quercia', attrav. il provz. aluda. Lat. alūta appartiene alla famiglia di alumen; v. ALLUME.

allùdere, dal lat. alludĕre 'toccar leggermente' anche figur., comp. di a(d)- e ludĕre; v. LUDO.

allumare[1] 'illuminare', 'accendere', verbo denom. da lume, incr. col frc. allumer.

allumare[2] 'conciare con l'allume', verbo denom. da allume.

allume, lat. alūmen, incr. forse con lūmen e quindi inteso come comp. con ad-. Lat. alūmen è privo di connessioni evidenti.

alluminare 'miniare', dal frc. enluminer.

alluminio, dal lat. del sec. XIX aluminium e questo da alūmen; v. ALLUME.

allunare, calco su atterrare.

allupare 'divenire lupo', verbo denom. da lupo col pref. a(d)-.

allusione, dal lat. tardo allusio, -onis, nome d'azione di alludĕre, formato dal part. pass. allusus; v. LUSORIO.

allusivo, agg. durativo in -ivo tratto da alluso part. pass. di allùdere.

alluvione, dal lat. alluvio, -onis, nome d'azione di adluĕre.

alma[1] 'anima', lat. anĭma con dissimilaz. del gruppo -n(i)m- in -lm-, e norm. perdita della voc. atona, non tutelata da impieghi religiosi che invece agiscono in ÀNIMA (v.).

alma[2] (gioco), dal gr. hálma 'salto'.

almagesto, dall'ar. al-Magisṭī, adattamento del gr. megístē (sýntaksis) '(compendio) massimo', titolo dato in un secondo tempo all'opera astronomica di Tolomeo Sýntaksis mathēmatikē̆: forse attrav. il frc. almageste.

almanacco, dall'ar. al-manākh.

almanco, almeno, da al manco, al meno.

almirante 'ammiraglio', dallo sp. almirante; v. AMMIRAGLIO.

almo, dal lat. almus 'che nutre', da alĕre 'nutrire'.

alno, lat. almus, con confronti convincenti nelle aree germanica, baltica, slava, cfr. ONTANO.

alò, dal frc. allons. Cfr. ALLÒ.

àloe (e aloè), àloe dal lat. alŏe e questo dal gr. alóē̆; aloè dalla stessa orig., attrav. l'intermediario frc. aloès.

alone, da un lat. *halo, -ōnis, deriv. da halos 'cerchio intorno al sole', che è dal gr. hálōs.

alopecìa, dal gr. alōpekía, attrav. il frc. alopécie: propr. 'volpinità (di pelle)', perché la volpe perde il pelo a chiazze.

alpacca, forse dal frc. pack(fond) 'argentone' (XIX sec.) di orig. cinese, incr. con al(ambicco).

alpaga, dallo sp. americano alpaca, ruminante dell'America meridion., che deriva a sua volta dall'agg. della lingua queciua 'rossastro'.

alpe, lat. volg. *alpis, tratto dal plur. Alpes, -ium da un tema mediterr. ALBA/ALPA che significa 'pietra'.

alpigiano, da alpe con il doppio suff. lat. -ensis e -anus, lat. volg. *e(n)sianus secondo una tradiz. sett. -esgjano.

alquanto, lat. aliquantus, comp. di ali- e quantus, v. QUANTO. Da ali- si ha alĭus 'un altro di fronte a molti' in opposizione a alter 'un altro di fronte a uno solo', v. ALTRO. Alĭus ha paralleli immediati nelle aree osca, greca (állos) celtica, germanica. In altre aree si ha una forma concorrente del tipo an-, mentre in latino la forma ali- si estende a tipi come ali-cŭbi e ali-ter, v. ALTROVE. Per un legame più lontano col pron. dimostr. di 3ª persona (lat. arc. olle), v. OLTRE!

alt, dal ted. halt! ! 'ferma!'.

altalena, dal lat. tolen(n)o, -ōnis di genere maschile 'macchina per attingere acqua e sollevare', incr. con alta e lena 'sforzo verso l'alto', quasi *alta-(to)lena. Lat. tolenno è forse di orig. etrusca.

altana, forma femm. sostantiv. di altano.

altano, lat. tardo altanus, sostantiv., 'libeccio' «(vento) d'alto (mare)».

altare, lat. tardo altare (class. altaria), neutro sostantiv. di un agg. *altaris, dissimilato da *alta-lis, deriv. di *altus part. pass. di (ad)oleo 'faccio bruciare', privo di confronti veramente evidenti.

altèa, dal lat. althaea e questo dal gr. althaía.

alteràbile, agg. verb. passivo di alterare.

alterare, dal lat. tardo alterare, verbo denom. da alter; v. ALTRO.

altercare, dal lat. altercari, proprio del vocab. giur., verbo denom. da *altercus variante di alternus, deriv. da alter; v. ALTRO.

altercazione, dal lat. altercatio, -onis.

alterco, sost. deverb. di altercare.

alternanza, astr. di alternare.

alternare, dal lat. alternare, verbo denom. da alternus.

alternazione, dal lat. tardo alternatio, -onis.

alterno, dal lat. alternus 'uno su due', deriv. di alter; v. ALTRO.

altero, da altus, incr. con it. fiero.

altezza, lat. tardo altitia astr. di altus (class. altitudo).

altezzoso, da altezza col suff. -oso peggiorativo.

alti-, variante di alto- come primo elemento di composiz. secondo lo schema lat. per cui -o- passa in -i- in sill. interna aperta.

alticcio, dimin. di alto come bianchiccio o gialliccio di bianco e giallo.

altimetrìa, da alti- e metrìa.

altimetro, da alti- e -metro.

altisonante, dal lat. altisŏnus, incr. con altitŏnans.

altitonante, dal lat. altitŏnans, -antis.

altitùdine, dal lat. altitudo, -ĭnis.

alto[1] (agg.), lat. altus, originariam. part. pass. di alĕre e cioè '(animale) allevato' (cfr. il part. pres. medio alumnus), accertato nelle aree celtica e germanica p. es. ted. alt nel senso di 'vecchio', cfr. adultus, v. ADULTO. Forme ampliate del tipo al-d, al-dh si trovano invece nell'area greca.

alto[2] (interiez.), dal ted. halt 'ferma!'.

altoparlante, calco sul frc. haut-parleur.

altore, dal lat. altor, -oris, nome d'agente di alĕre 'nutrire'.

altresì, lat. alteru(m) et sic.

**altrettale**, lat. *alteru(m) et talem.*

**altrettanto**, lat. *alteru(m) et tantum.*

**altri**, lat. *alterī*, deriv. da *alter*, ma passato alla declinaz. di *quī*.

**altrice**, dal lat. *altrix, -icis*, nome d'agente femm. di *alĕre.*

**altrieri**, lat. *alter* e *herī.*

**altro**, lat. *altĕr*, da AL, la stessa rad. di *alius*, col suff. *-tero* che indica l'opposizione fra due, secondo un procedim. attestato solo nell'area italica; v. ALQUANTO.

**altronde**, lat. *alĭter unde.*

**altrove**, lat. *alĭter ubi.*

**altrui**, lat. volg. *\*alteruī*, forma di dat. di *\*alterī* (cfr. ALTRI), modellnto sulla declinaz. del pron. rel. che al nom. è *quī*, e al dat. *cui.*

**altruismo**, dal frc. *altruisme*: calco su *egoïsme* con la sostituz. di *altrui* a *ego-.*

**altura**, astr. di *(terreno) alto* come *radura* di *(bosco) rado.*

**alunno**, dal lat. *alumnus* ' allievo ', originariam. part. pres. passivo di *alĕre* ' allevare ' col signif. di ' allevato ', ' nutrito ' come *columna* da *\*celĕre* ' inalzare ', v. COLONNA: cfr. ALIMENTO e ALTO. Per i comp., v. INDOLE, PROLE, DELÈBILE, ABOLIRE.

**alveare**, dal lat. *alvearia* (plur.), deriv. da *alveus*; v. ÀLVEO.

**àlveo**, dal lat. *alveus*, deriv. di *alvus*; v. ALVO.

**alvèolo**, dal lat. *alveŏlus*, dimin. di *alvĕus.*

**alvo**, dal lat. *alvus* ' cavità intestinale ', connesso col gr. *aulós* secondo il rapporto di *nervus* e *neûron* e con paralleli lituani.

**alzaia**, lat. tardo *helciaia* ' colei che tira la fune ', deriv. da *helcium* ' giogo ' e questo dal verbo gr. *hélkō* ' io tiro '. La forma lat. si è poi incr. con *alzare.*

**alzare**, lat. volg. *\*altiare*, verbo denom. da *altus*, cfr. D(I)RIZZARE rispetto al lat. volg. *\*dirictus.*

**alzàvola**, lat. *an(a)s apūla*, incr. con *alzare* e con leniz. settentr. di *-p-* in *-v-.*

**alzo**, sost. deverb. da *alzare.*

**ama** ' vaso ', dal lat. *ama*, che è dal gr. *ámē.*

**amàbile**, dal lat. *amabĭlis.*

**amabilità**, dal lat. *amabilĭtas, -atis.*

**amaca**, dallo sp. *hamaca* e questo dal caribico *hamaka.*

**amadriade**, dal gr. *hamadryás*, comp. di *háma* ' insieme ' e *Dryás* ' (ninfa boschereccia) propria della quercia '.

**amàlgama**, dal lat. medv. alchim. *amàlgama* e questo dal gr. *málagma* ' impasto ', forse attrav. mediaz. ar.

**amàndola** ' mandorla ', dal lat. tardo *amandŭla* incr. di gr. *(amyg)dálē* e lat. *amandus*, cfr. AMÌG-DALA.

**amanuense**, dal lat. *amanuensis* e questo dalla formula *(servus) ā manū.*

**amaràcciola** (ginestra), da *amaro* con doppio processo di derivaz., peggiorativo e dimin.

**amàraco** ' maggiorana ', dal lat. *amarăcus* e questo dal gr. *amárakon.*

**amaranto**, dal lat. scient. *amarantus* e questo dal gr. *a-márantos* ' ciò che non appassisce '.

**amarasca**, da *amaro* innestato col suff. mediterr. ligure *-asca.*

**amaraschino**, v. MARASCHINO.

**amare**, lat. *amare*, di orig. mediterr., sopravv. nel

nome della divinità etrusca *Aminth*. Cfr. *amoenus*, v. AMENO, *amicus*, v. AMICO, e anche AMARO.

**amarena**, innesto di ' amaro ' con suff. prelatino-tirrenico *-ena.*

**amarezza**, lat. tardo *amaritia*, astr. di *amarus.*

**amarilli**, dal lat. scient. *amaryllis* e questo dal nome proprio virgiliano *Amaryllis*, che risale al gr. *Amaryllís, -idos.*

**amaritùdine**, dal lat. *amaritudo, -ĭnis.*

**amaro**, lat. *amārus*, collegato a un presunto *\*amĕre* come *avarus*, v. AVARO, è legato a *avēre* ' desiderare vivamente '. Privo di connessioni in altre aree ideur., *\*amĕre* dovrebbe essere a sua volta legato con *amare*, anche se par difficile collegare i signif. in modo diverso da una interpretazione pessimistica e « amara » dell'amore.

**amarore**, dal lat. *amaror, -oris.*

**amarrare**, ' ormeggiare ', dal frc. *amarrer* ' attraccare ' e questo dall'ol. *maren* ' attaccare '.

**amarulento**, dal lat. tardo *amarulentus.*

**amasio**, dal lat. *amasius*, v. AMARE, con suff. non sottoposto a rotacismo, prob. perché dialettale.

**amatita** (arc.), v. MATITA.

**amatore**, dal lat. *amator, -oris.*

**amatorio**, dal lat. *amatorius.*

**amaurosi**, dal lat. tardo *amaurōsis* e questo dal gr. *amaúrōsis* ' oscuramento ', nome d'azione di *amauróō* ' io oscuro '.

**amauròtico**, dal gr. *amaurōtikós.*

**amàzzone**, dal lat. *Amăzōn, -ŏnis* (che è dal gr. *Amazṓn* ' senza una mammella '), con raddopp. di *-z-* postonica in parola sdrucciola.

**amazzònico**, dal lat. *amazonĭcus*, incr. con it. *amàzzone.*

**amazzonio**, dal lat. *amazonĭcus*, incr. con it. *amàzzone.*

**amba** ' altura ', dall'abissino *amba.*

**ambage**, dal lat. *ambāgēs* (plur.) ' sinuosità ' e (sg.) ' circonlocuzione ': questo da *amb(i)* e *āg-* tema radicale con la voc. allungata dalla rad. AG, v. ÀGILE, come in *tāg-* rispetto a *tangĕre* in *contāgium*; v. CONTAGIO.

**ambarvali**, dal lat. *ambarvalia*, deriv. da *ambarvalis (hostia)* « (la vittima che si conduce) intorno ai campi »; v. AMB(I)- e ARVALE.

**ambascerìa**, dal prov. *ambaissaria.*

**ambascia**, lat. medv. *ambactia*, anche *ambascia* ' servizio (pesante) ', parola gotica risal. a *andbahti* ' servizio ' e questa astr. di *andbahts* ' servo ', presa da una gallica (latinizzata in *ambactus* ' servo ' presso Cesare).

**ambasciata**, dal prov. *ambaissada*; cfr. AMBASCIA.

**ambasciatore**, dal verbo provz. *ambaisar* col suo nome d'agente *ambaisador* ' servire ', ' servitore '; e questi da forme gallo-latine risal. ad *ambactus* ' servo '; cfr. AMBASCIA.

**ambedue**, lat. *ambo duo*, inserito nello schema di *tutt'e due.*

**ambi-**, dal lat. *amb(i)-*, ' da entrambe le parti ' identico al gr. *amphí* e alternante con le forme celtiche e germaniche p. es. ted. *um* discend. da ᴍʙʜɪ.

**ambiare** (arc.), lat. *ambulare*; v. AMBULARE.

**ambiatura**, astr. di *ambiare.*

**ambidestro**, dal lat. tardo *ambidexter, -tri*, calco sul gr. *amphidéksios.*

**ambiente**, dal lat. *ambiens*, part. pres. del lat. *ambire* ' andare attorno '.

**ambigènere,** da *ambi-* e *genere*.

**ambiguità,** dal lat. *ambiguĭtas, -atis*.

**ambiguo,** dal lat. *ambiguus*, comp. di *amb-* e *ag-* come *exiguus* da *ex-* e *ag-*, cfr. i verbi lat. *ambigĕre* e *exigĕre* e v. ESIGUO.

**ambio,** 'passo (di cavallo, asino ecc.)', sost. deverb. da *ambiare*, incr. con *ambo*.

**ambire,** dal lat. *ambire*, comp. di *amb(i)-*, v. AMBI-, e *ire*, v. GIRE. Per l'intens. *ambitare*, v. ANDARE.

**àmbito,** dal lat. *ambĭtus, -us*, astr. di *ambire* 'andare attorno'.

**ambivalenza,** da *ambi-* e *valenza*.

**ambizione,** dal lat. *ambitio -onis*, nome d'azione di *ambire*. Per il nome d'azione dell'intens. *ambitare*, v. ANDAZZO.

**ambizioso,** dal lat. *ambitiosus*.

**ambliopìa,** dal gr. *amblyōpía*, comp. di *amblýs* 'debole' e *ōps, ōpós* 'vista' col suff. *-ía* di astr.

**ambo[1],** dal lat. *ambo*, 'entrambi': nom. duale risultante da AMBH-BHŌ, identico al gr. *ámphō*, e somigliante anche nel tocario B. Per il primo elemento v. AMBI-: il secondo elemento è BHŌ, forma duale, attestata, isolata o in composiz., anche nelle aree germanica, baltica, slava.

**ambo[2]** (coppia di numeri), da *ambo[1]*.

**ambone,** 'pulpito', dal lat. tardo *ambo, -onis* e questo dal gr. *ámbōn -ōnos*.

**ambra,** lat. medv. *ambar, -aris* e questo dall'ar. *'anbar* 'ambra grigia'.

**ambrogetta,** dimin. di un nome non meglio identificato *\*ambrogia*, forse collegato col lat. tardo *ambrices* (di Paolo-Festo) «regulae quae transversae asseribus et tegulis interponuntur».

**ambrosia,** dal lat. *ambrosia* e questo dal gr. *ambrosía* 'ciò che appartiene agli immortali', astr. di *ámbrotos* 'immortale'.

**ambrosiano** 'milanese', dal lat. eccl. *Ambrosianus*, proprio di S. Ambrogio (patrono della città).

**ambulacro,** dal lat. *ambulacrum*.

**ambulante,** part. pres. sostantiv. di *ambulare*.

**ambulanza,** dal frc. *ambulance*.

**ambulare,** dal lat. *ambulare*, comp. di *amb-*, v. AMBI-, e una forma durativa della rad. EL, sopravv. in *al(acer)*, e con connessioni non sempre evidenti nelle aree celtica, greca, armena.

**ambulatorio,** dal lat. *ambulatorius* 'trasferibile'.

**-àmbulo,** dal lat. *-ambŭlus*, conserv. come secondo termine di composiz. in *funambŭlus*.

**ameba,** dal lat. scient. *amoeba* e questo dal gr. *amoibḗ* 'cambiamento', per il loro continuo cambiamento di forma.

**amebèo,** dal lat. tardo *amoebaeus* e questo dal gr. *amoibaîos* 'mutevole'.

**amen (àmenne** e **àmmene),** dall' ebr. *āmēn* 'certo'.

**amendue,** variante di *ambedue*, sotto l'influenza del provz. *amdui*.

**amenità,** dal lat. *amoenĭtas, -atis*

**ameno,** dal lat. *amoenus*, sicuram. collegato con la famiglia di *amare*, ma con un processo di derivaz. isolato.

**amente** 'dissennato', dal lat. *amens, -entis*, comp. di *ā-* (da *abs*) e *mens, mentis*.

**amento,** dal lat. *amentum* 'correggia del giavellotto', privo di connessioni attendibili.

**amenza** 'dissennatezza', dal lat. *amentia*.

**amerindio** 'Indiano d'America', dall'ingl. *Amerindian* che equivale a *Amer(ican) Indian*.

**ametista,** dal lat. *amethystus* e questo dal gr. *améthystos* 'inubriacàbile' « antiubriacante ».

**ametropia,** comp. di *a-* privat., gr. *métron* 'misura' e *-opìa*.

**amianto,** dal lat. *amiantus* e questo dal gr. *amíantos* 'incorruttibile'.

**amicàbile,** dal lat. tardo *amicabilis*.

**amicale,** dal frc. *amical*.

**amicare,** dal lat. *amicare*.

**amichévole,** dal lat. tardo *amicabĭlis*, incr. con gli agg. verb. it. in *-évole*.

**amicizia,** dal lat. *amicitia*.

**amico,** dal lat. *amicus*, appartenente alla famiglia di *amare*, come *pudicus* a quella di *pudere*.

**-amide,** v. AMMIDE.

**àmido,** da una forma lat. *\*amĭdum*, rifatta, per eccesso di correzione, da *amўlum*, che riproduce il neutro del gr. *ámylon* 'non macinato'.

**amìgdala,** dal lat. *amygdăla* e questo dal gr. *amygdálē* 'mandorla', cfr. AMÀNDOLA.

**amilo,** dal lat. *amўlum*; v. ÀMIDO.

**amistà,** dal provz. *amistat* e questo tratto dal lat. *\*amicĭtas, -atis*, astr. di *amicus*; v. AMICO.

**amitto,** dal lat. *amictus* 'sopravveste', astr. di *amicire* 'rivestire', deriv. di *am(b)-* e *\*iacire* forma durativa di *iacĕre* e quindi limitata in un primo tempo al sistema del pres. Da questo si è formato poi un perf. in *-ŭi* e un part. pass. in *-to*, senza alternanze della rad.

**ammaccare,** lat. volg. *\*maccare*, col pref. *a(d)-*; verbo denom. da una forma popolare e in parte onomatop. *\*macca*, collegata sicuram. col lat. *macŭla*; v. MACCHIA.

**ammagliare,** verbo denom. da *maglia* col pref. *a(d)-*.

**ammainare,** forma napoletana di un lat. *invaginare* 'metter nel fodero', verbo denom. da *vagina* col pref. *in-*

**ammalare,** verbo denom. da *male* col pref. *a(d)-*.

**ammaliare,** verbo denom. da *malìa* col pref. *a(d)-*.

**ammanco,** sost. deverb. da *ammancare*, verbo incoat. rispetto a *mancare* mediante il pref. *a(d)-*.

**ammannire,** dal gotico *manwjan* 'preparare', col pref. *a(d)-*.

**ammansare,** verbo denom. da *manso*.

**ammaraggio,** calco su *atterraggio*.

**ammarare,** calco su *atterrare*.

**ammarrare** 'ormeggiare', dal frc. *amarrer*.

**ammassare,** verbo denom. da *massa* col pref. *a(d)-*.

**ammasso,** sost. deverb. dal verbo *ammassare*.

**ammazzare,** verbo denom. da *mazza* (v.) passando per ciò dal valore di 'agire con la mazza' a quello più intenso e insieme più particolare di 'uccidere'; col pref. *a(d)-*.

**ammazzasette,** soprannome fiabesco da *ammazza-(re)* con *sette* che significa 'molti'.

**ammazzerato,** da un ant. *ammazzerare* e questo da una tradiz. settentr. di *(ad)macerare*; v. MACERARE.

**ammen** e **àmmene,** v. AMEN.

**ammencire,** verbo denom. da *mencio* col pref. *a(d)-*.

**ammenda,** sost. deverb. del verbo *ammendare*.

**ammendare,** rifacimento dal lat. *emendare* passato dal signif. di 'togliere un difetto' a quello di 'applicare una penalità': incr. col frc. *amender*.

ammennìcolo, dal lat. *adminicŭlum* 'sostegno', collegato con *minae, -arum*, v. MINACCIA: incr. con *menno* (v.).

amméttere, incr. del lat. *admittĕre* e dell'it. *méttere*.

ammezzire, verbo denom. da *mézzo* col pref. *a(d)-*.

ammiccare, dal lat. *micare* 'scintillare' col pref. *a(d)-* e raddopp. espressivo della *-c-* in *-cc-*, che dà valore durativo-iterativo.

ammide, da *amm(oniaca)* col suff. *-ide*.

amminìcolo, dal lat. *adminicŭlum*; v. AMMENNÌCOLO.

amministrare, « agire in qualità di 'ministro' », dal lat. *administrare*, verbo denom. da *minister* col pref. *ad-*.

amministrativo, dal lat. *administrativus*.

amministratore, dal lat. *administrator, -oris*.

amministrazione, dal lat. *administratio, -onis*.

ammiràbile, dal lat. *admirabĭlis*.

ammiraglio, dall'ar. *amir* 'principe' con suff. neolat. forse frc.; cfr. ALMIRANTE e v. EMIRO.

ammirare, dal lat. *admirari*, comp. di *ad* e *mirari*; v. MIRO.

ammirativo, dal lat. tardo *admirativus*.

ammiratore, dal lat. *admirator -oris*.

ammirazione, dal lat. *admiratio, -onis*.

ammirévole, dal lat. *admirabĭlis*, incr. con gli agg. verb. it. in *-évole*.

ammissìbile, incr. di *ammissione* con gli agg. verb. in *-ìbile*.

ammissione, dal lat. *admissio, -onis*, nome d'azione di *admittĕre*.

ammo- 'sabbia', dal gr. *ámmos* 'sabbia'.

ammollire, verbo denom. da *molle* col pref. *a(d)-*.

ammonìaca, forma femm. sostantiv. (XVIII sec.) dal lat. *(sal) ammōniăcum* e questo dal gr. *Ammōniakós* 'di Giove Ammone', presso il cui tempio, in Libia, si raccoglieva il sale in questione.

ammonire, dal lat. *admonēre*, comp di *ad-* e *monere*, v. MÒNITO, passato alla coniug. in *-i-*.

ammonite (conchiglia), dal gr. *Ammon* col suff. moderno *-ite*, proprio dei minerali.

ammonitore, dal lat. *admonitor, -oris*.

ammonitorio, dal lat. tardo *admonitorius*.

ammonizione, dal lat. *admonitio, -onis*.

ammontare, verbo denom. da *monte* col pref. *a(d)-*.

ammorbare, verbo denom. da *morbo* col pref. *a(d)-*.

ammortare, dal lat. medv. *admortare* 'concedere in mano morta'.

ammorzare, lat. volg. *ad-mort-iare* 'cominciare a rendere morto', diverso da *admortare* come *altiare* rispetto a lat. tardo *altare*; v. ALZARE.

ammutinare, dallo sp. *amotinar*, questo da *motin* 'sedizione' e questo dal frc. *mutin*, a sua volta da *meute*, risal. al lat. volg. *movita* part. pass. di *movēre*.

amnesìa, lat. medv. *amnesia* e questo dal gr. *amnēsía* 'assenza di memoria', comp. di *a-* privat., *mnêsis* 'memoria' e suff. di astr. *-ia*.

amnio, dal lat. tardo *amnion* e questo dal gr. *amnion* 'vaso per raccogliere il sangue delle vittime'.

amnistia, dal gr. *amnēstía* 'remissione, dimenticanza', con la pronuncia medv. di *i* per *ē*: comp. di *a-* privat., *mnêstis* 'menzione' e il suff. di astr. *-ia*.

amo, lat. *hamus*, privo di connessioni attendibili.

amoerro (stoffa), dal frc. *moire* e questo risal. indirettam. all'ar. *muhajjar*, cfr. anche MOERRO.

amomo, dal lat. *amōmum*, che è dal gr. *ámōmon*.

amorale, da *a-* privat. e morale.

amore, lat. *amor, -ōris*, astr. di *amare* (v.) come *clamor* rispetto a *clamare*.

amorfo, dal gr. *ámorphos* 'privo di forma', comp. di *a-* privat. e *morphé* 'forma'.

amoroso, dal lat. tardo *amorosus*.

amoscino, dal gr. biz. *(d)amaskēnós* con la pronuncia medv. *i* della *ē*; cfr. DAMASCHINO.

amovìbile, da un lat. *amovere* il cui pref. *a-* è forma ridotta di *abs*, v. ASCONDERE davanti a *m b v*.

ampelidèa, dal gr. *ampelis, -idos* 'vite'.

ampelografia, dal gr. *ámpelos* 'vite, uva' e *-grafìa* 'descrizione'.

ampeloterapia, dal gr. *ámpelos* 'uva' e terapìa.

ampere, dal nome di A. M. Ampère, fisico frc. (1775-1836).

ampio, lat. *amplus*, privo di connessioni attendibili.

amplesso, dal lat. *amplexus, -us*, astr. di *amplecti* 'abbracciare', comp. di *am(b)-* e *plectĕre*, v. PLESSO.

ampliare, dal lat. *ampliare*, verbo denom. da *amplus*.

amplificare, dal lat. *amplificare*.

amplificazione, dal lat. *amplificatio, -onis*.

amplitùdine, dal lat. *amplitudo, -inis*.

ampolla, lat. *ampulla*, dimin. di *amp(h)ŏra*, deriv. dal gr. *amphoreús* in età arc. quando il *phi* gr. era reso con *p* senza aspiraz.; cfr. ÀNFORA.

ampolloso, dal lat. tardo *ampullosus*, risal. a formule quali quelle virgiliane *rhetorum ampullae* 'gonfiezze di retori'.

amputare, dal lat. *amputare* e questo da *am(b)-*, v. AMBI- e *putare* 'tagliare', v. POTARE.

amputazione, dal lat. *amputatio -onis*.

amuleto, dal lat. *āmulētum*, privo di connessioni attendibili.

amusìa, dal gr. *amūsía* 'mancanza di sensibilità musicale'.

an-, dal gr. *an-*, ant. ΕΝ, variante antevoc. al grado semiridotto di fronte a EN (norm.) e N (rid.), v. IN e A-1.

ana (nelle ricette mediche), dal gr. *aná* in senso distributivo.

anabattista, dal gr. *anabaptistés* 'ribattezzatore'.

ànace, dal gr. *ánison* con norm. passaggio di *-i-* in *-a-* in posizione interna di parola sdrucciola, v. ÀNICE. La sostituz. di *-c-* a *-s-* è dovuta prob. a una tradiz. ritenuta settentr., e perciò poi corretta: così pure il passaggio alla declinaz. in *-e* attrav. un ravennate *anas*.

ànacio, variante di *ànace* con mantenimento della finale *-o*.

anacoluto, dal gr. *anakólūthon (skhêma)*, comp. di *an-* privat. e *akólūthos* 'seguace', attrav. il lat. tardo *anacolūthon* 'senza collegamento'; cfr. ACCÒLITO.

anacoreta, dal lat. eccl. *anachorēta* e questo dal gr. *anakhōrētés*, nome d'agente di *anakhōréō* 'mi tiro in disparte'.

anacronismo, dal gr. *anakhronismós*: « contro tempo ».

anacrusi, dal gr. *anákrūsis* 'l'atto di tirare indietro'.

**anadiplosi,** dal lat. tardo *anadiplōsis* e questo dal gr. *anadíplōsis* ' ripetizione ', ' raddoppiamento '.

**anafilassi,** dal frc. *anaphylaxie* e questo dal gr. *aná* ' contro ' e *phýlaksis* ' difesa '.

**anafonesi,** comp. di gr. *aná* ' su ' e *phōnēsis* ' pronuncia ', perché si ritenne si fosse trattato di un « rialzo » anziché della conservazione della pronuncia originaria dell'*i* e dell'*u* latina nelle forme fior. *tinca, unto* di fronte alle non fior. (p. es. senesi) *tenca, onto*.

**anàfora,** dal gr. *anaphorá* ' l'atto di portar su '.

**anafòrico,** del gr. *anaphorikós*, attrav. il lat. tardo *anaphoricus*.

**anagàllide** (pianta), dal lat. *anagallis, -ĭdis* che è dal gr. *anagallís, -ídos*.

**anàglifo,** dal gr. *anáglyphos* ' cesellato ', comp. di *aná-* e *glýphos*; v GLITTICA.

**anagogìa,** dal gr. *anagōgía* ' elevazione '.

**anagògico,** dal gr. *anagōgikós*.

**anàgrafe,** dal gr. *anagraphḗ* ' registro ', comp. di *aná* ' su ' e il tema di *gráphō* ' io scrivo '.

**anagramma,** dal lat. medv. *anagramma*, da un gr. tardo *anágramma*, estr. dal verbo *anagrammatízō* ' scrivo in ordine inverso '.

**analemma,** dal gr. *análēmma* ' piedistallo '.

**analessi,** dal gr. *análēpsis* ' ripresa ', nome d'azione del sistema di *analambánō* ' sollevo '.

**analfabeta,** dal lat. tardo *analphabetus* e questo dal gr. *analphábētos*, passato nella serie dei nomi maschili in *-eta* (*poeta, esteta*, ecc.).

**analgesìa,** dal gr. *an-algēsía* ' mancanza di sensibilità '.

**anàlisi,** dal gr. *análysis* ' scomposizione ', nome d'azione di *analýō*, attrav. il lat. medv. *anàlysis*.

**analista,** da *anal(is)ista*.

**analitico,** dal lat. tardo *analytĭcus* che è dal gr. *analytikós*.

**analogìa,** dal lat. *analogia* e questa dal gr. *analogía*.

**analògico,** dal lat. *analogĭcus* e questo dal gr. *analogikós*.

**anàlogo,** dal gr. *análogos* ' che ha rapporto '.

**anamnesi,** dal gr. *anámnēsis* ' ricordo ', nome di azione di *anamimnḗskō*.

**ananas(so),** da *nana* nella lingua guaranì (Brasile), attrav. il portogh. *ananás*, forma plur. di un più ant. *ananá*.

**anapèstico,** dal lat. *anapaestĭcus*, che è dal gr. *anapaistikós*.

**anapesto,** dal lat. *anapaestus* e questo dal gr. *anápaistos* ' battuto a rovescio ' nel senso di un « (dattilo) rovesciato col tempo forte alla fine (anziché al principio) del piede ».

**anaptissi,** dal gr. *anáptyksis* ' l'azione di spiegare o svolgere ', nome d'azione di *anaptýssō*.

**anarchìa,** dal gr. *anarkhía* ' il fatto di essere senza governo ', da *an-* privat. e l'astr. del tema del verbo *árkhō* ' io comando '.

**anastàtico,** dal frc. *anastatique* e questo dal gr. *anástatos* ' rimosso '.

**anastomosi,** dal gr. *anastómōsis* ' sbocco ', nome d'azione di *anastomóō* ' apro uno sbocco '.

**anàstrofe,** dal lat. tardo *anastrŏphe*, che è dal gr. *anastrophḗ*, comp. di *aná-* e il tema di *stréphō* ' volgo ', e cioè « inversione ».

**anatema,** dal gr. crist. *anáthema* che da ' offerta votiva ' è passato a indicare ' maledizione '.

**anatem(at)izzare,** dal gr. crist. *anathematízō*, verbo denom. da *anáthema*.

**anatomìa,** dal lat. tardo *anatomia* (con l'accentazione di penultima in *-ia* propria delle formaz. gr. analoghe) e questo dal gr. *anatomḗ* ' dissezione ' col suff. di astr. *-ia*.

**anatòmico,** dal lat. tardo *anatomĭcus*.

**ànatra,** lat. *anas -ătis*, incr. con volg. *\*anitra*, v. ÀNITRA. Lat. *anas* deriva da una rad. ANĂT che compare identica nelle aree slava, baltica germanica (ted. *Ente*) e assai simile nelle aree indiana e greca (*nêssa*).

**anca,** dal longob. *hanka*.

**ancella,** lat. *ancilla*, allineato con i dimin. it. in *-èlla*. *Ancilla* a sua volta è forma dimin. femm. di *ancŭlus*, che ha esatte corrispond. nelle aree greca (*amphípolos*), indiana.

**ancestrale,** dal frc. *ancestral* e questo dal frc. ant. *ancestre*, lat. *antecessor, -oris*.

**anche,** dal tipo *hanc ho(ram)* ' ancòra ', incr. con gli esiti popolari del tipo *dunche* (di fronte ai letterarî *dunque, comunque*).

**anchilosi,** dal gr. *ankýlōsis* ' lo stato di essere curvo ', risal. a *ankýlos* ' curvo ', per il quale ultimo, cfr. ÀNGOLO.

**anchilostoma,** dal gr. *ankýlos* ' curvo ' e *stóma* ' bocca ': « dalla bocca curva ».

**ancia,** dal frc. *anche* ' linguetta, tramoggia ' e questo dal franco *ankja* ' gamba '.

**ancìdere,** lat. *ancīdĕre*, comp. di *am(b)-*, v. AMBI- e *caedĕre* con norm. passaggio di *-ae-* in *-ī-* in sill. interna, sopravv. nel nome d'azione *ancisio*, nel part. pass. *ancisus* e nell'agg. deriv. *ancile*, v. ANCILE: incr. per il signif. con *occidĕre*.

**ancile,** dal lat. *ancile*, ant. *\*amb-cid-slis*, comp. di *amb-*, v. AMBI-, la rad. di *caedĕre* e il suff. aggettiv. *-sli-*; v. ANCÌDERE.

**ancillare,** dal lat. *ancillaris*.

**ancilotomìa,** dal gr. *ankýlos* ' curvo ' e *-tomìa* ' taglio ' e cioè « taglio del frenulo ».

**ancìpite,** dal lat. *anceps, -ipĭtis*, ant. comp. di *ambi-* e *caput*, v. CAPO, con norm. passaggio di *-ă-* in *-ĕ-* in sill. postonica chiusa, e di *-ă-* e *-ŭ-* in *-ĭ-* in sill. interna aperta.

**ancòi** ' oggi ', forma it. settentr. da un incr. tra lat. *hanc ho(ram)*, v. ANCHE, e *hodie*.

**ancona,** incr. di gr. biz. *eikóna* ' immagine ' e lat. tardo *ancōn, -ōnis*, dal gr. *ánkōn, -onos* ' piegatura ad angolo acuto '.

**àncora,** lat. *ancŏra* e questo dal gr. *ánkÿra*, con abbreviamento della voc. interna dovuto a intermediario etrusco.

**ancora,** dal frc. ant. *encore*.

**ancùdine,** dal lat. tardo *incudinem*, forma recente rispetto alla class. *incus, -udis*, v. INCUDINE, incr. con *anca*.

**andana,** ampliam. di un tema nominale estr. da *andare*.

**andare,** forma con leniz. merid. di *-nt-* in *-nd-* del lat. *am(bi)tare* (docum. in testi del IX sec.), intens. di *ambire* ' andare in giro '; inserita nella coniugaz. di *vado* (v.) lat. *vado*: incr. nelle reg. marittime col lat. *an-nare* ' nuotare verso '.

**andazzo,** lat. volg. *\*ambitatio*, cfr. AMBIZIONE, nome d'azione di *\*ambitare* intens. di *ambire*, v. AMBIRE, incr. con it. *andare* e il suff. pegg. *-azzo*.

**àndicap,** dall'ingl. *handicap* ' difficoltà in gare '.

**andirivieni,** comp. del tipo detto « imperativale » *andi* (= *vai*) + *rivieni*.

**àndito,** lat. medv. *ànditus* (XI sec.), incr. di *ambĭtus* con it. *andare*.

**-ando,** dal lat. *-andus*, suff. di part. fut. passivo.

**androcèo,** calco su *ginecèo* (v.) ' abitazione delle donne ' con la sostituzione del tema gr. *andro-* ' uomo ' a *gine-* ' donna '.

**androginìa,** astr. di *andrògino*.

**andrògino,** dal gr. *andrógynos* « uomo-donna ».

**androne,** dal lat. *andron, -ōnis* ' passaggio ' e questo dal gr. *andrṓn, -ônos* « appartenente agli uomini ».

**anèddoto,** dal lat. *an-ékdotos* ' non dato fuori ', ' inedito ', forse attrav. il frc. *anecdote* nel XVIII sec.

**anelare,** dal lat. *anhelare*, comp di *an-* pref. di forma osco-umbra equival. a lat. *in-* e *\*anslare*, v. ÀLITO, con norm. passaggio di *-ă-* in *-ĕ-* in sill. interna chiusa. ANSL- potrebbe essere ampliam. desiderativo-iterativo della rad. ANĒ, cfr. le forme metatetiche ALENA, ALENARE.

**anelèttrico,** da *elèttrico* con *an-* privat.

**anèlito,** dal lat. *anhelĭtus, -us*, astr. di *anhelare*, cfr. ÀLITO.

**anèllide,** dal lat. scient. *anèllidae*, deriv. di lat. *anellus*; v. ANELLO.

**anello,** lat. *anellus*, dimin. di *anŭlus* e questo di *anus*; v. ANO.

**anelo,** dal lat. *anhelus*; v. ANELARE e ÀLITO.

**anemìa,** dal gr. *an-aimía* « situazione di chi è senza sangue ».

**anemòfilo,** dal gr. *ánemos* ' vento ' e *filo*.

**anemògrafo,** dal gr. *ánemos* ' vento ' e *-grafo*.

**anemòmetro,** dal gr. *ánemos* e *-metro*.

**anèmone,** dal gr. *anemónē*, legato a *ánemos* ' vento ' solo da etimol. popolare.

**anemoscopio,** dal gr. *ánemos* e il tema *-scopio*.

**anepìgrafo,** dal gr. *an-epigraphos* ' senza iscrizione '.

**aneròide,** dal gr. *a-* privat. e *nērós* ' liquido ' più il suff. *-òide*.

**anestesia,** dal gr. *an-aisthēsía* ' insensibilità '; v. -ESTESIA e cfr. SINESTESIA.

**aneto** (pianta aromatica), dal lat. *anetum* e questo dal gr. *ánēthon*.

**aneurisma,** dal lat. tardo *aneurysma* e questo dal gr. *aneúrysma* ' dilatazione '.

**anfanare,** incr. di *affannarsi* e *ansare*.

**anfibio,** dal gr. *amphíbios* « dalla vita in entrambi (gli elementi) ».

**anfìbolo** (silicato), dal lat. tardo *amphibŏlus* che è dal gr. *amphíbolos* ' ambiguo '.

**anfibologìa,** dal gr. *amphibolos* ' ambiguo ' col tema *-logìa* ' discorso '.

**anfìbraco,** dal gr. *amphíbrakhys* « avente un elemento breve dalle due parti ».

**anfiosso,** dal lat. moderno degli zool. *amphioxus*, comp. di gr. *amphi* ' dalle due parti ' e *oksýs* ' acuto ': « appuntito dalle due parti ».

**anfiteatro,** dal lat. *amphitheātrum* e questo dal gr. *amphithéātron* ' teatro (dai posti tutt') intorno '.

**anfitrione,** dal frc. *Amphitryon*, protagonista della omonima commedia di Molière (1668) che impersona la figura del padrone di casa generoso nei conviti; e questo dal gr. *Amphitrýōn*, eroe della mitologia greca.

**anfizìoni,** dal gr. *amphi-ktiones*, comp. di *amphi* e il tema di *ktizō* ' io abito ': « gli stati circostanti ».

**anfizionìa,** dal gr. *amphiktionia*.

**ànfora,** dal lat. *amphŏra* e questo dal gr. *amphoreús*, comp. di *amphi-* e *phoreús* ' portatore ': « ciò che ha un manico da entrambe le parti ». È la forma class. che mantiene la aspiraz. del gr. *ph*, mentre quella arc., senza aspiraz., sopravvive in *ampulla* v. AMPOLLA.

**anfratto,** dal lat. *anfractus*, deriv. dalla parola osca *\*anfer-aktos* che significa ' condotto attorno ', ' tortuoso ', incr. poi con *fractus*.

**anfrattuoso,** dal lat. tardo *anfractuosus*.

**angàr,** dall'ol. medio *hamgaerd* ' recinto (*gaerd*) intorno alla casa (*ham*) ', attrav. il frc. *hangar*.

**angariare,** dal lat. tardo *angariare* e questo *angareúō* ' agire come *ángaros* ' (corriere persiano autorizzato a requisire cose e imporre tasse).

**angèlico,** dal lat. tardo *angelĭcus*.

**àngelo** e **àngiolo,** lat. crist. *angĕlus* e questo dal gr. *ángelos* ' messaggero '.

**àngere,** dal lat. *angĕre* ' stringere ', con una corrispond. esatta nel gr. *ánkhō*. Per derivati desiderativi in *-s* v. ANSARE.

**angherìa,** da un più ant. *angaria*, sost. deverb. di *angariare* (v.), allineato con le terminaz. usuali di *faciloneria, soperchieria*, attrav. il passaggio tosc. di *-ar-* atono in *-er-*.

**angina,** dal frc. *angine* (XVI sec.) e questo dal lat. *angīna*, risal. al gr. *ankhónē* col trattam. lat. arc. della *-ŏ-* che passa in *-ĭ-* in sill. interna aperta.

**àngiolo,** v. ÀNGELO.

**angiologìa,** dal gr. *angeîon*, deriv. da *ángos* ' vaso ' e il tema *-logìa*.

**angiospermo,** parola scient. dal gr. *angeîon* nel senso di ' vaso ' e gr. *spérma* ' seme '.

**angiporto,** dal lat. *angi-portus*, comp. di *\*angus* ' strettoia ', cfr. ANGUSTO, e *portus* ' passaggio '.

**anglicano,** dal lat. medv. *Anglicanus*.

**angli(ci)smo,** la forma *anglicismo* dal frc. *anglicisme* e questo dal lat. medv. *anglius*; la forma *anglismo*, dal nome del popolo degli *Angli* direttam.

**angolare,** dal lat. *angularis*.

**àngolo,** dal lat. *angŭlus*, da una rad. ANG variante di ANK con connessioni più o meno evidenti nelle aree slava, armena, greca (gr. *ankýlos* ' curvo ').

**angoloso,** dal lat. *angulosus*.

**angoscia,** lat. *angustia*, astr. di *angustus*; v. ANGUSTO.

**angosciare,** lat. *angustiare*.

**angostura** (albero delle regioni sudamericane equatoriali), da *Angostura*, il vecchio nome della attuale città colombiana di *Ciudad Bolívar*.

**angue,** dal lat. *anguis*, parola largamente diffusa nel mondo ideur. ma dalla tradiz. fortemente disturbata, che presuppone forme primitive non identiche: ENGwHIS, EGwHIS (gr. *óphis*), EGHIS (gr. *ékhis*).

**anguilla,** lat. *anguilla*, dimin. di *anguis* ' serpe ', v. ANGUE, attestata anche nelle aree baltica e slava.

**anguinaia,** parola di tradiz. it. mediana (non tosc.) dal lat. plur. *inguinalia* ' parti attinenti all'inguine ' reso sg. attrav. la pronuncia ' la 'nguinaia ': ' l'anguinaia '; v. INGUINE.

**anguria,** dal gr. tardo *angúrion* ' cetriolo ', irradiato nell'Italia settentr. dall'Esarcato di Ravenna.

**angustia,** dal lat. *angustia*; v. ANGOSCIA.

**angustiare,** dal lat. tardo *angustiare*.

**angustioso,** dal lat. tardo *angustiosus*.

**angusto,** dal lat. *angustus*, deriv. da *\*angus*, sopravv. nella forma maschile rotacizzata *angor*, *-oris*, v. ANGIPORTO e ÀNGERE, secondo il rapporto di *vetustus* rispetto a *vetus*.

**ànice** e **ànicio,** dal gr. *ánison*, penetrato attrav. un settentr. (ravennate) *\*anis*, e corretto sia sostituendo la sibilante con la palat., sia reintegrando in parte una finale diversa dalla orig.; v. ÀNACE, ÀNACIO, e cfr. ANISETTA.

**anidride,** da *ànidro* col suff. chimico *-ide*.

**ànidro,** dal gr. *án-ydros* ' senz'acqua ', comp. di *an-* privat. e *hýdōr* ' acqua '.

**anile,** dallo sp. *añil* e questo dall'ar. *nīla*, che viene dal sanscrito *nīla-* ' blu scuro '.

**anilina,** da *anile* col suff. chim. *-ina*.

**ànima,** lat. *anima* (cfr. ALMA), saldamente ancorato nella tradiz. religiosa popolare e perciò con la voc. postonica immune; cfr. CARITÀ, e v. ÀNIMO.

**animale**[1] (agg.), dal lat. *animalis*.

**animale**[2] (sost.), dal lat. *anĭmal*.

**animalità,** dal lat. tardo *animalĭtas*, *-atis*.

**animare,** dal lat. *animare*.

**animatore,** dal lat. tardo *animator -oris*.

**animavversione,** dal lat. *animadversio*, *-onis*, nome d'azione di *animadvertĕre* ' osservare , rimproverare ', che risulta dalla giustapposizione di *animum* e *advertĕre*.

**animazione**[1], dal lat. *animatio*, *-onis*.

**animazione**[2] (vivacità), dal frc. *animation*.

**animella,** dimin. di *anima*.

**animismo,** dall'ingl. *animism*.

**ànimo,** dal lat. *animus*, parola fondam. del vocab. ideur., per indicare il ' soffio vitale ', laicizzata nel gr. *ánemos* ' vento ' che formalmente è invece identico, e nell'armeno, dove si ha qualche alteraz. formale. Con altri suff. è attestato nelle aree celtica, germanica, slava. Nella forma della rad. ANĒ pura e semplice, appare nell'area indiana, con un pref. in gotico e prob. nel lat. *in-ănis* « senza soffio vitale », v. INANE. Per una event. forma di desiderativo, v. ÀLITO.

**animosità,** dal lat. tardo *animosĭtas*, *-atis*.

**animoso,** dal lat. *animosus* ' coraggioso ' poi ' irritato '.

**anisetta,** dal frc. *anisette* dim. di *anis*, v. ÀNICE.

**ànitra,** lat. volg. *\*anitra*, incr. di *anas*, *-ĭtis* con norm. apofonia di *-ă-* in *-ĭ-* in sill. interna aperta, e un suff. in *-tr-*.

**annacquare,** contaminaz. di lat. volg. *\*ad-aquare* e lat. tardo *(i)n-aquare*.

**annaffiare,** contaminaz. di lat. volg. *\*ad-afflare* e *\*(i)n-afflare* dal class. *afflare*, cfr. INNAFFIARE.

**annali,** dal lat. *annales*.

**annasare,** verbo denom. di *naso* col pref. *a(d)-*.

**annaspare,** verbo denom. da *aspo* col pref. *ann-* risultante da incr. di *in-* e *a(d)-*.

**annegare,** lat. volg. *\*adnecare* ' uccidere ' (con leniz. settentr., di *-c-* in *-g-*) che intende l'annegare come un ' uccidere per eccellenza '. Lat. *necare* è verbo denom. da *nex necis* ' morte ' e il **suo** verbo causativo è *nocere* v. NUÒCERE.

**annessione,** dal lat. tardo *annexio*, *-onis*, nome d'agente di *annectĕre*.

**annèttere,** dal lat. *annectĕre*, comp. di *ad* e *nectĕre* ' congiungere '; v. NESSO.

**annichilare,** dal lat. tardo *annihilare*, verbo denom. da *nihil* ' nulla ' e *ad-*; cfr. ANNICHILIRE.

**annichilire,** dal lat. tardo *ad-nihilare*, secondo la pronuncia artificiale di *-h-* come *-k-*, e il passaggio alla terza coniugaz. che accentua il carattere definitivo dell'azione; cfr. NICHILISMO.

**annientare,** verbo denom. da *niente* (v.) sul modello del frc. *anéantir*.

**anniversario,** dal lat. *anniversarius*, comp. di *annus* e *vertĕre*: « che ritorna annualmente ».

**anno,** lat. *annus*, con una esatta corrispond. nella lingua gotica; risal. a una rad. AT ' ruotare ': l'anno come « ruota (del tempo) ».

**annoiare,** dal provz. *enoiar* e questo dal lat. tardo *in-odiare* ' avere in uggia '.

**annona,** dal lat. *annōna* ' dea delle biade dell'anno ' e poi ' approvvigionamenti ', deriv. di *annus* come *Pomona* di *pomus* e *Bellona* di *bellum*.

**annonario,** dal lat. *annonarius*.

**annoso,** dal lat. *annosus*.

**annotare,** dal lat. *adnotare*, comp. di *a(d)* e *notare*; v. NOTA.

**annotatore,** dal lat. *adnotator*, *-oris*.

**annotazione,** dal lat. *adnotatio*, *-onis*.

**annoverare,** verbo denom. da *nòvero* col pref. *a(d)-*; cfr. ANNUMERARE.

**annuale,** dal lat. *annualis*, incr. di *annuus* e *annalis*.

**annuario,** dal lat. tardo *annuarius*, incr. di *annualis* e *annarius*.

**annuire,** dal lat. *ad-nuĕre*, passato alla coniugaz. in *-i-*; v. NUME.

**annullare,** dal lat. tardo *adnullare*, denom. da *nullus*, col pref. *ad-*; v. NULLO.

**annumerare,** dal lat. *adnumerare*; cfr. ANNOVERARE e v. NÙMERO.

**annunciare,** dal lat. *adnuntiare*; v. NUNZIO.

**annunciatore,** dal lat. tardo *adnuntiator*, *-oris*.

**annunciazione,** dal lat. tardo *adnuntiatio*, *-onis*.

**annuncio,** sost. deverb. da *annunciare*.

**annuo,** dal lat. *annuus*, deriv. da *annus*.

**annusare,** incr. di *ann(asare)* con *(n)uso* (v.).

**annuvolare,** dal lat. *ad-nubilare*, incr. con it. *nùvola*.

**ano,** dal lat. *anus* originariam. ' anello ', privo di connessioni evidenti fuori d'Italia.

**anòdino,** dal gr. *anódynos*, e questo da *an-* privat. e *odýnē* ' dolore '.

**ànodo,** dal gr. *ánodos*, comp. di *an(á)-* e *hodós* ' via ': « via in salita ».

**anòfele,** parola del lat. scient., tratta dal gr. *anōphelés* ' privo di utilità ' e perciò ' dannoso '.

**anoia** ' demenza ', dal gr. *ánoia*, astr. comp. di *a-* priv. e *nóos* ' mente '.

**anomalia,** dal gr. *anōmalía*.

**anòmalo,** dal lat. *anomălus* e questo dal gr. *anōmalos* ' senza uguale ' soprattutto nel senso di irregolarità (geografica): comp. di *an-* privat. e *homalós* ' uguale '.

**anònimo,** dal lat. tardo *anonўmus* e questo dal gr. *anónymos* ' privo di nome ', da *an-* e *ónyma* forma dialettale (non attica) di *ónoma*.

**anorgànico,** da *an-* privat. e *orgànico*.

**anormale,** dal lat. medv. *anòrmalus,* incr. di class. *anomălus* e di *norma.*

**ansa,** dal lat. *ansa,* con corrispond. nelle aree germanica (ted. *Öse* 'occhiello') e baltica.

**ansare,** lat. volg. *anxare,* verbo denom. dal lat. tardo (gramm.), *anxus* 'stretto', risal. a *angĕre;* v. ÀNGERE.

**anseàtico,** dal lat. medv. *hanseàticus,* dall'alto ted. medio *Hanse* 'raggruppamento (di città marinare)'.

**anserino,** dal lat. *anserinus,* der. di *anser* 'oca', forma dialettale invece della regol. *hanser* che ha chiare connessioni ideur. per es. nel ted. *Gans,* nel gr. *khēn* oltre che nelle aree indo-iranica, baltica, slava, celtica, discendenti da un tema radicale GHENS.

**ansia,** dal lat. tardo *anxia,* femm. sostantiv. di *anxius,* deriv. di *anxus* (attestato dal gramm. Prisciano); v. ANSARE.

**ansietà,** dal lat. *anxiĕtas, -atis.*

**ànsima,** incr. del lat. tardo *anxia* con *asthma,* v. ASMA e norm. introduz. di *-i-* nel gruppo *-sm-* dopo l'accento; cfr. CRÈSIMA, FÌSIMA, SPÀSIMO.

**ansimare,** verbo denom. da *ànsima.*

**ansio,** dal lat. *anxius.*

**ansioso,** dal lat. tardo *anxiosus.*

**ànsito,** calco su *ansare* sul modello di *anelare-anèlito, gettare-gèttito.*

**ant-** 'contro', dal gr. *ant(í)* dav. a voc.; cfr. ANTI-[1].

**anta,** dal lat. *anta,* parola antichissima che definisce l'inquadratura della porta fin dalla capanna primitiva. Attestata anche nelle aree indoiranica, armena, germanica, da una rad. bisillabica ENĒT.

**antagonista,** dal gr. *antagonistḗs* 'avversario nell'agone'.

**antàlgico,** comp. di *anti-[1]* e un agg. der. dal gr. *álgos* 'dolore'.

**antàrtico,** dal lat. tardo *antarctĭcus,* che è dal gr. *antarktikós* 'opposto all'Orsa'.

**ante-** 'prima', dal lat. *ante* con corrispond. nelle aree osca, indiana, greca (*antí*), sia pure senza identità di impiego sintattico e, meno evidenti, nelle aree celtica, germanica, baltica.

**antecedente,** dal lat. *antecedens, -entis.*

**antecèdere,** dal lat. *antecedĕre;* v. CÈDERE.

**antecessore,** dal lat. *antecessor, -oris,* nome d'agente di *antecedĕre.*

**antefatto,** dal lat. *ante factum.*

**antefissa,** dal lat. *antefixa,* n. pl. 'le cose collocate davanti', part. pass. di un disusato *antefigĕre,* comp. di *ante* e *figĕre;* v. FÌGGERE.

**anteguerra,** da *ante-* e *guerra.*

**antelmìntico,** da *ant-* 'contro' e gr. *hélmins -inthos* 'verme', v. ELMINTI.

**antelucano,** dal lat. *antelucanus* 'anteriore alla luce'.

**antemio** (motivo decorativo), dal gr. *anthḗmion* der. di *ánthos* 'fiore'.

**antemurale,** dal lat. tardo *antemurale,* da *ante* e *murus,* calco sul gr. *próteikhos.*

**antenato,** dal lat. *ante natus* 'nato prima'.

**antenna,** dal lat. *antenna,* e questo da *an-tend-,* parola di boscaioli sabini col passaggio di *-nd-* in *-nn-:* formata come *mola* rispetto a *molĕre.*

**antepilano** (soldato romano), dal lat. *antepilanus* comp. di *ante* e *pilanus.*

**anteporre,** dal lat. *anteponĕre* incr. con it. *porre.*

**anteprima,** dal pref. *ante-* e il sost. femm. *prima* (*rappresentazione*), calco sul frc. *avant-première.*

**antera,** dal lat. moderno (dei botan.) *anthera,* femm. dal gr. *anthērós* 'che fiorisce', da *ánthos* 'fiore'.

**anteriore,** dal lat. tardo *anterior,* calco da *ante* su *posterior* (da *post*), che si affianca al class. *prior.*

**àntero-** (primo elem. di composiz.), da *anter(iore).*

**antesignano,** dal lat. *antesignanus,* legionario romano prescelto a guardia delle insegne; da *ante signa.*

**anti-[1],** dal gr. *antí,* v. ANT-[1].

**anti-[2],** dal lat. *ante,* v. ANTE-, col normale passaggio di *-ĕ* a *-ĭ* in parole a debole accentazione.

**antiaereo,** da *anti-[1]* e *aereo.*

**antiblasfemo,** comp. di *anti-[1]* e *blasfemo.*

**antibiòtico,** da frc. *antibiotique* (XIX sec.), comp. di *anti-* 'contro' e un agg. deriv. dal gr. *bíōsis* 'il fatto di vivere': « (di corpo che combatte) contro la vita (di corpi nemici) ».

**antibraccio,** da *anti-[2]* e *braccio,* cfr. AVAMBRACCIO.

**anticaglia,** da *antico,* con suff. spregiativo di *accozzaglia, marmaglia.*

**anticàmera,** da *anti-[2]* e *camera:* 'davanti alla camera'.

**anticarro,** dal pref. *anti-[1]* 'contro' e *carro.*

**anticheggiare,** verbo denom. durativo da *antico.*

**antichità,** dal lat. *antiquĭtas, -atis,* incr. con it. *antico.*

**anticipare,** dal lat. *anticipare* 'anticipare, prevenire', comp. di *ante-* e *capare* verbo durativo di *capĕre* (cfr. OCCUPARE), con norm. passaggio di *-ă-* e *-ĕ-* in *-i-* in sill. interna aperta.

**anticipazione,** dal lat. *anticipatio, -onis.*

**antìcipo,** sost. deverb. da *anticipare.*

**antico,** lat. *antiquus,* deriv. da *ante* ampliato mediante un incr. di *posticus* e *propinquus.*

**anticorpo,** da *anti-[1]* e *corpo.*

**anticresi,** dal frc. *antichrèse* e questo dal gr. *antí-khrēsis* 'contro-uso'.

**antidata,** da *anti-[2]* 'davanti' e *data.*

**antidiluviano,** da *anti-[2]* 'prima' e *diluvio* (v.).

**antidoto,** dal lat. tardo *antidŏtum* e questo dal gr. *antídoton* 'dato contro', agg. verb. comp. di *antí* e di *dídōmi* 'dò'.

**antiflogìstico,** da *anti-[1]* e *flogìstico.*

**antifona,** dal lat. medv. *antìphona* e questo dal gr. *antíphōnos* 'che suona contro, in risposta'.

**antifonario,** dal lat. eccl. *antiphonarium.*

**antìfrasi,** dal lat. tardo *antiphrásis* e questo dal gr. *antíphrasis* 'contro-espressione'.

**antifràstico,** dal gr. *antiphrastikós.*

**antigrafo,** dal gr. *antígraphon,* comp. di *anti-* 'contro' e il tema *grapho-* 'contro-scritto'.

**antilogìa,** dal gr. *antilogía* 'contraddizione'.

**antìlope,** dal frc. *antilope,* che è dall'ingl. *antelope* e questo da forme lat. medv. risal. ad un biz. *anthólops,* animale favoloso.

**antimeridiano,** dal lat. *antemeridianus* incr. con it. *anti-[2].*

**antimonio,** dall'ar. *uthmud* attrav. il lat. medv. *antimonium.*

**antinomìa,** dal gr. *antinomía* 'contro-legge'.

**antipapa,** dal lat. tardo *antipapa* 'contro-papa'.

**antipasto,** da *anti-[2]* 'prima' e *pasto* (v.).

**antipatìa,** dal lat. *antipatía* e questo dal gr. *antipátheia* 'condizione di contro-sentire', 'insieme di sentimenti avversi'.

**antipirina,** da *anti-[1]* 'contro' e gr. *pŷr* 'fuoco', col suff. *-ina* di prodotti medicinali.

**antìpodi,** dal lat. *antipŏdes* e questo dal gr. *antípodes* ' dai piedi contrapposti '.

**antipolio,** da *anti-*[1] ' contro ' e *polio(mielite)*.

**antiporta,** dal pref. lat. *anti-*[2] ' davanti ' e *porta*.

**antiporto,** da *anti-*[2] e *porto*, cfr. AVAMPORTO.

**antiquario,** dal lat. *antiquarius*.

**antiquato,** dal lat. *antiquatus*, part. pass. di *antiquare* ' metter fuori uso '.

**antiràbbico,** dal frc. *antirabique* incr. con it. *rabbia*.

**antisèttico,** dal lat. scient. *antisèpticus* e questo da *anti-*[1] e *sēptikós* ' che fa imputridire '.

**antisìsmico,** da *anti-*[1] e *sìsmico*.

**antispàstico,** dal lat. tardo *antispastĭcus*, che è dal gr. *antispastikós*; v. SPASMO.

**antìstite,** dal lat. *antistes -ĭtis* ' che sta davanti ' comp. di *ante-* e il tema di nome d'agente *-sta-t*, da *stare*, con norm. passaggio di *-ă-* in sill. non accentata chiusa a *-ĕ-*, aperta a *-i-*.

**antistrofe,** dal gr. *antistrophḗ* ' contro-strofa '.

**antìtesi,** dal lat. *antithĕsis* e questo dal gr. *antíthesis* ' contro-posizione '.

**antitètico,** dal lat. tardo *antithetĭcus*, che è dal gr. *antithetikós*.

**antivedere,** dal lat. *antevidere* incr. con it. *anti-*[2] e *vedere*.

**antiveggenza,** dal pref. *anti-*[2] ' prima ' e *veggenza* (v.).

**àntlia** (macchina degli antichi), dal lat. *antlia*, che è dal gr. *antlía*.

**antologia,** dal gr. *antho-logía* ' scelta di fiori '.

**antològico,** dal gr. *anthologikós*.

**antonomasia,** dal lat. *antonomasia* e questo dal gr. *antonomasía*, letteralmente ' contro-denomina-zione '.

**antrace,** dal lat. medv. *anthrax* e questo dal gr. *ánthraks* ' carbone ' e cioè ' (nero come) il carbone '.

**antracite,** dal gr. *ánthraks* ' carbone ', col suff. *-ite* dei minerali.

**antro,** dal lat. *antrum* e questo dal gr. *ántron*.

**antròpico,** dal gr. *anthrōpikós* ' proprio dell'uomo '.

**àntropo-,** dal gr. *ánthrōpos* ' uomo '.

**antropofagìa,** dal gr. *anthrōpophagía*.

**antropòfago,** dal gr. *anthrōpophágos*, comp. di *ánthrōpos* e il tema di *phagein* ' mangiare '.

**antropòide,** dal gr. *anthrōpoeidḗs*, comp. di *ánthrōpos* ' uomo ' e *-eidḗs* ' simile a '; v. -OIDE.

**antropologìa,** da *àntropo-* e *-logìa*.

**antropometrìa,** da *àntropo-* e *-metrìa*.

**antropomorfo,** dal gr. *anthrōpómorphos*, comp. di *ánthrōpos* e *morphḗ* ' forma ': « che ha forme d'uomo ».

**antropozòico,** da *àntropo-* e *-zoico* ' (provvisto) di vita umana '.

**anulare,** dal lat. *anularis* sostantiv.: ' (il dito) dell'anello '.

**anùria,** dal gr. *an-* privat. e *-uria*.

**anuro,** dal frc. *anoures*, e questo dal lat. scient. *ànura*, comp. di *an-* privat. e gr. *ūrá* ' coda '.

**anzi,** lat. volg. *antja*, class. *antea*, in senso modale oltre che temporale, e con la finale uniformata a *(av)anti*.

**anziano,** dal lat. medv. *antianus*, deriv. dal class. *antea* ' prima ': « appartenente (a una età) anteriore ».

**aoristo,** dal gr. *a-óristos* ' non determinato ', agg. verbale di *orízō* ' determino ', con *a-* privativo.

**aorta,** dal gr. *aortḗ* ' aorta ', deriv. di *aeírō* ' io sollevo '.

**apagoge,** dal gr. *apagōgḗ* ' deviazione, dirottamento '.

**apàr** (armadillo), dal portogh. *apár*, risal. al tupì, lingua indigena del Brasile.

**apatìa,** dal lat. *apathĭa* e questo dal gr. *apátheia* ' assenza di sensibilità '.

**apax,** dal gr. *hápaks* ' una volta '.

**ape,** lat. *apis*, privo di connessioni attendibili.

**aperitivo,** dal lat. medv. *aperitivus* ' che apre la via ' (per l'eliminazione di sudore, urina, feci).

**aperto,** lat. *apertus*, part. pass. di *aperire*, originariam. *\*aportus* da APRTO, e col passaggio di *-ŏ-* a *-ĕ-* in sill. interna chiusa. Forse da *\*ap + twer-*, v. APRIRE; in confronto di *\*op-twer* ' chiudere ', v. COPRIRE.

**apertura,** lat. *apertura*, astr. di *aperire*.

**apètalo,** da *a-*[1] privat. e *pètalo*.

**apiaio,** lat. *apiarius*, con norm. trattam. tosc. di *-ario* in *-aio*.

**apiario,** dal lat. *apiarium*.

**apiastro,** dal lat. *apiastrum*, deriv. di *apium*; v. APPIO.

**àpice,** lat. *apex*, *-ĭcis*, deriv. di *apĕre*, v. ATTO[2], (nel senso di ' adatto ') come *vertex*, v. VERTICE da *vertĕre*.

**apicoltura,** da *api-* e *coltura*.

**apio,** v. APPIO.

**apireno** ' senza semi ', dal gr. *apýrēnos*, comp. di *pyrḗn, ênos* ' seme ' e *a-* priv.

**apiressìa,** dal gr. *apyreksía* ' stato di non infiammazione ', comp. di *a-* privat. e l'astr. di *pyréssō* ' son febbricitante '.

**apirètico,** ampliam. del gr. *apýretos* ' non sottoposto a infiammazione ', comp. di *a-* privat. e *pyretós* ' febbre '.

**àpiro,** dal gr. *ápyros* ' refrattario alla combustione '.

**aplo-,** dal gr. *haplóos* ' semplice '.

**aplografìa,** da *aplo-* e *grafìa* ' scrittura '.

**aplologìa,** da *aplo-* (v. il precedente) e *-logìa* ' discorso '.

**aplustre** (fregio poppiero), da lat. *aplustre*, incr. di gr. *áphlaston* e i deriv. lat. in *-ustris, -e*.

**apnèa,** dal gr. *ápnoia*.

**apo-,** dal gr. *apó*.

**àpoca** ' quietanza ', dal lat. tardo *apócha*, che è dal gr. *apokhḗ*, nome d'azione di *apékhō* ' ricevo '.

**apocalisse,** dal gr. *apokálypsis* ' rivelazione ' propriam. ' sottrazione dal mistero ', nome d'azione di *apokalýptō*.

**apocalìttico,** dal gr. *apokalyptikós*.

**apòcope,** dal lat. tardo *apocŏpe* e questo dal gr. *apokopḗ* ' troncamento ', ' l'azione di tagliare '.

**apòcrifo,** dal lat. tardo *apocrȳphus*, che è dal gr. *apókryphos*, e questo estr. dal verbo *apokrýptō* ' occultare ', comp. di *apo-* e *krýptō* ' nascondo via '.

**apodìttico,** dal lat. tardo *apodictĭcus*, che è dal gr. *apodeiktikós* ' proprio di ciò che è dimostrabile '.

**àpodo,** dal gr. *á-pūs, á-podos* ' privo di piede '.

**apòdosi,** dal gr. *apó-dosis* ' restituzione '.

**àpofisi,** dal gr. *apóphysis* ' propaggine ', nome di azione di *apophýō* ' metto fuori, produco '.

**apofonìa,** dal gr. *apo-* e *phōnéō*, ricalcato sul ted. *Ab-laut* ' alternanza di suoni '.

**apoftegma,** dal gr. *apóphthegma* ' espressione di voce '.

**apogèo,** dal lat. *apogēus* e questo dal gr. *apógeios* 'che è lontano dalla terra'.

**apògrafo,** dal gr. *apógraphos,* risal. ad *apográphō* 'io copio'.

**apòlide,** dal gr. *ápolis, -idos,* comp. di *a-* privat. e *pólis* 'città'.

**apolitìa,** comp. di *a-¹* e gr. *politeía* 'cittadinanza'.

**apollineo,** dal lat. *apollineus.*

**apologètica,** femm. sostantiv. di *apologètico.*

**apologètico,** dal lat. crist. *apologetĭcus,* che è dal gr. *apologētikós.*

**apologìa,** dal lat. tardo *apologia* e questo dal gr. *apología.*

**apòlogo,** dal lat. *apolŏgus,* che è dal gr. *apólogos* 'racconto'.

**aponeurosi,** dal gr. *aponeúrōsis.*

**apoplessìa,** dal gr. *apoplēksía* 'il fatto di essere prostrato, abbattuto'.

**apoplèttico,** dal gr. *apoplēktikós.*

**aporìa,** dal gr. *aporía* 'difficoltà, incertezza', astr. di *aporéō* 'sono incerto'.

**apostasìa,** dal gr. *apostasía* (lat. crist. *apostasìa*).

**apòstata,** dal lat. crist. *apostăta* che è dal gr. *apostátēs* 'chi ha commesso l'azione di allontanarsi'.

**apostema,** dal lat. *apostema,* che è dal gr. *apóstēma* 'ascesso' propr. 'ciò che è posto fuori (dal corpo)'.

**apostolato,** dal lat. *apostolatus, -us.*

**apostòlico,** dal lat. crist. *apostolĭcus,* che è dal gr. *apostolikós.*

**apòstolo,** dal lat. tardo *apostŏlus,* che è dal gr. *apóstolos,* deriv. da *apostéllō* 'io mando'.

**apòstrofe,** dal lat. tardo *apostrŏphe,* che è dal gr. *apostrophḗ.*

**apòstrofo,** dal lat. tardo *apostrŏphus,* che è dal gr. *apóstrophos* 'volto indietro'.

**apotema,** dal gr. tardo *apóthema* 'abbassamento', incr. con it. *sistèma.*

**apoteosi,** dal lat. *apotheosis,* che è dal gr. *apothéōsis* 'deificazione'.

**apotropàico,** incr. di una forma *apotròpico* tratta dal gr. *apotropḗ* 'allontanamento' e l'agg. gr. *apotrópaios* 'allontanante'.

**appagare,** lat. *pacare* 'mettere in pace', con leniz. settentr. di *-c-* in *-g-,* rinforzato con *ad-,* cfr. PAGARE, e specializzato nel signif.

**appagare,** part. pass. di *appagare.*

**appaiare,** verbo denom. da *paio* col pref. *a(d)-.*

**appalto,** incr. di *palco* (v.) e *appactum*: già nel lat. medv. *apaltus* (XIII sec.).

**appalug(in)are** 'appisolarsi', incr. di *appisolarsi* e *balugìnare.*

**appannaggio,** dal frc. *apanage* 'assegnazione di pane', incr. con it. *a(d)-* e *panno.*

**appannare,** verbo denom. da *panno,* quindi da una immagine assai forte dell'offuscamento, col pref. *a(d)-.*

**apparare,** lat. *apparare,* comp. di *ad-* e *parare.*

**apparato,** dal lat. *apparatus, -us.*

**apparecchiare,** lat. volg. *pariculare* (iterat. di class. *parare*) col pref. it. *a(d)-.*

**apparecchio,** sost. deverb. da *apparecchiare.*

**apparenza,** dal lat. tardo *apparentia.*

**apparire,** lat. *apparēre,* passato alla coniugaz. in *-i-*; v. PARERE.

**appariscente,** dal lat. tardo *apparescens, -entis,* incr. con it. *apparire.*

**apparitore,** dal lat. *apparĭtor -ōris* 'servitore', 'colui che obbedisce', nome d'agente di *apparere*; v. PARERE.

**apparizione,** dal lat. *apparitio, -onis,* nome d'azione di *apparere.*

**appartamento,** dallo sp. *apartamiento,* deriv. da *apartarse* 'appartarsi', incr. col pref. it. *a(d)-.*

**appartare,** verbo denom. da *parte* col pref. *a(d)-.*

**appartenere,** lat. tardo *adpertinere* incr. con *parte.*

**appassire,** verbo denom. da *passo* 'appassito' col pref. *a(d)-.*

**appellare¹,** dal lat. *appellare* 'chiamare', verbo intensivo-durativo di *appellĕre,* v. ESPÉLLERE.

**appellare²,** verbo denom. da *appello.*

**appellativo,** dal lat. tardo *appellativus.*

**appellazione,** dal lat. *appellatio, -onis.*

**appello,** sost. deverb. dal verbo *appellare¹.*

**appena,** da *a(d) pena.*

**appèndere,** lat. *appendĕre* distaccato dal signif. di 'pesare'.

**appendice,** dal lat. *appendix, -ĭcis* deriv. di *pendĕre* 'pendere', allin. con i temi femm. it. in *-ĭce.*

**appendicolare,** deriv. in *-are* del lat. *appendicŭla,* dimin. di *appendix.*

**appendizie,** dal lat. *appendĭces* con assibilaz. padana di *-ci-* in *-si-,* poi corretta nel tosc. *-zi-.*

**appennìnico,** dalla catena montuosa che attraversa per lungo tutta l'Italia.

**appercezione,** dal frc. *aperception* e questo dal lat. *perceptio, -onis* col pref. *a(d)-*; v. PERCEZIONE.

**appetenza,** dal lat. *appetentia.*

**appetìbile,** dal lat. tardo *appetibĭlis.*

**appetire,** dal lat. *appetĕre,* passato alla coniugaz. in *-i-* sotto l'influenza del part. pass. *appetitus*; v. PETIZIONE.

**appetito,** lat. *appetitus, -us.*

**appezzamento** (divisione), da *appezzare* sullo schema di *compartimento* e sim., incr. con *pezzo.*

**appezzare** (riunire), verbo denom. da *pezzo* col pref. *a(d)-*; cfr. RAPPEZZARE.

**appiattare,** verbo denom. da *piatto* (imagine essenzialmente militare) col pref. *a(d)-.*

**appiattire,** verbo denom. da *piatto* (imagine geometrica) col pref. *a(d)-.*

**appiccàgnolo,** nome di strumento di APPICCARE; cfr. ATTACCÀGNOLO.

**appiccare,** incr. di *appèndere* e *picca.*

**appicciare,** lat. volg. *adpicjare,* verbo denom. da *piceus* col pref. *a(d)-.*

**appicciare,** forma intens. o dimin. di *appicciare* (v.).

**appiedare,** verbo denom. da *piede* col pref. *a(d)-.*

**appigliare,** da *pigliare* col pref. *a(d)-.*

**appiglio,** sost. deverb. da *appigliare.*

**appio¹** (anche APIO), lat. volg. *apjum,* class. *apĭum* 'erba delle api', v. APE, con norm. raddopp. del gruppo *pj* dopo l'accento.

**appio²** (anche APIO), dal lat. *melapium* e questo dal gr. *melápion* 'mela-pera' (*ápion* 'pera') incr. con *appio¹.*

**appiolo,** dimin. da *appio².*

**appioppare,** verbo denom. da *pioppo* col pref. *a(d)-*: propr. della vite appoggiata al pioppo.

**appisolare,** verbo denom. da *pìsolo* col pref. *a(d)-.*

**applaudire,** dal lat. *applaudĕre,* passato alla coniugaz. in *-i-.*

**applauso,** dal lat. *applausus, -us,* astr. di *applaudĕre* tratto dal tema di part. pass.; v. PLAUSO.

**applicàbile**, agg. verb. di *applicare*.

**applicare**, dal lat. *applicare*; v. PIEGARE.

**applicazione**, dal lat. *applicatio, -onis*.

**appo**, lat. *apud* incr. con *ad post. Apud* sembra un antico neutro di part. perf. att. di *apĕre* ' attaccare ' e cioè derivato da *\*ap-wot* secondo un modello che si ritrova nel gr. *eidós* da *weid-wot*; v. ATTO². Per le forme di part. in *-ver* v. CADAVERE.

**appodiare** ' aggregare a un dominio feudale ', dal lat. medv. *appodiare*.

**appoggiare**, lat. *\*appodiare*, verbo denom. da *podium* ' piedistallo '; v. POGGIO.

**appollaiare**, verbo denom. dalla locuzione *(stare) a pollaio* secondo la formula tosc. che indica le galline appoggiate ai pioli per dormire.

**apporre**, dal lat. *apponĕre* incr. con it. *porre*.

**apportare**, dal lat. *apportare*; v. PORTARE.

**apporto**, incr. del frc. *apport* e it. *apportare*.

**appositivo**, dal lat. *appositivus*, agg. durativo di *appositus*, part. pass. di *apponĕre*; v. POSTO.

**apposizione**, dal lat. *appositio* ' aggiunta ', nome d'azione di *apponĕre*.

**apposolare**, verbo denom. da *pòsola* col pref. *a(d)-*.

**appostare**, verbo denom. da *posta* col pref. *a(d)-*.

**apposticcio** (arc.), lat. volg. *\*appos(i)ticjus*, lat. tardo *appositicius* ' aggiunto ', con norm. raddopp. della cons. palat. dav. a *j* dopo l'accento; cfr. PO-STICCIO.

**appostissimo**, superl. della locuz. aggettivale *a posto*.

**appozzare¹** (scavare), verbo denom. da *pozza* col pref. *a(d)-*.

**appozzare²** ' immergere (in un pozzo) ', verbo denom. da *pozzo* col pref. *a(d)-*.

**apprèndere**, lat. *apprĕndĕre*, da *ad-prehendĕre*; v. PRENDERE.

**apprensìbile**, dal lat. tardo *ad-prehensibìlis* incr. con it. *apprèndere*.

**apprensione**, dal lat. tardo *adprehensio, -onis*, nome d'azione di *apprehendĕre*.

**apprensivo**, agg. di signif. durativo tratto dal sistema di *apprensione*, *apprensìbile*.

**appressare**, verbo denom. e incoat. da *presso* ' vicino ', col pref. *a(d)-*.

**appresso**, lat. *ad pressum*; v. PRESSO e cfr. ADESSO.

**apprestare**, lat. volg. *\*adpraestare*, verbo denom. da *praesto* ' a disposizione ', v. PRESTO².

**apprettare**, dal frc. *apprêter*.

**appretto**, dal frc. *apprêt*.

**apprezzare**, dal lat. tardo *appretiare*, verbo denom. da *pretium*; v. PREZZO.

**approcciare**, dal frc. *approcher* e questo dal lat. tardo *appropiare*, verbo denom. da *prope* ' vicino ', v. PROPINQUO, col pref. *ad-*.

**approccio**, sost. deverb. da *approcciare*.

**approdare¹** ' arrivare ', verbo denom. da *proda* (v.) col pref. *a(d)-*.

**approdare²** ' giovare ', verbo denom. dall'agg. *prode* nel senso ant. di ' giovevole ' col pref. *a(d)-*.

**approdo**, sost. deverb. da *approdare¹*.

**approfittare**, verbo denom. da *profitto* col pref. *a(d)-*.

**appropinquare**, dal lat. *appropinquare*, verbo denom. da *propinquus* col pref. *a(d)-*; v. PROPINQUO.

**appropriare**, dal lat. tardo *adpropriare*, verbo denom. da *proprius* col pref. *ad-*; v. PROPRIO.

**appropriazione**, dal lat. tardo *adpropriatio, -onis*.

**approssimare**, dal lat. tardo *adproximare*, denom. da *proximus* col pref. *ad-*; v. PRÒSSIMO.

**approvàbile**, dal lat. tardo *adprobabìlis*.

**approvare**, lat. *adprobare*, comp. di *a(d)-* e *probare*; v. PROVARE.

**approvatore**, dal lat. *adprobator, -oris*.

**approvazione**, dal lat. *adprobatio, -onis*.

**appruare**, verbo denom. da *prua* col pref. *a(d)-*.

**appulcrare**, verbo denom. dal lat. *pulcher* ' bello ' col pref. *a(d)-*. Lat. *pulcher* è privo di connessioni attendibili.

**appuntamento**, calco sul frc. *appointement*.

**appuntare**, verbo denom. da *punto* col pref. *a(d)-*, cfr. SPUNTARE; talvolta anche da *punta*.

**appuntato**, dal frc. *appointé* ' assegnato a un compito speciale '.

**appunto¹**, sost. deverb. da *appuntare*.

**appunto²**, da *a(d) punto*.

**appurare**, dallo sp. *apurar*.

**aprico**, dal lat. *apricus* ' esposto al sole ', dalla famiglia di *ap(e)ri(re)* come *posticus* da *\*posti*; opposto ad *opacus* come *aperire* si oppone a *operire*.

**aprile**, lat. *aprilis (mensis)*, di prob. orig. etrusca: da un nome divino come *martius, maius*.

**apriorismo**, dalla formula lat. *a priori*, col suff. *-ismo* di atteggiamento o dottrina.

**aprire**, lat. *aperire* (cfr. *operire* ' chiudere '), comp. di *ap-* e un tema *\*twer-yo*, attestato anche nelle lingue baltiche e slave; cfr. COPRIRE.

**apro** ' cinghiale ', dal lat. *aper, apri*; cfr. CAPRA.

**àptero**, dal gr. *ápteros* ' senza ali ', comp. di *a-* privat. e *pterón* ' ala '; cfr. -TTERO.

**àquila**, dal lat. *aquìla*, privo di connessioni evidenti.

**aquileia**, dal lat. scient. (dei botan.) *aquilegia* ' raccoglitrice d'acqua ', comp. di *aqua* e del tema di *legĕre* ' raccogliere '.

**aquilino**, dal lat. *aquilinus*.

**aquilone**, dal lat. *aquìlo, -onis*, privo di connessioni attendibili.

**ara¹** ' altare ', dal lat. *ara*, da una rad. AS, per cui v. ÀRIDO.

**ara²** (misura), dal frc. *are* che è dal lat. *ărea*.

**ara³** (uccello), da *ara* nella lingua tupì del Brasile attrav. il frc.

**arabesco**, da *arabo*.

**aràbile**, dal lat. *arabìlis*.

**aràchide**, dal lat. scient. (dei botan.) *àrachis*, foggiato in tempi moderni sul gr. *arakís* ' cicerchia '.

**aràcnide**, dal gr. *arákhnē* ' ragno ', col suff. di patronimico *-ide*.

**aracnòide**, dal gr. *arakhnoeidés* ' simile a tela di ragno ', comp. di *arákhnē* ' ragno, tela di ragno ' e *-eidés* ' simile a '; v. -ÒIDE.

**aragno** (arc. ' baco da seta ' presso il Boccaccio), dal lat. *araneus*; v. RAGNO.

**aragosta**, lat. *locusta* con fonetica genov. e assorbimento dell'articolo: *(l)a ragusta*; cfr. LOCUSTA e ALIGUSTA.

**aràldico**, da *araldo* nel senso più preciso che identifica la persona dell'araldo e le inseparabili credenziali della sua nobiltà.

**araldo**, dal frc. ant. *hiraut* e questo dal franco *\*hari-wald* ' funzionario dell'esercito ' (che riscuote la fiducia del re).

**aramàico**, dall'ebr. *ărām*, nome biblico della Siria fino all'Eufrate.

**arancia**, dal persiano *nārang'*, cfr. NARANCIO.

**arare,** lat. *arare*, da una rad. ARŌ attestata nelle aree celtica, germanica, slava, greca (gr. *aróō*), armena e risal. forse a ERĒ¹ 'remare' quasi si trattasse di un 'remare nella terra'.

**arativo,** dal lat. medv. *arativus*.

**aratore,** dal lat. *arator, -oris*.

**aratro,** lat. *aratrum*, v. ARARE, con l'ampliam. di nome di strum. in -*tro*-, attestato anche nelle aree greca (*árotron*) e armena.

**aratura,** dal lat. tardo *aratura*.

**arazzo,** forma it. della città frc. di Arras.

**arbitraggio,** dal frc. *arbitrage*.

**arbitrale,** dal lat. tardo *arbitralis*.

**arbitrare,** dal lat. *arbitrari*, verbo denom. da *arbĭter -tri*.

**arbitrario,** dal lat. *arbitrarius*.

**arbitrato,** dal lat. *arbitratus, -us*.

**arbitrio,** dal lat. *arbitrium*.

**àrbitro,** dal lat. *arbĭter*, di orig. sabina, attrav. il pref. *ar*- invece di *ad*-, cfr. ARGINE, e privo di altre connessioni fuori d'Italia.

**àrbore,** dal lat. *arbor, -ŏris*; v. ÀLBERO.

**arbòreo,** dal lat. *arborĕus*.

**arborescente,** dal lat. *arborescens, -entis*.

**arboscello,** dal doppio dimin. lat. *\*arbuscellum*; che è da *\*arbuscŭlum* e questo da *arbor*, più ant. *arbos*; v. ÀLBERO.

**arbusto,** dal lat. *arbustum* tratto dall'agg. *arbustus* '(fornito) di alberi', formato come *robustus* da *robus* 'fornito di forza'; v. ROVERE.

**arca,** lat. *arca* 'custodia' (cfr. *arcere*), da una rad. ARK, attestata anche nelle aree greca (gr. *arkéō* 'proteggo') e armena, col senso di 'impedire, proteggere'; cfr. ARSELLA e ESÈRCITO.

**àrcade,** dal lat. *Arcas, -ădis*, che è dal gr. *Arkás, -ádos*.

**arcàdico,** dal lat. *arcadĭcus*.

**arcàico,** dal gr. *arkhaïkós* risal. ad *arkhaîos* e ad *arkhé* 'principio'.

**arcaismo,** dal gr. *arkhaïsmós*.

**arcame** 'scheletro d'animale', arc., da *arca*, con suff. collettivo e peggior. come *fasciame, scatolame*.

**arcàngelo** e **arcàngiolo,** dal lat. *archangĕlus*, che è dal gr. *arkhángelos*, da *ángelos* col pref. di preminenza *arkhi*-, tratto dal tema di *árkhō* 'sono a capo, sono il primo'.

**arcano,** dal lat. *arcanus* 'ciò che appartiene a un'arca (chiusa)'.

**arcata,** da *arco*, con un suff. che insiste sul valore conclusivo dell'aver tracciato un arco; cfr. *andata, fermata, sudata*.

**arcàvolo,** da *arc(hi)*- e *àvolo*.

**arce,** dal lat. *arx arcis*, forse tema rad. da ARK; v. ARCA e cfr. il verbo lat. *arcere* 'contenere, trattenere'; v. COERCÌBILE.

**archeo-,** dal gr. *arkhaîos* 'antico', che è da *arkhé* 'principio'.

**archeologia,** dal gr. *arkhaio-logía* 'discorso delle cose antiche'.

**archeològico,** dal gr. *arkhaiologikós*.

**arc(hi),** dal gr. *arkhi*- della stessa famiglia di *árkhō* 'sono a capo'; v. per es. ARCÀVOLO, cfr. ARCI-.

**archiatra** e **archiatro,** dal lat. tardo *archiatrus*, che è dal gr. *arkhíatros* 'capo-medico', con il parziale passaggio alla declinaz. in -*a* per eccesso di grecismo.

**archibugio,** dal frc. del XV sec. *hacquebuche* e questo dall'ol. *hake-bus* 'scatola a uncino': inserito nel sistema delle due nozioni di 'arco' e di 'buco', quest'ultimo nella tradiz. padana del tipo *bùz*, corretta nel tosc. -*gio*.

**archibuso,** forma padana di *archibugio* sottratta alla correzione tosc.

**archicémbalo,** da *archi*- e *cémbalo* (v.).

**archiginnasio,** dal lat. medv. *archigymnasium*.

**archimandrita,** dal gr. *arkhimandrìtēs* 'capo di un monastero', comp. di *arkhi*- 'a capo' *mándra* 'monastero' e il suff. di derivaz. -*ìtēs*.

**architettare,** dal lat. *architectari*.

**architetto,** dal lat. *architectus*, e questo dal gr. *arkhitéktōn* 'capo costruttore'.

**architettònico,** dal lat. *architectonĭcus*, che è dal gr. *arkhitektonikós*.

**architettura,** dal lat. *architectura*.

**architrave,** da *arco* e *trave* 'trave che fa da arco', incr. con *archi*-: '(trave) principale'.

**archivio,** dal lat. *archivum*, incr. con *trivio* e *quadrivio*, nel senso di 'raccolta di dottrine'. Il lat. *archivum* deriva da una forma dialettale gr. *arkheîwon* col digamma ancora conservato, come in *olivum* da *élaiwon*, ed è perciò di introduzione antichissima.

**archivolto,** da *arco* e *vòlta* incr. con *volto*.

**arci-,** lat. volg. *\*arci*- tardo *archi*- (p. es. *archisacerdos*) che è dal gr. *arkhi*-, cfr. ARC(HI)-, con normale passaggio da lat. volg. -*chi*- a it. -*ci*-; cfr. BRACCIO.

**arcidiaconato,** dal lat. *archidiaconatus, -us*, incr. con it. *arci*-.

**arcidiàcono,** dal lat. *archidiacŏnus* incr. con it. *arci*-.

**arcidiòcesi,** da *arci*- e *diòcesi*.

**arciduca,** da *arci*- e *duca*.

**arciepiscopale,** da *arci*- e *episcopale*.

**arciere** e **arciero,** dal frc. *archier* e questo da un lat. *arc(u)arius*.

**arcifànfano,** da *arci*- e *fànfano*.

**arcigno,** incr. di *arco* (delle ciglia) e *acre*, col suff. di *benigno* e *maligno*.

**arcile,** dal lat. medv. *arcile*, e questo da *arca* con suff. del tipo *ovile*.

**arcione,** dal frc. *arçon*, e questo dal lat. *\*arcionem* deriv. di *arcus*.

**arcipèlago,** dal gr. biz. *\*arkhipélagos* 'mare principale', forse perché ricco di isole: incr. di *Aigaîon pélagos* 'mare Egeo' con *arkhi*-.

**arcipresso** 'cipresso', variante di *cipresso* (v.) con l'articolo settentr. *al*, e incr. con *arci*- (*arciprete*).

**arciprete,** da *arci*- e *prete*, calco sul lat. *archipresbýter*.

**arcispedale,** da *arci*- e *spedale*.

**arcivescovato** e **arcivescovado,** da *arcivéscovo* con la doppia derivaz. rispettivamente padana e tosc.

**arcivéscovo,** da *arci*- e *véscovo*, calco sul lat. *archiepiscŏpus*.

**arco,** lat. *arcus, -us*, con corrispond. limitate all'area germanica.

**arcobaleno,** incr. di *arco balenante* e *baleno*; v. BALENARE.

**arcolaio,** nome d'agente tratto dal plur. *àrcora* (di *arco*): '(addetto) agli archi (della matassa)' e poi dissimilato da *\*arcoraio* in *arcolaio*.

**arconte,** dal lat. *archon, -ontis*, e questo dal gr. *árkhōn -ontos* 'primo magistrato'.

**arcuato**, dal lat. *arcuatus*, part. pass. del verbo denom. da *arcus*.

**àrdere**, lat. volg. *\*àrdere*, class. *ardĕre*, estr. da *ardor, -oris*; v. ARDORE.

**ardesia**, dal frc. ant. *ardeise* (moderno *ardoise*), forse connesso col nome loc. *Arduenna* ' Ardenne ', che è antichissimo tema paleo-europeo.

**ardiglione**, dal frc. *(h)ardillon* ' legaccio ' e questo da *hart*, franco *hard* ' filo ritorto '.

**ardire**, dal frc. *hardir* e questo dal franco *hardjan* ' diventar duro '.

**ardore**, dal lat. *ardor, -oris*, astr. di *arĭdus* e del verbo *arere*; v. ÀRIDO.

**arduità**, dal lat. *ardŭitas, -atis*.

**arduo**, dal lat. *arduus*, di formaz. ideur. come *arvus* da *arare*, v. ARVALE e *caedŭus* da *caedĕre*, v. CEDUO, ma da connettere forse meglio col tema preideur. ARDU- sopravv. in *arduenna*, v. ARDESIA.

**area**, dal lat. *area*, privo di connessioni evidenti; cfr. AIA e ARA².

**areligioso**, comp. di *a-¹* privat. e *religioso*.

**arella** (porcile), dim. di lat. *hara* forse da GHERÀ, e perciò collegato con la famiglia di *hortus*; v. ORTO.

**arem**, dall'ar. *ḥarīm* ' (luogo) inviolato '.

**arèna¹** ' sabbia ', lat. *harēna*, privo di connessioni attendibili e di prob. orig. mediterraneo-tirrenica; v. RENA e cfr. la var. sabina *fasena*.

**arèna²** ' circo ', dal lat. *harēna*, v. ARENA¹, perché normalm., nell'antichità, col fondo cosparso di sabbia.

**arenaio**, da *aréna* ' sabbia '.

**arenare**, verbo denom. da *aréna*; cfr. ARRENARE.

**arenario**, dal lat. tardo *harenarius*.

**arengario**, dal lat. medv. *arengarius*; v. ARENGO.

**arengo**, dal gotico *\*hari-hriggs* ' circolo dell'esercito ' (ted. *Ring* ' anello '); cfr. *arringo*.

**arenoso**, dal lat. *harenosus*.

**areo-**, v. AERO-.

**areografìa** ' descrizione del pianeta Marte ', dal gr. *Árēs* ' Marte ' e *-grafìa*.

**arèola** (regione della mammella), dal lat. *areŏla*, dim. di *area*.

**areòlito**, comp. di *àreo-* (metatesi di *aero-* in *areo-*, come lat. *āĕra* in *aria*) e gr. *líthos* ' pietra '.

**areòmetro**, dal frc. *aréomètre* e questo dal gr. *araiós* ' tenue, fluido ' e *-metro*.

**areopagita**, dal gr. *Areiopagítēs*.

**areopagitico**, del gr. *Areiopagitikós*.

**areòpago**, dal gr. *Áreios págos* ' rocca di Ares ' (equival. di Marte).

**arfasatto**, dal nome del figlio di Sem, *Arp(h)achsad* nella tradiz. della Vulgata.

**àrgano**, dal lat. medv. *àrganum*, risal. ad un plur. gr. *(t)a 'rgana* equival. a *tà órgana*.

**argante** ' manovratore degli argani ', da *àrgano* incr. col nome del guerriero saraceno, personaggio nella *Gerusalemme* del Tasso.

**argènteo**, dal lat. *argenteus*.

**argenterìa**, nome collettivo sul tipo di *armerìa*, *maglierìa. oreficerìa, biancherìa*.

**argento**, lat. *argentum*, attestato in forma identica nell'area celtica e con deriv. varî di una rad. ARG ' brillare ' in altre aree ideur. come quelle tocaria, indo-iranica, armena e forse greca (*árgyros*); cfr. ARGUIRE.

**argilla**, lat. *argilla*, deriv. dalla rad. ARG ' brillare ':

' la terra brillante (perché bianca) ', forse attrav. il gr. *árgil(l)os*.

**argillàceo**, dal lat. *argillaceus*.

**argilloso**, dal lat. *argillosus*.

**àrgine**, lat. volg. *\*arger* di orig. sabina con *ar-* per *ad-* (class. *agger*), sopravv. ad es. nel nome loc. di *(Vigod)àrzere* (Padova) incr. con *limen, -ĭnis* ' soglia '. *Agger, -ĕris* è sost. deverb. tratto da *aggĕre*, comp. di *ad-* e *gerĕre*; v. GERENTE. Per sabino *ar-* cfr. ARBITRO.

**Argo¹**, gr. *Árgos*, mostro mitologico dai cento occhi.

**argo²** e **argon**, forma di neutro sostantiv. dall'agg. gr. *argós* ' inattivo ' deriv. da *a-* e *érgon*.

**argomentare**, dal lat. *argumentari*.

**argomentatore**, dal lat. tardo *argumentator, -oris*.

**argomentazione**, dal lat. *argumentatio, -onis*.

**argomento**, dal lat. *argumentum* ' dimostrazione ', deriv. da *arguĕre*; v. ARGUIRE.

**argonauta**, dal gr. *Argonaútēs* ' marinaio (*naútēs*) della nave Argo (*Argó*) '.

**arguire**, dal lat. *arguĕre* ' dimostrare ' passato alla coniugaz. in *-i-*. Verbo denom. da un tema *\*argus*, dalla rad. ARG ' brillare ' ampliata in *-u*, v. ARGENTO, che si ritrova nel gr. *árgy(ros)*. Il rapporto di *arguĕre* a *\*argus* è lo stesso di *statuĕre* a *status* e di *tribuĕre* a *tribus*.

**arguto**, dal lat. *argutus* ' provvisto di *\*argus* ' e cioè di penetrante ' forza luminosa '.

**arguzia**, dal lat. tardo *argutia* ' acutezza ', class. *argutiae, -arum*.

**aria**, lat. *āĕra* (acc. alla greca di *āēr*), divenuto per metatesi *area, aria*, abbastanza tardi per non confondersi con lat. *area* it. *aia*; cfr. ÀERE. Per la metatesi cfr. BALIA (da *bai(ŭ)la*).

**arianésimo**, da *ariano¹*, col suff. it. *-ésimo* di dottrina, dal gr. *-ismós* con l'introduz. della *-i-* nel gruppo *-sm* come in *crèsima, fìsima, spàsimo*.

**ariano¹**, da Ario, eresiarca alessandrino m. nel 336 d. C.

**ariano²**, dal frc. *arien*, sanscrito *ārya-* ' signore '; cfr. ARIO.

**aridità**, dal lat. *aridĭtas, -atis*.

**àrido**, dal lat. *arĭdus*, agg. di *arēre* ' esser secco ', da una rad. AS, attestata in forma semplice anche nelle aree indiana e tocaria e in forma ampliata nelle aree greca, armena, germanica (ted. *Asche* ' cenere '); cfr. ARA, ÀLIDO, ÀRDERE.

**ariento**, variante di *argento*, come *àgnolo* è variante di *angelo*, con la palatalizzaz. fior. di *ge* in *ie* in posizione posconsonantica.

**ariete**, dal lat. *aries, -ĕtis*, che trova corrispond., sia pure con suff. diversi, nelle aree celtica, greca, armena.

**arimanno** (guerriero-colono longobardo), dal long. *hariman* ' uomo dell'esercito ' (lat. medv. *Arimanus*).

**aringa**, lat. tardo (VI sec.) *hāringus* dal franco *hāring*, allineato con altri nomi collettivi in *-a*.

**ario**, dal sanscrito *ārya-* ' signore '; cfr. ARIANO².

**àrista**, parola prob. mediterr. caratterizzata dall'accento anorm. sulla terz'ultima.

**arista**, dal lat. *arista*, privo di connessioni attendibili; cfr. RESTA¹.

**aristocràtico**, dal gr. *aristokratikós*.

**aristocrazìa**, dal gr. *àristos* ' il migliore ' e il tema *-kratìa* ' il potere ', astr. dal verbo *kratéō* ' io domino '; v. -CRAZÌA.

**aritmètica,** dal lat. *arithmĕtĭca (ars)* e questa dal gr. *arithmētikḗ (tékhnē)* ' arte del numerare '.

**aritmètico,** dal lat. *arithmetĭcus,* che è dal gr. *arithmētikós* cfr. ALGORITMO.

**aritmìa,** da *a-*¹ privat. e l'astr. in *-ìa,* tratto dal gr. *rhythmós* ' cadenza, misura '.

**aritmico,** comp. di *a-*¹ privat. e gr. *rhythmikós.*

**arlecchino,** forse adattamento dal frc. ant. *Hellequin,* nome di un buon diavolo, dissimilato per evitare l'associaz. di *\*allecchino* con *leccare.*

**Arlotto,** da un lat. medv. *Arlotus* (XIV sec.) risal. al provz. *arlot.*

**arma,** lat. tardo *arma,* class. *arma, -orum* solo plur. collegato con *armus* ant. nome dell'articolazione della spalla risal. a una rad. ERĒ, ĔRĒ, ARĒ attestata con lo stesso ampliam. in *-m-* nelle aree indoiranica, armena, baltica, slava e germanica (ted. *Arm* ' braccio '); cfr. ARMENTO e v. ARTE, ARTO. Nell'area gr. si hanno invece ampliam. con *-sm-* nei quali la sibilante lascia una traccia attrav. lo spirito aspro sull'iniz.: gr. *harmós* ' spalla ', *hárma* ' equipaggiamento ', *harmonía* ' proporzione '.

**armacollo,** da *arma (al) collo.*

**armadillo,** dallo sp. *armadillo,* dimin. di *armadio,* e quindi ' (animale paragonabile) a un piccolo armadio (corazzato) '.

**armadio,** da un lat. *armarium* incr. con *màdia* (v.).

**armamentario,** dal lat. *armamentarium.*

**armamento,** dal lat. *armamenta,* solo plur.

**armare,** lat. *armare,* verbo denom. di *arma, -orum;* v. ARMA.

**armatore** ' allestitore di nave ', dal lat. tardo *armator, -oris.*

**armatura,** dal lat. *armatura.*

**arme,** sg. estr. dal plur. *armi;* v. ARMA.

**armentario,** dal lat. tardo *armentarius.*

**armento,** dal lat. *armentum,* deriv. autonomo della rad. ARĒ, la stessa di *arma, armus* ma indirizzata verso il senso astr. di ' applicazione ' o ' guarnizione '. L' ' armento ' è una specie di equipaggiamento di ordine economico anziché anatomico e militare. Nell'area germanica invece della base AR-MN-TO- del lat. si ha quella ER-MON- col signif. di ' bestiame bovino ', sopravv. nel nome proprio gotico *Ermanarico* ' signore di gregge (bovino) '; v. ARMA.

**armerìa,** da *arma* col suff. collettivo *-erìa* di *argenterìa, maglierìa, oreficerìa, biancherìa.*

**armìgero,** dal lat. *armĭ-ger, -gĕri* ' portatore di armi ', comp. di *arma* e *-ger* tema di nome d'agente del verbo *gerĕre,* v. GERENTE, con norm. passaggio di *-ă-* in *-ĭ-* in sill. interna aperta.

**armilla,** dal lat. *armilla* dimin. di *armus* ' omero ', anticam. ' articolazione della spalla '; v. ARMA.

**armistizio,** dal lat. del XVII sec. *armi-stitium* formato sul modello di *sol-stitium.*

**armo,** sost. deverb. da *armare,* quasi ' armamento d'uomini '.

**armonìa,** dal gr. *harmonía* ' accordo, proporzione '; cfr. ARMA.

**armònico,** dal gr. *harmonikós.*

**armonio** (*harmonium*), dal frc. *harmonium* (XIX sec.).

**armoricano** (penisola francese in Bretagna), dal nome del popolo degli Aremorici, ' quelli che abitavano *are mori* ' e cioè ' in riva al mare '.

**arnese,** dal provz. *arnes,* frc. ant. *herneis* ' armatura del cavaliere e del cavallo '.

**arnia,** deriv. del lat. medv. (glossa X sec.) *arna* ' vas apium ', parola mediterr. che definisce l'alveo incavato di un fiume v. *Arno* (fiume) e *arno* parola istriana che indica un'insenatura rocciosa in cui entra il mare.

**àrnica,** dal gr. *ptarmiká,* n. plur. di *ptarmikós* ' starnutatorio ', analizzato col distacco dell'articolo *(p)tà'rmiká* e poi incr. con it. *sternuto* che sostituisce il gruppo *-rn-* a *-rm-.*

**arnione** e **argnone,** lat. *\*renio, -onis* (deriv. di *ren* ' rene '), trattato secondo la fonetica emiliana che cambia *-re-* protonico e anteconsonantico in *-ar-;* v. RENE.

**aro,** dal lat. scient. (dei botan.) *arum,* risal. al gr. *áron.*

**aroma,** dal lat. tardo *arōma* e questo dal gr. *árōma.*

**aromàtico,** dal lat. tardo *aromatĭcus.*

**aromatizzare,** dal lat. tardo *aromatizare.*

**arpa**¹ (strum. mus.), lat. tardo (V sec.) *harpa,* e questo dal franco *\*harpa* ' érpice '.

**arpa**² (arma), dal lat. *harpe,* che è dal gr. *hárpē.*

**arpagone,** dal protagonista della commedia « L'avaro » di Molière, e questo dal plautino *Harpăgo, -ōnis,* tratto dal gr. *harpágē* ' uncino ' e cioè ' arraffatore '.

**àrpese,** dal venez. *àrpese* e questo dal gr. tardo *hárpaks, -agos* ' ferro uncinato ' penetrato dal bizantino dell'Esarcato ravennate.

**arpìa,** dal gr. *Hárpyiai* ' le rapitrici ', collegate con *harpázō* ' rapisco '.

**arpicare,** incr. di *erpicare* (v.) con *arrampicare* (v.).

**arpicordo,** comp. di *arpa*¹ e del tema *-cordo* ' dalla corda di '; v. CORDA.

**arpione,** lat. volg. *\*harpĭgo, -ōnis,* (forma cittadina con norm. apofonia di *-ă-* in *-ĭ-*), parallela a quella grecizzante *harpăgo, -ōnis* tratta dal gr. *harpágē* ' uncino ', rimasta aderente al suo vocalismo. La leniz. totale della *-g-* intervocalica davanti a voc. non palatale è dovuta a tradiz. settentr.

**arpone** (arma da caccia), dal frc. *harpon.*

**arra,** dal lat. *arra,* accorciamento popolare di *arră(bo),* che è dal gr. *arrhabón* ' caparra ', (v.).

**arrabattare,** dallo sp. *arrebatar* ' prendere con violenza ', e questo da *rebate* ' rissa '.

**arrabbiare,** verbo denom. da *rabbia* col pref. *a(d)-.*

**arraffare,** dal long. *hraffōn* ' strappar via ' col pref. *a(d)-.*

**arraffiare,** verbo denom. da *raffio* col pref. *a(d)-.*

**arramacciare,** verbo denom. da *ramaccia* col pref. *a(d)-.*

**arrampicare,** verbo iterat. di *rampare* (v.) col pref. *a(d)-.*

**arrancare,** verbo denom. dal provz. *ranc* e questo dal gotico *\*wranks* ' storpio ' col pref. *a(d)-.*

**arrandellare,** verbo denom. da *randello* col pref. *a(d)-.*

**arranfiare,** incr. di *aggranfiare* e *arraffare.*

**arrangiare,** dal frc. *s'arranger* e questo da *rang* ' rango '.

**arrapinare,** verbo denom. da *rapina* col pref. *a(d)-.*

**arrecare,** da *recare* col pref. *a(d)-.*

**arredare,** lat. medv. *arrēdăre,* dal gotico *(ga-)rēdan* ' aver cura ' (ted. *Rat* ' consiglio, provvista ').

**arrembaggio,** da *arrembare* nel senso di ' appoggiarsi pesantemente '.

**arrembare**, da a(d)- e *rembare 'appoggiare', a modo degli sciancati, lat. volg. *rhembari, dal gr. rhémbomai 'mi muovo tutto in giro'.

**arrembato**, da a(d)- e *rembato 'appoggiato', in senso di debolezza.

**arrenare**, verbo denom. da rena col pref. a(d)-; cfr. ARENARE.

**arrendamento** (imposizione fiscale nel regno napoletano), dallo sp. arrendamiento, der. di arrendar 'appaltare', verbo denom. da renda 'rendita' col pref. a(d)-.

**arrèndere**, da a(d)- e rèndere.

**arrestare**, lat. volg. *arrestare, da ad e restare 'fermarsi'.

**arresto**, sost. deverb. da arrestare.

**arretrare**, verbo denom. da retro col pref. a(d)-.

**arri**, forse dal lat. arrì(ge aures) 'drizza le orecchie' imperat. di arrigĕre, v. REGGERE.

**arricchire**, verbo denom. da ricco col pref. a(d)-.

**arricciare**, verbo denom. da riccio col pref. a(d)-.

**arrìdere**, lat. volg. * arridĕre, class. arridere; v. RIDERE.

**arriffare**, verbo denom. da riffa[2] col pref. a(d)-.

**arringa**, sost. deverb. da arringare.

**arringare**, verbo denom. da arringo 'agire davanti all'arringo'.

**arringo**, da aringo analizzato come comp. di a(d)- e *ringo; v. ARENGO.

**arrischiare**, verbo denom. da rischio col pref. a(d)-.

**arrivare**, lat. volg. *adripare 'giungere a riva', forma settentr. (venez.) di parola marittima con la leniz. di -p- in -v-.

**arroccare**[1], verbo denom. da rócca col pref. (ad)-.

**arroccare**[2], verbo denom. da rocco 'torre (nel gioco degli scacchi), col pref. a(d)-.

**arrocchiare**, verbo denom. da rocchio col pref. a(d)-.

**arrochire**, verbo denom. da roco col pref. a(d)-.

**arrogante**, dal lat. arrŏgans 'colui che chiede (con prepotenza)'.

**arroganza**, dal lat. arrogantia.

**arrogare**, dal lat. arrogare, comp. di ad e rogare; v. RÒGITO.

**arrogazìone**, dal lat. arrogatio, -onis.

**arrògere** 'aggiungere', lat. volg. *arrogĕre, incr. di arrogare e regĕre; cfr. ARROTO, ARRUOTO.

**arrolare**, dal frc. enrôler; cfr. RUOLO.

**arroncigliare**, verbo denom. da ronciglio (v.) col pref. a(d)-.

**arrosare**, dal provz. arozar e questo dal lat. a(d) e ros 'rugiada'.

**arrossare**, verbo denom. da rosso col pref. a(d)-, con valore momentaneo e obiettivo.

**arrossire**, verbo denom. da rosso col pref. a(d)-, con valore incoat. e figur.

**arrostire**, dal franco hraustjan col pref. a(d)-.

**arrotare**, da ruota col pref. a(d)-. e la o non dittongata perché fuori d'accento.

**arrotino**, sost. deverb. da arrotare col suff. -ino di mestiere come imbianchino o scalpellino da imbiancare o scalpellare.

**arroto** 'aggiunto', (arc.) lat. volg. *arro(g)ĭtus, con leniz. totale di -g- dav. a voc. palat., cfr. di(g)itus e v. DITO e con semplificaz. del dittongo òi in ò, cfr. prete da preite, mastro da *màistro (lat. magister).

**arrotondare**, verbo denom. da rotondo col pref. a(d)-.

**arrovellare**, lat. volg. *(ar)rebellare 'sforzarsi di riprendere la lotta', incr. con rovo (v.).

**arroventare**, verbo denom. da rovente col pref. a(d)-.

**arrubinare**, verbo denom. da rubino col pref. a(d)-.

**arruffare**, verbo denom. da ruffa[1] (v.) col pref. it. a(d)-.

**arruffianare**, verbo denom. da ruffiano col pref. a(d)-.

**arrugginire**, verbo denom. da rùggine col pref. a(d)-.

**arrugiadare**, verbo denom. da rugiada col pref. a(d)-.

**arruoto** 'aggiunto' (arc.), variante di arroto (v.), con norm. dittongaz. della o aperta come in vuoto (v.) da *vo(c)ĭtus con leniz. precoce di -c-.

**arruvidire**, verbo denom. da rùvido col pref. a(d)-.

**arsella**, dal genov. arsélla, lat. arcella «piccola arca», 'astuccio'; v. ARCA.

**arsenale**, dal venez. arzanà e questo dall'ar. dārşinā‛a 'casa del lavoro'; cfr. DÀRSENA.

**arsènico**, dal lat. tardo arsenĭcum, che è dal gr. arsenikón 'orpimento giallo'.

**arsi**, dal gr. ársis 'elevazione', nome d'azione di aírō 'sollevo'.

**arsione**, nome d'azione tratto dal part. pass. arso di àrdere.

**arso**, lat. arsus, part. pass. di ardere sul modello di versus da vertĕre e sim.

**arsura**, lat. tardo arsura, astr. di ardere, cfr. CALURA.

**artato**, dal lat. artatus, part. pass. di artare 'stringere', verbo denom. da artus 'stretto'.

**arte**, lat. ars, artis, nome d'azione della rad. ARĔ 'articolare, ordinare', v. ARMA e ARMENTO; diffusa, con varî ampliam., in molte aree ideur.: cfr. RITO. Per il grado ridotto della rad. Ʀ e altri ampliam., v. ORDINE.

**artefatto**, dal lat. arte factus 'fatto con arte' (e cioè 'artificio').

**artéfice**, dal lat. artĭfex, comp. di ars artis e -fex, tema di nome d'agente di facĕre.

**artemisia**, dal lat. artemisia e questo dal gr. artemisía «pianta di Artemide».

**arteria**, dal lat. tardo arteria, che viene dal gr. artēría, (da artáō ' sospendo').

**arteriosclerosi**, comp. di arteria e sclerosi (v.).

**arterioso**, dal lat. tardo arteriosus.

**artesiano**, dal frc. artésien 'della regione dell'Artois', da dove ha irradiato il modello di quei pozzi.

**artezza** 'strettezza', lat. volg. *artitia 'strettezza', deriv. di class. artus 'stretto'.

**àrtico**, dal gr. arktikós «appartenente all'(emisfero dell') Orsa» e cioè 'settentrionale'.

**articolare**[1] (verbo), dal lat. articulare.

**articolare**[2] (agg.), dal lat. articularis.

**articolazione**, dal lat. articulatio, -onis.

**artìcolo**, dal lat. articŭlus 'piccolo arto', dimin. di artus, -us, v. ARTO. Nel senso di particella grammat. è ricalcato sul gr. árthron.

**artificiale**, dal lat. artificialis.

**artificio**, dal lat. artificium.

**artificioso**, dal lat. artificiosus.

**artigiano**, dal lat. ars artis, attrav. il doppio suff. -igiano (lat. -ensis + -anus) come in partigiano o parmigiano.

artigliere, dal frc. *artilleur*.

artiglierìa, dal frc. *artillerie*.

artiglio, dal provz. *artelh*, che è il lat. *articŭlus*; v. ARTICOLO.

artimone (vela), dal lat. *artĕmon*, *-ōnis*, che è dal gr. *artémōn*, *-onos*, allineato su *timone* (v.).

artiodàttili, dal gr. *artio-* ' pari ' e gr. *dáktylos* ' dito '.

artista, dal lat. medv. *artista*.

arto[1] (sost.), dal lat. tardo *artus*, *-us*, class. normalm. al plur. Astr. in *-tu* della rad. ARĒ, v. ARTE, attestata in questo ampliam. anche nelle aree indiana, armena, greca (gr. *artýs* ' unione '); cfr. DISERTO, ARTE, ARMA, ARMENTO e anche ORDINE.

arto[2] ' stretto ' (agg.), dal lat. *artus* ' stretto ', forse da un più ant. ' adattato ' e quindi deriv. dalla stessa rad. del sost. *artus*; v. ARTO.

artrite, dal lat. tardo *arthrītis*, *-ĭdos*, che è dal gr. *arthrîtis*, *-idos* ' malattia delle articolazioni '.

artròpodi, comp. di gr. *árthron* ' giuntura ' e *podo-* ' piede ' (v.) ' dai piedi articolati '.

arùspice, dal lat. *haruspex* ' osservatore delle interiora ', comp. di *-spex*, nome d'agente della rad. SPEK ' osservare ' (lat. *-specio*) e di *\*haru-* parola ideur. connessa con sanscr. *hirā* ' vena '.

aruspicina, dal lat. *haruspicina* (*ars*).

arvale, dal lat. *arvalis* attributo dei *Fratres Arvales*, deriv. in *-alis* di *arvum* ' campo arato ' e cioè ant. agg. deriv. da *arare*, come *caeduus* da *caedĕre*; v. CEDUO.

arvicola, dal lat. scient. (degli zool.) (*mus*) *arvicola* ' abitatore di campi ', calco sul lat. *agricŏla*.

arzente, part. pres. di lat. volg. *\*ardjo*, forma regolare (anche se non docum.) dal lat. class. *ardeo*, come *orzo* (v.) è forma regolare di lat. volg. *\*hordjum*, class. *hordeum*: cfr. VEGGIO da lat. volg. *\*vidjo*, class. *video*.

arzigogolare, da adattamenti successivi di un lat. *\*arc(h)aeologare* reso prima con fonetica settentr. *\*arsiologare*; poi con la correzione tosc. in *-z-* e la restituzione di un presunto *-g-* intervocalico lenito, *\*arzigologare*; infine, con metatesi onomatop. *arzigogolare*.

arzillo, incr. da *asīlus* ' tafano ', v. ASSILLO, con *arzente* ' ardente '.

àsaro (pianta), dal lat. *asărum*, che è dal gr. *ásaron*, parola mediterr.

asbesto, dal lat. tardo *asbestus*, che è dal gr. *ásbestos* ' inestinguibile ', agg. verb. di *sbénnymi* ' spengo ', con *a-* privat.

ascàride, dal lat. tardo *ascăris*, *-ĭdis*, che è dal gr. *askarís*, *-ídos*, anche ' larva di zanzara '.

àscaro[1] ' ribrezzo ' (arc.), lat. tardo *eschăra* ' crosta ', dal gr. *eskhára*, cfr. SCAREGGIO, e ÈSCARA con assimilaz. di *e ... a* in *a ... a*.

àscaro[2] (soldato coloniale), dall'ar. *'askarī* ' soldato '.

ascella, lat. *axilla* e questo, dimin. di *āla* (da *\*aksla*); v. ALA.

ascéndere, dal lat. *ascendĕre*, comp. di *ad-* e di *scandĕre*, con norm. passaggio di *-a-* in *-e-* in sill. interna chiusa; cfr. DISCENDERE e v. SCALA.

ascensionale, dal frc. *ascensionnel*.

ascensione, dal lat. *ascensio -onis*, nome d'azione di *ascendĕre*.

ascensore, dal lat. tardo *ascensor*, *-oris*, nome d'agente di *ascendĕre*.

ascesa, dal lat. *ascensa*, forma femm. sostantiv. del part. pass. di *ascendĕre*.

ascesi, dal lat. crist. *ascēsis*, che è dal gr. *áskēsis* ' esercizio '.

ascesso, dal lat. *abscessus*, *-us*, astr. di *abscēdere*, per il signif. calco sul gr. *apóstēma*; v. APOSTEMA.

asceta, dal gr. *askētés* « che esercita (la penitenza) ».

ascètico, dal gr. *askētikós*.

ascia, lat. *ascia*, con corrispond. nelle aree greca e germanica (ted. *Axt*), cfr. ACCETTA, AZZA.

asciale, lat. volg. *\*axalis*, deriv. di *axis* ' asse '; v. ASSE[3] e SALA[2] ' asse ' e ASSALE.

asciàtico ' che non produce ombra ', da *a-*[1] privat., il gr. *skiá* ' ombra ' e il suff. di deriv. *-tico*.

ascidio, dal gr. *askídion*, dimin. di *askós* ' otre '.

asciòlvere, lat. *absolvĕre* (*ieiunia*) « esaurire il dovere del digiuno »; cfr. ASSÒLVERE.

ascisc' (*hascisc'*), dall'ar. *ḥashîsh* ' erba (narcotica) '; cfr. ASSASSINO.

ascissa, dal lat. scient. *abscissa* « (linea) tagliata via ».

ascite, dal lat. tardo *ascītēs*, che è dal gr. *askítés*, da *askós* ' otre '.

ascitizio, dal lat. *adsciticius*, deriv. di *adscitum*, part. pass. di *adsciscĕre* e perciò « riferito a cosa aggiunta ufficialmente », poi uscito dalla tecnica giur. e equival. a ' aggiuntivo ': *adsciscĕre* è comp. di *ad-* e del verbo incoat. di *scire*, v. SCIENZA.

asciugare, dal lat. tardo *exsūcare* con la leniz. settentr. (*-g-* da *-c-*) e con la sostituz. del pref. *a(d)-* a quello estrattivo *e(s)-*.

asciutto, lat. *exsūctus*, part. pass. di *exsugĕre*, v. SUGGERE, incr. con *asciugare*.

asclepiadèo, dal lat. *asclēpiadĕum* (*metrum*), che è dal gr. *asklepiádeios*.

asco ' otre ', dal gr. *askós* ' otre '.

ascoltare, lat. *auscultare* con norm. riduz. di *au-* in *a-* in posizione protonica, cfr. *agosto* rispetto a lat. *augustus*. Lat. *auscultare* sembra forma intens. di un verbo *\*auscluĕre* tratto dal part. pass. *\*ausclūtus*, v. INCLITO, con il tipo tardivo (glossa) *cultare* che è invece intens. di *colĕre*. Il primo elemento *aus-* rappresenta la forma ideur. orig. AUS, per cui v. ORECCHIO. Dal punto di vista del signif. *auscultare* è dunque « orecchiare »; cfr. AUSCULTARE.

ascóndere, lat. *abscondĕre* ' riporre ', comp. di *abs-* (forma ampliata di *ab-*, v. ABAVO, davanti a *c*, *t*) e *condĕre* e questo di *cum* e la rad. DHĒ ' porre '; v. FARE. Incr. per la *o* chiusa con *ascoso*, (v.).

ascoso, lat. tardo *absconsus*, part. analogico al posto del class. *absconditus*, formato sul perf. non raddopp. *abscondi* (di fronte al regolare *abscondidi*).

ascrivere, dal lat. *adscribĕre*.

ascrizione, dal lat. *adscriptio*, *-onis*, nome d'azione di *adscribĕre*.

asepsi, calco su *antisepsi* per indicare con la *a-* privat. l'assenza di *sepsi* (v.).

asessuale, da *a-*[1] privat. e *sessuale*.

asfaltare, verbo denom. da *asfalto*.

asfalto, dal lat. tardo *asphaltus*, che è dal gr. *ásphaltos* ' bitume della Giudea ' di lontana orig. semitica.

asfissìa, da *a-*[1] e gr. *sphýksis* ' polso ': « la condizione di esser senza polso », col suff. di astr. in *-ìa*.

asfìttico, dal gr. *ásphyktos* col suff. it. *-ico*, incr. con it. *asfissìa* secondo il rapporto di *apoplessia* e *apoplèttico*.

**asfodelo**, incr. del lat. tardo *asphodĕlus*, che è dal gr. *asphódelos* di orig. mediterr. e del dim. it. arc. *asfodillo*, con conseg. spostamento d'accento dalla terz'ultima alla penultima; forse attrav. una tradiz. settentr.

**asianismo**, dal gr. *Asianós* 'asiatico'.

**asiàtico**, dal lat. *asiaticus* e questo dal gr. *asiatikós*, agg. da *asiátēs* sost.

**asiento** 'accordo', dallo sp. *asiento*, cfr. ASSENTO.

**asilo**, dal lat. *asylum* e questo dal gr. (*hieròn*) *ásylon* «(tempio) senza *sýle*» cioè senza diritto di cattura.

**asimmetrìa**, dal gr. *asymmetría* 'mancanza di proporzione', comp. di *a-* e *symmetría*.

**asinaio**, lat. *asinarius*.

**asinare** (arc.), verbo denom. da *àsino*.

**asinata**, da *asinare* e *àsino* secondo lo schema di *camminata* rispetto a *camminare* e *cammino*.

**asìndeto**, dal lat. dei gramm. *asyndĕton*, che è dal gr. *asýndeton* 'non legato' (n. sost.), cfr. *syndéō* 'lego'.

**asinino**, dal lat. *asininus*.

**àsino**, dal lat. *asìnus*, di orig. mediterr.

**asìntoto**, dal gr. *asýmptōtos* 'non coincidente', comp. di *a-* e dall'agg. verb. di *sympíptō*: « che non cade insieme ».

**asma**, lat. *asthma*, dal gr. *ásthma*, *-atos*; cfr. ÀNSIMA.

**asmàtico**, dal lat. *asthmaticus*, che è dal gr. *asthmatikós*.

**asociale**, comp. di *a-*[1] privat. e *sociale*.

**àsola**, dal lat. *ansǔla*, dimin. di *ansa*; v. ANSA.

**asolare** 'alitare', lat. volg. *ausulare*, incr. del verbo mediterr. *ausare* 'sgorgare' (*ausa* 'fonte', tema mediterr., cfr. AUSONIO e ESAURIRE), con class. *halare* 'alitare', v. ALITO.

**àsolo**, sost. deverb. estr. da *asolare*.

**aspàrago**, dal lat. *asparăgus*, che è dal gr. *aspáragos*, parola mediterr.; cfr. SPÀRAGIO.

**aspèrgere**, dal lat. *aspergĕre*, comp. di *ad* e *spargĕre*, con norm. passaggio di *-ă-* a *-ĕ-* in sill. interna chiusa; v. SPÀRGERE.

**asperges**, dalla prima parola che dice il prete benedicendo 'aspergerai'.

**aspèrgine**, dal lat. *aspergo*, *-ìnis*, nome d'azione di *aspergĕre*.

**asperità**, dal lat. *asperìtas*, *-atis*.

**aspèrrimo**, dal lat. *asperrimus*, superl. di *asper*.

**aspersione**, dal lat. *aspersio*, *-onis*, nome d'azione di *aspergĕre*, tratto dal part. pass. *aspersus*; v. SPARSO.

**aspersorio**, dal lat. crist. *aspersorium*, nome di strum. di *aspergĕre*.

**aspettare**, incr. di lat. *exspectare* 'aspettare' e *aspectare* 'guardare attentamente'.

**aspettazione**, dal lat. *exspectatio*, *-onis*, incr. con it. *aspettare*.

**aspetto**[1], sost. deverb. da *aspettare*.

**aspetto**[2], dal lat. *aspectus*, *-us*, astr. di *adspicĕre* 'guardare', comp. di *ad-* e *-specĕre* con norm. passaggio di *-ĕ-* in *-ì-* in sill. interna aperta; v. SPECIE.

**aspichinina** (medicinale), da *aspi(rina)chinina*.

**àspide**, dal lat. *aspis* *-ìdis*, che è dal gr. *aspís* *-ídos*.

**aspirare**, dal lat. *adspirare*, comp. di *ad-* e *spirare*; v. SPIRARE.

**aspiratore**, dal frc. *aspirateur*.

**aspirazione**, dal lat. *aspiratio*, *-onis*.

**aspirina**, dal ted. *Aspirin*, comp. artificiale recente (1899) da *a-* privat. e la pianta *spir(aea)*, perché l'acido contenuto nel preparato è prodotto sinteticamente senza ricorrere ai fiori della *spiraea* stessa.

**aspo**, dal gotico *haspa* 'aspo' reso maschile sotto l'influenza di *naspo* (estr. da *annaspare*).

**asportare**, dal lat. *asportare*, comp. di *portare* e *as-* forma ridotta di *abs-*, v. ASCONDERE, dav. a *p-*.

**asportazione**, dal lat. *asportatio*, *-onis*.

**asprezza**, lat. volg. *aspritia*; cfr. ASPERITÀ.

**aspri**, dal frc. *esprit* incr. con *aspro*.

**aspro**, lat. *asper*, privo di connessioni attendibili.

**assafètida** e **assa fètida**, dal lat. medv. *asa foetida*; *assa* dal persiano *aze* 'mastice', *fètida*; v. FETIDO.

**assaggiare**, verbo denom. da *assaggio*.

**assaggio**, lat. volg. *ad-sagium*, incr. di lat. tardo *exagium* col pref. *ad-*; cfr. SAGGIO.

**assai**, lat. *ad sat(i)s*, attrav. lat. volg. *ad sass*, cfr. *sei* da *sess sex*, *dài* da *das*, cfr. SAZIO.

**assale**, dal lat. volg. *axalis*; cfr. ASCIALE.

**assalire**, lat. volg. *adsalire*, class. *adsilire* forma incoat. *salire* col pref. *a(d)-*.

**assaltare**, verbo denom. da *assalto*.

**assalto**, lat. volg. *assaltus*, incr. di *assalire* (class. *adsilire*) e *saltus*; v. SALTO.

**assaporare**, verbo denom. da *sapore* col pref. *a(d)-*.

**assassino**, da un plur. ar. (non docum.) *Hashishiyyīn* equival. a *Hashishiyya* 'dedito allo *hashish*': « (violento, fanatizzato) dall'alcol ».

**asse**[1] (moneta), lat. *as assis*, di prob. orig. mediterr.

**asse**[2] (tavola), lat. *assis*, privo di connessioni attendibili.

**asse**[3], lat. *axis*, con corrispond. identiche nelle aree baltica e slava (AKSI-) e, limitate a AKS-, nelle aree indiranica e greca: gr. *hám-aks-a* significa '(carro) a un solo asse'. Da AKS deriva anche lat. *ala*; v. ALA, ASCELLA, e cfr. COSCIA.

**assediare**, verbo denom. da *assedio*.

**assedio**, dal lat. *obsedium*, rifacimento di *obsidium*, cfr. OSSESSO, incr. con *adsidere*.

**asseggio** (arc.), lat. volg. *adsedium*; v. ASSEDIO.

**assegnare**, dal lat. *adsignare*; v. SEGNO.

**assegnato** (mezzo di pagamento), dal frc. *assignat*.

**assegnatore**, dal lat. tardo *adsignator*, *-oris*.

**assegnazione**, dal lat. *adsignatio*, *-onis*.

**assegno**, sost. deverb. da *assegnare*.

**assemblea**, dal frc. *assemblée*, part. femm. di *assembler* (cfr. it. *adunata*, part. femm. di *adunare*), lat. *assimilare* 'mettere insieme'.

**assembrare**[1], dal frc. *assembler* con *r* da *l* forse per impronta merid.

**assembrare**[2] 'somigliare', lat. *assimilare* con norm. sincope di voc. atona (prima e dopo l'accento) e assimilaz. da *l ... r a r ... r*; v. ASSIMILARE.

**assennare**, verbo denom. da *senno* col pref. *a(d)-*.

**assenso**, dal lat. *assensus*, *-us*, astr. di *assentire*, comp. di *ad* e *sentire*.

**assentare** (rifl.), dal lat. tardo *absentare*.

**assente**, dal lat. *absens*, part. pres. di *abesse*, formato regolarm. dalla rad. al grado ridotto *s(-ens)* col suff. di part. pres. e il pref. *ab-*; cfr. invece ENTE.

**assenteismo**, dal frc. *absentéisme* e questo dall'ingl. *absenteeism*.

**assentire**, dal lat. *adsentire* 'esprimere un parere'; v. SENTIRE.

**assento** (contratto), dallo sp. *asiento* v. ASIENTO: incr. con it. *assentire*.

**assenza,** dal lat. *absentia*.

**assenziente,** dal lat. *adsentiens, -entis,* part. pres. di *adsentire*.

**assenzio,** dal lat. *absinthium,* che è dal gr. *apsínthion*.

**asserire,** dal lat. *asserĕre* 'tirare a sé' (passato alla coniugaz. in -*i*-), comp. di *ad*- e *serĕre*; v. SERIE.

**asserpolare,** verbo denom. dal lat. *serpŭla* 'piccola serpe' col pref. *a(d)*-; v. SERPE.

**asserragliare,** verbo denom. da *serraglio* col pref. *a(d)*-.

**asserto,** dal lat. tardo *assertum,* class. *asserta, -orum,* part. pass. di *asserĕre*.

**assertore,** dal lat. *adsertor, -oris,* nome d'agente di *adserĕre*.

**assertorio,** dal lat. tardo *adsertorius*.

**asservire,** verbo denom. da *servo* col pref. *a(d)*-.

**asserzione,** dal lat. *assertio, -onis,* nome d'azione di *asserĕre*; v. SERIE.

**assessore,** dal lat. *assessor* 'colui che siede a fianco', nome d'agente di *assidere,* comp. di *ad*- e *sedere* con norm. passaggio di -*e*- in -*i*- in sill. interna aperta.

**assestare,** verbo denom. da *sesta* 'disporre (a sesta)' nel signif. di 'compasso' e quindi « sistemare con precisione ».

**assettare,** lat. *\*asseditare* verbo intens. da *sedare* incr. con *assīdĕre* 'seder vicino' e *assĭdĕre* 'stabilirsi'.

**assetto,** sost. deverb. estr. da *assettare* (v.).

**asseverare,** dal lat. *adsēvĕrāre* 'affermare con severità e cioè solennità'; v. SEVERO.

**asseverazione,** dal lat. tardo *adseveratio, -onis*.

**assibilare,** dal lat. tardo *assibilare* comp. di *ad*- e *sibilare* 'fischiare', incr. con it. *sibilante*.

**assibilazione,** dal lat. tardo *assibilare,* calco su *assimilazione*.

**assicurare,** lat. volg. *\*adsecurare,* verbo denom. da *securus* col pref. *ad*; v. SICURO.

**assiderare,** dal lat. medv. *assiderare* 'cadere in potere delle stelle' (e delle emanazioni che ne derivano, in particolare del freddo notturno); v. SIDERALE.

**assìdere,** dal lat. *assīdĕre,* comp. di *ad* e *sīdĕre,* forma raddopp. da *\*sizdĕre,* più anticam. SI-SED-; v. SEDERE.

**assiduità,** dal lat. *adsiduĭtas, -atis*.

**assiduo,** dal lat. *adsiduus* 'che siede (permanentem.) vicino', agg. in -*uus* come *continuus* rispetto a *continere,* entrambi col norm. passaggio di -*ĕ*- a -*ĭ*- in sill. interna aperta.

**assieme,** lat. *insĭmul* incr. con *in seme(l),* v. INSIEME, più la sostituz del pref. d'immobilità *in*- con quello incoat. it. *a(d)*-.

**assiepare,** verbo denom. da *siepe* col pref. *a(d)*-.

**assillare,** verbo denom. da *assillo*.

**assillo,** lat. *asīlus* 'tafano', incr. con *assilire,* comp. di *ad*- e *salire* 'saltare' con pass. di -*ă*- in -*ĭ*- in sill. int. aperta e raddopp. espressivo di -*l*-. *Asīlus* è forse di orig. etrusca.

**assimilare,** dal lat. *adsimilare,* cfr. ASSEMBRARE[2], verbo denom. da *similis* col pref. *ad*.

**assiolo,** lat. volg. *\*axjòlus, \*axiullus,* dimin. di *axio, -ōnis,* privo di connessioni attendibili.

**assioma,** dal lat. tardo *axioma, -ătis,* che è dal gr.

*aksiōma, -atos,* deriv. di *áksios* 'degno' e perciò « dignità ».

**assisa,** dall'ant. frc. *assise,* forma sostantiv. del lat. volg. *\*assīsus,* appartenente al sistema dell'infinito *asseoir;* v. ASSISO.

**assise,** dal frc. *assises,* plur. di *assise* e questo dal lat. volg. *\*assisa:* « (assemblea) seduta ». Già plur. essendo *assise,* è inammissibile la forma it. « le assisi ».

**assiso,** lat. volg. *\*assisus,* part. pass. di *assidĕre* (class. *assessus*).

**assistenza,** dal lat. tardo *adsistentia*.

**assistere,** dal lat. *ad-sistĕre* 'star accanto', comp. di *ad*- e *sistĕre* forma raddopp. di *stare* di valore moment. come *sidĕre* (da *\*si-sd-ĕre*) lo è rispetto a *sedere*.

**assitare** 'impregnare di odore', verbo denom. da *a(d)*- e *sito*.

**assito,** incr. di *assato* 'costituito d'assi' e di *sito* 'luogo'.

**asso,** incr. di *asse*[1] (v.) e frc. *as* (dal lat. *as assis*).

**associare,** verbo denom. da *soccio* col pref. *a(d)*-.

**associare,** dal lat. tardo *adsociare,* verbo denom. da *socius* col pref. *ad*.

**assodare,** verbo denom. da *saudo* forma it. nordoccidentale di *saldo* (v.) col pref. *a(d)*-.

**assoggettare,** verbo denom. da *soggetto,* col pref. *a(d)*-.

**assolare**[1], verbo denom. da *suolo* col pref. *a(d)*-, senza dittongo fuori della posizione accentata.

**assolare**[2], verbo denom. da *solo* (v.) col pref. *a(d)*-.

**assolare**[3], verbo denom. da *sole* col pref. *a(d)*-.

**assolcare,** verbo denom. da *solco* col pref. *a(d)*-.

**assoldare,** verbo denom. da *soldo* col pref. *a(d)*-.

**assolo,** da *a(d)* e *solo*.

**assoluto,** dal lat. *absolutus* 'liberato da qualsiasi vincolo'.

**assolutorio,** dal lat. *adsolutorius*.

**assoluzione,** dal lat. *absolutio, -onis,* nome d'azione di *adsolvĕre*.

**assòlvere,** dal lat. *ab-solvĕre;* cfr. ASCIÒLVERE e v. SOLVENTE.

**assomigliare,** lat. volg. *\*assimiliare,* incr. con *somigliare*.

**assommare,** verbo denom. da *somma* col pref. *a(d)*-.

**assonare,** dal lat. *adsonare* 'rispondere al suono'.

**assonnare,** verbo denom. da *sonno* col pref. *a(d)*-.

**assonometrìa,** dal gr. *áksōn, -onos* 'asse' e -*metria*.

**assopire,** dal lat. medv. *assopire,* comp. di *a(d)*- e class. *sopire;* v. SOPIRE.

**assorbire,** dal lat. *absorbĕre,* incr. con it. *sorbire*.

**assordare,** verbo denom. da *sordo* col pref. *a(d)*-.

**assortire,** verbo denom. da *sorte* col pref. *a(d)*-.

**assorto,** lat. *absorptus,* part. pass. di *absorbĕre,* forma parallela e recente rispetto ad *absorbĕre;* v. SORBIRE.

**assottigliare,** lat. volg. *\*subtiliare* col pref. *a(d)*-.

**assuefare,** incr. di lat. *assuefacĕre* e it. *fare*.

**assùmere,** dal lat. *adsumĕre,* comp. di *ad*- e *sumĕre;* v. SUNTO.

**assunto,** dal lat. *adsumptus -us,* astr. di *adsumĕre*.

**assunzione,** dal lat. *adsumptio, -onis,* nome d'azione di *adsumĕre*.

**assurdità,** dal lat. *absurdĭtas, -atis*.

**assurdo,** dal lat. *absurdus* 'dissonante', deriv. della rad. SWER[2], v. SUSSURRO.

**assùrgere,** dal lat. *assurgĕre;* v. SÒRGERE.

**asta**, lat. *hasta*, con corrispond. celtiche e germaniche, forse anche nel sanscrito *hasta-* che significa ' mano ', v. PRESTO², quasi la mano fosse una « diramazione » del corpo.

**astante**, dal lat. *adstans*, part. pres. di *adstare*; v. STARE.

**astanterìa**, da (*medico*) *astante* col suff. loc. di *osteria, trattoria*.

**astato**, dal lat. *hastatus*.

**astemio**, dal lat. *abstēmius*, opposto di *tēm(ulentus)* ' ubriacone ', derivaz. lontana da un \*tem-, nome di qualche liquido inebriante, sopravv. anche in *temetum* ' vino ', ma privo di altre connessioni attendibili.

**astenere**, dal lat. *abs-tinēre*, comp. di *abs-* e *tenere* con norm. passaggio di -*e*- a -*i*- in sill. interna aperta, incr. con it. *tenere*.

**astenìa**, dal gr. *a-sthéneia* ' mancanza di forza ', comp. di *a-* privat. e *sthénos* ' forza ' con suff. di astr. in -*eia*.

**astensione**, dal lat. tardo *abstentio, -onis*, incr. con il tipo it. *estensione*, risal. invece al lat. *tendĕre*.

**astèrgere**, dal lat. *abs-tergĕre*; v. TERGERE.

**astèria** (gemma), dal frc. *astérie* e questo dal gr. *asteriās* ' stellato '.

**asterisco**, dal lat. tardo *asteriscus*, che è dal gr. *asterískos*, dimin. di *astĕr* ' stella '.

**asterismo**, dal frc. *astérisme*, che è dal gr. *asterismós*.

**asteròide**, dal gr. *asteroeidés* ' simile a stella ', comp. di *astĕr* e -*eidés*; v. -OIDE.

**astersione**, dal lat. tardo *abstersio, -onis*, nome di azione di *abstergĕre*; v. TERGERE e TERSO.

**astigmàtico**, dal gr. *a-* privat. e *stígma, -atos* ' punto ' con derivaz. aggettiv.

**astinente**, dal lat. *abstĭnens, -entis*; cfr. ASTENERE.

**astinenza**, dal lat. *abstinentia*.

**astio**, dal gotico *haifsts* ' contesa '.

**astore**, dal provz. *austor* e questo dal lat. *acceptor, -ōris*, incr. con *avis*. Lat. *acceptor* risulta dall'inserimento nel sistema di *accipĕre* ' ricevere ', v. ACCETTARE, dell'ant. *accipiter* ' sparviero '. Questo risale a un ant. comp. ŎKU-PET- « il velocevolante » che trova corrispond. soddisfacenti sia in sanscrito sia nel gr. *ōkýpteros* « dalle ali veloci ». Il primo elemento si trova nel lat. *ōcior* ' più veloce ', nel gr. *ōkýs* e nell'area indoiranica; il secondo nel lat. *petĕre* nel senso di ' dirigersi velocemente verso la meta '; v. PETIZIONE.

**àstracan**, dal frc. omòfono e questo dalla città russa di Astrachan'.

**astràgalo**, dal gr. *astrágalos*.

**astrale**, dal lat. tardo *astralis*.

**astrarre**, dal lat. *abstrahĕre*, incr. con it. *trarre*.

**astratto**, dal lat. *abstractus*, comp. di *abs-* e *tractus*; v. TRATTO.

**astrazione**, dal lat. medv. *abstractio, -onis*.

**astrìngere**, dal lat. *adstringĕre*, comp. di *ad* e *stringĕre*; v. STRINGERE.

**astro¹**, dal gr. *ástron* ' stella '.

**astro²**, dal lat. *astrum*, che è dal gr. *ástron*.

**astrolabio**, deriv. dal lat. medv. *astrolabium*, che è dal gr. *astro-lábos*, comp. di *ástron* ' stella ' e il tema di *lambánō* ' prendo ': « carpitore di stelle ».

**astrolatrìa**, da *astro-* e -*latrìa*.

**astrologìa**, dal gr. *astrología*.

**astrològico**, dal lat. tardo *astrologĭcus*, che è dal gr. *astrologikós*.

**astròlogo**, dal lat. *astrológus* e questo dal gr. *astrológos*.

**astronauta**, da *astro-* e lat. *nauta* « navigatore fra gli astri ».

**astronomìa**, dal gr. *astronomía*.

**astronòmico**, dal lat. tardo *astronomĭcus*, che è dal gr. *astronomikós*.

**astrònomo**, dal lat. *astronómos* e questo da *astro-* 'stella ' e *nómos*, nome d'agente di *némō* ' distribuisco '.

**astruso**, dal lat. *abstrūsus* ' spinto via ', ' appartato ', ' segreto ', part. pass. di *abstrudĕre*, v. INTRÙDERE.

**astuccio**, dal provz. *estug'* (lat. volg. \*studium estr. da \*studiare ' custodire '), incr. in it. con *asta*.

**astuto**, dal lat. *astutus* ' fornito di *astus, -us*, astuzia, abilità ', astr. di una forma verb. scomparsa, priva di connessioni attendibili.

**astuzia**, dal lat. *astutia*.

**atabàgico**, comp. di *a-* privat. e *tabag(ismo)*.

**atamano** (capo cosacco), dal russo *ataman*.

**atarassìa**, dal gr. *a-* privat. e l'astr. del verbo *tarássō* ' metto in movimento '.

**atassìa**, dal gr. *a-* privat. e l'astr. di *tássō* ' órdino ', *táksis* ' órdine '.

**atàvico**, dal lat. *atávus* col suff. it. -*ico*; v. ÀTAVO.

**atavismo**, da *atavi(ci)smo*.

**àtavo**, dal lat. *atávus*, comp. di *avus*, v. AVO, incr. con *at-* prob. da *atta*, termine affettivo per ' babbo ', attestato anche, semplice o ampliato, nelle aree greca (*átta*), albanese, gotica e slava.

**ateismo**, da *àteo*.

**atellana**, dal lat. (*fabula*) *atellana*, e cioè di Atella, città della Campania, da cui proveniva il genere letterario.

**atenèo**, dal lat. *Athenaeum*, che è dal gr. *Athénaion* ' tempio di Atena '.

**ateo**, dal gr. *átheos*, comp. da *a-* privat. e *theós* ' dio '.

**atèrmico**, comp. di *a-¹* privat. e *tèrmico* (v.).

**ateroma**, dal lat. tardo *atheroma*, che è dal gr. *athérōma*, deriv. di *athĕra* ' poltiglia '.

**atesino**, deriv. da *Athĕsis*, nome lat. dell'Adige.

**atestino**, dal lat. *atestinus* e questo da *Ateste* ' Este ', che è da *Athĕs(is)* ' Adige ', il fiume che un tempo passava presso la città, col suff. preideur. -*te*.

**atetèsi**, dal gr. *athétēsis*, nome d'azione di *athetéō*, verbo denom. di *áthetos* ' fuori posto '.

**atimìa¹** (privazione di diritti), dal gr. *atimia*, astr. da *a-* privat. e *timé* ' onore '.

**atimìa²** (mancanza di affetti), dal gr. *athymia*, astr. da *a-* privat. e *thymós* ' animo '.

**atìpico**, da *a-¹* privat. e *tipo* col suff. -*ico*.

**atlante¹**, dal gr. *Átlas, -antos*, nome di uno dei Titani.

**atlante²**, dalla figura di Atlante, che sorregge la Terra in una raccolta di carte geografiche del Cinquecento.

**atleta**, dal lat. *āthlēta*, che è dal gr. *āthlētés* ' lottatore', nome d'agente di *āthléō* ' io lotto ', da *âthlon* ' lotta '.

**atlètico**, dal lat. *athlētĭcus*, che è dal gr. *athlētikós*.

**atmosfera**, dal gr. *atmós* ' vapore ' e *sphaîra* ' sfera '.

**atollo**, parola indigena delle isole Maldive, a Sud-Ovest dell'India, giunta attrav. l'ingl. *atoll*.

**àtomo,** dal lat. *atŏmus,* che è dal gr. *átomos* ' indivisibile ', comp. di *a-* privat. e il tema di *témnō* ' io taglio ' col grado di alteranza *o;* cfr. ÀTTIMO.

**atonale,** da *tono* con *a'-* privat. e il suff. di deriv. aggettiv. *-ale.*

**atonìa,** dal gr. *atonía,* astr. di *átonos.*

**àtono,** dal gr. *átonos* ' non teso, debole ', comp. di *á-* privat. e il tema di *teínō* ' io tendo ', col grado di alternanza *o.*

**atrabile,** dal frc. *atrabile* e questo dal lat. *atra bĭlis,* calco sul gr. *melankholía,* v. MALINCONÌA.

**atréplice** (erba), lat. *atrĭplex -ĭcis,* adattamento di un gr. *atráphaksys.*

**atrio,** dal lat. *ātrium,* collegabile con *ater,* se fosse lecito definirlo come « (stanza) scura ».

**atro,** dal lat. *āter* con connessioni non evidenti fuori d'Italia.

**atroce,** dal lat. *atrox* ' dallo sguardo tetro ', comp. di *āter* e *-ŏx,* da ŌKw-S, cfr. *ferox* « dallo sguardo fiero », v. FEROCE.

**atrocità,** dal lat. *atrocĭtas, -atis.*

**atrofia,** dal gr. *atrophía,* astr. di *átrophos* ' non nutrito ', comp. di *a-* privat. e un tema tratto da *tréphō* ' nutro '.

**atropina,** derivaz. moderna dal nome scient. della belladonna, *atropa (belladonna)* a sua volta preso da *Àtropos,* nome di una Parca.

**attaccàgnolo** (specie di attaccapanni), da *attaccare* con lo stesso procedimento che deriva *appiccàgnolo* (v.) da *appiccare,* cfr. PIZZICÀGNOLO.

**attaccare,** verbo denom. da *tacca* col pref. *a(d)-.*

**attaccaticcio,** incr. di *attaccato* e *pasticcio.*

**attacco,** sost. deverb. da *attaccare.*

**attagliare,** verbo denom. da *taglia* (v.) col pref. *a(d)-.*

**attanagliare,** verbo denom. da *tanaglia* col pref. *a(d)-.*

**attapinare,** verbo denom. da *tapino* col pref. *a(d)-.*

**attardare,** verbo denom. da *tardi* col pref. *a(d)-.*

**attare,** dal lat. *aptare,* verbo denom. da *aptus;* v. ATTO[2].

**attecchire,** dal gotico *(ga)theihan* ' germogliare ' (longob. *thikkjan,* ted. *gedeihen* ' prosperare ') col pref. incoat. *a(d)-,* cfr. ATTICCIATO.

**attediare,** verbo denom. da *tedio* col pref. *a(d)-.*

**atteggiare,** verbo denom.-iterativo da *atto*[1].

**attelare** ' schierare ' (arc.), lat. volg. *\*attelare,* calco sul class. *protelare* ' tirare in lungo ' col pref. *ad.*

**attempato,** da *tempo* (v.) col pref. *a(d)-* e il suff. *-ato* ' fornito di '.

**attendare,** verbo denom. da *tenda* (v.) col pref. *a(d)-.*

**attendente,** part. pres. sostantiv. di *attèndere* (nel senso intrans. di ' accudire ').

**attèndere,** dal lat. *attendĕre* ' volgere l'animo a qualche cosa ', poi ' aspettare ', comp. di *ad* e *tendĕre;* v. TENDERE.

**attendìbile,** agg. verb. di *attèndere* nel senso orig.: « cui si può volgere l'animo ».

**attendismo,** dal frc. *attentisme,* incr. con it. *attèndere.*

**attenere,** dal lat. *attinere,* incr. con it. *tenere.*

**attentare,** dal lat. *attemptare,* comp. di *ad* e *temptare;* v. TENTARE.

**attenti,** da *(state) attenti!* v. ATTENTO.

**attento,** dal lat. *attentus,* part. pass. del verbo *attendĕre,* v. TENDERE, incr. col part. pass. di *attinere;* cfr. TENERE.

**attenuare,** dal lat. *attenuare,* comp. di *ad* e *tenuare,* verbo denom. da *tenuis;* v. TENUE.

**attenuazione,** dal lat. *attenuatio, -onis.*

**attenzione,** dal lat. *attentio,* nome d'azione nel sistema del verbo *attendĕre.*

**attepidire,** verbo denom. da *tièpido* con la seconda vocale non dittongata perché fuori d'accento, e col pref. *a(d)-.*

**attergare,** verbo denom. da *tergo* col pref. *a(d)-.*

**attergato,** part. pass. sostantiv. di *attergare.*

**àttero,** dal gr. *ápteros* ' sprovvisto d'ali ', comp. di *a-* privat. e *pterón* ' ala '; cfr. -TTERO.

**atterrare,** verbo denom. da *terra* col pref. *a(d)-.*

**atterrire,** dal lat. *terrēre,* incr. con it. *terrore,* col pref. *a(d)-.*

**attesa,** part. pass. femm. sostantiv. di *attèndere.*

**attestare**[1], dal lat. *adtestari,* comp. di *ad* e di *testari,* verbo denom. da *testes* ' testimone ', v. TESTE.

**attestare**[2], verbo denom. da *testa* col pref. *a(d)-.*

**atticciato,** dal longob. *thikki* ' grosso ' (ted. *dick* ' grasso ') col pref. *a(d)-* sul modello di ' arrossato ' o ' abbrunato ': perciò « ingrossato », cfr. ATTEC-CHIRE.

**atticismo,** dal gr. *attikismós.*

**àttico,** dal frc. *attique,* risal. all'« ordine attico » secondo il quale, sopra la facciata, si avevano soprastrutture di misura ridotta e arretrata.

**attiguo,** dal lat. *attiguus* ' che tocca ', agg. comp. di *ad-* e la rad. di *tangĕre,* con norm. passaggio di *-ă-* in *-ĭ-* in sill. interna aperta; sullo schema di *assiduus* rispetto a *sedere,* o *continuus* rispetto a *tenere.*

**attillare,** lat. *\*adtit(u)lare* ' adeguarsi alla dignità (nel vestito) '; v. TÌTOLO.

**àttimo,** lat. *atŏmus,* incr. con *optimus;* cfr. ÀTOMO.

**attinente,** dal lat. *attĭnens, -entis,* part. pres. di *attinere,* v. ATTENERE, comp. di *ad-* e *tenere* con norm. passaggio di *-ĕ-* in *-ĭ-* in sill. interna aperta.

**attinenza,** dal lat. medv. *attinentia;* v. ATTINENTE.

**attìngere,** lat. *attingĕre,* comp. di *ad* e *tangĕre,* con norm. passaggio di *-ă-* a *-ĭ-* in sill. interna dav. al gruppo *-ng-.*

**attinia,** dal lat. scient. *actinia* e questo dal gr. *aktís, -ĩnos* ' raggio '.

**attinio,** dal gr. *aktís, -ĩnos* ' raggio '.

**àttino,** dal gr. *aktís, -ĩnos* ' raggio '.

**attirare,** da *a(d)-* e *tirare.*

**attitùdine**[1] ' atteggiamento ', dal lat. medv. *actitudo, -inis,* modellato sul seguente, passato nel frc. *attitude* e rientrato in Italia in età moderna.

**attitùdine**[2] ' inclinazione ', dal lat. medv. *aptitudo, -inis.*

**attività,** dal lat. tardo *activĭtas, -atis.*

**attivo,** dal lat. *activus,* che traduce il gr. *praktikós.*

**attizzare,** verbo denom. da *tizzo* (v.) col pref. *a(d)-.*

**atto**[1] ' azione ', dal lat. *actus, -us,* astr. di *agĕre;* v. ÀGILE.

**atto**[2] ' adatto ', dal lat. *aptus,* part. pass. di *apĕre* ' attaccare ' da una rad. EP attestata anche nelle aree ittita e indiana, cfr. ADATTO e APPO.

**attònito,** dal lat. *attonĭtus* nel senso di ' stordito dal tuono '; v. TUONO.

**attòrcere,** dal lat. *attorquere,* incr. con l'it. *tòrcere.*

**attorcigliare,** incr. di *attòrcere* e *attortigliare* (v.).

**attore,** dal lat. *actor, -ōris,* nome d'agente di *agĕre;* v. ÀGILE.

**attorniare,** verbo denom. in *-iare,* da *attorno.*

**attorno,** da *a(d)-* e *torno* (v.).

**attorrare,** verbo denom. da *torre* col pref. *a(d)-.*

**attortigliare,** lat. volg. *\*tortiliare,* verbo denom. dal class. *tortĭlis,* agg. verb. di *torquere,* tratto dal part. pass. *tortus* col signif. di ' curvo ', e col pref. it. *a(d)-.*

**attossicare,** verbo denom. da *tòssico* col pref. *a(d)-.*

**attraccare,** incr. di *attaccare* e *attrarre.*

**attrappire,** verbo denom. dal lat. medv. *trappa* ' rete per uccelli ', nella Legge Salica (VI sec.) risal. al franco *trappa* col pref. *a(d)-;* cfr. RATTRAPPIRE e v. TRÀPPOLA.

**attrarre,** dal lat. *attrahĕre,* incr. con it. *trarre.*

**attrattivo,** dal lat. tardo *attractivus.*

**attratto** ' rattrappito ', lat. *attractus* (in senso proprio), part. pass. di *attrahĕre.*

**attraversare,** da *traversare* col pref. *a(d)-.*

**attraverso,** da *a(d) traverso.*

**attrazione,** dal lat. *attractio, -onis,* nome d'azione di *attrahĕre.*

**attrazzo,** dall'ant. frc. *attraits* (plur.) e questo dal lat. *attractum,* con la desinenza frc. del plur.

**attrezzo,** dal frc. *attraits* (it. *attrazzi*) reso al sg. e incr. con *pezzo.*

**attribuire,** dal lat. *attribuĕre,* passato alla coniugaz. in *-i-;* v. TRIBUTO.

**attributo,** dal lat. *attributum,* forma sostantiv. del part. pass. neutro di *attribuĕre.*

**attribuzione,** dal lat. *attributio, -onis.*

**attristare,** verbo denom. da *triste* col pref. *a(d)-.*

**attrito[1]** (agg.), dal lat. *attritus,* part. pass. di *atterĕre,* v. TRITARE.

**attrito[2]** (sost.), dal lat. *attritus -us,* astr. di *atterĕre* ' sfregare '; v. TRITARE.

**attrizione,** dal lat. tardo *attritio, -ōnis,* nome d'azione di *atterĕre.*

**attruppare,** verbo denom. da *truppa* col pref. *a(d)-.*

**attuale[1]** (pertinente all'atto), dal lat. tardo *āctualis,* deriv. di *actus, -us,* propr. ' movimento ', ' impulso '.

**attuale[2]** ' contemporaneo ', dal frc. *actuel.*

**attualità[1],** dal lat. medv. *actuàlitas, -atis.*

**attualità[2],** dal frc. *actualité.*

**attuare,** dal lat. medv. *actuare,* verbo denom. da *actus, -us.*

**attuariale,** dall'ingl. *actuarial* e questo dal lat. *actuarius* nel senso di ' scritturale '.

**attuario[1]** (agg.), dal lat. *actuarius,* riferito alla nozione di ' condurre '.

**attuario[2]** (sost.), calco sull'ingl. *actuary,* risal. al lat. *actuarius* nel senso di ' scritturale '.

**attuoso,** dal lat. *actuōsus* ' operoso '.

**attutare** (arc.), lat. *tutare,* verbo denom. da *tutus* col pref. it. *a(d)-.*

**attutire,** da *attutare,* passato alla coniugaz. in *-ire.*

**atù** (*atout*), dal frc. *à tout* ' (buono) per qualsiasi (circostanza) '.

**aucupio,** dal lat. *aucupium* ' uccellagione ' comp. di *au(i)-* ' uccello ', e un tema nominale dalla rad. KAP di *capĕre,* con norm. passaggio di *-ă-* a *-ŭ-* in sill. interna aperta dav. a cons. labiale: « presa di uccelli », cfr. OCCUPARE e v. AVI-.

**audace,** dal lat. *audax, -acis,* con norm. ampliam. in *-ak-* della rad. del verbo *audere* ' osare ',

verbo denom. da *avĭdus,* v. ÀVIDO, e cfr. *edax* rispetto a *edĕre* ' mangiare '.

**audacia,** dal lat. *audacia.*

**audio,** sost. deverb. dal lat. *audire.*

**auditivo,** dal lat. medv. *auditivus.*

**auditorio,** dal lat. *auditorium.*

**audizione,** dal lat. *auditio, -onis.*

**auf** (interiez.), dalla serie *voc. ...f,* onomatopeica di un soffio di aria espirata, che è simbolo della noia.

**auge,** dall'ar. *'aug'* ' altezza ', incr. con il tema lat. di *augere* ' crescere, aumentare '.

**augello,** dal provz. *auzel;* cfr. UCCELLO e v. AVI-.

**auggiare,** verbo denom. da *uggia,* con la forma lenita di *a(d)-* ridotto ad *a-;* cfr. ADUGGIARE.

**auggire,** verbo denom. da *uggia,* con la forma lenita di *a(d)-.*

**augnare,** verbo denom. da *ugna,* con la forma lenita di *a(d)-.*

**augurale,** dal lat. *auguralis.*

**augurare,** dal lat. *augurare.*

**àugure,** dal lat. *augur, -ŭris,* più ant. *\*augus, -ĕris,* v. AUGUSTO, astr. di *augere* e cioè ' promozione ': passato a nome di agente «promotore, preannunciatore di (buone) notizie ». *\*Augus* trova una corrispond. esatta nell'area indo-iranica (sanscrito *ajas* ' forza '). Per il verbo v. AUMENTARE, per il nome d'agente, v. AUTORE. Cfr. OMINOSO.

**augurio,** dal lat. *augurium.*

**augustèo,** dal lat. *augustus,* incr. con un suff. in *-èo* di orig. gr. (gr. *-eion,* p. es. *mausóleion* ' mausoleo ', *prytáneion* ' pritaneo ').

**augusto,** dal lat. *augustus,* ampliam. di *\*augus,* v. ÀUGURE, come *onustus* è ampliam. di *onus* ' peso ' *vetustus* di *vetus.*

**aula,** dal lat. *aula,* che è dal gr. *aulé.*

**aulente,** da *olente* (lat. *olens*) con l'ant. (XIII sec.) sostituz. latineggiante di *au* a *o* sul modello di *causa* rispetto a *cosa.*

**aulete,** dal gr. *aulētés* ' flautista ' deriv. di *auláō* ' suono il flauto ', verbo denom. da *aulós* ' flauto '.

**àulico,** dal lat. *aulĭcus,* che è dal gr. *aulikós.*

**aulire,** dal lat. *olere,* trattato come *olens* nell'it. *aulente* (v.).

**aumentare,** dal lat. tardo *augmentare,* verbo denom. da *augmentum.*

**aumento,** dal lat. *augmentum,* nome deriv. da *\*augĕre,* class. *augere* da una rad. AWEG ' crescere ', attestata con gradi di alteranza e ampliam. varî nelle aree indoiranica, baltica, celtica, germanica (ted. *wachsen*) gr. (*awéksō* ' io accresco '); cfr. AUSILIO.

**auna** (misura), dal frc. *aune,* risal. al franco *alina* ' braccio '; cfr. ULNA.

**aunare,** verbo denom. da *uno* con la forma lenita del pref. *a(d)-;* cfr. ADUNARE.

**aunghiare,** verbo denom. da *unghia* con la forma lenita del pref. *a(d)-.*

**àura,** dal lat. *aura* e questo dal gr. *aúrā.*

**aurato** ' dorato ', dal lat. *auratus.*

**àureo,** dal lat. *aureus.*

**aurèola,** dal lat. *(corona) aureŏla,* dimin. di *aurea:* « coroncina d'oro ».

**aureomicina,** comp. di lat. sc. *(streptomyces) aureo(faciens)* e *-micina* (v.).

**àurico,** dal lat. *aurum* col suff. it. *-ico.*

**auricola,** dal lat. *auricŭla* ' orecchia ', dimin. di *auris;* v. ORECCHIO.

**auricolare,** dal lat. *auricolaris.*

**aurìfero,** dal lat. *aurĭfer,* comp. di *auro-* 'oro' e *-fer* 'portatore', con norm. passaggio di *-ŏ-* in *-ĭ-* in sill. interna aperta.

**auriga,** dal lat. *aurīga,* comp. di *aureae* 'briglie' e *ago* 'conduco', con la *-i-* dovuta ad allineamento con *bigae* e *quadriga. Aureae* è forma ipercorretta per *oreae* 'il morso' prop. «(le cose) che spettano alla bocca (*os, oris*) (del cavallo imbrigliato)».

**auro,** dal lat. *aurum;* v. ORO.

**aurora,** dal lat. *aurora,* più anticam. \**ausosa,* forma ampliata in *-a* di un tema AUSOS, USOS attestato anche nelle aree indiana e gr. (gr. *ēós*).

**ausare,** da *usare* con la forma lenita del pref. *a(d)-;* v. ADUSARE.

**auscultare,** dal lat. *auscultare;* v. ASCOLTARE.

**auscultazione,** dal lat. *auscultatio, -onis.*

**ausiliare** e **ausiliario,** dal lat. *auxiliaris, auxiliarius.*

**ausiliatore,** dal lat. *auxiliator, -oris.*

**ausilio,** dal lat. *auxilium,* deriv. dalla rad. AW(E)G di *augere,* v. ÀUGURE, ampliata con *-s* desider. secondo un procedim. attestato anche nelle aree indo-iranica, germanica, baltica, greca. La forma intermedia tra la rad. e *auxilium* si dovrebbe restituire in \**auxŭlus,* nome d'agente paragonab. a *figŭlus, tremŭlus, pendŭlus;* v. PÈNDULO.

**àuso** 'ardito', dal lat. *ausus,* part. pass. di *audere,* v. OSARE.

**ausonio,** dal lat. *Ausonius* e questo da *Ausŏnes* nome delle tribù abitanti la reg. tra il Garigliano e il Volturno, prima della discesa dei Volsci e dei Sanniti. *Ausŏnes* risale forse al tema mediterr. *ausa,* v. ASOLARE: «popolazione delle zone ricche di fonti» in opposizione agli *Hernĭci* «popolazioni delle zone sassose (sab. *herna* 'sasso')».

**auspicàbile,** dal lat. tardo *auspicabĭlis.*

**auspicare,** dal lat. *auspicare.*

**àuspice,** dal lat. *auspex,* comp. di *av(i)-* 'uccello' (v.) e *spec-* 'osservatore', tema di nome d'azione del verbo *-specio;* v. SPECIE.

**auspicio,** dal lat. *auspicium.*

**austerità,** dal lat. *austerĭtas, -atis.*

**austero,** dal lat. *austērus,* che è dal gr. *austĕrós* 'rude', 'aspro'.

**australe,** dal lat. *australis.*

**austro,** dal lat. *auster, austri;* v. OSTRO.

**autarchìa**[1] 'autosufficienza', dal gr. *autárkeia,* da *aut(o)-* 'sé' e *arkéō* 'io basto'; cfr. ARCA.

**autarchia**[2] 'autonomia', dal gr. *autarkhía,* da *aut(o)-* 'sé' e *árkhō* 'io comando'.

**autèntica,** sost. deverb. da *autenticare.*

**autenticare,** dal lat. medv. *authenticare.*

**autèntico,** dal lat. tardo *authentĭcus,* che è dal gr. *authentikós,* deriv. di *authéntēs* 'signore, autore'.

**autismo** (anomalia mentale), da *auto*[1].

**autista**[1] (malato di mente), da *autismo.*

**autista**[2] (guidatore di automobile), da *auto*[2].

**auto-**[1], dal gr. *autós* 'sé', 'stesso'.

**auto**[2], abbreviaz. di *automobile* (v.).

**autoambulanza,** da *auto(mobile)* e *ambulanza*

**autobiografia,** comp. di *auto*[1]- e *biografia.*

**autobotte,** da *auto*[2] e *botte.*

**àutobus,** dal frc. *autobus,* comp. di *auto(mobile)* e *(omni)bus* «automobile per tutti»; cfr. BUS.

**autocarro,** calco sul frc. *autocar.*

**autocèfalo,** dal gr. *autoképhalos* «che ha la testa in sé», 'autonomo'.

**autocisterna,** da *auto-*[2] e *cisterna.*

**autoclave,** dal frc. *autoclave* e questo da *auto-* e lat. *clavis:* «che si chiude da sé».

**autocombustione,** da *auto-*[1] e *combustione.*

**autocontrollo,** da *auto-*[1] e *controllo.*

**autocorriera,** da *auto-*[2] e *corriera.*

**autòcrate,** dal frc. *autocrate* e questo dal gr. *autokratés* 'che ha la forza in sé'.

**autocrazia,** dal frc. *autocratie,* e questo dal gr. *autokráteia.*

**autocrìtica,** da *auto-*[1] e *critica.*

**autòctono,** dal gr. *autókhthōn -onos* 'della sua stessa terra', comp. di *autós* e *khthón.*

**autodafé,** dal portogh. *auto da fé* 'atto della fede', attrav. il frc.

**autodecisione,** da *auto-*[1] e *decisione.*

**autodidatta,** sost. tratto dall'agg. gr. *autodídaktos* 'istruito da sé' col suff. in *-ta* dei nomi d'agente (gr. *-tēs*); cfr. *poeta, atleta.*

**autodifesa,** da *auto-*[1] e *difesa.*

**autodisciplina,** da *auto-*[1] e *disciplina.*

**autòdromo,** da *auto-*[2] e *-dromo.*

**autoemoteca,** da *auto-*[2] e *emoteca.*

**autoferrotranviario,** da *auto(mobilistico)-ferro(viario)-tranviario.*

**autògeno,** adattamento del gr. *autogenés* 'generato da sé'.

**autogòl,** dall'ingl. *autogoal;* v. GOL.

**autogoverno,** da *auto-*[1] e *governo.*

**autògrafo,** dall'agg. gr. *autógraphos* 'scritto di propria mano', comp. di *autós* 'stesso' e il tema di *gráphō* 'io scrivo'.

**autolatrìa,** da *auto-*[1] e *-latrìa* (v.).

**autolettiga,** da *auto-*[2] e *lettiga.*

**autolinea,** da *auto-*[2] e *linea.*

**automa,** dal lat. *automătus,* che è dal gr. *autómatos* 'che pensa da sé'; abbreviato da *autòma(to)* forse perché estr. da *automà(tico),* secondo il rapporto di *schema* e *schemàtico, tema* e *temàtico.*

**automàtico,** deriv. di *autòmato,* forma ant. di *automa.*

**automazione,** abbreviaz. di *automa(tiz)zazione.*

**automedonte,** dal gr. *Automédōn,* nome dell'auriga che guidava il cavallo di Achille.

**automezzo,** da *auto-*[2] e *mezzo (di trasporto).*

**automobilastro,** da *automobil(ist)astro,* der. di *automobilista* mediante il suff. spreg. *-astro.*

**automòbile,** da *auto-*[1] 'da sé' e *mòbile,* attrav. il frc. *automobile.*

**automobilista,** da *automobile* con il suff. *-ista* in funzione di nome d'agente.

**automotore, automotrice,** da *auto-*[1] e *motore, motrice.*

**autonoleggio,** da *auto-*[2] e *noleggio.*

**autonomia,** dal gr. *autonomia.*

**autònomo,** dal gr. *autónomos* 'che ha in sé le proprie leggi', comp. di *autós* e *nómos* 'legge'.

**autoparcheggio, autoparco,** da *auto-*[2] e *parcheggio, parco.*

**autopista,** da *auto-*[2] e *pista.*

**autopompa,** da *auto-*[2] e *pompa.*

**autopsìa,** dal frc. *autopsie* (XVI sec.) e questo dal gr. *autopsía* comp. di *auto-* 'stesso' e *opsis* 'vista' col suff. di astr.

**autore**, dal lat. *auctor* ' promotore ', nome d'agente di *\*augĕre*, class. *augere*, tratto dal part. *auctus*; v. AUMENTO.

**autorévole**, da *autor(itat)evole* (cfr. *caritatevole* rispetto a *carità* con la variante arc. *caritévole*): calco su *onorévole*, anche se *autore* è nome d'agente e non d'azione o astr. da cui possa trarsi un verbo denom. come *onorare*.

**autorimessa**, da *auto-²* e *rimessa*.

**autorità**, dal lat. *auctorĭtas, -atis* ' legittimità '.

**autoritratto**, da *auto-¹* e *ritratto*.

**autorizzare**, dal frc. *autoriser*.

**autorizzazione**, dal frc. *autorisation*.

**autoscuola**, da *auto-²* e *scuola*.

**autoservizio**, da *auto-²* e *servizio*.

**autostazione**, da *auto-²* e *stazione*.

**autostello**, da *auto-²* e *ostello*.

**autostòp**, da *auto-²* e *stop* ' ferma! '.

**autostrada**, da *auto-²* e *strada*.

**autosufficiente**, da *auto-¹* e *sufficiente*.

**autosuggestione**, da *auto-¹* e *suggestione*.

**autotrasporto**, da *auto-²* e *trasporto*.

**autotreno**, da *auto-²* e *treno*.

**autovaccino**, da *auto-¹* e *vaccino*.

**autoveìcolo**, da *auto-²* e *veicolo*.

**autunnale**, dal lat. *autumnalis*.

**autunno**, dal lat. *autumnus*, part. medio-passivo di un presunto *\*autĕre* ' rinfrescare ', che ha una corrispondenza iranica: come *alumnus* rispetto ad *alĕre*, v. ALUNNO; *columna* rispetto a *\*colĕre* inserito nel sistema di *-cell-d-ĕre*, v. ECCELLERE; *vertumnus* in quello di *vertĕre*, v. VERTERE; *aerumna* ' corvè ' in quello di *\*aerĕre*, v. CORRUSCARE.

**auzione**, dal lat. *auctio, -onis*, nome d'azione di *augere*, v. AUMENTO.

**auzzare**, da *aguzzare* con leniz. totale della *-g-* intervocalica.

**ava**, lat. *ava*, femm. di *avus*; v. AVO.

**avaccio** ' in fretta ', incr. di *vivacius* compar. neutro di *vivax, -acis*, v. VIVACE e *avanti*, con norm. raddopp. della cons. palat. dav. a *j*, dopo l'accento.

**avale** ' adesso ', lat. *aequalis* attrav. una tradiz. settentr. con la leniz. di *-qu-* a *-g-* e la sua esagerata correzione in *-v-* secondo lo schema di *guado* e *vado*. La *a* di *avale*, ant. *aguale* è dovuta a incr. con *aguanno* (v.).

**avallo**, dal frc. *aval*, abbreviaz. grafica di *à valoir* sulle cambiali.

**avambraccio**, dal frc. *avant-bras* incr. con it. *braccio*.

**avamporto**, dal frc. *avant-port*.

**avamposto**, dal frc. *avant-poste*.

**avana**, dal nome della capitale di Cuba (*La*) *Habana*.

**avancàrica**, da *avan(ti)* e *carica*.

**avancorpo**, dal frc. *avant-corps*.

**avanguardia**, dal frc. *avant-garde*.

**avanìa**, dal gr. medv. *abanía*, che è dall'ar. (*kh*)*awwān* ' tradimento '.

**avannotto**, da *avanno* ' di quest'anno ' (lat. *ab anno*), forma rurale contrapposta a quella norm. *uguanno* (v.), lat. *hocque anno*.

**avanscoperta**, calco sul mod. di *avanguardia* (v.).

**avanspettacolo**, da *avan(ti)* e *spettacolo*.

**avanti**, lat. tardo *abante*, da *ab* e *ante*, con la normale finale it. *-i* delle parole a scarsa accentazione, v. ANTI-².

**avantreno**, dal frc. *avant-train*.

**avanzare**, lat. volg. *\*abantiare*, verbo denom. in *-iare* da *abante*.

**avanzo**, sost. deverb. da *avanzare*.

**avarìa**, dall'ar. *'awār* ' danno ' col suff. di astr. *-ìa*.

**avarizia**, dal lat. *avaritia*.

**avaro**, lat. *avārus*, appartenente alla famiglia di *avĭdus*, v. AVIDO, con un suff. peggiorativo di derivaz. non chiaro, ancorché parallelo a quello di *amarus*, v. AMARO, cui si amerebbe attribuire un legame con *amare*.

**ave**, lat. *avē*, saluto di orig. punica.

**avelia**, da un tema mediterr. *\*vela* incr. col soprannome lat. *avi(s quer)ŭla*, cfr. AVERLA, per cui *avelia* risalirebbe a *\*aveiŭla* come *balia* (v.) a *baiŭla*.

**avellana**, lat. (*nux*) *abellana* ' (noce) della città di Abella (in Campania) '.

**avello**, lat. *labellum* ' vaschetta ' da *\*la(va)bellum*, dimin. di *la(va)brum* con distacco del presunto articolo: *l'avello*; v. LAVARE.

**avena**, lat. *avēna*, con corrispond. (limitate alla rad.), e con suff. diversi, nelle aree baltica e slava.

**avere**, lat. *habēre*, forma durativa di una rad. GHABH che, senza l'ampliam. *-ē-*, ha il valore moment. di ' prendere ': l' ' avere ' è cioè la conseguenza durativa dell'azione moment. del ' prendere '. La rad. appare nelle aree osco-umbra e celtica soltanto; per la rad. parallela KAP di *capĕre* ' prendere '; v. CAPIRE. Per it. ant. *aio* ' ho ' v. SO.

**aver(l)a**, lat. volg. *\*averŭla*, incr. di *av(is)* e (*qu)erŭla* ' uccello lamentoso '; cfr. AVELIA.

**avèrtere**, dal lat. *avertĕre* ' distogliere '; v. VERTERE.

**avi-**, dal lat. *avis* ' uccello ', parola risal. a un tema (A)WEI, docum. senza ampliam. solo nelle aree italica e indo-iranica; cfr. AVIO- e UCCELLO.

**aviario**, incr. del lat. *aviarium* e dell'it. *acquario*.

**aviatore**, dal frc. *aviateur*.

**aviazione**, dal frc. *aviation*.

**avicolo**, da *avi-* ' uccello ' e *-colo* ' coltivatore di '.

**avidità**, dal lat. *avidĭtas -atis*.

**àvido**, dal lat. *avĭdus*, norm. agg. in *-ĭdus* di un verbo in *-ēre* come *avere* ' desiderare '; cfr. AVARO. Si hanno corrispond. evidenti nell'area celtica, e, limitate all'aspetto formale, in quella indiana; cfr. anche AUDACE.

**aviere**, deriv. per mezzo del suff. *-iere* da *avi-* anziché da *aviazione*.

**avifauna**, da *avi-* ' uccello ' e *fauna*.

**avio-**, dal lat. *avis* ' uccello ', sul doppio filone di *avia(tore)* ' colui che naviga nel cielo ' e di *avio(rimessa)*, ' (rimessa) di mezzi di navigazione aerea '; cfr. AVI-.

**aviogetto**, comp. di *avio-* e *-getto*.

**aviolinea**, da *avio-* e *linea*.

**aviorimessa**, da *avio-* e *rimessa*.

**avitaminosi**, da *vitamina* con *a-¹* privat. e desinenza *-osi* di malattie croniche.

**avito**, dal lat. *avītus*, deriv. da *avus*, perciò originariam. ' relativo agli avi '.

**avo** (e **àvolo**), lat. *avus* con event. dimin., attestato con forme più o meno ampliate e signif. varî nelle aree ittita, armena, germanica, baltica, slava e celtica. Un ampliam. in *-en* è alla base di parole celtiche, del lat. *avun(cŭlus)*, del ted. *Oñeim* ' zio '.

**avocare**, dal lat. *avocare* ' distogliere ', comp. di *a-* e *vocare*; v. VOCE.

**avocazione**, dal lat. *avocatio, -onis*.

**avogadore**, **avogadro** (avvocato nel territorio

veneto), dal lat. *advocator, -oris*, con leniz. delle cons.

**àvolo**, v. AVO.

**avorio**, lat. *eboreus* incr. con *lavoro*, poi *l'avorio*; v. EBURNEO.

**avornello, avorniello**, lat. *laburnum* allineato con it. *orno*, ma distinto attrav. le forme deriv. analizzate come (*l*)*'avornio*. Lat. *laburnum* deriva da un tema mediterr.; cfr. *viburnum* e v. VIBURNO.

**avulsione**, dal lat. *avulsio -onis*, nome d'azione di *avellĕre*, v. VELLO.

**avulso**, dal lat. *avulsus* 'strappato', part. pass. di *avellĕre* (comp. di *a-* e *vellĕre*, da *\*veldĕre*), da WLD-TO-, regolarm. formato dal grado ridotto della rad. WELD, v. A(MOVÌBILE) e VELLO.

**avuto**, part. pass. del verbo *avere*, lat. volg. *\*habutus*, forma analogica rispetto al tipo *statutus*, in confronto del class. *habĭtus*; cfr. per analoghi procedimenti, CADUTA, CEDUTO, COMPIUTO e sim.

**avvalersi**, da *valere* col pref. *a(d)-*.

**avvallare**, verbo denom. da *valle* col pref. *a(d)-*.

**avvalorare**, verbo denom. da *valore* col pref. *a(d)-*.

**avvampare**, verbo denom. da *vampa* col pref. *a(d)-*.

**avvantaggiare**, verbo denom. da *vantaggio* col pref. *a(d)-*.

**avvantaggio**, dal frc. *avantage* incr. col pref. it. *a(d)-*.

**avvedere**, da *vedere* col pref. *a(d)-*.

**avveduto**, part. pass. di *avvedere*; v. VEDUTA.

**avvegnaché, avvegna ché, avvengaché**, da *avvegna che, avvenga che*.

**avvelenare**, verbo denom. da *veleno* col pref. *a(d)-*.

**avvenente**, dal provz. *avinèn*, nel senso di 'che vien (bene)'.

**avvenire**[1] (verbo), dal lat. *advenire*.

**avvenire**[2] (sost.), da *a(d) venire*.

**avventare**, verbo denom. da *vento* col pref. *a(d)-* incr. con *adventare*, intensivo di *advenire*.

**avventizio**, dal lat. *adventicius* 'che vien di fuori'.

**avvento**, dal lat. *adventus, -us* 'arrivo', astr. di *advenire*.

**avventore**, dal lat. *adventor, -oris* 'che arriva'.

**avventura**, dal frc. *aventure*, lat. *adventura* nom. plur. n. 'le cose che accadranno', reso sg. femm. Nel linguaggio cavalleresco: 'cosa avvenuta'.

**avverare**, verbo denom. da *vero* col pref. *a(d)-*.

**avverbiale**, dal lat. *adverbialis*.

**avverbio**, dal lat. *adverbium*, calco sul gr. *epírrhēma* nel senso di 'parola aggiunta'.

**avverdire**, verbo denom da *verde* col pref. *a(d)-*.

**avversare**, dal lat. *adversari* intens. di *advertĕre*.

**avversario**, dal lat. *adversarius*, deriv. di *adversus*; v. AVVERSO.

**avversativo**, dal lat. tardo *adversativus*.

**avversione**, dal lat. *adversio, -onis*, nome d'azione di *advertĕre* incr. per il signif. con it. *avverso*.

**avversità**, dal lat. *adversĭtas, -atis*.

**avverso**[1] (agg.), dal lat. *adversus* 'messo di fronte', 'messo contro', part. pass. di *advertĕre*; cfr. AVVERTIRE.

**avverso**[2] (prep.), dal lat. *adversum*, forma irrigidita del part. pass. di *advertĕre* 'volger verso', 'contro'; v. VERSO.

**avvertenza**, astr. di *avvertire*, secondo lo schema di *partire* e *partenza*.

**avvertire**, dal lat. *advertĕre*, passato alla coniugaz. in *-i-*; v. VERTERE.

**avvezzare**, verbo denom. da *vezzo* col pref. *a(d)-*.

**avvezzo**[1] (agg.), estr. da *avvezz(at)o*.

**avvezzo**[2] (sost.), sost. deverb. da *avvezzare*.

**avviare**, verbo denom. da *via* (v.) col pref. *a(d)-*.

**avvicendare**, verbo denom. da *vicenda* (v.) col pref. *a(d)-*.

**avvicinare**, verbo denom. da *vicino* col pref. *a(d)-*.

**avvignare**, verbo denom. da *vigna* col pref. *a(d)-*.

**avvilire**, verbo denom. da *vile* col pref. *a(d)-*.

**avviluppare**, verbo denom. da *viluppo* col pref. *a(d)-*.

**avvinare**, verbo denom. da *vino* col pref. *a(d)-*.

**avvinazzare**, verbo denom. da *vino* col suff. iterativo-peggiorativo *-azz-* e il pref. *a(d)-*.

**avvincere**, incr. di lat. *(ad)vincīre* 'legare' e *(ad)vincĕre* 'vincere'.

**avvincidire**, verbo denom. da *vincido* col pref. *a(d)-*.

**avvincigliare**, verbo denom. da *vinciglio* col pref. *a(d)-*.

**avvinghiare**, lat. tardo *vinculare* col pref. *a(d)-* incr. con *cingŭlum*.

**avvìo**, sost. deverb. da *avviare* (v.).

**avvisaglia**, derivaz. militare in *-aglia*, da *avviso* incr. con *battaglia*.

**avvisare**, verbo denom. da *avviso*[1].

**avviso**[1] (avvertimento), dal frc. ant. *(ce m'est) à vis* '(questo è a me) d'opinione'.

**avviso**[2] (nave), dallo sp. *(barca de) aviso* 'piccola nave da esplorazione'.

**avvistare**, verbo denom. da *vista* (v.) col pref. *a(d)-*.

**avvitare**, verbo denom. da *vite* col pref. *a(d)-*.

**avviticchiare**, verbo denom. da *viticchio* (v.) col pref. *a(d)-*.

**avviticciare**, verbo denom. da *viticcio* col pref. *a(d)-*.

**avvitire**, verbo denom. da *vite* (*d'uva*) col pref. *a(d)-*.

**avvivare**, verbo denom. da *vivo* col pref. *a(d)-*.

**avvizzire**, verbo denom. da *vizzo* col pref. *a(d)-*.

**avvocato**, dal lat. *advocatus*.

**avvòlgere**, dal lat. *advolvĕre* incr. con it. *vòlgere*.

**avvolgìbile** (serranda), dall'agg. verb. di *avvòlgere*.

**avvolticchiare**, iterat. di *voltare* col pref. *a(d)-*.

**avvoltoio**, lat. *vulturius* associato ad *avis* 'uccello' in *\*av(is) vulturius*, forse di orig. etrusca: 'uccello di Vel' (nome proprio).

**avvoltolare**, verbo iterativo-durativo di *voltare* col pref. *a(d)-*.

**azalèa**, dal gr. *azaléa*, femm. di *azaléos* 'secco', perché pianta amante di terreni secchi.

**azienda**, dallo sp. *hacienda*, forma parallela all'it. *faccenda*: lat. *facienda* 'le cose da farsi'.

**àzimut**, dall'ar. *as-sumūt* 'le direzioni' (plur. di *as-samt*), cfr. ZENIT.

**azionare**, dal frc. *actionner*.

**azione**[1], dal lat. *actio, -ōnis*, nome d'azione di *agĕre*; v. ÀGILE.

**azione**[2], dal frc. *action*.

**azotemia**, da *azoto* e *-emìa* '(proporzione) dell'azoto nel sangue'.

**azoto**, dal frc. *azote* (XVIII sec.), abbreviaz. di gr. *azōtikós* 'non produttore di vita'.

**azza**, dal frc. *hache* con fonetica settentr. (*-zz-* per *-ccj-*); cfr. ASCIA, ACCETTA.

**azzampato**, da *zampa* col suff. *-ato* e il pref. *a(d)-*.

**azzannare**, verbo denom. da *zanna* col pref. *a(d)-*.

**azzardare**, verbo denom. da *azzardo*.

**azzardo**, dal frc. *hasard* e questo dall'ar. volg. *az-zahr* 'dado'; cfr. ZARA.

**azzeccagarbugli,** dal personaggio dei Promessi Sposi, comp. di *azzecca(re)* e *garbuglio.*

**azzeccare,** da *a(d)-* e alto ted. med. *zecken* ' colpire '.

**àzzima** ' pane azzimo ', da *àzzimo.*

**azzimare,** dal provz. *azesmar,* lat. *\*adaestimare.*

**azzimina,** dall'ar. *'agiam* ' forestiero ' ' persiano ', con fonetica venez.; cfr. AGEMINA.

**àzzimo** dal gr. *àzymos* ' lievito ', con norm. raddopp. di cons. postonica in parola sdrucciola.

**azzittire,** verbo denom. da *zitto* col pref. *a(d)-.*

**azzoppare** e **azzoppire,** verbo denom. da *zoppo* col pref. *a(d)-.*

**azzuffare,** verbo denom. da *zuffa'* col pref. *a(d)-.*

**azzurraggio,** incr. di frc. *azurage* e it. *azzurro.*

**azzurrare,** verbo denom. da *azzurro.*

**azzurro,** dal gr. biz. *(líthos) lazúrios* ' lapislazzuli ', ' pietra *\*lazurra* ' di orig. persiana, con *-l-* inteso come articolo (*\*l'azurio*), poi, incr. con *a(d)- (azzurro)*; cfr. LAPISLÀZZULI.

# B

ba- (per es. *baruffa*); v. BA(R)-.

babà, dal polacco *baba* attrav. il frc. *baba*.

babao e babau, voce onomatop. che riproduce l'abbaiare (v.) del cane, da una serie *ba....ba*.

babbagigi e babbagiggi, dall'ar. *ḥabbʻazīz* ' mandorla buona '; cfr. BAGIGI.

babbèo, lat. volg. *babbaeus*, forma onomatop., di derivaz. sabina, risal. alla serie *b....b* del balbettare; v. il nome personale *Babbius* frequente nei territori di lingua osca e cfr. BALBO.

babbio, lat. *babŭlus* ' stupido ', di lontana orig. onomatop. e dal prob. signif. di ' balbettante '.

babbo, lat. volg. *babbus*, voce elementare dell'infante che comincia a parlare, distinta da *mamma* per la maggiore brevità ed energia di articolazione.

babborivéggioli e babborivéggoli, forma di carattere toponomastico tratta per mezzo del suff. atono -*oli* dalla locuzione *babbo-rivegg(i)o* ' rivedo il babbo '. Cfr. per la formaz. BALLÒDOLE. Per il secondo elemento v. VEGGO.

babbuasso, incr. di *babbuino* con una desinenza peggiorativa foneticam. padana (-*ss*- per -*ccj*-).

babbuccia, dall'ar. *bābūsh* ' pantofola ', che è dal persiano *pāpūsh* ' copripiedi '.

babbuino, dal frc. *babouin*.

babele, dal lat. tardo *Babel*, -*ēlis* e questo dall'ebr. *Bābēl* ' Babilonia ', risal. al babilonese *Bāb-ilu* ' porta del Dio '.

babilonia, dal lat. *Babylōnia*, che è dal gr. *Babylón*, -*ônos*, babilonese *Bāb-ilāni* ' porta degli dèi '.

babilònico, dal lat. *babylonĭcus*.

babirussa, comp. del malese *bābī* ' porco ' e *rūsa* ' cervo '.

babordo, dal frc. *bâbord*, questo dal neerl. *bakboord* ' bordo della schiena ', e questo in relazione alla posizione del timoniere del tempo, vòlto a destra.

bacalare (e baccalare), dal provz. *bacalar* ' uomo giovane '.

bacalaro, derivaz. ironica del precedente.

bacca, lat. *bac(c)a*, parola mediterr.

baccalà, dallo sp. *bacalao*, questo dal fiammingo *bakkeliauw*, deriv. con metatesi dall'ol. *kabeljauw*.

baccalaureato, dal lat. medv. *baccalaureatus*, incr. di *baccala(ris)* e (*la*)*ureatus*.

baccanale, dal lat. *bacchānal* ' festa di Bacco '.

baccano, derivaz. sostantiv. estr. da *baccanale*, inteso come agg.

baccante, dal part. pres. del lat. *bacchari* festeggiar Bacco '.

baccarà[1] (gioco), dal frc. *baccara*, nome recente (XIX sec.) di un gioco portato in Francia dall'Italia nel XVI sec.

baccarà[2] (cristalleria), dalla località francese *Baccarat* (nel dipartimento della Meurthe-et-Moselle).

baccelliere, dal frc. *bachelier*.

baccello, lat. *bacillum* ' bastoncino ', v. BACCHIO, incr. con *bacca*.

baccellone, da *baccello* nel senso di cosa lunga e vuota.

bacchèo, dal gr. *bakkheîos*.

bacchetta, lat. volg. *baccus*, estr. da *bacŭlum* e ampliato come vezzegg. femm.

bacchetto, da *bacchetta* quasi per indicare la mole alquanto maggiore.

bacchettone, da *bacchetto* e cioè associato a strum. di flagellazione.

bacchiare, verbo denom. da *bacchio*; cfr. SBACCHIARE.

bàcchico, dal lat. *bacchĭcus*.

bacchil(l)one, incr. di *baccello* e *bigolone*.

bacchio, lat. *bacŭlum*, da una rad. BAK (di carattere popolare) attestata anche nelle aree celtica e gr. (*bák-tron* ' bastone, canna ').

bacheca, dal lat. *baca* nel senso di ' perla ', di orig. mediterr.-tirrenica incr. con (*a*)*pothēca*.

bacheròzzo(lo), doppio dimin. di *baco* (cfr. *vaccherella* rispetto a *vacca*), incr. con *bòzzo(lo)*.

bachelite, dal nome dell'inventore, il chimico C. H. Baekeland (1863-1944).

baciare, lat. *basiare* attrav. la forma regolare *basciare* (cfr. *brusciare, cascio*, v. CACIO e *camiscia*, v. CAMICIA); trascritta poi in *baciare*; cfr. BACIO.

baciatore, dal lat. *basiator* incr. con lat. *bacio*.

bacile, dal provz. *bací* e questo dal gallo-romanzo (Gregorio di Tours, VI sec.) *baccīnum*; cfr. BACINO.

bacillo, dal lat. *bacillum* ' bastoncino ', dimin. di *bacŭlum*, v. BACCHIO, dalla forma dei primi microorganismi riconosciuti al microscopio; cfr. BATTERIO.

bacino, dal gallo-romanzo *baccīnum* ' vaso di legno ', forse ampliam. di lat. *baca* ' bacca ' inteso come ' cosa gonfia '.

bacio, lat. *basium* privo di connessioni attendibili; cfr. BACIARE.

baciò, lat. volg. *(o)pacivus*, deriv. di *opācus* e trasmesso con la leniz. parziale di -*p*- in -*b*- e quella totale di -*v*-; v. OPACO.

baciucchiare, verbo iterat. e vezzegg. di *baciare*.

baco, forma estr. dall'incr. delle parole raddopp.

(*bóm*)*bice* (v.) e (*bam*)*bagia* (v.); cfr. BIGATTO, BIGIO, BIGOLONE.

**bacologìa**, da *baco* e *-logia*.

**bacucco**[1], incr. di *baco* e *cappuccio*.

**bacucco**[2], dal nome del profeta ebr. (*Ha*)*bacuc*.

**bada**, sost. deverb. da *badare*.

**badalone** ' beneficio ecclesiastico ', incr. del verbo *badare* e dell'agg. *badiale*.

**badaluccare**, incr. di *badare* e *piluccare*.

**badare**, lat. volg. \**batare* (gloss. *badare*, *battare*) ' stare a bocca aperta ' con leniz. settentr. (*-d-* da *-t-*); in parte di orig. onomatop. per indicare l'apertura della bocca, già indicata in una glossa tarda con l'interiez. *bat*, ma già di orig. mediterr. v. BADILE e cfr. SBADIGLIARE.

**badessa**, abbreviaz. di *abbadessa*, v.

**badia**, dal lat. tardo *abbatia*, con leniz. settentr. di *-t-* in *-d-*; v. ABBAZIA.

**badigliare** ' sbadigliare ', iterat. di *badare*.

**badile**, lat. volg. \**batīle*, con leniz. settentr., deriv. da *batillum* e questo discendente da tema mediterr. BAT/PAT indicante vasi a grande apertura; cfr. BADARE e RIBADIRE.

**bafa** ' afa ', da una serie onomatop. *b*.... *f* propria dell'aprir bocca con sospiro; cfr. SBAFARE, E BOFONCHIO.

**baffo**, dal gr. *báphē* ' tintura ': forma espressiva per indicare una macchia di colore sopra le labbra.

**bagaglio**, dal frc. *bagage*, deriv. da un più ant. *bague*, con l'adattamento del suff. *-age* in *-aglio* (anziché in *-aggio*) e cioè sentito come parola italiana settentr. da correggere, non come francesismo da accettare intatto.

**bagarino**, dallo sp. *bagarino* ' vogatore salariato '.

**bagascìa**, dal provz. *bagassa*.

**bagattella**, doppio dimin. di lat. *bāca*, con leniz. settentr. di *-g-* da *-c-* paragonab. a una ipotetica \**bacherella*.

**bagatto**, lat. *bāca*, con leniz. settentr. di *-c-* in *-g-* e il dimin. in *-atto*: ' figura da poco '.

**baggèo**, incr. di *babbeo* con *baggiano*.

**baggiano**, da una (*faba*) *baiana* ' fava di Baia ', con allusioni spregiative connesse all'immagine di fava.

**bàggiolo** ' sostegno ', lat. *baiŭlus* ' facchino ' forma di aggettivo, event. di nome d'agente (cfr. *figŭlus*, *tremŭlus*) di un possibile verbo \**baiĕre*, del quale mancano però altri indizi in tutte le aree ideur.; cfr. BALIA, BAGLIO.

**bàghero**, dal ted. dialettale *Wagerl*, dimin. di *Wagen* ' carrozza ' e cioè ' carrozzella '.

**bagigi** ' noccioline americane ', da (*bab*)*bagigi* (v.).

**baglio** (elemento negli scafi di nave), lat. volg. \**balius* forma metatetica di *baiŭlus*; v. BALIO.

**bagliore**, lat. volg. \**baljus* ' lampeggiante ', con suff. di astr. in *-ore* ' lampeggiamento '. La parola lat. risulta da un incr. tra *badius* ' baio ' e il gr. *phaliós* ' splendente ', ' bianco '; cfr. *abbagliare* ' rendere lampeggiante ' e *sbagliare* (v.) ' uscire dai raggi della luce '. Cfr. BARBAGLIO.

**bagnare**, lat. tardo *balneare* incr. con it. *bagno*.

**bagnasciuga**, comp. di *bagna-* e *asciuga*, dal genov. *bagnasciüga*, parallelo per il signif. al tipo tosc. *andi-rivieni*, *sali-scendi*, *dormi-veglia*.

**bagno**, lat. volg. \**banjum*, class. *balneum* deriv. dal più ant. *balineum*, e questo dal gr. *balaneîon*, con norm. passaggio di *-ă-* in *-i-* in sill. interna aperta.

**bagnolo**, lat. volg. \**banjòlum*, class. *balneŏlum* dim. di *balneum*.

**bagnomaria**, da *bagno* e *Maria*, nome della leggendaria alchimista, sorella di Mosè.

**bàgola**, dal lat. *bacŭla*, con leniz. settentr. di *-c-* in *-g-*, dimin. di *baca* variante di *bacca*; v. BACCA.

**bagordare**, dal provz. ant. *ba*(*g*)*ordar* ' giostrare ' e questo dal franco \**bihordan* ' recingere con palizzata, per la giostra '.

**bagordo**, dal provz. ant. *beort* ' specie di giostra ', deriv. di *ba*(*g*)*ordar*.

**bagutta**, variante lombarda di *bautta* ' mantellina con cappuccio ' di orig. venez., deriv. da *bava*.

**bah!**, voce onomatop.

**bai** (interiez.), incr. dell'interiez. *ài* (*ahi*) e la serie *a-b*.... dell'alfabeto.

**baia**[1] ' burla ', sost. deverb. estr. da (*ab*)*baiare*.

**baia**[2] ' insenatura ', dal frc. *baie* e questo dallo sp. *bahìa*.

**baia**[3] ' tinozza ', dal frc. *baille*, equiv. a lat. volg. \**baiŭla* (*aquae*) ' portatrice d'acqua '.

**baiadera**, dal portogh. *bailadeira* ' colei che balla ' attrav. il frc. *bayadère*.

**baiardo**, dal nome del cavallo di Rinaldo nell'Ariosto e questo dal frc. ant. *baïart* ' di colore baio '.

**baietta**, dal frc. *bayette* e questo dal lat. *badius*: dal valore ' baio ' di quest'ultimo, arrivando a quello di ' castagno ' e infine di ' bruno '.

**bailamme**, dal nome di festa turca *bayram*.

**baio**, dal lat. *badius* attrav. il provz. *bai*, cfr. BASIRE.

**baiocco**, forse dalla moneta merovingica *baiocas* (*civitas*), la città dei Galli *Bodiòcasses*, oggi *Bayeux*.

**baionetta**, dal frc. *baïonnette*, arma fabbricata a *Baiona*.

**baita**, parola alpina risal. al sostrato paleoeuropeo dall'area basca all'egea.

**balalàica**, dal russo *balalajka*, di orig. tàtara.

**balandra**, dal frc. *balandre*, che è dall'ol. *bylander*.

**balascio** (gemma), dall'ar. *balakhsh*, risal. al nome della prov. persiana del *Badakhshān*; lat. medv. *balascius* (XIV sec.).

**bàlatro**, lat. *barăthrum*, con dissimilaz. da *r*.... *r* a *l*.... *r*; cfr. BÀRATRO.

**balausta** e **balausto**, dal gr. *balaústion* ' fiore di melograno ', per la somiglianza fra le colonnine e il calice del fiore. Di prob. orig. mediterr.

**balaustro**, da *balaustro* incr. con *lustro*.

**balbettare**, iterat. di lat. tardo (gloss.) *balbare*, verbo denom. da class. *balbus*, con raddopp. espressivo di *-t-* in *-tt-*.

**balbo**, lat. *balbus*, tipico rappresentante della serie onomatop. di cons. labiale e liquida più labiale, attestata in molte aree ideur., cfr. BÀRBARO, e collegata con più o meno evidenti difetti di parola.

**balbutire**, dal lat. *balbu*(*t*)*tire*, verbo denom.-iterat. di *balbus*; v. BALBO.

**balbuzie**, sost. astr. deriv. da *balbuziente* e collegato a *balbo* come *calvizie* rispetto a *calvo*.

**balbuziente**, dal lat. *balbūtiens*.

**balcone**, dal longob. *balk* ' palco di legname '; cfr. PALCO.

**baldacchino**, da *Baldacco*, nome it. della città di Bagdàd, nell'Iraq.

**baldanza**, da *baldo*.

**baldo**, adattam. del frc. ant. *baut*, che è dal franco *bald* ' audace '.

baldoria, dal frc. ant. *baudoire* incr. con it. *baldo*.

baldracca, dal nome di un'osteria fiorentina medv., ispirata alla città di Baldacco (Bagdad) incr. con *baracca*.

balena, lat. volg. *\*balena*, class. *ballaena*, corrispond. al gr. *phállaina*, attrav. un intermediario messapico, che al gr. *phi* orig. da -*bh*- fa corrispondere un *b*.

balenare, verbo denom. da *balena*, nel senso dell'apparire improvviso di un animale fantastico.

balenìo, sost. deverb. di valore iterat. estr. da *balenare*.

baleno, sost. deverb. di valore moment. estr. da *balenare*.

balenòttera, dal lat. scient. *balaenòptera* 'che ha le pinne (gr. *pterá*) di balena' (lat. *ballaena*).

balestra, lat. *bal(l)ista*, con suff. ampliato in -*r*- sulla linea di *finestra*, *minestra*. Ballista è di prob. orig. greca, da una parola attinente al verbo *ballízō* 'io lancio'.

balestruccio (uccello), da *balestra*, per la forma delle penne della coda.

balì, dal frc. *bailli* e questo dal lat. *baiŭlus*, passato dal signif. di 'portatore' a quello di 'funzionario amministratore'; v. BÀGGIOLO, BALIA, BAGLIO.

balìa, dal frc. ant. *baillie*.

bàlia, lat. volg. *baiŭla* 'portatrice', con la stessa metatesi di *aria* da *aëra*; v. BÀGGIOLO, BAGLIO e cfr. AVELIA.

balio, da *balia*.

balioso 'vigoroso', dallo sp. *valioso*.

balipedio, dal tema *balì*- estr. da *balìstica* (v.) e gr. *pedíon* 'pianura': 'pianura per tiri'.

balista, dal lat. *bal(l)ista*, v. BALESTRA.

balistica, dall'agg. *balìstico*: '(scienza) balistica (o dei tiri)'.

balistico, da *balista* (v.).

balistite, deriv. moderno (1888) da *balistico*.

balla, dal frc. ant. *balle* e questo dal franco *balla* (ted. *Ball* 'palla').

ballare, lat. tardo *ballare*, adattamento del gr. della Magna Grecia *ballízō* 'io ballo'.

ballatoio, incr. di lat. *bellātōrium* 'galleria di combattimenti sulla nave' e di *ballare*.

ballatrice, nome d'agente femm. (arc.) di *ballare*.

ballerina, incr. di *ballatrice* e un doppio dimin. -*erina*.

ballerino, da *ballerina*.

ballo, sost. deverb. estr. da *ballare*.

ballòdole, forse da *belle lodi*, con suff. toponomastico -*le* (*bell(e)oldole*); cfr. il suff. -*li* in BABBORIVÉGGOLI.

ballonchio 'ballo contadino', ampliam. peggiorativo di *ballo*, incr. col tipo di *carbonchio*.

ballónzolo, dimin. di *\*ballonzo* che corregge una forma settentr. *\*balloncio* parallela alla tosc. arc. *ballonchio*.

ballotta, dall'ar. *ballūt* 'ghianda, castagna', incr. con *balla*.

ballottaggio, dal frc. *ballottage* e questo da *ballotte* 'pallottola' proveniente dall'it. ant. *ballotta* (v.), quindi 'operazione con pallottole'.

ballottare, verbo denom. da *ballotta*; cfr. SBALLOTTARE.

balma 'roccia, grotta', tema mediterr. e alpino BALMA, attestato nella toponomastica dalla Catalogna alla Germania meridionale.

balneare e balneario, dal lat. *balnearius*, più tardi *balnearis*; v. BAGNO.

baloccare, derivaz. settentr. iterat. di *ba(l)la* 'agire con pallottole, giocare'.

balocco, sost. deverb. estr. da *baloccare*.

balogio, adattamento dell'it. settentr. *balòs* 'rompicollo, birbante', a sua volta deriv. da *balla* 'palla', quasi si trattasse di un *\*palloccio* incr. con la finale -*ogio* di *brogio* (v.).

balordo, incr. di *balogio* e di *sordo*.

balsamella, dal frc. *béchamelle* (questo da L. de Bechamel, maggiordomo di Luigi XIV) incr. con *bàlsamo*.

balsamina, dal gr. *balsaminē*.

bàlsamo, lat. *balsămum*, dal gr. *bálsamon*.

balta (locuzione *dar di*), incr. di *balza* (v.) e di *vòlta* (v.).

bàlteo, dal lat. *balteum* 'cintura', v. BALZO[2], di prob. orig. etrusca; cfr. CLIPEO.

baluardo, dal provz. *baloart*, risal. a un ol. medio *bolwerc* 'fortificazione'.

baluginare, verbo denom. da *\*baluce*, lat. *balux, -ūcis* 'sabbia aurifera', parola mediterr. spec. iberica, incr. con l'ant. *caliginare* 'offuscare'.

balza, lat. volg. *\*baltja*, class. *baltea*, plur. di *balteum* 'muro sotto la scalea negli anfiteatri': applicato così a stoffe come a rilievi del terreno; v. BÀLTEO.

balzano, dal frc. ant. *bauçan(t)*, deriv. dal lat. volg. *\*baltjo*- 'cintura', con suff. aggettiv.; v. BÀLTEO.

balzare, lat. volg. *\*baltjare*, tardo *balteare*, verbo denom. da *baltĕum*.

balzello, dimin. di *balzo*: '(imposta che colpisce) a balzi (imprevedibili)'.

balzelloni, deriv. in -*oni* come *bocconi, carponi, ginocchioni*, ecc. da un dimin. di *balzo*.

balzo[1] 'salto', sost. deverb. estr. da *balzare*.

balzo[2] 'ripiano', lat. volg. *\*baltjum*; v. BÀLTEO.

bambagia, lat. volg. *\*bambacia*, incr. di gr. *bambákion* con il lat. tardo *bambax, -ācis*, trasmesso con la leniz. settentr. di -*cj*- in -*sgj*-. Lat. *bambax* deriva da un gr. *bambáks*; cfr. BACO, BIGATTO, BIGIO.

bamberòttolo, calco su *naneròttolo*; cfr. i doppi dimin. del tipo *vaccherella* di tipo tosc. o *bancarella, bustarella* di tipo non tosc.

bambina, da *bambino*.

bambino, dimin. di *bambo*, forma arc. con valore di 'sciocco', appartenente alla stessa famiglia onomatop. di *babbèo*; nasalizzato in *bamb*-.

bamboccio, vezzegg. di *bambo*; cfr. BAMBINO.

bàmbola, dimin. femm. di *bambo*.

bambù, dal frc. *bambou* e questo dal malese *bambū* attrav. il portogh. *bambu*.

banale, dal frc. *banal* 'che appartiene a una circoscrizione feudale' e cioè 'a tutti'; questo dal franco *ban* 'bando, proclama del signore feudale'; cfr. ABBANDONARE.

banana, dal portogh. *banana*, orig. della Guinea.

banato, astr. di *basso*.

banàusico, dal gr. *banausikós* 'proprio dell'artigiano' attrav. il ted. *banausisch*.

banca, dal longob. *banka* 'panca'.

bancarella, doppio dimin. di *banca*, come *bustarella* di tipo non tosc. (il tipo tosc. sarebbe *bancherella*).

**bancarotta,** da *banca rotta,* secondo l'uso di rompere il banco dei commercianti falliti.

**bancherella,** variante tosc. di BANCARELLA.

**banchetto,** vezzegg. di *banco.*

**banchiere,** da *banca,* ampliato col suff. di orig. frc. *-iere.*

**banchiglia,** dal frc. *banquise* con la introduz. di un suff. dimin. e collettivo; cfr. *fanghiglia, poltiglia.*

**banchina,** dimin. di *banco.*

**banchisa,** dal frc. *banquise,* fatto sul modello del ted. *Eis-bank* ' banco di ghiaccio ', con strana inversione degli elementi costitutivi.

**banco,** dal franco *bank* rimasto aderente al signif. orig. di ' tavola ' o ' asse '.

**bancogiro,** da *banco* e *giro;* cfr. *postagiro.*

**banconota,** dall'ingl. *bank-note.*

**banda,** nel senso di ' parte ' dal provz. *banda;* nel senso di ' striscia ' dal frc. *bande;* nel senso di ' drappello ' dal lat. *bandum* ' insegna ' (gloss.) che è dal gotico *bandwa* ' segno '; nel senso di ' lamiera ' dal lat. medv. *banda* ' lamiera di ferro '. In tutti e quattro i casi le orig. lontane sono germaniche.

**bandiera,** dal provz. *ban(d)iera* ' ciò che appartiene e simboleggia la banda '.

**bandinella,** doppio dimin. di *banda,* nel senso di ' striscia '.

**bandire,** dal gotico *\*bandwjan* ' fare un segnale ' attrav. lat. medv. *bandire;* per il signif. di ' mandare in esilio ', incr. col frc. *bannir.*

**bando,** dal gotico *bandwa* ' segno ' attrav. lat. medv. (gloss.) *bandum.*

**bandoliera,** dallo sp. *bandolera* attrav. il frc. *bandoulière.* Lo sp. è dall'it. *banda,* nel senso di ' striscia '.

**bàndolo,** dimin. di *banda,* nel senso di ' striscia '.

**bandone,** da *banda,* nel senso di ' lastra metallica '.

**banno** ' bando ' (arc.), dal franco *ban* ' proclama del signore feudale '.

**bano** ' governatore ', dal serbo-croato *ban.*

**baobàb,** dal frc. *baobab,* orig. dal Senegal.

**ba(r)-,** pref. intens. da *bis* (p. es. *bardosso*). Cfr. *ber-* (*bernòccolo*) e la forma lat. ristabilita BIS-.

**bar,** dall'ingl. *bar* ' sbarra '.

**-bar** (unità di pressione), estr. dal gr. *barýs* ' pesante ', per es. in *millibar.*

**bara,** dal longob. *bāra* ' lettiga '.

**barabba,** dal gr. *Barabbâs,* che è dall'aramaico *bar abā* ' figlio del maestro '.

**baracane,** v. BARRACANO.

**baracca,** incr. dei due temi mediterr. *\*barra* ' parete (di fango o argilla) ', cfr. BARILE, e *\*barca* ' capanna '. La variante merid. *barracca* deriva dallo sp. *barraca.*

**baraonda,** prob. da lat. *berecyntia* ' proprio di culto orgiastico ', con leniz. totale della *-c-* intervocalica e il conseg. incr. nel nord con longob. *bāra* ' tavola da trasporto ' e it. *onda.*

**barare,** verbo denom. da *baro.*

**bàratro,** dal lat. *barăthrum,* che è dal gr. *bárathron;* cfr. la forma spontanea tosc. dissimilata BÀLATRO.

**baratta** ' contesa ', dal provz. *barata.*

**barattare,** dal provz. *baratar.*

**baràttolo,** doppio dimin. settentr. di *\*àlbaro* var. di *albero*[1], v. ALBERELLO, con la aferesi dell'articolo settentr. (*al*)*bar-àttolo;* cfr. *giocàttolo, scoiàttolo.*

**barba**[1], lat. *barba,* conservato identico anche nelle aree germ. (ted. *Bart*), baltica e slava. In queste due ultime anche col deriv. del tipo di *barbatus.*

**barba**[2] ' zio ', da ' il barba ' uomo anziano della famiglia, diverso dal padre.

**barbabiètola,** dal lat. *herba bēta* incr. nel primo elemento con *barba,* nel secondo con *blitum* ' atréplice '; in più con un suff. finale di dimin. Cfr. BIÈTOLA.

**barbacane,** dal frc. *barbacane* ' sotterraneo ' (XII sec.).

**barbagianni,** da *barba Gianni* ' zio Gianni ', soprannome dell'uccello.

**barbagliare,** verbo denom. da *barbaglio.*

**barbaglio,** raddopp. di lat. volg. *\*baljus* ' lampeggiante ', v. BAGLIORE: da *\*balbaglio* dissimilato in *bar-.*

**barbàrico,** dal lat. *barbarĭcus.*

**barbàrie,** dal lat. *barbaries.*

**barbarismo,** dal lat. *barbarismus,* che è dal gr. *barbarismós.*

**bàrbaro,** dal lat. *barbărus,* che è dal gr. *bárbaros* ' straniero ' nel senso di ' balbettante ', ' incapace di farsi capire ', a sua volta dalla serie onomatopeica di labiale sonora e liquida; cfr. BALBO, BLESO.

**barbarossa** (uva), dalla forma del grappolo (*barba*) e dal colore (*rosso*).

**barbassoro,** da *valvassore* incr. con *barba* e col cambiamento di declinaz., favorito dalla debolezza delle voc. finali nelle reg. settentr.

**barbata,** collettivo in *-ata,* da *barba* ' insieme di barbe (di una pianta) '.

**barbatella,** dimin. di *barbata.*

**barbazzale** (catenella), da *barbòzza.*

**barbeggia** ' bruco ' e ' vecchia barbuta ', lat. *barbitium* ' barba ', incr. con un suff. lenito in *-idium,* al femm. *-idia,* trattato poi come *modius* nell'it. *moggio;* cfr. MARMEGGIA.

**barbera,** lat. *albuelis* (vitigno) ampl. di *albus,* v. ALBO[1], attrav. un incr. del lomb. *albera* con *barba.*

**bàrbero** (cavallo da corsa), da *Barberìa,* l'Africa nord-occidentale, così nominata perché ' regione dei Barbari '.

**barbicaia,** incr. di *barba* e *radicaia.*

**barbicare,** incr. di *barba* e *radicare.*

**barbigi,** adattamento del settentr. *barbìs,* lat. tardo *barbitium* ' barba ', deriv. di *barba;* cfr. BARBEGGIA.

**barbino,** da *barba* in senso deteriore, di ' scombinato ' e perciò ' noioso '.

**barbio** e **barbo,** dal lat. tardo *barbŭlus,* deriv. di *barba.*

**barbitonsore,** dal comp. lat. medv. *barbi-tonsor* ' tosatore di barba '.

**barbitùrico,** dai nomi dell'acido malonico prodotto dalla *bar(ba)biet(ola)* e dell'*urea* (v.), che intervengono nella composizione dell'acido *barbit-urico.*

**barbogio,** incr. di *barba* e *balogio.*

**barbozza** (mandibola), da una forma settentr. assibilata (invece di *barboccia*), e questa da *barba.*

**barbugliare,** incr. della serie onomatop. *balb-* di *balbettare,* v. BALBO, e di *barba* col tipo di (*in*)*garbugliare.*

**barbuta** (elmo con visiera), da *barba* nel senso di ' mento '.

**barca**[1], lat. tardo *barca,* parola mediterr. (v. **sotto**), adibita nelle reg. marittime a indicare la forma cava delle barche.

**barca²** (cumulo), da una parola mediterr. *\*barca*, *\*barga* che definisce una formazione non soltanto conica (capanna, rilievi del terreno, mucchio), assai diffusa come nome loc. (*Barge, Barga*).

**barcamenare**, da *barca menare* (formato come *capovolgere*), che sottolinea la ' (irregolarità) di condurre una barca ', evitando gli ostacoli; e quindi in modo non rettilineo.

**barcarizzo**, forma fonetica venez. per ' barchereggio ' cioè ' luogo adatto alle barche ', ampliam. di lat. volg. *barcarium*, forma sostantiv. di *barcarius* ' attinente alle barche '.

**barchessa** ' tettoia ', forma accrescitiva di *barca²* con -*ss*- emiliano-romagnolo.

**barco**, incr. del mediterr. *\*barca* e del lat. medv. (VIII sec.) *pàrricum* sopravv. nel frc. *parc*; cfr. PARCO, BARBA e BARACCA.

**barcollare**, incr. di lat. *\*barculare* ' ondeggiare come barca ', verbo denom. da *barca*, con i tipi *tracollare, accollare.*

**barda** (sella), dall'ar. *barda'a.*

**bardare**, verbo denom. da *barda.*

**bardassa**, dall'ar. *bardag'* ' giovane schiava ', con trattam. fonetico settentr. -*ss*- invece di -*ccj*-.

**bardella** (sella), dimin. di *barda.*

**bardiglio** (marmo), dallo sp. *pardillo*, dimin. di *pardo* ' grigio '.

**bardo**, dal lat. tardo *bardus* (Paolo-Festo), parola gallica (da non confondersi con *bardus, -a, -um* ' stupido ', v. BARO).

**bardosso**, da *bar-* (da *bis*) e *dosso*: ' doppiamente sul dorso (perché mancante di basto) '; cfr. BARUFFA.

**bardotto**, dimin. di gr. tardo *bárdos* ' animale da soma ' incr. con *barda* e cioè ' animale da essere bardato ', a cui i garzoni venivano equiparati.

**barella**, dimin. di *bara.*

**bargello**, dal lat. medv. (IX sec.) *barigildus*, nome di funzionario carolingio di grado elevato, di orig. franca; cfr. BARRACELLO.

**bargiglio** e **bargiglione**, incr. di *barba* con *marg-* del lat. tardo *margella* ' perla ' (glossa).

**bari-**, dal gr. *barýs* ' grave '.

**baricentro**, dal gr. *barýs* e *kéntron* ' centro grave, pesante '.

**barìglio** e **bariglione**, da *barra*, con semplificaz. settentr. della -*rr*- in -*r*- ampliato con -*iglio*; v. BARILE.

**barile**, da *\*barra* ' parete di fango o argilla ', tema mediterr. attestato nel lat. medv. *barrilus* (IX sec.) e poi, con fonetica settentr. (*bara* invece di *\*barra*), ampliato col suff. -*ile* per indicare ' (vaso) d'argilla '; cfr. BARACCA, BARRA.

**bario**, dal frc. *baryum* (XIX sec.) deriv. da gr. *barýs* ' pesante '.

**baritonesi**, dal gr. *barytónēsis*; v. BARÌTONO.

**barìtono**, dal gr. *barý-tonos* ' che ha l'accento grave '.

**barlaccio**, peggiorativo di *barile* nel senso di cosa ' andata a male ' contenuta nel barile.

**barlume**, da *lume* con l'elemento *bar-* di *bar(baglio)*: ' (luce) intermittente '.

**baro**, incr. del lat. *baro, -ōnis* ' zoticone ' affine all'agg. *bardus* ' stupido ', e del frc. *baro*; v. BARONE. Lat. *bardus* è privo di connessioni attendibili.

**baroccio**, adattamento tosc. di un settentr. *baròz*, lat. tardo *birotium*, più ant. *birŏtus* ' (carro) a due ruote ' incr. col pref. *ba(r)-* di *bardosso* e *baruffa.*

**barocco**, dal portogh. *barroco* ' (perla) irregolare e scabra ' incr. col nome di una forma di sillogismo irregolare *baroco*, creato artificialmente dagli scolastici.

**barògrafo**, dal gr. *báros* ' peso ' e -*grafo* : ' descrittore di peso o pressione '.

**barolo**, dal paese di *Barolo* (Cuneo).

**baròmetro**, dal gr. *báros* ' peso ' e -*metro*; ' misuratore di peso o pressione '.

**baronata**, astr. da *barone* nel suo signif. deteriore.

**barone**, dal franco *baro* ' uomo ' poi ' uomo di classe superiore ', anche se non eccelsa come i ' conti '. Nel signif. deteriore influenzato dal lat. *bārō, -ōnis* ' sciocco ', che è privo di connessioni attendibili.

**barra**, lat. *\*barra*, parola mediterr. dal valore di ' parete di fango o argilla ', di orig. occidentale, sopravv. forse nel basco *parra, marra* ' confine '; cfr. BARILE, BARACCA, e anche BARCA.

**barracano**, dall'ar. *barrakān.*

**barracello** (guardia campestre in Sardegna), dallo sp. *barrachel*, risal. al lat. medv. (IX sec.) *barigildus*; v. BARGELLO.

**barrare**, verbo denom. da *barra.*

**barricare**, dal frc. *barriquer*, deriv. di *barrique* ' barile ' e cioè ' allineare barili (per costruire un ostacolo) '.

**barricata**, dal frc. *barricade.*

**barriera**, dal frc. *barrière*, deriv. di *barre*; v. BARRA.

**barrire**, dal lat. tardo *barrire* e questo da *barrus* ' elefante ', nome penetrato con gli elefanti indiani dall'ant. indiano *vāraṇas* ' elefante '.

**barrito**, dal lat. tardo *barritus, -us*, astr. di *barrire.*

**barroccio** e deriv., v. BAROCCIO e deriv.

**baruffa** forma intens. di *ruffa* (v.) col pref. *ba(r)-* (lat. *bis*); v. BARDOSSO e cfr. BERNÒCCOLO.

**barullare**, ' rotolare ', da *rullare* col pref. *ba(r)-*, come in *bardosso* e *baruffa.*

**barzelletta**, dimin. di *bargella*, v. BARGELLO, con assibilaz. settentr. di -*ge*- in -*ze*- ' donna furba o sfacciata '.

**basalto**, da un lat. tardo *basaltes*, lettura erronea di un manoscritto pliniano, che conteneva la parola gr. *basanitēs*, v. BASANITE.

**basanite**, dal lat. *basanites*, che è dal gr. *basanitēs*, deriv. di *básanos* ' pietra di paragone '.

**basco**, ' berretto tipico dei baschi ', dallo sp. *vasco.*

**basculla**, dal frc. *bascule.*

**base**, dal lat. *basis*, che è dal gr. *básis*, nome di azione di *bainō*, passato dal valore di ' andatura ' a quello di ' piede ' e infine di ' sostegno '.

**basetta**, adattamento abbreviato dal lombardo *ba(rbi)sèt* ' baffetto ' reso in forma femm.

**basilare**, dal lat. scient. *basilaris*, deriv. da *basis*, v. BASE, sul modello di *similāris*, analizzato erroneamente.

**basilica**, dal lat. *basilĭca* e questo dal gr. *basilikḗ* (*stoá*) ' portico regio ': nome di edificio pubblico destinato alla giustizia o al commercio, applicato poi alle chiese cristiane.

**basilico**, dal lat. *basilĭcum* e questo dal gr. *basilikón* ' regio ' e cioè « (erba) regale ».

**basilisco**, dal gr. *basilískos* ' reuccio ', dimin. di *basileús* ' re '.

**basire,** lat. volg. *\*basīre* ' assumere color giallo (e cadaverico)' da un dialettale *basus* (gloss.) var. di *badius* ' baio ', v. BAZZO.

**basoffia,** lombardo *bazoffia* dallo sp. *bazofia* ' avanzo del pasto'; ' cosa disgustosa', incr. con *bazza*[2] nel senso di ' recipiente'; cfr. BAZZOFFIA.

**bassa,** forma femm. sostantiv. del lat. tardo *bassus,* v. BASSO. Nel senso di documento militare, si riferisce al tagliando inferiore del foglio da consegnare.

**bassetta** (gioco di carte), dalle carte ' basse ' che il banchiere distribuisce nel gioco.

**bassetto** (strum. mus.), da ' (violoncello) basso '.

**basso,** lat. tardo (VIII sec. gloss.) *bassus* di orig. osca, privo di connessioni evidenti salvo l' impiego come nome personale nel lat. class. anche attrav. il gentilizio *Bassius.*

**bassura,** da *basso* sul modello di *altura* (v.).

**basta**[1] (**bàstia**), dal longob. *bastjan* ' allacciare '.

**basta**[2], imperat. del verbo *bastare.*

**bastardo,** dal frc. *bastard* ' figlio di principe e di concubina ' col suff. di derivaz. che assume signif. sfavorevole.

**bastare,** verbo denom. da *basto* nel senso di corrispondere alla quantità di carico sopportabile dal basto.

**basterna** (specie di lettiga), dal lat. tardo *basterna,* deriv. da *\*bastum,* v. BASTO, come *cisterna* da *cista.*

**bastia,** dal frc. *bastie,* part. pass. di *bastir* ' costruire ', che è dal franco *bastjan* ' intrecciare coi graticci ', cfr. il longob. *bastjan* ' allacciare '; v. BASTA[1].

**bastimento,** dal lat. medv. (XIV sec.) *bastimentum* ' costruzione ', da *bastire* (v.).

**bastione,** da *bastìa* con suff. accrescitivo.

**bastire** ' costruire ' (arc.), dal franco *bastjan* ' intrecciare graticci '.

**basto,** lat. *\*bastum,* estr. dal gr. *bastázō* ' io trasporto ', di prob. orig. mediterr.

**bastone,** lat. *\*basto -onis* nel senso non di ' provvisto di basto ' come vorrebbe la formaz. lat., ma ' basto per eccellenza ', ' sostegno '.

**batacchio,** lat. volg. *\*battuacŭlum,* deriv. dal class. *battuĕre* v. BATOCCHIO con sempl. sett. di -*tt*- in -*t*-.

**batassare** ' scuotere ', dal gr. *patássō* ' batto, ferisco '; cfr. PATASSÌO.

**batata,** variante di *patata* (v.).

**batìc,** dal malese *bātiq.*

**batìmetro,** comp. moderno di gr. *bathýs* ' profondo ' e -*metro.*

**batiscafo,** dal gr. *bathýs* ' profondo ' e *scafo.*

**batista** (e **battista**), dal frc. *batiste,* prob. adattamento di un *Baptiste* fabbricante di Cambrai nel sec. XIII.

**batocchio,** lat. volg. *\*battucŭlum,* cfr. *genuculum,* variante di *\*battuacŭlum,* v. BATACCHIO, attrav. una tradiz. settentr. che semplifica il gruppo -*tt*-.

**bàtolo** (falda), da *bàttere,* con semplificaz. settentr. della cons. geminata -*tt*- in -*t*- e cioè la ' falda che penzola ' o « batte ».

**batosta,** sost. deverb. estr. da *batostare.*

**batostare,** incr. di *battere* e *tostare* nel senso di ' ridurre a nulla '.

**bàtrace,** dal gr. *bátrakhos* ' rana ', formato sul plur. *bàtraci* (da *bátrakhoï*).

**battaglia,** lat. tardo *battalia,* ampliam. collettivo di *battĕre* (diffuso poi in *avvisaglia, schermaglia* ecc.), *v.* BÀTTERE.

**battaglio,** dal provz. *batalh* penetrato nelle reg. merid.; foneticam. parallelo al tosc. *bat(t)acchio* e incr. con it. *bàttere.*

**battaglione** ' grossa battaglia ' e ' grosso gruppo di persone che si battono ', deriv. da *battere* come *accozzaglia* da ' accozzare ' con suff. accrescitivo.

**battello,** dal frc. ant. *batel,* dimin. dell'anglosassone e norreno *bāt* ' barca ' (ingl. *boat*).

**bàttere,** lat. tardo *battĕre,* class. *battuĕre,* privo di connessioni evidenti, e con raddopp. -*tt*- di carattere espressivo.

**batterìa,** dal frc. ant. *batterie.*

**battèrio,** dal gr. *baktērion* ' bastoncino ', così definito per la forma quale è apparsa ai primi osservatori; cfr. BACILLO.

**batteriologìa,** da *batterio* e -*logìa.*

**battésimo,** lat. tardo *baptismus,* dal gr. *baptismós,* con norm. epentesi di -*i*- nel gruppo -*sm*- come in *crèsima, fìsima, spàsimo.*

**battezzare,** lat. tardo *baptizare,* dal gr. *baptízō* ' immergo '.

**battibaleno,** comp. di *bàtte(re)* e *baleno.*

**battibecco,** comp. di *bàtte(re)* e *becco.*

**battifolle** (fortificazione provvisoria), incr. di *batte(re)* e *folla(re)* in connessione col valore originario di 'gualchiera '.

**battifredo** (torre per vedetta), incr. di franco *(berg)frithu* e it. *batti(folle).*

**battigia,** da una *(linea) \*battilia* ' esposta alle battute del mare ', di fonetica ligure (in cfr. della soluz. tosc. in -*iglia*).

**bàttima,** incr. di *bàttere* e *ànsima.*

**battista** ' battezzatore ', dal lat. tardo *baptista,* che è dal gr. *baptistếs.*

**battistero,** lat. *baptistērium,* dal gr. *baptistérion,* col trattam. centromerid. di -*eriu* in -*ero.*

**bàttito,** da *bàttere,* per analogia con *gèmito, frèmito.*

**bàttola,** dal lat. tardo (gloss.) *batŭlus,* che è dal gr. *bátalos* ' balbuziente ', incr. con it. *bàttere.*

**batùf(f)olo,** incr. di *batacchio* (v.) e lat. dialettale dimin. *\*tufŭlus,* class. *tūber,* « piccola escrescenza ».

**baule,** dallo sp. *baúl.*

**bautta,** dal venez. *baùta,* v. BAGUTTA.

**bauxite,** dalla località provz. di *Les Baux* dove si è trovato per la prima volta la miscela di minerali così denominata.

**bava,** dal lat. *\*baba,* termine onomatop., proprio di movimento inconscio della bocca.

**bavaglio,** incr. di *bava* e *fermaglio,* inteso come nome di strum.

**bavarese,** dal lat. medv. *bàvarus* col suff. -*ese* « uomo o cosa della Baviera ». Nel signif. di bevanda si è avuto la mediazione del frc. *bavaroise.*

**bàvaro** ' bavarese ', dal lat. medv. *bàvarus* forma abbr. di *baiuvarius.*

**bavella,** dimin. di *bava.*

**bàvera,** da *bàvero.*

**bàvero,** estr. da *\*baveruolo,* doppio deriv. di *bava,* incr. con *bàvaro* ' bavarese '.

**bavette** e **bavettine** (paste da minestra), da *bava.*

**bazàr,** dal persiano *bāzàr* ' mercato '.

**bazza**[1] ' guadagno ', dallo sp. *baza*.

**bazza**[2] ' mento ', adattamento tosc. di un tipo emiliano *basla* ' catino ', risal. al lat. *baiŭlus* ' portatore ', ' facchino ', v. BALIA, BAGLIO, e analizzato come dimin.

**bazzana**, dal provz. *bazana* e questo dall'ar. *biṭana* ' fodera '.

**bazzècola**, doppio dimin. di *bazza*[1].

**bàzzica**, dimin. di *bazza*[1].

**bazzicare**, verbo denom. in *-icare* come *fabbricare*, risultante dall'incr. di *bàttere* e *bazza*.

**bazzo** ' verdastro ' (arc.), lat. *badius* ' baio ' (di cavallo), con una sola corrispond. e precisamente nel campo irlandese.

**bazzoffia** (vivanda), dallo sp. *bazofia* ' avanzi del pasto ', cfr. BASOFFIA, incr. con *bazza*[2].

**bazzotto** ' semicotto ', lat. *badius*, passato dal valore di colore baio e cioè ' intermedio ' a quello di ' stato intermedio ' col suff. *-òtto*.

**bè**, voce onomatop. già nel gr. *bê*.

**beante**, dal frc. *béant*, part. pres. di *béer*, risal. al lat. volg. *batare*; v. BADARE.

**beare**, dal lat. *beare* ' render felice ', privo di connessioni attendibili.

**beatificare**, dal lat. tardo *beatificare*.

**beatifico**, dal lat. tardo *beatificus*.

**beatitùdine**, dal lat. *beatitudo, -inis*.

**beato**, dal lat. *beatus*.

**bebè**, dal frc. *bebé* e questo dall'ingl. *baby*.

**beca**, femm. di *beco*.

**becca**[1] (cocca di fazzoletto), cfr. *becco*[1].

**becca**[2] (sciarpa), dallo sp. *beca*.

**beccaccia**, da *becco*[1].

**beccaio**, da « (venditore di carne di) becco ».

**beccamorto**, forma familiare per « colui che prende i morti ».

**beccare**, verbo denom. da *becco*[1].

**beccastrino**, da *beccastro*, peggior. di *becco*.

**beccheggiare, beccheggio**, verbo denominat.-iterativo, col suo sost. deverb., da *becco*.

**beccherìa**, da *beccaio*, secondo il rapporto di *latteria* e *lattaio*, *macelleria* e *macellaio*.

**becchino**, abbreviaz. di *beccamorto* « colui che prende (becca) per eccellenza » col suff. *-ino* di mestiere (*imbianchino, bagnino*).

**becco**[1], lat. *beccus*, parola gallica forse imparentata con *bucca*, che sostituì in Italia e in Francia *rostrum*; cfr. BOCCA.

**becco**[2], lat. *beccus*, forse da (*i*)*bex*, parola mediterr. che indica la capra selvatica, attrav. una variante espressiva *(i)beccus*; cfr. BRICCO[2].

**bécero**, deriv. col suff. *-ero* di *cànchero*, *tànghero, ménchero*, incr. con *cece*.

**bechico** ' di medicamenti contro la tosse ', dal lat. *bechĭcus*, che è dal gr. *bēkhikós*, deriv. di *béks, bēkhós* ' tosse '.

**beco**, vezzegg. di (*Do*)*me*(*nì*)*co*, incr. con (*bab*)*be*(*o*) (v.).

**beduino**, dall'ar. dialettale *bedewīn* plur. di *bedewi* ' abitante della steppa '.

**befana**, lat. (*e*)*piphan*(*ĭ*)*a*, con leniz. settentr. di *p-* in *b-*; dal gr. *epipháneia* (*hierá*) ' le feste dell'apparizione ', inteso come sg. femm. in base alla finale in *-a*, cfr. EPIFANIA.

**befanìa**, incr. di *befana* ed *epifanìa*.

**beff**, interiez. dispregiativa da una serie onomatop. *b....f*.

**beffa**, sost. deverb. da *beffare*.

**beffardo**, da *beffa* col suff. (sfavorevole) *-ardo*; cfr. *infingardo, codardo*.

**beffare**, da (*dir*) *beff*, interiez. dispregiativa.

**bega**, dal gotico, *\*bēga* ' litigio '.

**beghina**, dal frc. *béguine*.

**begliòmini e begliuòmini** ' balsamina ', da *begli* e *uomini*.

**begonia**, dal nome di Michel Bégon, governatore di S. Domingo nel XVIII sec.

**bèi** (bey), dal turco *bey*.

**beilicato**, dal frc. *beylicat* e questo dal turco *beylik* ' giurisdizione di un bei '.

**belare**, lat. tardo *belare*, incr. del class. *bālāre*, di lontana orig. onomatop. (da una serie *b...l...*) con la forma onomatop. *bè*, tipica delle pecore.

**belladonna**, adattamento dal gallico *bladona*, passato attrav. dialetti alpini che mantengono il gruppo *bl-* a dialetti settentr. che lo evitano e hanno creato perciò la forma *\*beladona*. La forma tosc. ha corretto l'assenza settentr. delle cons. geminate, incr. con *bella* e *donna*.

**belletta**, incr. di *melmetta*, dim. di *melma* ' fanghiglia ', con *bello*.

**belletto**, dimin. di *bello* (v.).

**bellicismo**, dal frc. *bellicisme*, deriv. dal lat. *bellĭcus*.

**bellicista**, dal frc. *belliciste*.

**bellico**, lat. (*um*)*bilĭcus*, incr. con *bello*, quasi un ' neo '; v. OMBELICO.

**bèllico**, dal lat. *bellĭcus*, agg. di *bellum* ' guerra ', anticam. *duellum*, riferito dagli antichi non a torto al numerale *duo*, v. DUELLO, senza però che appaia chiaro il processo di derivazione.

**bellicoso**, dal lat. *bellicosus*.

**belligerante**, dal lat. *belligĕrans, -antis*, part. pres. di *belligerare*, verbo denom. da *bellĭger*; v. BELLÌGERO.

**bellìgero**, dal lat. *bellĭger, -ĕri*, comp. di *bellum* e *-ger* tema di nome d'agente di *gerĕre* ' condurre '.

**bellimbusto**, da *bello in busto* ' impettito '.

**bello**, lat. *bellus*, dimin. antichissimo di *bonus*, che risale a *\*duenŏlos*; v. BUONO.

**belluino**, dal lat. *bēluĭnus*, con rafforzam. espressivo della *-l-*; cfr. BELVA.

**beltà, beltade e beltate**, dal provz. *beltat* e questo da un tipo lat. *\*bellĭtas*, astr. di *bellus*; v. BELLO, con eventuale leniz. settentr. di *-t-* in *-d-*.

**belva**, dal lat. *bēlua* ' bestia ', privo di connessioni lontane attendibili, e, in lat., forse collegabile con *be*(*stia*); v. BESTIA.

**belzebù**, dal gr. *Belzebúl* e questo dall'ebr. *Baʿal-zĕbūl* ' dio (filisteo) delle mosche ', trasformato in *Baʿal zĕbūl* ' padrone della abitazione (infernale) '.

**belzuino**, dall'ar. (*lu*)*bān Giāwī* ' incenso di Giava ', associato a *bel-* e trasmesso attrav. una tradiz. settentr., forse venez., che muta la serie *gja* in *za*, fino a *\*belzù* e poi *belzuino*; cfr. BENZINA.

**bemolle**, da *be* (ant. pronuncia della B) e *molle*.

**benacense**, dal lat. *Benacus* (*lacus*), nome ant. di orig. gallica del lago di Garda.

**benché**, da *bene*, avv. e *che* particella che lo trasforma in cong.

**benda**, dal franco *binda* ' fascia ' (ted. *binden* ' legare ').

**bene**, lat. *bene*, appoggiato per l'accento a parola

seguente, e sottratto perciò alla dittongazione in *biene*; v. BUONO.

**benedìcite**, dal lat. *benedìcite*, imperat. plur. di seconda pers. di *benedicĕre* ' benedire ' (v.).

**benedire**, incr. di lat. *benedicĕre* con it. *dire*.

**benedizione**, dal lat. tardo *benedictio, -onis*.

**benefattore**, dal lat. tardo *benefactor, -oris*.

**beneficare**, dal lat. tardo *beneficare*.

**beneficenza**, dal lat. *beneficentia*.

**beneficiale** (di beneficio ecclesiastico), dal lat. *beneficialis*.

**beneficiare**, verbo denom. da *beneficio*.

**beneficiario**, dal lat. *beneficiarius*.

**beneficio**, dal lat. *beneficium*.

**benèfico**, dal lat. *benefĭcus*.

**benefizio** e deriv., v. BENEFICIO e deriv.

**benemerente**, dal lat. *benemĕrens, -entis*, part. pres. di *bene mereri*.

**benemèrito**, dal lat. *benemerĭtus* ' che ha bene meritato '; v. MERITO.

**beneplàcito**, dal lat. tardo *bene placĭtum* ' ben piaciuto '.

**benèssere**, da *bene essere* sostantiv.

**benevolente**, dal lat. *benevŏlens, -entis*.

**benevolenza**, dal lat. *benevolentia*.

**benèvolo**, dal lat. *benevŏlus*, comp. di *bene* e del tema del verbo *velle*; v. VOLERE.

**bengala**, dalla reg. dell'India in cui si usavano fuochi colorati nella caccia alle tigri.

**bengodi**, da *bene* e *godi*, seconda pers. del verbo *godere*.

**beniamino**, dall'ebr. *Binyāmīn* (propr. « figlio della destra »), ultimo figlio di Giacobbe e suo prediletto.

**benignità**, dal lát. *benignĭtas, -atis*.

**benigno**, dal lat. *benignus* « buono (*duenos-*, v. BUONO), per natura (-*gno*-) », cfr. *malignus*. Il suff. -*gno*- è una ant. forma al grado ridotto di *genos* (lat. *genus*), intesa come suff. e inquadrata nella seconda declinaz.

**benna**, dal lat. tardo *benna*, carro a quattro ruote, proveniente sia come cosa sia come parola dal mondo gallico.

**bensì**, lat. *bene* e *sic*.

**benzina**, dal frc. *benzine*, che è dal lat. medv. *benzoe* e questo estr. da *benzoino*, che è dall'ar. (*lu*)*bān Giāwī* ' incenso di Giava '; cfr. BELZUINO.

**beone**, dal lat. tardo *bibo, -ōnis* con leniz. settentr. totale di -*b*-.

**beota**, dal lat. *Boeotus*, che è dal gr. *Boiōtós*, incr. con *idiota*.

**bequadro**, da *be*, pronuncia ant. della B, e *quadro*.

**ber**- variante di ba(r) e bis, lat. *bis*-; v. BERNÒCCOLO e cfr. BARDOSSO, BARUFFA, BARULLARE.

**bèrbero**, dall'ar. *al-Barbar*, risal. al gr. *bárbaroi* ' barbari ', ' forestieri '.

**berbice**, lat. tardo (gl.) *berbix, -icis*, class. *vervex, -ēcis* ' montone ', in qualche connessione con *verres*; v. VERRO.

**berciare**, incr. di *vociare*, *bociare* con *berbice* ' emetter voce (sgradevole e insulsa) come pecora '.

**bere** e **bévere**, lat. *bibĕre*, forma raddopp. e sonorizzata della rad. ideur. PŌ, v. POZIONE.

**bergamotto** (varietà di pero) dal turco *beg armūdi* ' pera del principe ', applicato anche a un profumo « principesco ».

**beriberi**, dal frc. *béribéri* e questo dal singalese (lingua dell'India merid. e di Ceylon) *beri* ' debolezza '.

**berillo**, dal lat. *bĕryllus* e questo dal gr. *bḗryllos*.

**berleffe**, sost. deverb. da *sberleffare* (v.), con la -*e* finale dovuta a tradiz. settentr. (*berlèf*).

**berlengo**, dal frc. ant. *berlenc* e questo dal franco *brēdling* ' tavola da gioco '; cfr. BERLINGACCIO, BERLINGARE.

**berlicche**, dal ted. medio *lokke* ' richiamo di caccia ' col pref. *ber*- di *berlina* e *berlingare*, inserito in un sistema di alternanza onomatop. *i*.... *o* nella serie -*licche*, -*locche*.

**berlina**[1] (pena, gioco), da un dimin. del longob. *brēdel* ' asse, tavoletta '.

**berlina**[2] (carrozza), dalla città di Berlino, dove questo tipo di carrozza venne di moda alla fine del sec. XVII.

**berlingaccio, berlingare**, dal ted. ant. *bretling* ' tavola ', attrav. una forma it. *berlingo*; cfr. BERLENGO.

**bernecche**, variante di *berlicche*, con dissimilaz. da *r...l* in *r...n*.

**bernòccolo**, da *nòcca* col pref. rinforzato *ber*- v., (cfr. BA(R)- *baruffa*, *bardosso*, BIS-) e il suff. dimin. -*olo*.

**berretta**, da *berretto*.

**berretto**, dal provz. ant. *berret* e questo dal lat. tardo *birrus* ' mantello ', identico col gr. *bírros* e quindi di prob. comune orig. mediterr.

**bersagliere**, da *bersaglio*.

**bersaglio**, dal frc. ant. *bersail*, deriv. di *berser* ' colpire tirando con l'arco '.

**bersò**, dal frc. *berceau*.

**berta** ' gazza ', ' bertuccia ', ' burla ', dal nome proprio *Berta*.

**bertesca**, lat. medv. *brittisca* ' torre a uso dei Bretoni ', cfr. *saracinesca* « a uso dei Saraceni ».

**bertoldo**, dal protagonista di un racconto popolare di G. C. Croce (1550-1609).

**bertone** ' cavallo con le orecchie mozze, uomo dissoluto, svuotato ', da *Berta* inteso in senso anatomico e spregiativo.

**bertovello** e **bertuello**, lat. volg. *vertibellum*, dissimilaz. dell'iniz. *Vertibellum* è dimin. di *vertibŭlum* ' perno, vertebra ', nome di strum. tratto da *vertĕre* ' volgere '.

**bertuccia**, dimin. del nome proprio *Berta*.

**berza** ' calcagno ', dall'alto ted. medio *verse(n)* ' tallone ' incr. con il tema di *barco* nel senso di sporgenza rotonda.

**besciamella**, v. BALSAMELLA.

**bestemmia**, lat. tardo *blasphēmia*, incr. con it. *bestemmiare* (v.).

**bestemmiare**, incr. di *blasphēmāre*, dal gr. *blasphēméō*, con *bestia* e *aestimare*, donde lat. volg. *baestimiare*, con rafforzam. espressivo della -*m*-; cfr. BLASFEMO.

**bestia**, lat. *bēstia*, privo di connessioni evidenti, forse imparentato lontanam. con *belua*, v. BELVA.

**bestiale**, dal lat. *bestialis*.

**bestiario**[1] (lottatore), dal lat. *bestiarius*, sostantiv.

**bestiario**[2] (libro), dal lat. tardo *bestiarium*, neutro sostantiv. di *bestiarius*.

**beta**, dal gr. *bêta*.

**bètel**, dal portogh. *betel* e questo da una lingua dravidica dell'India.

**betònica,** v. BETTÒNICA.

**béttola,** da *bevéttola,* dimin. di *be(v)etta* 'luogo dove si beve'.

**bettònica** e **betònica,** dal lat. *betonĭca,* variante di *vettonĭca* pianta denominata dal popolo dei *Vettōnes* nell'ant. Portogallo.

**betulla,** dal lat. *betulla,* di orig. gallica.

**bevanda,** da *bévere,* calco su *vivanda.*

**beveraggio,** dal frc. ant. *bevrage,* lat. volg. *biberatĭcum,* incr. con it. *bévere.*

**bévere,** v. BERE.

**bévero** 'castoro', lat. *biber,* variante di *fiber,* da un tipo BHEBHRU- raddopp., attestato nelle aree indiana, slava, baltica, germanica (ted. *Biber*) e in forma semplice nelle aree germanica e baltica. Significa « il Bruno ».

**bevetta** 'luogo dove si beve', dal frc. medio *beuvette* (sec. XVI), oggi *buvette.*

**bevitore,** dal lat. tardo *bibĭtor, -oris.*

**bey,** v. BÈI.

**bezzicare,** incr. di *pizzicare* con *beccare.*

**bezzo** (moneta venez.), del venez. *bezo,* e questo dall'alemanno *Bätze,* plur. del nome di una moneta bernese della fine del sec. XV.

**bi-,** dal lat. *bi-* (*bilinguis, biformis, bipes*), risal. a *bis* 'due volte'; v. BIS[1] e cfr. BA(R)-, BER- (*bardosso, baruffa, bernòccolo*).

**biacca,** dal longob. *blaih* 'sbiadito', cfr. ted. *bleich* 'pallido'.

**biada,** lat. medv. *blada* (neutro plur.) dal franco *blād* 'cereali'.

**biado** 'pallido', da *biavo* (v.), con leniz. settentr. totale della *-v-* e successivo inserimento di *-d-* come in *padiglione* (v.) da *paiglione, paviglione.*

**Biagio,** lat. *Blasius,* nome proprio, con leniz. sett. di *-sj-* in *-sgj-* invece della semplice palatalizzazione in *-scj-* che avrebbe dato *biascio.*

**bianco,** dal germ. *blank* 'bianco lucente', penetrato prob. già nel lat. volg. Un lat. medv. *blancus* è attestato nel X sec.

**biancosegno,** calco sul frc. *blanc-seign* « firma in bianco ».

**biascia,** sost. deverb. da *biasciare.*

**biasciare** e sim., v. BIASCICARE e sim.

**biascicare,** lat. volg. *blaesiare,* verbo denom. da *blaesus,* v. BLESO, incr. con lat. tardo *masticare.*

**biasimare,** dal provz. *blasmar,* lat. volg. *blas(phe)mare.*

**biàsimo,** sost. deverb. da *biasimare.*

**biavo,** dal provz. *blau* e questo dal franco *blāo,* cfr. BLU, del resto già presso Isidoro di Siviglia (560-636) nella forma lat. *blavus;* cfr. BIADO.

**bibace,** dal lat. *bibax, -acis,* deriv. da *bibĕre* secondo il rapporto di *edax* 'mangione' e *edĕre* 'mangiare'.

**bibbia,** dal lat. tardo *Biblia,* che è dal gr. *biblía* 'libri'.

**bibbio** (uccello), lat. *vipio, -onis* 'gru minore', che è prob. da una serie onomat. v.... p.

**bìbita,** dal lat. tardo *bibita,* tratto da un part. pass. analogico di *bibĕre* al posto di *potus;* v. POZIONE.

**biblio-,** dal gr. *biblíon* 'libro'.

**bìbliobus,** comp. di *biblio-* e (*àuto*)*bus.*

**bibliòfilo,** da *biblio-* e *-filo.*

**bibliografìa,** da *biblio-* e *-grafìa.*

**bibliologìa,** da *biblio-* e *-logìa.*

**bibliòmane,** da *biblio-* e *-mane.*

**bibliomanìa,** da *biblio-* e *manìa.*

**biblioteca,** dal lat. *bibliotheca,* che è dal gr. *bibliothḗkē,* comp. di *biblíon* e *thḗkē* 'scrigno'.

**biblioteconomìa,** da *biblioteca* e *-nomìa* 'insieme di regole'.

**bibulo,** dal lat. *bibŭlus* 'che assorbe' secondo il rapporto di *credŭlus* 'che crede' a *credĕre.*

**bica,** dal longob. *biga* 'mucchio'.

**bicameralismo,** da *bi-* e *càmera* con doppia suffissazione di agg. e di astr.

**bicarbonato,** da *bi-* e *carbonato.*

**biccherna** 'erario comunale di Siena', incr. di *taverna* e *bica* e cioè « locale (dove si deposita) la massa (delle entrate del comune) ».

**bicchiere,** da una forma dialettale del frc. ant. *bichier,* tratto da un presunto franco *bikāri* (ted. *Becher*).

**bicèfalo,** da *bi-* e *-cèfalo.*

**bichini** (costume da bagno), « (esplosivo come l'atollo di) Bikini, (teatro di esperimenti esplosivi atomici nel Pacifico) ».

**bicicletta,** dal frc. *bicyclette,* v. BICICLO.

**biciclo,** dal fr. *bicycle,* comp. a sua volta dal lat. *bi-* e dal gr. *kýklos:* « a due ruote ».

**bicìpite,** dal lat. *biceps, -ipĭtis* 'a due teste', comp. di *bi-* e *caput,* con norm. pass. della voc. breve postonica a *-ĕ-* in sill. chiusa, e ad *-ĭ-* in sill. aperta.

**bicocca,** incr. di *bica* 'mucchio' e *ròcca.*

**bicorne,** dal lat. *bicornis.*

**bicornia** 'piccola incudine', dal lat. tardo *bicornius, -a, -um* sostantivato.

**bidè,** dal frc. *bidet* 'piccolo cavallo' cioè « (lavabo) a cavalletto ».

**bidello,** dal frc. ant. *bedel* e questo dal franco *bidil* 'messo giudiziario'.

**bidente,** dal lat. *bidens, -entis,* comp. di *bi-* e *dens* 'dente'.

**bidone,** dal frc. *bidon,* che risale, attrav. il normanno, al norreno *bidha* 'secchio'.

**bieco,** incr. di lat. *oblīquus* e *aequus.*

**biella,** dal frc. *bielle.*

**biennale,** dal lat. tardo *biennalis.*

**bienne,** dal lat. *biennis,* comp. di *bi-* e *annus,* con norm. passaggio di *-ă-* in *-ĕ-* in sill. interna chiusa.

**biennio,** dal lat. *biennium.*

**biètola,** incr. del lat. *bēta* 'bietola' forse di or. gallica e lat. *blitum* 'atreplice' con suff. dimin.; cfr. BARBABIÈTOLA.

**bietta,** forse dal gr. *blētós* 'gettato in avanti' con raddopp. espressivo.

**biffa,** dal longob. *wiffa* 'fastello di paglia', forma letteraria non trattata secondo la regola popolare che avrebbe dovuto dare *Ghiffa* (località del Lago Maggiore) o *guiffa* (v.); cfr. BÌNDOLO rispetto a GUÌNDOLO.

**bìfido,** dal lat. *bifĭdus* 'diviso in due parti da una fessura' da *bi-* e *-fĭdus,* v. FENDERE, e cfr. TRÌFIDO.

**bifolco,** lat. volg. *bufulcus,* class. *bubulcus,* analizzato come comp. di un primo elem. *bi-* di raddoppiamento. La forma volg. deriva da una più ant. rustica in cui la cons. sonora aspirata *-bh-* è resa anche all'interno della parola con *-f-* a differenza del lat. che la rende all'interno delle parole con *-b-.* *Bufulcus/bubulcus* significa « custode di bovini », in quanto composto di *bos* e di una rad. corrispondente a quella del gr. *phýlaks* ' custode '.

**bifora,** dal lat. *bi-fŏris* « a due porte ».

**biforcare,** lat. \**bifurcare,* dividersi in due parti, secondo il modello di una forca: verbo denom. da *bifurcus* ' che si biforca '.

**biforcato, biforcuto,** da *biforcare* e *-ato, -uto.*

**biforme,** dal lat. *bi-formis.*

**bifronte,** dal lat. *bi-frons, -ontis.*

**biga,** dal lat. *biga,* estr. dalla formula *(equae) biiugae* « (cavalle) a doppio giogo ».

**bìgamo,** da *bi-* ' due volte ' e il gr. *gámos* ' nozze '.

**bigatto,** prob. da *(bóm)bice* (v.), incr. con *bagatto,* cfr. BACO, BAMBAGIA.

**bigello** (panno) da *bigio* (v.).

**bigèmino,** dal lat. tardo *bigemĭnus.*

**bighellone,** da ' bigolone ', « grosso bigolo », grosso spaghetto ciondolante, incr. con *bìghero.*

**bigher(in)o,** dimin. di *bìghero* e questo deriv. con leniz. settentr. (*-g-* da *-c-*) dal lat. *(bom)byx, -ycis*; cfr. BACO, BAMBAGIA, BIGATTO, attrav. un presunto \**(bom)bico.*

**bigio,** lat. volg. \**bicjus,* class. *(bom)byceus,* con leniz. settentr. di *-cj-* in *-sgj-,* poi toscanizzata in *-gj-.*

**bigiotteria,** dal frc. *bijouterie.*

**biglia,** dal frc. *bille.*

**bigliardo,** dal frc. *billard.*

**biglietto,** dal frc. *billet* e questo deriv. da sp. *billete,* cfr. VIGLIETTO.

**bignè,** dal frc. *beignet* e questo da *buigne* ' bugna ', attrav. *buignet* (XIV sec.).

**bigodino,** dal frc. *bigoudi.*

**bigolo,** dal veneto *bigolo* ' spaghetti ', con allusioni grossolane o spregiative.

**bigolone,** accresc. di *bigolo*; cfr. BACCHILLONE.

**bigoncia,** da *bigoncio.*

**bigoncio,** da *bi-congius* « doppia misura (di liquidi) » con allineamento a un presunto doppio suff. *-unceus,* e leniz. settentr. di *-c-* in *-g-.*

**bigotto,** dal frc. *bigot* e questo dall'anglosassone *bi God* ' per Dio ', intercalare attribuito ai Normanni.

**bigutta** (marmitta), incr. di *bigoncio* e *baùtta* che dà senso dimin.

**bikini,** v. BICHINI.

**bilancia,** lat. tardo *bilanx,* con ampliam. aggettiv. it. « (cosa) a due piatti ». Risal. a un comp. di lat. *bi-* e *lanx* ' piatto ', privo di corrispond. attendibili; prob. mediterr. come *calx* ' tallone ', v. CALCE².

**bilanciare,** verbo denom. da *bilancia.*

**bilancio,** sost. deverb. da *bilanciare.*

**bilaterale,** dal lat. scient. *bilateralis.*

**bile,** lat. *bĭlis,* con corrispond. evidente solo nell'area celtica-britannica, e con altre, scarsamente individuabili invece, nella famiglia di *fel*; v. FIELE.

**bilenco,** lat. *bi(s)-* e franco *link* ' sinistro '.

**bilia, biliardo,** v. BIGLIA, BIGLIARDO.

**bilicare,** lat. vlg., \**(um)bilicare,* ' gravitare sul centro (del corpo) ', verbo denom. da *umbilicus*; v. OMBELICO.

**bìlico,** sost. deverb. da *bilicare.*

**bilingue,** dal lat. *bilinguis* ' a due lingue '.

**bilione,** dal frc. *billion* (XVI sec.) con sostituz. del pref. *bi-* ' due ' a *mi-* inteso come ' uno ' in *mi(llion).*

**bilioso,** dal lat. *biliosus.*

**biluce,** comp. moderno di *bi-* e *luce.*

**bìmano,** dal lat. scient. (XVIII sec.) *bimanus,* formato sul modello di *bipes.*

**bimbo,** parola onomatop. fondata sulle stesse articolaz. labiali di *babbo* e *mamma*; cfr. BAMBINO.

**bimembre,** dal lat. *bimembris.*

**bimensile,** da *bi-* e *mensile.*

**bimestre,** dal lat. *bimestris,* sostantiv. tratto da *bi-* e \**me(n)s-tri-s,* ampl. di *mensis* ' mese '.

**binare,** lat. volg. \**binare,* verbo denom. di class. *bini* ' a due a due ', sia nel senso di ' duplicare ', sia in quello di ' generare gemelli '.

**binario,** dal lat. tardo *binarius,* deriv. di *bini* ' a due per volta ', anche sostantiv.

**binato,** part. pass. di *binare.*

**binda¹** (strum.), dall'alto ted. ant. *winde* ' argano '. Forma it. letteraria in confronto della pop. *guind(olo)* (v.); cfr. BIFFA e GUIFFA risal. a longob. *wiffa,* BIRCIO e GUERCIO risal. a got. *thwairhs.*

**binda²** (striscia di tela), dal longob. *binda.*

**bìndolo,** dall'alto ted. ant. \**windel* dimin. di *winde*: forma it. letteraria in confronto al pop. *guìndolo.*

**bino,** dal lat. *bini* (plur.) ' a due per volta '. Lat. *bini* risulta dall'incr. di *bi(s),* v. BIS, e *(ter)ni,* v. TERNO, e soppianta una formazione più antica del tipo \**dweyo-.*

**binòc(c)olo,** dal lat. scient. (XVII sec.) *binòculus,* analizzato, anziché come *bino + oculo,* come *binoc(c) +* il suff. dimin. (di carattere letterario) *-olo.*

**binomio¹** (agg.), comp. di *bi-* e *nomen* con suff. aggettiv.

**binomio²** (sost.), dal lat. scient. medv. (XII sec.) *binomium* « che ha due nomi », calco sulla formula euclidea *ek dýo onomátōn* ' di due nomi '.

**bio-,** dal gr. *bíos* ' vita '.

**biòccolo,** incr. di lat. tardo *buccŭla* ' ricciolo ' e *fiocco.*

**biochìmica,** da *bio-* e *chìmica.*

**biodo,** lat. volg. \**bludus,* forma metatetica di *budŭlus,* forma aggettiv. dal lat. tardo *buda* ' ulva ', ' erba di palude ', che è privo di connessioni attendibili.

**biogènesi,** da *bio-* e *gènesi.*

**biografìa,** da *bio-* e *-grafìa.*

**biògrafo,** da *bio-* e *-grafo.*

**biolca,** lat. volg. \**bibulcus,* class. *bubulcus,* con leniz. settentr. totale della *-b-* tra voc.: « (quanto può lavorare) il bifolco v. (in una giornata con un paio di buoi) ». La forma femm. è dovuta prob. alla nozione di ' area ' o ' misura ' e appare già nel lat. medv. (XII sec.) *bubulca.*

**biologìa,** comp. mod. (sec. XIX) da *bio-* e *-logìa.*

**biondo,** lat. volg. \**blundus,* risal. alla lingua leponzia dell'Appennino ligure-emiliano, cfr. il *fundus Blondelis,* che definisce il color bruno della terra in confronto del *Roudelis* ' terra rossa ' e del monte *Leuco(mello)* nell'Appennino ligure-piemontese ' dalla (terra) bianca '.

**biopsìa,** comp. di *bio-* e gr. *ópsis* ' vista ' con suff. di astr. in *-ìa.*

**bioscia,** dal longob. *blauz* ' nudo ' nel senso di « (neve) sciatta », incr. con *moscio* (v.); cfr. BROSCIA.

**bioterapìa,** da *bio-* e *terapìa.*

**biotto,** dal gotico \**blauths* ' nudo '.

**bipartire,** dal lat. tardo *bipartire* ' dividere in due parti '.

**bipartizione,** dal lat. tardo *bipartitio, -onis.*

**bipede,** dal lat. *bipes, -ĕdis* « (che ha) due piedi ».

**bipenne,** dal lat. (*securís*) *bipennis* ' (scure) che ha due ali ', « che taglia da due parti ».

**biplano,** dal frc. *biplan.*

**biracchio** ' brandello ', dal lat. tardo *birrus* ' mantello ' con suff. dimin. e spregiativo, come *batacchio* o *sputacchio.*

**birba,** voce gergale, dal frc. *bribe* ' pane per i mendicanti '.

**birbaccione,** doppio deriv. di *birba.*

**birbante,** da *birba,* secondo il rapporto da *brigante* a *briga* o *casellante* a *casello;* cfr. BRACCIANTE.

**birbo,** da *birba.*

**bircio,** dal gotico *thwairhs* ' rabbioso ', forma letteraria con *bi-* e *-i-,* contro la forma popolare *guercio* (v.) con *gu-* e *-e-;* cfr. BÌNDOLO, BIFFA.

**bireme,** dal lat. *biremis.*

**biribissi,** formaz. onomatop. con gli elementi *b...r* del ' balbettare ' e *b...s* del ' bisbigliare '.

**birichino,** dimin. di un *\*biricone,* forma emiliana deriv., con epentesi di voc. e semplicaz. della doppia *-cc-,* da *briccone* (v.) ' l'uomo delle *bricche';* v. BRICCA.

**birillo,** da *brillare* nel senso di ' roteare ', successione onomatop. *b...r...l...,* con epentesi, forse emiliana, di *bir-* da *br-.*

**biro,** dal nome dell'inventore della penna a sfera, l'ungherese *Biró.*

**biroccio,** lat. tardo *birotium,* attrav. una tradiz. settentr. che ha suggerito la correzione del regolare *\*birozzo* in *biroccio* come se si fosse trattato di un emiliano *gozza* rispetto a un tosc. *goccia;* v. BAROCCIO.

**biroldo,** da un lat. medv. (XV sec.) *beroaldus* ' intestini di animali ', di prob. orig. germ.

**birra,** dal ted. *Bier* (XVI sec.).

**birracchio** (vitello), dal lat. tardo *birrus* (*burrus*) ' rossiccio ', col dimin. *-acchio,* p. es. di *pennacchio* rispetto a *penna.*

**birro,** dal lat. *birrus* (*burrus*) che definisce il birro dal colore rossiccio dell'uniforme: di prob. orig. mediterr.

**bi(s)-1,** lat. *bis* ' due volte ', avv. numerale che si ritrova identico nelle aree indiana, greca, germanica, armena, da una forma primitiva DWIS; cfr. BAR-, di *baruffa, bardosso, barullare* e BER- di *bernòccolo.*

**bi(s)2,** dal lat. *bis,* sostantiv.

**bi(s)-3,** incr. di *bis* ' due volte ' con *mis-* (v.), p. es. *bis(unto), bis(dosso), bis(lungo), bis(tondo, bis(torto), bis(trattare).*

**bisaccia,** lat. tardo *bisaccium* ' (che ha) un doppio sacco ', v. SACCO.

**bisante,** dal frc. ant. *besant* (nom. *besanz*) e questo da *Byzantium* ' (moneta) di Bisanzio '.

**bisantino,** v. BIZANTINO.

**bisàvo(lo),** da *bis-1* e *àvo(lo).*

**bisbètico,** incr. di *bis* e gr. (*am*)*phisbētikós* ' che cammina da due parti, litigioso, abile nel contendere ' inteso come « due volte litigioso ».

**bisbigliare,** forma onomatop. che si fonda sulla successione *b....s....l;* cfr. BÌSCIOLO.

**bisboccia,** incr. di *bis-* e *\*disboccia,* dal frc. *débauche* ' baldoria, orgia '.

**bisca,** sost. deverb. da un lat. medv. *\*biscare,* presupposto da *biscator* ' giocatore ' (XIII sec.), di orig. forse germ., dapprima col signif. di « (tavolo) di gioco ».

**biscanto,** da *bis-* e *canto2* (v.).

**biscazza,** peggiorativo di *bisca* (v.) di fonetica settentr. (*-zz-* invece di *-ccj-*).

**biscazziere,** dall'arc. *biscazza.*

**bischenco,** incr. di *bisca* e *bilenco.*

**bischero,** dimin. di *\*bisca* nel senso di ' tavolo da gioco '; in senso peggiorativo associato a *bécero* (v.), *piffero, gànghero, sguàttero, tànghero.*

**bischetto,** incr. di *bisca* e *deschetto.*

**bischizzare,** ' far bisticci di parole ', dal longob. *biskizzan* ' lordare ', ' ingannare '.

**biscia,** lat. tardo (IX sec.) *bistia* invece del class. *bĕstia,* trattato come lat. *ostium* in it. *uscio* e *postea* in it. *poscia.*

**bisciola,** variante di *vìsciola.*

**bisciolo,** forma onomatop. del tipo *b...s...l* propria del ' bisbigliare '.

**biscotto,** da *bi(s)-1* e *cotto* ' cotto due volte '.

**biscroma,** da *bis* e *croma,* sottintendendo ' diviso ' e ' semi- ': perché non si tratta di due crome, ma di semicrome ulteriorm. divise, e cioè di ' un quarto di croma ', con *bis* non moltiplicatore, ma divisore che signif. « bis(semi)-croma ».

**bisdosso,** da *bi(s)-3* peggiorativo e *dosso.*

**bisenso,** comp. di *bi(s)-1* e *senso.*

**bisestile,** dal lat. *bisextilis* (*annus*).

**bisesto,** dal lat. *bisextus* ' due volte sesto ', perché, nel calendario romano, con la riforma di Cesare, si è ripetuto il sesto giorno antecedente alle calende di marzo (il 24 febbraio).

**bisezione,** comp. di *bi-* e lat. *sectio, -onis;* v. SEZIONE.

**bisillabo,** dal lat. *bisyllăbus,* comp. di *bis-* e *syllăba* ' sillaba ', (v.).

**bislacco,** incr. di *bilenco* (v.) ' sbilanciato a sinistra ' e dello sloveno *bezjak* ' sciocco ', applicato alle popolazioni di confine, nel Friuli e in Istria, nella forma *bislaco:* resa toscanamente in *bislacco.*

**bislungo,** da *bi(s)-3* peggiorativo e *lungo.*

**bismuto,** dal lat. scient. (XVI sec.) *bisemutum* e questo dal ted. *Wiss-mut* ' estratto (dalla località di St. Georg in den *Wiesen* in Sassonia)'.

**bisnipote,** da *bis-1* di ripetizione e *nipote.*

**bisogna,** da *bisogno.*

**bisognare,** verbo denom. da *bisogno.*

**bisogno,** lat. medv. (XII sec.) *bisonium* e questo dal franco *\*(bi)sönnjön,* attrav. il deverb. frc. *besoin,* cfr. il semplice *soin* ' cura '.

**bisonte,** dal lat. *bison, -ontis* (Plinio) e questo dall'alto ted. ant. *wisunt,* moderno *Wisent.*

**bissare,** verbo denom. da *bi(s)2* ' ripetizione '.

**bisso,** dal lat. tardo *byssus,* che è dal gr. *býssos.*

**bissona,** da venez. *bisa* ' biscia ' con *-ona* accresc. per sottolinearne la forma allungata.

**bistecca,** dall'ingl. *beef-steak* ' fetta di bue '.

**bisticcio,** dissimilaz. del lat. medv. *bischicium* (XIV sec.); v. BISCHIZZARE.

**bistondo,** da *bi(s)-3* peggiorativo e *tondo.*

**bistorto,** da *bi(s)-3* peggiorativo e *storto.*

**bistrato,** da *bistro* col suff. *-ato* ' fornito di '.

**bistrattare,** da *bi(s)-3* peggiorativo e *trattare.*

**bistro,** dal frc. *bistre* (XVI sec.).

**bisturi,** dal frc. *bistouri* ' pugnale ' (XV sec.), applicato a scopi chirurgici a partire dal XVI sec.

**bisulco,** dal lat. *bisulcus,* comp. di *bi(s)-*[1] e *sulcus;* v. SOLCO.

**bisunto,** da *bi(s)-*[3] peggiorativo e *unto.*

**bitórzo(lo),** da *bi(s)-*[3] peggiorativo e *torso* o *tórsolo,* a torto ritenuti di orig. settentr. e perciò corretti da *-rs-* in *-rz-;* cfr. CATORCIO, CATÒRZOLO.

**bitta,** dal frc. *bitte* (XVI sec.) e questo dal norreno *bite* ' traversa '.

**bitter,** dal frc. *bitter* (XIX sec.) e questo dall'ol. *bitter* ' amaro '; cfr. ted. *bitter.*

**bitume,** dal lat. *bitŭmen* (estr. dalla betulla secondo Plinio), parola prob. gallica come *betulla.*

**bituminoso,** dal lat. *bituminosus.*

**bivacco,** dal frc. *bivouac* (XVII sec.) e questo dall'alemannico (svizzero) *bī-wacht* ' guardia di riserva '.

**bivalente,** da *bi-* ' due ' e *valente.*

**bivalve** e **bivalvo,** da *bi-* ' due ' e *valva,* con suff. aggettiv.

**bivio,** dal lat. *bivium,* formato sul modello del gr. *dí-odos* da *bi-* ' due ' e *via.*

**bizantino,** dal gr. tardo *Byzantínos.*

**bizza,** parola popolare di prob. orig. onomatopeica, soltanto tardi accettata nella lingua letteraria, cfr. *izza, stizza.*

**bizzarro,** da *bizza* con un suff. peggiorativo di orig. merid.

**bizzeffe,** dall'ar. *bizzāf* (*bizzēf*) ' molto '.

**bizzoco** (e **bizzoco**), incr. di *bizzarro* e di *sciocco.*

**bizzòchero,** da *bizzoco* con l'ampliam. in *-ero* cfr. *bécero, tànghero, bischero,* tratto da *pinzòchero.*

**bizzoco** ' pinzochero ', dal lat. medv. *bizochus.*

**bizzoso,** incr. di *bizzarro* con *vezzoso.*

**blandimento,** dal lat. *blandimentum.*

**blandire,** dal lat. *blandiri,* verbo denom. da *blandus.*

**blandizia,** dal lat. *blanditia.*

**blando,** dal lat. *blandus,* privo di connessioni evidenti.

**blasfemo,** dal lat. crist. *blasphēmus,* che è dal gr. *blásphēmos;* cfr. BESTEMMIARE.

**blasone,** dal frc. del XII sec. *blason.*

**blasto-, -blasto** ' germe ', dal gr. *blastós* ' germe '.

**blaterare,** dal lat. *blaterare,* incr. di *blatire* e *latrare,* con lo stesso signif. nostro.

**blaterone,** dal lat. *blatĕro, -onis.*

**blatta,** dal lat. *blatta* (di ugual signif.), parola mediterr.

**blefarite,** dal gr. *blépharon* ' palpebra' col suff. *-ite* di malattia acuta.

**blenda,** dal ted. *Blende* abbreviaz. di *blende(ndes Erz)* ' minerale ingannevole ' (per la sua somiglianza con la galena): attrav. il frc. *blende* (XVIII secolo).

**blenorragìa,** dal frc. *blennorhagie* (XIX sec.) e questo dal gr. *blénna* ' muco ' e *rhágē* ' eruzione ': « muco che erompe ».

**blenorrèa,** dal frc. *blennorrhée* e questo dal gr. *blénna* ' muco ' e il verbo *rheîn* ' scorrere ': « corrente di muco ».

**bleso,** dal lat. *blaesus,* lontanamente legato alla formaz. onomatop. del lat. *balbus,* del gr. *bárba-*

*ros,* v. BÀRBARO, e di altre analoghe nelle aree baltica, slava, indiana, influenzate per la forma dal gr. *blaisós* ' che ha le gambe storte '.

**blinda,** dal frc. *blinde* (XVII sec.) e questo dal ted. *Blende* ' mascheratura ' (da *blind* ' cieco ').

**blindare,** dal frc. *blinder,* verbo denom. da *blinde.*

**bloccaggio,** dal frc. *blocage,* incr. con it. *blocco.*

**bloccare,** dal frc. *bloquer* e questo dall'ingl. *to block up.*

**blocco**[1] (chiusura), dal frc. *blocus* e questo dall'ol. *bloc-huus* « casa di tronchi », ' posto di sorveglianza '.

**blocco**[2] (massa), dal frc. *bloc* e questo dall'ol. *blok* ' tronco squadrato '.

**blu** (*bleu, blè*), dal frc. *bleu* e questo dal franco *blāo;* cfr. BIAVO.

**bluff,** dal gergo dei giocatori anglo-americani che usano figuratam. *bluff,* prop. ' para-occhi '.

**bluffare,** verbo denom. da *bluff.*

**blusa,** dal frc. del XVIII sec. *blouse.*

**boa**[1], dal lat. *bo(v)a* ' biscia d'acqua ', privo di connessioni attendibili.

**boa**[2], dal genov. *boa* e questo dal longob. *bauga* ' anello '.

**boario,** dal lat. *boarius,* agg. da *bos, bovis.*

**boaro,** lat. *boarius,* con trattam. centromerid. di *-ariu* in *-aro.*

**boato,** dal lat. *boātus,* astr. di *boare,* che deriva dal gr. *boân.*

**bob,** abbreviaz. ingl. di *bobsleigh,* comp. di *to bob* ' dondolare ' e *sleigh* ' slitta ': « slitta a dondolo ».

**bob(b)a,** da una serie onomatopeica *b...b* ' poltiglia '; cfr. SBOBBA.

**bobina,** dal frc. *bobine* ' rocchetto '.

**bocca,** lat. *bucca* ' guancia ' poi ' bocca ', di orig. gallica, collegata con *beccus;* v. BECCO[1], BUCA.

**boccale,** incr. del lat. tardo *baucalis* ' brocca ' (dal gr. *baukális*) con *bocca.*

**boccaporto,** da *bocca-porta* « apertura (che serve) come porta » intesa poi unitariamente come ' passaggio '.

**boccetta,** dimin. di *boccia.*

**bocchetta,** dimin. di *bocca.*

**boccia,** lat. volg. *\*boccia* femm. sostantiv. di un agg. deriv. da un tema mediterr. *\*boccus;* v. BOCCO.

**boccino,** dimin. di *boccia.*

**boccio,** lat. volg. *\*boccius,* deriv. di *\*boccus;* v. BOCCO.

**bocco,** lat. volg. *\*boccus,* parola mediterr. che definisce un corpo rotondo. Ad esso risale anche il passo del *Bocco* nell'Appennino ligure.

**bocconi,** da *bocca,* sullo schema di *carponi, ginocchioni.*

**boce, bociare,** v. VOCE, VOCIARE.

**bòdola,** da un tema ligure prelat. *\*bodo* ' fossato ' e quindi ' fossa mascherata '; cfr. BÒTOLA e BOZZO[2]. Dal tema medit. BODO derivano *Bodincus* nome ligure del Po, e *Padus* nome leponzio dello stesso fiume.

**bòffice,** incr. di *sòffice* con una base onomatopeica *b...f...,* v. SBAFARE, che si associa alle immagini di ' soffio ' e di ' sospiro '.

**bofonchiare,** da *bofonchio* ' agire come un bofonchio, ronzare '.

**bofonchio,** lat. volg. *\*būfuncŭlus,* dimin. di *bufo*

-ōnis 'rana o topo campagnolo', applicato a indicare un grosso insetto. Lat. *bufo* è di prob. orig. onomatopeica *b...bh* con *-f-* di orig. rustica (sabina) al posto della norm. *-b-* lat.

**bòga** (pesce), lat. tardo *bōca*, con la voc. aperta e leniz. settentr. di *-c-* in *-g-*. *Boca* è dal gr. *bôka* accus. di *bôks*.

**bogara** (rete), da *bòga*.

**boia**, dal provz. *boia* 'ceppi', lat. *boiae, -arum* 'strumenti di tortura e supplizio', dal gr. *boeîai (doraî)* '(corregge) bovine'.

**boiardo**, dal frc. *boyard* (XVIII sec.), v. BOIARO

**boiaro**, dal russo *bojar* 'aristocratico'.

**boicottaggio**, dal frc. *boycottage*.

**boicottare**, dal nome dell'ingl. *J. Boycott*, contro cui fu per la prima volta applicato il sistema in Irlanda (1880): attrav. il frc. *boycotter*.

**bolcione**, v. BOLZONE.

**boldone**, incr. di lat. *botŭlus* 'salsiccia', v. BOTULINO, con leniz. settentr. di *-t-* in *-d-*, e un tema *bolida* 'palla' (dal gr. *bolís, -ídos* 'ciò che si lancia') con suff. accresc. *-one*; cfr. BÒLIDE e BUDINO.

**bolero**, dallo sp. *bolero*, danza nazionale introdotta nel sec. XVIII e, come termine della moda, nel sec. XIX attrav. il frc. La forma sp. è tratta da *bola* 'palla'.

**boleto**, dal lat. tardo *bōlētus*, che è dal gr. *bōlítēs*.

**bolgia** 'bisaccia', dal frc. ant. *bolge* 'valigia', lat. della Gallia *bulga*, forse di orig. celtica.

**bòlide**, dal lat. *bolis, -ĭdis* (termine astronomico), che è dal gr. *bolís, -ídos* 'proiettile'; cfr. BOLDONE.

**bolina** (burina) dal frc. ant. *bouline* (XII sec.), e questo dall'ingl. *bowline* 'corda di prua'; cfr. BURINA.

**bolla¹** (d'aria), lat. *bulla*, di prob. orig. onomatopeica da una serie *b...l...* attestata nelle aree greca, baltica, indiana; cfr. BOLLIRE.

**bolla²** (pontificia) dal lat. tardo *bulla* 'sigillo', incr. con it. *bolla¹*.

**bollare**, lat. volg. *bullare* 'apporre un sigillo', verbo denom. da *bulla*.

**bollario**, dal lat. moderno *bullarium* (XVI sec.).

**bolletta**, da *bolla²*.

**bollettino**, da *bolletta*.

**bollire**, lat. *bullire*, da una serie onomatopeica *b...l...* col suff. *-ire*; cfr. BOLLA¹.

**bollo**, sost. deverb. da *bollare*.

**bollore**, da un lat. *bullor, -oris*, tratto da *bullire* sulla base del rapporto di *fervor* rispetto a *fervēre*.

**bolo**, dal lat. tardo *bolus* 'grossa pillola', che è dal gr. *bôlos* 'zolla'.

**bolognare** 'percuotere', da un *bollicare*, iterativo di *bollare*, incr. con *Bologna*.

**bolscevico**, dal russo *bol'shevik* 'massimalista' 'seguace del programma massimo'.

**bolscevismo**, dal russo *bol'shevizm*.

**bolso**, lat. *vulsus*, part. pass. di *vellĕre* 'schiantato', con passaggio di *v-* in *b-*, cfr. *boce*; v. VELLO.

**bolzone** (bolcione), lat. medv. (VIII sec.) *bultio, -ōnis* e questo dal longob. *bolgo* 'freccia'; cfr. il dimin. BONCINELLO.

**bomba**, dal tema onomatopeico del lat. *bombus* 'ronzìo', che è dal gr. *bómbos*, applicato a partire dal XV sec. ai rumori provocati dalla polvere da sparo.

**bombarda**, dal frc. *bombarde*.

**bombato**, dal frc. *bombé*.

**bòmbere (bòmbero)**, incr. di lat. volg. *vomer* e gallico *comboros* 'confluenza', 'contatto'; cfr. VÒMERE.

**bòmbice**, lat. volg. *bombex, -ĭcis*, di fronte al class. *bombȳx, -ȳcis*, risal. al gr. *bómbyks, -ykos*, cfr. BACO, BAMBAGIA, BIGATTO.

**bombo¹** 'il bere', dalla serie onomatopeica *b...m*, propria dei movimenti della bocca, incr. con *bere*.

**bombo²** (rumore), dal lat. *bombus*, che è dal gr. *bómbos* 'rombo, ronzìo'.

**bómbola**, incr. di un gr. *bombýlē* 'recipiente' col suff. dimin. *-ola*.

**bomboniera**, dal frc. *bonbonnière*.

**bompresso**, adattamento dello sp. *bauprés* e questo dall'ol. *boegspriet* 'albero di prora'.

**bonaccia**, lat. volg. *bonacia* rifacimento su *malacia* inteso erroneam. come deriv. da *malus* 'cattivo' anziché dal gr. *malakía* 'languore'.

**bonaccione**, doppio deriv. accresc. e vezzegg. di *buono*.

**bonario**, dal frc. ant. *de bon aire* 'di buon aspetto', e perciò 'che ispira fiducia'.

**bònaso** 'bue selvatico', dal lat. *bonăsus*, che è dal gr. *bónasos*.

**bonbon**, dal frc. *bonbon*.

**boncinello**, da *bolcione* (v.) con doppio dimin. e conseg. dissimilaz. di *bolc-* in *bonc-* rispetto al suff. *-ello*.

**bondiola**, da *boldone*, con sostituz. di suff. e conseg. dissimilaz. rispetto a *-òla*, della serie *l.... l* in *n.... l*.

**bonetto**, dal frc. *bonnet*.

**bonìfica**, sost. deverb. da *bonificare*.

**bonificare**, dal lat. medv. *bonificare*, comp. di *bonus* e *fàcere*, sullo schema di *beneficare*.

**bonìfico**, sost. deverb. da *bonificare* nel senso di 'accreditare'.

**bonomìa**, dal frc. *bonhomie* (XVIII sec.).

**bontà**, lat. *bonìtas, -atis*.

**bontempone**, da *buon tempo*, attrav. l'imagine di « (uomo del molto) buon tempo ».

**bonzo**, dal portogh. *bonzo* risal. al giapponese *bozu*.

**boom**, dall'ingl. *boom*, formaz. onomatop.

**bora**, forma veneta del lat. *borĕas* 'vento di nord e di nord est', che risale al gr. *boréas*; v. BÒREA e cfr. BURRASCA.

**borace**, dal lat. medv. *borax*, che è dall'ar. *būraq*, di orig. persiana.

**boracìfero**, comp. di *borace* e *-fero* 'portatore'.

**borbogliare**, voce onomatop. secondo la serie tipica del linguaggio male articolato, *b.... r.... l*; cfr. la serie *l.... l.... b* in *balb(uziente)* e quella *b....s....l* in *bisbigliare* v.

**borborigmo**, dal frc. *borborygme* (XVI sec.) e questo dal gr. *borborygmós*.

**borbottare**, voce onomatop. della serie *b....r....b* come *borbogliare*.

**borbottino** (recipiente), da *borbottare*, in relazione al rumore del liquido che ne esce.

**borchia**, incr. di lat. *buccŭla* 'bocchetta' con lat. volg. *broccŭla* 'cosa puntuta', da *broccus* 'dai denti sporgenti'; cfr. BROCCHIERE e BROCCO.

**bordaglia** 'ciurmaglia', da *bordo* e il suff. collettivo e spregiativo *-aglia* di *canaglia, cianfrusaglia, marmaglia*.

**bordare**[1] 'orlare' anche in senso marin., verbo denom. da *bordo*.

**bordare**[2] 'lavorare con lena', da *bordonare*, verbo denom. da *bordone*[1].

**bordare**[3] 'sciaguattare', di orig. onomatop. da una serie b....r....d.

**bordata**, astr. da *bordare*[1].

**bordeggiare**, dal frc. *bordoyer* incr. col suff. it. *-eggiare*.

**bordello**, dal frc. ant. *bordel* 'casetta' e questo dal gallo romanzo *borda* 'capanna di assi', risal. al franco *bord* 'asse'; v. BORDO.

**borderò**, dal frc. *bordereau* nel senso di '(annotazione) marginale'.

**bordò** (vino e colore), dalla città di *Bordeaux* (pronuncia *Bordò*).

**bórdo**, dal frc. ant. *bort*, franco *bord* 'asse, tavola'.

**bordolese**, dal frc. *bordelais* e questo dal lat. *burdigalensis*.

**bordone**[1] (bastone), dal lat. tardo *burdo, -onis* 'mulo' inteso come strum. rudimentale di trasporto. Lat. *burdo* è privo di connessioni evidenti. Cfr. BRICCO[1].

**bordone**[2] (canna di cornamusa), dal frc. ant. *bourdon*, forse di orig. onomatop.

**bordone**[3] (di penna di uccello), da un tema ligure-mediterr. *broto-* 'germoglio' incr. con lat. *burdo -onis*.

**bordura**, dal frc. *bordure*.

**bòrea**, dal lat. *boreas*, che è dal gr. *boréās*; cfr. BORA e BORIA.

**boreale**, dal lat. tardo *borealis*.

**borgata** (collettivo), da *borgo*.

**borghese**, calco sul frc. *bourgeois*, partendo da it. *borgo*.

**borghesia**, incr. del frc. *bourgeoisie* con it. *borghese*.

**borgo**, lat. tardo (IV sec.) *burgus*, risal. al gr. *pýrgos* o a denominaz. parallele della reg. danubiana.

**borgomastro**, dal ted. *Bürgermeister* « 'maestro' o 'capo' dei cittadini ».

**boria**, dal lat. *borĕas* 'vento di tramontana' nel senso di « aria di (importanza) »; v. BÒREA e BORA e cfr. ALBAGIA.

**bòrico**, da *boro*.

**bornio** 'guercio', dal frc. ant. (XII sec.) *borgne*.

**boro**, estr. da *borace*.

**borotalco**, comp. di *boro* e *talco*.

**borra**[1] lat. tardo *burra* 'lana greggia', privo di connessioni evidenti.

**borra**[2] 'ceppo d'albero', parola it. sett., da *\*borra* 'corpo rotondo' tema paleoeuropeo, alpino; cfr. BURLARE[2].

**borraccia**, dallo sp. *borracha* 'fiasco di cuoio'.

**borraccina** (varietà di muschio), da *borra*[1] con doppia derivaz. *-accia-* e *-ina*.

**borraccio** 'tovagliolo', da *borra*[1] con suff. peggiorativo; cfr. ABBORRACCIARE.

**borràgine**, dal lat. medv. (XV sec.) *borrago, -inis*.

**borrana**, lat. volg. *\*burrago, -ĭnis*, ampliam. di class. *burra*, v. BORRA[1]: con leniz. totale della *-g-* dav. a voc. palat. e semplificaz. del dittongo *-ài-* in *-a-*; cfr. FRANA, FRALE.

**bórro**, forma it. settentr. del gr. *bóthros* 'fossa', cfr. BOTRO e BURRONE, con la *o* chiusa che dà una impronta tosc. non giustificata storicamente.

**borsa**[1], lat. tardo *bursa*, dal gr. *býrsa* 'pelle': « (recipiente) di pelle ».

**borsa**[2], dal nome della famiglia *Della Borsa* che, nel sec. XVI, a Bruges (Belgio), adibì il proprio palazzo a sede degli scambi. Rientrato in Italia, attrav. il frc. *bourse* nel XVIII sec.

**borsaiolo**, da *borsa* con doppio suffisso, di cui il primo è il norm. suff. di agente e il secondo invece di valore peggiorativo; cfr. *mariolo*, *forcaiolo*, *pennaiolo*.

**borzacchino**, dallo sp. *borceguí*, che risale all'ol. *broseken*.

**bosco**, lat. medv. *buscus* (X sec.), risal. forse all'alto ted. ant. *busk*, moderno *Busch* 'macchia, boschetto'.

**bòsso**, lat. *buxus*, risal. al gr. *pýksos*; cfr. la variante BUSSO, di origine mediterr.

**bòssolo**, lat. tardo *buxis, -ĭdis*, dal gr. *pyksís, -ídos* 'scatola', incr. con un *\*buxulum*, dimin. di *buxeum* 'oggetto fatto di bosso'; cfr. PISSIDE.

**botànica**, dal lat. tardo *botanĭcus*, che è dal gr. *botanikós*, e questo da *botánē* 'erba'.

**bòtola**, da *bòdola* (v.) incr. con *rotolare* (v.).

**bòtolo**, incr. di lat. volg. *\*būtŭlus* (collegato con il class. *buteo, -ōnis* 'uccello che grida') e di *rotolare*.

**bòtrice** 'grappolo', dal lat. scient. *bothryitis, -idis*, nome di una gemma, e questo dal gr. *bothryîtis*, deriv. di *bóthrys* 'grappolo', incr. con i tipi *vetrice*, ecc.

**bòtro**, dal gr. *bóthros* 'fossa'; cfr. BORRO e BURRONE.

**botta**[1] 'rospo', da un tipo germ. *\*butta*, forse franco, che vale anche 'calzatura grossolana'.

**botta**[2], sost. deverb. estr. dalla forma settentr. *bottare* (invece di *buttare*, v.).

**bottaccio** 'bacino', da *botte*.

**bottarga**, dall'ar. *baṭārikh* 'uova di pesce salato'.

**botte**, lat. tardo (VI sec.) *buttis* 'vasetto', privo di connessioni evidenti.

**bottega**, lat. *apotheca* (dal gr. *apothḗkē*) 'deposito', con doppia leniz. settentr. (*-b-* da *-p-* e *-g-* da *-c-*); associato a *botte* con conseg. analisi di *la bottega* invece che *\*l'abottega*.

**bottiglia**, dallo sp. *botilla* 'recipiente per vino', che è il lat. tardo *bu(t)ticŭla*, dim. di *buttis*; v. BOTTE.

**bottino**[1] (preda), dal frc. *butin* (XIV sec.) e questo dal basso ted. medio *būte* 'divisione' (ted. *Beute* 'preda').

**bottino**[2] (pozzo nero), da *botte*.

**botto**, da *botta*, per es. nella locuzione *di botto* 'di colpo'.

**bottone**, dal frc. ant. *bouton* 'gemma di pianta', poi 'bottone'.

**bottoniera**, dal frc. *boutonnière*.

**botulino**, da un lat. *\*botulinus*, v. BOLDONE, deriv. da *botŭlus* 'salsiccia', forse di orig. osca; cfr. BUDELLO.

**bove**, lat. *bos, bovis*, antichissima parola ideur. discend. da una base GwOUS, attestata nelle aree celtica, germ. (ted. *Kuh* 'mucca'), baltica, slava, indiana, armena, greca (*bûs*), umbra. In lat. giunta attrav. una tradiz. rurale sabina con *b-* iniz. al posto della regolare *v-*. La forma *bove* si oppone alla forma dittongata *buòe* poi *bue*, v. BUE (senza il *v-* intervoc.), in quanto la resistenza della *-v-* intervoc. ha impedito qui la dittongazione.

**bovino**, lat. tardo *bovinus*.

**box**, dal frc. *box*, e questo dall'ingl. *box* 'ricetta-colo', 'scatola'.

**boxe**, dal frc. *boxe*, e questo dall'ingl. *box* 'colpo'.

**bozza**[1] 'bugna', forma settentr. di *boccia*.

**bozza**[2] (fiasca), dal frc. *bosse*.

**bozzacchio**, deriv. di *bozza*[1] 'bugna', secondo lo schema di *fumacchio* o *pennacchio*.

**bozzello**, da *bozza*[2] nel senso di 'fune'.

**bozzetto**, da *bozza*[1] nel senso di 'primo studio'.

**bòzzima**, lat. *apozĕma*, e questo dal gr. *apózema* 'decotto', con la leniz. settentr. di *-p-* in *-b-* e falso collegamento con l'articolo: *la bòzzima* anziché *l'abòzzima*; cfr. BOTTEGA e il suo rapporto con lat. *apotheca*. Si aggiunge il raddopp. della cons. postonica in parola sdrucciola.

**bozzo**[1], da *bozza*[1], resa maschile per indicare la prima lavorazione di una pietra, che la rende rotonda o sferica, dopo di che lo scultore lavora ulteriorm. per ricavarne una testa.

**bozzo**[2], da un *\*bodius*, ampliam. di *\*bodo-* 'fosso', 'corso d'acqua', parola mediterr. di area ligure; v. BÒDOLA.

**bòzzolo**, forma settentr. e dimin. di fronte a *boccio*.

**bozzone**, da *bozzo*[1] nel senso di 'essere disonorato' o 'inferiore'.

**braca**, lat. *brāca*, e questo dal gallico.

**braccare**, verbo denom. da *bracco*.

**bracciante**, da *braccio* col suff. *-ante* che, dal valore orig. di part. pres., è passato a indicare anche quello di nome d'agente: «(operatore) del braccio»; cfr. *brigante* da *briga* e successivam. *birbante*, *commediante*.

**braccio**, lat. *brachium* (e questo dal gr. *brakhíōn*), con norm. pass. da *-chi-* a *-ci-*, cfr. ARCI- e raddopp. del gruppo *-cj-* dopo l'accento.

**bracco**, dal lat. medv. (VIII sec.) *braccus* e questo dal franco *brak* 'cane da caccia'.

**bracconaggio**, dal frc. *braconnage* incr. con *bracco*.

**bracconiere**, dal frc. *braconnier* incr. con *bracco*.

**brace**, adattamento dell'it. settentr. *brasa*, risal. a lat. tardo (glossa) *brasas* 'carbones' da un germ. *\*brasa*.

**brachetta**, dimin. di *braca*; cfr. IMBRACHETTARE.

**brachi-**, dal gr. *brakhýs*; cfr. BREVE[1].

**brachicèfalo**, da *brachi-* e *-cèfalo*.

**brachilogìa**, da *brachi-* e *-logìa* 'discorso'.

**bracia**, v. BRACE.

**braciola**, da *brace*.

**bradi-**, dal gr. *bradýs* 'lento'.

**bradicardia**, da *bradi-* e *-cardia*.

**bràdipo**, dal lat. scient. *bràdypus*, comp. di gr. *bradýs* 'lento' e *pús* 'piede': «dal piede lento».

**bradisismo**, da *bradi-* e *-sismo* 'scotimento', che è dal gr. *seismós*.

**brado**, dal longob. *braida* 'pianura aperta', lat. medv. (VIII sec.) *braida* incr. con *bravo* (v.).

**bragia**, variante con leniz. settentr. di *bracia* (v.).

**brago**, lat. *\*bracum* (dal gallico *\*brako-*), attrav. una tradiz. settentr. con leniz. di *-c-* in *-g-*.

**bragozzo**, dal nome di una rete caratteristica detta anche *braga*, e questa da *braca* con leniz. veneta di *-c-* in *-g-*.

**braida** 'spazio vuoto', dal longob. *braida* 'pianura aperta' (cfr. il ted. *breit* 'largo') cfr. BRADO.

**braina** (dial.), variante montana tosco-emiliana di *\*fragina*, v. FRANA, con la *b-* al posto della *f-* secondo la tradizione leponzia, cfr. DEBBIO.

**braire** 'ragliare, nitrire', lat. volg. *\*bragire*, di prob. orig. onomatop. con leniz. totale di *-g-* dav. a voc. palat.; cfr. BRUIRE e v. DITO.

**braitare**, lat. volg. *\*bragitare* intens. di *\*bragire* con leniz. totale di *-g-* dav. a voc. palat.; cfr. SBRAITARE.

**brama**, sost. deverb. da *bramare*.

**bramano** (*bramino*), dal sanscrito *brahman*, nome del supremo spirito, attrav. il lat. *Brachmani, -orum*; cfr. FLÀMINE.

**bramare**, dal gotico *\*bramōn* 'urlare (dal desiderio)', cfr. il ted. *brummen* 'brontolare'.

**bramire**, dal frc. ant. *bramir* 'muggire', risal. al gotico *\*bramōn*; v. BRAMARE.

**bramito**, astr. di *bramire*.

**bramma** (sezione dell'acciaio), dal frc. *brame*.

**branca**, lat. tardo *branca* 'zampa' e questo da una prob. mediterr.

**branchia**, dal lat. *branchia* e questo dal plur. gr. *tà bránkhia* 'le branchie'; cfr. BRANZINO.

**brancicare**, verbo incoat. e iterat. da *branca*.

**branco**, sost. deverb. da *brancare*, nel senso di una 'presa' di uomini o di animali.

**brancolare**, verbo denom. da *branca*, iterat. rispetto a *brancare*.

**branda**, da *brandire* quasi «(letto) brandibile, maneggevole, facile a oscillare».

**brandello**, incr. di *branello* 'piccolo brano' con *brandire*; cfr. BRINCELLO.

**brandi** (*brandy*), dall'ingl. *brandy* abbreviaz. di *brande-wine* 'vino distillato, acquavite'.

**brandire**, verbo denom. da *brando*.

**brando**, dal frc. ant. *brant* e questo dal franco *\*brand* 'cosa che brucia', 'tizzone', e cioè «(spada) fiammeggiante».

**brania** (terra spianata), variante metatetica di *braina* come *balia* da *bai(ŭ)la*.

**brano**, dal frc. *braon* 'pezzo di carne' e questo dal franco *brādo* col suff. *-on*.

**branzino**, dal veneto e lombardo *bransìn* e cioè 'branchino' il «(pesce) dalle branchie (in vista)»; v. BRANCHIA.

**brasare**[1], verbo denom. dall'it. settentr. *brasa* 'brace'; v. BRACE.

**brasare**[2] 'saldare', dal frc. *braser* legato a *braise* 'brace'.

**brasile** (legno), dallo sp. *brasil* e questo dal frc. *brésil* 'legno rosso, somigliante a brace', deriv. da *braise* 'brace'.

**bràttea**, dal lat. *brattea* o *bractea* 'lamina di metallo (anche d'oro)', privo di connessioni evidenti.

**bravo**, lat. *pravus* incr. con *barbărus*; v. PRAVO.

**breccia**[1], dal frc. *brèche* e questo da un franco *brëka* 'frattura' (ted. *brechen* 'rompere').

**breccia**[2], lat. volg. *\*briccia* da un tema mediterr. *brikka-* 'rilievo roccioso o comunque erto'; cfr. BRICCA.

**brefotrofio**, dal gr. *brephotropheîon*, comp. di *bréphos* 'bambino' e il tema *tropheîon* (solo al plur.), appartenente al sistema di *tréphō* 'io nutro'; v. -TROFIO.

**bregma** (punto della scatola cranica), dal gr. *brégma*.

**bréndolo**, variante di *brindello* (v.).

**brenna**, dal frc. ant. *braine* 'cavalla sterile'.

**brenta**, lat. medv. *brenta* (XIII sec.) e questo da parola mediterr. che definisce una forma caratteristica applicabile a recipienti e rocce (per es. le Dolomiti di *Brenta*).

**bréntine** (pianta), deriv. dal tema mediterr. *brenta*; v. BRENTA.

**bresàola** (carne di manzo seccata), dimin. di un lomb. *\*bresada*, part. pass. femm. di *brasare* (v.).

**brescia** ' brezza ', incr. di *\*bredia* (v. tosc. BREZZA) con un it. *\*bisiare*, dal franco *bîsa* ' vento freddo di nord-est '; v. BRÌVIDO.

**bret(t)elle**, dal frc. *bretelle* e questo dall'alto ted. ant. *brittil* ' rèdine '.

**bréttine** (pl.) ' redini ', dall'alto ted. ant. *brittil* ' rèdine ' incr. con it. *rèdine* (v.).

**bréva**, lat. volg. *\*brēva* da una base paleo-europea (pirenaico-alpina) *brēvo-* ' freddo che fa tremare '.

**breve**[1], lat. *brevis* collegato, sia pure con non piena evidenza, col gr. *brakhýs*, v. BRACHI-, e con testimonianze iraniche e gotiche.

**breve**[2], dal lat. medv. *breve*, forma n. sostantiv. dell'agg. *brevis*.

**brevetto**, dal frc. *brevet* dimin. di *brief* e questo dal lat. medv. *breve*; v. BREVE[2].

**breviario**, dal lat. *breviarium* ' sommario ', forma n. sostantiv. dell'agg. *breviarius*.

**brevità**, dal lat. *brevitas, -atis*.

**brezza**, da un lat. volg. *\*brevidia*, *\*bredia*, tratto da *breva* (v.), come *\*auridia(re)* da *aura*; v. OREZZO.

**briaco**, lat. *ebriācus*, deriv. da *ebrius*; v. EBBRO, con la aferesi della *e-* iniz., sentita come pref. superfluo.

**bric a brac**, dal frc. del XIX sec. *bric-à-brac*, di formaz. onomatop.

**bricca**, lat. *\*bricca* da mediterr. BRIKKA ' rilievo dirupato ' incr. con *picco* (v.) e quindi non passato a *\*brecca*, v. BRECCIA[2], come avrebbe dovuto.

**bricchetta** ' mattonella ', dal frc. *briquette*.

**brìccica**, sost. deverb. da *briccicare*.

**briccicare**, iterat. di *\*brecciare*, forma di verbo denom. da *breccia*[2] incr. con *briciola*, *(s)briciolare*.

**bricco**[1], lat. volg. *\*buriccus*, tardo *burĭcus* ' cavallino ', parola africana attestata da Esichio a Cirene (*\*brikón* ' asino '), incr. con *burdus* ' mulo '; cfr. BORDONE[1] e BURICCO.

**bricco**[2] ' montone ', lat. volg. *\*buriccus* incr. con lat. volg. *\*beccus*; v. BECCO[2].

**bricco**[3], dal turco *ibrīq* ' brocca '.

**brìccola**[1] (i pali come rilievi puntuti visibili e isolati sulla superficie della Laguna, efficaci punti di riferimento), dal venez. *brìcola* incr. con *bricca*.

**brìccola**[2], dimin. di *bricco*[2] ' montone ', con applicaz. semantica militare, parallela ad ' ariete '.

**briccolare**, verbo denom. da *briccola*[2]; cfr. COMBRICCOLA.

**briccone**, da un soprannome *Bricco, -ōnis* (X sec.) sicuram. deriv. da *bricca* ' altura dirupata ', v. BRICCA: « individuo rozzo, montanaro, forse in agguato ». Cfr. BIRICHINO.

**brici(ol)a**, dimin. di un più ant. *bricia*, rifacimento tosc. del settentr. *brisa* ' vinaccia ' e del verbo lat. tardo (VII sec.) *brisare* ' calpestare, spremere ', di prob. orig. gallica.

**briciolo**, var. di *brìciola*; cfr. BRINCELLO.

**bricolla**, dal frc. *bricole* ' cinghia per reggere pesi '.

**bridge** (brigge), dall'ingl. *bridge* ' ponte ', falsa interpretaz. del nome orig. orientale, risal. al verbo slavo *brit'* ' tagliare ': « (gioco) del taglio ».

**bri(e)ve**, var. di *breve* (v.).

**briga**, dal gallico *brīga* ' forza ' svoltosi poi in ' prepotenza '.

**brigadiere**, dal frc. *brigadier*.

**brigante**, appartenente a una *briga*, gruppo di persone organizzate, rimaste al valore di ' forza, ' e solo più tardi di ' prepotenza ', col suff. *-ante* di *bracciante, birbante* o *commediante*.

**brigantino**, da *brigante*: di nave facente parte di una compagnia, nave di scorta.

**brigare**, verbo denom. da *briga* con il passaggio semantico dal valore di violenza e prepotenza a quello dell'agire con astuzia e insistenza, non sempre più oneste.

**brigata**, collettivo di *briga* ' forza ', limitata però al numero e priva dell'alone di disonestà.

**brigge**, v. BRIDGE.

**brighella** (maschera), da *briga*, già nel senso di ' intrigo '.

**brigidino**, legato al nome proprio di *Brigida*, forse attrav. le monache di un convento di Pistoia dedicato a questa santa, che ne erano specialiste.

**briglia**, rifacimento tosc. di un settentr. *bri(d)a* ' briglia ' e questo dal frc. ant. *bride*, risal. a un franco *brēgda*.

**brilla** (màcina), sost. deverb. da *brillare*.

**brillare**, verbo denom. da un ant. *brillo* ' cristallo lavorato ', deriv. dal lat. *bēryllus* (questo dal gr. *bēryllos* ' berillo ') con associaz. onomatop.

**brillo** ' alticcio ', agg. estr. da *brill(at)o* ' eccitato '.

**brina**, lat. *pruina* incr. con *brūma*; v. BRUMA e PRUINA.

**brincello**, da *brìciolo* incr. con *brandello*.

**brindare**, dallo sp. *brindar*.

**brindello**, incr. di *bindella*, dimin. di *binda*[2] (v.) e *brandello*; cfr. SBRENDOLARE.

**brìndisi**, dallo sp. *brindis* e questo dalla formula ted. *bring dir's* ' lo porto a te ', trasmesso dai lanzichenecchi alle milizie spagnole.

**brio**, dallo sp. *brio* e questo dal gallico *\*brīgo-* ' forza ' attrav. il provz. *briu*.

**briologia**, dal lat. *bryon* (Plinio) e questo dal gr. *brýon* ' muschio ', più *-logìa*.

**brioscia**, dal frc. *brioche*, risal. al normanno *brier* ' impastare '.

**brìscola**, incr. del lat. medv. *brusca* ' striglia, spazzola ' con *bisca*, con aggiunto un suff. dimin. di carattere letterario: *briscola* sarebbe perciò una specie di « scopola ».

**brìvido**, incr. di *breva* (v.) col franco *bîsa* ' vento freddo di nord-est ', entrambi incrociati col valore onomatop. di *b....rr*, cui è stato aggiunto il suff. aggettiv. *-ido*. Il franco *bîsa* ris. all'agg. *bîsi* ' grigio ' in quanto «(vento) che rende grigio (il cielo perché accumula nuvole)».

**brizzolato**, incr. di *brinare* e *pezzare* ' imbianchire ' e ' macchiare ' col suff. di iterat. e il suff. *-ato* di part. pass.

**brocca**, incr. del gr. *prókhūs* ' recipiente ' (dal v. *prokhéō* ' io verso ') e del lat. *broccus* ' dai denti sporgenti ', che ha dato vita anche a *brocca* ' germoglio '; v. BROCCO.

**broccardo** (principio giuridico), dal nome del vescovo Burcardo di Worms (965 circa-1025), autore di una raccolta di diritto canonico.

**broccato**, da *brocco* ' germoglio ' applicato ai rilievi caratteristici del broccato.

**brocchiere** e **brocchiero** (scudo), dal provz. *broquier*, questo da un lat. volg. *\*buccularius* (trasferito dal valore di ' bocca ' a quello di ' guancia dello scudo', 'umbone') incr. con *brocccŭla* 'cosa puntuta'; v. BORCHIA.

**brocco** 'cavallo sfiatato', lat. *broccus* 'dai denti sporgenti', privo di conness. attendibili: agg. in *-cus*, tipico dei difetti fisici, come *caecus, mancus*.

**bròccolo**, dimin. di *brocco* 'germoglio'.

**broda**, femm. peggiorativo di *brodo*.

**brodetto**, dimin. di *brodo*, già però nel lat. medv. (XIII sec.) *brudettus*.

**brodo**, dal franco *brodh* 'brodo'.

**brodolone**, da un *brodolare*, verbo denom. iterat. di *brodo* 'sparger brodo'; cfr. il suo intens. SBRODOLARE.

**brogio** 'balordo', da *(Am)brogio*, simbolo della stupidaggine, cfr. MOGIO.

**brogiotto** (varietà di fico), da *Burjazot*, città presso Valencia (Spagna).

**brogliare**, dal provz. *brolhar*, anche 'sollevarsi', frc. *brouiller* e questo da un iterat. e intens. di *breu* 'brodo' (v.), quasi un 'imbrodolare'.

**broglio**, sost. deverb. da *brogliare*.

**brolo**, lat. alto medv. (VIII sec.) *brò(g)ilus*, ampliam. del gallico *broga* 'campo', con leniz. totale di *-g-* dav. a voc. palat. e conseg. semplificaz. del dittongo *òi* in *o* (cfr. *prete*, con semplificaz. di *ei* in *e, frale* di *ài* in *a*).

**bromatologìa**, comp. di *bròmato-*, dal gr. *brôma, -atos* 'alimento' e *-logìa*.

**bromo**, dal gr. *brômos* 'puzzo'.

**broncio**, sost. deverb. dal frc. ant. *(em)bronchier* 'vacillare' e questo da *bronche* 'cespuglio'; cfr. BRONCO[2].

**bronco[1]**, dal lat. tardo *bronchus* 'trachea', 'gola', risal. a un plur. gr. *tà brónkhia*.

**bronco[2]** (sterpo), lat. medv. *brunchus* (VII sec.) 'muso' (da cui 'cespuglio'), privo di conness. evidenti.

**brontolare**, dal gr. *brontáō* 'io tuono', attrav. mediaz. biz. con forma iterat. in *-olare* e associaz. onomatop.

**brontosauro**, dal gr. *saûros* 'lucertola', preceduto da *bronto-* 'rappresentante del periodo dei Brontèidi' e questo dal gr. *brontḗ* 'tuono': « lucertola gigante (degna del tuono) ».

**bronza** 'brace accesa', dal got. *brunsts*, cfr. got. *alabrunsts* 'olocausto'.

**bronzo**, da un lat. medv. *brundum* (ampliato in *brundium*), risultante dall'incr. del persiano *biring* 'rame' con un deriv. medv. del gr. *brontḗ* 'tuono', per es. *bronteîon* 'strum. (evidentemente metallico) per riprodurre il tuono sulla scena'.

**broscia**, da *broda* (v.) incr. con *bioscia* 'disadorna, meschina', dal longob. *blauz* (ted. *bloss*); v. BIOSCIA.

**brossura**, dal frc. *brochure* che è da *brocher* 'cucire', verbo denom. da *broche* 'spilla', lat. *brocca*, femm. di *broccus* 'dai denti sporgenti, cosa puntuta'; v. BROCCA.

**brucare**, verbo denom. da *bruco*: « agire al modo dei bruchi ».

**brucella** (genere di batterî), dal nome del batteriologo D. Bruce (1855-1931).

**bruciare**, lat. volg. *brusiare* trasmesso da reg. settentr. e toscanizzato in *bruciare*, risal. alla parola mediterr. *brusa* 'bruciatura di foglie'; cfr. BRUSCIARE e v. BRUSCO[2].

**brucio** 'bruco', rifatto sul plur. *bruci* per 'bruchi'.

**bruco**, lat. tardo *brūc(h)us*, grecismo antichissimo *(brūk(h)os)*, irradiato da Taranto col signif. di 'locusta senza ali'.

**brughiera**, deriv. lombardo di lat. volg. *brūcus* 'erica', parola di area gallica, anche se non sicuram. gallica, col suff. *-aria* (quindi lat. volg. *brūcaria*), mutato secondo la norma padana in *-era*; cfr. BRUSCO[1].

**bruire**, dal frc. *bruire* e questo dal lat. *rugīre* incr. con un onomatop. *bragire*; v. BRAIRE e cfr. BRUSIRE.

**brulè**, dal frc. *brûlé* 'bruciato'.

**brulicare**, incr. di *bulicare* (v.) 'ribollire' e *brucare* (v.).

**brullo**, estr. da *brull(at)o* nel senso di 'render giunco' e cioè senza foglie, come è il giunco marino detto anche *brul(l)a* nell'area veneta. *Brulla* pare dal gr.-biz. *brýllon* 'giunco'.

**brulotto**, dal frc. *brûlot* e questo da *brûler* 'bruciare'.

**brum**, dall'ingl. *brougham* e questo dal nome di Lord *Brougham* (1779-1868) che mise di moda il veicolo.

**bruma**, dal lat. *brūma* 'solstizio d'inverno', che è da *brevīma (dies)*: « il (giorno) più breve ». Per i superlativi in *-mus, -ma, -mum*, cfr. IMO, SOMMO.

**brumaio**, dal frc. *brumaire* (1793), inserito nella serie tosc. in *-aio*.

**brumale**, dal lat. *brumalis*.

**bruno**, dal franco *brūn* 'di colore scuro lucente'.

**brusca[1]** (spazzola) da *brusco[1]*.

**brusca[2]** (disseccamento dell'apice delle foglie), sost. deverb. di *bruscare*.

**bruscare** 'abbrustolire', 'passare la fiamma di fascine ardenti, lat. volg. *brusicare*, verbo iterativo di *brusiare*; v. BRUCIARE.

**bruscello**, da *(ar)bruscello* 'arboscello' ramo che si teneva in mano, incr. con *brusco[3]*.

**brusciare**, forma arc. di *bruciare* (v.) che continua regolarm. il lat. volg. *brusiare*; cfr. BACIARE.

**brusco[1]** (pungitopo), incr. del lat. *ruscus* 'pungitopo' e lat. volg. *brūcus*, da *brūko-* 'erica'; v. BRUGHIERA. Lat. *ruscus* è privo di connessioni attendibili.

**brusco[2]** (agg.), incr. di lat. *ruscus* 'pungitopo' e il tema mediterr. *brūsa* 'bruciatura di foglie per malattia'; cfr. BRUCIARE.

**brusco[3]** 'fuscello' lat. *bruscum* 'nodo nel legno', privo di connessioni evidenti.

**brùscolo**, dimin. di *brusco[3]* incr. con *busca[2]* (v.).

**brusìo**, sost. deverb. da *brusire*.

**brusire**, formaz. settentr. per *bruggire* incr. di lat. *rugīre*, v. RUGGIRE, e verbo onomatop. lat. volg. *bragire* (frc. *braire*); v. BRAIRE, BRUIRE.

**brusta** 'brace', sost. deverb. da *brustolare*.

**brustolare**, incr. del lat. volg. *brusiare*, v. BRUCIARE, e lat. volg. *ustulare*, iterat. del class. *urěre*; v. USTO.

**brutale**, dal frc. *brutal*.

**brutalità**, dal frc. *brutalité*.

**brutalizzare**, dal frc. *brutaliser*.

**bruto**, dal lat. *brūtus*, parola di orig. osca, da collegare con la famiglia di lat. *gravis*; v. GRAVE.

**brutto**, lat. *brūtus*, con la cons. raddopp., in quanto, provenendo dall'Italia settentr., è stato sottoposto a toscanizzazione eccessiva.

**brùzzico** e **brùzzo(lo)**, lat. volg. *crebuscŭlum (class. crepuscŭlum), passato a *(cre)bruscŭlum e incrociato con it. buzzicare ' sussurrare (del vento) ': da questo il sost. *bruzzo col dimin. brùzzolo e il deriv. aggettiv. brùzzico.

**bu**, serie onomatop. che indica un mugolio a bocca chiusa; v. BUFFARE.

**bua**, onomatopea elementare, fissata in un mugolio doloroso.

**buacciolo**, doppio deriv. di bue.

**bùbbola**, lat. volg. *(u)pupŭla, dimin. di upŭpa incr. con bubo, -onis ' gufo ', con forti connessioni onomatop. che favoriscono impieghi figur., v. UPUPA, e raddopp. della consonante postonica in parola sdrucciola.

**bubbolare**, lat. bŭbulare ' far la voce del gufo ' incr. con bùbbola (v.). Lat. bŭbulare è verbo denom. iterat. di bubo, -onis ' gufo '.

**bùbbolo**, sost. deverb. da bubbolare.

**bubbone**, dal lat. tardo bŭbo, -onis ' tumore ', che è dal gr. bŭbốn, -ỗnos ' inguine ' e ' tumore dell'inguine ', con -b- rinforzato (anziché passato a -v-), per ragioni di simbolismo fonetico.

**buca**, lat. volg. *buca, variante di bucca, specializzata nell'impiego figur., v. BOCCA.

**bucaniere**, dal frc. boucanier e questo da boucan, strum. formato di pali per affumicare la carne, tratto da lingue caribiche.

**bucato**, dal franco būkōn ' immergere ' (ted. bauchen).

**buccellato**, dal lat. tardo buccellātum « (pane) atto ad essere trasformato in buccella (boccone) ».

**bùcchero**, dallo sp. búcaro ' terra profumata per fabbricare vasi ', inquadrato nella serie di zùcchero e sim.

**buccia**, lat. medv. bucea (XIV sec.) ' scorza medicinale ' (pron. bucia) senza connessioni evidenti e con norm. rafforz. di -cj- in -ccj- dopo l'acc.

**bùccina**, dal lat. bŭcina ' tromba ', con norm. raddop. di cons. postonica in parola sdrucciola. Lat. bŭcina è privo di connessioni fuori d'Italia, forse comp. nella seconda parte dalla rad. can- di canĕre con norm. passaggio di -ă- in -ĭ- in sill. interna aperta.

**buccinatore**, dal lat. buccinator, -oris ' suonatore di bùccina '.

**bùccino** (genere di molluschi), dal lat. bŭcinum, specie di conchiglia, collegato con bucina ' tromba '; v. BÙCCINA e cfr. BÙCINE.

**bùccola** (bùccolo e buccolotto), dal frc. boucle che è il lat. buccŭla; v. BOCCA.

**buccòlica**, dal lat. bucolĭcus, v. BUCÒLICA, incr. con buca.

**bucèfalo**, dal nome del cavallo di Alessandro Magno, gr. bŭképhalos « dalla testa di bue ».

**bucherame** (stoffa), da Buchara, città della reppublica sovietica dell'Uzbekistan, nell'Asia occidentale: persiano Bukhārā col suff. -ame di bulicame, catrame, arcame.

**bucherellare**, verbo iterat. e vezzegg. da bucare.

**buci**, incr. di bu simbolo di mugolio incomprensibile (v.) e taci!

**bucinare**, dal lat. bŭcinare ' sonar la tromba ' incr. con tacere; cfr. BÙCCINA.

**bùcine**, dal lat. bŭcinum, specie di conchiglia; v. BUCCINO e cioè « (rete) che avvolge » passato alla serie de nomi sdruccioli in -ine; cfr. FIÒCINE.

**bucintoro**, dal gr. bŭkéntauros ' centauro bovino ', comp. di bûs e kéntauros e perciò « grosso centauro ».

**buco**, da buca.

**bucòlica**, dal lat. bucolĭca (carmĭna) e questo dal gr. tà bŭkolikà (épē) ' racconti dei pastori '; cfr. BUCCÒLICA.

**bucranio** (decorazione plastica di monumenti antichi), dal lat. tardo bucranium, che è dal gr. bŭkránion, comp. di bûs ' bove ' e kranion ' cranio '.

**buddismo**, da Buddha, nome indiano del suo fondatore (VI sec. a. C.), che significa ' risvegliato ', ' illuminato '.

**budella, budello**, lat. botellus, dimin. di botŭlus ' salsiccia ', v. BOTULINO, trasmesso con la leniz. settentr. di -t- in -d-.

**budino**, dal frc. boudin ' sanguinaccio ', che in parte traduce l'ingl. pudding e risale a un lat. botulinus incr. con un tema *bolĭda ' palla '; v. BOLDONE.

**bue**, lat. bos, bovis, parola fondam. del lessico ideur. da una forma simbolica GwOUS; v. BOVE. La forma bue deriva da un più ant. *bude cui corrisponde il plur. buoi, come il plur. miei corrisponde a un sg. orig. *meo passato a mio. Essa presuppone la precoce caduta della -v- intervocalica.

**bùfalo**, lat. tardo bufălus, forma rustica di fronte alla cittadina bubălus ' antilope ', ' bisonte ', che è dal gr. búbalos.

**bufera**, nome collettivo di provenienza settentr. da *buf(f)aria ' successione di tanti soffi di vento '; v. BUFFA.

**buffa**, sost. deverb. da buffare.

**buffare**, formaz. onomatop. risultante da bu (v.) ' mugolio a bocca chiusa ' e aff-, simbolo di un soffiare prolungato; cfr. BUFFONE e AFA.

**buffè** (buffet), dal frc. buffet.

**buffetteria**, dal frc. buffleteries ' oggetti di pelle di bufalo ', deriv. da buffle ' bufalo '.

**buffetto**, dal provz. boufet, definiz. eufem. (da buffa ' soffiare '), dello schiaffo, come nel frc. soufflet.

**buffo**, estr. da buffone.

**buffone**, incr. tra il tema buff- ' che gonfia le gote per soffiare ', cfr. BUFFARE, e il lat. bŭfo, -ōnis ' rospo '; parola di tradiz. sabina, opposta alla parallela bubo, -onis ' gufo '; v. BÙBBOLA.

**buggerare**, verbo denom. da Bùggero ' Bùlgaro ', secondo una forma lat. medv. Bugerō (XIII sec.), con la cons. postonica rinforzata in parola sdrucciola: « (comportarsi) da Bulgaro ».

**bugìa¹**, dal provz. bauzia e questo dal franco bausi ' malvagità ', (ted. böse ' maligno ').

**bugìa²**, dal frc. bougie e questo dalla città algerina di Bugìa (ar. Bugiāyā).

**bugiardo**, adattamento tosc. mediante il suff. peggiorativo -ardo del settentr. bugiadro, che è tratto dal nome di agente lat. medv. bausiator, di orig. franca (v. BUGIA¹) con eventuali innesti provz.

**bugigàttolo**, dal bolognese buzgàt ' buco ', doppio deriv. di bugio (v.), reso toscanamente *bugigatto: associato quindi a ' gatto ' e con ulteriore suff. allineato nella serie dei dimin. del tipo di giocàttolo, baràttolo.

**bugio**, adattamento di una forma settentr. buso,

risultante da incr. tra *buco* (v.) e *pertugio* (lat. *pertusum* 'battuto attraverso', 'forato') (v.).

**bugliare,** incr. di lat. *bullire* 'bollire' e *\*bulliare* 'far delle bolle', verbo denom. intens. di *bulla*; v. BOLLA[1] e cfr. GARBUGLIARE.

**bugliolo,** dimin. di *\*buglio* che risulta dall'incr. di *bugio* e *bollire*.

**bugna,** lat. tardo (gloss.) *būnia*, parola mediterr., che indica un 'recipiente rigonfio'.

**bugno,** v. *bugna*.

**bùgnola** 'paniere', dimin. di *bugna*.

**buio,** lat. volg. *\*būrius* incr. di *borĕus* 'settentrionale' e *burrus* 'rosso scuro', con norm. trattam. tosc. di *-uriu* in *-uio*: cfr. BURELLA.

**bulbillo** (gemma che si sviluppa non attaccata alla pianta ma a terra), dal lat. scient. *bulbillus*, dimin. di *bulbus*.

**bulbo,** dal lat. *bulbus* e questo dal gr. *bolbós* 'cipolla'.

**bùlgaro** e **bùlghero,** dal nome del regno di *Bolgar* sul Volga.

**bulicame** (sorgente), sost. deverb. da *bulicare*, col suff. collettivo *-ame*.

**bulicare,** dal lat. medv. *bullicare*, iterat. di *bullire*, attrav. una tradiz. settentr.

**bulimìa,** dal gr. *bū-limìa*, «fame da bue», comp. di *bûs* 'bue', *limós* 'fame' e il suff. di astr. *-ia*.

**bulino,** forse dal longob. *boro* 'succhiello', attrav. l'ant. *burino* (v.).

**bulletta,** da lat. *bulla* con suff. dimin.

**bullo,** dall'alto ted. medio *būle* 'intimo amico', 'drudo', ted. *Buhle* 'amante'.

**bullone,** dal frc. *boulon*, dimin. di *boule* e questo dal lat. *bulla*.

**bùmerang,** dal nome di una tribù australiana della Nuova Galles del Sud, attrav. l'ingl. *boomerang*.

**buono**[1] (agg.), lat. *bonus*, arc. *duenos*, da una rad. al grado ridotto DU seguìta da un suff. di part. *-eno-* e quindi equival. a «fornito di doni o virtù»; v. BEATO e BENE. Connessioni si trovano nelle aree indiana, greca e germanica, limitate però alla tenue parte radicale. Per un ult. ampliamento cfr. BELLO.

**buono**[2] (sost), dal frc. *bon*.

**buonsenso,** dal frc. *bonsens* incr. con *buono*.

**bura** 'timone dell'aratro', lat. *būra*, variante di *buris* (v. BURE), privo di connessioni attendibili.

**burattino,** da *buratto* 'drappo per setacciare'; cfr. lat. medv. *buratinus* 'setacciatore di farina' e perciò « dai movimenti scomposti ».

**buratto,** dimin. settentr. di un presunto lat. volg. *\*būra* 'stoffa'; cfr. il bolognese *buzgàt* deriv. di *buz* 'buco', cfr. BUGIGATTOLO e BURÒ.

**burbanza,** dall'ant. frc. *bobance* 'fasto', incr. col provz. *burban*.

**bùrbera** (specie di argano), dal lomb. *bùrba* 'cilindro girevole che tira su la fune del pozzo', incr. con *barbara*.

**bùrbero,** da *burbanza* incr. con *bàrbaro*.

**burchiellesco,** dal soprannome del bizzarro barbiere e poeta fiorentino Domenico di Giovanni (1404-1449).

**burchio,** lat. volg. *\*burcŭlum* incrocio del lat. tardo *burca* (gloss.) 'pozza d'acqua fangosa' e lat. tardo *barca* 'barca', per indicare una barca a fondo piatto, usata anche come vivaio di pesci.

**bure,** lat. *būris* variante di *bura,* v. BURA, privo di connessioni attendibili.

**burè** (pera), dal frc. *beurré* 'burroso', da *beurre* 'burro'.

**burella** 'corridoio sotterraneo', dimin. del lat. *\*burius*, trattato in forma non tosc.; v. BUIO.

**burgravio,** dal ted. medv. *Burg-graf* 'conte del castello', 'comandante di fortezza'.

**buriana,** dal lat. *boreas* 'settentrione', con una derivaz. aggettiv. atta a definire un vento forte e ingrato, e incr. con 'uragano'; cfr. BORA.

**buricchio** (gatto), dimin. di *buricco*. Il valore scherz. del dimin. sta nell'associare al gatto l'immagine di un animale non pregiato con cui non ha nulla di comune.

**buricco** 'asinello', variante di *bricco*[1]: lat. volg. *\*buriccus*, tardo *burīcus*.

**burina,** variante di *bolina* (v.).

**burino,** variante di *bulino*, rimasto più aderente al modello longob. *\*boro*; v. BULINO.

**buristo,** dal ted. *Wurst* 'salsiccia' con l'inserimento di due voc., indispensabili per la pronuncia in it.

**burla,** dallo sp. *burla*.

**burlare**[1] (scherzare), verbo denom. da *burla*.

**burlare**[2] 'rotolare', 'cadere' (voce padana), forma iterativa di *\*burare*, verbo denom. da *borra*[2].

**burò,** dal frc. *bureau* con gli stessi signif.; e questo da *bure* 'tessuto grossolano per foderare le scrivanie', lat. volg. *\*bura*; cfr. BURATTO.

**buròcrate,** dal frc. *bureaucrate*.

**burocrazìa,** dal frc. *bureaucratie* e questo formato sul modello di *aristocrazie*, con l'astr. *-cratie* (dal gr. *-krátos* 'forza') 'potere', preceduto da *bureau* 'ufficio pubblico'; v. -CRAZIA.

**burrasca,** dal venez. *borasca* 'proprio della bora' con la eccessiva toscanizzazione della doppia *-rr-*, forse incr con *burrone*; cfr. BORA.

**burro,** dal frc. ant. *beurre* e questo dal lat. *butyrum*, che è dal gr. *bútyron*, con accentazione gr.; cfr. BUTIRRO.

**burrone,** accresc. di *borro* (v.), forma settentr. dal gr. biz. forse ravennate, *bóthros*; cfr. BOTRO.

**bus,** abbreviaz. di *autobus*.

**-bus,** estr. da *(omni)bus* 'veicolo per tutti', dal lat. *omnĭbus* 'per tutti', p. es. *filobus, bibliobus, aèrobus*.

**busca**[1] 'cerca', sost. deverb. da *buscare*.

**busca**[2] 'fuscello', forse da un gotico *\*būsk* 'ciocco'; cfr. BRUSCOLO.

**buscare,** dallo sp. *buscar* 'cercare'.

**buscherare,** incr. di *buggerare* e *buscare*.

**busecchia,** dal lombardo *bùsèca* 'trippa' e questo da un ampliam. del settentr. *bùsa* 'pancia', con un suff. leggermente peggiorativo, allineato poi in tosc. nella serie di *orecchia, petecchia*.

**busilli(s),** da un'errata e incomprensibile divisione *in die Busilli(s)* anziché *in diebus illis* 'in quei giorni'.

**bussare,** lat. *pulsare* incr. con *(tam)burare* 'bastonare', verbo denom. da *tamburo*.

**busse,** sost. deverb. (al plur.), da *bussare*.

**bussetto** (arnese per calzolaio), da *busso*.

**busso,** dal lat. *buxus*: variante di *bosso* (v.).

**bùssola**[1] (veicolo), dal lat. medv. *bùxula* 'urna per votazioni', dimin. di un incr. di *buxus* bosso' e di lat. tardo *buxĭda* 'vaso' (questo dall'accus.

gr. *pyksída*, nom. *pyksís*); cfr. PÌSSIDE, BOSSO, BOSSOLO.

**bùssola**[2] (strumento), da *bussola*[1], la scatola che la conteneva.

**bùssolo,** variante di *bòssolo* (v.).

**bussolotto,** dimin. di *bùssolo*.

**busta,** dall'ant. frc. *boiste* e questo dal lat. tardo *buxìda*; v. BÙSSOLA[1].

**bustarella,** dimin. di *busta*, di forma non tosc. (perché non cambia *-ar-* in *-er-* fuori d'accento) e precisamente romana.

**busto,** lat. *bustum* ' crematorio ', estr. da *(com)- bustum* ' bruciato '. Scomparso il costume della incinerazione, è rimasto nel senso di ' luogo dove si conservano i monumenti in ricordo dei morti ' e poi i loro « busti », v. COMBUSTO.

**bustrofèdico,** dall'avv. gr. *bustrophēdón*: « al modo di volgersi (*stréphō*) dei buoi (*bûs*) ».

**butano,** ampliam. tecnico in *-ano* della sill. *bũt*, primo elemento di comp. chimici (nei quali segnala la presenza di quattro atomi di carbonio), estratto da *butìrrico*.

**butìrrico** (acido), da *butirro*.

**butirro,** lat. *butÿrum*, con accentazione lat. regolare e incr. con it. *burro*.

**buttare,** dal gotico *bautan*, nei due sensi di ' gettare ' e ' germogliare '.

**bùttero**[1] (cicatrice), dall'ar. *buṭur* ' pustole ' (plur. di *baṭr*).

**bùttero**[2] (pastore), dal gr. *bútoros* ' pungolatore di bovi ', ' bovaro ', incr. forse con *buttare*.

**buvette,** dal frc. *buvette*.

**buzzicare** ' sussurrare del vento ', da una serie onomatop. *b...s...* con suff. iterat., cfr. BRÙZZICO, incr. con i tipi *bu* di suoni cupi v. BU, BUA.

**buzzo,** adattamento di parola settentr. del tipo *bũsa* ' pancia '. Questa è da *bũsa* ' buca ', con un procedim. analogo a quello che ha dato vita al lat. *alvus* ' intestino ', rispetto al gr. *aulós* ' canna ', ' flauto '.

**buzzurro,** da *buzzo* ' pancia ' con suff. scarsamente elogiativo come altri in *-rr-* p. es. *bizzarro*.

# C

ca'[1], variante padana di *casa*.

ca-[2] (pref. rafforzativo), lat. crist. *cata-* (dal gr. *katà*), p. es. *ca(morra)*, *ca(muffare)*, e peggiorativo, *ca(muso)*, *ca(rabàttole)*.

càbala, dall'ebr. *qabbālāh* 'dottrina tradizionale'.

cabaletta, da *coboletta*, dimin. di ' cobola ', incr. con *cabala*. *Cobola* è dal prov. *cobla* ' strofa ' e questo dal lat. *copŭla* ' coppia '; v. CÒBOLA.

cabarè[1], dal frc. *cabaret* nel senso di 'servizio da tè'.

cabarè[2], dal frc. *cabaret* nel senso di ' bettola '.

cabila, dall'ar. *qabìla* ' tribù '.

cabina, dal frc. *cabine*, questo dall'ingl. *cabin*, deriv. a sua volta da un dialetto della Piccardia (*cabine*), il tutto collegato a *capanna* (v.).

cablare, dal frc. *câbler*.

cablogramma, dal frc. *câblogramme* e questo da *câble* ' cavo ' e *-gramme*, v. -GRAMMA.

cabotaggio, dal frc. *cabotage* e questo da *caboter*. Il verbo frc. è deriv. dal sost. portogh. *cabo* ' capo ' e significa ' contornare i capi e i promontori ' (anziché lanciarsi in mare aperto).

cabrare, dal frc. *se cabrer* e questo dal provz. *se cabrar* « (rizzarsi) come capra ».

cabriolè (*cabriolet*), dal frc. *cabriolet* ' calesse '.

cacào, dallo sp. *cacao* e questo dall'azteco *caca-hutl*.

cacare, lat. *cacare*, con corrispond. nelle aree celtica, greca, armena e slava.

cacatòa e cacatùa, dal malese *kakatūwa*, attrav. sp. e portogh. *cacatua*.

cacca, rafforzam. espressivo della cons. *c* di *cacare*, docum. nelle aree celtica, greca, armena, anche se non in lat.

cacchio ' germoglio ', lat. volg. *caclus*, svolgim. di class. *cat(ŭ)lus* ' cagnolino '; cfr. CATELLO.

cacchione, accresc. di *cacchio*; cfr. CATELLO.

caccia, sost. deverb. da *cacciare* (v.).

cacciare, adattamento di un settentr. *cazàr*, lat. *captiare*, intens. di *capĕre*.

cacciù, dal malese *kāchu*, attrav. il frc. *cachou*.

cacciucco, adattamento del turco *kūçūk* ' piccolo ' e perciò ' minutaglia '.

càccola, dimin. di *cacca*.

cachessìa, dal gr. *kakheksía* ' il fatto di avere cattiva costituzione ', comp. di *kakós* ' cattivo ' e *héksis* ' struttura ' col suff. di astr. *-ía*.

cachèttico, dal lat. *cachectĭcus*, che è dal gr. *kakhektikós*.

cachet (*cascè*), dal frc. *cachet*, estr. da *cacher* ' nascondere ' che è il lat. volg. *coācticare* ' comprimere ', doppio intens. di *cogĕre*; v. COATTO.

cachi[1], dal latino scient. (*diòspyrus*) *kaki*, di orig. giapponese.

cachi[2], dall'ingl. *khaki* e questo dal persiano *khāk* ' polvere '.

cachinno, dal lat. *cachinnus* ' risata sguaiata ', sost. deverb. da *cachinnare*, ampliam. di un tema KAKH di natura onomatop. e attestato anche nelle aree greca, armena, slava, indiana.

cacicco, dallo sp. *cacique* e questo dal caribico (aruaco) *kacik*.

cacimperio, da *cacio* e *(p)iperio*, il quale ultimo è dal lat. *piper* ' pepe '.

cacio (ant. *cascio*), lat. volg. *casjus*, class. *casĕus*, privo di connessioni attendibili: cfr. le varianti *baciare* e *basiare* del lat. *basiare*.

caco-, dal gr. *kakós* ' cattivo '.

cacofonìa, dal frc. *cacophonie* e questo dal gr. *kakós* ' cattivo ' e *-phōnía*, astr. deriv. da *phōnē* ' voce '.

cacografìa, dal frc. *cacographie* e questo dal gr. *kakós* ' cattivo ' e *-graphía*, astr. di *gráphō* ' io scrivo '.

cacto, dal lat. scient. *cactus* e questo dal gr. *káktos* ' carciofo spinoso '.

cacume, dal lat. *cacŭmen*, *-ĭnis*, con una corrispond. evidente fuor dell'area indiana, limitatam. alla prima parte del sanscrito *kaku-bh-* ' vetta ': dal tema AKU, v. AGO, e pref. K- v. COSTA.

cadauno, dallo sp. *cadauno* e questo dal lat. *cata-* distributivo (preso dal gr. *katá*) e *unus*; cfr. it. arc. CATUNO e CA-[2].

cadàvere, dal lat. *cadáver*, *-ĕris*, possibile adattamento di un part. perf. attivo in *-wes* di un verbo *cadare* ' esser caduto (definitivamente) ' rispetto a *cadĕre* come *occupare* ' tenere definitivamente ' rispetto a *capĕre*; v. PAPÀVERO e cfr. APPO.

cadenza, dal frc. *cadence* e questo dal lat. *cadentia* ' l'insieme delle cadute ' e cioè ' dei tempi forti del ritmo '.

cadere, lat. volg. *cadĕre*, class. *cadĕre*, con fragili connessioni nelle aree greca e indiana.

cadetto, dal frc. *cadet*, che è dal guascone *capdet*, doppio dimin. di *caput*.

cadì, dall'ar. *qāḍī* ' giudice '.

cadmìa (derivato di zinco), dal lat. *cadmĭa*, che è il gr. *kadmeía* (*gê*); v. CADMIO.

cadmio, dal lat. moderno *cadmium* e questo dal gr. *kadmeía* (*gê*) « terra cadmia », ' minerale di zinco ' che si estraeva nei pressi di Tebe (Grecia), la città di Cadmo; cfr. CALAMINA.

**cadrega,** forma settentr. del lat. *cathĕdra* (*catecra* a Pompei), che è dal gr. *kathédra*: trasformato in *cadrega*, forse sotto l'influenza di *bottega* (v.) da *apotheca*; v. CÀTTEDRA e CARREGA.

**caducèo,** dal lat. *cădūceum* 'verga simbolica degli araldi' e questo, attrav. intermediarî rustici che ammettono la oscillazione *r/d*, dal dor. *kărýkeion*.

**caduco,** dal lat. *cadūcus*, deriv. di *cadĕre* come *manducus* da *mandĕre* e *fiducus*, v. FIDUCIA, da *fidĕre*.

**caduta,** dal part. sostantiv. *caduto*, che è il lat. volg. *cadūtus*, formato su un perf. *cadui* (it. *caddi*) e questo sull'inf. *cadĕre*; v. CADERE e cfr. AVUTO.

**cafaggio,** dal longob. *gahagi* 'recinto'.

**caffè,** dal turco *kahve* e questo dall'ar. *qahwa* 'bevanda eccitante'.

**caffettano,** dall'ar. *qaftān* e questo dal persiano *khaftān*.

**caffo** 'dispari', prob. dall'ar. *qafā* 'parte posteriore della testa', poi il 'rovescio di una cosa'.

**cafone,** forma dialettale osca corrispond. al lat. *cabo, -ōnis* 'cavallo castrato', prob. incr. di *cab(allus)* 'cavallo' e *capo, -onis* 'cappone'; v. CAPPONE.

**cagione,** lat. *(oc)casio, -onis*, con trattam. settentr. del gruppo *-sjo-* in *-(s)gjo-*, anziché in *-scio-*.

**cagionévole,** dal valore arc. di *cagione* come eufem. di 'malattia'.

**cagliare¹** 'coagulare', lat. *coagulare*, col trattam. settentr. di *coa-* in *ca-*; cfr. QUAGLIARE.

**cagliare²** 'perdersi d'animo', dallo sp. *callar* 'tacere', 'dissimulare'.

**caglio,** lat. *coăgŭlum* 'latte cagliato' incr. con *caseus* 'formaggio'; cfr. QUAGLIO.

**cagna,** lat. volg. *cania*; v. CANE.

**cagnesco,** deriv. di *cane* incr. con *cagna* e col suff. peggiorativo *-esco*.

**caicco** (imbarcazione), dal turco *kayik*.

**caiendo** (*caendo*) 'cercando', lat. volg. *quaeriendo*, class. *quaerendo*; v. CHIEDERE.

**caimano,** dallo sp. *caimán* e questo dal caribico (galibi) *cay(a)man*.

**caino,** dall'ebr. *Qayin*, il nome di colui che primo uccise il fratello: attrav. il gr. *Káin* e il lat. *Cain*.

**cala¹** 'insenatura', dallo sp. *cala*, parola mediterr.

**cala²** 'stiva', sost. deverb. da *calare*.

**calabresella,** da *calabrese* (di Calabria).

**calabrone,** lat. *crabro, -onis* incr. con *(s)carab(aeus)* e poi dissimilato in *calab-*: parola ideur. bene attestata anche nelle aree germanica, baltica, slava.

**calafatare,** dal gr. biz. *kalaphatéō* e questo dall'ar. *qalfat* 'ristoppare (una barca) con la scorza *qilf*'.

**calafato,** dal gr. biz. *kalaphátes*.

**calamaio,** lat. *calamarius* (agg.) 'ciò che si riferisce alla penna (*calămus*)' con trattam. tosc. di *-ariu* in *-aio*.

**calamaro,** lat. *calamarius* con trattam. centromerid. del gruppo *-ariu* in *-aro*.

**calamina,** dal gr. *kadmeía* (*gê*) 'terra di Cadmo', v. CADMIO, attrav. un adattamento lat. *cad(a)-mía*, v. CADMIA, incr. con *cala(mita)* e *mina*, nel lat. medv. *calamina*.

**calamistro,** dal lat. *calamistrum*, deriv. di *calămus*; v. CÀLAMO.

**calamita,** dal gr. medv. *kalamíta* 'ago della bussola', risal. a *kálamos* 'canna', attrav. *kalamítēs* 'fatto di canna'.

**calamità,** dal lat. *calamītas, -ātis*, in qualche relazione con *incolŭmis* 'sottratto a danno'; v. INCÒLUME. Attrav. un ampliam. in *-d-* è collegata con *clad-es*, v. CLADE, *-cellĕre* 'battere' (diverso da *-cellĕre* 'salire'; v. ECCELSO) e *procella*, v. PROCELLA. Per un ampl. in *-w-* v. CLAVA. Connessioni, sia pure non stringenti, si hanno nelle aree greca, baltica, slava. La rad. è K(E)LA².

**calamitoso,** dal lat. *calamitosus*.

**càlamo,** dal lat. *calămus*, che è dal gr. *kálamos* 'canna'.

**calanco,** deriv. preromano di *cala* 'insenatura'; v. CALA col suff. ligure mediterr. *-anca*.

**calandra¹** (uccello), dal gr. *kálandra* 'allodola'.

**calandra²** (macchina), dal frc. *calandre*, che risale a un lat. *colindra*, risultante dall'incr. di gr. *kýlindros* 'cilindro' e lat. *columna* 'colonna'.

**calandrino,** dal soprannome del pittore fior. Nozzo di Pierino, noto personaggio del Boccaccio, che simboleggia la dabbenaggine.

**calandro** (uccello), da *calandra*.

**calappio,** incr. di *cappio* e *laccio*.

**calare,** dal lat. imp. *calare*, *chalāre*, che è il gr. *khalân* 'allentare', incr. con la famiglia mediterr. di *cala*, *calanco*.

**calastra** (trave), incr. di *catasta* e *lastra*.

**calatore** 'annunciatore', dal lat. *calator, -oris*, nome d'agente di *calare* 'chiamare'; v. CALENDE.

**calbigia,** forma settentr. del lat. volg. *calvitja*, tardo *calvitia*, riferito alla spiga senza resta, con la leniz. di *-tja* in *-sgja*, toscanizzato poi in *-gia*; v. CALVEZZA.

**calca,** sost. deverb. da *calcare* 'pigiare'.

**calcàbile,** dal lat. tardo *calcabĭlis*.

**calcagno,** lat. volg. *calcanjum*, lat. tardo *calcanĕum*, deriv. di *calx, calcis* 'tallone'.

**calcara,** dal lat. (*fornax*) *calcaria* con trattam. non tosc. della finale *-aria* in *-ara*.

**calcare¹** (verbo), lat. *calcare*, verbo denom. da *calx, calcis* 'tallone'.

**calcare²** 'sprone', dal lat. *calcar, -aris*, deriv. di *calx, calcis* 'tallone'.

**calcare³** (agg.), dal lat. (*lapis*) *calcaria* 'pietra di calce', ridotta a sost. per mezzo della finale *-are*, quasi da un lat. *calcar*, deriv. di *calx* 'calce'.

**calce¹,** lat. *calx* 'calce', prob. dal gr. *kháliks* 'ciottolo'.

**calce²** (*in calce*), dal lat. *calx* 'tallone', di prob. origine mediterr. come il parallelo *lanx*; v. BILANCIA.

**calcedonio,** dal lat. *chalcedonius*, che è dal gr. *khalkēdónios*, proprio della città di *Khalkēdón*, in Bitinia.

**càlceo** (calzatura), dal lat. *calceus*, der. di *calx, calcis* 'tallone' v. CALCE² e cfr. CALZA.

**calcese,** incr. di lat. *carchēsium*, che è dal gr. *karkhḗsion* 'vaso da bere', con lat. *calix* 'calice'.

**calcestruzzo,** dal lat. medv. (XIV sec.) *calcistrutium*, risultante dall'incr. di un deriv. di *calx*, forse *calcestris* e un deriv. di *instructus* quasi « composizione di calce ».

**calcetto** (scarpa), dimin. di *càlceo*.

**calciare,** verbo denom. da *calcio¹*.

**calcidonio,** v. CALCEDONIO.

**calcina,** lat. tardo *calcĭna,* deriv. di *calx* ' calce '.

**calcino** (malattia del baco da seta), deriv. di *calce*[1], per l'aspetto della larva morta.

**calcio**[1] (parte del fucile), lat. *calx, calcis* ' tallone ', passato alla declinaz. in *-o;* v. CALCE[2].

**calcio**[2] (minerale), dal lat. scient. moderno *calcium* e questo da *calx* ' calce '.

**calcio**[3] (pedata), sost. deverb. da *calciare.*

**calciocianamide,** comp. di *calcio* e *cianamide.*

**calcitrare,** dal lat. *calcitrare* risal. a *calx* ' tallone ' attrav. un presunto \**calcitrum* ' colpo di tallone '.

**calco,** sost. deverb. estr. da *calcare.*

**calco-,** dal gr. *khalkós* ' rame '.

**calcografìa,** dal frc. *chalcographie* (XVIII sec.) e questo dal gr. *khalkós* ' rame ' e *-graphie* ' scrittura '.

**càlcola** ' regolo del telaio ', dimin. di *calca* (v.).

**calcolare,** del lat. tardo *calculare,* verbo denom. da *calcŭlus* ' gettone '.

**calcolatore,** dal lat. tardo *calculator, -oris.*

**càlcolo**[1] (medico), dal lat. *calcŭlus* ' pietruzza ', dimin. di *calx, calcis;* v. CALCE[1].

**càlcolo**[2] (matematico), dal lat. *calcŭlus* nel senso di ' gettone per fare i conti '.

**calcolosi,** da *càlcolo*[1] col suff. *-osi* di malattia cronica.

**calcomanìa,** estr. da *decalcomania.*

**calcopirite,** comp. moderno di gr. *khalkós* ' rame ' e *pyrìtis, -idos* ' pirite '.

**calcotipìa,** da *calco-* ' rame ' e il tema *-tipìa* ' stampa '.

**caldaia,** lat. tardo *calidaria* (*olla*) « (recipiente) riscaldante », con trattam. tosc. di *-aria* in *-aia.*

**caldarrosta,** da (*castagna*) *caldo-arros(ti)ta.*

**calderaio,** lat. volg. *caldar(i)arius,* con i due passaggi tosc. di *-ar-* in *-er-* e di *-arius* in *-aio.*

**calderone,** accresc. di un \**caldara,* forma settentr. di lat. tardo *caldaria,* v. CALDAIA, con passaggio tosc. di *-ar-* in *-er-.*

**caldo,** lat. tardo *caldus* (class. *calĭdus*), da una rad. KEL bene attestata anche nell'area baltica.

**caldura,** incr. di *caldo* e *calura.*

**cale,** lat. *calet* ' è caldo ', terza pers. di *calere;* v. CALERE.

**calefaciente,** dal lat. *calĕfaciens, -entis,* comp. di *cale-* tema di *calere* ' esser caldo ' e *facĕre.*

**calefazione,** dal lat. tardo *calefactio, -onis.*

**caleidoscopio,** dall'ingl. *kaleidoscope* (sec. XIX), comp. moderno di gr. *kalós* ' bello ', *eîdos* ' figura ' e il tema *-scope,* estr. da gr. *skopéō* ' guardo ', allineato con it. *-scopio.*

**calendario,** dal lat. *calendarium* in età tarda ' (libro) delle *calendae* ' e cioè delle scadenze del primo giorno dei mesi.

**calende** e **calendi,** lat. *calendae,* part. fut. passivo di \**calĕre* (variante di *calare* ' chiamare ', cfr. (INTER)CALARE, CALATORE, che riappare identico nelle aree umbra e greca (gr. *kaléō* ' io chiamo '); cfr. CELEBRE e CHIAMARE.

**calendimaggio,** da *calen(de) di maggio.*

**calèndola** (pianta), dal lat. moderno dei botan. *calèndula* (XV sec.), deriv. di *calendae* ' primo. giorno del mese ' e cioè « (fiore) di ogni mese »,

**calenzuolo** (uccello), dal lat. medv. \**calendjòlus* deriv. da *calendae,* perché ha lo stesso colore del ' fior di ogni mese ' detto *calèndula;* v. CALÈNDOLA.

**calepino,** da *Calepio,* oggi *Caleppio,* prov. di Bergamo, luogo d'origine del lessicografo Ambrogio da Calepio (1440 circa-1510).

**calere,** lat. *calēre* ' esser caldo ' e quindi ' in tensione '; v. CALDO e CALORE e cfr. CALE.

**calesse,** dal frc. *calèche* con trattam. settentr. di *-ss-* da *-sc'-.* La parola frc. risale, attrav. il ted. *Kalesche,* al polacco *kolaska.*

**calestro,** da un tema mediterr. *cala/gala* ' sasso '; cfr. GALESTRO.

**caletta,** sost. deverb. da *calettare.*

**calettare,** incr. del frc. *caler* ' incuneare ' e dell'it. *calare* con suff. iterat. *-ettare.*

**calia,** incr. del lat. medv. *cadiva* (*stagni*) ' residuo (di stagno dopo la lavorazione) ' e di it. *calare* con la perdita settentr. di *-v-* intervocalico.

**càlibro,** dal frc. del XV sec. *calibre,* che è dall'ar. *qālib* ' forma da scarpe '.

**calicanto,** dal lat. scient. *calycanthus* e questo dal gr. *kályks, -ykos* ' involucro ' e *ánthos* ' fiore ': « fiore a involucro ».

**càlice**[1] (bicchiere) dal lat. *calix, -ĭcis,* connesso con gr. *kýliks* e con corrispond. nel sanscrito.

**càlice**[2] (parte del fiore), dal lat. *calyx, -ýcis,* che è dal gr. *kályks, -ykos.*

**calidario,** dal lat. *calidarium,* deriv. da *calĭdus* ' caldo '.

**califfo,** dall'ar. *khalifa* ' successore '.

**càliga** (calzatura romana), dal lat. *caliga,* privo di connessioni evidenti.

**caliginare** ' offuscare ', verbo denom da *calìgine;* cfr. BALUGINARE.

**calìgine,** dal lat. *calīgo, -ĭnis* ' nebbia densa ', astr. di un presunto \**calus* ' scuro ' secondo il rapporto di *robigo* a *robus* e collegato con *calvor* ' io inganno ' e *calumnia;* v. CALUNNIA.

**caliginoso,** dal lat. *caliginosus.*

**calla**[1] (apertura), da *calle.*

**calla**[2] (pianta), dal lat. *calla,* lettura erronea per *calsa,* in un codice di Plinio.

**callaia,** da *calle.*

**calle,** lat. *callis* ' sentiero ', privo di connessioni evidenti, benché di sicura tradiz. ideur. Forse collegato con *callum* nel senso di « (pista) indurita ».

**càllido,** dal lat. *callĭdus* ' astuto ' da *callēre* ' essere indurito, esperto ' e questo da *callum;* v. CALLO.

**callifugo,** comp. di *callo* e *-fugo.*

**calligrafia,** dal gr. *kalli-graphía,* comp. di *kállos* ' bellezza ' e *-graphia* ' scrittura ', tema deriv. da *graphō* ' scrivo '.

**calligràfico,** dal gr. *kalligraphikós.*

**calligrafo,** dal gr. *kallígraphos.*

**callo,** lat. *callum,* privo di connessioni evidenti, salvo un possibile collegamento con *callis:* « ciò che è (battuto e perciò) indurito ».

**callosità,** dal lat. tardo *callosĭtas, -atis.*

**calloso,** dal lat. *callōsus.*

**callotta,** v. CALOTTA.

**calma,** termine marittimo proveniente da territorio provz., forse da Marsiglia, ridotto a forma tosc.; deriv. da *cauma* ' calore soffocante ' e questo dal lat. del IV sec. *cauma,* tratto dal gr. *kaûma* ' ardore (del sole) '.

**calmiere,** da un gr. biz. *kala(mo)métrion* ' proprio della misura di una canna ' semplificato nel venez. *calmedro* e nel lat. medv. (XIII sec.) *cal-*

lamerium; incr. infine con *calmare* e inteso come « ciò che calma » allo stesso modo che *cavaliere* è associato a ' colui che cavalca '.

**calmucco,** dal russo *Kalmyki,* nome di popolazioni mongoliche sparse dalla Mongolia esterna fino alla reg. di Astrachan'.

**calo,** sost. deverb. da *calare.*

**calomelano,** comp. moderno di gr. *kalós* ' bello ' e *mélas, -anos* ' nero ': « il bel nero », dal colore che assume in contatto di alcali.

**calònaco** (arc.), lat. *canonĭcus;* v. CANÒNICO, con dissimilaz. delle serie *n...n...* in *l...n* e norm. passaggio della *-i-* in *-a-* in sill. interna di parola sdrucciola.

**calore,** lat. *calor, -ōris,* astr. di *calere;* v. CALERE e CALDO.

**calorìfero,** dal frc. *calorifère* ' che porta calore '.

**calorifico,** dal lat. tardo *calorificus.*

**calorìmetro,** comp. moderno di *calore* e *-metro.*

**caloscia,** dal frc. *galoche* incr. con *cal(zare).*

**calotta,** dal frc. *calotte.*

**calpestare,** incr. di *calcare* e *pestare.*

**calterire** ' scalfire ' (arc.), dal lat. tardo *canterire* v. CAUTERIO e SCALTRIRE.

**calùg(g)ine,** incr. di *caligine* e *lanùg(g)ine.*

**caluma** (corda per uso mar.), lat. volg. *\*caluma* incr. ant. di gr. *khálasma* ' l'atto di allentare ' e *kálymma* ' velo ', ' rete ', quasi « calu(calas)ma ».

**calumare,** verbo denom. da *caluma.*

**calunnia,** dal lat. *calumnia,* astr. di *\*calumnus,* part. medio di *calvor* ' io inganno ', cfr. ALUNNO: privo di connessioni evidenti salvo col presunto agg. *\*calus* ' scuro ', v. CALÌGINE.

**calunniare,** dal lat. *calumniari.*

**calunniatore,** dal lat. *calumniator, -oris.*

**calunnioso,** dal lat. tardo *calumniosus.*

**calura,** lat. volg. *\*calura,* dal verbo *calēre* ' esser caldo ', ' far caldo ', v. CALDO: forma analogica di astr. in *-ura* non deriv. da un tema di part. pass. come invece *arsura,* v. ARSURA.

**calvario,** lat. tardo *calvarium* da *calvaria* ' teschio ' calco sull'aramaico *Gulgalthā* ' luogo del cranio '.

**calvezza,** lat. tardo *calvitia;* cfr. CALBIGIA.

**calvinista,** dal nome del riformatore Giovanni Calvino (1509-1564).

**calvizie,** dal lat. *calvitiēs.*

**calvo,** lat. *calvus,* con una chiara connessione nell'area indo-iranica, secondo un rapporto esclusivo identico a quello, per cui v. CESARIE.

**calza,** da una forma con assimilaz. settentr. del lat. medv. *calcea* (IX sec.) femm. sostantiv. di *calceus* ' scarpa ' e questo da *calx* ' tallone '; cfr. CÀLCEO.

**calzamento,** dal lat. *calceamentum* ' calzatura ' incr. con it. *calza.*

**calzare¹** (verbo) lat. *calceare* ' infilar le scarpe ' incr. con it. *calza.*

**calzare²** (sost.), lat. volg *\*calcear, -aris* incr. di *calcar, -aris* e di *calceus,* influenz. poi da it. *calza* (v.).

**calzolaio,** lat. *calceolarius,* da *calceŏlus,* dimin. di *calceus* ' scarpa ', con norm. trattam. tosc. della finale *-ariu* in *-aio.*

**calzoni,** da *calza* e cioè « grosse calze (che si infilano »).

**camaldole(n)se,** da *Camàldoli* che è lat. *Campus Malduli,* in prov. di Arezzo.

**camaleonte,** dal lat. *chamaeleŏn, -ontis,* che è dal gr. *khamailéōn, -ontos* ' leone a terra ': « leone (che striscia) sulla terra ».

**camallo** (facchino), dall'ar. *hammāl* ' portatore '.

**camarilla,** dallo sp. *camarilla,* dimin. di *cámara* ' camera (del re) '.

**camato,** da una forma settentr. *\*camaito,* lat. volg. *\*camactus,* deriv. dal gr. *kámaks, -akos* ' bastone '. Il passaggio da *-ài-* in *-a-* rientra nel quadro di *prèite* che diventa *prete, fràile* che diventa *frale,* v.

**camauro,** dal lat. medv. *camaurus.*

**cambellotto,** dalla variante tosc. e settentr. di *\*cambello* rispetto al regolare ' cammello '; v. CAMMELLOTTO.

**cambiale,** da (*lettera*) *cambiale* ' lettera di cambio '.

**cambiare,** lat. tardo *cambiare* di orig. gallica.

**cambio,** sost. deverb. da *cambiare.*

**cambrì,** dall'ingl. *cambric* ' proprio della città (francese) di Cambrai ', in neerlandese *Kambryk.*

**cambusa,** dal genov. *cambùsa* e questo dal frc. *cambuse,* ol. *kabuys* ' cucina nella nave '.

**camelia,** dal lat. moderno *camellia* (XVIII sec.), nome dato in onore del gesuita G. I. Kamel (1661-1706), che aveva importato per primo la pianta dal Giappone.

**càmera,** lat. *camĕra* ' volta di una stanza ', dal gr. *kamára* ' ciò che è coperto da una volta ', con norm. passaggio di *-ă-* ad *-ĕ-* in sill. interna aperta dav. a *r.*

**camerata¹** (femm.), dallo sp. *camarada,* s. f. collettivo di *cámara* ' camera '.

**camerata²** (m.), dallo sp. *camarada* s. m.

**cameriere,** da *càmera* col suff. *-iere;* cfr. SCUDIERE, CASSIERE.

**camerista,** dallo sp. *camarista* incr. con it. *càmera.*

**camerlengo** e **camerlingo,** dal lat. medv. *camarlingus,* franco *kamarling* ' addetto alla camera (del tesoro del sovrano) ', incr. con *càmera;* cfr. CIAMBELLANO.

**càmice,** dal gr. biz. (V sec.) *kámasos* ' tunica ', trasmesso attrav. dialetti settentr. e incr. con it. *camicia.*

**camicetta,** dal frc. *chemisette* incr. con it. *camicia.*

**camicia,** lat. tardo (S. Gerolamo) *camīsia,* risal. a forma gallica o germ. imprecisata, passato attrav. una fase intermedia (it. ant.) *camiscia,* cfr. *basciare, brusciare, cascio;* v. CACIO.

**camino,** lat. *camīnus,* dal gr. *kámīnos* ' fornello '.

**camion,** dal frc. *camion.*

**camìtico,** dal nome di Cam, figlio di Noè, capostipite, secondo la Bibbia, delle stirpi africane. La forma lat. è *Cham,* quella gr. *Khám,* quella ebr. *Hām.*

**cammello,** lat. *camēlus,* inteso come dimin. nella forma *\*camellus,* energicamente incr. con *gamba* nel venez. ant. *gambelo,* più limitatam. nel merid. *cammello* (da *\*cambello*): dal gr. *kámēlos.*

**cammellotto,** dalla forma norm. *cammello* (v.), non sottoposta alle correzioni centrosettentr. *\*cambello, \*gambello;* v. CAMBELLOTTO.

**cammèo,** dal frc. ant. *camaheu,* legato forse a qualche nome loc.

**camminare,** verbo denom. da *cammino.*

**cammino,** lat. medv. (VII sec.) *cammīnus,* di orig. gallica.

**camomilla,** lat. tardo *chamomilla,* adattamento del

gr. tardo *khamaimēlon* « melo (strisciante) a terra », ' melo nano '.

**camorra**, dal tema mediterr. *\*morra* per ' gregge ', ' banda ' rinforzato da *ca-*, v. CA-², « la banda per eccellenza ». Il valore orig. del mediterr. *\*morra* è ' mucchio '; v. MORA¹.

**camorro** ' malaticcio ', incr. di lat. *camurus* ' curvo ', di orig. sconosciuta e *\*camoria* ' moccio ', con trattam. merid. di *-oria* in *-orra*.

**camoscio**, lat. tardo *camox* tratto dal vocab. paleo-europeo alpino *camocio*, attrav. una forma lombarda *camòsc'*.

**camozza**, forma settentr. (veneto *camoza*) con consonantismo *-zz-* anziché *-ccj-* di un lat. *\*camocia*, deriv. di *camox*; v. CAMOSCIO.

**campagna**, lat. tardo *campania* (VI sec.), da cui anche il nome regionale frc. *champagne*.

**càmpago** ' sandalo romano ', dal lat. tardo *campāgus* privo di connessioni attendibili.

**campaio**, di forma tosc. dal lat. medv. *camparius*; cfr. CAMPARO e CAMPIERE.

**campana**, lat. (*vasa*) *Campana* ' vasi Campani ' dalla reg. dove le campane sono state costruite per prime.

**campanaro**, da *campana*, con derivaz. centro merid. (non tosc.) in *-aro* (non *-aio*).

**campànula**, dal lat. moderno *campànula*, dimin. di *campana*.

**campare¹**, da *scampare*, liberato dal valore estrattivo proprio di *s-¹*.

**campare²**, verbo denom. da *campo*, nel senso agricolo e metaforico, non militare.

**camparo**, da *campo*, con derivaz. non tosc. di *-ariu* in *-aro* (anziché *-aio*); cfr. CAMPAIO e CAMPIERE.

**campata**, da *campo* nel senso di spazio determinato.

**campeggio¹** ' accampamento ', sost. deverb. da *campeggiare*, calco sul'ingl. *camping*.

**campeggio²** (qualità di legno), dallo stato messicano di *Campeche*.

**campestre**, dal lat. *campestris*, deriv. di *campus*, come *terrestris* da *terra*.

**Campidoglio**, dal *Campidoglio* romano, risultato da un'analisi di *capitolium* in *ca(m)pi-doglio*, secondo un procedim. non chiaro, cfr. CAPITOLINO.

**campiere**, da *campo* sul suff. di derivaz. *-ière* di orig. frc., irradiato attrav. l'Italia settentr. contro il *campaio* (v.) tosc. e il *camparo* (v.) non tosc.

**campigiana**, da *Campi*, comune della prov. di Firenze, col suff. etnico doppio del tipo *parmigiano*, *lodigiano* risal. a *-ensis+-ianus*.

**campionato**, formaz. collettiva in *-ato* da *campione*, come *decemvirato* da *decèmviri*.

**campione**, lat. medv. *campio*, *-onis*, deriv. da lat. *campus* ' combattente in campo ', prob. attrav. una fase franca *kampjo*.

**campo**, lat. *campus*, privo di conness. evidenti.

**camuffare**, lat. *\*muffa* ' guanto ', comp. con *ca*-peggiorativo (v. CA-²) e passato nel verbo denom. *\*camuffare* « applicare una ' muffa ' al capo ». La forma lat. docum. (IX sec.) è soltanto il dimin. *mùffula* ' manopola ', privo di connessioni attendibili.

**camuso**, da *ca-muso* con *ca-²* peggiorativo.

**can** ' signore ', dal turco *khān*, di orig. mongola; cfr. CANE².

**canaglia**, da *cane* col suff. collettivo e dispregiativo *-aglia*; cfr. *marmaglia*, *cianfrusaglia*, *plebaglia*.

**canaiolo**, dalle forme pisane e lucchesi del tipo *cannaiolo*, deriv. da *canna*, con semplificaz. loc. della cons. doppia.

**canale**, lat. *canalis*, agg. di *canna*, con semplificaz. della cons. doppia dav. all'accento.

**cànapa**, lat. tardo *canapa*, class. *cannăbis*, dal gr. *kánnabis*.

**canapè**, dal frc. *canapé* e questo dal lat. medv. *canapèum*, class. *conopèum* ' zanzariera ' che è dal gr. *konopeîon*.

**cànapo**, lat. tardo *ca(n)năpus* ' canapa ', variante di *cannăbus*; v. CÀNAPA.

**canard**, dall'impiego gergale frc. di *canard* ' anitra '.

**canarino**, dalle isole Canarie, donde è orig. la specie.

**canasta**, dallo sp. *canasta* ' canestro '.

**cancàn**, dal frc. *cancan*, prob. onomatop.

**cancellare**, lat. *cancellare* « (coprire) con una graticciata (di segni) ».

**cancelliere**, dal lat. *cancellarius* « custode dei cancelli (del Tribunale) » col suff. frc. di età carolingia *-iere*.

**cancello**, lat. *cancelli* (usato solo al plur.) e questo dimin. di *cancrī* ' graticci '; v. CANCRO.

**canceroso**, dal lat. tardo *cancerosus*.

**cànchero**, incr. di *cancro* col suff. *-ero* di *càppero*, *bécero*.

**cancrena**, lat. *gangraena* (gr. *gángraina*) incr. con *cancro*.

**cancro**, lat. *cancer* che, dal valore orig. di ' granchio ', è passato a termine astronomico e poi a quello medico a causa delle numerose ramificaz., che vengono confrontate con le zampe del granchio. Lat. *cancer* è forma dissimilata da *carcer*; v. CÀRCERE e cfr. GRANCHIO.

**candeggiare**, deriv. moderno del lat. *candēre* ' bruciare fino al color bianco ' e cioè ' rendere bianco '. Cfr. CÀNDENTE e CÀNDIDO.

**candela**, lat. *candela* in orig. ' la condizione di splendere ', v. CANDEGGIARE; cfr. (per la formaz. da temi di infinito), *querela*, *sequela*, *loquela*.

**candelabro**, dal lat. *candelabrum*, nome di strum. di *\*candelare*, verbo denom. di *candela*; cfr. *ventilabrum* rispetto a *ventilare*.

**candelaia**, lat. tardo (*festa*) *candelarum*.

**candelora**, incr. di lat. (*festa*) *candelarum* con (*festa*) *cereorum*, perciò « la *\*candelorum* », poi ' la candelora '.

**candente**, dal lat. *candens*, *-entis* ' bruciante a bianco '; v. CÀNDIDO e CANDEGGIARE.

**candi** (qualità di zucchero), (arc.), dall'ar. *qandī*, agg. di *qand* ' zucchero di canna '.

**candidato**, dal lat. *candidatus* e cioè « vestito della (toga) candida », propria di chi aspirava a una carica.

**càndido**, dal lat. *candĭdus* ' bianco luccicante ', agg. appartenente al sistema di *candere* ' bruciare ' con conness. soltanto nominali e approssimate, anche nelle aree celtica e indiana. Cfr. ACCENDERE.

**candire**, verbo denom. da *candi*.

**candore**, dal lat. *candor*, *-oris*, v. CANDIDO.

**cane¹**, lat. *canis*, appartenente alla famiglia ideur. di KWEN, attestata pressoché in tutte le aree ideur.:

per es. gr. *kýōn*, ted. *Hun(d)*, sia pure con alternanze formali non sempre perspicue.

**cane²**, v. CAN.

**canèa**, da *ca(na)nèa*, voce merid. che significa ' ghetto ', ' ebreo ', dal lat. *chananaeus* incr. con *cane*.

**canèfora**, dal lat. *canephŏros*, con introduz. di desinenza femm. (gr. *kanēphóros* sg. femm. ' portatrice di cesti ', da *kanéon* ' cesto ' e *-phoros* ' portatore ').

**canestro**, lat. *canistrum*, dal gr. *kánastron*, sottoposto alla norm. alteraz. della voc. interna, che avrebbe dovuto dare però in sill. chiusa *-e-* e invece si è allineata con i temi lat. in *-istrum* come *capistrum*; v. CAPESTRO.

**cànfora**, dal lat. medv. *càmphora* che è dall'ar. *kāfūr*.

**cangiare**, incr. del frc. ant. *changier* (mod. *changer*) con l'it. *cambiare*.

**cangio**, dal frc. *change* incr. con it. *cambio*; cfr. SCANGÈO.

**canguro**, dal frc. *kangourou* (XIX sec.) e questo dall'australiano *kanguru* ' quadrupede ', introdotto nel sec. XVIII nelle lingue occidentali.

**canìcola**, dal lat. *canĭcŭla*, dimin. femm. di *canis*, associato alla costellazione del Cane e alla maggior calura che si manifesta non appena il sole l'ha oltrepassata.

**canicolare**, dal lat. tardo *canicularis*.

**canino**, dal lat. *caninus*.

**canizie**, dal lat. *canities*, astr. di *canus*, che deriva da una rad. KAS attestata, con vari ampliam., anche nell'area germ. e col valore primitivo di ' brillare '. nei dialetti sabellici si ha *casnar* nel senso di ' vecchio '.

**canizza** (abbaìo), incr. di lat. volg. *\*canicia* e *canities* ' l'insieme delle qualità canine '.

**canna**, lat. *canna* che è dal gr. *kánna* e questo di prob. ascendenza semitica.

**cannella¹** (pianta), lat. tardo *cannella*, dimin. di *cannŭla* e questo di *canna*.

**cannella²** (rubinetto), da *canna*.

**cannellato**, da *cannello*, dimin. di *canna*.

**canneto**, lat. tardo *cannetum*.

**cannìbale**, da sp. *canìbal* e questo da *Canìbales*, variante, forse erronea, di *Caribes*, gli indigeni del mar dei *Caribi*.

**canniccio**, lat. tardo *cannicius* ' fatto di canna ', con norm. rafforzam. del gruppo *-cj-* in *-ccj-* dopo l'accento.

**can(n)occhiale**, da *canna* e *occhiale*.

**cannolicchio**, doppio dimin. di *canna*.

**cannolo**, dimin. di *canna*.

**cannone**, accresc. di *canna*.

**cànnula**, dal lat. tardo *cannŭla*, dimin. di *canna*.

**canòa**, dal caribico *canaua* attrav. lo sp. *canoa* per il senso proprio e l'ingl. *canoe* per il senso sportivo.

**canocchia** (crostaceo), incr. di *canna* e *conocchia*.

**canocchiale**, v. CAN(N)OCCHIALE.

**cànone**, dal lat. *canon*, *-ŏnis* ' regola ' che è dal gr. *kanón*, *-ónos*.

**canònica**, incr. di *canònico* e (casa) *colònica*.

**canònico**, dal lat. crist. *canonĭcus* che è dal gr. *kanonikós* « (legato al) *kanón* ' regola '».

**canonizzare**, dal lat. eccl. *canonizare* che è dal gr. *kanonizō* « inserisco nel canone (delle scritture) », quindi ' santifico '.

**canopo**, da *Canòpo* città del Basso Egitto (gr. *Kánōpos*).

**canoro**, dal lat. *canorus*, deriv. da *canĕre* secondo il modello di *sonorus* rispetto a *sonare*; v. SONORO.

**canossa**, a ricordo della umiliazione di Enrico IV dinanzi al Papa Gregorio VII, a *Canossa* presso Reggio Emilia, nel 1077.

**canottaggio**, dal frc. *canotage* incr. con it. *canotto*.

**canottiera**, dal frc. *canotière* incr. con it. *canotto*.

**canotto**, dal frc. *canot* e questo da lingua caribica dell'America centrale, v. CANÒA, allineato con i deriv. it. in *-otto* (*casotto*, *cerotto*, *cappotto*, ecc.).

**cànova**, lat. tardo *canăba* ' tenda ' (forse dal gr. *kánnabos*) incr. con lat. tardo *canua*, sinonimo di ' canistrum ' der. dal gr. *kanûn* « (tenda) da canestri, deposito ».

**canovaccio**, deriv. settentr. del lat. tardo *canapa*, con leniz. di *-p-* in *-v-*, incr. con *cànova*.

**cansare**, lat. *campsare* ' girar per mare ', ' deviare ', termine nautico tratto dal tema dell'aoristo gr. *kámpsai* ' piegare '; cfr. SCANSARE.

**cantafera**, incr. di *cantafòla* e *tiritera*.

**cantafola**, da *canta(re)* e *fola*.

**cantambanco**, da *canta in banco*.

**cantare**, lat. *cantare*, intens. di *canĕre* ' cantare ', term. tecnico del canto (rituale) nelle aree italica e celtica, del canto del gallo o di un rumore generico nelle aree germ. (ted. *Hahn* ' gallo ') e greca.

**cantàride**, dal lat. *canthăris*, *-ĭdis* che è dal gr. *kantharís*, *-ídos*, dimin. di *kántharos* ' scarabeo '.

**càntaro¹** (misura), dall'ar. *qințār*, che è dal biz. *kentēnárion* e questo dal lat. *centenarius*.

**càntaro²** (recipiente), dal lat. *canthărus* che è dal gr. *kántharos*; cfr. CÀNTERO.

**cantautore**, da *cant(ore-)autore*.

**cantèo**, lat. *cant(h)ērius* ' cavallo castrato ', usato come ' cavalletto di sostegno ' e trattato secondo la formula tosc. di *-eriu* in *-èo*, come in *capisteo* (v.); cfr. CANTIERE. Il tema orig. KANT(H)A pare mediterr.

**càntera** ' cassetto ', lat. *canthărus* ' coppa ', reso femm., con passaggio tosc. di *-ar-* in *-er-*.

**canterano**, da *càntera*, come *cassettone* da *cassetto*.

**canterella** (insetto), lat. *cantharid(ŭ)la* con passaggio tosc. di *-ar-* in *-er-*.

**càntero**, lat. *canthărus* con passaggio tosc. di *-ar-* in *-er-*; v. CÀNTARO.

**càntica**, dal lat. *cantĭcum* al plur., col senso collettivo di « insieme di canti ».

**càntico**, dal lat. *cantĭcum*, deriv. di *cantus*, *-us*; v. CANTO¹.

**cantiere**, lat. *cant(h)ērius* ' cavallo castrato ' usato come ' cavalletto di sostegno '. Il suff. di derivaz. risulta da un incr. fra la forma tosc. norm. *cantèo* (v.) e il suff. frc. di età carolingia *-iere*; cfr. frc. *chantier*. Cfr. CANTÈO.

**cantilena**, dal lat. *cantilēna* ' ritornello ', derivaz. non chiara di *cantus*, *-us*, forse attrav. un iterat. *\*cantilare* e l'astr. *\*cantilela*, cfr. QUERELA, LOQUELA, dissimil. in *cantilena*, dalla serie *l....l* a *l....n*.

**cantimplora**, dallo sp. *cantimplora* e questo dal frc. *chantepleure* ' canta-piange ' dal rumore del liquido che vi si versava.

**cantina**, dimin. vezzegg. di *canto²* nel senso di « angolo (molto) riposto ».

**cantino**, da *canto¹* nel senso di *cant(er)ino*.

**canto¹**, lat. *cantus, -us*, astr. di *canĕre*; v. CANTARE.

**canto²**, lat. tardo *canthus* ' angolo dell'occhio ', dal gr. *kanthós*.

**cantone**, da *canto²* ' angolo ': nel senso amministrativo deriva dal territorio compreso fra due strade ad angolo.

**cantore**, lat. *cantor, -oris*, nome d'agente di *canĕre*; v. CANTARE.

**canutiglia**, dallo sp. *cañutillo*, che è da *cañuto* ' cannello ' e questo da *cana* ' canna '.

**canuto**, lat. *cānūtus*, ampliam. di *cānus* ' canuto ' sul modello di *cornutus*: « (provvisto di) canizie »; v. CANIZIE.

**canzone**, lat. *cantio, -onis*, nome d'azione di *canĕre*.

**caolino**, da *Kao-ling* località cinese, da dove sono stati prelevati nel secolo XVII i primi campioni.

**caos**, dal lat. *chaos* che è dal gr. *kháos* ' baratro '.

**capace**, lat. *capax, -acis* ' atto a contenere ', da *capĕre* sec. il rapporto di *edax* ' vorace ' a *edĕre* ' mangiare '.

**capacità**, dal lat. *capacĭtas, -atis*.

**capanna**, lat. tardo *capanna* ' tugurio ' con la variante *cabanna* (IX sec.): voce mediterr. indicante il ' fondo di capanna '; cfr. lat. *cappudo* ' coppa ' v. CAPRUGGINE.

**caparbio**, incr. di *capace* e *superbio*.

**caparra**, da *capo-arra* ' inizio di garanzia '; v. ARRA.

**capat(in)a**, da *capo*, come *spallata* da *spalla*; cfr. CAPOLINO e, per il significato, CAPITARE.

**capecchio**, lat. *capit(ŭ)lum* ' parte superiore degli alberi ', dimin. di *caput*; v. CAPO.

**capèdine** (recipiente), dal lat. *capedo, -ĭnis*.

**capella** ' capretta ', dal lat. *capella*, dim. di *capra*.

**capellatura**, lat. tardo *capillatura*; v. CAPIGLIATURA.

**capello**, lat. *capillus*, privo di connessioni evidenti.

**capelvenere**, lat. tardo *capillus Veneris*.

**capère** ' poter essere contenuto ', lat. volg. *\*capĕre*, class. *capĕre*, passato con signif. intrans. alla coniugaz. in *-ēre*.

**capestro**, lat. *capistrum* ' cavezza ', collegabile con *capĕre* « ciò che prende »; cfr. CAVESTRO.

**capezza**, lat. *capitium*; v. CAPEZZO inteso in senso collettivo; cfr. CAVEZZA.

**capezzale**, lat. volg. *\*capitialis*, deriv. da *capitium* ' estremità '.

**capezzatore** ' prepotente, profittatore ', nome di agente di un presunto *\*capezzare*, verbo denom. di *capezzo* e perciò « chi prende il prossimo col capezzo » e cioè ' per il collo '.

**capezzo**, lat. *capitium* ' apertura superiore della tunica ', deriv. di *caput*.

**capézzolo**, dimin. di *capezzo* incr. con *capo* nel signif. di ' testa ', ' rilievo '.

**capidoglio**, da *capo d'olio*, per il liquido oleoso che si estrae dalla testa; cfr. CAPODOGLIO.

**capienza**, deriv. moderno da *capire* nel senso di ' contenere ', calco su *potenza*.

**capifosso** (*capofosso*), da *capo* e *fosso*.

**capigliatura**, dal lat. tardo *capillatura*, collettivo tratto dal lat. *capillatus, -us* incr. col plur. it. ant. *capegli* ' capelli '.

**capillare**, dal lat. *capillaris*.

**capillizio**, dal lat. *capillitium* ' capigliatura '.

**capinera** e **capinero**, incr. del tipo centro-merid. *caponera* e quello settentr. *capne(gh)er*.

**capire**, lat. volg. *\*Capire*, class. *capĕre*; cfr. CAPERE, dalla rad. KEP ' prendere ' al grado semiridotto KEP. La rad. con lo stesso ampliam. *-yo-* di *capio*, si trova anche nell'area germ., con ampliam. diversi nelle aree greca, celtica e baltica, senza ampliam. nell'area albanese. Essa rappresenta anche la nozione di ' avere ' (come conseguenza del ' prendere ') nell'area germ. (ted. *haben* ' avere ').

**capirosso**, incr. del tipo centro-merid. *capo-rosso* e quello settentr. *cap-ross*.

**capistèo**, lat. *capisterium* ' strumento per tritare il grano ', incr. del gr. *skaphistĕrion* e del lat. *capĕre*, con trattam. tosc. di *-eriu* in *-èo*, per es. *cantèo* (v.).

**capitagna** ' una delle due strisce estreme del campo arato ', lat. *capitanea* « (striscia) attinente al capo (del campo) »; cfr. CAVEDAGNA.

**capitale¹** (agg.), dal lat. *capitalis*.

**capitale²** (sost.), da (*somma*) *capitale*, agg. sostantiv. in quanto rappresenta la messa in valore di una somma ovviamente maggiore rispetto a quella rappresentata dai frutti.

**capitano**, lat. volg. *\*capitanus*, presupposto dal lat. tardo *capitaneus*, come deriv. di *caput*.

**capitare**, lat. volg. *\*capitare*, verbo denom. da *caput, -ĭtis* ' capo ' e cioè « mettere il capo in qualche luogo »; cfr. per il significato CAPAT(IN)A.

**capitello**, lat. *capitellum* dimin. di *capitŭlum*; v. CAPÌTOLO.

**capitolare¹** (verbo), dal lat. medv. *capitulare*, verbo denom. da *capitŭlum* « capitolo di una convenzione militare (specializzata poi in convenzione di resa) ».

**capitolare²** (sost.), dal lat. medv. *capitulare*, sost. neutro tratto dall'agg. *capitularis*.

**capitolino**, dal lat. *capitolinus*; cfr. CAMPIDOGLIO.

**capìtolo**, dal lat. *capitŭlum* dimin. di *caput, -ĭtis*.

**capitombolare**, da *capo* e *tombolare*.

**capitómbolo**, sost. deverb. da *capitombolare*.

**capitone**, lat. *capito, -onis* ' pesce che ha la testa grossa '; cfr. CAVEDONE.

**capitozzare**, incr. di un *\*capi(po)tare* ' potare il capo ' e *mozzare*.

**capo**, lat. *caput, -ĭtis*, con connessioni evidenti nelle aree germ. e indiana.

**capòc**, dal malese *kāpoq*.

**capocchia**, forma dimin. di lat. *caput* incr. con *conocchia*.

**capocchio**, da *capo* con un suff. del tipo di *ranocchio* rispetto a *rana*.

**capoccia**, forma settentr. di *capocchia*, come *podere* è forma settentr. di *potere*: simbolo di ciò che sporge e cioè ha preminenza.

**capoccione**, accresc. di *capoccia*.

**capodoglio**, da *capo d'olio*, per il grasso che si ricava dalla testa, con pronuncia non tosc. del gruppo *-lio*; cfr. CAPIDOGLIO.

**capofitto**, da *capo* e *fitto* (v.), part. pass. di *figgere*.

**capogatto**, lat. *caput captum*, it. *\*capo catto* con leniz. settentr. di *-g-* da *-c-*: « testa presa ».

**capogiro**, da *capo* e lat. *\*gyrŭlum*, estr. da un verbo iterat. *\*gyrulare*; cfr. it. ant. *capogirlo*, *capogiro(lo)*; v. GIRO.

**capolino**, doppio dimin. di *capo*; cfr. CAPAT(IN)A.

**capone**, da *capo* ' testa '; cfr. INCAPONIRE.

**caporale**, lat. volg. *capus*, *-ŏris* (var. di *caput*, *-ĭtis*), cfr. CAPRIOLA, ampliato col suff. *-ale*.

**caporiccio**, da *capo* e *riccio*; cfr. CAPRICCIO.

**caporione**, da *capo* e *rione*, analizzato però ormai come doppio der. di *capo*, analogamente a *capoccione*.

**capostorno**, estr. da *capostorn(at)o* ' voltato all'indietro' sullo schema di ' capogiro '.

**capotare**, dal frc. del XIX sec. *capoter*.

**capovòlgere**, da *capo-vòlgere*.

**cappa**, lat. tardo (VI sec.), *cappa*, specie di berretto; forma espressiva tratta da *caput*, adibita poi a definire una 'copertura' qualsiasi.

**cappella**[1] (luogo sacro), lat. tardo *cappella*, dimin. di *cappa*.

**cappella**[2] (di fungo), da *cappello*.

**cappellano**, da *cappella*[1].

**cappelletto**, dimin. di *cappello*.

**cappello**, lat. tardo (IX sec.) *cappellus*, doppio dimin. di *cappa*.

**càppero**, lat. *cappăris*, dal gr. *kápparis* di prob. orig. mediterr. inserito nella serie di nomi in *-ero*; cfr. *cànchero*, *bécero*, *pìffero*.

**cappio**, lat. *capŭlum* ' ciò che serve ad afferrare ', da *capŭlus* che è da *capĕre* col suff. *-lo-* di nome d'agente; cfr. *figŭlus* rispetto a *fingĕre*, *bibŭlus* rispetto a *bibĕre*, *credŭlus* rispetto a *credĕre*: cfr. CHIAPPO.

**cappone**, lat. volg. *cappo*, *ōnis*, con radd. espress. rispetto al class. *căpō*, *-onis*, con qualche conness. nelle aree greca (*kóptō* ' io taglio '), baltica e slava; cfr. CAFONE.

**cappotta**, dal frc. (XVIII sec.) *capote* incr. con 't. *cappotto*.

**cappotto**, da *cappa* secondo il rapporto di *salotto* e *sala*; cfr. *risotto*, *cerotto*.

**cappuccina**, da *cappuccio*, per la forma del fiore.

**cappuccino**[1] (frate), dal *cappuccio* caratteristico dei frati francescani.

**cappuccino**[2] (bevanda), dal colore della tonaca dei cappuccini.

**cappuccio**[1] (copricapo), dimin. di *cappa*.

**cappuccio**[2] (bevanda), estr. da *cappucci(n)o*[2].

**capra**, lat. *capra*, femm. di *caper*, con corrispond. nelle aree umbra, celtica, germ. L'elemento *c-* potrebbe essere un antichissimo pref. *k-* che metterebbe *c-apra* in conness. con *aper* ' cinghiale ' come *costa* con *os*; v. COSTA.

**capràggine**, dal lat. tardo *caprago*, *-ĭnis* ' lattuga selvatica ', da *caper* « (cibo) da capre », con norm. raddopp. di cons. postonica in parola sdrucciola.

**capraio**, lat. *caprarius*, con trattam. tosc. di *-ariu* in *-aio*.

**caprata**, da *capra* nel senso di armatura di legno.

**capriata**, dal lat. *caprea* ' capra selvatica ', adibito a un signif. tecnico e ampliato col suff. collettivo *-ata*.

**capriccio**, da *caporiccio*.

**capricorno**, dal lat. *capricornus* che traduce il gr. *aigokéros*: « dalle corna di capra ».

**caprifico**, dal lat. *capri-fīcus* « fico da capre ».

**caprifoglio**, lat. tardo *caprifolium*.

**caprile**, lat. *caprile*, neutro sostantiv. di *caprilis*, anche toponimo (prov. Belluno); cfr. OVILE.

**caprino**, lat. *caprinus*.

**capriola**, incr. di lat. volg. *capus*, *-ŏris* ' testa ',

cfr. CAPORALE, e il femm. sostantiv. di *capreŏlus* (da *capra*).

**capriolo**, lat. volg. *caprjòlus*, class. *capreŏlus*; cfr. CAVRIOLO, dimin. di *capreus*, deriv. di *caper*; v. CAPRO.

**capro**, lat. *caper*, *capri*; v. CAPRA.

**caprùggine**, dal lat. *cap(p)ŭdo*, *-ĭnis* ' coppa ' incr. per la parte radicale con *capra* e per la parte suffissale col suff. di it. *(test)ùggine*. *Cap(p)ŭdo* può essere collegato con *capis*, *-ĭdis* e con questo risalire al tema mediterr. KAPA, sopravvivente nei toponimi antichi di *Cape(na)* e *Capua*, da *Cape(wa)*; cfr. CAPANNA.

**càpsula**, dal lat. *capsŭla*, dimin. di *capsa* ' cassetta ', v. CASSA e CÀSSULA.

**captare**, dal lat. *captare* intens. di *capĕre*; v. CAPIRE.

**capzioso**, dal lat. *captiosus*, collegato con *captio* ' presa ', nome d'azione di *capĕre*.

**carabàttola**, prob. dal pisano *carabàttolo* ' baratto'o ', risultante da un pref. *ca-*[2] peggiorativo e una forma di metatesi di *baràttolo* (v.) in *-rabattolo*; cfr. SCARABÀTTOLO.

**carabba** (imbarcazione), dall'ar. *ḥarrāqa* ' brulotto ' incr. con *caricare*.

**carabina**, dal frc. *carabine* che deriva da *carabin* ' soldato di cavalleria leggera '.

**carabiniere**, dal frc. *carabinier*.

**càrabo** (coleottero), dal lat. *carăbus* ' aragosta ' che è dal gr. *kárabos*.

**carabottino**, dal lat. *carăbus* ' barca di graticcio rivestito di pelle ' con doppio suff. *-otto-* e *-ino-*.

**carachiri**, dal giapponese *hara* ' ventre ' e *kiri* ' tagliare '.

**caracollo**, dallo sp. *caracol* ' chiocciola '.

**caràcul**, dalla città di *Karakul*, nell'Uzbekistan (Asia occidentale) attrav. il frc. del XVIII sec. *caracul*.

**caraffa**, dall'ar. *garrāfa* ' bottiglia dalla pancia larga '.

**caràmbola**, dallo sp. *carambola*.

**caramella**, dallo sp. *caramel* (lat. medv. *canna mellis* ' canna da zucchero ' con dissimilaz. da *nas.... nas* a *liq.... nas*).

**carapace** (della tartaruga), dal frc. *carapace*.

**caratello**, dimin. di un ant. *carrata* ' botte trasportata su carro ' con sempl. sett. di *-rr-* in *-r-*.

**carato**, dall'ar. *qirāṭ* ' grano di carrubo ', ' piccolo peso '.

**caràttere**, dal lat. *character* che è dal gr. *kharaktḗr* ' impronta ', ' cesello '.

**caravanserraglio**, dal persiano *karwān-sarāy* ' palazzo della carovana o della comitiva di mercanti '.

**caravella**, dal portogh. *caravela* e questo dal lat. tardo *carăbus* ' barca di vimini foderata di pelle ', allineato con i dimin. in *-ella*. *Carăbus* è dal gr. dor. *kárabos*, che designa una specie di granchio e una imbarcazione.

**carbonaia**, lat. tardo *carbonaria*.

**carbonaio**, lat. *carbonarius*.

**carbonaro**, variante settentr. del tosc. *carbonaio*.

**carbonchio**, lat. *carbuncŭlus*, dimin. di *carbo*, *-onis* e applicato al doppio valore di gemma e di malattia, calco sul gr. *ánthraks*.

**carbone**, lat. *carbo*, *-onis*, con corrispond. limitate all'elemento *car-*, nelle aree germ. e baltica.

**carbonio**, dal lat. *carbo*, *-onis* col suff. *-io*.

carburare, verbo denom. da *carburo*.

carburo, deriv. di *carb(onio)* col suff. chimico -*uro*.

carcadè (*karkadè*), voce di orig. eritrea.

carcame, incr. di *arcame*, deriv. di *arca* (v.) e *carne*.

carcare (arc.), lat. tardo *carricare*, verbo denom. intens. da *carrus*; cfr. CARICARE.

carcassa, incr. in parte di *carne* e in parte di *càrico* con *cassa*.

carcerare, lat. tardo *carcerare*.

carcerario, dal lat. *carcerarius*.

càrcere, lat. *carcer*, -*ĕris* ' sbarre del circo ' poi ' prigione ', forma intatta rispetto alla dissimilata *cancer*, v. CANCRO, e con parallelismi sia semplici sia dissimilati anche nelle aree indiana e greca.

carcinoma, dal frc. *carcinome* (XVI sec.) e questo dal lat. *carcinōma*, -*ătis* che è dal gr. *karkínōma*, -*atos*, da *karkínos* ' granchio ' e ' cancro '.

carciofo, dall'ar. *kharshūf*.

cardànico, dal nome di Gerolamo Cardano (1501-1576) matematico pavese.

cardare, verbo denom. da *cardo* (v.).

cardellino, lat. volg. *cardellus*, dimin. del class. *carduelis* ' cardellino ', « (uccello che ama la pianta) di cardo », deriv. da *carduus*; v. CARDO.

cardenia, variante di *gardenia* dovuta a incr. con *cardo*.

-cardia, secondo elemento di comp. nominali col valore di ' cuore ' e suff. di astr. in -*ia* (es. *tachicardìa*), dal gr. *kardía* ' cuore ', analizzato *card*- e -*ia*.

cardìaco, dal lat. *cardĭacus* che è dal gr. *kardiakós*, agg. di *kardía* ' cuore '.

cardialgìa, dal gr. *kardialgía*, comp. di *kardía* ' cardias ', *álgos* ' dolore ' e -*ía*, suff. di astr.

càrdias, dal gr. *kardía* ' cuore ', ' cardias ', con una desinenza -*s* che ne assicura il genere maschile.

cardinale, dal lat. *cardinalis*, deriv. di *cardo*, -*inis*. Il sost. sottintende *episcŏpus* oppure *presbÿter*, oppure *diacŏnus*, dalle chiese cui i cardinali sono legati per il loro titolo.

càrdine, lat. *cardo*, -*inis*, privo di connessioni attendibili, cfr. CERNIERA.

cardio-, -cardio, elemento di comp. nominale che indica ' cuore ', dal gr. *kardía*.

cardiocinètico, da *cardio*- ' cuore ' e *cinètico* ' che mette in movimento '.

cardiologìa, da *cardio*- e -*logìa*.

cardiopalmo, da *cardio*- e gr. *palmós* ' battito '.

cardiopatìa, da *cardio*- e il tema -*patìa* ' malattia ', ' affezione patologica '.

cardiosclerosi, da *cardio*- e *sclerosi*.

cardiospasmo, da *cardias* e *spasmo*.

cardiotònico, da *cardio*- e gr. *tonikós* ' che provoca tensione, che dà tono '.

cardiovascolare, da *cardio*- e *vascolare*.

cardite, da *cardio*- e il suff. in -*ite* che indica malattia acuta.

cardo, lat. tardo *cardus*, class. *carduus*, privo di connessioni attendibili, ma, come *caeduus* con *caedere*, forse collegato con un *cardĕre*, ampl. in -*d* di *carere* ' cardare ' come *tendĕre* di *tenere*; v. CARMINARE.

carena, lat. *carina*, attrav. la tradiz. genov. di *caren-na*. Lat. *carina* è privo di conness. evidenti.

carenza, dal lat. tardo *carentia*, astr. di *carere* ' mancare '; v. CASTO.

carestìa, lat. medv. *caristìa*, astr. di lat. volg. *carestus*, che presuppone a sua volta un *carus*, -*ĕris* secondo il rapporto di *funestus* a *funus*, -*ĕris*, e l'accentazione secondo (*eu*)*carestia*. *Carus*, -*ĕris* risale alla rad. KAS; v. CASTO.

carezza[1], dal lat. medv. *caritia* ' moina '.

carezza[2], dal lat. medv. *caritia*, definito come *annonae càritas* ' costosità di vitto '.

cargo, dall'ingl. *cargo-boat*, comp. dallo sp. *cargo* ' carico ' e dall'ingl. *boat* ' nave '.

cariare, verbo denom. da *carie*.

cariàtide, dal lat. *caryatis*, -*ĭdis* che è dal gr. *karyátis*, -*idos* ' donna di Carie ' (città del Peloponneso).

càrica, sost. deverb. da *caricare*.

caricare, dal lat. tardo *carricare* ' operare con il carro ', incr. con *carcare*.

caricatura, da *caricare* nel senso di accentuare i tratti ridicoli o brutti di persona o cosa.

càrice, dal lat. *carex*, -*ĭcis*, privo di connessioni evidenti.

càrico[1] (agg.), estr. da *caric(at)o*.

càrico[2] (sost.), sost. deverb. da *caricare*.

carie, dal lat. *caries* ' corrosione ', astr. di una rad. KERĒ[1] ' rompere, rovinare ' attestata anche nelle aree celtica, greca, indoiranica (cfr. CARÒLO, CARUSO), secondo il rapporto di *paries* v. PARETE, rispetto alla rad. TWERĒ di (*a*)*perire* v. APRIRE.

cariglione (*carillòn*), dal frc. *carillon*, ant. *quarregnon* e questo dal lat. *quaternio*, -*ōnis* « quaderna (di campane) ».

carioca, da *carioca* ' abitante di Rio de Janeiro ' e questo dal fiume *Carioca*.

cariocinesi, dal gr. *káryon* ' noce ', ' nucleo ' e *kínēsis* ' movimento '.

carioplasma, comp. di gr. *káryon* ' nucleo ' e *plasma*.

cariòsside, dal gr. *káryon* ' noce ' e *ópsis*, -*eōs* ' aspetto '.

carisma, dal lat. *charisma* che è dal gr. *khárisma* ' dimostrazione graziosa, dono '.

carità, lat. *carĭtas* nel senso crist. di ' amore del prossimo ', con la voc. atona conservata per ragioni religiose; cfr. ÀNIMA. Per la variante it. arc. *caritate* v. CARITATEVOLE.

caritatévole, deriv. dell'arc. *caritate*, con la variante *caritévole* (arc.) come *autorevole* rispetto ad *autorità*; v. CARITÀ.

carlina (pianta), da *cardina*, dimin. di *cardo* incr. con Carlo (Magno) cui un angelo l'avrebbe suggerita come rimedio contro la peste.

carlinga, dal frc. *carlingue* e questo dall'ant. scandinavo *kerling*.

carlino, dal nome di Carlo I d'Angiò (1226-1285), che fece coniare tale moneta nel 1278.

carlona, incr. con *Carlo* del frc. *Charlon*, caso obliquo di *Charles*, nome di Carlo Magno, che nei tardi poemi cavallereschi è simbolo di semplicità e bonarietà.

carmagnola (giubba), da *Carmagnola*, cittadina in prov. di Torino.

carme, dal lat. *carmen* ' componimento poetico, canto ', da un più ant. *canmen*, che si comporta di fronte alla rad. di *canĕre* come *germen* di fronte alla rad. GEN di *gignĕre*; v. CANTO e GERME.

carmelitano, da *Carmèlo*, lat. *Carmēlus*, monte della Palestina (dall'ebr. *Karmel*).

carminare, dal lat. *carminare* ' scardassare ' da

**carmen** ' strumento per cardare ' e questo da *carēre* ' cardare ', che ha corrispond. evidenti solo nell'area baltica; cfr. CARDO.

**carminativo,** dal lat. medv. *carminativus* ' che agisce per incantesimo ' e questo dal lat. *carmen* ' canto ', ' incanto '.

**carminio,** dall'ar. *qirmizī* ' scarlatto ', cfr. CRÈMISI, incr. con *minio*.

**carnaccia,** peggiorativo di *carne* (cfr. *pellaccia*).

**carnagione,** adattamento di una forma con leniz. settentr. *carnasgiòn* risal. al lat. tardo (V sec.) *carnatio, -onis* (cfr. l'eccl. *incarnatio, -onis*).

**carnaio,** dal lat. *carnarium* ' deposito di carni macellate ', col trattam. tosc. di *-ariu* in *-aio*.

**carnale,** dal lat. eccl. *carnalis*, calco sul gr. *sárkinos*, opposto a *spiritualis*.

**carnalità,** dal lat. tardo *carnalĭtas, -atis*.

**carnasciale,** da *carn(e-l)asciare*, con dissimilaz. di *r.... r* in *r.... l*.

**carnato,** dal lat. *carnatus*.

**carne,** lat. *caro carnis*, ampliam. in *-n-* di un tipo *\*kar* appartenente alla rad. KER ' tagliare ', attestata nel gr. *keírō* ' io taglio ', v. CORTO. *Caro* significa dunque « porzione (di carne) »; cfr. CENA e CUOIO.

**carnè** (*carnet*), dal frc. *carnet*, dimin. di *caern*, risal. a un lat. volg. *\*quadernus* (frc. *cahier*).

**carnèade,** dal nome del filosofo gr. (II sec. a. C.) divenuto, in seguito all'episodio di Don Abbondio nell'VIII cap. dei *Promessi Sposi*, come il prototipo dello sconosciuto.

**carnéfice,** lat. *carnĭfex, -fĭcis* ' carnefice ' e cioè « colui che riduce (gli uomini) a carne ».

**carneficina,** dal lat. *carnificina*.

**càrneo,** dal lat. tardo *carneus*.

**carnesecca,** da *carne* e *secca* (estr. da *seccata*).

**carnevale,** da *carne-(le)vare*, con dissimilaz. della serie *r....r* in *r....l*: riferito alla vigilia della quaresima, giorno in cui si toglieva l'uso della carne.

**carniera** e **carniere,** da *carne*.

**carnìvoro,** dal lat. *carnivŏrus*, da *carni-* ' carne ' e il tema del verbo *vorare*: « mangiatore di carne »; v. VORACE.

**carnoso,** dal lat. *carnosus*.

**caro**[1] (psicol.), lat. *cārus*, già con doppio valore presso Plauto. Deriva da un tema KĀ-RO- che si trova identico nell'area germ. e baltica col signif. di ' desiderabile ' in senso amoroso (ted. *Hure* ' meretrice ') o anche goloso; e, con un grado diverso della rad., nell'area celtica.

**caro**[2] (econ.), dall'agg. *caro*[1], in senso non affettivo, economico.

**carogna,** lat. volg. *\*carōnia*, deriv. da *caro* ' carne ', come collettivo e peggiorativo: « (massa) di carne ».

**caròla** (danza), dal frc. *Carole*.

**carolina** (gioco di biliardo), incr. di *carambolina*, dimin. di *caràmbola* e il nome proprio *Carolina*.

**carolino,** dal lat. medv. *Càrolus* ' Carlo Magno '.

**caròlo** (malattia degli equini), lat. volg. *\*carjòlus* dimin. di *\*carius*; v. CARIE.

**carosello,** dal napoletano *carusiello* ' palla di creta ' (equival. a « testolina di caruso » o ragazzo) perché i giocatori si lanciavano reciprocamente palle di creta.

**carota,** dal lat. tardo *carōta* e questo dal gr. *karōtón*.

**caròtide,** dal gr. *karōtís, -ídos* e questo da *káros* ' sonno ', perché si riteneva che il sonno dipendesse da quella arteria.

**carovana,** dal persiano *karwān* ' comitiva di mercanti '.

**carpa,** lat. tardo (VI sec.) *carpa*, di prob. orig. germ. (ted. *Karpfen*).

**carpare** ' afferrare ', lat. volg. *\*carpare*, class. *carpĕre*, passato alla coniugaz. in *-a-* per indicare l'azione continuata (cfr. *educare* rispetto a *ducĕre*, *occupare* rispetto a *capĕre*).

**carpentiere,** dal lat. *carpentarius* (attrav. il provz. *carpentier*), deriv. di *carpentum* ' carro '.

**carpento,** dal lat. *carpentum*, di orig. gallica.

**càrpine** e **càrpino,** lat. class. *carpĭnus*, volg. *\*carpen, -ĭnis*, privo di connessioni evidenti.

**carpionare,** da *carpione*.

**carpione,** lat. medv. *carp(ĭ)o, -ōnis*, deriv. da *carpa*.

**carpìre,** lat. volg. *\*carpīre*, class. *carpĕre* ' cogliere frutti ', parola tecnica antichissima che risale alla civiltà dei collettori, connessa col gr. *karpós* ' frutto ', con il ted. *Herbst* ' autunno ' e cioè la « (stagione) della raccolta (dei frutti) ». Con un diverso grado di alternanza della rad. si trova nell'area baltica, nel lituano *kerpù* ' taglio con le forbici '.

**carpo,** dal gr. *karpós* ' giuntura (della mano) '.

**carpone** e **carponi,** formaz. analoga a *bocconi* (v.) in cui, al posto della bocca, ha valore preminente l'atto di aggrapparsi al terreno e quasi « carpirlo »; cfr. *ginocchioni*, *cavalcioni*.

**carradore,** da *\*carratore* (con la leniz. settentr. di *-t-* in *-d-*), nome d'agente di *carrare*.

**carraia,** lat. tardo (*via*) *carraria*.

**carrare,** verbo denom. da *carro*.

**carrè,** dal frc. *carré* ' quadrato '.

**carrega,** lat. volg. *\*catrēca* con metatesi da class. *cathedra*, con leniz. settentr. di *-c-* in *-g-* e assimilaz. pure settentr. di *-tr-* in *-(r)r-*; cfr. CÀTTEDRA e CADREGA.

**carrello,** dimin. di *carro*.

**carriera,** incr. di lat. *via carraria* (v. CARRAIA) in senso figur. e il suff. settentr. (di orig. frc.) *-iera*.

**carro,** lat. *carrus*, di orig. gallica, di fronte al tipo lat. genuino *currus* ' cocchio '; v. CORRERE.

**carrobbio** ' crocicchio ', lat. *quadruvium*, variante di *quadrivium*, trattato sec. una tradizione lombarda; cfr. CARRUGGIO.

**carrozza,** da un tipo *carroccia*, dimin. di *carro* con assimilaz. settentr. (*carossa*) poi corretta toscanamente in *-zza-*.

**carruba,** v. CARRUBO.

**carrubo,** dall'ar. *kharrūb*.

**carrùcola,** dimin. del lat. *carrūca* ' carrozza ', da *currĕre* (come *caducus*, *manducus*, *\*fiducus* da *cadĕre*, *mandĕre*, *fidĕre*) incr. con *carrus*.

**carruggio** ' vicolo ', lat. *quadruvium* (v. CARROBBIO), secondo la fonetica genovese.

**càrsico,** da *Carso* e questo da una base mediterr. *\*karsa* ' roccia '.

**carta,** lat. *charta*, dal gr. *khártēs* ' foglio di papiro '.

**cartabello** (arc.), da *carta* e *tabella*; cfr. SCARTABELLARE.

**cartàceo,** dal lat. tardo *chartaceus*.

**cartaia,** forma che si usò in Toscana, in confronto della settentr. e frc. *cartiera*.

**cartaio,** lat. tardo *chartarius* ' chi fa o vende carta '.

**càrtamo** (varietà di zafferano), dal lat. medv. *càrthamus* e questo dall'ar. *qurṭum*.

**cartapesta**, da *carta pes(ta)ta*.

**cartasuga** e **cartasugante**, da *carta* e la forma (non tosc.) *sugare*; v. ASCIUGARE.

**carteggiare**, verbo denom. da *carta*.

**carteggio**, sost. deverb. da *carteggiare*.

**cartella**, dimin. di *carta*.

**cartello¹** (scritta), dimin. di *carta*.

**cartello²** (consorzio), dal ted. *Kartell*, orig. dall'it. *cartello*.

**carter**, dal nome dell'inventore J. H. Carter (1891).

**cartesiano**, da *Cartesius*, nome lat. del filosofo frc. René Descartes (1595-1650).

**cartiglia**, dallo sp. *cartilla*.

**cartilàgine**, dal lat. *cartilago*, -*ĭnis*, privo di connessioni evidenti.

**cartilagìneo** e **cartilaginoso**, dal lat. *cartilaginĕus* e *cartilaginosus*.

**cartografìa**, da *carta* (*geografica*) e il tema -*grafia*.

**cartolaio**, dal lat. medv. *chartularius*, tratto da *chartŭla*, dimin. di *charta*; v. CARTA.

**cartolare** e **cartolaro**, dal lat. medv. *chartulare*, forma n. sostantiv. di *chartularis*, agg. di *chartŭla* dimin. di *charta*; v. CARTA.

**cartolibrerìa**, da *carto*(*leria*)-*libreria*.

**cartolina**, dal lat. *chartŭla*, dimin. di *charta*, con un ulteriore suff. dimin. it. -*ina*.

**cartomante**, da *carta* (*da gioco*) e -*mante* che è dal gr. *màntis* 'indovino, interprete'.

**cartomanzia**, da *carta* (*da gioco*) e gr. *manteía* 'divinazione'.

**cartonaggio**, dal frc. *cartonnage* incr. con it. *cartone*.

**cartone**, accresc. di *carta*. Nel senso di *cartoni animati*, calco sull'ingl. *animated cartoons*.

**cartuccia**, dimin. di *carta*.

**cartulario**, dal lat. medv. *chartularium*.

**caruso**, forma merid. del lat. *cariosus* 'cariato' e, riferito alla tigna, 'calvo'; v. CARIE.

**casa**, lat. *casa* 'casa rustica', priva di connessioni evidenti, forse di orig. mediterr.

**casacca**, incr. di (*veste*) *cosacca* (v. COSACCO) con *casa* e *sacca*.

**casaccio**, peggiorativo di *caso*.

**casale**, dal lat. tardo *casalis*, lat. medv. neutro sostantiv. *casale*.

**casalingo**, deriv. longob. in -*ingo*, da un incr. di *casa* e *casale*.

**casamatta**, dal *casa matta* « falsa casa ».

**casana** 'casa di prestito', incr. di it. *casa* col venez. *casnà* 'mucchio di denari', risal. all'àr. *khazina* 'tesoro'.

**cascamorto**, da *casca*(*re*) (come) *morto*.

**càscara sagrada**, dallo sp. *cáscara sagrada* 'corteccia santa'.

**cascare**, lat. volg. *casicare*, doppia deriv. intens. del lat. *cadĕre* (attrav. *casare*).

**cascata**, astr. di *cascare*.

**cascatura** 'vagliatura', riferito alle parti più fini che cascano non trattenute dal vaglio.

**cascherino** 'garzone di fornaio', nel senso scherzoso di colui che « lascia cascare » pane, anziché il grano vagliato nella « cascatura ».

**casciaia** 'graticcio per il cacio', lat. volg. *casjaria*, tardo *casearia* secondo la tradiz. tosc.; v. CACIO.

**cascina**, dimin. di un lat. volg. *capsia* da *capsa* 'cassa'; v. CASSA.

**cascino** 'strumento per fare il cacio', incr. di *cassa* (lat. *capsa*) e di *cascio* (lat. *caseus*) col suff. -*ino*; v. CACIO.

**casco¹** 'caduta', sost. deverb. da *cascare*.

**casco²** 'elmo', dallo sp. *casco*.

**càscola**, sost. deverb. da *cascolare*.

**cascolare**, verbo iterat. di *cascare*.

**caseario**, dal lat. *casearius*.

**caseificio**, dal lat. *caseus* e il tema -*ficio*.

**caseina**, dal lat. *caseus* e il suff. -*ina* proprio di sostanze chimiche.

**casella**, lat. tardo *casella*, doppio dimin. di *casa*.

**casellante**, da *casello¹* col suff. -*ante*, passato dal suff. di part. pres. a quello di nome d'agente: « (chi opera in connessione) col casello »; cfr. *bracciante* e *cavallante*.

**casello¹** (edificio), dimin. di *casa*.

**casello²** (caseificio), dimin. di *casa* incr. con *caseo*- dal lat. *caseus* 'cacio'.

**caseoso**, dal lat. *caseus* 'cacio' col suff. it. -*oso*.

**casera**, lat. (*taberna*) *casearia*, attrav. una tradiz. settentr., incr. con *casa*.

**caserma**, dal provz. *cazerna* 'casetta per quattro soldati', che è il lat. *quaterna* incr. con *erma* « (casa) solitaria ».

**casermone**, da *caserma*.

**casimira**, dal frc. *cachemir* e questo dalla reg. indiana del *Kashmir*.

**casino¹** (piccola casa), dimin. di *casa*.

**casino²** (casa da gioco), dal frc. *casino*.

**casìpola**, incr. di *casùpola* e di *casina*, dimin. di *casa*.

**casìstica**, incr. di *caso* e *statistica*.

**caso**, dal lat. *casus*, -*us* 'caduta', astr. del verbo *cadĕre*; v. CADERE.

**càsola**, dimin. di *casa*, rimasto frequente come topònimo, p. es. *Casola Valsenio* (Ravenna).

**casolare**, ampliam. di *càsola*; cfr. lat. medv. (XII sec.) *casulare*.

**càspita**, esclamazione di orig. triviale e onomatop., incr. con il verbo *capitare* 'accadere'.

**cassa**, lat. *capsa* 'scatola o cassetta per oggetti di pregio', formaz. desiderativa rispetto a *capĕre* 'prendere' come *noxa* 'danno' rispetto a *nocere* 'nuocere'.

**cassare**, dal lat. tardo *cassare* 'annullare' denom. di *cassus* 'vuoto'; v. CASSO².

**cassata**, dal nome di un dolce siciliano in cui la ricotta (lat. *casĕus*, v. CACIO) era ingrediente importante.

**càssero**, dall'àr. *qaṣr* che risale a sua volta al lat. *castrum* 'castello'.

**casseruola**, dal frc. *casserole* doppio der. del provz. *cassa*, lat. tardo *cattia*, privo di connessioni attendibili, cfr. CAZZA.

**cassettista**, da *cassetta* (*di sicurezza*).

**cassettone**, moltiplicativo di *cassetto*.

**cassia**, dal lat. *cassia* e questo dal gr. *kasía*, forse di orig. semitica.

**càsside**, dal lat. *cassis*, -*ĭdis* 'casco metallico', privo di connessioni evidenti.

**cassino¹**, dal lat. *capsus* 'cassa della carrozza'; v. CASSO¹ col suff. -*ino*.

**cassino²**, sost. deverb. (con suff. d'agente) da *cassare*, cfr. *stagnino*, *imbianchino*.

**cassiterite**, deriv. moderno del gr. *kassíteros* ' stagno ' col suff. *-ite*, proprio dei minerali.

**casso**[1] ' busto ', lat. *capsus* ' cassa della carrozza ', prob. collegato con *capsa*; v. CASSA.

**casso**[2] ' nullo ', dal lat. *cassus* ' vuoto, inutile ', collegato prob. con *caedĕre* ' tagliare ', v. CEDUO, come *lassus* con *laedĕre*, v. LASSO[1].

**càssula**, forma assimilata di *capsŭla*; cfr. CÀPSULA e v. CASSA.

**casta**, dallo sp. *casta* cioè ' (razza) pura ', non mescolata; v. CASTO.

**castagna**, lat. *castanea* dal gr. *kástanon*.

**castagneto**, incr. di lat. *castanetum* con it. *castagno*.

**castagnola**, calco sullo sp. *castañuela*, dimin. di *castaña*.

**castaldo**, dal longob. *gast-ald* ' amministratore dei beni sovrani '.

**castano**, da *castagno* incr. col suff. *-ano* e quindi inteso come *cast-ano* anziché come il lat. *castan-eus*.

**castellano**, dal lat. *castellanus*.

**castelliere**, da *castello*, con il procedim. settentr. parallelo a quello con cui da *càsola* si è formato *casolare* in Toscana.

**castello**, lat. *castellum*, dimin. di *castrum*; v. CASTRO.

**castigàbile**, dal lat. *castigabĭlis*.

**castigamatti**, dal bastone che serviva un tempo negli ospedali psichiatrici a « castigare o tenere a freno » i matti.

**castigare**, dal lat. *castigare* ' correggere ' poi ' punire ', deriv. da *castus* (v. CASTO) come *fatigare* da *\*fatis*; v. FATICA.

**castigatore**, dal lat. *castigator, -oris*.

**castiglione**, dal lat. medv. *castellio, -ōnis*, sopravv. in molti nomi loc., per es. Castiglion Fiorentino, dei Pepoli, ecc.

**castigo**, sost. deverb. estr. da *castigare*.

**castimonia**, dal lat. *castimonĭa*, deriv. di *castus* col suff. *-monia*, variante di *-monium*, *sanctimonium*, *patrimonium*: opp. a *caerimonia*, v. CERIMONIA come rito religioso opposto a uno civile.

**castità**, dal lat. *castĭtas, -ātis*.

**casto**, lat. *castus*, incr. di un KAS[1] ' istruire ' e di un KAS[2] ' mancare ', appartenente il primo alla lingua religiosa con chiare connessioni nell'area indiana, il secondo praticamente limitato all'Italia; cfr. CARENZA, CARESTÌA.

**castone**, dal franco *kasto* ' cassa ' (ted. moderno *Kasten*).

**castòreo** (liquido prodotto dal castoro), dal lat. *castoreum* che è dal gr. *kastórion*.

**castoro**, dal lat. *castor, -ŏris* incr. con it. *castorio*, variante di *castòreo* e trattato secondo il passaggio non tosc. di *-orio* in *-oro* (anziché *-oio*).

**castracani**, da *castra(re)* e *cani*.

**castrametazione**, dal lat. medv. *castrametatio, -onis*, nome d'azione tratto dalla locuzione *castra metari* ' disporre gli accampamenti '.

**castrare**, lat. *castrare*, verbo denom. da un presunto *\*cas-trum* ' strumento da taglio ', dalla rad. KES, che si trova identico anche nel signif. nel sanscrito *çastram* e con altri ampliam. invece in gr. Forse connesso a operazioni sacre del sacerdozio ideur.

**castrazione**, dal lat. *castratio, -onis*.

**castrense**, dal lat. *castrensis*.

**castro** ' centro abitato medv. inferiore alla *cìvitas* ',

lat. *castrum*, cfr. CASTELLO e i nomi locali come *Castro dei Volsci*, ecc.

**castrone**, da *castr(at)o* col suff. in *-one* di *caprone*, ecc.

**casuale**, dal lat. tardo *casualis*, deriv. di *casus, -us*, astr. di *cadĕre*; v. CADERE.

**casuario**, dal lat. scient. *casuarius* e questo dal malese *kasuwārī*.

**casùpola**, incr. di lat. *casa* e lat. *cupŭla* ' botte ', dimin. di *cupa*; v. CÙPOLA e cfr. CASÌPOLA.

**cata-**, lat. volg. *\*cata-*, dal gr. *katá* (cfr. CA-[2]), nel senso di ' in giù ', oppure con valore distributivo.

**cataclisma**, dal lat. *cataclysmus* che è dal gr. *kataklysmós* ' diluvio, inondazione ', attrav. il frc. *cataclysme* (XVI sec.).

**catacomba**, lat. crist. *catacumbae* da *ad catacumbas* ' presso la discesa alle grotte ', comp. di *cata-* (gr. *katá-*) ' discesa verso ' e *cumba* (di orig. gallica) ' avvallamento '; forse incr. anche con *tumba*: cfr. lat. *cata-sta*, v. CATASTA.

**catacresi**, dal lat. dei gramm. *catachresis* che è dal gr. *katákhrēsis* ' abuso '.

**catafalco**, incr. di un *\*catafalsum* e cioè di « (struttura) spuria (senza il cadavere) » con *palco*.

**catafascio**, da *cata-* e *fascio*.

**catafratto**, dal lat. *cataphractus* che è dal gr. *katáphraktos*, agg. verb. del verbo *kataphrássō* ' copro di un'armatura '.

**catalessi**[1] (metrica), dal gr. *katálēksis* ' cessazione ', nome d'azione di *katalégō*.

**catalessi**[2] e **catalessìa** (medicina), dal gr. *katálēpsis* ' l'atto del prendere ', nome d'azione di *katalambánō* ' sorprendo '.

**catalèttico**[1], dal gr. *kataléktikós* ' cessante ', dal verbo *katalégō*.

**catalèttico**[2], dal gr. *kataléptikós* ' che spetta alla *katálēpsis* '.

**cataletto**, lat. *\*catalectus* « a mo' di letto ».

**catàlisi**, dal gr. *katálysis* ' scioglimento '.

**catalogno** (fiore e frutto), dal nome della Catalogna d'onde furono importati.

**catàlogo**, dal lat. tardo *catalŏgus* che è dal gr. *katálogos* ' lista ', dal verbo *katalégō* ' enumero '.

**catapano**, dal lat. medv. *catapanus* che è dal gr. biz. *katepánō* ' soprintendente ' e questo dalla locuzione avv. *kat' epánō* ' in direzione dell'alto '.

**catapecchia**, incr. di un lat. *\*capannicŭla* e un romagnolo *(cata)pecia* ' piastriccio ' (dal lat. *picŭla*, dimin. di *pix* ' pece '), reso tosc. nella forma *catapecchia*.

**cataplasma**, dal gr. *katáplasma*, deriv. di *kataplássō* ' spalmare '.

**catapulta**, dal lat. *catapulta*, preso anticam. dal gr. *katapéltēs* e questo da *katapállō* ' getto giù ', con norm. passaggio di *-e-* in *-u-* dav. a *-l-* non seguìta da *-i-*.

**cataratta**, forma non tosc. di CATERATTA (v.).

**catarifrangente**, da *cata-* ' in giù ' e *rifrangente*.

**càtaro**, dal gr. *katharós* ' puro ', attrav. il lat. medv. *càtharus*.

**catarrina**, da *cata-* ' in giù ' e *rhís rhinós* ' naso '.

**catarro**, dal lat. tardo *catarrhus* e questo dal gr. *katárrhūs* « che scorre in giù », deriv. di *katarrhéō*.

**catarroso**, dal lat. tardo *catarrhosus*.

**catarsi**, dal gr. *kátharsis*, nome d'azione di *kathaírō* ' purifico '.

**catàrtico,** dal lat. tardo *cathartĭcus* che è dal gr. *kathartikós*.

**catarzo** (seta), lat. volg. *\*cathartjum,* dal gr. *kathartéon* (*sērikón*) « (seta) da purificare ».

**catasta,** lat. *catasta* 'palco', comp. di gr. *kata-* e il tema lat. di *stare*; cfr. *catacumba* e v. CATACOMBA.

**catasto,** da *\*catàstico* che è dal gr. biz. *katástikhon* 'registro' (*katà stíkhon* 'rigo per riga') attrav. una trascriz. settentr. che elimina la voc. finale.

**catàstrofe,** dal gr. *katastrophé* 'capovolgimento'.

**catechesi,** dal lat. tardo *catechēsis* che è dal gr. *kathēkhēsis* da *katēkhéō* 'istruisco a viva voce' e questo da *ēkhéō* 'risuono'.

**catechismo,** dal lat. tardo *catechismus* che è dal gr. tardo *katēkhismós*.

**catechista,** dal lat. tardo *catechista* che è dal gr. *katēkhistés*.

**catecùmeno,** dal lat. eccl. *catecumēnus* che è dal gr. *katēkhúmenos* 'istruito a viva voce'.

**categorìa,** dal gr. *katēgoría* 'attributo, predicato' da *katēgoréō* 'asserisco, attribuisco'.

**categòrico,** dal lat. *categorĭcus*.

**catello,** lat. *catellus* 'cagnolino', dimin. di *catŭlus* (v. CACCHIONE), senza connessioni fuori d'Italia.

**catena,** lat. tardo *catena,* privo di connessioni etimol.

**catenaccio,** lat. tardo *catenaceum,* forma sostantiv. di *catenaceus.*

**catenaria,** dal lat. scient. (dei matematici) *catenaria.*

**cateratta,** dal lat. *cataracta* (col passaggio tosc. di *-ar-* atono in *-er-*), risal. al gr. *katarrháktēs* 'cascata' e questo da *katarrhássō* 'cado giù', comp. di *katá* e *arássō* 'batto'.

**caterva,** lat. *caterva,* con qualche connessione nelle aree umbra, celtica e forse anche slava. Per la derivaz. cfr. ACERVO.

**catetere,** dal lat. tardo *cathĕter, -ĕris* che è dal gr. *kathetér, -êros,* nome d'agente di *kathíēmi* 'mando giù'.

**cateto,** dal frc. *cathète* e questo dal lat. femm. *cathĕtus* che viene dal gr. *káthetos* (*grammḗ*) « linea (perpendicolare) mandata giù ».

**catilinaria,** dal nome delle quattro orazioni di Cicerone contro Catilina.

**catino,** lat. *catinus,* privo di connessioni evidenti.

**catoblepa,** dal lat. *catōblĕpās* che è dal gr. *katóbleps* e questo da *kátō* 'in giù' e *blépō* 'guardo'.

**càtodo,** dal gr. *káthodos* 'discesa'.

**catogèo** (specie di cantina), dal gr. *katógeion* 'stanza sotterranea', comp. di *kátō* 'giù' e *gê* 'terra'.

**catone,** dal nome di Marco Porcio Catone (234-149 a. C.), fustigatore di costumi.

**catorbia,** incr. del napoletano *catoio* 'stanza a terreno' (risal. a *catogèo,* v.) e *orbo.*

**catorcio,** incr. di *catro* 'cancello' (v.) e *tòrcere.*

**catòrzolo,** incr. di *catorcio,* nella forma settentr. *\*catorzo,* con *bitòrzolo* (v.).

**catòttrica,** dal gr. *katoptrikḗ* (*tékhnē*) 'l'arte degli specchi'.

**catrame,** dall'ar. *qaṭrān.*

**catriosso** (carcassa di pollo), incr. di lat. volg. *\*catreca* 'sedia', v. CADREGA, CARRÉGA, nel senso di ossatura di elementi sottili, con *osso.*

**catro,** lat. *clātrī* 'cancello' con caduta per dissimilaz. della prima conson. liquida. *Clatri* è un

deriv. arc. del gr. dor. *\*klàithra,* più ant. *\*kláwithra.*

**cattaneo,** variante di *capitano,* da cui deriva il cognome *Cattaneo:* dal lat. tardo *cap(i)taneus.*

**cattare,** lat. *captare,* intens. di *capĕre*; v. CAPIRE e cfr. ACCATTARE.

**càttedra,** dal lat. *cathĕdra* 'sedia a braccioli' che è dal gr. *kathédrā* 'sedia', cfr. CARREGA e CADREGA, con norm. raddopp. di cons. postonica in parola sdrucciola.

**cattedrale,** dal lat. eccl. (*ecclesia*) *cathedralis.*

**cattedràtico,** dal lat. tardo *cathedratĭcus* incr. con it. *càttedra.*

**cattivare,** dal lat. tardo *captivare,* verbo denom. da *captivus* 'prigioniero'.

**cattiveria** e **cattiverìa,** da *cattivo,* come *furberìa* da *furbo.*

**cattività,** dal lat. *captivĭtas, -ātis.*

**cattivo,** lat. crist. *captivus* (*diaboli*) « prigioniero (del diavolo) »; *captivus* è agg. durat. da *captus,* part. pass. di *capĕre* 'prendere'.

**catto[1]** 'preso', lat. *captus,* part. pass. di *capĕre* 'prendere'.

**catto[2],** v. CACTO.

**cattòlico,** lat. tardo *catholĭcus,* conservato immutato per ragioni di rito (cfr. ÀNIMA) e questo dal gr. *katholikós,* agg. fatto sulla locuzione avv. *kath' hólū* 'universalmente'. Forse attrav. una tradiz. settentr. che ha determinato per reazione il raddopp. della cons. dentale.

**cattura,** dal lat. *captūra,* astr. di *capĕre* 'prendere'.

**catù,** da una variante della parola caribica *kahuchu;* v. CAUCCIÙ.

**catuno** 'cadauno' (arc.), lat. volg. *\*cata-*; v. CATA- e *uno,* cfr. CADAUNO.

**caucciù,** dal frc. *caoutchouc* (XVIII sec.) e questo dal caribico *kahuchu* o queciua *cauchu(c).*

**caudato,** dal lat. *cauda* 'coda' col suff. it. *-ato,* 'fornito di'; cfr. CODA.

**càudice,** dal lat. *caudex, -ĭcis,* variante di *codex -ĭcis*; v. CODICE.

**càule,** dal lat. *caulis* 'gambo', con connessioni nelle aree celtica, baltica, greca; cfr. CÀVOLO.

**caulìcolo** (motivo decorativo architettonico), dal lat. *caulicŭlus,* dimin. di *caulis.*

**causa,** dal lat. *causa,* privo di connessioni etimol.

**causale,** dal lat. tardo *causalis.*

**causalità,** dal lat. tardo *causalĭtas, -ātis.*

**causare,** dal lat. tardo *causare,* class. *causari.*

**causativo,** dal lat. tardo *causativus.*

**causìdico,** dal lat. *causidĭcus* 'avvocato', comp. di *causa* e *-dĭcus,* forma aggettiv. di *-dex,* nome di agente della rad. DEIK; v. DIRE.

**càustica** (superficie), forma femm. sostantiv. da *càustico:* perché caratterizzata da una concentrazione di energia.

**càustico,** dal lat. *caustĭcus* e questo dal gr. *kaustikós* 'bruciante'.

**cautela,** dal lat. *cautēla,* astr. di *cautus* come *tutela* di *tutus*; cfr. it. *lamentela.*

**cauterio,** dal lat. *cauterium* che è dal gr. *kautḗrion.*

**cauterizzare,** dai lat. tardo *cauterizare.*

**cauto,** dal lat. *cautus,* part. di *cavēre* 'guardarsi', da una rad. KEU 'prestare attenzione' attestata anche nelle aree greca (*koéō*), slava, indiana e, con un pref. *s-,* anche nell'area germ. (ted. *schauen* 'guardare').

**cauzionale**, dal lat. tardo *cautionalis*.

**cauzione**, dal lat. *cautio, -onis* 'precauzione', nome d'azione di *cavere*; v. CAUTO.

**cava**, lat. *\*cava*, forma sostantiv. dell'agg. *cavus*.

**cavagno**, lat. volg. *\*cavanjum*, agg. sostantiv. da *cavus* 'cavo'.

**cavalcare**, lat. tardo *caballicare*.

**cavalcione** e **cavalcioni**, incr. di *cavallo* e frc. ant. *a chevauchons*, dal verbo *chevauchier* 'cavalcare', inserito fra le locuzioni avv. in *-oni*, tratte da verbi (*carponi, coccoloni*) o nomi (*bocconi, ginocchioni, chiattoni, ciondoloni*); cfr. ACCAVALCIARE.

**cavaliere**, dal provz. *cavalier*, lat. *caballarius*.

**cavallaio**, lat. tardo *caballarius*.

**cavallante**, da *cavallo* con suff. di nome d'agente *-ante*; cfr. *bracciante, casellante*.

**cavalleggero**, da *caval(iere) leggero*.

**cavalleresco**, da *cavalleria*.

**cavallerìa**, incr. di *cavaliere* e *cavallo* col suff. *-erìa* di valore collettivo; cfr. *fanterìa*.

**cavallerizza**, dallo sp. *caballeriza*.

**cavallerizzo**, dallo sp. *caballerizo*.

**cavalletta**, da *cavallo*, per la sua capacità di saltare.

**cavalletto**, da *cavallo*.

**cavallino**, lat. *caballinus*.

**cavallo**, lat. *caballus* 'cavallo da lavoro', con una forma quasi identica nel gr. *kabállēs* (e altre sim.), tutte di prob. orig. mediterranea-balcanica.

**cavalocchio**, da *cava(re) l'occhio*.

**cavana** 'tettoia', lat. *capanna*, con leniz. settentr. di *-p-* in *-v-* e semplificaz. di *-nn-* in *-n-*.

**cavare**, lat. *cavare* 'rendere cavo', 'bucare', verbo denom. da *cavus*; v. CAVO.

**cavata**, da *cavare*.

**cavatina**, da *cavata*.

**cavatore**, dal lat. *cavator, -oris*.

**cavatura**, dal lat. tardo *cavatura*.

**càvea**, dal lat. *cavea*, privo di connessioni etimol. evidenti, cfr. GABBIA, anche se, per la formaz., sembra appartenere alla serie di *fovea*.

**cavedagna**, lat. *capitanea*, con doppia leniz. settentr. di *-p-* in *-v-* e *-t-* in *-d-*; risal. a *caput, -ĭtis*; cfr. CAPITAGNA.

**cavédine**, lat. volg. *\*capito, -ĭnis*, class. *capito, -ōnis* (v. CAPITONE), con doppia leniz. settentr. di *-p-* in *-v-* e *-t-* in *-d-*.

**cavedio**, dal lat. *cavu(m) aedium* 'cortile'; cfr. CAVO ed EDILE.

**cavedone**, lat. *capīto, -onis* «dalla testa grossa», deriv. di *caput, -ĭtis*, con la doppia leniz. settentr. di *-p-* in *-v-* e di *-t-* in *-d-*; cfr. CAPITONE.

**cavelle**, lat. *quam velles* 'quanto vorresti'; cfr. COVELLE.

**caverna**, lat. *caverna* da *cavus*, allineato con la serie di *cisterna, taberna*.

**cavernìcolo**, da *caverna* e il tema *-colo* 'abitatore'.

**cavernoso**, dal lat. *cavernosus*.

**cavestro**, lat. *capistrum*, con leniz. settentr. di *-p-* in *-v-*, ampliam. prob. di *capére*; cfr. CAPESTRO.

**cavezza**, lat. *capitium* al plur., quasi collettivo, con leniz. settentr. di *-p-* in *-v-*. Risal. a *caput* nel senso di «(apertura entro cui deve passar) la testa», v. CAPEZZO.

**cavia**, dal lat. scient. *cavia* e questo dal portogh. brasiliano *cavia* 'topo' tratto dalla lingua tupì.

**caviale**, dal turco *havyar*.

**cavicchia**, lat. tardo (gloss.) *cabicŏla*, class. *clavicŭla*, dimin. di *clavis*, con caduta già nel lat. volg. della prima *-l-* per dissimilaz.; cfr. CHIAVE.

**caviglia**, dal provz. *cavilla* e questo risal. al lat. tardo (gloss.) *cabicŏla*, class. *clavicŭla*; cfr. CAVICCHIA.

**cavillare**, dal lat. *cavillari* 'motteggiare'.

**cavillatore**, dal lat. *cavillator, -oris*.

**cavillo**, dal lat. *cavillum* 'motteggio', forma di dimin., privo di connessioni attendibili.

**cavilloso**, dal lat. tardo *cavillosus*.

**cavità**, dal lat. tardo *cavĭtas, -atis*.

**cavo¹** (agg.), lat. *cavus*, con connessioni nelle aree greca e celtica, cfr. COVONE.

**cavo²** (sost.), dal genov. *cavo* (lat. *caput*) 'testa o estremità della corda'.

**càvolo**, lat. tardo *caulus*, con la conservazione del dittongo merid. *au*, successivam. distinto nei suoi elementi vocalici attrav. la epentesi di *-v-*: *ca-u* diventa *ca-vo*, come *Genu-a* diventa *Gènova* e così *Mantova, vedova, rovina*; v. CÀULE.

**cavriolo**, lat. *capreŏlus*, con leniz. settentr. di *-p-* in *-v-*; v. CAPRIOLO.

**cazza** 'recipiente, méstola', lat. tardo *cattia* 'specie di chiocciola', privo di connessioni attendibili.

**cazzabùbbolo**, adattamento di una forma settentr. per *caccia(re)*, in composiz. con *bùbbola* 'fandonia'.

**cazzare**, dallo sp. *cazar (las velas)*.

**cazzeruola**, doppio der. di *cazza* (v.).

**cazzotto**, da *cazza* nel senso di 'méstola'.

**cazzuola**, dimin. di *cazza*.

**ce**, variante del pron. atono *ci* (v.).

**ceca** 'anguilla', lat. *caeca* 'cieca'; v. CIECO.

**cecare** 'accecare', lat. *caecare*; v. CIECO.

**cecca¹** 'gazza', dal nome proprio *Cecca*, abbreviaz. di *(Fran)cesca*.

**cecca²** 'cilecca', forma abbreviata di *cilecca*.

**cecce** (e **ceccia**), da una pronuncia vezzegg. o infantile di *sesse* per 'sedersi'; cfr. *ciccia* (v.) per *(sal)siccia*.

**cecchino**, da *Cecco (Beppe)*, nomìgnolo di Francesco Giuseppe (1830-1916), imperatore d'Austria al tempo della I guerra mondiale.

**cece**, lat. *cicer, -ĕris*, che ha connessioni, sia pure non perfette, nelle aree baltica e armena.

**cécero**, lat. volg. *\*cycĭnus* (v. CIGNO), class. *cycnus*, associato ai temi in *-ero* (cfr. *bécero, càppero, pìffero*).

**cecia** 'scaldino', incr. di *cieco* e *cece*.

**cecilia**, dal lat. *caecilia*, der. di *caecus* con varianti *cicìglia, cicìgna, cecìgna*; v. CIECO.

**cecità**, dal lat. *caecĭtas, -atis*.

**cèdere**, dal lat. *cedĕre*, da una rad. KĒD/KED, forse collegata col sistema di *cadĕre*, ma priva di connessioni evidenti.

**cediglia**, dallo sp. *cedilla, zedilla* 'piccola zeta'; v. ZETA.

**cèdola**, dal lat. tardo *(s)chedŭla*, dimin. di *scheda* 'foglio' incr. con *cèdere*.

**cedràngolo**, comp. di *cedro¹* e gr. *ángūron* 'cetriolo' incr. col suff. di dimin. *-olo*.

**cedro¹** (frutto), lat. *citrus*, parola mediterr. collegata col gr. *kédros* (v. CEDRO²) ma senza dipenderne e con la tipica oscillazione mediterr. *e-i*; cfr. il rapporto inverso di lat. *menta* e gr. *mínthē*; v. MENTA.

**cedro**[2] (pianta), dal lat. *cedrus* che è dal gr. *kédros*.

**cedrone**, da *cedro*[2] per il colore verde brillante delle piume sul petto.

**ceduo**, dal lat. *caedŭus* ' adatto al taglio ', norm. ampliam. aggettiv. in *-uo-* della rad. di *caedĕre* (come *attigŭus* rispetto a *attingĕre*, *assidŭus* rispetto ad *assidere*). *Caedĕre*, nonostante le affinità con *cedĕre* e *cadĕre* non ha connessioni etimol. evidenti; cfr. -CIDA e CASSO[2].

**ceduto**, lat. volg. *\*cedūtus* che ha preso il posto di *cessum*, allineandosi con un perf. del tipo *\*cedui* al posto di *cessi*, a sua volta modellato su *tenui* da *tenere*, cfr. AVUTO.

**cefalalgìa**, dal gr. *kephalalgía*, comp. di *kephalḗ* ' testa ' e *-algía*, astr. di *álgos* ' dolore '.

**cefalèa**, dal lat. tardo *cephalaea* che è dal gr. *kephalaía*.

**-cefalia**, astr. di *-cèfalo*.

**cefàlico**, dal lat. tardo *cephalĭcus* che è dal gr. *kephalikós*.

**cèfalo**, lat. tardo *cephălus* dal gr. *képhalos*, tratto da *kephalḗ* ' testa '.

**-cèfalo**, dal gr. *kephalḗ* ' testa '.

**cefalòpodi**, comp. moderno di gr. *kephalḗ* ' testa ' e gr. *pús podós* ' piede '.

**ceffo**, dall'ant. frc. *chief* ' capo '.

**ceffone**, accresc. di *ceffo*.

**celare**, lat. *cēlāre*, verbo durativo della rad. KEL[3] ' nascondere ', con la voc. allungata. La rad. appare col grado norm. dell'alternanza vocalica *cel-* nel comp. *occulĕre* (da *\*ob-celēre*, con norm. passaggio della -*ĕ*- in -*ŭ*- in sill. interna dav. a -*l*- non seguita da *i*) e con raddopp. consonantico nel sost. *cella*, v. CELLA; cfr. inoltre CIGLIO, CLANDESTINO. Il grado forte del causativo compare in *\*colere*, v. COLORE. Al grado norm. KEL[3] è attestata anche nelle aree celtica e germ. con forme verbali.

**celata**, dal lat. *(cassis) caelata* « (elmo) provvisto di un cielo ». « (rinforzato) nel cielo » e cioè nella parte superiore.

**celebèrrimo**, dal lat. *celeberrĭmus*, superl. di *celĕber*; v. CELEBRE.

**celebràbile**, dal lat. tardo *celebrabĭlis*.

**celebrare**, dal lat. *celebrare* ' frequentare ' e quindi ' solennizzare ', verbo denom. da *celĕber*.

**celebratore**, dal lat. *celebrator, -oris*.

**celebrazione**, dal lat. *celebratio, -onis*.

**cèlebre**, dal lat. *celĕber, -bris, -bre*, deriv. da un *\*kelos* come *funebris* da *funus*. *\*Kelos* va forse con la famiglia di lat. *calare* ' chiamare, convocare '; v. CALENDE e CHIAMARE.

**celebrità**, dal lat. *celebrĭtas, -atis*.

**celenterati**, da *celenteron*.

**celènteron**, comp. di *celo-* (dal gr. *koîlos*) ' vuoto ' e *èntero-* (dal gr. *énteron*) ' intestino '; così definito per l'unica cavità gastrovascolare di cui questi animali dispongono.

**cèlere**, dal lat. *celer, -ĕris, -ĕre*, con una connessione abbastanza evidente col gr. *kélēs* ' cavallo da corsa '; cfr. CELOCE.

**celerimensura**, dal lat. *celer* ' rapido ' e *mensura* ' misura '.

**celerità**, dal lat. *celerĭtas, -atis*.

**celeste**[1] (agg.), dal lat. *caelestis*, deriv. di *caelum* come *agrestis* da *agro-* e *\*domestis* (in *domesticus*) da *domus*; v. CIELO.

**celeste**[2] (sost.), da *celeste*, per la dolcezza del timbro che realizza.

**celeuma** (grido marinaro), dal lat. *celeuma* che è dal gr. *kéleuma*, da *keleúō* ' io comando '; v. CIURMA.

**celeuste** ' capo della ciurma ', dal lat. tardo *celeustes* che è dal gr. *keleustḗs*, nome d'agente di *keleúō* ' io comando '.

**celia**, dal nome proprio di una artista fiorentina: *far la Celia* ' agire come la Celia '.

**celiare**, verbo denom. da *celia* incr. forse con *celare*.

**celibato**, dal lat. *celibatus, -us*.

**cèlibe**, dal lat. *caelebs, -ĭbis*, privo di connessioni attendibili.

**celidonia**, dal lat. *(herba) chelidonia* che è dal gr. *khelidónios* ' attinente alle rondini , per la credenza che le rondini se ne servissero a scopo curativo.

**cella**, lat. *cel(l)a* ' dispensa, cameretta ', attestata identica nel sanscrito *çālā* ' capanna ' e quindi prob. risal. a un signif. di culto. Appartiene alla famiglia di *celare*; v. CELARE e CLAN(DESTINO).

**cellaio** ' dispensa ', lat. *cellarium* (penetrato nel ted. *Keller*).

**cellerario**, dal lat. medv. *cellerarius*, deriv. da class. *cellarium* ' dispensa '.

**celliere** ' dispensa, cantina ', dal frc. *cellier*, lat. *cellarium*.

**cellòfane**, dal frc. *cellophane*, comp. sul modello di *cello-* (estr. da *cellulosa*) e *-fane*, tema tratto dal gr. *phainō* ' ho l'apparenza di '.

**cèllula**, dal lat. *cellŭla*, dimin. di *cella*.

**cellulòide**, dal frc. *celluloïd* (XIX sec.) di provenienza anglo-americana, formata da *cellul(ose)* col suff. *-oïd* ' che ha aspetto di '.

**cellulosa**, dal frc. *cellulose* (XIX sec.) e questo da *cellule*, a sua volta dal lat. *cellŭla*.

**celoce** (nave romana), dal lat. *celox, -ocis*, incr. di *celer* (v. CELERE) e *velox*, v. VELOCE.

**celsitùdine**, dal lat. tardo *celsitudo, -ĭnis*, astr. di *celsus*.

**celso** ' elevato ' (arc.), lat. *celsus*, part. pass. di *-cellĕre* ' elevarsi ', attestato solo in forme comp. e tratto da un più ant. *\*keldĕre*, ampliam. in *-d* di KEL[1] attestato con lo stesso signif. nell'area baltica; v. anche COLLE, COLONNA.

**cémbalo**, lat. *cymbălum* che è dal gr. *kýmbalon*; cfr. CÌMBALO.

**cembro**, da una base mediterr. *\*kimra, \*gimra*, sopravv. nei dialetti alpini e fissata nel lat. scient. moderno nella forma *cembra*, cfr. CIRMOLO.

**cemento**, lat. *caementum* ' rottame da impastare '; dal verbo *caedo* ' faccio a pezzi ' (v. CEDUO) attrav. una forma *\*kaid-men-tom*; cfr. CIMENTO.

**cempennare**, incr. di *(in)ciampare* e *tentennare*.

**cena**, lat. *cena*, forse da *\*kert-sna* ' spartizione ', come *luna* da *\*louk-sna* che significa ' splendore (nella notte) '. La rad. KER(T) è la stessa di KER in *caro*; v. CARNE.

**cenàcolo**, dal lat. *cenacŭlum* ' stanza da pranzo ', formato come nome di strum. da *cenare*.

**cenare**, lat. *cenare*, verbo denom. da *cena*.

**cencio**, lat. *cincius*, incr. da *cento, -ōnis* ' coperta composta di cose eterogenee ' (v. CENTONE) e *cincinnus* ' ricco di capelli '; v. CINCINNATO.

**-cene**, dal gr. *kainós* ' recente ' attrav. il frc. *-cène* (per es. *pliocene, pleistocene*); cfr. CENOZOICO.

**cénere**, lat. *cinis, -ĕris*, confrontato col gr. *kónis* 'polvere' sia pure con la differenza del grado della radice, semiridotta nel lat. (da KEN), forte in gr. (da KON).

**cenerèntola**, dal lat. tardo *cinerentus* e questo da class. *ciner(ul)entus*.

**cenericcio**, lat. *cinerīcius*.

**cengia**, lat. *cing(ŭ)la* 'cintura' con la fonetica settentr. di *-gia-* da *-gla-*, invece del tosc. *-ghia-*; cfr. CINGHIA.

**cennamella**, dal frc. ant. *chalemel* incr. con *chant* 'canto'. *Chalemel* è dal lat. *calamellus*, dimin. di *calămus* 'penna'; cfr. CIARAMELLA e CERAMELLA.

**cennare**, lat. volg. *\*cinnare* (v.), denom. da *cinnus*; cfr. ACCENNARE.

**cenno**, lat. *cinnus* 'batter di ciglio', 'ammicco', privo di connessioni attendibili, ma prob. legato a *cincinnus*; v. CINCINNATO.

**ceno-**[1], primo elem. di comp. col valore di 'recente' (*cenozoico*), dal gr. *kainós* 'recente'.

**ceno-**[2], primo elem. di comp. col valore di 'vuoto' (*cenotafio*), dal gr. *kenós* 'vuoto'.

**ceno-**[3], primo elem. di comp. col valore di 'comune' (*cenocarpio*), v. CENOBIO.

**cenobio**, dal lat. tardo *coenobium* che è dal gr. *koinóbion* «(luogo) di vita (*bíos*) comune (*koinós*)».

**cenobita**, dal gr. tardo *koinobítēs*.

**cenocarpio**, da *ceno-*[3] e gr. *karpós* 'frutto'.

**cenosarco**, comp. di gr. *koinós* 'comune' e *sárks, sarkós* 'carne'.

**cenotafio**, dal lat. tardo *cenotaphium* che è dal gr. *kenotáphion* «tomba (*táphos*) vuota (*kenós*)».

**cenozoico**, dal gr. *kainós* 'recente' e *zôion* 'animale' e cioè un periodo della Terra in cui la vita si manifesta in forme non troppo lontane dalle nostre; cfr. -CENE.

**censire**, lat. tardo *censīre*, class. *censēre* 'dichiarare solennemente', forma ampliata della rad. KENS 'dichiarare' che si trova con signif. sostanzialmente religioso nell'area indoiranica, mentre con valore laico appare nelle aree slava e albanese.

**censo**, dal lat. *census, -us*, astr. di *\*censere*, v. CENSIRE, incr. dell'orig. *\*kens-tus* con lat. *sensus*.

**censore**, dal lat. *censor, -oris*, nome d'agente nel sistema di *censere*, risultante dall'incr. dell'orig. *\*kens-tor* e lat. *census*; v. CENSIRE.

**censura**, dal lat. *censura* 'ufficio di censore', secondo il rapporto di *quaestura* rispetto a *quaestor*.

**censurare**, verbo denom. da *censura*.

**centaurèa**, dal lat. scient. *centaurèa*, lat. class. *centaurèa* che è dal gr. *kentaúreion*, dalla leggenda che con quest'erba il centauro Chirone fosse stato guarito da una ferita.

**centauro**, dal lat. *centaurus* che è dal gr. *kéntauros*.

**centellino**, dimin. di *centello* e questo di *cento* nel senso di 'centesimo, piccolo'.

**centenario**, dal lat. *centenarius*, ampliam. della forma distributiva *centeni* (calco su *septeni* rispetto a *septem*) col suff. *-arius* (v. CENTO), perciò equival. a «composto di cento parti», in età tarda influenzato dal tipo *centennis*; cfr. CENTINAIO.

**centenne**, dal lat. tardo *centennis*.

**centennio**, da *centenne*.

**centerbe**, da *cento* ed *erbe*.

**centèsimo**, dal lat. *centesĭmus*, agg. ordinale di *centum*, tratto da *cent(um)* e *(vig)esimus*; v. VIGESIMO.

**centi-**, dal lat. *centi-*, primo elemento di comp. nominali da *centum*; per es. *centi(mănus)*, *centi(pes)*, normalm. in senso moltiplicativo, ma talvolta in senso divisorio, v. CENTIMETRO.

**centiara**, dal frc. *centiare* 'centesima parte di un'ara' e questo da *centi-* 'cento' e *are* 'ara'.

**centifoglia**, dal lat. *centifolius*.

**centìmano**, dal lat. *centimănus*.

**centìmetro**, da *centi-*, in senso divisorio e *metro*.

**cèntina**, sost. deverb. da *centinare*.

**centinaio**, dal lat. tardo *centenarium* 'comp. di cento parti'; v. CENTENARIO.

**centinare**, dal lat. medv. *centenare* 'sagomare', verbo denom. da *\*cinctīnum* tratto da *cinctum* come *circinus* da *circus*; v. CÉRCINE.

**cento**, lat. *centum*, parola fondam. di età e diffusione ideur. generale; per es. nel gr. *(he)katón*, nel ted. *Hund(ert)*, da una base di partenza ΚΜΤΟΜ.

**centocchio**, incr. di *centonchio* e *occhio*.

**centonchio** (pianta), lat. *centuncŭlus*, dimin. di *cento, -ōnis* 'coperta di vari pezzi'; v. CENTONE.

**centone**, dal lat. *cento, -ōnis* 'coperta di vari pezzi', privo di connessioni attendibili, cfr. CENCIO.

**centopelle** 'omaso', dal lat. *centipellio, -onis* incr. con *pelle*.

**centrale**, dal lat. *centralis*.

**-cèntrico**, dal gr. *kentrikós*, deriv. da *kéntron* 'centro'.

**centrìfugo**, da *centro* e il tema *-fugo* 'che mette in fuga'.

**centrìpeto**, comp. di *centro* e del tema lat. *-pĕtus* 'che si dirige verso', per es. *lucipĕtus* 'che cerca la luce'; v. PETENTE, PETIZIONE.

**centro**, dal lat. *centrum* che è dal gr. *kéntron* 'aculeo, punta di compasso, centro'.

**centùmviri**, dal lat. *centumvĭri* 'cento uomini'.

**centuplicare**, dal lat. tardo *centuplicare*, verbo denom. da *centŭplex* 'centùplice'.

**centùplice**, dal lat. *centŭplex, -ĭcis*, comp. di *centu(m)* e *-plex*; v. SÉMPLICE.

**cèntuplo**, dal lat. tardo *centŭplus*, comp. di *centu(m)* e *-plus*; v. DOPPIO.

**centuria**, dal lat. *centuria* 'complesso di cento (persone o parcelle)', deriv. da *centum* con un suff. moltiplicativo in *-r-* attestato anche nelle aree celtica, tocaria, anche baltica, cfr. DECURIA.

**centuriazione**, dal lat. *centuriatio, -onis*.

**centurione**, dal lat. *centurio, -ōnis* 'capo centuria'.

**ceppa(ia)**, da *ceppo*.

**ceppo**, lat. *cippus* 'palo di palizzata, piolo', privo di connessioni evidenti.

**cera**[1] (delle api), lat. *cera*, privo di connessioni evidenti.

**cera**[2] (del viso), dal frc. ant. *chière* e questo dal gr. *kára* 'testa', lat. alto medv. *cara* 'volto'.

**ceralacca**, da *cera* e *lacca* (v.).

**ceràmbice** (insetto), dal lat. scient. *cerambix* che è dal gr. *kerámbyks, -ykos*.

**ceramella**, da *ciaramella* incr. con *cera*.

**ceràmica**, dal gr. *keramikḗ (tékhne)* 'arte della lavorazione delle argille'.

**ceramista**, da *cerami(ci)sta*.

**cerasa**, incr. di lat. *cerasia*, dal gr. *kerásion* 'ciliegia', e *cerasa* dal gr. *kérasos* 'ciliegio'; cfr. CILIEGIA.

**cerasella** (liquore), da *cerasa*.

**ceraso**, lat. tardo *cerasium* incr. con lat. *cerăsus* che è dal gr. *kérasos* 'ciliegio'.

**ceraste** (serpente), dal lat. *cerasta* che è dal gr. *kerástēs* 'il cornuto'.

**cerato**, dal lat. *ceratum* 'empiastro (di cera e altro)'.

**cèrbero**, dal gr. *Kérberos*, nome del cane, custode dell'Ade greco.

**cerbia**, variante di *cervia*, col passaggio frequente in Toscana di *-rv-* a *-rb-*: cfr. il parallelo *serbare* da *servare*; cfr. CERBIATTO.

**cerbiatto**, tratto da *cerbio*, variante tosc. di *cervio* 'appartenente al cervo'; v. CERVO.

**cerbonea** e **cerboneca**, dal frc. *charbonnée* (XII sec.) e cioè 'carbonata'. *Cerboneca* è forse correzione tosc., destinata a eliminare la presunta leniz. totale di una *-c-* intervocalica.

**cerbottana**, dall'ar. *zarbaṭāna*.

**cerca**, sost. deverb. da *cercare*.

**cercare**, lat. *circare* (sostituto tardivo di *circumire*), verbo denom. da *circus* (v. CIRCO), irradiato dal linguaggio della caccia nella quale il cane fa giri sempre più larghi per trovare le tracce della selvaggina.

**cerchia**, da *cerchio*.

**cerchio**, lat. *circŭlus*, dimin. di *circus*; v. CIRCO.

**cércine**, incr. di lat. *circĭnus* 'compasso, cerchio' (da *circus*) e i temi it. del tipo *tèndine* e sim.; cfr. CENTINARE.

**cerco** (arc.), lat. *circus*; v. CIRCO.

**cercone**, da (*vino da*) *cerca*, quello che si dà per elemosina.

**cercopiteco**, dal lat. scient. *cercopithēcus* che è dal gr. *kerkopíthekos* «scimmia (*píthēkos*) con coda (*kérkos*) ».

**cerea** (saluto piemontese), da *serea*, ampliam. di *sere* 'signore', con correzione italianeggiante di *se-* in *ce-*.

**cereale**, dal lat. *cerealis* 'attinente alla dea Cerere' e quindi dissimilato da \**cereralis*. Il nome di Cerere pare risalire a un neutro \**cerus*, *-ĕris*, come Venere risale a *Venus*, *-ĕris*. La rad. dovrebbe essere KERĒ[2], la stessa di *creare*; v. CREARE, CRESCERE.

**cèrebro**, dal lat. *cerĕbrum*, ampliam. in *-ro* di un ant. \**keras* 'testa' e perciò « appartenente alla testa », col passaggio normale all'interno di parola di *-sr-* in *-br-* e di *-ă-* in *-ĕ* davanti a gruppo di cons. Il tema nominale è bene attestato anche nelle aree indiana, greca (*kára* 'testa'), germanica (ted. *Hirn* 'cervello'); cfr. anche CORNO. Per un ampliam. di KER in KER-U- v. CERVICE.

**cèreo**, dal lat. *cerĕus*.

**cerfoglio**, dal lat. *caerefolium* che è dal gr. *khairéphyllon*, con il secondo elemento incr. con lat. *folium*.

**cerimonia**, dal lat. *caerimonia*, parola della serie di *castimonia* (v.) col primo elemento di prob. orig. etrusca, forse dalla stessa città di *Caere*, nel senso di 'rito cittadino' o 'civile' contro quello religioso insito in *castimonia*.

**cerimoniale**, dal lat. tardo (*liber*) *caerimonialis*.

**cerino**, dimin. di *cero*.

**cerio**, da *Ceres* nome lat. dell'asteroide Cèrere (XIX sec.).

**cerna**, sost. deverb. da *cèrnere* 'scegliere'.

**cernecchio**, lat. tardo *cernicŭlum* 'staccio', poi 'scriminatura' incr. in parte con *cirrus* 'ciocca di capelli'.

**cèrnere**, dal lat. *cernĕre* 'vagliare', deriv. in *-no-* di una rad. (propria dell'agricoltura) KREI 'vagliare', attestata nelle aree celtica, gr. (*krínō* 'giudico') e germanica. La forma lat. *cerno* deriva da più ant. \**crĭno*.

**cernia**, lat. tardo (*a*)*cernia*, variante di *acerna* che è dal gr. *ákherna*.

**cerniera**, dal frc. *charnière*, lat. volg. \**cardinaria*, deriv. di *cardo*, *-ĭnis*; v. CÀRDINE.

**cèrnita**, dal lat. tardo *cernĭtus*, part. pass. di *cernĕre* al posto del class. *crētus* e dell'orig. *certus*; v. CERTO.

**cero**, da *cera* reso maschile con un certo valore accrescitivo (cfr. *coso* rispetto a *cosa*).

**ceroferario**, dal lat. eccl. *ceroferarius* « portatore (*ferarius*) di cera ».

**ceroplàstica**, dal gr. *kēroplastikḗ* (*tékhnē*) « l'arte di plasmare (*plássō*) la cera (*kērós*) ».

**ceroso**, dal lat. *cerōsus*.

**cerotto**, dal lat. *cerōtum* che è dal gr. *kērōtón* 'unguento di cera' incr. col suff. in *-otto*.

**cerpellino**, forse correzione settentr. del tosc. *scerpellino* (v.).

**cerretano**, da *Cerreto di Spoleto*, luogo donde venivano nel medio evo i primi venditori ambulanti.

**cerro**, lat. *cerrus*, privo di connessioni attendibili.

**certame**, dal lat. *certamen*, *-mĭnis* e questo da *certare* (iterat.-intens. di *cernĕre*) 'dibattere, gareggiare'; cfr. CONCERTARE.

**certificare**, dal lat. tardo *certificare* comp. di *certus* 'certo' e il tema di causativo *-ficare* 'fare'.

**certitùdine**, dal lat. *certitudo*, *-ĭnis*.

**certo**, lat. *certus*, ant. \**crĭtos*, part. pass. della rad. KREI di *cernĕre* (v. CERNERE), soppiantato poi da *cretus*: ciò che è « scelto » cioè « deciso » cioè « sicuro »; cfr. DISCRETO.

**certosa**, dal frc. *Chartreuse*, abbazia presso Grenoble, in Francia, dove San Brunone fondò il primo convento dei Certosini (1084).

**certuno**, da *uno*, rinforzato con *certo* nel senso di « opposto a tutti ».

**cerùleo**, dal lat. *caeruleus* e questo da *caerŭlus* per ragioni prosodiche; v. CÈRULO.

**cèrulo**, dal lat. *caerŭlus*, deriv. da *caelum* con dissimilaz. della serie *l....l* in *r....l*; v. CIELO.

**cerume**, dal lat. medv. *cerŭmen*.

**cerusìa**, astr. da *cerùsico*.

**cerùsico**, lat. volg. \**cirurgĭcus*, class. *chirurgĭcus* (v. CHIRURGO), dissimilato in \**cirugĭcus* e con assibilaz. settentr. di *-gi-* in *-sgi-*, di fronte alla forma ant. tosc. *cirùgico* (v.).

**cerussa**, dal lat. *cerŭssa* 'belletto', forse di orig. gr.

**cervella**, lat. plur. *cerebella* considerato come sg. collettivo; cfr. CERVELLO.

**cervello**, lat. *cerebellum*, dimin. di *cerĕbrum*, con norm. caduta della voc. protonica; v. CEREBRO.

**cervellòtico**, incr. di *cervello* e *zòtico*.

**cervia**, lat. tardo *cervia*, femm. di *cervus*, secondo il rapporto di *avia* rispetto a *avus*; cfr. CERBIA.

**cervicale**, dal lat. moderno *cervicalis*, deriv. da class. *cervix*, *-icis* 'cervice'; v. CERVICE.

**cervice**, dal lat. *cervix*, *-icis*, termine anatomico in *-ix*, *-icis*, deriv. da un ampliam. in *-u-* della rad. KER di *cerebrum*; v. CÈREBRO e cfr. CORNO.

**cerviere,** dal frc. *cervier* che è il lat. (*lupus*) *cervarius* « lupo (che caccia) i cervi ».

**cervino,** dal lat. *cervinus.*

**cervo,** lat. *cervus,* da un tema in *-u-* della rad. KER ' testa ' che supplisce il tema orig. ELEN andato perduto in lat. Il procedim. di sostituz. compare anche nelle aree celtica, baltica e germanica (ted. *Hirsch*); cfr. CORNO.

**cervogia,** dal frc. *cervoise* e questo dal lat. *cerevisia,* di orig. gallica.

**cervone** (arc.), accresc. di *cervo.*

**cerziorare,** dal lat. tardo *certiorare* (class. *certiorem facĕre*), verbo denom. da *certior,* compar. di *certus.*

**cesàreo,** dalla locuz. lat. *sectio caesarea* ' taglio cesareo ' dovuta alla etimol. di *Caesar* quale nato *caeso matris utero* ' dall'utero tagliato della madre ', secondo Plinio.

**cesarie,** dal lat. *caesaries,* antichissima parola ideur. sopravv. anche nell'area indiana e in quella soltanto, e quindi collegata a interdizioni proprie della classe sacerdotale; cfr. per lo stesso rapporto CALVO.

**cesarismo,** dal lat. *Caesar* ' imperatore '.

**cesello,** lat. volg. *caesellum,* dimin. di *caesum* ' tagliato '.

**cesio,** dal lat. *caesius* ' grigio verde ', privo di connessioni evidenti.

**cesoia,** lat. tardo (VI sec.) *cisoria,* da un più ant. *caesoria* e questo dalla famiglia di *caesum,* supino di *caedo* ' taglio a pezzi ', incr. con il tipo *incisum*; v. CEDUO.

**cespicare,** lat. tardo *caespitare,* verbo denom. da *caespes, -ĭtis,* incr. con *cespo* (v.) e col suff. di iterat. *-icare.*

**cèspite,** dal lat. *caespes, -ĭtis* ' zolla ', privo di connessioni attendibili.

**cèspo,** lat. *caespes, -ĭtis* ' zolla ' incr. con it. *césto².*

**cespuglio,** collettivo di *cespo* incr. con *miscuglio.*

**cessare,** lat. *cessare,* intens. di *cedĕre* ' ritirarsi, cedere '; v. CÈDERE.

**cessazione,** dal lat. *cessatio, -onis.*

**cessino,** da *cesso.*

**cessione,** dal lat. *cessio, -onis* ' l'atto di cedere ', nome d'azione di *cedĕre.*

**cesso¹** (part. pass. di *cedĕre*), lat. volg. *cessus,* dal sup. class. *cessum,* soluz. norm. di un orig. KEDTOM.

**cesso²,** sost. deverb. da *cessare* nel signif. ant. di ' ritrarsi '.

**cesta,** lat. *cista* (dal gr. *kístē*).

**cestista,** da *césto¹,* nel senso di « (giocatore di palla) al cesto ».

**césto¹** ' paniere ', da *cesta.*

**césto²** (gruppo di foglie), lat. *cistus,* dal gr. *kist(h)ós.*

**cèsto¹,** dal lat. *cestus* e questo dal gr. *kestós (hímas)* ' (cinto) ricamato '.

**cèsto²,** dal lat. *caestus, -us* ' guanto da combattimento ', privo di connessioni evidenti perché il signif. rende difficile il collegamento, formalmente corretto, con *caedĕre.*

**cesura,** dal lat. *caesura* ' taglio ', astr. di *caedĕre*; v. CEDUO.

**cete** (e *ceto*), dal lat. *cetus* e questo dal gr. *kêtos* ' cetaceo '.

**ceto,** dal lat. *coetus,* astr. di *coire* ' andare insieme, congiungersi ', cfr. COITO.

**cetonia,** dal frc. *cétoine* (XVIII sec.).

**cetra,** lat. *cith(ă)ra* e questo dal gr. *kithára*; cfr. CHITARRA e CÌTARA.

**cetriolo,** lat. volg. *citrjòlum,* dimin. di *citrium* e questo da *citrus*; v. CEDRO¹.

**chalet** (*scialè*), da *chalet* dei dialetti della Svizzera romanda; associato a una base di partenza *cala* ' rientranza ', ' riparo sotto la roccia ', v. CALA col dimin. in *-et.*

**charivari,** dal frc. *charivari,* lat. tardo *caribaria,* gr. *karēbaría* ' gravezza di testa ' da *kára* ' testa ', *barýs* ' grave ' e il suff. di astr. *-ia.*

**che¹** (pron.), lat. *quid,* forma neutra del tema ideur. KwI- di pron. interrogativo (e indefinito), attestato nelle aree iranica, greca (*tís*) e ittita; nella forma KwO/KwĀ nelle aree indiana e germanica (ted. *was*) e, parzialmente, anche altrove; cfr. CHI².

**che²** (cong.), secondo i casi lat. *quia, quod, quam* che corrispondono rispettivamente a un neutro plur. di *quis* da KwI-, un neutro sg. da KwO- e a un acc. sg. femm. da KwĀ-.

**checché** e **checchessìa,** lat. *quid-quid* con l'aggiunta event. del congiunt. *sia.*

**cheddite,** da *Cheddes* in Alta Savoia, dove fu fabbricata per la prima volta, col suff. *-ite*; cfr. *dinamite, cordite.*

**chedivè,** dal turco *khedīwī.*

**chefir** (*kefir*), dal frc. *kéfir* (XIX sec.) e questo dal turco *kefir* tratto da *kèf* ' benessere '.

**chele,** dal lat. *chele* che è dal gr. *khēlē* ' cosa biforcuta '.

**chellerina,** dal ted. *Kellnerin* ' cantiniera, cameriera ' con la scomparsa della prima *-n-* per dissimilaz.

**chelone,** dal gr. *khelōnē* ' tartaruga '.

**chemioterapia,** dal tema *chemio-* (estr. dalle parole ingl. *chemical, chemist*) e *terapìa* ' cura '.

**chepì,** dal frc. *képi* e questo dallo svizzero (alemannico) *Käppi,* dimin. di *Kappe* ' berretto '.

**cheppia,** forma dissimilata da *chieppia* (pesce), lat. *clipea clupea* (gloss.), privo di connessioni attendibili.

**cheratina,** dal gr. *kéras, -atos* ' corno ' col suff. chimico *-ina.*

**chér(i)co,** v. CHIÉRICO.

**chermes,** dallo sp. *quermes.*

**chèrmisi** (colore), v. CREMISI.

**cherosene** (combustibile), comp. di gr. *kērós* ' cera ' e il suff. chimico *-ene.*

**cherùbico,** da *chèrubo.*

**cherubino,** dal lat. medv. plur. *cherubim* che è dall'ebr. *kerūbīm* ' coloro che pregano '.

**chèrubo,** dal lat. medv. *cherub* che è dall'ebr. *kerūb.*

**chetare,** verbo denom. da *cheto.*

**chetichella,** da *cheto* con doppio ampliam.; cfr. CHETICONE.

**cheto,** lat. *quietus,* agg. antichissimo conservato identico nell'area iranica e risultante dall'ampliam. in *-to* del tema nominale radic. KwYĒ, sopravv. nel lat. *quies* (v. QUIETE), legato originariamente ai riti della casta sacerdotale indeuropea.

**chi¹** (segno alfab.), dal gr. *khi.*

**chi²** (pron.), dal lat. *quis* e *qui,* v. CHE¹, forme maschili del pron. interrogativo-indefinito e del relativo.

**chiàcchiera,** sost. deverb. da *chiacchierare.*

**chiacchierare,** verbo onomatop. in cui sono confluiti gli elementi *-cl-* di *clamare* ' chiamare ' e *-c-....-r-* dell'arc. *chièrere* (v.).

**chiama,** sost. deverb. da *chiamare*.

**chiamare,** lat. *clamare*, verbo denom. da un tema *clama*, tratto da una rad. K(E)LĀ¹ come *fama* dalla rad. BHĀ; v. FAMA. La rad. K(E)LĀ¹ ' chiamare ' si trova nel lat. *calare* (v. CALENDE, CELEBRE), nel gr. *kaléō* e in forme variamente ampliate nelle aree celtica, germanica, baltica, slava, greca, indiana; cfr. CHIARO, CLASSE.

**chiana,** tema mediterr. CLANA, mantenuto in vita tra l'altro attrav. il toponimo tosc. *Chiana* ' acqua stagnante '.

**chianna chianna,** dal napoletano *chianne chianne* ' piano piano '.

**chianti,** dalla reg. tosc. compresa fra gli alti bacini della Greve a nord e dell'Ombrone a sud. Ampliam. del tema mediterr. CLANA, cfr. *Chiana*, con un suff. che ne altera sensibilmente il signif.

**chiappa¹** ' natica ', sost. deverb. da *chiappare*.

**chiappa²** ' rupe ' è il tema mediterr. *klap(p)a* ' roccia ', ' ardesia '.

**chiappare,** verbo denom. da lat. volg. *clappus*, v. CHIAPPO.

**chiappo** ' anello ', lat. volg. *clappus*, forma espressiva e metatetica del class. *capŭlus*, nome di agente di *capĕre*; v. CAPPIO e cfr. CHIOMA.

**chiara,** da *chiaro* in forma femm. sostantiv.

**chiaretto,** cfr. CLARETTO.

**chiarificare,** dal lat. tardo *clarificare*.

**chiarificazione,** dal lat. tardo *clarificatio, -onis*.

**chiarina,** calco sul frc. *clairon* ' strumento dalla voce chiara ', cfr. CLARINO.

**chiarità,** dal lat. *clarĭtas, -atis*.

**chiaro,** lat. *clarus*, ampliam. in *-ro-* della rad. K(E)LĀ¹, v. CHIAMARE, e cioè definito come « atto a chiamare », come *gnarus* « atto a sapere » è un ampliam. della rad. GENĒ¹ col grado ridotto delle due sillabe.

**chiaroveggente,** da *chiaro* e *veggente*.

**chiasma** e **chiasmo,** dal gr. *khiasmós* ' collocazione in forma di croce ', deriv. dal nome della lettera *khi*, che per la sua forma (X) è simbolo dell'incrocio.

**chiasso¹,** lat. volg. *classum*, estr. da class. *classĭcum (cornu)* « segnale di adunata », passato poi ad ' assembramento ' (e quindi « spazio delimitato ») e ' confusione ' (e quindi « rumore »); v. CLASSE.

**chiasso²,** lat. *classis*, passato dal valore di ' sezione ' a quello di ' quartiere '.

**chiàstico,** dal gr. *khiastós* ' incrociato ', inserito nel sistema di *chiasmo*, secondo il rapporto di *spàstico* rispetto a *spasmo* o *realìstico* rispetto a *realismo*.

**chiatta** (merid.) da *chiatto* (v.), sost. femm.

**chiatto,** lat. volg. *plattus*, risal. al gr. *platýs* con alteraz. merid. di *pla-* in *chia-*; v. PIATTO.

**chiatton chiattone** e **chiattoni,** incr. di *chiatto* (lat. *plattus*) e di *quatto* (lat. *coactus*) secondo il modello di *bocconi, carponi, cavalcioni*.

**chiava** ' cava ', dal mediterr. KLAVA, v. CHIAVICA.

**chiavarda,** da *chiave* col suff. aument. *-arda*, come in *mostarda* da *mosto*.

**chiave,** lat. *clavis*, prob. incr. del gr. dor. *klāwis* con *clavus* ' chiodo ' da *claudĕre*; v. CHIÙDERE.

**chiavello,** lat. tardo *clavellus*, dimin. di *clavus* ' chiodo '.

**chiaverina,** doppio deriv. risultante dall'incr. di *clava* con *clavis* attraverso l'ampliam. *clavarina* e successivo passaggio tosc. di *-ar-* atono a *-er-*.

**chiàvica,** lat. tardo *clavĭca*, dal tema mediterr.

KLAVA ' deposito di detriti ' incr. con lat. class. *cloaca* (e *clavaca*); cfr. CLOACA. Da KLAVA derivano *chiava* e nomi loc. (*Chiavari, Chiavenna*).

**chiavistello,** lat. volg. *claustellum*, dimin. di *claustrum* ' serratura ' incr. con *clavis*.

**chiazza,** forse lat. *platea* ' piazza ', eufem. per ' macchia ' secondo la fonetica merid. che muta *pla-* in *chia-*.

**chiazzare,** verbo denom. da *chiazza*.

**chic,** v. SCIC.

**chicca,** da *chicco*.

**chìcchera,** dallo sp. (XVI sec.) *jícara* e questo da parola azteca significante un tipo di guscio.

**chicchessìa,** da *chi che sia* nel senso di *chi(un)que sia* e cioè con *chi*, come pron. indefinito.

**chicchiricchì,** forma onomatop. del tipo *ki....kj....r*, già presente nel gr. *kíkirros* ' gallo '.

**chicco,** incr. di lat. *coccum* ' granello ' (v. COCCO³) e *ciccum* (dal gr. *kikkos*) ' membrana divisoria della melagrana ' nel senso di cosa da nulla; cfr. CICA.

**chièdere,** lat. *quaerĕre* con dissimilaz. di *r....r* in *d.... r*. *Quaerĕre* non ha connessioni etimol. attendibili come molti altri temi verbali in *ai* (*caedo, laedo, taedet*). Forma anteriore è *quais*, v. QUESTORE.

**chierco,** v. CHIÈRICO.

**chièrere** (arc.), lat. *quaerĕre*; v. CHIÈDERE.

**chièrico,** dal lat. eccl. *clēricus* che è dal gr. *klērikós*; v. CLERO.

**chiesa,** lat. *ecclēsia* (lat. medv. XI sec. *clesia*), gr. tardo *ekklēsía* ' riunione dei fedeli, luogo di culto ' (gr. class. ' assemblea '). Prob. incrocio con *chiesta* (v. CHIESTO) per la a aperta e la mancata palatalizzazione della forma tosc. che avrebbe dovuto essere *chiéscia*.

**chiesàstico,** incr. di *chiesa* ed *ecclesiàstico*.

**chiesta,** forma sostantiv. del part. *chiesto* del verbo *chièdere*.

**chiesto,** lat. *quaestus*, forma regolare di *quaerĕre* in confronto del più comune e analogico *quaesitus*, originariam. solo desiderativo.

**chieticone** ' che agisce alla chetichella ', incr. di *cheto* e di *chietino*, nel senso figur. di ' ipocrita '; cfr. CHETICHELLA.

**chietino,** da *Chieti* col valore peggiorativo dovuto all'ordine religioso dei Teatini e alla loro stretta disciplina.

**chifel,** dal ted. *Kipfel* ' cornino ' a sua volta tratto dal lat. *cippus*.

**chiglia,** dallo sp. *quilla*.

**chilìfero,** da *chilo* ' succo ' e il tema *-fero* ' che porta '.

**chilo,** dal lat. *chylus* che è dal gr. *khylós* ' succo '. risal. al verbo *khéō* ' io verso '.

**chilo-** ' mille ', dal frc. *kilo-* e questo dal gr. *khílioi* ' mille '.

**chilociclo,** da *chilo-* ' mille ' e *ciclo* (v.).

**chilogrammo,** da *chilo-* ' mille ' e *grammo*.

**chilòmetro,** da *chilo-* ' mille ' e *metro*.

**chilowatt,** da *chilo-* ' mille ' e *watt*.

**chimera,** dal lat. *chimaera* che è dal gr. *khímaira*, originariam. ' capra '.

**chìmica,** dall'agg. *chìmico*.

**chìmico,** dal lat. medv. *chìmicus* e questo da *(al)chimìa* (v.).

**chimismo,** dal frc. *chimisme*, deriv. di *chimie* ' chimica '.

**chimo**, dal lat. tardo *chymus* che è dal gr. *khymós* 'fluido, umidità'.

**chimògrafo** e **chimogramma**, dal gr. *kŷma* 'onda' e *-grafo* 'che descrive' o *-gramma* 'scrittura, descrizione'.

**chimono**, adattam. del giapponese *kimono*.

**china**[1] (pendio), sost. deverb. da *chinare*.

**china**[2] (pianta), dallo sp. *quina*, da una lingua indigena del Perù, prob. dal queciua.

**china**[3], dalla errata lettura del portoghese *China* (da leggere *Scina*).

**chinare**, lat. *clināre* 'inchinarsi', verbo intens. durativo di un presunto *clinĕre* dalla radice KLEI 'appoggiare', attestata senza ampliam. nelle aree baltica e indiana, con ampliam. in *-n-* nelle aree latina, greca, germanica (ted. *lehnen* 'appoggiare'). Per una forma lat. della rad. KLEI priva di ampliam. v. CLEMENTE.

**chincaglia**, dal frc. *quincaille*, alteraz. di *clincaille*, deriv. di *clinquer* 'far rumore'.

**chincaglierìa**, dal frc. *quincaillerie*.

**chinèa** (cavallo) dal frc. *haquenée* (XIV sec.) e questo da un deriv. ingl. di *Hackney* (ingl. medio *Hakeney*), località nella reg. di Londra, un tempo rinomata per i suoi cavalli.

**chinina**, da *china*[2] col suff. *-ina* proprio dei prodotti medicinali.

**chinino**, da *chinina*.

**chino**, estr. da *chin(at)o*.

**chinotto**, dal nome (erroneam. letto) di *China*[3].

**chiocca**, lat. tardo *clocca* 'campana', parola di orig. gallica: « ciò che batte ».

**chioccare**, verbo denom. da *chiocca*.

**chioccia**, sost. deverb. da *chiocciare*.

**chiocciare**, incr. del lat. tardo *clocca* e *glocīre* di lontane orig. onomatop.

**chioccio**, sost. deverb. da *chiocciare*.

**chiòcciola**, dimin. di lat. tardo *clocea*, forma di metatesi, cfr. CHIOMA, per class. *cochlea*, che è dal gr. *kokhlías* 'chiocciola'; cfr. COCLEA.

**chiocco**, sost. deverb. di *chioccare*.

**chioccolare**, iterat. di *chioccare*.

**chiòccolo**, sost. deverb. da *chioccolare*.

**chiodo**, lat. volg. *claudus*, incr. di class. *clavus* 'chiodo' e del verbo *claudo* 'chiudo'; cfr. CHIOVO. Lat. *clavus* può esser collegato con *clava* e la rad. KELĀ[2] del 'battere', v. CLAVA.

**chioma**, lat. volg. *cloma*, forma di metatesi da *comŭla* (I sec. d. C.), dimin. di *coma* e questo dal gr. *kómē* 'capigliatura'.

**chionzo**, dal longob. *klunz* 'pesante'.

**chiosa**, incr. di lat. *glossa* 'idiotismo (bisogno di spiegazione)', che è dal gr. *glôssa* 'lingua' e *clausa* 'parentesi' o *clausŏla*.

**chiosco**, dal turco *kösk* 'villa' ecc.

**chiostra**, dal plur. lat. *claustra*, reso in it. al sg. femm. con valore collettivo.

**chiostro**, lat. tardo *claustrum* 'chiostro', class. 'riparo, recinto', da *claudĕre* 'chiudere'; cfr. CLAUSTRO.

**chiotto**, incr. di *plautus* 'dai piedi piatti' e *plattus* 'liscio come un piatto', secondo la tradiz. merid. che muta *plo-* in *chio-*.

**chiovo** 'chiodo' (arc.), lat. volg. *claudus* (class. *clavus*; v. CHIODO), attrav. una fase *chio-o* con lenizione totale della *-d-* e il *-v-* epentetico di *Génova* da lat. *Genŭa*.

**chiozzotta**, da *Chiozza* forma ant. di *Chioggia*, lat. *Claudia*.

**chipùr**, dall'ebr. *kippūr* 'espiazione'.

**chiragra**, dal gr. *kheirágra*, calco su *pod-ágra*, mediante la sostituz. di *kheír* 'mano' a *pod-* 'piede'.

**chiràgrico**, dal gr. *kheiragrikós*.

**chirie**, trascriz. del gr. *Kŷrie* (*eléison*) 'Signore (abbi misericordia)'.

**chiro-**, dal gr. *kheír* 'mano'.

**chirografario**, dal lat. tardo *chirographarius*.

**chirògrafo**, dal lat. *chirogrăphum*, che è dal gr. *kheirógraphon* 'scritto a mano'.

**chiromante**, dal gr. tardo *kheirómantis* 'indovino per mezzo delle mani'.

**chiromanzìa**, dal gr. tardo *kheiromanteía*.

**chiroteca** (guanto), comp. di *chiro-* 'mano' e *teca* 'custodia': « custodia della mano ».

**chiròtteri**, dal lat. scient. *chiròptera*, comp. di *chiro-* 'mano' e *-pterus* 'provvisto di ali'.

**chirurgìa**, dal gr. *kheirūrgìa* « lavorazione (*-ūrgía*) con la mano (*kheír*) ».

**chirùrgico**, dal lat. tardo *chirurgĭcus*, che è dal gr. *kheirūrgikós*.

**chirurgo**, dal lat. *chirurgus*, che è dal gr. *kheirūrgós*.

**chitarra**, dal gr. *kithára* con rafforzam. espressivo del suff. in *-rr-* (cfr. *ramarro, gazzarra*), v. CETRA, CITARA.

**chitina** (rivestimento sostitutivo dello scheletro fra gli invertebrati), dal frc. *chitine* e questo dal gr. *khitôn* 'tunica', 'rivestimento'.

**chitone**, dal gr. *khitôn, -ônos* 'tunica'.

**chiù**, nome onomatop. risal. al tipo *cli/cliu* presente ad es. in *civetta*.

**chiucchiurlare**, raddopp. intens. di *chiurlare*.

**chiudenda**, incr. di lat. *claudenda* 'le cose che devono essere chiuse', con it. *chiùdere*.

**chiùdere**, lat. tardo (V sec.) *cludĕre* (class. *claudĕre*), estr. dai comp. del tipo *concludĕre, includĕre*, col norm. passaggio di *-au-* a *-ū-* in sill. interna. La radice è (S)KLEUD che trova esatta corrispondenza nell'area germanica (ted. *schliessen*).

**chiunque**, da *chi* e *-unque*.

**chiurlare**, incr. dall'onomatop. *chiù* e *urlare*.

**chiurlo**, sost. deverb. da *chiurlare*.

**chiusa**, forma femm. sostantiv. del part. *chiuso*.

**chiusino**, incr. di *chiudino* e *chiuso*.

**chiuso** (part. pass. di *chiudere*), incr. di lat. *clausus* e i tipi (*con*)*clusus*; v. CHIUDERE.

**chiusura**, lat. tardo *clausura* (class. *clausura*); v. CHIÙDERE e cfr. CLAUSURA.

**choc** (pronuncia *sciòc*), dal frc. *choc* e questo dall'ingl. *shock* 'colpo', 'sussulto'.

**ci**, lat. (*hi*)*c-ce* da *hic*, pron. dim. elementare risultante dal tema fondam. *ei* p. es. in *is, ea, id* con un suff. rafforzativo *-c* e un pref. *gh-* che si ritrova nell'area indo-iranica, e, come suff., in greco. Il suff. rafforzativo *-ce* si trova invece chiaramente solo nell'àmbito italico.

**ciaba**, abbreviaz. di *ciabattino*.

**ciabare** 'ciarlare', incr. di *ciaba(ttino)*, con la base onomatop. *cia* di *ciarlare*.

**ciabatta**, dal turco *ćabata* 'calzatura persiana'.

**ciac**, onomatopea moderna da una serie *cia...c*.

**ciacche** e **ciàcchete**, onomatopea ant. di *cia...ca...*

**ciàcchero,** da *ciacco* (v.) e il suff. *-ero*; cfr. *bécero, quàcchero, sguàttero, cànchero, càppero.*

**ciacciare,** forma onomatop. *cia...cia...*

**ciacco** 'maiale', dall'interiez. *ciacche* (v.): « bestia che guazza ».

**ciaccona,** dallo sp. *chacona.*

**cialda,** dal frc. ant. *chalde,* lat. *cal(ĭ)da*; v. CALDO.

**cialdino,** dimin. di *cialda,* introdotto per sostituire il frc. *cachet.*

**cialtrone,** incr. di *ciarlone* e *poltrone.*

**ciambella,** abruzzese *ciambellë* 'piccole masse di pasta di granoturco fritta', incr. di lat. volg. *\*cimbŭla* (class. *cumbŭla*) 'barchetta' e *camella* 'scodella'.

**ciambellano,** dal frc. ant. *chamberlenc* da cui deriva anche *camerlengo* (v.).

**ciàmbola** 'donna chiacchierona', incr. di *cia...* onomatop. (v. CIACCIARE) e di *bàmbola.*

**ciampa,** da *zampa* (v.), con correzione esagerata della cons. iniz. ritenuta padana anziché longob.

**ciampanella,** incr. di *ciampicare* e *campanelle*: « inciampare in clamori di campane ».

**ciampicare,** da una forma, esageratamente corretta in senso tosc. di *zampa* con un suff. di verbo iterat. Il passaggio di signif. è paragonab. a *sgambettare* rispetto a *gamba.*

**ciana,** dal nome abbreviato di una *(Lu)ciana,* protagonista di un melodramma di A. Valle, rappresentato la prima volta nel 1738.

**cianamide,** da *cian(ògeno)* e *am(m)ide* (v.).

**cianca,** correzione tosc. eccessiva di longob. *zanka* 'tenaglia' e cioè 'gamba difettosa'.

**ciancia,** incr. di *ciarla* con onomatop. *cian...cia*; cfr. CINCIA.

**cianciafrùscola,** comp. di *ciancia* e *frùscolo* 'fuscello'.

**ciancicare,** incr. di *ciampicare* e *ciancia.*

**cianfrinare** (battere con scalpello speciale), dal frc. *chanfreiner,* verbo denom. di *chanfrein* 'orlo smussato', risal. a *chanfraint,* part. pass. di un verbo *chanfraindre,* comp. di *chant* 'angolo' e *fraindre* 'rompere'.

**cianfruglione,** incr. di *cerfoglio* (v.) con *cian-* (di *ciancia*) e *frugolone*; cfr. CIARFUGLIONE.

**cianfrusaglia,** da *ciancia* e *frùscolo* 'pezzetto' col suff. collettivo e peggiorativo *-aglia*: « *cian-(cia)frus(col)aglia* »; cfr. *accozzaglia, plebaglia.*

**ciangottare,** incr. di onomatop. *ciang...cing...* e la derivaz. in *-ottare* di *borbottare*; cfr. CIOMPO.

**ciànico,** da *ciano-* 'cianogeno'.

**cianidrico,** da *ciano-* 'cianogeno' e *idro-* 'acqua' col suff. di agg. *-ico.*

**cianina,** da *ciano²-* col suff. chimico *-ina.*

**ciàno,** dal lat. *cyănus,* che è dal gr. *kýanos* 'azzurro', 'fiordaliso'.

**ciano-¹,** primo elemento di comp., dal gr. *kýanos* 'azzurro', p. es. in *cianòmetro.*

**ciano-²,** primo elemento di comp., estr. da *cianogeno.*

**cianògeno,** dal frc. *cyanogène,* comp. a sua volta da gr. *kýanos* 'blu' perché entra nella composiz. del blu di Prussia; v. CIANO-¹ e *-gène* equival. a *-geno* (v.).

**cianografìa,** da *ciano-* e *-grafìa* 'scrittura'.

**cianòmetro,** comp. di *ciano-¹* e *-metro.*

**cianosi,** dal gr. *kyánōsis* 'tinta bluastra'.

**cianòtico,** da *cianosi* secondo il rapporto di *genetico* a *genesi.*

**cianotipìa,** da *ciano-¹* e *-tipìa* 'stampa'.

**cianta** e **ciantella** 'ciabatta', dal genov. *cianta,* lat. *planta*; v. PIANTA.

**cianuro,** da *ciano-²* 'cianògeno' col suff. chimico *-uro.*

**ciào,** dal venez. *s-ciao* '(sono suo) schiavo'; v. SCHIAVO.

**ciàppola,** dimin. di un mediterr. *klappa* 'ardesia', 'lastra di lavagna', trasmesso attrav. la fonetica ligure in cui *kla-* diventa *cia-*; v. CHIAPPA².

**ciaramella,** dal frc. ant. *chalemel,* con la dissimilaz. di *l...l* in *r...l*; cfr. CENNAMELLA e CERAMELLA.

**ciarda,** dall'ungh. *csárdás* « (danza che si esegue all')osteria (*csárda*) ».

**ciarfuglione,** incr. di *cerfoglio* e *frugolone*; cfr. CIANFRUGLIONE.

**ciarla,** sost. deverb. da *ciarlare.*

**ciarlare,** dalla serie onomatop. *cia...r,* col suff. di verbo iterat.

**ciarlatano,** da *cerretano,* incr. con *ciarlare.*

**ciarliero,** da *ciarla* col suff. settentr. (di orig. frc.) *-iero,* come *costiero* da *costa.*

**ciarpa,** dal frc. *écharpe* 'fascia ad armacollo' e questo dal franco *\*skërpa* 'bisaccia ad armacollo'; cfr. SCIARPA.

**ciascheduno,** lat. volg. *\*cisque* (class. *quisque*) *et unus,* it. *\*cischeduno,* incr. con *\*cata unum,* it. arc. *catuno* e *cadauno* (v.).

**ciascuno,** lat. volg. *\*cisque* (class. *quisque*) *unus*; cfr. CIASCHEDUNO, incr. con *catuno* (v.).

**ciàto** (vaso), dal lat. *cyăthus,* che è dal gr. *kýathos*; cfr. CIÒTOLA.

**cibare,** dal lat. *cibare,* verbo denom. da *cibus.*

**cibaria,** dal lat. plur. *cibaria, -ōrum*; cfr. CIVAIA.

**cibario,** dal lat. *cibarius.*

**cibernètica,** dal gr. *kybernētiké* (*tékhnē*) 'arte del pilota', sul modello dell'ingl. *cybernetics.*

**cibo,** dal lat. *cibus,* privo di connessioni fuori d'Italia.

**ciborio,** dal lat. *cibōrium,* che è dal gr. *kibórion* 'coppa che ricordava la forma della fava egiziana', trasferito poi nell'uso religioso.

**cibrèo,** dal lat. *(zin)gib(e)reus* 'fatto a zenzero'; v. ZÉNZERO, incr. con *regius* 'degno di re'.

**cica,** lat. plur. *cicca,* trasmessa con la semplificaz. settentr. delle cons. doppie; cfr. CHICCO.

**cicala,** lat. volg. *\*cicāla,* forma rustica di un class. *cicāda,* parola di orig. mediterr.

**cicaleccio,** da *cicala,* con il dimin. settentr. *-eccio* (invece del tosc. *-ecchio*).

**cicatrice,** dal lat. *cicatrix, -icis,* forma di un nome d'agente femm. di un verbo *\*cicare,* che vale 'solleticare', ma è privo di conness. attendibili.

**cicatricola,** dal lat. tardo *cicatricŭla.*

**cicatriziale,** da un lat. scient. *\*cicatricialis,* con dissimilaz. da *ci...ci* in *ci...zi,* sul modello di *artifiziale* o *uffiziale* accanto a *artificiale, ufficiale* ecc.

**cicca,** dal frc. *chique* (XVIII sec.).

**ciccare,** dal frc. *chiquer.*

**cicchetto,** dal frc. *chiquet* (XVII sec.), secondo l'uso gergale dei militari.

**ciccia,** lat. *(sal)sicia* « (carne condita) con sale », der. da *salsus,* v. SALSO e SALSICCIA, incr. con la pronuncia vezzegg. o infantile di *ci* per *si*; cfr. CECCE.

**cìcciolo**, deriv. di *ciccia*.

**cicèrbita**, lat. tardo *cicirbǐta*, con un certo quale parallelismo di formaz. con *cucurbǐta*; v. CUCÙRBITA.

**cicerchia**, lat. *cicercǔla*, dimin. di *cicer* ' cece '; v. CECE.

**cicerone**, dal nome di M. Tullio Cicerone (106-43 a. C.), simbolo della eloquenza romana.

**cicigna**, dal lat. *caecilia*, deriv. di *caecus*, incr. con gli agg. del tipo *maligno*, *benigno*.

**cicisbèo**, incr. della serie onomatop. *ci...ci...s* simbolo del ' bisbigliare ' (v.) e di *babbèo* (v.).

**ciclàbile**, da un presunto verbo *\*ciclare*, denom. da *ciclo*.

**ciclamino**, dal lat. *cyclaminus*, che è dal gr. *kyklámǐnos*.

**cìclico**, dal lat. *cyclǐcus*, che è dal gr. *kyklikós*, deriv. da *kýklos* ' cerchio '.

**ciclismo**, calco sul frc. *cyclisme*.

**ciclista**, dall'ingl. *cyclist*.

**ciclo[1]**, estr. da *(bi)cicl(etta)* sotto l'influenza dell'ingl. *cycle* (XIX sec.), dal gr. *kýklos*.

**ciclo[2]**, dal lat. *cyclus*, che è dal gr. *kýklos*.

**ciclocampestre**, da *ciclo* e *campestre*.

**ciclòide**, dal gr. *kykloeidḗs* ' che ha aspetto di un cerchio ', comp. di *kýklos* ' circolo ' e *-eidḗs* ' simile a '.

**ciclomotore**, da *ciclo* (a) *motore*.

**ciclone**, dall'ingl. *cyclone* (XIX sec.) e questo dal gr. *kýklos*.

**ciclope**, dal lat. *Cyclops*, *-ōpis*, che è dal gr. *Kýklōps*, *-ōpos*.

**ciclòpico**, da *ciclope*.

**ciclopista**, comp. di *ciclo[1]* e *pista*, « pista per ciclo ».

**ciclostilo**, dall'ingl. *cyclostyle* (XIX sec.), comp. di gr. *kýklos* e lat. *stilus* perché, nella forma primitiva, l'incisione era prodotta da una rotellina posta all'estremità di uno stilo.

**ciclotrone**, da *ciclo* e (*elet*)*trone*; cfr. *fitotrone*, *sincrotrone*.

**cicogna**, lat. *cicōnia*, forma raddopp. di un tema *conea* attestato a Preneste, senza altre connessioni evidenti nell'area ideur.

**cicoria**, dal lat. *cichoria*, plur. di *cichorium*, che è dal gr. *kikhóreia*.

**cicuta**, dal lat. *cicuta*, privo di connessioni attendibili.

**-cida**, dal lat. *-cida*, tema di nome d'agente (per es. (*homi*)*cida*, estr. da *caedĕre* ' tagliare a pezzi '; v. CEDUO, con norm. passaggio di *-ae-* in *-ī-* in sill. interna.

**-cidio**, dal lat. *-cidium*, p. es. (*homi*)*cidium*, deriv. di *caedĕre* ' tagliare ', v. CEDUO.

**cieca[1]**, variante di CECA.

**cieca[2]**, sost. deverb. da *cecare*.

**cieco**, lat. *caecus*, con connessioni nelle aree celtica e germanica col signif. però di ' guercio '.

**cielo**, lat. *caelum* forse da *\*kaid-lom* « (regione) ritagliata e delimitata », legato a *caedĕre* ' tagliare ', come il gr. *témenos* a *témnō* ' io taglio '.

**cifosi**, dal gr. *kýphōsis* ' curvatura ' (da *kyphós* ' curvo ').

**cifra**, dal lat. medv. *cifra* e questo dall'ar. *ṣifr* ' nulla ', ' zero ', cfr. ZERO.

**ciglio**, lat. *cilium* ' palpebra inferiore ' più tardi ' ciglio '. Da una forma KELIYO-, con corrispond.

nelle aree germ. (ted. *Hülle* ' velo '), e gr., risal. alla rad. KEL[3] di *celare*; v. CELARE: « ciò che nasconde ».

**cigna**, **cìgnere**; v. CÌNGHIA, CINGERE.

**cigno**, dal lat. *cygnus*, che è dal gr. *kýknos*; cfr. CECERO.

**cigolare**, incr. di un elemento onomatop. *ci...li*, e *cicala*: con leniz. sett. di *-c-* in *-g-*; v. ZIGARE.

**cilecca**, forse dal bavarese d'Austria *schleck!*, interiez. di scherno.

**cilestr(in)o**, lat. *caelestis*, incr. col suff. it. *-estro*.

**ciliare**, dal lat. medv. *ciliaris*, deriv. di *cilium*; v. CIGLIO.

**cilicio** e **cilizio**, dal lat. *cilicium*, che è dal gr. *kylíkion* « (proprio) della Cilicia ».

**ciliegia**, lat. volg. *\*ceresja*, femm. di *\*ceresium*; v. CILIEGIO, con sostituz. di *-l-* a *-r-* e leniz. settentr. di *-sja-* in *-sgja-*; cfr. CERASA.

**ciliegio**, lat. volg. *\*ceresium*, class. *cerasium*, che è dal gr. *kerásion*; v. CILIEGIA e CERASA.

**cilindrico**, dal gr. *kylindrikós*.

**cilindro**, dal lat. *cylindrus*, che è dal gr. *kýlindros*, deriv. di *kylíndō* ' avvolgo '.

**cilindroide**, dal lat. *cylindrōĭdes*, che è dal gr. *kylindroeidḗs*.

**cilizio**, v. CILICIO.

**ciloma** ' discorso insulso ', lat. *celeuma*; v. CIURMA e cfr. CELEUMA e SCILOMA.

**cima**, lat. *cyma* ' germoglio ', dal gr. *kŷma*, *-atos* ' feto ', deriv. da *kýō* ' concepisco '.

**cimasa**, dal lat. *cymatium*, termine degli architetti, che è dal gr. *kymátion* ' piccola onda '. Trasmesso attrav. dialetti settentr. che mutano *-tja* in *-sa* (lombardo *scimasa*).

**cìmbalo**, dal lat. *cymbǎlum*; v. CÉMBALO.

**cìmberli**, incr. dell'espressione biblica *in Cymbǎlis* e il dimin. soldatesco di orig. ted. *-erli*.

**cimbràccola**, da *\*ciambràccola* e questa dal frc. *chambre* ' camera ' col suff. spregiativo *-àccola*. Variamente alterato e di orig. settentr. è *zambracca* (v.).

**cimelio**, dal lat. tardo *cimelium*, che è dal gr. *keimḗlion* ' cosa preziosa '.

**cimento**, lat. *caementum*; v. CEMENTO.

**cìmice**, lat. *cīmex*, *-ĭcis*, appartenente alla serie di *culex*, *pūlex*, ma privo di connessioni per quanto riguarda la parte radicale.

**cimiero**, dal frc. *cimier* e questo da *cime* ' cima '.

**ciminiera**, dal frc. *cheminée* (incr. col suff. it. *-iera*): *cheminée* è il lat. tardo *caminata*, deriv. di *caminus* ' focolare '; v. CAMINO.

**cimitero**, dal lat. tardo *coemeterium*, che è dal gr. *koimētḗrion* ' dormitorio ', ' cimitero ' e questo da *koimáō* ' metto a giacere '.

**cimmerio**, dal gr. *Kimmérioi*, popolazione della Crimea, già nota a Omero.

**cìmolo**, dimin. di *cima*.

**cimòmetro**, dal gr. *kŷma* ' onda ' e *-metro*.

**cimosa**, lat. *cīmussa* (gloss.), privo di connessioni attendibili, inserito nella serie it. in *-osa*.

**cimurro**, dal frc. ant. *chamoire* ' moccio ', lat. medv. *camoria*; v. CAMORRO.

**cinabro**, dal lat. *cinnabāris*, che è dal gr. *kinnábari*.

**cincia** e **cinciallegra**, dalla serie onomatop. *cin...ci...*; cfr. CIANCIA e v. CINGALLEGRA.

**cinciglia**, dallo sp. *chinchilla*, attrav. il frc.; dimin. di *chinche* ' puzzola del Brasile ', prop. « cimice ».

**cinciglio,** incr. di un secondo dimin. di *cingillum* ' cintura ' e di una serie onomatop. *cin...ci* riferito al rumore delle cose che pendono.

**cincin** e **cin cin,** dalla serie onomatop. *cin.... ci,* incr. con il cinese *ch'ing-ch'ing* « prego, prego », introdotto attrav. l'ingl. *chin-chin.*

**cincinnato,** dal lat. *Cincinnatus* ' Ricciuto ', cognome di Lucio Quinzio, dittatore nel 460 a. C.: deriv. di *cincinnus* ' riccio ', secondo alcuni dal gr. *kíkinnos.* Più verisimilmente è raddopp. di *cinnus* ' batter di ciglio ' e cioè una specie di « attorcigliamento »; v. CENNO.

**cincischiare,** lat. \**incisulare,* frequentativo e iterat. di *incīdĕre,* incr. con la serie onomatop. *cin...ci*; v. INCISCHIARE.

**cine,** abbreviaz. di *cinematògrafo* sia come parola autonoma, sia in composiz.

**cineasta,** dal frc. *cinéaste.*

**cinecàmera,** da *cine* e ted. *Kamera* ' macchina fotografica '.

**cinedo,** dal lat. *cinaedus,* che è dal gr. *kínaidos.*

**cinegètica,** dal gr. *kynēgetikḗ (tékhnē)* ' (l'arte) della caccia ', propr. « (l'arte) di condurre *(hēgé-)* i cani *(kyn-)* ».

**cinelandia,** calco su *(Fin)landia.*

**cìnema,** abbreviaz. di *cinematografo.*

**cinemascope,** dall'ingl. *cinemascope* e questo da *cinema* e *-scope,* che è dal gr. *skopéō* ' osservo '.

**cinemàtica,** dal frc. *cinématique* (XIX sec.) e questo dal gr. *kínēma, -atos* ' movimento '.

**cinematògrafo,** dal frc. *cinematographe* (fine secolo XIX) e questo dal gr. *kínēma, -atos* ' movimento ', con il tema *grapho-* ' che scrive '.

**cinerama,** incr. di *cinema* e *(pano)rama.*

**cineraria,** dal lat. scient. *cineraria* ' (pianta dalla peluria) cinerea'.

**cinerario,** dal lat. *cinerarium* ' deposito per la cenere ' forma neutra sostantiv. di agg. da *cinis, -ĕris*; v. CENERE.

**cinèreo,** dal lat. *cinereus,* deriv. di *cinis, -ĕris*; v. CÉNERE.

**cineserìa,** dal frc. *chinoiserie* (XIX sec.), allineato con gli astratti it. in *-erìa (furberia, vigliaccheria, tirchieria).*

**cìnesi-** e **-cinesi,** dal gr. *kínēsis,* nome d'azione di *kinéō* ' muovo '.

**cinesiterapìa,** da *cìnesi-* ' movimento ' e *terapìa.*

**cineteca,** calco su *biblioteca,* sostituendo l'elemento *biblio-* con *cine-* nel senso di ' film '.

**cinètica,** forma femm. sostantiv. da *cinètico.*

**cinètico,** dal gr. *kinētikós* ' attinente al movimento '.

**cingallegra,** incr. di *cinciallegra* (v.) con *gallina.*

**cìngere** *(cìgnere),* lat. *cíngĕre,* da una rad. KENG-KENK ' legare, cingere ' attestata anche nelle aree baltica, greca, indiana.

**cinghia** *(cigna),* lat. *cingǔla* ' cintura ', originariam. plur. di *cingǔlum,* nome di strum. di *cíngĕre,* cfr. CENGIA.

**cinghiale** *(cignale),* lat. *(porcus) singularis*: con assimilaz. della cons. liquida, diventato \**singulalis* (it. \**singhiale*), incr. poi con *cinghia* per il collare di setole che lo distingue.

**cinghiare,** lat. volg. \**cingulare,* verbo denom. da *cingǔlum.*

**cìngolo,** dal lat. *cingǔlum* ' cintura '; v. CINGHIA.

**cinguettare,** deriv. vezzegg. in *-ett-* di una serie onomatop. *ci(a)ng.... cing*; v. CINGALLEGRA.

**cìnico,** dal lat. *cynǐcus,* che è dal gr. *kynikós* ' canino '.

**cinigia,** lat. volg. *cinīsja* deriv. aggettiv. di un lat. volg. \**cinis, -is,* class. *cinis, -ĕris,* cfr. CINEREO, con leniz. settentr. di *-sj-* in *-sgj-.*

**ciniglia,** dal frc. *chenille* (XVII sec.) ' bruco ', che è il lat. *canícŭla* ' cagnolina '; cfr. CANÌCOLA (in senso astronomico).

**cinismo,** dal lat. tardo *cynismus,* che è dal gr. *kynismós* ' imitazione del cane ': e cioè l'eliminazione di ogni desiderio che possa compromettere l'autonomia dello spirito.

**cinnamomo,** dal lat. scient. *cinnamōmum* (XVIII sec.), che è dal gr. *kinnámōmon* (ebr. *qinnāmōn).*

**cino-,** dal gr. *kýōn kynós* ' cane '.

**cinocèfalo,** dal lat. *cynocephălus,* che è dal gr. *kynoképhalos* « (scimmia) con la testa *(kephal-)* di cane *(kyno-)* ».

**cinòdromo,** da *cino-* ' cane ' e *-dromo* ' campo di corse '.

**cinofilia,** da *cino-* e *-filìa.*

**cinòfilo,** da *cino-* e *-filo* ' amico '.

**cinoglossa,** dal lat. *cynoglŏssos,* che è dal gr. *kynóglōssos* « dalla lingua *(glôssa)* di cane *(kyno-)* ».

**cinquale** *(cinquina),* da *cinque* anche come toponimo, p. es. in Versilia.

**cinquanta,** lat. tardo *cinquanta* da \**cinqua(g)inta* e questo dal class. *quinquaginta,* incr. con lat. volg. \**cinque*: con la leniz. totale di *-g-* davanti a voc. palatale.

**cinque,** lat. volg. \**cinque* dissimilato da class. *quinque.* Questo è l'ideur. PENKʷE attestato pressoché in tutte le aree ideur. p. es. nel gr. *pénte,* nel ted. *fünf,* nel sanscrito *pañca,* nel lituano *penkì* e così via. Lat. *quinque* mostra assimilaz. della serie *p...qu* a *qu...qu,* cfr. CUOCERE.

**cinquefoglie,** rifacimento sul lat. *quinquefolium,* che è un calco sul gr. *pentáphyllon.*

**cinquennio,** dal lat. *quinquennium,* incr. con it. *cinque.*

**cinta,** lat. *cincta,* femm. di *cinctus,* part. pass. di *cingĕre*; v. CÌNGERE.

**cinto**[1], lat. *cinctus, -us,* astr. di *cingĕre.*

**cinto**[2], lat. *cinctus, -a, -um,* part. pass. di *cingĕre.*

**cìntola,** dimin. di *cinta.*

**cìntolo,** dimin. di *cinto.*

**cintura,** lat. *cinctura,* astr. di *cingĕre.*

**cinturone,** dal frc. *ceinturon* (XVI sec.) dimin. di *ceinture.*

**cinz,** dall'ingl. *chintz,* adattamento di parola indostana.

**ciò,** lat. *(ec)ce hoc,* da *ecce,* v. ECCO, e *hoc,* forma del pron. dim. con l'elemento iniz. *gh-* accompagnato alla voc. *-o* come in *quod,* rispetto alle forme in *-i,* p. es. di *hic,* v. CI, e di *quid,* v. CHE.

**ciocca,** lat. tardo *clocca* ' campana ', attrav. intermediarî settentr. che mutano *-clo* in *-cio-* anziché (come in Toscana) in *-chio-*; v. CHIOCCA.

**ciocciare,** dalla serie onomatop. *ciu...cia...ciu...cia* tipica del ' succhiare '.

**ciocco,** incr. del lat. *cippus,* v. CEPPO, e lat. *soccus,* v. ZOCCOLO, attrav. reg. settentr. che assibilano le cons. palatali.

**cioccolata,** dallo sp. *chocolate* e questo dall'azteco (messicano) *chocolatl.*

**ciocia,** dall'abruzzese *chiochie,* incr. con una serie onomatop. *ci...ci.* La forma abruzzese è da un incr.

del lat. *soccŭlus* ' zòccolo ' col tipo *clocca* ' campana '; v. CHIOCCA.

**ciociaro**, « (portatore) di *ciocie* », con derivaz. non tosc. in *-aro* anziché in *-aio*.

**cioè**, comp. di *ciò* ed *è*.

**ciompo**, incr. di un onomatop. *ciang* ' saltellante ' v. CIANGOTTARE con *zompo* (v.).

**cioncare¹**, verbo denom. da *cionco*.

**cioncare²**, dal ted. *schenken* ' versar da bere ', incr. con la serie onomatop. *ci...n* indicante rumore, in questo caso il gorgoglìo di chi tracanna.

**cionco**, incr. di *cin....cin*, serie onomatop. che indica rumore periodico e lat. *truncus* ' tronco ' (v.).

**ciondolare**, incr. delle serie onomatop. *cin....cin* che indica rumore periodico, con un lat. *undulare* ' ondeggiare '.

**cióndolo**, sost. deverb. estr. da *ciondolare*.

**ciondolone** e **ciondoli**, da *cióndolo* sullo schema di *bocconi, penzoloni, ginocchioni*.

**ciòtola**, incr. di lat. *cyăthus* ' coppa ' (gr. *kýathos*) e lat. *cotŷla* (gr. *kotýlē*) ' scodella '; v. CÌATO.

**ciòttolo**, dimin. di una voce onomatop. *ci...t* indicante rumore sordo, con raddopp. di cons. postonica in parola sdrucciola.

**cìpero**, dal gr. ionico *kýperos*.

**cipiglio**, lat. volg. *(sur)cipilium*, forma con metatesi da un *(su)percilium* ' sopracciglio '.

**cipolla**, lat. tardo *cepulla*, dimin. di *cepa*, di prob. orig. mediterr.

**cipollino**, da *cipolla*, perché marmo che si sfalda in foglie sottili.

**ciporro**, lat. *cancer pa(g)ūrus*, attrav. la forma metatetica *cranci paurus* e la aferesi della prima sill. *(cran)cipaurus*, v. GRANCIPORRO, incr. infine con *porro*.

**cippo**, dal lat. *cippus*; v. CEPPO.

**cipresso**, lat. volg. *cypressus*, incr. di class. *cupressus*, con gr. *kypárissos*, entrambi di orig. mediterr.; cfr. ARCIPRESSO.

**cipria**, da *(polvere) cipria*: « di Cipro », cfr. CUPREO.

**ciprigno**, da *Ciprino* ' di Cipro ', incr. con gli agg. del tipo *benigno, maligno*.

**ciprino**, dal lat. *cyprinus*, che è dal gr. *kyprînos*.

**ciprio**, dal lat. *cyprius*, che è dal gr. *kýprios*.

**cipripedio**, dal lat. medv. scient. *cypripedium*, comp. di *Cypria* ' Venere ' e *pes, pedis* ' piede '.

**circa**, dal lat. *circa* ' intorno ', avv. tratto da *circus* ' cerchio ', con una desinenza in *-a* dovuta ai modelli di *extra, infra, supra*.

**circense**, dal lat. *circensis*.

**circo**, dal lat. *circus*, che è dal gr. *kírkos* ' anello ', cfr. CERCHIO.

**circolare¹** (verbo), dal lat. *circulari*, verbo denom. da *circŭlus*, dimin. di *circus*.

**circolare²** (agg.), dal lat. *circularis*.

**circolazione**, dal lat. *circulatio, -onis*.

**circolo**, dal lat. *circŭlus*, dimin. di *circus*.

**circoncìdere**, dal lat. *circumcidĕre*, comp. di *circum* forma irrigidita dell'accusativo di *circus*, v. CIRCO, con valore di avverbio e prefisso, e *caedĕre*, con norm. passaggio di *-ae-* in *-ī-* in sill. interna.

**circoncisione**, dal lat. tardo *circumcisio, -onis*, nome d'azione di *circumcidĕre*.

**circondare**, dal lat. *circumdăre* ' circondare ', incr. con it. *dare*.

**circondurre**, incr. di lat. *circumducĕre* e it. *condurre*.

**circonduzione**, dal lat. *circumductio, onis*.

**circonferenza**, dal lat. tardo *circumferentia*, deriv. da *circumferre* come calco sul gr. *periphéreia*; v. PERIFERIA.

**circonflessione**, dal lat. tardo *circumflexio, -onis*.

**circonflesso**, dal lat. *circumflexus (accentus)* « (accento) piegato intorno » che traduce il gr. *perispoménē (prosōidía)*: « accento tirato intorno ».

**circonflèttere**, dal lat. *circumflectĕre*.

**circonfluire**, dal lat. *circumfluĕre*, incr. con it. *fluire*.

**circonfóndere**, dal lat. *circumfundĕre*.

**circonfuso**, dal lat. *circumfusus*; v. FUSO.

**circonlocuzione**, dal lat. *circumlocutio*, calco sul gr. *períphrasis*.

**circonvallare**, dal lat. *circumvallare*, verbo denom. da *vallum* ' muro ' col pref. *circum*.

**circonvallazione**, dal lat. tardo *circumvallatio, -onis*.

**circonvenire**, dal lat. *circumvenire* ' venire intorno ', ' circuire '.

**circonvenzione**, dal lat. tardo *circumventio, -onis*.

**circonvicino**, dal lat. medv. *circumvicinus*.

**circonvòlgere**, dal lat. *circumvolvĕre*, incr. con it. *vòlgere*.

**circonvoluzione**, dal lat. medv. *circumvolutio, -onis*, nome d'azione di *circumvolvĕre*.

**circoscrìvere**, dal lat. *circumscribĕre* ' scrivere attorno, limitare '.

**circoscrizione**, dal lat. *circumscriptio, -onis*.

**circospetto**, dal lat. *circumspectus* ' che ha guardato attorno, cauto '.

**circospezione**, dal lat. *circumspectio, -onis*, nome d'azione di *circumspicĕre*.

**circostante**, dal lat. *circumstans* ' che sta attorno '.

**circostanza**, dal lat. *circumstantia*.

**circuire**, dal lat. *circuire* e questo da *circu(m)ire*.

**circùito**, dal lat. *circuĭtus*, astr. di *circu(m)ire*.

**circuizione**, dal lat. *circuitio, -onis*.

**circumnavigare**, dal lat. *circumnavigare*.

**cirenèo**, dal lat. *Cyrenaeus*, che è dal gr. *Kyrēnaîos*, cognome di Simone Cireneo, che aiutò Gesù a portare la croce sul Calvario.

**cirillico**, dal nome di S. Cirillo (827-869), che insieme a S. Metodio, evangelizzò i primi Slavi.

**ciriola**, dal lat. *cerĕa* ' dalla forma di candela ' con suff. dimin.

**cìrmolo**, dimin. di un lat. volg. *cirmus*, variante metatetica da *cimrus*, risal. alla base mediterr. KIMRA; v. CEMBRO.

**cirrato**, dal lat. *cirratus* ' ricciuto '.

**cirripedi**, dal lat. scient. *cirripedia*, comp. di *cirrus* ' ricciolo ' in senso zool. e *pes, pedis* ' piede '.

**cirro**, dal lat. *cirrus* ' ricciolo ', privo di connessioni attendibili.

**cirrosi**, dal frc. *cirrhose* (XIX sec.) e questo dal gr. *kirrós* ' giallo chiaro '.

**cirùgico** (arc.), lat. volg. *cirugĭcus*, v. CERÙSICO, e cfr. CHIRÙRGICO.

**cis-**, dal lat. *cis* ' di qua da '. Da un tema di pron. dim. KI-, sopravv. nelle aree umbra, germanica, greca, ittica, armena, baltica. slava, quasi dappertutto solo in composiz. con altri elementi. La desinenza *-s* che si ritrova in *uls* (v. OLTRE), potrebbe essere quella di un nom. irrigidito.

**cìschero**, incr. di onomatop. *ci...s* e *bìschero* (v.); cfr. *bécero, càppero*.

**cismontano,** dal lat. *cismontanus.*

**cispa,** incr. di lat. tardo *cystis* con *lippus*, poi sostantiv. in forma femm.

**cispadano,** comp. di *cis-* e *padano* (v.) « (appartenente alla zona) al di qua del Po ».

**cispellino,** incr. di *cispa* e *scerpellino* (v.).

**ciste,** v. CISTI.

**cistercensi,** ordine di monaci della regola di S. Benedetto, cosiddetti dal paese di Cisteaux del dipartim. della Côte-d'Or in Francia (lat. *Cistercium*) ove fu fondata nel 1098 la prima e più celebre badia.

**cisterna,** lat. *cisterna*, da *cista*, v. CESTA, allineato con *caverna, taberna.*

**cisti** (ciste), dal lat. medv. *cystis*, che è dal gr. *kýstis* 'vescica'.

**cisticerco,** da *cisti-* 'vescica' e gr. *kérkos* 'coda', cioè « vescica caudata ».

**cistifèllea,** dal lat. del XVIII sec. *cysti-* 'vescica e *fellea* femm. di class. *fellĕus* 'di fiele', da *fel, fellis*; v. FIELE.

**cistio** (pianta sempreverde), da *cisto* con suff. aggettiv.

**cistite,** da *cisti* col suff. *-ite* di malattia acuta.

**cisto,** dal lat. *cistus*, che è dal gr. *kíst(h)os*.

**cistoscopio,** comp. di *cisti-* 'vescica' e *-scopio* 'strumento di osservazione', col passaggio della *-i* finale di *cisti* a *-o* per allineamento con *microscopio, stetoscopio* ecc.

**cistotomìa,** da *cisti-* e *-tomìa* 'taglio'.

**cìtara,** dal lat. *cithăra*, che è dal gr. *kithára* 'cetra'; cfr. CETRA e CHITARRA.

**citare,** dal lat. *citare*, causativo di *ciēre* 'venire', che deriva da una rad. KEI/KI incr. con la rad. KYĒ bene attestata anche in gr. e, con un ampliam. in *-u*, anche nelle aree armena e indoiran. Il perf. è *cīvi*, il supino *cĭtum* e *cītum*.

**citaredo,** dal lat. *citharoedus*, che è dal gr. *kitharōidós*, comp. di *kithára* e *aoidós* 'cantore'.

**citareggiare,** verbo denom. iterat. da *citara.*

**citarista,** dal lat. *citharista*, che è dal gr. *kitharistés.*

**citaristica,** dal gr. *kitharistikē (tékhnē).*

**citatorio,** dal lat. tardo *citatorius.*

**citazione,** dal lat. tardo *citatio, -onis.*

**citeriore,** dal lat. *citerior, -oris*, compar. rideterminato dell'arc. *citer* da *cis*, v. CIS, col suff. di opposizione *-ter*: « ciò che, stando di qua, (si oppone a ciò che sta al di là) ». Forma parallela e opposta è *ulterior*, v. ULTERIORE; a questo si accompagna un superl. *ultimus*, per cui v. ULTIMO, mentre il superl. *cĭtimus* non è più apparso in italiano.

**cìtiso,** dal lat. *cytĭsus*, che è dal gr. *kýtisos.*

**citòfono,** calco su *telèfono*, mediante la sostituz. di *tele-* 'lontano' con lat. *citus* 'veloce', originariam. part. pass. di *ciere*; v. CITARE.

**citologìa,** dal gr. *kýtos*, cavità' e *-logìa*.

**citoplasma,** incr. di gr *kýtos* 'cavità' e *(proto)-plasma* (v.).

**citrato,** da *(acido) citr(ico)*, col suff. chimico *-ato.*

**cìtrico,** dal lat. *citrus* 'cedro¹' col suff. aggettiv. *-ico.*

**citrino,** dal lat. *citrus* 'cedro¹' col suff. *-ino.*

**citrullo,** variante di 'cetriolo' (v.) col suff. merid. *-ullo.*

**città** (cittade), lat. *civĭtas, -atis*; v. CIVE. Il valore

obiettivo della parola it. deriva da quello astr. della parola lat.: « collettività di cittadini ».

**cittadella,** dimin. di *cittade*, forma ant. di *città*, con leniz. settentr. di *-t-* in *-d-*.

**cittadino,** da *cittade*, forma ant. per 'città'.

**citto,** voce infantile che simboleggia attrav. la serie fonosimbolica *ci...t*, la nozione di 'piccolo'.

**ciucca,** forma onomatop. *ciu...c* propria dell'inghiottire.

**ciucciare,** da una serie onomatop. *ciu...ci*, rinforzato nel suo secondo elemento consonantico e associata all'immagine del succhiare.

**ciuciare,** dalla serie onomatop. *ciu...ci* propria del sibilo e prob. del raglio.

**ciuco,** forma onomatop. connessa con la precedente.

**ciuffo,** forse dal longob. *zupfa* (ted. *Zopf*) 'ciuffo' con correzione eccessiva in Toscana della *z-* (ritenuta lombarda) in *cj-*, cfr. ZUFFA¹.

**ciuffolotto,** forse da *zufolotto* e questo da *zufolare* (v.), con correzione tosc. in *cj-* di una *-z-* presunta settentr.

**ciurlare,** incr. di lat. volg. *gyrulare*, denom. iterat. da *gyrus*, v. GIRO, e *ciurmare.*

**ciurma,** lat. volg. *clurima* da class. *celeusma* (con la voc. epentetica *celeusima*) risalente al gr. *kéleusma, -atos*, variante di *kéleuma*, 'comando', 'chiamata' (per sincronizzare i colpi di remo della « ciurma »)'. La forma del lat. volg. è arrivata all'it. attrav. palatalizzazione ligure del gruppo *clu-* in *ciu-*. Il rotacismo può esser dovuto a incr. con *plurima* superl. di *plus*; cfr. CILOMA e CELEUMA.

**ciurmare** 'raggirare', dal frc. *charmer*, verbo denom. di *charme*, lat. *carmen* 'incantesimo'; v. CARME.

**civaia,** lat. *cibaria, -orum*; cfr. CIBARIA, con norm. trattam. tosc. di *-aria* in *-aia.*

**civanzo,** dal frc. *chevance* e questo da *chevir* (XII sec.); v. CIVIRE.

**cive** 'cittadino' (arc.), dal lat. *civis*, che corrisponde a un ampliam. in *-v-* della rad. KEI 'insediarsi': questo ampliam. ha valore giur. nel lat., affettivo nel sanscrito *çeva-* 'caro'.

**civetta,** dalla serie onomatop. *cli/cliu* con trattam. settentr. del gr. *cl-*, v. CHIÙ.

**civico,** dal lat. *civĭcus*; v. CIVE.

**civile,** dal lat. *civilis.*

**civilista,** da *(diritto)-civilista* « esperto in diritto civile ».

**civilizzare,** dal frc. *civiliser* (XVI sec.).

**civilizzatore,** dal frc. *civilisateur.*

**civilizzazione,** dal frc. *civilisation* (XVIII sec.).

**civiltà,** dal lat. *civilĭtas, -atis.*

**civire** 'provvedere', dal frc. *chevir*, verbo denom. dal lat. *caput, -ĭtis* « agire in qualità di capo ».

**civismo,** dal frc. *civisme* (XVIII sec.).

**clacson,** dall'ingl. *klaxon* (XX sec.), in orig. marca di fabbrica.

**clade** 'strage', dal lat. *clades*, dalla rad. K(E)LĀ² ampliata con *-d*, v. CALAMITÀ.

**clàmide,** dal lat. *chlamys, -ydis*, che è dal gr. *khlamýs, -ýdos*, 'sopravveste'.

**clamore,** dal lat. *clamor, -oris*, astr. di *clamare*, v. CHIAMARE, con formaz. parallela a quella di *amor* rispetto ad *amare.*

**clamoroso,** dal lat. tardo *clamorosus.*

**clan,** dal gaèlico di Scozia *clann*, attrav. l'ingl. *clan*.

**clandestino,** dal lat. *clandestinus* e questo da *clam* ampliato una prima volta in *\*clande* (cfr. *quamde* da *quam*), incr. poi con *(int)estinus*, v. INTESTINO. *Clam* è una forma irrigidita di accus. parallela a *pala(m)*, v. PROPALARE, risultante da ant. *\*c(a)lam* parallelo di *cella*. Come questa, appartiene alla rad. KEL³ di *celare*; v. CELARE.

**clangore,** dal lat. *clangor, -oris*, astr. di *clangĕre*, da una forma ampliata della rad. K(E)LĀ¹; v. CHIAMARE.

**claque,** dal frc. *claque* (XIX sec.).

**claretto,** dal frc. *clairet*, incr. con it. *chiaro*; v. CHIARETTO.

**clarinetto,** dal frc. *clarinette*, dimin. di *clarine* 'sonaglio' e questo dal lat. *clarus*.

**clarino,** dal lat. *clarus* 'sonoro'; cfr. CHIARINA.

**clarissa,** dal lat. *Clara*, nome della fondatrice dell'ordine, col suff. lat. *-issa* che si ritrova invece italianizzato in *(bad)essa*, *(diacon)essa*.

**clarone,** dal frc. ant. *claron*, deriv. dal lat. *clarus* 'sonoro'.

**classe,** dal lat. *classis* in orig. 'chiamata', nome d'azione di un verbo *\*cladĕre*, deriv. da un ampliam. della rad. K(E)LĀ, v. CHIAMARE, in *-d*, di cui si ha traccia nel gr. *kélados* 'rumore'.

**clàssico,** dal lat. *classĭcus*, che al plur. designa i cittadini della prima classe, poi gli scrittori di primo ordine.

**classìfica,** sost. deverb. da *classificare*.

**claudia** (susina), dal frc. *Claude*, nome della moglie (1499-1524) di Francesco I, re di Francia, alla quale la varietà di frutta era stata dedicata.

**claudicare,** dal lat. *claudicare*, verbo denom.-iterat. da *claudus* 'zoppo', privo di connessioni attendibili.

**claùsola,** dal lat. *clausŭla* 'chiusura', dimin. di *clausa*, sg. femm. tratto dal plur. *clausa, -orum* e questo dal part. pass. del verbo *claudĕre* 'chiudere'; v. CHIÙDERE.

**claustrale,** dal lat. tardo *claustralis*.

**claustro,** dal lat. *claustrum* 'luogo chiuso', poi 'chiostro'; v. CHIOSTRO.

**claustrofobìa,** comp. moderno di *claustro-* 'spazio chiuso' e il tema *-fobìa* 'fuga da, timore di'.

**clausura,** dal lat. tardo *clausura*; cfr. CHIUSURA.

**clava,** dal lat. *clava*, dalla rad. K(E)LĀ²-, cui appartiene con l'ampliam. *-d* anche *(per)cellĕre* (da *\*perceldĕre*) 'percuòtere': con un ampliam. in *-w* legato forse a *clavus* 'chiodo' (v.); cfr. CALAMITÀ.

**clavicémbalo,** dal lat. medv. *clavi-cỳmbalum*, comp. di *clavis* 'chiave' e *cimbălum*: «cembalo a chiavi» (dalle verghette che servivano a percuotere le corde dello strumento).

**clavìcola,** dal lat. *clāvīcula* 'piccola chiave', dimin. di *clavis*; v. CHIAVE.

**clavicordio,** comp. di *clavis* 'chiave' e *chorda* 'corda' col suff. di agg. in *-io* e perciò («strumento) a corda (da esser percosso) con chiavi»; v. CLAVICÉMBALO.

**clemàtide,** dal lat. *clemătis, -ĭdis* che è dal gr. *klēmatis, -ĭdos*.

**clemente,** dal lat. *clemens, -entis*, deriv. da una rad. verb. KLEI con suff. participiale analogo a quello dell'opposto *vehĕmens, -entis* da *vehĕre*, v. VEE-

MENTE, attrav. una forma presunta *\*cleyemens*, che trova un parallelo perfetto nel verbo indiano ant. *çrayati* 'inclina, appoggia'. Per l'ampliam. in *-n-* v. CHINARE, in *-v-* v. CLIVO.

**clemenza,** dal lat. *clementia*.

**cleptòmane,** dal frc. *cleptomane* (fine sec. XIX) e questo da *cleptomanie*, comp. di *kléptēs* 'ladro' e *manía* 'follia'.

**clericale,** dal lat. tardo *clericalis*.

**clericalismo,** dal frc. *cléricalisme* (XIX sec.).

**clero,** dal lat. crist. *clerus* che è dal gr. *klêros* 'sorte', 'fonte di eredità' infine 'parte eletta di una comunità'.

**clessidra,** dal lat. *clepsydra* che è dal gr. *klepsýdrā* « (orologio) ruba-(*kleps-*), -acqua (*-ydra*) ».

**cliché,** v. CLISCÈ.

**cliente,** dal lat. *cliens, -entis* e cioè il protetto di fronte al protettore, opposto di *patrŏnus*. *Cliens* sembra forma classica di un più ant. *cluens*, part. pres. di *cluere* 'ascoltare', 'ubbidire', il rappresentante della famiglia lessicale più ant. per indicare l' 'udire'. La rad. KLEU¹ è attestata nelle aree latina, indiana, armena, celtica, gr. (*klýō*).

**clientela,** dal lat. *clientela*, formato da *cliens* come *tutēla* da *tutus* 'sicuro' e *cautela* da *cautus*; cfr. *querela*, *candela* tratti invece da verbi.

**clima,** dal lat. tardo *clima, -ătis* che è dal gr. *klíma, -atos* 'inclinazione della terra dall'equatore ai poli'.

**climatèrico,** dal frc. *climatérique* (XIX sec.), incr. di lat. *clīmactērĭcus*, risal. al gr. *klimaktērikós*, da *klimaktēr* (v. CLIMATERIO) e dal frc. *climat* 'clima'.

**climaterio,** dal gr. *klimaktēr, -êros* 'gradino', 'momento critico' e questo da *klimaks, -akos* 'scala'.

**climàtico,** dal frc. *climatique* e questo dal gr. *klimatikós* 'ciò che si riferisce all'inclinazione (*klíma*)'.

**climatologìa,** comp. di *climato-*, dal gr. *klíma, -atos* (v. CLIMA) e *-logìa* 'trattazione'.

**clìnica,** dal gr. *klinikḕ (tékhnē)* « (arte relativa a chi giace) a letto (*klínē*) ».

**clip,** dall'ingl. *clip* 'ciò che stringe'.

**clipeato,** dal lat. *clipeatus*.

**clìpeo,** dal lat. *clipeus*, di prob. orig. etrusca; cfr. BÀLTEO.

**cliscè,** dal frc. *cliché*, part. pass. di *clicher* 'stereotipare', voce onomatop. che rappresentava in orig. il rumore della matrice, mentre cade sul metallo in fusione: da una serie *cl...sc'*.

**clisma,** dal gr. *klýsma, -atos* 'lavaggio' e questo da *klýzō* 'lavo'.

**clistere,** dal lat. *clyster, -ēris* che è dal gr. *klystḕr, -êros* 'lavatore', dal verbo *klýzō* 'lavo'.

**clitòride,** dal gr. *kleitorís, -ídos*.

**clivaggio,** dal frc. *clivage*, deriv. da *cliver*, ol. *klieven* 'fendere'.

**clivo,** dal lat. *clivus* 'pendio', deriv. in *-vo-* della rad. KLEI di *-clinare*; v. CHINARE e cfr. CLEMENTE.

**cloaca,** dal lat. *cloaca*, da una rad. KLEU² 'pulire' attestata in gr. e, con forme un po' più divergenti nelle aree germanica e baltica, incr. con il tema mediterr. KLAVA 'deposito di detriti'; cfr. CHIAVICA.

**cloralio,** dal frc. *chloral* (XIX sec.), deriv. da *chlor(e)* e *al(col)*.

**cloridrico**, comp. di *cloro-* e il tema *idro-* ' acqua ' col suff. chimico *-ico*.

**cloro**, dal frc. *chlore* (XIX sec.) e questo dal gr. *khlōrós* ' verdastro '.

**clorofilla**, dal frc. *chlorophylle* e questo comp. di *chloro-* e gr. *phýllon* ' foglia '.

**cloroformio**, dal frc. *chlorophorme*, comp. di *chlor(ure)* e di *(acide) form(ique)*.

**clorosi**, dal frc. *chlorose* (XVIII sec.) e questo dal lat. scient. *chloròsis* « (processo per cui si viene) di colore verdastro ».

**cloròtico**, dal lat. moderno della medicina *cloròticus*.

**club**, dall'ingl. *club* ' nodo (di persone) '.

**clune** ' natica ', dal lat. *clunis* con corrispondenze esatte nelle aree celtica, germanica, baltica, indoiranica.

**cluniacense**, da *Cluniacum*, nome lat. dell'odierna *Cluny*.

**co-**, dav. a voc. dal lat. *co-* (v. COATTO); dav. a cons. dal frc. *co-* (v. COPRODUZIONE). Lat. *co-* è variante di *cum*; v. CON.

**cò**, lat. *caput*, con leniz. settentr. totale della *-p-* intervocalica e conseg. contrazione di *cao* in *co*.

**coabitare**, dal lat. *cohabitare*.

**coabitatore**, dal lat. tardo *cohabitator, -oris*.

**coabitazione**, dal lat. tardo *cohabitatio, -onis*.

**coacervare**, dal lat. *co-acervare*, verbo denom. da *acervus* ' mucchio ' col pref. *co-*.

**coacervo**, sost. deverb. da *coacervare*.

**coadiutore**, dal lat. tardo *coadiutor, -oris*.

**coadiuvare**, dal lat. tardo (IV sec.) *coadiuvare*.

**coagulare**, dal lat. *coagulare*, verbo denom. da *coagùlum*.

**coagulazione**, dal lat. *coagulatio, -onis*.

**coàgulo**, dal lat. *coagùlum*, deriv. da *co-* e *agère* « ciò che si concentra ».

**coalizione**, dal frc. *coalition* e questo dal lat. medv. (VII sec.) *coalitio, -onis*, tratto a sua volta dal part. *coalìtus* del verbo *coalescère* ' crescere insieme ', comp. di *co-* e *alescère* incoativo di *alère* ' nutrire '; v. ALUNNO.

**coalizzare**, dal frc. *coaliser* (XVIII sec.).

**coana**, dal gr. *khoánē* ' imbuto', deriv. di *khéō* ' io verso '.

**coartare**, dal lat. *coartare*, verbo denom. da *artus* ' stretto ' col pref. *co-*; v. ARTO[2].

**coartazione**, dal lat. *coartatio, -onis*.

**coassiale**, da *co-* e *asse* con suff. aggettiv.

**coattivo**, dal lat. tardo *coactivus*, agg. durativo da *coactus* ' forzato '; v. COATTO.

**coatto**, dal lat. *coactus*, part. pass. di *cogère* ' forzare ', ' costringere ', da *co-* e *āctus*, senza contrazione per la quantità lunga della *ā*.

**coazione**, dal lat. *coāctio, -onis*, nome d'azione nel sistema di *cogère*.

**cobalto**, dal frc. *cobalt* (XVIII sec.) e questo dal ted. *Kobalt* tratto da *Kobold* ' folletto ', perché un supposto folletto avrebbe fatto trovare, ai minatori, del cobalto al posto del desiderato argento.

**còb(b)ola**, dal provz. *cobla*, lat. *copùla* « coppia (di versi) »; v. COPPIA.

**cobelligerante**, da *co-* e *belligerante* sul modello anglo-americano della seconda guerra mondiale, *cobelligerent*.

**coboldo**, dal ted. *Kobold* originariam. ' signore della casa '.

**cobra**, dal portogh. *cobra* e questo dal lat. *colùbra* ' serpente velenoso '; v. COLUBRINA.

**còc** *(coke)*, dal frc. *coke* e questo dall'ingl. (XVIII sec.).

**coca**, dallo sp. *coca* (XVI sec.) e questo da *koka* nella lingua queciua (Perù).

**cocacòla**, da *coca* e *cola*.

**cocaina**, dal frc. *cocaïne* (XIX sec.) da *coca* con suff. *-ine*, proprio di prodotti medicinali.

**cocainòmane**, da *cocaina* e *-mane* ' desideroso di, maniaco per '.

**cócca** (angolo di fazzoletto, parte della freccia), da una base paleoeuropea KUKKA, simbolo di punta o vetta; cfr. COCOLLA e COCUZZA.

**còcca[1]** (imbarcazione), dal provz. *coca* e questo dal lat. *(navis) caudìca*, battello di tronco di legno usato nel Tevere. *Caudìca* è agg. deriv. da *caudex*; v. CÒDICE.

**còcca[2]** (gallina), dalla serie onomatop. *co....co*, propria della gallina e del canto del gallo, già nel lat. *coco* di Petronio; cfr. ACCOCCOLARE.

**coccarda**, dal frc. *cocarde* e questo deriv. da *coq* ' gallo ', simbolo di vanità, incr. con it. *cócca*.

**cocchiere**, da *cocchio* col suff. *-iere* di *staffiere*, *usciere*, *portiere*.

**cocchio**, dal boemo *koči* ' vettura a nicchia ' attrav. una forma settentr. (ven.) *cocio*, corretta toscanamente (XVI sec.) in *cocchio*.

**cocchiume**, lat. volg. *calc(u)lùmen* (attrav. una trasmissione alpina *cauc-* e poi *coc-*), risal. a lat. tardo *calculare* ' calcare ripetutamente '; cfr. CALCOLARE.

**coccia** ' buccia ', ' testa ', lat. volg. *coclja*, class. *cochlèa*, con passaggio settentr. di *-clja* in *-ccia* anziché *-cchia*.

**còccige**, dal lat. *coccyx, -ỹgis* che è dal gr. *kókkyx, -ỹgos* ' cuculo ', ' osso coccige ' « (a forma di becco) di cuculo ».

**coccinella**, dal lat. scient. degli zool. *coccinella*, dimin. di *coccìnus* ' rosso ', deriv. da *coccum* ' granello ' che è dal gr. *kókkos*; cfr. CHICCO.

**cocciniglia**, dallo sp. *cochinilla*, propr. ' porcellino '.

**coccio**, variante di *coccia*.

**cocciòla** (gonfiore), dimin. di *coccia*.

**cocciuto**, da *coccia* ' testa ' e quindi « testuto », ' testardo '.

**cocco[1]** (pianta), dal portogh. *coco*.

**cocco[2]** (uovo), dalla serie onomatop. *co....co....*

**cocco[3]** (cellula di batterio), deriv. moderno (XIX sec.) dal gr. *kókkos* ' chicco '; cfr. CHICCO.

**coccodè**, dalla serie onomatop. *co....co....*; v. COCCA[2].

**coccodrillo**, dal lat. *crocodilus* con metatesi della *-r-* e raddopp. espressivo della seconda *-c-* e della *-l-*. La parola lat. dal gr. *krokódeilos*.

**còccola**, forma dimin. dal lat. *coccum* che è dal gr. *kókkos* ' chicco '; cfr. CHICCO.

**coccolare**, verbo denom. da *còccola*.

**còccolo** *(coccolino)*, dimin. di *cocca* e di *cocco* della serie onomatop. *co....co....*; v. COCCA[2] e COCCO[2].

**coccoloni** (avv.), eufemismo tratto dall'imagine dell'*accoccolarsi* (v.) della gallina che cova, cfr. *carponi*, o, da sostantivi, *cavalcioni*, *ciondoloni*, *bocconi*.

**coccoveggia** ' civetta ', dal gr. moderno *kūkūbágia* incr. con *cocca* e *vegg(ente)*.

**cocktail**, v. COCTEL.

**còclea,** dal lat. *cochlea* che è dal gr. *kokhlías* ' chiocciola '; cfr. CHIÒCCIOLA.

**cocolla,** lat. tardo *cuculla,* class. *cucullus* ' cappuccio ', privo di connessioni attendibili, a meno che non si tratti del tema paleoeuropeo KUKKA ' punta '; v. COCCA e cfr. COCUZZA.

**cocómero,** lat. *cucumis, -ĕris* (di orig. mediterr.), passato alla declinaz. in *-o.*

**cocorita,** dallo sp. *cotorrita* incr. con la serie onomatop. *co.... co....*; v. COCCA².

**còctel,** dall'ingl. *cocktail* ' coda di gallo ', prob. travestimento di *cocktay,* nome dialettale di recipiente, dal frc. *coquetier.*

**cocuzza,** lat. tardo *cucutia,* incr. con *coccia* ' testa ' (v.) e col suff. dimin. merid. *-uzza*: privo di connessioni attendibili, salvo forse col tema paleoeuropeo KUKKA ' punta ', ' vertice '; v. COCCA e COCOLLA.

**cocuzzo,** da *cocuzza.*

**cocùzzolo,** dimin. di *cocuzzo.*

**coda,** lat. tardo *coda* di orig. rustica, class. *cauda,* privo di connessioni attendibili, salvo forse con *caudex*; v. CÒDICE e cfr. CUTRETTA.

**codardo,** incr. di *coda* e del frc. ant. *couard,* detto del falco cacciatore, che tiene la coda bassa.

**codazzo,** da *coda* col suff. aument. *-accio,* sottoposto all'assibilaz. settentr. in *-ss-,* poi parzialmente corretto in *-zz-.*

**codeina,** dal frc. *codéine* (XIX sec.), deriv. dal gr. *kódeia* ' testa del papavero dell'oppio ' con il suff. tipico dei prodotti medicinali.

**codesto,** lat. *(ec)cu(m) t(ĭbi) ĭstud,* con leniz. settentr. di *-t-* in *-d-*; cfr. COTESTO.

**codetta,** da *coda.*

**codiare,** lat. volg. *\*codeare* ' andare a modo di coda '.

**codibùgnolo,** da *coda* e *bùgnolo* ' paniere ' e cioè « che ha una coda (grande) come un paniere ». Il passaggio da *coda* a *codi* avviene secondo il procedim. lat. di *lani(ficium),* con la sostituz. di *-i-* ad *-a-* alla fine del primo elemento di composiz.

**còdice,** dal lat. *codex, -ĭcis,* forse collegato con *cauda,* attrav. la variante *caudex, -ĭcis,* privo di altre connessioni attendibili; cfr. CÀUDICE.

**codicillare,** dal lat. tardo *codicillaris.*

**codicillo,** dal lat. *codicillus* ' tavoletta per scrivere ', poi ' aggiunta a un testamento ' (dimin. di *codex*).

**codificare,** dal frc. *codifier* (XIX sec.) incr. con la serie di verbi causativi it. in *-ficare.*

**codificazione,** dal frc. *codification.*

**codino,** da *coda,* in senso figur., per le chiome lunghe portate, quali simboli di atteggiamenti politici, dai conservatori nella prima metà dell'Ottocento italiano.

**codione,** incr. di *codrione* e *coda.*

**códolo,** dimin. di *coda.*

**codrione** ' coccige degli uccelli ', da *coda* (v. CODIONE) incr. con un *\*postrione* ' parte posteriore del corpo '; cfr. POSTIONE.

**coefficiente,** comp. moderno di *co-* ed *efficiente.*

**coèfora,** dal gr. *khoēphóros,* comp. di *khoḗ* ' libagione ' e *phérō* ' io porto '.

**coeguale,** dal lat. *coaequalis* incr. con *eguale.*

**coercìbile,** da un lat. *\*coërcibĭlis,* agg. verb. di *coërcēre* ' costringere ', comp. di *co-* e *arcere,* v. ARCE, con normale passaggio di *-ă-* in *-ĕ-* in sill. interna chiusa.

**coercizione,** dal lat. *coërcitio, -onis.*

**coerede,** dal lat. *coheres, -ēdis,* comp. di *co-* e *heres, -edis.*

**coerente,** dal lat. *cohaerens* ' che sta attaccato '; v. ESITARE.

**coerenza,** dal lat. *cohaerentia.*

**coesione,** dal part. lat. *cohaesus* ' attaccato ', secondo il rapporto lat. di *laesus* (it. *leso*) e *laesio, -onis* (it. *lesione,* v.).

**coesìstere,** dal lat. tardo *co-ex-sistĕre.*

**coesivo,** dal lat. *cohaesus* col suff. *-ivo* di agg. durativo.

**coessenziale,** dal lat. medv. *coëssentialis.*

**coetaneo,** dal lat. *coaetaneus,* comp. di *co-* aetas ' età ' e il suff. aggettiv. *-aneus.*

**coevo,** dall'agg. lat. *coaevus,* da *co-* e *aevum* ' età, spazio di tempo '.

**còfano,** lat. *cophĭnus* ' cesta ' che è dal gr. *kóphinos* ' cesta ', con norm. passaggio di voc. atona interna ad *-a-* in parola sdrucciola.

**coffa,** dall'ar. *quffa* ' cesta '.

**cogente,** dal lat. *cogens, -entis,* part. pres. di *cogĕre,* comp. di *co-* e *agĕre,* con la contr. di *oa* in *ō* per la quantità breve della *a,* cfr. invece COATTO.

**cogestione,** calco su *co-produzione.*

**cogitabondo,** dal lat. tardo *cogitabundus,* deriv. di *cogitare* col suff. *-bundus* che rinforza e rende durativo il valore participiale di *cogĭtans*; v. COGITARE (cfr. i tipi *moribundus, furibundus*).

**cogitare,** dal lat. *cogitare* e questo, comp. di *co-* e *ăgĭtare,* intens. di *agĕre* col valore di « agitare insieme (dei pensieri) ».

**cogitativo,** dal lat. medv. *cogitativus.*

**cogitazione,** dal lat. *cogitatio, -onis.*

**coglia,** lat. volg. *\*colja,* forma collettiva, neutra, tratta dal class. *cŏlĕus* ' testicolo ', forse forma maschile sostantiv. deriv. da *colum* ' filtro '; v. COLARE.

**cògliere,** da *còglie,* lat. volg. *\*collijit* (class. *collĭgit,* 3ᵃ pers. sg. di *colligĕre*), con leniz. di *-g-* in *-j-* davanti a voc. palat.: incrociato con *(tò)gliere* e simili; cfr. CÒRRE e COLGO.

**coglione,** lat. volg. *\*coljo, -onis,* class. *cŏleo, -ōnis* da *cŏleus* come *naso-, -onis* da *nasus*; v. COGLIA.

**cognac,** dal nome della città di *Cognac* nel dipartimento francese della *Charente.*

**cognato,** dal lat. *cognatus* ' con legami di nascita ', ' consanguineo ', comp. di *co-* e *gnatus,* v. NATO.

**cognazione,** dal lat. *cognatio, -onis,* astr. di *cognatus.*

**cògnito,** dal lat. *cognĭtus,* part. pass. del sistema di *cognoscĕre* che risulta da un trattam. monosillabico della rad. rad. G(E)NŌ ' mi accorgo, so '; cfr. NOTO. Il trattam. bisill. norm. sarebbe *\*cognatus* ma si confonderebbe con la nozione di ' nascere ' insita nel norm. *cognatus.* Il trattam. analogico sarebbe stato invece *\*cognotus* come *notus* e *ignotus.*

**cognizione,** dal lat. *cognitio, -onis,* nome d'azione del sistema di *cognoscĕre,* tratto da *cognĭtus,* cfr. COGNITO e AGNIZIONE.

**cogno,** lat. *con(g)ius*; v. CONGIO.

**cognome,** dal lat. *cognomen* ' nome aggiunto ', comp. di *co-* e *(g)nomen*; v. NOME.

**cognominare,** dal lat. *cognominare.*

**cògolo,** incr. di un *\*còcciolo,* dimin. di *coccio* (v.) e lat. *coculea,* forma tarda per *cochlea* (v. CHIÒC-

CIOLA), trasmesso con leniz. settentr. di *còcolo in cògolo.

**cògoma**, lat. *cucŭma*, parola di origine mediterr. con leniz. settentr. di *-c-* in *-g-*; cfr. CUCCUMA.

**coiame**, lat. volg. *coriamen*, secondo il trattam. tosc. di *-oria-* in *-oia-*; v. CORAME e cfr. CÙOIAME.

**coibente**, dal lat. *cohĭbens, -entis* ' che trattiene ', comp. di *co-* e *habens* con passaggio di *-ă-* in *-ĭ-* in sill. interna aperta.

**coincidere**, dal lat. scolastico *coincìdere*, da *co-* e class. *incìdere* ' cadere dentro ' (v.).

**coinè**, dal gr. *koiné* (*glòssa*) « (lingua) comune ».

**coinvòlgere**, comp. di *co-* e *invòlgere*.

**coio**, v. CUOIO.

**coito**, dal lat. *coĭtus, -us*, astr. di *coīre* ' andare insieme ', cfr. CETO.

**coke**, v. CÒC.

**cola**, dal frc. *kola* (XVII sec.) e questo da una voce proveniente dalla Sierra Leone (Africa occidentale).

**cóla**, sost. deverb. da *colare*.

**colà**, lat. *(ec)cu(m il)lac*; v. ECCO e LÀ.

**colabrodo**, da *cola(re)* e *brodo* (v.).

**colaggio**, dal frc. *coulage* (XVII sec.) e questo da *couler* ' colare '.

**colaggiù**, da *colà* e *giù*.

**colagogo**, dal lat. tardo *cholagōgus* che è dal gr. *kholagōgós* « che trasporta (*ago-*) bile (*kholé*) ».

**colare**, lat. *colare*, verbo denom. da *cōlum* ' filtro '; v. COLO e cfr. COGLIA.

**colascione** (strum. musicale), forse lat. volg. *calassium* (con suff. accresc.), risal. al gr. *kálathos* ' paniere '.

**colassù**, da *colà* e *su*.

**colatoio**, dal lat. medv. *colatorium*, deriv. di *colare*, con norm. trattam. tosc. di *-oriu* in *-oio*.

**colatura**, lat. tardo *colatura*.

**colazione**, dal frc. *colation*, usato dai monaci come termine tecnico del pasto dopo la riunione della sera. Esso è tratto dal lat. *collatio, -onis* ' l'atto di portare insieme ', ' il radunarsi ', nome d'azione nel sistema di *conferre*, comp. di *com-* e del tema di part. *latus* col suff. di nome d'azione; v. LATORE e cfr. COLLAZIONE.

**colbacco**, dal frc. *colback*, preso dal turco *kalpak* ' berretto di pelo ', in occasione della spedizione di Napoleone in Egitto.

**còlchico**, dal lat. *colchĭcum* che è dal gr. *kolkhikón* ' della Colchide ', terra nota per i suoi veleni.

**colcos**, dal russo *kolchoz*, abbreviaz. di *kol(lektivnoe) choz(iajstvo)* ' economia collettiva '.

**colecistite**, da *cole-*, primo elemento di comp. per indicare la bile (gr. *kholé*) e *cisti* ' vescica ', col suff. *-ite* di malattia acuta.

**colèdoco**, dal lat. *cholēdŏchus* che è dal gr. *kholēdókhos* (*kýstis*) « (vescica) ricevitrice della bile ».

**colèi**, lat. arc. *(ec)cu(m)* e volg. *illaei*: quest'ultimo (per analogia di *cui*), deriv. da *illae* e questo dal class. *illī*, per analogia con la declinaz. femm.; v. ECCO e LEI.

**colendìssimo**, dal lat. *colendus* ' che deve onorarsi ', part. fut. passivo di *colère* col suff. di superl.

**coleo-** ' guaina ', dal gr. *koleón*.

**coleòttero**, dal lat. scient. *coleoptĕrus* che è dal gr. *koleópteros* « dalle ali (*pterón*) inguainate (*koleón*) ».

**colera**, dal gr. *kholéra*, malattia che scarica con violenza gli umori del corpo; v. CÒLLERA.

**còlere**, dal lat. *colère* che è dalla rad. KWEL (una delle unità più importanti del lessico ideur.) indicante il movimento circolare (non solo in senso proprio ma figur.) e quindi interesse, coltivazione, protezione: attestata nelle aree indoiranica, greca, albanese, celtica, baltica, slava, germanica; cfr. -COLO.

**colèrico**, dal lat. *cholerĭcus* che è dal gr. *kholerikós*.

**colesterina**, dal frc. *cholesterine* (XIX sec.) che è dal tema *chole-* ' bile ' e gr. *stereós* ' solido ': perché si tratta di sostanza cristallizzabile.

**còlgo**, lat. *collĭgo*, prima pers. sg. di *collìgere*; v. CÒGLIERE.

**colibrì**, dallo sp. *colibrí* e questo da lingua caribica dell'America centrale.

**còlica**, dal lat. tardo *colĭcus* che è da *colon* e questo da gr. *kolon* ' intestino crasso '.

**colino**, sost. deverb. da *colare* con suff. di strum., per es. *scaldino, frullino*.

**colite**, dal lat. scient. *colitis* e questo da lat. *colon* col suff. *-ite* di malattia acuta.

**colla**[1], sost. deverb. dal verbo *collare*[1] (v.).

**colla**[2], lat. volg. *colla*, risal. al gr. *kólla* ' gomma '.

**collaborare**, dal lat. tardo *collaborare*.

**collana**, deriv. di *collo*.

**collare**[1] (verbo), lat. volg. *collare*, forse dal gr. *kolázō* ' punisco '.

**collare**[2], dal lat. *collare*, forma neutra dell'agg. *collaris*, tratto da *collum*.

**collasso**, dal lat. moderno dei medici *collapsus* ' caduta ', ' crollo ', astr. di *collabi* ' cadere ', comp. di *com-* e *labi*; v. LAPSUS.

**collaterale**, dal lat. tardo *collateralis*.

**collatore**, dal lat. tardo *collator, -oris*; nome d'agente nel sistema di *conferre* ' conferire '; v. LATORE.

**collaudare**, dal lat. *collaudare* ' approvare ', comp. di *com-* e *laudare*; v. LODARE.

**collaudatore**, dal lat. *collaudator, -oris*.

**collaudo**, sost. deverb. da *collaudare*.

**collazione**, dal lat. *collatio, -onis* ' conferimento, confronto ', nome d'azione nel sistema del verbo *conferre* ' confrontare '; v. LATORE e cfr. COLAZIONE.

**colle**[1] ' rilievo ', lat. *collis*, ampliam. in *-n-* di una rad. KOL-Ē variante di KEL[1] (v. CELSO), attestata anche nelle aree baltica (lit. *kálnas* ' monte '), germanica (ingl. *hill*), slava, greca (*kolōnós* ' collina '); cfr. CÙLMINE, COLONNA.

**colle**[2] (passo), lat. *collum*, incr. con *collis*.

**collega**, dal lat. *collēga*, comp. di *cum* e il tema di *legare* ' delegare ', v. LEGARE[2].

**collegare**, dal lat. *colligare*, comp. di *cum-* e *ligare*.

**collegiale**, dal lat. tardo *collegialis*.

**collegio**, dal lat. *collegium* ' insieme di colleghi '.

**còllera**, lat. *cholĕra* ' bile ', con raddopp. di cons. postonica in parola sdrucciola, risal. al gr. *kholéra*; cfr. COLERA.

**colletta**, dal lat. *collecta*, femm. del part. pass. di *collìgere* ' raccogliere ', da *com* e *legère* con passaggio di *-ĕ-* in *-ĭ-* in sill. interna aperta. Cfr. it. CÒLTO.

**collettame**, collettivo in *-ame* da *colletta*.

**collettivo**, dal lat. *collectivus*, agg. durativo in *-ivus*, tratto dal part. *collectus* ' raccolto '.

**colletto** dimin. di *collo*.

**collettore**, da un lat. tardo *collector*, *-oris* ' raccoglitore ', nome d'agente di *colligĕre* ' raccogliere '.

**collezione**, dal lat. *collectio*, *-onis* ' raccolta ', nome d'azione di *colligĕre*.

**collìdere**, dal lat. *collidĕre* da *cum* e *laedĕre* ' urtare, danneggiare insieme ', con norm. passaggio di *-ae-* a *-i-* in sill. interna aperta; v. LÈDERE.

**colligiano**, calco da *colle*[1] sul modello di *alpigiano* da *alpe*.

**collimare**, dal lat. degli astronomi (XVII sec.) *collimare* dovuto a errata lettura invece di *collineare*.

**collina**, lat. tardo *collina*, femm. dell'agg. *collinus* da *collis*.

**collirio**, dal lat. *collyrium* che è dal gr. *kollýrion* ' unguento '.

**collisione**, dal lat. tardo *collisio*, *-onis*, nome d'azione di *collidĕre*; v. COLLÌDERE.

**collo**[1], lat. *collum*, da ant. *kolso-* che si conserva identico nel ted. *Hals* e risale forse a una ant. imagine di « ciò che si volge », v. CÒLERE.

**collo**[2] (unità di carico), da *collo*[1] e cioè da « (ciascun carico che si porta sul) collo ».

**collocare**, lat. *collocare*, verbo denom. da *locus* col pref. *com-*, v. LUOGO.

**collocazione**, dal lat. *collocatio*, *-onis*.

**collocutore**, dal lat. tardo *collocūtor*, *-oris*, nome d'agente di *collŏquor* ' parlo ', comp. di *loquor* e *cum*; v. LOCUZIONE.

**collodio**, deriv. scient. dal gr. *kollṓdēs* ' vischioso ' e questo dal gr. *kólla* ' colla '.

**collòide**, da *colla* e il suff. scient. *-oide* ' che ha aspetto di '.

**colloquio**, dal lat. *colloquium*, astr. di *collŏqui*, comp. di *com-* e *loqui*; v. LOCUZIONE.

**collòttola**, da *collo* col suff. vezzegg. di *pallòttola*.

**collùdere**, dal lat. *colludĕre*, comp. di *cum* e *ludĕre*, v. LUDO.

**collusione**, dal lat. *collusio*, *-onis*, nome d'azione di *collūdĕre* ' giocare insieme '.

**collutorio**, dal lat. *colluĕre* ' sciacquare ' (v. LAVARE) col suff. di strum. *-torio*, per es. di *purgatorio*, *ricreatorio*.

**colluttazione**, dal lat. *colluctatio*, *-onis* e questo da *colluctari* ' lottare insieme '; v. LOTTARE.

**colluvie**, dal lat. *colluvies*, astr. di *colluĕre*, comp. di *co(m)-* e *lavĕre*; v. LAVARE.

**colmare**, verbo denom. da *colmo* (sost.).

**colmigno** ' comignolo ', lat. volg. *culminium*, deriv. di *culmen*, *-ĭnis*; v. COMIGNOLO, CÙLMINE.

**colmo**, lat. *culmen* (v. CÙLMINE), passato alla declinaz. in *-o*.

**-colo** (secondo elem. di comp. col valore di abitatore o coltivatore, *cavernĭcolo*, *avĭcolo*), dal lat. *-cŏla* (*agricŏla*, *silvicŏla*); v. CÒLERE.

**cólo**, lat. *cōlum* ' colatoio ', privo di connessioni attendibili.

**colofone**, dal lat. *colŏphon* che è dal gr. *kolophṓn* ' estremità '.

**colofònia**, dal lat. *colophonia* che è dal gr. *kolophṓnia*, in quanto « (resina) di Colofone », città dell'Asia Minore.

**colombana** e **colombano**, dalla località di S. Colombano, in prov. di Pavia.

**colombario**, dal lat. *columbarium*, sepolcreto a nicchie paragonabile a una colombaia.

**colombino**, dal lat. *columbinus*.

**colombo**, lat. *columbus*, con corrispond. esatta nel

gr. *kólymbos* e prob. orig. comune da una rad. KEL[2] ' scuro '; v. il gr. *kelainós* ' nero ': perciò « (uccello grigio) scuro ».

**colon**, dal gr. *kólon* ' intestino crasso '.

**colònia**[1], dal lat. *colonia* e questo da *colōnus* ' colono '.

**colonìa**[2], da *colòno*.

**colònico**, dal lat. *colonĭcus*.

**colonizzare**, dal frc. *coloniser*.

**colonizzazione**, dal frc. *colonisation*.

**colonna**, lat. *columna*, femm. sostantiv. del part. pres. medio di un *colĕre* come *vertumnus* rispetto a *vertĕre*. *Colĕre*, diverso da *colĕre* ' coltivare ', che è da KᴡEL, risale a rad. KEL[1] ' salire ' parallela a KOL-Ē, che sopravvive in *collis* (v. COLLE), *colŭmen* (v. CULMINE), *celsus* (v. CELSO) e, fuori d'Italia nelle aree germanica, baltica, greca.

**colonnato**, dal lat. tardo *columnatum* ' (spazio) fornito di colonne '.

**colonnello**, da *colonna* in quanto « (comandante di una) colonna (di soldati) ».

**colono**, dal lat. *colonus*, deriv. da *(agri)cŏla* come *patronus* da *pater*.

**coloquìntide**, dal lat. medv. *coloquintis*, *-idis* e questo dal gr. *kolokynthís*, *-idos* incr. con *-quintus*.

**coloràbile**, dal lat. *colorabĭlis*.

**colorare**, lat. *colorare*.

**colorazione**, dal lat. tardo *coloratio*, *-onis*.

**colore**, lat. *color*, *-oris* astr. di *colĕre* come *calor* è astr. di *calere* ' esser caldo '. *Colĕre* è il verbo causativo di *celĕre* (v. CELARE e OCCULTO) e significa « far nascondere ». Il colore è dunque « la forza che fa nascondere (la essenza di una cosa) », secondo una interpretaz. antichissima, presente anche nella parola indiana *varṇa-* ' il colore ' in quanto « ricopre ».

**coloro**, lat. *(ec)cu(m) (i)lloru(m)*, in orig. destinato al solo caso genit. plur.; v. ECCO e LORO.

**colosso**, dal lat. *colossus* che è dal gr. *kolossós* ' statua di grosse dimensioni '.

**colostro**, dal lat. *colostrum*, privo di connessioni evidenti.

**colpa**, lat. *culpa*, privo di connessioni fuori d'Italia (come *causa*).

**colpàbile**, dal lat. *culpabĭlis*, agg. verb. di *culpare*, denom. da *culpa*.

**colpévole**, lat. *culpabĭlis* allineato nella serie it. *-évole* (lat. *-ibĭlis*).

**colpire**, verbo denom. da *colpo*.

**colpo**, lat. medv. *colpus* nella legge salica (VIII sec.), risal. a un arc. *colpus* con norm. trascriz. arc. del *ph* del gr. *kólaphos* in *p*, senza aspiraz., e con sincope della voc. interna. La forma class. *colăphus* mantiene invece e la voc. interna e la aspiraz.

**còlta**, forma sostantiv. femm. da *colto*, part. di *cògliere*.

**coltare**, lat. tardo *cultare*, intens. di *colĕre* ' coltivare '.

**coltella**, nome collettivo formato da *coltello* sul modello del rapporto di *cervella* a *cervello*.

**coltello**, lat. *cultellus*, dimin. di *culter*; v. COLTRO.

**coltivare**, verbo denom. da *coltivo*.

**coltivo**, lat. medv. *cultivus*, agg. tratto dal part. *cultus* (di *colĕre* ' coltivare ') come *activus* da *actus*.

**còlto**, part. pass. di *cògliere* (v.), allineato con *sciolto*, *tolto*, invece di continuare la forma lat. *collectus* che avrebbe dato *colletto*; v. COLLETTA.

cólto, dal lat. *cultus* da *colĕre* ' coltivare '; v. CÒLERE.

-coltore, secondo elemento di comp. da *(agri)coltore*, per es. *apicoltore, bachicoltore, frutticoltore*.

coltre, dal frc. ant. *coltre* e questo dal lat. *culcitra*; v. COLTRICE.

cóltrice, lat. volg. *cultrex, -ĭcis*, forma metatetica di class. *culcitra* ' materasso ', variante di *culcita*, privo di connessioni attendibili.

coltro, lat. *culter, cultri* ' coltello ' poi ' vomero ', con incerte connessioni fuori d'Italia, ancorché di chiara formazione ideur.; cfr. CULTRO.

coltrone, accresc. di *coltre*.

coltura, lat. *cultura* nel senso letterale di ' coltivazione '; cfr. CULTURA.

colubrina, dal provz. *colubrina* e questo dal lat. *colŭber* ' serpente ' sul modello di ' serpentina '.

còlubro, dal lat. *colŭber, -bri*, privo di connessioni evidenti.

colùi, lat. *(ec)cu(m) (il)lui* formato da *ille* sul modello di *cui*; in orig. destinato perciò al solo caso dat. sg.; v. ECCO e LUI.

coluro, dal lat. moderno *colurus* e questo dal gr. *kóluros*, comp. di *kólos* ' mozzo ', *ūrá* ' coda ': « quello che ha la coda mozza », così detto perché si tratta di cerchi orarî non visibili nell'emisfero australe.

colza, dall'ol. *koolzaad* « seme (*zaad*) di cavolo (*kool*) ».

coma, dal frc. *coma* (XVIII sec.) e questo dal gr. *kôma, -atos* ' sonno profondo '.

comàcino, doppio deriv. di *Como*, risultante dal tipo lombardo *comàsno*, analogo ai tipi *Tremòsine, Malcésine*, nomi loc. della reg. del Garda. Il doppio suff. *-asno* risulta dal gallico *-acus* e dal lat. aggiunto *-ĭnus*.

comandare, lat. volg. *commandare* da *cum* e *mandare* ' affidare, far fare ' rifatto dal class. *commendare*, con perdita della nozione di parola comp. e conseg. semplificaz. del gruppo *-mm-* che richiama l'immagine di composizione.

comando, sost. deverb. da *comandare*.

comàndo(lo), dal frc. *commande* ' piccolo cavo ', con event. dimin.

comare, lat. tardo *commater*, attrav. una forma *commatre* trasmessa secondo una tradiz. settentr. forse veneta che semplifica le cons. geminate e riduce il gruppo *-tr-* a *-r-*.

comatoso, dal frc. *comateux* (XVII sec.) e questo dal tema gr. *kômat-* di *kôma, -atos* col suff. *-eux*, corrispond. all'it. *-oso*.

combaciare, da *com-* di compagnia e *baciare*.

combàttere, lat. volg. *combattĕre*, comp. di *com-* e lat. tardo *battĕre*; v. BÀTTERE.

combattivo, dal frc. *combatif* (XIX sec.) incr. con it. *combàttere*.

combibbia, lat. volg. *convivja*, class. *convivia*, forma neutra plur. collettiva di *convivium* ' compagnia di tavola ', col rafforzam. del gruppo *-vj-* in *-bbj-* come in *trebbio* (v.), lat. *trivium*.

combinare, lat. tardo *combinare*, verbo denom. tratto dall'agg. *bini* ' a due a due ' e il pref. *com-*, v. BINO.

combinazione[1], dal lat. tardo *combinatio, -onis*.

combinazione[2], dal frc. *combinaison* (XIX sec.).

combrìccola, sost. deverb. da un *combriccolare* e cioè « (gruppo di persone) che briccolano insieme », comp. di *con-* di compagnia e *briccolare* (v.).

comburente, dal lat. *combūrens*, part. di *combūrĕre* ' bruciare '. *Combūrĕre* è stato formato sul modello di *amburĕre*, erroneam. analizzato come *am-burĕre* invece che come *amb-urĕre*; v. AMB(IRE), USTIONE e BUSTO.

combustibile, dal lat. *combustus* ' bruciato ' col suff. *-ibile* di agg. verb. passivo.

combustione, dal lat. tardo *combustio, -onis*, nome d'azione di *combūrĕre* ' bruciare '; v. USTIONE.

combusto, dal lat. *combustus* ' bruciato '; v. COMBURENTE.

combutta, sost. deverb. da un *combuttare*, nel senso di « gettata disordinata (di persone) ».

come, lat. tardo (V sec.) *quōmo* (abbreviaz. di *quōmŏdo*), allineato nella finale con *(dov)e*. *Quomŏdo* è da *quo modo* ' nel qual modo ', dal tema del pron. interrogativo indefinito Kwl- passato alla serie in *-o-* e con valore di rel.; cfr. CHI e v. MODO.

cometa, dal lat. *cometa* che è dal gr. *komḗtēs* ' chiomato '.

comfort, v. CONFORTO.

comiato, v. COMMIATO.

còmico, dal lat. *comĭcus* che è dal gr. *kōmikós*.

comìgnolo, dimin. dell'ant. it. *colmigno* (con la caduta dell'*l* per dissimilaz. rispetto al suff. finale).

cominciare, lat. *cuminitiare*, comp. di *cum* e *initiare*, trasmesso attrav. una forma settentr. *comenzare*, toscanizzata col passaggio di *-za-* in *-cia-*; v. INIZIO.

comino (erba), lat. *cumīnum* che è dal gr. *kýminon*.

-comio, dal gr. *komeîon*, deriv. di *komeō* ' io curo '.

comitale, dal lat. medv. *comitalis* e questo da *comes, -ĭtis* ' conte ' (lat. class. ' compagno '); v. CONTE.

comitato[1] (territorio), dal lat. medv. *comitatus, -us* e questo da *comes, -ĭtis* nel senso di ' conte '; cfr. CONTÈA.

comitato[2] (gruppo di persone), dal frc. *comité* (XVII sec.) e questo dall'ingl. *committee*, deriv. del verbo *to commit*, che risale al lat. *committĕre* ' affidare ', ' incaricare '.

comitiva, dal lat. medv. *comitiva* e questo, nome collettivo tratto dall'agg. sostantiv. del lat. tardo *comitivus* « accompagnativo ».

còmito (sottufficiale), lat. *comes, -ĭtis*, in età tarda titolo di funzionarî, passato alla declinaz. in *-o*, forse perché di tradiz. settentr. col conseg. indebolimento della voc. finale.

comiziale, dal lat. *comitialis*.

comiziante, da *comizio* col suff. moderno di agente in *-ante*; cfr. *bracciante, cavallante*, talvolta peggiorativo come in *mestierante*.

comizio, dal lat. *comitium* ' adunanza ', rifacimento su *co-ĭtus*, astr. di *coire* come *initium* su *in-ĭtus*, astr. di *inire*; cfr. GIRE.

comma, dal lat. *comma, -ătis* che è dal gr. *kómma* ' incisione ' (da *kóptō* ' io taglio ').

commando, dall'ingl. *commando*, parola di orig. portogh. penetrata nell'ingl. all'inizio del secolo, al tempo della guerra boera, attrav. l'ol.

commedia, dal lat. *comoedia* che è dal gr. *kōmōidía* « canto (*ōidḗ*) del festino (*kômos*) », col rafforzam. it. della *-m-* come se fosse comp. col pref. *com-*.

commediante, da *commedia* col suff. di agente in *-ante*; cfr. *bracciante, cavallante, comiziante*.

commediògrafo, dal lat. tardo *comoediogrăphus* che

è dal gr. *kōmōidia-gráphos* « scrittore (*gráphos*) di commedie (*kōmōidía*) » incr. con it. *commedia*.

**commemoràbile**, dal lat. *commemorabĭlis*.

**commemorare**, dal lat. *commemorare*, da *com* e *memorare*; v. MÈMORE.

**commemorazione**, dal lat. *commemoratio, -onis*.

**commenda**, sost. deverb. da *commendare*.

**commendàbile**, dal lat. *commendabĭlis*.

**commendare**, dal lat. *commendare*, da *com* e *mandare* ' affidare ', con norm. passaggio di *-a-* in *-e-* in sill. interna chiusa; v. MANDARE.

**commendatario**, dal lat. medv. *commendatarius*.

**commendatizio**, dal lat. *commendaticius*.

**commendatore**, dal lat. *commendator, -oris* ' protettore ', ' raccomandatore '.

**commensale**, dal lat. medv. *commensalis*, da *com* e *mensa* col suff. *-alis*.

**commensuràbile**, dal lat. tardo *commensurabĭlis*.

**commensurare**, dal lat. tardo *commensurare*, da *com* e *mensurare*, verbo denom. da *mensura* ' misura '.

**còmmentare**, dal lat. *commentari*, verbo denom. da *mens* col pref. *com-* ' riflettere ', « agire con la mente »; v. MENTE.

**commentario**, dal lat. (*liber*) *commentarius*.

**commentatore**, dal lat. *commentator, -oris*.

**commento**, incr. di lat. *commentum* ' invenzione ' e di *commentari* ' riflettere '.

**commerciale**, dal lat. tardo *commercialis*.

**commerciante**, da *commercio* col suff. di agente in *-ante*; cfr. *bracciante, cavallante, commediante, comiziante*.

**commerciare**, dal lat. tardo *commerciari*, incr. di *commercium* e *mercari*.

**commercio**, dal lat. *commercium*, da *com-* e *merx mercis* ' merce ', incr. con *mercari*; v. MERCE.

**comméscere**, incr. di lat. *commiscĕre* e it. *méscere*.

**commessa**, collettivo tratto da *commesso*, part. pass. di *comméttere* ' fare una ordinazione commerciale '.

**commesso**[1] (impiegato), da *comméttere*, nel senso amministrativo, dal lat. medv. *commissus* ' mandato ', ' incaricato '.

**commesso**[2] (intarsio), da *comméttere*, in senso tecnico ' introdotto, inserito '.

**commessura**, dal lat. *commissura* ' giuntura ', astr. di *committĕre*.

**commestìbile**, dal lat. tardo *comestibĭlis* ' mangiabile ' analizzato come se fosse comp. di *\*com-med-* anziché di *com-edĕre*.

**comméttere**, lat. *committĕre* ' affidare, congegnare, compiere ', comp. di *com-* e *mittĕre*; v. MÉTTERE.

**committitore**, da *comméttere* col suff. di nome d'agente *-itore, -itrice*.

**commettitura**, da *comméttere* col suff. di astr. *-itura*.

**commiato**, lat. *commeatus, -us*, in orig. ' trasporto, convoglio ', astr. di *commeare*; v. MEATO.

**commilitone**, dal lat. *commilĭto*, nome di agente da *commilitare*, comp. di *com* e *militare*, verbo denom. da *miles, -ĭtis*; v. MÌLITE.

**comminare**, dal lat. *comminari*, forma moment. comp. di *com* e *minari* ' minacciare ' in senso durativo; v. MINACCIA.

**comminatoria** (sost.), da *comminatorio*.

**comminatorio** (agg.), da *comminare*.

**comminazione**, dal lat. *comminatio, -onis*.

**comminuto**, dal lat. *comminūtus*, part. pass. di

**comminuĕre**, comp. di *minuĕre* ' diminuire '; v. MINUTO[1] (agg.), col pref. *com-* che definisce l'azione compiuta.

**commiserando**, dal lat. *commiserandus*.

**commiserare**, dal lat. *commiserari*, deriv. di *miserari*, verbo denom. da *miser* (v. MÌSERO) col pref. *com-* che completa l'azione.

**commiserazione**, dal lat. *commiseratio, -onis*.

**commissario**, dal lat. medv. *commissarius*, lat. class. *committĕre*.

**commissione**, dal lat. *commissio, -onis*, nome di azione di *committĕre*, col signif. medv. di ' incarico ' (class. ' gara ').

**commistione**, dal lat. tardo *commixtio, -onis*, nome d'azione di *commiscĕre*.

**commisto**, dal lat. *commixtus*, part. pass. di *commiscere*, comp. di *com* e *miscere*; v. MESCOLARE.

**commistura**, dal lat. *commixtura*.

**commisurare**, incr. del lat. tardo *commensurare* con it. *misura*.

**committente**, dal lat. *committens, -entis* ' che affida '.

**commo** (della tragedia greca), dal gr. *kommós* ' lutto ', der. di *kóptomai* ' mi batto (in segno di lutto) '.

**commodoro**, dall'ingl. *commodore*, adattamento del frc. *commandeur* ' comandante '.

**commosso**, part. pass. di *commuòvere*; v. MOSSO.

**commovente**, part. pres. di *commuòvere*, senza dittongo perché con la *o* fuori d'accento.

**commovimento**, da *commuòvere*, senza dittongo perché la *o* è fuori d'accento.

**commozione**, dal lat. *commotio, -onis*, nome di azione dal verbo *commovère*.

**commuòvere**, lat. *commovère*, comp. di *com* e *movere*, v. MUÒVERE, incr. con it. *muòvere*.

**commutàbile**, dal lat. *commutabilis*.

**commutabilità**, dal lat. tardo *commutabilĭtas -atis*.

**commutare**, dal lat. *com-mūtare*, comp. di *com* e *mutare*; v. MUTARE.

**commutazione**, dal lat. *com-mutatio, -onis*.

**comò**, dal frc. *commode*, attrav. una tradiz. settentr. *\*comòd*.

**comodare**, dal lat. *commodare* ' aggiustare ', ' adattare ', in senso economico ' dare a qualcuno in uso, prestare ', incr. con it. *còmodo*.

**comodato**, dal lat. tardo *commodatum* ' contratto '.

**comodino**, dal frc. *commode* con suff. dimin., attrav. una tradiz. settentr. *\*còmod*; cfr. COMÒ.

**comodità**, dal lat. *commodĭtas, -atis*, incr. con it. *còmodo*.

**còmodo**, dal lat. *commŏdus, -a, -um*, che ha perduto il senso della composiz. con *cum* e quindi ha semplificato il gruppo *-mm-*. *Commodus* è comp. di *modus* come *consŏnus* da *sonus*: « (proprio di cosa) dalla misura (o dalla sonorità) corrispondente ».

**compaginare**, dal lat. tardo *compaginare*, verbo denom. da *compāgo, -ĭnis*.

**compàgine**, dal lat. *compāgo, -ĭnis* ' connessione ', comp. di *com-* e della rad. PĀG/PAG ' piantare ', da cui anche il verbo *pangĕre*; v. PÀGINA.

**compagnìa**, da *compagno*, col suff. di astr. e di collettivo *-ìa*.

**compagno(ne)**, lat. medv. *companio, -onis* « colui che ha il pane (*pani-*) in comune (*com*) », calco sul gotico *gahlaiba* da *ga-* ' con ' *hlaib-* ' pane '.

**companàtico**, dal lat. medv. *companàticum*, ampliato, mediante il suff. feudale -àticum da com e pani- 'col pane'.

comparàbile, dal lat. comparabìlis.

comparaggio, dal frc. compérage, incr. con it. comparare.

comparare, dal lat. comparare, verbo denom. tratto da par 'pari' col pref. com-; v. PARI.

comparazione, dal lat. comparatio, -onis.

compare, lat. tardo compäter, -ris, attrav. tradiz. settentr., forse veneta, che semplifica -tr- in -r-.

comparire, lat. volg. *comparìre, class. comparēre, comp. di com e parere; v. PARERE.

comparsa, dal part. pass. comparso, sul modello di parere e (ap)parire; v. PARSO.

compartecipare, dal lat. tardo comparticipare, verbo denom. da compartìceps 'compartecipe'.

compartecipazione, dal lat. comparticipatio, -onis.

compartécipe, dal lat. tardo compartìceps, da com e partìceps 'partecipe' (v.).

compartimento, da compartire.

compartire, dal lat. tardo compartiri, da com e partiri, verbo denom. da pars, partis; v. PARTE.

comparto, sost. deverb. da compartire.

compassare, lat. volg. *compassare 'misurare col passo', da cum e passus, -us 'passo'.

compassione, dal lat. crist. compassio, -onis, deriv. da pati 'patire', quale calco sul gr. sympátheia 'comunità di dolore'.

compasso, sost. deverb. estr. da compassare.

compatire, dal lat. crist. compäti, ricalcato sul gr. sympáskhō 'soffro insieme' e passato alla coniugaz. in -ire; v. PATIRE.

compatriot(t)a, dal lat. tardo compatriota, da cum e gr. patriótēs. La forma con doppio -tt- risale forse alla natura sdrucciola della parola patriòtico in cui dopo l'accento si trova a suo agio piuttosto il tipo -tt- che quello -t-; v. PATRIOT(T)A.

compatrono, dal lat. crist. compatrōnus, con com- di compagnia.

compatto, dal lat. compäctus, part. pass. di compingĕre 'collegato, unito', composto di com e pangĕre, con norm. mantenimento della -ä- in posizione interna e il passaggio della ä a ĭ davanti al gruppo -ng-.

compendiare, dal lat. tardo compendiare.

compendiario, dal lat. compendiarius.

compendio, dal lat. compendium 'il pesare insieme' e cioè 'concentrazion., ', 'abbreviazione', 'risparmio', deriv. di pendĕre 'pesare'; v. PESO.

compendioso, dal lat. tardo compendiosus.

compenetrare, da penetrare, rinforzato attrav. il pref. com- che indica reciprocità.

compensare, dal lat. compensare 'pesare insieme', da com e pensare, intens. di pendĕre 'pesare'.

compensativo, dal lat. tardo compensativus.

compensazione, dal lat. compensatio, -onis.

compenso, sost. deverb. da compensare.

compera(re), v. COMPRA(RE).

competente, dal lat. compĕtens, -entis.

competenza, dal lat. tardo competentia.

compètere, dal lat. competĕre, da com e petĕre 'chiedere, dirigersi a' nel senso di «concorrere» e quindi «rivaleggiare»; v. PETENTE.

competitore, dal lat. competitor, -oris, nome di agente di competĕre.

competizione, dal lat. tardo competitio, -onis, nome d'azione di competĕre.

compiacere, lat. complacĕre, da com e placĕre 'piacere'.

compiàngere, lat. volg. *complangĕre, da com e plangĕre (che nel lat. class. vale però 'percuotere'); v. PIÀNGERE.

compicciare, incr. di compiere e impicciare.

compiegare, da con di compagnia e piegare.

cómpiere e compire, lat. volg. *complĕre e *complīre, class. complēre 'riempire'.

compieta, lat. eccl. complēta (hora) '(ora) compiuta'; cfr. COMPIUTO.

compilare, dal lat. compilāre 'saccheggiare' (questo da cum e pilare quasi «ammucchiare insieme») riferito ai libri da cui si prendono i passi per «compilare». Lat. pilare è verbo denom. da pila, a sua volta privo di connessioni evidenti.

compilatore, dal lat. tardo compilator, -oris.

compilazione, dal lat. compilatio, -onis.

compire, v. COMPIERE.

compitare, dal lat. computare 'calcolare' passato alla categoria dei verbi in -itare quasi fosse compitare; cfr. COMPUTARE e CONTARE.

cómpito, sost. deverb. estr. da compitare.

compito, part. pass. di compire; v. COMPIUTO.

compiuto, part. pass. di cómpiere, con la forma in -uto estesa a tutta la coniugaz. in -ere, prima attrav. i tipi lat. minutus, statutus da minuĕre, statuĕre con gli inf. in -ĕre e poi attrav. quelli tardivi come *habutus, *debutus dai perf. habui, debui; v. AVUTO, DOVUTO e cfr. COMPIETA.

compleanno, dallo sp. cumpleaños, comp. di cumplir 'compiere' e año 'anno'.

complemento, dal lat. complementum.

complessione, dal lat. complexio, -onis 'complesso' poi 'complessione', nome d'azione di complecti 'abbracciare, contenere'.

complessivo, dal lat. tardo complexivus.

complesso¹ (agg.), dal lat. complexus, part. pass. di complecti 'abbracciare, comprendere', comp. di com- e plecti; v. PLESSO.

complesso² (sost.), dal lat. complexus, -us, astr. di complecti. Nel signif. psicologico dal ted. (psychischer) Komplex.

completivo, dal lat. tardo completivus.

completo, dal lat. completus, sottratto al sistema del verbo it. compiere; cfr. COMPIUTO.

complicare, dal lat. complicare 'piegare insieme', comp. di com e plicare; v. PIEGARE.

complicazione, dal lat. tardo complicatio, -onis.

còmplice, dal lat. tardo (V sec.) complex, -ĭcis, incr. di complicare e di simplex «che piega in compagnia» «che è coinvolto in qualche cosa».

complicità, dal lat. tardo complicìtas, -atis.

complimento, dallo sp. complimiento, deriv. di complir «compiere (i propri doveri verso qualcuno)».

complottare, dal frc. comploter.

complotto, dal frc. complot (XIX sec.).

compluvio, dal lat. compluvium 'luogo dove confluisce la pioggia' dal verbo compluĕre 'piovere insieme'; v. PIÒVERE.

componente, dal lat. compōnens, -entis, part. pres. di componĕre.

componitore, nome d'agente formato su un inf. compònere, forma arc. di comporre, anziché sul part. pass. come nel lat. compositor da cui l'it. compositore (v.).

**comporre**, lat. *componĕre* (da *ponĕre* e *com-* di compagnia), incr. con it. *porre* (v.).

**comportamento** (in psicologia), calco sull'ingl. *behavior*.

**comportare**, dal lat. *comportare* 'portare insieme'.

**comporto**, sost. deverb. da *comportare*.

**compòsite**, dal lat. scient. *compositae* 'composte', femm. plur. del part. pass. di *componĕre*; v. COMPOSTO.

**compòsito**, dal lat. *composĭtus*, part. pass. di *componĕre*; cfr. COMPOSTO.

**compositore**, dal lat. *composĭtor*, *-oris*, nome di agente di *componĕre*.

**composizione**, dal lat. *compositio*, *-onis*, nome di azione di *componĕre*.

**compossessore**, dal lat. *compossessor*, *-oris*, comp. di *com* di comp. e *possessor*, *-oris*.

**composta**, dal frc. *compôte*, e questo dal lat. *composĭta*, femm. del part. pass. di *componĕre*.

**compostezza**, da *composto*.

**composto** (part. pass. di *comporre*), lat. *composĭtus*, con norm. caduta della voc. interna dopo l'accento; v. POSTO.

**compra** (e **cómpera**), sost. deverb. da *comprare* (e *comperare*).

**comprare** (e **comperare**), lat. *comparare* 'procurare', comp. di *com* e *parare*, con norm. passaggio di *-a-* in *-e-* in sill. interna dav. a *-r-* in età arcaica e successiva caduta nel lat. volg.

**compravéndita**, da *compra* e *véndita*.

**comprèndere**, lat. tardo *com-prendĕre*, class. *comprehendĕre*; v. PRÈNDERE.

**comprendìbile**, agg. verb. pass. di *comprèndere*; cfr. COMPRENSÌBILE.

**comprendonio**, incr. di *comprendere* e di *testimonio*.

**comprensìbile**, dal lat. *comprehensĭbĭlis*, tratto dal tema di part. pass. di *comprehensus* e incr. con it. *comprèndere*; cfr. COMPRENDÌBILE.

**comprensione**, dal lat. *comprehensio*, *-onis*, nome d'azione di *comprehendĕre*, incr. con it. *comprèndere*.

**comprensivo**, dal lat. *comprehensivus*, agg. durativo dal part. pass. *comprehensus*.

**compressa**, dal frc. *compresse* (XIX sec.).

**compressione**, dal lat. *compressio*, *-onis*, nome di azione di *comprimĕre*.

**compressivo**, dal lat. medv. *compressivus*.

**compresso**, dal lat. *compressus*, part. pass. di *comprimĕre*; v. PRESSIONE.

**compressore**, dal lat. tardo *compressor*, *-oris*, nome d'agente di *comprimĕre*.

**comprimere**, dal lat. *comprimĕre*, comp. di *com* e *premĕre*, con norm. passaggio di *-e-* in *-i-* in sill. interna aperta; v. PRÈMERE.

**compromesso**[1] (agg.), dal frc. *compromis*, incr. con it. *promesso*.

**compromesso**[2] (sost.), dal lat. *compromissum* 'promesso insieme'.

**comprométtere**[1], dal frc. *compromettre*.

**comprométtere**[2], dal lat. *compromittĕre* 'promettere insieme', comp. di *com* e *promittĕre*; v. PROMÈTTERE.

**compromissario**, dal lat. tardo (*iudex*) *compromissarius*.

**compromissorio**, dal lat. *compromissus*, incr. con i deriv. it. in *-orio* (*tutorio*, *professorio*).

**comprovàbile**, dal lat. tardo *comprobabĭlis*.

**comprovare**, dal lat. *comprobare*, comp. di *com* che completa e *probare* 'approvare pienamente'.

**comprovazione**, dal lat. *comprobatio*, *-onis*.

**comprovinciale**, dal lat. tardo *comprovincialis*, da *com* di compagnia e *provincia* col suff. *-alis*.

**compulsare**[1], dal lat. tardo *compulsare* 'spingere con forza', forma intens. di *compellĕre* 'spingere', tratto dal part. pass. *compulsus*; cfr. PULSARE.

**compulsare**[2], dal frc. *compulser* (XIX sec.) e questo dal lat. *compulsare* (v. sopra) nel senso specializzato, giuridico, di obbligare a presentare documenti.

**compùngere**, dal lat. *compungĕre*, da *cum* e *pungĕre*.

**compunto**, dal lat. *compunctus*.

**compunzione**, dal lat. tardo *compunctio*, *-onis*, nome d'azione di *compungĕre*.

**computàbile**, dal lat. *computabĭlis*.

**computare**, dal lat. *computare* 'calcolare'; cfr. COMPITARE e CONTARE, comp. di *com* che completa l'azione e *putare*; v. PUTARE.

**computatore**, dal lat. *computator*, *-oris*.

**computazione**, dal lat. *computatio*, *-onis*.

**computista**, dal lat. tardo *computista*, deriv. di *compŭtus* e il suff. di orig. gr. *-ista*.

**computisterìa**, da *computista* col suff. astr. e colletivo *-eria* di *marineria* 'attività marinara'.

**còmputo**, dal lat. tardo *compŭtus*, sost. deverb. da *computare*.

**comunale**, dal lat. tardo *communalis*, incr. con it. *comune*.

**comunardo**, dal frc. *communard* (XIX sec.).

**comune**[1] (agg.), lat. *communis*, da *cum* e *munis* 'che subisce un'autorità insieme', con perdita della sensibilità per la composiz. e con la conseg. semplif. del gruppo *-mm-*; v. MUNI(CIPIO) e MUNIRE.

**comune**[2] (sost.), dal lat. medv. *commune*, neutro di *communis* per indicare il 'bene comune' poi la 'repubblica', incr. con it. *comune*.

**comunella**, dall'agg. *comune*.

**comunicàbile**, dal lat. tardo *communicabĭlis*, incr. con it. *comunicare*.

**comunicando**, da *comunicare* col suff. *-ando* del part. di necessità « che deve essere comunicato ».

**comunicare**[1], dal lat. eccl. *communicare* (*altari*) 'partecipare alla mensa eucaristica', calco sul gr. *koinōnein*, incr. con it. *comunicare*[1].

**comunicare**[2], dal lat. *communicare*, verbo denom.-iterat. di *communis* 'comune', incr. con it. *comune*[1].

**comunicativa**, dall'agg. *comunicativo* in forma femm. sostantiv.

**comunicativo**, dal lat. tardo *communicativus*, incr. con it. *comunicare*.

**comunicazione**, dal lat. *communicatio*, *-onis*, incr. con it. *comunicare*.

**comunione**[1], dal lat. *communio*, *-onis*, astr. di *communis*, incr. con it. *comune*[1].

**comunione**[2], dal lat. *communio*, *-onis*, come calco sul gr. *koinōnía*, incr. con it. *comune*[1].

**comunismo**, dal frc. *communisme*, incr. con it. *comune*[1].

**comunista**, dal frc. *communiste*, incr. con it. *comunismo*.

**comunità**, dal lat. *communĭtās*, *-atis*, incr. con it. *comune*[1].

**comunque,** da *come* e *-unque.*

**con¹,** lat. *cum,* bene attestato, oltre che in lat., nelle aree osco-umbra e celtica con le due varianti simboleggiate dalle forme KOM e KO-. A questa seconda forma si avvicinano testimonianze germaniche. I valori it. di compagnia (*confare, conconsacrante, consuòcero, combriccolare, compiegare, contestimone, contitolare, condirettore*) e rafforzam. (*consapere, connotato, compenetrare, contornare*) corrispondono al valore di compagnia (*consensus*) e di compiutezza (*conficère*) del latino.

**con²** (sost.), da *con* (*timoniere*).

**conato,** dal lat. *conatus, -us,* deriv. di *conari* 'sforzarsi', privo di connessioni evidenti.

**conca,** lat. *concha* 'conchiglia, concavità', dal gr. *kónkhē.*

**concambiare,** dal lat. medv. *concambiare,* comp. di *com* e *cambiare;* v. CAMBIARE.

**concambio,** dal lat. medv. *concambium,* sost. deverb. di *concambiare.*

**concamerazione,** dal lat. *concameratio, -onis* e questo da *concamerare,* comp. di *com* e *camerare,* verbo denom. da *camera;* v. CÀMERA.

**concatenare,** dal lat. tardo *concatenare,* verbo denom. da *catena* col pref. *com-.*

**concatenazione,** dal lat. tardo *concatenatio, -onis.*

**concausa,** dal lat. medv. *concausa.*

**concavità,** dal lat. tardo *concavitas, -atis.*

**còncavo,** dal lat. *concàvus,* da *com* e *cavus* 'incavato'; v. CAVO.

**concèdere,** dal lat. *concedère* 'ritirarsi di fronte a qualcuno', comp. di *com* e *cedère;* v. CÈDERE.

**conceditore,** nome d'agente tratto dall'inf. del verbo *concèdere.*

**concento,** dal lat. *concentus, -us,* da *com* e *cantus, -us* 'canto' e cioè 'canto armonizzato', con norm. passaggio di *-ă-* a *-ĕ-* in sill. interna chiusa.

**concentrare,** verbo denom. da *centro* col pref. *con-* di compagnia.

**concèntrico,** calco su *eccèntrico* con la sostituz. di *ec-* mediante *con-* per sottolineare il centro comune.

**concepire,** incr. di lat. *concipère* e it. *capire* 'esser contenuto'.

**conceria,** da *conciare* col suff. *-erìa* di officina, p. es. *distilleria, raffineria.*

**concèrnere,** dal lat. medv. *concèrnere* 'riguardare' e questo deriv. da *concrētus,* opposto di *discretus* come 'ciò che è giudicato affine' di fronte a 'ciò che è giudicato distinto' (gr. *sýnkritos* e *diákritos*); cfr. CÈRNERE.

**concertare,** dal lat. *concertare* 'gareggiare', comp. di *cum* e *certare;* v. CERTAME.

**concertista,** da *concerto* (*musicale*).

**concerto,** sost. deverb. da *concertare.*

**concessione,** dal lat. *concessio, -onis,* nome d'azione di *concedère.*

**concessivo,** dal lat. tardo *concessivus,* agg. durativo di *concessus,* forma di part. pass. di *concedère.*

**concessore,** dal lat. tardo *concessor, -oris,* nome d'agente del verbo *concedère.*

**concettismo,** da *concetto.*

**concetto¹** (agg.), dal lat. *conceptus,* part. pass. di *concipère,* comp. di *cum* e *capère,* con norm. passaggio di *-ă-* in *-ĕ-* in sill. interna chiusa, e in *-ì-* in sill. interna aperta.

**concetto²** (sost.), dal lat. *conceptus, -us,* astr. di *concipère.*

**concettuale,** dal lat. medv. *conceptualis.*

**concezione,** dal lat. *conceptio, -onis,* nome d'azione di *concipère.*

**conchifero,** comp. di lat. *concha* 'conchiglia' e il tema *-fero* 'portatore'.

**conchiglia,** dal lat. *conchylium,* che è dal gr. *konkhýlion,* incr. con lat. *concha.*

**conchiglifero,** da *conchiglia* e *-fero.*

**conchiùdere,** deriv. dal lat. *concludère,* v. CONCLUDERE e deriv., incr. con it. *chiùdere.*

**concia,** sost. deverb. da *conciare.*

**conciapelli,** da *concia(re)* e *pèlli.*

**conciare,** lat. medv. (X sec.) *conciare,* verbo denom. da un lat. volg. *\*cômptium* 'preparazione (a scopo di ornamento)' e questo dal lat. class. *cômère,* ant. *\*co-emère* 'riunire', 'combinare'; v. PRONTO e cfr. ESEMPIO e DIRÌMERE.

**conciàbolo,** dal lat. *conciliabùlum,* luogo dove si compie l'azione di *conciliare.*

**conciliante,** part. pres. di *conciliare.*

**conciliare,** dal lat. *conciliare,* verbo denom. da *concilium* 'adunanza', col valore di « sedere nel concilio »; v. CONCILIO.

**conciliatore,** dal lat. *conciliator, -oris.*

**conciliazione,** dal lat. *conciliatio, -onis.*

**concilio,** dal lat. *concilium* 'convocazione', da *com* e un preesistente *\*calère* (class. *calare* 'chiamare'), v. CALENDE, con norm. passaggio di *-ă-* in *-ì-* in sill. interna aperta.

**concime,** da *conciare,* secondo lo stesso rapporto di *mangime* e *becchime* rispetto a *mangiare* e a *beccare.*

**concinnità,** dal lat. *concinnĭtas, -atis* 'simmetria', 'armonia', soprattutto nello stile letterario, astr. di *concinnus* 'armonico', forse collegato con *cincinnus,* v. CINCINNATO, ma privo di altre connessioni attendibili.

**concino,** da *conciare* col suff. di nome d'agente in *-ino* come *stradino* o *becchino.*

**concio¹,** estr. da *conci(at)o.*

**concio²,** sost. deverb. da *conciare.*

**conciofossecosaché** comp. di *com(e) ciò fosse cosa che;* cfr. CONCIOSSIACHÉ.

**concione,** dal lat. *contio, -onis* 'riunione' e questo da *\*co-ventio, -onis,* nome d'azione di un verbo *\*co-venire,* come *conventio, -onis* lo è di *convenire.*

**conciossiaché** e **conciossiacosaché,** da *com(e) ciò* ecc.; cfr. CONCIOFOSSECOSACHÉ.

**concisione,** dal lat. *concisio, -onis* 'taglio', calco sul gr. *synkopé* da *sýn* 'con' e *kopé* 'taglio'. *Concisio* è il nome d'azione di *concidère,* comp. di *com* e *caedère* con norm. passaggio di *-ae-* in *-ì-* in sill. interna; v. CEDUO.

**conciso,** dal lat. *concisus,* part. pass. di *concidère,* calco sul gr. *sýnkoptos* 'tagliato'.

**concistoro,** dal lat. *consistorium* 'sala d'aspetto' poi 'consiglio dell'imperatore', deriv. di *consistère* 'fermarsi', fissato in it. attrav. una tradiz. settentr. (finale in *-oro* anziché *-oio*), corretta per eccesso di zelo tosc. da *-si-* in *-ci-.*

**concitamento,** dal lat. *concitamentum.*

**concitare,** dal lat. *concitare* 'eccitare', da *com* e *citare,* intens. di *ciere, cìre* 'muovere'; v. CITARE.

**concitatore**, dal lat. *concitator, -oris*.

**concitazione**, dal lat. *concitatio, -onis*.

**concittadino**, calco sul frc. *concitoyen* (XVII sec.).

**conclamare**, dal lat. *conclamare* 'chiamare insieme e insistentemente', comp. di *com* e *clamare*.

**conclave**, dal lat. *conclave* (neutro sostantiv. di *conclavis*), che indica una camera che si può chiudere a chiave; nel senso attuale dal XIII sec.

**conclùdere** (e *conchiùdere* v.), dal lat. *concludĕre* e questo comp. di *com* e *claudĕre*, con norm. passaggio di *-au-* in *-ū-* in sill. interna aperta.

**conclusionale**, da (*comparsa*) *conclusionale* « che contiene le conclusioni ».

**conclusione**, dal lat. *conclusio, -onis*, nome d'azione di *concludĕre*.

**concòide**, dal gr. *konkhoeidḗs* « a somiglianza (*-eidḗs*) di conchiglia (*kónkhē*) ».

**cóncola** (mollusco), dal lat. *conchŭla*, dimin. di *concha* 'conchiglia' (v.).

**concomitante**, dal lat. *concomĭtans, -antis*, part. pres. di *concomitari* 'accompagnare' e questo da *com* e il verbo denom. *comitari*, tratto da *comes, -ĭtis* 'compagno'; v. CONTE.

**conconsacrante**, da *con-* di compagnia e *consacrante*, part. pres. di *consacrare*.

**concordàbile**, dal lat. tardo *concordabĭlis*.

**concordanza**, astr. di *concordare*, secondo la serie di *fidanza, speranza* ecc.

**concordare**, dal lat. *concordare* 'esser concorde', verbo denom. da *concors, -ordis*.

**concorde**, dal lat. *concors, -ordis* (comp. di *com* e *cor, cordis*; v. CUORE) « che ha il cuore in comune » e cioè « dai cuori uniti »; v. DISCORDE.

**concordia**, dal lat. *concordia*.

**concórrere**, dal lat. *concurrĕre* 'correre insieme, gareggiare', comp. di *com* e *currĕre*.

**concorso**, dal lat. *concursus, -us* 'incontro', 'afflusso di gente', astr. di *concurrĕre*.

**concozione**, dal lat. *concoctio, -onis*, nome d'azione di *concoquĕre* 'cuocere completamente', 'digerire', comp. di *com* e *coquĕre*; v. CUÒCERE.

**concreare**, dal lat. tardo *concreare*, da *com* e *creare* 'creare insieme'; v. CREARE.

**concréscere**, dal lat. *concrescĕre*, da *com* e *crescĕre*.

**concreto**, dal lat. *concretus* 'denso', 'coagulato', part. pass. di *concrescĕre*: col nuovo signif., in seguito all'avvicinamento e fusione delle particelle costitutive di una sostanza, v. CRESCERE.

**concrezione**, dal lat. *concretio, -onis*, nome d'azione del verbo *concrescĕre*, comp. di *com* e *crescĕre*; v. CRÉSCERE.

**concubina**, dal lat. *concubina*, deriv. di *cubare* 'stare a letto' e *com* 'insieme'; v. COVARE.

**concubinato**, dal lat. *concubinatus, -us*.

**concùbito**, dal lat. *concubĭtus, -us*.

**conculcare**, dal lat. *conculcare*, comp. di *com* e *calcare* 'calpestare', con norm. passaggio di *-ă-* in *-ū-* in sill. interna dav. a *-l-* non seguìta da *-i*.

**conculcazione**, dal lat. *conculcatio, -onis*.

**concuòcere**, lat. volg. *\*concocĕre*, class. *concoquĕre*, calco sul gr. *sympéssō* 'digerisco'; v. CUÒCERE.

**concupire**, da un lat. volg. *\*concupire*, class. *concupĕre* 'desiderare intensamente'; v. CÙPIDO.

**concupiscenza**, dal lat. eccl. *concupiscentia* e questo da *concupiscĕre*, incoat.-intens. di *concupĕre*.

**concupiscìbile**, dal lat. tardo *concupiscibĭlis*.

**concussione**, dal lat. *concussio, -onis* 'scossa' (pas-

sato nel lat. tardo a signif. 'pressione', 'estorsione'), nome d'azione di *concutĕre* 'scuotere' (da *com* e *quatĕre*); v. SCUÒTERE.

**concusso**, dal lat. *concussus*, part. pass. di *concutĕre*, comp. di *cum* e *quatĕre*.

**condaghe** 'regesto sardo', dal gr. tardo *kontákion* 'volume', 'opera', deriv. di *kontós* 'palo', perché, in origine, striscia di carta avvolta intorno a un'asticciuola.

**condanna**, sost. deverb. estr. da *condannare*.

**condannàbile**, dal lat. *condemnabĭlis*, incr. con it. *condannare*.

**condannare**, lat. volg. *\*condamnare*, incr. di class. *condemnare* e *damnare*.

**condannévole**, da *condannare* con il suff. di agg. verb. it. *-évole* (lat. *-ibĭlis*).

**condebitore**, dal lat. tardo *condebĭtor, -oris*.

**condecente**, dal lat. tardo *condĕcens, -entis*; v. DECENTE.

**condegno**, dal lat. *condignus*, calco sul gr. *isótimos* 'ugualmente', comp. di *com* e *dignus*; v. DEGNO.

**condensare**, dal lat. *condensare*, verbo denom. da *densus* col pref. *com*: « render denso ». Per il signif. tecnico, calco sull'ingl. *to condense*.

**condensatore**, incr. dell'ingl. *condenser* e it. *condensare*.

**condensazione**, dal lat. tardo *condensatio, -onis*.

**condimento**, dal lat. *condimentum*.

**condire**, lat. *condire*, privo di connessioni attendibili.

**condirettore**, da *con-[1]* di compagnia e *direttore*.

**condiscéndere**, dal lat. *condescendĕre* 'discendere insieme'; v. DISCÉNDERE.

**condiscépolo**, dal lat. *condiscĭpulus*, da *com* e *discipŭlus*; v. DISCEPOLO.

**còndito**, dal lat. *condĭtus*, part. pass. di *condĕre* 'mettere insieme', 'fabbricare', comp. di *com* e della rad. DHĒ 'porre', donde deriva anche *facĕre*; cfr. DARE e FARE.

**condizionale**, dal lat. tardo *conditionalis*, deriv. da giur. e gramm. da *conditio, -onis*; v. CONDIZIONE.

**condizionare**, verbo denom. « subordinare a condizione » e quindi 'imporre un limite'.

**condizione**, dal lat. tardo *conditio, -onis* (class. *condicio, -onis*), nome d'azione del verbo *condĕre* 'accordarsi', comp. di *com* e *dicĕre*; v. DIRE e cfr. CÒNDITO.

**condoglianza**, da *condolersi*, incr. con *doglianza*.

**condolere**, dal lat. *condolere*, da *com* e *dolere* 'affliggersi'; v. DOLERE.

**condominio**, dal lat. dei diplomatici moderni *condominium*; v. DOMINIO.

**condòmino**, dal lat. medv. *condòminus*, da *com* e *domĭnus* 'signore'; v. DOMINARE.

**condonare**, dal lat. *condonare* 'concedere in dono', da *com* e *donare*, verbo denom. da *donum*.

**condono**, sost. deverb. estr. da *condonare*.

**condor(e)**, dallo sp. *cóndor* e questo dal peruviano queciua *kuntur*.

**condotta**, forma femm. sostantiv. da *condotto*, part. pass. di *condurre* in senso proprio o in quello figur. di 'stipendiare' o di quello rifl. di 'comportarsi'.

**condottiere** e **condottiero**, da *condotta* (di soldati) col suff. *-iere*, proprio di applicazioni militari.

**condotto[1]** (sost.), lat. *conductum*, part. pass. di *conducĕre*.

**condotto**[2] (agg.), da *condotto*, part. pass. di *condurre* nel signif. di ' stipendiare '.

**conducente** (part. pres. di *condurre*), dal lat. *condūcens, -entis*.

**conducìbile**, lat. *conducibĭlis* ' utile ', incr., per quanto riguarda il signif., con *condŭcĕre* ' condurre '.

**condurre**, lat. *condŭcĕre*, attrav. la leniz. settentr. *condu(g)ĕre*, trattato come *tòrre, sciòrre, còrre, trarre*; nel tema del pres. *condùco*, identico invece al lat. *condūco*.

**conduttivo**, dal lat. *conductus* col suff. durativo *-ivo* come in lat. *captivus* da *captus*.

**conduttore**, dal lat. *conductor, -oris*, nome d'agente di *condŭcĕre*.

**conduttura**, astr. in *-ura* deriv. del part. pass. lat. *conductus* di *condŭcĕre*.

**conduzione**, dal lat. *conductio, -onis*, nome d'azione di *condŭcĕre*, nei due signif. di ' condurre ' e ' prendere in affitto '.

**conestàbile**, dal frc. *conestable*, adattamento del lat. tardo *comes stabŭli* ' soprintendente alle stalle imperiali '.

**confabulare**, dal lat. *confabulari* ' chiacchierare insieme ' da *com* e *fabulari*, verbo denom. da *fabula* e questo deriv. di *fari* ' parlare '; v. FAMA, FÀVOLA.

**confabulazione**, dal lat. tardo *confabulatio, -onis*.

**confacente**, part. pres. di *confarsi*.

**confare**, da *con*[1] di compagnia e *fare*.

**confarreazione**, dal lat. *confarreatio, -onis*, nome d'azione di un verbo *confarreare* ' agisco col *farreum* e cioè con la focaccia di farro '; v. FARRO.

**confederale**, estr. da *confederazione*, secondo il rapporto di *federale* (v.) a *federazione*.

**confederare**, dal lat. tardo *confederare*, verbo denom. da *foedus, -ĕris* ' alleanza ' col pref. *com-*.

**confederazione**, dal lat. tardo *confoederatio, -onis*.

**conferente**, part. pres. di *conferire*.

**conferenza**, dal lat. tardo *conferentia*, deriv. di *conferre* passato dal signif. di ' portare insieme ' a quello di ' confrontare '.

**conferire**, lat. volg. *conferire*, class. *conferre*; v. -FERO.

**conferma**, sost. deverb. estr. da *confermare*.

**confermare**, dal lat. *confirmare*, deriv. di *com* e *firmare*, verbo denom. da *firmus*; v. FERMO.

**confermativo**, dal lat. *confirmativus*.

**confermatore**, dal lat. *confirmator, -oris*.

**confermazione**, dal lat. *confirmatio, -onis*.

**conferva**, dal lat. *conferva* « (alga) saldatrice », legata a *ferrumen* ' saldatura ', nome di pianta così chiamata perché usata per guarire le piaghe. Una connessione, sia pure esile, pare sussistere con la rad. DHER di *firmus*; v. FERMO.

**confessare**, lat. volg. *confessare*, forma intens. di *confiteri*, tratto dal part. pass. *confessus*, comp. di *com* e *fateri*, con norm. passaggio di *-ă-* a *-ĕ-* in sill. interna chiusa, e a *-ĭ-* in sill. interna aperta. *Fateor* è un verbo deriv. da un tema *fato-*, v. NITIDO e NUOTARE, ampliam. della rad. BHĀ, per cui v. FAMA, FÀVOLA e cfr. INFICIARE.

**confessionale**[1] (agg.), da *confessione* nel senso di ' professione di fede '.

**confessionale**[2] (sost.), da *confessione*, come sacramento cattolico.

**confessionalismo**, da *confessionale*[1].

**confessione**, dal lat. *confessio, -onis*, nome d'azione di *confiteri* ' confessare ', ' professare '.

**confesso**, dal lat. *confessus* ' che ha confessato '; v. CONFESSARE.

**confessore**, dal lat. eccl. *confessor, -oris*, nome d'agente di *confiteri*, applicato però non all'it. ' confessarsi ' ma all'it. ' confessare ' nel senso causativo di ' far confessare ' o in quello attivo di ' proclamare (la propria fede) '.

**confettare**, lat. volg. *confectare*, forma intens. di *conficĕre*, tratta dal part. pass. *confectus*, deriv. da *com* e *facĕre* secondo il norm. passaggio di *-ă-* in *-ĭ-* in sill. interna aperta e in *-ĕ-* in sill. interna chiusa.

**confetto**, dal frc. *confit*, part. pass. di frc. *confire*, incr. di lat. *conficĕre* e lat. *confectus*.

**confettura**, dal frc. *confiture*, incr. con it. *confetto*.

**confezionare**, dal frc. *confectionner*.

**confezione**, incr. di lat. *confectio, -onis* ' esecuzione ', nome d'azione di *conficĕre* e frc. *confection* ' lavoro di abbigliamento '.

**conficcare**, da *con* e *ficcare*.

**confidare**, incr. di lat. *confidĕre* ' aver fiducia ' e lat. volg. *fidare* ' por fede ', verbo denom. da *fidus* ' fedele.,

**confidente**, dal lat. *confidens, -entis*.

**confidenza**, dal lat. *confidentia* ' fiducia ' e ' libertà eccessiva '.

**configgere**, dal lat. *configĕre*, da *com* e *figĕre*, incr. con it. *figgere*.

**configurare**, dal lat. *configurare*.

**configurazione**, dal lat. tardo *configuratio, -onis*.

**confine**, dal lat. *confine*, neutro dell'agg. *confinis* ' che ha un confine in comune '; v. FINE.

**confino**, sost. deverb. tratto da *confinare* nel senso di ' relegare '.

**confirmare** (arc.), dal lat. *confirmare*.

**confisca**, sost. deverb. deriv. da *confiscare*.

**confiscare**, dal lat. *confiscare*, verbo denom. tratto da *fiscus* ' tesoro imperiale ' col pref. *com-*; v. FISCO.

**confiteor**, prima pers. del verbo lat. *confiteri* ' io confesso '; v. CONFESSARE.

**confitto**, dal lat. *confictus*, part. pass. di *configĕre* ' conficcare '.

**conflagrare**, dal lat. *conflagrare*, da *com* e *flagrare* ' essere in fiamme '; v. FLAGRANTE.

**conflagrazione**, dal lat. *conflagratio, -onis*.

**conflato**, dal lat. *conflare* ' soffiare insieme ' e ' fondere ', comp. di *com* e *flare*; v. FIATO.

**conflitto**, dal lat. *conflictus, -us* ' urto ', astr. di *confligĕre* ' cozzare ', ' combattere ', comp. di *con* e *fligĕre*. Questo appartiene a una famiglia poco compatta di parole caratterizzate da un elemento onomatop. (o fonosimbolico) *bhl-* o *dhl-*, attestata anche nelle aree germanica, baltica, slava e greca.

**confluente**, dal lat. *confluens, -entis*, part. pres. di *confluĕre*, ' avvicinamento e confusione di correnti d'acqua '.

**confluenza**, dai lat. tardo *confluentia*.

**confluire**, dal lat. *confluĕre*, incr. con it. *fluire*. Il nom. plur. del part. pres. *confluentes*, si trova invece per tradiz. ininterrotta in nomi loc. come *Confiente* (Piacenza), *Confienza* (Pavia) o ted. *Coblenz* ' Coblenza '.

**confóndere,** lat. *confundĕre,* da *com* e *fundĕre* ' versare '; v. FÓNDERE.

**confondìbile,** agg. verb. di *confóndere.*

**conformare,** dal lat. *conformare,* da *com* e *formare,* verbo denom. da *forma*; v. FORMA.

**conformazione,** dal lat. *conformatio, -onis.*

**conforme,** dal lat. tardo *conformis,* da *com* e *forma* ' che ha in comune la stessa forma '.

**conformista,** da *conforme,* sul modello dell'ingl. *conformist.*

**conformità,** dal lat. tardo *conformĭtas, -atis.*

**confortare,** dal lat. tardo *confortare* ' render forte ', verbo denom. da *fortis* col pref. *com-*; v. FORTE.

**confortatore,** dal lat. tardo *confortator, -oris.*

**confortatorio,** dal lat. tardo *confortatorius.*

**confortévole,** incr. di *confortare* con *conforto* (v.), nel senso alberghiero.

**conforto**[1] ' consolazione ', sost. deverb. da *confortare.*

**conforto**[2] (alberghiero), dall'ingl. *comfort* e frc. *confort* (XIX sec.).

**confratello,** incr. del lat. medv. *confràter* e it. *fratello.*

**confratèrnita,** dal lat. medv. *confratèrnitas, -atis.*

**confricare,** dal lat. *confricare,* comp. di *com* e *fricare* ' fregare '; v. FREGARE.

**confricazione,** dal lat. tardo *confricatio, -onis.*

**confrontare,** dal lat. medv. *confrontare,* verbo denom. da *frons, frontis* ' fronte ' col pref. *com*; v. FRONTE.

**confronto,** sost. deverb. estr. da *confrontare.*

**confucianesimo,** dal nome di Confucio (*K'ung Fu-Tzu* « K'ung maestro ») attrav. l'agg. *confuciano* e il suff. *-ésimo* (dal gr. *-ismo*), come *cristianesimo* da *Cristo* attrav. *cristiano.*

**confusione,** dal lat. *confusio, -onis,* nome d'azione di *confundĕre* ' confondere '; v. FUSIONE.

**confuso,** lat. *confusus,* part. pass. di *confundĕre*; v. FUSO.

**confutare,** dal lat. *confutare* ' far cadere, convincere d'errore ', comp. di *com* e *\*futare* ' battere ', sopravv. solo in questo comp. e in *refutare*, v. REFUTARE, RIFIUTARE, privo di connessioni evidenti.

**confutatore,** dal lat. tardo *confutator, -oris.*

**confutazione,** dal lat. *confutatio, -onis.*

**congedare,** verbo denom. da *congedo.*

**congedo,** dal frc. *congiet* (lat. *commeatus*) attrav. la forma it. intermedia *\*congeto-* e la leniz. settentr. di *-t-* intervocalica in *-d-*; cfr. COMMIATO.

**congegnare,** incr. di *ingegnare,* con *combinare.*

**congegno,** sost. deverb. estr. da *congegnare.*

**congelare,** dal lat. *congelare,* da *com* e *gelare,* verbo denom. da *gelu, -us* ' gelo '; v. GELO.

**congelazione,** dal lat. *congelatio, -onis.*

**congenerare,** dal lat. *congenerare,* comp. di *com* e *generare.*

**congènere,** dal lat. *congĕner, -eris,* deriv. di *com* e *genus, -ĕris*; v. GÈNERE.

**congeniale,** da *con-* di compagnia e *genio,* calco sull'ingl. *congenial.*

**congènito,** dal lat. *congenĭtus,* da *com* e *genĭtus,* part. pass. di *gignĕre* ' generare '; v. GÈNERE.

**congerie,** dal lat. *congeries,* astr. di *congerĕre* ' ammassare ', comp. di *com* e *gerĕre*; v. GERENTE.

**congestionare,** verbo denom. da *congestione.*

**congestione,** dal lat. *congestio, -onis,* nome d'azione del verbo *congerĕre* ' ammassare '; v. GESTO.

**congestizio,** incr. del lat. *congesticius* ' ottenuto per mezzo di accumulazione ' e dell'it. *congestione* e cioè da *\*congest(ion)izio.*

**congesto** ' ammucchiato ', dal lat. *congestus,* part. pass. di *congerĕre*; v. GESTO.

**congettura,** dal lat. *coniectura,* deriv. di *conicĕre* ' gettare, supporre ', comp. di *com* e *iacĕre,* con norm. passaggio di *-jă-* in *-ĭ-* in sill. interna aperta, in *-jĕ-* in sill. interna chiusa.

**congetturale,** dal lat. *coniecturalis.*

**congetturare,** dal lat. tardo *coniecturare.*

**congio,** dal lat. *congius,* che è dal gr. *konkhíon* e questo da *kónkhē* ' chiocciola ' e ' misura per liquidi '.

**congiùngere** (*congiùgnere*), lat. *coniungĕre,* comp. di *com* e *iungĕre*; v. GIÙNGERE.

**congiuntiva,** dall'agg. *congiuntivo,* calco sul frc. *conjonctive.*

**congiuntivo,** dal lat. tardo *coniunctivus,* calco sul gr. *symplektikós.*

**congiunto** ' unito ', lat. *coniunctus,* part. pass. di *coniungĕre,* v. GIUNTO, nel senso di ' comune ', calco sull'ingl. *jointed.*

**congiuntura,** incr. di *congiùngere* e *giuntura*; in senso economico influenzato dal ted. *Konjunktur.*

**congiunturale,** da *congiuntura* (in senso economico).

**congiunzione,** dal lat. *coniunctio, -onis,* in senso grammat., calco sul gr. *sýndesmos.*

**congiura,** sost. deverb. estr. da *congiurare.*

**congiurare,** dal lat. *coniurare,* da *com* e *iurare*; v. GIURARE.

**congiurato,** dal lat. *coniuratus,* part. pass. attivo di *coniurare.*

**congiuratore,** dal lat. tardo *coniurator, -oris.*

**conglobare,** dal lat. *conglobare,* verbo denom. da *globus* ' sfera ', ' ammasso ' col pref. *com*; v. GLOBO.

**conglobazione,** dal lat. *conglobatio, -onis.*

**conglomerare,** dal lat. *conglomerare,* comp. di *com* e *glomerare* e questo da *glomus* ' gomitolo '; v. GHIOMO.

**conglomerazione,** dal lat. *conglomeratio, -onis.*

**conglutinare,** dal lat. *conglutinare,* comp. di *com* e *glutinare,* verbo denom. da *gluten, -ĭnis* ' colla '; v. GLÙTINE.

**congratulare,** dal lat. *congratulari,* comp. di *com* e *gratulari* e questo dall'agg. *\*gratŭlus,* deriv. dall'arc. *gratari,* come *querŭlus* da *queror. Gratari* è a sua volta verbo denom. da *gratus*; v. GRATO.

**congratulatorio,** dal lat. medv. *congratulatorius.*

**congratulazione,** dal lat. *congratulatio, -onis.*

**congrega,** sost. deverb. estr. da *congregare.*

**congregàbile,** dal lat. *congregabĭlis.*

**congregare,** dal lat. *congregare,* verbo denom. tratto da *grex, gregis* ' gregge ' col pref. *com*; v. GREGGE.

**congregazione,** dal lat. *congregatio, -onis.*

**congresso,** dal lat. *congressus, -us,* astr. di *congrĕdi* ' incontrarsi ' e questo da *com* e *gradi* ' camminare ', con norm. passaggio di *-ă-* in *-ĕ-* in sill. interna dav. a cons. dentale; v. GRADO.

**congrua,** da (*parte*) *congrua,* lat. (*portio*) *congrŭa* « (parte) conveniente (perché) sufficiente ».

**congruente,** dal lat. *congruens,* part. pres. di *congrŭere* ' incontrarsi ', ' convenire ', da *com* e *\*grŭere,* privo di connessioni attendibili.

**congruenza,** dal lat. imp. *congruentia.*

**congruità,** dal lat. tardo *congruĭtas, -atis.*

**congruo,** dal lat. *congruus* 'concordante, conveniente'; v. CONGRUENTE.

**conguagliare,** incr. di *confrontare* e *uguagliare.*

**conguaglio,** sost. deverb. estr. da *conguagliare.*

**coniare,** verbo denom. da *conio[1].*

**cònico,** dal gr. *kōnikós.*

**conìfera,** forma femm. dal lat. *conĭfer, -feri,* comp. di *conus,* v. CONO, e *-fer*: « portatrice di un cono ».

**coniglia** (banco per rematori sulle galee), dal frc. ant. *conille,* nome deverb. da *coniller* 'tirar su i remi'.

**coniglio,** lat. *cunicŭlus,* secondo una trasmissione settentr. per cui *-c(u)lo-* diventa *-glio-* anziché *-cchio-*. Il tema *cuni-* sembra di orig. mediterr. soprattutto occidentale.

**cònio[1],** lat. *cunĕus,* cfr. CUNEO, attrav. una tradiz. merid. che determina la pronuncia aperta della *ò.*

**conio[2]** (*cogno*), incr. di *congius* 'misura', v. CONGIO, e *cuneus,* v. CUNEO.

**conirostri,** dal lat. degli zool. moderni *conirostris,* comp. di *conus* e *rostrum*: « che hanno *coni* come *rostri* ».

**coniugàbile,** dal lat. tardo *coniugabĭlis.*

**coniugale,** dal lat. *coniugalis.*

**coniugare,** dal lat. *coniugare,* comp. di *com* e *iugare,* verbo denom. da *iugum* 'giogo'.

**coniugazione,** dal lat. *coniugatio, -onis,* calco sul gr. *syzygía* 'l'atto del congiungere'.

**còniuge,** dal lat. *coniux, -ŭgis,* da *com* e *\*iux* 'che congiunge, che aggioga', v. GIOGO. Il tema-rad. YUG come secondo elemento di composiz. si trova bene attestato anche nelle aree greca (*sýzyks*) e indiana.

**coniugio,** dal lat. *coniugium,* deriv. di *coniux.*

**connaturale,** dal lat. tardo *connaturalis.*

**connaturare,** dal lat. tardo *connaturari.*

**connazionale,** da *con-* e *nazione* col suff. aggettiv. *-ale.*

**connessione,** dal lat. *connexio, -onis,* nome d'azione del verbo *connectĕre* 'connettere'; v. NESSO.

**connesso,** dal lat. *connexus,* part. pass. di *connectĕre*; v. NESSO.

**connèttere,** dal lat. *connectĕre,* da *com* e *nectĕre* 'intrecciare', 'congiungere'; v. NESSO.

**connettivo,** dal frc. *connectif* (XVIII sec.).

**connivente,** dal lat. *co(n)nivens* 'che chiude gli occhi' e quindi 'finge di non vedere'. Da una rad. KNEIGwH 'appoggiarsi' sopravv. anche nell'area germanica (ted. *neigen* 'inclinarsi, propendere'), col pref. *com-*.

**connivenza,** dal lat. tardo *co(n)niventia.*

**connotato,** comp. di *con[1]* rinforzante e *notato,* part. pass. di *notare,* verbo denom. da *nota.*

**connubio,** dal lat. *connubium,* incr. di *coniugium* e *nubĕre*; v. CONIUGIO e NÙBILE.

**connumerare,** dal lat. tardo *connumerare,* verbo denom. da *numĕrus* col pref. *com-*; v. NÙMERO.

**cono,** dal lat. *conus,* che è dal gr. *kônos.*

**conocchia,** lat. *\*colucŭla,* dimin. di *colus* 'conocchia', dissimilato nel lat. volg. *\*conucŭla* e cioè da una serie *l...l* a una *n...l. Colus* risale alla rad. KwEL di *colĕre* 'muoversi in senso circolare', attestata largamente nel mondo ideur. (v. CÒLERE) e trova un corrispond. identico nel gr. *pólos* 'perno'; cfr. POLO.

**conòide,** dal lat. *conoīdes,* che è dal gr. *kōnoeidés* 'avente aspetto di cono'.

**conopèo,** dal lat. *conopĕum,* che è dal gr. *kōnōpeîon* e questo da *kōnōps, -ōpos* 'zanzara'.

**conoscente,** part. pres. di *conóscere.*

**conoscenza,** dal lat. tardo *cognoscentia,* incr. con it. *conóscere.*

**conóscere,** lat. volg. *\*conoscĕre,* class. *cognoscĕre* da *co-* e (*g*)*noscĕre,* verbo incoativo dalla rad. G(E)NŌ, cfr. COGNITO e NOTO. Il pass. remoto *conobbi* è il lat. volg. *\*conovui,* incr. di *co(g)novi* e *habui* (cfr. *ebbi, seppi, ruppi, tenni, venni*).

**conoscìbile,** dal lat. tardo *cognoscibĭlis,* incr. con *conóscere.*

**conosciuto,** part. pass. di *conóscere,* sullo schema di *avuto, saputo, tenuto* rispetto a *avere, sapere, tenere.*

**conquassare,** dal lat. *conquassare,* comp. di *com* e *quassare,* intens. di *quatĕre* 'scuotere'; v. SCÙOTERE.

**conquasso,** sost. deverb. estr. da *conquassare.*

**conquesto** (constatazione giudiziaria), dal lat. *conquestus,* astr. di *conquĕri*; v. QUERELA.

**conquibus,** dalla formula *cum quibus* (*nummis*)? 'con quali (denari)?'.

**conquìdere,** incr. di lat. *conquirĕre,* con it. *chièdere.* Lat. *conquirĕre* è comp. di *com* e *quaerĕre* con norm. passaggio di *-ae-* in *-ì-* in sill. interna.

**conquista,** sost. deverb. estr. da *conquistare.*

**conquistare,** lat. volg. *\*conquistare,* forma intens. di *conquirĕre,* tratta dal part. pass. lat. volg. *\*conquisĭtus,* class. *conquisītus*; v. CONQUÌDERE.

**consacrando,** dal lat. *consacrandus,* part. fut. passivo di *consacrare.*

**consacrare,** dal lat. *consacrare,* incr. di *consecrare* e *sacer.*

**consacratore,** dal lat. tardo *consecrator, -oris,* incr. con it. *consacrare.*

**consacrazione,** incr. di lat. *consecratio, -onis* e it. *consacrare.*

**consanguineità,** dal lat. *consanguinĭtas, -atis,* incr. con it. *consanguineo.*

**consanguineo,** dal lat. *consanguineus,* da *com* e *sanguis, -ĭnis* (v. SANGUE) col suff. aggettiv. *-eus.*

**consapere,** da *con-[1]* rinforzante e *sapere.*

**consapévole,** da *consapere* col suff. *-évole,* che, invece di possibilità o merito e quindi passività di signif., ha valore attivo, indica « colui che consà ».

**conscio,** dal lat. *conscius,* da *com* e *scius* 'che sa', appartenente al sistema di *scire* 'sapere'; v. SCIENZA.

**consecutivo,** dal lat. medv. *consecutivus,* deriv. da *consecutus,* part. pass. di *consĕqui* 'seguire', comp. di *com* e *sequi*; v. SEGUIRE.

**consecuzione,** dal lat. *consecutio, -onis,* nome di azione di *consĕqui* 'seguire'.

**consegna,** sost. deverb. estr. da *consegnare.*

**consegnare,** dal lat. *consignare* 'sottoscrivere', 'assegnare', verbo denom. da *signum* 'segno' col pref. *com-*; v. SEGNO.

**conseguente,** part. pres. di *conseguire.*

**conseguenza,** dal lat. *consequentia* incr. con it. *conseguire.*

**conseguire,** dal lat. *consĕqui* incr. con *seguire.*

**conseguitare,** incr. di *conseguire* e *seguitare.*

consensivo, dal lat. *consensus*, part. pass. di *consentire* col suff. durativo it. *-ivo*.

consenso, dal lat. *consensus, -us*, astr. di *consentire* 'sentire insieme', comp. di *com* e *sentire*; v. SENTIRE.

consensuale, deriv. in *-uale*, sul modello di *sensuale* dal lat. *sensualis*, perché in lat. (*con*)*sensus* appartiene ai temi in *-u*, non in *-o*; cfr. *puntuale, usuale, rituale*.

consentaneo, dal lat. *consentanĕus*, deriv. da *consentire*.

consentire, dal lat. *consentire*, comp. di *com* e *sentire* 'sentire insieme'; v. SENTIRE.

consenziente, dal lat. *consentiens, -entis*, part. pres. di *consentire*.

consequenziario, dal lat. medv. *consequentiarius*, deriv. di *consequentia* 'conseguenza'.

conserto, dal lat. *consertus*, part. pass. di *conserĕre* (da *com* e *serĕre*, v. SERIE) 'intrecciare insieme'.

conserva¹, sost. deverb. estr. da *conservare*.

conserva², femm. di *conservo* 'compagno di servitù'.

conserva³ (navigazione in convoglio), dal catalano *en conserva* e questo dal lat. *conservus* 'compagno'.

conservàbile, dal lat. tardo *conservabĭlis*.

conservare, dal lat. *conservare*, comp. di *com* e *servare* 'conservare'; v. SERBARE.

conservativo, dal lat. tardo *conservativus*, deriv. in *-ivus* di un part. pass. *conservatus* come *captivus* da *captus*.

conservatore, dal lat. *conservator, -oris*.

conservatorio, da *conservare*, perché un tempo vi erano associati dei convitti che « custodivano » gli allievi.

conservazione, dal lat. *conservatio, -onis*.

conservo, dal lat. *conservus*, da *com* e *servus* « che è servo insieme ».

consesso, dal lat. *consessus, -us*, astr. di *considĕre* 'star seduto'.

consideràbile, dal lat. medv. *consideràbilis*.

considerando, dal gerundio *considerando* che introduce le successive motivazioni di una decisione; v. CONSIDERARE.

considerare, dal lat. *considerare*, verbo denom. da *sidus, -ĕris* 'stella' (v. SIDERARE) che, col pref. *com-*, indica l'osservazione degli astri (al fine di trovare auspici).

considerato, dal lat. *consideratus*.

considerazione, dal lat. *consideratio, -onis*.

consigliare, dal lat. medv. *consiliare*, class. *consiliari*, verbo denom. da *consilium* 'consiglio'.

consigliatore, dal lat. *consiliator, -oris*.

consigliere, dal frc. ant. *conseillier*, lat. *consiliarius*.

consiglio, lat. *consilium*, deriv. da *consulĕre* 'consultare', con norm. passaggio di *-ŭ-* a *-ĭ-* in sill. interna dav. a *-l-* seguita da *-i-*. *Consulĕre* è verbo comp. di *com* e *\*solĕre*; v. CONSULTARE e cfr. CONSOLE, ÈSULE, PRÈSULE.

consiliare, dal lat. tardo *consiliaris*.

consìmile, dal lat. *consimĭlis*.

consistère, dal lat. *consistens, -entis*, part. pass. di *consistĕre* nel senso di 'star saldo'.

consistenza, dal lat. tardo *consistentia*.

consìstere, dal lat. *consistĕre*, comp. di *com* e *sistĕre* 'fermarsi', v. ASSÌSTERE, RESÌSTERE.

consobrino, dal lat. *consobrinus*, deriv. in *-inus* di *\*sobr-*, risal. a *\*sosr-* e a un più ant. SWESR (v. SORELLA) col pref. *com*.

consociàbile, dal lat. tardo *consociabĭlis*.

consociare, dal lat. *consociare*, verbo denom. da *socius* col pref. *com-*; v. SOCIO.

consociazione, dal lat. *consociatio, -onis*.

consocio, dal lat. tardo *consocius*.

consolàbile, dal lat. *consolabĭlis*.

consolare¹ (verbo), lat. *consolare*, class. *consolari*, comp. di *com-* e *solari*, verbo deriv. da una rad. SEL², con qualche connessione nell'area greca.

consolare² (agg.), dal lat. *consularis*.

consolativo, dal lat. tardo *consolativus*.

consolato, dal lat. *consulatus, -us*.

consolatore, dal lat. *consolator, -oris*.

consolatorio, dal lat. *consolatorius*.

consolazione, dal lat. *consolatio, -onis*.

cònsole, dal lat. *consul, -ŭlis*, comp. di *com* e del tema nom. della rad. SEL 'alzarsi' (attestata anche nell'area greca), secondo il rapporto di *com* e *iug* in *coniux* rispetto alla rad. YEUG, v. CÒNIUGE. La vocale radicale è *u* perché davanti a *l* non seguita da *-i*, cfr. ESULE, PRESULE, e il grado di alternanza è perciò irriconoscibile. Dal punto di vista del signif. il rapporto di *consul* rispetto al verbo *\*solĕre* (v. CONSULTARE) è lo stesso di quello del part. pres. *concipiens* 'che contiene, che concepisce' rispetto al semplice *capĕre* 'prendere'. Il significato è estratto dal verbo *consulĕre*, a differenza di *praesul* v. PRESULE rispetto al verbo *praesilire*. Per i rapporti con lat. *salire* v. SALIRE.

consolidare, dal lat. *consolidare*, verbo denom. da *solĭdus* 'solido' col pref. *com-*; v. SÒLIDO.

consolidato, part. pass. sostantiv. di *consolidare*.

consolidatore, dal lat. tardo *consolidator, -oris*.

consolidazione, dal lat. tardo *consolidatio, -onis*.

consolle, dal frc. *console* (XIX sec.), con adattamento tosc. di *-òl* in *-olle*; cfr. *percalle* con *-alle* da *-àl(e) controllo* con *-ollo* da *-òl*.

consolo, sost. deverb. estr. da *consolare*.

consommé, v. CONSUMÈ.

consonante, dal lat. *consŏnans*, part. pres. di *consonare* « sonare insieme (alle voc., perché incapaci di sonorità propria) ».

consonanza, dal lat. *consonantia*, astr. di *consonare*.

consonare, dal lat. *consonare*, comp. di *com* e *sonare*; v. SONARE.

cònsono, dal lat. *consŏnus*, agg. deverb. di *consonare*.

consorte, dal lat. *consors, -ortis*, da *com* e *sors* (v. SORTE) « che ha la sorte in comune ».

consorterìa, da *consorte*, con valore collettivo e alquanto peggiorativo; cfr. *marineria, pirateria*.

consorzio, dal lat. *consortium*, deriv. da *consors* (da *com* e *sors*) « lo stato di chi ha la sorte in comune ».

constare, dal lat. *constare*, comp. di *com* e *stare*; v. STARE.

co(n)statare, dal frc. *constater* (XIX sec.) e questo dal lat. *constat* 'è certo, sta bene', terza pers. del pres. indic. di *constare*.

co(n)statazione, dal frc. *constatation*.

consueto, dal lat. *consuetus*, part. pass. di *consuescĕre*, comp. di *com* e *suescĕre*, incoat. di una rad. SWEDH 'esser caratteristico, esser solito' bene attestata anche nelle aree greca e indiana; cfr. COSTUME.

consuetudinario, dal lat. tardo *consuetudinarius*.

**consuetùdine,** dal lat. *consuetudo, -ĭnis.*

**consulente,** dal lat. *consŭlens, -entis,* part. pres. di *consulĕre* 'deliberare'; v. CONSULTARE.

**consulta,** sost. deverb. da *consultare.*

**consultare,** dal lat. *consultare,* iterat. di *consulĕre* 'deliberare', comp. di *com* e *solĕre* 'alzarsi' dalla rad. SEL' col pass. regolare fuori d'accento di *-ŏ-* a *-ŭ-* dav. a *-l-* non seguita da *-i-;* v. CONSOLE, ÈSULE, PRÈSULE e cfr. SALIRE.

**consultatore,** dal lat. *consultator, -oris.*

**consultazione,** dal lat. *consultatio, -onis.*

**consultivo,** dal lat. *consultus,* part. pass. di *consulĕre,* incr. con l'it. *consulto* e il suff. durativo *-ivo.*

**consulto,** dal lat. *consultum,* forma sostantiv. di *consultus, -a, -um,* part. pass. di *consulĕre.*

**consultore,** dal lat. *consultor, -oris,* nome d'agente di *consulĕre.*

**consumare**[1] 'logorare', lat. *consumĕre* 'prendere fino alla fine, consumare' (v. SUNTO) incr. con *consummare,* verbo denom. da *summa* (v. SOMMA) col pref. *com.*

**consumare**[2] 'portare a fine', dal lat. *consummare* incr. con *consumĕre.*

**consumato,** dal lat. *consummatus,* in parte in senso attivo, incr. con *consumare.*

**consumatore,** da *consumare* nei due sensi.

**consumazione**[1] (astratto), da *consumare,* nei due sensi.

**consumazione**[2] (cibo o bevanda), dal frc. *consommation.*

**consumè** (*consommé*), dal frc. *consommé.*

**consùmere** (solo nelle forme del pass. rem. *consunsi,* ecc.), dal lat. *consumpsi* ecc., comp. di *com* e *sumpsi,* perf. in *-si* che sostituisce il tipo orig. *suremi,* v. SUNTO, secondo il rapporto di *munxi* rispetto a *munctum, punxi* rispetto a *punctum.*

**consumo,** sost. deverb. estr. da *consumare.*

**consuntivo,** dal frc. *comsomptif* (XIX sec.).

**consunto,** dal lat. *consumptus,* part. pass. di *consumĕre;* v. SUNTO.

**consunzione,** dal lat. *consumptio, -onis,* nome di azione di *consumĕre.*

**consuòcero,** da *con-*[1] di compagnia e *suocero.*

**consustanziale,** dal lat. eccl. *consubstantialis,* comp. di *com* e *substantia* col suff. di agg. *-alis,* calco sul gr. *homoúsios.*

**consustanzialità,** dal lat. eccl. *consubstantialĭtas, -atis.*

**consustanziazione,** dal lat. medv. *consubstantiatio, -onis.*

**conta,** sost. deverb. estr. da *contare.*

**contàbile,** dal frc. *comptable* e questo da *compter,* lat. *computare.*

**contabilità,** dal frc. *comptabilité.*

**contadino,** da *contado.*

**contado,** dal provz. *contat.* lat. medv. *comitatus* 'feudo di un *comes* (o conte)' trasmesso con la leniz. settentr. di *-t-* in *-d-,* cfr. COMITATO.

**contagiare,** verbo denom. da *contagio.*

**contagio,** dal lat. *contăgium,* incr. di *contăctus, -us* e *contingĕre* da *com* e *tangĕre,* v. CONTINGENTE e TÀNGERE, per sostituire *contagio, -onis* che urtava in difficoltà prosodiche.

**contagioso,** dal lat. tardo *contagiosus.*

**contaminàbile,** dal lat. tardo *contaminabĭlis.*

**contaminare,** dal lat. *contaminare,* verbo denom. deriv. da *tagsmen* poi *tāmen* 'impronta tat-

tile' (v. TÀNGERE) col pref. *com-* e cioè 'lasciare un'impronta tattile'.

**contaminatore,** dal lat. tardo *contaminator, -oris.*

**contaminazione,** dal verbo *contaminatio, -onis.*

**contante,** da *contare* nel senso di 'valere'.

**contare,** lat. *computare* con norm. caduta della voc. atona interna, cfr. *compitare, computare.*

**contatto,** dal lat. *contactus, -us,* astr. di *contingĕre,* deriv. dal tema del part. pass. *contactus, -a, -um;* v. TATTO.

**conte,** dal provz. e frc. ant. *conte,* lat. *comes, -ĭtis* 'compagno', forma nominale tratta dal verbo *ire* col pref. *com-* e l'aggiunta di un suff. d'agente *-t-,* con norm. passaggio di *-ĭ-* ad *-ĕ-* in sill. chiusa non accentata. Per la serie più recente dei comp. di *co-* e *ire* v. CETO, COITO.

**contèa,** dal frc. ant. *comtée,* forma femm. del lat. *comitatus;* v. COMITATO[1].

**conteggiare,** verbo denom. durativo da *conto.*

**conteggio,** sost. deverb. estr. da *conteggiare.*

**contegno,** lat. volg. *continjum,* da *continĕo* secondo il rapporto di *colloquium* da *collŏqui, compluvium* da *complŭĕre, convenium* (medv.) da *convenire, -dolium* da *dolere.*

**contemperare,** dal lat. tardo *contemperare* 'mescolare', comp. di *com-* e *temperare;* v. TEMPERARE.

**contemperazione,** dal lat. tardo *contemperatio, -onis.*

**contemplàbile,** dal lat. tardo *contemplabĭlis.*

**contemplare,** dal lat. *contemplare,* verbo denom. da *templum* 'spazio celeste delimitato' e *com* e cioè « (osservare) nei limiti del tempio celeste ».

**contemplativo,** dal lat. *contemplativus.*

**contemplatore,** dal lat. *contemplator, -oris.*

**contemplazione,** dal lat. *contemplatio, -onis.*

**contempo,** da *con* e *tempo.*

**contemporaneo,** dal lat. tardo *contemporaneus,* deriv. di *tempus, -ŏris* col pref. *com-* e il suff. *-aneus.*

**contèndere,** dal lat. *contendĕre* 'tendere con tutte le forze', da *com* e *tendĕre;* v. TÈNDERE.

**contenente,** part. pres. di *contenere.*

**contenenza,** incr. di lat. *continentia* e it. *contenere.*

**contenere,** lat. *continere,* comp. di *com* e *tenere,* con norm. passaggio di *-ĕ-* in *-i-* in sill. interna aperta; v. TENERE.

**contennendo,** dal lat. *contemnendus,* part. fut. passivo di *contemnĕre* 'disprezzare', comp. di *com* e *temnĕre* che è privo di connessioni attendibili, al di fuori di *contumax* e *contumelia;* v. CONTUMACE e CONTUMELIA. Queste due ultime parole presuppongono una forma verbale *temĕre,* senza ampliam. in *-no-* come in *temnĕre.*

**contentare,** dal lat. tardo *contentare,* verbo denom. da *contentus* 'contento, pago'.

**contentino,** dimin. di *contento*[2].

**contento**[1] (agg.), lat. *contentus,* part. pass. di *continere* (v. CONTENERE), col passaggio di signif. da 'contenuto' a 'soddisfatto'.

**contento**[2] 'soddisfazione', sost. deverb. estr. da *contentare.*

**contento**[3] 'disprezzo', dal lat. *contemptus, -us,* astr. di *contemnĕre;* v. CONTENNENDO.

**contenuto,** part. pass. di *contenere,* secondo i noti modelli di *avuto, saputo,* ecc.; v. TENUTA.

**contenzione**[1] 'contesa', dal lat. *contentio, -onis,* nome d'azione di *contendĕre* 'contèndere'.

**contenzione**[2] ' trattenuta ', dal lat. *contentio, -onis*, nome d'azione di *continere*.

**contenzioso**, dal lat. *contentiosus*, deriv. di *contentio, -onis* ' contesa '.

**conterìa**, da *conto*[2] ' adorno ' col suff. collettivo *-erìa*, come in *seteria, teleria*.

**conterminale**, dal lat. tardo *conterminalis*.

**contèrmine**, dal lat. *contermĭnus* incr. con l'it. *tèrmine*.

**conterraneo**, dal lat. *conterraneus*, deriv. di *terra* col pref. *com-* e il suff. *-aneus*; cfr. *contemporaneo*.

**contesa**, forma femm. sostantiv. da *conteso*, part. pass. di *contèndere*.

**contessa**, lat. medv. *comitissa* ' moglie del *comes* o *conte* '.

**contèssere**, dal lat. *contexĕre* ' tessere compiutamente ', comp. di *com* e *texĕre*; v. TÈSSERE.

**contestare**, dal lat. *contestari* ' intentare un processo con la citazione dei testimoni ', verbo denom. da *testis* ' testimone ' col pref. *com-*.

**contestazione**, dal lat. *contestatio, -onis*.

**conteste** e **contestimone**, da *con*[1] di compagnia e *teste* o *testimone*.

**contesto**[1] (agg.), dal lat. *contextus*, part. pass. di *contexĕre*; v. CONTÈSSERE.

**contesto**[2] (sost.), dal lat. *contextus, -us* ' nesso ', astr. di *contexĕre* ' intessere '.

**contezza**, da *conto*[2] ' noto '.

**contigia** dal frc. ant. *cointise*; cfr. CONTO[2].

**contiguità**, dal lat. tardo *contiguĭtas, -atis*.

**contiguo**, dal lat. *contigŭus*, deriv. dalla rad. *tag* di *tangĕre* ' toccare ' e formato come *continuus, attiguus*, con norm. passaggio di *-ă-* in *-ĭ-* in sill. interna aperta; v. TÀNGERE.

**continente**[1] (sost.), dal lat. *(terra) contĭnens, -entis* ' terra che contiene, continua '.

**continente**[2] (agg.), dal lat. *contĭnens, -entis*, part. pres. di *contineri* ' contenersi ', comp. di *com* e *tenere*, con norm. passaggio di *-ĕ-* in *-ĭ-* in sill. interna aperta.

**continenza**, dal lat. *continentia*, astr. di *contineri*.

**contingente**, dal lat. *contingens, -entis* ' che spetta ', ' che tocca ', part. pres. di *contingĕre*, comp. di *com* e *tangĕre*, con norm. passaggio di *-ă-* in *-ĭ-* in sill. interna dav. al gruppo *-ng-*.

**contingenza**, dal lat. tardo *contingentia*.

**continuare**, dal lat. *continuare*, verbo denom. tratto dall'agg. *continuus* ' continuo '.

**continuativo**, dal lat. tardo *continuativus*.

**continuazione**, dal lat. *continuatio, -onis*.

**continuità**, dal lat. *continuĭtas, -atis*.

**continuo**, dal lat. *continŭus*, legato a *continere* dallo stesso rapporto di *attiguus* e *contiguus* a *tangĕre*, di *adsiduus* a *sedere* ecc.

**contitolare**, da *con*[1] di compagnia e *titolare*.

**conto**[1] (sost.), lat. tardo *compŭtus*, sost. deverb. estr. da *computare*.

**conto**[2] (agg.), dal frc. *cointe*, lat. *cognĭtus* ' conosciuto ' (v. COGNITO) incr. con lat. *comptus* ' ornato ' (cfr. CONTERÌA), part. pass. di *comĕre*, da *\*co-emĕre* « prendere insieme, riunire »; v. PRONTO.

**conto**[3] (part. passato), estr. da *cont(at)o*.

**contòrcere**, incr. del lat. *contorquere* ed it. *tòrcere*.

**contornare**, comp. di *con* rafforzativo e *tornare*.

**contorno**, sost. deverb. da *contornare*.

**contorsione**, dal lat. *contortio, -onis*, nome d'azione

di *contorquere* incr. con *conversio, -onis*, nome d'azione di *convertĕre*.

**contorto**, lat. *contortus*, part. pass. di *contorquere*.

**contrabbando**, da *contra(d)-* e *bando* ' azione compiuta contro i bandi, cioè le leggi '.

**contrabbasso**, da *contra(d)-* ' rimpetto ' e *basso*.

**contraccambiare**, da *contra(d)-* e *cambiare*.

**contraccambio**, sost. deverb. da *contraccambiare*.

**contraccettivo** ' anticoncezionale ', dall'ingl. *contraceptive*.

**contraccolpo**, da *contra(d)-* e *colpo*.

**contra(d)-**, lat. *contra(d)*, forma di abl. femm. irrigidita di *com* (v. CON[1]) allargato col suff. di opposizione *-t(e)ro-* per cui si dovrebbe supporre un agg. parallelo *\*contĕrus*, come si ha *extĕrus* accanto a *extra(d)*.

**contrada**, dal lat. *(regio) \*contrata* ' regione fronteggiante ' e quindi in partenza ' opposta ', poi ' vicina '. Trasmessa con la leniz. settentr. di *-t-* in *-d-*.

**contraddanza**, dal frc. *contredanse* e questo dall'ingl. *country dance* ' danza campagnola '.

**contraddire**, dal lat. *contradicĕre*, da *contra(d)-* e *dicĕre* incr. con l'it. *dire*.

**contraddittore**, dal lat. tardo *contradictor, -oris* incr. con it. *contraddire*.

**contraddittorio**, dall'agg. lat. tardo *contradictorius* incr. con it. *contraddire*.

**contraddizione**, dal lat. *contradictio, -onis* incr. con it. *contraddire*.

**contraente**, dal lat. *contrăhens, -entis*, part. pres. di *contrahĕre*; v. CONTRARRE.

**contraèreo**, dal frc. *contraérien* (XX sec.).

**contraffare**, incr. di lat. medv. *contrafàcere* e it. *fare*.

**contraffazione**, lat. medv. *contrafactio, -onis* incr. con l'it. *contra(d)-*.

**contrafforte**, da *contra(d)-* ' rimpetto ' e *forte*.

**contraggenio**, da *contra(d)-* e *genio*.

**contraltare**, da *contra-* ' rimpetto ' e *altare*.

**contralto**, da *contra-* ' rimpetto ' e *alto*.

**contrammiraglio**, dal frc. *contre-amiral* (XIX sec.) incr. con it. *ammiraglio*.

**contrappasso**[1] (taglione), dal lat. medv. *contrappassum*, da *contra-* e *passum*, part. pass. neutro di *pati* ' soffrire ', incr. con it. *contra(d)-*: nell'insieme equivale a « contro-sofferenza ».

**contrappasso**[2] (andatura), da *contra(d)-* e *passo*.

**contrappello**, dal frc. *contre-appel* (XIX sec.).

**contrapporre**, dal lat. *contraponĕre*, incr. con it. *contra(d)-* e *porre*.

**contrapposizione**, dal lat. tardo (VI sec.) *contrappositio, -onis*.

**contrapposto**, dal lat. *contraposĭtus*, incr. con it. *contra(d)-* e *posto*.

**contrappunto**, dal lat. medv. *(pònere punctum) contra punctum* ' (mettere nota) contro nota ' incr. con it. *contra(d)-*.

**contrare**, verbo denom. da *contro* (v.).

**contrariare**, dal lat. tardo *contrariare*.

**contrarietà**, dal lat. tardo *contrariĕtas, -atis*.

**contrario**, dal lat. *contrarius* ' che sta di fronte ', deriv. da *contra*; v. CONTRA(D)-.

**contrarre**, dal lat. *contrahĕre* incr. con l'it. *trarre*.

**contrassegnare**, verbo denom. da *contrassegno*.

**contrassegno** ' segnale ', da *contra(d)-* e *segno*.

**contrastare**, dal lat. tardo *contrastare* che è da *contra-* e *stare*.

**contrasto,** sost. deverb. da *contrastare.*

**contrattare,** verbo denom. da *contratto.*

**contrattempo,** da *contra(d)-* e *tempo.*

**contràttile,** dal lat. *contractus* col suff. *-ile* che indica possibilità, sullo schema di *fìssile, mìssile, fìttile.*

**contratto,** dal lat. *contractus, -us,* astr. del verbo *contrahĕre.*

**contravveleno,** da *contra(d)-* e *veleno.*

**contravvenire,** dal lat. medv. *contravenire* ' andar contro (la legge) ' incr. con it. *contra(d)-.*

**contravventore,** incr. di *contravvenire* e *avventore.*

**contravvenzione,** dal lat. medv. *contraventio, -onis* incr. con it. *contra(d)-.*

**contrazione,** dal lat. *contractio, -onis,* nome d'azione di *contrahĕre.*

**contre,** v. CONTRO².

**contribuente,** dal lat. *contribuens, -entis,* part. pres. di *contribuĕre.*

**contribuire,** dal lat. *contribuĕre* (passato alla coniugaz. in *-ire),* comp. di *com* e di *tribuĕre* ' attribuire '; v. TRIBUTO.

**contributo,** dal lat. *contributum,* neutro del part. pass. di *contribuĕre.*

**contribuzione,** dal lat. tardo *contributio, -onis,* nome d'azione di *contribuĕre.*

**contrire,** lat. volg. *contrire,* formato da *contritus,* part. pass. di class. *conterĕre;* v. TRITO.

**contristare,** dal lat. *contristare,* verbo denom. tratto da *tristis* ' tristo ' col pref. *com;* v. TRISTO.

**contrizione,** dal lat. eccl. *contritio, -onis* ' pentimento ', nome d'azione di *conterĕre* ' logorare '; v. TRITO.

**contro¹** (di opposizione e reazione *controsenso, controquerela;* di rinforzo e annullamento *controprova, contrordine),* dal lat. *contrō-,* variante di *contra* (per es. *controversus),* secondo il rapporto di *ultro* a *ultra,* di *citro* a *citra* di *intro* a *intra,* incr. con lat. *contra* e forse influenzato da forme rustiche risal. all'osco *contrud.*

**contro²** (nel gioco del bridge), dal frc. *contre.*

**controaliseo,** da *contro-* di reazione e *aliseo.*

**controavviso,** da *contro-* di annullamento e *avviso.*

**controbàttere,** da *contro-* di reazione e *bàttere.*

**controcampo,** da *contro-* di reazione e *campo.*

**controcassa,** da *contro-* di rinforzo e *cassa.*

**controchiave,** da *contro-* di rinforzo e *chiave.*

**controcorrente,** da *contro-* di reazione e *corrente.*

**controcrìtica,** da *contro-* di reazione e *crìtica.*

**controdado,** da *contro-* di rinforzo e *dado.*

**controdata,** da *contro-* di opposizione e *data.*

**controdichiarazione,** da *contro-* di annullamento e *dichiarazione.*

**controdote,** da *contro-* di reazione e *dote.*

**controfagotto,** da *contro-* di rinforzo e *fagotto.*

**controfascia,** da *contro-* di rinforzo e *fascia.*

**controffensiva,** da *contro-* di reazione e *offensiva.*

**controfigura,** da *contro-* di reazione e *figura.*

**controfiletto,** da *contro-* di opposizione e *filetto.*

**controfinestra,** da *contro-* di rinforzo e *finestra.*

**controfirma,** da *contro-* di rinforzo e *firma.*

**controfòdera,** da *contro-* di rinforzo e *fòdera.*

**controfondo** ' secondo fondo ', da *contro-* di rinforzo e *fondo.*

**controindicare,** da *contro-* di opposizione e *indicare.*

**controindicato,** da *contro-* di opposizione e *indicato.*

**controleva,** da *contro-* di opposizione e *leva.*

**controllare,** dal frc. *contrôler* (XIX sec.) e questo da *contrôle* incr. con it. *controllo.*

**controllo,** dal frc. *contrôle* (XIX sec.) e questo dall'ant. *contre-role* ' contro-ruolo ' o ' doppio registro '. Per l'adattamento della finale frc. *-ôl(e)* in *-ollo,* cfr. i casi di *consolle* e *percalle.*

**controllore,** dal frc. *contrôleur* incr. con it. *controllo.*

**controluce,** da *contro-* di opposizione e *luce.*

**contromano,** da *contro-* di opposizione e *mano.*

**contromarca,** calco sul frc. *contremarque.*

**contromarcia,** calco sul frc. *contremarche.*

**contromina,** da *contro-* di reazione e *mina.*

**contromolla,** da *contro-* di opposizione e *molla.*

**contromossa,** da *contro-* di reazione e *mossa.*

**contromuro,** da *contro-* di rinforzo e *muro.*

**controparte,** da *contro-* di opposizione e *parte.*

**contropartita,** da *contro-* di reazione e *partita.*

**contropedale,** da *contro-* di reazione e *pedale.*

**contropendenza,** da *contro-* di opposizione e *pendenza.*

**contropiède,** da *contro-* di opposizione e *piede.*

**contropiega,** da *contro-* di opposizione e *piega.*

**controproducente,** dallo sp. *contraproducente* risal. al lat. giur. *contra producentem* « contro colui che allega (prove) ».

**controprogetto,** da *contro-* di reazione e *progetto.*

**controproposta,** da *contro-* di reazione e *proposta.*

**controprova,** da *contro-* di rinforzo e *prova.*

**controquerela,** da *contro-* di reazione e *querela.*

**contrordine,** da *contro-* di annullamento e *órdine.*

**controrelazione,** da *contro-* di reazione e *relazione.*

**controricevuta,** da *contro-* di reazione e *ricevuta.*

**controricorso,** da *contro-* di reazione e *ricorso.*

**controriforma,** da *contro-* di reazione e *riforma.*

**controrivoluzione,** da *contro-* di reazione e *rivoluzione.*

**controrotaia,** da *contro-* di rinforzo e *rotaia.*

**controscarpa,** da *contro-* di rinforzo e *scarpa.*

**controscena,** da *contro-* di reazione e *scena.*

**controsenso,** dal frc. (XIX sec.) *contresens.*

**controspionaggio,** da *contro-* di reazione e *spionaggio.*

**controstampa,** da *contro-* di reazione e *stampa.*

**controstòmaco,** da *contro-* di opposizione e *stòmaco.*

**controvalore,** da *contro-* di opposizione e *valore.*

**controvapore,** da *contro-* di reazione e *vapore.*

**controvento,** da *contro-* di opposizione e *vento.*

**controversia,** dal lat. *controversia,* astr. dell'agg. *controversus.*

**controverso,** dal lat. *controversus* ' volto contro ', da *contro-* e *versus,* part. pass. di *vertĕre;* v. VERSO.

**controvèrtere,** dal lat. *controvertĕre,* da *contro-* e *vertĕre* ' volger contro '.

**controvertìbile,** dal lat. medv. *controvertìbilis.*

**controvisita,** da *contro-* di rinforzo e *visita.*

**contubernale,** dal lat. *contubernalis,* da *taberna* nel senso di ' luogo di abitazione ' col pref. *com-* e il suff. *-alis* (v. TAVERNA). Il passaggio di *-ă-* a *-ŭ-* è dovuto alla posizione di sill. aperta interna dav. a cons. labiale; per es. *occupare* rispetto a *capĕre.*

**contumace,** dal lat. *contŭmax, -acis* ' arrogante ', dalla rad. di *contem(nĕre),* come *efficax* rispetto a *efficĕre, pervicax* rispetto a *pervincĕre, perspicax* a *perspicĕre* (v. CONTENNENDO) e con passaggio della vocale -*ĕ*- in -*ŭ*- in sillaba interna aperta davanti a cons. labiale.

**contumacia,** dal lat. *contumacia.*

**contumelia,** dal lat. *contumelia,* forse dalla stessa rad. di *contem(nĕre)* ' disprezzare ' (v. CONTUMACE) attrav. un agg. *\*contĕmos,* un astr. *\*contĕmes,* da cui *\*contumelis* come da *crudus* e *\*crudes* si è avuto *crudelis* (cfr. CRUDELE e FAMELICO). Da *\*contumelis* sarebbe nato l'astr. in -*ia.*

**contumelioso,** dal lat. *contumeliosus.*

**contùndere,** dal lat. *contundĕre,* da *com* e *tundĕre* ' battere, percuotere ', da una rad. TEUD ' battere ' con chiarissime corrispond. nell'area indiana, e, con la sibilante iniz., anche in quella germanica (ted. *stossen* ' urtare ').

**conturbare,** dal lat. *conturbare,* da *com* e *turbare* ' confondere '; v. TURBA.

**conturbatore,** dal lat. *conturbator, -oris.*

**conturbazione,** dal lat. *conturbatio, -onis.*

**contusione,** dal lat. *contusio, -onis,* nome d'azione di *contundĕre.*

**contuso,** part. pass. di *contùndere* (v.), dal lat. *contusus,* part. pass. di *contundĕre,* regolarm. privo di infisso nasale.

**contutore,** dal lat. tardo *contutor, -oris,* comp. di *com* di compagnia e *tutor, -oris.*

**conurbazione,** dall'ingl. *conurbation* e questo dal lat. *con* e *urbs urbis* ' città ', con un suff. di collettivo e di astr.

**convalescente,** dal lat. *convalescens, -entis,* part. pres. di *convalescĕre* ' riprender forze ', ' guarire ', comp. di *com* e dell'incoat. di *valere*; v. VALERE.

**convalescenza,** dal lat. tardo *convalescentia.*

**convàlida,** sost. deverb. da *convalidare.*

**convalidare,** dal lat. medv. *convalidare,* verbo denom. dall'agg. lat. *valĭdus* col pref. *com-.*

**convallaria,** dal lat. scient. *convallaria* e questo dal lat. della Vulgata (*lilium*) *convallium* ' giglio delle convalli '; v. CONVALLE.

**convalle,** dal lat. *convallis* ' valle chiusa da montagne ', da *com* e *vallis*; v. VALLE.

**convegnista,** da *convegno* sul modello di *congressista* rispetto a *congresso.*

**convegno,** lat. volg. *\*convenium,* medv. (XIII sec.) *convenium* (cfr. CONTEGNO), da *convenire* sul modello di *colloquium* o *compluvium* rispetto a *collŏqui* e *compluĕre,* di *convivium* rispetto a *convivĕre.*

**convenévole,** da *convenire* col suff. di agg. verb. -*évole,* che indica possibilità e capacità.

**conveniente,** part. pres. di *convenire.*

**convenienza,** dal lat. *convenientia,* astr. di *convenire.*

**convenire,** lat. *convenire,* comp. di *com* e *venire*; v. VENIRE.

**conventìcola,** dal lat. *conventicŭla,* neutro plur. di *conventicŭlum,* dimin. di *conventus, -us* ' adunanza '.

**convento,** dal lat. eccl. *conventus, -us* « riunione (di frati) », lat. class. ' adunanza ', astr. di *convenire.*

**convenuto,** part. pass. di *convenire,* che sostituisce *\*convento*; v. VENUTA.

**convenzionale,** dal lat. tardo *conventionalis.*

**convenzionalismo,** da *convenzionale.*

**convenzionare,** verbo denom. da *convenzione.*

**convenzione,** dal lat. *conventio, -onis* ' riunione ', ' contratto '.

**convèrgere,** dal lat. tardo *convergĕre* ' avere una direzione in comune ', da *com* e *vergĕre*; v. VÈRGERE.

**conversa**[1] ' suora laica ', v. CONVERSO.

**conversa**[2] (copertura), forma femm. sostantiv. del part. pass. *conversa,* nel senso di ' rivoltata '.

**conversare,** dal lat. *conversari* ' trovarsi insieme ', da *com* e *versari* ' trovarsi ', verbo iterat. di *vertĕre* ' volgere '; v. VÈRTERE.

**conversazione,** dal lat. *conversatio, -onis* ' il trovarsi insieme ', nome d'azione di *conversari.*

**conversione,** dal lat. *conversio, -onis,* nome d'azione di *convertĕre* (poi in senso anche eccl.).

**converso,** dal lat. *conversus,* forma sostantiv. del part. pass. di *convertĕre.*

**convertìbile,** dal lat. tardo *convertibĭlis.*

**convertibilità,** dal lat. tardo *convertibilĭtas, -atis.*

**convertire,** dal lat. class. *convertĕre* passato alla coniugaz. in -*ire,* cfr. *avvertire* e v. VÈRTERE.

**convessità,** dal lat. *convexĭtas, -atis.*

**convesso,** dal lat. *convexus,* comp. di *com* e *\*vexus,* come *concăvus* (v. CÒNCAVO) di *com* e *cavus.* *\*Vexus* dovrebbe essere una formaz. desiderativa della rad. WEGH di *vehĕre* impiegata in senso ormai figur., v. VETTORE.

**convettore,** da (*termo-*)*convettore* ' propagatore di calore ' e questo formato come nome d'agente rispetto a *convezione.*

**convezione,** dal lat. tardo *convectio, -onis* ' trasporto ', nome d'azione di *convehĕre.*

**convìncere,** dal lat. *convincĕre,* comp. di *com* e *vincĕre*; v. VÌNCERE.

**convincìbile,** dal lat. tardo *convincibĭlis.*

**convinzione,** dal lat. tardo *convictio, -onis* incr. col part. it. *convinto.*

**convitare,** lat. volg. *\*convitare,* incr. di *invitare* e *convivium.*

**convito,** sost. deverb. estr. da *convitare.*

**convitto,** dal lat. *convictus, -us,* astr. di *convivĕre* ' vivere insieme '; v. VITTO.

**convittore,** dal lat. *convictor,* nome d'agente di *convivĕre.*

**convivare** ' banchettare ', dal lat. *convivari,* verbo denom. da *conviva* ' convitato '.

**convìvere,** dal lat. *convivĕre,* comp. di *com* e *vivĕre*; v. VÌVERE.

**conviviale,** dal lat. *convivialis.*

**convivio,** dal lat. *convivium,* da *convivĕre* ' vivere insieme ', come *colloquium* da *collŏqui* o *compluvium* da *compluĕre.*

**convocare,** dal lat. *convocare,* comp. di *com* e *vocare* ' chiamare '; v. VOCE.

**convocatore,** dal lat. tardo *convocator, -oris.*

**convocazione,** dal lat. *convocatio, -onis.*

**convogliare,** dal frc. *convoyer,* lat. volg. *\*conviare,* verbo denom. da *via* col pref. *com-* ' far la strada insieme '.

**convoglio,** dal frc. *convoi,* sost. deverb. estr. da *convoyer* incr. con it. *convogliare.*

**convolare,** dal lat. *convolare* ' volare verso, accorrere ', comp. di *com* e *volare*; v. VOLARE.

**convòlgere,** dal lat. *convolvĕre* incr. con it. *vòlgere.*

**convòlvolo,** dal lat. *convolvŭlus,* deriv. di *convolvĕre*: « quello che si avvolge o attorciglia », col suff. di agente -*lo-,* cfr. *figŭlus* rispetto a *fingĕre,* *bibŭlus* rispetto a *bibĕre.*

**convulsione,** dal lat. *convulsio, -onis,* nome d'azione

di *convellĕre* ' sconvolgere ', tratto dal tema di part. pass. *convulsus.*

**convulso,** dal lat. *convulsus,* part. pass. di *convellĕre,* comp. di *com* e *vellĕre,* dalla rad. WEL ampliata con -D- e col grado ridotto della rad. nel part. pass.; v. VELLO.

**coobazione,** nome d'azione tratto dal lat. medv. *cohobare,* verbo denom. da *cohob* ' ripetizione ', forse dall'ar. *qohba* ' color bruno giallastro '.

**coonestare,** dal lat. *cohonestare* ' onorare ', verbo denom. da *honestus* col pref. *co-.*

**cooperare,** dal lat. tardo *cooperari,* da *co-* e *operari.*

**cooperativo,** dal lat. tardo *cooperativus* ' che opera insieme '.

**cooperatore,** dal lat. tardo *cooperator, -oris.*

**cooperazione,** dal lat. tardo *cooperatio, -onis.*

**cooptare,** dal lat. *cooptare,* comp. di *co-* e *optare;* v. OPTARE.

**cooptazione,** dal lat. *cooptatio, -onis.*

**coordinare,** dal lat. medv. *coordinare,* verbo denom. estr. da *coordinatio.*

**coordinazione,** dal lat. tardo *coordinatio, -onis,* nome d'azione di un verbo *ordinare* ' disporre in ordine ' col pref. *co-.*

**coorte,** dal lat. *cohors, -ortis* ' recinto ', passato poi a ' reparto o sezione di un accampamento militare '. *Cohors* rappresenta un ant. *\*cohortis,* orig. KO-GHR-TI-S comp. di *co-* e un ampliam. in -*ti*- della rad. GHER', di cui *hortus* è un ampliam. in -*to*-; v. ORTO e CORTE.

**copàive,** dallo sp. *copaiba* e questo dalla lingua sudamericana tupi.

**copale,** dallo sp. *copal* e questo dall'azteco *copalli.*

**copeco,** dal russo *kopejka,* reso masch.

**coperchio,** lat. *coopercŭlum,* nome di strum. dal verbo *cooperire* ' coprire ', comp. di *co-* e *operire;* v. COPRIRE e cfr. APRIRE.

**copernicano,** dal nome dell'astronomo polacco Nicola Kopernik (1473-1543).

**coperta,** forma femm. sostantiv. di *coperto,* part. pass. di *coprire;* v. COPERTO[1] e cfr. COVERTA.

**coperto**[1] (part. pass. di *coprire*), dal lat. *coopertus;* v. COPRIRE e APERTO.

**coperto**[2] (sost.), calco sul frc. *couvert.*

**copertoio,** lat. tardo *coopertorium,* con norm. trattam. tosc. di -*oriu* in -*oio.*

**copertura,** dal lat. tardo *coopertura,* astr. di *cooperire.*

**copia,** dal lat. *copia* ' abbondanza ' che è da *ops* ' ricchezza ' col pref. *co-;* v. OPULENTO.

**copiare,** verbo denom. da *copia* nel senso specializzato di « facoltà (di riprodurre) ».

**copiglia,** dal frc. *goupille* (XIX sec.).

**copione,** accresc. di *copia.*

**copiosità,** dal lat. tardo *copiosĭtas, -atis.*

**copioso,** dal lat. *copiosus.*

**coppa,** lat. tardo *cuppa,* class. *cupa* ' tino '; cfr. CUPO.

**copparosa,** dal frc. *couperose,* lat. *cupri rosa* ' rosa (o fiore) di rame ', calco sul gr. *khálkanthos.*

**coppella** (crogiolo), dimin. di *coppa.*

**coppellare,** verbo denom. da *coppella.*

**coppellazione,** nome d'azione di *coppellare.*

**coppia,** lat. *cōpŭla* da *\*co-apŭla,* dalla rad. *ap* di *aptus* ' adatto ' e *apĕre* (gloss.) col pref. *co-;* v. ATTO[2] e cfr. CÒPULA.

**coppiola,** dimin. di *coppia.*

**coppo,** da *coppa.*

**coprifuoco,** calco sul frc. *couvre-feu.*

**coprire,** lat. *cooperire,* comp. di *co-* e *operire* ' coprire ', con norm. caduta della voc. atona prima dell'accento. *Operire* a sua volta deriva da *op-* e la rad. TWERĒ; v. APRIRE e PARETE.

**coproduzione,** da *co-* (di orig. frc.) e *produzione.*

**coprofagìa,** dal gr. *kópros* ' sterco ' e -*fagìa* ' tendenza a mangiare ', dal gr. *phageín* ' mangiare '.

**coprolalìa,** dal gr. *kópros* ' sterco ' e -*lalìa* ' il parlare '.

**copto,** dall'ar. *Qufṭ,* risal. al gr. (*Ai*)*gýpt*(*ios*).

**còpula,** dal lat. *copŭla;* v. COPPIA.

**copulativo,** dal lat. tardo *copulativus,* deriv. dal part. pass. di *copulare* ' accoppiare '.

**coraggio,** dal provz. *coratge,* lat. volg. *\*coratĭcum,* deriv. del lat. tardo *coratum,* forma popolare di *cor cordis;* v. CORATA.

**corale,** da *coro.*

**corallo,** lat. tardo *corallum,* class. *corallium,* dal gr. *korállion.*

**corame,** lat. volg. *\*coriamen,* collettivo tratto da *corium* ' cuoio ', attraverso tradiz. it. non tosc.; v. COIAME.

**corano,** dall'ar. *qurān* ' lettura sacra '.

**corata** e **coratella,** neutro plur. di lat. tardo *coratum* ' cuore ', ampliam. di *cor, cordis,* forse sul modello di *ficatum* ' fegato '; cfr. CORAGGIO.

**corazza,** lat. volg. *\*coriacja,* class. *coriacea,* forma femm. sostantiv. di *coriaceus* « (parte) fatta di cuoio », attrav. tradiz. settentr. col passaggio di -*ria*- a -*ra*- e -*cja* a -*ssa,* corretto poi nel tosc. -*zza;* cfr. CORIÀCEO.

**corba,** lat. volg. *\*corba,* class. *corbis* ' cesto di vimini ', di prob. orig. mediterr.

**corbacchio,** incr. di *corbo* e *cornacchia.*

**corbellare,** verbo denom. da *corbello,* solo in senso figur.

**corbello,** lat. volg. *\*corbellum,* dimin. di *corbis.*

**corbézzolo,** dimin. di *\*corbezzo,* lat. volg. *\*corbitjus,* incr. del mediterr. *corba* (v. CORBA), sopravv. nell'Italia settentr. e del lat. *arbĭtus,* deriv. da *arbĭtus, arbŭtus* ' corbezzolo ', pure di orig. mediterr.

**corbo,** variante regionale, forse tosc. di *corvo;* cfr. *Ilva* che diventa *Elba* e *servare* che diventa *serbare.*

**corcontento,** da *cuore* e *contento,* con la prima sill. senza dittongo perché fuori d'accento.

**corda,** lat. *chorda,* in orig. ' corda musicale ' che è dal gr. *khordē.*

**cordiale,** dal lat. medv. *cordialis,* deriv. da *cor cordis.*

**cordialità,** dal lat. medv. *cordiàlitas, -atis.*

**cordigliera,** dallo sp. *cordillera,* deriv. di *cordilla* ' cordella '.

**cordiglio** (*còrdiglio*), lat. *chordicŭlum,* dimin. di *chorda,* secondo la leniz. settentr. di -*clo*- che passa a -*glio*- invece che a -*cchio*-. L'accentazione *còrdiglio* dipende da incr. fra *cordiglio* e *còrdolo.*

**cordite,** dal lat. *chorda* col suff. -*ite,* sul modello di *dinamite, cheddite.*

**cordoglio,** lat. *cordolium,* da *cor* e -*dolium,* estr. da *dolēre,* calco sul gr. *kardialgìa.* La formaz. -*dolium* è parallela a *gaudium* e ad altre come *colloquium, compluvium;* cfr. CONTEGNO.

**còrdolo,** dimin. di *corda.*

**cordonata,** collettivo di *cordone.*

**cordone,** accresc. di *corda.*

**cordovano**, da *Cordova*, città della Spagna merid.

**còrea**, dal lat. *chorĕa* 'danza corale' che è dal gr. *khoreía*, der. di *khorós* 'coro'.

**coreggia**, v. CORREGGIA².

**corego**, dal gr. *khorēgós*, comp. di *khorós* 'coro' e *ágō* 'conduco'.

**corèo**, dal gr. *khoreîos* 'proprio di coro di danza'.

**coreografìa**, dal gr. *khoreía* 'danza' e il tema *-grafìa* 'scrittura, descrizione'.

**coretto**, dimin. di *coro*, in senso loc.

**corettore**, da *co-* (v.) e *rettore*.

**coreuta**, dal gr. *khoreutḗs*, nome d'agente da *khoreúō* 'io danzo in coro'.

**coriàceo**, dal lat. *coriaceus*, agg. deriv. da *corium*, v. CUOIO e cfr. CORAZZA.

**coriàmbico**, dal lat. tardo *choriambĭcus* che è dal gr. *khoriambikós*.

**coriambo**, dal lat. tardo *choriambus* che è dal gr. *khoríambos*, comp. di *khórios* 'corèo' (v.) e *íambos* 'giambo' e cioè « (serie) di coreo (o trocheo) più giambo ».

**coriàndolo**, dimin. di *coriandro* con perdita della seconda *-r-* dovuta a dissimilaz. della serie di due liquide.

**coriandro**, dal lat. *coriandrum* che è dal gr. di gloss. *koríandron*.

**coribante**, dal gr. *Korýbas, -antos*.

**coricare**, lat. tardo *collocare* 'coricare' (class. 'porre') incr. con *carricare* 'caricare'.

**corifèo**, dal lat. *coriphaeus* che è dal gr. *koryphaîos* « ciò che appartiene alla *koryphḗ* (cima) ».

**còrilo**, dal lat. *corŭlus* (incr. con un suff. gr. in *-ylos*), da un ant. *\*koselos*, attestato anche nelle aree celtica, baltica e germanica; cfr. ted. *Hasel(nuss)*.

**corimbo**, dal lat. *corymbus* 'frutti a grappolo' che è dal gr. *kórymbos* 'vertice'.

**corinzio**, dal lat. *Corinthius* che è dal gr. *Korínthios* 'proprio della città di Corinto'.

**corio** (*corion*) 'membrana esterna dell'uovo', dal gr. *khórion*.

**còriza**, dal lat. *corўza* che è dal gr. *kóryza* 'catarro'.

**cormo** (botanica), dal lat. scient. *cormus* che è dal gr. *kormós* 'ceppo'.

**cormorano**, dal frc. *cormoran* e questo dal frc. ant. *cormarenc*, comp. di *corp* 'corvo' e *marenc* marino'.

**cornacchia**, lat. tardo *cornacŭla*, incr. di class. *cornicŭla* con un tema rustico *\*cornac-*, risal. all'ant. umbro *curnaco* e questo da una base onomatop. *kr*, cfr. CORVO e CREPARE.

**cornàggine**, da *corno*, simbolo di durezza, col suff. di *stupidaggine, testardaggine*, ecc.

**cornalina**, dal frc. *cornaline*, dimin. di *corne* 'corniola'.

**cornamusa**, dal frc. *cornemuse*, sost. deverb. da *cornemuser*, risultante da *corner* 'sonare il corno' e *muser* 'sonare la cornamusa'.

**còrnea**, dal lat. medv. (*membrana*) *cornea* 'di natura attinente al corno'.

**còrneo**, dal lat. *corneus*, agg. di *cornu, -us*; v. CORNO.

**corner**, dall'ingl. *corner* 'angolo'.

**cornice**, dal lat. *cornix, -īcis* 'cornacchia', calco sul gr. *korṓnē* che vale 'cornacchia' e 'cornice'.

**cornìcine** 'sonatore di corno', dal lat. *cornĭcen, -ĭnis*, comp. di *cornu* e del tema di *canĕre* 'cantare', con normale passaggio di *-ă-* in *-ĕ-* in sillaba chiusa fuori d'accento.

**corniola** e **còrniola**, lat. volg. *\*cornjòla*, class. *corneŏla*, incr. col dimin. di it. *corno* per l'accentazione sdrucciola.

**cornìpede**, dal lat. *cornĭpes, -ĕdis*, comp. di *cornu* 'corno' e *pes pedis* 'piede'.

**corno**, lat. *cornu, -us*. Il plur. *corna* risulta da lat. *cornua* incr. con il collettivo it. *corna*, tratto da *corno* come *uova* da *uovo*. *Cornu* deriva da un ampliam. in *-N-* della rad. KER (v. CEREBRO), attestato anche nelle aree greca, celtica, germanica (ted. *Horn*).

**cornucopia**, dal lat. tardo *cornucopia*, class. *cornu copiae* 'corno della abbondanza'.

**cornuto**, lat. *cornutus*, da *cornu* col suff. *-to* 'fornito di'; cfr. *barbatus* da *barba, crinitus* da *crinis*.

**coro**, dal lat. *chorus* e questo dal gr. *khorós* che ha solo il signif. di danza unita al canto.

**corografìa**, dal gr. *khōrographía*, comp. di *khôros* 'regione' e *-graphía* 'descrizione'.

**corògrafo**, dal gr. *khōrográphos*.

**coròide**, dal gr. *khorioeidḗs* (*khitṓn*) « tunica (*khitṓn*) simile a membrana (*khórion*) ».

**coroidite**, da *coroide* col suff. *-ite*, proprio delle malattie acute.

**corolla**, dal lat. *corolla*, dimin. di *corona*.

**corollario**, dal lat. *corollarium* (*aes*) « (denaro) per una corona (regalata) ».

**corona**, lat. *corona*, dal gr. *korṓnē*.

**coronale**, dal lat. tardo *coronalis*.

**coronare**, lat. *coronare*, verbo denom. da *corona*.

**coronario**, dal lat. *coronarius*.

**coronatore**, dal lat. *coronator, -oris*.

**coronazione**, dal lat. *coronatio, -onis*.

**coronella**, dimin. di *corona*.

**corònide**, dal gr. *korōnís, -ídos* 'linea curva'.

**coroplàstica**, dal gr. *khṓra* 'terra', 'regione' e it. *plàstica*.

**corpacciuto**, da *corpaccio*, peggiorativo di *corpo* e il suff. *-uto* che significa 'fornito di' in senso non molto favorevole.

**corpetto**, dimin. da *corpo*.

**corpo**, lat. *corpus*, ampliam. mediante il suff. *-es, -os*, del tema radicale KRP, attestato nell'area indoiranica e, ampliato con suff. differenti, ma con esempi meno perspicui, nelle aree greca, slava, ecc.

**corporale¹** (agg.), dal lat. *corporalis*, agg. di *corpus, -ŏris*.

**corporale²** (sost.), dal lat. eccl. *corporale*, neutro sostantiv. di *corporalis*.

**corporalità**, dal lat. tardo *corporalĭtas, -atis*.

**corporativismo**, da *corporativo*.

**corporativo**, dal lat. tardo *corporativus* 'che forma corpo' e questo da *corporatus*; v. CORPORATO.

**corporato** 'membro di una corporazione medv.', dal lat. tardo *corporatus* 'membro di una società'.

**corporatura**, dal lat. *corporatura*.

**corporazione**, dal lat. tardo *corporatio, -onis*.

**corpòreo**, dal lat. *corporĕus*.

**corpulento**, dal lat. *corpulentus*, semplificaz. di *\*corp(ur)ulentus*, attrav. dissimilaz. sillabica.

**corpulenza**, dal lat. *corpulentia*.

**corpùscolo**, dal lat. *corpuscŭlum*, dimin. di *corpus*.

**corradicale**, da *radice* col suff. *-ale* e il pref. *co(n)-* di compagnia.

**còrre**, lat. volg. *coljĕre, class. colli(g)ĕre, trasmesso attrav. reg. che indeboliscono il gruppo -lj- in -j- e oltre: così anche sciòrre per sciògliere, tòrre per tògliere; v. CÒGLIERE.

**corredare**, calco su arredare con sostituz. di co(n)- di compagnia a a(d)-.

**corredo**, sost. deverb. tratto da corredare.

**corrèggere**, incr. del lat. corrigĕre con it. règgere.

**correggia¹**, lat. corrigia ' laccio da scarpe ', di prob. orig. gallica.

**correggia²** (anche coreggia), sost. deverb. estr. da scorreggiare.

**correggiato** e **coreggiato**, da correggia¹.

**corregionale**, dal lat. tardo corregionalis.

**correlativo**, dal lat. medv. correlativus.

**correlazione**, dal lat. medv. correlatio, -onis.

**corrente**, forma femm. sostantiv. del part. pres. di córrere: da « (massa d'acqua o d'energia) corrente ».

**còrreo** e **corrèo**, dal lat. tardo corrĕus, con accentaz. sdrucciola, incr. con reo che introduce l'accentazione piana.

**córrere**, lat. currĕre, dalla rad. KERS ' correre (col cavallo e col carro) ', diffusa nelle aree celtica e germanica; v. ted. Ross ' cavallo (da corsa) ', cfr. CORSO².

**corresponsione**, incr. di lat. responsio, -onis con l'it. corrispóndere.

**corretto**, incr. di lat. corrĕctus e it. règgere; v. RETTO.

**correttore**, dal lat. corrector, -oris, nome d'agente di corrigĕre.

**correzionale**, dal lat. medv. correctionalis, deriv. di correctio, -onis; v. CORREZIONE.

**correzione**, dal lat. correctio, -onis, nome d'azione di lat. corrigĕre ' correggere ', tratto dal part. pass. correctus; v. CORRETTO.

**corrida**, dallo sp. corrida (de toros) ' corsa (di tori) '.

**corridoio**, lat. *corritorium ' itinerario di corsa ', di tradiz. tosc. nella forma ant. corritoio, incr. con una tradiz. settentr. e relativa leniz. di -t- in -d-, nell'attuale corridoio.

**corridore**, lat. volg. *currĭtor, nome d'agente di currĕre, introdotto al posto del class. cursor, trasmesso secondo una tradiz. settentr. con la leniz. di -t- in -d-.

**corriera**, da corriere (v.), reso agg. nell'arc. corriero col suo femm. corriera: (nave) corriera, (barca) corriera.

**corriere**, da córrere col suff. di orig. frc. -iere, diffuso nelle attività militari e amministrative: artigliere, portiere, ecc.

**corrigendo**, dal lat. corrigendus ' che deve esser corretto ', part. fut. passivo di corrigĕre.

**corrimano**, comp. di córrere e mano, quasi il verbo avesse il valore causativo di « far correre la mano ».

**corrispettivo**, da co(n)- di compagnia e rispettivo.

**corrispóndere**, incr. di lat. medv. correspondere ' esser conforme ' e it. rispóndere.

**corrivo**, agg. deverb. dal lat. corrivare ' raccogliere in un canale ' incr. con it. córrere. Lat. corrivare è denom. da rivus ' canale ' col pref. co(m)-.

**corroboramento**, dal lat. tardo corroboramentum.

**corroborare**, dal lat. corroborare, verbo denom. da robur, -ŏris ' quercia, forza ' col pref. co(m)-.

**corroborazione**, dal lat. tardo corroboratio, -onis.

**corródere**, dal lat. corrōdĕre, comp. di co(m)- e ródĕre; v. RODERE.

**corrómpere**, dal lat. corrumpĕre, comp. di co(m)- e rumpĕre; v. ROMPERE.

**corrosione**, dal lat. tardo corrosio, -onis, nome d'azione di corrodĕre.

**corrotto¹** (part. pass.), dal lat. corruptus; v. ROTTO.

**corrotto²** (sost.), forse lat. cor ruptum ' cuore rotto '.

**corrucciare**, dal frc. ant. se courroucier, lat. volg. *corruptiare, verbo denom. da cor ruptum ' dolore, pianto '; v. CORROTTO².

**corruccio**, sost. deverb. estr. da corrucciare.

**corrugare**, dal lat. corrugare, verbo denom. da ruga ' grinza ' col pref. com.

**coruscare** e **coruscare**, dal lat. coruscare ' cozzare con le corna ' e ' splendere ', analizzato come comp. di com. Coruscare sembra derivare invece da un tema nominale *coros- con un ampliam. -co- come aeruscare ' domandare ' da un più ant. *aeruscus, più antico *aisos-ko-s e questo da *aisos collegato con *aerēre e il suo part. medio aerumna ' corvè '; cfr. CREPÙSCOLO.

**corrusco**, dal lat. coruscus, analizzato come se fosse comp. con com. Coruscus sembra estr. da coruscare; v. CORRUSCARE.

**corruttela**, dal lat. corruptela, astr. in -ela come tutela, cautela, da un tema di part. pass.

**corruttìbile**, dal lat. corruptibĭlis.

**corruttibilità**, dal lat. tardo corruptibilĭtas, -atis.

**corruttivo**, dal lat. tardo corruptivus.

**corruttore**, dal lat. corruptor, -oris, nome d'agente di corrumpĕre.

**corruzione**, dal lat. corruptio, -onis, nome d'azione di corrumpĕre.

**corsa**, forma femm. sostantiv. dal part. pass. corso, da córrere.

**corsaletto**, dal frc. corselet, dimin. di corset; v. CORSETTO.

**corsaro**, dal lat. medv. cursarius, secondo le tradiz. non tosc. delle reg. marittime per cui -ariu diventa -aro, anziché -aio.

**corsetto**, dal frc. corset, deriv. dal frc. ant. cors, lat. corpus; v. CORPO.

**corsia**, da (acqua) corsiva, femm. di corsivo (v.) sostantiv., attrav. una tradiz. venez.

**corsivo**, lat. medv. cursivus e questo da currĕre, attrav. il tema del supino cursum e il suff. aggettiv. durativo -ivus.

**corso¹** (sost.), lat. cursus, -us, astr. di currĕre; v. CORRERE.

**corso²** (part. pass. di córrere), lat. cursum, supino analogico invece dell'ant. *curs-to-m.

**corsoio**, lat. tardo cursorius, agg. di cursor, nome d'agente di currĕre, con norm. trattam. tosc. di -oriu in -oio; cfr. CURSORIO.

**corte**, lat. tardo curtis da cors cortis, forma precemente contratta da cohors, -ortis, significante « (spazio che comprende) l'orto (e altro) », ' recinto '; comp. lat. di co- e il tema hort- di hortus; v. ORTO e cfr. CURTENSE e COORTE.

**corteare**, dal provz. cortear.

**corteccia**, lat. volg. *corticja, lat. corticĕa, femm. dell'agg. corticĕus, deriv. da lat. cortex, -ĭcis ' scorza ': dalla rad. KERT ' tagliar (via) ', attestata nelle aree baltica, slava, indo-iranica; cfr. CORTO.

**corteggiare**, verbo denom. iterativo-vezzeggiativo da corte, in senso cerimonioso e galante.

**corteggio**, sost. deverb. estr. da corteggiare.

**cortèo**, sost. deverb. da *corteare*.

**cortese**, dal provz. *cortes* « (proprio) della corte (feudale) ».

**cortezza**, da *corto*.

**còrtice**, dal lat. *cortex*, *-ĭcis*; v. CORTECCIA.

**cortigiana**, femm. di *cortigiano*.

**cortigiano**, da *corte* col suff. di derivaz. proprio di *valligiano*, *partigiano*, *alpigiano*.

**cortile**, da *corte*, con lo stesso suff. di *ovile* o *porcile*.

**cortina**, lat. *cortina*, deriv. della rad. KWER, attestata nelle aree celtica, germanica, indiana. Dal signif. primitivo di ' recipiente ' è passato a quello di ' tenda ' per calco sul gr. *aulaía* incr. con *olla*.

**corto**, lat. *curtus* ' mozzo, tronco '. Collegato con la rad. KER' al grado semiridotto KeR, anziché a quello ridotto KṚ, che avrebbe dato *\*cortus*, cfr. CORTECCIA.

**corvè**, dal frc. *corvée* e questo dal lat. tardo *corrogata (opera)* « opera a cui si è invitati (a partecipare) ».

**corvetta**[1] (equitazione), dal frc. *courbette*, deriv. da *courbe* ' curvo '.

**corvetta**[2] (nave da guerra), dal frc. *corvette*.

**corvino**, dal lat. *corvinus*.

**corvo**, lat. *corvus*, da una famiglia onomatop. *kr.... kr*, largamente attestata anche nelle aree celtica, germanica, greca, baltica, slava, indiana; v. CREPARE e CORNACCHIA.

**cosa**, lat. *causa*, che, attrav. il senso di ' affare ', prende il valore di *res* ' cosa '. Parola priva di connessioni ideur.; cfr. CAUSA.

**cosà**, da *così*, calco su *là* rispetto a *lì*, *qua* rispetto a *qui*.

**cosacco**, dal russo *kozak* e questo dal turco-tataro *kazaq* ' vagabondo '.

**cosare**, verbo denom. da *cosa*.

**coscia**, lat. *coxa*, che si ritrova, ben collegato, nelle aree celtica, germanica, indiana, sia pure col signif. più generico di articolazione; v. ASSE[3] e COSTA.

**cosciale**, lat. tardo *coxale*.

**cosciente**, dal lat. *consciens*, *-entis*, part. pres. di *conscire* ' essere consapevole ' e questo da *com* e *scire* ' sapere '; v. SO e SCIENZA.

**coscienza**, dal lat. *conscientia*, astr. di *conscire* ' esser consapevole '.

**coscinomanzìa**, dal gr. *koskinómantis* « indovino *(mántis)* dello staccio *(kóskinon)* » col suff. di astr. *-ìa*.

**coscritto**, dal lat. *conscriptus*.

**coscrìvere**, dal lat. *conscribĕre*, comp. di *com* e *scribĕre*; v. SCRIVERE.

**coscrizione**, incr. di lat. *conscriptio*, *-onis* (frc. *conscription*, XVIII sec.) con it. *coscritto*.

**cosecante**, dal lat. moderno *còsecans*, *-antis* e questo da *co(mplementi) secans* ' secante del complemento '; v. SECANTE.

**coseno**, dal lat. scient. *cosinus* e questo da *co(mplementi) sinus* ' seno del complemento '.

**così**, lat. *(ec)cum sic*; v. ECCO, SÌ e cfr. COSÀ.

**còsimo** (attributo di *pero* e *pera*), dal nome proprio *Còsimo*, deriv. da *Cosma* (con norm. epentesi di *-i-* nel gruppo postonico *-sm-*), nome del santo, con la cui festa (fine settembre) coincide la loro maturazione (cfr. *spàsimo*: spasmo, *ànsima*: asma, *crèsima*: crisma, ecc.).

**cosmesi**, dal gr. *kósmēsis* ' l'azione di adornare ', nome d'azione di *kosméō* ' io adorno '.

**cosmètica**, dal gr. *kosmētikḗ (tékhnē)* « (l'arte) adornatrice ».

**cosmètico**, dal gr. *kosmētikós*, deriv. di *kósmēsis* ' l'azione di adornare '.

**còsmico**, dal gr. *kosmikós*, deriv. di *kósmos* ' cosmo '.

**cosmo**, dal gr. *kósmos*, da prima ' ordine ' e poi ' universo ', anche come elemento di composiz. nominale (v. *cosmonauta*, *cosmorama*).

**cosmogonìa**, dal gr. *kosmogonía*, comp. di *kósmos* ' mondo ' e *-gonía* ' generazione '.

**cosmografìa**, dal lat. tardo *cosmographia* e questo dal gr. *kosmographía*, comp. di *kósmos* ' universo ' e *-graphía* ' descrizione '.

**cosmògrafo**, dal lat. tardo *cosmogrăphus* (gr. *kosmográphos*).

**cosmologìa**, comp. di gr. *kósmos* ' universo ' e *-logia* ' trattazione '.

**cosmonauta**, da *cosmo-* e *-nauta*.

**cosmopolita**, dal gr. *kosmopolítēs*, comp. di *kósmos* ' mondo ' e *polítēs* ' cittadino ' e quindi « cittadino del mondo ».

**cosmorama**, comp. di *cosmo-* e gr. *hórama* ' visione ', calco moderno sul modello di *panorama*.

**coso**, da *cosa*.

**cospàrgere**, da incr. di lat. *conspergĕre* e it. *spargere*.

**cospèrgere**, dal lat. *conspergĕre*, comp. di *com* e *spargĕre*, con norm. apofonia di *-ă-* in *-ĕ-* in sill. interna chiusa.

**cospetto**, dal lat. *conspectus*, *-us*, astr. del verbo *conspicĕre*, comp. di *com* e *-specĕre*; v. SPECCHIO.

**cospicuo**, dal lat. *conspicŭus* ' che dà nell'occhio ', dal verbo *conspicĕre*, comp. di *com* e *specĕre*, con norm. apofonia di *-e-* in *-i-* in sill. interna aperta. La formazione dell'agg. lat. è analoga a quella di *contigŭus*, *assidŭus*, *continŭus* ecc.

**cospirare**, dal lat. *conspirare* ' respirare insieme ', ' congiurare, esser d'accordo ', da *com* e *spirare*; v. SPIRARE.

**cospirazione**, dal lat. *conspiratio*, *-onis*.

**cossalgìa (coxalgia)**, dal lat. *coxa* e il tema *-algìa* ' dolore '; v. COSCIA.

**cosso**, lat. *cossus* ' larva ', privo di connessioni ideur.

**costa**, lat. *costa*, collegato con la parola dello slavo ant. *kostĭ* ' osso ' e quindi risal. forse a un più ant. *ost-* ' osso ' (v. OSSO), con un pref. *k-* secondo il rapporto di *capra* a *aper* (v. CAPRA), di *cōram* ' in faccia ' a *ōra* e *ōs*, v. ORALE; per *cacume* e *accume* v. AGO, per *axis* e *coxa* v. COSCIA.

**costà**, lat. *(ec)cu(m) istac*; v. ECCO e (COD)ESTO.

**costale**, dal lat. tardo *costalis*.

**costalgìa**, da *costa* e *-algìa* ' dolore '.

**costante**, dal lat. *constans*, *-antis*, part. pres. di *constare* ' fermarsi, star fermo '.

**costanza**, dal lat. *constantia*.

**costare**, lat. *constare* ' consistere ', comp. di *con* e *stare*; v. STARE.

**costata**, da *costato*.

**costato**, lat. *\*costatum*, sost. neutro dell'agg. *costatus*, *-a*, *-um* ' fornito di costole ' e questo da *costa* ' costola '.

**costeggiare**, verbo denom. durativo da *costa* in senso geogr.

**costèi**, lat. *\*(ec)cu(m) istei*, forma di dat. femm. analogico risultante dall'incr. di *illae* e di *cui*; v. (COD)ESTO, ECCO, cfr. IL, CUI.

**costellare,** da un lat. *\*constellare;* v. COSTELLA-
ZIONE.

**costellato,** dal lat. tardo *constellatus* ' provvisto di
stelle '.

**costellazione,** dal lat. tardo *constellatio, -onis,* nome d'azione di un presunto *\*constellare,* comp.
di *com* e *stellare,* verbo denom. da *stella;* v.
STELLA.

**costernare,** dal lat. *consternare,* intens. durativo di
*consternĕre* ' stendere a terra ', v. STRATO, secondo
il rapporto di *(oc)cupare* rispetto a *capĕre.*

**costernazione,** dal lat. *consternatio, -onis.*

**costì,** lat. *(ec)cu(m) istic* ' proprio costì '; v. (CO)DESTO
e ECCO.

**costicchiare,** forma dimin. (ironica) di *costare.*

**costiera,** collettivo di *costa,* come *riviera* di *riva.*

**costiero,** da *costa* col suff. *-iero,* di orig. settentr. e
frc., come *ciarliero* da *ciarla.*

**costinci,** lat. *(ec)cu(m) istinc* ' proprio di costì ';
v. ECCO, (COD)ESTO.

**costipare,** lat. *constipare,* comp. di *stipare* e
*com* ' serrare insieme ', ' stivare '; v. STIVARE.

**costipazione,** dal lat. *constipatio, -onis.*

**costituente,** part. pres. di *costituire:* nel senso
sostantiv. di assemblea, dal frc. *(assemblée) con-
stituant(e)* (XIX sec.).

**costituire,** dal lat. *constituĕre* ' collocare ', comp. di
*com* e *statuĕre,* con norm. mutazione di *-ă-* a *-ĭ-*
in sill. interna aperta, passato alla coniugaz. in
*-i-;* cfr. STATO.

**costitutivo,** dal lat. tardo *constitutivus.*

**costituto,** dal lat. *constitutum* part. pass. di *constituĕre,* sostantiv.

**costitutore,** dal lat. *constitutor, -oris.*

**costituzione,** dal lat. *constitutio, -onis,* nome di
azione di *constituĕre.*

**còsto,** sost. deverb. estr. da *costare* (v.).

**còstola,** dal lat. tardo *costŭla,* dimin. di *costa.*

**costolone,** accresc. di *còstola.*

**costoro,** lat. *(ec)cu(m) istorum,* genit. plur. ' proprio
di codesti ', generalizzato a tutto il plur.; v.
ECCO e (COD)ESTO.

**costotomìa,** comp. di *costa* e *-tomìa* ' azione di
tagliare '.

**costretto,** dal lat. *constrĭctus,* part. pass. di *constringĕre* incr. con it. *stretto.*

**costrìngere,** dal lat. *constringĕre* ' stringere insieme ',
comp. di *com* e *stringĕre;* v. STRÌNGERE.

**costrittivo,** dal lat. tardo *constrictivus* e questo dal
part. pass. *constrictus;* cfr. COSTRETTO.

**costrittore,** dal lat. medv. *constrictor, -oris,* nome
d'agente di *constringĕre.*

**costrizione,** dal lat. tardo *constrictio, -onis,* nome
d'azione del verbo *constringĕre.*

**costruire,** dal lat. *construĕre* (passato alla coniugaz.
in *-i-*), comp. di *com* e *struĕre;* v. STRUTTURA
e cfr. invece DISTRUGGERE.

**costrurre,** dal lat. *construĕre,* allineato con *trah(ĕ)re*
e it. *trarre.*

**costruttivo,** dal lat. tardo *constructivus.*

**costrutto,** dal lat. *constrŭctum,* forma sostantiv. di
*constrŭctus, -a, -um,* part. pass. di *construĕre.*

**costruttore,** dal lat. tardo *constructor, -oris,* nome
d'agente di *construĕre.*

**costruzione,** dal lat. *constructio, -onis,* nome di
azione di *construĕre.*

**costùi,** lat. *(ec)cu(m) istui,* forma di dat. analogica

su *cui* (v.), resa valida per il singolare di tutti i
casi; v. ECCO e (COD)ESTO, e cfr. CUI.

**costumanza,** astr. di *costumare.*

**costumare,** verbo denom. da *costume.*

**costumatezza,** da *costumato.*

**costume,** lat. volg. *\*cons(ue)tumen,* incrocio di *con-
s(ue)tu(dĭ)nem,* acc. di *consuetudo* ' abitudine ' (v.
CONSUETO), con *\*cons(ti)tumen,* legato a *constituĕre*
dello stesso rapporto di *acumen* a *acuĕre.*

**costura,** lat. volg. *\*consŭtura,* da *consuĕre* ' cucire
insieme ', comp. di *con* e *suĕre,* v. SUTURA, incr.
con *còsta;* cfr. CUCITURA.

**cotale,** lat. *(ec)cu(m) talis* ' proprio tale '; v. ECCO
e TALE.

**cotangente,** dal lat. scient. *cotangens, -entis,* cioè
*co(mplementi) tangens* ' tangente del complemento '.

**cotanto,** lat. *(ec)cu(m) tantum* ' proprio così grande '; v. ECCO e TANTO.

**còte,** dal lat. *cōs, cōtis,* ampliam. in *-t-* di un
nome d'azione della rad. KŌ ' tagliare ', largamente documen. nel territorio ideur.

**cotechino** e **coteghino,** dimin. di *còtica* (v.), con
event. leniz. settentr. di *-c-* in *-g-.*

**cotenna,** lat. *\*cutina,* deriv. da *cutis, -is* ' pelle ',
incr. con dimin. emiliano-romagnolo *codèn-na;*
v. CUTE.

**cotesto** (e **codesto**), lat. *(ec)cu(m) ti(b)i iste, (ec)cu(m)*
*ti(b)i istud* ' proprio codesto a te '. Le forme
con *-t-* sono di tradiz. tosc., le altre di tradiz.
settentr. Per *co-,* v. ECCO; per *t/d,* v. TU; per *es,*
v. DESSO, per *-to,* v. QUESTO.

**còtica,** lat. volg. *\*cutĭca,* deriv. di *cutis, -is* ' pelle ',
v. CUTE, con la *ò* aperta per tradiz. settentr.

**cotidiano,** lat. *cotidianus, quotidianus;* v. QUOTI-
DIANO.

**cotiglione** (*cotillon*), dal frc. *cotillon* e questo, deriv.
di *cotte,* specie di tunica di origine franca,
v. COTTA.

**còtile** (cavità dell'osso iliaco), dal lat. *cotȳla,* che è
dal gr. *kotȳlē,* equival. a ' ciotola '.

**cotilèdone,** dal lat. *cotylēdon, -ŏnis,* gr. *kotylēdṓn,
-ónos,* deriv. di *kotȳlē* ' cavità '.

**coto** ' pensiero ', sost. deverb. da *coitare,* lat. *cogitare,* con leniz. totale di *-g-* davanti a vocale palatale (v. DITO), e riduz. del dittongo *òi* a *o*
come *prete* da *preite* ecc.

**cotogno,** lat. *cotōneus* e dal gr. *Kydṓnios* ' di Cidone
(Creta) ' giunto al lat. attrav. tramite etrusco e
conseg. passaggio della cons. sonora *-d-* alla
sorda *-t-.*

**cotoletta,** dal frc. *côtelette* ' costoletta '.

**cotone,** dall'ar. *quṭun.*

**cotta¹** (abbigliamento) dal frc. *cotte,* franco *\*cotta*
' tunica ', ' veste '.

**cotta²** ' passione ', forma sostantiv. femm. da *cotto,*
part. pass. di *cuòcere.*

**còttabo,** dal lat. *cottăbus,* che è dal gr. *kóttabos.*

**còttimo,** dal lat. *quotŭmus,* lat. medv. *còttimus* ' di
che numero ? ', con norm. raddopp. consonantico
dopo l'accento in parola sdrucciola; v. QUOTA.

**cottìo,** lat. volg. *\*cotidjum,* incr. di lat. *quotus*
' quanto ' e *quotidie* ' ogni giorno ', secondo il
trattam. romanesco del gruppo *-idjo-* in *-ijo-.*

**cotto,** lat. *coctus,* part. pass. di *coquĕre* ' cuocere '.

**cottura,** lat. *coctura,* astr. di *coquĕre.*

**coturnice,** dal lat. *coturnix, -icis,* privo di connessioni ideur. evidenti.

**coturno,** dal lat. *cothurnus,* che è dal gr. *kóthornos.*

**coutente,** da *co-* e *utente.*

**cova,** sost. deverb. da *covare.*

**covaccino,** doppio deriv. di *covo.*

**covaccio** ' giaciglio ', deriv. di *covo;* cfr. ACCO-VACCIARE.

**covare,** lat. *cubare,* passato dal generico ' giacere ' a un valore rurale ristretto. La rad. KUB, diffusa in Italia, ha solo qualche vaga connessione nelle aree germanica e greca.

**covelle,** lat. *quod velles* ' quel che vorresti ', cfr. CAVELLE.

**coverta,** forma settentr. di *coperta* con la leniz. di *-p-* in *-v-;* cfr. COPERTA.

**coviello,** dal napoletano *(Ia)coviello,* dimin. di *Giacomo.*

**covile,** lat. *cubile,* deriv. di *cubare* (v. COVARE), secondo il procedim. di *sedile* rispetto a *sedere;* cfr. anche *ovile* e sim.

**covo,** sost. deverb. estr. da *covare.*

**covone,** accresc. di lat. *covus,* forma arc. di *cavus* nel senso di « (quel che sta) nel cavo della mano »; v. CAVO[1].

**covrire,** variante di *coprire,* con leniz. settentr. di *-pr-* in *-vr-.*

**coxalgìa,** v. COSSALGÌA.

**coxite,** dal lat. *coxa* ' coscia ' col suff. di malattia acuta *-ite.*

**cozza,** lat. volg. *\*coccia,* incr. di *cochlea* ' chiocciola ' e *coccum* ' cocciniglia ', col gruppo *-ccj-* passato, secondo una tradiz. settentr., a *-zz-.*

**cozzare,** verbo denom. da *coccia* ' testa ', attrav. l'adattamento di una tradiz. settentr. assibilante.

**cozzo,** sost. deverb. da *cozzare.*

**cozzone,** lat. *coctio, -onis* ' mediatore ', privo di connessioni ideur.

**crac,** dal frc. *crac* (XIX sec.).

**crai,** lat. *cras,* col passaggio regolare di *-as* in *-ai.* Parola sicuram. di età ideur. ma priva di connessioni evidenti.

**crampo,** dal frc. *crampe* e questo da un franco *\*kramp* ' curvato ': ted. *Krampe* signif. ' grappa, uncino '.

**cranio,** dal lat. medv. *cranium* (gr. *kraníon*).

**craniologìa,** da *cranio* e *-logìa.*

**craniometrìa,** da *cranio* e *-metrìa.*

**cranioscopìa,** da *cranio* e *-scopìa.*

**craniotomìa,** da *cranio* e *-tomìa.*

**cràpula,** dal lat. *crapŭla,* che è dal gr. *kraipálē,* attrav. tramite etrusco, con la semplificaz. del dittongo *ai* in *a* e l'apofonia lat. di *-ă-* in *-u-* in sill. interna dav. a *-l-* non seguita da *-i-.*

**crapulare,** dal lat. tardo *crapulari.*

**crasi,** dal lat. *crasis,* che è dal gr. *krâsis,* nome d'azione del verbo *keránnymi* ' io mescolo '.

**crasso,** dal lat. *crassus;* v. GRASSO.

**cràstino** ' del domani ', dal lat. *crastĭnus,* deriv. di *cras* col suff. *tĭnus,* cfr. PRÌSTINO, e v. CRAI.

**-crate** (secondo elem. di composiz., p. es. *buròcrate, tecnòcrate, euròcrate,* estr. da *-crazia* (v.).

**cratere,** dal lat. *crater, -eris,* che è dal gr. *kratér, -êros,* nome d'agente di *keránnymi* ' io mescolo '.

**crauti,** forma abbreviata del ted. *(Sauer)kraut* ' cavolo acido ' al plur.; cfr. SALCRAUTI.

**cravatta,** dal frc. *cravate* e questo dal serbocroato *hrvat,* la sciarpa caratteristica dei cavalieri croati nel sec. XVII.

**crazia,** dal ted. *Kreutzer,* deriv. di *Kreuz* ' croce ', e quindi « portatore (di un segno) di croce »: nome di moneta divisionale dei paesi di lingua ted. fino al sec. XIX.

**-crazia,** secondo elemento di composiz. dal gr. *krátos* ' potere ' col suff. it. *-ìa* di astr.; cfr. *aristocrazia, democrazia, partitocrazia.*

**creàbile,** dal lat. tardo *creabĭlis.*

**creanza,** dallo sp. *crianza,* astr. di *criar* ' allevare (bene) '.

**creare,** dal lat. *creare* (cfr. CRIARE), verbo durativo-causativo della rad. K(E)RĒ[2] cui appartiene anche l'intens. *crescĕre;* v. CRESCERE, CEREALE.

**creatina,** dal gr. *kréas, kréatos* ' carne ' col suff. *-ina* proprio di sostanze chimiche.

**creato,** dallo sp. *criado* ' allievo ' poi ' alleato ' e questo da *criar* ' allevar (bene) ', lat. *creare.*

**creatore,** dal lat. *creator, -oris.*

**creatura,** dal lat. tardo *creatura.*

**creazione,** dal lat. *creatio, -onis.*

**crebro,** dal lat. *creber, -bra, -brum,* deriv. dalla stessa rad. di *crescĕre* (v. CRESCERE) attrav. un ampliam. *-s-ro;* cfr. il lat. *cerebrum* da *\*keres-ro-,* v. CÈREBRO.

**crecchia,** lat. volg. *\*c(a)ric(c)ŭla,* dimin. di *carex, -ĭcis* ' carice '; v. CÀRICE.

**credenza[1]** (opinione), lat. medv. *credentia,* astr. di *credĕre.*

**credenza[2]** (mobile), dalla locuzione *far la credenza* e cioè prendere i cibi dal mobile dove sono riposti e assaggiarli per ' far credere ' all'ospite di riguardo che non sono avvelenati.

**credenziale,** deriv. aggettiv. per le lettere che impongono « credenza » in colui che le presenta.

**crédere,** lat. *credĕre,* antichissima parola del lessico proprio della classe sacerdotale ideur., conservata soltanto nelle aree estreme, latina e celtica da una parte, indo-iranica dall'altra. Comp. di KRED ' fede ' e la rad. DHĒ ' porre '; cfr. SACERDOTE e FARE.

**credìbile,** dal lat. *credibĭlis.*

**crédito,** dal lat. *credĭtum* ' cosa affidata ', forma sostantiv. del part. pass. di *credĕre.*

**creditore,** dal lat. *credĭtor, -oris,* nome di agente di *credĕre* ' porre fede '.

**credulità,** dal lat. *credulĭtas, -atis.*

**crédulo,** dal lat. *credŭlus,* deriv. (con senso peggiorativo) di *credĕre,* mediante il suff. *-lo-* di *bibŭlus, figŭlus, tremŭlus.*

**crema,** dal frc. *crème,* lat. tardo (VI sec.) *crama,* di orig. gallica; incr., sempre in area frc., con lat. *chrisma* ' unguento '; v. CRISMA.

**cremagliera,** dal frc. *crémaillère* ' catena del camino ', deriv. da *cramail,* lat. tardo *cramacŭlus.* Questo deriva da un *\*cremascŭlus* risal. al nome gr. di agente *kremastér* ' colui che tiene sospeso '.

**cremare,** dal lat. *cremare* ' bruciare ', che ha connessioni, sia pure non evidenti, nelle aree germanica e baltica.

**cremazione,** dal lat. *crematio, -onis.*

**cremerìa,** dal frc. *crèmerie.*

**crèmisi,** dall'ar. *qirmizî;* cfr. CHÈRMISI.

**cremore,** dal lat. *cremor, -oris* ' decotto ', forse connesso con *cremare.*

**cren e crenno,** dal ted. *Kren,* che è dal ceco *chřen.*

**crena,** dal lat. tardo *crena* 'tacca'; cfr. INCRINARE.

**crenologìa,** dal gr. *krḗnē* 'sorgente' e *-logia.*

**crenoterapìa,** dal gr. *krḗnē* 'sorgente' e *terapìa.*

**creolina,** da *creolo,* per il colore affine a quello dei meticci, col suff. *-ina* di sostanze chimiche.

**crèolo,** dal frc. *créole,* sp. *criollo* 'meticcio, servo nato in casa' e, antecedentemente, '(pollo) nato (in casa)': lat. *\*creabŭlum* da *creare.*

**creosoto,** dal frc. *créosote,* comp. di gr. *kréas* 'carne' e *sōt(ér)* 'salvatore': « preservatore della carne ».

**crepa,** sost. deverb. estr. da *crepare.*

**crepaccio,** accresc. e peggiorativo di *crepa.*

**crepare,** lat. *crepare,* in orig. 'strepitare', poi 'scoppiare', da una base onomatop. *kr-* particolarmente applicata nella terminologia degli uccelli, cfr. CORNACCHIA, CORVO, CROCIDARE e qui ampliata con *-p-.*

**crepella,** dal frc. *crêpe* (lat. *crispus* 'crespo') con suff. dimin.

**crèpida,** dal lat. *crepĭda;* che è dal gr. *krēpĭda,* accus. di *krēpís,* incr. con gli agg. lat. in *-ĭdus.*

**crepìdine,** dal lat. *crepĭdo, -ĭnis,* che è dal gr. *krēpís, -idos* nel senso di 'base'.

**crepitàcolo,** dal lat. *crepitacŭlum,* nome di strum. tratto da *crepitare* 'scoppiettare'.

**crepitare,** dal lat. *crepitare,* verbo iterat. da *crepare.*

**crepitazione,** dal lat. scient. *crepitatio, -onis,* nome d'azione di *crepitare.*

**crepunde** 'trastulli infantili', dal lat. *crepundia, -orum,* risal. a *crepare* 'strepitare'.

**crepùscolo,** dal lat. *crepuscŭlum,* dimin. di *crepuscus* e questo da *\*crepus* 'oscurità, dubbio', connesso con l'agg. *creper, -ĕra, -ĕrum* 'oscuro, dubbio', come *scelus, -eris* con l'agg. plautino *scelĕrus.* La struttura della parola sembra ideur., ma è priva di connessioni evidenti; cfr. (per il rapporto analogo di *\*coros* e *coruscus*) CORRUSCARE.

**crescenza,** dal lat. *crescentia,* astr. di *crescĕre.*

**créscere,** lat. *crescĕre,* forma incoat. della rad. K(E)RĒ² 'creare' poi 'nutrire', attestata nelle aree baltica, greca, armena; cfr. CREARE, CEREALE.

**crescione,** dal frc. ant. *cresson,* franco *\*kresso,* ted. *Kresse,* incr. con *créscere.*

**crèsima,** lat. eccl. *chrisma* (gr. *khrîsma, -atos* 'unzione'), e questo sotto l'influsso della *-i-* per evitare il gruppo consonantico *-sm-,* v. CRISMA e cfr. *fisima, spasimo, ànsima* ecc. La pronuncia della voc. iniz. avrebbe dovuto essere *é.*

**cresimando,** forma it. di part. fut. pass. del verbo *cresimare* col suff. *-ando,* (cfr. *licenziando, congedando*) dal lat. *-andus,* privo di connessioni attendibili.

**cresimare,** verbo denom. da *crèsima.*

**crespa** 'grinza', dall'agg. *crespo.*

**crespare,** lat. *crispare* 'pettinare', verbo denom. da *crispus* 'crespo'.

**crespo,** lat. *crispus* 'arricciato'. Da un ant. *\*crispsus* (come *vespa* da *\*vepsa*), attestato fuori d'Italia solo nell'area celtica.

**cresta,** lat. *crista,* della stessa famiglia di *crinis* 'crine', 'chioma' (v. CRINE). La formula *far la cresta* (sulla spesa) deriva invece, secondo alcuni, **da** *far l'agresto,* operazione di fare succo di uva

acerba, che giustificava un raccolto anticipato di uva, del tutto abusivo.

**crestaia,** da *cresta* nel senso di 'cuffia guarnita'.

**crestato,** dal lat. *cristatus,* incr. con it. *cresta.*

**crestomazìa,** dal gr. *khrēstomátheia* « apprendimento (*-matheia,* estr. dal verbo *manthánō* 'io apprendo') di cosa utile (*khrēstós*) ».

**creta,** lat. *creta,* forse da (*terra*) *creta* « terra setacciata » e cioè dal part. pass. *cretus* del sistema di *cernĕre;* v. DISCRETO.

**cretaceo,** dal lat. *cretacĕus.*

**crètico,** dal lat. tardo *creticus* e questo dal gr. *krētikós* 'cretese'.

**cretinismo,** dal frc. *crétinisme* (fine XVIII sec.).

**cretino,** dal franco-provz. *crétin* 'cristiano' nel senso di « (povero) *cristo* » o « poveraccio ».

**cretonne,** dal frc. *cretonne* (XIX sec.), dal nome del villaggio di Creton in Normandia, dove questo tipo di stoffa era fabbricato fino dal sec. XVI.

**cretoso,** dal lat. *cretosus.*

**crettare,** lat. *crepitare* 'scoppiettare', iterat. di *crepare,* con norm. sincope della voc. protonica e conseg. assimilaz. di *-pt-* in *-tt-.*

**cretto,** sost. deverb. estr. da *crettare;* cfr. GRETTO.

**cria** 'ultimo di una nidiata', sost. deverb. da *criare.*

**criare** (arc.), lat. *creare;* v. CREARE.

**cribrare,** dal lat. *cribrare,* verbo denom. da *cribrum* 'vaglio'.

**cribro,** dal lat. *cribrum* 'vaglio', nome di strum. di una rad. KREI prossima a *cerno* e al gr. *krínō* 'io giudico', e attestata nelle aree celtica, germanica, greca. Il valore agricolo prevale nelle prime due, quello giur. nell'ultima; entrambi sono presenti in Italia; v. CÈRNERE.

**cric,** da una serie onomat. *cr...c,* cfr. CROCIDARE.

**cricca,** dal frc. *clique,* estr. dal verbo onomatop. ant. *cliquer,* indicante chiacchiericcio e rumore, incr., con la serie più nota in Italia di *cr...cr...*

**criccare,** verbo denom. dal tema onomatopeico *cric* (v.).

**cricchiare,** verbo denom. da *cricchio;* cfr. SCRICCHIOLARE.

**cricchio** (rumore), sost. di formaz. dimin. di *cric;* cfr. SCRICCHIARE.

**cricco,** dal frc. *cric.*

**criccrì e cri crì,** dalla serie onomatop. *cr...cr...*

**criceto** (roditore) dal lat. scient. moderno *cricetus* e questo dal boemo *křeček.*

**cricòide** (cartilagine della laringe), dal gr. *krikoeidés* « somigliante (*-eidés*) ad anello (*kríkos*) ».

**crimenlese** 'delitto di lesa maestà', dal lat. *crimen laesae* (*maiestatis*).

**criminale,** dal lat. tardo *criminalis.*

**crìmine,** dal lat. *crimen, -mĭnis,* astr. di *cernĕre* in senso giudiziario, prima nel senso di 'decisione', poi di 'accusa', infine di 'delitto'; v. CRIBRO e CÈRNERE.

**criminologìa,** da *crìmine* e *-logìa.*

**criminoso,** dal lat. *criminosus.*

**crina** 'cresta dei monti', dal lat. *crinis* 'crine'.

**crinale¹** (agg.), dal lat. *crinalis.*

**crinale²** (sost.), da *crina.*

**crine,** lat. *crinis* 'capello, chioma'. Da un ant. *\*crisnis,* collegato con *crista* (v. CRESTA), privo di altre connessioni ideur.

**crinìto,** dal lat. *crinitus,* da *crinis* col suff. *-to* 'fornito di'; cfr. *barbatus, cornutus.*

**crino**, lat. *crinis*, attrav. la tradiz. settentr. *crin.*
-*crino* ' che secerne ', dal gr. *krínō* ' io secerno '.

**crinolina**, dal frc. *crinoline* (XIX sec.) e questo dall'it. *crinolino* (XIX sec.).

**crinolino** (tessuto), comp. di *crino* e *lino*.

**criolite**, comp. di gr. *krýos* ' gelo ' e il tema -*lite* ' pietra '.

**crioscopìa** (studio dei fatti di congelamento delle soluzioni), dal gr. *krýos* ' gelo ' e -*scopìa*.

**crioterapìa**, dal gr. *krýos* ' gelo ' e *terapìa*.

**cripta**, dal lat. *crypta*, gr. *krýptē*, deriv. di *krýptō* ' io nascondo '; cfr. GROTTA.

**cripto** (elemento chimico), dal gr. *kryptón*, neutro dell'agg. verb. *kryptós* ' nascosto '.

**cripto-**, dal gr. *kryptós* ' nascosto '.

**criptogenètico**, comp. di *cripto-* e *genètico*.

**criptografìa**, v. CRITTOGRAFÌA.

**criptopòrtico**, dal lat. *cryptoporticus*, comp. di *crypto-* ' nascosto ' e *portĭcus* ' portico '.

**crisàlide**, dal lat. *crysallis, -ĭdis* che è dal gr. *khrysallís, -ídos*.

**crisantemo**, dal lat. *chrysanthĕmum* che è dal gr. *khrysánthemon*, comp. di *khrysós* ' aureo ' e *ánthemon* ' fiore ' incr. col frc. *chrysanthème* e perciò con l'accentazione spostata in avanti.

**crisi**, dal lat. *crisis* che è dal gr. *krísis*, nome d'azione di *krínō* ' io giudico ', ' scelta, decisione ', poi ' momento culminante (di una malattia) '.

**crisma**, dal lat. *chrisma* che è dal gr. *khrisma, -atos* ' unguento ', da *khríō* ' io ungo '; cfr. CRÈSIMA.

**crisoberillo**, dal lat. *chrisoberyllus* che è dal gr. *khrysobéryllos* « berillo (*béryllos*) aureo (*khrysós*) ».

**crisografia**, dal gr. *khrysographía*, comp. di *khryso-* ' aureo ' e -*graphía* ' scrittura '.

**crisòlito**, dal lat. *chrysolĭthus*, gr. *khrysólithos* « pietra (*líthos*) d'oro (*khrysós*) ».

**crisomèlidi**, dal lat. scient. *chrysomela*, abbreviaz. del gr. *khrysomēl(olónthion*) ' scarabeo dorato '.

**crisopazio** e **crisoprasio**, dal lat. *chrysoprasius* che è dal gr. *khrysoprásios* « (arieggiante) un porro (gr. *práson*) d'oro (*khrysós*) », per il color verdeporro: nella prima forma incr. con (*top*)*azio*.

**cristàllino**[1] (sost.), ' parte dell'occhio ', dal lat. *crystallĭnus* che è dal gr. *krystállinos*.

**cristallino**[2] (agg.), dal lat. *crystallĭnus* che è dal gr. *krystállinos*, con accentazione spostata perché attratto dagli altri deriv. it. in -*ino*.

**cristallizzare**, dal frc. *cristalliser* (XVII sec.), che è dal gr. *krystallízein*.

**cristallo**, dal lat. *crystallus* che è dal gr. *krýstallos* ' ghiaccio ' d'oro, deriv. di *krýos* ' gelo '.

**cristallografìa**, comp. di *cristallo* e il tema -*grafìa* ' descrizione '.

**cristalloide**, dal lat. tardo *crystalloïdes*, gr. *krystalloeidés*, comp. di *krýstallos* e -*eidés* ' avente apparenza di '.

**cristianésimo**, lat. tardo *christianismus* dal gr. *khristianismós*, con norm. epentesi di -*i*- nel gruppo -*sm*-; cfr. CRÈSIMA.

**cristiània**, dall'ant. nome della capitale della Norvegia *Cristiania* ' (città del re) Cristiano (oggi Oslo) '.

**cristianismo** ' parola cristiana ', da *cristiano*.

**cristianità**, dal lat. tardo *christianĭtas, -atis*.

**cristianizzare**, dal lat. tardo *christianizare* (gr. *khristianízein*).

**cristiano**, dal lat. *Christianus* che è dal gr. *Khristianós*.

**Cristo**, lat. *Christus*, gr. *Khristós* ' unto (del Signore) ', calco sull'ebr. *māshiāh*, attribuito nell'Ant. Testamento a sovrani eletti da Dio e diventato secondo nome proprio di Gesù.

**cristologìa**, da Cristo e il tema -*logìa* ' discorso su '.

**criterio**[1] (logica), dal lat. medv. *criterium* che è dal gr. *kritérion* « mezzo di distinzione (del vero dal falso) », da *krínō* ' io giudico '.

**criterio**[2] (ippica), dal frc. *critérium* (ingl. *criterion*).

**critica**, dal gr. *kritikḗ* (*tékhnē*) « (arte) giudicatrice », dall'agg. *kritikós* e questo dal verbo *krínō* ' io giudico '.

**criticare**, verbo denom. da *crìtica*.

**crìtico**, dal lat. *critĭcus* che è dal gr. *kritikós*.

**critto-**, dal gr. *kryptós* ' nascosto '.

**crittògama**, comp. moderno di *critto-* e -*gamo* (estr. da gr. *gaméō* ' mi sposo ') ' nozze '.

**crittografia**, da *critto-* e -*grafia* ' scrittura '.

**crivellare**, verbo denom. da *crivello*.

**crivello**, lat. tardo *cribellum*, dimin. di *cribrum* ' crivello '; v. CRIBRO.

**croccante**, dal frc. *croquant*, part. pres. di *croquer* ' sgranocchiare '.

**crocchetta**, dal frc. *croquette* e questo da *croquer* ' sgranocchiare '.

**crocchia** (di trecce), lat. volg. *\*crocla*, svolgim. precoce da un precedente *\*crotla*, sost. deverb. da *\*corrotulare* ' arrotolare insieme ', denom. da *rotŭlus* col pref. *com*; cfr. CROLLARE.

**crocchiare**, dalla serie onomatop. *cr.... c* cui appartiene il lat. *crocio* ' far la voce del corvo '.

**crocchio** (di persone), da *crocchia*, trasferito metaforicamente da un gruppo di capelli a un gruppo di persone.

**crocco**, dal frc. *croc*, norreno *krokr* ' uncino ', cfr. CROSCÈ e SCROCCARE.

**croce**, lat. *crux, crucis*, di orig. mediterr.

**cròceo**, dal lat. *crocĕus*, deriv. di *crocus* (gr. *krókos* ' zafferano ').

**crocerossina**, da Croce Rossa inteso come parola unica e nome proprio.

**crocesanta**, dalla Croce raffigurata al principio degli abbecedarî.

**crocesegnato**, dal lat. medv. *cruce signatus* ' contrassegnato con una croce '.

**crocevìa**, comp. di *croce* e *via*, forse da *croce (di) vie*.

**crociata**, dall'agg. *crociato* ' contrassegnato da croce '.

**crocicchio**, dimin. di *croce*.

**crocidare**, lat. tardo *crocitare*, intens. di *crocire* ' gracchiare ' (trasmesso con leniz. settentr. di -*t*- in -*d*-): da una serie onomatop. *cr.... c*, diffusa in diverse aree ideur.; cfr. CORVO, CREPARE, CRIC.

**crociera**[1] (disposizione a croce), da *croce*.

**crociera**[2] (navigazione), dal frc. *croisière* (XVIII sec.) e questo da *croiser* ' incrociare ', in senso marittimo, incr. con it. *croce*.

**crocìfero**, dal lat. tardo *crucĭfer, -feri*, comp. di *crux* ' croce ' e -*fer* ' portatore '.

**crocifìggere**, dal lat. *crucifigĕre* e cioè *cruci figĕre* ' inchiodare alla croce ' incr. con it. *figgere*.

**crocifissione**, dal lat. tardo *crucifixio, -onis*, nome d'azione da *crucifigĕre*.

**crocifisso,** dal lat. *crucifixus,* part. pass. di *cruci-figĕre.*

**crocifissore,** dal lat. *crucifixor, -oris,* nome d'agente di *crucifigĕre.*

**crocitare,** lat. tardo *crocitare,* intens. di *crocire* ' gracchiare '; cfr. CROCIDARE.

**croco,** dal lat. *crocus* che è dal gr. *krókos.*

**croda,** parola pre-lat., di orig. « euganea », propria delle aree alpine nord-orientali.

**crogiolare,** incr. di *rosolare* con *crosta,* con correzione tosc. in *-gio-* di *-so-,* ritenuto settentr.

**crogiolo**[1] (processo di cottura), sost. deverb. estr. da *crogiolare.*

**crogiolo**[2] (recipiente), dal frc. *croiseul,* antica lampada a forma di croce, risal. perciò a *croix,* lat. *crux crucis.*

**croio** ' duro ', dal provz. *croi,* di orig. gallica.

**crollare,** lat. volg. *c(o)rrot(u)lare,* sottoposto a sincope tarda e quindi passato a *crollare* come *spatŭla* passò a *spalla;* cfr. invece CROCCHIA.

**crollo,** sost. deverb. da *crollare.*

**croma,** dal lat. *chroma* ' color della pelle ' e ' intervallo musicale ' che è dal gr. *khrôma, -atos* ' colore '.

**cromare,** verbo denom. da *cromo.*

**cromàtico,** dal lat. *chromaticus* che è dal gr. *khrō-matikós,* da *khrôma* ' colore '.

**cromatina,** dal gr. *khrôma, -atos* ' colore ' col suff. *-ina* di sostanze chimiche.

**cromatòforo,** da *cròmato,* primo tema di comp., con valore di ' colore ' (dal gr. *khrôma, -atos*) e *-foro,* secondo tema di composiz., con valore di ' portatore ' (gr. *-phoros*).

**-cromìa,** dal gr. *-khrōmìa,* deriv. da *khrôma, -atos* ' colore '.

**cromo,** dal frc. *chrome* (XVIII sec.) e questo dal gr. *khrôma,* per la forte colorazione dei suoi sali.

**cromo-** e **-cromo,** dal gr. *khrôma, -atos* ' colore '.

**cromofotografìa,** comp. di *cromo-* ' colore ' e *fotografia.*

**cromolitografìa,** da *cromo-* e *litografia.*

**cromosfera,** comp. di *cromo-* ' colore ' e *sfera:* ' sfera colorata '.

**cromosoma,** da *cromo-* ' colore ' e *soma* ' corpo ' (dal gr. *sôma, -atos*), perciò ' corpo a colore ': così chiamato perché intensamente colorabile.

**crònaca,** lat. *chronĭca* (plur. neutro), gr. *khroniká* (*biblía*) ' libri temporali, annali ', con norm. passaggio di *-ĭ-* postonica a *-a-* in parola sdrucciola; cfr. *tònaca, còfano.*

**crònico,** dal lat. *chronĭcus* che è dal gr. *khronikós,* da *khrónos* ' tempo '.

**cronista,** incr. di *cronaca* e *crono-* col suff. *-ista,* sostituisce *cron(ach)ista.*

**cronistoria,** dal gr. *khrónos* e lat. *historĭa* « storia (solo secondo) il tempo ».

**crono-,** dal gr. *khrónos* ' tempo '.

**cronografìa,** dal lat. tardo *chronographìa,* gr. *khro-nographìa,* da *khrónos* ' tempo ' e *-graphìa* ' descrizione '.

**cronògrafo,** dal gr. *khronográphos,* comp. di *khrónos* e *grapho-,* tema estr. da *gráphō* ' scrivo '.

**cronologìa,** dal gr. tardo *khronologìa,* da *khrónos* ' tempo ' e *-logìa* ' trattazione '.

**cronològico,** dal gr. tardo *khronologikós.*

**cronometraggio,** dal frc. *chronométrage.*

**cronòmetro,** dal frc. *chronomètre* (XIX sec.) e

questo comp. da gr. *khrónos* ' tempo ' e *métron* ' misura '.

**cronòtopo,** comp. moderno di *crono-* ' tempo ' e gr. *tópos* ' luogo '.

**croscè** (*crocè, crochet*), dal frc. *crochet,* dimin. di *croc;* v. CROCCO.

**crosciare,** lat. volg. *excroxiare,* forma desiderativa intens. di *crocire* (da una serie onomatop. *cr.... c....*), con la eliminazione della *s-* iniz. al fine di renderlo iterat. anziché durativo; v. SCROSCIO.

**croscio,** sost. deverb. estr. da *crosciare.*

**cròsina** (mantello), lat. *crocĭna,* femm. di *crocĭnus.* risal. al gr. *krókinos* ' dal colore del croco ': presente in ital. attraverso una tradiz. settentr. che assibila *-ci-* in *-si-.*

**crosta,** lat. *crusta,* connesso col gr. *krý(s)os* ' (crosta di) ghiaccio, freddo glaciale ', e con analoghe forme germ.

**crostaceo,** dal lat. scient. *crustacea,* deriv. dal class. *crusta.*

**crostoso,** dal lat. *crustosus.*

**cròtalo,** dal lat. *crotălum* (gr. *krótalon* ' nacchera ', deriv. di *krótos* ' rumore ').

**crotta** (strum. musicale), dal lat. tardo *chrotta,* di orig. gallica.

**crucciare,** forma popolare di *corrucciare;* cfr. *crollare.*

**cruccio,** sost. deverb. estr. da *crucciare.*

**cruciale,** dall'ingl. *crucial* (XX sec.) e questo dal lat. *crux, crucis* nelle formule *experimentum crucis* di Newton e *instantiae crucis* di Bacone che definiscono un esperimento decisivo per verificare un'ipotesi: dalle croci indicanti direzione nei crocevia.

**cruciare,** dal lat. *cruciare,* verbo denom. da *crux, crucis.*

**crucifige,** dal lat. *crucifige!* ' crocifiggi ', seconda pers. sg. dell'imperat. di *crucifigĕre;* v. CROCIFIG-GERE.

**cruciforme,** comp. moderno di *cruci-* (lat. *crux*) e *-forme.*

**cruciverba,** comp. irregolare del tema *cruci-* (lat. *crux*) e *verba,* dal lat. *verbum* ' parola ': « parole messe in croce ».

**crudele,** dal lat. *crudelis,* deriv. di un presunto *crudus,* astr. di *crudus* (v. CRUDO), secondo lo schema di *fidus, fides, fidelis;* cfr. CONTUMELIA.

**crudeltà,** dal lat. *crudelĭtas, -atis.*

**crudìvoro,** comp. di *crudo* e *-voro* (v.), sul modello di *carnìvoro, erbìvoro.*

**crudo,** lat. *crŭdus* ' sanguinolento ', poi ' non cotto ', poi ' crudele ', da ant. *cruvĭdus,* imparentato con *cruor* ' sangue '; v. CRUORE.

**cruento,** dal lat. *cruentus;* cfr. *cruor, oris* ' sangue ' e v. CRUORE, deriv. dai casi in nasale di una declinaz. alternante *cruor, *cruen;* cfr. *jecur-, jecin-* ' fegato ' e MURO, MUNIRE.

**crumiro,** dal frc. *kroumir,* ar. volg. *khrumir,* nome di popolazioni berbere arabizzate, dedite al contrabbando fra Tunisia e Algeria; e perciò applicato a quanti lavorano « di contrabbando » contro i loro compagni in sciopero.

**cruna,** lat. *corona* incr. con *cuna* ' culla '.

**cruore,** dal lat. *cruor, cruoris* ' sangue ', antichissima parola dalla rad. KREU, che, ampliata con un suff. in sibilante, dalla voc. alternante, è attestata anche nelle aree celtica, baltica, slava, greca (*kréas* 'carne'), germanica (ted. *roh* 'crudo'), indo-iranica. *Cruor* appartiene invece alla declinaz. alternante KREW-ER, KREW-EN come prova il deriv. lat. *cruentus*; v. CRUENTO.

**crup,** dall'ingl. *croup*, deriv. dal verbo *to croup* 'parlar poco'.

**crurale,** dal lat. tardo *cruralis*, deriv. di *crus, cruris* 'gamba', privo di connessioni ideur.

**crusca,** dall'alto ted. ant. *crusc*.

**cruscante,** deriv. (come *bracciante* da *braccio*) da (accademia della) *Crusca*.

**cruschévole,** agg. verb. di un presunto *\*cruscare*.

**cruscotto,** prob. dalla terminologia dei mulini, come (accademia della) *Crusca*.

**ctonio,** dal gr. *khthónios* 'sotterraneo'.

**cuba** 'cupola', dall'ar. *qubba* 'vòlta'.

**cubaggio,** dal frc. *cubage* (XX sec.).

**cubare[1]** 'giacere', dal lat. *cubare*; v. COVARE.

**cubare[2]** 'misurar la cubatura', verbo denom. da *cubo*.

**cubatura,** da *cubare*.

**cubebe,** dal lat. medv. *cubeba*, ar. *kubāba*, allineato nella finale alla formula *pepe cubebe*.

**cubia** (foro presso la prua delle navi), incr. del femm. lat. *\*excubaria* 'che giace fuori' (cfr. frc. *écubier*) con lat. *cubile*, nel senso di 'buchi nelle muraglie per sostenere i ponti dei muratori', attrav. un trattam. ligure che elimina *-l-* intervocalico in quest'ultimo.

**cùbico,** dal lat. *cubĭcus* che è dal gr. *kybikós*.

**cubìcolo,** dal lat. *cubicŭlum*, nome di strum. da *cubare* 'giacere'.

**cubiculario** (domestico), dal lat. *cubicularius*.

**cubilotto** (forno), dal frc. *cubilot*.

**cubismo,** dal frc. *cubisme* e questo da *cube* 'cubo'.

**cubitale,** dal lat. *cubitalis* e questo da *cubĭtus* 'gomito'.

**cùbito,** dal lat. *cubĭtus*, collegato unicamente con le forme gr. *kýbiton, kybitízō*, forse di comune orig. mediterr.; cfr. GÓMITO.

**cubo,** dal lat. *cubus* che è dal gr. *kýbos* 'dado'.

**cuboide,** dal gr. *kyboeidés* « dall'aspetto (*-eidés*) di cubo (*kybo-*) ».

**cuccagna,** dal provz. *cocanha* e questo dal gotico *\*kōka* (ted. *Kuchen*) 'torta'.

**cuccare,** verbo denom. da *cucco* 'cuculo' (v.).

**cuccetta,** dimin. di *cuccia*.

**cucchiaio,** lat. *cochlearium*, strum. originariam. usato per mangiare le chiocciole, col norm. trattam. tosc. di *-ariu* in *-aio*.

**cuccia[1]** (cagnolina), estr. da *cùcci(ol)a*; v. CÙCCIOLO.

**cuccia[2]** (giaciglio), dal frc. *couche*, sost. deverb. da *coucher*, lat. *collocare*; v. COLLOCARE.

**cucciare,** dal frc. *coucher*.

**cùcciolo,** dalla serie onomatop. *cu.... ciu*, simbolo del cane.

**cucco[1]** ('caro', forma infantile), dalla serie onomatop. *cu.... ciu* incr. con CÒCCO(LO).

**cucco[2]** 'balordo', lat. tardo *cuccus* che è dal gr. tardo *kýkkos*.

**cuccù,** voce onomatop., dal canto del *cuculo*.

**cùccuma,** lat. *cucŭma*, con rafforzam. precoce già attestato nella variante *cuccŭma* e comunque inserito nella analoga tendenza italiana verso il raddopp. delle cons. postoniche in parole sdrucciole, per es. *femmina*. *Cùcuma* è parola mediterr.; cfr. COGOMA.

**cucina,** lat. volg. *\*cocina*, forma assimilata secondo la serie da *c.... q* a *c.... c* del class. *coquina*, deriv. da *coquinus* 'relativo al cuòcere'; v. CUÒCERE.

**cucinare,** lat. volg. *\*cocinare*, class. *coquinare*, verbo denom. da *coquina*.

**cucinario,** incr. di *culinario* con *cucina*.

**cucire,** lat. volg. *\*cosire*, tardo *cō(n)so, cō(n)sĕre*, da class. *consŭere* (come tardo *battĕre* da class. *battŭere*) passato alla coniugaz. in *-i-*, arrivato in Toscana attrav. una tradiz. settentr. e perciò sottoposto alla correzione di *-so-* in *-cio-* e di *-si-* in *-ci-*. Per lat. *(con)suĕre* (rad. SYŪ/SŪ) v. SUTURA.

**cucirino,** dimin. di *filo a cucire* (per *\*filino a cucire*).

**cucitura,** lat. volg. *\*consŭtura* incr. con *costura* e *cucire*.

**cuculiare,** verbo denom. da *cuculo*.

**cucullo** 'cappuccio', dal lat. *cucullus* di orig. forse gallica.

**cuculo,** lat. *cucŭlus*, formaz. onomatop. della serie *cu.... cu*, bene attestata nelle lingue ideur. occidentali.

**cucùrbita,** dal lat. *cucurbĭta*, di orig. mediterr.

**cuffia,** lat. tardo *cofea* (VI sec.) dal gr. *skýpheios* 'simile a un vaso da bere', con la eliminazione della *s-* considerato pref. superfluo; cfr. SCUFFIA.

**cugino[1]** (parente), dal frc. *cosin*, estr. dal lat. *cons(obr)ini* 'figli di due sorelle' e trasmesso attrav. i dialetti settentr., con successiva correzione tosc. di *-si-* in *-gi-*.

**cugino[2]** (insetto), lat. *cu(li)cinus*, dimin. di *culex, -ĭcis* 'zanzara', con leniz. settentr. di *-ci-* in *-sgi-*, toscanizzz. in *-gi-* e dissimilaz. sillabica di *-li-* rispetto alla sill. seguente *-ci-*. Una connessione ideur. si trova solo nell'area celtica.

**cui,** lat. *cui*, più ant. *quoi*, originariam. *\*quojjei*: dat. di *qui* (pron. relat.) poi esteso in it. agli altri casi, diversi dal nom. e dall'accus.; v. CHI[2] e CHE[1].

**cuio** 'sciocco', dal lat. *cuius*, gen. sg. del pron. relativo *qui*.

**culaccino,** doppio deriv., dimin. e dispregiativo di *culo*.

**culaccio,** spregiativo di *culo*.

**culaia,** collettivo da *culo*.

**culatta,** da *culo* col suff. accr.-vezz. *-atto*.

**culinario,** dal lat. tardo *culinarius*, deriv. da *culina* e questo da *\*cocslina* 'cucina' con la voc. radicale alterata da *-o-* in *-u-*, forse per eccesso di zelo antirustico.

**culla,** lat. *cunŭla*, dimin. di *cūna* 'culla', con norm. sincope della voc. interna postonica; v. CUNA.

**cullare,** verbo denom. da *culla*.

**culminare,** dal lat. tardo *culminare*.

**cùlmine,** dal lat. *culmen, -ĭnis*, variante di *colŭmen*, deriv. di una rad. bisillabica KOLĒ, parallela a KEL[1] che significa 'elevare' e designa un'altura: attestata nelle aree germanica, baltica, greca, e collegata in lat. con *columna* e *(ex)cellere*; v. COLONNA, ECCELLERE, COLLE, COLMO, COMÌGNOLO.

**culmo,** dal lat. *culmus*, con connessioni germaniche. baltiche, slave, greche (gr. *kálamos* 'canna').

**culo,** lat. *cūlus*, con chiare connessioni solo nell'area celtica.

**culto,** dal lat. *cultus, -us*, astr. di *colĕre* 'coltivare'; v. COLTO.

**cultore,** dal lat. *cultor -oris*, nome d'agente di *colĕre* 'coltivare'.

**cultro** ' coltello per scopi rituali ', dal lat. *culter, -tri*; v. COLTRO, COLTELLO.

**cultura**, dal lat. *cultura*, astr. di *colĕre*; v. COLTO. Nel senso di ' civiltà ', dal ted. *Kultur*.

**cùmolo**, v. CÙMULO.

**cumulare**, dal lat. *cumulare*.

**cumulatore**, dal lat. tardo *cumulator, -oris*.

**cumulazione**, dal lat. tardo *cumulatio, -onis*.

**cùmulo**, dal lat. *cumŭlus*, incr. di un deriv. della rad. KwEI[3] (attestata anche in sanscrito) con il lat. *tumŭlus*.

**cuna**, lat. *cūna*, di solito al plur. *cunae, -arum*, senza chiare connessioni in altre aree ideur.

**cuneiforme**, comp. di *cuneo* e *-forme*.

**cuneo**, dal lat. *cunĕus*, privo di connessioni ideur. al di fuori di quelle, troppo vaghe, della rad. KŬ, per es. nel sanscrito *çūla-* ' spiedo '; cfr. CONIO.

**cunetta**, dimin. di *cuna*.

**cunìcolo**[1] (agg.), comp. di lat. *cuni(cŭlus)* e it. *-colo*.

**cunìcolo**[2] (sost.), dal lat. *cunĭcŭlus*, galleria di miniera, poi militare, parola mediterr., spec. occidentale.

**cuòcere**, lat. volg. *\*cocĕre*, con le cons. assimilate, in luogo del class. *coquĕre*, parola fondam. del vocab. ideur. dalla rad. PEKw, attestata nelle aree greca, baltica, slava, indiana, tocaria, albanese: in celtico, assimilata come in lat. da PEKw in KwEKw.

**cuoco**, lat. tardo *cocus*, class. *coquus*.

**cuoiaio**, deriv. da *cuoio*, con norm. trattam. tosc. del suff. *-ariu*.

**cuoiame**, da *cuoio*; cfr. COIAME e CORAME.

**cuoierìa**, da *cuoio*.

**cuoio**, lat. *corium*, deriv. da una rad. (S)KER, priva della sibilante iniz., come nel gr. *keírō*, connessa in orig. col signif. fondam. di ' levare la scorza ' (v. SCORZA), poi col ' tagliare ' generico (v. CARNE), attestata anche nelle aree germanica, baltica, slava, indiana.

**cuora**, lat. *coria*, neutro plur. di *corium*, di trasmissione settentr., per cui *-oria* diventa *-ora*.

**cuore**, lat. *cor*, parola antichissima, largamente attestata, risal. nelle aree occidentali a KERD (nell'area indo-iranica a GHERD), con le norm. alternanze della rad. ed event. ampliam. in *-i-*; cfr. gr. *kard-ía* e ted. *Herz*.

**cupè**, dal frc. *coupé* (XVIII sec.), part. pass. di *couper* ' tagliare '.

**cupidezza**, lat. tardo *cupiditia* (class. *cupidĭtas, -atis*).

**cupidigia**, dal lat. tardo *cupiditia* (class. *cupidĭtas, -atis*), trasmesso, a differenza del tosc. *cupidezza*, con la leniz. settentr. da *-tja-* in *-sgja-* adattata poi nel tosc. *-gia-*.

**cupidità**, dal lat. *cupidĭtas, -atis*.

**cupìdo**[1], dal lat. *cupĭdo, -ĭnis*, astr. di *cupĕre* come *lubido* di *lubĕre*.

**cùpido**[2], dal lat. *cupĭdus*, della famiglia di *cupĕre* ' desiderare ', risal. a una rad. KUP, attestata nelle aree baltica, slava, indiana, che significa ' ribollire '.

**cupo**, lat. volg. *\*cupus*, con la *p* semplice di valore aggettiv. rispetto a *cuppa* di valore sostantiv. KŪP- è attestato nelle aree indiana, greca, islandese.

**cùpola**, dal lat. *cūpŭla* ' botticella ', dimin. di *cupa* ' botte '.

**cùpreo**, dal lat. *cuprĕus*, deriv. di *cuprum* ' rame ', a sua volta estr. dall'agg. contenuto nella formula *(aes) cuprium* « minerale di Cipro », risal. all'età arc. quando gr. *-y-* era reso con *-u-*: cfr. *cypria*, risal. invece a età più recente con *-y-* reso in lat. con *-y-*; v. CIPRIA.

**cura**, lat. *cūra*, ant. *\*coisa*, con un'unica connessione nell'area greca: *(te)ti(ēmai)* ' sono inquieto, abbattuto '. La rad. è KWEI[1], con le norm. alternanze KWOI (in lat.), KWI (in gr.); cfr. CURIOSO, INCURIA, SICURO.

**curàbile**, dal lat. *curabĭlis*.

**curare**, lat. *curare*, verbo denom. da *cura*.

**curaro**, dal frc. *curare* (XIX sec.), sp. portogh. *curaro*, orig. dell'America centrale.

**curatela**, da *cura* sul modello di *tutela*, analizzato come *tu-tela* (anziché *tut-ela*) (v.).

**curato**, dal lat. medv. *curatus*, deriv. da *cura (animarum)* e cioè « (incaricato) di cura (d'anime) ».

**curatore**, dal lat. *curator, -oris*.

**curbascio**, dal frc. *courbache*, turco *kirbaç*.

**curculione**, dal lat. *curculio, -onis*, di lontana orig. onomatop.; cfr. GORGOGLIONE.

**curia**, dal lat. *curia*, forse tratto da *\*co-viria* ' comunità di esseri virili '.

**curiale**, dal lat. *curialis*, tratto da *curia*, secondo lo schema di *tribulis* da *tribus* e di *civilis* da *civis*.

**curiato**, dal lat. *curiatus*.

**curio** (elemento chimico), dal nome dei coniugi Curie, Pietro (1859-1906) e Maria (1867-1934), scopritori della radioattività.

**curiosità**, dal lat. *curiosĭtas, -atis*.

**curioso**, dal lat. *curiosus*, ampliam. di *\*curius* e questo da *cura*, cioè « che si prende cura (anche di cose che non lo riguardano) »; v. CURA e cfr. INCURIA.

**curricolo**, da *curricŭlum (vitae)* ' corso (della vita) '; da *currĕre*; v. CORRERE.

**curro** ' carro ' (arc.), dal lat. *currus, -us* ' carro, cocchio ', formaz. elementare di sost. da *currĕre*, paragonab. a *gradus* rispetto all'inf. *gradi*; v. CORRERE.

**cursore**, dal lat. *cursor, -oris*, nome d'agente di *currĕre* ' correre '.

**cursorio**, dal lat. tardo *cursorius*; cfr. CORSOIO.

**cursus**, dal lat. *cursus* ' corso ', astr. di *currĕre*.

**curtense**, dal lat. medv. *curtensis* e questo da *curtis* ' corte '; cfr. CORTE.

**curule**, dal lat. *curūlis* e questo da *currus* ' cocchio ', con norm. semplificaz. della cons. doppia protonica: formaz. analoga a quella di *tribulis* da *tribus* e *civilis* da *civis*.

**curva**, da *curvo*.

**curvàbile**, dal lat. tardo *curvabĭlis*.

**curvare**, dal lat. *curvare*, verbo denom. da *curvus* ' curvo '.

**curvatura**, dal lat. *curvatura*.

**curvilineo**, calco su *retti-lineo*, da *curvo-* e *lineo*.

**curvìmetro**, da *curva* e *-metro*.

**curvità**, dal lat. *curvĭtas, -atis*.

**curvo**, dal lat. *curvus*, con connessioni nelle aree celtica e greca.

**cuscino**, lat. medv. *coxinum*, deriv. da *coxa* ' coscia ', perciò « (cuscino) per sedersi ».

**cùscuta**, dal lat. medv. *cùscuta* e questo dall'ar. *kashūth*.

**cùspide**, dal lat. *cuspis, -ĭdis* ' punta della lancia ', di prob. orig. mediterr., parallelo forse a *lapis, -ĭdis* ' arma di pietra '; cfr. LÀPIDE.

**custode,** dal lat. *custos, -odis* (di struttura paragonab. a quella di *heres, -edis, merces, -edis*) da una rad. KEUDH con connessioni nelle aree greca e germanica (gotico *huzd* ' tesoro ', ted. *Hort* ' tesoro '); cfr. GUSCIO. KEUDH appare qui nella forma del part. pass. *\*kusto-* comp. con ĒD/ŌD ' entrare in possesso '; cfr. EREDE, MERCEDE.

**custodia,** dal lat. *custodia*.

**custodire,** dal lat. *custodire* verbo denom. da *custos, -odis*.

**cute,** dal lat. *cutis*, con qualche connessione nelle aree greca, germanica (ted. *Haut* ' pelle '), baltica.

**cuticagna,** incr. di *còtica* con *cute*, seguito da suff. di derivaz. aggettiv. *-agno*; cfr. VIVAGNO.

**cuticola,** dal lat. *cuticŭla*, dimin. di *cutis*.

**cutireazione,** da *cute* e *reazione*.

**cutretta,** lat. *cau(da) trepĭda*, con norm. sincope della voc. interna postonica (cfr. *netto* da *nitĭdus*); v. CODA e TREPIDO.

**cutrèttola,** dimin. di *cutretta*.

**cutter,** dall'ingl. *cutter* ' tagliatore '.

# D

**da¹**, lat. *de ab* per il valore ablativo e di superficie (*vengo da Roma, vengo da te*).

**da²**, incr. di *di* e *a* per i valori predicativi e attributivi (*casa da affittare, vita da nababbo*).

**dabbasso** e **da basso**, da *da¹* di superficie e *basso*.

**dabbene** e **da bene**, aggettivaz. della formula attributiva *da² bene*.

**dab(b)ud(à)** (strum. musicale), dall'ar. *dabdāb(a)* ' timpano '.

**daco** (genere di insetti), dal gr. *dákos* ' bestia che morde ', collegato con *dáknō* ' io mordo '.

**dadaismo**, dal frc. *dadaïsme* (XX sec.), deriv. di *dada* ' balbettìo infantile, idea prediletta, pallino '.

**dàddolo**, da una onomatop. infantile, della serie *d....l.*

**dado**, lat. *datum* ' dato ', nel senso di ' cosa gettata ' e poi la cosa stessa, con leniz. veneta di *-t-* in *-d-*.

**daffare**, sostantivaz. della formula gerundiva (*cosa*) *da fare*.

**daga**, lat. *daca*, da (*spatha*) *daca* ' spada dei daci ', con leniz. settentr. di *-c-* in *-g-*.

**dagherrotipìa**, dal frc. *daguerréotypie*; v. DAGHERRÒTIPO.

**dagherròtipo**, dal frc. *daguerréotype* e questo dal nome dell'inventore Louis Daguerre (1789-1851), col tema *typie* (v. -tipìa), dal gr. *týpos*.

**dàgli**, da *dà*, imperat. di *dare* e *gli*, pron. di terza pers. al caso dat. in forma atona.

**daino**, dal frc. ant. *dain*, lat. tardo *damus*, class. *damma*, prob. parola alpina prelatina.

**dalia**, dal lat. scient. *dahlia* e questo dal nome del botan. finlandese A. Dahl che importò la pianta dal Messico nel XVIII sec.

**dalmàtica**, dal lat. tardo (*vestis*) *dalmatĭca* ' veste originaria della Dalmazia '.

**daltonismo**, dal nome del fisico ingl. J. Dalton (1766-1844), che lo descrisse alla fine del XVIII secolo.

**dama**, dal frc. ant. *dame*, forma atona e abbreviata del lat. *domĭna* ' signora '; v. DONNA.

**damaschina**, incr. di frc. *damasquine* e it. *damaschino*; cfr. AMOSCINO.

**damaschino**, da *Damasco*, capitale della Siria.

**damasco**, da *Damasco*, capitale della Siria, ar. *Dimashq*.

**damerino**, doppio dimin. di *damo* (v.), cfr. OMARINO, con trattam. tosc. del gruppo *-ar-* atono passato a *-er-*.

**damiera**, da *dama* come nome di gioco (cfr. *scacchiera*).

**damigella**, dal frc. ant. *dameisele*, lat. *\*dominicella*, attrav. una tradiz. settentr. esageratamente corretta in Toscana col passaggio di *-se-* in *-ge-*.

**damigello**, da *damigella*.

**damigiana**, dal frc. *dame-jeanne* ' signora Giovanna ', nome scherzoso della damigiana personificata.

**damma** ' daino ', dal lat. *dam(m)a*, cfr. DAINO.

**damo**, da *dama*, con qualche ironia.

**danaro**, v. DENARO.

**danda**, sost. deverb. estr. da *dondolare*, incr. con i tipi fonosimbolici *dan.... dan*, di orig. onomatop.

**dandi**, dall'ingl. *dandy* (XIX sec.), vezzegg. di *Andrew* ' Andrea '.

**dannàbile**, dal lat. tardo *damnabĭlis*.

**dannare**, lat. *damnare*, verbo denom. da *damnum*.

**dannato**, part. pass. di *dannare*.

**dannazione**, dal lat. *damnatio, -onis*.

**danneggiare**, verbo denom. durativo da *danno*.

**danno**, lat. *damnum*, da DAP-NO- antichissima parola ideur., conservata con signif. divergenti nelle aree germanica, greca e armena, indicante la valutazione rituale e non ancora economica di un compenso o di una penitenza. Il valore orig. è quello di ' offerta sacrificale di cibi ', cfr. DAPE.

**dannoso**, dal lat. *damnosus*.

**dante** ' daino ', dallo sp. *dante*, estr. dalla formula *piel d'anta* ' pelo di *anta* ' e questo dall'ar. *lamţ* ' antilope ', inteso come *\*l'amţ* e cioè con l'*l* come articolo.

**dantesco**, da *Dante* (*Alighieri*).

**danza**, sost. deverb. estr. da *danzare*.

**danzare**, dal frc. ant. *dansier* e questo prob. dal franco *\*dintjan* ' muoversi qua e là ' o *danson* ' tirare '.

**dape** ' lauto cibo ', dal lat. *daps, dapis* ' cibo ', della stessa rad. di *damnum*; v. DANNO.

**dapìfero**, dal lat. tardo *dapĭfer*, comp. di *daps* ' cibo ', (v. DAPE) e *-fer* ' portatore '; v. -FERO.

**dappertutto**, da *da per tutto*.

**dappoco** e **da poco**, aggettivaz. del costrutto attributivo *da poco*.

**dardo**, dal frc. ant. *dard* e questo dal franco *\*darodh* alto ted. ant. *tart* ' lancia '.

**dare¹** (verbo), lat. *dare*, elemento fondam. del lessico ideur., dalla rad. DŌ, che indica il ' passaggio di possesso ', fissato comunemente nel ' dare ', ma, ad es. nell'area ittita, nel ' prendere '. Assente solo nelle aree celtica e germanica.

**dare²** (sost.), dal verbo *dare* sostantivato.

dàrsena, dall'ar. *dār-sinā'a* ' casa del lavoro ', attrav. il dialetto genov.

darvinismo, dal nome di Carlo Roberto Darwin (1809-1882) che ha elaborato la dottrina.

data, dal lat. medv. *data*, attrav. la formula *littera data* ' lettera data (al latore) '.

datare, verbo denom. da *data*.

datarìa, da *datario*, senza il passaggio tosc. di *-aratono* in *-er-*.

datario, dal lat. medv. *datarius* e questo da (*littera*) *data* ' colui che presiede alla datazione dei documenti pontifici '.

datismo (ripetizione), dal gr. *datismós*.

dativo, dal lat. *dativus*, calco sul gr. *dotiké* (*ptôsis*) ' (caso) del dare ».

dato (sost.), dal part. pass. di *dare*.

datore, dal lat. *dator, -oris*, nome d'agente di *dare*.

dàttero, lat. *dactȳlus* che è dal gr. *dáktylos* ' dito ' per la sua forma, attrav. mediaz. genov. che muta *-l-* in *-r-*.

dattìlico, dal lat. *dactylĭcus* che è dal gr. *daktylikós*.

dattilìfero, dal lat. scient. *dactȳlifer*, comp. di *dàctylus* ' dattero ' e *-fer* ' portatore '; v. -FERO.

dàttilo, dal lat. *dactȳlus* che è dal gr. *dáktylos* ' dito ', così chiamato per la somiglianza con le tre falangi centrali del dito.

dàttilo- e dàttilo, dal gr. *dáktylos* ' dito '.

dattilografìa, da *dattilo-* (v.) e *-grafia* ' scrittura '.

dattiloscritto, calco su *manoscritto*, con la sostituz. di *dàttilo-* a *mano*.

dattorno e d'attorno, da *da* di superficie e *attorno*.

dàtura (pianta solanacea), dall'indostano *dhatūrā*, attrav. il portogh. e il lat. scient. moderno.

davantale, da *davanti* col suff. aggettiv. *-ale*.

davanti, lat. *d(e) ab ante*, v. ANTE-.

davanzale, incr. di *davantale* (v.) e *avanzare*.

davvero e da vero, dalla locuzione predicativa *da vero*.

dazio, dal lat. medv. *datio*, nome d'azione di *dare*, mantenuto nella forma di nom.; cfr. DAZIONE.

dazione, dal lat. *datio, -onis*, nome d'azione di *dare*, regolarm. adattato secondo il tema dei casi obliqui; cfr. DAZIO.

de-, dal lat. *dē-*, attestato anche nell'area celtica, mentre in Italia, fuori del lat., ha solo la forma *da-*. In it. è: *a*) sottrattivo; *b*) negativo; *c*) talvolta anche durativo e conclusivo (cfr. DI); mentre in lat. è: *a*) ablativo ed estrattivo; *b*) sottrattivo-negativo; *c*) conclusivo-intensivo; v. DI-.

dea, dal lat. *dea*, femm. di *deus*, v. DIO e cfr. la variante DIVA.

deambulare, dal lat. *deambulare*, comp. di *de-* intens. e *ambulare* ' camminare '.

deambulatorio, dal lat. tardo *deambulatorius* (agg.), *deambulatorium* (sost.).

deaspirazione, da *de-* sottrattivo e *aspirazione*.

debbiare, verbo denom. da *débbio*.

debbio, lat. volg. *debŭlum*, parola di orig. leponzia attestata epigraficamente nella forma *debelis* della Tavola di Veleia (II sec. d. C.), risal. a una forma DHEGWHOLO- alternante con DHOGWHOLO- (da cui lat. *favulum* e da questo il dimin. *favilla*: cfr. FAVILLA): cioè « luogo bruciato ».

debellare, dal lat. *debellare* ' terminar la guerra ', da *bellum* (v. BÈLLICO) ' guerra ' col pref. *de-*, di valore conclusivo (cfr. *definire, defatigare* e v. DECOTTO).

debellatore, dal lat. *debellator, -oris*.

debellazione, dal lat. medv. *debellatio, -onis*.

debilità, dal lat. *debilĭtas, -atis*.

debilitare, dal lat. *debilitare*, verbo denom. intens. di *debĭlis*.

débito[1] (agg.), dal lat. *debĭtus, -a, -um*, part. pass. di *debere*; v. DOVERE.

débito[2] (sost.), dal lat. *debĭtum*, forma sostantiv. del part. pass. di *debere*.

debitore, dal lat. *debĭtor, -oris*, nome d'agente di *debeo*.

débole, dal lat. *debĭlis*, da *dē-* sottrattivo (cfr. DEMENTE) e *\*belom* ' forza ' incr. con gli agg. it. in *-évole* come *agévole*. *\*Belom* si conserva nelle aree celtica, slava e indiana.

deboscia, dal frc. *débauche*.

debosciato, dal frc. *débauché*.

debuttare, dal frc. *débuter* e questo da *but* ' segno, scopo ', nel senso di « eliminare il (primo) bersaglio » incr. con it. *buttare*.

debutto, dal frc. *début*, sost. deverb. estr. da *débuter*.

deca, dal lat. *decas* (gr. *dekás*) al caso nom.

deca-, dal gr. *déka* ' dieci '.

dècade, dal lat. *decas, -ădis* (che è dal gr. *dekás, -ádos*), dal tema dei casi obliqui.

decadente (sost.), dal frc. *décadent*.

decadentismo, dal frc. *décadentisme* e questo da *décadent* ' decadente '.

decadere, incr. del lat. *decidĕre* con *cadĕre* e del risultante *\*decadĕre* con it. *cadére*.

decaedro, comp. di *deca-* e di *-edro* (v.).

decaffeinizzare, da *caffeina* col pref. *de-* sottrattivo e il suff. *-izzare*.

decàgono, dal gr. *dekágōnon*, comp. di *deka-* ' dieci ' e *-gōnon*, estr. da *gōnía* ' angolo '.

decagrammo, da *deca-* e *grammo*.

decalaggio ' scalamento ', dal frc. *décalage*.

decalcare, dal frc. *décalquer*.

decalco, sost. deverb. da *decalcare*.

decalcomanìa, dal frc. *décalcomanie*, comp. di *décalquer* (v. DECALCARE) e *-manie*, dal gr. *manía*.

decàlitro, da *deca-* e *litro*.

decàlogo, dal lat. eccl. *decalŏgus* (gr. *dekálogos*, comp. di *déka* ' dieci ' e *lógos* ' discorso').

decàmetro, da *deca-* e *metro*.

decampare, dal frc. *décamper* ' levare il campo '.

decano, dal lat. tardo *decanus*, comandante di dieci unità.

decantare[1] ' esaltare ', dal lat. *decantare* ' recitare cantando ', comp. con un *de-* conclusivo; cfr. *definire, debellare, decrepitus*.

decantare[2] ' depositare ', dal lat. medv. *decanthare*, verbo denom. da *canthus* ' lato ', ' angolo ', nel senso di ' beccuccio di un recipiente ' con *de-* ablativo.

decapitare, dal lat. medv. *decapitare*, verbo denom. da *caput, -ĭtis* col pref. *de-* sottrattivo.

decàpodi, dal lat. scient. *decapoda*, dal gr. *déka* ' dieci ' e *pūs podós* ' piede '.

decappottare, dal frc. *décapoter*, incr. con it. *cappotto* e *de-* sottrattivo.

decarburare, verbo denom. da *carburo* col pref. *de-* sottrattivo.

decasìllabo, dal lat. tardo *decasyllăbus* (gr. *dekasýllabos*, comp. di *déka* ' dieci ' e *syllabé* ' sillaba ').

**decastero,** da *deca-* e *stero*.

**decàstilo,** dal gr. *dekástylos*, comp. di *déka* 'dieci' e *stýlos* 'colonna'.

**decèdere** 'morire', dal lat. *decedĕre* 'andar via', comp. di *de-* abl. e *cedĕre*; v. CÈDERE.

**deceduto,** part. pass. di *decèdere*; v. CEDUTO e cfr. DECESSO.

**decelerazione,** calco su *accelerazione* (v.) con la sostituz. del pref. *de-* sottrattivo a *a(d)-*.

**decemvirale,** dal lat. *decemviralis*.

**decemvirato,** dal lat. *decemviratus, -us*.

**decèmviro,** dal lat. *decemvir, -vĭri*, estr. dal plur. *decemvĭri*, comp. di *decem* 'dieci' e *viri* 'uomini'.

**decennale,** dal lat. *decennalis*, deriv. di *decennis* 'decenne'.

**decenne,** dal lat. *decennis*, comp. del suff. aggettiv. *-is, decem* 'dieci', *annus* 'anno', con norm. apofonia di *-ă-* in *-ĕ-* in sill. interna chiusa.

**decennio,** dal lat. *decennium*, der. da *decennis*; v. DECENNE.

**decente,** dal lat. *decens, -entis*, part. pres. di *decet* 'è conveniente'; v. DEGNO.

**decentrare,** verbo denom. da *centro* col pref. *de-* sottrattivo.

**decenza,** dal lat. *decentia*, astr. di *decens*; v. DE-CENTE, DEGNO.

**decesso,** dal lat. *decessus, -us* 'partenza', astr. di *decedĕre* col norm. suff. *-tu-* (da *\*deced-tu-s*).

**deci-,** estr. dal lat. *decimus*, attrav. il frc. della fine del sec. XVIII, in seguito alla introduz. del sistema metrico decimale.

**decìdere,** lat. *decīdĕre* 'togliere via', da *de* ablativo e *caedĕre*, con norm. apofonia di *-ae-* in *-ī-* in sill. interna.

**decìduo,** dal lat. *decidŭus*, da *de* e *cadĕre* 'che cade giù', con norm. apofonia di *-ă-* in *-ĭ-* in sill. interna aperta. La formaz. in *-ŭus* è quella ben nota di *assidŭus, continuus, perspicuus, praecipuus*; cfr. CEDUO.

**decifrare,** verbo denom. da *cifra* col pref. *de-* sottrattivo.

**decigrammo,** comp. di *deci-* e *grammo*.

**decìlitro,** comp. di *deci-* e *litro*.

**dècima,** femm. sostantiv. di *dècimo*, in senso eccl., dal lat. *decima (pars)* 'decima (parte)'.

**decimale,** deriv. da *decimo*, calco sul frc. *décimal* (1793).

**decimare,** dal lat. *decimare*, verbo denom. da *decĭmus* 'decimo'.

**decimazione,** dal lat. *decimatio, -onis*.

**decìmetro,** da *deci-* e *metro*.

**decimillìmetro,** da *deci-* e *millimetro*.

**dècimo,** dal lat. *decĭmus*, da *decem* 'dieci', risal. a una forma DEKEMO-, conservata nell'area indo-iranica, ampliato nelle aree celtica, germanica, baltica, greca, osco-umbra; cfr. il nome loc. *Diè-cimo* (Lucca) regolarm. dittongato, perché di tradiz. ininterrotta.

**decisione,** dal lat. *decisio, -onis*, nome d'azione di *decidĕre* 'tagliar via'; v. DECÌDERE.

**decistero,** da *deci-* e *stero*.

**declamare,** dal lat. *declamare*, comp. di *clamare* 'gridare' e *de-* intens.

**declamatore,** dal lat. *declamator, -oris*.

**declamatorio,** dal lat. *declamatorius*.

**declamazione,** dal lat. *declamatio, -onis*.

**declaratorio,** dal lat. *declarare*, verbo denom. da *clarus* col pref. *de-* conclusivo, e quindi 'render chiaro'; cfr. DICHIARARE.

**declassare,** dal frc. *déclasser* (XIX sec.).

**declinàbile,** dal lat. *declinabĭlis*.

**declinare,** dal lat. *declinare*, comp. di *clinare* 'chinare' e il pref. *de-* ablat., che arriva ad indicare l'uscita dalla via giusta e quindi nel senso grammat., risal. a un calco sul gr. *ekklínein* « inclinar fuori (dal caso normale) »; cfr. CHINARE.

**declinazione,** dal lat. *declinatio, -onis*, in parte calco sul gr. *ékklisis*.

**declino,** sost. deverb. estr. da *declinare*.

**declive,** dal lat. *declivis*, comp. di *de-* sottrattivo e *clivus*, opposto di *acclivis* che ha *a(d)-* allativo; v. CLIVO e A-².

**declività,** dal lat. *declivĭtas, -atis*.

**decollaggio,** dal frc. *décollage* (XX sec.) 'lo scol-larsi', 'il distaccarsi'.

**decollare¹** 'decapitare', dal lat. *decollare*, verbo denom. da *collum* 'collo' con *de-* sottrattivo.

**decollare²** 'staccarsi da terra', dal frc. *décoller* 'scollarsi, distaccarsi'.

**decollazione,** dal lat. tardo *decollatio, -onis*.

**decollo,** sost. deverb. estr. da *decollare²*.

**decolorare,** dal lat. *decolorare*, verbo denom. da *color, -oris* 'colore' col pref. *de-* sottrattivo.

**decolorazione,** dal lat. *decoloratio, -onis*.

**decomporre,** incr. del lat. tardo *decompo(sĭtus)* 'decomposto' con l'it. *comporre*.

**decomposizione,** nome d'azione del verbo *decomporre*, tratto dal part. pass. lat. tardo *decomposĭtus*.

**decompressione,** da *compressione* col pref. *de-* di negazione.

**decongelare,** da *congelare* col pref. *de-* negat.

**decongestionare,** da *congestionare* col pref. *de-* negat.

**decorare,** dal lat. *decorare*, verbo denom. da *decorus* 'elegante', 'decoroso'.

**decorazione,** dal lat. *decoratio, -onis*.

**decoro¹** (agg.), dal lat. *decorus*, incr. dell'agg. *decor, -ŏris* e l'astr. *decor, -ŏris*; v. DECOROSO.

**decoro²** (sost.), dal lat. *decorum*, forma neutra dell'agg. *decorus*.

**decoroso,** dal lat. *decorosus* e questo da *decor, -oris*, astr. di *decet*; v. DECENTE, DEGNO.

**decorrendo** 'che deve decorrere', da erronea applicazione del suff. *-endo* di partic. fut. passivo, che può essere applicato solo a verbi transitivi.

**decórrere,** dal lat. *decurrĕre* 'correre via', con *de-* di provenienza, da cui deriva progressione e intensità dell'azione.

**decorso,** dal lat. *decursus, -us*, astr. di *decurrĕre*.

**decotto,** dal lat. *decoctus* 'cotto completamente', part. pass. di *decoquĕre*, comp. di *coquĕre* e *de-* conclusivo; cfr. DEBELLARE.

**decozione,** dal lat. tardo *decoctio, -onis*, nome di azione di *decoquĕre* 'cuocere completamente'.

**decremento,** dal lat. *decrementum*, deriv. di *decre-scĕre* 'diminuire'.

**decrèpito,** dal lat. *decrepĭtus* 'che si è screpolato completamente', preso da immagine di agricoltori relativa agli alberi 'più che vecchi' e trasferito alle rughe; cfr. il valore conclusivo di *de-* in *debellare, definire, decoquĕre, decernĕre, decurtare*.

**decrescendo,** gerundio event. sostantivato di *decréscere*.

**decrescenza,** dal lat. *decrescentia.*

**decréscere,** dal lat. *decréscere,* comp. di *créscere* e *de-* sottrattivo-negativo.

**decretale,** dal lat. tardo (*epistŭla*) *decretalis* « (lettera) contenente decreti ».

**decretalista,** dal lat. medv. *decretalista* ' addetto alle (lettere) decretali '.

**decretare,** dal lat. medv. *decretare,* verbo denom. da *decretum.*

**decreto,** dal lat. *decretum,* part. pass. del sistema di *decérnere* ' deliberare ', comp. di *cérnere* ' distinguere ' e *de-*conclusivo; cfr. CÈRNERE e v. DISCRETO.

**decùbito,** dal lat. *decubĭtus, -us,* astr. di *decumbĕre* ' giacere ', comp. di *-cumbĕre* con *de-* conclusivo; cfr. INCOMBERE.

**decumano,** dal lat. *decumanus,* deriv. di *decŭmus,* forma arc. di *decĭmus* ' decimo '; v. DÈCIMO.

**decuplicare,** calco su *duplicare,* con la introduz. di *decu-,* incr. di *decem-* e *du-* al posto di *du-.*

**dècuplo,** dal lat. tardo *decŭplus,* incr. di *decem-* e *duplus.*

**decuria,** dal lat. *decuria,* astr. di *decŭres* ' decurioni ' e cioè « (comandanti) di un gruppo di dieci », deriv. di *decem* con un suff. moltiplicativo in *-r-* noto nelle aree baltica, celtica e tocaria, v. CENTURIA incr. con i tipi in *du-, quadru-.*

**decurionato,** dal lat. *decurionatus, -us.*

**decurione,** dal lat. *decurio, -onis,* deriv. da *decuria,* secondo il rapporto *centuria; centurio, -onis.*

**decurtare,** dal lat. *decurtare,* verbo denom. da *curtus* (v. CORTO) e pref. *de-* conclusivo.

**decurtazione,** dal lat. tardo *decurtatio, -onis.*

**decussare,** dal lat. *decussare,* verbo denom. da *decussis* ' moneta romana di dieci assi ', da *decem* ' dieci ' e *as assis* ' asse ', incr. con i comp. in *du-, quadru-.*

**dedàleo,** dal lat. *daedaleus* che è dal gr. *daidáleos* ' di Dedalo '.

**dèdalo,** dal frc. *dédale* (XVII sec.) e questo dal lat. *Daedălus* che è dal gr. *Daídalos,* il mitico costruttore del labirinto di Creta.

**dèdica,** sost. deverb. estr. da *dedicare.*

**dedicare,** dal lat. *dedicare,* comp. di *de-* conclusivo e *dicare,* intensivo-durativo di *dìcere* (v. DIRE), come *occupare* è intensivo-durativo di *capĕre.*

**dedicatore,** dal lat. *dedicator, -oris.*

**dedicazione,** dal lat. *dedicatio, -onis.*

**dèdito,** dal lat. *dedĭtus,* part. pass. di *dedĕre* ' dare senza condizioni ', comp. di *dare* e di *de-* conclusivo, con norm. apofonia di *-ă-* in *-ĕ-* in sill. interna dav. a *r. Dedĭtus* risulta da *\*de-dătus* con norm. passaggio di *-ă-* in *-ĭ-* in sill. interna aperta.

**dedizione,** dal lat. *deditio, -onis,* anticam. *\*dedatio, -onis,* nome d'azione di *dedĕre,* con norm. passaggio di *-ă-* in *-ĭ-* in sill. interna aperta.

**deducibile,** dal lat. *deducĕre* col suff. it. *-ibile,* di agg. verbale passivo.

**dedurre,** incr. di lat. *deducĕre* ' detrarre ', comp. di *ducĕre* con *de-* sottrattivo, e it. (*con*)*durre* (v.).

**deduttivo,** dal lat. tardo *deductivus,* agg. deriv. da *deductus,* part. pass. di *deducĕre.*

**deduttore,** dal lat. *deductor, -oris,* nome d'agente di *deducĕre.*

**deduzione,** dal lat. *deductio, -onis,* nome d'azione di *deducĕre.*

**defalcare,** dal lat. medv. *defalcare* ' tagliare con la falce ', verbo denom. da *falx* ' falce ' con *de-* conclusivo; cfr. DIFFALCARE.

**defalco,** sost. deverb. da *defalcare.*

**defatigare,** dal lat. *defatigare,* comp. di *fatigare* ' affaticare ' e *de-* conclusivo; cfr. *debellare, decrepĭtus,* ecc.

**defecare,** dal lat. *defaecare* ' toglier la feccia ', verbo denom. da *faex faecis* 'feccia' col pref. *de-* sottratt.

**defecazione,** dal lat. tardo *defaecatio, -onis.*

**defedare** ' danneggiare fisicamente ', verbo denom. dal lat. *foedus* ' brutto ' col pref. it. *de-* di valore conclusivo. Lat. *foedus* è privo di connessioni attendibili.

**defenestrare,** dal lat. moderno (1618) *defenestrare,* coniato in occasione degli avvenimenti di Praga, quando gli insorti gettarono dalla finestra i commissarî imperiali; verbo denom. da *fenestra* con *de-* estrattivo.

**defenestrazione,** dal lat. moderno (1618) *defenestratio,* coniato insieme al precedente.

**defensionale,** dal lat. tardo *defensionalis,* agg. deriv. da *defensio, -onis,* nome d'azione di *defendĕre.*

**deferente,** part. pres. di *deferire,* come termine medico dal lat. *defĕrens, -entis.*

**deferire,** dal lat. *deferre,* con *de-* conclusivo, incr. con it. (*off*)*rire.*

**defervescenza** ' caduta della febbre ', dal lat. *defervescĕre* incr. con it. *effervescenza.*

**defettìbile,** dal lat. tardo *defectibĭlis* ' che può cadere in difetto ', agg. verb. tratto da *defectus,* part. pass. di *deficĕre;* v. DEFICIENTE e DEFEZIONE.

**defezionare,** incr. del frc. *défectionner* e it. *defezione.*

**defezione,** dal lat. *defectio, -onis,* nome d'azione di *deficĕre,* comp. di *facĕre* con *de-* sottrattivo e la norm. apofonia di *-ă-* in sill. interna: in *-ĕ-* quanto questa sia chiusa, in *-ĭ-* quando sia aperta.

**deficiente,** dal lat. *deficiens, -entis,* part. pres. di *deficĕre;* v. DEFEZIONE.

**dèficit,** dal lat. *defĭcit* ' manca ', terza pers. sg. del pres. indic. di *deficĕre.*

**defilare,** dal frc. *défiler* propr. ' sfilare ', ' sottrarre alla fila '.

**definire,** dal lat. *definire* ' limitare ', verbo denom. da *finis* ' confine ' con *de-* conclusivo; cfr. *debellare, decoquĕre.*

**definitivo,** dal lat. *definitivus* ' che definisce ' (calco sul gr. *dioristikós*), ampliam. di *definitus,* part. pass. di *definire.*

**definitore,** dal lat. tardo *definitor, -oris.*

**definizione,** dal lat. *definitio, -onis.*

**defissione**[1] (distacco), calco su (*af*)*fissione* con *de-* sottrattivo.

**defissione**[2] (pratica magica), dal lat. *defixio, -onis,* nome d'azione di *defigĕre.*

**deflagrare,** dal lat. *deflagrare,* comp. di *flagrare* ' ardere ' e *de-* conclusivo.

**deflagrazione,** dal lat. *deflagratio, -onis.*

**deflazione,** dal frc. *déflation* e questo dall'ingl. *deflation,* calco su *inflation,* dal lat. *inflatio, -onis* ' rigonfiamento ' con la sostituz. del pref. illativo *in* col sottrattivo *de-,* e perciò ' sgonfiamento '.

**deflessione,** dal lat. tardo *deflexio, -onis,* nome di azione di *deflectĕre.*

**deflèttere,** dal lat. *deflectĕre* ' piegare da ', comp. di *flectĕre* e *de-* estrattivo.

**deflorare,** dal lat. tardo *deflorare,* verbo denom. da *flos floris* col pref. *de-* sottrattivo.

**deflorazione,** dal lat. tardo *defloratio, -onis.*

**defluire,** incr. di lat. *defluĕre,* comp. di *fluĕre* e *de-* di provenienza, con it. *fluire.*

**dèfluo** ' che scorre in giù ', dal lat. *deflŭus.*

**deflusso,** dal lat. *defluxus, -us,* astr. di *defluĕre.*

**deformare,** dal lat. *deformare,* verbo denom. da *forma* col pref. *de-* sottrattivo.

**deformazione,** dal lat. *deformatio, -onis.*

**deforme,** dal lat. *deformis,* da *forma* con *de-* sottrattivo-negativo « privato di forma ».

**deformità,** dal lat. *deformĭtas, -atis.*

**defraudare,** dal lat. *defraudare,* verbo denom. da *fraus* ' frode ' e *de-* conclusivo; v. DEBELLARE.

**defraudatore,** dal lat. tardo *defraudator, -oris.*

**defraudazione,** dal lat. tardo *defraudatio, -onis.*

**defunto,** dal lat. *defunctus (vita)* ' che ha compiuto il tempo della vita ', part. pass. di *defungi,* comp. di *fungi* ' condurre a termine, compiere ' col pref. *de-* conclusivo; v. FÙNGERE.

**degenerare,** dal lat. *degenerare,* verbo denom. da *genus, -ĕris* col pref. *de-* sottrattivo.

**degenerazione,** dal lat. tardo *degeneratio, -onis.*

**degènere,** dal lat. *degĕner, -eris,* calco sul gr. *agenĕs* incr. con *degenerare.*

**degente,** dal lat. *degens, -entis,* part. pres. di *degĕre* ' passar la vita ', comp. di *agĕre* col pref. *de-* conclusivo; v. DEBELLARE.

**deglutinazione,** calco su *agglutinazione,* con sostituz. del pref. *de-* sottrattivo ad *a(d)-.*

**deglutire,** dal lat. tardo *deglut(t)ire,* comp. di *glu(t)ire* ' inghiottire ' e *de-* conclusivo.

**deglutizione,** dal lat. tardo *deglutitio, -onis;* v. INGHIOTTIRE, GHIOTTO, INGLUVIE.

**degnare,** lat. *dignare,* verbo denom. da *dignus* ' giudicar degno '.

**degnazione,** dal lat. *dignatio, -onis.*

**degno,** lat. *dignus,* ant. *dec-nos,* agg. in *-no-* della rad. DEK' di *decet* ' è conveniente ', che si ritrova nelle aree greca e indiana; cfr. DECORO.

**degradare,** dal frc. *dégrader* e questo dal lat. tardo *degradare,* verbo denom. da *gradus* ' scalino ' col pref. *de-* di provenienza e discesa; cfr. DIGRADARE.

**degradazione,** dal lat. tardo *degradatio, -onis.*

**degustare,** dal lat. *degustare,* verbo denom. da *gustus* ' assaggio, sapore ' col pref. *de-* conclusivo.

**degustazione,** dal lat. tardo *degustatio, -onis.*

**deh,** forse lat. *dee,* vocat. di *deus* ' dio '.

**deicida,** dal lat. tardo *deicida,* calco su *homicida,* con la sostituz. di *dei-* a *homi-.*

**deiezione,** dal lat. *deiectio, -onis,* nome d'azione di *deicĕre* ' gettar giù ', comp. di *iacĕre* e il pref. *de-,* di provenienza e discesa, con norm. apofonia di *-iă-* in *-ĭ-* in sill. interna aperta e in *-iĕ-* in sill. interna chiusa; cfr. GETTARE.

**deificare,** dal lat. tardo *deificare,* comp. di *deus* e il tema di verbo denominativo-causativo *-ficare,* tratto dagli agg. in *-ficus.*

**deificazione,** dal lat. tardo *deificatio, -onis.*

**deiforme,** dal lat. medv. *deiformis,* da *deus* e *-formis* ' che ha forma di '.

**deìpara,** dal lat. crist. *deipăra,* comp. di *deus* e del tema di *parĕre* ' partorire '; v. PARTO.

**deiscente,** dal lat. *dehiscens, -entis,* part. pres. di *dehiscĕre* ' spalancarsi ', comp. di *de-* conclusivo e *hiscĕre* incoat. di *hiare* ' essere a bocca aperta ', che è da una rad. GHIYĀ, v. IATO.

**deismo,** dal frc. *déisme.*

**deità,** dal lat. tardo *deĭtas, -atis.*

**delatore,** dal lat. *delator, -oris,* nome d'agente nel sistema del verbo *deferre* ' portare a qualcuno, affidare a qualcuno '; cfr. LATORE.

**delazione,** dal lat. *delatio, -onis,* nome d'azione nel sistema del verbo *deferre.*

**delèbile,** dal lat. *delebĭlis* ' che si può cancellare ', da *delere* ' cancellare, distruggere '. *Delere* sembra comp. di *de-* sottrattivo-negativo e *\*oleo* causativo di *alĕre* ' alimentare '; v. ALUNNO, ABOLIRE, ALTO, ADULTO.

**dèlega,** sost. deverb. estr. da *delegare.*

**delegare,** dal lat. *delegare,* comp. di *de-* conclusivo e *legare* ' mandare con un compito ', verbo denom. da *lex legis* ' legge '; v. LEGGE.

**delegazione,** dal lat. *delegatio, -onis.*

**deleterio,** dal lat. medv. (scuola salernitana) *deleterium* ' ciò che è nocivo ' e questo dal gr. *delētérios* ' nocivo ', deriv. indirettam. da *dēléomai* ' danneggio '.

**delfino**[1] (animale), lat. *delphinus* che è dal gr. *delphis, -inos.*

**delfino**[2] (principe), dal frc. *dauphin* incr. con *delfino* (attrav. *\*dalfino).*

**delibare,** dal lat. *delibare* ' intaccare ', comp. di *de-* sottrattivo e *libare* ' prendere qualcosa (per offrirla agli dèi) '; v. LIBARE.

**delibazione,** dal lat. *delibatio, -onis.*

**delibera,** sost. deverb. estr. da *deliberare.*

**deliberare,** dal lat. *deliberare,* comp. di *de-* conclusivo e *liberare* ' liberare ', nel senso di ' mettere in esecuzione '.

**deliberativo,** dal lat. *deliberativus.*

**deliberatore,** dal lat. *deliberator, -oris.*

**deliberazione,** dal lat. *deliberatio, -onis.*

**delicato,** dal lat. *delicatus,* part. pass. di *\*delicare,* intensivo-durativo di *delicĕre* ' sedurre ', comp. di *de* e *lacĕre;* cfr. LACCIO.

**delimitare,** dal lat. tardo *delimitare,* verbo denom. da *limes, -ĭtis* con *de-* conclusivo.

**delimitazione,** dal lat. tardo *delimitatio, -onis.*

**delineare,** dal lat. *delineare,* verbo denom. da *linea* con *de-* conclusivo.

**delineazione,** dal lat. tardo *delineatio, -onis.*

**delinquente,** part. pres. di *delinquere.*

**delinquenza,** dal lat. tardo *delinquentia* ' delitto '.

**delinquere** « sottrarsi al (dovere) », da *linquĕre* ' tralasciare ' e *de-* sottrattivo. *Linquĕre* appartiene alla rad. LEIKʷ ' lasciare ', con infisso nasale come nell'area indo-iranica e la voc. tematica come nel gr. *leipō* ' io lascio '. Altre corrispond. importanti si trovano nelle aree baltica e armena e, con forte impronta economica, nella germanica, v. ted. *leihen* ' prestare '.

**deliquescente,** dal lat. *deliquescens, -entis,* part. pres. di *deliquescĕre* ' liquefarsi ', comp. di *de-* conclusivo e *liquescĕre,* incoat. di *liquĕre* ' esser liquido '.

**deliquio,** dal lat. *deliquium* « venir meno (con la sensibilità) », da *delinquĕre;* v. DELÌNQUERE.

**delirare,** dal lat. *delirare,* verbo denom. da *lira* ' solco ' e *de-* di provenienza: « uscire dal solco ».

**delirio,** dal lat. tardo *delirium,* sost. deverb. estr. da *delirare.*

**delitescenza** (alterazione di sostanze cristalline), astr. derivato dal lat. *delitescĕre,* verbo incoat. di *latere* (v. LATENTE) col pref. *de-* conclusivo.

**delitto,** dal lat. *delictum,* neutro sostantiv. di *delictus,* part. pass. di *delinquère;* v. DELINQUERE.

**delittuoso,** incr. di *\*delittoso* con gli agg. del tipo *fruttuoso,* che risalgono a temi sostantiv. lat. della quarta declinaz. (nom. *-us,* genit. *-us*), quasi discendesse da *\*delictus, -us,* astr. di *delinquère,* come ad es. *relictus, -us,* documentato presso Aulo Gellio.

**delizia,** dal lat. *deliciae, -arum,* astr. di *delicère* 'dilettare', comp. di *de-* conclusivo e *lacio* 'allettare', con norm. apofonia di *-ă-* in *-ĭ-* in sill. interna aperta; cfr. *reliquiae* e v. DILETTARE, LEZIO e LACCIO: da una rad. LAKW.

**deliziare,** verbo denom. da *delizia.*

**delizioso,** dal lat. tardo *deliciosus* incr. con it. *delizia*

**delta¹** (alfabeto), dal gr. *délta.*

**delta²** (geogr.) dal gr. *délta* per la sua forma triangolare.

**deltòide,** dal gr. *deltoeidés,* comp. di *délta* (segno alfab.) e *-eidés* 'che ha aspetto di'.

**delubro,** dal lat. *delubrum,* e questo tratto dall'immagine dell'acqua purificatrice scorrente davanti al tempio: nome di strum. da *\*deluère,* comp. di *\*luère* e *de-* sottrattivo, opposto a *polluère;* v. POLLUZIONE.

**delucidare,** dal lat. *delucidare,* comp. di *dis-* e *lucidare,* incr. con *ēlucidare* (in senso figur.).

**delucidazione,** dal lat. tardo *dilucidatio, -onis,* incr. con *ēlucidare.*

**delùdere,** dal lat. *deludĕre* 'prendersi gioco', da *ludĕre* col pref. *de-* sottrattivo.

**delusione,** dal lat. tardo *delusio, -onis,* nome di azione di *deludĕre.*

**deluso,** part. pass. di *delùdere,* dal lat. *delusus.*

**delusore,** dal lat. tardo *delusor, -oris,* nome di agente di *deludĕre.*

**demagogìa,** dal gr. *dēmagōgía* 'capacità e potere di guida attribuito al popolo', comp. di *dēmos* 'popolo' e *-agōgía,* tema tratto da *ágō* 'conduco'.

**demagògico,** dal gr. *dēmagōgikós.*

**demagogo,** dal gr. *dēmagōgós.*

**demandare,** dal lat. *demandare,* comp. di *mandare* 'affidare' e *de-* conclusivo.

**demanio,** dal frc. ant. *demaine,* lat. *dominium* 'proprietà'.

**demarcare,** verbo denom. estr. da *demarcazione.*

**demarcazione,** dal frc. *démarcation* (XIX sec.) e questo dallo sp. *demarcación.*

**demarco,** dal gr. *dēmarkhos,* comp. di *dēmos* 'popolo' e del tema del verbo *árkhō* 'comando'.

**demaschiare,** verbo denom. da (*sughero*) *maschio* col pref. *de-* sottrattivo.

**demente,** dal lat. *demens, -entis,* comp. di *dē-* sottrattivo e *mens* 'mente'; cfr. *debilis,* v. DÉBOLE.

**demenza,** dal lat. *dementia.*

**demeritare,** dal frc. *démériter* (XVI sec.).

**demèrito,** sost. deverb. estr. da *demeritare.*

**demiurgo,** dal lat. *demiurgus,* gr. *dēmiūrgós* (da *dēmios* 'popolare' e *-ergós,* tema equival. a 'operatore', 'lavoratore pubblico'; cfr. *érgon* 'lavoro'.

**demo, demo-,** dal gr. *dēmos.*

**democràtico,** dal gr. *dēmokratikós.*

**democratizzare,** dal frc. *démocratiser* (XIX sec.).

**democrazìa,** dal gr. *dēmokratía,* comp. di *dēmos* 'popolo' e *-kratía,* tema estr. da *kratéō* 'esercito il potere'; cfr. ARISTOCRAZÌA.

**demografia,** comp. di *demo-* e *-grafìa* (v.).

**demolire,** dal lat. *demoliri,* comp. di *de-* conclusivo e *moliri* 'smuovere, abbattere'; v. MOLE.

**demolizione,** dal lat. *demolitio, -onis.*

**demologìa,** abbreviaz. di *demo(psico)logìa* 'psicologia popolare' e cioè « collettiva ».

**demoltiplica,** sost. deverb. da *demoltiplicare.*

**demoltiplicare,** da *de-* sottrattivo-negativo e *moltiplicare.*

**dèmone,** dal lat. *daemon, -ŏnis,* che è dal gr. *daímōn, -onos.*

**demonetizzare,** dal frc. *démonétiser* (XVIII sec.).

**demonìaco,** dal lat. tardo *daemoniăcus.*

**demonio,** dal lat. tardo *daemonium,* che è dal gr. *daimónion,* neutro di *daimónios* « appartenente a divinità (*daímōn*) ».

**demonolatria,** da *dèmone* e *-latrìa.*

**demonologìa,** da *dèmone* e *-logia.*

**demonomanìa,** da *dèmone* e *manìa.*

**demoralizzare,** dal frc. *démoraliser* (XVIII sec.).

**demoralizzazione,** dal frc. *démoralisation.*

**demorfinizzare,** verbo denom. da *morfina* col pref. *de-* sottrattivo.

**demòtico,** dal gr. *dēmotikós,* agg. di *demótēs* 'popolare' e questo da *dēmos* 'popolo'.

**demulcente** 'emolliente', dal lat. *demulcens, -entis,* comp. di *mulcere* con *de-* conclusivo; v. MÓLCERE.

**denaro,** dal lat. (*nummus*) *denarius* « (moneta) del valore di dieci assi ». Trasmessa talvolta con assimilaz. di *e* ad *a* (*danaro*) e col sg. rifatto sul plur. *-ri,* mentre il sg. tosc. originale, conservato solo in testi arcaici, è *denaio, danaio.*

**denasalizzare,** verbo denom. da *nasale* e *de-* sottrattivo col suff. di verbo denom. *-izzare.*

**denatalità,** dal frc. *dénatalité.*

**denaturare,** dal frc. *dénaturer,* propriam. « snaturare ».

**dendràgata,** dal lat. *dendrachates* 'agata muschiosa', risal. a gr. *déndron* 'albero' e *akhátēs* 'agata', incr. con it. *àgata.*

**denegare,** dal lat. *denegare,* comp. di *de-* conclusivo e *negare.*

**denicotinizzare,** verbo denom. da *nicotina* col suff. di verbo denom. *-izzare* e il pref. sottrattivo *de-.*

**denigrare,** dal lat. *denigrare,* verbo denom. da *niger* 'nero' con *de-* conclusivo (cfr. DEFATIGARE) e perciò letteralmente « annerire ».

**denigrazione,** dal lat. tardo *denigratio, -onis* 'annerimento'.

**denominare,** dal lat. *denominare,* comp. di *de-* conclusivo e *nominare,* verbo denom. da *nomen, -ĭnis.*

**denominativo,** dal lat. tardo *denominativus.*

**denominatore,** dal lat. tardo *denominator, -oris.*

**denominazione,** dal lat. tardo *denominatio, -onis.*

**denotare,** dal lat. *denotare,* comp. di *de-* conclusivo e *notare;* v. NOTARE².

**densimetro,** comp. di *denso* e *-metro.*

**densità,** dal lat. *densĭtas, -atis.*

**denso,** dal lat. *densus,* da un primitivo DƝSU-, con connessioni importanti, anche se non del tutto precise, nelle aree ittita, albanese, greca (p. es. gr. *dasýs* 'denso').

**dentale¹** (agg.), da *dente.*

**dentale²** (sost.), dal lat. tardo *dentale,* class. *dentalia, -um* (solo plur.).

**dentario,** dal lat. tardo *dentarius.*

**dentato**, lat. *dentatus*.

**dente**, lat. *dens, dentis*, superstite part. aoristo di una rad. ED, alternante con D- e significante 'masticare' (cfr. EDACE). Questa forma antichissima di aoristo è attestata nella forma di part. e con diversi gradi di alternanza anche nelle aree celtica, baltica, indiana, greca (v. ODONTO-), germanica (ingl. *tooth*, ted. *Zahn*).

**dentello**, dimin. di *dente*.

**dèntice**, lat. *dentex, -icis*, deriv. da *dens, dentis*.

**dentifricio**, dal lat. *dentifricium*, comp. di *dens* 'dente' e *-fricium*, tema estr. da *fricare* 'strofinare'; v. FREGARE.

**dentizione**, dal lat. *dentitio, -onis*, nome d'azione di *dentire* a sua volta verbo denom. da *dens, dentis*.

**dentro**, lat. *de (i)ntro*; v. ENTRO.

**denudare**, dal lat. *denudare*, comp. di *de-* conclusivo e *nudare*, verbo denom. da *nudus*.

**denuncia**, sost. deverb. estr. da *denunciare*.

**denunciare**, dal frc. *dénoncer*.

**denunziatore**, dal lat. *denuntiator, -oris*.

**denutrito**, da *nutrito* con *de-* sottrattivo-negativo.

**denutrizione**, dal frc. *dénutrition*.

**deodorante**, da *odorare* col pref. *de-* sottrattivo.

**deontologìa**, dall'ingl. *deontology* (XIX sec.) e questo dal gr. *déon, déontos* 'il dovere' (part. pres. di *deî* 'bisogna') e l'astr. di *lógos* 'discorso'; cfr. -LOGÌA.

**deostruire**, da *ostruire* con *de-* estrattivo.

**depauperare**, dal lat. *pauperare* 'impoverire' con *de-* conclusivo; v. POVERO.

**depennare**, verbo denom. da *penna* col pref. *de-* conclusivo; v. PENNA.

**deperire**, dal lat. *deperire* 'andare in rovina', comp. di *perire* e *de-* conclusivo; v. PERIRE.

**depilare**, dal lat. *depilare*, verbo denom. da *pilus* 'pelo' e *de-* sottrattivo; v. PELO.

**deploràbile**, dal lat. tardo *deplorabilis*.

**deplorare**, dal lat. *deplorare*, comp. di *plorare* 'piangere' e *de-* conclusivo; v. PLORARE e cfr. DEPLORÉVOLE.

**deplorazione**, dal lat. *deploratio, -onis*.

**deplorévole**, dal lat. *deplorabilis*, incr. con gli agg. it. in *-évole*; cfr. *lodàbile* e *lodévole*.

**deponente**, part. pres. nel sistema di *deporre*, dal lat. *deponens, -entis*, part. pres. di *deponère*. Come termine grammat., calco sul gr. *apothetikón (rhêma)* «(discorso) messo da parte».

**deporre**, lat. *deponère*, comp. di *de-* estrattivo e *ponère*, incr. con it. *porre* (v.).

**deportare**, dal lat. *deportare* 'portar via', comp. di *de-* e *portare* (v.).

**deportazione**, dal lat. *deportatio, -onis*.

**deporto**, dal frc. *déport* calco su *report*, con la sostituz. del *dé-* sottrattivo al *re-* ripetitivo.

**depositario**, dal lat. tardo *depositarium*, deriv. di *depositum* 'deposito'.

**depòsito**, dal lat. *depositum*, forma neutra di *depositus*, part. pass. di *deponère*; v. POSTO.

**deposizione**, dal lat. *depositio, -onis*, nome d'azione del verbo *deponère*.

**depravare**, dal lat. *depravare*, verbo denom. da *pravus* 'perverso' col pref. *de-* conclusivo; v. PRAVO.

**depravatore**, dal lat. tardo *depravator, -oris*.

**depravazione**, dal lat. *depravatio, -onis*.

**deprecàbile**, dal lat. tardo *deprecabilis*.

**deprecare**, dal lat. *deprecari*, comp. di *precari* e *de-* conclusivo-intensivo; v. PREGARE.

**deprecativo**, dal lat. tardo *deprecativus*.

**deprecazione**, dal lat. *deprecatio, -onis*.

**depredare**, dal lat. tardo *depraedari*, da *praedari* con *de-* conclusivo-intensivo; v. PREDA.

**depredatore**, dal lat. tardo *depraedator, -oris*.

**depredazione**, dal lat. tardo *depraedatio, -onis*.

**depressione**, dal lat. *depressio, -onis*, nome d'azione di *deprimère*.

**depresso**, part. pass. di *deprimere*, dal lat. *depressus*; v. PRESSO.

**deprezzare**, dal lat. tardo *depretiare*, verbo denom. da *pretium* 'prezzo' e *de-* sottrattivo; v. PREZZO.

**deprimere**, dal lat. *deprimère*, comp. di *de-* conclusivo e *premère*, con norm. apofonia di *-ĕ-* in *-ĭ-* in sill. interna aperta; v. PREMERE.

**depurare**, dal lat. *depurare*, verbo denom. da *pus, puris* 'pus' (v. PUS) e *de-* sottrattivo: incr. in it. con *puro* e *de-* conclusivo.

**deputare**, dal lat. *deputare* 'valutare' nel senso di 'destinare a un ufficio', comp. di *putare* 'ritenere' e *de-* estrattivo; v. PUTARE.

**deputato**, part. pass. sostantiv. di *deputare*.

**deputazione**, dal lat. *deputatio, -onis* 'assegnazione'.

**deragliamento**, dal frc. *déraillement*, da *dérailler*.

**deragliare**, dal frc. *dérailler*, verbo denom. da *rail* 'rotaia' (dall'ingl. *rail*), con *dé-* (lat. *dis-*) estrattivo.

**derattizzare**, dal frc. *dératiser* (XX sec.), incr. con *ratto*.

**derelitto**, dal lat. *derelictus*, part. pass. di *derelinquère*, comp. di *de-* sottrattivo e rafforzativo e *relinquère* e questo da *re-* e *linquère* 'lasciare, v. DELÌNQUERE.

**derelizione** 'abbandono totale', dal lat. *derelictio, -onis*, nome d'azione di *derelinquère*; v. DELÌNQUERE.

**derequisire**, da *de-* sottrattivo-negativo e *requisire*.

**deretano**, lat. *\*deret(r)anus*, deriv. aggettiv. di *de retro* con la caduta della *-r-* in seguito a dissimilaz. progressiva dalla *-r-* precedente (da *r...tr* a *r...t*).

**deridere**, dal lat. *deridère*, incrociato con it. *ridere*.

**derisìbile**, dal lat. tardo *derisibilis*.

**derisione**, dal lat. tardo *derisio, -onis*, nome di azione di *deridère*.

**derisore**, dal lat. *derisor, -oris*, nome d'agente di *deridère*.

**derisorio**, dal lat. *derisorius*.

**deriva**, dal frc. *dérive*, sost. deverb. estr. da *dériver*, il cui signif. risulta dall'incr. con l'ingl. *to drive* 'pilotare', mentre la forma è dal lat. *derivare* «deviare acqua dal suo corso (*rivus*)».

**derivare**, dal lat. *derivare*, verbo denom. da *rivus*, con *de-* ablativo.

**derivativo**, dal lat. tardo *derivativus*.

**derivazione**, dal lat. *derivatio, -onis*.

**derma**, dal gr. *dérma, -atos* 'pelle'.

**dermaschèletro**, da *derma-* e *schèletro*.

**dermatite**, dal gr. *dérma, -atos* col suff. *-ite* di malattia acuta; cfr. DERMITE.

**dèrmato-**, dal gr. *dérma, -atos* 'pelle'; cfr. DERMO-.

dermatologia, da dèrmato- e -logìa.

dermatòlogo, dal gr. dérma, -atos ' pelle ' e -logo.

dermatosi, dal gr. dérma, -atos ' pelle ' e il suff. -òsi di malattia cronica.

dermite, da derma e il suff. -ite di malattia acuta; cfr. DERMATITE.

dermo-, dal gr. dérma ' pelle '; cfr. DÈRMATO.

dermoide, dal gr. dérma, -atos ' pelle ' e -òide.

dermopatìa, da dermo- e -patìa.

dermosifilopatìa, comp. di dermo- sifil(ide) e -patìa.

derno (nella formula in derno), variante di indarno (v.).

dèroga, sost. deverb. estr. da derogare.

derogare, dal lat. derogare, comp. di de- sottrattivo-negativo e rogare ' proporre una legge '.

derogativo, dal lat. tardo derogativus.

derogatorio, dal lat. tardo derogatorius.

derogazione, dal lat. derogatio, -onis.

derrata, dal frc. denrée e questo dal lat. *denariata ' quantità di merce che si acquista con un denaro '.

derubare, da rubare con de- conclusivo.

derviscio, dall'ar. e persiano darwīsh ' povero '.

desalinare, verbo denom. dall'agg. salino col pref. de- sottrattivo; cfr. DISSALARE.

desco, lat. discus ' disco ', che è dal gr. dískos.

descrittivo, dal lat. descriptivus.

descritto, part. pass. di descrivere, dal lat. descriptus.

descrittore, dal lat. tardo descriptor, -oris, nome d'agente del verbo describère.

descrivere, dal lat. describère, comp. di scribère e de- estrattivo: «scrivere estraendo (da un modello) ».

descrizione, dal lat. descriptio, -onis, nome d'azione del verbo describère.

deserto, dal lat. desertum, forma sostantiv. di desertus, part. pres. di deserère ' abbandonare '; cfr. SERIE.

desiare, verbo denom. da desìo.

desideràbile, dal lat. desiderabìlis.

desiderare, lat. desiderare ' sentir la mancanza ', calco su considerare, con la sostituz. di de- sottrattivo a con-, quasi non si avesse la possibilità di disporre degli astri; v. CONSIDERARE.

desiderata, dal neutro plur. del part. pass. del lat. desiderare.

desiderativo, dal lat. tardo desiderativus.

desiderio, dal lat. desiderium, sost. deverb. da desiderare.

desideroso, dal lat. tardo desiderosus.

desidia, dal lat. desidia, astr. di desidere, da sedere e de- intensivo-durativo.

designare, dal lat. designare, verbo denom. da signum, con de- conclusivo; v. SEGNO.

designatore, dal lat. designator, -oris.

designazione, dal lat. designatio, -onis.

desinare¹ (verbo), dal frc. ant. disner, lat. volg. *disiunare da dis- e ieiunare e cioè ' smettere di digiunare '.

desinare² (sost.), dal verbo desinare.

desinenza, dal lat. medv. desinentia ' terminazione ', astr. di desinère ' terminare '; v. SITO¹.

desìo, dàl provz. dezire ' desiderio ', incr. con it. desi(de)rio, quindi, attraverso un intermedio *desirio, toscanizzato in desìo.

desipiente, dal lat. desipiens, -entis, part. pres. di

desipère ' agire da insensato ', comp. di sapère e de- sottrattivo, con norm. apofonia di -ă- in -ĭ- in sill. interna aperta; v. SAPIENTE.

desipienza, dal lat. desipientia, astr. di desipère; cfr. INSIPIENZA.

desirare, dal provz. ant. dezirar, lat. desiderare.

desire, dal provz. ant. dezire, sost. deverb. da dezirar.

desìstere, dal lat. desistère, comp. di sistère ' star fermo ' e de- ablativo ed estrattivo.

desolare, dal lat. desolare, verbo denom. da solus ' solo ' con de- conclusivo.

desolatore, dal lat. tardo desolator, -oris.

desolazione, dal lat. tardo desolatio, -onis.

dèspota, dal lat. medv. dèspotus, incr. con gr. despótēs ' sovrano '; cfr. DISPÒTO.

desquamazione, dal frc. desquamation (XIX sec.) e questo dal lat. desquamare ' togliere le squame ', verbo denom. da squama con de- estrattivo.

desso, lat. (i)d ipsum (v. ESSO). L'elemento id risulta dal grado ridotto (della rad. EI), che indica il pron. dim. più elementare ed è attestata chiaramente nelle aree indo-iranica, germanica (ted. er, lat. is, ted. es, lat. id) e italica.

destare, lat. volg. *deexcitare, da citare ' mettere in movimento ' (v. CITARE), col doppio pref. estrattivo ex- e de- e la norm. caduta della voc. breve protonica.

destinare, dal lat. destinare ' attaccare ', comp. di de- e *stanare, deriv. di stare, mediante un suff. in nasale, che indica la conclusione di un processo, ed è attestato sia pure in forme non identiche in altre aree ideur. (cfr. OSTINARE). Nell'àmbito del lat. si ha il norm. passaggio di -ă- in -ĭ- in sill. interna aperta.

destinazione, dal lat. destinatio, -onis.

destino, sost. deverb. estr. da destinare.

destituire, dal lat. destituère, incr. con statuire, comp. di statuère ' collocare ' con pref. de- di abl. e norm. apofonia di -ă- in -ĭ- in sill. interna aperta.

destituzione, dal lat. destitutio, -onis.

desto, estr. da dest(at)o.

destra (sost. femm.), lat. dextèra, femm. di dexter ' destro ', con norm. caduta della voc. breve postonica; v. DESTRO.

destriero, dal frc. ant. destrier, il cavallo del cavaliere tenuto con la mano destra dallo scudiero, che con la sinistra teneva il proprio.

destrina, dal frc. dextrine (XIX sec.) e questo da lat. dexter, perché la soluzione acquosa devia a destra il piano della luce polarizzata.

destro, lat. dexter, dextèra, dextèrum, con norm. caduta della voc. breve postonica: dalla rad. DEKS, che indica il lato ' conveniente ' o ' normale ', accentuato in lat., nel suo valore di opposizione, dal suff. di comparativo -tero-, che, con tale funzione compare oltre che in Italia anche nel gr. deksiterós. Con altri ampliam. il tema DEKS(I) compare nelle aree indo-iranica, greca, baltica, germanica, celtica. La sostanziale stabilità lessicale della nozione di ' destro ' si contrappone alla instabilità di quella di sinistro; v. SINISTRO.

destrogiro, da destro- e -giro.

destrorso, dall'avv. lat. dextrorsum, comp. di dextera ' a destra ' e versum (v. VERSO), con contrazione del trittongo -aue- in -o-.

**destrosio,** abbreviaz. di *destr(ogluc)osio* « glucosio (chiamato) destro (perché devia a destra la luce polarizzata) ».

**desueto,** dal lat. *desuetus,* part. pass. di *desuescĕre* ' disabituare ', comp. di *suescĕre* e *de-* sottrattivo; v. CONSUETO.

**desuetùdine,** dal lat. *desuetudo, -ĭnis.*

**desultorio,** dal lat. *desultorius* e questo da *desultor,* nome d'agente del verbo *desilire* ' saltar giù ', comp. di *salire* (v. SALIRE) e *de-* abl., con norm. apofonia della voc. interna da -*ă*- a -*ĭ*- dav. a -*li*- e a -*ŭ*- dav. a -*l*- seguìta da altro elemento.

**desùmere,** dal lat. *desumĕre,* comp. di *sumĕre* ' prendere ' e *de-* conclusivo; v. SUNTO.

**desunto,** dal lat. *desumptus,* part. pass. di *desumĕre.*

**detector,** s. m. dal lat. *detector,* nome d'agente di *detegĕre* (v. TETTO), incr. per il signif. con ingl. *detector.*

**detenere,** dal lat. *detinere,* comp. di *tenere* con *de-* conclusivo e norm. apofonia di -*ĕ*- in -*ĭ*- in sill. interna aperta. Lat. *detinere* si è poi incr. con it. *tenere.*

**detentore,** dal lat. tardo *detentor, -oris,* nome di agente del verbo *detinere.*

**detenuto,** forma sostantiv. del part. pass. di *detenere.*

**detenzione,** dal lat. tardo *detentio, -onis,* nome d'azione del verbo *detinere.*

**detèrgere,** dal lat. *detergĕre,* comp. di *tergĕre* variante di *tergĕre* (v. TERGERE), e *de-* intensivo-durativo.

**deteriorare,** dal lat. tardo *deteriorare,* verbo denom. dal compar. *deterior* ' peggiore '.

**deteriorazione,** dal lat. tardo *deterioratio, -onis.*

**deteriore,** dal lat. *deterior,* compar. di un \**deter* ' cattivo ' e questo deriv. da *dē* ablativo col suff. *tero-* e quindi « deviato ». Il superl. corrispond. è *demum* ' finalmente ' come *summum* è superl. di *sup* e *sup(er)*; v. SOPRA.

**determinàbile,** dal lat. tardo *determinabĭlis.*

**determinare,** dal lat. *determinare,* comp. di *terminare* e *de-* conclusivo.

**determinatore,** dal lat. tardo *determinator, -oris.*

**determinazione,** dal lat. *determinatio, -onis.*

**determinismo,** dal ted. *Determinismus,* incr. con la famiglia it. di *determinare.*

**detersione,** dal lat. tardo *detersio, -onis,* nome d'azione del verbo *detergĕre*; v. DETÈRGERE.

**detersivo,** forma sostantiv. di un agg. in -*ivo,* tratto dal part. pass. *deterso*; v. DETÈRGERE e cfr. TERSO.

**detestàbile,** dal lat. *detestabĭlis.*

**detestare,** dal lat. *detestari,* nella lingua religiosa ' respingere una testimonianza ', da *testari,* con *de-* ablativo.

**detestazione,** dal lat. *detestatio, -onis.*

**detonare,** dal lat. *detonare,* comp. di *tonare* ' tonare ' e *de-* conclusivo.

**detrarre,** incr. di lat. *detrahĕre* ed it. *trarre.*

**detrattore,** dal lat. *detractor, -oris,* nome d'agente del verbo *detrahĕre.*

**detrazione,** dal lat. *detractio, -onis,* nome d'azione del verbo *detrahĕre.*

**detrimento,** dal lat. *detrimentum,* da *deterĕre* ' logorare ', comp. di *terere* e *de-* conclusivo.

**detrito,** dal lat. *detritum,* part. pass. neutro sostantiv. di *deterĕre* ' logorare '; v. TRITO.

**detronizzare,** verbo denom. da *trono* col pref. *de-* ablativo e il suff. -*izzare.*

**detrùdere,** dal lat. *detrudĕre,* comp. di *trudĕre* ' cacciare ' e *de-* ablativo; v. INTRUSO.

**detrusore,** dal lat. *detrusor,* nome d'agente di *detrudĕre.*

**detta,** da (*cosa*) *detta*; v. DETTO.

**dettagliante,** dal frc. *détaillant* col suff. -*ante* di *bracciante, cavallante.*

**dettagliare,** dal frc. *détailler,* da *dé-* e *tailler* ' tagliare a piccoli pezzi ', incr. con *detto* e *tagliare.*

**dettaglio,** dal frc. *détail,* sost. deverb. estr. da *détailler.*

**dettame,** dal lat. medv. *dictamen, -ĭnis* e questo da class. *dictare.*

**dettare,** lat. *dictare,* intens. di *dicĕre*; v. DIRE.

**dettato**[1] ' proverbio ', dal lat. *dictatum,* neutro sostantiv. del part. pass. di *dictare.*

**dettato**[2], da (*compito*) *dettato,* part. pass. di *dettare.*

**dettatore,** dal lat. tardo *dictator, -oris,* incr. con it. *dettare.*

**dettatura,** incr. di lat. *dictatura,* con it. *dettare.*

**detto**[1], lat. *dictus,* part. pass. di *dicĕre*; v. DIRE.

**detto**[2], lat. *dictum,* neutro del part. pass. *dictus* di *dicĕre.*

**deturpare,** dal lat. *deturpare,* verbo denom. da *turpis* con *de-* conclusivo; v. TURPE.

**deuteragonista,** dal gr. *deuteragŏnistés,* comp. di *déuteros* ' secondo ' e *agŏnistés* ' attore '.

**deuterio** (isotopo dell'idrogeno), dal tema *deutero-* (gr. *déuteros*) ' secondo ' e perciò « che ha un secondo (elemento in più) ».

**devastare,** dal lat. *devastare,* comp. di *vastare* e *de-* conclusivo; cfr. GUASTARE.

**devastatore,** dal lat. tardo *devastator, -oris.*

**devastazione,** dal lat. tardo *devastatio, -onis.*

**deverbale,** da *verbo* col pref. *de-* ablativo.

**deviare,** dal lat. tardo *deviare,* verbo denom. da *via* con *de-* ablativo.

**deviazione,** dal lat. tardo *deviatio, -onis.*

**devitalizzare,** dal frc. *dévitaliser* (XX sec.).

**devoluzione,** dal lat. tardo *devolutio, -onis,* nome d'azione di *devolvĕre.*

**devòlvere,** dal lat. *devolvĕre,* comp. di *volvĕre* e *de-* ablativo; v. VÒLGERE.

**devoniano,** dall'ingl. *devonian* (XIX sec.) e questo dalla contea ingl. del *Devon(shire).*

**devoto,** dal lat. *devotus,* part. pass. di *devovere* ' promettere con voto ' da *vovere* e *de-* conclusivo; v. VOTO.

**devozione,** dal lat. *devotio, -onis,* nome d'azione di *devovere.*

**di,** lat. *de,* attestata anche nell'area celtica; con il valore primitivo di provenienza e poi quello figur. di argomento. Nelle lingue italiche del gruppo osco-umbro si ha invece la forma *da.* Il passaggio di *ē* a it. *i* è dovuto all'impiego proclitico della prep. e alla conseg. posizione protonica della sua vocale.

**di-**[1], dal lat. *de-,* pref. abl. (*detrahĕre*), anche nel senso dall'alto in basso (*descendĕre*), di sottrazione (*decollare*), di conclusione (*debellare*); cfr. DE- e DI.

**di-**[2], dal gr. *di-, -dis* (cfr. lat. *bis*); v. BIS.

**dì,** lat. *dies,* forma di nom. rifatta sull'accus. *diem* che deriva da un ant. DIYĒU-M. La variante D(I)YEWM̥ ha dato luogo all'accus. *Jovem* ' Giove '.

'Giorno' e 'Giove' sono dunque in lat. i deriv. di una stessa rad. DEI, ampliata con -EU, col grado variamente ridotto della prima sill. e col signif. comune di 'luce irradiante', l'opposto della 'luce riflessa' (v. LUCE). Si trova nelle aree indiana, greca (*Zeús*), armena, celtica, germanica; cfr. DIO. Il nom. lat. primitivo era stato *diūs.

**di(a)-**, dal gr. *diá* 'attraverso'.

**diabete,** dal lat. tardo *diabetes,* che è dal gr. *diabétēs* 'sifone, attraversamento', in seguito alla definiz. ant. del passaggio dell'urina «attraverso» il diabetico.

**diabòlico,** dal lat. eccl. *diabolĭcus,* gr. *diabolikós.*

**diàbolo,** dal frc. *diabolique,* con abbreviaz. vezzeggiativa (XIX sec.).

**diacciare,** lat. *glaciare,* col passaggio tosc. da *ghia-* in *dia-;* v. GHIACCIO.

**diaccio¹,** lat. volg. *jacjum,* astr. di *iacere* 'giacere', dissimilato in *di-,* cfr. DIGIUNO: v. ADDIACCIO.

**diaccio²,** da *diacci(at)o,* variante tosc. di *ghiacciato.*

**diaconato,** dal lat. *diaconatus, -us.*

**diaconessa,** dal lat. eccl. *diaconissa,* che è dal gr. *diakónissa.*

**diaconia,** da *diàcono,* incr. col gr. *diakonia.*

**diàcono,** dal lat. tardo *diacŏnus,* che è dal gr. *diákonos.*

**diacrìtico,** dal gr. *diakritikós,* deriv. di *diákrisis* 'distinzione' nome d'azione del verbo *diakrínō* 'distinguo'.

**diacronìa,** dal frc. *diachronie* che è dal gr. *khrónos* 'tempo' col pref. *dia-* 'attraverso' e suff. di astr. in *-ia,* opposto a *sincronìa.*

**diacrònico,** da *diacronia.*

**dìade,** dal lat. tardo *dyas, -ădis,* che è dal gr. *dyás, -ádos.*

**diadema,** dal lat. *diadema, -ătis,* che è dal gr. *diádēma, -atos* 'benda che recinge le tempie' da *diadéō* 'lego'.

**diàdoco,** dal gr. *diádokhos* 'successore', nome di agente di *diadékhomai* 'succedo'.

**diàfano,** dal frc. *diaphane* e questo dal gr. *diaphanés* 'trasparente', che deriva da *diaphaínō* 'splendo attraverso', comp. di *dia-* e *phaínō* 'io apparisco'; cfr. DIAMANTE.

**diafonìa,** dal gr. *diaphōnía* 'dissonanza', estr. di *diaphōnéō* 'io stono', verbo denom. da *phōné* 'voce' col pref. *dia-:* «voce che va di traverso».

**diaforesi,** dal lat. tardo *diaphoresis,* che è dal gr. *diaphórēsis* 'dispersione', nome d'azione del verbo *diaphoréō* 'trasporto, disperdo'.

**diaforètico,** dal gr. *diaphorētikós.*

**diaframma,** dal lat. tardo *diaphragma, -ătis,* che è dal gr. *diáphragma, -atos,* deriv. di *diaphrássō* 'separo' (da *dia-* 'attraverso' e *phrássō* 'cingo').

**diàgnosi,** dal gr. *diágnōsis,* nome d'azione del verbo *diagignóskō* 'riconosco attraverso'.

**diagnòstica,** dal frc. *diagnostic* (XIX sec.).

**diagnosticare,** dal frc. *diagnostiquer* (XIX sec.).

**diagonale,** dal lat. *diagonalis* adattamento del gr. *diagónios,* deriv. di *dia-* 'attraverso' e *gōnía* 'angolo' e cioè «(proprio di ciò) che attraversa l'angolo».

**diagramma,** dal frc. *diagramme* (XIX sec.), che è dal gr. *diágramma,* deriv. dal verbo *diagráphō* «scrivo attraverso (linee)».

**dialefe** (iato), dal gr. *aleíphō* 'separo', incr. con *sinalefe.*

**dialèttica,** dal lat. (*ars*) *dialectica,* che è dal gr. *dialektiké* (*tékhnē*) 'l'arte della conversazione'.

**dialèttico,** dal lat. *dialectĭcus* (gr. *dialektikós*).

**dialetto,** dal frc. *dialecte* (XVI sec.) e questo dal gr. *diálektos.*

**dialettologìa,** da *dialetto* e *-logia.*

**dialettòlogo,** da *dialetto* e *-logo.*

**diàlisi,** dal gr. *diálysis,* nome d'azione del verbo *dialýō* 'separo'.

**dialògico,** dal gr. *dialogikós.*

**dialogismo,** dal lat. tardo *dialogismus,* che è dal gr. *dialogismós.*

**diàlogo,** dal lat. *dialŏgus,* che è dal gr. *diálogos* 'conversazione', da *dialégomai* 'io converso'.

**diamagnètico,** da *dia-* 'attraverso' e *magnètico* (v.).

**diamante,** lat. tardo *diamas, -antis,* incr. di gr. (*a*)*dámas, -antos* e *dia(phanés),* v. DIÀFANO: analizzato perciò come *dia-mante* quasi fosse ciò «che indovina attraverso».

**diametrale,** dal lat. tardo *diametralis.*

**diàmetro,** dal gr. *diámetros* (*grammé*) «(linea) che misura attraverso».

**diàmine,** incr. di lat. *diabŏle* e *dŏmine.*

**diana,** dal lat. *Diana* agg. deriv. da *divius* e questo da *divus* «(dio) luminoso»; cfr. DIO.

**diàncine,** incr. di *dià*(*mi*)*ne* e (*perdi*)*nci.*

**dianzi,** *di anzi;* v. ANZI e cfr. DINANZI.

**diàpason,** dal gr. *dià pasôn* (*khordôn*) 'attraverso tutte le corde (dell'ottava)'.

**diapente,** gr. *dià pénte* (*khordôn symphōnía*) «(armonia) attraverso cinque (corde)».

**diapositiva,** da *positiva* (v.) col pref. *dia-* 'attraverso' e cioè copia non definitiva, ma solo intermedia rispetto a fini particolari come le proiezioni.

**diarchìa,** nell'antichità dal gr. *diarkhía,* nei tempi moderni, calco su *monarchìa,* con la sostituz. di *mon-* 'uno solo' con *di-* 'due'.

**diaria,** dal lat. *diaria,* neutro plur. di *diarium,* deriv. di *dies;* v. DÌ.

**diario,** dall'agg. lat. *diarius* 'di un giorno'; al neutro sost. 'razione di un giorno'.

**diarrèa,** dal lat. *diarrhoea,* gr. *diárrhoia,* astr. del verbo *diarrhéō* 'scorro abbondantemente'.

**diàscolo,** incr. di *diàvolo* con *dìscolo.*

**diascopio,** dal gr. *diaskopéō* 'osservo attraverso', incr. con *-scopio.*

**dìaspora,** dal gr. *diasporá* 'disseminazione', astr. di *diaspéirō* 'io semino'.

**diaspro,** dal lat. medv. *diasprum,* variante grafica di *iasprum* che è incr. di lat. *iaspis, -ĭdis* (dal gr. *iaspis, -idos*) con *asp(é)rum.*

**diastàltico,** dal gr. *diastaltikós* col signif. non già di 'distintivo' ma con quello di 'interposto' dovuto a incr. col verbo *diastéllō.*

**diàstasi,** dal frc. *diastase* (XIX sec.) e questo dal gr. *diástasis,* nome d'azione del verbo *di-ístēmi* 'separo'.

**diàstilo** (detto di intercolunni), dal lat. *diastȳlos* (Vitruvio), incr. per l'accento col gr. *diástylon,* da *dia-* e *stýlos* «a colonne intervallate».

**diàstole,** dal gr. *diastolé* 'dilatazione', astr. di *dia-stéllō* 'io dilato'.

**diastrofìa,** dal frc. *diastrophie* (XIX sec.), adattamento di *diastrophé* 'distorsione', deriv. da *diastréphō* 'volgo attraverso'.

**diatermìa,** comp. moderno di *dia-* 'attraverso' e *termo-* 'caldo' col suff. di astr. in *-ìa*.

**diàtesi,** dal gr. *diáthesis* 'disposizione', nome di azione di *diatíthēmi* 'dispongo in ordine'.

**diatomèa,** (gruppo di alghe), dal gr. *diatomḗ* 'separazione', astr. di *diatémnō* 'io taglio attraverso', perché le cellule sono disposte a zig-zag.

**diatònico,** dal lat. tardo *diatonĭcus,* che è dal gr. *diátonos* (*génos*) 'specie (o scala) diatonica'.

**diatriba,** dal frc. *diatribe* (XVII sec.), che è da lat. *diatrĭba* e questo dal gr. *diatribḗ,* astr. di *diatríbō* 'impiego il tempo', comp. di *diá* 'attraverso' e *tríbō* 'frego, consumo'.

**diavoleto,** da *diavolo* col suff. *-eto* proprio dei collettivi estesi in superficie, p. es. dei boschi: *querceto, oliveto* ecc.

**diàvolo,** dal lat. *diabŏlus,* che è dal gr. *diábolos* (deriv. di *diabállō* 'getto in mezzo, calunnio'), calco sull'ebr. *s'āṭān* 'oppositore'; cfr. SATANA.

**dibarbare,** verbo denom. da *barba* e *di-* sottrattivo.

**dibarbicare,** calco su *abbarbicare* mediante la sostituz. di *a(d)-* con *di-* sottrattivo.

**dibassare,** verbo denom. da *basso* con *di-* conclusivo.

**dibàttere,** dal frc. *débattre* (XIV sec.), incr. con it. *bàttere.*

**dibàttito,** astr. di *dibàttere* secondo il rapporto di *bàttito* rispetto a *bàttere.*

**diboscare,** verbo denom. da *bosco* col pref. *di-* sottrattivo; cfr. DISBOSCARE.

**dibrucare,** da *brucare* con *di-* conclusivo.

**dibruscare,** verbo denom. da *brusca* con *di-* sottrattivo.

**dicace,** dal lat. *dicax, -acis* 'motteggiatore, abituato a detti (pungenti)'; cfr. *audax, edax.*

**dicastero,** dal lat. *dicasterium,* che è dal gr. *dikastḗrion* 'tribunale', con trattam. prob. romano della finale *-ēriu* in *-eru.*

**dicatti o di catti,** lat. *de capto,* incr. con it. *infatti.*

**dicembre,** lat. *december, bris,* deriv. da *decem* perché decimo mese nel calendario arc. romano: col passaggio di *e* a *i* it. in posizione protonica.

**dicentrare** e deriv.; v. DECENTRARE e deriv.

**dìcere** (arc.), dal lat. *dìcere;* v. DIRE.

**dicerìa,** astr. iterat. del verbo arc. *dìcere;* cfr. *mangerìa.*

**dicervellare,** verbo denom. da *cervello* con *di-* sottrattivo.

**dicévole,** lat. tardo *decibĭlis* da *decet* 'è conveniente' (v. DEGNO), incr. col lat. tardo *dicibĭlis.*

**dichiarare,** incr. del lat. *declarare* e dell'it. *chiaro.* Lat. *declarare* è verbo denom. da *clarus* con *de-* conclusivo; cfr. DECLARATORIO.

**dichiaratore,** dal lat. *declarator, -oris,* incr. con it. *dichiarare.*

**dichiarazione,** dal lat. *declaratio, -onis,* incr. con it. *dichiarare.*

**dichinare,** lat. *declinare,* comp. di *clinare* con *de-* di provenienza e discendenza; cfr. DECLINARE e v. CHINARE.

**diciannove,** lat. *dece(m) ac novem,* con passaggio di *e* protonica a *i.*

**diciassette,** lat. *dece(m) ac septem,* con passaggio di *e* protonica a *i.*

**dicibile,** dal lat. tardo *dicibĭlis.*

**dicioccare,** verbo denom. da *ciocca* con *di-* sottrattivo.

**diciotto,** lat. *dece(m) octo,* con passaggio di *e* protonica a *i.*

**dicitore,** nome d'agente risultante dal verbo it. arc. *dìcere,* che si contrappone ad un presunto lat. *\*dictor* come *reggitore* (v.) al lat. *rector.*

**dicordo,** dal gr. *díkhordos* « a due (*di-*) corde (*khord-*) ».

**dicotilèdone,** dal frc. *dicotylédone* (XVIII sec.), comp. di gr. *di-* e *cotylédone;* v. COTILÈDONE.

**dicotomìa,** dal gr. *dikhotomía,* comp. di *díkha* 'in due parti' e *-tomía,* estr. da *tomḗ,* astr. di *témnō* 'io taglio'.

**didascalìa,** dal gr. *didaskalía* 'istruzione', astr. di *didáskalos* 'maestro' e questo da *didáskō* 'io insegno'.

**didascàlico,** dal lat. tardo *didascalĭcus,* che è dal gr. *didaskalikós.*

**didatta,** estr. da (*auto*)*didatta.*

**didàttica,** dal frc. *didactique* (XVIII sec.) e questo dal lat. medv. (*ars*) *didàctica* 'l'arte dell'insegnare'.

**didàttico,** dal gr. *didaktikós* 'che si riferisce all'insegnare'.

**didentro** e **di dentro,** da *di* e *dentro.*

**didietro** e **di dietro,** da *di* e *dietro.*

**dieci,** lat. *decem,* nome numerale fondam. del lessico ideur., dalla forma simbolica DEKM, conservata nel gr. *déka,* nel ted. *zehn,* nell'ingl. *ten* e nelle aree rimanenti celtica, baltica, slava, indo-iranica.

**diedro,** dal gr. *di-* 'due' e il tema *-edro* (v.) destinato a definire un solido.

**dielèttrico,** dall'ingl. *dielectric* (XIX sec.), comp. di gr. *diá* 'attraverso' e il tema *electr-;* v. ELETTRICO.

**dièresi,** dal frc. *diérèse* (XVI sec.), gr. *diaíresis* 'separazione', nome d'azione di *diairéō* 'io separo', comp. di *dia-* 'attraverso' e *hairéō* 'prendo'.

**diesis,** dal lat. *diĕsis,* che è dal gr. *díesis* 'intervallo', nome d'azione di *di-íēmi* 'mando attraverso'.

**dieta¹** (vitto), dal lat. *diaeta,* che è dal gr. *díaita* 'regime di vita'.

**dieta²** (assemblea), dal lat. medv. *dieta,* deriv. di *dies* come calco sul ted. *Tag* 'giorno' e 'assemblea'.

**dietètica,** dal frc. *diéthétique,* lat. medv. (*ars*) *diaetètica,* v. DIETÈTICO.

**dietètico,** dal lat. tardo *diaeetetĭcus,* gr. *diaitētikós,* deriv. secondario del verbo *diaitáō,* 'sottometto a un regime di vita'; cfr. DIETA¹.

**diètimo,** 'computato giorno per giorno', agg. tratto dall'avv. lat. medv. *dietim* 'giorno per giorno', secondo i modelli class. di *generatim, singillatim, viritim,* estratti da antichi accusativi irrigiditi di temi in *-ti* come *partim* analizzato come *par-tim* invece che come *parti-m.*

**dietro,** lat. *d(e)retro* (cfr. DERETANO), attrav. *\*drietro* con la caduta della prima *r* per dissimilaz. dalla serie *dr...tr* alla serie *d...tr.* La soluz. inversa, verso *dr...t* si trova nell'arc. *drieto.*

**difatti,** da *di fatti.*

**difèndere,** lat. *defendĕre,* comp. di *\*fendĕre* con *de-* sottrattivo. *\*Fendĕre,* che non è attestato se non con pref., risale alla importante famiglia lessicale ideur., di GwHEN 'colpire con corpo contundente', attestata nelle aree indo-iranica, ittita, greca (gr. *theínō*), baltica, slava, celtica. Nelle aree germanica e armena sopravvive solo in forme nominali.

**difensiva**, forma sostantiv. da (azione o posizione) *difensiva*.

**difensivo**, dal lat. medv. *defensivus*.

**difensore**, dal lat. *defensor, -oris*, nome d'agente di *defendĕre*.

**difesa**, lat. crist. *defensa*, che sostituisce *defensio, -onis*, nome d'azione di *defendĕre*.

**difettare**, verbo denom. da *difetto*.

**difettivo**, dal lat. tardo *defectivus*.

**difetto**, lat. *defectus, -us*, astr. di *deficĕre* 'mancante di', comp. di *de-* sottrattivo e *facĕre* con norm. apofonia di *-ă-* interna in *-ĕ-* in sill. chiusa, in *-ĭ-* in sill. aperta.

**diffalcare**, v. DEFALCARE.

**diffalta**, dal frc. ant. *defaute*, lat. volg. *defallĭta*, part. pass. di un verbo *defallĕre*, comp. dal class. *fallĕre* con *de-* conclusivo; v. FALLIRE.

**diffamare**, dal lat. *diffamare*, verbo denom. da *fama* col pref. *di(s)-* contrariante e peggiorativo.

**diffamazione**, dal lat. tardo *diffamatio, -onis*.

**differente**, dal lat. *differens, -entis* 'diverso'.

**differenza**, dal lat. *differentia*, calco sul gr. *diaphorá* da *dia-* 'attraverso' e l'astr. di *phérō* 'io porto'.

**differenziare**, dal lat. *differentiare*.

**differire**, dal lat. *differre*, comp. di *di(s)-*, v. DIS-¹, e *ferre*, incr. con *offrire*.

**difficile**, dal lat. *difficĭlis*, comp. di *dis-* negat. e *facĭlis*, con norm. apofonia di *-ă-* in *-ĭ-* in sill. interna aperta.

**difficoltà**, dal lat. *difficultas, -atis*, comp. di *dis-* negat. e *facultas, -atis*.

**diffida**, sost. deverb. estr. da *diffidare*.

**diffidare**, incr. di lat. *diffidĕre* e it. *fidare, confidare* ecc. Il lat. *diffidĕre* è comp. di *fidĕre* con *di(s)-* negativo.

**diffidente**, dal lat. *diffidens, -entis*.

**diffidenza**, dal lat. *diffidentia*.

**diffluente** 'in via di dissoluzione', dal lat. *diffluens, -entis*, part. di *diffluĕre*, comp. di *dis-* e *fluĕre*; v. FLUIRE.

**diffóndere**, dal lat. *diffundĕre*, comp. di *di(s)-* dispersivo e *fundĕre* 'versare'; v. FONDERE.

**diffonditore**, nome d'agente it. deriv. dall'inf. *diffóndere* anziché dal part. pass. secondo gli schemi lat. v. DIFFUSORE, e cfr. *dicitore, reggitore*, deriv. da arc. *dìcere* e *règgere*.

**difforme**, dal lat. medv. *difformis*, calco su class. *deformis* (v. DEFORME) col pref. *di(s)-* sottrattivo-privativo al posto di *de-* sottrattivo-negativo.

**diffràngere**, dal lat. *diffringĕre*, incr. con it. *fràngere*. Lat. *diffringĕre* mostra la norm. apofonia di *-ă-* in *-ĭ-* in sill. interna dav. al gruppo *-ng-*.

**diffrazione**, dal lat. scient. (XVII sec.), *diffractio, -onis*, deriv. da *diffractus*, part. pass. di *diffringĕre*.

**diffusione**, dal lat. *diffusio, -onis*, nome d'azione di *diffundĕre*.

**diffusore**, incr. di lat. *fusor, -oris*, nome d'agente di *fundĕre*, con it. *diffóndere, diffusione*.

**difilare** (arc.), dal frc. *défiler* 'sfilare' (XVIII sec.), 'andare in fila'.

**difilato**, da *difilare* 'andare in fila' e cioè 'direttamente'.

**diftèrico**, dal frc. *diphtérique* (XIX sec.).

**difterite**, dal frc. *diphtérie* (XIX sec.) col suff. *-ite* di malattie acute. *Diphtérie* è dal gr. *diphthéra* 'membrana' e cioè « infiammazione di membrane (della laringe) »,

**diga**, dal frc. *digue* (XVII sec.) e questo dall'olandese *dijā*.

**digamma**, dal gr. *dígamma* 'doppio gamma' per la sua forma, effettivamente uguale a un doppio gamma.

**digerire**, dal lat. *digerĕre* (passato alla coniugaz. in *-ire*) 'distribuire' 'classificare', comp. di *di(s)-* dispersivo (con la *-s* finale, prima sonorizzata dav. a *g-* e poi caduta); cfr. *gerĕre*, v. GERENTE.

**digestione**, dal lat. *digestio, -onis*, nome d'azione del lat. *digerĕre*.

**digestivo**, dal lat. tardo *digestivus*.

**digesto¹**, dal lat. *digestus*, part. pass. di *digerĕre*, v. GERENTE.

**digesto²**, dal plur. lat. *digesta, -orum* 'cose classificate'.

**dighiacciare**, calco su *agghiacciare*, con la sostituz. di *di-* sottrattivo a *a(d)-* allativo.

**digiogare**, verbo denom. di *giogo* con *di-* sottrattivo.

**digitale¹**, dal lat. *digitalis*, agg. di *digĭtus*; v. DITO.

**digitale²**, dal lat. *digitalis*, introdotta nel signif. botan. perché la pianta corrispondente ha la corolla a forma di dito.

**digitare**, dal lat. *digitare*, verbo denom. da *digĭtus* 'dito'.

**digitazione**, nome d'azione di *digitare*.

**digitiforme**, del lat. *digĭtus* e *-forme*.

**digitigrado**, dal lat. *digĭtus* 'dito' e il tema *-grado* 'che cammina'; cfr. *plantìgrado*.

**digiunare**, lat. tardo *jeiunare*, verbo denom. da *ieiuunus* con dissimilaz. da *gigiunare* a *digiunare* e cioè dalla serie *g'...gj...* alla serie *d...gj...*

**digiuno¹** (agg.), lat. *ieiunus* con dissimilaz. da *gigiuno* in *digiuno*. La parola latina è priva di connessioni ideur.

**digiuno²** (sost.), sost. deverb. estr. da *digiunare*.

**dìglifo**, dal gr. *díglyphos* « doppiamente (*di-*) scolpito (*glýphō* 'scolpisco') ».

**dignità**, dal lat. *dignĭtas, -atis*, astr. di *dignus*; v. DEGNO.

**dignitario**, calco sul frc. *dignitaire*.

**dignitoso**, dal lat. tardo *dignitosus*.

**digradare**, dal lat. tardo *degradare* e questo, verbo denom. da *gradus* col pref. *de-* di provenienza e discesa, incr. col pref. it. *di-*; cfr. DEGRADARE.

**digramma**, da *di-* 'due' e gr. *grámma* 'segno scritto' (da *gráphō* 'io scrivo').

**digrassare**, verbo denom. da *grasso* col pref. *di-* sottrattivo.

**digredire**, dal lat. *digrĕdi* (passato alla coniugaz. in *-ire*) 'uscir di strada', con apofonia di *-ă-* interna in *-ĕ-* dav. a cons. dentale; v. GRADO.

**digressione**, dal lat. *digressio, -onis*, nome d'azione del verbo *digrĕdi*.

**digressivo**, dal lat. tardo *digressivus*.

**digrignare**, dal frc. ant. *grignier* (franco *grinan*), con *di-* conclusivo.

**digrossare**, verbo denom. da *grosso* col pref. *di-* sottrattivo.

**digrumare**, incr. di lat. *rumigare* 'ruminare' e *grumus* 'mucchio di terra' col pref. *di-* conclusivo; cfr. RUMIGARE.

**diguazzare**, verbo denom. da *guazzo* (v.) e pref. *di-* conclusivo-dispersivo.

**dilacerare**, dal lat. *dilacerare* ' fare a pezzi ', comp. di *lacerare* e *di(s)-* conclusivo-dispersivo.

**dilagare**, verbo denom. da *lago* e *di-* conclusivo-dispersivo.

**dilaniare**, dal lat. *dilaniare*, comp. di *di(s)-* conclusivo e *laniare* ' fare a pezzi '; privo di conness.

**dilapidare**, dal lat. *dilapidare* ' gettare sassi in tutte le direzioni ', comp. di *lapidare* con *di(s)-* conclusivo-dispersivo.

**dilapidazione**, dal lat. tardo *dilapidatio, -onis*.

**dilatare**, dal lat. *dilatare*, verbo denom. da *latus* ' largo ' e *di-* conclusivo; v. LATO.

**dilatatore**, dal lat. tardo *dilatator, -oris*.

**dilatazione**, dal lat. tardo *dilatatio, -onis*.

**dilatorio**, dal lat. tardo *dilatorius*, deriv. di *\*dilator*, presunto nome d'agente nel sistema del verbo *differre* ' differire, rimandare ', deriv. dall'astr. *dilatio, -onis*; v. LATORE.

**dilavare**, dal lat. tardo *delavare*, comp. di *lavare* e *dē-* sottrattivo, incr. con it. *di-*.

**dilazione**, dal lat. *dilatio, -onis*, nome d'azione nel sistema del verbo *differre* ' differire, rimandare '; v. LATORE.

**dileggiare**, verbo denom. da *dileggio*.

**dileggio**, lat. *derisio, -onis*, nome d'azione di *deridere*, attrav. una forma settentr. *\*derisgiòn*, interpretata come accresc. e incr. con *legge*: quasi « fuori legge ».

**dileguare**, lat. *deliquare*, comp. di *de-* conclusivo e *liquare* ' render liquido ', verso causativo di *liquere* ' esser liquido ', con leniz. paragonab. a quella di it. *seguire* rispetto a lat. *sequi*.

**dileguo**, sost. deverb. estr. da *dileguare*.

**dilemma**, dal frc. *dilemme* (XVIII sec.) e questo dal lat. *dilemma*, che è dal gr. *dílēmma, -atos*, comp. di *di-* ' due ' e *lêmma* ' presa (una delle due premesse del sillogismo) ', ' scelta fra due premesse '.

**dilettàbile**, dal lat. *delectabĭlis*, incr. con it. *dilettare*.

**dilettare**, dal lat. *delectare*, intens. di *delicĕre* ' sedurre ', comp. di *de-* e *lacĕre* ' attrarre ', privo di connessioni ideur. salvo con *laqueus*, v. LACCIO. Regolare è invece l'apofonia di *-ă-* interna, che passa ad *-ĕ-* in sill. chiusa, ad *-ĭ-* in sill. aperta; cfr. ALLETTARE[1] e DELIZIA.

**dilettazione**, dal lat. *delectatio, -onis* incr. con *dilettare*.

**diletto[1]** (agg.), dal lat. *dilectus*, part. pass. di *dilĭgĕre* ' amare '.

**diletto[2]**, sost. deverb. da *dilettare*.

**dilezione**, dal lat. tardo *dilectio, -onis* ' amore ', nome d'azione del verbo *dilĭgĕre* ' amare '.

**diligente**, dal lat. *dilĭgens, -entis* ' che ama ', part. pres. di *dilĭgĕre* ' amare '; v. DILÌGERE.

**diligenza[1]**, dal lat. *diligentia* ' attenzione, zelo ', astr. di *dilĭgĕre* ' amare '.

**diligenza[2]**, dal frc. *diligence*, tratto da (*carrosse de*) *diligence* ' veicolo d'impegno, veicolo espresso '.

**diligere**, dal lat. *dilĭgĕre* e questo da *legĕre* ' scegliere ', con *di-* estrattivo e norm. apofonia di *-ĕ-* interna in *-ĭ-* in sill. aperta: « amare (in quanto scegliere) »; v. LEGGERE.

**diloggiare**, dal frc. *déloger* e questo da *loger* ' mettere in loggia ' (v. LOGGIA) e *dé-* estrattivo: perciò ' sloggiare '.

**dilombare**, dal lat. *delumbare*, verbo denom. da *lumbus* e pref. *de-* sottrattivo; v. LOMBO.

**dilucidare[1]**, dal lat. *dilucidare*, verbo denom. da *lucĭdus* col pref. *di(s)-* dispersivo; cfr. DELUCIDARE.

**dilucidare[2]**, da *lucidare* e *di-* sottrattivo.

**diluire**, dal lat. *diluĕre* passato alla coniugaz. in *-ire*; comp. di *lavĕre* ' bagnare ' e *di(s)-* dispersivo, con norm. passaggio del gruppo *-ăv-* in *-ŭ-* in sill. interna dav. a vocale; v. LAVARE.

**diluizione**, dal lat. *dilutio, -onis*, incr. con l'it. *diluire*; cfr. DILUZIONE.

**dilungare**, da un lat. *\*dilongare*, sostituto di *elongare*, verbo denom. da *longus* con *e-* durativo incr. con it. *lungo*.

**diluviale**, dal lat. tardo *diluvialis*.

**diluviare**, dal lat. *diluviare*, verbo denom. da *diluvium*.

**diluvio**, dal lat. *diluvium*, astr. di *diluĕre*, ant. *\*dilavĕre*, con passaggio di *-ă-* a *-ŭ-* in sill. interna aperta davanti a *-v-*.

**diluzione**, dal lat. tardo *dilutio, -onis*, nome d'azione del verbo *diluĕre*; cfr. DILUIZIONE.

**dimacchiare**, verbo denom. da *macchia* e *di-* sottrattivo.

**dimagrare**, verbo denom. da *magro*, con *di-* conclusivo.

**dimagrire**, verbo denom. da *magro* col pref. *di-* conclusivo, che, attrav. il passaggio alla coniugaz. in *-ire*, accentua il carattere intrans.

**dimanda**, estr. da *dimandare*.

**dimandare**, v. DOMANDARE.

**dimenare**, da *menare* col pref. *di-* conclusivo-dispersivo.

**dimensione**, dal lat. *dimensio, -onis*, nome d'azione nel sistema del verbo *dimetiri* ' misurare ', che è da *metiri* con *di(s)-* dispersivo.

**dimenticare**, dal lat. tardo *dimenticare*, verbo denom. da *dementĭcus*; v. DIMÉNTICO.

**diméntico**, dal lat. *dementĭcus*, deriv. di *dēmens* ' privo di mente '; v. DEMENTE.

**dìmero** ' di due parti ', da *di-[2]* e gr. *méros* ' parte '.

**dimesso**, lat. *demissus*, part. pass. di *demittĕre* ' abbassare ' da *mittĕre* ' mandare ' e *de-* di provenienza e discesa.

**dimesticare**, incr. di lat. *domestĭcus* e lat. *\*mixticare*, intens. di *miscere* col pref. *de-* conclusivo; v. DOMÈSTICO.

**dimestichezza**, astr. di *dimèstico*.

**dimèstico**, lat. medv. (X sec.) *demèsticus*, class. *domestĭcus*; v. DIMESTICARE.

**dìmetro**, dal gr. *dìmetros*, comp. di *di-* ' due ' e *métron* ' misura ': « di due misure ».

**diméttere**, dal lat. *dimittĕre* ' mandare in due sensi opposti ', incr. con *demittĕre* ' mandar giù '.

**dimezzare**, dal lat. *dimidiare*, verbo denom. da *dimidius* ' diviso per il mezzo ' e questo comp. di *medius* e *di(s)-* dispersivo, con norm. apofonia di *-ĕ-* in *-ĭ-* in sill. interna aperta.

**diminuendo[1]**, gerundio di *diminuire*.

**diminuendo[2]**, dal lat. *deminuendus*, part. fut. passivo di *deminuĕre* ' quello che deve essere diminuito ', incr. con it. *diminuire*.

**diminuire**, dal lat. *deminuĕre*, comp. da *minuĕre*, passato alla coniugaz. in *-ire*, con *de-* di provenienza e discesa, e incr. con it. *di-*; v. MINUTO.

**diminutivo**, dal lat. tardo *deminutivus*, incr. con it. *diminuire*.

**diminuzione**, dal lat. *deminutio, -onis*, incr. con it. *diminuire*.

**dimissione**, dal frc. *démission*, che è dal lat. *dimissio, -onis*, nome d'azione del lat. *dimittĕre* 'mandar via '.

**dimissorio**, dal lat. tardo *dimissorius*.

**dimoiare**, verbo denom. da *\*moio*, forma it. centr. (contro il tosc. *\*moglio*) del lat. *mollius*, compar. di *mollis*, con *di-* conclusivo.

**dimora**, sost. deverb. estr. da *dimorare*.

**dimorare**, dal lat. *demorari* 'trattenersi ', comp. di *de-* e *morari* 'ritardare ', v. MORA³, incr. con it. *di*.

**dimorfismo**, deriv. per mezzo di *-ismo* dal gr. *dimorphos* 'che ha due forme ', da *di-* 'due ' e *morphē* 'forma '.

**dimostràbile**, dal lat. tardo *demonstrabĭlis*, incr. con it. *dimostrare*.

**dimostrare**, dal lat. *demonstrare*, incr. in it. con *mostrare* e il pref. *di-*.

**dimostrativo**, dal lat. *demonstrativus*.

**dimostratore**, dal lat. *demonstrator, -oris*.

**dimostrazione**, dal lat. *demonstratio, -onis*.

**din**, v. DINDON.

**dinàmica**, forma femm. sostantiv. di *dinàmico*.

**dinàmico**, dal gr. *dynamikós*, **agg.** di *dýnamis* 'forza '.

**dinamismo**, dal frc. *dynamisme* (sec. XIX) e questo dal gr. *dýnamis* 'forza '.

**dinamitardo**, da *dinamite* col suff. (sfavorevole) *-ardo*; cfr. *bastardo, beffardo, infingardo*.

**dinamite**, dal gr. *dýnamis* 'forza ' col suff. *-ite* preso dalla terminologia dei minerali; coniato nel 1866 da A. B. Nobel (1833-1896), esteso poi ad altri esplosivi, p. es. *cheddìte, cordite*.

**dìnamo**, da *(macchina) dinamo-(elettrica)*.

**dinamo-**, dal gr. *dýnamis* 'forza '.

**dinamòmetro**, comp. di *dìnamo-* e *-metro*.

**dinanzi**, lat. volg. *\*de in antja*, class. *(de in) antea*; v. ANZI, e cfr. DIANZI.

**dìnaro**, dal serbocroato *dinar*, questo dal turco e ar. *dīnār* e questo dal gr. biz. *dēnárion*, che è dal lat. *denarius*.

**dinasta**, dal lat. *dynasta*, adattamento di *dynastes*, che è dal gr. *dynástēs* risal. a *dýnamai* 'io posso '.

**dinastìa**, dal gr. *dynasteía* 'potestà ', astr. deriv. da *dynástēs*.

**dinàstico**, dal gr. *dynastikós*.

**dind(i)o**, dal frc. *dinde*, deriv. da *(coq) d'Inde* 'gallo d'India ', sentito ormai come fonosimbolico, se non proprio come onomatop.

**dindo e dindi**, voce onomatop. dal suono delle monete metalliche.

**din don** e sim., voce onomatop. della serie *d...n*, riferita a suoni metallici, spec. di campane.

**dinegare**, dal lat. *denegare*, comp. di *de-* conclusivo e *negare*, incr. con it. *di-*.

**dingo**, da una voce australiana accolta nella formula del lat. scient. *(canis) dingo*.

**diniego**, sost. deverb. estr. da *dinegare*, con norm. dittongazione della *e* aperta accentata in sill. aperta.

**dinoccolare**, verbo denom. da *nòcca* (v.) col suff. iterat. *-olare* e il pref. *di-* di discesa.

**dinosauro**, dal gr. *deinós* 'terribile ' e *saûros* 'lucertola '.

**dintorno¹** (avv.) da *di intorno*, locuzione avv.

**dintorno²** (sost.) dalla locuzione avv. *di intorno*, sostantiv.

**Dio** (sg.), lat. *deus*, attrav. la fase *\*dieo* come *mio* rispetto a lat. *meus*; il plur. è invece « dal » lat. *dei*. Il tema *\*deiwo-* rappresenta la più ant. denominaz. della divinità, collegata con la nozione di ' luce '. Essa si conserva nelle aree marginali, come nel sanscrito *deva-*, nel lituano *diêvas*, nel plur. nordico *tivar*. Come collegamenti più lontani ha i temi del lat. *Jovis* it. *Giove* (v.) e del lat. *dies, diurnus*, it. *dì, giorno* (v.). Nelle aree ideur. intermedie, alla nozione della divinità come luce si è sostituita quella di 'spirito ' (gr. *theós*), '(spirito ' evocato ' (ted. *Gott*), 'distributore di destino ' (russo *bog*). Una variante lat. di *deus*, in fondo più regolare, è *divus*; v. DIVO.

**diocesano**, dal lat. *diocesanus*.

**diòcesi**, dal gr. *dióikēsis*, incr. col lat. *diocesis*, variante popolare di *dioecēsis*. Il gr. *dióikēsis* è nome d'azione del verbo *dioikéō* 'io amministro ', a sua volta verbo denom. da *oîkos* 'casa ' col pref. *dia-* 'attraverso '. Il dittongo *òi* si semplifica in it. in *-o-* come *èi* in *e* p. es. *prete* da *preite*; v. PRETE.

**dìodo** (tubo elettronico), da *di²-* 'doppio ' e gr. *hodós* 'via '.

**diòico**, da *di-* nel senso di « doppio (perché diviso in due) e dal gr. *oîkos* 'casa ', cioè « dalla casa doppia ».

**dionèa**, dal lat. moderno dei botan. *Dionaea*, e questo dal gr. *Diōnaîa*, epiteto di Afrodite, in quanto figlia di *Diṓnē*.

**dionisìaco**, dal lat. tardo *Dionysiăcus*, che è dal gr. *Dionysiakós* 'di Dionisio '.

**diorama**, comp. di *di(a)-* e gr. *hórama* 'veduta ', astr. di *horáō* 'vedo ', calco su *panorama*.

**diosmosi**, da *di(a)-* e gr. *ōsmós* 'spinta ', incr. col suff. *-osi*, cfr. OSMOSI, proprio di processi durevoli.

**diòspiro**, dal gr. *dióspyros*, comp. di *Diós* 'di Giove ' e *pyrós* 'grano ': « grano di Giove ».

**diottra**, dal lat. *dioptra* 'strumento ottico ', che è dal gr. *díoptra*, comp. della prep. *di(a)-* 'attraverso ', la rad. *op* e il suff. di nome d'agente *-tr-*.

**diottrìa**, sost. estr. da *diòttrico*.

**diòttrica**, dal gr. *dioptrikḗ (tékhnē)*.

**diòttrico**, dal gr. *dioptrikós*, **agg.** di *díoptra*; v. DIOTTRA.

**dipanare**, lat. volg. *\*depanare*, verbo denom. da *panus* 'gomitolo ' e *de-* che indica « l'estrazione (dalla matassa) ». *Panus* dovrebbe risalire a un gr. dor. *\*pânos* di cui è attestato il parallelo ion. *pênos* 'filo '.

**dipartimento¹** 'partenza ', da *dipartire²*.

**dipartimento²** 'divisione ', dal frc. *département*, deriv. da *départir* 'spartire '.

**dipartire¹**, da *partire*, nel senso letterale di ' dividere ' con *di-* intens.

**dipartire²**, da *partire* nel senso figur. di ' allontanarsi ' con *di-* abl.

**dipartita**, forma sostantiv. da *dipartito*, part. pass. di *dipartirsi*.

**dipendenza**, da *dipendere*; nel signif. di ' edificio accessorio ' dal frc. *dépendence*.

**dipèndere**, lat. volg. *\*dependĕre*, class. *dependēre* 'pender giù da qualche cosa '; v. PÈNDERE.

**dipìngere**, lat. *depingĕre*, da *pingĕre* con *de-* intens.; v. PITTORE.

**diplegìa**, comp. di *di-* e *-plegìa*.

**diploma,** dal lat. *diploma, -ătis,* che è dal gr. *diplôma, -atos,* astr. da *diplóō* ' io raddoppio ' e cioè « (foglio) piegato in due ».

**diplomazìa,** dal frc. *diplomatie* (XIX sec.), e questo da *diplôme.*

**dipodìa,** dal gr. *dipodía,* comp. di *di-* ' due volte ' e *podía,* astr. di *pŭs podós* ' piede '.

**dipoi,** da *di* e *poi.*

**diportare,** da *portare* con *di-* intens.

**diporto,** sost. deverb. estr. da *diportarsi.*

**dipresso,** da *di* e *presso.*

**dipsomanìa,** comp. di gr. *dipsa* ' sete ' e *-manìa.*

**dìptero,** v. DÌTTERO.

**diradare,** verbo denom. da *rado* col pref. *di-* intens.

**diradicare,** lat. volg. *deradicare,* class. *eradicare,* verbo denom. da *radix, -ìcis* col pref. *ē-* estrattivo; v. RADICE.

**diramare,** verbo denom. da *ramo* e pref. *di-* ablativo.

**dirazzare,** verbo denom. da *razza* col pref. *di-* di allontanamento.

**dire,** lat. *dicĕre,* incr. con *dăre* (e parallelo a *fare* rispetto a *facĕre*) che deriva dalla importante famiglia della rad. ideur. DEIK ' indicare ', attestata nel ted. *zeigen* ' mostrare ' in una forma identica al lat. *dicĕre.* Larga è la testimonianza dell'aoristo sigmatico in sanscrito, greco e, trasformato in perfetto, nel lat. *dixi,* it. *dissi.* Diffuso è il tema radicale nominale DIK, da solo nella formula lat. *dicis causa* e nel sanscrito *dik* ' regione del cielo '; inoltre come secondo elemento di composiz. nei tipi lat. *index, iudex;* v. INDICE, GIUDICE. Per una variante DIG, v. DITO.

**diredare** ' diseredare ', verbo denom. da (e)*rede* con *di-* privativo.

**direnare,** verbo denom. da *reni* col pref. *di-* privativo.

**direttìssima,** dal superl. dell'agg. *diretto* nella formula (*via*) *direttissima,* (*ferrovia*) *direttissima.*

**diretto,** dal lat. *directus,* part. pass. di *dirigĕre;* v. RETTO.

**direttore,** dal lat. tardo *director, -oris,* nome di agente del verbo *dirigĕre,* tratto dal part. pass. *directus.*

**direttorio,** adattamento del frc. *directoire* (fine secolo XVIII).

**direzionale,** da *direzione.*

**direzione,** dal lat. *directio, -onis,* nome d'azione del verbo *dirigĕre.*

**diricciare,** verbo denom. da *riccio* col pref. *di-* estrattivo; cfr. SDIRICCIARE.

**dirigenza,** astr. di *dirigere.*

**dirìgere,** dal lat. *dirigĕre,* comp. di *regĕre* e *dis-* con senso di provenienza e continuità (v. REGGERE): con norm. passaggio di *-ĕ-* in *-ĭ-* in sill. interna aperta.

**dirigìbile,** agg. verb. sostantiv. da *dirìgere,* calco sul frc. (*ballon*) *dirigeable* (metà del sec. XIX).

**dirigismo,** dal frc. *dirigisme* (XX sec.).

**dirìmere,** dal lat. *dirimĕre* ' separare ', comp. di *dis-* e *emĕre* ' prendere ', con rotacismo e norm. passaggio di *-ĕ-* in *-ĭ-* in sill. interna aperta. *Emĕre* risale alla rad. EM, attestata anche nelle aree celtica, baltica, slava e, nella forma NEM, nell'area germanica (ted. *nehmen* ' prendere '). Nelle aree greca, armena, indo-iranica, la nozione di ' prendere ' è rappresentata da altre rad. V. anche CONCIARE e PRONTO.

**dirimpetto,** da *di* e *rimpetto.*

**d(i)ritto**[1] (agg.), lat. volg. *directus,* incr. di class. *directus* (part. pass. di *dirigĕre*) con l'inf. *dirigĕre;* cfr. DRITTO.

**diritto**[2] (sost.), impiego figur. dall'agg. *diritto* sostantiv.; cfr. GIURE.

**dirittura,** incr. di lat. tardo *directura* e it. *diritto.*

**d(i)rizzare,** lat. volg. *dirictiare,* verbo denom. intens. da *directus,* come *altiare* da *altus;* v. ALZARE.

**dirizzone,** incr. del lat. *directio, -onis,* nome d'azione di *dirigĕre,* con it. *diritto;* inteso quindi come accresc. di genere maschile.

**diro,** dal lat. *dirus* ' di cattivo augurio '. Prob. derivaz. rustica (invece della urbana *birus*) di un ant. *dweisos,* forma aggettiv. della rad. DWEI-S sopravv. p. es. nel sanscrito *dvešti* ' odia ' e nel gr. *deídei* ' teme '.

**diroccare,** verbo denom. da *rocca* col pref. *di-* di discesa.

**dirocciare,** verbo denom. da *ròccia* col pref. *di-* di discesa.

**dirómpere,** dal lat. *dirumpĕre,* comp. di *dis-* dispersivo e *rumpĕre* ' rompere '.

**dirottare,** verbo denom. da *rotta* ' itinerario marittimo ' e il pref. *di-* ablativo.

**dirotto,** lat. *diruptus,* part. pass. di *dirumpĕre.*

**dirozzare,** verbo denom. da *rozzo* con *di-* sottrattivo.

**dirugginire,** verbo denom. da *rùggine* con *di-* sottrattivo.

**dirupare,** verbo denom. da *rupe* e *di-* di discesa.

**dirupato,** da *dirupo,* « fornito di dirupi ».

**dirupo,** sost. deverb. estr. da *dirupare,* incr. con *rupe.*

**dìruto** (*diruto*), dal lat. *dirŭtus,* part. pass. di *diruĕre* ' rovinato ', con accento talvolta influenzato da *dirùpo;* v. ROVINA.

**dis-**[1], pref. di separazione (privat.), di dispersione, di inversione di marcia e opposizione (neg.). variante rinforzata di *s-*[2]: dal lat. *dis-,* connesso con gr. *di(s)-á* e ted. *zer-,* col signif. primitivo di separazione e movimento in direzione opposta e, successivam., di opposizione e negazione.

**dis-**[2], dal gr. *dys-* ' male '.

**disabbellire,** comp. di *abbellire* e *dis-*[1] negat.

**disabitato,** comp. di *abitato* e *dis-*[1] privat.

**disabituare,** comp. di *abituare* e *dis-*[1] negat.

**disaccentare,** comp. di *accentare* e *dis-*[1] privat.

**disaccordo,** comp. di *accordo* e *dis-*[1] negat.

**disacerbare,** verbo denom. da *acerbo* con *dis-*[1] privat.

**disadatto,** da *adatto* con *dis-*[1] privat.

**disadorno,** da *adorno* con *dis-*[1] privat.

**disaffezione,** verbo denom. da *affezione* con *dis-*[1] privat.

**disagévole,** incr. di una forma negat. *dis(agévole)* con it. *disagio;* cfr. AGÉVOLE.

**disaggio,** da *aggio* con *dis-*[1] negat.

**disagguagliare,** verbo denom. da *diseguale,* incr. con *dis-*[1] negat. e *agguagliare.*

**disagiare,** verbo denom. da *disagio.*

**disagiato,** da *disagio* secondo il rapporto di *agiato* rispetto a *agio.*

**disagio,** comp. di *dis-*[1] negat. e *agio.*

**disagrire** ' sottrarre acidità (al vino) ', da *agro* con *dis-*[1] privativo.

**disalberare**, *alberare* con *dis-*[1] privat.

**disalveare**, verbo denom. da *àlveo* con *dis-*[1] privativo.

**disameno**, da *ameno* con *dis-*[1] negat.

**disàmina**, sost. deverb. da *disaminare*.

**disaminare**, dal lat. *\*de-examinare*, comp. di *examinare* 'osservare l'ago della bilancia' e *de-* intens.

**disamorare**, verbo denom. da *amore* con *dis-*[1] privat.

**disancorare**, verbo denom. da *àncora* con *dis-*[1] privat.

**disanimare**, verbo denom. da *ànima* con *dis-*[1] privat.

**disappetenza**, da *appetenza* con *dis-*[1] privat.

**disapplicare**, da *applicare* con *dis-*[1] negat.

**disapprèndere**, da *apprèndere* con *dis-*[1] negat.

**disapprovare**, da *approvare* con *dis-*[1] negat.

**disappunto**, incr. del frc. *désappointement* (fine XVIII sec.) e it. *punto* (da *pùngere*).

**disarcionare**, verbo denom. da *arcione* e *dis-*[1] privat.

**disarginare**, verbo denom. da *àrgine* con *dis-*[1] privat.

**disarmare**, da *armare* con *dis-*[1] privat.

**disarmo**, sost. deverb. estr. da *disarmare*.

**disarmonia**, da *dis-*[2] e *armonìa*.

**disarticolare**, verbo denom. estr. da *articolazione* e *dis-*[1] privat.

**disasprire**, verbo denom. da *aspro* con *dis-*[1] privat.

**disastro**, dal lat. *astrum* 'stella' col pref. peggiorativo *dis-*[2].

**disattento**, da *attento* con *dis-*[1] privat.

**disautorizzare**, dal frc. *désautoriser*.

**disavanzo**, da *avanzo* con *dis-*[1] negat.

**disavvantaggio**, dal frc. ant. *désavantage*, incr. con *avvantaggio*; cfr. DISVANTAGGIO.

**disavveduto**, *avveduto* con *dis-*[1] privat.

**disavvenente**, da *avvenente* con *dis-*[1] privat.

**disavventura**, da *avventura* col pref. *dis-*[2] peggiorativo come in *disastro*.

**disavvertenza**, da *avvertenza* con *dis-*[1] privat.

**disavvezzare**, da *avvezzare* con *dis-*[1] negat.; cfr. SVEZZARE.

**disboscare**, verbo denom. da *bosco* col pref. *dis-*[1] privat.; cfr. DIBOSCARE.

**disbramare**, verbo denom. da *brama* con *dis-*[1] privat.

**disbrigare**, verbo denom. da *briga* con *dis-*[1] privat.; cfr. SBRIGARE.

**disbrigo**, sost. deverb. estr. da *disbrigare*.

**disbrogliare**, dal frc. *débrouiller*, incr. con *imbrogliare*.

**discacciare**, dal frc. *déchasser*, incr. con it. *scacciare* (v.).

**discalzare**, dal lat. *\*discalceare*, comp. di *calceare* e *dis-*[1] privat.; v. SCALZARE.

**discapitare**, dal lat. *\*capitare*, verbo denom. da *caput*, *-ĭtis* col pref. *dis-*[1] privat.; cfr. SCAPITARE.

**discàpito**, sost. deverb. da *discapitare*.

**discaricare**, dal lat. *discarricare* (glossa), comp. di *carricare* e *dis-*[1] privat., incr. con it. *scaricare* e *caricare*.

**discàrico**, sost. deverb. da *discaricare*; cfr. SCÀRICO.

**discaro**, da *caro* con *dis-*[1] negat.

**discéndere**, lat. *descéndĕre*, comp. di *de-* e *scan-*

*dĕre* 'salire', con norm. passaggio di *-ă-* in *-ĕ-* in sill. interna chiusa; v. SCALA.

**discensione**, dal lat. *descensio*, *-onis*, nome d'azione di *descéndĕre*; v. DISCESA.

**discensivo**, dal lat. *descensus*, part. pass. di *descéndĕre* col suff. it. *-ivo*.

**discente**, dal lat. *discens*, *-entis*, part. pres. di *disco* 'io imparo'; cfr. DISCEPOLO. Il verbo lat. è un incoat. raddopp. con la rad. al grado ridotto, da una forma più ant. *\*di-dc-scō*. Essa trova un parallelo nel gr. *didáskō*, che ha la rad. al grado semiridotto anziché ridotto: discende cioè da DI-DEK-SKO. La rad. al grado normale è DEK[2] e significa 'il ricevere mentale'; v. DOCENTE, cfr. DOTTO.

**discépolo**, dal lat. *discipŭlus*, deriv. di *disco* 'io imparo', del tipo *\*discŭlus*, con ampliam. in *-lo* proprio dei nomi d'agente. Questo viene incr. con un deriv. della rad. *cap-* di *capio* come *capŭlus*. Il « discepolo » è uno che « prende da (qualcuno) » come noi diciamo *apprendere* per 'imparare', mentre dall'altra parte in lat. la *decipŭla* era una « (rete) per prendere (gli uccelli) »; v. DISCENTE.

**discèrnere**, dal lat. *discernĕre*, comp. di *cernĕre* 'vagliare' e *dis-*[1] intens.; v. CÈRNERE.

**discernìbile**, dal lat. tardo *discernibĭlis*.

**discèrpere** 'lacerare', dal lat. *discerpĕre*, comp. di *dis-* di separazione e *carpĕre* 'strapparsi' con norm. passaggio di *ă* in *ē* in sill. interna chiusa.

**discervellare**, verbo denom. da *cervello* con *dis-*[1] privat.; cfr. SCERVELLARE.

**discesa**, femm. sostantiv. di *disceso*, part. pass. di *discéndere*.

**discesista**, da *discesa*, col suff. di *specialista*.

**disceso**, lat. *descensus*, part. pass. norm. da ant. *\*de-scand-to-s*, con norm. passaggio di *-ă-* in *-ĕ-* in sill. interna chiusa, e di *-dt-* in *-ss-* attrav. *-tt-*.

**discettare**, dal lat. *disceptare* 'disputare', comp. di *dis-*[1] intens. e *captare* 'cercar di prendere', intens. di *capĕre* con norm. passaggio di *-ă-* in *-ĕ-* in sill. interna chiusa.

**disceverare**, dal lat. *\*dis-seperare*, comp. di *\*sepĕro* (variante regolare di *sepăro* 'io separo') con leniz. settentr. di *-p-* in *-v-* e *dis-*[1] estrattivo; incr. poi con *sceverare*.

**dischiodare**, verbo denom. da *chiodo* con *dis-*[1] privat.; cfr. SCHIODARE.

**dischiùdere**, dal lat. *discludĕre* (comp. di *dis-* e *claudĕre*), con norm. passaggio di *-au-* in *-ū-* in sill. interna, incr. con it. *chiùdere*; cfr. SCHIÙDERE.

**discingere**, dal lat. *discingĕre*, comp. di *dis-*[1] negat. e *cingĕre*.

**disciògliere**, incr. del lat. *dissolvĕre* e it. *sciògliere*.

**disciolto**, incr. di lat. *dissolutus* e it. *sciòlto*.

**discipare**, lat. *dissipare*, incr. con *\*exsupare*; v. SCIUPARE e DISSIPARE.

**disciplina**, dal lat. *disciplina*, der. da *discip(ŭ)lina*; v. DISCEPOLO.

**disciplinàbile**, dal lat. tardo *disciplinabĭlis*.

**disciplinare**[1] (verbo), dal lat. tardo *disciplinare*, verbo denom. da *disciplina*.

**disciplinare**[2] (agg.), dal lat. tardo *disciplinaris*.

**disco**, dal lat. *discus*, che è dal gr. *dískos*; cfr. DESCO.

**discòbolo**, dal lat. *discobŏlus*, che è dal gr. *diskobólos*, da *dískos* 'disco' e il tema *-bolos* 'lanciatore'.

**discòide**, dal gr. *diskoeidḗs*, comp. di *diskos* ʽ disco ʼ e *-eidḗs* ʽ della forma di ʼ.

**discolo**, dal lat. tardo *dyscŏlus*, che è dal gr. *dýskolos* ʽ difficile a trattare ʼ (cfr. DIS-²): opposto di *eúkolos* ʽ facile a trattare ʼ.

**discolorare** e **discolorire**, verbo denom. da *colore* con *dis-¹* privativo; cfr. SCOLORARE e SCOLORIRE.

**discolpa**, sost. deverb. estr. da *discolpare*.

**discolpare**, verbo denom. da *colpa* con *dis-¹* privat.

**discompagnare**, verbo denom. da *compagno* con *dis-¹* negat.

**discomporre**, da *comporre* con *dis-¹* negat.; cfr. SCOMPORRE.

**disconoscente**, da *conoscente* con *dis-¹* negat.; cfr. SCONOSCENTE.

**disconoscenza**, da *conoscenza* con *dis-¹* negat.

**disconóscere**, da *conóscere* con *dis-¹* negat.

**disconoscimento**, nome d'azione da *disconóscere*.

**discontinuare**, dal lat. medv. *discontinuare* con *dis-¹* negat.

**discontinuità**, da *continuità* con *dis-¹* negat.

**discontinuo**, dal lat. medv. *discontinuus* con *dis-¹* privat.

**disconvenienza**, dal lat. tardo *disconvenientia*.

**disconvenire**, dal lat. *disconvenire*, con *dis-¹* negat.

**discoprire**, dal lat. tardo *discooperire*, comp. di *dis-* e *cooperire*; cfr. SCOPRIRE e v. COPRIRE.

**discordante**, part. pres. di *discordare*.

**discordare**, dal lat. *discordare*, verbo denom. da *discors, -ordis*.

**discorde**, dal lat. *discors, -cordis* « dai cuori divisi » opposto di *concors, -cordis* « dai cuori uniti », deriv. da *cor* ʽ cuore ʼ con *dis-* di separazione e rispettivamente con *com-* di unione.

**discordia**, dal lat. *discordia*, astr. di *discors*.

**discordo** (varietà di canzone), dal provz. *descort*, sost. deverb. da *descorder* ʽ discordare ʼ.

**discórrere**, dal lat. *discurrĕre* ʽ correr qua e là ʼ, poi con impieghi figurati: comp. di *dis-* dispersivo e *currĕre*; v. CORRERE.

**discorsa**, femm. spregiativo di *discorso*.

**discorsivo**, dal lat. medv. *discursivus*.

**discorso**, dal lat. *discursus, -us*, astr. di *discurrĕre*.

**discostare**, calco su *accostare* con la sostituz. di *a(d)-* con *dis-¹* negat. e allontanante; cfr. SCOSTARE.

**discoteca**, calco su *biblioteca*, con sostituz. di *disco* a *biblio-* ʽ libro ʼ.

**discrasia**, dal gr. *dyskrasía* ʽ cattiva mescolanza ʼ, comp. di *dys-* ʽ cattivo ʼ e *krâsis* nome d'azione di *keránnymi* ʽ io verso ʼ, col suff. *-ia* di astr.

**discrédere**, dal lat. tardo *discredĕre*, comp. di *dis-¹* negat. e *credĕre*.

**discreditare**, verbo denom. da *discredito*; cfr. SCREDITARE.

**discrédito**, da *crédito* con *dis-¹* privat.

**discrepanza**, dal lat. *discrepantia*.

**discrepare**, dal lat. *discrepare* ʽ esser dissonante ʼ, comp. di *crepare* ʽ strepitare ʼ e *dis-¹* dispersivo, incr. in it. con *dis-²* peggiorativo.

**discretivo**, dal lat. tardo *discretivus*, deriv. da *discretus*, come *activus* da *actus*.

**discreto**, dal lat. *discretus*, part. pass. nel sistema di *discernĕre* ʽ distinguere ʼ. La forma *-cretus* è stata fatta sul modello del perfetto *crevi* e soppianta il part. pass. primitivo che era *certus*, da KRITO-, rimasto come aggettivo a sé, v. CER-

TO. Il tipo *crevi* non ha corrispond. evidenti. L'identità con *crevi*, perf. di *crescĕre*, non invita ad avvicinarli, per ovvie difficoltà di signif. Perciò deve risultare da un incr. di un *\*crivi \*crītus* (cfr. *cĭvi cĭtus*, v. CITARE) e *-plevi* o sim.

**discrezionale**, da *discrezione*.

**discrezione**, dal lat. *discretio, -onis*, nome d'azione del verbo *discernĕre* ʽ distinguere ʼ.

**discriminare**, dal lat. *discriminare*, denom. da *discrīmen, -ĭnis* ʽ separazione ʼ, incr. col pref. *dis-* privat.

**discriminatore**, dal lat. tardo *discriminator, -oris*.

**discriminatura**, astr. di *discriminare* nel senso (non giurid.) di ʽ separazione ʼ.

**discriminazione**, dal lat. tardo *discriminatio, -onis*.

**discussione**, dal lat. *discussio, -onis*, nome d'azione di *discutĕre*; v. DISCÙTERE.

**discusso**, dal lat. *discussus*, part. pass. di *discutĕre*; v. SCOSSO.

**discutere**, dal lat. *discutĕre* ʽ agitare ʼ, comp. di *quatĕre* ʽ scuotere ʼ e *dis-* dispersivo, con norm. passaggio di *-quă-* in *-cŭ-* in sill. interna; v. SCUÒTERE.

**disdegnare**, dal lat. *dedignari*, incr. col più forte pref. negat. it. *dis-¹*; cfr. SDEGNARE.

**disdegno**, sost. deverb. estr. da *disdegnare*.

**disdetta**, part. femm. sostantiv. di *disdire*.

**disdettare**, verbo denom. da *disdetta*.

**disdice(nte)**, calco su *addice(nte)*, con la sostituz. di *-dis-¹* negat. a *ad-* introduttivo.

**disdicévole**, da *dicévole* con *dis-¹* negat.

**disdire**, da *dire* con *dis-¹* negat.

**disdoro**, dallo sp. *desdoro*, sost. deverb. da *desdorar* ʽ togliere la doratura ʼ.

**diseducare**, da *educare* con *dis-²*.

**diseducazione**, nome d'azione di *diseducare*.

**disegnare**, lat. *designare*, verbo denom. da *signum* ʽ segno ʼ e *de-* di provenienza.

**disegno**, sost. deverb. estr. da *disegnare*.

**diseguale** e deriv., v. DISUGUALE e deriv.

**disenfiare**, da *enfiare* con *dis-¹* negat.

**disequilibrare**, da equilibrare con *dis-¹-* privat.; cfr. SQUILIBRARE.

**diserbare**, verbo denom. da *erba* con *dis-¹* privat.

**diseredare**, verbo denom. da *eredità* con *dis-¹* privat.: abbreviaz. da *disered(it)are*.

**disertare**, lat. tardo (VI sec.) *disertare*, verbo intens. di *deserĕre* ʽ abbandonare ʼ, comp. di *de-* di allontanamento e *serĕre* ʽ allineare ʼ; v. SERIE.

**diserto**, dal lat. *disertus*, comp. di *dis-¹* (indicante espansione e dispersione) e *\*artus* che vale perciò « largamente congegnato »: *\*artus* è il part. pass. della rad. ARĒ ʽ congegnare ʼ, di cui il lat. conserva l'astr. *artus, -us* ʽ membro ʼ. La forma participiale è identica a quella che si trova nell'area indoiranica al grado ridotto, *r̥ta-* in sanscrito, *asha-* in iranico, per indicare l'ordine sacro; v. ARTO¹.

**disertore**, dal lat. *desertor, -oris*, nome d'agente del verbo *deserĕre* ʽ abbandonare ʼ, incr. con *disertare*.

**diserzione**, dal lat. tardo *desertio, -onis*, nome d'azione di *deserĕre* ʽ abbandonare ʼ, incr. con *disertare*. Prob. attrav. il frc. *désertion* (XIX sec.).

**disfacibile**, con un *dis-¹* negat. aggiunto al tema dell'ant. inf. *fàcere*; v. FARE.

**disfare**, da *fare* con *dis-¹* negat.

**disfatta**, dal frc. *défaite* ʽ sconfitta ʼ, incr. con *disfatta*, femm. del part. pass. di *disfare*.

**disfattismo,** dal frc. *défaitisme* del XX sec., incr. con *disfatto*.

**disfattista,** calco sul frc. *défaitiste* (XX sec.), incr. con *disfatto*.

**disfatto,** part. pass. di *disfare*; cfr. SFATTO e v. FATTO.

**disfavore,** da *favore* con *dis-*[1] negat.; cfr. SFAVORE.

**disfida,** sost. deverb. estr. da *disfidare*; cfr. SFIDA.

**disfidare,** dal lat. medv. *disfidare* ' toglier la fede ' poi ' provocare ', verbo denom. da *fides* con *dis-*[1] privat.; cfr. SFIDARE.

**disfiorare,** verbo denom. da *fiore*, con *dis-*[1] sottrattivo.

**disfogare,** verbo denom. da *foga*, con *dis-*[1] intens.; cfr. SFOGARE.

**disforme,** calco su *conforme* con la sostituz. di *dis-*[1] negat. a *con-*.

**disfrenare,** da *frenare* con *dis-*[1] negat.

**disfrenato,** part. pass. di *disfrenare*; cfr. SFRENATO.

**disfunzione,** da *dis-*[2] ' male ' e *funzione*.

**disgelare,** da *gelare* con *dis-*[1] negat.; cfr. SGELARE.

**disgelo,** sost. deverb. estr. da *disgelare*.

**disgènico,** comp. di *dis-*[2] ' male ' e *-gènico* ' di generazione ', sul modello dell'ingl. *dysgenic*, opposto a *eugènico*; v. EUGÈNICO.

**disgiùngere,** dal lat. *disiungère* ' separare ', comp. di *iungère* ' congiungere ' e *dis-* negat.

**disgiuntivo,** dal lat. tardo *disiunctivus*, tratto da *disiunctus*, part. pass. di *disiungère*.

**disgiunzione,** dal lat. *disiunctio, -onis*, nome di azione del verbo *disiungère*.

**disgombrare,** calco su *ingombrare*, con la sostituz. di *dis-*[1] negat. a *in-*; cfr. SGOMBRARE.

**disgradare,** calco su *aggradare*, con sostituz. di *dis-*[1] negat. a *a(d)-*.

**disgrado,** da *grado*[2] (v.) nel senso di ' gradito ' con *dis-* privat.

**disgrazia,** da *grazia* con *dis-*[1] negat.

**disgregare,** dal lat. *disgregare*, verbo denom. da *grex, gregis* ' gregge ' con *dis-*[1] di dispersione e negazione.

**disguido,** dallo sp. *descuido* ' trascuranza ' estr. da un *descuidar* ' trascurare ' (lat. *dis-cogitare* ' pensare storto ') attrav. dialetti dell'Italia merid. Incr. con *guidare*, quasi nome deverb. da questo.

**disgustare,** verbo denom. da *disgusto*.

**disgusto,** da *gusto*, con *dis-*[1] negat.

**disidratare,** verbo denom. da *idrato* con *dis-*[1] privat.

**disillabo,** dal gr. *dissýllabos*, comp. di *dis* ' due volte ' e *syllabē* ' sillaba '.

**disillùdere,** incr. di *disillusione* e *illùdere*.

**disillusione,** dal frc. *désillusion*.

**disilluso,** part. pass. di *disillùdere*; v. ILLUSO.

**disimpacciare,** da *impacciare*, con *dis-*[1] privat.

**disimparare,** da *imparare* con *dis-*[1] privat.

**disimpegnare,** da *impegnare* con *dis-*[1] privat.

**disimpegno,** sost. deverb. estr. da *disimpegnare*.

**disincagliare,** da *incagliare* con *dis-*[1] privat.

**disincantare,** da *incantare* con *dis-*[1] privat., incr. col frc. *désenchanter*.

**disincanto,** sost. deverb. da *disincantare*.

**disincarnare,** da *incarnare* con *dis-*[1] privat.

**disincrostare,** da *incrostare* con *dis-*[1] privat.

**disinfestare,** da *infestare* con *dis-*[1] privat.

**disinfettante,** dal frc. *désinfectant* (XIX sec.).

**disinfettare,** incr. di frc. *désinfecter* e it. *infettare*.

**disinfettore,** dal frc. *désinfecteur*.

**disinfezione,** dal frc. *désinfection*.

**disingannare,** da *ingannare* con *dis-*[1] negat.

**disinnamorare,** da *innamorare* con *dis-*[1] privat.; cfr. DISAMORARE.

**disinnescare,** da *innescare* con *dis-*[1] negat.

**disinnestare,** da *innestare* con *dis-*[1] negat.

**disinserire,** da *inserire* con *dis-*[1] negat.

**disintegrare,** verbo denom. da *ìntegro*, con *dis-*[1] negat.: « rendere l'opposto di integro, frantumare ».

**disinteressare,** da *interessare*, con *dis-*[1] privat.

**disinteresse,** da *interesse* con *dis-*[1] negat.

**disintossicare,** da *intossicare* con *dis-*[1] negat.

**disinvestire,** da *investire* con *dis-*[1] negat.

**disinvitare,** da *invitare* con *dis-*[1] negat.

**disinvòlgere,** da *invòlgere* con *dis-*[1] negat.

**disinvolto,** dallo sp. *desenvuelto* (part. pass. di *desenvolver*) ' libero da impacci ', incr. con it. *involto*, part. pass. di *involgere*.

**disinvoltura,** dallo sp. *desenvoltura* ' libertà da impacci '.

**disìo,** lo stesso che *desìo* (v.) con accentuato vocalismo merid. (*di-* invece di *de-*).

**disistima,** sost. deverb. da *disistimare*.

**disistimare,** da *(i)stimare* con *dis-*[1] negat.; v. STIMARE.

**dislacciare,** calco su *allacciare* con *dis-*[1] privat. sostituito a *a(d)-*; cfr. SLACCIARE.

**dislalia,** comp. di *dis-*[2] ' male ' e gr. *laliá* ' il parlare, cicaleccio ', incr. col suff. di astr. in *-ìa*.

**disleale,** da *leale* con *dis-*[1]; cfr. SLEALE.

**dislealtà,** da *lealtà* con *dis-*[1]; cfr. SLEALTÀ.

**dislegare,** da *legare* con *dis-*[1]; cfr. SLEGARE.

**dislivello,** da *livello* con *dis-*[1] negat.

**dislocamento,** calco sul frc. *déplacement*, incr. di *dislocare* e *spostamento*.

**dislocare,** dal frc. *disloquer* (XIX sec.), incr. con *collocare*.

**dislogare,** calco su *allogare* con *dis-*[1] privat. sostituito a *a(d)-* allativo; cfr. SLOGARE.

**dismagare,** lat. volg. *exmagare*, v. SMAGARE, rinforzato col pref. *dis-*[1] privat.

**dismagliare,** calco su *ammagliare* con *dis-*[1] privat. sostituito a *a(d)-*; cfr. SMAGLIARE.

**dismembrare,** verbo denom. da *membro* con *dis-*[1] negat.; cfr. SMEMBRARE.

**dismemorato,** dallo sp. *desmemoriado*; cfr. SMEMORATO.

**dismèttere,** dal lat. crist. *dismittĕre* (class. *dimittĕre*) con *dis-*[1] privat.; cfr. SMÉTTERE.

**dismisura,** da *misura* con *dis-*[1] privat.

**dismisurato,** deriv. in *-ato* di *dismisura*; cfr. SMISURATO.

**dismuòvere,** dal lat. *dismovēre*, incr. con it. *muòvere*; cfr. SMUOVERE.

**disnaturare,** verbo denom. da *natura* con *dis-*[1] privat.

**disnodare,** calco su *annodare* con *dis-*[1] privat. sostituito a *a(d)-*; cfr. SNODARE.

**disobbedire,** da *obbedire* con *dis-*[1] negat.

**disobbligante,** dal frc. *désobligeant*.

**disobbligare,** da *obbligare* con *dis-*[1] privat.

**disoccupare,** da *occupare* con *dis-*[1] privat.

**disoccupato,** da *occupato* con *dis-*[1] negat.: « non fornito di occupazione ».

**disoccupazione,** da *occupazione*, astr. di *occupato*, con *dis-*[1] negat.

**disonestà,** da *onestà* con *dis-*[1] negat.

**disonesto,** da *onesto* da *dis-*[1] negat.

**disono,** comp. da *di-* ' due ' (v. DI-[2]) e *-sono* ' suono ' (v.), calco sul gr. *díphōnos*, da *di-* e *phōné*.

**disonorare,** da *onorare* con *dis-*[1] negat.

**disonore,** da *onore*, con *dis-*[1] negat.

**disorbitare,** verbo denom. da *òrbita* con *dis-*[1] privat.

**disordinare**[1], verbo denom. da *disordine*.

**disordinare**[2] ' cancellare un ordine ', da *ordinare* con *dis-*[1] negat.

**disórdine,** da *órdine* con *dis-*[1] privat.

**disorgànico,** da *orgànico* con *dis-*[1] negat.

**disorganizzare,** da *organizzare* con *dis-*[1] negat.

**disorientare,** da *orientare* con *dis-*[1] negat.

**disorlare,** verbo denom. da *orlo* con *dis-*[1] privat.

**disormeggiare,** verbo denom. da *ormeggio* con *dis-*[1] privat.

**disossare,** verbo denom. da *osso* con *dis-*[1] privat.

**disossidare,** da *ossidare* con *dis-*[1] negat.

**dispacciare,** dal provz. *despachar* ' sbrigare ', che è il lat. volg. *\*dis-impedicare* ' disimpacciare '; v. IMPACCIARE.

**dispaccio,** dallo sp. *despacho* « (lettera di) disbrigo ».

**dispaiare,** calco su *appaiare*, con sostituz. di *dis-*[1] privat. a *a(d)-*; cfr. SPAIARE.

**disparato,** dal lat. *disparatus* ' separato ', part. pass. di *dis-parare* ' separare '; v. SEPARARE.

**disparecchiare,** calco su *(ap)parecchiare*, con *dis-*[1] privat. al posto di *a(d)-*; cfr. SPARECCHIARE.

**disparere,** da *parere*, con *dis-*[1] negat., nel senso che ' nega il parere ' e quindi afferma una divergenza.

**dispari,** dal lat. *dispar, -ăris* da *dis-*[1] negat. e *par, paris* ' pari '; v. PARI.

**disparire,** da *apparire*, con la sostituz. di *dis-*[1] privat. a *a(d)-*; cfr. SPARIRE.

**disparte,** da *parte* e *dis-*[1] privat. « (stare) senza parte » e cioè « senza una localizzazione ».

**dispartire,** dal lat. *dispertire* ' dividere ', incr. con it. *partire* ' far le parti '; cfr. SPARTIRE.

**dispèndio,** dal lat. *dispendium*, astr. di *dispendĕre* ' pagare ' (come *indicium* rispetto a *indicĕre*), comp. di *dis-*[1] intens. e *pendĕre*.

**dispendioso,** dal lat. *dispendiosus*.

**dispensa,** sost. deverb. da *dispensare*.

**dispensare,** dal lat. *dispensare* ' distribuire ', intens. di *dispendĕre* ' pagare ', comp. di *dis-*[1] dispersivo e *pendĕre*.

**dispensario,** incr. di frc. *dispensaire* e it. *dispensare*.

**dispensativo,** dal lat. tardo *dispensativus*.

**dispensatore,** dal lat. *dispensator, -oris*.

**dispensazione,** dal lat. *dispensatio, -onis*.

**dispepsìa,** dal gr. *dyspepsía*, da *dys-* ' male ' (cfr. DIS-[2]) e l'astr. di *pépsis* ' cottura ', ' digestione ', nome d'azione di *pésso* ' cuocio '; v. CUÒCERE.

**dispèptico,** ampliam. aggettiv. in *-ico* di un tema risultante dall'incr. di gr. *dispepsía* col tema del verbo denom. *dyspeptéō* ' digerisco male '.

**disperàbile,** dal lat. tardo *desperabĭlis*.

**disperare,** lat. *desperare*, comp. di *de-* sottrattivo e *sperare*, verbo denom. da *spes*; v. SPERARE.

**disperata** (componimento di poesia popolare), forma femm. sostantiv. dell'agg. *disperato*.

**disperato,** part. pass. di *disperare*, analizzato come fosse un denom. da *speranza*, con *dis-*[1] privat. e cioè « *disper(anz)ato* ».

**disperazione,** dal lat. *desperatio, -onis*.

**dispèrdere,** dal lat. *disperdĕre* ' dissipare ', da *perdĕre* e *dis-*[1] intens.; v. PÈRDERE.

**dispèrgere,** dal lat. *dispergĕre*, comp. di *dis-*[1] intens. e *spargere*, con norm. passaggio di *-ă-* in *-ĕ-* in sill. interna chiusa; v. SPÀRGERE.

**dispersione,** dal lat. *dispersio, -onis*, nome d'azione di *dispergĕre*.

**dispersivo,** dall'it. *disperso* col suff. aggettiv. *-ivo* che accentua il valore durativo della parola.

**disperso,** part. pass. risultante dall'incr. di lat. *disperdĭtus* ' sperduto ' e lat. *dispersus* ' sparso in giro '.

**dispettare,** lat. *despectare* ' disprezzare ', intens. di *despicĕre* ' guardare dall'alto in basso ', comp. di *de-* e *specĕre* con norm. passaggio di *-e-* in *-i-* in sill. interna aperta.

**dispetto**[1] (agg.), lat. *despectus*, part. pass. di *despicĕre* ' guardare dall'alto in basso '.

**dispetto**[2] (sost.) lat. *despectus, -us* ' disprezzo ', astr. di *despicĕre* ' guardare dall'alto in basso '.

**dispiacere**[1] (verbo), incr. di lat. *displicĕre*, comp. di *dis-* e *placere* (con norm. passaggio di *-ă-* in *-i-* in sill. interna aperta) e it. *piacere*; cfr. SPIACERE.

**dispiacere**[2] (sost.), dal verbo *piacere* con *dis-*[1] negat.

**dispianare,** da *spianare* con la sostituz. del pref. più forte *dis-*[1] a quello precedente *s-*[1] (da *ex*); cfr. SPIANARE.

**dispiccare,** calco su *appiccare* con *dis-*[1] privat. al posto di *a(d)-*; cfr. SPICCARE.

**dispiegare,** da *spiegare* (v.) (lat. *explicare*) con la sostituz. del pref. più forte *dis-*[1] a *s-*[1] (da *ex-*); cfr. SPIEGARE.

**dispietato,** da *spietato* con sostituz. del più forte pref. *dis-*[1] a *s-*[2].

**displuvio,** incr. del lat. *displuviatus* ' a pioggia divisa ' e di *impluvium*; v. IMPLUVIO.

**dispnèa,** dal lat. tardo *dyspnoea*, che è dal gr. *dýspnoia*; cfr. EUPNEA.

**dispnòico,** dal gr. *dyspnoikós* « che si riferisce alla *dýspnoia* », ' che ha difficoltà di respiro '.

**dispogliare,** lat. *despoliare*, verbo denom. da *spolium* ' spoglio ' col pref. intens. *de-*; cfr. SPOGLIARE.

**dispolpare,** verbo denom. da *polpa* con *dis-*[1] privat.; cfr. SPOLPARE.

**dispònere,** dal lat. *disponĕre*, comp. di *dis-* e *ponĕre*; v. PORRE.

**disporre,** lat. *disponĕre*, incr. con it. *porre*.

**disposare,** lat. tardo *desponsare*, comp. di *dē-* e *sponsare*, intens. di *spondĕre* ' promettere '; v. SPOSO.

**dispositivo**[1] (agg.), dal part. pass. lat. *disposĭtus*, ampliato col suff. it. *-ivo* di valore durativo.

**dispositivo**[2] (sost.), dal frc. *dispositif*.

**dispositore,** dal lat. *dispositor, -oris*, nome d'agente del verbo *disponĕre*; v. POSTO.

**disposizione,** dal lat. *dispositio, -onis*, nome di azione del verbo *disponĕre*.

**disposto,** lat. *disposĭtus*; v. POSTO.

**dispòtico,** da *dispòto*.

**dispotismo,** incr. di *dèspota* e di *dispòtico* e cioè di *\*despotismo* e *\*dispoticismo*.

**dispòto,** dal gr. *despótēs* « signore della casa » (*\*dems-potēs*), attrav. una tradiz. merid. che ha conservato l'accentazione gr. di penultima; cfr. DÈSPOTA con l'accentazione lat.

**dispregiare**, verbo denom. da lat. volg. *pretjum* con *dis-*[1] negat. e leniz. settentr. di *-tjo-* in *-sgjo-* (poi corretta in *-gio-*) di fronte al trattam. tosc. in *-zz-*; cfr. SPREGIARE.

**dispregio**, sost. deverb. da *dispregiare*; cfr. SPREGIO.

**disprezzare**, lat. volg. *dispretjare*, verbo denom. da *pretium* con *dis-*[1] privat.; cfr. SPREZZARE.

**disprezzo**, sost. deverb. da *disprezzare*; cfr. SPREZZO.

**disproporzione**, da *proporzione*, forma rinforzata di *sproporzione* (v.), con *dis-*[1] privat.

**dìsputa**, sost. deverb. estr. da *disputare*.

**disputàbile**, dal lat. *disputabĭlis*.

**disputare**, dal lat. *disputare* ' conteggiare diffusamente, analizzare un conto ', comp. di *dis-*[1] intens. e *putare*; cfr. CONTARE e v. it. PUTARE.

**disputativo**, dal lat. tardo *disputativus*.

**disputatore**, dal lat. *disputator, -oris*.

**disputazione**, dal lat. *disputatio, -onis*.

**disquisizione**, dal lat. *disquisitio, -onis*, nome di azione di *disquirĕre* ' investigare '; v. QUESITO.

**disradicare**, verbo denom. da *radice* con *dis-*[1] privat. cfr. SRADICARE.

**dissacrare**, verbo denom. da *sacro-* con *dis-*[1] privat.

**dissalare**, verbo denom. da *sale* con *dis-*[1] privat.

**dissaldare**, da *saldare* con *dis-*[1] neg. cfr. DESALINARE.

**dissanguare**, verbo denom. da *sangue* e *dis-*[1] privat.

**dissapore**, da *sapore* con *dis-*[1] negat.

**dissecare**, dal lat. *dissecare*, comp. di *dis-* e *secare* ' tagliare '; v. SEGARE e cfr. DISSEZIONE.

**disseccare**, verbo denom. da *secco*, con *dis-*[1] riferito all'estrazione (dell'umidità) e quindi intens.

**disselciare**, verbo denom. da *selce* con *dis-*[1] privat.

**dissellare**, verbo denom. da *sella* con *dis-*[1] privat.

**disseminare**, dal lat. *disseminare*, verbo denom. da *semen, -inis* con *dis-* che distribuisce e disperde in direzioni opposte.

**disseminatore**, dal lat. tardo *disseminator, -oris*.

**disseminazione**, dal lat. tardo *disseminatio, -onis*.

**dissennare**, verbo denom. da *senno* con *dis-*[1] privat.

**dissensione**, dal lat. *dissensio, -onis*, nome di azione di *dissentire* ' dissentire '; v. SENSO.

**dissenso**, dal lat. *dissensus, -us*, astr. di *dissentire*; v. SENSO.

**dissentàneo**, dal lat. *dissentaneus*.

**dissenterìa**, dal gr. *dysenterìa*, comp. di *dys-* ' male ' e il tema astr. *-enterìa*, deriv. da *tà éntera* ' gli intestini '. In it. analizzato come comp. di *sentire* e *dis-*[2].

**dissentèrico**, dal lat. *dysenterĭcus*, che è dal gr. *dysenterikós*.

**dissentire**, dal lat. *dissentire*, comp. di *sentire* ' esser d'opinione ' e *dis-* che vale ' divergenza e opposizione '; v. SENTIRE.

**dissenziente**, dal lat. *dissentiens, -entis*.

**disseppellire**, da *seppellire* con *dis-*[1] negat.

**disserrare**, da *serrare* con *dis-*[1] negat.

**dissertare**, dal lat. *dissertare*, intens. di *disserĕre* ' disputare ', comp. di *serĕre* ' intrecciare ' e *dis-* ' in diverse direzioni '; v. SERIE.

**dissertatore**, dal lat. tardo *dissertator, -oris*.

**dissertazione**, dal lat. tardo *dissertatio, -onis*.

**disservizio**, da *servizio* con *dis-*[2] peggiorativo.

**dissestare**, calco su *assestare*, con la sostituz. di *dis-*[1] privat. a *a(d)-*; v. SESTA.

**dissesto**, sost. deverb. di *dissestare*.

**dissetare**, calco su *assetare* con la sostituz. di *dis-*[1] privat. a *a(d)-*; cfr. SETE.

**dissettore**, dal frc. *dissecteur* (XVIII sec.), che è da un lat. *dissector, -oris*, comp. di *dis-* e *sector*, nome d'agente di *secĕre* verbo moment. (più ant. dell'attestato durativo *secare*) sopravv. anche nel part. pass. *sectus*; v. SETTORE e cfr. DISSEZIONE.

**dissezione**, dal lat. *dissectio, -onis*, nome d'azione di *dissecare*; v. DISSECARE.

**dissidente**, dal lat. *dissĭdens, -entis*, part. pass. di *dissidere* ' sedere separatamente ' e quindi ' dissentire ', con il norm. passaggio di *-ĕ-* in *-ĭ-* in sill. interna aperta; v. SEDERE.

**dissidenza**, dal lat. *dissidentia*.

**dissidio**, da un incr. medv. di lat. *discidium* (astr. di *discindĕre*) ' fessura ', ' distacco ' (v. SCINDERE) e *dissidium*, astr. di *dissidĕre* ' discordare '; v. DISSIDENTE.

**dissigillare**, verbo denom. da *sigillo* con *dis-*[1] privat.

**dissimilare**, calco su *assimilare*, con la sostituz. di *dis-*[1] negat. a *a(d)-*

**dissimile**, dal lat. *dissimĭlis*, comp. di *dis-*[1] negat. e *simĭlis*; v. SÌMILE.

**dissimilitùdine**, dal lat. *dissimilitudo, -ĭnis*; v. SIMILITÙDINE.

**dissimmetrìa**, da *simmetrìa* con *dis-*[1] privat.

**dissimulare**, dal lat. *dissimulare* ' render dissimile ' comp. di *simulare* e *dis-*[1] negat.; v. SIMULARE.

**dissimulatore**, dal lat. *dissimulator, -oris*.

**dissimulazione**, dal lat. *dissimulatio, -onis*.

**dissipare**, dal lat. *dissipare*, comp. di *sipare* ' gettare ' e *dis-* di dispersione. Lat. *sipare* trova una corrispond. nel sanscrito *kṣipati* ' getta ' e quindi risale a una rad. KⱯEIP, attestata nelle sole aree ideur. estreme; cfr. DISCIPARE e SCIUPARE.

**dissipatore**, dal lat. tardo *dissipator, -oris*.

**dissipazione**, dal lat. *dissipatio, -onis*.

**dissociàbile**, dal lat. *dissociabĭlis*.

**dissociare**, dal lat. *dissociare*, verbo denom. da *socius* ' compagno ' e *dis-*[1] privat.

**dissociazione**, dal lat. *dissociatio, -onis*.

**dissodare**, verbo denom. da *sodo* (v.) con *dis-*[1] negat.

**dissolùbile**, dal lat. *dissolubĭlis*, agg. verb. da *dissolvĕre*.

**dissoluto**, dal lat. *dissolutus*, part. pass. di *dissolvĕre*: ' sciolto ' e quindi ' frenato '; v. SOLUTIVO.

**dissolutore**, dal lat. tardo *dissolutor, -oris*.

**dissoluzione**, dal lat. *dissolutio, -onis*, nome d'azione del verbo *dissolvĕre*.

**dissòlvere**, dal lat. *dissolvĕre*, comp. di *solvĕre* ' sciogliere ' e *dis-* di dispersione; v. SCIÒGLIERE.

**dissomigliante**, da *somigliante* con *dis-*[1] negat.

**dissonanza**, dal lat. tardo *dissonantia*.

**dissonare**, dal lat. *dissonare*, calco su *assonare* con la sostituz. di *dis-* privat. a *a(d)-*; v. SONARE.

**dissono**, dal lat. *dissŏnus*, calco sul gr. *diáphōnos*, attrav. *dis-* e *sonus*; v. it. DIS-[1] e -SONO.

**dissotterrare**, da *sotterrare* con *dis-*[1] negat.

**dissuadere**, dal lat. *dissuadere*, composto di *suadere* ' persuadere ' e *dis-* dispersivo-negat.; v. SUADENTE.

**dissuasione**, dal lat. *dissuasio, -onis*, nome d'azione del verbo *dissuadere*; cfr. SUASORIO.

**dissuasore**, dal lat. *dissuasor, -oris*, nome di agente del verbo *dissuadere*.

**dissuefatto**, calco su *assuefatto*, con la sostituz. di *dis-*[1] privat. a *a(d)-*.

**dissueto**, dal lat. *desuetus*, incr. con it. *dissuetùdine*.

**dissuetùdine**, dal lat. tardo *dissuetudo, -ĭnis*, astr. di *dissuescĕre*; v. CONSUETO.

**dissugare**, verbo denom. da *sugo* con *dis-*[1] privat.

**dissuggellare**, verbo denom. da *suggello* con *dis-*[1] privat.

**distaccare**, da *staccare* con la sostituz. del pref. *dis-*[1] privat. a *s-*[2].

**distacco**, sost. deverb. da *distaccare*.

**distante**[1] ' lontano ', part. pres. di *distare*.

**distante**[2] ' riservato ', dall'ingl. *distant*.

**distanza**, dal lat. *distantia*, astr. di *distare*.

**distanziare**, dal frc. *distancer*, incr. col lat. *distantia*.

**distare**, dal lat. *distare* ' star lontano ', comp. di *dis-* e *stare*.

**distemperare**, dal lat. *distemperare*, comp. di *dis-* privat. e *temperare*; cfr. STEMPERARE.

**distèndere**, lat. *distendĕre*, comp. di *tendĕre*, v. TENDERE, con *dis-* dispersivo; nel senso negat. del riflessivo *distendersi* ' riposarsi, rilassarsi ', dal frc. (*se*) *détendre*; cfr. STENDERE.

**distenebrare**, verbo denom. da *tènebra* con *dis-*[1] privat.; cfr. STENEBRARE.

**distensione**, dal lat. tardo *distensio, -onis*, nome d'azione di *distendere*; per il signif. psicologico, calco sul frc. *détente*.

**distensivo**, deriv. durativo in *-ivo* di un part. pass. *disteso*, incr. con *distensione* nel suo senso psicologico.

**distesa**, forma sostantiv. del femm. di *disteso*, part. pass. di *distèndere*.

**disteso**, lat. *distensus*, part. pass. di *distendĕre*; v. STESO.

**distico**, dal lat. tardo *distĭchum*, che è dal gr. *distikhon* (*âisma*) (carme) « a due righe », comp. di *di-* ' due ' e *stikhos* ' linea '.

**distillare**, dal lat. *distillare*, verbo denom. da *stilla* ' goccia ' con *dis-* dispersivo; v. STILLA.

**distillazione**, dal lat. *distillatio, -onis*.

**distillerìa**, da *distillare*, come *raffineria* da *raffinare*, *conceria* da *conciare*, con norm. passaggio tosc. di *-ar-* atona a *-er-*.

**distilo**, comp. di *di-*[2] ' due ' e gr. *stýlos* ' colonna '.

**distìnguere**, dal lat. *distinguĕre*, comp. di *-stinguĕre* ' pungere ' e *dis-* dispersivo. *-Stinguĕre* risale a una rad. (S)TEIG, (S)TEIGᵂ attestata anche nelle aree greca, indiana e germanica (ted. *stechen*).

**distinta**, forma femm. sostantiv. da (*nota*) *distinta*; v. DISTINTO.

**distintivo**, deriv. sostantiv. in *-ivo* del part. pass. *distinto*.

**distinto**, dal lat. *distinctus*, part. pass. di *distinguĕre* (v. DISTINGUERE), con la cons. nasale interna estesa anche al di fuori del tema del pres.

**distinzione**[1] (operazione logica), dal lat. *distinctio, -onis*, nome d'azione del verbo *distinguĕre*.

**distinzione**[2] (onorificenza), dal frc. *distinction*.

**distocia**, dal gr. *dystokia*, comp. di *dys-* ' male ' e *tókos* ' parto ' col suff. di astr. *-ia*.

**distògliere**, da *dis-* con forte valore sottrattivo e *tògliere*.

**distoma**, dal gr. *dístomos* ' che ha due bocche ' e comp. di *di-* ' due ' e *stóma, -atos* ' bocca ': per le due ventose che caratterizzano questi animali.

**distonìa**, calco su *atonìa* (v.), con la sostituz. di *dis-*[2] ' male ' a *a-*[1] privat.

**distòrcere**, incr. di lat. *distorquere* e it. *tòrcere*.

**distornare**, da *tornare* con *dis-*[1] sottrattivo; cfr. STORNARE.

**distorsione**, dal lat. tardo *distorsio, -onis* (class. *distortio, -onis*) nome d'azione del verbo *distorquère*; v. TORSIONE.

**distorto**, dal lat. *distortus*, part. pass. di *distorquere*; cfr. STORTO.

**distrarre**, lat. *distrahĕre*, da *trahĕre* e *dis-* dispersivo, incr. con it. *trarre*.

**distratto**, lat. *distractus*, part. pass. di *distrahĕre*; v. TRATTO.

**distrazione**, dal lat. *distractio, -onis*, nome d'azione di *distrahĕre*.

**distretta**, femm. sostantiv. di *distretto*, dal lat. *districtus*, part. pass. di *distringĕre*; v. STRÌNGERE.

**distretto** (sost.), dal lat. medv. *districtus, -us*, astr. di *distringĕre* ' costringere, comprendere in uno spazio ristretto '.

**distribuire**, dal lat. *distribuĕre*, comp. di *tribuĕre* ' attribuire ' e *dis-* dispersivo (v. TRIBUTO), passato alla coniugaz. in *-ire*.

**distributivo**, dal lat. tardo *distributivus*.

**distributore**, dal lat. tardo *distributor, -oris*.

**distribuzione**, dal lat. *distributio, -onis*.

**districare** e **distrigare**, incr. di lat. *extricare* con *dis-*[1] privat.; con parziale leniz. settentr. di *-c-* in *-g-*; v. STRIGARE, INTRIGARE.

**distrìngere** e **distrìgnere**, dal lat. *distringĕre* ' stringere fortemente ', con variante parallela a *spéngere/spégnere*.

**distrofìa**, da *dis-*[2] ' male ' e *-trofia* (astr. da gr. *tréphō* ' io alimento '); cfr. gr. *dýstrophos* ' difficile a nutrirsi '.

**distrùggere**, forma analogica invece di *\*distrurre* risalente al sistema del lat. *destruĕre* la cui discendenza normale si è limitata al pass. remoto *distrussi* e al part. passato *distrutto*. Per analogia alle coppie *lessi-letto, ressi-retto* che hanno un presente *leggo, reggo* e gli infiniti *leggere, reggere* si è avuto da *distrussi-distrutto, distruggo* e *distruggere*; cfr. invece la diversa sorte di lat. *construĕre* in COSTRUIRE (v.) e di lat. *trahĕre* che ha il presente *traggo* ma l'infinito *trarre*. v. STRUTTURA.

**distruttìbile**, incr. di *distruttivo* (XIV sec.) e *distruggìbile*.

**distruttivo**, dal lat. tardo *destructivus*.

**distrutto**, dal lat. *destructus*; v. STRUTTO.

**distruttore**, dal lat. tardo *destructor, -oris*, nome d'agente di *destruĕre*.

**distruzione**, dal lat. *destructio, -onis*, nome d'azione di *destruĕre*.

**disturbare**, dal lat. tardo *disturbare*, comp. di *turbare* e *dis-* dispersivo; v. TURBARE.

**disturbo**, sost. deverb. da *disturbare*.

**disubbidire**, da *ubbidire* con *dis-*[1] negat.

**disuggellare**, v. DISSUGGELLARE.

**disuguale**, da *uguale* con *dis-*[1] negat.

**disumano**, da *umano* con *dis-*[1] privat.

**disumare**, calco su *inumare, esumare* con la sostituz. di *dis-*[1] estrattivo a *in-* e *es-*.

**disumidire**, calco su *inumidire* con *dis-*[1] privat. al posto di *in-*[1].

**disùngere**, da *ùngere* con *dis-*[1] privat.

disunione, da *unione* con *dis-*[1] negat.

disunire, da *unire* con *dis-*[1] negat.

disunto, da *unto* con *dis-*[1] privat.

disuria, dal gr. *disūría*, comp. di *dys-* ‘ male ’ e *-ūría*, astr. di *ûron* ‘ orina ’, incr. col tema it. *-uria* (v.).

disuso, da *uso* con *dis-*[1] negat.

disùtile, da *utile* con *dis-*[1] privat.

disvantaggio, calco su *avvantaggio* (v.) con sostituz. di *dis-*[1] privat. a *a(d)-*; cfr. SVANTAGGIO e DISAVVANTAGGIO.

disvariare ‘ diversificare ’, da *variare* con *dis-* che sottolinea il contrario della omogeneità.

disvariato, part. pass. di *disvariare*; cfr. SVARIATO.

disvelare, dal lat. *\*disvelare*, comp. di *dis-* privat. e *velare*, verbo denom. da *velum*; v. VELO.

disvèllere, cfr. *svèllere*, incr. di *dis-* sottrattivo col lat. *divellĕre*; v. VELLICARE e VELLO.

disvezzare, calco su *avvezzare*, con sostituz. di *dis-*[1] privat. a *a(d)-*; cfr. SVEZZARE, DIVEZZARE.

disviare, calco su *avviare* con sostituz. di *dis-*[1] privat. a *a(d)-*; cfr. SVIARE.

disvigorire, verbo denom. da *vigore* con *dis-*[1] negat.; cfr. SVIGORIRE.

disviluppare, calco su *avviluppare* con *dis-*[1] privat. al posto di *a(d)-*; cfr. SVILUPPARE.

disvìo, sost. deverb. da *disviare*.

disvolere, da *volere* con *dis-*[1] negat.

disvòlgere, calco su *avvòlgere*, con *dis-*[1] privat. al posto di *a(d)-*; cfr. SVÒLGERE.

ditale, forma sostantiv. di un agg. deriv. da *dito*.

ditello ‘ ascella ’, lat. *titillus* ‘ solletico ’, incr. col « *dito* (che fa il solletico) » e col plur. *ditella*, da incr. con *ascella*; v. DITO e TITILLARE.

ditiràmbico, dal lat. *dithyrambicus*, che è dal gr. *dithyrambikós*.

ditirambo, dal lat. *dithyrambus*, che è dal gr. *dithýrambos*.

dito, lat. *di(g)ĭtus*. Forse forma di part. pass. di un verbo (scomparso) in qualche connessione con la rad. DEIK ‘ indicare ’ (v. DIRE), di cui potrebbe costituire una variante DEIG con la cons. finale sonora. Privo di connessioni nelle altre aree ideur. Nel passaggio al lat. volg. la caduta della *-g-* intervocalica dav. a voc. palat. ha preceduto quella della voc. interna: cfr. invece FREDDO.

dìtola (funghi), da *dito*.

ditta, dal lat. medv. *dicta* ‘ (casa) detta ’ cioè ‘ nominata ’.

dittàfono, dall’ingl. *dictaphone*, comp. del tema del lat. *dictare* ‘ dettare ’ e di *-fono* (v.), estr. dal gr. *phōnē* ‘ voce ’.

dìttamo, incr. di frc. ant. *ditan* e lat. *dictamnus*, che è dal gr. *díktamnos*.

dittatore, dal lat. *dictator, -oris*, nome d’agente del verbo *dictare*, intens. di *dicĕre* ‘ dire ’; v. DETTARE e DIRE.

dittatoriale, dal frc. *dictatorial.*

dittatorio, dal lat. *dictatorius.*

dittatura, dal lat. *dictatura.*

dìttero (*dìptero*), dal gr. *dípteros*, comp. di *di-* ‘ due ’ e *pterón* ‘ ala: « di due ali ».

dìttico, dal lat. *diptỹchum*, forma sostantiv. dall’agg. gr. *díptykhos* ‘ piegato in due ’, da *di-* ‘ due ’ e *ptykhē* ‘ piega ’.

dittografìa, comp. del gr. *dittós* ‘ doppio ’ e il tema *-grafìa* ‘ scrittura ’.

dittologìa, dal gr. *dittología* ‘ ripetizione di parola ’, comp. di *dittós* ‘ doppio ’ e *-logìa*.

dittongare, verbo denom. da *dittongo*.

dittongo, dal lat. tardo *diphthongus*, che è dal gr. *diphthongos* (da *di-* ‘ due ’ e *phthóngos* ‘ suono ’): « a due suoni ».

diuresi, dal lat. scient. *diuresis*, formato sul modello di un gr. *\*diŭrēsis*, nome d’azione del verbo *diūréo* ‘ orino ’, corrispond. all’agg. *diŭrētikós*; v. DIURÈTICO.

diurètico, dal lat. *diureticus*, che è dal gr. *diŭrētikós*, deriv. di *diūréo* ‘ io orino ’.

diurnista, da *diurno* col suff. *-ista* di mestiere.

diurno, dal lat. *diurnus*, calco su *nocturnus*, deriv. dalla forma orig. *\*diūs*, soppiantata poi da *dies*; cfr. GIORNO e DÌ.

diuturnità, dal lat. *diuturnĭtas, -atis.*

diuturno, dal lat. *diuturnus*, incr. di *diurnus* con *diutĭnus*, deriv. da *diu* ‘ a lungo ’ con un suff. *-tĭnus*, come in *cras-tĭnus*, *pris-tĭnus*.

diva, dal lat. *diva*, femm. di *divus*, variante di *dea*, da un ant. *\*deiwā*; cfr. DEA.

divagare, dal lat. *divagari*, comp. di *vagari* e *dis-* dispersivo; v. VAGARE.

divallare, verbo denom. da *valle*, con *di-* di discesa: « verso una valle (sempre più bassa ) ».

divampare, verbo denom. di *vampa* con *di-* di estensione « verso (una vampa sempre maggiore) ».

divano, dall’ar. *dīwān*, soprattutto nel senso di ‘ sedile lungo ’.

divariare, incr. di *disvariare* (v.) con *di-* ablativo « rendere diverso da qualche cosa ».

divaricare, dal lat. *divaricare*, comp. di *dis-* e *varicare*, verbo denom. iterat. di *varus* ‘ rivolto in fuori ’; v. VARCARE.

divario, sost. deverb. estr. da *divariare*.

divedere, calco su *dimostrare*.

divèllere, dal lat. *divellĕre*, comp. di *vellĕre* ‘ strappare ’ e *dis-* estrattivo; v. VELLICARE e VELLO.

divenire, lat. *devenire* ‘ venir giù ’, incr. con it. *di-*[1].

diventare, lat. volg. *\*deventare*, forma intens. di *devenire*.

diverbio, dal lat. *diverbium* ‘ dialogo sul palcoscenico ’, calco sul gr. *diálogos* « discorso attraverso », da *dis-*, *verbum* e suff. di astr. in *-ium*.

divèrgere, dal lat. scient. (XVII sec.) *divèrgere*, calco su *convergĕre*, mediante la sostituz. di *di(s)-* (che divide) a *com-* (che unisce).

diversificare, comp. di lat. *diversus* e il tema di verbo causativo *-ficare*.

diversione, dal lat. tardo *diversio, -onis*, nome d’azione di *divertĕre* ‘ deviare ’.

diversità, dal lat. *diversĭtas, -atis.*

diverso, lat. *diversus*, part. pass. di *divertĕre* ‘ deviare ’; v. VERSO.

divertente, part. pres. di *divertire*.

diverticolo, dal lat. *diverticŭlum*, nome di strum. deriv. da *divertĕre*.

divertire, dal frc. *divertir* (XVII sec.) e questo dal lat. *divertĕre* ‘ volgere altrove ’, ‘ deviare ’.

divetta, dal frc. *divette*.

divezzare, verbo denom. da *vezzo* col pref. *di-*[1] privat.; cfr. DISVEZZARE.

diviare, verbo denom. da *via* col pref. *di-*[1] di allontanamento.

**diviato,** da *diviare* nel senso di ' andar via ', allineato con ' difilato '.

**dividendo,** forma sostantiv. dal lat. tardo *dividendus,* part. fut. passivo di *dividĕre.*

**dividere,** dal lat. *dividĕre,* comp. di *di-* e uno scomparso *\*vidĕre* con una conness. lontana nel sanscrito *vi(n)dhate* ' manca di ', da una rad. WEIDH, che ammette un infisso nasale. A questa rad. risale il tema WIDHEWĀ ' vedova ', largamente attestato nel mondo ideur.; v. VÉDOVA.

**divietare,** dal lat. *devetare,* comp. di *vetare* e *de-* intens.

**divieto,** sost. deverb. estr. da *divietare.*

**divinare,** dal lat. *divinare,* verbo denom. da *divinus* nel senso di ' ispirato dalla divinità '.

**divinatore,** dal lat. tardo *divinator, -oris.*

**divinazione,** dal lat. *divinatio, -onis.*

**divincolare,** da *vincolare* con *di-*[1] estrattivo.

**divinità,** dal lat. *divinĭtas, -atis.*

**divino,** dal lat. *divinus* ' riferito a un divo, dio '; v. DIO.

**divisa,** dal frc. *devise.*

**divisare,** lat. volg. *\*divisare,* intens. di *dividĕre.*

**divisibile,** dal lat. tardo *divisibĭlis.*

**divisione,** dal lat. *divisio, -onis,* nome d'azione del verbo *dividĕre.*

**divismo,** da *divo* e *diva* col suff. *-ismo.*

**diviso,** dal lat. *divisus* (v. DIVIDERE), con normale passaggio del gruppo *-dh-t-* a *-s-.*

**divisore,** dal lat. *divisor, -oris,* nome d'agente del verbo *dividĕre.*

**divo**[1] (agg.), dal lat. *divus,* variante di *deus;* v. DIO.

**divo**[2] (sost.), da *diva* (v.) e questa da lat. *divus;* v. DIO.

**divorare,** dal lat. *devorare,* comp. di *de-* conclusivo e *vorare* ' inghiottire '; v. VORACE.

**divoratore,** dal lat. tardo *devorator, -oris.*

**divorzio,** dal lat. *divortium,* astr. di un arc. *divortĕre* ' divergere ', ' separarsi ' (class. *divertĕre*), comp. di *di(s)-* di movimento in direzione opposta e *vortĕre;* v. VÈRTERE.

**divulgare,** dal lat. tardo *divulgare,* verbo denom. da *vulgus* ' volgo ' con *dis-* dispersivo.

**divulgatore,** dal lat. tardo *divulgator, -oris.*

**divulgazione,** dal lat. tardo *divulgatio, -onis.*

**divulsione,** dal lat. tardo *divulsio, -onis,* nome d'azione di *divellĕre* ' separare con violenza '; v. DIVÈLLERE e CONVULSO.

**dizionario,** dalla formula (*libro*) *dizionario* « (libro) di dizioni », e cioè di detti abituali.

**dizione,** dal lat. *dictio, -onis,* nome d'azione di *dicĕre* ' dire '.

**do,** corrispond. forse alla prima sill. del nome di (G. B.) *DO(ni)* (1594-1647) che l'introdusse al posto di UT, quale era previsto nell'inno solfeggiato da Guido d'Arezzo (v. FA[2]).

**dobla,** dallo sp. *dobla* ' doppia '.

**doblone,** dallo sp. *doblón,* accresc. di *dobla.*

**doccia,** da *doccio.*

**doccio,** lat. volg. *\*(aqui)docium,* calco su gr. *hydragógion* ' conduttura d'acqua ', attrav. i temi *aqua* e *ducĕre.*

**doccione,** lat. *ductio, -onis* (*aquarum*), incr. con lat. volg. *\*(aqui)ducium* e il suff. accresc. it. La forma lat. class. è invece *aquae ductus;* v. ACQUEDOTTO.

**docente,** dal lat. *docens, -entis,* part. pres. di *docere,* verbo causativo tratto dalla rad. DEK[2] che indica il

' ricevere mentale ' e cioè l' ' apprendere '. La forma incoat. raddopp. è in lat. *disco* da *\*di-dc-sco;* v. DISCENTE. La rad. DEK[2] è attestata nelle aree greca, slava, indiana.

**docile,** dal lat. *docĭlis* ' che si può istruire ', agg. di possibilità da *docere,* come *facĭlis* da *facĕre* ' che si può fare ', e *agĭlis* da *agĕre* (« che si lascia condurre ») (v.).

**docilità,** dal lat. *docilĭtas, -atis.*

**docimasìa** e **docimàstica,** dal gr. *dokimasía,* astr. di *dokimázō* ' analizzo ' incr. con l'agg. it. *docimàstico.*

**docimàstico,** dal gr. *dokimastikós.*

**docmio,** dal lat. *dochmius* che è dal gr. *dókhmios.*

**documentare,** verbo denom. da *documento.*

**documento,** dal lat. *documentum,* nome di strum. deriv. da *docere* ' insegnare '.

**dodeca-,** dal gr. *dódeka* ' dodici '.

**dodecaedro,** dal gr. *dōdekáedron,* da *dódeka* ' dodici ' e *hédra* ' base, faccia '.

**dodecafonìa,** da *dodeca-* e *-fonìa,* astr. di *-fono* (v.).

**dodecàgono,** dal gr. *dōdekágōnon,* comp. di *dódeka* ' dodici ' e il tema di *gōnía* ' angolo '.

**dodecasìllabo,** dall'agg. gr. *dōdekasýllabos,* comp. di *dódeka* ' dodici ' e *syllabé* ' sillaba '.

**dodicenne,** dal lat. tardo *duodec(im)ennis,* comp. di *duodĕcim* ' dodici ' e *-ennis* (per es. (*bi*)*ennis* da *bi-* ' due ' e *annus*) con norm. passaggio di *-ă-* in *-ĕ-* in sill. interna chiusa.

**dodicennio,** dal lat. tardo *duodec(im)ennium,* calco su *biennium* ' periodo di due anni '.

**dódici,** lat. *duodĕcim,* che si trova identico nel gr. *dódeka* e nel sanscrito *dvādaça* e molto somigliante nelle altre aree ideur. La forma primitiva è DWODEKM; cfr. DUE e DIECI.

**doga,** lat. *docus* ' travicello ' incr. con lat. *doga* ' botte ' che è dal gr. *dokhé* ' cosa che accoglie, accoglienza, vaso '.

**dogana,** dall'ar. *dīwān* ' sedile lungo ', poi ' ufficio ', ' registro ', attrav. una forma ant. *dovana* (cfr. DIVANO), col passaggio della voc. atona *-i-* in *-o-* dav. a *-v-* (v. DOVIZIA, DOVENTARE) incr. con una tradiz. settentr. *\*digana* che ammette la variante franca di *-v-* in *-g-.*

**dogaressa,** dal lat. medv. *ducatrix, -icis,* incr. con la desinenza femm. *-issa* e la semplificaz. veneta di *-tr-* in *-r-,* oltre alla leniz. settentr. della *-c-* in *-g-.*

**dogato** (e **dogado**), lat. medv. *ducatus,* con doppia leniz. veneta di *-c-* in *-g-* e *-t-* in *-d-,* oppure con la sola prima, di *-c-* in *-g-.*

**doge,** venez. *doze,* lat. *dux ducis,* con la correzione tosc. di veneto *-ze* in *-ge;* v. DUCE.

**doglia,** lat. volg. *\*dolia,* neutro plur. di *-dolium,* astr. di *dolere,* sopravv. in *cordolium;* v. CORDOGLIO e DOLORE.

**doglianza,** dal frc. ant. *doillance,* deriv. di lat. *dolere.*

**doglio,** lat. *dolĭum* ' vaso ' incr. con it. *foglio;* v. DOLIO.

**dogma** e **domma,** dal lat. *dogma, -ătis* che è dal gr. *dógma, -atos,* prima ' parere ' poi ' opinione ' poi ' decisione ' (dal verbo *dokéō* ' mi sembra ').

**dogmàtico** e **dommàtico,** dal lat. *dogmatĭcus* che è dal gr. *dogmatikós.*

**dogmatismo** e **dommatismo,** dal lat. tardo *dogmatismus,* deriv. da *dogma, -ătis.*

**dogmatizzare** e **dommatizzare,** dal lat. *dogmatizo*

che è dal gr. *dogmatizō*, verbo denom. da *dógma*, -*atos*.

**dolabra** (strum.), dal lat. *dolabra*, nome di strum. da *dolare* ' sgrossare ' con numerose ma approssimative connessioni ideur. di carattere tecnico, fra cui forse anche lat. *dōlium*; v. DOLIO.

**dolce**, lat. *dulcis*, che ha la sola possibilità di derivare da un ant. \**dulcu-is*, confrontabile con un presunto gr. \**dlyký-s*, poi assimilato nel class. *glykýs*, secondo lo schema da *dl.... k* in *gl.... k*.

**dolciario**, dal lat. *dulciarius*.

**dolcificare**, dal lat. tardo *dulcificare*.

**dolcire** (arc.), verbo denom. da *dolce*.

**dolco**, lat. volg. \**dulcus*, estr. da *dulc(at)us*, part. pass. del lat. tardo *dulcare* ' addolcire ', ' diventar dolce ', verbo denom. da *dulcis*.

**dolenza**, astr. di *dolente*, *dolere*.

**dolere**, lat. *dolere*, con non attendibili connessioni ideur., anche se di chiara formazione causativa da una ipotetica rad. DEL come *monere* da MEN; cfr. DUOLO.

**dòlico-**, dal gr. *dolikhós*, la parola indeur.-sudorientale per significare ' lungo ', attestata in greco, sanscrito, slavo, ittita, del tipo DELE-GH, in opposizione a quella occidentale del tipo (D)LONGH, attestata nel lat. *longus* (v. LUNGO), nel ted. *lang* e nell'area celtica.

**dolicocefalìa**, astr. di *dolicocèfalo*.

**dolicocèfalo**, da *dòlico-* e *cèfalo*.

**dolina**, dallo sloveno *dolina*, deriv. da *dol* ' valle ', attrav. il ted. *Dolline* (sec. XIX).

**dolio**, dal lat. *dōlium*, con poco afferrabili connessioni ideur.-nordoccidentali; cfr. DOGLIO e DOLABRA.

**dòllaro**, dall'ingl. *dollar*, questo dal basso ted. *daler*, equival. al ted. *Taler*; v. TÀLLERO.

**dolman**, dal frc. *dolman* e questo dal turco *dolama(n)*.

**dolmen**, dal frc. *dolmen*, comp. artificialmente con le parole bretoni *tol* ' tavola ' e *men* ' pietra ' e cioè ' tavola di pietra '.

**dolo**, dal lat. *dolus*, con insufficienti connessioni fuori d'Italia, forse di origine greca (gr. *dólos*).

**dolòmia**, dal frc. *dolomie* e questo dal nome del geologo D. *de Dolomieu* (1750-1801) che per primo distinse la dolomite dalla calcite.

**dolomite**, dal frc. *dolomite*; v. DOLÒMIA.

**dolore**, lat. *dolor*, -*oris*, astr. di *dolere* come *vigor* rispetto a *vigere*; v. DOLERE.

**dolorifico**, da *dolore* e dal tema -*fico* ' che fa ' (v.).

**doloroso**, dal lat. tardo *dolorosus*.

**doloso**, dal lat. *dolosus*.

**dolzore** (arc.), dal provz. *dolsor* incr. con it. *dolce*, attrav. una tradiz. settentr., contro la quale si corregge la -*s*- in -*z*-.

**domàbile**, dal lat. *domabilis*.

**domanda**, sost. deverb. da *domandare*.

**domandare**, lat. *demandare* ' affidare ' poi ' domandare ' incr. con it. *comandare*, anche per l'influenza della articolaz. labiale che in posiz. protonica preferisce -*o*- a -*i*- come in *domani*, *dopo*, *doventare*, *dovere*, *dovizia*; cfr. DIMANDARE.

**domani**, lat. *de mane* ' di mattina ' incr. con *do(po)* per l'iniz. e *(ogg)i* per la finale. Cfr. anche i casi come *domandare*, in cui *e* protonica davanti a cons. labiale spesso diventa *o*.

**domare**, lat. *domare*, appartenente a famiglia lessicale importante, connessa con la domesticazione degli animali. Il tipo fondam. è DEMĀ, bene attestato nelle aree germanica, ittita, indiana, celtica, greca (*damázō*).

**domatore**, dal lat. tardo *domator*, -*oris* (class. *domĭtor*, -*oris*).

**domattina**, da *do(mani) mattina*.

**doménica**, lat. tardo *dominĭca (dies)* « (giorno) del Signore ».

**domenicale**, dal lat. *dominicalis*, deriv. da *dominica (dies)*, incr. con *domenica*.

**domentre**, lat. *dum int(e)rim*, locuzione congiuntiva in cui *interim* (v. INTERIM) rinforza *dum* che è forma irrigidita della rad. DWĀ alternante con DŪ ' durare ', attestata nell'area armena e ittita, e, solo con ampliam. in liquida o nasale, nelle aree greca, slava, indo-iranica; cfr. DURARE e INDUGIARE.

**domesticare**, verbo denom. da *domèstico*.

**domèstico**, dal lat. *domestĭcus* ' appartenente alla casa ', di formazione parallela a *rustĭcus* (da \**rovesticus* ' campagnolo '), tratta da un tema in sibilante DOMES/DOMOS; v. DUOMO.

**domicilio**, dal lat. *domicilium*, che presuppone un verbo \**domicolēre* ' abitar la casa ', da *domus* ' casa ' e *colēre*, con passaggio della voc. breve interna in sill. aperta a -*ĭ*- dav. a -*l*- seguita da -*i*-.

**dominare**, dal lat. tardo *dominare*, class. *dominari* verbo denom. da *domĭnus* ' signore ' e cioè ' agire in qualità di padrone '.

**dominatore**, dal lat. *dominator*, -*oris*.

**dominazione**, dal lat. *dominatio*, -*onis*.

**domineddìo**, dal vocat. lat. *domĭne* seguito da *e Dio*.

**dominicale**, dal lat. tardo *dominicalis*, deriv. di *dominĭcus* e questo di *domĭnus* ' signore '.

**dominio**, dal lat. *dominium*, astr. dal lat. *dominari* ' signoreggiare ', come *exercitium* o *sacrificium* rispetto a *exercitare*, *sacrificare*.

**dòmino¹**, dal lat. *domĭnus*, deriv. da *domus* (v. DUOMO) col suff. -*no* e col conseg. signif. di « (signore) della casa »; cfr. *Portunus* ' dio del porto ', *tribunus* ' rappresentante della tribù '.

**dòmino²**, dal frc. *domino* (XVII sec.) che viene dalla formula lat. *(benedicamus) domino* ' (benediciamo) al signore ', questo, per la cappa che mette il sacerdote prima della benedizione.

**dòmino³**, dal frc. *domino* (XIX sec.), da *domino* ' cappa ', ' maschera ' per il colore bianco e nero che le tessere hanno in comune con la cappa.

**domma** e deriv., v. DOGMA e deriv.

**domo¹**, estr. da *dom(at)o*.

**domo²** ' cupola ', dal frc. *dôme*.

**don¹**, forma tronca dell'ant. *donno* (v.).

**don²**, variante di *din* (v.), come forma onomatop. del suono delle campane.

**donàbile**, dal lat. *donabĭlis*.

**donare**, lat. *donare*, verbo denom. da *donum* ' dono '.

**donatario**, dal lat. medv. *donatarius*.

**donativo**, dal lat. *donativum*, agg. sostantiv.

**donazione**, dal lat. *donatio*, -*onis*.

**donchisciotte**, dal nome del famoso personaggio (Don Chisciotte) creato nel romanzo omonimo da M. Cervantes (1547-1616).

**donde**, lat. *de unde*; v. ONDE.

**dóndola**, sost. deverb. da *dondolare*.

**dondolare**, incr. dell'onomatop. *don* delle campane (v. DIN) con un verbo denom. da lat. tardo *undŭla*, dimin. di *unda*; v. ONDA.

**dóndolo**, sost. deverb. estr. da *dondolare*.

**dongione** (torrione), dal frc. *donjon* che è il lat. volg. *\*dominio, -onis*, astr. di *domĭnus* ' signore '.

**dongiovanni**, dal nome di Don Giovanni Tenorio, personaggio che appare la prima volta in un'opera spagnola attribuita a Tirso de Molina (c. 1584-1648).

**donna**, lat. *domĭna*, con la norm. sincope di voc. postonica interna e conseg. assimilaz.; v. DÒMINO[1] e cfr. DONNO.

**donneare**, dal provz. *domneiar*, verbo denom. dal lat. *domĭna*.

**donno**, lat. *domĭnus*, di cui rappresenta lo svolgim. norm., con sincope della voc. postonica interna e conseg. assimilaz.; cfr. DÒMINO[1] e DONNA.

**dònnola**, dimin. di *donna*, applicato all'animale per le sue forme aggraziate.

**dono**, lat. *donum*, antichissimo deriv. della rad. DŌ ' dare ', conservato identico nel sanscrito *dānam* e quasi identico nelle aree celtica, osco-umbra, albanese. Nelle aree intermedie (greca, armena, slava) si ha invece un ampliam. in *-ro*, per es. gr. *dôron* ' dono '; v. DARE.

**donzella**, dal provz. *donsela*, lat. *\*dominicella*, doppio deriv. di *domĭna*.

**donzello**, dal provz. *donsel*, lat. *\*dominicellus*, doppio deriv. di *domĭnus*.

**dopo**, lat. *depost* con accento unico sull'elemento *de*, il tutto incr. con it. *dove*, anche sotto l'influenza della cons. labiale *-p-* che preferisce esser preceduta da *-o-* anziché da *-i-*; cfr. DOMANDARE, DOVENTARE, DOVIZIA.

**doppia**, femm. sostantiv. da *doppio*.

**doppiaggio**, dal frc. *doublage* incr. con it. *doppiare*[2].

**doppiare**[1], lat. tardo *duplare*, verbo denom. da *duplus* ' doppio '.

**doppiare**[2], dal frc. *doubler*, adattamento dell'ingl. *to dub* ' addobbare '; cfr. DOPPIAGGIO.

**doppiere**, incr. di provz. *doblier* (deriv. di *doble* ' doppio ') e it. *doppio*.

**doppio**, lat. *duplus*, incr. di un tipo *duplex* (v. DÙPLICE e *\*dubus*), forma ricostruita che è alla base di *dubius* e *dubĭto*; v. DUBBIO e cfr. DUPLO.

**dorare**, lat. *d(e)aurare*, verbo denom. da *aurum* ' oro ', con *de-* intens.

**dòrico**, dal lat. *dorĭcus* che è dal gr. *Dōrikós*.

**dormicchiare**, lat. volg. *\*dormiclare*, svolgim. norm. di *\*dormitulare*, iterat. di *dormitare* e questo intens. di *dormire*; v. DORMIRE.

**dormire**, lat. *dormire*, ampliam. di una rad. DER che indica il ' dormire ' come opposizione al ' vegliare ' e quindi non necessariamente come azione durativa (cfr. invece la rad. SWEP sotto SONNO). La rad. DER con ampliam. varî è attestata anche in sanscrito, greco e slavo.

**dormitorio**, dal lat. *dormitorium*.

**dormiveglia**, comp. di *dormi* e *veglia*, entrambe forme verb. del tipo *bagna-sciuga*, *sali-scendi* ecc.

**dormizione**, dal lat. *dormitio, -onis*.

**dorso**, lat. *dorsum*, prob. forma sostantiv. dell'avv. *deorsum*; v. GIUSO.

**dosaggio**, dal frc. *dosage*, risal. al gr. *dósis* ' l'azione di dare '.

**dose**, dal gr. *dósis* ' l'azione di dare ', nome d'azione di *dídōmi* ' io dò '.

**dosso**, lat. volg. *\*dossum*, incr. di lat. class. *dorsum* con *os, ossis*.

**dossologia** (formula liturgica), dal gr. *doksología*, comp. di *dóksa* ' lode ' e *-logía* ' discorso '.

**dotale**, dal lat. *dotalis*.

**dotare**, dal lat. *dotare*, verbo denom. da *dos, dotis*.

**dotato**, da *dote* ' fornito di dote '.

**dote**, dal lat. *dōs, dōtis*, nome radic. di *dare*, identico al gr. *dós*, attestato da Esichio, dalla rad. DŌ, ampliato con *-T-*; v. DARE.

**dottare** ' dubitare ', dal provz. *doptar* che è il lat. *dubitare*.

**dottato**, forse dall'arc. *ad otta* ' a tempo ' e cioè « appartenente al tempo giusto »; v. OTTA.

**dótto**[1], dal lat. *ductus, -us*, astr. di *ducĕre* ' condurre '; v. DUCE.

**dòtto**[2], dal lat. *doctus*, part. pass. aggregato al sistema del verbo *docere*, anche se in orig. autonomo, perché il part. pass. di verbo causativo, avrebbe dovuto essere *\*docĭtus* (v. DOCENTE). È possibile si tratti di un incr. fra il norm. *\*dectus* (v. DISCENTE) e il causativo *\*docĭtus*.

**dottore**, dal lat. *doctor, -oris*.

**dottrina**, dal lat. *doctrina*, deriv. di *doctor* (v. DOTTORE), come (*taberna*) *tonstrina* ' bottega da barbiere ' da *tonsor*; v. TONSURA.

**dottrinale**, dal lat. tardo *doctrinalis*.

**dove**, lat. *de ubi*; v. OVE.

**doventare**, lat. volg. *\*deventare*, con passaggio di *-e-* protonico a *-o-* dav. a cons. labiale; cfr. DOMANDARE, DOPO, DOVIZIA, DOVERE e v. DIVENTARE.

**dovere**, lat. *debere*, comp. di *de-* e *habeo* ' detenere ', ' avere da qualcuno ' e perciò ' dovere ' con assimilaz. di *\*dev-* in *dov-*, propria di voc. protonica (come in *domandare*, *doventare*, *dovizia*) dav. ad articolaz. labiale; v. AVERE.

**dovizia**, dal lat. *divitiae*, con assimilaz. della voc. protonica davanti a cons. labiale; da *dives* ' ricco ' privo di connessioni attendibili.

**dovunque**, da *dove* e *-unque*.

**dovuto**, part. pass. analogico di *dovere* sul modello di *avuto* (v.) rispetto a *avere*.

**dozzina**, dal frc. ant. *douzaine*, deriv. da *douze*, lat. *duodĕcim*. Adattato con la finale *-ena* nell'it. settentr., *-ina* in Toscana.

**dracma**; v. DRAMMA.

**draconiano**, dal nome di *Dracone*, severissimo legislatore ateniese del VII sec. a. C.

**draga**, dal frc. *drague* e questo dall'ingl. *to drag* ' tirare '.

**dragaggio**, dal frc. *dragage*.

**dragante** (elemento degli scafi delle navi), dal lat. medv. (napoletano) *drigantum* (XIII sec.), incr. con un tipo ligure *tragant* pure del XIII sec.

**dragare**, verbo denom. da *draga*.

**draghinassa** ' sciabolone ', da *daghina*, dimin. di *daga*, incr. con *drago* e provvisto del peggiorativo settentr. *-assa* (tosc. *-accia*).

**draglia**, dal frc. *draille*, incr. di *traille* (lat. *tragŭla*, (v. TRAGLIA) e *drague*; v. DRAGA.

**drago**, lat. *draco*, importato in età arc. dal gr. *drákōn, -ontos* e perciò inserito fra i nomi in *-o-*, *-onis*, e passato in it. con leniz. settentr. di *-c-* in *-g-*.

**dragomanno**, dal gr. moderno *dragūmános*, adattamento dell'ar. *targiumān* ' interprete '.

**dragona**, dal frc. *dragonne* e questo da *dragon* ' soldato di cavalleria '.

**dragone** (soldato di cavalleria), lat. *draco, -onis*, dal gr. *drákōn*, con leniz. settentr. di *-c-* in *-g-*:

riferito ai soldati che avevano il drago rappresentato sul loro stendardo.

**dramma**[1], dal lat. *drachma* che è dal gr. *drakhmē*.

**dramma**[2], dal lat. tardo *drāma, -ătis* che è dal gr. *drâma, -atos* ' azione ', deriv. da *dráō* ' faccio ' incr. con *drammàtico*.

**drammàtico**, dal lat. *dramatĭcus* che è dal gr. *dramatikós* incr. con *grammàtico*.

**drammaturgìa**, dal gr. tardo *dramatūrgía*, astr. di *dramatūrgós*, incr. con *drammàtico*.

**drammaturgo**, dal gr. tardo *dramatūrgós*, comp. di *drâma, -atos* ' dramma ' e il tema di nome d'agente *-ergós*; cfr. *érgon* ' lavoro '.

**drappeggiare**, verbo denom. iterat. da *drappo*.

**drappeggio**, sost. deverb. estr. da *drappeggiare*.

**drappello**, dal provz. *tropel* incr. con *drappo*; cfr. TRUPPA.

**drappo**, lat. tardo (V sec.) *drappus* di orig. gallica.

**dràstico**, dal gr. *drastikós* ' efficace ', deriv. di *dráō* ' agisco '.

**drenaggio**, dal frc. *drainage*; v. DRENARE.

**drenare**, dal frc. *drainer* e questo dall'ingl. *to drain* ' seccare '.

**drìade**, dal lat. *dryas, -ădis* che è dal gr. *dryás, -ádos*, deriv. di *drŷs* ' quercia '.

**dribblare**, dall'ingl. *to dribble* ' gocciolare '.

**drin drin**, onomatop. del suono del campanello.

**dritto**, variante fonetica di *diritto*[1] (v.) con signif. autonomo nella forma sostantiv. La sincope della voc. protonica è particolarmente diffusa nelle aree romagnola, emiliana, piemontese.

**drizzare**, variante fonetica di *dirizzare*.

**droga**, dal frc. *drogue* (XVI sec.) e questo dall'ol. *droog* ' secco '.

**dromedario**, dal lat. del IV sec. d. C. *dromedarius*, ampl. di *dromĕda, -ae*, che è dal gr. *dromás, -ádos* ' corridore ' e cioè « (cammello) veloce ».

**-dromo**, dal gr. *-drómos*, tema di *dramein* ' correre ': « luogo di corsa (per cavalli, biciclette, ecc.) ».

**dromone** (nave bizantina), dal lat. tardo *dromo, -onis* che è dal gr. tardo *drómōn, -ōnos*.

**drudo**, dal lat. dell'VIII sec. *drudus*, parola germ. (franco *drūd*) che significa ' fedele '; cfr. ted. *treu*.

**drùida**, dal lat. *druĭdae* (pl.), parola celtica, in irlandese *drui, druad* (da *dru-* ' quercia ' e *wid-* ' sapere '): « indovino per mezzo (dei rami) di quercia ».

**drupa**, dal lat. *drupa* ' oliva matura ', dal gr. *drýpeps* « che matura (*pep-*) sull'albero (*dry-*) ».

**duale**, dal lat. *dualis*, calco sul gr. *dyïkós*.

**dualità**, dal lat. tardo *dualĭtas, -atis*.

**dubbio**, come sost., dal neutro lat. *dubium*, come agg., dal lat. *dubĭus*, deriv. di *dubare* ' dubitare ' che è verbo denom. da *\*dubus*, tratto da *du-* ' due ' come *probus* da *pro*, per mezzo di un elemento *-bho-* (cfr. DOPPIO). It. *dubbio* ha il norm. raddopp. dav. a *-i-* consonantico in posizione postonica.

**dubbioso**, dal lat. tardo *dubiosus* incr. con it. *dubbio*.

**dubitàbile**, dal lat. *dubitabĭlis*.

**dubitare**, dal lat. *dubitare*, iterat. di *dubare* ' essere in dubbio ' e questo denom. dall'agg. *\*dubus* ' incerto '; v. DUBBIO.

**dubitativo**, dal lat. *dubitativus*.

**dubitatore**, dal lat. tardo *dubitator, -oris*.

**dubitazione**, dal lat. *dubitatio, -onis*.

**duca**, dal gr. biz. *dûka*, accus. di *dúks*, risal. al lat. *dux* ' condottiero '; v. DUCE.

**ducale**, dal lat. tardo *ducalis*.

**ducato**[1] (titolo), dal lat. *ducatus, -us*, astr. di *dux*, come il gr. *hēgemonía* ' sovranità ' è l'astr. di *hegemón* ' capitano '.

**ducato**[2] (moneta), dal lat. medv. (XIII sec.) *ducatus*, che figurava sulle monete venez. raffiguranti il doge.

**duce**, dal lat. *dux, ducis* ' condottiero, nome radicale della stessa famiglia di *ducère* ' guidare ', dalla rad. DEUK, conservata nella stessa forma nelle lingue germ. (ted. *ziehen* ' tirare '), meno chiara nelle aree greca e albanese. Anche il tema nominale sopravvive nelle lingue germ., sia pure solo come secondo elemento di comp.; v. ted. (*Her*)*zog* ' duca ', propr. « duce (dell'esercito) ». Il ted. *Zug* ' convoglio, treno ' appartiene alla stessa famiglia; cfr. DOGE, DUCA. Per la forma verbale intensiva-durativa, v. (E)DUCARE.

**due**, lat. tardo *dui*, class. *duo* (m.), *duae* (f.), *duo* (n.). Dal tema ideur. fondam., attestato praticamente in tutte le aree ideur. (gr. *dýo*, ingl. *two*, ecc.), ricostruito nella forma di duale maschile DWŌU.

**duellare**, dal lat. tardo *duellare*.

**duellatore**, dal lat. arc. *duellator, -oris* (class. *bellator, -oris*).

**duello**, dal lat. medv. (X sec.) *duellum*, ripreso dall'identica forma arc. da cui era nato poi, per norm. svolgim. fonetico, *bellum* ' guerra '; v. BÈLLICO.

**duerno**, calco su *quaderno*, con la sostituz. di *du-* ' due ' a *quad-* ' quattro '.

**duetto**, dimin. di it. *duo*.

**dugentèsimo**, dal lat. *ducentesĭmus* incr. con it. *dugento*.

**dugento**, lat. volg. *\*ducentum*, class. *ducenti*, con la leniz. settentr. di *-ce-* in *-sge-* entrata nei dialetti tosc., e parzialmente anche nella lingua letteraria, nella forma *ge-*.

**dulcamara**, da un lat. medv. *dulcamara*, comp. di *dulcis* e *amara*.

**dulcinèa**, dal nome della dama di Donchisciotte, nel romanzo omonimo di M. Cervantes (1547-1616).

**dulia**, dal gr. *dūleía*, astr. di *dûlos* ' servo '.

**dum**, dall'ar. dialettale *dōm* ' specie di palma ' attrav. il siciliano *ddummi* ' dattero della palma selvatica '.

**duma**, dal russo *duma* ' pensiero ', ' consiglio '.

**dum-dum**, da *Dumdum*, località presso Calcutta, sede del quartiere generale ingl. nella prima metà del sec. XIX.

**dumo**, dal lat. *dūmus*, ant. *\*dus-mo-*, da una rad. attestata anche nelle aree celtica e germanica.

**duna**, dall'ol. medio *dūne* ' altura ' (moderno *duin*).

**dunque**, lat. tardo *dunc*, incr. di *dumque* e *tunc*, allineato poi con le forme it. in *-unque*. Per lat. *dum*; v. DOMENTRE.

**duo** ' duetto ', dal lat. *duo*; v. DUE.

**duodècimo**, dal lat. *duodecĭmus*, numero ordinale di *duodĕcim* ' dodici '.

**duodeno**, dal lat. *duodeni* (distributivo di *duodĕcim* ' dodici '), perché lungo nell'uomo dodici pollici circa. Calco sul gr. *dōdekadáktylos* ' di dodici dita '.

**duolo**, lat. volg. *\*dolus*, sost. deverb. da *dolere*; v. DOLERE.

**duomo**[1], lat. *domus (Dei)* ' casa (di Dio) '. Lat. *domus* si presenta in tre formaz.: in *-u*, conservata nelle aree lat., slava, indiana; in -o conservata nelle aree lat. e gr.; in -es nel lat. *domes e domestĭcus (v. DOMESTICO). Più primitiva di queste tre forme è DEM, forma radicale attestata nelle aree indoiranica, armena e gr., p. es. nel comp. gr. de(m)s-(pótēs) 'signore della casa'. Deriv. ulteriore è in lat. domĭnus; v. DÒMINO[1].

**duomo**[2], dal lat. frc. dôme 'cupola'.

**duòviro**, dal lat. duovir, deriv. analogico sorprendente da un plur. duovĭri 'due uomini', come se noi imaginassimo un magistrato chiamato «il due-uomo» per definire l'uno dei due componenti di una coppia di «due-uomini»; cfr. DUÙMVIRO.

**dupla**, dal lat. dupla 'doppia' forma sostantiv.; v. DOPPIO.

**duplex**, dal lat. duplex 'doppio' e questo comp. di du- e della rad. plec- che appare in plicare 'piegare' e cioè «piegato in due»; v. PIEGARE.

**duplicare**, dal lat. duplicare, verbo denom. da duplex, -ĭcis.

**duplicatore**, dal lat. tardo duplicator, -oris.

**duplicazione**, dal lat. duplicatio, -onis.

**dùplice**, dal lat. duplex, -ĭcis «piegato in due», comp. di du- e -plex; v. PIEGARE e cfr. DUPLEX.

**duplicità**, dal lat. duplicĭtas, -atis.

**duplo**, dal lat. duplus; v. DOPPIO.

**dura** (varietà di sorgo), dall'ar. dhurra.

**duràbile**, dal lat. durabĭlis; cfr. DUREVOLE.

**durabilità**, dal lat. tardo durabilĭtas, -atis.

**duràcino**, dal lat. duracĭnus, comp. di durus e acĭnus, calco sul gr. sklērósarkos.

**duralluminio**, comp. di alluminio e di Dür(en), iniz. di Dürener Metallwerke di Düren (Germania), stabilimenti proprietarî del brevetto.

**duramadre**, dal lat. scient. dura mater.

**durame**, dal lat. duramen, -ĭnis, collettivo da durus 'duro'.

**durante**, prep. deriv. dall'irrigidimento del part. pres. di durare in costruzioni assolute: durante l'estate voleva dire un tempo «mentre dura l'estate», ed era cioè una proposizione, divenuta poi una varietà di complemento di tempo; v. DURARE.

**durare**, lat. durare 'diventar duro', 'render duro', verbo denom. da durus, incr. con durare 'allungare nel tempo', verbo denom. da un ampliam. della rad. DWĀ/DŪ mediante -r-, attestato nell'area armena e nell'avv. gr. dērón (da *dwārón); cfr. DOMENTRE, INDUGIARE.

**duraturo**, dal lat. duraturus, part. fut. di durare.

**durezza**, lat. duritia, astr. di durus.

**durlindana**, adattamento di d'Orlandana con la voc. u dovuta a un incr. frc. con dur 'duro': «(la spada) d'Orlando».

**duro**, lat. durus, forse da *druros, che è simbolo della durezza: e quindi connesso con l'ant. nome della quercia, in gr. drŷs; v. DURARE.

**dùttile**, dal lat. ductĭlis, deriv. del part. pass. ductus di ducĕre 'guidare', 'tirare', sullo schema di fissĭlis, fictĭlis, missĭlis.

**duumvirale**, dal lat. duumviralis.

**duumvirato**, dal lat. duumviratus, -us.

**duùmviro** dal lat. duumvir, estr. dalla formula duumvirum (arbitratu) 'per decisione dei due uomini' in cui duumvirum è stato considerato come parola unica, declinata nella sola seconda parte e perciò legata a un nom. sg. duumvir; cfr. DUÒVIRO.

# E

**e,** (prefisso estrattivo e durativo in latinismi), dal lat. *e-* variante di *ex-* davanti a parole con consonante iniziale sonora p. es. *evadĕre, erigĕre, eradicare,* v. DIRADICARE, *elongare,* v. DILUNGARE. Per i riferimenti ideur. v. ES-.

**e,** lat. *et,* ant. parola accessoria col valore di 'inoltre, ancora' e cioè di forte coordinamento, sopravv. nel gr. *éti* e nelle aree celtica, germanica, indo-iranica. La forma primitiva è ETI; cfr. ED.

**ebano,** lat. *(h)ebĕnus,* che è dal gr. *ébenos,* egiz. *hbnj,* con norm. passaggio di voc. postonica ad *-a-* in parola sdrucciola, cfr. *tonaca* rispetto a lat. *tunĭca, folaga* rispetto a lat. *fulĭca, crònaca* rispetto a lat. *chronĭca.*

**ebbene,** da *e(d) bene.*

**ebbio,** lat. *ebŭlus,* con non chiare connessioni baltiche e slave, cfr. le varianti LEBBIO e NEBBIO.

**ebbrezza** (*ebrezza*), da *ebbro.*

**eb(b)ro,** lat. *ēbrius,* chiaram. definito nel suo aspetto positivo dalla opposizione di *sobrius* che significa evidentemente 'astinente', da *\*so-,* forma alternante di *se-,* 'senza' (come in *se-curus* 'senza preoccupazioni', v. SECERNERE) e *\*ebrio-,* parola ideur., però priva di connessioni attendibili. Il raddopp. *-br-* in *-bbr-* è norm. in posizione postonica; cfr. FABBRO.

**ebdòmada,** dal lat. *hebdōmăda,* class. *hebdŏmas, -ădis,* che è dal gr. *hebdomás, -ádos,* da *hébdomos* 'settimo'.

**ebdomadario** e **eddomadario,** dal lat. *hebdomadarius.*

**ebefrenìa,** comp. del gr. *hēbē* 'giovinezza' e *-frenìa.*

**èbete,** dal lat. *hebes, -ĕtis,* privo di connessioni ideur.

**ebollizione,** dal lat. *ebullitio, -onis,* nome d'azione del verbo *bullire,* comp. di *bullire* e *e-* durativo; v. BOLLIRE.

**ebraico,** dal lat. tardo *hebraĭcus,* che è dal gr. tardo *hebraïkós.*

**ebrèo,** dal lat. *hebraeus,* che è dal gr. tardo *hebraîos,* risal. a ebr. *'ibrî,* deriv. dal presunto capostipite *'Ēber.*

**ebrietà,** dal lat. *ebriĕtas, -atis.*

**ebulliscopio,** comp. del tema del lat. *ebullire* e di *-scopio* (v.).

**ebùrneo,** dal lat. *eburneus,* doppio deriv. di *ebur, -ŏris* (cfr. AVORIO), lontanamente collegato col gr. *(el)éphas:* come questo, di orig. orientale, senza che si possa individuare la esatta via di trasmissione.

**ecatombe,** dal lat. *hecatombe,* che è dal gr. *hekatón* 'cento' e *bûs* 'bue'.

**eccèdere,** dal lat. *excedĕre* 'andar fuori, oltre', comp. di *ex-* e *cedĕre;* v. CÈDERE.

**eccellente,** dal lat. *excellens, -entis,* part. pres. di *excellĕre;* v. ECCÈLLERE.

**eccellenza,** dal lat. *excellentia,* calco sul gr. *eksokhḗ.*

**eccèllere,** dal lat. *excellĕre* 'spingersi in fuori, sorpassare, comp. di *ex-* e il non attestato *\*cellĕre* da *\*celdĕre* 'inalzarsi', rad. KEL¹ con una chiara corrispondenza nel verbo lituano *kelti* 'elevare' e altre meno evidenti nelle aree germanica e slava; cfr. COLLE, COLONNA, CÙLMINE.

**eccelso,** dal lat. *excelsus,* part. pass. di *excellĕre,* con norm. passaggio da *\*(ex)celd-to-s* (v. ECCELLERE), a *(ex)celsus.*

**eccèntrico,** dal lat. tardo *eccentrus,* che è dal gr. *ékkentros* 'che ha il centro fuori' col suff. it. *-ico* per distinguersi da *centro* sost. Il valore figur. è sotto l'influenza del frc. *excentrique.*

**ecceòmo,** adattamento del lat. *ecce homo* 'ecco l'uomo'.

**eccepire,** incr. di lat. *excipĕre* e lat. volg. *\*capire. Excipĕre* mostra, rispetto a *capĕre,* il norm. passaggio di *-ă-* in *-ĭ-* in sill. interna aperta; cfr. ECCETTO.

**eccesso,** dal lat. *excessus, -us,* astr. di *excedĕre* 'oltrepassare', comp. di *ex-* e *cedĕre;* v. CÈDERE.

**eccètera,** dal lat. *et cetera* 'e tutte le altre cose'. La parola latina *cetĕrus* risulta da un elem. KE attestato in lat. con l'ampliam. comparativo - WE nella forma *ceu* premesso al tema di agg. pronominale comparativo *\*etero-* attestato nelle aree italica, slava, iranica. *\*Etero-* a sua volta deriva da un tema di dimostrativo E- e il suff. aggettiv. comparativo *-tero-;* cfr. ALTRO e simili.

**eccetto,** dal lat. *exceptus,* part. pass. di *excipĕre,* comp. di *ex* e *capĕre* col norm. passaggio di *-ă-* in *-ĕ-* in sill. interna chiusa; cfr. ECCEPIRE.

**eccettuare,** verbo denom. dal lat. *exceptus, -us,* astr. di *excipĕre.*

**eccezione,** dal lat. *exceptio, -onis,* nome d'azione di *excipĕre.*

**ecchimosi,** dal gr. *ekkhýmōsis,* nome d'azione tratto da un verbo denom. *\*ekkhymóō,* comp. di *khymós* 'sugo' e del pref. *ek:* « versamento (di sangue) in fuori ».

**eccidio,** dal lat. *excidium,* astr. di *exscindĕre,* (comp. di *ex-* e *scindĕre*) 'lacerazione', 'annientamento', incr. con it. *uccìdere.*

eccipiente, dal lat. *excipiens, -entis,* part. pres. di
*excipĕre.*

eccitàbile, dal lat. *excitabĭlis.*

eccitamento, dal lat. tardo *excitamentum.*

eccitare, dal lat. *excitare,* comp. di *ex-* e *citare*
' spinger fuori ', intens. di *ciere* ' mettere in movimento '; v. CITARE.

eccitatore, dal lat. tardo *excitator, -oris.*

eccitazione, dal lat. *excitatio, -onis.*

ecclesia, dal gr. *ekklēsía,* astr. pertinente al sistema di *ekkaléō* ' convoco '.

ecclesiàstico, dal lat. crist. *ecclesiastĭcus,* che è
dal gr. *ekklēsiastikós,* incr. di un *ekklēsiastḗs* ' oratore ' e di un *\*ekklēsiakós* ' appartenente a chiesa '.

ecclèttico e deriv., v. ECLÈTTICO e deriv.

ecclisse, v. ECLISSE.

ecco, lat. *eccum,* ampliam. di *ecce* e questo da un
tema di ant. dimostr. EK, ampliato con l'enclitica
rafforzatrice *-ce,* privo di connessioni al di fuori
dell'area osca. L'enclitica *-ce* potrebbe invece
avere connessioni nell'area tocaria, indipenden-
tem. dall'elemento *ce-,* per cui v. ECCÈTERA.

ecdèmico (opposto di *endemico*), dal gr. *ekdēmikos*
' estraneo al popolo '.

echèo, dal lat. *echea,* neutro plur. che è dal gr.
*ēkheîa,* deriv. di *ēkhḗ* ' eco ': di vasi destinati a
rafforzare la risonanza nel teatro greco.

echidna, dal lat. scient. *echidna,* che è dal gr.
*ékhidna* ' vipera '.

echino, dal lat. *echinus,* che è dal gr. *ekhînos* ' riccio '.

echinococco, dal gr. *ekhînos* ' riccio ' e *kókkos*
' granello ', v. COCCO³.

echinoderma, dal gr. *ekhînos* ' riccio ' e *dérma*
' pelle '.

clampsìa, dal gr. *éklampsis* ' lampeggiamento ' (e
perciò « attacco improvviso ») col suff. di astr. *-ìa.*

eclèttico, dal gr. *eklektikós* ' che sceglie ', agg.
tratto da *ek-légō* ' scelgo '.

eclettismo, da *eccletti(ci)smo.*

eclissare, verbo denom. da *eclissi.*

eclisse e eclissi, dal lat. *eclipsis,* che è dal gr.
*ékleipsis,* nome d'azione di *ekleipō* ' io abbandono '.

eclittica, da *(linea) ecliptica* ' linea delle eclissi '
perché si verificano quando terra, sole e luna
sono allineati.

eclittico, dal lat. *eclipticus,* che è dal gr. *ekleip-
tikós,* deriv. di *ékleipsis.*

eco, dal lat. *echo,* che è dal gr. *ēkhḗ, -ûs* ' eco '.

ecologìa, comp. di gr. *oîkos* ' dimora ' e *-logìa.*

econometrìa, comp. di *econo(mia)* e *-metria.*

economìa, dal lat. *oeconomia,* che è dal gr. *oiko-
nomía,* comp. di *oîkos* ' dimora ' e *-nomìa* (v.)
' regolamentazione '.

econòmico, dal lat. *oeconomĭcus,* che è dal gr.
*oikonomikós.*

economizzare, dal frc. *économiser.*

ecònomo, dal lat. tardo *oeconŏmus,* che è dal gr.
*oikonómos.*

-ectomìa, dal gr. *ektomḗ* ' recisione ', comp. di
*ek-* sottrattivo e *tomḗ* ' taglio ' col suff. di astr. *-ìa.*

ectoplasma, comp. del gr. *hektós* ' fuori ' e it.
*plasma.*

ecumènico, dal lat. tardo *oecumenĭcus,* che è dal
gr. *oikūmenikós,* agg. deriv. da *oikūménē (gê)*
' (terra) abitata ': è la terra in quanto offra possibilità di insediamento agli uomini e quindi l'universalità (degli abitati umani).

eczema, dal gr. *ékzema,* deriv. di *ekzéō* ' compio
l'operazione di bollire ', incr. per l'accentazione
it., con le parole terminanti in *-èma* come *anatema, edema.*

ed, forma lenita di lat. *et* dav. a parola che comincia
per vocale e pronunciata come un tutto unico:
*pane ed-acqua,* v. E e cfr. NED.

edace, dal lat. *edax, -acis,* agg. tratto da ED ' mangiare ' come *audax* da *aud-* ' osare '. È rad. importantissima, bene attestata, e regolarmente tra-
mandata anche nelle aree greca (*édūsi* ' mangia-
no '), germanica (ted. *essen*), baltica, slava, armena, indiana (cfr. INEDIA). Il suo valore orig.
era ' masticare ': un part. aoristico, tratto dalla
rad. al grado ridotto D-, è DENT-; v. DENTE.

eddomadario, v. EBDOMADARIO.

edema, dal gr. *oídēma, -atos* ' gonfiore ', deriv.
di *oidáō* ' son gonfio ' e questo da *oîdos* ' gon-
fiezza '.

eden, dall'ebr. '*Éden*', nome dato nell'ant. Testamento al luogo dove si immaginava fosse stato
il paradiso terrestre.

edera, lat. *hedĕra,* ampliam. di *\*hedos* per il significato collettivo della pianta rampicante e questo,
deriv. in *-os* della rad. GHED ' prendere ' (v.), come
*genus* rispetto alla rad. di *gignĕre* (v. GENERE).
Lat. *hedĕra* significa perciò « quella che prende ».

ederaceo, dal lat. *hederaceus.*

edìcola, dal lat. *aedicŭla* ' tempietto ', dimin. di
*aedes* ' tempio '.

edificare, dal lat. *aedificare,* comp. di *aedes* ' edificio ' e *-ficare,* tema di verbo denom. dal tema
*-fex* di nome d'agente, p. es. *carni-fex, opi-fex.*

edificatore, dal lat. *aedificator, -oris.*

edificatòrio, dal lat. tardo *aedificatorius.*

edificazione, dal lat. *aedificatio, -onis.*

edificio e edifizio, dal lat. *aedificium,* comp. di
*aedes* e il suff. di astr. *-ficium,* tratto dai comp.
nominali in *-fex: artifex, artificium; opifex, officium.*

edile, dal lat. *aedilis,* sost. deriv. da *aedes* ' tempio ',
' edificio ', con la *-i-* perché tratto da un sost.
Hanno invece la *-ĭ- agĭlis, facĭlis, ductĭlis, missĭlis,
fissĭlis* perché tratti da temi verbali. La rad. di
lat. *aedes* è AIDH per cui v. ESTATE.

edilità, dal lat. *aedilĭtas, -atis.*

edilizio, dal lat. *aedilĭcius.*

editare, dal frc. *éditer.*

èdito, dal lat. *edĭtus,* part. pass. di *edĕre,* comp. di
*ex* e *dare* ' dato fuori ', con norm. passaggio di
*-ă-* a *-ĭ-* in sill. interna aperta; v. DARE.

editore, dal lat. *edĭtor, -oris,* attrav. il frc. *édi-
teur* (XVIII sec.).

editoriale¹ (agg.), da *editore.*

editoriale² (sost.), dall'ingl. *editorial* « (articolo) del
direttore ».

editto, dal lat. *edictum,* part. pass. di *edicĕre* ' dir
fuori ', ' annunciare ', da *ex* e *dicĕre;* v. DIRE.

edizione, dal lat. *editio, -onis,* nome d'azione di
*ĕdere,* comp. di *e(x)-* e *dare,* con passaggio norm.
di *-ă-* a *-ĕ-* in sill. interna dav. a *-r-.*

edonismo, dal gr. *hēdonḗ* ' piacere ' col suff. *-ismo*
che indica atteggiamento o dottrina.

edotto, dal lat. *edoctus,* comp. di *e(x)-* e *doctus;* v.
DOTTO².

-edro, dal gr. *hédra* ' sedile ', ' base '.

educanda, dal lat. *educanda,* femm. sostantiv. del
part. fut. passivo di *educare.*

**educare,** dal lat. *educare,* intensivo-durativo di *educĕre* 'condur fuori'; v. CONDURRE e DUCE.

**educatore,** dal lat. *educator, -oris.*

**educatorio,** forma sostantiv. dall'agg. lat. tardo *educatorius.*

**educazione,** dal lat. *educatio, -onis.*

**edulcorare,** dal lat. medv. *edulcorare,* verbo denom. dal lat. tardo *dulcor, -oris,* astr. di *dulcis* con *e(x)-* intens.; v. DOLCE.

**edule,** dal lat. *edulis* 'mangiabile', deriv. dalla rad. di *edo* 'io mangio' (v. EDACE), forse attrav. l'analogia di un *\*victulis* 'attinente al vitto', deriv. da *victus, -us,* astr. di *vivĕre* (v. VITTO), come *tribulis* da *tribus, curulis* da *currus.*

**efebo,** dal lat. *ephebus,* che è dal gr. *éphēbos,* comp. di *epi-* 'sopra' e *hébē* 'giovinezza'.

**efelcistico,** dal gr. *ephelkystikós,* da *epi* 'sopra' e *hélkō* 'io tiro', con doppia derivaz. aggettiv. e cioè « (elemento) tirato sopra ».

**efèlide,** dal lat. tardo *ephelis, -ĭdis,* che è dal gr. *éphēlis, ephēlidos,* comp. di *epi* 'sopra' e *hēlios* 'sole'.

**effemèride,** dal lat. *ephemĕris, -ĭdis,* che è dal gr. *ephēmeris, -idos* 'diario', comp. di *epi* 'sopra' e *hēméra* 'giorno'; analizzato come fosse comp. invece col pref. *e(x)-,* cfr. EFFÌMERO.

**effeminare,** dal lat. *effeminare,* verbo denom. da *femĭna* con *ex-* intens.

**efferato,** dal lat. *efferatus,* part. pres. di *efferare* 'render selvaggio', verbo denom. da *ferus* 'feroce', con *ex-* intens.

**efferente,** dal lat. *efferens, -entis,* part. pres. di *efferre* 'portar fuori', da *ferre* ed *ex-* 'fuori'.

**effervescente,** dal lat. *effervescens, -entis,* part. pres. di *effervescĕre,* incoat. di *fervĕre* 'bollire'.

**effettivo,** dal lat. *effectivus,* deriv. di *effectus,* part. pass. di *efficĕre* 'compiere'; v. EFFICIENTE.

**effetto,** dal lat. *effectus, -us,* astr. di *efficĕre* 'far sì', 'compiere', da *ex-* e *facĕre,* con passaggio di *-ă-* in *-ĭ-* in sill. interna aperta, e in *-ĕ-* in sill. interna chiusa.

**effettuare,** dal lat. medv. *effectuare,* verbo denom. da *effectus, -us.*

**efficace,** dal lat. *efficax, -acis,* deriv. di *efficĕre* 'compiere' come *audax* di *audere* e *edax* di *edĕre.*

**efficacia,** dal lat. *efficacia.*

**efficiente,** dal lat. *efficiens, -entis,* part. pres. di *efficĕre* 'compiere'; v. EFFETTO.

**efficienza,** dal lat. *efficientia.*

**effigiare,** dal lat. tardo *effigiare,* verbo denom. da *effigies.*

**effigie,** dal lat. *effigies,* astr. di *effingĕre* (comp. di *fingĕre* 'plasmare' e *ex-*) 'rappresentare', 'riprodurre in rilievo'; v. FÌNGERE.

**effìmero,** dal gr. *ephēmeros,* comp. di *epi* 'sopra' e *hēméra* 'giorno' con la pronuncia tarda di *i* per *ē* e il pref. analizzato come fosse lat. *e(x)-;* cfr. EFFEMÈRIDE.

**efflorescente,** dal lat. *efflorescens, -entis,* part. pres. di *efflorescĕre* 'cominciare a fiorire', comp. di *florescĕre,* incoat. di *florere,* con *ex-* nel senso di 'sbocciar fuori'.

**effluente,** dal lat. *effluens, -entis,* part. pres. di *effluĕre,* comp. di *fluĕre* e di *ex-* 'scorrer fuori'.

**efflusso,** calco su *afflusso,* con *e(x)-* al posto di *a(d)-.*

**effluvio,** dal lat. *effluvium,* astr. di *effluĕre* 'scorrer fuori'; cfr. *profluvium, confluvium.*

**effóndere,** dal lat. *effundĕre,* comp. di *ex-* e *fundĕre* 'versar fuori', v. FÓNDERE.

**effrazione,** dal lat. medv. *effractio, -onis,* nome d'azione di un verbo *effringĕre* 'romper fuori', da *ex-* e *frangĕre,* con norm. passaggio di *-ă-* in *-ĭ-* in sill. interna dav. al gruppo *-ng-;* v. FRAZIONE.

**effusione,** dal lat. *effusio, -onis,* nome d'azione del verbo *effundĕre.*

**effusore,** dal lat. tardo *effusor, -oris,* nome d'agente di *effundĕre,* con norm. passaggio da *(effu)d-tor* a *(effu)sor.*

**èforo,** dal lat. *ephŏrus,* che è dal gr. *éphoros,* comp. di *epi* 'sopra' e *hor-* tema di *horáō* 'io vedo': « supervisore ».

**egèmone,** dal lat. tardo *hegēmon, -onis,* che è dal gr. *hēgemón, -ónos,* deriv. di *hēgéomai* 'io guido'.

**egemonìa,** dal gr. *hēgemonía.*

**egemònico,** dal gr. *hēgemonikós.*

**egeria,** dal nome della ninfa che secondo la leggenda ispirava Numa Pompilio. Senza connessioni fuori del lat.

**ègida,** dalla forma di accus. alla greca del lat. *aegīda* (nom. *aegis*); dal gr. *aigís, -idos* (da *aíks* 'capra'), che definisce lo scudo di Giove.

**egìoco,** dal gr. *aigíokhos,* comp. di *-okhos* 'portatore' e *aigi(d)-* 'egida'.

**ègira,** dall'ar. *hig'ra* 'emigrazione'.

**egittologìa,** da *Egitto* e *-logìa.*

**egittòlogo,** da *Egitto* e *-logo.*

**egizìaco,** dal lat. *aegyptiăcus,* che è dal gr. *aigyptiakós.*

**egiziano,** da *egizio,* con un secondo suff. di derivaz. aggettiv.

**egizio,** dal lat. *aegyptius,* che risale al gr. *aigýptios.*

**egli,** lat. volg. *\*illi,* class. *ille,* risultante dalla associaz.: *a)* di un tema di dim. *el/ol* che si riferisce all'oggetto lontano, incr. con i tipi in *-i; b)* di una particella *\*ne,* a principio indeclinabile (*ille* da *\*el-ne*), poi inserita in qualche modo nella declinaz. (*illa, illud, illum,* ecc.). I tipi *el/ol* trovano qualche corrispond. solo nell'area celtica.

**ègloga,** dal lat. *eclŏga,* che è dal gr. *eklogĕ* 'scelta', astr. di *eklégō* 'scelgo', con la assimilaz. della *-c-* alla *-g-* seguente, secondo lo schema da *c...g* a *g...g.*

**ego-,** dal lat. *ego,* pron. di prima pers. sg. risal. a un tema primitivo EG(H)Ō, attestato nella maggior parte delle aree ideur. (ted. *ich,* gr. *egṓ*).

**egocèntrico,** calco su *eliocèntrico, monocèntrico,* col primo elemento dal lat. *ego* 'io'.

**egoismo,** dal lat. scient. *egoismus* (XVII sec.).

**egolatria,** calco su *idolatria* con *ego* (v.), al posto di *ido(lo).*

**egotismo,** dall'ingl. *egotism* (XIX sec.).

**egregio,** dal lat. *egregius,* deriv. di *grex, gregis* 'gregge' con *e(x)-* estrattivo e cioè « tratto dal gregge », 'scelto'; v. GREGGE.

**egresso,** dal lat. *egressus, -us,* astr. di *egredior* 'esco', comp. di *ex* e *gradior* con norm. passaggio di *-ă-* in *-ĕ-* in sill. interna dav. a dentale.

**egro,** dal lat. *aeger, aegra, aegrum* 'malato' con una chiara corrispondenza solo in un'area orientale estrema, come la tocaria: da una base di partenza AIGRO-.

**eguale,** v. UGUALE.

**ei,** lat. volg. *illi, class. ille, v. EGLI, di cui è forma semplificata in posizione proclitica.

**eia,** dal lat. eia, esclamazione di meraviglia che è dal gr. eîa.

**eiaculare,** dal lat. eiaculare, comp. di e(x)- e iaculare, iterat. di iacĕre; v. GETTARE.

**eidètico,** dal gr. eidētikós, agg. di eídēsis 'conoscenza'.

**eiettore,** nome d'agente deriv. dal part. lat. eiectus, secondo lo schema *eietto, eiezione, eiettore; cfr. diretto, direzione, direttore.

**eiezione,** dal lat. eiectio, -onis, nome d'azione di eicĕre 'gettar fuori', da e e iacĕre con la norm. apofonia di ia in ie in sill. interna chiusa e in -i- in sill. interna aperta.

**elaborare,** dal lat. elaborare, verbo denom. da labor, -oris 'fatica' col pref. e(x)- che indica 'fuori', con accentazione sdrucciola (io elàboro) rispetto a quella lat. piana, forse perché allineato con la serie di inàlbero, delìbero, esàspero, rimpròvero.

**elaborazione,** dal lat. elaboratio, -onis.

**elabro,** incr. di lat. ellebŏrus e verātrum.

**elaiopolio,** dal gr. tardo elaiopólion, da élaion 'olio' e il tema di pōléō 'io vendo'; v. ENOPOLIO e cfr. OLEOPOLIO.

**elargire,** dal lat. tardo elargiri, comp. di e(x)- e largiri 'donare'; v. LARGIRE.

**elàstico,** dal lat. scient. (XVI sec.) elàsticus 'propulsivo', nella formula (vis) elastica, dal gr. tardo elastikós 'che agita, che caccia', appartenente alla famiglia del verbo eláō 'io caccio'.

**elatere** (insetto), dal gr. elatér, -éros 'che disperde', nome di agente di eláō 'io caccio, spingo'.

**elativo,** ampliam. durativo in -ivo da lat. elatus part. pass. del sistema di ec-ferre nel signif. astr. di 'estrarre' e 'elevare': calco sul termine grammat. ablativo e sui paralleli allativo, illativo.

**elce** e **élice,** lat. tardo elex, -ĭcis (forma rustica parallela al class. ilex), prob. di orig. mediterr.

**eldorado,** dallo sp. el dorado 'il dorato'.

**elefante,** dal lat. elĕphas, -antis, che è dal gr. eléphas, -antos, più anticam. elephantus, -i, entrato in lat. al tempo delle guerre di Pirro, soppiantandovi la forma precedente di Luca bos 'bove lucano'.

**elefantìaco,** dal lat. tardo elephantiăcus, che è dal gr. elephantiakós.

**elefantìasi,** dal lat. elephantiăsis, che è dal gr. elephantiasis.

**elegante,** dal lat. elĕgans, -antis, 'che sa scegliere', part. pres. di *elegare, verbo intens. e durativo di legĕre, col pref. e(x)-, v. LÈGGERE.

**eleganza,** dal lat. elegantia.

**elèggere,** dal lat. eligĕre, incr. con it. lèggere.

**eleggìbile,** dal lat. tardo eligibĭlis, incr. con it. elèggere.

**elegìa,** dal lat. elegia, che è dal gr. elegeía, deriv. di élegos, orig. 'canto'.

**elegìaco,** dal lat. tardo elegiăcus, che è dal gr. elegiakós.

**elemento,** dal lat. elementum, calco sul gr. stoikheîon, risultante dall'incr. di lineamentum e lamĭna col pref. e(x)- estrattivo.

**elemòsina,** dal lat. tardo eleemosўna, che è dal gr. eleēmosýnē, astr. di eleéō 'ho pietà'; cfr. LIMÒSINA.

**elenco,** dal lat. tardo elenchus, che è dal gr. élenkhos 'dimostrazione'.

**eletta,** femm. sostantiv. del part. pass. di elèggere; cfr. ÉLITE.

**elettivo,** dal lat. tardo electivus.

**elettore,** dal lat. elector, -oris, nome di agente di eligĕre 'eleggere', da e(x)- e legĕre con norm. apofonia di ĕ- in -i- in sill. interna aperta, di fronte alla sua conservazione in sill. chiusa.

**elettràuto,** da elettr-auto(riparatore) e cioè «(riparatore degli impianti) elettr(ici delle) auto(mobili)».

**elettricità,** dal lat. scient. electrìcitas (primi del XVII sec.).

**elèttrico,** dal lat. scient. elèctricus (primi del XVII sec.) e questo da electrum, che è dal gr. élektron 'ambra'.

**elettrizzare,** dal frc. électriser (sec. XVIII).

**elettro** (ambra), dal lat. electrum, che è dal gr. élektron 'ambra'.

**elettro-,** da elettro, elettr(icità), elettr(ico).

**elettroacùstica,** da elettro- e acustica.

**elettrocardiògrafo,** da elettro- e cardio-grafo, comp. di cardio- e -grafo.

**elettrochòc,** da elettro- e choc (v.).

**elèttrodo,** comp. moderno (XIX sec.) di elettro- e gr. hodós 'strada'.

**elettrodomèstico,** da elettro- e domèstico (sott. apparecchio).

**elettrodotto,** da elettro- e dótto[1] (v.), calco su acquedotto.

**elettroencefalografìa,** da elettro- e encefalografìa.

**elettròforo,** comp. di elettro- e -foro (v.).

**elettrògeno,** da elettro- e -geno (v.).

**elettròlisi,** da elettro- e -lisi, dal gr. lýsis 'scioglimento'.

**elettrolìtico,** da elettro- e un deriv. in -ico del gr. lytós 'sciolto', come agg. del nome d'azione (elettro)lisi.

**elettrologìa,** da elettro- e -logìa.

**elettromotrice,** da elettro- e motrice.

**elettrone,** incr. di elettro- e (i)one.

**elettrotreno,** da elettro- e treno.

**elettuario,** dal lat. tardo electuarium, che traduce il gr. ekleiktón (da ek-leikhō) 'medicina che si scioglie in bocca', attratto nella sfera di electus, -us 'scelta', astr. di eligĕre.

**eleusino,** dal lat. Eleusinus, che è dal gr. Eleusînos, della città di Eleusís.

**elevare,** dal lat. elevare, comp. di e(x)- e levare 'alzare'.

**elevatore,** dal lat. tardo elevator; nel senso meccanico attrav. l'ingl. elevator.

**elevazione,** dal lat. elevatio, -onis.

**elezione,** dal lat. electio, -onis, nome d'azione del verbo eligĕre 'scegliere'; v. ELETTORE.

**elfo,** dall'ingl. elf.

**eli-,** da eli(cottero).

**elìaco,** dal lat. heliăcus, che è dal gr. hēliakós, da hélios 'sole'.

**èlibus,** calco su àutobus, mediante la sostituz. di eli- a auto-.

**èlica,** dal lat. helix, -ĭcis, che è dal gr. héliks 'spirale', passato alla declinaz. in -a.

**élice,** v. ELCE.

**elicoidale,** da elicoide.

**elicòide,** dal gr. helikoeidés 'a forma di spirale', comp. di héliks 'spirale' e -eidés 'somigliante a'.

**elicòttero,** da *èlica* e *-ttero* (v.) « (che adopra) l'elica come ali ».

**elicriso** e **eliocriso** 'amaranto, giallo', dal lat. scient. *helichrysum,* che è dal gr. *helíkhrysos,* « oro (*khrysós*) di palude (*hélos*) ».

**elìdere,** dal lat. *elidĕre,* comp. di *laedĕre* 'ferire', 'cancellare' e *e(x)-,* con normale apofonia di *ae* in *ī* in sill. interna; v. LÈDERE.

**eligendo,** dal lat. *eligendus,* part. fut. passivo di *eligĕre.*

**eliminare,** dal lat. *eliminare* verbo denom. da *e limine* 'fuori della soglia' e perciò 'metter fuori'.

**eliminatoria,** da (*gara*) *eliminatoria.*

**elio,** dal lat. scient. *helium* e questo dal gr. *hélios* 'sole'.

**elio-,** dal gr. *hélios* 'sole'.

**eliocèntrico,** da *elio-* 'sole' e *-cèntrico.*

**eliocromìa,** da *elio-* e *-cromia,* astr. dal gr. *khrôma, -atos* 'colore'.

**eliografìa,** da *elio-* e *-grafìa.*

**eliòmetro,** da *elio-* e *-metro.*

**elioscopio,** da *elio-* e *-scopio.*

**elioterapìa,** da *elio-* e *terapìa.*

**eliotròpia,** v. ELITRÒPIA.

**eliotropio,** dàl lat. *heliotropium,* che è dal gr. *hēliotrópion,* comp. di *hélios* 'sole' e tema deriv. da *trépō* 'io volgo'.

**eliporto,** da *eli-* e *porto.*

**elisio** e **eliso,** dal lat. *Elysium,* che è dal gr. *Elýsion* (*pedíon*) '(pianura) elisia'.

**elisione,** dal lat. *elisio, -onis,* nome d'azione di *elidĕre* 'cancellare'; v. ELÌDERE.

**elisìr,** dall'ar. *al-iksīr* 'pietra filosofale', deriv. a sua volta dal gr. *ksērón* 'secco'.

**elisse,** v. ELLISSE.

**elissi,** v. ELLISSI.

**elite,** dal frc. *élite,* lat. *electa,* femm. del part. pass. di *eligĕre;* cfr. ELETTA.

**èlitra,** dal gr. *élytra,* plur. neutro di *élytron* 'involucro'.

**elitropia** ed **elitropio,** varianti di *eliotropio.*

**elìttico,** v. ELLÌTTICO.

**élla**[1], lat. *illa,* femm. di *ille;* v. EGLI.

**èlla**[2], lat. tardo (gloss.) *ella,* class. *inŭla;* v. ÈNULA.

**ellèboro,** dal lat. (*h*)*ellebŏrus,* che è dal gr. (*h*)*ellé-boros.*

**ellènico,** dal gr. *hellēnikós.*

**ellenismo,** dal lat. *hellenismus,* che è dal gr. *hellēnismós,* deriv. di *Héllēn* 'elleno, greco'.

**ellenista,** dal gr. *hellēnistēs.*

**éllera,** incr. di lat. *hedĕra* 'edera' e gr. *héliks* 'spirale (rampicante)', con norm. raddopp. di cons. dopo l'accento in parola sdrucciola.

**ellisse** (geom.), dal lat. sc. *ellipsis,* che è dal gr. *élleipsis* 'mancanza', nome d'azione di *elleípō* 'lascio fuori', comp. di *en* e *leípō* 'io lascio'.

**ellissi** (gramm.), dal lat. tardo *ellipsis,* che è dal gr. *élleipsis* 'omissione'.

**ellittico,** dal gr. *elleiptikós* 'breve', 'sommario', incr. con it. *ellissi.*

**elmetto,** dimin. di *elmo.*

**elminti,** dal gr. *hélmins, -inthos* 'verme'.

**elmintìasi,** da *elminti* col suff. di malattia *-iasi;* cfr. *psorìasi, ftirìasi.*

**elmo,** dal gotico *hilms.*

**elocutorio,** dal lat. *elocutorius.*

**elocuzione,** dal lat. *elocutio, -onis* (calco sul gr. *léksis*), nome d'azione del verbo *elŏqui* 'esprimere', comp. di *e(x)-* e *loqui* 'parlare'; v. LO-CUZIONE.

**elogio,** dal lat. *elogium,* che è dal gr. *elegeîon* analizzato come *e(x)-* e un deriv. di *lógos* 'discorso'; cfr. lat. *legĕre.*

**eloquente,** dal lat. *elŏquens, -entis,* part. pres. di *elŏqui.*

**eloquenza,** dal lat. *eloquentia.*

**eloquio,** dal lat. *eloquium.*

**elsa,** dal frc. ant. *heuz* (nom. di *heut*), dal franco *hilt.*

**elucidare,** dal lat. tardo *elucidare,* comp. di *lucidare* 'render luminoso' con *e(x)-* conclusivo.

**elucubrare,** dal lat. *elucubrare,* comp. di *e(x)-* e *lucubrare,* verbo denom. da *lucubrum* 'piccolo lume nell'oscurità' (attestato solo nel VI sec. d. C.), v. LUCE, formato, come nome di strumento da \**lucu(lare),* iterativo di *lucere,* come *lavabrum* da *lava(re).*

**elucubrazione,** dal lat. *elucubratio, -onis.*

**elùdere,** dal lat. *eludĕre* 'prendersi gioco', da *e(x)-* e *ludĕre* 'giocare'; v. LUDO.

**elusione,** incr. di *eludere* e *allusione.*

**eluvio** 'detrito', dal lat. *eluvies,* incr. con *diluvium.*

**elvètico,** dal lat. tardo *helveticus,* ampliam. di *helvetius,* nome di ant. popolazione gallica, ricordata da Cesare.

**elzeviro,** dal nome degli *Elzevier,* famiglia di stampatori attivi in Olanda dal 1583 al 1713.

**emaciare,** dal lat. *emaciare,* denom. da *macies* 'magrezza' col pref. *e(x)-* conclusivo. *Macies* è astr. della famiglia cui appartiene *macer* (v. MA-GRO, MACIE), da una rad. MĀK 'sviluppare in lunghezza'.

**emanare,** dal lat. *emanare,* comp. di *e(x)-* e *manare* 'gocciolare', con connessioni nell'area celtica.

**emanazione,** dal lat. *emanatio, -onis.*

**emancipare,** dal lat. *emancipare* 'liberare dalla patria potestà', e questo da *e(x)-* e *mancipare* 'alienare'; v. MANCIPIO.

**emancipatore,** dal lat. tardo *emancipator, -oris.*

**emancipazione,** dal lat. *emancipatio, -onis.*

**emarginare,** dal frc. *émarger* incr. con it. *màrgine.*

**emàtico,** dal gr. *haimatikós,* deriv. da *haîma* 'sangue'.

**ematite,** dal lat. *haematites,* che è dal gr. *haima-títēs* (*lithos*) « (pietra) sanguigna »; cfr. MATITA e (A)MATITA.

**èmato-,** dal gr. *haîma, -atos.*

**ematoma,** da *emato-* col suff. *-oma,* cfr. *sarcoma, epitelioma, carcinoma* che definiscono formazioni patologiche, più o meno simili alle cancerine.

**ematuria,** da *èmato-* e *-uria.*

**emazia,** dal frc. *hématie* e questo dal g·. *haimátion,* dimin. di *haîma* 'sangue'.

**embargo,** dallo sp. *embargo,* sost. deverb. da *embargar* 'impedire', che è il lat. \**imbarricare* 'mettere su una barra' come lat. \**incarricare* è 'mettere su un carro'; v. CARICARE.

**emblema,** dal lat. *emblema,* che è dal gr. *émblēma,* 'cosa inserita', nome di oggetto, legato al verbo *embállō* 'io getto dentro'.

**emblemàtico,** dal lat. tardo *emblematĭcus.*

**èmbolo**, dal gr. *émbolos* 'cosa che si inserisce', deriv. di *embállō* 'getto dentro'.

**émbrice**, lat. *imbrex*, *-ĭcis*, 'varietà di tegola', deriv. da *imber* 'pioggia'; v. IMBRÌFERO.

**embriologìa**, dal gr. *émbryon* 'embrione' e *-logìa*.

**embrione**, dal lat. medv. *embryo(n)*, che è dal gr. *émbryon* 'neonato' da *brýō* 'io cresco' col pref. *en-* 'dentro'. Passato dalla declinaz. in *-o* a quella in *-(on)e*.

**emenda**, sost. deverb. da *emendare*.

**emendàbile**, dal lat. *emendabĭlis*.

**emendare**, dal lat. *emendare*, verbo denom. da *mendum* 'difetto' col pref. *e(x)-* sottrattivo.

**emendatore**, dal lat. *emendator*, *-oris*.

**emendazione**, dal lat. *emendatio*, *-onis*.

**emergenza**, astr. di *emèrgere*; nel signif. politico dall'ingl. *emergency* «qualcosa che salta fuori (improvvisamente)», perciò «pericolo».

**emèrgere**, dal lat. *emergĕre*, comp. di *e(x)-* e *mergĕre*, che significa l'opposto, 'sommergere'; v. MERGO.

**emèrito**, dal lat. *emerĭtus*, part. pass. di *emereri* 'meritare in modo conclusivo', da *mereri* 'meritare' col pref. *e(x)-*, v. MÈRITO.

**emerocàllide**, dal lat. moderno dei botan. *hemerocallis*, che è dal gr. *hēmerokallés*, *-ûs*, comp. di *hēméra* 'giorno' e *kállos* 'bellezza': «bella per un giorno».

**emeroteca**, da *(eff)emer(id)oteca*, calco su *biblioteca* (*enoteca, discoteca* ecc.) 'deposito di giornali'; cfr. EFFEMÈRIDE.

**emersione**, incr. di lat. tardo *mersio*, *-onis*, nome d'azione di *mergĕre* e it. *emèrgere*.

**emerso**, dal lat. *emersus*, part. pass. di *(e)mergĕre*, formato per analogia col perf. sigmatico *(e)mersi*, al posto dell'orig. *(e)mertus*.

**emètico**, dal lat. *emeticus*, che è dal gr. *emetikós*, agg. risal. a *eméō* 'io vomito'; v. VÒMITO.

**emèttere**, dal lat. *emittĕre*, comp. di *e(x)-* e *mittĕre*.

**emi-**, dal gr. *hēmi-* 'mezzo'.

**-emìa**, dal gr. *aîma* 'sangue' col suff. di astr. *-ìa*.

**emiciclo**, dal gr. *hēmíkyklos* «metà (*hēmi-*) cerchio (*kýklos*)» 'semicerchio'.

**emicrania**, dal lat. tardo *hemicranìa*, che è dal gr. *hēmikranía*, comp. di *hēmi-* 'mezzo' e *kraníon* 'cranio'.

**emigrare**, dal lat. *emigrare*, comp. di *e(x)-* e *migrare*.

**emigrazione**, dal lat. *emigratio*, *-onis*.

**eminente**, dal lat. *eminens*, *-entis*, part. pres. di *eminere* 'sovrastare', appartenente alla famiglia di *mentum* e *mons* con pref. *e(x)-* e passaggio di *ĕ* e *ŏ* in *ĭ* in sill. interna aperta; v. MENTO, MONTE.

**eminenza**, dal lat. *eminentia*.

**emiopìa**, da *emi-* e *-opìa*.

**emiplegìa**, da *emi-* e *-plegìa*.

**emiro**, dall'ar. *amir* 'principe', 'governatore'.

**emisfero**, dal lat. *hemisphaerium*, che è dal gr. *hēmisphaírion*, incr. con *sfera*.

**emissario**, dal lat. *emissarius* (quando è persona), *emissarium* (quando è corso d'acqua) entrambe forme sostantiv. dell'agg. lat.

**emissione**, dal lat. *emissio*, *-onis*, nome d'azione del verbo *emittĕre* 'mandar fuori'.

**emistichio**, dal lat. tardo *hemistichium*, che è dal gr. *hēmistíkhion*, comp. di *hēmi-* 'mezzo' e *stíkhos* 'verso' col suff. aggettiv. in *-io-*.

**emittente**, incr. di *emèttere* e *trasmittente*.

**emitteri**, dal lat. scient. *hemiptera*, comp. di gr. *hemi-* e *pterón* 'ala': «(gl'insetti) dalle ali a metà».

**emmetropìa**, dal gr. *émmetros* 'colui che è nella (giusta) misura', comp. con *-opìa* 'vista': «dalla vista di (giusta) misura».

**èmo-**, incr. di *èmato-* con gr. *haîma*.

**emocoltura**, da *emo-* e *coltura*.

**emofilìa**, da *emo-* e *-filìa* «propensione al sangue».

**emoglobina**, da *emo-* e *emoglob(ul)ina*, comp. di *emo-* e *glòbulo* col suff. *-ina*.

**emolliente**, dal lat. *emolliens*, *-entis*, part. pres. di *emollire* 'render molle', denom. da *mollis* con *e(x)-* conclusivo; v. MOLLE.

**emolumento**, dal lat. *emolumentum*, deriv. da *emolĕre* 'macinare compiutamente' e cioè «(compenso) per la completa macinazione», poi 'compenso' generico; v. MOLA.

**emopatìa**, da *emo-* e *-patìa*.

**emopoiesi**, comp. di *emo-* e gr. *poíēsis* 'formazione': «formazione del sangue».

**emorragìa**, dal gr. *haimorrhagía*, comp. di *haîma* 'sangue' e l'astr. della rad. di *rhḗgnymi* 'rompere', quasi «rottura (dei vasi) del sangue».

**emorròide**, dal lat. tardo *haemorrhois*, *-rhoìdis*, che è dal gr. *haimorrhoís*, *-ídos*, comp. di *haîma* 'sangue' e un astr. deriv. di *rhéō* 'scorro'; cfr. MORICI.

**emòstasi**, dal gr. *haimóstasis*, comp. di *haîma* 'sangue' e *stásis* 'arresto', nome d'azione di *histēmi* 'mi fermo'.

**emostàtico**, dal gr. *haimostatikós*, comp. di *haîma* 'sangue' e *statikós* 'atto a fermare'.

**emoteca**, da *emo-* 'sangue' e *-teca* 'deposito', calco su *biblioteca* (v.) e cfr. *emeroteca, enoteca, discoteca*.

**emotività**, dal frc. *émotivité*.

**emotivo**, dal frc. *émotif*, deriv. di lat. *emotus*, part. pass. di *emovere*, comp. di *e(x)-* e *movere*; v. MUOVERE.

**emottisi**, dal gr. tardo *haimóptysis*, comp. di *haîma* 'sangue' e *ptýsis* 'sputo': «sputo di sangue», incr. per l'accento con it. *tisi*.

**emottòico** 'che sputa sangue', dal lat. tardo *haemoptoïcus*, che è dal gr. *haimoptyïkós*.

**emozione**, dal frc. *émotion*, deriv. dal part. lat. *emotus* come si trattasse del norm. nome d'azione, come *commotio* rispetto a *commotus*, *permotio* rispetto a *permotus*.

**empiema**, dal gr. *empýēma*, *-atos*, nome deriv. dal verbo *empyéō* 'io suppuro' e questo verbo denom. da *pýon* 'pus' col pref. *en-*.

**émpiere**, v. EMPIRE.

**empietà**, lat. *impiĕtas*, *-atis* con *in-* negat.

**empio**[1], lat. *impius* «l'opposto di pio», con *in-* negat.

**empio**[2] 'pieno', da *empi(ut)o*.

**empire** ed **émpiere**, lat. volg. *\*implire*, class. *implere*, da *in-* illativo e *plere*; v. PIENO.

**empìreo**, dal lat. tardo *empyrius*, che è dal gr. *empýrios* 'infiammato', deriv. di *en-* 'dentro', *pŷr* 'fuoco' e il suff. di agg. *-io*; incr. con i tipi it. in *-eo* come *àureo, fèrreo*.

**empirìa**, dal gr. *empeiría*, da *en-* locativo e *peîra* 'esperienza' con suff. di astr.

**empìrico,** dal lat. *empirĭcus,* che è dal gr. *empeirikós.*

**empirismo,** da *empir(ic)ismo.*

**émpito,** lat. volg. *\*impĭtus,* risultante da class. *impĕtus,* incr. con il suff. *-ĭtus* del part. pass. *Impĕtus* è, a sua volta, astr. di *impĕtere* ' muover verso ' (comp. di *petĕre* e *in-* rafforzativo), cfr. IMPETO.

**emporio,** dal lat. *emporium,* che è dal gr. *empórion,* deriv. aggettiv. di *émporos* ' viaggiatore di commercio ' e questo da *en* e *póros:* « colui che è dentro un passaggio ».

**emù,** nome australiano giunto attr. l'ing. *emu.*

**emulare,** dal lat. *aemulari,* verbo denom. da *aemŭlus;* v. ÈMULO.

**emulatore,** dal lat. *aemulator, -oris.*

**emulazione,** dal lat. *aemulatio, -onis.*

**emulgente,** dal lat. *emulgens, -entis,* part. pass. di *emulgere* ' smungere '; v. MÙNGERE.

**èmulo,** dal lat. *aemŭlus,* privo di connessioni ideur.

**emulsione,** nome d'azione it. di un ipotetico *\*emùlgere,* costruito sul lat. *emulsus,* part. pass. di *emulgere* ' smungere ', comp. di *e(x)-* e *mulgere* ' mungere '.

**emùngere,** dal lat. *emurgĕre,* comp. di *e(x)-* e *\*mungĕre* ' soffiarsi il naso ', incr. con *emulgere;* v. MÙNGERE.

**enàllage,** dal lat. tardo *enallăge,* che è dal gr. *enallagé,* astr. di *enallássō* ' io scambio '.

**enalotto,** da *ena(l)-lotto,* « lotto per l'ENAL (Ente nazionale assistenza lavoratori) ».

**enantiosemìa,** dal gr. *enántios* ' opposto ' e *-semìa.*

**enarmonìa,** astr. dall'agg. gr. *enarmónios,* deriv. di *harmonia* con il pref. *en-:* « il fatto di avere un'armonia interna ».

**enarmònico,** dal lat. tardo *en(h)armonĭcus,* adattamento del gr. *enarmónios.*

**encàustico,** dal lat. *encaustĭcus,* che è dal gr. *enkaustikós.*

**encausto,** dal lat. *encaustus,* che è dal gr. *énkaustos,* deriv. di *enkaiō* ' io brucio '.

**encèfalo,** dal gr. *enképhalos,* formaz. aggettiv. di *kephalé* ' testa ' con *en-* ' dentro ': « ciò che è dentro la testa ».

**encefalografia,** da *encefalo* e *-grafia.*

**enciclica,** dal lat. moderno *(epistola) encyclica* « lettera circolare », incr. di *cyclĭcus,* v. CÌCLICO, e lat. tardo *encyclius,* che è dal gr. *enkýklios* ' circolare '.

**enciclopedìa,** dal lat. moderno *encyclopaedia,* deriv. da errata interpretaz. del gr. *enkýklios paideía* ' educazione circolare ' e cioè ' complessiva ', ' completa '.

**ènclisi,** dal lat. tardo *enclĭsis,* che è dal gr. *énklisis,* nome d'azione di *enklínō* ' io mi appoggio '.

**enclìtico,** dal lat. tardo *enclitĭcus,* che è dal gr. *enklitikós,* agg. di *énklisis;* v. ÈNCLISI.

**encomiàstico,** dal gr. *enkōmiastikós,* deriv. di *enkōmiázō,* ' lodo pubblicamente '.

**encomio,** dal gr. *enkōmion,* forma sostantiv. dell'agg. *enkōmios* ' che appartiene a una festa ', da *kômos* ' festa solenne ' e *en-.*

**endecàgono,** dal gr. *hendekágōnon,* comp. di *héndeka* ' undici ' e *-gōno-,* tema di *gōnía* ' angolo '.

**endecasìllabo,** dal lat. *hendecasyllăbus,* che è dal gr. *hendekasýllabos,* da *héndeka* ' undici ' e *syllabé* ' sillaba '.

**endemìa,** dal frc. *endémie,* e questo dal gr. *éndēmon (nósēma)* « (malattia) dentro al popolo », comp. di *en-* ' in ' e *dêmos* ' popolo ': col suff. frc. di astr. *-ie;* cfr. EPIDEMÌA.

**endèmico,** da *endemia;* cfr. ECDÈMICO.

**endìadi,** dal lat. tardo *hendiădys,* adattamento della formula gr. *hèn dià dyoîn* ' una cosa per mezzo di due '.

**èndica,** lat. volg. *\*enthĭca,* da un lat. tardo *enthēca,* che è dal gr. *enthékē,* incr. con *éndice.*

**éndice,** lat. *index, -ĭcis,* nome d'agente della rad. DEIK (v. DIRE) col pref. *in-* illativo-intensivo. Si trova solo in composiz. (cfr. *iudex, vindex*), e mostra la norm. apofonia delle voc. postoniche in *-ĕ-* in sill. chiusa, *-ĭ-* in sill. aperta.

**endo-,** dal gr. *éndon* ' dentro '.

**endocardio,** comp. di *endo-* e *-cardio.*

**endocardite,** da *endocardio* col suff. *-ite* di malattia acuta.

**endocarpo,** comp. di *endo-* e gr. *karpós* ' frutto '.

**endòcrino,** da *endo-* e *-crino,* tema del gr. *krínō* ' secerno ': « a secrezione interna ».

**endogamìa,** comp. di *endo-* e *-gamìa.*

**endògeno,** comp. di *endo-* e *-geno.*

**endoplasma,** da *endo-* e *plasma.*

**endoscopio,** da *endo-* e *-scopio.*

**endosmosi,** da *endo-* e *osmosi.*

**endovena,** abbreviaz. di *(iniezione) endoven(os)a.*

**endovenoso,** da *endo- vena* col suff. aggettiv. *-oso.*

**èneo,** dal lat. *aenĕus,* deriv. da *aēnus* sul modello di *ferreus, aureus. Aenus,* è un ant. *\*ayesno-,* der. da *\*ayes* ' bronzo ', in età storica *aes.* È l'ant. termine del ' rame ', sopravv. oltre che in latino, nelle aree germanica e indo-iranica; cfr. ERA.

**eneolitico,** comp. di *eneo* (v.) e *lìtico.*

**energètico,** dal gr. *energētikós,* deriv. di *energéō* ' sono attivo ', verbo denom. da *érgon* ' lavoro '. Ormai inserito nel sistema it. di *energia* in quanto forza fisica, perché il norm. *energico* si limita al signif. morale.

**energìa,** dal lat. tardo *energìa,* che è dal gr. *enérgeia,* astr. di *energés* ' attivo ', deriv. da *érgon* ' lavoro '.

**energùmeno,** dal lat. tardo *energumĕnus,* che è dal gr. *energúmenos,* part. pass. di *energéomai* ' subisco l'azione altrui ': perciò « ossesso ».

**ènfasi,** dal lat. *emphăsis,* che è dal gr. *émphasis,* nome d'azione di *emphaínō* ' io manifesto '.

**enfàtico,** dal gr. *emphatikós.*

**enfiagione,** lat. *inflatio, -onis,* con la leniz. settentr. che trasforma *-tjo-* in *-sgjo-* sonoro; reso poi in tosc. con *-gio-.*

**enfiare,** lat. *inflare* propr. ' soffiar dentro '; cfr. FIATO.

**enfio,** da *enfi(at)o.*

**enfiore,** da *enfiare* secondo il rapporto di *gonfiore* a *gonfiare.*

**enfisema,** dal gr. *emphýsēma, -atos,* deriv. di *emphysáō* ' soffio dentro ', verbo denom. da *phýsa* ' ventosità ' col pref. *en-* .

**enfitèusi,** dal lat. tardo *emphyteusis,* che è dal gr. *emphýteusis,* nome d'azione di *emphyteúō* ' io impianto ', e perciò ' piantagione ' cioè « (locazione che dà il tempo di profittare) di una piantagione ».

**enfitèuta,** dal lat. tardo *emphyteuta,* che è dal gr. *emphyteutes.*

enfitèutico, dal lat. tardo *emphyteuticus*, che è dal gr. *emphyteutikés*.

enigma ed enimma, dal lat. *aenigma, -ătis*, che è dal gr. *aínigma, -atos*, nome di strum. del verbo *ainíssomai* ' parlo copertamente '.

enigmàtico ed enimmàtico, dal lat. tardo *aenigmaticus*, che è dal gr. *ainigmatikós*.

enna (henna), dal portogh. *hena* (frc. *henné*), ar. *ḥinnāʾ*.

-enne, estr. dai tipi lat. *(bi)ennis (tri)ennis*, deriv. da *annus* con la norm. apofonia di *-ă-* in *-ĕ-* in sill. interna chiusa.

enneasìllabo, dal lat. tardo *enneasyllăbus*, comp. di gr. *ennéa* ' nove ' e *syllabḗ* ' sillaba '.

ennèsimo, deriv. da enne, nome della lettera che simboleggia un numero intero naturale qualsiasi, col suff. di numero ordinale; cfr. *ventèsimo, centèsimo*.

-ennio, estr. da voci lat. del tipo *biennium* ' biennio ', *triennium* ' triennio ', deriv. da *annus*; v. -ENNE.

eno-, primo elemento di composiz. dal gr. *(w)oînos* ' vino ', parola mediterr. da cui discende anche il lat. *vinum*; v. VINO.

enocianina, comp. di eno- e *cianina*.

enòfilo, da eno- e -*filo*.

enologìa, comp. di eno- e -*logìa*.

enopolio, da eno- e -*polio*, estr. dal gr. *pōléō* ' vendo '; cfr. *oleopolio*.

enorme, dal lat. *enormis*, tratto dalla formula *e norma* ' fuori norma '.

enormità, dal lat. *enormĭtas, -atis*.

enoteca, calco su *biblioteca* con la sostituz. di *eno-* a *biblio-*; cfr. *emeroteca, emoteca, discoteca*.

ensiforme, comp. di lat. *ensis* ' spada ' e -*forme*. Lat. *ensis* trova esatta corrispond. nel sanscrito *asis*: è il nome di un'arma primitiva, simbolica, sopravv. solo in due aree estreme ed opposte del mondo indeur.

èntasi, dal lat. *entăsis*, che è dal gr. *éntasis*, nome d'azione di *enteínō*, comp. di en- e *teínō* ' tendo '.

ente, dal lat. tardo *ens, -entis*, formaz. artificiale di part. pres. del verbo *esse*, al posto dell'orig. *-sens, -sentis* p. es. in *(ab)sens*, v. ASSENTE.

entelechìa, dal lat. tardo *entelechīa*, che è dal gr. *entelékheia*, estr. dalla formula *en télei ékhein* ' esser giunto a compimento '.

entèrico, dal gr. *enterikós*, agg. di *énteron* ' l'intestino ', ' l'interno '.

enterite, dal gr. *énteron* col suff. -ite di malattia acuta.

entero-, dal gr. *énteron*.

enterocele, da èntero- e gr. *kélē* ' ernia '.

enteròclisi, da èntero- e gr. *klýsis* ' lavaggio '.

enteroclisma, da èntero- e gr. *klýsma* ' lavanda '.

enterocolite, da enter(ite) e colite, incr. con èntero-.

enterotomia, da èntero- e -*tomìa*.

entimema, dal lat. *enthymema*, che è dal gr. *enthými̯mēma* ' riflessione ', ' deduzione ', deriv. del verbo *enthyméomai* ' rifletto ', ' deduco ', verbo denom. da *thymós* ' animo ' col pref. en-.

entità, dal lat. medv. *èntitas, -atis*, astr. da ens, -entis.

èntomo-, dal gr. *éntomon (zôion)* « (animale) diviso in segmenti » (deriv. da *entémnō* ' io incido ').

entomologìa, da èntomo- e -*logìa*.

entragna, lat. volg. *int(e)ranja, class. interanea,

plur. di *interaneum* ' intestino ', calco dal gr. *énteron*, sul modello di *interaneus* (da inter), *extraneus* (da extra), incr. poi con it. entro, entrare; cfr. l'opposto ESTRANEO.

entrambi, lat. *int(e)r ambos*; v. AMBO[1] e INTER-.

entrare, lat. *intrare*, da *trare, forma durativa di *terĕre* col pref. in: incr. con intro.

entro, lat. *intro* ' dentro ', ant. abl. irrigidito di *int(ĕ)rus*, agg. con suff. di compar. e opposizione tratto dalla prep. in ' dentro ': opposto *extĕrus*.

entrobordo, da entro- e bordo, calco su *(fuori)bordo* (v.).

entropìa, da gr. en- e l'astr. di gr. tropo-; cfr. SINTROPÌA.

entroterra, calco su retroterra e il ted. *Hinterland*; v. RETROTERRA.

entusiasmo, dal gr. *enthūsiasmós*, deriv. di *enthūsiázō* ' sono ispirato ', da *enthūs* forma contratta di *éntheos* « che ha Dio dentro (sé) »: da en- e *theós* ' dio '.

entusiasta, dal gr. *enthūsiastḗs*.

entusiàstico, dal gr. *enthūsiastikós*.

enucleare, dal lat. *enucleare*, comp. di *e(x)*- estrattivo e il verbo denom. da *nucleus*: « estrarre da una noce o da un nocciolo », v. NUCLEO.

ènula, dal lat. *enŭla* (gloss.), variante di *inŭla*; v. ÌNULA, ELLA[2].

enumerare, dal lat. *enumerare*, comp. di *e(x)*- durativo e il verbo denom. da *numĕrus* ' numero '.

enumerazione, dal lat. *enumeratio, -onis*.

enunciare, dal lat. *enuntiare*, comp. di *e(x)*- durativo e *nuntiare*; v. NUNZIO.

enunciativo, dal lat. *enuntiativus*.

enunciazione, dal lat. *enuntiatio, -onis*.

enuresi, formaz. secondo lo schema dei nomi di azione gr., dal verbo *enūréo* ' orino (nel letto) ': incr. con gr. *úrēsis*, nome d'azione di *ūréō*.

enzima, comp. di gr. en ' in ' e *zýmē* ' fermento '.

eo-, da gr. *ēós* ' aurora '.

eocene, comp. di eo- e gr. *kainós* ' nuovo ': « nuovo-aurorale » e cioè il primo (eo-) sottoperiodo, del periodo nuovo (*kainós*).

eòlico, dal lat. *aeolĭcus*, che è dal gr. *aiolikós*.

eòo, dal lat. *eōus*, che è dal gr. *ēōios*, deriv. dell'attico *ēós* ' aurora '.

epa, lat. tardo *hepar*, che è dal gr. *hêpar* ' fegato ', cfr. FÉGATO, il cui parallelo lat. è *jecur, -inŏris*, senza continuatori it. ma con corrispondenze essenziali nelle aree indoiranica, greca e baltica, da una base di partenza YEKwR̥/YĒKwR̥ altern. con YEKwN/YĒKwN.

epanalessi, dal gr. *epanálēpsis* ' ripresa ' nome di azione di *lambánō* ' prendo ' con i due pref. epi e *aná*.

eparina, dal gr. *hêpar* ' fegato ' col suff. -ina, frequente nei farmaci; v. EPA.

epàtico, dal lat. *hepatĭcus*, che è dal gr. *hepatikós* ' attinente al fegato ', da *hêpar, -atos*.

epatite, dal tema èpato- col suff. -ite delle malattie acute.

èpato-, dal gr. *hêpar, -atos* ' fegato '.

epatta, dal lat. *epacta*, che è dal gr. *epaktḗ (hēméra)* « (giorno) aggiunto »: da *epágō*, comp. di epí ' sopra ' e *ágō* ' conduco '.

epèntesi, dal lat. *epenthĕsis*, che è dal gr. *epénthesis* ' inserzione ', da *thésis*, nome d'azione da *títhēmi* ' io pongo ' con i due pref. epí- ' sopra ' e en- ' in '.

**epentètico,** dal gr. *epenthetikós*.

**epi-** dal gr. *epí*.

**epicarpo,** da *epi-* 'sopra' e gr. *karpós* 'frutto'.

**epicedio,** dal gr. *epikédeion*, deriv. da *epi* e *kêdos* 'afflizione'.

**epicentro,** dal gr. *epíkentros*, « che (sta) sul centro », da *epi-* e *kéntron* 'centro'.

**epicherema,** dal lat. tardo *epicherema*, che è dal gr. *epikheirēma*, deriv. del verbo *epikheiréō*, denom. da *kheír* 'mano' col pref. *epí* 'sopra': « dimostro con la mano ».

**èpico,** dal lat. *epĭcus*, che è dal gr. *epikós*, deriv. di *épos* 'parola'.

**epicurèo,** dal gr. *epikúreios*, agg. tratto dal nome del filosofo *Epikūros*.

**epidemia,** dal gr. *epidēmía*, nome astr. per indicare « ciò che è sul (*epí*) popolo (*dêmos*) », cfr. ENDEMÌA E ECDEMICO.

**epidèrmide,** dal lat. tardo *epidermis*, *-ĭdis*, che è dal gr. *epidermís*, *-idos*, comp. di *epi-* 'sopra', *dérma* 'pelle' e un suff. *-id-*.

**epidiascopio,** comp. di *epi-*, *dia-* e *-scopio*.

**epidittico,** dal lat. *epidictĭcus*, che è dal gr. *epideiktikós*, della famiglia di *epideíknymi* 'dimostro'.

**epifanìa,** dal lat. tardo *epiphanìa*, che è dal gr. *epipháneia (hierá)* « (feste) dell'apparizione », deriv. da *epiphanḗs* 'visibile' e questo da *epiphaínō* 'apparisco'; cfr. BEFANA.

**epìfisi** (ghiandola), dal gr. *epíphysis*, nome d'azione di *epiphýō* 'cresco sopra'.

**epifonema,** dal lat. tardo *epiphonema*, che è dal gr. *epiphốnēma*, deriv. di *epiphōnéō* 'esclamo'.

**epigastrio,** dal gr. *epigástrion*, forma sostantiv. neutra di *epigástrios*, da *epí* 'sopra' e *gastḗr*, *gastrós* 'ventre': « (che sta) sopra al ventre ».

**epiglòttide,** dal gr. *epiglōttís*, *-idos*, comp. di *epi* e *glôttís*; v. GLÒTTIDE.

**epigono,** dal gr. *epígonos* 'nato sopra' cioè 'dopo', da *epí* e la rad. *gen* di *gígnomai* 'io genero'.

**epìgrafe,** dal gr. *epigraphḗ*, astr. di *epigráphō* 'scrivo sopra'.

**epigramma,** dal lat. *epigramma*, *-ătis*, che è dal gr. *epígramma*, da *epigráphō* 'scrivo sopra'.

**epigrammàtico,** dal lat. tardo *epigrammatĭcus*.

**epigrammista,** dal lat. tardo *epigrammista*.

**epilazione,** dal lat. *depilare*, incr. con it. *e-*.

**epilessìa,** dal gr. *epilēpsía* 'attacco', astr. di *epílēpsis*, nome d'azione di *epilambánō* 'prendo sopra', 'sorprendo', comp. di *epí* e *lambánō* 'prendo'.

**epilèttico,** dal lat. tardo *epileptĭcus*, che è dal gr. *epilēptikós*.

**epillio** (comp. poetico), dal lat. tardo *epyllium*, che è dal gr. *epýllion*, dimin. di *épos*.

**epìlogo,** dal lat. *epilŏgus*, che è dal gr. *epílogos* 'aggiunta al discorso'; cfr il verbo *epilégō* 'parlo sopra, aggiungo'.

**epinicio,** dal lat. tardo *epinicium*, che è dal gr. *epiníkion (mélos)* « (canto) sopra la vittoria ».

**episcopale,** dal lat. tardo *episcopalis*, che è da *episcŏpus* 'vescovo'.

**episcopato,** dal lat. tardo *episcopatus*, *-us*.

**episcopio¹** (edificio), dal lat. tardo *episcopĭum*, con allineamento dell'accento sui temi in *-ĭum*.

**episcopio²** (apparecchio), da *epi-* e *-scopio*.

**episcopo,** dal gr. *epískopos*, deriv. di *episcopéō* 'ispeziono', verbo causativo, da *epí* e la rad. di *sképtomai* 'osservo'; cfr. VESCOVO.

**episodio,** dal gr. *epeisódion*, comp. aggettiv. da *epí* 'sopra', 'dopo' e *eísodos* 'ingresso'.

**epispàstico,** dal gr. *epispastikós* 'che attrae', risal. a *epispáō* 'io attraggo' e questo da *epí* e *spáō* 'tiro'.

**epistassi,** da un incr. tra gr. *stáksis* 'gocciolamento' e *epistázō* 'faccio gocciolare'.

**epistemologia,** dal gr. *epistḗmē* 'conoscenza scientifica' e *-logìa*.

**epistilio,** dal gr. *epistýlion*, deriv. aggettiv. di *epí* e *stýlos* 'colonna'.

**epistola,** dal lat. *epistŭla*, che è dal gr. *epistolḗ*, astr. di *epistéllō* 'io invio'.

**epistolare,** dal lat. tardo *epistularis*.

**epistolario,** dal lat. tardo *epistularium*.

**epistològrafo,** dal lat. medv. *epistològraphus*, che è dal gr. *epistológráphos*, a sua volta da *epistolḗ* e *-grapho-*, 'scrittore'.

**epìstrofe,** dal gr. *epistrophḗ* 'conversione', astr. del verbo *epistréphō* 'rivolgo'.

**epitaffio,** dal lat. tardo *epitaphium*, che è dal gr. *epitáphion* 'sepolcrale' da *epi-* e *táphos* 'tomba': con norm. raddopp. del gruppo *-fjo* in posizione postonica; cfr. PATAFFIO.

**epitalamio,** dal lat. *epithalamium*, che è dal gr. *epithalámios (hýmnos)* « (inno) nuziale », da *epi-* e *thálamos* 'tàlamo'.

**epitelio,** dal lat. scient. *epithelium*, comp. aggettiv. dal gr. *epi-* e *thēlḗ* 'capezzolo' e cioè « la pelle (delicata) che copre il capezzolo », poi estesa ad altri tessuti.

**epitelioma,** da *epitelio* e *-òma*, suff. che definisce formaz. patologiche spec. tumori; cfr. *sarcoma*, *carcinoma* e così *ematoma*.

**epìtesi,** dal lat. tardo *epithĕsis*, che è dal gr. *epithesis*, nome d'azione del verbo *epitíthēmi* 'sovrappongo'.

**epìteto,** dal lat. tardo *epithĕton*, che è dal gr. *epítheton*, neutro dell'agg. verb. di *epitíthēmi* 'sovrappongo'.

**epitomare,** dal lat. tardo *epitomare*.

**epìtome,** dal lat. *epitŏme*, che è dal gr. *epitomḗ*, astr. di *epitémnō* 'io compendio', da *epí* e *témnō* 'io taglio'.

**epizoòtico,** dal frc. *épizootique*.

**epizoozìa,** dal frc. *épizootie*, calco su *épidémie*, comp. di gr. *epí* e *zōiótēs* 'natura animale' col suff. di astr.

**època,** dal gr. *epokhḗ*, 'fermata', astr. di *epékhō* 'trattengo', da *epí* e *ékhō* 'ho'.

**epòdo,** dal lat. *epŏdos*, che è dal gr. *epōidós* 'canto aggiunto' (da *epi* e *ōidḗ* 'canto').

**epònimo,** dal gr. *epṓnymos*, comp. aggettiv. di *epí* e *ónyma*, forma dialettale di *ónoma*, *-atos* 'nome'.

**epopèa,** dal gr. *epopoiḯa*, astr. di un comp. di *poiéō* 'faccio' con *épos* 'parola': « composizione di parole ».

**epos,** dal gr. *épos* 'parola', pl. *épē* 'canti epici'.

**eppure,** da *e(t)* pure.

**èpsilon,** dal gr. *e psilón* 'E semplice'.

**epsomite** 'sale inglese', da *Epsom*, città ingl. della contea di Surrey, dove si trova allo stato naturale, col suff. *-ite* proprio di minerali.

**epulone,** dal lat. *epŭlo*, *-onis*, deriv. di *epŭlum* 'pasto (sacrificale)': connesso con la rad. EP²/OP di *opus* e con interessanti paralleli germanici e indiani, cfr. ÒPERA, UOPO.

**epurare,** dal frc. *épurer,* con *é-* (lat. *ex-*) estrattivo-intensivo.

**epurazione,** dal frc. *épuration.*

**equàbile,** dal lat. *aequabĭlis,* agg. verb. di *aequare,* verbo denom. da *aequus* ' uguale ', ' imparziale '; v. EQUO.

**equabilità,** dal lat. *aequabilĭtas, -atis.*

**equànime,** dal lat. tardo *aequanĭmis,* comp. di *aequus* e *anĭmus,* con suff. aggettiv.

**equanimità,** dal lat. *aequanimĭtas, -atis.*

**equatore,** dal lat. medv. *aequator, -oris,* nome d'agente di *aequare* ' uguagliare ': « uguagliatore (dei giorni e delle notti) ».

**equazione,** dal lat. *aequatio, -onis,* nome d'azione di *aequare* ' uguagliare '.

**equestre,** dal lat. *equester, -stris, -stre,* agg. di *eques, -ĭtis* ' cavaliere '; v. EQUITAZIONE e EQUINO.

**equiàngolo,** dal lat. tardo *aequiangŭlus,* comp. di *aequus* e *angŭlus.*

**èquidi,** dal lat. scient. *equidae,* da *equus* col suff. patronimico gr. *-ides.*

**equidistante,** dal lat. tardo *aequidistans, -antis,* da *distans* ' distante ', part. pres. di *distare,* preceduto dall'avv. *aeque* ' ugualmente '.

**equilàtero,** dal lat. tardo *aequilatĕrus,* comp. di *aequus* e *latus, -ĕris* ' lato '; v. LATO.

**equilibrare,** dal lat. tardo *aequilibrare,* comp. di *librare* ' bilanciare ' (v. LIBBRA) con il tema di *aequus.*

**equilibrio,** dal lat. *aequilibrium,* incr. di *aequilibrare* e di un astr. ricalcato sul gr. *isostathmía.*

**equino,** dal lat. *equinus,* agg. di *equus* ' cavallo '. Parola fondam. del voc. ideur., EKWOS è attestata pressoché in tutte le aree ideur., tra l'altro sanscrito *açvas,* gr. *híppos,* v. IPPO-.

**equinoziale,** dal lat. *aequinoctialis.*

**equinozio,** dal lat. *aequinoctium* e *nox,* calco sul gr. *isonýktion.*

**equipaggio,** dal frc. *équipage,* nome d'azione di *équiper,* risal. forse a un tema scandinavo *skipa* ' allestire una nave '.

**equiparàbile,** dal lat. *aequiparabĭlis.*

**equiparare,** dal lat. *aequiperare,* verbo denom. da un agg. *\*aequipĕrus* ' generatore di uguaglianza ', comp. di *aequus* e il tema di *parĕre,* incr. con it. *(pre)parare* o anche con *pareggiare.*

**equipollente,** dal lat. *equipollens, -entis,* comp. di *aequus* e *pollere* ' avere forza ', calco sul gr. *isodýnamos.* Il lat. *pollere* è privo di connessioni evidenti, al di fuori dell'agg. irlandese *oll* ' grande '.

**equipollenza,** dal lat. tardo *aequipollentia.*

**equiseto,** dal lat. *equisetum,* calco sul gr. *hippŭris* ' coda di cavallo ': da *equus* ' cavallo ' e *s(a)eta* ' pelo '; v. SETA.

**equìsono,** dal lat. tardo *aequisŏnus,* da *aequus* e *sonare,* calco sul gr. *isóphthongos.*

**equità,** dal lat. *aequĭtas, -atis,* astr. di *aequus.*

**equitazione,** dal lat. *equitatio, -onis,* nome d'azione di *equitare,* verbo denom. da *eques, -ĭtis* « che va a cavallo », deriv. da *equus* mediante il suff. *-t-* di nome d'agente, che si trova nel lat. *pedes, -ĭtis* « che va a piedi » e corrisponde a quello gr. in *-tēs* di *hippótēs* ' cavaliere '.

**equivalere,** dal lat. *aequivalere,* da *aequus* e *valere.*

**equivocare,** verbo denom. da *equivoco.*

**equivoco,** dal lat. *aequivŏcus,* calco sul gr. *homónymos,* da *aequus* e il tema di *vocare* ' denominare '.

**equo,** dal lat. *aequus,* privo di connessioni fuori d'Italia, e, in Italia, collegabile solo con l'umbro EKWYO- ' comunità '.

**equòreo,** dal lat. *aequoreus,* agg. di *aequor, -ŏris* ' mare ' (da *aequus* in quanto inteso come « superficie piana »).

**era,** dal lat. tardo *aera* ' numero ', plur. di *aes, aeris* ' bronzo '; v. ÈNEO.

**erario,** dal lat. *aerarium* ' tesoro pubblico ', deriv. di *aes, aeris* ' bronzo ', ' moneta ', v. ENEO.

**erba,** lat. *herba,* privo di connessioni ideur. e forse collegabile con un tema mediterraneo GHERBA; v. GERBIDO.

**erbaceo,** dal lat. *herbaceus.*

**erbario,** dal lat. tardo *herbarium.*

**erbàtico,** dal lat. medv. *herbàticum.*

**erbivéndolo,** calco su *fruttivéndolo,* con la sostituz. di *erbi-* a *frutti-.*

**erbìvoro,** calco su *carnìvoro,* con la sostituz. di *erbi-* a *carni-.*

**erborare,** verbo denom. da un incr. di *herbŭla* ' erbetta ' e *arbor* ' albero '.

**erborista,** dal frc. *herboriste* (XVIII sec.).

**erborizzare,** dal frc. *herboriser* (XVIII sec.).

**erborizzatore,** dal frc. *herborisateur.*

**erborizzazione,** dal frc. *herborisation.*

**erboso,** dal lat. *herbosus.*

**èrcole,** dal lat. *Hercŭles* (semidio del paganesimo, celebre per la sua forza), che è dal gr. *Heraklês,* giunto forse attrav. l'intermediario etrusco *hercle.*

**ercolino,** ' che ha le gambe curve ', da *èrcole,* nel signif. figur. incr. con *arco.*

**ercùleo,** dal lat. *Herculeus.*

**èrebo,** dal gr. *Érebos.*

**erede,** dal lat. *heres, -edis,* comp. di *\*ghero-* ' vuoto ' e di una rad. verb. ĒD/ŌD non meglio precisata, che significa ' entrare in possesso '. L'erede è colui « che entra in possesso di ciò che è (privo di padrone o) vuoto »; cfr. MERCEDE e CUSTODE. Il solo confronto fuori d'Italia è rappresentato dal gr. *khêros* ' spogliato ' e *khērôstēs* ' collaterale che eredita in mancanza di eredi diretti '.

**eredità,** dal lat. *heredĭtas, -atis.*

**ereditare,** dal lat. tardo *hereditare.*

**ereditario,** dal lat. *hereditarius.*

**ereditiera,** incr. del frc. *héritière* e it. *eredità.*

**eredo-,** estr. da *ered(itario),* p. es. *eredopatìa* ' malattia ereditaria '.

**eremita,** dal lat. tardo *eremita,* che è dal gr. crist. *herĕmítēs* e questo dall'agg. *érēmos* ' deserto '; cfr. ROMITO.

**eremìtico,** dal lat. tardo *eremitĭcus.*

**èremo,** dall'agg. gr. crist. *érēmos* ' deserto ', di cui conserva l'accentazione; cfr. ERMO.

**eresìa,** dal lat. crist. *haerĕsis,* che è dal gr. *haíresis* ' scelta ', nome d'azione di *hairéō* ' scelgo ': « scelta (in senso ostile) ». Ampliato con un suff. di astr. in *-ìa.*

**eresiarca,** dal lat. tardo *haeresiarca,* che è dal gr. *hairesiárkhēs.*

**erètico,** dal lat. tardo *haeretĭcus,* che è dal gr. *hairetikós* ' che ha scelto '.

**eretismo,** dal gr. *erethismós* e questo da *erethizō* ' irrito ', ' eccito '.

**erèttile,** da *eretto,* secondo lo schema di *portatile*

rispetto a *portato* e del lat. *ductĭlis* da *ductus*, *missĭlis*, *fictĭlis*, *fissĭlis*.

**eretto**, part. pass. di *erigĕre*, dal lat. *erectus*; v. RÈGGERE e cfr. ERTO.

**erezione**, dal lat. *erectio*, *-onis*, nome d'azione di *erigĕre*, comp. di *e(x)*- estrattivo e *regĕre*.

**ergàstolo**, dal lat. *ergastŭlum* 'prigione di schiavi', adattamento del gr. *ergastérion* 'casa di lavoro', (legato a *ergázomai* 'io lavoro'), sul modello di *stabŭlum*.

**èrgere**, lat. volg. *ergo* (prima pers. sg.) class. *erĭgo*, esteso poi all'inf. *ergĕre* per *erigĕre*; cfr. ERTO e v. ERÌGERE.

**ergo**, dal lat. *ergo* 'dunque', forse da *e rogo* '(partendo) dalla direzione di'. *Rogo*- sarebbe un tema nominale al grado *o* della rad. REG di *regĕre*; v. REGGERE.

**ergo-**, dal gr. *érgon* 'lavoro'.

**ergologìa**, *ergo*- e *-logia*.

**ergon**, dal gr. *érgon* 'lavoro'.

**ergotina**, dal frc. *ergotine*, che è da *ergot* 'segale cornuta' e il suff. frc. *-ine* proprio dei medicinali (it. *-ina*).

**érica**, dal lat. *erĭca*, che è dal gr. *erĭkē* allineato con gli agg. in *-ĭcus*, *-a*.

**erigendo**, dal lat. *erigendus*, part. fut. passivo di *erigĕre* come *eligendo* rispetto a lat. *eligĕre*.

**erìgere** (cfr. *èrgere*), dal lat. *erigĕre*, comp. di *e(x)*- e *regĕre* con norm. passaggio di *-ĕ-* in *-ì-* in sill. interna aperta. L'accentazione it. *erìgo* non è primitiva (cfr. lat. *erĭgo*), ma presa dal modello dell'inf.

**erinni**, dal gr. *Erinȳs*.

**erisìpela**, dal lat. tardo *erysipĕlas*, che è dal gr. *erysípelas*, comp. da *erysi*- 'arrossamento', nome d'azione di *ereúthō* 'arrosso', e da *pel*- della famiglia di gr. *pélma* 'pianta dei piedi' e quindi genericamente 'pelle'; cfr. RISÌPOLA.

**erìstica**, dalla formula gr. *eristikḗ* (*tékhnē*) '(arte) disputatoria'.

**eristico**, dal gr. *eristikós*, deriv. da un agg. verb. di *erízō* 'io contendo', verbo denom. da *éris* 'contesa'.

**eritema**, dal gr. *erýthēma*, *-atos* 'rossore', sost. deriv. dal verbo *ereúthō* 'faccio diventar rosso', incr. con *erythrós* 'rosso'.

**eritrosi**, dal gr. *erythrós* 'rosso' col suff. *-osi* di stati morbosi cronici.

**erma**, dal lat. *herma*, forma in *-a* di *Hermes*, gr. *Hermês*, nome del dio, equival. al lat. Mercurio.

**ermafrodito**, dal nome proprio lat. *Hermaphroditus*, che è dal gr. *Hermaphróditos*, figlio di Ermes e Afrodite, che ottenne dagli dei di confondersi col corpo di una ninfa e di partecipare perciò alle proprietà dei due sessi.

**ermellino**, dal lat. medv. (*mus*) *armeninum* 'topo di Armenia', incr. coi nomi germ. del tipo *Irmin*, it. *Ermen(garda)* e soggetto poi a dissimilaz. di *n...n* in *ll...n*.

**ermeneuta**, dal gr. *hermēneutḗs* 'interprete'.

**ermenèutica**, dal gr. *hermeneutikḗ* (*tékhnē*) '(l'arte) interpretatoria'.

**ermenèutico**, dal gr. *hermeneutikós*, agg. tratto dall'agg. verb. di *hermeneúō* 'interpreto'.

**ermètico**, dal lat. medv. *hermèticus*, deriv. da *Hermes* nella sua qualità di inventore dell'alchimia e della chiusura di un vetro mediante la fusione dello stesso: col doppio risultato di simboleggiare la chiusura assoluta (« ermetica ») e la inaccessibilità (« incomprensibile »).

**ermetismo**, da *ermet(ic)ismo*; in parte dal frc. *hermetisme*.

**ermo**, lat. volg. *erĕmus* (class. *erēmus*), dal gr. *érēmos* 'deserto', con norm. sincope della voc. postonica; cfr. ÈREMO.

**ernia**, dal lat. *hernia*, privo di connessioni ideur.

**ernioso**, dal lat. tardo *herniosus*.

**erniotomìa**, comp. di *ernia* e *-tomìa*.

**eródere**, dal lat. *erodĕre*, comp. di *e(x)*- estrattivo e *rodĕre*; v. RÓDERE.

**eroe**, dal lat. *heros*, *-ōis*, che è dal gr. *hérōs*.

**erogare**, dal lat. *erogare*, comp. di *e(x)*- e *rogare*, quindi 'chiedere da': es. di « enantiosemia » rispetto al valore attuale di 'distribuire'.

**erogazione**, dal lat. *erogatio*, *-onis*. con lo stesso spostamento di signif. di *erogare*.

**erògeno**, da *eros* e *-geno* invece del più regolare *ero(tò)geno*.

**eroico**, dal lat. *heroĭcus*, che è dal gr. *hērōĭkós*.

**eroicòmico**, da *eroi(co)comico*.

**eroina**, da *eroe*, per la sua azione energetica e euforica, col suff. *-ina* proprio di medicamenti.

**eroismo**, dal frc. *héroisme*.

**erómpere**, dal lat. *erumpĕre*, comp. di *e(x)*- estrattivo e *rumpĕre*; v. RÓMPERE.

**eros**, dal gr. *érōs*, *-ōtos*.

**erosione**, dal lat. *erosio*, *-onis*, nome d'azione di *erodĕre*.

**eroso**, part. pres. di *eródere*, dal lat. *erosus*.

**eròtico**, dal lat. tardo *eroticus*, che è dal gr. *erōtikós* proprio dell'*eros* (v.).

**erotismo**, da *erot(ic)ismo*.

**èrpete**, dal gr. *hérpēs*, *-ētos*, deriv. di *hérpō* 'io serpeggio' e quindi « (la malattia) che striscia (sul corpo) ».

**érpice**, lat. *hirpex*, *-ĭcis*, collegato con *hirpus*, la parola sannitica per 'lupo', priva di collegamenti fuori d'Italia. L'erpice è quello « che ha (i denti) di lupo ». La forma latina corrispondente a *hirpus* è *hircus*; v. IRCO.

**errabondo**, dal lat. *errabundus*, deriv. del verbo *errare* col suff. *-bundus* che rinforza e rende durativo il valore del part. pres. *errans*: così *moribundus*, *furibundus*, *vagabundus* rispetto a *moriens furens*, *vagans*.

**errante**, part. pres. di *errare*, nella formula 'cavaliere errante' dal frc. *errant* part. pres. dell'ant. *errer* 'viaggiare'.

**errare**, lat. *errare* 'andare senza una mèta': da una rad. ERS, di valore forse desiderativo, attestata anche nell'area germanica.

**erratacòrrige**, dal lat. *errata corrĭge* « le (seguenti) cose errate, correggi ».

**erràtico**, dal lat. *erratĭcus* deriv. di *errare* come *venaticus* da *venari* 'andare a caccia'.

**erròneo**, dal lat. *erroneus* 'vagante' deriv. da *erro*, *-onis*, specie di nome di agente da *errare* 'vagare'.

**errore**, dal lat. *error*, *-oris* specializzato nel senso figur., e rinforzato nel signif. che passa dal vago vagabondaggio, senza mèta, alla nozione di mèta e risultato sbagliato.

**erta**, da *èrto*, part. pass. di *èrgere* (v.).

**erto**, part. pass. di *èrgere*, incr. con *eretto* (diversamente sarebbe stato *erso* come *sparso* o *emerso*).

**erubescente,** dal lat. *erubescens, -entis,* part. pres. di *erubescĕre,* comp. di *ex* intens. e *rubescĕre,* denominativo-incoativo di *ruber* ' rosso ', v. ROSSO.

**erubescenza,** dal lat. tardo *erubescentia.*

**eruca** ' bruco ', dal lat. *erūca,* forma sostantiv. di un \**erūcus,* agg. formato come *cadūcus* da *cadĕre,* ma senza possibilità di appoggio a un'eventuale forma verbale \**erĕre* che non è attestata.

**erudìbile,** dal lat. tardo *erudibĭlis.*

**erudire,** dal lat. *erudire,* verbo denom. da *rudis* ' rozzo ' con *e(x)-* sottrattivo; v. ROZZO.

**erudizione,** dal lat. *eruditio, -onis.*

**eruttare,** dal lat. *eructare,* intens. di *erugĕre* ' mandar fuori (con violenza), sgradevolmente '; v. RUTTARE.

**eruttazione,** dal lat. tardo *eructatio, -onis.*

**eruttivo,** ampliam. in *-ivo* dal part. pass. lat. *eruptus,* di *erumpĕre.*

**eruzione,** dal lat. *eruptio, -onis,* nome d'azione di *erumpĕre.*

**es-** (estrattivo), dal lat. *ex-* alternante con *e-* (v. E-) con valore sottrattivo durativo conclusivo: antichissima prep. ideur. (in gr. *ek, eks*), presente nelle aree celtica, baltica, slava, sostituita solo nelle aree indo-iranica e germanica da *ud-,* v. EX. Per il signif., lat. *e(x)-* ' fuori ' si comporta di fronte a *in-* ' dentro ' senza allusione a movimento, come *ab* ' da ' rispetto a *ad* ' verso ' con senso di movimento.

**esa-,** primo elemento di composiz., dal gr. *heksa-,* ampliam. di *héks* ' sei '.

**esacerbare,** dal lat. *exacerbare,* denom. da *acerbus* con *ex-* conclusivo.

**esacerbazione,** dal lat. tardo *exacerbatio, -onis.*

**esacordo,** dal gr. *heksákhordos,* comp. di *heksa-* ' sei ' e *khordé* ' corda '.

**esaedro,** dal lat. tardo *hexaedrum,* che è dal gr. *heksáedron,* comp. di *heksa-* ' sei ' e *hédra* ' base '.

**esagerare,** dal lat. *exaggerare,* verbo denom. da *agger* ' argine ' con *ex-* intens., incr. con it. *agitare.*

**esageratore,** dal lat. *exaggerator, -oris,* incr. con *esagerare.*

**esagerazione,** dal lat. *exaggeratio, -onis,* incr. con *esagerare.*

**esagitare,** dal lat. *exagitare,* comp. di *agitare* e *ex-* intens.

**esàgono,** dal gr. *hekságōnon,* comp. di *heksa-* ' sei ' e *gōno-,* (estr. da *gōnía* ' angolo ').

**esalare,** dal lat. *exhalare,* comp. di *halare* e *ex-* ' fuori '; v. ÀLITO e cfr. SCIALARE.

**esalazione,** dal lat. *exhalatio, -onis.*

**esaltare,** dal lat. *exaltare,* verbo denom. da *altus* con *ex-* intens.; v. ALTO.

**esaltatore,** dal lat. tardo *exaltator, -oris.*

**esaltazione,** dal lat. *exaltatio, -onis.*

**esame,** dal lat. *examen* ' ago della bilancia ', da un ant. \**ex-ag-s-men,* comp. di *ex-* e la rad. di *ago* ' condurre ' (v. AGIRE e cfr. SCIAME), « ciò che si conduce fuori ».

**esàmetro.** dal lat. *hexamĕter,* che è dal gr. *heksámetron,* comp. di *heksa-* ' sei ' e *métron* ' misura '.

**esaminando,** dal lat. *examinandus,* part. fut. passivo di *examinare.*

**esaminare,** dal lat. *examinare,* verbo denom. da *examen, -ĭnis.*

**esaminatore,** dal lat. *examinator, -oris.*

**esangue,** dal lat. *exsanguis,* comp. di *ex-* sottrattivo e *sanguis.*

**esanimare,** dal lat. *exanimare,* verbo denom. da *anĭma* con *ex-* sottrattivo.

**esànime,** dal lat. *exanĭmis,* comp. di *ex-* sottrattivo e *anĭma.*

**esantema,** dal lat. tardo *exanthema,* che è dal gr. *eksánthēma* ' efflorescenza ', da *eksanthéō* ' fiorisco ', denom. da *ánthos* ' fiore ' con *eks-*.

**esapodìa,** astr. deriv. da gr. *héks* ' sei ' e *pûs, podós* ' piede '.

**esàpodo,** dal gr. *heksápūs, -odos.*

**esarca,** dal lat. tardo *exarchus,* che è dal gr. *éksarkhos* ' capofila ', ' comandante ', allineato su *patriarca.*

**esarcato,** dal lat. medv. *exarchatus, -us.*

**esarchìa,** calco su *monarchia* con la sostituz. di *ésa-* a *mono-*.

**esasperare,** dal lat. *exasperare,* denom. da *asper,* con *ex-* intens.; v. ASPRO.

**esasperazione,** dal lat. *exasperatio, -onis.*

**esàstico,** dal lat. *hexastĭcus,* che è dal gr. *heksástikhos* ' di sei versi ', comp. di *heksa-* ' sei ' e *stíkhos* ' linea '.

**esàstilo,** dal gr. *heksástylos* ' di sei colonne ', comp. di *heksa-* ' sei ' e *stýlos* ' colonna '.

**esatto**[1]**,** part. pass. del sistema di *esìgere,* dal lat. *exactus.*

**esatto**[2]**,** dal lat. *exactus,* part. pass. di *exigĕre,* nel senso di ' condotto a termine ', ' perfetto ', v. AGIRE.

**esattore,** dal lat. *exactor, -oris,* nome d'agente di *exigĕre.*

**esaudìbile,** dal lat. *exaudibĭlis.*

**esaudire,** dal lat. *exaudire,* comp. di *audire* con *ex-* intens.; v. UDIRE.

**esauditore,** dal lat. *exauditor, -oris.*

**esaurire,** dal lat. *exhaurire,* comp. di *haurire* e *ex-* intens.: *haurire,* dalla incerta restituzione così del vocalismo come della aspiraz. primitiva (*aurire? orire?*) aveva come cons. finale *-s,* (v. ESÀUSTO), e pare risalire perciò al tema mediterr. AUSA ' la fonte ', insieme col gr. *aúō* ' attingo ' da \**ausō:* cfr. ASOLARE.

**esaustivo,** dall'ingl. *exhaustif.*

**esausto,** dal lat. *exhaustus,* part. pass. di *exaurire;* v. ESAURIRE.

**esautorare,** dal lat. *exauctorare,* verbo denom. da *auctor* con *ex-* sottrattivo.

**esautorazione,** dal lat. tardo *exauctoratio, -onis.*

**esazione,** dal lat. *exactio, -onis,* nome d'azione di *exigĕre.*

**esborsare,** verbo denom. da *borsa* con *es-* estrattivo.

**esborso,** sost. deverb. estr. da *esborsare.*

**esca,** lat. *esca,* deriv. di *edĕre* ' mangiare ', antichissima famiglia ideur. (v. EDACE) senza chiare connessioni per quanto riguarda il suff. di *esca,* che ha influito sulla formazione di *posca* ' bevanda ' (v. POSCA) dalla rad. di *potus;* v. POZIONE.

**escandescenza,** dal lat. *excandescentia,* astr. di *excandescens,* part. di *excandescĕre* ' accendersi ', incoat. *candĕre* ' essere acceso, (fino al punto di essere di color bianco), scintillare ', col pref. *ex-* intens.; v. CANDIDO.

**èscara,** dal lat. tardo *eschăra,* che è dal gr. *eskhára;* cfr. ÀSCARO[1], SCAREGGIO.

**escaròtico,** dal lat. tardo *escharotĭcus,* che è dal gr. *eskharōtikós.*

escatologìa, dal gr. *éskhatos* ' ultimo ' e *-logia*.

escavare, dal lat. *excavare*, comp. di *ex-* estrattivo e *cavare*, verbo denom. da *cavus*; v. SCAVARE.

escavazione, dal lat. *excavatio, -onis*.

eschio, lat. *aescŭlus*, privo di connessioni ideur.; cfr. ISCHIO[1].

escire, lat. *exire*, comp. di *ex* e *ire*; v. GIRE e cfr. USCIRE.

esclamare, dal lat. *exclamare*, comp. di *ex-* intens. e *clamare* ' chiamare '; v. CHIAMARE.

esclamativo, dal lat. tardo *exclamativus*.

esclamazione, dal lat. *exclamatio, -onis*.

esclùdere, dal lat. *excludĕre*, comp. di *ex-* intens. e *claudĕre* ' chiudere ', con norm. apofonia di *-au-* in *-ū* in sill. interna; v. CHIÙDERE.

esclusione, dal lat. *exclusio, -onis*, nome d'azione di *excludĕre*.

esclusivo, dal lat. medv. *exclusivus*.

escluso, dal lat. *exclusus*, part. pass. di *excludĕre*.

esclusorio, dal lat. tardo *exclusorius*.

escogitare, dal lat. *excogitare*, comp. di *cogitare* con *ex-* intens.; v. COGITARE.

escogitatore, dal lat. *excogitator, -oris*.

escomiare, lat. volg. *excommeatare*, verbo denom. da *commeatus, -us* (v. COMMIATO) col pref. intens. *ex-* e una leniz. settentr. totale fino alla caduta di *-t-* intervocalico.

escomio, sost. deverb. da *escomiare*.

escoriare, dal lat. *excoriare* ' scoiare ', verbo denom. da *corium* ' cuoio ' con *ex-* sottrattivo; v. CUOIO.

escorso, dal lat. *excursus*, astr. di *excurrĕre* ' correr fuori '.

escreato, dal lat. *ex-screatus*, astr. di *ex-screare* denom. da *screa* (plur.) ' sputo ', con *ex-* estrattivo, di lontane orig. onomatop. del tipo *s...cr*.

escremento, dal lat. *excrementum*, deriv. dal sistema di *cernĕre* nel senso di « vagliare (quello che deve essere evacuato) fuori ».

escrescenza, dal lat. *excrescentia* (plur.) « le cose che crescono fuori », part. pres. di *excrescĕre*, da *ex-* estrattivo e *crescĕre*, incr. con gli astr. it. in *-enza*.

escreto ' eliminato ', dal lat. *excretus* part. pass. nel sistema di *excernĕre*.

escretore, nome d'agente formato sul nome di azione *escrezione*, appartenente alla famiglia di un presunto *escèrnere*; v. CERNERE.

escrezione, dal lat. tardo *excretio, -onis*, ' vagliatura ', nome d'azione di *excernĕre*.

esculento ' buono a mangiarsi ', dal lat. *exculentus*, tratto da *esca* (v. ESCA) come *suculentus, faeculentus* da *sucus* e *faex*.

escursione, dal lat. *excursio, -onis*, nome d'azione di *excurrĕre*.

escussione, dal lat. tardo *excussio, -onis* ' scotimento ', nome d'azione di *excutĕre*.

escùtere, dal lat. *excutĕre*, comp. di *quatĕre* con *ex-* intens. e con norm. apofonia di *-quă-* in *-cŭ-* in sill. interna aperta; v. SCUOTERE.

esecràbile, dal lat. *exsecrabilis*.

esecrabilità, dal lat. tardo *exsecrabilĭtas, -atis*.

esecrando, dal lat. *exsecrandus*.

esecrare, dal lat. *exsecrare* ' maledire ', verbo denom. da *sacer*, con *ex-* estrattivo e con norm. apofonia di *-ă-* in *-ĕ-* in sill. interna dav. a gruppo di cons.

esecratore, dal lat. tardo *exsecrator, -oris*.

esecrazione, dal lat. *exsecratio, -onis*.

esecutivo, deriv. in *-ivo* del lat. *exsecutus*, part. pass. di *exsĕqui* ' eseguire '.

esecutore, dal lat. *exsecutor, -oris*, nome d'agente di *exsĕqui*. Il tema *secutus* su cui si fonda così il nome d'agente come quello d'azione, sostituisce il regolare *sectus* in quanto il doppio suono *qu* è stato attratto dai part. in *-utus* di *volvĕre* e *solvĕre* (v. EVOLUTO, RISOLUTO): così anche *locutus* di fronte a *loqui* (v. LOCUZIONE). Per la rad. SEKʷ, v. SEGUIRE.

esecutorio, dal lat. *exsecutorius*.

esecuzione, dal lat. *exsecutio, -onis*, nome d'azione di *exsĕqui*.

esedra, dal gr. *heksédra*, comp. di *eks-* e *hédra* ' sedia ', ' dimora '.

esegesi, dal gr. *eksēgēsis*, nome d'azione di *eksēgéomai* ' guido, interpreto '.

esegeta, dal gr. *eksēgētēs*.

esegètica, da *esegètico*, come femm. sostantiv. da *(scienza) esegètica*.

esegètico, dal gr. *eksēgētikós*.

eseguire, dal lat. *exĕqui*, incr. con it. *seguire*.

esempigrazia, dal lat. *exempli gratia* ' per esempio ', .

esempio, dal lat. *exemplum*, tratto da *exemĕre* con suff. *-lo* e una *-p-* epentetica; v. SCEMPIO e cfr. DIRÌMERE, CONCIARE, PRONTO.

esemplare[1] (agg.), dal lat. *exemplaris*.

esemplare[2] (sost.), dal lat. *exemplar, -aris*.

esemplare[3] (verbo), dal lat. tardo *exemplare*, verbo denom. da *exemplum*.

esemplificare, dal lat. medv. *exemplificare*, comp. di *exemplum* e *-ficare*, tema di verbo denom. da *-fex* con valore causativo.

esente, dal lat. *exemptus*, part. pass. di *eximĕre*, inteso come ant. part. pres. in *-ente*.

esenzione, dal lat. *exemptio, -onis*, nome d'azione di *eximĕre*.

esequie, dal lat. *exsequiae, -arum* ' accompagnamento d'onore a un morto ', deriv. di *exsĕqui* ' seguire '.

esercente, dal lat. *exercens, -entis*.

esercere (arc.), dal lat. class. *exercere* ' esercitare ', comp. di *ex* e *arcere* ' mettere in movimento ', con norm. apofonia di *-ă-* in *-ĕ-* in sill. interna chiusa; cfr. ARCA.

esercire, infinito estratto dal part. pres. *esercente*.

esercitare, dal lat. *exercitare*, iterat. di *exercere* e denom. da *exercĭtus*, incr. con *citare* da *cieo* ' metto in movimento '; v. CITARE.

esercitazione, dal lat. *exercitatio, -onis*.

esèrcito, dal lat. *exercĭtus, -us*, nome astr. di *exercere* ' tenere in attività ', ' esercitare '; v. ARCA.

esercizio, dal lat. *exercitium*, che è da *exercitare*, come *dominium* da *dominare*.

esergo, dal lat. moderno *exergum*, comp. di gr. *eks* ' fuori ' e *érgon* ' opera ': « (spazio) fuori dell'opera ».

esibire, dal lat. *exhibere*, comp. di *habere* ' avere ' e *ex-* estrattivo: con norm. apofonia di *-ă-* in *-ĭ-* in sill. interna aperta e passaggio alla coniugaz. in *-ire*.

esibitore, dal lat. *exhibĭtor, -oris*.

esibizione, dal lat. *exhibitio, -onis*.

esigenza, dal lat. tardo *exigentia*.

esìgere, dal lat. *exigĕre*, comp. di *ex-* estrattivo e *agĕre*, con norm. apofonia di *-ă-* in *-ĭ-* in sill. interna aperta.

**esiguità,** dal lat. *exigŭĭtas, -atis.*

**esiguo,** dal lat. *exigŭus* « pesato esattamente », e, dal punto di vista del compratore « (troppo) strettamente ». Deriv. da *exigĕre* come *ambiguus* da *ambigĕre,* che significa in orig. ' ciò che è messo sui due (piatti della bilancia) ' e cioè di incerta definizione; v. AMBIGUO.

**esilarare,** dal lat. *exhilarare,* verbo denom. da *hilăris* ' ilare ' con *ex-* intens.; v. ÌLARE.

**èsile,** dal lat. *exīlis,* incr. con i tipi it. sdruccioli come *fàcile, àgile, àbile,* privo di connessioni evidenti, anche se sicuram. comp. con *ex-* iniziale: forse da *\*ex-ags-lis,* cfr. *exiguus,* incr. con gli agg. in *-īlis,* mentre secondo le regole dell'apofonia latina avrebbe dovuto dare *\*exēlis* col passaggio di *-ă-* in *-ĕ-* in sill. interna chiusa.

**esilio,** dal lat. *exsilium,* astr. da *exsul, -ŭlis* ' esule '; (v. ESULE) col norm. passaggio di *-ŭ-* in *-ĭ-* dav. a *-l-* seguita da *-i-.*

**esìmere,** dal lat. *eximĕre* ' esimere ', comp. di *emĕre* ' prendere ' e *ex-* estrattivo, con norm. apofonia di *-ĕ-* in *-ĭ-* in sill. interna aperta.

**esimio,** dal lat. *eximius,* deriv. di *eximĕre* nel senso di ' eccettuato ', ' eccezionale ', con *ex-* estratt.

**-èsimo,** dal lat. *(cent)esĭmus, (vig)esĭmus* ecc.

**esinanire,** dal lat. *exinanire,* verbo denom. da *inanis* con *ex-* intens.; v. INANE.

**esistenza,** dal lat. *exsistentia,* astr. di *exsistens,* part. pres. di *exsistĕre* ' esistere '.

**esistenziale,** dal lat. tardo *exsistentialis.*

**esìstere,** dal lat. *exsistĕre,* comp. di *ex-* e *sistĕre,* perciò ' sorgere, apparire '; v. ASSÌSTERE e STARE.

**esitàbile,** da *esitare* nel senso di ' fare uscire '.

**esitare[1],** verbo denom. da *èsito* ' uscita '.

**esitare[2],** dal lat. *haesitare,* intens. di *haerere* ' stare attaccato ', che ha una sola connessione riconoscibile nel verbo lituano *gaîsti* ' esitare ', da una rad. di carattere popolare GHAIS.

**esitazione,** dal lat. *haesitatio, -onis.*

**èsito,** dal lat. *exĭtus, -us,* astr. di *exire* ' uscire '.

**esiziale,** dal lat. *exitialis,* agg. di *exitium.*

**esizio,** dal lat. *exitium* « il fatto di andare a finire (malamente) ».

**eslege,** dalla formula lat. *ex lege* ' fuori dalla legge '.

**eso-,** dal gr. *éksō* ' fuori '.

**esocarpo,** comp. di *eso-* ' fuori ' e gr. *karpós* ' frutto '.

**esòcrino,** da *eso-* ' fuori ' e *-crino* ' secrezione ', calco su *(endò)crino.*

**esodio,** dal lat. *exodium,* che è dal gr. *eksódion* ' finale, conclusione ', da *éksodos.*

**èsodo,** dal lat. tardo *exŏdus,* che è dal gr. *éksodos* (da *eks-* e *hodós* ' strada ').

**esòfago,** dal gr. *oisophágos,* comp. irregolare (invece di *\*phago-phóros*) di *oîsis* ' azione di portare ' e *-phago-* ' mangiatore ': in sostanza « porta-cibo ».

**esoftalmo,** dal gr. *eksóphthalmos* « che ha l'occhio *(ophthalmós)* in fuori *(éksō)* ».

**esogamìa,** da *eso-* ' fuori ' e *-gamìa.*

**esògeno,** comp. di *eso-* ' fuori ' e *-geno* ' generato '.

**esonerare,** dal lat. *exonerare,* verbo denom. da *onus, -ĕris* ' peso ' con *ex-* sottrattivo.

**esonerazione,** dal lat. tardo *exoneratio, -onis.*

**esònero,** sost. deverb. estr. da *esonerare.*

**esorbitare,** dal lat. tardo *exorbitare* ' uscir dall'orbita ', verbo denom. da *orbĭta,* con *ex-* sottrattivo; v. ÒRBITA.

**esorcismo,** dal lat. tardo *exorcismus,* che è dal gr. *eksorkismós* (da *eksorkízō* ' io scongiuro ').

**esorcista,** dal lat. tardo *exorcista,* che è dal gr. *eksorkistés.*

**esorcizzare,** dal lat. tardo *exorcizare,* che è dal gr. *eksorkízō* ' io scongiuro ', verbo denom. da *hórkos* ' giuramento ', col pref. *eks-.*

**esordio,** dal lat. *exordium,* astr. di *exordiri* ' esordire '.

**esordire,** dal lat. *exordiri,* comp. di *ordiri* e *ex-* di distacco « cominciare (a tessere) »; v. ORDIRE.

**esornare,** dal lat. *exornare* ' ornare ', comp. di *ex-* intensivo e *ornare.*

**esortamento,** dal lat. tardo *exhortamentum.*

**esortare,** dal lat. *exhortari,* comp. di *hortari* con *ex-* intens. *Hortor* a sua volta è forma intens. di *horior,* causativo di una rad. GHER[2] ' volere, desiderare ': il valore di ' esortare ' discende cioè da quello di ' faccio desiderare '. GHER[2] è bene attestata, oltre che in Italia, nelle aree germanica, greca, indiana; cfr. ted. *gern* ' volentieri ', gr. *khairō* ' mi rallegro '.

**esortativo,** dal lat. *exhortativus.*

**esortatore,** dal lat. tardo *exhortator, -oris.*

**esortatorio,** dal lat. tardo *exhortatorius.*

**esortazione,** dal lat. *exhortatio, -onis.*

**esosmosi,** da *eso-* ' fuori ' e *osmosi.*

**esoso,** dal lat. *exosus,* comp. di *ex-* intens. e *osus,* part. pass. di *odisse* ' odiare '; v. ODIO.

**esoterico,** dal lat. tardo *esotericus,* che è dal gr. *esōterikós,* deriv. da *ésō* ' dentro '.

**esotèrmico,** da *eso-* ' fuori ' e *termico.*

**esòtico,** dal lat. *exotĭcus,* che è dal gr. *eksōtikós* deriv. di *éksō* ' fuori '.

**espàndere,** dal lat. *expandĕre,* comp. di *ex-* intens. e *pandĕre* ' stendere, aprire ', parola priva di connessione ideur.

**espansione,** dal lat. *expansio, -onis,* nome d'azione di *expandĕre.*

**espatriare,** verbo denom. da *patria* con *es-* estrattivo.

**espatrio,** sost. deverb. estr. da *espatriare.*

**espediente,** part. pres. di *espedire.*

**espedire,** dal lat. *expedire,* verbo denom. da *pes, pedis* ' piede ' con *ex-* sottrattivo « toglier dai piedi ».

**espedizione,** dal lat. *expeditio, -onis.*

**espèllere,** dal lat. *expellĕre,* comp. di *pellĕre* ' cacciare ' e *ex-* intens. *Pellĕre,* v. IMPÈLLERE, deriva da una rad. PEL ' inseguire ', ampliata col suff. *de/do* come *tendĕre* dalla rad. TEN; con qualche connessione nelle aree greca e armena.

**esperanto,** dal nome *(Doktoro) Esperanto* ' (dottore) speranzoso ', che il medico polacco L. L. Zamenhof (1859-1917), si diede nel lanciare la lingua artificiale da lui creata.

**esperienza,** dal lat. *experientia,* astr. da *experiens* part. pres. di *experiri* ' sperimentare '; cfr. ESPERIRE.

**esperimentare,** dal lat. tardo *experimentare.*

**esperimento,** dal lat. *experimentum.*

**esperio,** dal lat. *hesperius,* che è dal gr. *hespérios,* deriv. di *hespéra* ' sera '.

**esperire,** dal lat. *experiri,* comp. di *ex-* intens. e *\*perior* ' io provo '; v. PERITO.

**èspero,** dal lat. *hespĕrus,* che è dal gr. *hésperos;* cfr. VESPRO.

**esperto[1]** (agg.), dal lat. *expertus,* part. pass. di *expe-*

*riri*, risultante dall'incr. di un orig. \**experītus* con i part. *repertus, compertus*; v. PERITO.

**esperto²** (sost.), dal lat. *expert*.

**espettazione**, dal lat. *exspectatio, -onis*.

**espettorare**, dal lat. *expectorare*, verbo denom. da *pectus, -ŏris* ' petto ' con *ex-* estrattivo.

**espiàbile**, dal lat. *expiabĭlis*.

**espiare**, dal lat. *expiare*, verbo denom. da *pius*, con *ex-* intens.; v. PIO.

**espiatore**, dal lat. *expiator, -oris*.

**espiatorio**, dal lat. tardo *expiatorius*.

**espiazione**, dal lat. *expiatio, -onis*.

**espirare**, dal lat. *exspirare*, comp. di *ex-* estrattivo e *spirare*.

**espirazione**, dal lat. *exspiratio, -onis*.

**espletare**, dal lat. \**expletare*, verbo intens. di *explere* ' compiere ', da \**plere* con *ex-* intensivo; v. PIENO.

**espletivo**, dal lat. tardo *expletivus*.

**esplicàbile**, dal lat. *explicabĭlis*.

**esplicare**, dal lat. *explicare*, comp. di *ex-* durativo e *plicare* ' piegare '.

**esplicazione**, dal lat. *explicatio, -onis*.

**esplìcito**, dal lat. *explicĭtus*, part. pass. di *explicare* ' spiegare ', che presuppone però un inf. \**plecĕre*, di fronte al regolare *explicatus*; v. IMPLICITO, PIEGARE, DUPLICE, COMPLESSO.

**esplòdere**, dal lat. *explodĕre* ' cacciar via battendo ', comp. di *plodĕre*, class. *plaudĕre* ' battere ' con *ex-* intens.; v. PLAUDIRE.

**esplorare**, dal lat. *explorare*, comp. di *ex-* estrattivo e \**plorare*, parola non attestata cui non si può attribuire alcun signif., perché inconciliabile con il *plorare* effettivamente attestato, che significa ' piangere ' ed è di orig. onomatop. (v. PLORARE). Forse da connettere con la famiglia di lat. *planus*.

**esploratore**, dal lat. *explorator, -oris*.

**esploratorio**, dal lat. *exploratorius*.

**esplorazione**, dal lat. *exploratio, -onis*.

**esplosione**, dal lat. *explosio, -onis*, nome d'azione di *explodĕre*.

**esponente**, dal lat. *exponens, -entis*, part. pres. di *exponĕre*.

**esporre**, dal lat. *exponĕre*, incr. con it. *porre*.

**esportare**, dal lat. *exportare*, comp. di *portare* con *ex-* sottrattivo; v. PORTARE.

**esportazione**, dal lat. *exportatio, -onis*.

**esposìmetro**, da *esposi(zione)* e *-metro* « misuratore (della durata) di esposizione (per una fotografia) ».

**espositivo**, dal lat. *exposĭtus* col suff. it. *-ivo* di valore dimostrativo.

**espositore**, dal lat. tardo *exposĭtor, -oris*, nome d'agente nel sistema di *exponĕre*.

**esposizione**, dal lat. *expositio, -onis*, nome d'azione del verbo *exponĕre*.

**espressione**, dal lat. *expressio, -onis*, nome d'azione del verbo *exprimĕre*, comp. di *premĕre* con *ex-* sottrattivo.

**espresso¹** (part. pass.), dal lat. *expressus*, part. pass. di *exprimĕre*; v. PRESSO.

**espresso²** (sost.), dal frc. *exprès*, riferito a treno messo in moto o a plico portato « espressamente »: esteso poi in it. al caffè.

**esprimere**, dal lat. *exprimĕre*, comp. di *premĕre* e *ex-* sottrattivo, con norm. passaggio di *-ĕ-* in *-ĭ-* in sill. interna aperta.

**esprofesso**, dal lat. *ex professo* ' di proposito '.

**espropriare**, dal lat. medv. *expropriare*, verbo denom. da *proprius* con *ex-* sottrattivo.

**espropriazione**, dal lat. medv. (giur.) *expropriatio, -onis*.

**esproprio**, sost. deverb. da *espropriare*.

**espugnàbile**, dal lat. *expugnabĭlis*.

**espugnare**, dal lat. *expugnare*, comp. di *pugnare*, verbo denom. da *pugna* ' battaglia ' con *ex-* sottrattivo-conclusivo.

**espugnatore**, dal lat. *expugnator, -oris*.

**espugnazione**, dal lat. *expugnatio, -onis*.

**espulsione**, dal lat. *expulsio, -onis*, nome d'azione nel sistema di *expellĕre* ' scacciare '.

**espulsivo**, dal lat. tardo *expulsivus*.

**espulso**, dal lat. *expulsus*, part. pass. di *expellĕre* con norm. passaggio di *-ŏ-* in *-ŭ-* in sill. interna dav. a *-l-* non seguito da *-i-*. *Pulsus*, ant. \**polsos* risale a \**pl̥d(to-s)* col norm. grado ridotto rispetto al pres. *pello* (da \**peldo*).

**espulsore**, dal lat. *expulsor, -oris*, nome d'agente di *expellĕre*.

**espùngere**, dal lat. *expungĕre*, comp. di *pungĕre* con *ex-* ' fuori ': « segnare punti (fuori della riga) ».

**espunzione**, dal lat. tardo *expunctio, -onis*, nome d'azione di *expungĕre*.

**espurgare**, dal lat. *expurgare*, comp. di *purgare* ' pulire ' con *ex-* intens.

**espurgazione**, dal lat. *expurgatio, -onis*.

**essendoché**, da *essendo* (gerundio del verbo *essere*) e *che*, particella che dà il valore di locuzione congiuntiva all'intiero nesso.

**essenza**, dal lat. *essentia*, astr. di *esse* ' essere '.

**essenziale**, dal lat. tardo *essentialis*.

**essenzialità**, dal lat. tardo *essentialĭtas*.

**èssere**, lat. volg. \**essĕre*. Il class. *esse* è passato nel lat. volg. dalla coniugaz. atematica in cui *-se* aderisce alla rad. *es-*, a quella tematica, quasi si trattasse di un verbo della terza coniugaz. La rad. ES è attestata larghissimamente e stabilmente nell'ambito delle norm. alternanze ES/s. Dalla prima forma deriva la terza pers. sg. lat. *est*, ted. *ist*, gr. *esti*, sanscrito *asti* (it. *è*). Dalla seconda, la terza pers. plur. lat. *sunt*, ted. *sind*, sanscrito *santi* (it. *sono*). La rad. ES non ha valore copulativo ai fini del predicato nominale, ma significa ' esserci ', ' trovarsi '. Il suo valore è fortemente durativo, e quindi non ammette in principio forme di perf. o aoristo. Le prime che completano il sistema (o « suppletive ») sono tratte da altre rad.: in lat. (e it.) da BHEWĒ; v. FU, FU(TURO).

**essiccare**, dal lat. *exsiccare*, verbo denom. da *siccus* ' secco ' con *ex-* intens.

**essiccazione**, dal lat. tardo *exsiccatio, -onis*.

**esso**, lat. *ipsum* (accus.). Deriva dal tema del dimostr. *i-* attestato spec. nelle aree germanica (ted. *er, es*), italica, indo-iranica, con un ampliam. *-pse*, dapprima rigido, poi inquadrato nella declinaz. L'ampliam. è privo di connessioni fuori d'Italia. Per un ampliamento all'iniziale, v. DESSO.

**essotèrico**, dal lat. *exotericus*, che è dal gr. *eksōterikós*, da *éksō* ' fuori '.

**essudare**, dal lat. *exsudare*, comp. di *ex-* estrattivo e *sudare*.

**est**, dal frc. *est* e questo dall'ingl. *east*.

**èstasi**, dal lat. tardo *ecstăsis*, che è dal gr. *ékstasis* ' distrazione della mente ', nome d'azione di *eksístēmi* ' esco (fuori) di me '.

**estasiare**, incr. di un verbo denom. da *èstasi* e dal frc. *s'extasier*.

**estatare**, verbo denom. da *estate*.

**estate**, lat. *aestas, -atis*, da un ant. *\*aestĭtas, -atis*, astr. di *\*aestus* (come *honestas* rispetto a *\*honestĭtas* e *\*honestus*), part. pass. di un verbo *\*aedĕre* che esiste identico nel gr. *aíthein* 'bruciare'. Dalla rad. AIDH, così ricostruita, attestata anche nelle aree germanica e indo-iranica, discendono il lat. *aedes*, v. EDILE, e il nome *Etna* (ant. *\*aidhĕna*). Per il *-t-* risultante da ant. DH, v. RUTILANTE.

**estàtico**, dal gr. *ekstatikós* 'che è fuori dei proprî sensi'.

**estemporaneo**, dal lat. *extemporaneus*, deriv. di *tempus* con *ex-* 'fuori'.

**estèndere**, dal lat. *extendĕre*, comp. di *tendĕre* con *ex-* estrattivo.

**estensibile**, incr. dell'inf. *estèndere* col part. pass. *esteso*, ampliato con il suff. di possibilità *-ìbile*.

**estensione**, dal lat. *extensio, -onis*, nome d'azione del verbo *extendĕre*.

**estensivo**, dal lat. tardo *extensivus*.

**estensore**, dal lat. tardo *extensor, -oris*.

**estenuare**, dal lat. *extenuare*, verbo denom. da *tenuis* con *ex-* intens.

**estenuazione**, dal lat. *extenuatio, -onis*.

**èstere** (term. chimico), dal ted. *Ester*, deriv. a sua volta dal lat. *aether* 'etere'.

**esterificare**, da *èstere* e *-ficare*, tema di verbo denominativo-causativo.

**esteriore**, dal lat. *exterior, -oris*, compar. di *extĕrus* 'esterno', il quale ultimo è derivato per mezzo di un altro suff. di comparativo-oppositivo *-tero-*, da *ex*, come *interior* da *in*; v. ESTERO, ESTRA e cfr. ENTRO e INTERIORE.

**esterminare** ecc., v. STERMINARE ecc.

**esternare**, verbo denom. da *esterno*.

**esterno**, dal lat. *externus*, deriv. di *extĕrus* 'che sta fuori', col suo compar. *exterior* da *ex-*; cfr. *internus*, rispetto a *\*intĕrus* col suo compar. *interior* da *in-*, e così *infernus* rispetto a *infĕrus* e *inferior*; v. ÈSTERO.

**èstero**, dal lat. *extĕrus*, deriv. da *ex* 'fuori di' per mezzo del suff. di compar. e opposizione *-tero-*; cfr. *\*interus*, v. INTERIORE, cfr. ESTERNO e LESTRA.

**esterofilìa**, da *èstero* e *-filìa*.

**esterrefatto**, da un lat. *\*exterrefactus*, incr. di *exterrĕ(re)* e *(labe)factus*.

**-estesìa**, dal gr. *aísthēsis* 'sensibilità', nome d'azione di *aisthánomai* 'percepisco' col suff. *-ìa* di astr.; cfr. *sinestesia*.

**esteso**, dal lat. *extensus*, part. pass. di *extendĕre*.

**esteta**, dal gr. *aisthētés*.

**estètica**, dal lat. medv. *aesthètica*, forma femm. sostantiv. del gr. *aisthētikós*.

**estètico**, dal gr. *aisthētikós* 'che si riferisce alla sensazione', agg. collegato con *aísthēsis*; v. -ESTESÌA.

**estetismo**, da *esteti(ci)smo*.

**estetista**, da *estet(ic)ista* e cioè « (operatrice con prodotti) estetici ».

**estimàbile**, dal lat. *aestimabĭlis*.

**estimare**, dal lat. *aestimare*, verbo denom. da *\*aestĭmus*, superl. tratto da *aes*; v. STIMARE.

**estimatore**, dal lat. *aestimator, -oris*.

**estimazione**, dal lat. *aestimatio, -onis*.

**èstimo**, sost. deverb. estr. da *estimare*.

**estinguere**, dal lat. *exstinguĕre*, comp. di *stinguĕre* 'spegnere' e *ex-* intens., con connessioni ideur. appena evanescenti.

**estinguìbile**, dal lat. tardo *exstinguibĭlis*.

**estinto**, part. pass. sostantiv. di *estinguere* dal lat. *exstinctus*.

**estintore**, dal lat. *exstinctor, -oris*, nome d'agente di *exstinguĕre*.

**estinzione**, dal lat. *exstinctio, -onis*, nome d'azione del verbo *exstinguĕre*.

**estirpare**, dal lat. *exstirpare*, verbo denom. da *stirps* 'stirpe', 'sterpo', con *ex-* estrattivo; v. STERPO.

**estirpatore**, dal lat. tardo *exstirpator, -oris*.

**estirpazione**, dal lat. *exstirpatio, -onis*.

**estispicio**, dal lat. *exstispicium*, comp. di *extra, -orum* 'visceri' e l'astr. di *specĕre* 'osservare' (v. SPETTARE). *Exta* deriva forse da una dissimilaz. sillabica da *\*ex-s(ec)ta* 'le cose ritagliate', neutro plur. del part. pass. di un *\*ex-secĕre* (v. SETTORE) class. *exsecare*, comp. col pref. *ex-*, v. SEGARE.

**estivo**, dal lat. *aestivus*, deriv. da *\*aest(at)ivus* 'appartenente all'estate'.

**esto (sto)**, lat. *iste*, allineato con la desinenza maschile it. in *-o*. Lat. *iste* è il pron. dim. di seconda pers. e risulta: *a*) dal tema fondam. del dim. *i-* (v. ESSO) ampliato in *-s* che compare nella forma alternante *eis-* anche nel pron. umbro; *b*) dal norm. tema di dim. *to*, completamente inserito nella declinaz., col norm. passaggio della *-ŏ* finale in *-ĕ*. Il tema *to* col suo femm. *tā* è attestato largamente p. es. nelle aree greca indiana, germanica, baltica, slava, ma solo in queste due ultime è, come in lat. e umbro, esteso al nom. sg. maschile e femm. Nelle aree greca e indiana si ha invece in questi casi *so sā* (gr. *ho hē* dell'articolo).

**estòllere**, dal lat. *extollĕre* con *ex-* estrattivo.

**estòrcere**, incr. di lat. *extorquĕre* con it. *tòrcere*.

**estorsione**, dal lat. tardo *extorsio, -onis*, nome di azione di *extorquere*, da un part. *\*extorsus* (class. *extortus*), forse per incr. con *morsus*.

**estra**, dal lat. *extra*, forma irrigidita di abl. femm. di *ext(ĕ)rus* 'esterno'; v. ESTERO e ESTERIORE.

**estradare**, dal frc. *extrader* (XIX sec.) verbo denom. estr. da *extradition*, che è dal lat. *traditio, -onis* 'consegna' col pref. *ex-* 'fuori'.

**estradizione**, dal frc. *extradition* (XIX sec.).

**estradosso**, incr. del frc. *extrados* con i temi it. *estra-* e *dosso*.

**estradotale**, comp. di *estra-* e *dote* con suff. di agg. in *-ale*.

**estràere** (arc.), dal lat. *extrahĕre*, comp. di *ex-* e *trahĕre*; v. TRARRE e cfr. ESTRARRE.

**estragiudiciale**, comp. di *estra-* e *giudicio* con suff. di agg. in *-ale*.

**estraìbile**, agg. verb. di *estràere*.

**estralegale**, da *estra-* e *legale*.

**estraneo**, dal lat. *extraneus*, deriv. di *extra*; v. ESTRA-, cfr. ENTRAGNA.

**estraparlamentare**, da *estra-* e *parlamentare*.

**estrapolare** (verbo), calco su *interpolare* (v.), con la sostituz. di *estra-* a *inter-*.

**estrapolazione**, calco su *interpolazione* (v.), con la sostituz. di *estra-* a *inter-*.

**estrarre**, incr. di lat. *extrahĕre* e it. *trarre*; cfr. ESTRÀERE.

**estrasìstole**, da *estra-* e *sìstole*.

**estraterritoriale,** comp. di *estra-* e *territorio* con suff. di agg. *-ale.*

**estratto,** dal lat. *extractus,* part. pass. di *extrahĕre;* v. TRATTO.

**estrauterino,** da *extra-* 'fuori' e *uterino* col suff. aggettiv. *-ino.*

**estrazione,** dal lat. medv. *extractio, -onis,* nome d'azione di *extrahĕre.*

**estremismo,** da *estremo.*

**estremista,** da *estremismo.*

**estremità,** dal lat. *extremĭtas, -atis,* astr. di *extremus.*

**estremo,** dal lat. *extremus,* forma di superl. di *extra,* dal caso strument. *\*extrē,* col suff. *-mo;* cfr. *supremus* rispetto a *supra.*

**estricare,** dal lat. *extricare,* verbo denom. da *tricae, -arum* 'imbrogli' con *ex-* estrattivo. *Tricae* è privo di connessioni ideur.

**estrinseco,** dal lat. *extrinsĕcus,* avv. comp. dell'avv. *secus* 'seguendo', 'lungo' (forma neutra di fronte a un SEKW-WOS part. perf. attivo di *sequor,* v. SEGUIRE) e di *\*extrim,* variante di *extra* (v. ESTRA-), forma parallela a *int(ĕ)rim* (da *inter im*): cfr. *intrinsĕcus,* v. ÌNTERIM, INTRÌNSECO.

**estro,** dal lat. *oestrus,* che è dal gr. *oĩstros* 'tafano', simbolo di puntura, e cioè eccitazione, orgasmo, capriccio.

**estrométtere,** calco su *intromettere* (v.) con la sostituz. di *estro-* (da *estra-*) a *intro-.*

**estroverso, estrovertito,** comp. di *estro-* (calco su *intro-*) e *verso,* dal lat. *versus,* part. pass. di *vertĕre* 'volto all'esterno' e, rispettivamente, *-vertito* dall'it. *(av)vertito.*

**estuante** 'ribollente', dal lat. *aestuans, -antis,* part. pres. di *aestuare,* verbo denom. da *aestus, -us* 'calore', 'ribollimento', a sua volta astr. di un più ant. *\*aedĕre;* v. ESTATE.

**estuario,** dal lat. *aestuarium* 'insieme di ribollimenti'.

**esuberanza,** dal lat. tardo *exuberantia.*

**esuberare,** dal lat. *exuberare,* verbo denom. da *uber* 'fecondo' con *ex-* intens.; v. ÙBERE.

**esulare,** dal lat. *exsulare,* verbo denom. da *exsul* 'èsule'.

**esulcerare,** dal lat. *exulcerare,* verbo denom. da *ulcus, -ĕris,* con *ex-* intens.; v. ÙLCERA.

**esulcerazione,** dal lat. *exulceratio, -onis.*

**èsule,** dal lat. *exsul,* nome radicale col pref. *ex-* estrattivo, appartenente alla famiglia di *consulĕre,* da una rad. SEL' 'alzarsi' (v. SALIRE), con la *ĕ* qui passata a *ŭ,* perché in sill. postonica dav. a *l* non seguita da *-i-;* cfr. ESILIO e CONSULTARE e v. anche CÒNSOLE, PRÈSULE.

**esultanza,** dal lat. tardo *exsultantia.*

**esultare,** dal lat. *exsultare,* comp. di *saltare* e *ex-* intens., con norm. apofonia di *-ă-* in *-ŭ-* perché in sill. interna dav. a *l* non seguito da *-i-.*

**esultazione,** dal lat. *exsultatio, -onis.*

**esumare,** dal lat. medv. *exhumare,* verbo denom. da *humus* 'terra', con *ex-* sottrattivo, incr. con frc. *exhumer.*

**esurire** 'aver fame', dal lat. *esurire,* forma desiderativa di *edĕre* 'mangiare'; v. ESCA.

**eta,** dal gr. *êta.*

**età,** lat. *aetas, -atis,* astr. di *aevum* (attrav. *aevĭtas*); v. EVO.

**etacismo,** incr. di *eta* e *(lambda)cismo* (v.); cfr. *itacismo.*

**etera,** dal gr. *hetaíra* 'compagna'.

**ètere,** dal lat. *aether, -ĕris,* che è dal gr. *aithḗr, -éros,* deriv. da *aithō* 'io ardo'.

**etèreo,** dal lat. *aethĕrĕus,* variante di carattere elevato rispetto a *aetherĭus;* entrambi dal gr. *aithérios.*

**eternale,** dal lat. tardo *aeternalis.*

**eternare,** dal lat. *aeternare.*

**eternità,** dal lat. *aeternĭtas, -atis.*

**eterno,** dal lat. *aeternus,* più ant. *aeviternus,* deriv. di *aevum* 'età' mediante un suff. del tipo di *hesternus, hodiernus;* v. ETÀ.

**ètero-,** dal gr. *héteros.*

**eteròclito,** dal lat. tardo *heteroclĭtus,* che è dal gr. *heteróklitos,* comp. di *héteros* 'diverso' e *klitós,* agg. verb. di *klinō* 'declino': «di declinazione eterogenea».

**eterodossìa,** dal gr. *heterodoksía.*

**eterodosso,** dal gr. *heteródoksos,* comp. di *héteros* 'diverso' e *dóksa* 'opinione': «di diversa opinione».

**eterogèneo,** dal gr. *heterogenḗs,* comp. di *héteros* 'diverso' e la rad. *gen-* 'discendenza', 'qualità'.

**eterogènesi,** comp. di *ètero-* e *gènesi.*

**eteromanìa,** comp. di *ètere* e *-manìa.*

**eteronomia,** da *ètero-* e *nomìa.*

**etesio** (vento periodico), dal lat. *etesiae, -arum,* che è dal gr. *etēsíai,* dall'agg. *etḗsios* 'annuale', che è da *étos* 'anno'.

**ètica,** dal lat. *ethĭca,* che è dal gr. *ēthiká,* neutro plur. di *ēthikós,* da *êthos* 'costume'.

**etichetta**[1] (cerimoniale), dallo sp. *etiqueta.*

**etichetta**[2] 'cartellino', dal frc. *étiquette,* che è dal frc. ant. *estiquer* 'attaccare' e questo dall'ol. *stikken* 'attaccare'.

**ètico**[1] 'morale', dal lat. *ethĭcus,* che è dal gr. *ēthikós* (da *êthos* 'costume').

**ètico**[2] 'tisico', dal lat. *hectĭcus,* che è dal gr. *hektikós (pyretós)* '(febbre) abituale', dal verbo *ékhō* 'io possiedo'.

**etile,** dal frc. *éthyle,* comp. di *eth(er)* nel senso di 'gas' e gr. *hýlē* 'legno'.

**etilismo,** da *etile.*

**ètimo,** dal lat. *etỹmon* (sost.), che è dal gr. *éthymos* (agg.) «reale, vero (significato)».

**etimologìa,** dal gr. *etymología.*

**etimològico,** dal gr. *etymologikós.*

**etisìa,** incr. di frc. *étisie* (XVIII sec.) e it. *tisi.*

**etmòide,** dal gr. *ēthmoeidḗs,* che è da *ēthmós* 'crivello' e *-eidḗs* 'a forma di', «a forma di crivello».

**etnìa,** dal gr. *éthnos* 'popolo' col suff. astr. it. *-ìa.*

**ètnico,** dal lat. tardo *ethnĭcus,* che è dal gr. *ethnikós.*

**etno-,** dal gr. *éthnos.*

**etnografìa,** da *etno-* e *-grafia.*

**etnologìa,** da *etno-* e *-logìa.*

**etopèa,** dal gr. *ēthopoiía,* comp. di *êthos* 'costume' e *-poiía,* astr. di *poiéō* 'faccio'.

**etra** 'etere', dal lat. *aethra,* che è dal gr. *aíthra.*

**etrusco,** dal lat. *etruscus* e questo dall'umbro *\*etr(ot)ursko-,* incr. di *etro-* 'altro' e *tursko-* 'etrusco'.

**etta-,** dal gr. *heptá* 'sette'.

**ettaedro,** da *etta-* e *-edro.*

**ettàgono,** dal gr. *heptágōnos,* comp. di *heptá* 'sette'. e *-gōno-,* tema estr. da *gōnía* 'angolo'.

ettànidro, da ett(olitro) ànidro.

èttaro, dal frc. hectare, comp. di hecto- ' cento ', v. ETTO e are, v. ARA².

ette ' cosa brevissima e di nessun momento ', lat. et, con pronuncia rinforzata della cons. finale, in più appoggiata a una articolaz. vocalica aggiunta.

etto-, dal frc. hecto- e questo dal gr. kekatón ' cento '.

eu-, dal gr. eu-.

eucalitto (eucalipto), dal gr. eu- e kalyptós ' coperto ', per i petali che nascondono il resto del fiore.

eucaristìa, dal gr. crist. eukharistía ' rendimento di grazia ', comp. di eu- e un astr. dal verbo kharízō, denom. da kháris ' grazia '.

eucarìstico, dal gr. eukharistikós.

eudiòmetro ( strumento), dal gr. eúdios ' chiaro ' e -metro.

eufemìa, dal gr. euphēmía, comp. di eu- ' bene ' e l'astr. in -ía di phēmí ' dico '.

eufemismo, dal gr. euphēmismós, da euphēmízō ' dico parole di buon augurio '.

eufonìa, dal gr. euphōnía, comp. di eu- e phōnē ' voce ' col suff. di astr. -ía.

euforbia, dal lat. scient. euphorbia, che è dal gr. euphórbion e questo dal nome di Eúphorbos, medico del I sec. a. C.

euforìa, dal gr. euphoría, astr. da eúphoros ' che si porta bene ' (da eu- e la rad. di phérō ' porto ') col suff. -ía.

eugenètica, dall'ingl. eugenics, che è dal gr. eugenēs ' di buona nascita ' event. incr. con genètica.

eugenètico, dall'ingl. eugenic, incr. con genètico.

eugènico, dall'ingl. eugenic; cfr. EUGENÈTICO.

eulogìa, dal gr. eulogía ' benedizione ', astr. di eulogéō, comp. di eu e della forma causativa di légō, ' parlo '.

eumènidi, dal gr. Eumenídes ' le benevole ' da eu- ' bene ' e men- rad. del pensare e dell'incitare.

eunuco, dal lat. eunuchus, che è dal gr. eunûkhos, comp. di eunē ' letto ' e il tema di ékhō ' ho ': « custode del letto ».

eupepsìa, dal gr. eupepsía, comp. di eu- ' bene ' e pépsis ' digestione ' (etimol. « cottura »), nome d'azione di péssō ' cuocio ', identico al lat. coquo; v. CUÒCERE.

eupèptico, ampliam. in -ico di una forma di agg. verb. greca secondo il rapporto che oppone staTico a staSi (eupeptico a eupepsia).

eupnèa, dal gr. eúpnoia, comp. di eu- ' bene ' e un astr. di pnéō ' io respiro ', opposto di dispnèa (v.).

eùreca, dal gr. heúrēka (da heurískō) ' ho trovato '.

eurìstico, deriv. in -ico da un presunto agg. verb. del gr. heurískō ' io trovo '.

euritmìa, dal gr. eurhythmía, comp. di eu- ' bene ' e rhythmós ' ritmo ' con suff. di astr. -ía.

euro ' vento del sud-est ', dal lat. eurus, che è dal gr. eûros.

euro-, da Euro(pa), p. es. eurovisione, eurocèntrico.

euròcrate, da euro- e (burò)crate.

eutanasìa, dal gr. euthanasía, comp. di eu- ' bene ', thánatos ' morte ' e suff. di astr. -ía.

Eva, dal gr. Eúa e questo dall'ebr. Ḥawāh.

evacuare, dal lat. evacuare, verbo denom. da vacuus ' vuoto ' con e(x)- estrattivo; v. VACUO.

evacuazione, dal lat. evacuatio, -onis.

evàdere, dal lat. evadĕre, comp. di e(x)- ' fuori ' e vadĕre, parola che ha chiare connessioni solo

nell'area germanica con signif. di ' passare ', cfr. GUADO. In it. importante, perché suppletiva nel sistema di andare (v.): vado di fronte a andiamo, v. vo.

evanescente, dal lat. evanescens, -entis, part. pres. di evanescĕre, verbo denom. e incoat. da vanus ' vuoto ' con e(x)- intens.; cfr. VANO.

evangeliario, dal lat. evangeliarium.

evangèlico, dal lat. crist. evangelĭcus, che è dal gr. evangelikós.

evangelista, dal lat. crist. evangelista, che è dal gr. euangelistēs.

evangelizzare, dal lat. crist. evangelizare, che è dal gr. euangelizō ' predico il Vangelo '.

evangelo, dal lat. crist. evangelium, che è dal gr. euangélion « appartenente (-ion) alla buona (eu-) novella (ángelos) », cfr. VANGELO: reso sost. anche nella finale -lo invece che -lio.

evaporare, dal lat. evaporare, verbo denom. da vapor, -oris, con e(x)- elativo; v. VAPORE.

evaporazione, dal lat. evaporatio, -onis.

evasione, dal lat. tardo evasio, -onis, nome d'azione di evadĕre.

evasivo, deriv. durativo e figur. in -ivo del part. pass. evaso che risale a una forma lat. regolare *evasus con norm. trattamento del primitivo *vad-to- in vaso-.

evasore, nome d'agente di evàdere, tratto dal part. evaso, secondo il rapporto di compressore rispetto a compresso.

evèllere, dal lat. evellĕre, v. SVÈLLERE.

evenienza, dal lat. eveniens, -entis, part. pres. di evenire ' avvenire ', incr. con it. convenienza.

evento, dal lat. eventum ' avvenimento ', legato al sistema di evenire; v. VENIRE (XVI sec.).

eventrato ' estratto ', dal frc. éventré.

eventuale, dal lat. medv. eventualis, deriv. di class. eventus, -us, astr. di evenire (XIII sec.).

eversione, dal lat. eversio, -onis, nome d'azione del verbo evertĕre ' sconvolgere ', ' distruggere '.

everso, dal lat. eversus, part. pass. di evertĕre; v. VERSO.

eversore, dal lat. eversor, -oris, nome d'agente di evertĕre.

evia (Baccante), dal lat. euhias, che è dal gr. eyiás.

evidente, dal lat. evĭdens, -entis, comp. di video con e(x)- intens. ma con signif. passivo.

evidenza, dal lat. evidentia.

evìncere, dal lat. evincĕre, comp. di vincĕre e e(x)- conclusivo, nel senso figur. di « cavare fuori, ricavare, dedurre ».

evirare, dal lat. evirare, verbo denom. deriv. da vir ' uomo ' con e(x)- sottrattivo.

evirazione, dal lat. eviratio, -onis.

evitàbile, dal lat. evitabĭlis.

evitare, dal lat. evitare, comp. di vitare e e(x)- intens.; v. VITANDO.

evizione, dal lat. tardo dei giur. evictio, -onis, nome d'azione di evincĕre in senso proprio; v. VINCERE.

evo, dal lat. aevum, ant. *aiwom, passato alla declinaz. tematica da una forma più ant. di tipo *ay-u/ai-w, sopravv. nelle aree germanica, greca (aiw-ōn), indo-iranica e in altre minori. Essa indica la ' durata del tempo ' e in particolare della ' vita '; cfr. ETÀ, ETERNO.

evocare, dal lat. evocare ' chiamare (alle armi) ' comp. di vocare e e(x)- estrattivo.

**evocativo,** dal lat. tardo *evocativus*.

**evocatore,** dal lat. *evocator, -oris*.

**evocazione,** dal lat. *evocatio, -onis*.

**evoè,** dal lat. *euo(h)e*, che è dal gr. *euoî*.

**evoluire,** verbo denom. estr. da *evoluzione* secondo il rapporto di *attribuire* rispetto a *attribuzione*, *costruire* a *costruzione*.

**evoluto,** dal lat. *evolutus*, part. pass. di *evolvère*; v. EVÒLVERE.

**evoluzione,** dal lat. *evolutio, -onis*, nome d'azione di *evolvère* nel senso di « srotolare il papiro ».

**evòlvere,** dal lat. *evolvère*, comp. di *volvère* 'rotolare' con *e(x)*- durativo; v. VÒLGERE.

**evònimo,** dal gr. *euónymos* 'di buon nome' e cioè di 'buon augurio' perché usato ai fini di purificazione, comp. di *eu*- e *onym*- variante dialettale di *ónoma*; v. ANÒNIMO, EPÒNIMO e cfr. ONOMÀSTICO.

**evviva,** da *e(t) viva*.

**ex,** dal lat. *ex*, v. ES-, pervenuto attrav. il francese, soprattutto dopo l'esperienza della Rivoluzione. Lat. *ex* risale a una forma primitiva EKS, alternante con forme al grado semiridotto EKS, e, davanti a consonanti sonore, con forme sonore EGZ. Le migliori concordanze si hanno tra il latino e le lingue italiche e celtiche, che conoscono i tipi *\*extero*- (v. ESTERO) e col gr.; meno visibili tra il lat. e le aree baltica e slava. Nelle aree indo-iranica e germanica, EKS è stata soppiantata da UD (ted. *aus*).

**exequatur,** dal lat. *exsequatur*, terza pers. sg. del congiunt. di *exsèqui*: « esegua »; v. ESEGUIRE.

**exlibris,** dal lat. *ex libris* 'dai libri'.

**extispilco,** dal lat. *extispicium*, comp. di *exta, -orum* 'interiora' e *-spicium* (v. SPECCHIO, ESTIPICIO).

**extra,** v. ESTRA.

**ex voto,** dal lat. *ex voto* (*suscepto*) 'in seguito al voto fatto'.

**eziandio,** dal lat. *etiam* rinforzato con *Dio*. Lat. *etiam* da *et iam*, con la *j* iniz. vocalizzata nel lat. class. dove il gruppo *-tja-* diventa *-tǐa-*; v. E e GIÀ.

**eziologìa,** dal lat. tardo *aetiologia*, che è dal gr. *aitiología* 'dottrina delle cause', comp. di *aitía* 'causa' e *-logía*.

**ezoognosìa,** dal lat. scient. *eczoognosia*, comp. di gr. *ek*- 'da', *zôion* 'animale', *gnôsis* 'conoscenza'.

# F

**fa¹** (preposizione), costrutto impers. del verbo *fare*, superstite delle formule (*or*) *fa* (*un anno*) e quindi da prima fornito di autonomia di proposizione; assorbito poi nella proposizione successiva e ridotto a locuzione prepositiva, infine a preposizione: *un anno fa*. Cfr. FO.

**fa²** (nota musicale), dalla prima sill. della parola *fa-(muli)* contenuta nell'inno di San Giovanni solfeggiato da Guido d'Arezzo, dal quale derivano i nomi delle note musicali.

**fabbisogno,** da *fa*(*t*) terza pers. di *fare* e *bisogno*.

**fàbbrica,** dal lat. *fabrīca*, forma femm. sostantiv. di agg. deriv. da *faber* « (attività o cosa attinente a) lavorazione », con il *b* raddopp. per incr. con it. *fabbro*: così in tutti gli altri deriv. seguenti (v.).

**fabbricàbile,** dal lat. tardo *fabricabĭlis*, incr. con it. *fàbbrica*.

**fabbricare,** dal lat. *fabrĭcare*, verbo denom. da *fa-brīca* e incr. con it. *fàbbrica*.

**fabbricatore,** dal lat. *fabricator, -oris*, incr. con it. *fàbbrica*.

**fabbricazione,** dal lat. *fabricatio, -onis*, incr. con it. *fàbbrica*.

**fabbricerìa,** astr. di *fabbriciere*, secondo il rapporto di *cavalleria* e *cavaliere*.

**fabbriciere,** da *fàbbrica*.

**fabbrile,** dal lat. *fabrilis*, incr. con it. *fabbro*.

**fabbro,** lat. *faber, fabri* 'operaio' la cui specializzazione è indicata dall'attributo che segue, p. es. *ferrarius* 'del ferro', con norm. raddopp. della cons. labiale postonica dav. a *r*. Fuori del lat. si ha una connessione attendibile solo nell'area armena, attrav. una rad. del tipo DHABH.

**faccenda,** lat. volg. *\*facjenda*, class. *facienda* (nom. plur.) 'cose da farsi', part. fut. passivo di *facĕre* 'fare', trattato come sg. e con norm. assimilaz. del gruppo *-cje-* in *-cce-*.

**facchino,** dal frc. *faquin* (XVI sec.) e questo dai (*compaignons de la*) *facque*, termine gergale prob. equival. a 'sacco'.

**faccia,** lat. volg. *\*facja*, class. *facies*, astr. di *facĕre* 'forma, aspetto', con norm. raddopp. del gruppo *-cj-* in *-cc'-*; cfr. FACIE(S).

**face,** dal lat. *fax, facis* 'torcia', da una rad. DHEGᵂH (al grado semiridotto DHEGᵂH) 'bruciare', che appare identica nell'irlandese *daig* 'fuoco'. Il genit. avrebbe dovuto essere *\*favis*, come *nivis* rispetto a *nix*; ma tutta la serie dei casi obliqui è stata allineata sul tipo gutturale come in *pix, picis*; v. invece FAVILLA e cfr. FOMENTO.

**fàcere,** forma disusata, dal lat. *facĕre*; v. FARE.

**faceto,** dal lat. *facetus* 'elegante', 'ben fatto', 'spiritoso', deriv. da un verbo *\*facesco* sconosciuto, forse denom.-incoat. di *faces* variante di *fax*: « colui che manda faville, che brilla », secondo il rapporto di *consuesco* e *consuetus* o di *quies* *quiesco, quietus*; cfr. ACETO, MONETA, OBSOLETO.

**facezia,** dal lat. *facetia*, astr. di *facetus*.

**fachiro,** dall'ar. *faqīr* 'povero'.

**facìbile,** agg. verb. it. di valore passivo, tratto dall'inf. arc. *fàcere*; cfr. FÀCILE e FATTÌBILE.

**facidanno,** dal tema verb. di *fàcere* e *danno* 'fadanno'; cfr. FACIMALE.

**facie(s),** dal lat. *facies*, astr. di *facĕre* secondo il rapporto di *species* a *specĕre* (v. SPECIE), *series* a *serĕre*, (v. SERIE). Dal signif. primitivo di 'fattura' è passato a quello d'aspetto. *Facies* non ha forme parallele al di fuori del lat. perché deriv. non già dalla rad. primitiva DHĒ (v. FARE), ma dalla rad. ampliata con *-k-* che il lat. ha generalizzato dal perf. *feci*, analizzato non già come *fe-ci* ma come *\*fec-i*; cfr. FACCIA.

**fàcile,** dal lat. *facĭlis*, agg. verb. di *facĕre*, di valore passivo come *agilis* da *agĕre*; cfr. invece i tipi FATTÌBILE e FACÌBILE.

**facilità,** dal lat. *facilĭtas*, astr. analogico di *facĭlis*; cfr. FACOLTÀ.

**facilitare,** verbo denom. in *-itare* da *facile* come *abilitare, debilitare*.

**facimale,** dal tema *faci-* di *fàcere* e *male*: « fa-male »; cfr. FACIDANNO.

**facinoroso,** dal lat. *facinorosus*, deriv. di *facĭnus* « atto (colpevole, criminale) » da un significato più antico di « atto giuridico » definito dal suff. *-nus -nŏris*; v. FENERATIZIO.

**facitore,** nome d'agente, deriv. da *fàcere* (cfr. FATTORE), in contrasto col part. pass. *fatto* come *rompitore* è formato su *rómpere* e in contrasto col part. pass. *rotto*.

**facoltà,** dal lat. *facultas, -atis*, astr. primitivo di *facĭl(is)*, da *\*facil-tas*, con norm. passaggio di *-ĭ-* in *-ŭ-* in sill. interna dav. a *l* non seguito da *i*.

**facondia,** dal lat. *facundia*.

**facondo,** dal lat. *facundus*, deriv. di *fari* 'parlare' come *fēcundus*, deriv. di *\*fēre* 'allattare' e *iucundus* rispetto a *iuvare*, *verecundus* rispetto a *vereri*, *iracundus* rispetto a *irare*. La rad. BHĀ 'parlare' (v. FATO, FAVOLA), si trova in condizioni identiche nel gr. *phēmi* e, in forme meno perspicue, nelle aree germanica, slava, armena. Per un ampliam. in *-m*, v. FAMA; per un ampliam. in *-s*, v. FASTI: cfr. NEFANDO, AFFABILE.

**facsìmile**, dal lat. *fac simile* ' fa uguale ' (imperat.).

**factotum**, dal lat. *fac totum* ' fa tutto ' (imperat.).

**faesite**, da Faè (cioè *Faggeto*) presso Longarone (Belluno), dove i cascami di segheria sono stati particolarmente utilizzati.

**faggeta** e **faggeto**, dal lat. *\*fagetum*, incr. con it. *faggio*.

**faggio**, lat. volg. *\*fagjum*, class. *fagĕum*, agg. sostantiv. da *fagus* ' faggio '. *Fagus* trova una corrispond. formale identica nel gr. *phēgós*, che indica una varietà di quercia, perché il faggio in Grecia non esiste. Identico è invece il signif. nel ted. *Buche*, in cui si è avuto sul piano formale il passaggio alla declinaz. in *-ā*.

**faggiola**, dimin. di *faggio*, al femm. perché indica frutto.

**-fagìa**, da *-fago* col suff. di astr. *-ìa*.

**fagiano**, dal lat. *phasianus*, che è dal gr. *phasianós* « (uccello del fiume) *Phâsis* (nella Colchide) ». Trasmesso con leniz. settentr. di *-scja-* in *-sgja-* poi corretto toscanamente in *-gia-*.

**fagiolo**, lat. volg. *\*phasjòlus*, class. *phasēlus*, che è dal gr. *phásēlos* ' fagiolo ' ' barca a forma di baccello ', con leniz. settentr. da *\*fasciolo* a *\*fasgiolo*, corretto nel tosc. con *-g'-* al posto di *-(s)gj-*.

**faglia**[1] (frattura di roccia), dal frc. *faille*, sost. deverb. da *faillir* ' mancare, venir meno ', che è il lat. volg. *\*fallire*, class. *fallĕre*; v. FALLIRE.

**faglia**[2] (tessuto), dal frc. *faille* (XIX sec.).

**fagliare**, verbo denom. da *faglia*[1] ' frattura '.

**faglio**, sost. deverb. estr. da *fagliare*.

**fago-**, **-fago**, dal tema gr. *phago-* di *phageîn* ' mangiare '.

**fagocitare**, verbo denom. da *fagocito*.

**fagocito**, comp. di *fago-* e gr. *kýtos* ' cellula '.

**fagotto**[1] (involto), dal frc. *fagot* ' involto ' (XIV sec.).

**fagotto**[2] (strumento musicale), da it. *fagotto*, per il mantice che in origine lo accompagnava.

**faida**, dal lat. medv. *faida*, longob. *faihida*, alto ted. ant. *fêhida* (ted. *Fehde*).

**faina**, lat. volg. *\*fagina* da *fagus* perché si nutre volentieri di faggiole, e con leniz. totale di *-g-* dav. a voc. palat. come in *di(g)itus* (v. DITO) o in *fra(g)ina* ' frana ' (v.).

**falange**, dal lat. *phalanx, -angis*, che è dal gr. *phálanx, -angos*. Il valore anatomico poggia già in gr. su quello militare.

**falangio**, dal lat. *phalangium*, che è dal gr. *phalángion* deriv. di *phálanks*; v. FALANGE.

**falansterio**, dal frc. *phalanstère*, comp. di lat. *phalanx* e la finale *-stère* del lat. *monasterium*.

**falàrica**, dal lat. *falarĭca*, ampliam. di *fala* ' macchina da assedio ', da un tema mediterr. *\*fala* con suff. di collettivo *-ar*.

**falasco** (pianta palustre), da un tema mediterr. *\*fala*, ampliato col suff. ligure *-asco*.

**falbalà**, dal frc. *falbala* (XVII sec.).

**falbo**, dal provz. *falp*, che è dal gotico *\*falw*.

**falcato**, dal lat. *falcatus*, deriv. di *falx, falcis* ' falce '.

**falce**, lat. *falx, falcis*, di prob. orig. mediterr.

**falcidia**, dal nome del tribuno romano Publio Falcidio (I sec. a. C.) che aveva fatto assicurare agli eredi (mediante detrazioni autorizzate degli oneri dei legati) almeno un quarto del patrimonio; incr. poi con *falx, falcis*.

**falcinello**, da *falce*, per la forma del becco.

**falco**, lat. *falco*, connesso prob. con *falx, falcis*, per la forma del becco.

**falcone**, lat. *falco, -onis*, v. FALCO.

**falda**, dal franco *falda* ' piega '.

**faldella**, dimin. di *falda*.

**faldiglia**, dallo sp. *faldilla*, dimin. di *falda*.

**faldistorio**, dal lat. medv. (XIII sec.) *faldistorium*, che è dal franco *faldistôl*, alto ted. ant. *Faltstuol* ' sedia pieghevole ' (frc. *fauteuil*).

**falegname**, comp. di *fa-* e *legname* « (che) fa legname ».

**falena**, dal gr. *phálaina*.

**falerno**, dal lat. *Falernus* « che si riferisce al territorio omonimo (della Campania settentrionale) ».

**falesia**, dal frc. *falaise*, che è il franco *\*falisa* ' rupe ' (ted. *Fels*).

**falla**, sost. deverb. da *fallare*.

**fallace**, dal lat. *fallax, -acis* ' ingannevole ', formato da *fallĕre* ' ingannare ' come *audax* su *audeo*, *edax* su *edo*.

**fallacia**, dal lat. *fallacia*.

**fallare**, lat. tardo *fallare* intens. del class. *fallĕre*; v. FALLIRE.

**fallibile**, dal lat. medv. *fallìbilis*.

**fallire**, lat. volg. *\*fallire*, class. *fallĕre*, verbo ampliato col suff. *-do-* da una rad. PHEL ' ingannare ', parallela a PEL[3] ' cadere ', che si trova nelle aree armena, baltica e germanica (ted. *fallen*): altro esempio delle metafore prese dalle difficoltà del camminare (cfr. PECCATO, SCELLERATO). La forma lat. è isolata non solo per l'iniz. aspirata, ma anche per la voc. *a* che dà alla rad. carattere popolare.

**fallo**[1] ' errore ', sost. deverb. estr. da *fallare*.

**fallo**[2] (anatomia), dal lat. *phallus*, che è dal gr. *phallós*.

**fallo**[3] (sport), dall'ingl. *foul* ' colpo irregolare '.

**falloso**, da *fallo*[3].

**falò**, dal gr. *pháros* ' faro ' (v. FARO), incr. con *phanós* ' lanterna ', poi passato a *falò* in un territorio che, come quello pisano, sostituisce *-l-* a *-r-*.

**faloppa**, lat. tardo (X sec.) *faluppa* ' insieme di pagliuzze ', ' immondizie ', parola alpina, evidentem. preindeuropea.

**falòtico**, da *falò*, incr. con *zòtico* (v.).

**falsare**, lat. tardo *falsare*, intens. di *fallĕre*.

**falsario**, dal lat. *falsarius*.

**falsificare**, dal lat. tardo *falsificare*, comp. del tema *falso-*, e di *-ficare*, tema verb. di valore causativo in comp. che hanno un primo elemento nominale: p. es. *magnificare*.

**falsità**, dal lat. *falsĭtas, -atis*.

**falso**, lat. *falsus* (da *\*fald-tus*), part. pass. di *fallĕre* (da *\*faldĕre*); v. FALLIRE.

**falta**, lat. volg. *\*fallĭta*, forma sostantiv. di un part. *\*fallĭtus* (invece di *falsus*) che presuppone un verbo di stato *\*fallĕre*, con norm. sincope di voc. postonica in parola sdrucciola.

**fama**, dal lat. *fama*, della famiglia di *fari* ' parlare ', cfr. FACONDO, identica al gr. dor. *phámā*.

**fame**, lat. *fames*, parola di struttura arc., ma priva di connessioni ideur.

**famedio**, comp. di *fama* e di un deriv. di lat. *aedes*, cfr. *cavedio*.

**famèlico**, dal lat. *famelicus*, deriv. di *fames*, attrav.

un intermediario *famelis*, paragonab. a *fidelis* rispetto a *fides*, *crudelis* rispetto a *crudes*, *contumelis*, v. CONTUMELIA.

**famigerato**, dal lat. *famigeratus*, part. pass. di *famigerare* ' render famoso ' senza ancora valore ostile; verbo denom. da *famĭger* ' portatore di fama ', da *fama* e *-ger* tema radicale di nome d'agente da *gerĕre* ' portare '; cfr. MORIGERATO.

**famiglia**, lat. volg. *familja*, class. *familĭa*, collettivo di *famŭlus* ' l'insieme degli addetti alla famiglia ' (v. FÀMULO), con la presenza di *-ĭ-* al posto di *-ŭ-* dav. a *-l-* seguita da *-i-*.

**famigliare**, da *famiglia*.

**familiare**, dal lat. *familiaris*.

**familiarità**, dal lat. *familiarĭtas*, *-atis*.

**famoso**, dal lat. *famosus* « di (cattiva) fama », incr. con it. *fama*.

**fàmulo**, dal lat. *famŭlus* ' famiglio ', ' servitore ', di prob. orig. mediterr.

**fan**, dall'ingl. *fan* abbreviaz. di *fan(atic)*.

**fanale**, dal gr. *phanós* ' lampada ' con suff. aggettiv. *-ale*.

**fanàtico**, dal lat. *fanatĭcus* ' ispirato ' deriv. da *fanum* ' tempio ', v. PROFANO e cfr. FESTA, come *silvatĭcus* da *silva*.

**fanatismo**, dal frc. *fanatisme* (XVIII sec.).

**fanatizzare**, dal frc. *fanatiser* (XIX sec.).

**fancello**, da *fan(ti)cello*; v. FANTE.

**fanciullo**, incr. di *fan(ti)cello* con la tradiz. merid. del suff. dimin. *-ullo*.

**fandonia**, da un lat. volg. plur. *(ef)fandonia*, incr. di *effanda* ' cose che devono essere proclamate solennemente ' e *testimonia* ' testimonianze '.

**fanello**, lat. volg. *faginellus*, medv. (XIV sec.) *fanellus*, doppio dimin. di *fagus* ' faggio ' attrav. la leniz. totale della *-g-* intervocalica e la semplificazione del dittongo *ai* in *a*; cfr. *prete* da *preite*, *frana* da *fra(g)ina*, *mastro* da *ma(g)istrum*.

**fanerògamo**, dal gr. *phanerós* ' visibile ' e *-gamo*.

**fanfaluca**, dal lat. alto medv. (VIII sec.) *famfaluca*, adattamento del gr. *pompholyx*, *-ygos* ' bolla d'aria ', con incr. onomatop.

**fànfano**, incr. di *anfanare* e *fanfaluca* (XVII sec.).

**fanfara**, dal frc. *fanfare* (XVIII sec.).

**fanfarone**, dall'ar. *farfār* ' loquace ', attrav. lo sp. *fanfarron*; cfr. FARFARELLO e VÀNVERA.

**fango**, da gotico *fani*.

**fangoterapìa**, da *fango* e *terapìa*.

**fannullone**, accresc. di *fa(t)* e *nulla*.

**fanone** (panno, con impieghi figur.), dal frc. *fanon*, franco *fano* ' panno ' (ted. *Fahne* ' bandiera '); cfr. GONFALONE.

**fanoni** (lamine proprie delle balene) dal frc. *fanon*.

**fantaccino**, doppio dimin. di *fante*.

**fantascienza**, comp. di *fanta(sia)* e *scienza*, calco sull'ingl. *science fiction*.

**fantasìa**, dal gr. *phantasía*, astr. di *phantázō*, e questo da *phaínō* ' io mostro ' con valore causativo.

**fantàsima**, lat. *phantasma*, con norm. epentesi di *-i-* nel gruppo *-sm-*, cfr. *crèsima* rispetto a lat. *chrisma*, *spàsimo* rispetto a *spasmus*.

**fantasma**, dal lat. *phantasma*, che è dal gr. *phántasma*, deriv. di *phantázō* ' io faccio apparire '.

**fantasmagorìa**, da gr. *phántasma*, incr. con it. *(alle)gorìa* (v.).

**fantàstico**, dal lat. tardo *phantastĭcus*, che è dal gr. *phantastikós*.

**fante**, lat. *(in)fans*, *-antis* « che (ancora) non parla »; v. FACONDO e cfr. FAMA.

**fanterìa**, collettivo da *fante*.

**fantomàtico**, dal frc. *fantomatique*, deriv. di *fantôme* ' fantasma '.

**farabolone**, incr. di *fàvola* con *paràbola*, col suff. *-one* di nome d'agente.

**farabutto**, dal basso ted. *Freibeuter* ' libero saccheggiatore, corsaro '; cfr. FILIBUSTIERE.

**farad**, da M. Faraday, fisico inglese (1791-1867).

**faraglione**, tema mediterr. *fara*, doppiamente ampliato con *-ale* e *-ione*.

**faràndola**, dal provz. mod. *farandoulo*.

**faraona**, da *faraone*.

**faraone**, come gioco, dal frc. *faraon* (XVIII sec.). Come sovrano, dal lat. tardo *Pharao*, *-onis*, che è dal gr. *Pharaō* e questo dall'ebr. *Par'ōh* (dall'egiz. *per-a'a* ' grande casa ').

**farcino** ' morva ', dal frc. *farcin*, che è il lat. *farcimen*, *-ĭnis*.

**farcire**, dal frc. *farcir*, lat. *farcire*, con fragili e scarse corrispond. ideur.

**farda**, dal frc. ant. *fard* ' belletto ', risal. a franco *farwida*, e questo connesso col ted. *Farbe* ' colore '.

**fardata**, da *fardo*.

**fardello**, dimin. di *fardo*.

**fardo**, dall'ar. *fard* ' ciascuno dei due carichi del cammello '.

**fare**, lat. volg. *fare*, tardo *fare* (VI sec.), class. *facĕre* (incr. con *dare*). La rad. di *facĕre* è DHĒ ' porre ', che sopravvive solo nel tema del perf. *fe-ci*, esattamente analizzabile sull'aoristo gr. *(é)thē-ka*. Il lat. ha esteso l'ampliam. in *-c-* al tema del pres. (non solo in *facio*, ma anche in *iacio*) con la rad. al grado ridotto *a*, mentre le forme senza ampliam. sono conservate solo, irriconoscibili, nei comp. del tipo *(con)do* da *(con)dho* (v. CÒNDITO, PERDERE, SÙDDITO). Entro questi limiti, la rad. DHĒ è tra le più importanti e meglio attestate del lessico ideur., sia nelle aree occidentali, priva di raddopp., come nel ted. *tun* ' fare ', sia nelle orientali, raddopp. nel sistema del pres., come nel sanscrito *(da)dhā(mi)* o nel gr. *(tí)thē(mi)* ' io pongo '. Per l'astr. *facies*; v. FACCIA e FACIE(S).

**faretra**, dal lat. *pharetra*, che è dal gr. *pharétra*, della famiglia di *pherō* ' io porto '.

**farfalla**, è termine che risulta da complessi incr. di parole. Il primo passo è l'incr. di lat. *papilio*, *-onis* con *palpitare* sotto l'influenza del battito (delle ciglia e delle ali), da cui nasce un tipo *palpilla*. Il secondo passo è dato da *falena* (gr. *phálaina*) che incontra il lat. *farfăra*, nome di pianta lunga e mobile (tanto che è soprannominata ' coda di cavallo '), da cui nasce un tipo *farfăla*. Dall'incr. di *farfala* e *palpilla* è nato allora *farfalla*; cfr. PARPAGLIONE. Lat. *papilio* è da una serie onomatop. *p.... l*, che ha una corrispondenza nell'area germanica.

**farfanicchio**, da *fanfarone*, con la metatesi da *n...r* in *r...n* e il suff. dimin. *-icchio*.

**fàrfara**, dal lat. *farfăra*, di prob. orig. mediterr.; cfr. FARFALLA.

**farfarello**, dall'ar. *farfār* ' loquace '; cfr. FANFARONE.

**farfugliare**, dallo sp. *farfullar*.

**farina**, lat. *farina*, deriv. di *far, farris* 'farro', v. FARRO, con una stessa derivaz. aggettiv. in *-ino* come nel gotico *barizeins*, rimasto agg.

**farinàceo**, dal lat. tardo *farinacĕus*.

**faringe**, dal gr. *phárynx, -yngos*.

**farinoso**, dal lat. tardo *farinosus*.

**farisàico**, dal lat. crist. *pharisaïcus*.

**farisèo**, dal lat. crist. *pharisaeus*, che è dal gr. *pharisaîos* e questo dall'aramaico *Pĕrîshayyā*.

**farlotto**, da *(a)verlotto*, dimin. di *averla* (v.) con adattamenti romagnoli.

**farmacèutico**, dal lat. *pharmaceutĭcus*, che è dal gr. *pharmakeutikós*, deriv. di *\*pharmakeúō* 'agisco con i farmaci', verbo denom. da *phármakon*, e per questa via legato a *fàrmaco*.

**farmacìa**, dal gr. *pharmakeía* 'uso dei farmaci'.

**farmacista, farmacistico**, da *farmacia*.

**fàrmaco**, dal gr. *phármakon* 'medicamento'.

**farmacologìa**, da *fàrmaco* e *-logia*.

**farmacopèa**, dal gr. tardo *pharmakopoiía* 'arte di preparare i farmaci', che è da *phármakon* e dall'astr. di *poiéō* 'faccio'.

**farnètico**, lat. *phreneticus* (dal gr. *phrenētikós*), con metatesi di *fre-* in *far-* di orig. emiliana-romagnola (ravennate).

**farnia**, lat. tardo *farnĕa* (femm. di *farnĕus*), agg. di *farnus* 'frassino', v. FRÀSSINO.

**faro**, dal lat. *pharus*, che è dal gr. *pháros*, dal nome dell'isolotto di Faro su cui si trovava il faro del porto di Alessandria d'Egitto; cfr. FALÒ.

**farràgine**, dal lat. *farrago, -ĭnis* 'mangime misto per il bestiame', collettivo da *far* 'farro'.

**farro**, lat. volg. *\*farrum*, class. *far, farris*, parola nordoccidentale dal tema BHARS-, con connessioni germaniche e slave.

**farsa**, dal frc. *farce*, sost. deverb. da *farcir*; v. FARCIRE.

**farsetto**, dimin. del lat. volg. *\*farsus*, part. pass. di *farcire* (class. *fartus*) 'imbottito'.

**fascia**, lat. *fascia*, astr. di *fascis* 'involto', privo di connessioni ideur.

**fasciame**, da *fascia* con suff. collettivo *-ame*.

**fasciare**, lat. *fasciare*, verbo denom. da *fascia*.

**fascìcolo**, dal lat. *fascicŭlus*, dimin. di *fascis*.

**fascina**, lat. *fascina*, da *fascis*.

**fascinare**, dal lat. *fascinare*, verbo denom. da *fascĭnum* 'amuleto'.

**fascinatore**, dal lat. tardo *fascinator, -oris*.

**fascinazione**, dal lat. *fascinatio, -onis*.

**fàscino**, dal lat. *fascĭnum* 'amuleto', prob. contaminaz. di lat. *fascis* col gr. *báskanos* 'ammaliatore'.

**fascio**, lat. volg. *\*fascjum*, class. *fascis*; v. FASCIA.

**fascismo**, da *fascio* in quanto «unione di forze volte a unico fine».

**fase**, dal gr. *phásis* (nome d'azione di *phaínō* 'io apparisco') 'apparizione'.

**fastello**, da *\*fascitello*, doppio dimin. di *fascio*.

**fasti**, dal lat. *Fasti (dies)* «(giorni) autorizzati (dalla legge divina per amministrare la giustizia)» in opposizione ai *nefasti* 'non autorizzati': da *fas* 'diritto divino' col suff. *-to-*, come *iovestos*, *iustus* da *\*ioves, ius* 'diritto umano'. Lontanamente legato forse alla rad. BHĀ di *facundus, fabula, fama*, nel senso di 'rivelare'. Rimane però non chiaro l'ampliam. con *-s*, da FĀ- a *fa-s*. V. FACONDO, FAMA, FÀVOLA.

**fastidio**, dal lat. *fastidium*, comp. di *fastus* (v. FASTO[1]) 'alterigia' e *taedium* 'noia' (v. TEDIO). Il comp. presuppone una dissimilaz. sillabica da *fas(ti-)tidium* e il norm. passaggio da *-ae-* a *-i* in sill. interna.

**fastidioso**, dal lat. *fastidiosus*.

**fastidire**, dal lat. *fastidire*, verbo denom. da *fastidium*.

**fastigio**, dal lat. *fastigium* 'inclinazione', che è dal verbo *fastigare*, denom. da un *fastus* (attestato però solo come tema di astr. in *-u* e non come agg.), v. FASTO[1], come *castigare* da *castus*, ma senza chiare connessioni ideur.

**fasto**[1], dal lat. *fastus, -us* 'altezza, alterigia', astr. di una rad. BHAD O DHAD, priva di altre attestazioni ideur.

**fasto**[2], dal lat. *fastus*, da *fas* 'legge divina'; v. FASTI.

**fastoso**, dal lat. tardo *fastosus*, deriv. di *fastus, -us*, incr. con il suff. *-osus*; v. FASTO[1].

**fasullo**, dal gergo giudeo-romanesco: neo-ebr. *pāsūl* 'illegittimo', 'invalido'.

**fata**, lat. *fata, -orum* 'destino', personificato in forma sg. femm.; v. FATO.

**fatale**, dal lat. *fatalis* 'che appartiene al fato'.

**fatalismo**, da *fatale* e *-ismo*.

**fatalità**, dal lat. tardo *fatalĭtas, -atis*.

**fatare**, verbo denom. da *fata*.

**fatato**, part. pass. di *fatare*.

**fatica**, lat. volg. *\*fatīga*, sost. deverb. da *fatigare*, con correzione tosc. (ingiustificata) di *-g-* in *-c-* quasi si fosse verificata una leniz. settentr.

**faticare**, lat. *fatigare*, incr. con it. *fatica*. Lat. *fatigare* pare un deriv. di *\*fatis* come *castigare* di *castus*: il signif. sarebbe all'incirca 'scoppiare, crepare'; cfr. FATISCENTE e FESSO[2].

**fatìdico**, dal lat. *fatidĭcus*, comp. di *fatum* 'fato' e *-dĭcus* tema di *dicĕre*.

**fatiscente**, dal lat. *fatiscens, -entis*, part. pres. di *fatisci* 'fendersi', verbo denom. incoat. da *\*fatis* sopravv. solo nell'avv. *affātim* 'fino a crepare' e cioè 'fino a sazietà', e privo di chiare connessioni ideur.; cfr. FATICARE.

**fato**, dal lat. *fatum*, neutro sostantiv. di un part. pass. di *fari*. Il fato è ciò che è stato «annunciato» (cfr. FACONDO, FAMA, FAVOLA). Per i confronti con *fastus*; v. FASTI.

**fatta**[1] 'specie', femm. sostantiv. di *fatto*, part. di *fare*, nella formula «(così) fatto».

**fatta**[2] 'escrementi di selvaggina', da «(cosa) fatta».

**fattezza**, astr. di *fatto* come *giustezza* di *giusto* o *bellezza* di *bello*.

**fattibile**, agg. verb. it. di valore passivo tratto dal part. pass. *fatto*, anziché dall'inf.; cfr. FACIBILE e FÀCILE.

**fattispecie**, dal lat. *facti species* 'l'aspetto del fatto'.

**fattitivo**, forma abbreviata di *fatti(ta)tivo* da un lat. *factitatus*, part. pass. di *factitare*, intens. di *facĕre* col suff. *-ivo* di valore durativo.

**fattivo**, incr. di *fatto* con *attivo*.

**fattizio**, dal lat. *facticius* con influenza di *fittizio*.

**fatto**, lat. *factum*, part. pass. di *facĕre*, formato sul tema di pres. ampliato con *-c-* anziché sulla semplice rad. La forma orig. avrebbe dovuto essere *\*fătus*, identica al gr. *thetos*, al sansc. *hita-* v. FARE e in composiz. *-dătus*, v. CÒNDITO.

**fattoio,** lat. *factorium* « (il luogo) dove si fa », con norm. trattamento tosc. di lat. *-oriu* in *-oio*.

**fattore,** lat. *factor, -oris,* nome d'agente di *facĕre*.

**fattoressa,** da *fattore*.

**fattorìa,** astr. e collettivo di *fattore*, come *trattoria* rispetto a *trattore*.

**fattrice,** femm. di *fattore*. Ma, come parola tecnica della zootecnia, il termine maschile è *riproduttore* (v.).

**fattucchiere** e **fattucchiero,** dal lat. *fatucŭlus* 'indovino', deriv. da *fatum* 'destino', incr. con un presunto dimin. di *fatto,* *\*fattucchio*; provvisto poi del suff. di derivaz. *-iere*.

**fattucchierìa,** da *fattucchiere*.

**fattura,** lat. *factura,* astr. di *facĕre*.

**fatturare,** verbo denom. da *fattura* nel senso di 'nota di spese'.

**fatuità,** dal lat. *fatuĭtas, -atis*.

**fatuo,** dal lat. *fatŭus* 'stupido, insulso', privo di connessioni ideur.

**faucale,** da *fauce* col suff. *-ale*.

**fauce,** dal lat. *faux, faucis* 'gola', privo di connessioni ideur.; cfr. FOCE.

**fauna,** dal titolo del libro di Linneo del 1746 *Fauna (suecica),* ispirato dalla dea *Fauna,* associata dai Romani a *Faunus*; v. FAUNO.

**fauno,** da *Faunus,* dio romano delle selve, dei campi e dei greggi, legato al verbo *favere* 'favorire la crescita' dallo stesso rapporto che lega *-plere* a *plenus.* Perciò « colui che è stato eccitato a crescere (sopra tutti) »; v. FAVORE.

**fausto,** dal lat. *faustus,* legato a *favere* 'esser fausto', attrav. un sost. *\*favos,* da cui *\*favestus* poi *faustus,* come *honestus* rispetto a *honos*.

**fautore,** dal lat. *fautor, -oris,* nome d'agente di *favere*.

**fava,** lat. *faba,* parola ideur. nordoccidentale dell'agricoltura, da un tema BHABĀ, che si ritrova nelle lingue baltiche e slave. Per la variante falisca *haba,* v. *hilum* e NICHILISMO.

**favagello,** lat. volg. *\*fabicella,* dimin. di *faba* (per la somiglianza delle foglie), pervenuto con leniz. e assimilaz. settentr. *sgj-,* poi corretta nel tosc. *-gʹ-* (invece del regolare *-cʹ-*).

**favella,** sost. deverb. da *favellare*.

**favellare,** dal lat. tardo *fabellare,* verbo denom. da *fabella,* dimin. di *fabŭla*; v. FAVOLA.

**favilla,** lat. *favilla,* dalla rad. di *fovere* 'scaldare', (rad. DHEGᵂH) col passaggio di *-ov-* in *-av-* e il suff. dimin. *-illa*; cfr. FACE, FOMENTO, DEBBIO.

**favo,** lat. *favus,* privo di connessioni ideur.

**fàvola,** dal lat. *fabŭla* (la forma it. spontanea sarebbe stata *\*fabbia*) di *fari* 'parlare' (come *pabŭlum* di *pasci* 'pascolare'); v. FIABA, FOLA e cfr. FACONDO, FAMA, FATO.

**favolare,** dal lat. *fabulari,* verbo denom. da *fabŭla*.

**favoloso,** dal lat. *fabulosus*.

**favonio,** dal lat. *favonius,* deriv. di un presunto *\*favo, -onis,* nome d'agente di *favere* 'favorire la crescita', perché col suo tepore favorisce i germogli; v. FAUNO.

**favore,** dal lat. *favor, -oris,* astr. di *favere* 'favorire', da una presunta rad. GᵂHAU che appare, ma con scarsa evidenza, anche nell'area slava.

**favorire,** verbo denom. da *favore*.

**favule,** dal lat. *fabŭle,* neutro di *fabŭlis* 'proprio delle fave', incr. di *fabŭlus* e *fabalis*; v. FAVA.

**fazione,** dal lat. *factio, -onis,* nome d'azione di *facĕre,* specializzato nell'indicare la 'situazione' e quindi la 'posizione' soprattutto dei nobili; passata poi a signif. ostile.

**fazioso,** dal lat. *factiosus*.

**fazzoletto,** dimin. di *fazzòlo*.

**fazzolo,** lat. volg. *facjòlum,* lat. tardo *faciŏlum,* deriv. da *facies* 'faccia'.

**fazzone,** lat. *factio, -onis* (cfr. FAZIONE), influenzata nel signif. di 'aspetto' dal provz. *faison*; cfr. (R)AFFAZZONARE.

**fé,** lat. *fides* con leniz. settentr. totale, attrav. *\*fee*.

**febbraio,** lat. *februarius,* deriv. di *februus* 'purificatorio', forse legato con *febris,* con norm. trattam. tosc. di *-ariu* in *-aio*.

**febbre,** lat. *febris,* con norm. raddopp. della *b* postonica dav. a *r. Febris* forse da DHE-DHRI- forma raddopp. di una rad., attestata solo in gr. per indicare il 'tremito', e sottoposta a assimilaz. da un più ant. *\*fedris*.

**febbricitare,** dal lat. *febricitare,* intens. di *febrire,* incr. con it. *febbre*.

**febbrìcola,** dal lat. *febricŭla,* dimin. di *febris,* incr. con it. *febbre*.

**febbrifugo,** comp. di *febbre* e *-fugo*.

**febbrile,** dal lat. medv. *febrĭlis,* incr. con *febbre*.

**febèo,** dal gr. *phoibēĭos,* agg. di *Phoîbos* 'Febo'.

**Febo,** dal lat. *Phoebus,* che è dal gr. *Phoîbos*.

**feccia,** lat. volg. *\*faecja,* agg. femm. sostantiv. da class. *faecĕus,* deriv. da *faex, faecis,* con raddop. norm. di *-cj-* in *-ccʹ-*.

**fece,** dal lat. *faex, faecis* 'feccia del vino', figur. 'feccia' in senso morale, che è da tema medit.

**fècola,** dal lat. *faecŭla* (dimin. di *faex*), 'salsa di tartaro bruciato'.

**fecondare,** dal lat. *fecundare,* verbo denom. da *fecundus*.

**fecondatore,** dal lat. tardo *fecundator, -oris*.

**fecondità,** dal lat. *fecundĭtas, -atis*.

**fecondo,** dal lat. *fecundus,* tratto da *\*fere* 'allattare, nutrire' come *facundus, iucundus, verecundus* da *fari, iuvare, vereri* ecc.; v. FACONDO e cfr. FÉMMINA.

**feculento,** dal lat. *faeculentus*.

**fede,** lat. *fides,* nome astr. della rad. BHEIDH 'fidarsi', largamente attestata nelle aree italica e greca (gr. *peithō* 'persuado'), quasi completamente scomparsa nelle altre aree.

**fedecommesso,** dal lat. *fidei commissum* « affidato alla fede ».

**fedecommissario,** dal lat. tardo *fideicommissarius*.

**fededegno,** dal lat. *fide dignus* 'degno di fede'.

**fedele,** lat. *fidelis,* da *fides,* come *\*famelis* (in *famelicus*) da *fames*; cfr. CRUDELE, CONTUMELIA.

**fedelini** (pasta), da *fidelli,* dimin. di *fili*: dissimil. della serie *l.... l* in *d.... l* in area settentr.

**fedeltà,** lat. *fidelĭtas, -atis*.

**fèdera,** dal longob. *fédera* 'penna, piuma' (ted. *Feder*), risal. alla rad. PETĒ 'mirare a una mèta', con frequenti applicazioni alla nozione del 'volare'; v. PETIZIONE.

**federale,** dal lat. *foedus, -eris* col suff. aggettiv. *-ale. Foedus, -ĕris* è un ant. *\*bheidhos,* incr. con *\*bhoidho-,* dalla rad. BHEIDH; v. FEDE.

**federare,** verbo denom. estr. da *federato*.

**federato,** dal lat. *foederatus* 'entrato in alleanza' da *foedus, -ĕris*.

**federazione**, dal lat. *foederatio, -onis.*

**fedifrago**, dal lat. *foedifrăgus*, comp. di *foedus. -ĕris* ' patto ' e *-fragus* tema di *frangĕre* ' rompere ': ' rompitore di patti '; v. FEDERALE e FRÀNGERE.

**fedina**, dimin. di *fede*: anche nel senso di barba, perché nel primo ottocento era simbolo di lealismo verso l'Austria.

**fedire**, lat. *ferire*; v. FERIRE. *Fedire* è forma arc. risultante dalla dissimilaz. di *r....r* in *d....r*, come lat. *quaerĕre* che è in it. *chiedere* (v.).

**fègato**, lat. (iecur) *ficatum* '(fegato) con i fichi ' trasmesso con accentazione longob. sull'iniz. e leniz. settentr. di *-c-* in *-g-*, forse anche con caduta della voc. finale (*fegat*), poi restituita in Toscana. *Ficatum* deriva da un *ficare, verbo denom. da *ficus*; v. FICO.

**felce**, lat. *filix, -icis*, priva di connessioni ideur.

**feld(i)spato**, dal ted. *Feldspat* « spato (v.) di campo ».

**feldmarisciallo**, dal ted. *Feldmarschall* ' maresciallo (v.) di campo '.

**felice**, dal lat. *felix, -icis* ' felice ' anteriorm. ' nutriente '. Da una rad. ideur. largamente attestata DHĒ(I) ' allattare ', v. FECONDO, FEMMINA. Per altra forma ampliata con L, v. FIGLIO.

**felicità**, dal lat. *felicĭtas, -atis.*

**felicitare**, dal lat. tardo *felicitare.*

**felicitazione**, dal frc. *félicitation.*

**felino**, dal lat. *felinus*, deriv. di *fēlĕs, -is* ' martora ', ' gatto (selvatico) ', privo di connessioni ideur.

**fellà**, dall'ar. *fellāḥ* ' contadino ' propriam. ' aratore '.

**fellone**, lat. medv. (X sec.) *fello, -onis.*

**felpa**, dal frc. ant. *ferpe*, incr. con *feltro.*

**felsìneo**, dal nome etrusco di Bologna, latinizzato in *Felsĭna.*

**feltro**, dal franco *filtir (ted. *Filz*); cfr. FILTRO[1].

**feluca**, dal frc. *felouque*, che è dallo sp. *faluca* (ar. *falūk*, plur. di *fulk* e questo dal gr. *ephólkion).*

**felze**, forse dal gr. biz. *phýlaks, -akos*, attrav. venez. *filase.*

**fémmina**, lat. *femĭna*, part. medio di un ant. *fēre* ' allattare, esser fecondo ' (v. FETO), con norm. raddopp. it. di cons. postonica in parola sdrucciola. La rad. DHĒ(I) è largamente attestata; e, come verbo, appare ancora nelle aree indiana, slava, germanica (cfr. FECONDO). Per gli ampliam. in *-l-* v. FELICE, FIGLIO. Per ampliam. in *-n-* v. FENERATIZIO, FIENO.

**femmìneo**, dal lat. *femĭnĕus*, incr. con it. *fémmina.*

**femminino**, dal lat. *femininus*, incr. con it. *fémmina.*

**fèmore**, dal lat. *femur, -ŏris* (gen. anche *feminis*), parola antichissima caratterizzata dal tema alternante in *-r* e in *-n*, cfr. *iecur, iter*, ma sopravv. nella sola area latina.

**fèndere**, lat. *findĕre*, verbo fondam. della lavorazione del legno, ' fendere, spaccare ', sopravv. nel sanscrito, e, passato al signif. di ' mordere ', nelle lingue germ. (ted. *beissen*). La rad. è BHEID con infisso nasale. La pronuncia aperta della *e* it. è dovuta a incr. con *tèndere, prèndere, pèndere, rèndere.*

**fenduto**, part. pass. da *fèndere* costruito analogicamente perché il tradizionale *fesso* (lat. *fissus*) ha assunto altro signif.; v. FESSO[1].

**feneratizio** ' di usura ', dal lat. *feneraticius* e questo da *fenus -ŏris* ' prestito ' poi ' usura '. La

connessione con la famiglia di *fe(cundus)* e *fe-(mina)*, dipenderebbe dall'immagine di « produzione (di frutti) » che il prestito assicura.

**fenice**, dal lat. *phoenix, -icis*, che è dal gr. *phoîniks, -íkos.*

**fènico**, dal frc. *phénique* e questo dal gr. *phaínomai* ' apparisco ', ' risplendo ', perché ricavato dal gas illuminante.

**fenicòttero**, dal lat. *phoenicoptĕrus*, che è dal gr. *phoinikópteros*, comp. di *phoîniks* ' rosso ' e *pterón* ' ala ': « dalle ali rosse », cfr. FIAMMINGO[2].

**fenolo**, da *fèn(ico)* col suff. chimico *-òlo.*

**fenòmeno**, dal gr. *phainómenon* ' ciò che appare ', part. pres. medio neutro di *phaínomai.*

**fenomenologìa**, da *fenomeno* e *-logìa.*

**ferace**, dal lat. *ferax, -acis*, deriv. da *fero* ' porto ' come *audax, edax*, da *audeo, edo*: « ciò che porta » cioè ' che produce '.

**feracità**, dal lat. tardo *feracĭtas, -atis.*

**ferale**, dal lat. *feralis* ' attinente a morte ', forse connesso con *feriae*, v. FESTA, nel senso di « cerimonie rituali ».

**fèrcolo** (vassoio), dal lat. *fercŭlum*, nome di strum. di *ferre* ' portare '.

**ferecratèo**, dal gr. *pherekráteion (métron)* e questo da *Pherekrátēs*, nome del poeta (seconda metà del V sec. a. C.).

**fèretro**, dal lat. *ferĕtrum* preso in età ant. dal gr. *phéretron* (nome di strum. di *phérō* ' io porto '), incr. precocemente col lat. *fero.*

**feria**, dal lat. tardo *ferĭa*, class. *feriae, -arum*, che è da un ant. *fēsiae*, e quindi connesso con *festus*; v. FESTA e cfr. FERALE.

**feriale**, dal lat. *ferialis*, attrav. il calendario eccl. che chiama *feria prima, seconda, terza* ecc. i giorni della settimana. Venendo meno il risalto della domenica, si è distinta questa come « festiva » e perciò ' feriale ' è rimasto limitato ai giorni della settimana: a differenza del frc., rimasto al valore ant. nella formula *jours fériés* ' giorni festivi '.

**ferigno**, incr. di *ferino* con i tipi *maligno* e sim.

**ferino**, dal lat. *ferinus*, deriv. di *fera* ' fiera '; v. FIERA.

**ferire**, lat. *ferire* ' colpire ', con corrispond. nelle lingue germaniche e baltiche (cfr. FEDIRE). La forma alternante BHOR della stessa rad. BHER[3] si trova in *forare*, v. FORARE, con ovvio signif. durativo.

**ferità**, lat. *ferĭtas, -atis.*

**ferma**, sost. deverb. estr. da *fermare.*

**fermaglio**, dal provz. *fermalh*, lat. *firmacŭlum*, nome di strum. tratto dal verbo *firmare* che è verbo denom. da *firmus* ' fermo '.

**fermare**, lat. *firmare* ' render stabile ', verbo denom. da *firmus* ' fermo, stabile '.

**fermentare**, dal lat. *fermentare.*

**fermento**, dal lat. *fermentum*, deriv. da una rad. BHER[2] che, allargata in lat. in *fer(v)*, appare in *fervere*; v. FÈRVERE.

**fermo**, lat. *firmus* ' fermo, stabile ', con *i* rustica al posto della *e* regolare. Una connessione illustre è data dal sost. sanscrito *dharma-* « ciò che è posto » e cioè la ' legge '. Per un ampliam. in *-u-*, anziché in *-m-* della stessa rad. DHER, v. FERRUMINARE. Per un ampliam. in *-k-* v. FORTE.

**-fero**[1], dal lat. *-fer*, secondo elemento di comp. nominale equival. a un nome d'agente radicale, dalla rad. BHER', che indica il portare in senso durativo (e perciò priva di perf.), largamente attestata e di tradiz. regolare: in gr. *phérō*. Nelle lingue germaniche, specializzata nella gravidanza: il ted. *geboren* 'nato' corrisponde al signif. ant. di « portato a termine ». Per il nome d'azione v. FORSE, per l'astr. v. FORTUITO.

**fero²**, dal lat. *ferus*; v. FIERO.

**feroce**, dal lat. *ferox, -ocis,* comp. di *ferus* 'fiero' e *-ox* 'occhio': « dallo sguardo fiero »; cfr. ATROCE e, per una formaz. simbolica, VELOCE.

**ferocia**, dal lat. *ferocia.*

**ferraglia**, collettivo peggiorativo di *ferro.*

**ferragosto**, lat. *feriae Augusti* 'riposo d'agosto', incr. in qualche modo con *ferro.*

**ferraio**, lat. *(faber) ferrarius,* con norm. trattam. tosc. di *-ariu* in *-aio.*

**ferraiolo**, dall'ar. magrebino *feryūl* 'specie di mantello', risal. al lat. *palliŏlum* 'mantello leggero'; v. PALLIO.

**ferramento**, dal lat. *ferramentum.*

**fèrreo**, dal lat. *ferrĕus.*

**ferriera**, dal frc. *ferrière,* e questo dal lat. *ferraria* 'fucina', 'miniera'.

**ferro**, lat. *ferrum* senza chiare connessioni ideur. anche perché la conoscenza del ferro è posteriore alla costituzione delle singole comunità di lingua ideur.

**ferrotranviario** e **ferrotranvieri**, da *ferro(via)*, *tranvia* e suff. *-ario, -iere.*

**ferrovia**, calco sul ted. *Eisenbahn* « strada di ferro ».

**ferrùgineo**, dal lat. *ferrugĭnĕus,* deriv. di *ferrūgo, -ĭnis* 'ruggine del ferro'.

**ferruginoso**, dal lat. *ferrugineus,* con aggiunta del suff. it. *-oso,* incr. per il signif. con. it. *ferro.*

**ferrùminare** 'saldare a fuoco', dal lat. *ferrumi- nare,* denom. da *ferrumen, -ĭnis* 'saldatura', forse dalla rad. DHER di *firmus* (v. FERMO), ampliata anziché con *-m,* con *-u,* e poi incr. in lat. con *ferrum.*

**fèrtile**, dal lat. *fertĭlis,* agg. verb. di *ferre* 'portare', 'produrre'. La forma orig. era *ferīlis* (cfr. *facĭlis* rispetto a *facĕre, agĭlis* rispetto a *agĕre*) ma si è incr. con i tipi *fictĭlis* (da *fictus*), *ductĭlis* (da *ductus*), *missĭlis* (da *missus*) come se il suff. fosse stato *-tĭlis* e non *-ĭlis* o fosse esistito un impossibile part. pass. *fertus.*

**fertilità**, dal lat. *fertĭlĭtas, -atis.*

**fertirrigazione**, da *fert(ile)-irrigazione* nel senso di « irrigazione fertilizzante ».

**fèrula**, dal lat. *ferŭla,* forse collegato con *ferire* e cioè 'strumento per colpire', con non chiaro processo di derivazione.

**fèrvere**, lat. arc. popolare *fervĕre,* class. *fervēre* 'bollire'. Dalla rad. BHER², comune a *fermentum,* ampliata in *-u,* di media diffusione; cfr. FERMENTO.

**fèrvido**, dal lat. *fervĭdus* 'che bolle'.

**fervore**, dal lat. *fervor, -oris,* astr. di *fervere.*

**ferza**, sost. deverb. dal longob. *fillezzan* 'frustare'.

**fescennino**, dal lat. *fescenninus (versus)* e questo dalla città laziale di *Fescennium,* da cui i canti avevano preso origine.

**fesserìa**, da *fésso¹,* astr. paragonab. a *sgarberìa* da *sgarbo, sciatteria* da *sciatto.*

**fesso¹**, lat. *fissus,* participio pass. di *findĕre* 'fèndere' (v.).

**fèsso²**, dal lat. *fessus,* estr. da *(de)fessus,* part. pass. di *de* e *fatiscor* con norm. apofonia di *ă* in *ĕ* in sill. interna chiusa; cfr. FATICARE.

**fessura**, lat. *fissura,* astr. di *findĕre;* v. FÈNDERE.

**festa**, lat. *festa,* femm. sostantiv. dell'agg. *(dies) festa* 'giorno festivo'. Connesso con *fanum* 'tempio' da ant. *fasnom,* privo di connessioni fuori d'Italia; cfr. PROFANO e FERIA.

**fèstival**, dall'ingl. *festival* risal. attrav. il frc. a un lat. medv. *festivalis.*

**festività**, dal lat. *festivĭtas, -atis.*

**festivo**, dal lat. *festivus,* ampliam. durativo in *-ivus* dall'agg. *festus;* v. FESTA.

**festone**, da *festa* e cioè « (ornamento per) festa ».

**festuca**, dal lat. *festuca,* privo di connessioni evidenti, ma con una formaz. che ricorda *lactuca,* v. LATTUGA, e perciò dovrebbe riferirsi a un presunto verbo *festare* o *festĕre.*

**fetente**, dal lat. *foetens, -entis,* part. pres. di *foetēre,* privo di connessioni evidenti.

**feticcio**, dal frc. *fétiche,* che è dal portogh. *feitiço* e questo dal lat. *facticius* « (idolo) fabbricato ».

**fètido**, dal lat. *feotĭdus* 'puzzolente', deriv. da *foeteo* 'emetto puzzo'; v. FETENTE.

**feto**, dal lat. *fetus, -us* astr. di *fe-* 'allattare, generare' e cioè « creazione (che arriva a compimento per il parto) »; v. FÉMMINA.

**fetore**, dal lat. *foetor, -oris.*

**fetta**, dimin. it. di lat. *offa* 'focaccia': da *l'offetta* a *la fetta.*

**fettuccia**, dimin. di *fetta.*

**feudale**, dal lat. medv. *feudalis.*

**feudatario**, dal lat. medv. *feudatarius.*

**feudo**, dal lat. medv. (IX sec.) *feudum,* franco *fĕh-ōd* « proprietà *(ōd)* di bestiame *(fĕh)* » e cioè 'proprietà mobile'. Al franco *fĕh* corrisponde il ted. moderno *Vieh,* identico al lat. *pecu;* v. PECORA e cfr. FIO.

**fez**, da *Fez,* città del Marocco.

**feziale**, dal lat. *fetialis,* deriv. di un presunto *feti-,* nome d'azione della rad. DHĒ 'porre', 'stabilire (una legge)', cfr. FARE, che trova una corrispond. identica nel ted. moderno *Tat* 'azione'.

**fiaba**, lat. volg. *flaba,* forma metatetica da *fabŭla* (come lat. volg. *flunda* da *fundŭla,* v. FIONDA), incr. con la forma padana norm. *fabia* (altrimenti si sarebbe avuto *fiava*); cfr. FAVOLA, FOLA. Lat. *fabŭla* è costruito come nome di strum. della rad. BHĀ, ben nota nel lat. *fari* e nel gr. *phēmi,* e attestata in altre aree ideur. (germanica, slava, armena); v. FAMA, FASTI.

**fiacca**, sost. deverb. estr. da *fiaccare.*

**fiaccare**, verbo denom. da *fiacco.*

**fiàcchere**, dal frc. *fiacre* e questo dal nome della casa dove si noleggiavano le carrozze, che era fornita di un'imagine di S. *Fiacrio,* santo irlandese del VII sec., stabilitosi presso Parigi.

**fiacco¹** (agg.), lat. *flaccus,* prob. da una rad. MLĀ cfr. MOLLE di discreta diffusione ideur., seguita dal suff. *-co-* tipico di difetti fisici, cfr. *caecus, mancus, luscus;* con raddopp. espressivo. Cfr. FLACCIDO.

**fiacco²** (sost.) 'rovina', incr. di settentr. *fracco* (v.) e it. *fiaccare.*

**fiàccola**, lat. volg. *flaca* forma metatetica di *fac(ŭ)la* 'piccola face' (dimin. di *fax,* v. FACE), incr. con la forma norm. *facŭla*: col raddopp. regolare di cons. postonica in parola sdrucciola.

**fiadone** (torta), lat. tardo *flado, -onis*, di orig. germ. che riappare nel longob. e nel franco *flado*; v. FLAN.

**fiala**, dal lat. *phiala*, che è dal gr. *phiálē*.

**fiamma**, lat. *flamma*, forma con raddopp. espressivo da *\*flăma*, più ant. *\*flags-ma*, deriv. dalla rad. BHLEG ' brillare ', v. FULGERE, con vari gradi di alternanza, e ampliata in *-s-*. Attestata nelle varie forme anche nelle aree greca, baltica, slava, indo-iranica.

**fiammante**, part. pres. di un ant. *fiammare*, lat. *flammare*.

**fiàmmeo**, dal lat. *flammĕus*, incr. con *fiamma*.

**fiammìfero**, dal lat. *flammĭfer, -fĕri*, comp. di *flamma* e *-fer*, tema di nome d'agente da *ferre* ' portare '.

**fiammingo**[1] (etnico), dal lat. medv. *Flamingus*.

**fiammingo**[2] (fenicottero), dal provz. *flamenc*, deriv. di *flama* col suff. germ. *-enc* « dalle (ali) fiammee »; cfr. *fenicòttero* « dalle ali rosse ».

**fianco**, dal frc. ant. *flanc*, che è dal franco *hlanka*.

**fiasca**, dal longob. *flaska* (ted. *Flasche* ' bottiglia ').

**fiasco**, estr. da *fiascone* che risale al gotico *\*flaskō*, lat. alto medv. (VI sec.) *flasco, -onis*.

**fiat**, dal lat. *fiat*, terza pers. del congiunt. di *fio*, ' sia fatto ', nella formula biblica *fiat (lux)* ' sia fatta (la luce) '. *Fio* risulta dall'ampliam. in *-io* della rad. BHEWĒ/BHŪ, per cui v. FUI, FUTURO, secondo un procedim. noto anche nell'area celtica e germanica. Il passivo di ' fare ' è stato cioè ottenuto in lat. attrav. un ampliam. della rad. moment. del ' crescere ' o ' diventare '.

**fiata**, lat. volg. *\*vicata*, deriv. da *vices* ' volta ', con leniz. settentr., spinta fino alla caduta del *-c-* e incr. con *fiato* ' soffio '.

**fiatare**, lat. tardo *flatare*, intens. di *flare* ' soffiare '.

**fiato**, lat. *flatus, -us*, astr. di *flare* ' soffiare ', di lontane orig. onomatop. secondo la serie *p(h)l.... p(h)l* attestata anche nelle lingue germ. p. es. nel ted. *bl(asen)* ' soffiare '.

**fibbia**, lat. *fibŭla*, prob. da *\*fivibŭla* nome di strum. del verbo *figĕre* ' ficcare ', ' configgere ': parola sicuram. ant., ma che, fuori d'Italia, trova connessioni solo nell'area baltica: la rad. è DHĪGW; cfr. FISSO.

**fibra**, dal lat. *fibra* priva di connessioni ideur. evidenti, ma forse in qualche modo legato a *filum* (v. FILO), quasi derivasse da GWHISRĀ.

**fibrilla**, dal lat. *fibra* col suff. dimin. lat. *-illa*.

**fibroma**, da *fibra* col suff. *-oma* tipico di formazioni o depositi patologici (*sarcoma, carcinoma* o anche *ematoma*).

**fìbula**, dal lat. *fibŭla*; v. FIBBIA.

**ficaia**, lat. *ficaria* ' ficheto '.

**-ficare**, dal lat. *-ficare*, tema di verbo denom. da *-fex* ant. forma di nome d'agente radicale di *facio*, che appare solo in composizione con la alternanza norm. di *-ĕ-* in sill. chiusa non iniz. mentre la voc. *-ĭ-* rispecchia il norm. trattam. in sill. interna aperta. Mediante *-ficare* si formano verbi denominativi-causativi.

**ficcare**, lat. *\*figicare*, intens. di *figĕre*; v. FIBBIA.

**-ficio**, dal lat. *-ficĭum* (cfr. -FICARE), passato a indicare anziché un'azione, il luogo ove l'azione si svolge, v. *opificio, lanificio, canapificio*.

**fico**, lat. *ficus* (sg. femm.), parola mediterr. con una cons. iniz. interdentale, resa in lat. con *f-*, in gr. con *s-* (*sýkon*).

**ficozza**, da *fica*, con desin. femm. perché inteso simbolicamente come frutto.

**fidanza** e **fidanzare**, astr. di *fidare* nel senso di ' fiducia ', ' pegno di fede ', col suo verbo denom.

**fidare**, lat. *\*fidare*, verbo denom. da *fidus* ' fedele '.

**fideismo**, dal frc. *fidéisme*.

**fideiussione**, dal lat. tardo *fideiussio, -onis*, nome d'azione di *fideiubere* ' esser mallevadore ', comp. di *fides* ' fede ' e *iubere* ' comandare '. Questa deriva dalla rad. YEUDH ' combattere ' (attestata anche nelle aree indiana e greca) che in lat. ha finito per assumere valore causativo.

**fideiussore**, dal lat. tardo *fideiussor*, nome di agente di *fideiubere*.

**fideiussorio**, dal lat. tardo *fideiussorius*.

**fidente**, dal lat. *fidens, -entis*.

**fido**, dal lat. *fidus*; v. FEDE.

**fiducia**, dal lat. *fiducia*, astr. di un agg. *\*fiducus*, da *fido* ' mi fido ', come *caducus* da *cado* o *manducus* da *mando* ' mastico '.

**fiduciario**, dal lat. *fiduciarius*.

**fiele**, lat. *fel*, da una forma sicuram. ant. GWHEL, sopravv. solo nell'area slava: in collegamento lontano con i tipi GHEL, che insistono sul valore di ' giallo ', cfr. FULVO.

**fienaio**, dal lat. *fenarius*, incr. con it. *fieno*.

**fienile**, dal lat. *fenile*, deriv. da *fenum* ' fieno ' con *-ile*, che indica deposito (cfr. *ovile, porcile* e anche *cortile*), incr. con *fieno*.

**fieno**, lat. volg. *\*flenum*, class. *fēnum*, incr. con *flos*. *Fenum* deriva da *\*fere* ' nutrire, generare ', (v. FÉMMINA) come *plenum* da *plere* (v. PIENO). È collegato anche con *fenus, -ŏris* ' interesse di un prestito, rendita ', v. FENERATIZIO, nel quadro generale del produrre frutti (animali, vegetali, poi economici).

**fiera**[1], lat. *fera*, femm. di *ferus* ' fiero '.

**fiera**[2], lat. volg. *\*fiera*, per metatesi da lat. tardo *feria*; v. FERIA.

**fiero**, lat. *ferus*, forma agg. di un orig. *\*fer*, dal tema GWHER ' animale selvatico ', attestato nelle aree greca (*thēr*), baltica, slava.

**fièvole**, lat. *flebĭlis*, agg. verb. di *flere*, di lontane orig. onomatop. secondo la serie *p(h)l* (cfr. FIATO) e attestata, sia pure in modo eterogeneo e con diverso grado di alternanza, in varie aree ideur. p. es. nel ted. *bellen* ' abbaiare '. La pronuncia *iè* aperta è dovuta a incr. con i dittonghi it. in *-iè*, p. es. in *lière*; cfr. FLÈBILE.

**fifa** e **fifone**, dalla serie onomatop. *f...f* ' piagnucolare ', rispettivamente come astr. e come soprannome.

**figaro**, dal protagonista delle due commedie di A. C. de Beaumarchais (1742-1799) il « Barbiere di Siviglia » (1775) e il « Matrimonio di Figaro » (1784), musicate rispettivamente da Rossini e da Mozart.

**figgere**, lat. *figĕre*, con norm. rafforzam. della cons. postonica in parola sdrucciola; v. FIBBIA.

**figlia**, v. FIGLIO.

**figliale**, dal lat. *filialis*, incr. con it. *figlio*.

**figliare**, verbo denom. da *figlio*.

**figliastro**, lat. tardo *filiaster, -stri*.

**figlio,** lat. *filius* (e *filia*), ampliam. in *-l-* della rad. DHĒ(I) 'generare, nutrire' (v. FEMMINA), attestato nelle aree baltica, albanese, indiana. Significava originariam. 'lattante, lattonzolo'; ma in lat. ha eliminato le parole orig. deriv. dalle rad. SŪ e DHUG(H), che sopravvivono invece nelle forme gr. *huiós* e *thygátēr* e in quelle ted. *Sohn* e *Tochter*.

**figliolo,** lat. volg. *filjólus*, class. *filiŏlus*, dimin. di *filius*.

**fignolo,** dall'alto ted. ant. *finne* 'pustola', attrav. una forma lat. dell'alto medio evo e con un suff. dimin.; cfr. *mìgnolo*.

**figulina** 'arte del vasaio', dal lat. *(ars) figulina*.

**figulino,** dal lat. *figulinus*, deriv. di *figŭlus* 'vasaio' e questo, con suff. *-lo* di agente, da *fingĕre* 'plasmare'. Da *(taberna) figulina*, deriva il nome loc. *Figline*; v. FÌNGERE.

**figura,** dal lat. *figura*, astr. di *fingĕre* 'plasmare', tratto dalla rad. anziché dal part. pass. (v. FÌNGERE), che avrebbe dato *fictura*.

**figurante,** calco sul frc. *figurant* (XIX sec.) allineato con la serie di *bracciante, cavallante*.

**figurare,** dal lat. *figurare*.

**figurativo,** dal lat. *figurativus*.

**figuratore,** dal lat. tardo *figurator, -oris*.

**figurazione,** dal lat. *figuratio, -onis*.

**figurino** 'modello', dimin. di *figura*.

**fila,** da *filo*, attrav. un collettivo plur. *le fila*.

**filaccia,** lat. volg. *filacja* 'di filo', forma collettiva dell'agg. tratto da *filum* col suff. *-acĕus* indicante materia, cfr. *gallinaceus, vinaceus, argillaceus*, e normale raddopp. dopo l'accento di *-cj-* in *-cc'-*; v. FILO.

**filamento,** dal lat. tardo *filamentum*, deriv. di *filare*, 'ridurre in fili', a sua volta verbo denom. da *filum*.

**filanda,** dal lat. *filanda*, neutro plur. del part. fut. passivo 'le cose da filare' trasferita al luogo « dove si fila », come *locanda* (v.) è venuta ad associarsi all'immagine di luogo 'dove ci si alloga ».

**filante,** part. pres. di *filare* 'fare le fila'.

**filantropìa,** dal frc. *philantropie* (XVI sec.) e questo dal gr. *philanthrōpía*, astr. di *philánthrōpos* 'che porta amore agli uomini'.

**filàntropo,** dal frc. *philanthrope* e questo dal gr. *philánthrōpos* 'che porta amore agli uomini', comp. di *phil-* tema di *philéō* 'io amo', e *ánthrōpos* 'uomo'.

**filare¹** (sost.), da *fila*: « appartenente a una fila ».

**filare²** (verbo), lat. tardo *filare*, verbo denom. da *filum*.

**filare³,** verbo denom. da *fila* 'mettersi in fila', 'andare in linea retta verso la mèta', poi 'fuggire'.

**filarmònico,** dal nome dell'Accademia Filarmonica di Verona (XVI sec.), comp. di *fil(o)-* 'che ama', gr. *harmonía* 'armonia' e il suff. aggettiv. *-ico*.

**filatelìa** (e filatèlica), dal frc. *philatélie*, comp. di gr. *phil-* 'che ama' e *atéleia* 'franchigia', e cioè « (i bolli che assicuravano il trasporto) in franchigia (della posta) ».

**filatessa** (filastrocca), da *filata* col suff. (non amichevole) *-essa*.

**filato,** forma sostantiv. del part. pass. di *filare* 'ridurre a filo'.

**filatterio** (paramento), dal lat. *phylacterĭum*, che è dal gr. *phylaktḗrion* 'amuleto' (da *phylássō* 'io proteggo').

**file,** dal gr. *phýlē* 'tribù'.

**-filìa,** dal gr. *philía* 'amore'.

**filiale,** da *(banca) filiale*: agg. sostantiv. dal lat. *filialis*.

**filiazione,** dal lat. tardo *filiatio, -onis*.

**filibustiere,** dallo sp. *filibustero*, adattamento dell'ol. *vrijbuiter* 'libero (cacciatore di) bottino', 'corsaro', da *vrij* 'libero' e *buit* 'bottino' col suff. di agente *-er*.

**filiera,** dal frc. *filière*.

**filìggine** e deriv., v. FULIGGÌNE e deriv.

**filigrana,** comp. di *filo* e *grano* e cioè « filo a grani ».

**filìppica,** dal nome del re Filippo di Macedonia contro il quale Demostene pronunciò le orazioni così denominate, fra il 351 e il 340 a. C.

**filistèo,** dal soprannome *Philister* che gli studenti tedeschi del XVII sec. davano ai borghesi loro avversarî. Ted. *Philister* risale al lat. *Philistaei*, che è dal gr. *Phylisteím* (ebr. *Pĕlishtīm*).

**fillòssera,** dal lat. scient. *Phyllóxera*, comp. di gr. *phýllon* 'foglia' e gr. *ksērós* 'secco'.

**fillotassi,** dal gr. *phýllon* 'foglia' e *-tassi* (v.).

**film,** dall'ingl. *film* 'pellicola'.

**filmoteca,** comp. di *film* e *-tèca*, con *-o-* di legamento, sullo schema di *biblioteca, enoteca, discoteca*.

**filo,** lat. *filum*, da un tema GʷHISLO-, con connessioni baltiche, slave, armene, cfr. FIBRA. Questo non impedisce che *hilum* (v. NICHILISMO) sia variante di *filum*, come *haba* lo è di *faba*.

**fil(o)-, -fil(o),** dal tema del gr. *philéō* 'io amo'.

**filobus,** incr. di *filo(via)* e *(auto)bus*.

**filodrammatico,** comp. di *filo-* e *drammàtico*.

**filogènesi,** comp. di gr. *phýlē* 'tribù' e *génesis* 'generazione'.

**filologìa,** dal gr. *philología*, comp. di *philo-* (tema di *philéō*) 'amore' e *lógos* 'discorso' col suff. di astr. *-ìa*: « amore delle lettere ».

**filondente** (tessuto), da *filo in dente*, « un filo per ogni dente (del pettine dei tessitori) ».

**filone,** incr. di *filare³* e frc. gergale *filou*.

**filosofare,** dal lat. *philosophari*.

**filosofema,** dal gr. *philosóphēma*, deriv. di *philosophéō* 'agisco come filosofo'.

**filosofìa,** dal gr. *philosophía*, comp. di *philo-* tema verb. indicante 'amore' e *sophia* 'sapienza', astr. di *sophós* 'saggio'.

**filosòfico,** dal lat. tardo *philosophĭcus*, che è dal gr. *philosophikós*.

**filòsofo,** dal lat. *philosŏphus*, che è dal gr. *philósophos*, e questo estr. da *philosophía*.

**fillòssera,** v. FILLÒSSERA.

**filotèa,** dal nome dell'immaginaria *Philothée*, la persona cui S. Francesco di Sales (1567-1622) si rivolge nella *Introduction à la vie devote*; e questo dal gr. *philótheos*, comp. di *philo-* 'amico' e *theós* 'dio ': « amica di Dio ».

**filotècnico,** comp. di *filo-* e *tècnico*.

**filovìa,** calco su *ferrovia* con sostituz. di *filo-* a *ferro-*; cfr. *funivia, sciovia*.

**filtro¹** (strum.), dal frc. *filtre*, lat. medv. *filtrum*, che è dal franco *filtir* (ted. *Filz*); cfr. FELTRO.

**filtro²** (bevanda magica), dal lat. *philtrum*, che è dal gr. *philtron* 'filtro amoroso', dalla rad. *phil-* di *phílos* 'amico'.

**filugello**, forma tosc. di un lombardo *filosèl*, da un lat. volg. *\*follicellus* ' sacchettino ', incr. con *filo*: con la *-s-* sonora lombarda corretta in tosc. *-g'-*.

**filza**, estr. da *\*filzella*, lat. volg. *\*filicella*, doppio dimin. di *filum* (frc. *ficelle*), con assimilaz. piemontese (*filsèla* ' cordicella '), parzialm. corretta in senso tosc. col passaggio di *-s-* in *-z-*.

**fimbria**, dal lat. *fimbriae, -arum* ' frangia ', privo di connessioni evidenti; cfr. FRANGIA.

**fimo**, dal lat. *fimus*, privo di connessioni ideur.

**fimosi**, dal gr. *phímōsis* ' restringimento ', nome d'azione di *phimóō* ' stringo col capestro ', denom. da *phimos* ' capestro '.

**finale**, dal lat. tardo *finalis*, agg. di *finis* ' fine '.

**finalità**, dal lat. *finalitas, -atis*.

**finanza**, dal frc. *finance* e questo da un ant. *finer* ' condurre a fine ', ' pagare '.

**finanziera**, dal frc. *financière* (XIX sec.).

**finca**, dallo sp. *finca* ' debito ' passato alla nozione di ' registro '.

**finché**, da *fino* e *che*, che trasforma la prep. in cong.

**fine**[1] (sost.), lat. *finis*, più ant. m., poi anche f., privo di connessioni ideur.

**fine**[2] (agg.), v. FINO[1].

**finestra**, lat. *fenestra*, privo di connessioni ideur.

**fingere**, lat. *fingĕre* ' modellare ', dalla rad. DHEIGH ' plasmare ' con infisso nasale, largamente attestata sul territorio ideur., importante nel deriv. DHEIGHOS ' muro ' nel senso di « cosa plasmata (col fango) » attestato nelle aree osca e greca (*teikhos*) e, con qualche variante, nelle aree tocaria, germanica ecc.; cfr. ted. *Teig* ' pasta '.

**finimondo**, dal lat. crist. *finis mundi* ' la fine del mondo '.

**finire**, lat. *finire*, verbo denom. da *finis*; v. FINE.

**finis**, dal lat. *finis*.

**finìtimo**, dal lat. *finitĭmus*, deriv. di *finis*, col suff. *-timus*, che indicava originariam. superl. come in *optĭmus* (v. ÒTTIMO), *victĭma* (v. VÌTTIMA) e poi semplice derivaz.; cfr. *maritĭmus, legitĭmus* e sim.

**fino**[1] (e *fine*, agg.), lat. *finis* ' limite ' in senso aggettiv., come oggi si dice *caso limite*: cioè « (fornito in grado) estremo (di bontà o delicatezza) ».

**fino**[2] (prep.), adattamento del lat. *fine* (abl. sg. di *finis* ' limite ') col valore di ' fino a '.

**finocchio**, lat. *fenucŭlum* (III sec.), dimin. di *fēnum* ' fieno '.

**finora**, da *fino* (prep.) *ora* (avv.).

**finta**, forma sostantiv. del part. pass. femm. di *fingere*.

**fintanto**, dalla locuzione prepositiva *fin(o a) tanto*.

**finto**, lat. tardo *finctus*, part. pass. fatto sull'inf. *fingĕre* al posto di quello class. *fictus* che veniva a confondersi con *fictus* da *figĕre* ' conficcare '.

**finzione**, dal lat. *fictio, -onis*, nome d'azione di *fingĕre* incr. con l'it. *fingere, finto*.

**fio**, dal frc. *fieu* ' feudo ', nella locuzione ' pagare il feudo ' e cioè il ' balzello '; v. FEUDO.

**fiocca**, variante di *fiocco*.

**fioccare**, verbo denom. da *fiocco*.

**fiocco**, lat. *floccus* ' fiocco di lana ', privo di connessioni ideur.

**fiòcina**, lat. *fuscĭna* ' tridente ' incr. con *\*flos* ' fiore ' (per le sue molte punte). *Fuscina* è priva di connessioni ideur.

**fiòcine**, lat. *flōces* ' feccia ' incr. con *acĭnus*. Lat. *flōces* è privo di connessioni ideur.

**fioco**, incr. di lat. *flaccus* ' fiacco ' e lat. *raucus* ' rauco '.

**fionda**, lat. volg. *\*flunda*, metatesi di *fundŭla* (cfr. *\*flaba* rispetto a *fabula*; v. FIABA). *Fundŭla* è dimin. di *funda* ' fionda ', privo di connessioni ideur.; cfr. FONDA[1] e FIOSSO.

**fiordaliso**, dal frc. *fleur de lis* ' fior di giglio '.

**fiordo**, dal norveg. *fjord*, discend. da una forma ideur. PṚTU-, corrispond. al lat. *portus* cioè ' approdo '; v. PORTO.

**fiore**, lat. *flos, floris*, da una rad. BHLŌ variamente ampliata e attestata anche nelle aree celtica e germanica; cfr. ted. *Blu(me)*.

**fiorente**, dal lat. *florens, -entis*, part. pres. di *florere*.

**fiorentino**, lat. *florentinus* e questo da *Florentia*, ant. ' Fiorenza ' oggi ' Firenze '. *Firenze* rispecchia il caso loc. *Florentiae* con la parte radicale dissimilata rispetto a *fiore*.

**fioretto**, da *fiore* per la somiglianza con un boccio, del bottone sulla punta della spada.

**fiorile**, calco sul frc. *floréal*, inserito nella serie it. del tipo *gentile, servile*.

**fiorino**, da *fiore* per il giglio di Firenze impressovi.

**fiorire**, lat. tardo *florire*, class. *florere*, verbo denom. da *flos, -floris* ' fiore '.

**fiorrancino** (uccello), dimin. di *fiorrancio*.

**fiorrancio** (uccello), da *fiore* e *(a)rancio*.

**fiosso** (parte del piede), lat. volg. *\*flossum*, forma metatetica di *\*fossŭlum*, da *fossŭla*, dimin. di *fossa*; cfr. metatesi analoghe in lat. volg. *\*flaba* da *fabula*, *\*flunda* da *fundŭla*; v. FIABA e FIONDA.

**fiotto**, lat. *fluctus, -us*, astr. di *fluĕre*. L'introduz. dell'elemento gutturale è dovuta a un precedente incr. con *fruor : fructus*, nel quale l'ant. gutturale era giustificata. La forma regolare avrebbe dovuto essere *\*frutus* (v. FIUME che risale alla rad. SREU). Per il lat. volg. *\*fluttare* con raddopp. espressivo, v. FLOTTARE.

**firma**, sost. deverb. da *firmare*.

**firmamento**, dal lat. crist. *firmamentum* ' sostegno ', calco sul gr. *steréōma (ūranû)* « sostegno (del cielo) ».

**firmano**, dal persiano *farmān* attrav. il turco e, poi, il frc. *firman* (XVII sec.).

**firmare**, dal lat. *firmare* ' confermare '.

**fisarmònica**, dal ted. (XIX sec.) *Physharmonika* che è dal gr. *phýsa* ' mantice ' e *harmonikós* ' armonico '.

**fiscale**, dal lat. *fiscalis*.

**fiscella**, dal lat. *fiscella*, dimin. di *fiscina* e questo di *fiscus* ' cesto '; v. FISCO.

**fischiare**, lat. tardo *fistulare*, denom. da *fistŭla* e perciò ' agire con la zampogna, sonare la zampogna '; v. FÌSTOLA.

**fisciù**, dal frc. *fichu*, part. pass. di *ficher* ' ficcare ' e cioè « messo su alla meglio ».

**fisco**, dal lat. *fiscus* ' cesto ' poi ' cassa (dello Stato) ', privo di connessioni ideur.

**fìsica**, forma sostantiv. dal lat. *physĭca* che è dal gr. *physikḗ (tékhnē)*.

**fìsico**, dal lat. *physĭcus* che è dal gr. *physikós*, agg. di *phýsis* ' natura '.

**fìsima**, lat. *(so)phisma* che è dal gr. *sóphisma* ' cavillo ', con norm. inserimento di una voc. epentetica nel gruppo *sm*, come in *crèsima* (v.) rispetto a *chrisma* e *spàsimo* (v.) rispetto a *spasmo* (v.); cfr. SOFISMA.

**fisio-**, dal gr. *phýsis* ' natura '.

**fisiocrazìa**, dal frc. *physiocratie* e questo dal gr. *phýsis* ' natura ' e -*kratía* ' predominio '; cfr. -CRA-ZIA.

**fisiologìa**, dal gr. *physiología*, comp. di *phýsis* ' natura ' e -*logía* ' trattazione '.

**fisiològico**, dal lat. tardo *physiologĭcus* che è dal gr. tardo *physiologikós*.

**fisiòlogo**, dal lat. tardo *physiolŏgus* che è dal gr. *physiológos*.

**fisionomìa** e deriv., v. FISONOMÌA.

**fisioterapìa**, comp. di *fisio-* e *terapìa*.

**fiso**, lat. *fixus*, incr. con *visus* ' vista ' e *visus*, part. pass. di *videre*.

**fisonomìa**, adattamento del gr. *physiognōm(on)ía* ' conoscenza e giudizio delle fattezze di una persona ' da *phýsis* ' natura ' e l'astr. di *gnōmōn* ' gnomone ', collegato a sua volta con *gignóskō* ' conosco '.

**fissaggio**, incr. del frc. *fixage* e it. *fissare*.

**fissare**, verbo denom. da *fisso*.

**fìssile**, dal lat. *fissĭlis*, deriv. da *fissus*, part. pass. di *findĕre*, e cioè ' fendibile ' ' scomponibile ', secondo il modello di *fictĭlis*, *ductĭlis*, *missĭlis*.

**fissione**, dal lat. *fissio*, -*onis*, nome d'azione del verbo *findĕre* ' fèndere '.

**fissìpede**, comp. di lat. *fissus* ' fenduto ' e *pes*, *pedis* ' piede '.

**fisso**, lat. *fixus*, part. pass. di *figĕre* (meno ant. rispetto a *fictus*); v. FIBBIA e FITTO.

**fìstola**, dal lat. *fistŭla*, privo di connessioni evidenti.

**fito-**, dal gr. *phytón* ' pianta '.

**fitòfago**, da *fito-* e -*fago*.

**fitònimo**, da *fito-* e -*ònimo*.

**fitosanitario**, da *fito-* e *sanitario*.

**fitotrone**, calco su *ciclotrone*; cfr. SINCROTRONE.

**fitta**, forma sostantiv. femm. di *fitto*, part. pass. di *figgere*.

**fittàbile** e **fittàvolo**, da *fitto*, in senso di ' affitto ', il primo allineato con i tipi *stàbile*, il secondo, di tipo settentr., attrav. una fase lombarda senza voc. finale; cfr. milan. *fitàol*.

**fìttile**, dal lat. *fictĭlis*, da *fictus*, part. pass. di *fingĕre* ' plasmare ', come *fissĭlis*, *missĭlis*; v. FÌSSILE, MÌSSILE.

**fittizio**, dal lat. *ficticius*, deriv. di *fingĕre* ' plasmare, inventare '.

**fitto¹** (agg.), lat. *fictus*, part. pass. di *figĕre* ' ficcare '.

**fitto²** (sost.), da (*prezzo*) *fitto* ' prezzo fissato '.

**fittone**, accresc. di *fitto* nel senso di ' confitto '.

**fiume**, lat. *flumen*, da un ant. \**sreumen*, passato regolarmente a \**frumen*, poi incr. con la rad. di *lavĕre* nei comp. del tipo *abluĕre*, *alluĕre*, *diluĕre*, *subluĕre*. La rad. orig. SREU ' scorrere ' è largamente attestata e ben conservata, tra l'altro nel gr. *rheûma* e nel ted. *Strom* ' corrente '. Per l'incr. con *fruor* e *fructus* v. FIOTTO.

**fiutare**, incr. di lat. *flatare*, intens. di *flare* ' soffiare ' (v. FIATO) e *fiutare*, variante di *fluitare*, intens. di *fluĕre* ' galleggiare ' (v. FIUME).

**fiuto**, sost. deverb. estr. da *fiutare*.

**flabello**, dal lat. *flabellum*, dimin. di *flabrum* ' soffio di vento ', deriv. di *flare* ' soffiare '; v. FIATO.

**flàccido**, dal lat. *flaccĭdus*, deriv. di *flaccēre*, verbo denom. da *flaccus* ' molle '; v. FIACCO e cfr. MOLLE.

**flacone**, dal frc. *flacon* e questo dal lat. medv. *flasco*, -*onis*; v. FIASCO.

**flagellare**, dal lat. *flagellare*, verbo denom. da *flagellum*.

**flagellazione**, dal lat. *flagellatio*, -*onis*.

**flagello**, dal lat. *flagellum*, dimin. di *flagrum* ' sferza ', privo di connessioni evidenti.

**flagrante**, dal lat. *flagrans*, -*antis*, part. pres. di *flagrare* ' ardere ', e spec. dalla formula *in flagrante* (*crimine*).

**flagranza**, dal lat. *flagrantia*, astr. di *flagrare* ' ardere '.

**flagrare**, dal lat. *flagrare* ' ardere ', verbo denom. da un ant. tema \**flagro-*, connesso con *flamma*; v. FIAMMA.

**flàmine**, dal lat. *flamen*, -*ĭnis*, corrispond. all'indiano *brahman-* ' bramano '. Parola superstite solo nelle aree marginali estreme del mondo ideur., perché rispecchia il vocab. della casta sacerdotale, eliminata nelle aree intermedie; cfr. BRAMANO.

**flan**, dall'ant. frc. *flaon*, franco ' focaccia '; cfr. FIADONE.

**flanella**, dal frc. *flanelle* e questo dall'ingl. *flannel*.

**flano**, dal frc. *flan* in senso tipografico.

**fiato**, dal lat. *flatus*, -*us* ' soffio ', astr. di *flare* ' soffiare '; cfr. FIATO.

**flauto**, dal provz. *flaut*, incr. di *flaujol* (lat. *flabeŏlum*) e *laüt* ' liuto ' (v.).

**flavo**, dal lat. *flavus*, con possibili ma sfuggenti corrispond. ideur.

**flèbile**, dal lat. *flebĭlis*, agg. verb. di *flere* ' piangere '; cfr. FIÈVOLE e PLORARE.

**flebite**, dal gr. *phléps*, *phlebós* ' vena ' e il suff. -*ite* di malattie acute.

**flebotomìa**, da *phléps* ' vena ' e -*tomìa*.

**flebòtomo**, dal lat. *phlebotŏmus* che è dal gr. *phlebotómos*.

**flemma**, dal lat. tardo *phlegma* che è dal gr. *phlégma*, -*atos* ' infiammazione ', deriv. di *phlégō* ' ardo ' e cioè il processo da cui risulta l'umore freddo, uno dei quattro umori della dottrina di Ippocrate.

**flemmàtico**, dal lat. tardo *phlegmatĭcus* che è dal gr. *phlegmatikós*.

**flèmmone**, dal lat. *phlegmon*, -*ŏnis* che è dal gr. *phlegmonē* ' infiammazione '.

**flessìbile**, dal lat. *flexibĭlis*, agg. verb. del verbo *flectĕre* ' piegare '.

**flessibilità**, dal lat. tardo *flexibĭlitas*, -*atis*.

**flessìmetro**, comp. di *flesso* e -*metro*.

**flessione**, dal lat. *flexio*, -*onis*, nome d'azione del verbo *flectĕre*.

**flessivo**, ampliam. in -*ivo*, di valore durativo del tema del part. pass. *flesso*.

**flesso**, dal lat. *flexus* ' piegato ', part. pass. di *flectĕre*.

**flessuosità**, dal lat. tardo *flexuosĭtas*, -*atis*.

**flessuoso**, dal lat. *flexuosus*, deriv. di *flexus*, -*us* ' piegamento ', astr. di *flectĕre*.

**flèttere**, dal lat. *flectĕre*, forma parallela alla famiglia di lat. *plectĕre* (v. PLESSO), ma senza corrispond. fuori d'Italia, da una rad. P(H)LEK.

**flirt**, dall'ingl. *to flirt* ' corteggiare ' (XIX sec.), anteriorm. ' imprimere un movimento '.

flìscorno (strumento musicale), dal ted. *Flügelshorn*, comp. di *Flügel* 'ala' e *Horn* 'corno'.

flogìstico, dal gr. *phlogistós* 'arso' col suff. it. *-ico*.

flogosi, dal gr. *phlógōsis* 'combustione', nome d'azione di *phlogóō* 'infiammo' (verbo causativo di *phlégō* 'ardo'), inquadrato nei tipi it. in *-osi*, con suff. indicante malattia cronica.

flora, dal lat. *Flora* la dea dei fiori; v. FIORE.

florale, dal lat. *floralis*.

floreale, dal frc. *floréal*.

floreria, dal lat. *flos, floris*, col suff. collettivo *-erìa*, che indica località o uffici, come *quadrerìa*, *osterìa*, *latterìa*.

flori-, dal lat. *flos, floris*; v. FIORE.

floricoltore, da *flori-* e lat. *cultor* 'coltivatore' incr. con it. *coltura*.

floricoltura, da *flori-* e lat. *cultura* 'coltivazione'.

flòrido, dal lat. *florĭdus*, deriv. di *florere*, verbo denom. da *flos, floris* 'fiore'.

florilegio, dal lat. rinascimentale *florilegium*, (calco sul gr. *anthología*), comp. di *flori-* 'fiore' e l'astr. di *legĕre* 'raccogliere'.

floscio, dallo sp. *flojo*.

flotta, dal frc. *flotte*.

flottante, part. pres. di *flottare*, sostantiv.

flottare, dal frc. *flotter*, incr. di lat. volg. *fluttare* (class. *fluctuare*) e franco *flōd* 'onda' (ted. *Flut*). *Fluttare* è raddopp. espressivo del class. *flŭtare* (cfr. *fluitare*), verbo intens. di *fluĕre*; cfr. FIOTTO.

flottiglia, dallo sp. *flotilla*, dimin. di *flota* 'flotta' incr. con it. *flotta*.

flùido, dal lat. *fluĭdus*, deriv. da *fluĕre*.

fluire, dal lat. *fluĕre*, passato alla coniugaz. in *-ire*; v. FIUME.

fluitare, dal lat. *fluitare*, intens. di *fluĕre* variante di *flŭtare* (v. FLOTTARE, FIOTTO).

fluorescente, agg. estr. da *fluorescenza*.

fluorescenza, astr. di un presunto *fluoréscere*, calco su (*in*)*florescenza*.

fluoro, dal lat. *fluor*, astratto di *fluĕre*, venuto a indicare sostanza concreta, e passato perciò alla declinaz. in *-o*.

flussione, dal lat. *fluxio, -onis*, nome d'azione di *fluĕre*, deriv. da un tema *fluxo-*, più recente del primitivo *flucto-*; cfr. FLUSSO.

flusso, dal lat. *fluxus, -us*, astr. di *fluĕre*, tratto da una base *fluxo-*, più recente della primitiva *flucto-* (v. FLUTTO) e dell'orig. *fluto-* (v. FLUITARE).

flutto, dal lat. *fluctus, -us*, astr. di *fluĕre* 'scorrere'; cfr. FIOTTO.

fluttuare, dal lat. *fluctuare*, verbo denom. da *fluctus, -us*.

fluttuazione, dal lat. *fluctuatio, -onis*.

fluttuoso, dal lat. *fluctuosus*.

fluviale, dal lat. *fluvialis*, deriv. di *fluvius* 'fiume', agg. sostantiv. da *fluĕre*, come *pluvia* rispetto a *pluĕre*.

fluviàtile, dal lat. *fluviatĭlis*.

fo, prima pers. sg. parallela a *faccio*, (calcata su *dò* di *dare*) come *fare* (v.) rispetto a *fàcere* (v.).

fobìa, dal gr. *-phobia*, secondo elemento di comp. tratto dal verbo *phobéomai* 'temo'.

-fobo, tema di nome d'agente usato come secondo elemento di comp., dal gr. *-phóbos*.

foca, dal lat. *phoca* che è dal gr. *phṓkē*.

focaccia, lat. volg. *focacja*, lat. tardo *focacia*, forma femm. sostantiv. di class. *focacius*, deriv. di *focus* 'focolare', col norm. rafforzam. del gruppo *-cj-* postonico in *-cc'-*, e conseg. allineamento con i deriv. in *-accia*.

focaia, dal lat. *focarius*, sostantiv. nella forma femm. e col trattam. tosc. di *-aria* in *-aia*.

focàtico, dal lat. medv. *focàticum*.

foce, lat. volg. *fox, focis* (class. *faux, faucis*) 'gola', privo di connessioni evidenti; cfr. FAUCE.

focile, nome orig. dell'acciarino, esteso poi al fucile intero; lat. volg. *focile*, forma di agg. neutro sostantiv. deriv. di *focus* 'focolare', come *aedilis*, *aedile* da *aedes*; cfr. FUCILE.

focolaio, incr. di lat. *focŭlus* e lat. *focarius*.

focolare, dal lat. *foculare*, forma neutra sostantiv. di un deriv. da *focŭlus*, 'focolare mobile', dimin. di *focus* 'focolare'; v. FUOCO.

fòculo, 'focolare portatile', dal lat. *focŭlus*, dimin. di *focus* 'focolare'.

fòdera, da *fòdero*.

fòdero, dal gotico *fōdr* 'custodia della spada'.

fodro, dal franco *fōder* (ted. *Futter*) 'foraggio'; cfr. FORAGGIO.

foga, lat. *fuga*, ant. tema nominale, identico al gr. *phygē*, discend. da una rad. BHEUG(H); v. FUGGIRE, FUGA.

foggia, prob. lat. volg. *fovja*, class. *fovĕa* 'fossa', nel senso di 'forma (per colarvi metalli o gesso)', secondo una tradiz. merid. che muta *-vja* in *-ggia*; cfr. FÒIBA.

foggiare, verbo denom. da *foggia*.

foglia, lat. *folia*, plur. di *folium*, discend. da una rad. BHEL dal signif. costante, ma dalle alternanze molto disturbate; abbastanza diffusa, attestata ad es. nel gr. *phýllon* e nel ted. *Bl(att)*.

fogliàceo, dal lat. *foliacĕus* incr. con *foglia*.

foglietta, dal provz. *folheta* (frc. *feuillette*).

foglìfero, comp. di *foglia* e *-fero*.

foglio, lat. *folium*; v. FOGLIA.

fogna, sost. deverb. da *fognare*.

fognare, lat. volg. *fundjare* 'scavare', verbo denom. da *fundium* (cfr. *latifundium*, v. LATIFONDO) con normale passaggio dal lat. *ndja* a it. *gna* come da *verecundia* a *vergogna* (v.).

fogno, lat. *favonius* 'vento caldo di ponente', con leniz. totale della *-v-* intervocalica, prob. ligure, e conseg. contrazione di *-ao-* in *-o-*.

fogo, lat. *faux, faucis*, con passaggio alla declinaz. in *-o* e leniz. settentr. di *-c-* in *-g-*.

foia, lat. *furia*, deriv. di *furĕre*[1] 'infuriare, esser pazzo', discend. dalla famiglia di DHWER[2] 'scatenarsi, precipitarsi', attestata anche in gr. e iranico: trattata secondo la regola tosc. che muta *-uria* in *-oia*; cfr. FURIA.

foiba, lat. *fovĕa* 'fossa, tana', attrav. il friulano *foibe*; cfr. FOGGIA.

fola, lat. *fabŭla* (v. FÀVOLA, FIABA), con leniz. totale della *-b-* intervocalica secondo schemi settentr., attrav. *faula* e conseg. contrazione, secondo un procedim. identico a quello di lat. *parabŏla* che diventa it. *parola* (v.).

fòlaga, lat. *fulĭca* con passaggio norm. di *-i-* postonica a *-a-*, in parola sdrucciola (cfr. *cronaca*) e con leniz. settentr. di *-c-* in *-g-*. Essa ha una chiara corrispond. solo nelle lingue germ. (ted. *Belche*).

folata, incr. d'un lat. *flātus* 'soffio, vento', e lat. *fullata*, neutro plur. collettivo di un part. pass.

di *fullare 'pestare', attestato in gloss. nella forma fullatum e collegato con fullo, -onis; v. FOLLONE.

**folclore,** dall'ingl. folk-lore, comp. di folk 'popolo' e lore 'dottrina'.

**folgorare,** lat. fulgurare, verbo denom. da fulgur, -ŭris.

**fólgore,** lat. fulgur, -ŭris, forma astr. della rad. BHLEG, al grado ridotto BHLG, con suff. -os/es. La forma verb. orig. è fulgĕre (v. FÙLGERE) e ha corrispond. nella maggior parte delle lingue ideur., sia pure in forma con complicate alternanze.

**folla,** sost. deverb. estr. da follare (cfr. calca da calcare).

**follare,** lat. volg. *fullare 'calcare (spec. la lana con la gualchiera)', privo di connessioni ideur.; cfr. FOLLONE e FROLLO.

**folle,** lat. follis 'pallone' che ha assunto il valore di 'testa vuota', da una variante della famiglia onomatop. bhl.... specializzata non solo nel valore di 'soffiare' (v. FIATO), ma anche in quello di 'gonfiarsi'. La corrispond. più chiara è il ted. Ball 'palla'; cfr. PALLA[1].

**follicolo,** dal lat. follicŭlus 'sacchetto', dimin. di follis.

**follone,** lat. fullo, -onis 'lavandaio', privo di connessioni ideur.; v. FOLLARE.

**folta,** forma femm. sostantiv. da folto.

**folto,** lat. fultus, part. pass. di fulcire 'calcare, premere' (cfr. FULCRO) con poco chiare connessioni ideur.

**fomenta,** dal lat. fomenta, plur. di fomentum, deriv. di fovere 'riscaldare'; v. FOMENTO.

**fomentazione,** dal lat. tardo fomentatio, -onis.

**fomento,** dal lat. fomentum, nome di strum. da fovere, verbo causativo della rad. DHEGWH 'bruciare', largamente attestato nelle lingue ideur., con signif. variante tra il gr. téphra 'cenere calda' e il ted. Tag 'giorno'; cfr. FACE e FAVILLA, inoltre DEBBIO.

**fòmite,** dal lat. fomes, -ĭtis 'esca', deriv. di fovere 'riscaldare' (v. FOMENTO) incr. con i tipi comes, -ĭtis e sim.

**fon** (asciugatore elettrico), dal ted. Föhn, nome di un vento caldo da sud.

**fonazione,** incr. del gr. phōnḗ 'voce' con i nomi d'azione it. in -azione.

**fonda**[1], 'borsa', lat. funda 'fionda' privo di connessioni ideur.; cfr. FIONDA.

**fonda**[2], 'profondità', forma sostantiv. femm. da fondo[2].

**fóndaco,** dall'ar. funduq 'magazzino' e questo dal gr. pándokhos 'albergo'.

**fondamentale,** dal lat. tardo fundamentalis.

**fondamento,** dal lat. fundamentum.

**fondare,** dal lat. fundare, verbo denom. da fundus.

**fondatore,** dal lat. fundator, -oris.

**fondazione,** dal lat. fundatio, -onis.

**fondente,** dal frc. fondant incr. col part. pres. di fóndere.

**fóndere,** lat. fundĕre. Famiglia lessicale importante, da una rad. GHEU così sopravv. nelle aree orientali dal gr. khéō al sanscrito (ju)ho(ti); ampliata con -d- semplice nelle lingue germ., dove sopravvive nel ted. giessen 'versare'; ampliata ulteriormente con l'infisso nasale nella parola lat.; finalmente mutata in lat. nell'iniz., che avrebbe

dovuto essere h-, con la assunzione di una f-rustica, secondo il rapporto di faba e haba, pilum e hilum (v. FILO). Per un resto di GHEU senza ampliam. in lat. v. FÙTILE.

**fondina,** da fonda[1] 'borsa'.

**fondo**[1], lat. fundus 'suolo, podere', incr. delle due famiglie di BHEUD(H) e DHEUBH che definiscono la 'base', dalla pianta del piede al terreno in generale. Sono di larga ma irregolare distribuzione nel mondo ideur., la prima apparendo ad es. nel gr. pythmḗn nel ted. Boden, la seconda nel ted. tief 'profondo'.

**fondo**[2], lat. (pro)fundus (agg.) incr. col sost. it. fondo.

**fonema,** dal gr. phónēma, -atos 'voce'.

**fonètica,** forma femm. sostantiv. di fonètico che sottintende 'scienza'.

**fonètico,** dal gr. phōnētikós.

**fònico,** dal gr. phōnikós.

**fono-** e **-fono,** dal gr. phōnḗ 'suono, voce'.

**fonògrafo,** da fono- e -grafo « che scrive la voce ».

**fonogramma,** calco su telegramma, con la sostituz. di fono- a tele- « (tele)gramma a voce ».

**fonologìa,** da fono- e -logia.

**fonòmetro,** da fono- e -metro.

**fonosimbòlico,** da fono- e simbolico.

**fontana,** lat. tardo (aqua) fontana « (acqua) di fonte ».

**fontanazzo,** da fontanaccio, con assibilaz. veneta, poi parzialm. corretta da -ss- in -zz-.

**fonte,** lat. fons, fontis, con una possibile connessione ideur. solo nel sanscrito dhanayati 'scorre'.

**fontìcolo** 'cauterio', dal lat. fonticŭlus, dimin. di fons, in quanto il cauterio permetteva la fuoruscita di umori molesti.

**fontina,** dal piemontese funtina.

**foràbile,** dal lat. forabĭlis.

**forabosco,** dal tema di fora(re) e bosco perché penetra nel folto della macchia.

**foraggiare,** dal frc. fourrager incr. con it. foraggio.

**foraggio,** dal frc. fourrage e questo dal frc. ant. feurre, franco fôdr (ted. Futter) 'nutrimento', cfr. FODRO. La semplificaz. della -r- è dovuta a incr. con for- di 'fuori' e 'for(estiero)'.

**foramacchie,** dal tema di fora(re) e macchia.

**forame,** dal lat. foramen, -ĭnis, deriv. di forare.

**foraminìferi,** dal lat. scient. foraminìfera, neutro plur. di foramen, -ĭnis -fer 'portatore'.

**foràneo,** dal lat. tardo foranĕus 'che è fuori della città', deriv. da *fora (forma parallela a fores [pl.] 'porta'), secondo il rapporto di extraneus a extra; cfr. FRUSTRANEO.

**forare,** lat. forare, con qualche connessione ideur. nelle aree greca, armena, albanese, germanica, per es. nel ted. bohren 'forare'. Il tipo di rad. BHOR al grado forte, con il valore durativo dato dalla coniugaz. in -a-, autorizza a confrontare la rad. BHER[3], di valore invece moment., attestata dal lat. ferire; v. FERIRE.

**forasacco,** da fora(re) e sacco per le loro spighe appuntite.

**forasiepe,** da fora(re) e siepe.

**foraterra,** da fora(re) e terra.

**fòrbice,** lat. *forbex, -ĭcis, forma cittadina soppiantata nella lingua letteraria da quella, un tempo rustica, di orig. sabina, forfex, -ĭcis; da una rad. BHERDH 'tagliare', attestata anche nelle aree germanica e indiana, cfr. BORDO.

**forbire,** dal franco *forbjan* ' pulire le armi ', lat. medv. *furbire* (dal IX sec.); cfr. FURBO.

**forca,** lat. *furca,* privo di connessioni evidenti.

**force** ' forbici ' (arc.), dal frc. ant. *forces,* lat. *forfices* (plur.); v. FÒRBICE e cfr. FROGIA.

**forcella,** dal lat. *furcilla,* dimin. di *furcŭla* e questo di *furca,* incr. col suff. dimin. it. *-ella.*

**fòrcipe,** dal lat. *forceps, -ĭpis* ' tenaglia ', comp. di *formus* ' caldo ' e il tema del verbo *capĕre,* regolarm. sottoposto alla apofonia di *-ă-* in *-ĕ-* in sill. postonica chiusa: perciò « quello che permette di afferrare le cose calde ». *Formus* deriva dall'importante tema di GWHERMO-, che indica ciò che è ' (naturalmente) caldo ', per es. le acque termali: in gr. *thermós,* in ted. *warm* e così in molte aree ideur. Il nome locale *Bormio* risale alla forma « leponzia » dello stesso aggettivo.

**fórcola,** dal lat. *furcŭla,* dimin. di *furca.*

**forense,** dal lat. *forensis* e questo da *forum;* v. FORO[2].

**forese,** lat. *forensis,* incr. con *foras* ' fuori '.

**foresta,** lat. tardo (VI sec.) *forestis* (*silva*), deriv. dall'avv. *foris* (v. FUORI), passato alla declinaz. in *-a.*

**forestiero** e **forestiere,** dal provz. *forestier,* deriv. da lat. *foras* ' fuori '.

**forfè** (*forfait*), dal frc. ant. *forfait,* part. pass. di *forfaire* comp. di *fors* ' fuori ' e *faire* e cioè « fatto fuori (della legge) ».

**forfecchia,** lat. *forficŭla,* dimin. di *forfex* e cioè ' forbicina '; v. FÒRBICE.

**forfetario,** dal frc. *forfetaire.*

**fórfora,** lat. *furfur, -ŭris* ' crusca ' (privo di connessioni ideur.), passato alla declinaz. in *-a.*

**forgia,** dal frc. *forge,* lat. *fabrĭca* (cfr. FABBRICA), attrav. una fase intermedia *fàurica.*

**forgiare,** dal frc. *forger.*

**forgiatura,** da *forgiare.*

**foriero,** dal frc. *fourrier* (XVII sec.) ' foraggiatore ', che precede l'arrivo delle truppe cui ha da provvedere, diventato agg. e perciò passato alla declinaz. in *-o;* cfr. FURIERE.

**forma,** lat. *forma,* in qualche rapporto imprecisato di metatesi, spontanea o no, rispetto al gr. *morphé.*

**formàbile,** dal lat. *formabĭlis.*

**formaggio,** dal frc. ant. *formage,* lat. medv. (*caseum*) *formàticum* « (cacio) messo in forma ».

**formale,** dal lat. *formalis.*

**formalizzare,** dal frc. *formaliser,* deriv. del lat. *formalis.*

**formante,** dal ted. *Formans* e questo dal lat. *formans,* part. pres. di *formare.*

**formare,** lat. *formare,* verbo denom. da *forma.*

**formazione,** dal lat. *formatio, -onis.*

**-forme,** dal lat. *-formis,* secondo tema, aggettiv., di comp. nominali, da *forma.*

**formella,** dal lat. *formella,* dimin. di *forma.*

**formentone,** accresc. di *formento,* variante di *frumento,* con metatesi emiliana.

**formìca,** lat. *formica,* da un più ant. *\*mṛmica,* largamente diffuso nel territorio ideur., ma di tradiz. disturbatissima: per es. in gr. è *mýrmēks,* in sanscrito *vamra-.*

**fòrmica,** da ' (sostanza) fòrmica ', nome commerciale di resina sintetica risal. a un incr. tra (*fenolo-*) *form(aldeide)* uno dei componenti della resina in questione e (*aldeide*)*formica.*

**formicaleone,** dal lat. tardo *formicoleo, -onis,* calco su gr. *myrmēkoléōn* ' formicaleone ' incr. con it. *formica.*

**fòrmico,** dal frc. *formique* e questo dal lat. *formica,* perché rinvenuto ai primi dell'800 nelle formiche rosse.

**formìcola,** dal lat. tardo *formicŭla.*

**formicolare,** verbo denom. e iterat. da *formica.*

**formidàbile,** dal lat. *formidabĭlis,* agg. verb. di *formidare* ' spaventarsi ', verbo collegato con l'astr. *formido, -inis* che presuppone, come *cupido* o *lubido,* un tema di verbo *\*formere,* privo però di connessioni ideur., al di fuori del sost. gr. *mormó* ' spauracchio '.

**formosità,** dal lat. *formosĭtas, -atis.*

**formoso,** dal lat. *formosus.*

**fòrmula,** dal lat. *formŭla,* dimin. di *forma.*

**fornace,** lat. *fornax, -acis* ' forno industriale ' incr. di *formus* ' caldo ' e *fornix* ' arco, vòlta '; cfr. FORNO e FÒRNICE.

**fornaio,** lat. tardo (*faber*) *furnarius,* con trattam. tosc. di *-ariu* che diventa *-aio.*

**fornicare,** dal lat. tardo *fornicare,* verbo denom. da *fornix, -ĭcis* ' fòrnice, sotterraneo a volta, sede di meretrici '.

**fornicatore,** dal lat. crist. *fornicator, -oris.*

**fornicazione,** dal lat. crist. *fornicatio, -onis.*

**fòrnice,** dal lat. *fornix, -ĭcis* ' arco ', deriv. dalla rad. DHER-GH di *fortis* (ant. *forctis*) ampliata in *-no-* e poi in *-ic-;* v. FORTE.

**fornire,** dal frc. ant. *fornir,* franco *frônjan.*

**forno,** lat. *furnus* ' forno famigliare ', incr. di *formus* ' caldo ' (v. FÒRCIPE), con *forn(ix)* ' arco, vòlta ' (v. FÒRNICE), con ulteriore sviluppo di *-orn-* in *-urn-,* forse sotto influenze rustiche.

**-foro,** dal gr. *-phóros,* tema di nome d'agente appartenente a *phérō* ' io porto '.

**fóro**[1]**,** sost. deverb. da *forare.*

**fóro**[2]**,** dal lat. *forum,* originariam. ' recinto ' e ' porta del recinto '. Da un tema D(H)WORO-, largamente diffuso nel territorio ideur. e regolarissimo nella tradiz.: in gr. *thýrai* al plur., in ted. *Tür,* entrambi col valore di ' porta '.

**forosetta,** variante di *foresetta,* dimin. di *forese* (v.).

**forra,** dal gotico *\*faúrhs* ' spazio fra i solchi ', identico al lat. *porca* ' solco ' o ' zolla ', da una comune base ideur.-occidentale PṚKĀ, sopravv. nel nome del fiume ligure *Porco(bĕra)* « porta-tore) di zolle », oggi *Polcévera.*

**forse,** lat. *fors sit* ' destino sia ', passato da proposizione autonoma a locuzione avverbiale e poi ad avv. Per lat. *fors,* nome d'azione di *ferre,* v. FORTÙITO. Il destino è definito cioè eufem. come l' « azione del portare (la sorte che spetta a ciascuno) ».

**forsennare,** dal frc. ant. *forsener* (XIV sec.), comp. di *fors* ' fuori ' e *sen* ' senno ' dal franco *sin;* v. SENNO.

**forsennato,** part. pass. di *forsennare.*

**forte,** lat. *fortis,* ant. *forctis,* da un ampliam. in *-gh-* della rad. DHER, di *firmus,* docum. nelle aree baltica, slava, indo-iranica; cfr. FERMO e FÒRNICE.

**forteto,** da *forte* nel senso di ' aspro ', ' fitto ', col suff. collettivo *-eto* che si ritrova in *noceto, pioppeto, castagneto.*

**fortiera** (tipo di fondo marino), da *forte* nel senso di ' aspro '.

**fortificare,** dal lat. tardo *fortificare*.

**fortificazione,** dal lat. tardo *fortificatio, -onis*.

**fortilizio,** doppio deriv. di *forte* (sg. maschile), prima *\*fortile* e poi col suff. aggettiv. *-izio,* già nel lat. medv. *fortilicia*.

**fortitùdine,** dal lat. *fortitudo, -inis*.

**fortore,** astr. da *forte* nel senso di ' aspro '.

**fortùito,** dal lat. *fortuitus,* da *\*fortus, -us* ' sorte ' (cfr. FORSE) incr. per l'accentazione con il tipo di *circùito. Fors* è il nome d'azione della rad. di *fero* ' porto ' come *sors* rispetto a *sero* ' dispongo in serie ', perciò « l'atto di portare (il destino) »; *\*fortus* è un astr. paragonab. a *portus* ' passaggio ' derivando i due rispettivamente dalle rad. BHER' ' portare ' (v. -FERO), PER ' passare ', (v. PORTO).

**fortuna,** lat. *fortuna,* forma sostantiv. di un agg. deriv. da *\*fortus, -us* ' destino ', che in origine non è necessariamente favorevole, v. FORTÙITO e cfr. il nome maschile del dio *Portunus* da *portus*.

**fortunale,** da *fortuna (di mare)* ' burrasca ' col suff. aggettiv. *-ale* poi sostantiv., e col signif. peggiorativo come nel caso di *tempesta* (v.).

**fortunoso,** da *fortuna* nel senso di successione bizzarra di momenti avversi e propizi.

**forùncolo,** dal lat. *furunculus* ' ladruncolo ', dimin. di *furo, -onis* ' ladro ', soprannome applicato prima al tralcio della vite che toglie il succo al ramo principale, poi alla gemma e poi al foruncolo in senso nostro: v. FURO.

**forza,** lat. tardo *fortia,* neutro plur. di *fortis* ' l'insieme degli elementi forti '; v. FORTE.

**forzare,** lat. volg. *\*fortjare,* verbo denom. da *fortia*.

**forziere,** dal frc. *forcier* (XIV sec.) « (arnese da chiudersi) a forza ».

**fosco,** lat. *fuscus,* con una sola connessione, di forma assolutamente identica, nell'anglo-sassone *dosk,* ingl. *dusk,* sufficiente per ricostruire una base di partenza DHUSKO- in un'area ideur. nord.-occid.

**fosfato,** dal frc. *phosphate,* deriv. di *phosph-* (v. FÒSFORO) col suff. chimico *-ate* (it. *-ato*).

**fòsforo,** dal gr. *phōsphóros,* comp. di *phôs* ' luce ' (v. FOTO-¹) e *-phóros* ' portatore ', per le sue proprietà luminose nell'oscurità.

**fossa,** lat. *fossa,* forma sostantiv. del part. pass. femm. di *fodĕre* ' scavare '.

**fòssile,** dal lat. *fossilis* ' che può essere scavato ', agg. verb. di *fodĕre* ' scavare '; cfr. *missilis, fissilis, fictilis*. La rad. è BHEDH e significa ' pungere, scavare ', attestata anche nelle aree slava, baltica, germanica, celtica. Da essa deriva il ted. *Bett* ' letto ' e cioè « (giaciglio) scavato » (non rialzato).

**fossore,** ' becchino ', dal lat. *fossor, -oris,* nome d'agente di *fodĕre* ' scavare '; v. FÒSSILE.

**foto-¹,** dal tema gr. *phōto-,* deriv. di *phôs, phōtós* ' luce '.

**foto²,** da *foto(grafia)*.

**fotocèllula,** comp. di *foto-¹* e *cellula*.

**fotochìmica,** da *foto-¹* e *chimica*.

**fotocomposizione,** da *foto-²* e *composizione*.

**fotocopia,** da *foto-²* e *copia*.

**fotocromìa,** da *foto-²* e *-cromìa*.

**fotocromolitografia,** da *foto-²* e *cromolitografia*.

**fotocrònaca,** da *foto-²* e *cronaca*.

**fotogènesi,** da *foto-¹* e *gènesi*.

**fotogènico,** incr. di *foto-²* e *(eu)genico* e perciò « ben nato per la fotografia ».

**fotografare,** verbo denom. da *fotografo*.

**fotografìa,** da *foto-¹* e *-grafìa*.

**fotògrafo,** da *foto-¹* e *-grafo*: « che scrive per mezzo della luce ».

**fotogramma,** calco su *fonogramma,* con la sostituz. di *foto-²* a *fono-*.

**fotogrammetrìa,** da *fotogram(ma)* e *-metrìa*.

**fotoincisione,** da *foto-²* e *incisione*.

**fotolitografìa,** da *foto-²* e *litografia*.

**fotomeccànica,** da *foto-²* e *meccanica*.

**fotometrìa,** da *foto-¹* e *-metria*.

**fotomontaggio,** da *foto-²* e *montaggio*.

**fotone,** da *foto-¹* e *-one* di *(elettr)one*.

**fotoromanzo,** da *foto-²* e *romanzo*.

**fotosfera,** da *foto-¹* e *sfera*.

**fotosìntesi,** da *foto-¹* e *sintesi*.

**fototeca,** da *foto²* e *-teca,* calco su *biblioteca* e sim.

**fototerapìa,** da *foto-¹* e *terapia*.

**fototipìa,** da *foto-¹* e *tipìa*.

**fóttere,** inc. di lat. *futuĕre,* privo di connessioni evidenti, e il it. *battere*.

**fovilla,** dal lat. scient. *fovilla,* incr. di *fovere* ' scaldare ' e *favilla*.

**fra¹,** lat. *(in)fra* ' sotto ' incr. con *(in)tra* ' dentro '. Forma irrigidita di un abl. femm. da *infĕrus* (v. INFERIORE) come *intra* (v. INTRA-) da *\*intĕrus*.

**fra²,** da *frate,* lat. *frater;* v. FRATE.

**frac,** dall'ingl. *frock* (XVIII sec.) e questo dal frc. *froc,* franco *hrok* (ted. *Rock*).

**fracassare,** incr. di lat. *frangĕre* (v. FRÀNGERE) e *quassare* intens. di *quatĕre;* v. SCOSSO.

**fracasso,** sost. deverb. da *fracassare*.

**fracco,** sost. deverb. da *\*fragicare,* iterat. di *frangĕre* ' rompere ', con sincope regolare di voc. atona e conseg. assimilaz. consonantica di *-gc-* in *-cc-*.

**fràcido,** v. FRÀDICIO.

**fràdicio,** metatesi di lat. *fracĭdus,* deriv. da *fracēre* ' decomporsi ' e questo, verbo denom. da *fraces* (plur.) ' sansa ', privo di connessioni evidenti, collegato forse con *marceo* (v. MARCIRE), attrav. una forma metatetica della rad. MRAK.

**fraga** (arc.), lat. *fraga,* neutro plur. di *fragum* ' fragola ', da una base mediterr. SRAGA che appare anche nel gr. *rháks, rhagós* ' grano d'uva '.

**fràgile,** dal lat. *fragilis,* agg. verb. del verbo con infisso nasale *frangĕre* (v. FRÀNGERE), secondo lo schema di *facilis-facĕre* e *agĭlis-agĕre;* cfr. FRALE.

**fragilità,** dal lat. *fragilĭtas, -atis*.

**fràgola,** dal lat. *fragŭla,* dimin. di *fraga,* neutro plur. di *fragum;* v. FRAGA.

**fragore,** dal lat. *fragor, -oris,* astr. di *frangĕre,* in senso figur.

**fragrante,** dal lat. *fragrans, -antis,* part. pres. di *fragrare* ' odorare ', forma raddopp. di un ant. verbo atematico della rad. GʷHRĀ ' odorare ', sopravv. nel sanscrito *ghrāti* ' odora '; associato alla rad. OD ' odorare ' nel fut. gr. *(os)phrĕ(somai)*; passato in lat., attrav. la forma raddopp. GʷHRAGʷHRAYO, a *fragro*.

**fragranza,** dal lat. *fragrantia*.

**fraintèndere,** comp. di *fra* nel senso etimol. di ' al di sotto ' e *intendere* e cioè « intendere solo in parte ».

**frale,** lat. *fragilis* con la norm. caduta di *-g-* dav. a *-i-* postonica e la fusione del dittongo con l'assorbimento di *ài* in *a;* cfr. BROLO (da *bròilo*),

PRETE (da *preite*), FANELLO (da *fainello*) FRANA (da *fraina*) e MASTRO (da *mag(i)strum*).

**frammassone**, dal frc. *franc-maçon* 'libero muratore' incr. con la formula *fra massoni*.

**frammassonerìa**, dal frc. *franc-maçonnerie*.

**frammento**, dal lat. *fragmentum*, deriv. di *frangĕre* 'rompere'; v. FRÀNGERE.

**frammescolare**, da *fra-* 'all'interno di' e *mescolare*.

**framméttere**, da *(in)fra* e *mettere*; cfr. *inframmettenza*.

**frammezzare**, verbo denom. da *frammezzo*.

**frammezzo**, da *fra* e *mezzo* e cioè dando a *mezzo* un signif. approssimativo.

**frammischiare**, da *fra-* 'in mezzo' e *mischiare*.

**frana**, lat. volg. *\*fragina*, incr. di *(vor)ago*, *-inis* (passata alla declinaz. in *-a*) con *-frag(ium)* 'rottura', ampliam. di *-fragus* (secondo elemento aggettiv. di composti), da *frangĕre*. La caduta di *-g-* dav. a *-i-* postonica si ritrova in *frale*, *brolo* insieme con la fusione dei dittonghi *ai* in *a*, *oi* in *o*.

**francare**, verbo denom. da *franco*.

**francese**, dal frc. ant. *franceis*.

**franchigia**, dal lat. medv. (XIV sec.) *franchicia*, risal. al frc. (XII sec.) *franchise* 'franchezza', attrav. una tradiz. che lenisce i tipi *-cia-* in *-sgia-*; v. FRANCO².

**franco¹**, dal frc. *franc*, risultante dalle scritte delle monete *franc(orum) rex*.

**franco²**, dal nome del popolo germ. dei Franchi, per cui *franco* equivaleva a 'uomo libero'.

**francobollo**, da *franco²* nel senso di 'franchigia' e *bollo*.

**francòfilo** e **francòfobo**, da *franco-* tema di *francese* e *-filo* 'amico' o *-fobo* 'nemico'.

**francolino**, adattamento tosc. del lombardo *frangòl*, estr. dal lat. *fringuilla* 'fringuello', v. associato a *franco²* e provvisto di un suff. di dimin.

**fràngere**, lat. *frangĕre*, da una rad. BHREG 'rompere', conservata identica nell'area germ. (ted. *brechen* 'rompere'). Parallela a una rad. BHEG conservata nelle aree celtica, armena, iranica, indiana; in quest'ultima con infisso nasale, come in lat.: in sanscrito *bhanakti* 'rompe'. Per una oscillazione analoga tra le rad. BHUG e BHRUG; v. FÙNGERE e FRUTTO.

**frangia**, dal frc. *frange* che è lat. volg. *\*frimbja*, class. *fimbria* 'frangia'; cfr. FIMBRIA.

**frangìbile**, dal lat. tardo *frangibĭlis*.

**frangiflutti**, dal tema di *fràngere* e *flutto*.

**frangivento**, dal tema di *fràngere* e *vento*.

**frangizolle**, dal tema di *fràngere* e *zolla*.

**fràngola**, forse da *fràngolo*, agg. proprio di zone montane della Toscana, col valore di 'ciò che si rompe facilmente', 'fragile'.

**franto**, part. pass. rifatto sul modello dell'inf. *fràngere* mentre in lat. era *fractus*; v. FRATTO.

**frantoio**, dal part. *franto*, con suff. di strum. *-oio*, secondo il norm. trattam. tosc. del lat. *-oriu*.

**frantumare**, verbo denom. da *frantume*.

**frantume**, da *franto* col suff. collettivo (spesso spregiativo) *-ume*.

**frappa**, dal frc. ant. *frape* 'frangia'.

**frappare**, verbo denom. da *frappa*.

**frapporre**, da *fra* e *porre* 'porre in mezzo'.

**frasario**, da *frase* col suff. *-ario* di valore collettivo; per es. *dizionario, rimario*, v. (VOCABOL)ARIO.

**frasca**, parola mediterr. forse connessa col gr. *bráskē* di una glossa di Esichio e quindi anche col lat. *brassĭca* venuto a indicare 'cavolo'.

**frase**, dal lat. *phrasis* che è dal gr. *phrásis*, nome d'azione di *phrázō* 'parlo'.

**fraseologìa**, dal frc. *phraséologie* e questo dal gr. *phrásis*, *-eōs*, comp. con *-logie* 'discorso'.

**frassinella**, dimin. di *fràssino*.

**frassineto**, lat. tardo *fraxinetum*.

**fràssino**, lat. *fraxĭnus*, uno dei nomi di alberi più diffusi nel territorio ideur. ma di tradiz. disordinata e di signif. non costante. Il corrispond. ted. *Birke* significa 'betulla'.

**frastagliare**, da *fra-* e *stagliare* e cioè ritagliare ripetutamente, a intervalli irregolari.

**frastaglio**, sost. deverb. da *frastagliare*.

**frastornare**, da *fra-* e *stornare* e quindi 'muovere in giro intermittentemente'.

**frastuono**, da *fra-* che indica intermittenza, *s-* ripetizione, e *tuono*.

**frate**, lat. *frater*, parola fondam. nella terminologia ideur. della famiglia, di larghissima attestazione e di tradiz. ordinata. Si conserva nel ted. *Bruder*, ingl. *brother*; manca in gr. dove è stato sostituito da *adelphós* che significa « co-uterino » e quindi presuppone una fase matriarcale nell'ordinamento della famiglia, che le altre comunità nazionali non hanno attraversato; cfr. FRA².

**fratello**, lat. *\*fratellus*, dimin. di *frater*.

**fraternità**, dal lat. *fraternĭtas*, *-atis*.

**fraternizzare**, dal frc. *fraterniser*.

**fraterno**, dal lat. *fraternus*.

**fratrìa**, dal gr. *phratría*, astr. di *phrátēr* anticam. 'fratello'; v. FRATE.

**fratricida**, dal lat. *fratricida*, comp. del tema di *frater* 'fratello' e *-cida*, tema di *caedĕre* con norm. passaggio di *-ae-* in *-ī-* in sill. interna.

**fratricidio**, dal lat. *fratricidium*.

**fratta**, dal lat. *fracta*, neutro plur. di *fractus* « (rami) rotti ».

**frattaglia**, dal lat. *fractus* col suff. collettivo e peggiorativo *-aglia*.

**fratto**, dal lat. *fractus*, part. pass. di *frangĕre*, tratto regolarm. dalla rad. senza infisso nasale; v. FRÀNGERE.

**frattura**, dal lat. *fractura*, astr. di *frangĕre*.

**fratturare**, verbo denom. da *frattura*.

**fraudare**, dal lat. *fraudare*, verbo denom. da *fraus*.

**fraude**, dal lat. *fraus*, *fraudis*; v. FRODE.

**fraudolento**, dal lat. *fraudolentus*.

**fràvola**, da una forma settentr. *\*fraola*, con leniz. totale della *-g-* intervocalica ed epentesi di *-v-* tra le vocali in iato, v. FRÀGOLA e cfr. *Genova* che è il lat. *Genua*.

**frazione**, dal lat. tardo *fractio*, *-onis*, nome d'azione di *frangĕre*, che cioè vale « rottura ».

**frazionismo**, dal ted. *Fraktion* 'gruppo parlamentare' incr. con it. *frazione*.

**freàtico**, dal gr. *phréar*, *phréatos* 'pozzo' col suff. it. *-ico*.

**freccia**, dal frc. ant. *flèche* (XIV sec.) incr. con *fretta*. La forma frc. risale al franco *fliugika*, etimologicamente equival. a « ciò che vola ».

**freddo**, lat. volg. *frigdus*, class. *frigĭdus*, deriv. da *frigĕre* 'aver freddo'. La rad. è SRĪG con connessione evidente nel gr. *rhígos* e *rhigéō*. La sincope precoce di *-ĭ-* interna ha rafforzato la posizione del *-g-* del quale rimane traccia nella doppia cons. it. All'opposto, in *digĭtus*, il *-g-* è stato eliminato prima della caduta della voc., v. DITO.

**frega**, sost. deverb. estr. da *fregare*.

**fregagione**, da un lat. *fricatio, -onis* incr. col suff. sett. lenito *-sgjon*, poi toscanizzato in *-gione*.

**fregare**, lat. *fricare*, con leniz. settentr. di *-c-* in *-g-*; verbo durativo di un primitivo *\*fricĕre*, presupposto dal nome d'azione *frictio, -onis* (v. FRIZIONE), privo di connessioni evidenti nella rimanente area ideur.: cfr. FRIÀBILE, SFRIDO.

**fregata**, dal gr. *aphráktē (naûs)* « (nave) non protetta » incr. con *fregare*, forse per la sua leggerezza sull'acqua, sulla quale « frega » più che immergersi.

**fregio**, dal lat. *phrygĭum (opus)*, 'lavoro frigio', cosiddetto dai luoghi d'origine.

**frego**, sost. deverb. estr. da *fregare*.

**frégola**, dimin. di *frego*.

**freisa**, forse dal nome della località di *Freis* in prov. di Alessandria.

**fremebondo**, dal lat. *fremebundus*, forma di ant. part. deriv. di *fremĕre*, come *tremebundus* da *tremĕre*; cfr. *vagabundus*, *furibundus*.

**frèmere**, dal lat. *fremĕre*, di lontana orig. onomatop. secondo la serie *m.... r* di *murmŭro* (v. MORMORARE) col passaggio di *mr-* a *fr-* come in *formica* o *fracĭdus*; cfr. FORMICA, FRADICIO.

**frèmito**, dal lat. *fremĭtus, -us*, astr. di *fremĕre*.

**frenàbile**, agg. verb. da *frenare*.

**frenaggio**, astr. da *frenare*.

**frenare**, dal lat. *frenare*, verbo denom. da *frenum*.

**frenastenia**, da *freno¹* e *astenìa*.

**frenesìa**, dal lat. medv. (X sec.) *frenesia*, class. *phrenesis*, risal. al gr. *phrĕn, phrenós* 'mente'.

**frenètico**, dal lat. *phrenetĭcus* che è dal gr. *phrenētikós*.

**-frenìa**, da *freno¹* col suff. di astr. *-ìa*.

**freniatra**, da *freno¹* e *-iatra*.

**freniatrìa**, da *freno¹* e *-iatrìa*.

**freno¹**, dal gr. *phrĕn, phrenós* 'diaframma', 'mente'.

**freno²**, lat. *frenum*, ant. *frends-nom*, deriv. di *frendĕre* 'stridere dei denti', da una rad. Gᵂʳᴇɴᴅʜ-, attestata nelle aree germanica e baltica.

**frenocomio**, da *freno¹* e *-còmio*.

**frenologìa**, da *freno¹* e *-logìa*.

**frenopatìa**, comp. di *freno¹* e *-patìa*.

**frènulo**, dal lat. medv. *frènulum*, dimin. di *frenum*.

**frequentare**, dal lat. *frequentare*, verbo denom. da *frequens, -entis*.

**frequentativo**, dal lat. *frequentativus*.

**frequentatore**, dal lat. tardo *frequentator, -oris*.

**frequentazione**, dal lat. *frequentatio, -onis*.

**frequente**, dal lat. *frequens, -entis*, termine agricolo per indicare 'fitto', 'denso', presunto part. pres. di un *\*frequēre* privo di connessioni ideur.

**frequenza**, dal lat *frequentia*.

**fresa**, dal frc. *fraise*.

**fresare**, dal frc. *fraiser*.

**fresatrice**, calco sul frc. (XIX sec.) *fraiseuse*.

**fresco**, dal franco *frisk* (ted. *frisch*).

**fretta**, sost. deverb. da *frettare*.

**frettare** (arc.), lat. *\*frictare*, intens. di *fricare*; v. FREGARE.

**freudismo** (pronuncia *froidismo*), da S. *Freud* (1856-1939), elaboratore della dottrina.

**friàbile**, dal lat. *friabĭlis*, agg. verb. di *friare* 'tritare', senza chiare connessioni ideur.; cfr. FRÌVOLO, FREGARE.

**fricandò**, dal frc. *fricandeau*.

**fricassèa**, dal frc. *fricassée*.

**fricativo**, dall'ingl. *fricative*, attrav. il frc. *fricatif*.

**frìggere**, lat. *frigĕre*, con norm. raddopp. della cons. postonica in parola sdrucciola: parola di orig. onomatop. (*bhr.... g*), con connessioni soltanto approssimative, per es. gr. *phrýgō*, sanscrito *bhṛjyati* 'arrostire'.

**frigidario**, dal lat. *frigidarĭum*, deriv. da *frigĭdus*, con valore strumentale-locale.

**frigidità**, dal lat. tardo *frigidĭtas, -atis*.

**frìgido**, dal lat. *frigĭdus*; v. FREDDO.

**frigio**, dal lat. *Phrygĭus* che è dal gr. *phrýgios*.

**frignare**, incr. di *frìggere* e *lagnare*.

**frigo**, abbreviaz. di *frigo(rifero)*.

**frigorìa**, dal lat. *frigus, -ŏris*, calco su *calorìa*.

**frigorifero**, calco su *calorifero*, comp. di *frigori-* (tema di lat. *frigus*) e *-fero*.

**frigorìfico**, dal lat. *frigorifĭcus* (età imp.), comp. di *frigus, -ŏris* e *-ficus*.

**frimaio**, dal frc. *frimaire*, deriv. di *frimas* 'nebbia', ampliam. del franco *hrīm* 'brina gelata'.

**fringuello**, dal lat. *fringuíllus* (età imp.), class. *fringilla*, privo di connessioni ideur.

**frinire**, lat. *fri(tin)nire*, privo di connessioni ideur., e con un elemento onomatop. *bhr....* associato in qualche modo con *tinnire*; v. TINNIRE.

**frinzello**, dal frc. ant. *frenge* 'frangia' (cfr. FRANGIA) con dimin. *-ello*.

**frisare**, dal frc. *friser*.

**friscello**, lat. crist. *floscellus*, doppio dimin. di *flos, floris* incr. con *farina* (*\*fariscellus*).

**friso**, sost. deverb. da *frisare*.

**frittata**, da *fritto* col suff. collettivo *-ata*.

**fritto**, lat. *frictus*, part. pass. di *frigĕre*; v. FRIGGERE.

**frittura**, astr. di *frìggere*, deriv. dal part. pass. *fritto*.

**frìvolo**, dal lat. *frivŏlus*, risal. a un ampliam. in *-u-* della rad. di *friare* 'sbriciolare' (v. FRIÀBILE), parallelo a quello di *rivus* 'rio' rispetto alla rad. ʀᴇɪ, v. RIO.

**frizione**, dal lat. tardo *frictio, -onis*, nome d'azione di un lat. arc. *\*fricĕre*, class. *fricare* 'fregare'; v. FREGARE.

**frizzare**, lat. volg. *\*frigidiare*, incr. di *frig(i)dare* (come mostra lo *-zz-* sonoro) con *\*frictiare*, verbo intens. di *frigĕre*.

**frizzo**, sost. deverb. da *frizzare*.

**frodare**, lat. *fraudare*, verbo denom. da *fraus*.

**frode**, lat. *fraus*, privo di connessioni ideur., forse in qualche connessione col lat. *frustra* 'invano'; v. FRUSTRARE.

**frodo**, sost. deverb. da *frodare*.

**froebeliano**, dal nome del pedagogista F. Froebel (1782-1852).

**frogia**, forse lat. volg. *\*frofĭces*, forma metatetica di *forfĭces* (v. FÒRBICE), attrav. una forma frc. (o it. settentr.) *\*froces*, sincopata come frc. ant. *forces* (v. it. FORCE): con successiva leniz. di *-cj-* in *-sgj-* poi toscanizzata in *-g'-*.

**frollare**, verbo denom. da *frollo*.

**frollo**, incr. dell'agg. *fràcido* e del verbo *follare* 'calcare', in particolare la lana con la gualchiera; v. FOLLARE.

**frómbola**, incr. di *fionda* e *rómbola* (v.).

**fromboliere**, da *frómbola* col suff. militare *-iere* (*cavaliere, fuciliere, bersagliere*).

**fronda**[1], 'frasca', lat. *frons, frondis*, passato alla declinaz. in *-a*; privo di connessioni ideur.

**fronda**[2], dal frc. *fronde*, sost. deverb. da *fronder* 'tirare con la fionda', divenuto poi nome proprio della ribellione francese del 1649.

**frondìfero**, dal lat. *frondĭfer, -fĕris*, comp. di *frons* e *-fer*.

**frondoso**, dal lat. *frondosus*.

**frontale**, dal lat. tardo *frontalis*, applicato alla parte della briglia che corrisponde alla testa del cavallo.

**fronte**, lat. *frons, frontis*, privo di connessioni ideur., ancorché di struttura paragonab. a quella di *mons, montis*.

**frontespizio**, dal lat. tardo (V sec.) *frontispicium*, comp. di *frons, frontis* e *-spicium*, tema di *-spĕcĕre* 'guardare', col valore di 'facciata anteriore (di un edificio)' o « aspetto frontale ».

**frontiera**, dal provz. *frontiera*, deriv. del lat. *frons, frontis*.

**frontone**, accresc. di *fronte*.

**fronza** (piccola foglia), lat. crist. *frondia*, collettivo da *frons, frondis*.

**frónzolo**, dimin. di *fronzo*.

**fronzuto**, da *fronza* col suff. *-uto* 'fornito (abbondantemente) di'.

**frosone**, v. FRUSONE.

**frotta**, dal frc. *flotte* 'massa' incr. con *frotter* 'fregare' e cioè « massa a contatto (di gomito) ».

**fròttola**, dimin. di *frotta* e cioè 'coacervo di piccole cose'.

**fru, fru**, dalla serie onomatop. *fr....fr....*

**frucàndolo** (*fruciàndolo*), incr. di *frucare* (v.) con *bàndolo* e *cióndolo*.

**frucare**, lat. *\*fur(i)care*, verbo denom. intens. da *fur* 'ladro' senza leniz. settentr. di *-c-* in *-g-* e con metatesi da *fur-* a *fru-*; cfr. FRUGARE.

**frugale**, dal lat. *frugalis*, grado positivo tratto dal compar. *frugalior* e questo da *frugi* 'sobrio', forma di dativo irrigid. del tema di *frux*, che va collegato alla rad. di *fruor*, v. FRUTTO.

**frugalità**, dal lat. *frugalĭtas, -atis*.

**frugare**, lat. *\*furicare*, verbo denom. intens. da *fur, furis* 'ladro', con leniz. settentr. di *-c-* in *-g-* e metatesi analoga a quella di *frucare* (v.).

**frugìfero**, dal lat. *frugĭfer, -fĕri*, comp. di *frux, frugis* 'frutto' e *-fer* 'portatore'.

**frugivoro**, comp. moderno di lat. *frux, frugis* 'frutto' e *-voro*; cfr. *erbivoro, carnivoro*.

**frugnòlo**, lat. volg. *frunjŏlus*, forma metatetica di *\*furneŏlus*, dimin. di *\*furnĕus* e questo agg. di *furnus*; v. FORNO.

**frugolare**, iterat. di *frugare*.

**frùgolo**, sost. deverb. da *frugolare*.

**frugolone**, accresc. di *frùgolo*; cfr. (CIAN)FRUGLIONE.

**fruìbile**, agg. verb. di *fruire*.

**fruire**, dal lat. *\*fruire*, deriv. di class. *frui* 'godere di qualche prodotto o diritto'. A differenza di *fructus*, che ammette nella ricostruzione del simbolo indeuropeo sia la cons. gutturale che la labiovelare, *frui* impone la cons. labiovelare che le corrispond. germ. invece escludono: la rad. è perciò BH(R)UG(W), v. FRUTTO e cfr. FÙNGERE.

**fruizione**, dal lat. *fruitio, -onis*.

**frullana**, incr. di *furlana*, forma friulana per 'friulana' e *frullare*.

**frullare**, incr. della serie onomatop. *fr....* con *rullare* (v.).

**frullo**, incr. della serie onomatop. *fr....* con *rullo*.

**frumentaceo**, dal lat. tardo *frumentacĕus*.

**frumentario**, dal lat. *frumentarius*.

**frumento**, lat. *frumentum*, deriv. di *frui* 'godere di' e cioè « raccolto ».

**frumentone**, accresc. di *frumento*.

**frusciare**, dalla serie onomatop. *fr....sc'....*

**fruscìo**, sost. deverb. da *frusciare*.

**frusco**, incr. di *frusto*[1] con *brùscolo*.

**frùscolo**, lat. tardo *frustŭlum* 'pezzettino', dimin. di *frustum* incr. con *brùscolo* (v.); v. FRUSTO e CIANCIAFRUSCOLA.

**frusone** (uccello), lat. tardo *frisio, -onis* 'appartenente alla Frisia', attrav. una tradiz. padana *frisón*, con la voc. della prima sill. assimilata in parte o in tutto in *frus-* (anche *fros-*, per es. nel *frosone* presso il Boccaccio).

**frusta**, sost. deverb. di lat. tardo *fustare* incr. con *briglia*.

**frustare**, lat. tardo *fustare* 'bastonare' incr. con *frusta*. *Fustare* è verbo denom. da *fustis* 'bastone', privo di connessioni ideur.

**frusto**[1] (sost.), dal lat. *frustum*, che ha nel territorio ideur. solo connessioni vaghe.

**frusto**[2] (agg.), estr. di *frust(at)o*.

**frustraneo**, calco sul lat. *extraneus*, con l'avv. *frustra* 'invano' al posto di *extra*; cfr. FORANEO.

**frustrare**, dal lat. *frustrare*, verbo denom. dell'avv. *frustra*, forse connesso con *fraus* (v. FRODE), anche se non risulta chiaro il rapporto tra l'*au* di *fraus* e la *u* di *frustra*.

**frustrazione**, dal lat. *frustratio, -onis*.

**frùtice**, dal lat. *frutex, -ĭcis*, privo di connessioni ideur.

**fruticoso**, dal lat. *fruticosus*.

**frutta**, lat. altomedv. *fructa* (VII sec.), collettivo di *fructum* e questo incr. di *fructus* (v. FRUTTO) con *pomum*.

**fruttidoro**, dal frc. *fructidor*, comp. del tema lat. *fructus* e del gr. *dôron* 'dono'.

**fruttìfero**, dal lat. *fructĭfer, -fĕri*, comp. di *fructus* e *-fer* 'portatore di'.

**fruttificare**, dal lat. tardo *fructificare*, comp. di *fructus* e il tema verb. *-ficare*.

**fruttificazione**, dal lat. tardo *fructificatio, -onis*.

**fruttivéndolo**, comp. di *frutti*, tema di *frutta* e *-véndolo*, tema equival. a nome d'agente.

**fruttìvoro**, da *frutta* e *-voro*, calco su *erbivoro* e sim.

**frutto**, lat. *fructus, -us*, astr. di *frui* 'godere, fruire'. Da una rad. BHRUG(W), esattamente confrontabile solo nell'area germ.; per es. ted. *brauchen* 'abbisognare', 'usare', originariam. 'finire', nella quale peraltro manca traccia dell'appendice labiale *w* (v. FRUIRE). Per forme senza *-r-* interna quali appaiono attrav. il lat. *fungi*, v. FÙNGERE.

**fruttosio**, da *frutta* e il suff. chimico *-osio*.

**fruttuoso**, dal lat. *fructuosus*.

**ftirìasi**, dal gr. *phtheiriasis*, nome d'azione di *phtheiriáō*, verbo denom. da *phtheir, phtheirós* 'pidocchio'.

**fu**, dal frc. *feu* (XIX sec.) che è il lat. *\*fatūtus* 'che ha compiuto il suo *fatum*'.

**fucato,** dal lat. *fucatus,* part. pass. di *fucare* ' tingere ', verbo denom. da *fucus* ' alga da cui si estrae il color porpora '.

**fucile,** da *(archibugio a) focile* (v.), « (archibugio) ad acciarino », deriv. dal lat. *focus* e incr. con *fucina.*

**fucina,** lat. *(of)ficina* incr. con *cucina. Officina,* attrav. *officium,* risale a *op(i)fex,* comp. analogico di *opus* e di *-fex* « chi compie lavoro ». Il modello è dato dai tipi *aurĭfex* rispetto a *aurum;* cfr. OFFICINA.

**fuco**[1] (insetto), dal lat. *fucus,* parola nordoccidentale, che arriva fino all'area slava compresa; da un tema BHOIKO- (alternante con BHEIKO) che si riferisce al mondo delle api.

**fuco**[2] (alga), dal lat. *fucus* (maschile) che è dal gr. *phýkos* (neutro).

**fucsia,** dal lat. scient. *Fuchsia* e questo dal nome del botanico L. Fuchs (1501-1566).

**fucsina** (sostanza colorante), dal ted. *Fuchs,* traduz. del frc. *Renard,* nome dell'industriale lionese, alle cui dipendenze lavorava l'inventore della « fucsina ».

**fuga,** dal lat. *fuga,* astr. di *fugĕre;* v. FUGGIRE e cfr. FOGA.

**fugace,** dal lat. *fugax, -acis,* deriv. di *fugĕre* con procedim. parallelo ad *audax, ferax* ' che osa ', ' che porta ', da *audere, ferre.*

**fugare,** dal lat. *fugare,* causativo di *fugĕre.*

**fugatore,** dal lat. tardo *fugator, -oris.*

**fuggire,** lat. *fugĕre* con norm. raddopp. della cons. postonica in parola sdrucciola, incr. con lat. (IV sec.) *fugire:* da una rad. BHEUG(H), senza aspiraz. in lat. come nel gr. *pheúgō* ' fuggo ', con aspiraz. nelle forme germ. che arrivano al valore del ted. *biegen* ' piegare ', partendo da quello di ' deviare dalla strada giusta '. Quest'ultimo signif. vale anche come antefatto di ' fuggire '; cfr. per altre metafore prese dalla strada PECCARE, SCELLERATO, FALLIRE.

**fuggitivo,** dal lat. *fugitivus* incr. con *fuggire.*

**-fugo,** dal lat. *fugare,* causativo di *fugĕre,* incr. con *fugĕre* e perciò costruito tanto transitivamente come in *vermĭfugo* ' che allontana i vermi ' quanto intransitivamente come in *centrĭfugo* ' che fugge dal centro '.

**fui,** lat. *fui,* prima pers. sg. del perf. suppletivo di *esse* (v. ESSERE), che adempie al compito di fornire forme momentanee alla rad. durativa ES, in lat. come nelle aree celtica, baltica, slava, indiana. In quella greca e armena la rad. da cui deriva, BHEWĒ, rimane invece ferma al valore concreto di ' germogliare ', ' crescere ', ' produrre '. Nell'area germ. ha invaso anche il tema di pres. come nel ted. *ich bin* ' io sono '; cfr. FIAT e FUTURO.

**fuio** (arc.), lat. volg. *\*furius,* deriv. di *fur,* secondo la norm. tradiz. tosc.; cfr. FURO.

**fulàr,** dal frc. *foulard* (XVIII sec.).

**fulcro,** dal lat. *fulcrum* ' sostegno ', deriv. di *fulcire* ' sostenere '; cfr. FOLTO.

**fùlgere,** dal lat. arc. *fulgĕre,* class. *fulgēre;* v. FÓLGORE.

**fùlgido,** dal lat. *fulgĭdus,* deriv. di *fulgĕre.*

**fulgore,** dal lat. *fulgor, -oris.*

**fulgurale,** dal lat. *fulguralis.*

**fulìggine,** lat. *fuligo, -ĭnis* con norm. raddopp. di cons. postonica in parola sdrucciola. *Fuligo* è un

ampliam. di un tema DHULI- attestato nelle aree baltica e indiana col valore di ' polvere ', ' nuvola '.

**fuligginoso,** dal lat. tardo *fuliginosus* incr. con *fulìggine.*

**fulmicotone,** da *fulmi(ne)* e *cotone.*

**fulminare,** dal lat. *fulminare,* verbo denom. da *fulmen, -ĭnis.*

**fulminatore,** dal lat. tardo *fulminator, -oris.*

**fulminazione,** dal lat. *fulminatio, -onis.*

**fùlmine,** dal lat. *fulmen, -ĭnis,* deriv. di *fulgere;* cfr. FOLGORE.

**fulmìneo,** dal lat. *fulmĭnĕus.*

**fulvo,** dal lat. *fulvus,* con connessioni ideur. alquanto complesse, imperniate per la forma sui tipi slavi GᵂHELTO- ' giallo ' e per il signif. sulla famiglia lessicale del *fel;* v. FIELE.

**fumaiolo,** lat. volg. *\*fumarjŏlum,* lat. tardo *fumariŏlum,* dimin. di *fumarius,* trattato secondo la regolare tradiz. tosc. che muta *-ariu* in *-aio.*

**fumare,** lat. *fumare,* verbo denom. da *fumus.*

**fumaria,** dal lat. scient. *fumaria* e questo risal. alla tradiz. ant. che la pianta, arsa, provocasse lacrimazione.

**fumarola,** parola napoletana corrispond. (al femm.) del tosc. *fumaiolo.*

**fùmeo,** dal lat. *fumĕus.*

**fumetto,** dimin. di *fumo,* perché le parole escono come « (nuvolette) di fumo » dalla bocca dei personaggi.

**fumicare,** correzione tosc. di *fumigare* (v.), a torto ritenuto affetto da leniz. settentr. di *-c-* in *-g-:* lat. *fumigare,* denom. iterat. di *fumus* come *remigare* da *remus.*

**fùmido,** dal lat. *fumĭdus.*

**fumigare,** lat. *fumigare;* cfr. FUMICARE.

**fumigazione,** dal lat. *fumigatio, -onis.*

**fumista,** dal frc. *fumiste.*

**fumo,** lat. *fumus,* parola antichissima, identica per forma e signif. nelle aree baltica, slava, indiana, per la sola forma nel gr. *thymós,* che presuppone un lungo svolgimento semantico da ' fumo ' a ' soffio vitale ' e a ' spirito '.

**fumògeno,** comp. di *fumo-* e *-geno.*

**fumosità,** dal lat. tardo *fumosĭtas, -atis.*

**fumoso,** dal lat. *fumosus.*

**funàmbolo,** dal lat. tardo *funambŭlus,* calco sul gr. *skhoinobátēs* « che passeggia *(-ambŭlus)* sulla corda *(funis)* ».

**fune,** lat. *funis,* privo di connessioni ideur. attendibili.

**fùnebre,** dal lat. *funebris,* agg. di *funus, -ĕris* ' esequie ', col norm. passaggio di *-sr-* in *-br-* all'interno della parola.

**funerale,** dal lat. tardo *funeralis.*

**funerario,** dal lat. tardo *funerarius.*

**funèreo,** dal lat. *funerĕus.*

**funestare,** dal lat. *funestare* ' profanare ', verbo denom. da *funestus.*

**funesto,** dal lat. *funestus,* ampliam. in *-to-* di un tema in *-es,* come *iustus* da *ioves-to-, modestus* da *modes-to* (v. GIUSTO, MODESTO). *\*Funes* di *funus, -ĕris,* è formaz. ben nota in *-nus, -nĕris* di una rad. priva di connessioni ideur. evidenti: cfr. *fenus, -ŏris* (v. FENERATIZIO) e così *pignus, facĭnus* ecc.

**funga,** da *fungo.*

**fùngere,** dal lat. *fungi.* Questo appartiene alla fami-

glia della rad. BHEUG attestata nelle aree indo-
iranica, armena e latina, significando ' approfittare di qualcosa fino alla fine, compiere, assolvere '.
Simile, anche se non parallela, è la rad. BHREUG(w)
di *fruor*, *fructus* e del ted. *brauchen* (v. FRUTTO).
Per il rapporto parallelo delle due rad. per ' rompere ' BHREG, BHEG, v. FRÀNGERE.

**funghicoltura**, da *fungo* e *coltura*.

**fungìbile**, dal lat. medv. *fungìbilis*, agg. verb. di
*fungi*.

**fungo**, lat. *fungus*, parola mediterr., dalla iniz.
interdentale, che appare in gr. nella forma *spóngos*; cfr. *sýkon* rispetto a *ficus*.

**fungoso**, dal lat. *fungosus*.

**funicolare**[1], da *funìcolo* col suff. -*are*.

**funicolare**[2], da *fune* e il suff. -*icolare*, come in
*particolare* rispetto a *parte*.

**funìcolo**, dal lat. *funiculus*, dimin. di *funis* ' fune '.

**funivìa**, comp. di *fune* e *via*, calco su *ferrovìa*; cfr.
*filovia, seggiovia, sciovia*.

**funzionare**, dal frc. *fonctionner*, verbo denom. da
*fonction*, incr. con it. *funzione*.

**funzionario**, dal frc. *fonctionnaire*, incr. con it.
*funzione*.

**funzione**, dal lat. *functio, -onis* ' adempimento '
nome d'azione di *fungi*.

**fuoco**, lat. *focus* ' focolare ', privo di connessioni
ideur. evidenti.

**fuora** (arc.), lat. *foras*, forma irrigidita di accus.
plur. con valore avv. da un tema *fora risal. a
una forma DHURĀ attestata nel gr. *thýrai* (plur.) e
nelle aree celtica e armena.

**fuori**, lat. *foris*, forma irrigidita di dat. abl. plur.
con valore avv. dello stesso tema *fora; v. FUORA.
La rad. DHWER[1]/DHUR che indica la porta verso
l'esterno, è largamente diffusa anche nelle aree
indiana, slava, baltica, germanica; cfr. ted. *Tor*,
ted. *Tür*.

**fuoribordo**, calco sul frc. *hors-bord*; ad esso si
oppone *entrobordo* (v.).

**fuorviare**, verbo denom. deriv. dalla locuzione
*fuor(i)via*.

**furare**, dal lat. *furari*, verbo denom. da *fur, furis*
' ladro '.

**furbo**, dal frc. *fourbe* (XV sec.) forma gergale per
' ladro ', forse dal franco *forbjan* ' pulire le
armi ' (qui riferito alle tasche); v. FORBIRE.

**furente**, dal lat. *furens, -entis*, part. pres. di *furère*
' infuriare '; v. FOIA.

**furerìa**, da *fur(i)erìa* e *furiere* (v.) secondo lo schema di *trattoria* da *trattore*.

**furetto**, dal lat. *fur, furis* « ladro (di conigli) » col
dimin. -*etto*.

**furfante**, part. pres. di *furfare*, dal frc. *forfaire*
(v. FORFÈ), incr. con *furto*.

**furgone**, dal frc. *fourgon*.

**furia**, dal lat. *furia*, astr. di *furère*[1] ' infuriare ';
v. FOIA.

**furibondo**, dal lat. *furibundus*, part. pres. rinforzato rispetto a *furens*, con un elemento -*b*- di
collegamento e il suff. -*undus* di *oriundus* e sim.;
cfr. *vagabundus, tremebundus* ecc.

**furiere**, dal frc. *fourrier* (XVI sec.) ' foraggiatore ';
cfr. FORIERO.

**furioso**, dal lat. *furiosus*.

**furlana**, femm. dal friulano *furlan* ' friulano ', sostantiv. da (*danza*) *furlana*.

**furo** ' ladro ', lat. *fur, furis* ' ladro ' (connesso con
gr. *phór*, nome d'agente radicale) cui dovette
corrispondere un verbo *furère*[2] ' rubare ', sopravv. nel neutro del part. pass. *furtum* (v. FURTO);
come a *rex* corrispondeva un verbo *regère*.

**furore**, dal lat. *furor, -oris*, astr. di *furère*[1]; v. FOIA
e cfr. FURIA.

**furtivo**, dal lat. *furtivus*.

**furto**, dal lat. *furtum*, neutro sostantiv. del part.
pass. di *furère*[2] ' rubare '; v. FURO.

**fusa**, da *fuso* (v.), per la somiglianza del rumore.

**fusàggine**, lat. *fusago, -ìnis* (con norm. raddopp.
di cons. postonica in parola sdrucciola) deriv.
da *fusare*, verbo denom. da *fusus* perché serviva
a far fusi; incr. con i tipi *propago, -ìnis* e sim.

**fusaiolo**, da *fuso*.

**fuscello**, lat. volg. *fusticellus*, dimin. di *fustis*
' bastone '.

**fusciacca**, da *fusciacco*.

**fusciacco**, dal persiano *fishak* ' ombrellino '.

**fusciarra**, dall'ar. *fashshar* ' vantatore '.

**fusella**, da *fuso*.

**fusìbile**, agg. verb. da *fuso*, part. pass. di *fóndere*,
in confronto di *fondibile* tratto dal tema dell'inf.
*fóndere*; cfr. *fattìbile* rispetto a *leggibile*.

**fusiera**, da *fuso* (sost.).

**fusione**, dal lat. *fusio, -onis*, nome d'azione di
*fundère*.

**fuso**[1] (part. pass.), dal lat. *fusus*, part. pass. di
*fundère*, da *fud-tos*, privo, regolarm., di infisso
nasale.

**fuso**[2] (sost.), lat. *fusus*, privo di connessioni ideur.

**fusoliera**, dal venez. *fisolera*, imbarcazione per la
caccia dei *fisoli* (specie di palmipedi), incr. con
*fuso*.

**fusore**, dal lat. *fusor, -oris*, nome d'agente di *fundère*.

**fusorio**, dal lat. *fusorius*.

**fusta** (nave corsara), metafora da *fusto* ' bastone '
reso femm.

**fustagno**, dal lat. medv. *fustaneum*, deriv. di *fustis*
' fusto legnoso ', calco sul gr. *ksýlinos* ' di legno '.

**fustaia**, da *fusto* con suff. collettivo -*aia*, calco sul
frc. *futaie*.

**fustigare**, dal lat. tardo *fustigare*, verbo denom. da
*fustis* ' bastone ' come *castigare* da *castus*, *fatigare* da *fatis*.

**fusto**, dal lat. *fustis* ' palo ' passato alla declinaz.
in -*o*: privo di connessioni ideur.

**futa** (arc.) ' fuga ', lat. volg. *fugìta*, sost. deverb.
da *fugitare*, intens. di *fugère*, con allungamento
della voc. iniz. nel lat. volg., la leniz. totale della
-*g*- dav. a -*i*- dopo l'accento, e l'assorbimento
del dittongo -*ui*- in -*u*- nell'it.; cfr. *frale, brolo,
frana, prete*.

**fùtile**, dal lat. *futìlis* ' che lascia (s)correre ', agg.
verb. della rad. GHEU con *f*- rustica al posto della
normale *h*- latina; tratto dal part. pass. *futus*,
che è l'unica forma verb. lat. risal. alla rad. GHEU
non ampliata; v. FONDERE.

**futilità**, dal lat. *futilìtas, -atis*.

**futurismo**, da *futuro*.

**futuro**, dal lat. *futurus*, part. fut. nel sistema di
*esse*, tratto dalla rad. BHEWĒ (lat. *fu*-) ' creare ',
la stessa del gr. *phýō* e una delle fondam. del
vocab. ideur.; v. FUI e FIAT.

# G

**gabardina,** dal frc. *gabardine* e questo dallo sp. *gabardina.*

**gabbanella,** dimin. di *gabbano.*

**gabbano,** dall' ar. *qabā'* 'tunica dalle maniche lunghe'.

**gabbare,** dal frc. ant. *gaber* (XIII sec.) 'beffare'.

**gabbèo** 'tavola per asciugare il sale nelle saline', da *gabbia* (cfr. la vela quadra di questo nome), incr. con i tipi come *scalèo* e simili.

**gabbia,** lat. volg. *\*cavja,* class. *cavĕa,* con norm. rafforzam. della *-v-* dav. a *j* (v. TREBBIO) e leniz. iniz. di *-c-* in *-g-;* cfr. *gabinetto, gamba, garòfano, gariùa, garzare, garzuolo, gatto, golfo, gombina, gonfiare, gonghia, granchio, grata, gretto,* e altri. Lat. *cavea* è privo di conness. evidenti.

**gabbiano,** lat. volg. *\*gavja,* class. *gavia* 'gabbiano', con rafforzam. della *-v-* postonica dav. a *j,* e col suff. *-ano;* cfr. GABBIA, GAROFANO.

**gabbo,** dal frc. ant. *gab* (XIII sec.).

**gabbro,** lat. volg. *\*gabrum* dissimilato da *glaber, glabra, glabrum* v. GLABRO 'privo di pelo o vegetazione', e con norm. raddopp. di *-br-* in *-bbr-* dopo l'accento.

**gabella,** dal lat. medv. *gabella,* ar. *qabāla* 'cauzione'.

**gabinetto,** dal frc. *cabinet* (XVI sec.), con leniz. della *c-* iniz.; cfr. *gabbia.*

**gaèlico,** dall'ingl. *Gaelic* (deriv. di *Gael*), che è dal gaelico *gāidheal.*

**gaffa** e **gaffe,** dal frc. *gaffe* (XX sec.).

**gagà,** dal frc. *gaga* e questo da una serie onomatop. *g...g...* che indica il balbettio di persona rimbambita o sofisticata.

**gagarone,** da *gagà* con suff. accrescitivo e *-r-* intervocalico; cfr. *paparino* rispetto a *papà.*

**gaggia** 'gabbia di nave', dal genov. *gagia* che è il lat. *cavea;* v. GABBIA.

**gaggìa,** dal gr. *akakía,* attrav. tradiz. biz. e romagnola, con la regolare leniz. settentr. di *-c-* in *-g-* e finalmente la aferesi di *a-* da *\*l'agaggìa* in *la gaggìa;* cfr. ACACIA.

**gaggio** 'pegno', dal frc. *gage,* franco *waddi* 'pegno' (ted. *Wette*).

**gagliardetto,** dimin. di *gagliardo,* che anticam. indicava la bandiera principale di una nave.

**gagliardo,** dal provz. *galhart.*

**gaglioffo,** da *gagliardo* incr. con *goffo.*

**gagnolare,** verbo denom. di un incr. di *cagnolo el agnare,* con leniz. iniz. di *c-* in *g-,* favorita da assimilaz. onomatop. *g...gn;* cfr. anche *gabbia, gabinetto.*

**gaio,** dal provz. *gai* '(vivace come una) gazza', lat. *gāĭus, gāĭa,* privo di connessioni fuori di Italia, cfr. GAZZA.

**gala,** dal frc. *gale;* come 'festa', dallo sp. *gala,* anch'esso a sua volta dal frc.

**gala-,** dal gr. *gála, gálaktos,* non separabile da lat. *(g)lac, (g)lactis,* per l'identità del tema in *-ct;* cfr. LATTE.

**galalite,** comp. moderno di gr. *gála* 'latte' e *líthos* 'pietra', incr. con il suff. *-ite* (quasi *\*galalì(ti)te*), proprio di minerali e sim.

**galante,** dal frc. *galant* 'vivace', part. pres. di *galer* 'divertirsi'.

**galantina,** dal frc. *galantine* (XVII sec.) e questo forse dal dalmatico di Ragusa *galatina* (XIII sec.), per 'gelatina'.

**galantuomo,** da *galante,* nel senso di 'leale' o 'elegante di costumi' e *uomo.*

**galàssia,** dal lat. tardo *galaxias,* che deriva dal gr. *(kýklos) galaksías* « (circolo) di latteità » e cioè 'via lattea'.

**galatèo,** dal nome di mons. Galateo Florimonte che ispirò l'opera omonima di mons. Della Casa (1558).

**galattite,** dal lat. *galactites,* che è dal gr. *galaktítēs (líthos)* e questo da *galakt-* 'latte'.

**galattòmetro,** dal tema *galatto-* invece di *galatti-* (gr. *galakt-* 'latte') e *-metro.*

**gàlbano,** dal lat. *galbănum,* che è dal gr. *khalbánē,* risal. a ebr. *ḥelbĕnāh.*

**gàlea** 'elmo', dal lat. *galea,* che è dal gr. *galéē* 'casco'.

**galèa,** dal gr. medv. *galéa.*

**galeazza** 'grande galea', da una forma venez. *galeassa;* v. GALÈA.

**galena,** dal lat. *galena,* parola mediterr.

**galènico,** dal nome del medico Claudio Galeno (129-201 d. C.).

**galeotto[1],** da *galèa.*

**galeotto[2],** dal frc. ant. *Galehault,* personaggio di varî romanzi del ciclo brètone.

**galera,** variante di *galea,* interpretato come di orig. genov. e quindi con una *-r-* intervocalica erroneamente « restituita ».

**galero,** dal lat. *galerus,* deriv. di *galĕa* 'elmo', risal. al gr. *galéē,* 'casco'. La derivaz. in *-erus* è isolata.

**galestro,** ampliam. di una base mediterr. CALA/GALA 'sasso'.

**galigaio,** lat. *caligarius* 'calzolaio', deriv. di *calĭga* 'scarpa' con leniz. iniz. di *c-* in *g-,* cfr. GABBIA.

**galla**, lat. *galla*, parola mediterr.

**gallare**[1] 'stare a galla', verbo denom. da *galla*.

**gallare**[2], verbo denom. da *gallo*.

**gallerìa**, dal lat. medv. *galilaea* 'portico o vestibolo davanti ai monasteri medievali'; dissimilato in *galiraea* e incr. con *gallo* e il collettivo *-erìa*, cfr. i nomi di negozi come *latterìa*, di raccolte come *quadrerìa*.

**gallese**, dall'ingl. *Wales* incr. col suff. *-ese* degli agg. etnici come *francese*, *eschimese*, attrav. il frc. *gallois*.

**galletta**[1] (uva), da *gallo*.

**galletta**[2] (biscotto), dal frc. *galette*, deriv. di *galet*, dimin. dell'ant. frc. *gal* 'ciottolo', da una base *gallo- *callo*, affine alla mediterr. CALA/GALA 'pietra'.

**gallicano**, dal lat. *Gallicanus*, ampliam. di *Gallĭcus* 'proprio della Gallia'.

**gallicismo**, da *gàllico* nel senso di 'francese'.

**gàllico**, da *Gallia*, il nome lat. della Francia.

**gallina**, lat. *gallina*, ant. femm. di fronte a *gallus*; v. GALLO.

**gallinaceo**, dal lat. *gallinaceus*.

**gallinaio** 'pollaio', lat. *gallinarium*, con norm. trattam. tosc. di *-ariu* in *-aio*.

**gallio**, dal lat. scient. *gallium*, traduz. del nome dello scopritore *P. E. Lecoq* (1838-1912): frc. *coq* 'gallo'.

**gallismo**, da *gallo*, in senso metaforico.

**gallo**[1], lat. *gallus*, con connessioni ideur. non evidenti.

**gallo**[2], dal lat. *Gallus*, abitante della Gallia.

**gallofilìa, gallofobìa, gallomanìa**, da *gallo-* e *-filìa, -fobìa, -manìa*.

**gallone**[1] (ornamento), dal frc. *galon*, sost. deverb. estr. da *galonner* 'ornare la testa con nastri' e con la *-l-* raddopp. come reazione (ingiustificata) alla pronuncia scempia dell'it. settentr.

**gallone**[2] (misura), dall'ingl. *gallon*.

**gallòria**, da *gallo*, calco su *baldoria*.

**galoppare**, dal frc. *galoper*, franco *wola lōpan* 'ben correre' (ted. *wohl laufen*).

**galoppo**, sost. deverb. estr. da *galoppare*.

**galoscia**, v. CALOSCIA.

**galvanico, galvanismo**, dal nome del fisico L. Galvani (1737-1798).

**galvanizzare**, da *galvan(ic)o*, col suff. di verbo denom. *-izzare*.

**galvano-**, estr. da *galvanismo*.

**galvanocauterio**, da *galvano-* e *cauterio*.

**galvanocromìa**, da *galvano-* e *-cromìa*.

**galvanografìa**, da *galvano-* e *-grafia*.

**galvanòmetro**, da *galvano-* e *metro*.

**galvanoplàstica**, da *galvano-* e *plàstica*.

**galvanoscopio**, da *galvano-* e *-scopio*.

**galvanotècnica**, da *galvano-* e *tecnica*.

**galvanoterapìa**, da *galvano-* e *terapia*.

**galvanotipìa**, da *galvano-* e *-tipìa*.

**galvanotropismo**, da *galvano-* e *tropismo*.

**gamba**, lat. tardo *gamba*, dal gr. *kampḗ* 'curva, articolazione', con leniz. già lat. della *c-* iniz. in *g-*; v. GABBIA.

**gambecchio** (uccello), da *gamba*.

**gàmbero**, lat. volg. *gambărus*, incr. di *gamba* con lat. tardo *cambărus*, da class. *cammărus*, che è dal gr. *kámmaros*, ritenuto rustico per la serie *-amma-* e a torto corretto in *-amba*; poi mutato

in it. **da** *-ar-* in *-er-*, secondo la norma tosc., in posizione atona.

**gambo**, da *gamba*.

**gamella**, dallo sp. *gamella*, lat. *camella* 'recipiente per bere', dimin. di *camĕra*; v. CÀMERA.

**gamete**, dal gr. *gamétēs* 'marito', nome d'agente del verbo *gaméō* 'mi unisco in matrimonio'.

**-gamìa**, dal gr. *-gamìa*, estr. da *gaméō* 'mi sposo'.

**gamma**, dal gr. *gámma*. In senso musicale, dall'equivalenza del segno « gamma » con la nota fondamentale *sol* nel sistema di Pitagora, applicato da Guido d'Arezzo alla nota *do*, poi esteso alla intera scala musicale.

**gammautte**[1], dal gr. *gámma*, equival. alla nota *sol* nel sistema di Pitagora, e *utte* forma toscanizzata di *ut*, equival. alla nota *do* nel sistema di Guido d'Arezzo, cfr. MI[2].

**gammautte**[2] (strum. chirurgico), incr. di *gamma* dalla forma dello strumento, e *gammautte* 'scala musicale'.

**gammurra**, dall'ar. *ḥumur*, plur. di *himār* 'velo da donna'.

**gamo-** e **-gamo**, dal gr. *gámos* 'matrimonio'.

**gamopètalo**, da *gamo-* e *-petalo*.

**gamurra** (veste), forse dall'ar. *ḥumur* plur. di *himar* 'velo'.

**ganascia**, lat. volg. *gană(thus)*, dal gr. *gnáthos*, incr. con it. *(m)asce(ll)a*.

**gancio**, dal turco *kanca* (pron. *kangià*) e questo dal gr. *kampsós* 'ricurvo'.

**gandura** (stoffa), dal frc. *gandoura*, che è dal berbero *qandūr*.

**ganga**[1] (uccello), dallo sp. *ganga*.

**ganga**[2] (banda), dall'ingl. *gang* 'banda (di malviventi)'.

**ganga**[3] (filone), dal ted. *Gang* 'cammino' nel senso di 'filone metallifero'.

**gàngama**, dal lat. medv. *gàngama*, che è dal gr. *gangámē*.

**gànghero**, dal gr. biz. *kánkhalos* con leniz. di *c-* in *g-*, cfr. GABBIA, e allineamento con i nomi in *-ero*; cfr. *bècero*, *tànghero*.

**ganglio**, dal gr. *gánglion* 'tumoretto'.

**gàngola**, lat. *glandŭla* 'ghiandola', assimilato secondo la serie *gl...dol* che diventa *gl...gol*, dissimilato poi secondo la serie *gl...gol* che diventa *g...gol*; cfr. GHIADO, da lat. volg. *gladus*.

**ganimede**, dal gr. *Ganymḗdēs*, nome di giovinetto troiano rapito in cielo per la sua bellezza.

**gannire**, dal lat. *gannire*, verbo di orig. onomatop. secondo la serie *g.... n*.

**ganza** e **ganzo**, dal lat. medv. *gangia* 'meretrice' e *gangius*, con assibilaz. settentr.: forse dal class. *ganeo, -onis* 'bettoliere', privo di connessioni ideur.

**gara**, forse dall'ar. *gāra* 'scorreria'.

**garage**, dal frc. *garage*, nome d'azione di *garer* 'mettere al riparo'; cfr. GARITTA.

**garante**, dal frc. *garant* 'garante' e questo dal franco *wĕrĕnd*, che soppianta in età carolingia le forme in *guar-* di aspetto longob.; v. GUARENTIRE.

**garantire**, dal frc. *garantir*.

**garanzìa**, dal frc. *garantie*.

**garbare**, verbo denom. da *garbo*.

**garbino**, dall'ar. *gharbī* 'occidentale'.

**garbo**, dal gotico *garws* 'ornamento'.

garbugliare, incr. di *gargagliare* (v.) ' far strepito ' e *bugliare* ' ribollire '; cfr. GERMOGLIARE.

garbuglio, sost. deverb. da *garbugliare*.

gardenia, dal nome del botan. A. Garden (1728-1791).

garello (galleggiante per le reti a strascico), forse dal lat. *garum* ' salsa di pesce ' che è dal gr. *gáron*.

garetto, v. GARRETTO.

gargagliare, dalla serie onomatop. dissimilata *gr...gr* (cfr. ted. *Gurgel*), come incr. di lat. *gurgurire* col lat. tardo *gargăla* ' trachea ', che è delle stesse origini onomatopeiche di *gurgulio*; v. GORGOGLIONE.

gargame ' scanalatura ', forse ampliam. di un deriv. di lat. *gargăla* ' trachea '.

garganella (a), forma dissimilata di *gargalella*, dal lat. tardo *gargăla* ' trachea ' con suff. dimin.

gargarismo, dal lat. tardo *gargarismus*, che è dal gr. *gargarismós*.

gargarizzare, dal lat. tardo *gargarizare*, che è dal gr. *gargarízō*.

gargarozzo, forma assimilata di *gargalozzo*, dal lat. tardo *gargăla* ' trachea '.

gargia ' branchia ', lat. volg. *gargja*, estr. da lat. tardo *gargăla* ' trachea '.

gargo ' malizioso ', dal long. *karig*.

gargotta, dal frc. *gargote*, sost. deverb. estr. da *gargoter* ' mangiare ingordamente '.

garibaldino, dal nome di Giuseppe Garibaldi, eroe dell'unità d'Italia (1807-1882).

garitta, dallo sp. *garita*, questo dal provz. *garida*, deriv. di *garir*, variante di *garer* ' mettere al riparo '; cfr. GARAGE.

garòfano, dal gr. *karyóphyllon* (VI sec. d. C.), parola orientale interpretata come associaz. di « frutto con involucro (*káryon*) e foglia (*phýllon*) »: la forma it. ant. più aderente è *garòfalo*, poi variamente dissimilata, ma sempre con leniz. della *c-* iniz.; cfr. GABBIA.

garrese, deriv. di un gallico *garra*; cfr. GARRETTO.

garretto, dal lat. medv. *garectum*, deriv. dal gall. *garra*.

garrire, lat. *garrire*, deriv. dalla serie onomatop. *g...r...*

garrotta, dallo sp. *garrote*.

garùa, lat. medv. *calugo, -ŭginis*, class. *caligo*, secondo una tradiz. genov., che giustifica il passaggio di *-l-* in *-r-* e la leniz. totale di *-g-*, oltre quella parziale di *c-* in *g-* all'iniz.; cfr. GABBIA e v. CALÌGINE.

garza[1] (uccello), dallo sp. *garza*.

garza[2] (velo), incr. del frc. *gaze* con it. *garzare*.

garzare, lat. volg. *cardjare*, verbo denom. da *cardus*, class. *carduus* ' cardo ', con leniz. di *c-* in *g-*; v. GABBIA e cfr. CARDO.

garziere (*la testa in garziere*), cioè ' in avanti ', da un presunto deposito di garzo, e cioè « fienile » o « dispensa », verso il quale la testa (spec. del cavallo) si protende idealmente mentre il corpo è ancora fuori.

garzo, sost. deverb. da *garzare*.

garzone, dal frc. *garçon*, franco *warkjo*, ' mercenario '.

garzuolo, lat. volg. *cardjŏlum*, dimin. di gr. *kardía* ' cuore ', con leniz. di *c-* a *g-*; v. GABBIA.

gas, dal lat. *chaos*, che è dal gr. *kháos* ' massa informe ', secondo un adattamento del chimico J. B. v. Helmont (1577-1644).

gasdotto, da *gas* e *-dótto*, calco su *acquedotto*.

gasolio, dall'ingl. *gasoil*, comp. di *gas* e *oil*.

gassare, verbo denom. da *gas*.

gassògeno, comp. di *gas* e *-geno*; cfr. GASSOSO.

gassòmetro (*gazòmetro*), comp. di *gas* e *-metro*, sul modello del frc. *gazomètre*; cfr. GASSOSO.

gassoso, agg. da *gas*, con la doppia *ss* per assicurare la pronuncia sorda anche nell'Italia settentr.; cfr. GAZOSA.

gastaldo, dal longob. *gastald*.

gasteròpodi, dal lat. scient. *gasteròpoda*, comp. di *gastero-* ' stomaco ' (dal gr. *gastér*) e *pûs, podós* ' piede ', perché al di sotto dell'apparato digerente hanno un organo di movimento.

gastigare, e sim., variante di *castigare* con leniz. iniz. di *c-* in *g-*; v. GABBIA.

gastralgìa, comp. di *gastro-* e *-algìa*.

gastrectomìa, comp. di *gastro-* e *ectomìa*.

gàstrica, forma femm. sostantiv. dell'agg. *gàstrico*.

gàstrico, deriv. da *gastro-* e *-ico*.

gastrite, da *gastro-* e *-ite*, suff. di malattia acuta.

gastro-, dal gr. *gastér, gastrós* ' ventre, stomaco '.

gastroentèrico, comp. di *gastro-* e *-enterico*.

gastrointestinale, comp. di *gastro-* e *intestinale*.

gastronomìa, dal gr. *gastronomía*, comp. di *gastér* ' stomaco ' e *-nomía*, astr. di *nómos* ' legge ' e perciò « regolazione dello stomaco ».

gastroscopìa, comp. di *gastro-* e *-scopìa*.

gastrosi, comp. di *gastro-* e il suff. *-osi* di malattia cronica.

gattabuia, dal gr. *katógeia* ' sotterranei ', lat. volg. *catu(g)ia* incr. con *gatta(iola)* buia.

gattaiola, forma sostantiv. di (*apertura*) *gattaiola* ' per i gatti '.

gàttero ' gattice ', incr. di *gattice* e *albero*, nel senso di ' pioppo '.

gàttice, incr. di *gatto* e di *frùtice* perché la forma e la pelosità degli amenti ricordano una coda di gatto.

gattigliare, incr. di *gatto* e *battagliare*.

gatto, lat. tardo *cattus*, con leniz. iniz. di *c-* in *g-* (v. GABBIA), privo di connessioni ideur.

gattonare, verbo denom. da *gattone*.

gatton gattoni, locuzione avv., da *gatto*, col suff. *-oni* che indica posizione a terra; cfr. *carponi, ciondoloni*.

gattoni, incr. del venez. ant. *galta* ' gota ' con *gatto*, e il suff. accrescitivo.

gattopardo, comp. di *gatto* e *pardo*; cfr. GHEPARDO.

gaudente, dal lat. *gaudens, -entis*.

gaudio, dal lat. *gaudium*, astr. di *gaudere*, v. GODERE e cfr. GIOIA.

gàulo (uccello), lat. volg. *gabùlus*, forma dissimil. del class. *galbùlus*, dim. di *galbus*; v. GIALLO e cfr. GRÀVOLO e GRÀOLO.

gavaìna, forse lat. volg. *gabalina*, dimin. di *gabălus* ' forca ', di orig. gallica, trasmesso attrav. dialetti liguri, con la eliminazione della cons. liquida intervocalica; cfr. GIAVELLOTTO.

gavazzare, verbo denom. da *gaba* ' gozzo ', v. GAVÒCCIOLO, con un suff. peggiorativo che significa « ingrossare il gozzo (dal ridere e schiamazzare) »: con assibilaz. settentr. da *gavac-*

*ciare* in *gavassare*, corretta parzialm. in Toscana col passaggio da *-ss-* a *-zz-*. Cfr. anche GAVI(G)NE.

**gavetta**, da *\*gav(it)etta*, dimin. di lat. volg. *\*gabĭta*, class. *gabăta* ' scodella ', privo di connessioni ideur.

**gaviale** (coccodrillo), dal lat. scient. *gavialis*, frc. *gavial* (XIX sec.) e questo dall'indostano *ghariyāl* (attraverso tramite ingl.).

**gavigliano** (parte sottilissima del fioretto), da *capillum*, ampliato col suff. *-ianum*, secondo una tradiz. settentr. che lenisce *-p-* in *-v-* all'interno della parola, e con la variante *-ga-* invece di *-ca-* all'iniz.; cfr. GABBIA.

**gavi(g)ne**, incr. di *cavus* ' cavo ' e *\*gabin(i)us* ' appartenente al gozzo ', deriv. di *\*gaba*; v. GAVAZZARE.

**gavina** ' gabbiano ', lat. volg. *\*gavina*, dimin. di class. *gavia*; v. GABBIANO.

**gavitello**, lat. volg. *\*gabĭta*, class. *gabăta* ' scodella ' con dimin. in *-ello*; v. GAVETTA.

**gavòcciolo** ' bubbone ', deriv. del tema mediterr. *\*gaba* ' gozzo ' con doppia suffissazione, cfr. GAVAZZARE.

**gavonchio**, forse lat. *\*gavuncŭlus* ' piccolo pesce dei fossatelli ', risal. attrav. doppia derivaz., al mediterr. GAVA ' fossato '.

**gavone** ' spazio basso nello scafo ', ampliam. di lat. volg. *\*gava* ' fossato ', tema mediterraneo.

**gavotta**, dal frc. *gavotte*, provz. moderno *gavoto*, la danza dei *Gavots* ' dei gozzuti ', come erano chiamati i montanari delle Alpi, da *\*gaba* ' gozzo ', v. GAVÒCCIOLO.

**gazòmetro**, v. GASSOMETRO.

**gazosa**, da (*bibita*) *gazosa* e questo dal frc. *gazeux*, *gazeuse*, agg. di *gaz*; cfr. GASSOSO.

**gazza**, lat. volg. *\*gajja*, class. *găia*, con assibilaz. settentr. (in tosc. sarebbe *\*gaggia*), cfr. GAIO.

**gazzarra**, dall'ar. *ghazāra*, ' abbondanza ', adattato alla finale di *bizzarra*.

**gazzella**, dall'ar. *ghazāl*, adattato alla finale in *-èlla*.

**gàzzera**, incr. di *gazza* e *pàssero*.

**gazzerotto**, da *gàzzera*.

**gazzetta**[1] (moneta), forse dal gr. biz. *gáza* ' tesoro ', col dimin., per indicare moneta di poco valore del sec. XVI.

**gazzetta**[2] (giornale), dal nome di un giornale di Venezia che costava una « gazzetta ».

**gè**, dal frc. *jais* ' giaietto ' (v.).

**geco**, dall'ingl. *gecko*, malese *gēkoq*.

**geenna**, dal gr. *géenna*, ebr. *gē Hinnōm* ' valle di Ennom '.

**gelare**, lat. *gelare*, verbo denom. da *gelu*; v. GELO.

**geldra**, dal provz. *gelda*, franco *gilda* ' assemblea festosa ', incr. con *squadra*; cfr. GILDA e GHELDA.

**gelicidio**, dal lat. *gelicidium*, comp. di *gelu* ' gelo ' e il tema di *cadĕre* ' caduta '.

**gèlido**, dal lat. *gelĭdus*.

**gelo**, lat. *gelu*, da rad. ideur. nordoccidentale attestata ad es. nel ted. *kalt* ' freddo ', collegata a GEL ' pungere ', e cioè il gelo in quanto « punge »; cfr. lituano *gélti* ' pungere ' e GHIACCIO.

**gelosìa**, da *geloso*.

**geloso**, lat. medv. *zelosus*, attrav. una tradiz. settentr., erroneamente toscanizzata mediante la sostituz. di *ge-* a *ze-*; v. ZELO.

**gelsicoltura**, da *gelso* e *-coltura*.

**gelso**, lat. volg. (*morus*) *celsus*, class. *celsa* ' (moro) alto ', trasmesso in un primo tempo come parola unica e con leniz. di *-c-* in *-g-*; cfr. GABBIA e v. (EC)CELSO.

**gelsomino**, dal persiano *yāsamin*, incr. con *gelso*.

**gemebondo**, dal lat. *gemebundus*, forma di part. rinforzato come in *furibundus*, *fremebundus*, *tremebundus*, ecc.

**gemellaggio**, dal frc. *jumelage* incr. con it. *gemello*.

**gemellipara**, dal lat. *gemellipăra*, comp. di *gemellus* e *-păra*, tema di nome d'agente di *parĕre* ' partorire '.

**gemello**, lat. *gemellus*, dimin. di *gemĭnus*.

**gèmere**, dal lat. *gemĕre*, privo di connessioni evidenti.

**geminare**, dal lat. *geminare*, verbo denom. da *gemĭnus*.

**geminazione**, dal lat. *geminatio, -onis*.

**gèmino**, dal lat. *gemĭnus*, incr. di *gemma*, con un deriv. della rad. YEM, che significa ' frutto doppio '.

**gèmito**, dal lat. *gemĭtus, -us*, astr. di *gemĕre*.

**gemma**, lat. *gemma* (con raddopp. espressivo) « ciò che sporge », collegata, fuori d'Italia, con la forma ampliata GEM-BH (in gr. e nelle lingue baltiche e slave).

**gemmare**, dal lat. *gemmare*, verbo denom. da *gemma*; v. GEMMA.

**gemmario**, dal lat. tardo *gemmarius*.

**gemmato**, dal lat. *gemmatus*.

**gèmmeo**, dal lat. *gemmĕus*.

**gemmifero**, dal lat. *gemmĭfer, -fĕri*, comp. di *gemma* e *-fer* ' portatore '.

**gendarme**, dal frc. *gendarme*, formaz. sg. tratta dal plur. frc. *gens d'arme* ' genti d'arma '.

**gendarmerìa**, dal frc. *gendarmerie*, allineato con i tipi *fureria*, *armerìa*.

**gene**, dal ted. *Gen*, tratto dalla rad. di gr. *génesis* ' generazione '; v. GENESI.

**genealogìa**, dal lat. tardo *genealogia*, che è dal gr. *genealogía*, comp. di *geneá* ' nascita ' e *-logía* ' trattazione '.

**genealògico**, dal gr. *genealogikós*.

**generàbile**, dal lat. *generabĭlis*.

**generale**, come agg., dal lat. *generalis*, agg. di *genus, -ĕris*; come sost., da (*capitano*) *generale*.

**generalità**, dal lat. *generalĭtas, -atis*.

**generare**, dal lat. *generare*, verbo denom. da *genus, -ĕris*.

**generativo**, dal lat. tardo *generativus*.

**generatore**, dal lat. *generator, -oris*.

**generazione**, dal lat. *generatio, -onis*.

**gènere**, dal lat. *genus, -ĕris*, parola ideur. fondam., di larghissima attestazione, identica nel gr. *génos* e del sanscrito *janas*, dalla rad. GENĒ[2] ' generare ': v. anche GENIO, GENITORE, GENTE, GERME, (INDI)GENO, (PRO)GENIE, tutte col signif. di generazione e discendenza, e NASCERE, NAZIONE risal. al valore momentaneo del ' nascere '.

**gènero**, dal lat. *gener, -ĕri*, parola antichissima, ma di valore generico e dalla tradiz. fortemente disturbata, cfr. il gr. *gambrós* e il sanscrito *jamātā*: dalla rad. GENĒ[2], non nel senso della generazione ma in quello della conoscenza (e cioè « conoscente »).

**generosità**, dal lat. *generosĭtas, -atis*.

**generoso**, dal lat. *generosus* « uomo di stirpe (sott.

buona) », come noi diciamo « di razza (sott. buona) ».

**gènesi**, dal lat. *genĕsis*, che è dal gr. *génesis*, nome d'azione del verbo *gígnomai* ' io genero '.

**genètica**, dall'agg. *genètico* nella formula (*scienza*) *genetica*, poi sostantiv.; cfr. ESTÈTICA.

**genètico**, dal frc. *génétique*, formato sul gr. *genetikós* ' che si riferisce al genere ' e cioè il caso ' genitivo ', trasferito dal terreno gramm. a quello biologico.

**genetista**, da *geneti(ci)sta*.

**genetliaco**, dal lat. *genethliăcus*, che è dal gr. *genethliakós*, deriv. di *genéthlios* ' natalizio '.

**gèngiovo** ' zenzero ', lat. *zingĭber*, attrav. una tradiz. sett. che suggerisce la correzione (ingiustificata) di *zin-* nel tosc. *gen-*.

**gengiva**, lat. *gingiva*, forma sostantiv. femm. di un agg. in *-ivus*, privo di connessioni evidenti per quanto riguarda la rad.: « (carne) appartenente al *\*ging-* ». Si potrebbe pensare a una forma parzialm. raddoppiata di *genae* ' guancia ', da un tema GENU ' mascella ' e cioè come *grex* da una rad. GER così *ging-* da una rad. GEN²-U: « (la carne) appartenente alle mascelle ».

**genìa**, dal gr. *geneá* ' razza, stirpe ', incr. con gli astr. in *-ìa*.

**geniale**, dal lat. *genialis*, deriv. di *genius*.

**genialità**, dal lat. tardo *genialĭtas*, *-atis*.

**-gènico**, da *-genus* (agg.) ampliato con *-ico* per es. (*foto*)*gènico* e simili.

**genio¹**, dal lat. *genius*, che indica il « progenitore » più o meno divinizzato; v. GENERE. La derivaz. in *-ius* è lat., ma trova forme parallele, anche se indipendenti, nelle aree germanica e indoiranica.

**genio²**, dal frc. *génie*.

**genitale**, dal lat. *genitalis*.

**genitivo**, dal lat. *genitivus* o *genetivus*, calco sul gr. *genikḗ* (*ptôsis*) ' (caso) del genere ', evidentem. frainteso quasi fosse stato un « caso generante ».

**gènito**, dal lat. *genĭtus*, part. pass. di *gígnĕre* ' generare '. È una formazione recente, sul modello di *genĭtor* (v. GENITORE), mentre la primitiva è *natus* da GŇTO- (rad. GENĒ al grado ridotto e suff. di part. *-to*; v. NATO).

**genitore**, dal lat. *genĭtor*, *-oris*, nome d'agente di *gígnĕre* ' generare ', identico nel gr. *genétōr* e nel sanscrito *janĭtā*; v. GÈNERE.

**gennaio**, lat. (*mensis*) *Ianuarius* ' mese gennaio ' e cioè « di Giano », con norm. passaggio di *-nua-* in *-nna-*. La variante lat. tarda *ienuarius* è dovuta ad analogia con *februarius*.

**-geno**, dal lat. *-genus* (agg.), *-gena* (sost.) dalla rad. GENĒ (v. GENERE), spesso calchi sul gr. *-genés*.

**genocidio**, comp. del gr. *génos* ' stirpe ' e *-cidio*.

**gente**, lat. *gens*, *gentis*, ant. nome d'azione della rad. GENĒ ' generare ' (v. GENERE), che ha un interessante parallelo nell'area germ. nel ted. *Kind*, passato però dal valore (di genere femm. e astr.) di ' azione del generare ' a quello di genere neutro e concreto del prodotto della generazione.

**gentile¹**, dal lat. *gentilis* ' che appartiene alla *gens* ' e cioè al gruppo di famiglie che si riconoscevano discendenti da un comune capostipite: col norm. suff. *-īlis* di quantità lungo, proprio delle derivaz. da sost; cfr. *aedilis*.

**gentile²**, dal lat. *gentilis*, calco sul gr. *tà éthnē* ' i popoli ', calcato a sua volta sull'ebr. *gōyim* 'i popoli (diversi dall'ebreo) '.

**gentilità**, dal lat. crist. *gentilĭtas*, *-atis*, astr. di *gentilis* in senso crist.; v. GENTILE².

**gentilizio**, dal lat. *gentilicius*.

**gentiluomo**, incr. del comp. ant. it. *gentile uomo* con l'ingl. *gentleman*.

**genuflessione**, dal lat. medv. *genuflexio*, *-onis*.

**genuflèttere**, dal lat. tardo *genuflectĕre*, comp. di *genu* ' ginocchio ' e *flectĕre* ' piegare ', calco sul gr. *gonyklínein*.

**genuino**, dal lat. *genuinus*, deriv. di *genu* ' ginocchio ' per indicare il figlio riconosciuto dal padre nel momento in cui lo prende sulle ginocchia: il « (figlio) preso sulle ginocchia ». Associato poi alla famiglia di *genus*, *gígnĕre* ecc., per cui v. GENERE.

**genziana**, dal lat. *gentiana*, senza connessioni evidenti.

**geo-**, dal gr. *gê* ' terra ', con la voc. di collegamento *-o-*, talvolta anche da *geografico*; v. GEOPOLITICA.

**geocèntrico**, da *geo-* e *centrico*.

**geocentrismo**, da *geo-* e *-centrismo*.

**geochìmica**, da *geo-* e *chimica*.

**geode**, dal gr. *geṓdēs* (*líthos*) « pietra (cava con pareti interne rivestite di) terra ».

**geodesìa**, dal gr. *geōdaisía*, astr. di *geōdaítēs*.

**geodeta**, dal gr. *geōdaítēs*, comp. di *gê* ' terra ' e *-daítēs*, tema di nome d'agente da *daíō* ' io divido '.

**geodinàmica**, da *geo-* e *dinamica*.

**geofìsica**, da *geo-* e *fisica*.

**geognosìa**, da *geo-* e gr. *-gnōsía*, astr. di *gignṓskō* ' conosco '.

**geogonìa**, da *geo-* e *-gonìa*.

**geografia**, dal gr. *geōgraphía*, comp. di *gê* ' terra ' e *-graphía* ' descrizione '.

**geogràfico**, dal lat. *geographĭcus*, che è dal gr. *geōgraphikós*.

**geògrafo**, dal lat. tardo *geogrăphus*, che è dal gr. *geōgráphos*.

**geoide**, da *geo-* e *-òide*.

**geolinguìstica**, da *geo(grafia) linguistica*, come forma, da « linguistica geografica » come signif.

**geologìa**, da *geo-* e *-logìa*.

**geomante**, dal lat. *geomantis*, che è dal gr. *geṓmantis*, comp. di *gê* ' terra ' e *mántis* ' indovino '.

**geomanzìa**, dal gr. *geōmanteía*, comp. di *gê* ' terra ' e l'astr. di *mántis* ' indovino '.

**geòmetra**, dal lat. *geomĕtra*, che è dal gr. *geōmétrēs*.

**geometrìa**, dal gr. *geōmetría*, comp. di *gê* ' terra ' e *-metría* ' misurazione '.

**geomètrico**, dal lat. *geometrĭcus*, che è dal gr. *geōmetrikós*.

**geomorfologìa**, da *geo-* e *morfologia*.

**geoplàstica**, da *geo-* e *plàstica*.

**geopolìtica**, da *geo(grafica)* e *politica* e cioè « politica su basi geografiche ».

**geòrgico**, dal lat. *georgĭcus*, che è dal gr. *geōrgikós*, comp. di *gê* ' terra ', *érgon* ' lavoro ' e il suff. di agg. *-ikós*.

**georgòfilo**, da *georg(ic)o-* e *-filo*.

**geostàtica**, da *geo-* e *statica*.

**geotèrmica**, da *geo-* e *termica*.

**geotropismo**, da *geo-* e *tropismo*.

**gèova**, dall'ebr. *Yahweh* ' Dio '.

**geranio**, dal lat. scient. *geranium*, che è dal gr. *geránion*, deriv. da *géranos* ' gru ' perché il rostro del fiore ricorda quello della gru.

**gerarca**, dal gr. tardo *hierárkhēs*, comp. di *hierós* ' sacro ' e il tema di *árkhō* ' sono a capo ': « capo delle funzioni sacre », poi incr. con *gerarchìa*.

**gerarchìa**, gr. tardo *hierarkhía*, astr. di *hierárkhēs*.

**geràrchico**, dal gr. *hierarkhikós*, incr. con it. *gerarchia*.

**gèrbido**, da un tema mediterr. *\*gherba*, allineato con *arido* e sim., in qualche legame forse con *herba*; v. ERBA e cfr. ZERBINO[2].

**geremìa**, dal nome del libro biblico delle Lamentazioni, lat. *Jeremias*, che è dal gr. *Hieremías* (ebr. *Yirmĕyāh*).

**geremìade**, dal frc. *jérémiade*.

**gerente**, dal lat. *gerens*, *-entis*, part. pres., reso sost., di *gerĕre* ' condurre ', che è da una rad. GES, sottoposta al rotacismo, priva di connessioni evidenti.

**gergo**, estr. da *gergone*.

**gergone**, dal frc. ant. *jergon*.

**geriatria**, comp. di gr. *gér(ōn)* ' vecchio ' e *-iatrìa*.

**gerire**, incr. di *gerente* e *(di)gerire*, *(in)gerire*.

**gerla**, dal lat. tardo *gerŭla*, deriv. di *gerĕre* ' portare ' con un suff. di agg. d'agente e cioè quasi ' portantina '.

**gerlo** ' pezzo di cavo per legare le vele ', incr. di *gherlino* e *gerla*.

**germànico**, dal lat. *germanĭcus*.

**germanio**, dal lat. scient. *Germanium*, in onore della Germania.

**germanite**, da *germanio* col suff. *-ite*, proprio dei minerali.

**germano**[1] (uccello), forse dal nome di S. Germano, che si festeggia nel febbraio, epoca di passaggio dei ' germani '.

**germano**[2] (fratello), dal lat. *germanus* e questo da *\*germ(in)anus*, agg. da *germen*, *-ĭnis* ' germe ' « che discende da uno (stesso) germe ».

**germano**[3] (etnico), dal lat. *germanus*, in senso etnico.

**germanòfilo** e **germanòfobo**, da *germano* e *-filo*, *-fobo*.

**germe**, lat. *germen*, forma dissimilata di *\*gen-men*, dalla rad. di *genus*, *gignĕre*, v. GENERE, (cfr. *carmen* da *\*can-men*; v. CARME), con una esatta corrispond. nel sanscrito *janman* ' nascita, stirpe '.

**germicida**, da *germe* e *-cida*.

**germinàbile**, dal lat. tardo *germinabĭlis*, agg. verb. di signif. attivo, di *germinare*.

**germinale**, dal frc. *germinal*.

**germinare**, dal lat. *germinare*, verbo denom. da *germen*; v. GERME.

**germinazione**, dal lat. *germinatio*, *-onis*.

**gèrmine**, dal lat. *germen*, *-ĭnis* ' germe '; v. GERME.

**germogliare**, incr. di *germ(inare)* e *(borb)ogliare* ' ribollire '; cfr. GARBUGLIARE.

**germoglio**, sost. deverb. estr. da *germogliare*.

**-gero**, dal lat. *-ger(us)*, tema di agg. d'agente; v. GERENTE.

**geroglìfico**, dal lat. *hieroglyphĭcus*, che è dal gr. *hieroglyphikós* nella locuzione *hieroglyphiká (gràmmata)* « (scritture) sacro-incise », comp. di *hierós* ' sacro ' e *glýphō* ' io incido '.

**geronto-**, dal gr. *gérōn*, *-ontos* ' vecchio '.

**gerontocomio**, dal gr. tardo *gerontokomeîon*, comp. di *gérōn*, *-ontos* ' vecchio ' e il tema *-komion*, estr. da *koméō* ' io curo '.

**gerontocrazìa**, da *geronto-* e *-crazia*.

**gerontologìa**, da *geronto-* e *-logia*.

**gerosolimitano**, dal lat. *Hierosolymitanus*, dal gr. *Hierosolymĭtēs* ' di Gerusalemme ', incr. con *Gerusalemme*.

**gerundio**, dal lat. tardo *gerundium*, deriv. di *gerundus*, forma arc. del part. fut. pass. di *gerĕre* (invece di *gerendus*): tratto dalla formula *modus gerundi* ' modo di comportarsi '.

**gerundivo**, dal lat. tardo *gerundivus (modus)*, deriv. da *gerundium*; v. GERUNDIO.

**gesso**, lat. *gypsum*, dal gr. *gýpsos*.

**gesta**, dal lat. *gesta*, *-orum*, neutro plur. del part. pass. di *gerĕre* ' portare '.

**gestante**, dal lat. *gestans*, *-antis*, part. pres. di *gestare*, intens. di *gerĕre* ' portare '.

**gestatoria**, dal lat. tardo *gestatorius*, sostantiv. attrav. la formula it. *(sedia) gestatoria*.

**gestazione**, dal lat. *gestatio*, *-onis*.

**gesticolare**, dal lat. tardo *gesticulari*, verbo denom. iterat. di *gestus*, *-us*, astr. di *gerĕre*.

**gesticolatore**, dal lat. tardo *gesticulator*, *-oris*.

**gesticolazione**, dal lat. tardo *gesticulatio*, *-onis*.

**gestione**, dal lat. *gestio*, *-onis*, nome d'azione di *gerĕre* ' condurre '.

**gestire**[1], dal lat. *gestire*, verbo denom. da *gestus*, *-us*.

**gestire**[2], verbo denom. estr. da *gestione*, sullo schema di *patire* rispetto a *passione*.

**gesto**, dal lat. *gestus*, *-us*, astr. di *gerĕre* ' condurre (a compimento) '.

**gestore**, dal lat. *gestor*, *-oris*, nome d'agente di *gerĕre*; v. GERENTE.

**gestro** ' smanceria ', incr. di *gesto* e *estro*.

**Gesù**, lat. *Jesus* (gr. *Jēsûs*, ebr. *Yēshuā*).

**gesuita**, da *Gesù*, secondo lo schema di *eremita* rispetto a *èremo*.

**get**, v. GETTO[2].

**geto** (legaccio), dal frc. *jet*, estr. da *jeter* 'gettare '.

**gettaione**, dal lat. tardo *gittus* ' nigella ' (class. *git*; parola di orig. punica) con doppio ampliam.

**gettare**, lat. *(e)iectare*, con aferesi della *e-* iniz. Si tratta di verbo intens. rispetto a *eicĕre*, comp. di *e-* e *iactare*, (v. IATTANZA) con norm. apofonia nella sill. interna per cui *-iă-* diventa *-ĭ-* se la sill. è aperta, *-iĕ-* se è chiusa. *Jacio* corrisponde al gr. *hiēmi*, come *facio* a *títhēmi*: la rad. è YĒ e il lat. ha esteso (come in *facio*, v. FARE) al tema di pres. quell'ampliam. in *-c-* che in gr. era limitato al sg. dell'aoristo dell'indic. Fuori del lat. e del gr. la rad. YĒ non è attestata.

**gettata**, dal frc. *jetée*, incr. con it. *gettare*.

**gèttito**, incr. di *gettare* con *battito*, *lascito*, *tremito* ecc.

**getto**[1], sost. deverb. da *gettare*.

**getto**[2], dall'ingl. *jet* ' getto '; cfr. (AVIO)GETTO.

**gettone**, dal frc. *jeton*.

**geyser**, dall'islandese *Geysir*, nome proprio di una sorgente termale.

**ghebbio**, sost. deverb. estr. da *inghebbiare* (v.).

**gheiscia**, dal giapponese *geisha* ' danzatrice ' propr. « persona *(sha)* d'arte *(gei)* ».

**gheld(r)a**, variante di *geldra* (v.) e cfr. (S)GUALDRINA, risal. al franco *gilda* ' riunione festiva '.

**ghepardo,** dal frc. *guépard* (XIX sec.) che è a sua volta dall'it. *gattopardo* (v.).

**gheppio,** gr. tardo *(ai)gypiós* ' avvoltoio ', con norm. raddopp. del gruppo *pj* dopo l'accento.

**gheriglio,** lat. volg. *\*carilium,* dimin. di gr. *káryon* ' mandorla ', incr. con *ghermire*: « ciò che si prende ».

**gherlino,** dal frc. *guerlin* (XVII sec.), cfr. GERLO.

**gherminella,** incr. di lat. medv. *\*carminatella* ' incantesimo ' (cfr. lat. medv. *carminator,* XII sec.), con *ghermire*.

**ghermire,** dal longob. *krimmjan* ' pizzicare, afferrare '.

**gherone,** dal longob. *gairo* ' punta del giavellotto ', ted. *Gehre* ' lembo '; cfr. GHIERA.

**ghetta,** dal frc. *guêtre* (XIX sec.) risal. al franco *werst.*

**ghetto,** dal venez. *gheto,* nome di un'isoletta nella quale nel sec. XVI furono confinati gli Ebrei: così chiamata perché sede di una fonderia o luogo dove il metallo, purificato della scoria, diventa *gheto,* lat. *glittus,* come secondo Catone deve essere il terreno per la coltivazione. *Glittus* dovrebbe appartenere alla famiglia di *gluten, -ĭnis* (v. GLÙTINE), con geminazione espressiva del *-t-.*

**ghezzo,** gr. *(ai)gýptios* ' egizio '; cfr. EGIZIO attrav. il lat. *aegyptius.*

**ghiaccia,** lat. volg. *\*glacja,* tardo *glacia,* class. *glacies,* deriv. dalla rad. GEL di *gelu* (v. GELO), attrav. l'incr. di *acies* ' punta ' con un *\*gelies,* formato come *series,* e norm. trattam. it. di *-cj-* in *-cc'-* dopo l'accento, cfr. invece GLACIALE.

**ghiacciare,** lat. *glaciare,* verbo denom. da *glacies* incr. con it. *ghiaccio.*

**ghiaccio**[1] (agg.), estr. da *ghiacci(at)o.*

**ghiaccio**[2] (sost.), da *ghiaccia.*

**ghiado,** lat. volg. *\*gladus,* dissimilato da class. *gladĭus* per attenuare la serie palat. *\*ghiaggio*; cfr. GÀNGOLA, E v. GLADIO.

**ghiaia,** lat. volg. *\*glarja,* lat. *glarea,* prob. tema mediterr., con norm. trattam. tosc. di *-aria* in *-aia.*

**ghiaione,** accresc. di *ghiaia.*

**ghianda,** lat. *glans, glandis,* da rad. GELĒ, attest. nelle aree baltica, slava, greca, armena.

**ghiandaia,** lat. tardo *glandaria.*

**ghiandifero,** incr. di lat. *glandĭfer* e it. *ghianda.*

**ghiàndola,** dal lat. *glandŭla* incr. con it. *ghianda.*

**ghiareto,** dal lat. *glarea* con suff. *-eto,* proprio di nomi collettivi geogr., per es. *Noceto, Castagneto, Persiceto, Canneto, Rovereto.*

**ghiazzerino** (sopravveste), dallo sp. *jazarino* ' algerino ' che è dall'ar. *giazā'iri* ' algerino ', e questo da *al-Giazā'ir* ' Algeri '.

**ghibellino,** dal ted. medv. *Wibelingen,* deriv. di *Wĭbeling,* castello della Franconia (ted. mod. Waibling), attribuito ai duchi di Svevia.

**ghibli,** dall'ar. *qiblī* ' meridionale '.

**ghiera**[1] (puntale), lat. *viria* ' braccialetto ' incr. col longob. *gairo* ' punta del giavellotto '; v. GHERONE e cfr. VERA.

**ghiera**[2] ' dardo ', lat. *veru* ' spiedo ' incr. con long. *gairo.* Lat. *veru* è tipica parola nordoccidentale da un *tema* GWERU, attestato nelle aree italica, celtica, germanica.

**ghierla** (uccello), da *averla* (v.) con aferesi della *a-* iniziale e incr. col trattamento di *ve-* in *ghie-* proprio delle parole longobarde, v. GHIERA[1].

**ghieva,** lat. *gleba,* da una rad. GLEB ' afferrare (una zolla di terra) ', attestata in Italia e nelle aree germanica, baltica, slava. Lontanamente collegabile alle famiglie di *glomus* e *gluten* (v. GHIOMO e GLÙTINE).

**ghigliottina,** dal frc. *guillotin* e questo dal nome del suo propugnatore, il medico J. *Guillotin* (1738-1814) al tempo della rivoluzione francese.

**ghigliottinare,** dal frc. *guillotiner,* verbo denom. da *guillotine.*

**ghigna,** sost. deverb. estr. da *ghignare.*

**ghignare,** dal frc. *guigner.*

**ghigno,** sost. deverb. estr. da *ghignare.*

**ghinda,** dallo sp. *guinda.*

**ghindare,** dallo sp. *guindar.*

**ghinèa,** dall'ingl. *guinea,* dal nome della reg. africana della Guinea, donde provenne da prima l'oro necessario.

**ghìngheri,** dalla serie onomatop. *g.... ng*; cfr. GINGILLO.

**ghiomo,** lat. *glomus, -ĕris,* da una rad. GL-OM ' afferrare, abbracciare ', attestata presso Celti e Germani e lontanamente collegata con quella di *gleba,* v. GHIEVA, e *gluten,* v. GLÙTINE; cfr. GOMÌTOLO e SGOMINARE.

**ghiotta** (recipiente), da *ghiotto.*

**ghiotto,** lat. tardo *gluttus,* estr. da *glutto, -onis* ' ghiottone ', forma espressiva risal. alla famiglia di *gula,* v. GOLA, con un ampliam. in *-t-* che si trova anche nell'area slava.

**ghiottone,** lat. *glutto, -onis.*

**ghiottornìa,** dal lat. *\*glutturnia,* incr. di *gluttire* e lat. tardo *gutturnia* incr. poi, per l'accento con *ghiottoneria.*

**ghiova,** incr. di lat. *gleba* ' zolla ' con *globus* ' palla, globo '.

**ghiozzo,** lat. *gōbius* che è dal gr. *kōbiós,* attrav. una tradiz. ligure che muta *-bj-* in *-gg'-,* incr. con it. *gozzo* (per la sua testa grossa) e *ghiotto.*

**ghirba,** dall'ar. *qirba* ' otre '.

**ghiribizzo,** dall'alto ted. ant. *Krebiz* ' gambero ', ted. moderno *Krebs* ' granchio, cancro '.

**ghirigoro,** forma fonosimbolica della serie *gr.... gr* e *i.... o* per indicare scrittura senza senso; cfr. ZIG ZAG.

**ghirlanda,** dal provz. *guirlanda.*

**ghiro,** lat. volg. *\*glirum,* class. *glis, gliris,* senza connessioni evidenti nel campo ideur.

**ghironda** (strum. mus.), dalla serie onomatop. *gr.... gr....* incr. con *rotonda,* cfr. GIRONDA.

**ghisa,** dal frc. *guise* (XIX sec.), adattamento del ted. *Guss* ' versamento '.

**già,** lat. *iam,* da un tema pron. secondo il modello di *tam, quam,* risal. a quello di *is, ea, id* secondo l'alternanza EI/I; v. IL.

**giacca,** estr. da *giacchetta.*

**giacché,** dall'avv. *già* con *che,* che lo rende congiunzione.

**giacchetta,** dal frc. *jaquette*; v. GIACO.

**giacchio** (rete), lat. *iacŭlum* ' cosa che si lancia ', deriv. di *iacēre*; v. GETTARE.

**giacere,** lat. *iacēre,* verbo di stato deriv. da *iacēre,* come *pendēre* da *pendĕre*; v. GETTARE.

**giaciglio,** lat. volg. *\*iacilium,* doppio deriv. di lat. *iacēre*: in *-ile,* secondo il tipo di *cubile* rispetto a *cubare,* seguìto da un ulteriore suff. in *-ium.*

**giacinto**, dal lat. *hyacinthus* che è dal gr. *hyákinthos*.

**giaco**, dal frc. *jaque*, risal. all'ar. *shakk*.

**giacobinismo**, dal frc. *jacobinisme*.

**giacobino**, dal frc. *jacobin*, dal nome dei frati domenicani «jacobini» nel cui chiostro della rue Saint-Jacques si riunivano i seguaci di quell'indirizzo politico.

**giàcomo**, voce fonosimbolica, nata prob. dall'onomatop. *gi.... ci*, relativa allo scricchiolio delle articolazioni e incr. col nome *Giàcomo*.

**giaconetta** (mussola), dal frc. *jaconas* (XIX sec.), con dimin. *-etta*.

**giaculatoria**, dal lat. (*prex*) *iaculatoria* «preghiera che si getta (verso Dio)», agg. di *iaculator*, nome d'agente di *iaculari*, verbo denom. da *iaculum* 'cosa gettata'; v. GIACCHIO.

**giada**, dal frc. *jade*, risal. a sp. (*piedra de la*) *ijada* 'pietra del fianco' perché ritenuta efficace nel mal di reni.

**giaggiolo**, lat. volg. *gladjòlus*, class. *gladìòlus*, con palatizzazione settentr. di *gla-* in *gia-*; cfr. GLADÌOLO.

**giaguaro**, dal frc. *jaguar* e questo da *yaguara*, preso dalla lingua brasiliana tupì.

**giaietto**, dal frc. *jaïet*, risal. a lat. *gagātes* che è dal gr. *gagátēs* (*líthos*) «pietra di Gagai (città della Licia)»; cfr. GÈ.

**gialappa**, dal nome della città messicana di *Jalapa*, attrav. il frc. *jalap*.

**giallamina**, incr. di frc. *chalemine*, dal lat. medv. *calamina*, con *giallo*; cfr. CALAMINA.

**giallo**, dal frc. ant. *jalne* che è il lat. *galbìnus*, deriv. di *galbus* 'verde-giallo', senza connessioni ideur. evidenti. Per la var. *galbùla* v. RIGÒGOLO.

**giàmbico** e **giambo**, dal lat. tardo *iambìcus* e *iambus*, gr. *iambikós* e *íambos*.

**giambone**, dal frc. *jambon*, der. di *jambe* 'gamba' (v.).

**giammai**, da *già* e *mai*.

**gianduia**, dal piemontese *Gianduia*, propr. *Gioan d'la duia* 'Giovanni del Boccale'. *Duia* è la forma femm. di lat. *dolium*; v. DOLIO.

**gianduiotto**, dalla forma del cappello di Gianduia.

**gianna** 'bastone', estr. da *giannetta*.

**giannetta** (asta), dallo sp. *jineta*; cfr. GINNETTO.

**giannìzzero**, dal turco *yeniçeri* 'nuovo soldato'.

**giansenismo**, dal nome di Cornelio Giansenio, vescovo di Ypres (1585-1638).

**giara**, dall'ar. *giarra* 'recipiente per acqua'.

**giarda** (tumore), dall'ar. *giaradh* 'tumore osseo del garretto'.

**giardinaggio**, dal frc. *jardinage*.

**giardinetta**, da *giardiniera*, nel senso di 'carrozza', attrav. la sostituzione del suff. strum. *-iera* con il vezzeggiativo *-etta*.

**giardiniere**, dal frc. *jardinier*.

**giardino**, dal frc. *jardin*, frc. ant. *jart* che è il franco *gard* (cfr. ted. *Garten*) 'orto', risal. a ideur. GHORTO-; v. ORTO.

**giarrettiera**, dal frc. *jarretière*, deriv. di *jarret* 'garretto'; v. GARRETTO.

**giaurro**, dall'ingl. *giaour* che è dal turco *gāvur*, risal. all'ar. *kāfir* 'infedele'.

**giava** 'ripostiglio in una nave', forse dal tema mediterr. *gava* (v. GAVONCHIO), attrav. una tradiz. francese.

**giavazzo**, dallo sp. *azabache*, ar. *sabag'*.

**giavellotto**, dal frc. *javelot*, risal. a una base gallica *gabǎlo*, presente anche nel lat. *gabǎlus*; v. GAVAÌNA.

**giazz**, dall'ingl. d'America *jazz* (*band*) (XX sec.), di orig. onomatop.

**gibbo**, dal lat. *gibbus* 'gobba', con qualche vaga connessione germanica e baltica.

**gibbone**, dal frc. *gibbon*.

**gibboso**, dal lat. *gibbosus*.

**giberna**, lat. tardo *zaberna*, variante di *gaberīna*, attrav. trasmissione settentr. e successiva errata correzione della sibilante sonora (*zi-*) in palat. (*gi-*). La parola lat. è priva di connessioni attendibili.

**gibetto** (patibolo), dal frc. *gibet*.

**gibus**, dal frc. *gibus* e questo dal nome dell'inventore (XIX sec.).

**gìchero**, v. GÌGARO.

**giga**[1] (danza), dall'ingl. *jig*.

**giga**[2] (strumento), dal provz. *giga*, dall'alto ted. medio *gīga* (ted. moderno *Geige*).

**gigante**, dal lat. *gigas*, *-antis* che è dal gr. *gígas*, *-antos*.

**gigantèo**, dal lat. *gigantēus* che è dal gr. *gigánteios*.

**gigantomachìa**, dal gr. *gigantomakhía*, comp. di *gígas*, *-antos* 'gigante' e *-makhía*, astr. di *mákhomai* 'combatto'.

**gìgaro**, lat. tardo *gigārus*, forse di orig. mediterr. con mantenimento non toscano di *-ar-* atona.

**gìghero**, variante di *gìgaro* con norm. passaggio tosc. di *-ar-* atona in *-er-*.

**gigione**, macchietta del teatro dialettale milan., resa famosa dall'attore E. Ferravilla (1846-1915).

**gigliaceo**, incr. di lat. *liliaceus* e it. *giglio*.

**giglio**, lat. volg. *jiljum* (class. *lilìum*), con dissimilaz. della cons. iniz. dalla serie *l.... l* nella serie *g.... l*. Lat. *lilium*, come il corrispond. gr. *leírion*, appartengono a un tema mediterr.

**gilda**, dal lat. medv. *gilda*, franco *gilda*; v. GELDRA e GHELDA.

**gilè**, dal frc. *gilet* che è dallo sp. *jileco* e questo dal turco *yelek*.

**gimnosperme**, dal lat. scient. *gymnospermae* 'che ha i semi nudi' (da gr. *gymnós* 'nudo' e *spérma* 'seme').

**gimnoto**, dal lat. scient. *gimnotus*, comp. di gr. *gymnós* e *nôtos*, con dissimilaz. sillabica *gym(no)-nôtos* «dal dorso (*nôtos*) nudo (*gymnós*)».

**gin**, dall'ingl. *gin*, abbreviaz. di *geneva* che è dall'ol. *genever* 'ginepro'.

**gincana**, dall'ingl. *gymkana*, incr. dell'indostano *gendkhāna* 'luogo dove si gioca a palla' con l'ingl. *gymnastics*.

**ginecèo**, dal gr. *gynaikeîon* che è da *gynḗ*, *-aikós* 'donna'.

**ginecologìa**, dal gr. *gynḗ*, *gynaikós* 'donna' e *-logìa*.

**ginepro**, lat. volg. *jinipěrus*, class. *iunipěrus*, privo di connessioni evidenti, con norm. caduta della *-ĕ-* postonica.

**ginestra**, lat. tardo *genesta* (class. *genista*), privo di connessioni attendibili, incr. poi col suff. *-stra*; cfr. *giostra* da *giosta*, *registro* da *regesta*.

**gingillare**, verbo denom. da *gingillo*.

**gingillo**, voce onomatop. della serie *g.... ng*; cfr. GHÌNGHERI.

**ginnasio**, dal lat. *gymnasium* che è dal gr. *gymnásion* 'luogo per esercizi ginnici', deriv. di *gymnázō* 'faccio esercizi ginnici', denom. da *gymnós* 'nudo'.

**ginnasta**, dal gr. *gymnastḗs*, nome d'agente di *gymnázō* 'faccio esercizi ginnici'.

**ginnàstico**, dal lat. *gymnastĭcus* che è dal gr. *gymnastikós*.

**ginnetto** (cavallo), dallo sp. *jinete*, cfr. GIANNETTA, e questo dall'ar. *Zanāta*, tribù berbera famosa per la sua cavalleria.

**gìnnico**, dal lat. *gymnĭcus* che è dal gr. *gymnikós*, deriv. di *gymnós* 'nudo'.

**ginocchio**, lat. *genucŭlum*, dimin. di *genu* 'ginocchio', parola ideur. di importanza capitale, dal tema fondam. GENU alternante con GONU, largamente attestata, anche se di tradiz. disturbata, nelle aree greca, ittita, indoiranica, celtica, armena, e, con la rad. al grado ridotto, nell'area germ. (ted. *Knie* 'ginocchio').

**ginocchioni**, da *ginocchio* col suff. *-oni* di posizione a terra; cfr. *carponi, bocconi,* ecc.

**giobbe**, dal lat. *Iob* che è dal gr. *Iób* (ebr. *Iyyōb*).

**giocare**, lat. *iocare*, verbo denom. da *iocus*.

**giocàttolo**, da *gioco*, con doppio dimin. come *barattolo, scoiattolo*.

**gioco**, lat. *iocus* 'scherzo', poi 'gioco', con qualche connessione celtica, germanica, baltica.

**giocoforza**, da 'il gioco (è stato) forza'.

**giocolare**, dal lat. *ioculari* 'scherzare', verbo denom. da *iocŭlus*, dimin. di *iocus*.

**giocoliere**, dal frc. ant. *joculer* che è dal lat. *iocularis*, deriv. di *iocŭlus*, dimin. di *iocus*; cfr. GIULLARE.

**giocondare**, dal lat. tardo *iucundare*, verbo denom. da *iucundus*.

**giocondità**, dal lat. *iucundĭtas, -atis*.

**giocondo**, dal lat. *iucundus*, deriv. di *iuvare* 'giovare' (v. GIOVARE), come *facundus* di *fari*, v. FACONDO e cfr. *fecondo, iracondo,* ecc.

**giocoso**, dal lat. *iocosus*.

**giogaia**[1] (piega della pelle), lat. *iug(ul)aria (pellis)*, deriv. da *iugŭlum* 'gola', che indica l'' innesto del collo sul tronco', incr. con *iugarius*, agg. da *iugum*; v. GIOGO.

**giogaia**[2] (rilievo montano), collettivo di *giogo*.

**giogàtico**, dal lat. medv. *iugàticum*.

**giogo**, lat. *iugum*, parola fondam. del vocab. ideur., largamente attestata, identica nel gr. *zygón*, nel sanscrito *yugam*, nell'ittita *yugan* e nel ted. *Joch*, da YUGOM. La rad. è YEUG che, con infisso nasale, appare nel lat. *iungĕre* (v. GIÙNGERE). Con alteraz. più o meno sensibili, il tema nominale è attestato anche nelle aree baltica, slava, celtica e armena; cfr. IÙGERO.

**gioia**[1], dal frc. ant. *joie*, lat. *gaudia*; v. GAUDIO e cfr. GODERE.

**gioia**[2], estr. da *gioiello*.

**gioiello**, dal frc. ant. *joel*, lat. *iocale*, deriv. di *iocus*.

**gioioso**, dal frc. ant. *joieus*, lat. *gaudiosus*.

**gioire**, dal frc. ant. *joir*, risal. a lat. volg. *gaudire* (class. *gaudere*).

**giòlito**, dal catalano *(en) jolit*, termine marinaresco dal provz. *joli* 'gradevole'.

**giorgina** (dalia), dal nome del botan. russo J. G. Georgi (1729-1802).

**giornale**, agg. sostantiv. tratto dalla formula *(foglio) giornale* 'foglio del giorno'.

**giornaliero**, prob. calco sullo sp. *jornalero*, deriv. di *jornal* 'paga giornaliera'.

**giornèa**, dal frc. ant. *jornee* 'casacca'.

**giorno**, lat. *(tempus) diurnum* « (tempo) che appartiene alla luce », deriv. da *diu* 'alla luce', ant. locativo di *diūs*, v. DÌ come *nocturnus* da *noctu*.

**giostra**, dal frc. ant. *joste*, sost. deverb. da *joster* incr. col suff. it. *-stra*; cfr. ginestra.

**giostrare**, dal frc. *joster*, lat. volg. *iuxtare* 'appressarsi' incr. con *giostra*.

**giovamento**, dal lat. tardo *iuvamentum*.

**gióvane**, lat. *iuvenis*, con norm. passaggio della voc. postonica ad *-a-* in parola sdrucciola: parola ideur. fondam., da un tema YUWEN- alternante in vario modo, per es. in YŪN- (v. GIUNIORE e GIUNONICO) e in vario modo ampliato, per es. in *iuvencus* (v. GIOVENCA). Largamente attestata nelle aree indoiranica, slava, baltica, celtica, umbra e germanica (ted. *Jugend* 'gioventù').

**giovanile**, dal lat. *iuvenilis* incr. con *gióvane*.

**giovare**, lat. *iuvare*. La rad. teorica sarebbe YEU, con un ampliam. in *-w-* come in *vivere* (v. VÌVERE) ma manca qualsiasi testimonianza fuori del lat.

**Giove**, lat. *Iovem*, accus. di *Iup(pĭter)*. Nome della sola divinità personale indoeuropea appartenente al vocab. compatto, identico nel gr. *Zeús*, nel sanscrito *dyāus*: da una forma simbolica DYĒUS, connessa con la nozione di 'luminoso'; cfr. DÌ'.

**giovedì**, lat. *Iovis dies* 'giorno di Giove'.

**giovenca**, dal lat. *iuvencus*, reso femm.: ampliam. del tema YUWEN, mediante il suff. -KO e una forma alternante della voc. precedente, attestata anche nelle lingue celtiche e in sanscrito. Con un altro grado di alternanza appare nel ted. *jung* 'giovane'; v. GIÒVANE.

**gioventù**, dal lat. *iuventus, -utis*, astr. di *iuvĕnis*.

**gioviale**, dal lat. tardo *iovialis*, deriv. di *Iovis* per la credenza che l'influsso di Giove rendesse felici.

**gióvine**, dal lat. *iuvĕnis*; v. GIOVANE.

**giovinezza**, da *giovine* col suff. it. di astr. *-ezza*.

**gip**, dall'ingl. *jeep* e questo dalla sigla *G. P. G(eneral) P(urpose vehicle)* « veicolo per tutti gli usi ».

**gipàeto**, comp. scient. di gr. *gýps, gypós* 'avvoltoio' e gr. *aetós* 'aquila'.

**gippone**, accresc. di *gip*.

**gipsoteca**, dal gr. *gýpsos* 'gesso' e *-teca*, v. BIBLIOTECA, e cfr. *enoteca, discoteca,* ecc.

**giradischi**, da *gira(re)* e *disco*.

**giraffa**, dall'ar. *zurāfa*, attrav. il frc. o dialetti padani.

**giràndola**, sost. deverb. estr. da *girandolare*.

**girandolare**, incr. di *girare* e *andare* con suff. iterat. *-olare*.

**girare**, dal lat. tardo *gyrare*, verbo denom. da *gyrus* 'voltata, circuito', v. GIRO.

**girasole**, da *gira(re)* e *sole*, calco su gr. biz. *hēliotrópion*, comp. di *hḗlios* 'sole' e *trópion*, tema di *trépō* 'io volgo'.

**giravolta**, sost. deverb. comp. di *girare* e *voltare*.

**gire**, lat. *ire* con la *g* iniz. analogica dalla forma di prima plur. del congiunt. *giamo*, lat. volg. *jamus*, class. *eamus* 'andiamo'; v. IRE.

**girifalco**, dal frc. ant. *girfalc*, che è dal franco *gêrfalk*.

**girigògolo**, incr. di *ghirigoro* con *giro* e *arzigògolo* (v.).

**girino,** dal lat. *gyrīnus* che è dal gr. *gyrînos,* deriv. di *gŷros* ' rotondo '. In senso sportivo, der. di *giro* (*d'Italia*).

**giro¹,** lat. *gyrus* che è dal gr. *gŷros* (dal linguaggio dell'ippica).

**-giro²,** da *giro,* secondo elemento di comp. nominale, per es. *destrogiro,* calco su *destrorso.*

**girobùssola,** da *giro-* e *bùssola.*

**giròmetro,** da *giro-* e *-metro.*

**girometta** (canzone), dal dimin. femm. *Giro(lo)- metta.*

**gironda,** da *ghironda* incr. con *girare.*

**girondino,** dal frc. *girondin;* da *Gironde,* nome del dipartimento da cui proveniva il gruppo dei rivoluzionari moderati.

**gironzare** e **gironzolare,** forme denom. da *\*gironzo,* incr. di *giro* e *ronzo* (v.).

**giroscopio,** da *giro* e *-scopio.*

**giròstato,** comp. di *giro* e *-stato.*

**giròvago,** dal lat. tardo *gyrovăgus,* comp. di *gyrus* e *vagus* ' errante '.

**gita,** forma femm. sostantiv. di *gito,* part. pass. di *gire* (v.); cfr. IRE.

**gitano,** dallo sp. *gitano* che è il lat. *\*(Ae)gyptanus,* da *Aegyptus.*

**gitante,** da *gita,* formaz. parallela a *bracciante, cavallante, commediante.*

**gittare** ' gettare ', v. SOPRAGGITTARE.

**giù,** forma tronca di *giuso* (v.).

**giuba** ' criniera ', dal lat. *iuba,* privo di connessioni evidenti; cfr. GIUBBA¹.

**giubba¹** (criniera), lat. volg. *\*jubba,* con raddopp. consonantico espressivo di class. *iuba,* v. GIUBA.

**giubba²** (veste), dall'ar. *giubba* ' sottoveste '.

**giubbato** ' fornito di criniera ', dal lat. *iubatus,* incr. con it. *giubba.*

**giubilare,** dal lat. *iūbilare,* di orig. onomatop., da una serie *jū…jū.*

**giubilazione,** dal lat. tardo *iubilatio, -onis.*

**giubilèo,** dal lat. crist. *iubilaeum* che è dal gr. *iōbē- laios,* deriv. dall'ebr. *yōbēl* ' capro ', incr. con *iubilare.*

**giùbilo,** dal lat. tardo *iubĭlum,* sost. deverb. estr. da *iubilare.*

**giucco,** dall'ar. *giuḥā* ' lo sciocco per eccellenza ', incr. forse con la famiglia di *zucca.*

**giuda,** dal lat. *Iuda* che è dal gr. *Iūda* (ebr. *Yĕhū- dāh,* l'apostolo che tradì Gesù).

**giudàico,** dal lat. *iudaĭcus* che è dal gr. *iūdaïkós.*

**giudaismo,** dal lat. crist. *iudaĭsmus* che è dal gr. *iūdaïsmós.*

**giudecca** (quartiere di Venezia), dal lat. *iudaĭca* femm. di *iudaicus,* attrav. tradiz. veneziana che suggerisce la correzione tosc. di *-c-* in *-cc-.*

**giudèo,** dal lat. crist. *Iudaeus* che è dal gr. *Iū- daîos.*

**giudicàbile,** dal lat. tardo *iudicabĭlis.*

**giudicare,** dal lat. *iudicare,* verbo denom. da *iudex, -ĭcis;* v. GIÙDICE.

**giudicato,** dal lat. *iudicatus, -us.*

**giudicatore,** dal lat. tardo *iudicator, -oris.*

**giudicatorio,** dal lat. tardo *iudicatorius.*

**giudicatura,** dal lat. medv. *iudicatura.*

**giùdice,** lat. *iudex, -ĭcis,* comp. di *ius* ' diritto ' (v. GIURE) e *dic-,* nome radicale d'agente ' che indica ' (v. DIRE). Esso si comporta di fronte a *iudicare* (v. GIUDICARE) e *iudicium* (v. GIUDIZIO)

come *index* (v. INDICE) rispetto a *indicare* (v. IN- DICARE) e *indicium,* (v. INDIZIO).

**giudiziale,** dal lat. *iudicialis.*

**giudiziario,** dal lat. *iudiciarius.*

**giudizio,** dal lat. *iudicium;* v. GIÙDICE.

**giudò** (judò), dal giapponese (*jŭ*)-*jutsu.*

**giuggiare** (arc.), dal provz. *jutjar,* lat. *iudicare;* v. GIUDICARE.

**giùggiola,** dal gr. (biz.) *zizūlá* con assimilaz. di *zizū-* in *zuzu-* e correzione di un presunto settentrionalismo *zu* in *giu, gio.* L'accentazione sdrucciola comporta il norm. raddopp. della cons. postonica; cfr. ZÌZZOLO.

**giuggiolena,** dall'ar. *giulgiulān* ' sesamo '.

**giùggiolo,** lat. *ziziphus* incr. con gr. *zizūlá* e i suoi adattamenti it.; v. GIÙGGIOLA.

**giugno,** lat. (*mensis*) *Iunius* ' mese di Giunone '.

**giugulare,** dal lat. scient. *iugularis* incr. con *giogo;* cfr. IUGULARE¹.

**giulebbe,** dall'ar. *giulāb,* deriv. del persiano *gulāb:* « acqua (*āb*) di rose (*gul*) ».

**giulivo,** dal frc. ant. *jolif* ' lieto '.

**giullare,** dal provz. *joglar* che è il lat. *iocularis* ' giocoliere '; cfr. GIOCOLIERE.

**giumella,** lat. *gemella* (*manus*) « (mano) gemella » incr. con it. ' (*mani*) *giunte* '.

**giumento,** lat. *iumentum* ' bestia da tiro ', anticam. *iouksmentom* ' tiro di animali ', che si comporta rispetto a *iungĕre* (v. GIÙNGERE) ampliato con *-s-* desiderativo (cfr. GIUSTA), come *segmentum* rispetto a *\*secĕre,* il verbo primitivo, da cui *secare* ' tagliare ' è derivato; v. SEGARE, SETTORE.

**giunca,** dal malese *giung* ' nave '.

**giunchiglia,** dallo sp. *junquillo,* dimin. di *junco* ' giunco '.

**giunco,** lat. *iuncus,* privo di connessioni evidenti.

**giùngere,** lat. *iungĕre* ' unire ', verbo con infisso nasale, della stessa famiglia da cui *giogo* (v.). Analogo è il gr. *zeúgnymi,* identico al sanscrito *yunajmi* ' attacco al giogo ', affine il lituano *jùngiu.*

**giungla,** dall'ingl. *jungle* che è dall'indostano *jangal.*

**giuniore,** dal lat. *iunior, -oris,* compar. di *iuvĕnis;* v. GIOVANE.

**giunònico,** da *Giunone* che è dal lat. *Iuno, -onis,* facilmente collegabile con la forma YŪN- grado ridotto del tema di *iuvĕnis;* v. GIOVANE e IUNIORE.

**giunta¹** ' comitato ', calco sullo sp. *junta.*

**giunta²** ' aggiunta ', forma sostantiv. femm. del part. pass. di *giùngere,* nel senso di ' aggiungere '; v. GIUNTO.

**giunto,** lat. *iunctus,* part. pass. di *iungĕre* con l'elemento nasale introdotto per analogia dell'inf. mentre avrebbe dovuto essere *\*iuctus,* come (*re*)*lictus* rispetto a *relinquĕre.*

**giuntura,** lat. *iunctura.*

**giunzione,** dal lat. *iunctio, -onis.*

**giurabbacco,** da *giuro* a *Bacco.*

**giuraddio,** da *giuro* a *Dio.*

**giuramento,** dal lat. tardo *iuramentum.*

**giurare,** lat. *iurare,* verbo denom. da *ius, iuris* ' diritto ', risal. a un più ant. *\*ioves;* v. GIURE.

**giuràssico,** dal frc. *jurassique* ' riferito alle montagne del Giura '.

**giurato,** dal lat. *iuratus* ' che ha giurato '.

**giuratorio,** dal lat. tardo *iuratorius.*

**giure,** dal lat. *ius, iuris,* antichissima definiz. di una « formula di incitamento, portafortuna », sopravv. solo nelle aree che hanno conservato intatta la classe sacerdotale (indo-iranica e latina), e da cui si è svolta la nozione di diritto. Forma orig. è YEUS alternante con YEWES. La forma lat. che risale a quest'ultima è *ioves*, come mostrano il deriv. arc. *iovesto-*, class. *iustus* (v. GIUSTO) e il verbo denom. arc. *iovesat*, class. *iurat*; v. GIURARE.

**giureconsulto,** dal lat. *iure consultus* « esperto (*consultus*) nel diritto (*iure*) ».

**giurì,** dal lat. frc. *jury.*

**giurìa,** dal frc. *jury* incr. col suff. it. di astr. *-ia.*

**giurìdico,** dal lat. *iuridǐcus.*

**giurisdizione,** dal lat. *iurisdictio, -onis* « (l'azione) di render manifesto il diritto ».

**giurisperito,** dal lat. *iuris peritus* 'esperto di diritto '.

**giurisprudente,** dal lat. *iuris prudens* 'esperto del diritto '.

**giurisprudenza,** dal lat. *iurisprudentia*, astr. di *iuris prudens.*

**giurista,** dal lat. medv. *iurista*, da *ius iuris* 'diritto ' col suff. di mestiere *-ista.*

**giuro,** sost. deverb. estr. da *giurare.*

**gius,** dal lat. *ius*; v. GIURE.

**giusdicente,** comp. di lat. *ius* 'diritto ' e *dicens, -entis*, part. pres. di *dicěre.*

**giuso,** lat. volg. *\*djusum*, tardo *deosum*, class. *deorsum*. Forma irrigidita come avv., di un part. pass. neutro arc. *devorsum*, da *devertěre* 'volgere dall'alto in basso, discendere ' (v. VERTERE), con la caduta del *-v-* intervocalico.

**giuspatronato,** dal lat. medv. *ius patronatus* 'diritto di patronato '.

**giusquìamo,** dal lat. *iusquiǎmus* che è dal gr. *hyoskýamos*, da *hyós*, genit. di *hýs* 'maiale ' e *kýamos* 'fava ': « fava porcina ».

**giusta,** dal lat. *iuxta*, prob. forma sostantiv. femm. di un part. pass. desiderativo parallelo a *iunctus*, e cioè *\*iuk-s-to-*; cfr. *iouxmentum* e v. GIUMENTO. Il desiderativo *\*iuk-s-to-* si comporta di fronte al normale *\*yuktós* e al gr. *zeuktós*, come il desiderativo lat. *mixtus* di fronte al norm. (originario e gr.) *miktós*. L'impiego prepositivo latino sarebbe nato dalla formula *iuxta (via)* 'per la via attigua '.

**giustacuore,** dal frc. *justaucorps* 'aderente al corpo '.

**giustapporre,** calco sul frc. *juxtaposer* (XIX sec.).

**giustapposizione,** dal frc. *juxtaposition.*

**giustezza,** da *giusto* nel senso di ' esatto '.

**giustificare,** dal lat. tardo *iustificare.*

**giustificatore,** dal lat. tardo *iustificator.*

**giustificazione,** dal lat. tardo *iustificatio, -onis.*

**giustizia,** dal lat. *iustitia.*

**giustiziare,** verbo denom. da *giustizia.*

**giusto,** lat. *iustus*, ant. *iovestos*, da *\*ioves*, forma arc. di *ius*; v. GIURE.

**glabella,** dimin. di (*area*) *glabra* ' area nuda ' e cioè quella corrispond. all'intervallo fra due sopracciglie.

**glabro,** dal lat. *glaber, glabri*, parola ideur. nordoccidentale, da GHLADHRO-, col valore di ' liscio, luminoso ' (cfr. ted. *glatt* ' liscio ').

**glaciale,** dal lat. *glacialis*, agg. di *glacies* ' ghiaccio ' (v.).

**gladiatore,** dal lat. *gladiator, -oris*, nome d'agente di *\*gladiare*, verbo denom. da *gladius* ' spada '.

**gladiatorio,** dal lat. *gladiatorius.*

**gladio,** dal lat. *gladius*, di prob. orig. gallica.

**gladiolo,** dal lat. *gladiŏlus*, dimin. di *gladius* ' spada '; v. GIAGGIOLO.

**glagolìtico,** deriv. aggettiv. in *-ico* di un tema *glagolit-* ricavato dal serbocroato *glagolica* ' alfabeto glagolìtico ', quest'ultimo, risalente allo slavo comune *glagol* ' suono, parola '.

**glàndula,** dal lat. *glandǔla*; v. GHIÀNDOLA.

**glanduloso,** dal lat. tardo *glandulosus.*

**glassare,** dal frc. *glacer*, propr. *ghiacciare.*

**glasto** (erba), dal lat. *glastum*, di orig. gallica.

**glauco,** dal lat. *glaucus* che è dal gr. *glaukós.*

**glaucoma,** dal lat. *glaucoma* che è dal gr. *glaúkōma*, cosiddetto perché la pupilla, irrigidendosi nella malattia, acquista riflessi azzurri.

**gleba,** dal lat. *gleba*; v. GHIEVA e cfr. GLOBO.

**gleboso,** dal lat. *glebosus.*

**gleucòmetro,** dal frc. *gleucomètre* e questo dal gr. *gleûkos* ' mosto '.

**gli**[1] (articolo), dal lat. (*i*)*lli*, nom. plur. di *ille*, irradiato dalla posizione antevocalica: (*il*)*li amici*, (*il*)*ljamici*, *gli amici*; cfr. I, LI.

**gli**[2] (pron.), forma aferetica di *egli.*

**gli**[3] (pron.), dat. sg. (e plur.) del pron. di terza pers. atono, lat. *illi*, dat. sg. di *ille.*

**glicemìa** (pronuncia *g-licemia*), dal gr. *glykýs* ' dolce ' e *-emìa.*

**glicerina** (pronuncia *g-licerina*), dal frc. *glycérine* e questo dal gr. *glykerós* ' dolce ' col suff. *-ine* di prodotti chimici.

**glicine** (pronuncia *g-licine*), dal lat. scient. *glýcine* e questo dal gr. *glykýs* ' dolce '.

**glic(o)-** (pronuncia *g-lico*), dal gr. *glykýs* ' dolce '.

**glicògeno** (pronuncia *g-licogeno*), da *glico-* e *-geno.*

**gliconio** (*gliconèo*) (pronuncia *g-lic*), dal gr. *glykóneios*, dal nome del poeta Glicone (III sec. a. C.).

**glicosio** (pronuncia *g-licosio*), dal frc. *glucose*, deriv. dal gr. *gleûkos* ' mosto '.

**gliela,** lat. *illi* (dat. sg.) *illam* (accus. sg.), attrav. i passaggi (*il*)*li, j*(*l*)*la*(*m*), *li ela, lj ela.*

**gliele,** lat. *illi* e *illae* (dat. sg. femm. e nom. plur. femm.), attrav. i passaggi (*il*)*li i*(*l*)*lae, li ele* e *lj ele.*

**glieli,** lat. *illi* (dat. sg.) e *illi* (nom. plur. maschile), attrav. i passaggi (*il*)*li i*(*l*)*li, li eli* e *\*lj eli.*

**glielo,** lat. *illi* e *illum* (dat. sg. e accus. sg. maschile) attrav. i passaggi (*il*)*li i*(*l*)*lu*(*m*), *li elo, lj elo.*

**gliene,** lat. *illi* (dat. sg.) e *inde* (cfr. NE), attrav. i passaggi (*il*)*li in*(*d*)*e, li ene* e *lj ene.*

**glifo** (pronuncia *g-lifo*), dal frc. *glyphe* che è dal gr. *glyphé* ' intaglio ', deriv. di *glýphō* ' io taglio '; cfr. GLUMA.

**glittica** (pronuncia *g-littica*), dall'agg. *glìttico.*

**glìttico** (pronuncia *g-littico*), dal gr. tardo *glyptikós*, deriv. di *glýphō* ' io intaglio '.

**glittoteca** (pronuncia *g-littoteca*), dal gr. *glyptós*, agg. verb. di *glýphō* ' io intaglio ' e *-teca*; v. BIBLIOTECA e cfr. *enoteca, discoteca*, ecc.

**globale,** dal frc. *global*, deriv. di *globe* ' globo '.

**globo,** dal lat. *globus*, prob. collegato con *gleba.*

**globosità,** dal lat. tardo *globositas, -atis.*

**globoso,** dal lat. *globosus.*

**glòbulo,** dal lat. *globǔlus*, dimin. di *globus.*

**glomèrulo,** dimin. moderno di lat. *glomus, -ěris* ' gomitolo '; v. GHIOMO.

**gloria**, dal lat. *glōria*, da collegare, forse attrav. una assimilaz. da *\*gnoria*, con la famiglia di *i-gnoro, gnarus*, per cui v. IGNARO.

**gloriare**, dal lat. *gloriari* 'vantarsi'.

**glorificare**, dal lat. crist. *glorificare*, comp. di *gloria* e *-ficare*, verbo denom. del tema di nome d'agente *-fex* e del suo agg. *-ficus*.

**glorificazione**, dal lat. crist. *glorificatio, -onis*.

**glorioso**, dal lat. *gloriosus*.

**glossa**, dal lat. *glossa* che è dal gr. *glôssa* 'lingua'.

**glossario**, dal lat. tardo *glossarium* 'raccolta di glosse'.

**glossema**, dal lat. *glossema, -atis* che è dal gr. *glôssēma, -atos*, deriv. di *glôssa* 'lingua'.

**glossina** (insetto), dal lat. scient. *glossina* che è dal gr. *glôssa* 'lingua': per il lungo rostro che assomiglia a una lingua.

**glossògrafo**, dal gr. *glôssográphos*, comp. di *glôssa* 'glossa' e *-gráphos* 'che scrive'.

**glossoplegia**, comp. di gr. *glôssa* 'lingua' e *-plegìa*.

**glottale**, dal frc. *glottal*, deriv. da *glotte* 'glottide' e questo da *épiglotte*, adattamento del lat. *epiglottis* che è dal gr. *epiglôttis, -idos*.

**glòttide**, dal gr. *glôttis, -idos*, deriv. di *glôtta* 'lingua'.

**glottologìa**, dal gr. *glôtta* 'lingua' e *-logìa*.

**glottotècnica**, dal gr. *glôtta* 'lingua' e *tecnica*.

**glucosio**, da *gluco-* col suff. chimico *-osio*; cfr. *lattosio*, ecc.

**gluma**, dal lat. *gluma* 'buccia dei cereali', da *\*glubh-sma*, deriv. di *glubĕre* 'sbucciare', che ha connessioni greche (*glýphō* 'incido') e germaniche; v. GLIFO.

**glùteo**, dal gr. *glūtós* 'natica' col suff. aggettiv. *-eo*, dal lat. *-ĕus*, attrav. la formula *(muscolo) gluteo* « (muscolo) della natica ».

**glùtine**, dal lat. *gluten, -ĭnis*, lontanamente collegabile con le famiglie di *gleba* (v. GHIEVA), *glomus* (v. GHIOMO) e *glittus* (v. GHETTO).

**glutinoso**, dal lat. tardo *glutinosus*.

**gnaffe**, da una forma più ant. *gnaffé*, e cioè *\*mja fé* 'mia fede'.

**gnaulare**, forma onomatop. parallela a *miagolare* (v.), tratta direttamente da un *\*mjaulare*.

**gnégnero**, da *(in)gegno* con assimilaz. fonosimbolica *gn.... gn....*, e suff. *-ero* che indica vigore anche se non sempre piacevole; cfr. *bécero, tànghero*.

**gneis**, dal ted. *Gneis*, impiegato nel gergo dei minatori degli Erzgebirge, identico all'alto ted. medio *g(a)neist(e)* 'scintilla', per la lucentezza caratteristica di quella roccia.

**gnocco**, dal venez. *gnòco* e questo forse dal longob. *knohha* 'nodo, nocca'; cfr. NOCCA.

**gnòmico**, dal gr. *gnōmikós*, deriv. di *gnómē* 'opinione, sentenza'.

**gnomo**, dal lat. del Rinascimento *gnomus*, parola creata da Paracelso nel XVI sec. estraendola dal gr. *gnómē* 'conoscenza, sentenza'.

**gnomone**, dal gr. *gnómōn, -onos* 'conoscitore' incr. con i nomi lat. in *-o, -onis*, appartenente alla famiglia di *(gi)gnó(skō)* 'conosco'.

**gnomònica**, dal lat. *gnomonĭca (ars)* che è dal gr. *gnōmonikē (tékhnē)* 'l'arte di costruire orologi solari'.

**gnomònico**, dal lat. *gnomonĭcus* che è dal gr. *gnōmonikós*.

**gnorri**, da *far lo gnoro* (da *ignoro*), con raddopp. espressivo e con desinenza *-i* propria dei cognomi; cfr. NESCI.

**gnoseologìa**, dal gr. *gnôsis, -eōs* 'conoscenza' e *-logìa*.

**gnosi**, dal gr. *gnôsis, -eōs*, nome d'azione di *gignóskō* 'conosco'.

**gnòstico**, dal gr. *gnōstikós*, deriv. da *gnōstós*, agg. verb. di *gignóskō* 'conosco'.

**gnu** (antilope), dal frc. *gnou* (XVIII sec.), voce ottentotta.

**gnucca** 'zucca', da *nuca* incr. con *zucca*.

**gobba**, femm. di *gobbo*, sostantiv.

**gobbo**, dal lat. volg. *\*gobbus*, incr. di *gibbus* con *cloppus* 'zoppo'.

**goccia**, sost. deverb. estr. da *gocciare*.

**gocciare**, lat. *\*guttiare*, verbo denom. da *gutta* 'goccia', privo di conness. attend. attrav. un intermediario settentr. *\*gozzare*, sostituito poi per eccesso di zelo dal tosc. *gocciare*.

**gócciola**, dimin. di *goccia*.

**gocciolotti**, incr. di *goccioli* e *candelotti*.

**godere**, lat. *gaudere*, connesso chiaramente col gr. *gēthéō*, solo approssimativamente con forme di altre aree ideur. La base di partenza è GĀWĒDH.

**goffàggine**, da *goffo* con suff. spregiativo *-àggine*.

**goffo**, forse lat. tardo *guffus*, secondo una glossa, che è forse variante rustica di *\*gobbus*; v. GOBBO.

**gogna**, incr. di *gonghia* e *vergogna* (cfr. *unghia* e *ugna*).

**gol** (*goal*), dall'ingl. *goal* 'traguardo'.

**gola**, lat. *gula*, incr. della rad. ideur. Gᵂᴱᴿ (v. VORACE) e la serie onomatop. *g.... l* propria del rumore che si fa per inghiottire; con esempi di incroci paralleli nelle aree indoiranica, germ. celt.

**golena**, forse da *gola (dell'argine)*, data la sua orig. dal Polesine.

**goletta¹** (abbigliamento), da *gola*.

**goletta²** (navicella), dal frc. *goélette*.

**golf¹** (gioco), dall'ingl. *golf*, ol. *kolf* 'bastone'.

**golf²** (maglione), dall'ingl. *golf(-coat)* '(giacca da) golf'.

**golfo**, dal gr. tardo *kólphos* (class. *kólpos*), con una precoce aspiraz. del *-p-* e leniz. it. di *c-* in *g-*iniz. (v. GABBIA).

**Gòlgota** (colle dove Gesù fu crocifisso), dal lat. *Golgotha* che è dal gr. *Golgothâ* e questo dall'ar. *Gūlgūtā* (ebr. *gulgōlet*).

**goliardo**, dal frc. ant. *goliard*, deriv. da *Golias*, nome medv. del gigante Golìa che simboleggiava il diavolo.

**goloso**, dal lat. *gulosus*.

**golpe**, lat. *vulpes*, trattata come parola franca, col passaggio di *v-* a *g-*, cfr. VOLPE.

**gombina¹**, sost. deverb. estr. da *combinare* con leniz. iniz. di *c-* in *g-*; v. GABBIA.

**gombina²**, dal lat. *cumba* 'avvallamento', con leniz. iniz. (v. GABBIA), di orig. gallica.

**gómbito**, incr. di lat. volg. *\*gumbus* 'gobbo, piegato', variante di *gibbus*, con lat. *cubĭtus*; cfr. GÓMITO.

**gómena**, dal venez. *gomena* che è dall'ar. *ghumal* 'cavo, fune'.

**gómito**, incr. di lat. *cubĭtus* (v. CÙBITO) e lat. *\*gumbus* 'gobbo, piegato'; cfr. GÓMBITO.

**gomitolo**, incr. di *ghiomo* (v.) e *gómito* con suff. dimin.

**gomma,** lat. volg. *\*gumma,* class. *cummi* che è dal gr. *kómmi,* egiz. *kema(i).*

**gommagutta** e **gomma gutta,** dal frc. *gomme-gutte* (XVII sec.), comp. del lat. medv. *gomma* e *gutta* ' goccia '.

**gommapiuma,** da *gomma* e *piuma.*

**gommifero,** comp. di *gomma* e *-fero.*

**góndola,** venez. *góndola,* incr. di gr. medv. *kondûra* ' tipo di barca ' e il tema di *(d)ondola(re).*

**gonfalone,** dal frc. *gonfalon,* forma dissimilata dalla serie *n.... n* alla serie *n.... l,* dal franco *gundfano* ' bandiera di guerra ' (ted. *Fahne*); cfr. FABNONE.

**gonfiare,** lat. *conflare* ' soffiare ', comp. di *com* e *flare,* con leniz. iniz. di *c-* in *g-;* v. FIATO e cfr. GABBIA.

**gonfio,** agg. estr. da *gonfi(at)o.*

**gong,** dal frc. *gong,* malese *gung.*

**gonghia,** lat. volg. *\*cungŭla,* incr. di lat. tardo (gloss.) *coniuglae* (plur.) ' cinghie del giogo ' e *cingŭla* (plur.) con leniz. iniz. di *c-* in *g-;* cfr. GOGNA.

**gongolare,** formaz. fonosimbolica che parte dalla serie onomatop. dell'inghiottire *gl.... gl....* dissimilata in *g.... n.... g.... l.*

**gongorismo,** dallo sp. *gongorismo* e questo dal nome del poeta sp. L. de Góngora (1561-1627).

**-gonìa,** dal gr. *-gonía* ' generazione '.

**gonio-,** dal gr. *gŏnìa* ' angolo '.

**goniòmetro,** da *gonio-* e *-metro.*

**gonna** e **gonnella,** lat. tardo (VI sec.) *gunna* ' pelle, pelliccia ', di prob. orig. gallica.

**gono-,** dal gr. *gónos* ' generazione '.

**gonorrèa,** dal gr. *gonórrhoia,* comp. di *gónos* ' seme ' e il tema di *rhéō* ' scorro '.

**gonorroico,** incr. di *gonovr(èa)* e *(dia)rroico.*

**gonzo,** lat. *(vere)cundius* con leniz. settentr. di *-c-* in *-g-* e aferesi di *ver-,* v. VERGOGNA.

**gora,** lat. medv. *gaurus* ' canale ', da un tema mediterr. *\*gaura.*

**gorbia** ' puntale ', incr. di lat. *gubia,* di orig. gallica, e *furca* ' forca ' (v.).

**gorga,** lat. *\*gurga* ' canna della gola ', estr. da *gurges, -ĭtis* ' gorgo '.

**gorgheggiare,** verbo denom. da *gorga.*

**gorgia,** dal frc. *gorge,* lat. *\*gurga;* v. GORGA.

**gorgiera,** dal frc. ant. *gorgiere.*

**gorgo,** lat. volg. *\*gurgus, -us,* class. *gurges, -ĭtis* ' gorgo ', forma parzialmente raddopp. della rad. GwER ' inghiottire ' (v. VORACE), che al grado ridotto dà per risultato in latino *gurg-.* Da questa base la parola si allinea con la serie di *comes, -ĭtis, miles, -ĭtis* e il ' gorgo ' viene presentato così come fosse « l'inghiottitore »; cfr. GORGOZZULE.

**gorgogliare,** lat. volg. *\*gurguliare,* verbo denom. da *gurgulio, -onis* ' esofago, trachea '.

**gorgoglio,** sost. deverb. estr. da *gorgogliare.*

**gorgoglione,** lat. *gurgulio, -onis,* nome d'agente di *gurgulare* (gloss.), verbo iterat. di orig. onomatop. dissimilato dalla serie *gr.... gr* a quella *gr.... gl.*

**gòrgone,** dal gr. tardo *Gorgónē.*

**gorgòneo,** dal gr. *Gorgonĕus.*

**gorgonzola,** dalla cittadina omonima, presso Milano.

**gorgozza,** lat. volg. *\*gurgutia,* incr. di *gurges, -ĭtis* e dell'astr. *\*gurgus;* v. GORGOZZULE.

**gorgozzule,** incr. di *\*gorgozzuolo,* dimin. di *gorgozza* e *\*gurgŭlis* da un lat. volg. *\*gurgus, -us;* v. GORGO.

**gorilla,** dal frc. *gorille* e questo dal gr. *Gorillai,* denominaz. africana di donne selvagge e pelose, riferita da Annone nel VI sec. a. C.

**gota,** lat. volg. *\*gauta,* parola gallica.

**gòtico,** dal lat. tardo *gothĭcus.*

**gótta,** dal lat. medv. (XIII sec.) *gutta* in quanto « goccia (alterata di uno degli umori del corpo) ».

**gòtto,** lat. *guttus* ' vaso a collo stretto ' incr. con *coctus,* per la pronuncia della voc. aperta *ò.* Lat. *guttus* è privo di connessioni attendibili, salvo forse con *guttur, -ŭris* ' gola '.

**governale,** dal provz. ant. *governal* che è il lat. *gubernacŭlum.*

**governare,** lat. *gubernare,* parola mediterr. assunta indipendentemente dal lat. e dal gr. *(kybernân).*

**governatore,** dal lat. *gubernator, -oris.*

**governo,** lat. *gubernum* ' timone ', in parte incr. con *governare.*

**gozzo,** da *(gor)gozza.*

**gozzoviglia,** incr. di ant. *godoviglia,* lat. *\*gaudibilia* ' le cose godibili ' con *gozzo.*

**gracchia** (uccello), lat. tardo *gracŭla,* di lontana orig. onomatop. secondo la serie *gr.... cl.*

**gracchiare,** verbo denom. da *gracchio.*

**gracchio,** lat. *gracŭlus;* v. GRACCHIA.

**gracidare,** dal lat. tardo *gracitare* (con leniz. settentr. di *-t-* in *-d-*) ' fare il verso dell'oca ', di orig. onomatop., secondo la serie *gr.... c.*

**gràcile,** dal lat. *gracĭlis,* privo di connessioni evidenti anche se, come forma, deve essere agg. verb. di un *\*gracēre;* v. *agĭlis, facĭlis* e cfr. *sterĭlis.*

**gracilità,** dal lat. *gracilĭtas, -atis.*

**gracìmolo,** incr. di *racimolo* e *gràppolo* (v.).

**gradasso,** dal nome di un re saraceno, personaggio dell'*Orlando innamorato* di M. M. Boiardo e dell'*Orlando furioso* di L. Ariosto.

**gradazione,** dal lat. *gradatio, -onis* ' gradino ', ' gradazione '.

**gradella,** dimin. di *grata,* con leniz. settentr. di *-t-* in *-d-.*

**gradévole,** lat. volg. *\*gratibĭlis* incr. con *gradire.*

**gradina**[1] (strumento), da *grado*[1].

**gradina**[2] (sostanza alimentare), incr. di *grad(évole)* e *(margar)ina.*

**gradinata,** da *gradino* col suff. collettivo *-ata,* cfr. *scalinata.*

**gradino,** dimin. di *grado.*

**gradire,** lat. volg. *\*gratire,* denom. di *gratus,* con leniz. settentr. di *-t-* in *-d-.*

**-grado,** dal tipo lat. *(retro)grădus,* che è dal tema di lat. *gradi;* v. GRADO[1].

**grado**[1], lat. *gradus, -us,* astr. di *gradi* ' camminare ', parola ideur. nord-occidentale, con connessioni attendibili nelle aree celtica, germanica e baltica.

**grado**[2], lat. *gratum,* con leniz. settentr. di *-t-* in *-d-.*

**graduale,** dal lat. *gradus, -us* con il suff. aggettiv. *-ale.*

**graduare,** verbo denom. dal tema lat. di *gradus, -us.*

**grafema,** calco su *fonèma* (l'unità minima di un sistema fonico).

**graffa,** dal longob. *krapfo* ' uncino '. Per il gotico *\*krappa,* v. GRÀPPOLO.

**graffiare,** incr. di un lat. volg. *\*graphiare,* verbo denom. da *graphium* che è dal gr. *graphion* ' stilo per scrivere sulle tavolette incerate ' e longob. *krapfo* ' uncino '; v. GRAFFA.

**graffio**[1], sost. deverb. estr. da *graffiare.*

**graffio²**, dal longob. *krapfo* ' uncino '; cfr. GRAFFA.

**graffito**, part. pass. di un lat. *\*graphire*, denom. da *graphium* e incr. con it. *graffiare*.

**grafìa**, dal frc. *graphie* e questo da gr. *-graphía*, secondo elemento di composiz. col valore di ' scrittura '.

**-grafìa**, dal gr. *-graphía*, astr. di *gráphō* ' io scrivo '.

**gràfico**, dal lat. *graphĭcus* ' che riguarda la scrittura o il disegno ' che è dal gr. *graphikós*, e questo da *gráphō* ' scrivo '.

**grafite**, da *gráphō* ' scrivo ' e il suff. dei minerali *-ite*, perché, strofinata su carta, vi lascia traccia di color grigio.

**grafo-** e **-grafo**, dal gr. *-grapho-*, tema di *gráphō* ' io scrivo '.

**grafologìa**, da *grafo-* e *-logìa*.

**grafomanìa**, da *grafo-* e *manìa*.

**gragnola**, lat. volg. *\*grandjòla*, class. *\*grandeŏla*, deriv. di *grando, -ĭnis* ' grandine '; cfr. *(verg)ogna* da *(verec)undia*.

**gramaglia**, dallo sp. *gramalla*, specie di veste lunga.

**gramanzìa**, da *(ne)gromanzia*, col *ne* ritenuto come parte di articolo indeterminato, *\*« (u)na gromanzia »* e la prima *a* sostituita a *o* per incr. con *gramo*.

**gramigna**, lat. volg. *\*graminja*, forma sostantiv. dell'agg. *graminĕus*, deriv. di *gramen, -ĭnis* ' erba ', ' foraggio ', forse da un ampliam. in *-a-* della rad. Gw(E)R di *vorare*; v. VORACE.

**graminacee**, dal lat. scient. *graminaceus*, deriv. di *gramen, -ĭnis*.

**-gramma**, dal gr. *-gramma*, deriv. di *gráphō* ' scrivo '.

**grammàtica**, dal lat. *grammatĭca (ars)* che è dal gr. *grammatikḗ (tékhnē)* « (arte) grammatica ».

**grammàtico**, dal lat. *grammatĭcus* che è dal gr. *grammatikós*, deriv. di *grámma* ' lettera dell'alfabeto ', da *gráphō* ' scrivo '.

**grammo**, dal frc. *gramme* (primi del XIX sec.), lat. tardo *gramma* ' ventiquattresima parte di un'oncia ' che è dal gr. *grámma*.

**grammòfono**, comp. moderno di gr. *grámma* ' segno scritto ' e *-fono*.

**gramo**, dal longob. *gram*.

**gràmola**, sost. deverb. estr. da *gramolare*.

**gramolare**, dal lat. medv. (XII sec.) *gramolare*, verbo denom. iterat. di *\*grama*, ant. tema mediterr. di area ibero-ligure.

**gramolata**, da *gramolare*.

**grampa**, dal gotico *\*krampa* ' uncino '.

**grana**, lat. *grana*, neutro plur. di *granum* ' grano '.

**granadiglia**, dallo sp. *granadilla*, dimin. di *granada* ' melangrano '.

**granaglia**, da *grano*, sia ' granello ' sia ' frumento ', con suff. collettivo, per es. *ortaglia*.

**granaio**, lat. *granarium*, con norm. trattam. tosc. di *-ariu* in *-aio*.

**granata**, da *grano*, sia nel senso dei grani di saggina (per le scope), sia nel senso di grani di polvere contenuti in un recipiente dalla forma di « (mela) granata » (per i proiettili).

**granatiglia**, dallo sp. *granadillo* (per il colore fulvo che ricorda la melagrana) incr. con it. *granata*.

**granatina**, da *(mela) granata* con suff. dimin.

**granato**, da *(melo) granato* ' dal colore delle melagrane '.

**grancassa**, da *gran(de)* e *cassa*, sul modello dello sp. *caja* ' tamburo '.

**grancèvola** e **grancèola**, dal venez. *granséola*, lat. volg. *\*cranicŭla* con metatesi da *\*cancricŭlus* ' granchio ' (dimin. di *cancer*) e leniz. di *c-* iniz. in *g-*.

**granchio**, lat. volg. *\*crancŭlus*, dimin. metatetico di *cancer*, con leniz. dell'iniz. *c-* in *g-*; v. CANCRO e cfr. GABBIA.

**grancia**, dal frc. ant. *granche*, lat. *\*granĭca*, deriv. di *granum*; cfr. GRANGIA.

**granciporro**, dal venez. *gransiporo*, comp. di *gransi-*, lat. *\*cranci-* (metatesi di *cancer*) e *poro*, da gr. *págūros, \*páuros*, con restituzione tosc. della forma non assibilata *-ci* al posto di *-si* e introduz. (ingiustificata) della doppia *-rr-* al posto di *-r-*.

**grande**, lat. *grandis*, privo di connessioni ideur.

**grandiflore**, dal lat. scient. *grandifloris*, comp. di *grandis* ' grande ' e di *flos* ' fiore '.

**grandiloquenza**, incr. di *grandìloquo* e *magniloquenza*.

**grandiloquo**, dal lat. *grandilŏquus*, comp. di *grandis* e il tema di *loqui* ' parlare '.

**grandinare**, lat. *grandinare*.

**gràndine**, lat. *grando, -ĭnis*, con fragili collegamenti nelle aree slava e armena.

**grandinìfugo**, comp. di *grandine* e *-fugo*.

**grandioso**, dallo sp. *grandioso*, lat. medv. *grandiosus*, deriv. di *grandis* sul modello di *gloriosus* da *gloria*.

**granduca**, comp. di *gran(de)* e *duca*.

**granfia**, dal longob. *krampf* ' granchio ', ' crampo ' incr. con longob. *grifan* ' prendere ' (ted. *greifen*), cfr. GRIFARE.

**grangia**, dal frc. *grange*, lat. *\*granica*; cfr. GRANCIA.

**granicoltura**, da *grano-* e *coltura*.

**granìfero**, dal lat. *granĭfer, -fĕri*, comp. di *granum* e *-fer* ' portatore '.

**granire¹** ' ridurre in grani ', verbo denom. da *grana*.

**granire²** ' formare i grani ', verbo denom. da *grano*.

**granita**, da *granito*, nel senso di « (ghiaccio) ridotto in grani ».

**granito¹** (sost.), da *granito*, nel senso di « costituito di granuli ».

**granito²** (part. pass.), da *granire*, nel senso di « venuti a maturare i grani ».

**granìvoro**, comp. di *grano* e *-voro*.

**grano**, lat. *granum*, parola ideur. antichissima, che nelle aree nordoccidentali significa ' grano ' e in quelle sudorientali ' secco ' e ' vecchio '. La forma della rad. è GERĒ: in ted. *Korn* ha valore di cereale, il gr. *gérōn* significa ' vecchio '. La spiegazione sta nel contrasto tra le aree nordoccidentali umide, in cui ' seccare ' si associa a ' maturare ', e quelle sudorientali, in cui si associa a ' invecchiare '.

**granocchio**, incr. di *ranocchio* e *gracidare*.

**granoso**, dal lat. *granosus*.

**granturco**, comp. di *grano* e *turco*, nel senso di ' esotico '.

**grànulo**, dal lat. tardo *granŭlum*.

**gràolo** (uccello), lat. volg. *\*glabŭlus*, forma metatetica di *galbŭlus* con dissimilaz. da *l.... l* a *r.... l* e leniz. totale della *-b-* intervoc. v. GAULO e cfr. GIALLO.

**grappa¹** (liquore), dal lombardo *grapa* ' graspo ' (con la regolare corrispond. di *-p-* lombardo e *-pp-* tosc.), risal. al gotico *\*krappa*.

**grappa²** (strum. o segno tipografico), dal gotico *\*krappa* ' uncino '.

**gràppolo,** da un dimin. lat. medv. del gotico *krappa* ' uncino '; cfr. GRAFFA e GRACÌMOLO.

**grascella** ' parte saliente tra la coscia e la gamba del cavallo ', da *crescella* deriv. di *cresc(ere)* e *(a)scella*, incr. con *grascia*.

**grascia,** lat. volg. *crassja,* neutro plur. di *crassjus,* class. *crassus* incr. con *grasso.*

**graspo,** da *raspo* (v.) incr. con *gràppolo.*

**grassatore,** dal lat. *grassator,* deriv. da *grassari,* intens. di *gradi* ' camminare ', perciò « gran percorritore di strade », poi (in senso ostile) « brigante ».

**grassazione,** dal lat. *grassatio, -onis.*

**grasso,** lat. tardo (gloss.) *grassus,* incr. di *crassus* con *grossus.*

**grasta** ' vaso da fiori ', dal lat. tardo *gastra,* gr. *gástra,* der. di *gastḗr* ' ventre ' per la forma, cfr. GUASTADA.

**grata,** dal lat. *cratis* ' graticcio ' (con leniz. iniz. di -*c*- in -*g*- (v. GABBIA) e passaggio alla declinaz. in -*a*-) con connessioni ideur. non evidenti.

**gratella,** dimin. di *grata.*

**graticcio,** dal lat. *craticius* incr. con *grata.*

**gratìcola,** dal lat. *craticŭla* incr. con *grata*; cfr. INCATRICCHIARE.

**gratifìca,** sost. deverb. estr. da *gratificare.*

**gratificare,** dal lat. tardo *gratificare,* class. *gratificari,* comp. di *gratus* ' gradito ' e -*ficare,* tema di verbo denom. da -*fex* e -*fìcus.*

**gratificazione,** dal lat. *gratificatio, -onis.*

**gratile** (parte della vela), forse dall'immagine del graticolato, che nasce dall'intrecciarsi dei pezzi sull'orlo della vela.

**gratin,** dal frc. *gratin,* in orig. ' crosta '.

**gratis,** dall'avv. lat. *gratis,* forma contratta del dat. abl. plur. *gratiis* di *gratia,* e cioè ' graziosamente ', ' per favore '.

**gratitùdine,** dal lat. tardo *gratitudo, -ĭnis.*

**grato,** dal lat. *gratus,* parola antichissima del vocab. religioso, part. pass. con regolare grado ridotto della rad. GWERĒ ' cantare inni di lode ', sopravv. anche nelle aree indoiranica, baltica, slava. Il nome d'azione GWṚTI- si trova in lat. nel solo plur. *grātes.* Accanto ad esso si ha l'astr. *grātus* per cui v. GRATÙITO.

**grattacapo,** dal tema di *gratta(re)* e *capo.*

**grattacielo,** da *gratta* e *cielo,* calco sull'ingl. *sky* ' cielo '-*scraper* ' grattatore ': « (così alto che) gratta il cielo ».

**grattapugia** (strumento), dal provz. *grataboyssa,* comp. di *gratar* ' grattare ' e *boyssar* ' pulire ' con la esagerata correzione tosc. di -*ssa* in -*gia.*

**grattare,** dal provz. *gratar* che è dal franco *krattōn* (ted. *kratzen*).

**grattugia,** prob. dal provz. *gratuza.*

**gratuità,** dal lat. tardo *gratuĭtas, -atis.*

**gratùito,** dal lat. *grātuĭtus,* deriv. da *grātus, -us* (astr. della rad. GWERĒ, v. GRATO) e passato all'accentazione sdrucciola in it.; cfr. FORTÙITO.

**gratulatorio,** dal lat. tardo *gratulatorius.*

**grava,** dal tema mediterr. *grava* ' spiaggia, greto di fiume '.

**gravàbile,** dal lat. *gravabĭlis,* agg. verb. di *gravare.*

**gravame,** dal lat. tardo *gravamen, -ĭnis,* deriv. di *gravare.*

**gravare,** lat. *gravare,* verbo denom. da *gravis.*

**grave,** lat. *gravis,* antichissimo agg. in -*u,* da un primitivo GWERĒ-U variamente alternante, largamente attestato nelle aree greca (*barýs*), indoiranica (sanscrito *guru-*), germanica, celtica, baltica, e passato regolarmente in lat. alla declinaz. in -*i*-. Per un ampliam. in -*to*-, v. BRUTO.

**graveolente,** dal lat. *graveŏlens, -entis.*

**gravi-,** dal lat. *gravis* ' pesante '.

**gravicémbalo,** incr. di *clavi(cémbalo)* con *gravi-.*

**gravidanza,** v. *gràvido.*

**gràvido,** da *gravĭdus* ' oberato ', *gravĭda* ' incinta ', che presuppone un verbo di stato *graveo* ' sono pesante '; v. GRAVE.

**gravimetrìa,** da *gravi-* e -*metria.*

**gravina¹** ' avvallamento ', da *grava.*

**gravina²** ' piccone ', dal lat. medv. *gravina* (XIII sec.), dimin. di gr. biz. *k(á)rabos* ' granchio ' penetrato da Ravenna, con leniz. di -*c*- in -*g*-; cfr. GABBIA.

**gravità,** dal lat. *gravĭtas, -atis.*

**gràvolo** (uccello), lat. volg. *glabŭlus,* forma metatetica di class. *galbŭlus,* con dissim. della serie *l.... l* in *r.... l*; v. GAULO e GRÀOLO, e cfr. GIALLO.

**grazia,** dal lat. *gratia*; v. GRATO.

**grazie,** v. GRAZIA.

**grazioso,** dal lat. *gratiosus.*

**greca** (veste), femm. sostantiv. dell'agg. *greco.*

**grecale,** dal lat. tardo *graecalis,* perché, provenendo da nord-est, pareva ai navigatori del Mediterraneo centrale provenire dalla Grecia.

**greco,** dal lat. *graecus* che è dal gr. *graïkós.*

**grèculo,** dal lat. *Graecŭlus,* dimin. di *graecus.*

**gregario,** dal lat. *gregarius* ' che fa parte del gregge '.

**gregge,** ant. *greggia,* lat. *grex, gregis* incr. con lat. volg. *gregja,* e perciò col norm. raddopp. del gruppo *gj* in posizione postonica: dalla rad. GER ' adunare ' (con raddopp. anorm., G(E)R-EG), che compare ad es. nel gr. *ageírō* ' mi aduno '; v. anche GREMBO.

**greggio,** lat. volg. *gregjus* ' proprio del gregge ', per es. la lana ancora non lavata, opposto di *egregius* « estratto dal gregge, scelto »; v. EGREGIO.

**grembiale** e deriv., v. GREMBIULE e deriv.

**grembio,** estr. da *grembiale,* incr. di lat. *gremialis* e *grembo.*

**grembiule,** da *grembio,* variante di *grembiale.*

**grembo,** lat. *gremium* incr. con it. *lembo.* *Gremium* mostra qualche connessione con forme germaniche, baltiche e slave e potrebbe risalire alla rad. GER di *grex* attrav. la sua forma al grado ridotto GR, ampliata con -EM e di valore durativo, come *premo* (v. PREMERE) che risulta dalla rad. P(E)R ' battere ' ampliato con -*em* o *tremo* (v. TREMARE) dalla rad. T(E)R-.

**gremio** ' corporazione professionale ', dallo sp. *gremio.*

**gremire,** forse da longob. *krammjan* ' riempire '.

**greppia,** dal gotico *kripja.*

**greppo,** lat. medv. *grippus* (XIV sec.) da un tema mediterr. *grepp*-, alternante con *grappa-krappa* ' sasso '.

**gres,** dal frc. *grès* ' arenaria ', deriv. da franco *griot* ' ghiaia ' (ted. *Gries*).

**greto,** da *graveto,* collettivo di *grava* (v.) incr. con *ghiara,* forma settentr. per *ghiaia,* cfr. GHIARETO.

**grétola,** lat. volg. *cretŭlum,* da *cletrŭlum* ' graticcio ', dimin. di *cletra, -orum* variante di *clatra, -orum,* risal. a un attico *klêithra* anziché a un

dorico *klá(w)ithra, incr. con it. grata; cfr. SGRE-
TOLARE.

**gretto**, dall'it. merid. crettu ' magro ', ' gracile ',
preso dal « terreno crettu », ' crepato ' e cioè
' avaro ', ' sterile ', con lenizione di c- in g-;
v. CRETTO.

**greve**, incr. di gravis col suo opposto levis.

**grezzo**, variante settentr. di greggio.

**griccio**[1] (agg.), incr. di riccio e graticcio.

**griccio**[2] (sost.), incr. di (cap)riccio con gri(dare).

**grida**, sost. deverb. da gridare.

**gridacchiare**, iterat. di gridare.

**gridare**, lat. quiritare ' invocare (la clemenza dei)
Quiriti ' sec. Varrone, con la sincope di voc. protonica, come in c(o)rollare (da *corrotulare)
(v. CROLLARE) e la doppia leniz di qu(i)r- in gr-
(v. GABBIA) e -t- in -d-.

**gridellino** (colore), dal frc. gris-de-lin.

**grido**, sost. deverb. estr. da gridare.

**grifagno**, dal provz. grifanh.

**grifare**, dal longob. grifan ' prendere ', cfr. GRAN-
FIA.

**griffa**, sost. deverb. dal longob. grifan (ted. greifen) ' acchiappare '.

**grifo**[1], lat. tardo grypus ' nasone ', dal gr. grypós
' che ha il naso ricurvo ' incr. con grifare.

**grifo**[2], dal gr. griphos ' rete ' e ' enimma '.

**grifo**[3] e grifone, lat. gryphus e questo dal gr.
grýps ' grifone '.

**grigio**, dal frc. ant. gris, alto ted. ant. grīsi (ted. Greis).

**griglia**, dal frc. grille che è il lat. craticŭla; cfr.
GRATA.

**grignolino**, da grignulìn, voce dialettale del Mon-
ferrato che indica una specie di vitigno; e questo
dimin. di grignola ' vinacciolo ' per l'abbondanza
dei vinaccioli negli acini. Grignola dovrebbe essere
il lat. volg. *granjòla ' granello ' con un mutamento non chiaro della voc. -a- in -i-.

**grillaia**, da grillo.

**grillare**, verbo denom. da grillo.

**grilletto**, vezzegg. metaforico di grillo.

**grillo**, lat. grillus, dalla serie onomatop. gr.... gr,
gr.... gl.

**grillotalpa**, da grillo e talpa.

**grillotti** (frange), dal frc. grilot.

**grimaldello**, dal nome proprio Grimaldo, secondo
il frequente procedim. di personificazione degli
strumenti.

**grimo** ' misero ', dal longob. grimm ' rugoso '.

**grinfia**, incr. di longob. krampf ' uncino ' e longob.
grifan ' prendere ' (ted. greifen).

**grinta**, dal gotico *grimmitha ' che fa paura '.

**grinza**, sost. deverb. dal verbo longob. grimmisòn
' corrugare '.

**grippare**, dal frc. gripper, risal. al gotico greipan
' afferrare ' (longob. grifan, ted. greifen).

**grippe**, dal frc. grippe, sost. deverb. dal verbo
gripper; v. GRIPPARE.

**grippia**, lat. volg. *crippia, variante da *cruppius,
agg. tratto da cruppa ' grossa corda ', attestato da
gloss. ma sentito come arc., con la leniz. di crin gr-, v. GABBIA: privo di connessioni etimologiche.

**grisatoio** ' utensile dei vetrai ', dal frc. gréser che
è dall'ol. gruizen ' schiacciare ' incr. con i tipi ita-
liani (fil)atoio.

**grisetta** (stoffa), dal frc. grisette ' grigietta '.

**grissino**, dal piemontese grissìn, variante di ghersìn,
dimin. di piemontese ghersa ' fila '.

**grisù**, dal frc. grisou e questo dalla locuzione dialettale vallone (Belgio) (feû) griyeû « (fuoco)
greco ».

**grog**, dall'ingl. grog, abbreviaz. di grogram, nome
della stoffa che usava abitualmente l'ammiraglio
ingl. Lord Vernon (sec. XVIII), perciò soprannominato old Grog ' vecchio Grog '. E poiché
faceva allungare con l'acqua la razione dei mari-
nai, il nome della stoffa, dopo essere stato applicato all'uomo, è passato alla bevanda (poco rac-
comandabile) che infliggeva agli stessi.

**grolla** ' coppa ', dal valdostano grola.

**groma**, dal lat. groma, adattamento del gr. gnómōn,
con dissimilaz. da gn.... m a gr.... m, ma con mantenimento della cons. sonora g- e la voc. di timbro o, nonostante la possibilità di un tramite etrusco *cruma, cfr. NORMA.

**gromàtico**, dal lat. gromatĭcus.

**gromma**, lat. volg. *grumma, forma femm. di
gru(m)mus ' piccolo tumulo ', considerata come
collettiva: « insieme di grumoli ». Mancano connessioni etimol.; cfr. GRUMA.

**gronchio** ' intorpidito ', incrocio prob. di granchio
e tronco.

**gronda**, lat. tardo grunda, privo di connessioni
etimol. attendibili.

**grongo**, lat. volg. *grongus, variante di lat. tardo
(gloss.) congrus (class. conger dal gr. góngros).

**gròppa**, dal provz. cropa, che è forse dall'alto ted.
ant. *kruppa, ted. Kropf ' gozzo ': con leniz. di
cr- in gr-, v. GRATA.

**groppo**, dall'alto ted. ant. *kruppa, con leniz. di
cr- in gr-.

**grossa** (unità di misura), femm. sostantiv. di grosso.

**grosso**, lat. tardo grossus, privo di connessioni
evidenti.

**grossolano**, da grosso.

**grotta**, lat. volg. e arc. *crupta (class. crypta),
incr. con motta ' frana ' (v.), con leniz. iniz. di
cr- in gr- (v. GRATA). Lat. crypta è dal gr. krýptē,
cfr. krýptō ' io nascondo '.

**grottesca**, femm. sostantiv. dell'agg. grottesco.

**grottesco**, dalle figure scoperte alla fine del XV
sec. nelle Terme di Tito e Traiano presso il
Colosseo, dette ' grotte '.

**groviera**, dal nome della regione Gruyère, nel Cantone svizzero di Friburgo.

**groviglio**, incr. di groppo nel senso di ' nodo ' e
roviglia, lat. ervilia, neutro plur. di un agg. deriv.
da ervum ' lenticchia ', che trova a sua volta
corrispond. solo approssimative nelle aree germanica e greca. Non si può escludere perciò
l'ipotesi di una origine paleoeuropea.

**gru**, lat. grus, gruis, di lontane orig. onomatop.
secondo la serie gr....gr largamente attestata
nelle lingue ideur.

**gruccia**, dal longob. krukkja ' gruccia ', con leniz.
di cr- in gr-; v. GRATA.

**grufare**, incr. di grifare con grugnire.

**grufolare**, iterat. di grufare.

**grugare**, dalla voce onomatop. gr.... gr.

**grugnare** (arc.), lat. volg. *grundjare, variante di
grundire con normale passaggio di -ndj- in -gn-;
v. VERGOGNA.

**grugnire**, lat. grunnire, forma rustica di grundire,

di lontane orig. onomatop. secondo la serie *gr.... gr*, incr. con *grugnare*.

**grugnito**, lat. *grunnitus, -us*, forma rustica di *\*grundītus*, incr. con *grugnare*.

**grugno**, lat. tardo (Oribasio) *grunium*, forse da *\*grunnium*, astr. di *grunnire*; v. GRUGNIRE.

**grullare** (arc.), incr. di *crollare* con *gru* e cioè di un movimento improvviso e di un movimento ondeggiante come quello del collo della gru.

**grullo**, estr. da *grullare* nel senso di ' ciondolone ' o ' ridotto a nulla '.

**gruma**, lat. volg. *\*grūma*, collettivo di *grumus* ' piccolo tumulo ' e cioè variante di *\*grumma* (*grummus*) ' insieme di grumoli '; v. GROMMA.

**grumo**, lat. *grumus* ' mucchio di terra '; v. GROMMA.

**grùmolo**, dal lat. *grumŭlus*, dimin. di *grumus*.

**grumoso**, da *gruma* e *grumo*.

**gruppo**, dall'alto ted. ant. *\*kruppa* con leniz. di *cr-* in *gr-*, attrav. il lat. medv. *\*gruppus*, cfr. GROPPA.

**gruzzo**, dal longob. *gruzzi* ' mucchio di roba inservibile '.

**grùzzolo**, dimin. di *gruzzo*.

**gua'**, troncamento di *guata*, imperat. di *guatare*.

**guaco** (pianta), dalla lingua dei Chontales, indigena del Nicaragua.

**guada** (pianta), dal franco *walda* ' reseda lutea '; cfr. GUALDA, incr. con *guado²*.

**guadagnare**, dal franco *waidanjan* ' pascolare ', deriv. di *waida* ' pascolo ' (ted. *Weide*), attrav. il gallo-romano *wadaniare*.

**guadagno**, sost. deverb. estr. da *guadagnare*.

**guadare**, incr. di lat. *vadare* e it. *guado*.

**guado¹** (passaggio), lat. *vadum*, trattato come parola longob., col cambiamento all'iniz. di *va-* in *gua-* per l'incr. col franco *\*wad* ' guado ', cfr. *guastare, guastada*. Connesso con lat. *vādĕre* v. vo.

**guado²** (pianta), dal longob. *waid* ' erba colorante '. con normale passaggio di *ai* in *a*, cfr. GUATARE.

**guaglione**, dal napoletano *guaglione* e questo forse legato a una serie onomatop. *gua.... gua*, riferita ai bambini piccoli, incr. con lat. *ganeo, -onis*, nome d'agente tratto da *ganēa* ' taverna ', privo di corrispond. attendibili.

**guai**, incr. di lat. *vae* e gotico *wai*, col trattam. norm. nelle parole gotiche e longob. di *va-* in *gua-* (cfr. ted. *Weh* ' dolore ').

**guaiaco**, dallo sp. *guayaco* (XVI sec.) e questo da voce aruaca dell'isola di Haiti.

**guaiacolo**, da *guaiaco* con suff. chimico *-òlo*.

**guaìme**, dal lat. di Gallia *\*wai(d)imen*, risal. al franco *waida* ' pascolo ', trattato secondo le parole di orig. longob. che mutano *va-* in *gua-*, e con la leniz. totale di *-d-*.

**guaìna**, lat. *vagina*, con trattam. longob. di *va-* in *gua-*, e leniz. totale di *-g-* intervocalico dav. a *-i-*, senza fusione del dittongo perché accentato sulla seconda voc., v. invece *frale* da *fràile, prete* da *prète, brolo* da *bròilo*.

**guaio**, sost. estr. dalla interiez. *guai* intesa come forma di plur.

**guaiolare**, verbo iterat. di *guaire*.

**guaire**, lat. *vagire*, con trattam. longob. di *va-* in *gua-* e leniz. totale di *-g-* intervocalico dav. a *i*, cfr. GUAINA.

**guàita**, dal franco *wahta* ' guardia ': cfr. **guàttero** (v.) da longob. *wahtari* e v. GUARDARE.

**guaitare**, verbo denom. da *guaita*.

**guaìto**, da *guaire*.

**gualcare**, dal long. *walkan* ' rotolare ' (ted. *walken*), incr. con *gualcire*.

**gualchiera**, da *gualcare* col suff. di orig. provz. e frc. *-iera*.

**gualcire**, da longob. *walkjan*.

**gualda**, variante di *guada*.

**gualdana** ' scorreria ', dal longob. *wald* ' bosco ' quasi « imboscata ».

**gualdo**, dal longob. *wald* ' bosco ' (ted. *Wald*), anche nome loc. p. es. Gualdo Tadino, Gualdo Cattaneo.

**gualdrappa**, incr. di *guardanappa* e *drappo*, con dissimilaz. da *-ardr-* in *-aldr-*.

**gualmo**, dal longob. *walmi* ' ribollente '.

**guanaco**, dallo sp. *guanaco* (XVII sec.) e questo dal queciua, lingua indigena del Perù.

**guancia**, dal longob. *wangja, wankja* (ted. *Wange*).

**guano**, dallo sp. *guano* risal. al queciua (Perù) *huanu*.

**guanto**, dal franco *wanth*, precocemente passato nel lat. di Gallia (VII sec.) *wantus* e trattato poi secondo gli schemi longob. per cui *va-* diventa *gua-*.

**guappo**, dallo sp. *guapo*.

**guarda-**, tema deverb. da *guardare*, sopravv. come nome loc. p. es. *Guardamiglio*.

**guardabarriera**, da *guarda-* e *barriera*.

**guardaboschi**, da *guarda-* e *boschi*.

**guardacaccia**, da *guarda-* e *caccia*.

**guardacànapo**, da *guarda-* e *cànapo*.

**guardacoste**, da *guarda-* e *costa*.

**guardafili**, da *guarda-* e *filo*.

**guardafreni**, da *guarda-* e *freno*.

**guardalinee**, da *guarda-* e *linea*.

**guardamano**, da *guarda-* e *mano*.

**guardanappa**, da *guarda-* e *nappa*.

**guardapetto**, da *guarda-* e *petto*.

**guardaporto**, da *guarda-* e *porto*.

**guardaportone**, da *guarda-* e *portone*.

**guardare**, lat. alto medv. (VII sec.) *guardare*, dal franco *wardōn* ' stare in guardia ' (ted. *warten* ' aspettare '), trattato come *guaita* (v.) da *wahta*.

**guardaroba**, da *guarda-* e *roba*.

**guardasala**, dal frc. *garde-salle*.

**guardasigilli**, da *guarda-* e *sigilli*.

**guardavia** ' ringhiera spartitraffico ', calco sull'ingl. *guardrail*, erroneamente interpretato come « guardacorsia » anziché come « ringhiera di sicurezza ».

**guardia**, dal lat. medv. *guardia*, astr. di *guardare* (v.) calco su *custodia*.

**guardiamarina**, dallo sp. (XIX sec.) *guardia marina*.

**guardina**, dimin. di (*posto di*) *guardia*.

**guardinfante**, dallo sp. *guardinfante*, comp. di *guard(a)-* e *infante*.

**guardingo**, incr. del tema di *guardare* col suff. *-ingo* di orig. longob.

**guardo**, sost. deverb. estr. da *guardare*.

**guarentigia**, da *guarentire*.

**guarentire**, verbo deriv. da lat. alto medv. *guarentus*, risal. al franco *wĕrĕnd* ' garante ', soppiantato poi dal tipo *garante* (v.) col trattam. franco di *va-* in *ga-* anziché in *gua-* come è il tipo longobardo-italiano.

**guari**, dall'avv. franco *waigaro* ' molto ', attrav. il provz. *gaire, guaire*.

**guarire**, dal longob. e franco *warjan* ' tener lontano '.

**guarnacca**, incr. di provz. *guarnacha* e it. *guarnire*.

**guarnello** (veste e tessuto), incr. di *guarnacca* e *gonnella*.

**guarnigione**, dal frc. *garnison*, incr. con it. *guarnire*.

**guarnire**, dal franco *warnjan* ' preparare ', ' mettere in guardia ' (ted. *warnen*), col trattam. italiano-longobardo *gua-* (al posto del franco *ga-*), rispetto al *ga-* primitivo.

**guascone**, dal frc. *gascon* (lat. *vasco, -onis*), con la sostituz. *gua-* (longob.) al tipo *ga-* (franco) e *va-* (it.); cfr. GUADO.

**guastada** (recipiente), lat. volg. *gastrata* (con leniz. veneta di *-t-* in *-d-*) ampliam. di *gastra* ' vaso panciuto ', dal gr. *gástra*, e sostituz. di *gua-*, ritenuto longob., a *ga-* ritenuto franco; v. GRASTA.

**guastare**, lat. *vastare*, con passaggio longob. di *va-* in *gua-* per l'incr. col germ. *wōsti* ' deserto ' (ted. *Wüste*); cfr. *guado*, *guastada* e v. VASTO.

**guasto**[1] (agg.), estr. da *guast(at)o*.

**guasto**[2] (sost.), sost. deverb. estr. da *guastare*.

**guatare**, da *guaitare* (v.), con pass. da *ai* a *a*, sec. il modello della prima pers. *guàito*, con accento sulla prima voc., che si riduce a *guato* come *fràile* a *frale*, *prèite* a *prete*, *bròilo* a *brolo*, *fùita* a *futa*, *fràina* a *frana*.

**guàttero** (arc.), dal longob. *wahtari*; cfr. SGUÀTTERO.

**guazza**, lat. volg. *aquatia*, astr. di *aquatus*, con passaggio dell'*a-* all'articolo (*l'a quatia*) e leniz. del gruppo *-qua-* in *-gua-*; v. EGUALE, SEGUIRE.

**guazzabugliare**, da *guazzabuglio*.

**guazzabuglio**, incr. di *guazza* e *(gar)buglio*.

**guazzare**, verbo denom. da *guazzo*.

**guazzo**, da *guazza*.

**gueffa**, dal longob. *wiffa* ' strofinaccio di paglia '.

**guelfo**, dal ted. *Welf*, capostipite della famiglia dei duchi di Baviera, applicato prima ai loro fautori e poi a quanti si opponevano all'autorità imperiale.

**guercio**, dal gotico *thwaírhs* ' (che guarda) storto ', ' iroso '.

**guerra**, dal franco *wĕrra*, attrav. lat. medv. *guerra*, già a partire dal VI sec.

**guerrafondaio**, da *guerra a fondo*, voce nata al tempo delle guerre d'Africa (fine sec. XIX).

**guerraiolo**, da *guerra*.

**guerriero**, dal frc. ant. *guerrier*.

**guerriglia**, **guerrigliero**, dallo sp. *guerrilla*, *guerrillero*, quest'ultimo col suff. *-ero* (lat. *-arius*).

**gufo**, lat. volg. *gufus*, estr. dal lat. tardo *gufo, -onis*, parola riconosciuta rustica attrav. la *-f-* interna, ma priva di altre connessioni evidenti.

**guglia**, da *l'aguglia* (v.) analizzata *la guglia*.

**gugliata**, da *(l'a)gugliata*.

**guida**, sost. deverb. da *guidare*.

**guidalesco** ' garrese ', forse da un longob. *widarrist* ' garrese ', inserito fra i nomi in *-esco* quasi fosse deriv. da un *guidale*.

**guidare**, dal provz. *guidar* e questo dal franco *wītan* ' inviare in una direzione ', ' indirizzare '.

**guiderdone**, dal franco *widerlōn* (ted. *wider* ' contro ' e *Lohn* ' mercede ') « contro-mercede », incr. in area settentr., senza voc. finali, con lat. *donum* (lat. medv. *gviderdonum*).

**guidone**[1] ' guida ', dal provz. *guidon*.

**guidone**[2] ' briccone ', incr. di *guitto* con *guidare*.

**guidoslitta**, da *guida(re)* e *slitta*.

**guidovìa**, da *guida* e *via*; cfr. *filovia*, *sciovia* ecc., calco su *ferrovia*.

**guiffa** (segnale di confine), dal longob. *wiffa*; cfr. GUEFFA e BIFFA.

**guiggia**, dal frc. ant. *guige*, franco *winding* ' nastro che lega lo scudo al collo del cavaliere ', attrav. un lat. (glosse di Cassel) *windica*.

**guìndolo**, dal lat. medv. *guìndolus* (XIV sec.), dall'alto ted. medio *winde*; cfr. BÌNDOLO.

**guinzaglio**, dal lat. medv. *guinzaium* (XIV sec.), ampliam. di frc. ant. *guinche*, sullo schema di *fermaglio*. Frc. *guinche* è variante di *guige*; v. GUIGGIA.

**guisa**, dal frc. ant. *guise*, franco *wīsa* (ted. *Weise*).

**guitto**, dallo sp. *guito* ' cavallo sfrenato '.

**guizzare**, forse verbo denom. da longob. *wizza* ' punizione per chi entra nei boschi riservati ', lat. medv. *guizare* (XII sec.); allineato poi con *guazzare* in una successione paragonab. a zig-zag: *guizz(are)-guazz(are)*.

**guscio**, lat. volg. *custjum*, dalla rad. da cui anche *custos, -odis*, allineato secondo la serie *merx*, *(com)mercium*, *merces, -edis*, nella successione di gr. *keûthos*, un tema KUDH-T-YO- e lat. *custos, -odis*; v. CUSTODE. Rispetto all'it. il rapporto di *custjum* a *guscio* è lo stesso di lat. volg. *ustjum* a *uscio* (v.) con in più la leniz. iniz. di *c-* in *g-*; v. GABBIA.

**gustàbile**, dal lat. tardo *gustabĭlis*.

**gustare**, lat. *gustare*, verbo intens. di un perduto *gurĕre*, appartenente alla importante famiglia di GEUS, ' assaporare, scegliere ', largamente attestata e regolare nella trasmissione (gr. *geúomai* ' assaporo ', ted. *Kost* ' vitto ').

**gustazione**, dal lat. *gustatio, -onis*.

**gusto**, lat. *gustus, -us*, astr. di un perduto *gurĕre* dalla rad. GEUS.

**guttaperca**, dall'ingl. *gutta percha* (XIX sec.), adattamento delle voci malesi *gĕtah* ' gomma ' e *pĕrciah* ' albero '.

**guttifera** (pianta), dal lat. scient. *guttiferae*, comp. di *gutta* e *-fer* ' portatore '.

**gutto** (vaso), dal lat. *guttus* (cfr. GOTTO), privo di connessioni evidenti; cfr. però GUTTURALE.

**gutturale**, dal lat. *guttur* ' gola ', privo di connessioni attendibili salvo forse con *guttus* (v. GOTTO), e col suff. it. *-ale*.

# H

**hertziano**, dal nome di H. R. Hertz (1857-1894), scopritore delle onde elettromagnetiche.

**ho** (da *avere*), it. ant. *a(i)o*, v. SO, con *h-* latinegg.

**hostess** ' assistente di volo ', dall'ingl. *hostess* e questo dal frc. ant. *hostess* femm. di *hoste*, lat. *hospes*.

# I

**i** (articolo), lat. *(ill)i* (nom. plur. maschile), v. IL, semplificato a causa della posizione proclitica; cfr. LI, GLI.

**ìadi,** dal lat. *hyădes,* che è dal gr. *hyádes* ' le piovose ' da *hýō* ' piovo '.

**ialino,** dal lat. tardo *hyalīnus,* che è dal gr. *hyálinos* ' vitreo ', da *hýalos* ' vetro, cristallo ', allineato con gli agg. it. con accentazione *-ìno*.

**ialografìa,** dal gr. *hýalos* ' vetro ' e *-grafìa*.

**iamatologìa,** da *Yamato* ' Giappone ' e *-logìa*.

**iarda,** dall'ingl. *yard*.

**-ìasi** (suff. medico), dal gr. *-íasis,* suff. di nomi d'azione da verbi in *-iáō*.

**iato,** dal lat. *hiatus, -us* ' apertura ', astr. di *hiare* ' aprir la bocca ', parola ideur. di larga diffusione nordoccidentale, ma di tradiz. disturbata, risal. a una rad. GHIYĀ.

**-iatra,** dal gr. *iatrós* ' medico '.

**-iatrìa,** dal gr. *iatreía* ' cura medica ', incr. con gli astr. it. in *-ìa*.

**iattanza,** dal lat. *iactantia,* astr. di *iactare,* verbo intensivo di *iacĕre*; v. GETTARE.

**iattura,** dal lat. *iactura* ' getto ', ' perdita ', astr. di *iacĕre* ' gettare '.

**ibernare,** dal lat. *hibernare,* verbo denom. da *hibernus*; v. INVERNO.

**ibernazione,** nome d'azione di *ibernare*.

**ibis,** dal lat. *ibis, -ĭdis,* che è dal gr. *íbis* e questo dall'egiz.

**ibisco,** dal lat. *hibiscum,* varietà di malva, privo di corrispond. evidenti.

**ibridazione,** dal frc. *hybridation,* nome d'azione di *hybrider*.

**ibrido,** dal lat. *hybrĭda* ' bastardo ' associato senza fondamento al gr. *hýbris* ' alterigia ', e privo di altre connessioni evidenti.

**icàstico,** dal gr. *eikastikós* ' rappresentativo ', deriv. dal verbo *eikázō* ' rappresentare '.

**iceberg** (pronuncia *àisberg*), dall'ol. *ijs* ' ghiaccio ' e *berg* ' monte ', attrav. l'ingl. *iceberg*.

**icneumone,** dal lat. *ichneumon, -ŏnis,* che è dal gr. *ikhneúmōn, -onos,* deriv. di *ikhneúō* ' seguo le tracce ', denom. da *íkhnos* ' traccia ', così detto perché segue le tracce del coccodrillo.

**icnografìa,** dal gr. *íkhnos* ' pianta del piede ', ' pianta (di un edificio) ' e *-grafìa*.

**icona,** dal gr. biz. *eikóna* (pronuncia *ikóna*), accus. sg. di *eikốn* ' immagine '.

**iconoclasta,** dal gr. tardo *eikonoklástēs,* comp. di *eikốn, -ónos* ' immagine ' e del tema con suff. di agente, del verbo *kláō* ' rompo ', incr. con *icona* (v.).

**iconografìa,** dal gr. *eikonographía,* comp. di *eikốn, -ónos* ' immagine ' e *-graphía,* tema del verbo *gráphō* ' descrivo ', incr. con *icona* (v.).

**icònografo,** dal gr. *eikonográphos*.

**iconologìa,** da gr. *eikốn, -ónos* e *-logìa*.

**iconoteca,** da *icona* e *-teca,* calco su *biblioteca* e sim.

**icore,** dal gr. *ikhốr, -ōros* ' sangue degli Dei '.

**icosaedro,** dal lat. tardo *icosahedrum,* che è dal gr. *eikosáedron,* comp. di *eíkosi* ' 20 ' e *hédron* ' superficie '.

**ictus,** dal lat. *ictus, -us* ' colpo ', astr. di *icĕre* ' colpire ', privo di connessioni evidenti.

**idalgo,** dallo sp. *hijo de algo* ' figlio di qualcuno ' (come in it. « essere qualcuno »).

**Iddio,** da *il Dio,* per accentuarne la personalità.

**-ide** (suff. chimico), dal gr. *-is, -idos,* nel suo senso originario di patronimico.

**idèa,** dal gr. *idéa* ' aspetto, forma, apparenza ', deriv. da *ideîn* ' vedere '.

**ideale,** dal lat. tardo *idealis*.

**idealismo,** da *ideale*.

**idèntico,** dal lat. medv. *idènticus,* collegato al lat. tardo *identĭtas,* ampliam. del class. *idem,* forma originariam. neutra del pron. dim. *id,* ampliato a sua volta con la particella indeclinabile *-em*. La rad. di *id* è EI/I; cfr. ESTO.

**identificare,** dal lat. medv. *identificare,* comp. di *identĭcus* e *-ficare*.

**identità,** dal lat. tardo *identĭtas, -atis*.

**ideografìa,** da *idea* e *-grafìa*.

**ideogramma,** da *idea* e *-gramma*.

**ideologìa,** dal frc. *idéologie,* comp. di *idée* ' idea ' e *-logie* ' trattazione '.

**idi,** dal plur. lat. *Idus -uum,* normalizzato nella desinenza dal punto di vista it. Il tema orig. è *\*eidu-,* privo di connessioni evidenti fuori d'Italia.

**idillio,** dal lat. *idyllium,* che è dal gr. *eidýllion,* forma dimin. di *eîdos* ' quadro ', ' componimento lirico ampio '.

**idioma,** dal lat. *idioma, -ătis,* che è dal gr. *idíōma, -atos* ' peculiarità (di stile) ' poi ' di lingua '.

**idiomàtico,** dal gr. *idiōmatikós*.

**idiosincrasia,** dal gr. *idiosynkrasía,* comp. di *ídios* ' particolare ' e *sýnkrasis* ' mescolanza (di umori) ' e cioè « stato di particolare composizione ».

**idiota,** dal lat. *idiota,* che è dal gr. *idiốtēs* ' cittadino privato, senza cariche pubbliche ' poi ' escluso (da cariche pubbliche) ', poi ' rozzo ', ' incapace ': da *idios* ' proprio, particolare, che sta a sé '; cfr. ZÒTICO.

**idiotismo**[1] (grammatica), dal lat. *idiōtismus*, che è dal gr. *idiōtismós* ' particolarità (linguistica) '.

**idiotismo**[2] (medicina), da *idiota*.

**idiozìa**, dal frc. *idiotie*.

**idolatra**, dal lat. crist. *ido(lo)latres*, che è dal gr. crist. *eidōlátrēs*, comp. di *eidōlon* ' idolo ' e *-látrēs* ' adoratore '.

**idolatrìa**, dal lat. crist. *ido(lo)latrìa*, che è dal gr. *eidōlolatreía*.

**ìdolo**, dal gr. *eidōlon* ' simulacro '.

**idoneità**, dal lat. tardo *idoneĭtas, -atis*.

**idòneo**, dal lat. *idonĕus*, forse da *id(e)ōneus* e cioè da *ideō*: « ciò che appartiene al ' dunque ' », come *extraneus* definisce « ciò che appartiene al ' fuori ' ». Lat. *ideo* è tratto da *id* (nom. neutro del pron. dim.) e *eo*, abl. dello stesso.

**idra**, dal lat. *hydra*, che è dal gr. *hýdra*, deriv. di *hýdōr* ' acqua '.

**idrante**, dall'ingl. *hydrant* e questo dal gr. *hýdōr*.

**idrargirio**, dal lat. scient. *hydrargyrium*, class. *hydrargўrus*, che è dal gr. *hydrárgyros*, comp. di *hýdōr* ' acqua ' e *árgyros* ' argento '.

**idratare**, verbo denom. da *idrato*.

**idrato**, da *idro-* col suff. chimico *-ato*.

**idràulico**, dal lat. *hydraulĭcus*, che è dal gr. *hydraulikós*, deriv. di *hýdraulos* « tubo, (*aul-*) nel quale l'afflusso dell'aria è determinato dalla pressione dell'acqua (*hydr-*) ».

**idremìa**, da *idro-* e *-emìa*.

**idria**, dal lat. *hydria*, che è dal gr. *hydría*, deriv. di *hýdōr* ' acqua '.

**-idrico** (suff. chimico), da *idro-* col suff. *-ico*.

**ìdrico**, da *idro-* col suff. *-ico*.

**idro-, -idro**, dal gr. *hýdōr* ' acqua '.

**idrobiologìa**, da *idro-* e *biologìa*.

**idrocarburo**, da *idro-* e *carburo*.

**idrocefalìa**, astr. da *idrocèfalo*.

**idrocèfalo**, dal gr. *hydroképhalon* (comp. di *hýdōr* ' acqua ' e *kephalḗ* ' testa ') *páthos*).

**idrodinàmica**, da *idro-* e *dinàmica*.

**idroelèttrico**, da *idro-* e *elettrico*.

**idròfilo**, da *idro-* e *-filo*.

**idrofobìa**, dal gr. *hydrophobía*, comp. di *hýdōr* ' acqua ' e *-phobìa* (astr. di *phobéomai*) ' terrore '.

**idròfobo**, dal lat. *hydrophŏbus*, che è dal gr. *hydrophóbos*.

**idrofono**, da *idro-tele-fono*.

**idròforo**, da *idro-* e *-foro* (cfr. gr. *hydrophóros* ' portatore d'acqua ').

**idròfugo**, da *idro-* e *-fugo*.

**idrògeno**, dal frc. *hydrogène*, comp. di *hydro-* ' acqua ' e *-gène* ' generatore '.

**idrografìa**, da *idro-* e *-grafìa*.

**idròlisi**, da *idro-* e *-lisi* ' scioglimento '.

**idrologìa**, da *idro-* e *-logìa*.

**idromanzìa**, dal gr. *hydromanteía*, comp. di *hýdōr* ' acqua ' e *manteía* ' divinazione '.

**idromele**, dal lat. *hydromēli*, che è dal gr. *hydromēli*, comp. di *hýdōr* ' acqua ' e *méli* ' miele ', incr. con *mèle*; v. MIELE.

**idròmetra**[1] (insetti), dal lat. scient. *hydròmetra*, comp. di gr. *hýdōr* ' acqua ' e *-métrēs* ' misuratore '.

**idròmetra**[2] (misuratore), calco su *geòmetra*, con la sostituz. di *idro-* ' acqua ' a *geo-* ' terra '.

**idrometrìa**, da *idro-* e *-metrìa*.

**idròmetro**, comp. di *idro-* e *-metro*.

**idrònimo**, da *idro-* e *-ònimo*; cfr. *fitònimo, topònimo*.

**ìdrope**, dal lat. *hydrops, -ōpis*, che è dal gr. *hýdrōps, -ōpos*, comp. di *hýdōr* ' acqua ' e *ōps* ' aspetto '.

**idròpico**, dal lat. *hydropĭcus*, che è dal gr. *hydrōpikós*, da *hýdrōps*; v. ÌDROPE.

**idropinico**, da *idro-, pino-* tema del gr. *pínō* ' bevo ' e il suff. aggettiv. *-ico*.

**idropisìa**, dal frc. *hydropisie*, che è dal lat. *hydropĭsis*, deriv. di *hydrops*; v. ÌDROPE.

**idroplano**, calco su *aeroplano*, con sostituz. di *idro-* ' acqua ' e *aero-* ' aereo '.

**idroporto**, da *idro(volante)* e *porto*.

**idroscalo**, da *idro(volante)* e *scalo*.

**idrostàtico**, deriv. del gr. *hydrostátēs* ' livella ad acqua ', comp. di *hydro-* ' acqua ' e *-státēs*, tema con valore di agente da *hístēmi* ' che stabilizza '.

**idrovìa**, calco su *ferrovia* sostituendo *idro-* a *ferro-*; cfr. *seggiovìa, funivìa, sciovìa, filovìa*.

**idrovolante**, da *idro-* e il part. pres. di *volare* ' che vola sull'acqua '.

**idròvoro**, da *idro-* e *-voro*.

**iella**, dal romanesco *iella*.

**iellato**, incr. di *iella* e *iettato*, estr. da *iettatura* (v.).

**iemale**, dal lat. *hiemalis*, deriv. di *hiems* ' inverno ', che nella sua forma semplice trova una corrispond. completa per forma e signif. nell'iranico *zyā* (genit. *zimō*), solo per forma nel gr. *khiōn* e nell'armeno *jiwn* i quali due ultimi significano ' neve '. Forme ampliate con la semplice *-ā* si trovano nelle aree baltica e slava. Per ulteriori ampliam. v. INVERNO. Forme aggettiv. del tipo *\*ghimo-* p. es. lat. *bimus* « di due inverni » e cioè ' di due anni ', si trovano anche nelle aree indiana e greca.

**iena**, dal lat. *hyaena*, che è dal gr. *hýaina*, femm. di *hŷs* ' maiale ', per la somiglianza delle sue setole.

**ieràtico**, dal lat. *hieratĭcus*, che è dal gr. *hieratikós*, deriv. di *hieráomai* ' io esercito il sacerdozio '.

**ieri**, lat. *herī*, forma antichissima, largamente diffusa, anche se non omogenea nella base di partenza, che appare nella forma GHES presso Latini e Germani, GHYES presso Greci, GHYES presso Indiani e Irani: in lat. provvista di una desinenza di caso locativo in *-ī*; cfr. *khthés* in gr., *ges(tern)* in ted.

**ierofante**, dal gr. *hyerophántēs*, comp. di *hierós* ' sacro ' e il tema di *phaínō* ' io mostro ': « che rende manifeste le cose sacre ».

**ieroglìfico**, v. GEROGLIFICO.

**iettare**, variante merid. di *gettare* (v.).

**iettatore**, nome d'agente di *iettare*.

**iettatura**, forma merid. per *\*gettatura* ' l'atto di gettare '; cfr. *iellato*.

**igiene**, dal gr. *hygieinḗ* (*tékhnē*) ' (l'arte) che conferisce alla salute '; da *hygieinós* ' che conferisce alla salute ', deriv. di *hygiḗs* ' sano '.

**iglù**, dall'ingl. *igloo*, che è dall'eschimese *illo*.

**ignaro**, dal lat. *ignarus*, comp. di *i(n)-* negat. e *gnarus* ' esperto ' (v. NARRARE e IGNORARE), che è un agg. in *-ro* tratto dalla rad. GENĒ[1] ' accorgersi, sapere ' al grado ridotto, rappresentato in lat. da *nā*, cfr. *natus* dalla rad. GENĒ² ' generare '.

**ignavia,** dal lat. *ignavia*.

**ignavo,** dal lat. *ignāvus*, comp. di (*in*)- negat. e (*g*)*nāvus* ' attivo '. La forma di partenza dovrebbe essere GNŌ-WO e cioè la nozione di ' attività ' derivare dalla capacità di capire. La rad. più lontana è dunque quella di GENĒ¹ ' conoscere '; v. CONOSCERE.

**igneo,** dal lat. *ignĕus*, agg. deriv. da *ignis* ' fuoco ', da una base EGNIS che corrisponde all'orig. definiz. del fuoco come essere animato e si conserva nelle aree più appartate come la latina, la baltica, l'indiana (*agnis*), mentre in quelle centrali vi si sostituisce PUR che indica invece il fuoco come strumento; v. PIRO-

**ignifero,** dal lat. *ignifer -fĕri*, comp. di *ignis* ' fuoco ' e *-fer* ' portatore '.

**ignifugo,** comp. di lat. *ignis* e *-fugo*.

**ignìvomo,** dal lat. *ignivŏmus*, comp. di *ignis* ' fuoco ' e *-vomus*, tema di *vomĕre* ' vomitare '.

**ignizione** ' abbruciatura ', dall' ingl. *ignition* e questo dal lat. tardo *ignire*, denom. da *ignis* ' fuoco '.

**ignòbile,** dal lat. *ignobĭlis*, da (*g*)*nobĭlis* con *i*(*n*)- negat.; v. NÒBILE.

**ignobiltà,** dal lat. *ignobilĭtas, -atis*.

**ignominia,** dal lat. *ignominia*, comp. di *i*(*n*)- privat. e l'astr. di (*g*)*nomen* ' nome ': la ' cosa senza nome ', (cfr. *iniuria, infamia*, comp. di *in-* e dell'astr. di *ius* e di *fama*).

**ignominioso,** dal lat. *ignominiosus*.

**ignoràbile,** dal lat. *ignorabĭlis*.

**ignorante,** dal lat. *ignorans, -antis*, part. pres. di *ignorare*.

**ignoranza,** dal lat. *ignorantia*.

**ignorare,** dal lat. *ignorare*, verbo denom. da *ignarus* (v. IGNARO), incr. con *ignotus*; cfr. CONOSCERE, NARRARE e GNORRI. Per una forma assimil. da *gnor-* in *glor* v. GLORIA.

**ignoto,** dal lat. *ignotus*, comp. di *i*(*n*)- privat. e (*g*)*notus* ' conosciuto '.

**ignudo,** incr. di *nudo* con *ignaro* e *ignoto* per sottolineare l'assenza (di vesti).

**igro-,** dal gr. *hygrós* ' umido '.

**igrometrìa,** da *igro-* e *-metrìa*.

**igròmetro,** da *igro-* e *-metro*.

**igroscopio,** da *igro-* e *-scopio*.

**iguana,** dallo sp. *iguana*, da lingua aruaca (America centrale).

**il,** lat. *il*(*le*), semplificato in posizione proclitica. Il tipo *ille* si compone di due elementi, legati entrambi a indicare un rapporto lontano. Il primo, *il-*, appare con diversa vocalizzazione in *alius* (v. ALTRO), in *olle* forma arc. di *ille*, in *uls* e deriv. (v. OLTRE). Il secondo è dato prob. da *-ne* assimilato in *-le*, che compare, a indicare dimostrativi « di lontananza », anche nelle aree baltica, slava, armena, germanica (ted. *jener*), greca (gr. *ekeînos*); cfr. EGLI.

**ìlare,** dal lat. *hilăris*, che è dal gr. *hilarós*.

**ilarità,** dal lat. *hilarĭtas, -atis*.

**ìleo,** dal lat. *ilĕus* ' volvolo ', che è dal gr. *eileós*.

**iliaco,** dal lat. tardo *iliăcus*, incr. di *ileus* col suff. di derivaz. aggettiv. del class. *Iliăcus* ' troiano '.

**ìlice,** dal lat. *ilex, -ĭcis* (v. ELCE,) di orig. mediterr., cfr. LECCIO.

**ilio,** dal lat. scient. *ilium*, class. *ilia, -ium* ' fianchi ', privo di connessioni etimol. evidenti.

**illacrimàbile,** dal lat. *illacrimabĭlis*.

**illacrimato,** da *lacrimato* con *in-* privat.

**illaidire,** verbo denom. da *laido* con *in-* illativo.

**illanguidire,** verbo denom. da *languido* con *in-* illativo.

**illativo,** dal lat. tardo *illativus*, deriv. di *illatus*, part. pass. nel sistema di *inferre*, v. LATORE: incr. nel sign. gramm. con *ablativo, allativo, elativo*.

**illaudàbile,** dal lat. *illaudabĭlis*, da *laudabĭlis* con *in-* negat.

**illaudato,** dal lat. *illaudatus*, da *laudatus* con *in-* privat.

**illazione,** dal lat. *illatio, -onis*, nome d'azione appartenente al sistema di *inferre*; v. LATORE.

**illècebra** ' lusinga ', dal lat. *illecĕbra*, deriv. di *illicĕre*, comp. di *in-* e *lacĕre*, v. ALLETTARE.

**illécito,** dal lat. *illicĭtus*, da *licĭtus* con *in-* negat.

**illegale,** da *legale* con *in-* negat.

**illeggiadrire,** verbo denom. da *leggiadro* con *in-* illativo.

**illeggìbile,** da *leggìbile* con *in-* negat.

**illegìttimo,** dal lat. *illegitĭmus*, incr. con it. *legittimo*.

**illeso,** dal lat. *illaesus*, da *laesus*, part. pass. di *laedĕre* con *in-* privat.

**illetterato,** dal lat. *illitteratus*, incr. con it. *letterato*.

**illibato,** dal lat. *illibatus* ' che non è stato oggetto di libazione, non toccato '.

**illiberale,** dal lat. *illiberalis*.

**illibertà,** da *libertà* con *in-* privat.

**illiceità,** deriv. in *-ità* direttam. dal lat. *licet* ' è lecito ', con *i*(*n*)- negat.

**illimitato,** dal lat. *illimitatus*.

**illiquidire,** verbo denom. da *liquido* con *in-* illativo.

**illividire,** verbo denom. da *livido* con *in-* illativo.

**illodàbile,** da *lodàbile* con *in-* negat.

**illògico,** da *lògico* con *in-* negat.

**illùdere,** dal lat. *illudĕre*, comp. di *in-* illativo e *ludĕre* ' giocare ': « inserire in un gioco », « prendersi gioco ».

**illuminàbile,** dal lat. tardo *illuminabĭlis*.

**illuminare,** dal lat. *illuminare*, verbo denom. da *lumen, -ĭnis* con *in-* illativo.

**illuminatore,** dal lat. tardo *illuminator, -oris*.

**illuminazione,** dal lat. tardo *illuminatio, -onis*.

**illuminismo,** dal frc. *illuminisme*.

**illuminotècnica,** da *illumina*(*re*) e *tecnica*.

**illune,** dal lat. *illunis*, calco sul gr. *asélēnos*, da *luna* con *in-* privat.

**illusione,** dal lat. *illusio, -onis* ' ironia ', in età tarda ' derisione ', nome d'azione di *illudĕre*; v. ILLÙDERE.

**illusore,** dal lat. *illusor, -oris*, nome d'agente di *illudĕre*.

**illusorio,** dal lat. tardo *illusorius*.

**illustràbile,** dal lat. tardo *illustrabĭlis*.

**illustrare,** dal lat. *illustrare*, verbo denom. da *illustris*.

**illustratore,** dal lat. tardo *illustrator, -oris*.

**illustrazione,** dal lat. *illustratio, -onis*.

**illustre,** dal lat. *illustris*, deriv. di *\*lustrum* ' luce ', con *in-* illativo « che immette luce »; v. LUSTRO³.

**illuvie,** dal lat. *illuvies* ' inondazione ', astr. di *il-*

luĕre, comp. di *in-* illativo e *luĕre* 'lavare' col
suff. *-ies* (cfr. *species, series*).

**illuvione,** dal lat. tardo *illuvio, -onis,* astr. di *illuĕre,*
v. ILLUVIE.

**ilo,** dal lat. *hilum* 'filamento nei semi delle fave',
forse variante di *filum* (v. FILO) privo di altre connessioni attendibili. Per lat. *nihil* da ant. *ni hilum*
che ha il signif. di « non un filo » e cioè 'niente',
v. NICHILISMO.

**ilota,** dal gr. *heilṓtēs.*

**imaginario,** dal lat. tardo *imaginarius.*

**imàgine,** dal lat. *imago, -ĭnis,* astr. di un ant.
*\*imare,* di cui sopravvive in lat. l'intens. *imitare*
(v. IMITARE). *Imago* si comporta rispetto a *\*imare,*
come *vorago,* rispetto a *vorare.* La rad. è YEM
'doppio prodotto', attestata nelle aree indoiran.,
baltica, celtica.

**imaginìfico,** dal lat. *imaginifĭcus,* calco sul gr.
*eidōlopoiós* « fabbricatore (*poiós*) di immagini (*eidōlon*) ».

**imano,** dall'ar. *imān.*

**imatio** (veste greca), dal gr. *h(e)imátion,* deriv. di
*h(e)íma* 'veste'.

**imbacare,** verbo denom. da *baco* con *in-* illativo.

**imbacuccare,** verbo denom. da *bacucco* con *in-*
illativo.

**imbaldanzire,** verbo denom. da *baldanza* con *in-*
illativo.

**imballaggio,** dal frc. *emballage.*

**imballare**[1] 'caricare', verbo denom. da *balla* con
*in-* illativo.

**imballare**[2] 'eccitare', dal frc. *s'emballer* 'lasciarsi
trasportare dall'entusiasmo o dall'ira'.

**imballo,** sost. deverb. da *imballare*[1].

**imbalordire,** verbo denom. da *balordo* con *in-*
illativo.

**imbalsamare,** verbo denom. da *bàlsamo* con *in-*
illativo.

**imbambolare,** verbo denom. da *bàmbolo* con *in-*
illativo.

**imbandierare,** verbo denom. da *bandiera* con
*in-* illativo.

**imbandigione,** nome d'azione tratto da *bandire* con
*in-* illativo; di trasmissione settentr. in *-gione,*
attrav. *-(s)gjone,* anziché in *-zione.*

**imbandire,** da *bandire* 'convitare con un bando'
con *in-* illativo.

**imbarazzare,** dallo sp. *embarazar.*

**imbarazzo,** dallo sp. *embarazo.*

**imbarbarire,** verbo denom. da *barbaro* con *in-*
illativo.

**imbarbogire,** verbo denom. da *barbogio* con *in-*
illativo.

**imbarcadero,** dallo sp. *embarcadero.*

**imbarcare,** verbo denom. da *barca* con *in-* illativo.

**imbarco,** sost. deverb. da *imbarcare.*

**imbarilare,** verbo denom. da *barile* con *in-* illativo.

**imbasciata,** da *ambasciata,* incr. con *in-* illativo.

**imbastardire,** verbo denom. da *bastardo* con *in-*
illativo.

**imbastare,** verbo denom. da *basto* con *in-* illativo.

**imbastire,** verbo denom. da *basta* (sost.) con *in-*
illativo.

**imbàttere,** da *bàttere* con *in-* illativo.

**imbattibile,** da *bàttere* con *in-* negat., calco sul
frc. *imbattable.*

**imbatto,** sost. deverb. estr. da *imbàttere.*

**imbaulare,** verbo denom. da *baule* con *in-* illativo.

**imbavagliare,** verbo denom. da *bavaglio* con *in-*
illativo.

**imbavare,** verbo denom. da *bava* con *in-* illativo.

**imbeccare,** verbo denom. da *becco* con *in-* illativo.

**imbeccherare,** da *\*bécchero,* incr. di *Béco* (Domenico),
raffigurazione del contadino sciocco, e *bécero* con
*in-* illativo.

**imbecille,** dal lat. *imbēcillis,* variante di *imbēcĭl-
lus* 'debole', senza chiare connessioni etimol.
essendo impossibile, a causa delle quantità lunga
di *ē-,* una connessione con *bacŭlum* 'bastone'.

**imbecillità,** dal lat. *imbecillĭtas, -atis.*

**imbelle,** dal lat. *imbellis,* da *bellum* 'guerra' con
*in-* privat.

**imbellettare,** verbo denom. da *belletto* con *in-*
illativo.

**imbellire,** verbo denom. da *bello* con *in-* illativo.

**imberbe,** dal lat. *imberbis,* comp. di *in-* privat. e
*barba,* con apofonia di *a* in *e* in sill. interna chiusa.

**imberciare,** verbo denom. *\*bersare,* estr. da *bersaglio,* con *in-* illativo e sostituz. tosc. di *-cia-* a
*-sa-,* cfr. RABBERCIARE.

**imbercio,** sost. deverb. da *imberciare.*

**imberrettare,** verbo denom. da *berretto* con *in-*
illativo.

**imbertonare e imbertonire,** verbo denom. da
*bertone* 'drudo' con *in-* illativo.

**imbestialire,** verbo denom. da *bestiale* con *in-*
illativo.

**imbestiare,** verbo denom. da *bestia* con *in-* illativo.

**imbévere,** lat. *imbibĕre,* comp. di *bibĕre* con *in-*
illativo-intens.

**imbiaccare,** verbo denom. da *biacca* con *in-* illativo.

**imbiancare,** verbo denom. da *bianco* con *in-* illativo.

**imbianchino,** nome d'agente di *imbiancare;* cfr.
*spazzino, arrotino.*

**imbianchire,** verbo denom. da *bianco* con *in-*
illativo.

**imbibire,** dal lat. *imbibĕre* passato alla coniugaz.
in *-ire.*

**imbibizione,** da lat. *bibitio, -onis,* nome d'azione
di *bibĕre,* incr. con it. *imbibire.*

**imbietolire,** verbo denom. da *bietola, bietolo(ne)*
con *in-* illativo.

**imbiettare,** verbo denom. da *bietta* con *in-* illativo.

**imbiondire,** verbo denom. da *biondo* con *in-* illativo.

**imbirbonire,** verbo denom. da *birbone* con *in-*
illativo.

**imbisacciare,** verbo denom. da *bisaccia* con *in-*
illativo.

**imbitumare,** verbo denom. da *bitume* con *in-*
illativo.

**imbizzarrire,** verbo denom. da *bizzarro* con *in-*
illativo.

**imbizzire,** verbo denom. da *bizza* con *in-* illativo.

**imboccare,** verbo denom. da *bocca* con *in-* illativo.

**imbocco,** sost. deverb. estr. da *imboccare.*

**imbolsire,** verbo denom. da *bolso* con *in-* illativo.

**imbonare** 'portare a misura esatta gli elementi di
uno scafo, togliendone l'eccesso (o *imbono*)', forse
da *buono* con *in-* illativo.

**imbonire,** verbo denom. da *buono* con *in-* illativo.

imbono ' eccesso o difetto di legno negli elementi dello scafo di una nave ', sost. deverb. da *imbonare*.

imborghesire, verbo denom. da *borghese* con *in-* illativo.

imborsare, verbo denom. da *borsa* con *in-* illativo.

imboscare, verbo denom. da *bosco* con *in-* illativo.

imboscata, da *imboscarsi*, femm. sostantiv. del part. pass.

imboschire, verbo denom. da *bosco* con *in-* illativo.

imbossolare, verbo denom. da *bòssolo* con *in-* illativo.

imbottare, verbo denom. da *botte* con *in-* illativo.

imbottavino, da *imbotta(re)* e *vino*.

imbotte, da *(spazio) in botte* ' (spazio) interno nel vano della finestra '.

imbottigliare, verbo denom. da *bottiglia* con *in-* illativo.

imbottire, verbo denom. da *botte* con *in-* illativo ' trattare come botte ', in senso figur. calco sul frc. *bourrer (les crânes)*.

imbovinare, verbo denom. da *bovino* con *in-* illativo.

imbozzacchire, verbo denom. da *bozzacchio* con *in-* illativo.

imbozzimare, verbo denom. da *bòzzima* con *in-* illativo.

imbraca, sost. deverb. estr. da *imbracare*.

imbracare, verbo denom. da *braca* con *in-* illativo.

imbracciare, verbo denom. da *braccio* con *in-* illativo.

imbrachettare, verbo denom. da *brachetta* con *in-* illativo.

imbrancare, verbo denom. da *branco* con *in-* illativo.

imbrandire, da *brandire* con *in-* illativo.

imbrattare, verbo denom. dal genov. *bratta* ' fango ' (parola mediterr.) con *in-* illativo.

imbrattatele, da *imbratta(re)* e *tele*.

imbratto, sost. deverb. estr. da *imbrattare*.

imbrecciare, verbo denom. da *breccia* con *in-* illativo.

imbréntina ' cisto ', da un medit. *brento* ' arcuato ', incr. con *in-* illativo quasi ' inarcato '; cfr. BRÉNTINE.

imbriacare e deriv., calco su *(e)briaco*, lat. tardo *ebriacus* con *in-* illativo, al posto della *e-* intesa erroneamente come pref. estrattivo.

imbricato, dal lat. *imbricatus* da *imbrex, -ĭcos* ' embrice '; v. ÉMBRICE.

imbricconire, verbo denom. da *briccone* con *in-* illativo.

imbrìfero, dal lat. *imbrĭfer, -fĕri*, comp. di *imber* ' pioggia ' e *-fer* ' portatore '. *Imber* trova un parallelo esatto nel sanscrito *abhram* ' nuvola, pioggia ' da una forma primitiva MBH-R(O)- (cfr. ÉMBRICE), collegabile solo da lontano con *imbuo*, ma, come quella, limitata nell'àmbito indianolatino e perciò attinente all'antichissimo vocab. rituale dell'acqua; cfr. IMBUTO, ONDA, IMMERGERE.

imbrigliare, verbo denom. da *briglia* con *in-* illativo.

imbroccare, verbo denom. da *brocco* ' centro dello scudo ' con *in-* illativo.

imbrodare, verbo denom. da *brodo* con *in-* illativo.

imbrodolare, verbo iterat. di *imbrodare*.

imbrogliare, da *brogliare* con *in-* illativo.

imbroglio, sost. deverb. estr. da *imbrogliare*.

imbroncare ' inclinare i pennoni di una nave a vela ', dal provz. *embroncar*.

imbronciare e imbroncire, verbo denom. da *broncio* con *in-* illativo.

imbrunare, verbo denom. da *bruno* con *in-* illativo.

imbruttire, verbo denom. da *brutto* con *in-* illativo.

imbubbolare, verbo denom. da *bubbola* con *in-* illativo.

imbucare, verbo denom. da *buco* con *in-* illativo.

imbucatare, verbo denom. da *bucato* con *in-* illativo.

imbudellare, verbo denom. da *budella* con *in-* illativo.

imbullettare, verbo denom. da *bulletta* con *in-* illativo.

imburrare, verbo denom. da *burro* con *in-* illativo.

imbuscherare, da *buscherare* con *in-* illativo (e rafforzativo).

imbusecchiare, verbo denom. da *busecchia* con *in-* illativo.

imbussolare, verbo denom. da *bussolo* con *in-* illativo.

imbutiforme, comp. di *imbuto* e *forme*.

imbuto, lat. *\*imbutum*, forma neutra sostantiv. del part. pass. *imbutus* di *imbuĕre*, deriv. da un tema nominale *\*imbu-* (sopravv. nel sanscrito *ambu-* ' acqua ') come *acuĕre* da *acus* (v. ACUIRE): la forma primitiva è perciò EMBU. Meno stretto è il legame con *imber* da EMBH/MBH (v. IMBRÌFERO). EMBU è la definiz. rituale dell'acqua dal punto di vista della casta sacerdotale sopravv. solo nelle aree orientale e occidentale estreme; v. IMBRIFORME, IMMERGERE, ONDA.

imbuzzare, verbo denom. da *buzzo*[1] ' pancia ' con *in-* illativo.

imbuzzire, verbo denom. da *buzzo*[2] ' broncio ' con *in-* illativo.

imene, dal lat. tardo *hymen, -ĕnis*, che è dal gr. *hymĕn, -énos*.

imenèo, dal lat. *Hymenaeus*, che è dal gr. *Hymenaîos*.

imenòttero, dal lat. scient. *hymenòptera*, n. pl. comp. di gr. *hymĕn* ' membrana ' e *pterón* ' ala ': ' che ha ali membranose '.

imitàbile, dal latino *imitabĭlis*.

imitare, dal lat. tardo *imitare*, class. *imitari* intensivo di *\*imare*, presupposto da *imago, -ĭnis* (v. IMAGINE), risalente alla rad. YEM che indica un frutto doppio.

imitativo, dal lat. tardo *imitativus*.

imitatore, dal lat. *imitator, -oris*.

imitazione, dal lat. *imitatio, -onis*.

immacchiare, verbo denom. da *macchia* con *in-* illativo.

immacolato, dal lat. *immaculatus*, comp. di *maculatus* ' macchiato ' e *in-* privat.

immagazzinare, verbo denom. da *magazzino* con *in-* illativo.

immaginàbile, dal lat. *imaginabĭlis*, incr. con *immàgine*.

**immaginare,** dal lat. tardo *imaginare,* class. *imaginari,* incr. con it. *immàgine.*

**immaginario,** dal lat. *imaginarius,* incr. con *immàgine.*

**immaginazione,** dal lat. *imaginatio, -onis,* incr. con *immàgine.*

**immàgine,** lat. *imago, -ĭnis* (v. IMÀGINE), in cui si è associato alla parte interna *mag-* il valore di rad. e l'iniz. si è incrociata con un presunto *in-* illativo.

**immaginoso,** dal lat. *imaginosus,* incr. con *immàgine.*

**immalinconire,** verbo denom. da *malinconìa* con *in-* illativo.

**immalizzire,** verbo denom. da *malizia* con *in-* illativo.

**immancàbile,** da *mancare* con *in-* negat.

**immane,** dal lat. *immanis* 'terribile' (comp. di *in-* negat. e l'arc. *mānus* 'buono') arrivato a quel significato attraverso l'immagine di « ciò che non matura », « ciò che non si addolcisce », v. MANE e MATTUTINO.

**immaneggiàbile,** da *maneggiabile,* agg. verb. di *maneggiare* con *in-* negat.

**immanente,** dal lat. *immănens, -entis,* part. pres. di *immanere,* comp. di *manere* 'rimanere' e *in-* illativo e rafforzativo; v. RIMANERE.

**immanicare,** verbo denom. da *manico* con *in-* illativo.

**immanità,** dal lat. *immanĭtas, -atis.*

**immansueto,** dal lat. *immansuetus* con *in-* negat.; v. MANSUETO.

**immantinente,** dal frc. ant. *(de)maintenant,* che deriva da una formula lat. *manu tenente* incr. con it. *in-* illativo.

**immarcescìbile,** dal lat. tardo *immarcescibĭlis,* agg. verb. di *marcescĕre,* verbo incoat. di *marcere* (v. MARCIRE), con *in-* negat.

**immastellare,** verbo denom. da *mastello* con *in-* illativo.

**immasticiare,** verbo denom. da *màstice* con *in-* illativo.

**immateriale,** da *materiale* con *in-* privat.

**immatricolare,** verbo denom. da *matricola* con *in-* illativo.

**immaturità,** dal lat. *immaturĭtas, -atis.*

**immaturo,** dal lat. *immaturus* con *in-* privat.

**immedesimare,** verbo denom. da *medesimo* con *in-* illativo.

**immediato,** dal lat. tardo *immediatus,* comp. di *in-* privat. e *mediatus,* calco sul gr. *ámesos.*

**immedicàbile,** dal lat. *immedicabilis* con *in-* negat.

**immelanconire,** verbo denom. da *melanconia* con *in-* illativo.

**immelensire,** verbo denom. da *melenso* con *in-* illativo.

**immelmare,** verbo denom. da *melma* con *in-* illativo.

**immemoràbile,** dal lat. *immemorabĭlis.*

**immèmore,** dal lat. *immĕmor, -oris.*

**immensità,** dal lat. *immensĭtas, -atis.*

**immenso,** dal lat. *immensus,* comp. di *in-* privat. e *mensus* 'misurato'.

**immensuràbile,** dal lat. tardo *immensurabĭlis.*

**immèrgere,** dal lat. *immergĕre,* comp. di *in-* illativo e *mergĕre* 'tuffare': *mergĕre* deriva da una rad. MEZG, che sopravvive in forme verb. chiara-

mente riconoscibili nelle aree indiana e baltica e quindi appartiene al più ant. strato di parole religiose e rituali ideur. relative all'acqua; v. ONDA, IMBRÌFERO, IMBUTO.

**immeritamente,** incr. dell'avv. lat. *immerĭto* 'immeritatamente' e it. *immerita(ta)mente.*

**immeritévole,** da *meritévole* con *in-* negat.

**immersione,** dal lat. tardo *immersio, -onis,* nome d'azione d'*immergĕre.*

**immerso,** dal lat. *\*immersus,* forma analogica sul perf. *immersi,* mentre il part. pass. orig. era *\*-mertus.*

**immèttere,** dal lat. *immittĕre,* comp. di *mittĕre* 'mandare' e *in-* illativo, v. METTERE.

**immezzare** e **immezzire,** verbi denom. da *mézzo* e *in-* illativo, v. MÉZZO.

**immigrare,** dal lat. *immigrare,* comp. di *migrare* e *in-* illativo, v. MIGRARE.

**imminente,** dal lat. *imminens, -entis,* part. pass. di *imminēre* 'sovrastare', da una rad. MEN[2] 'sporgere nel senso dell'altezza', cui appartiene anche *mons* (v. MONTE). La voc. *ĕ* in sill. interna e aperta subisce la norm. apofonia in *-ĭ-.* Il pref. *in-* ha il valore di pressione verso il basso come in *incŭbus;* v. INCUBO.

**imminenza,** dal lat. tardo *imminentia.*

**immischiare,** comp. di *mischiare* con *in-* illativo.

**immisericordioso,** da *misericordioso* con *in-* privat.

**immiserire,** verbo denom. da *misero* con *in-* illativo.

**immissario,** calco su *emissario,* con la sostituz. di *i(n)-* illativo a *e-* estrattivo.

**immissione,** dal lat. *immissio, -onis,* nome d'azione di *immittĕre.*

**immistione,** dal lat. *immixtio, -onis,* nome d'azione di *immiscere.*

**immisto**[1] 'mescolato', dal lat. *immixtus,* part. pass. di *immiscere.*

**immisto**[2] 'puro', da *in-* negativo e *misto.*

**immisuràbile,** da *misuràbile* con *in-* privat.

**immite,** dal lat. *immitis,* comp. di *in-* negat. e *mitis,* v. MITE.

**immòbile,** dal lat. *immobĭlis,* da *mobĭlis* con *in-* privat.

**immobiliare,** calco sul frc. *immobilier.*

**immobilità,** dal lat. tardo *immobilĭtas, -atis.*

**immobilizzare,** dal frc. *immobiliser.*

**immobilizzazione,** dal frc. *immobilisation.*

**immoderato,** da *moderato* con *in-* privat.

**immodestia,** dal lat. *immodestia.*

**immodesto,** da *modesto* con *in-* negat.

**immolare,** dal lat. *immolare* 'mettere nella *mola*' e cioè 'aspergere di farro macinato per il sacrificio', verbo denom. da *mola* '(farro) macinato' e *in-* illativo. Il valore di 'farro macinato' è secondario rispetto a quello primitivo di 'macina'; e cioè da nome attivo dello 'strumento che macina' è passato a quello passivo della 'sostanza macinata per eccellenza'; v. MOLA.

**immolatore,** dal lat. *immolator, -oris.*

**immolazione,** dal lat. *immolatio, -onis.*

**immollare,** verbo denom. da *molle* con *in-* illativo.

**immondizia,** dal lat. *immunditia,* astr. di *immundus.*

**immondo,** dal lat. *immundus,* comp. di *in-* negat. e *mundus* 'pulito'; v. MONDO[1].

**immorale,** da *morale* con *in-* negat. (cfr. *a-* privat. in *amorale*).

**immorbidire,** verbo denom. da *morbido* con *in-* illativo.

**immorsare,** verbo denom. da *morsa* con *in-* illativo.

**immortalare,** verbo denom. da *immortale*.

**immortale,** dal lat. *immortalis,* comp. di *in-* privat. e *mortalis*.

**immortalità,** dal lat. *immortalĭtas, -atis*.

**immotare,** verbo denom. da *mota* con *in-* illativo.

**immoto,** dal lat. *immotus,* comp. di *in-* privat. e *motus,* part. pass. di *movere* 'muovere'.

**immucidire,** verbo denom. da *mùcido* con *in-* illativo.

**immune,** dal lat. *immunis,* comp. di *in-* privat. e *munus* 'ufficio'; v. MUNI(CIPIO), MUNI(FICO) e cfr. MURO.

**immunità,** dal lat. *immunĭtas, -atis*.

**immunizzare,** dal frc. *immuniser*.

**immunizzazione,** dal frc. *immunisation*.

**immunologìa,** da *immune* e *-logìa*.

**immusire,** verbo denom. da *muso* con *in-* illativo.

**immutàbile,** dal lat. *immutabĭlis*.

**immutabilità,** dal lat. *immutabilĭtas, -atis*.

**immutare** 'mutare', dal lat. *immutare* con *in-* intensivo.

**immutato** 'non mutato', dal lat. *immutatus,* comp. di *in-* privat. e *mutatus*.

**immutazione,** dal lat. *immutatio, -onis*.

**imo,** dal lat. *imus,* forma di superl. corrispond. a un compar. *infĕrus, inferior* e quindi prob. derivante da *\*inf-mus,* come *summus* rispetto a *supĕrus, superior* e come *bruma* (v. BRUMA) da *\*brevĭma* che è superl. in *-mus* di *brevis*. Si collega con forme ideur. del tipo ENDH ṆDH, sopravv. nel sanscrito e nelle lingue germaniche; cfr. ÌNFERO, ÌNFIMO.

**imoscapo,** da *imo scapo;* v. SCAPO.

**impaccare,** verbo denom. da *pacco* con *in-* illativo.

**impacchettare,** verbo denom. da *pacchetto* e *in-* illativo.

**impacciare,** dal provz. *empachar,* che risale al lat. tardo *impedicare* attrav. il frc. *empechier;* v. IMPICCIARE.

**impaccio,** sost. deverb. da *impacciare*.

**impacco,** sost. deverb. estr. da *impaccare*.

**impaciare,** verbo denom. da *pace* con *in-* illativo.

**impadronire,** verbo denom. da *padrone* con *in-* illativo.

**impagàbile,** da *pagàbile* con *in-* negat.

**impaginare,** verbo denom. da *pagina* con *in-* illativo.

**impagliare,** verbo denom. da *paglia* con *in-* illativo.

**impalancato,** da *palanca* con *in-* illativo.

**impalare,** verbo denom. da *palo* con *in-* illativo.

**impalcare,** verbo denom. da *palco* con *in-* illativo.

**impalcatura,** astr. di *impalcare*.

**impallare,** verbo denom. da *palla* con *in-* illativo « disporre la palla (in modo appropriato perché l'avversario non la possa colpire direttamente) ».

**impallidire,** verbo denom. da *pallido* con *in-* illativo.

**impallinare,** verbo denom. da *pallini* con *in-* illativo.

**impalmare[1],** verbo denom. da *palma* con *in-* illativo.

**impalmare[2]** 'legare le estremità di un cavo', forse dallo sp. *empalmar*.

**impalpàbile,** da *palpàbile* con *in-* negat.

**impaludare,** verbo denom. da *palude* con *in-* illativo.

**impanare,** verbo denom. da *pane* con *in-* illativo.

**impancare,** verbo denom. da *panca* con *in-* illativo.

**impaniare,** verbo denom. da *pania* con *in-* illativo.

**impannare,** verbo denom. da *panno* con *in-* illativo.

**impantanare,** verbo denom. da *pantano* con *in-* illativo.

**impaperare,** verbo denom. da *pàpera* con *in-* illativo.

**impappinare,** verbo denom. da *pappina,* in senso figur. con *in-* illativo.

**impappolare,** verbo denom. iterat. da *pappa* col suff. iter. *-olare* e il pref. *in-* illativo.

**imparàbile[1],** da *paràbile* con *in-* negat., agg. verb. di *parare*.

**imparàbile[2],** agg. verb. di *imparare*.

**imparagonàbile,** da *paragonabile* con *in-* privat.

**imparare,** lat. volg. *\*imparare,* comp. di *in-* illativo e *parare* 'procurare'; v. PARARE.

**impareggiàbile,** da *pareggiàbile,* agg. verb. di *pareggiare* con *in-* privat.

**imparentare,** verbo denom. da *parente* con *in-* illativo.

**ìmpari,** dal lat. *impar, -ăris* da *in-* negat. e *par* 'pari'.

**imparisìllabo,** da *ìmpari* e *sìllaba;* v. PARISÌLLABO.

**imparità,** dal lat. tardo *imparĭtas, -atis*.

**imparruccare,** verbo denom. da *parrucca* con *in-* illativo.

**impartire,** dal lat. *impertire,* comp. di *in-* illativo, incr. con *partiri* 'distribuire', 'assegnare'.

**imparucchiare,** dimin. iterat. di *imparare*.

**imparziale,** da *parziale* con *in-* negat. nel senso 'che tiene da una parte'.

**impassìbile,** dal lat. tardo *impassibĭlis,* comp. di *in-* negat. e *passibĭlis* 'che può soffrire'.

**impassibilità,** dal lat. tardo *impassibilĭtas, -atis*.

**impastare,** verbo denom. da *pasta* con *in-* illativo.

**impasticciare,** verbo denom. da *pasticcio* con *in-* illativo.

**impasto[1]** 'digiuno' (agg.), dal lat. *impastus,* comp. di *in-* negativo e *pastus,* part. pass. di *pasci* 'nutrirsi'.

**impasto[2],** sost. deverb. estr. da *impastare*.

**impastocchiare,** verbo denom. da *pastocchia* con *in-* illativo.

**impastoiare,** verbo denom. da *pastoia* con *in-* illativo.

**impastranare,** verbo denom. da *pastrano* con *in-* illativo.

**impataccare,** verbo denom. da *patacca* con *in-* illativo.

**impattare,** verbo denom. da *patta* con *in-* illativo.

**impatto** 'punto in cui il proietto incontra il bersaglio', dal frc. *impact,* che è preso dal lat. *impactus,* part. pass. di *impingĕre* 'urtare'.

**impaurire,** verbo denom. da *paura* con *in-* illativo.

**impavesare,** verbo denom. da *pavese* con *in-* illativo.

**impàvido,** dal lat. *impavĭdus,* da *pavĭdus* 'pauroso', con *in-* negat.

**impazientare,** verbo denom. da *impaziente*.

**impaziente,** dal lat. *impatiens, -entis,* comp. di *in-* negat. e *patiens,* part. pres. di *pati* 'soffrire'; v. PATIRE.

impazientire, verbo denom. da *impaziente*.

impazienza, dal lat. *impatientia*.

impazzare, verbo denom. da *pazzo* con *in-* illativo.

impeccàbile, dal lat. tardo *impeccabĭlis*, comp. di *in-* negat. e *peccabĭlis*, agg. verb. di *peccare*.

impeciare, verbo denom. da *pece* con *in-* illativo.

impecorire, verbo denom. da *pecora* con *in-* illativo.

impedenza (grandezza fisica), dal lat. frc. *impedance*, a sua volta dal lat. *impedire*.

impedimento, dal lat. *impedimentum*.

impedire, dal lat. *impedire*, verbo denom. da *pes pedis* con *in-* illativo « metter (lacci) nei piedi ».

impegnare, verbo denom. da *pegno* con *in-* illativo.

impegnato (in senso sociale o politico), calco sul frc. *engagé*.

impegno, sost. deverb. da *impegnare*.

impegolare, verbo denom. da *pégola* con *in-* illativo.

impelagare, verbo denom. da *pèlago* con *in-* illativo.

impelare, verbo denom. da *pelo* con *in-* illativo.

impèllere, dal lat. *impellĕre*, comp. di *in-* illativo e intensivo e *pellĕre* ' spingere '. *Pellĕre* ant. *peldĕre* è ampliam. in *-do* di una rad. PEL, come *tendĕre* di una rad. TEN. La rad. è attestata anche nelle aree armena e greca, nella quale ultima, oltre che nel verbo *pállō* ' scuoto ', appare in *pólemos* ' guerra ', v. REPELLENTE. Per altri verbi lat. ampliati in *-do* v. le voci ECCELLERE, FALLIRE, VELLICARE. Cfr. IMPULSIONE e POLSO.

impellicciare[1], verbo denom. da *pelliccia* con *in-* illativo.

impellicciare[2], da *impiallacciare* incr. con *pelliccia*.

impenetràbile, dal lat. *impenetrabĭlis*.

impenitente, dal lat. tardo *impoenĭtens, -entis*, comp. di *in-* negat. e *poenĭtet* ' si pente '; v. PENTIRE.

impenitenza, dal lat. tardo *impoenitentia*.

impennacchiare, verbo denom. da *pennacchio* con *in-* illativo.

impennaggio, nome d'azione di *impennare*.

impennare, verbo denom. da *penna* con *in-* illativo. Come rifl., da sp. *empinarse* ' ergersi come un pino '.

impennata, astr. di *impennarsi*, come *entrata* da *entrare*.

impensàbile, da *pensàbile*, agg. verb. di *pensare* con *in-* negat.

impensierire, verbo denom. da *pensiero* con *in-* illativo.

impepare, verbo denom. da *pepe* con *in-* illativo.

imperare, dal lat. *imperare* ' comandare ', comp. di *in-* illativo e *parare* ' preparare ', con apofonia di *-ă-* in *-ĕ-* in sill. interna aperta, dav. a *-r-*; v. PARARE.

imperativo, dal lat. *imperativus*. Come term. grammat., nella formula *imperativus (modus)*, calco sul gr. *prostaktikē (énklisis)*.

imperatore, dal lat. *imperator, -oris*.

imperatorio, dal lat. *imperatorius*.

imperatrice, dal lat. *imperatrix, -icis*.

impercettìbile, dal lat. medv. *imperceptĭbilis*.

imperdonàbile, da *perdonàbile*, agg. verb. di *perdonare* con *in-* negat.

imperfettivo, comp. di *in-* negat. e *perfettivo*.

imperfetto, dal lat. *imperfectus*, comp. di *in-* negat. e *perfectus*, part. pass. di *perficĕre* ' condurre a

fine ', comp. di *per* e *facĕre* con i norm. passaggi di *-ă-* a *-ĕ-* in sill. interna chiusa e a *-ĭ-* in sill. interna aperta.

imperfezione, dal lat. tardo *imperfectio, -onis*, comp. di *in-* negat. e *perfectio, -onis*, nome d'azione di *perficĕre* ' perfezione ', ' completamento '.

impergolare, verbo denom. da *pergola* con *in-* illativo.

imperiale[1] (agg.), dal lat. tardo *imperialis*.

imperiale[2] (sost.), dal frc. *impériale* e cioè « (parte) superiore ».

imperialismo, dall'ingl. *imperialism*.

imperio, dal lat. *imperium*; v. IMPERO.

imperioso, dal lat. *imperiosus*, deriv. di *imperium*.

imperito, dal lat. *imperitus*, comp. di *in-* negativo e *peritus*.

imperituro, da *perituro* con *in-* negat.

imperizia, dal lat. *imperitia*, astr. di *imperitus*.

imperlare, verbo denominativo da *perla* con *in-* illativo.

impermalire, verbo denom. da *permale* con *in-* illativo.

impermeàbile, dal lat. tardo *impermeabĭlis*; cfr. MEATO.

impermutàbile, dal lat. tardo *impermutabĭlis*.

imperniare, verbo denom. da *pernio* con *in-* illativo.

impero, lat. *imperium*, con passaggio settentr. di *-erio* in *-ero*. La parola lat. si inserisce nel sistema di *\*imper* nome d'agente, *imperare* verbo durativo-intensivo, come *indicium* tra *index* e *indicare*. Base di partenza la rad. di *pario* ' partorisco, produco ', cui corrisponde l'intensivo durativo *parare*; v. PARARE. L'esistenza di un agg. *\*impĕrus* potrebbe essere supposta attrav. i paralleli *propĕrus* e *perpĕrus*; v. IMPROPERARE.

imperscrutàbile, dal lat. tardo *imperscrutabĭlis*; cfr. SCRUTARE.

impersonale, dal lat. dei gramm. *impersonalis* con *in-* privat.

impersonare, verbo denom. da *persona* con *in-* illativo.

impersuadìbile e impersuasìbile, comp. di *in-* negat. e l'agg. verb. di *persuadere*, tratto nel primo caso dall'inf., nel secondo dal part. pass. *persuaso* (cfr. *leggìbile* di fronte a *fattìbile*).

impertèrrito, dal lat. *imperterrĭtus*, con *in-* negativo.

impertinente, dal lat. *impertĭnens* ' non pertinente ' con *in-* negat.

imperturbàbile, dal lat. tardo *imperturbabĭlis*.

imperturbato, dal lat. *imperturbatus*.

imperversare, verbo denom. da *perverso* con *in-* illativo, « diventare perverso », e intensivo, « agire in modo perverso ».

impervio, dal lat. *impervius*, comp. di *in-* negat. e *pervius*; v. PERVIO.

impestare, verbo denom. da *peste* con *in-* illativo.

impetig(g)ine, dal lat. tardo *impetīgo, -ĭnis*, con event. raddopp. cons. dopo l'accento in parola sdrucciola. Lat. *impetigo* è un comp. di *in-* illativo-intensivo e *petigo* che si trova di fronte a *\*petire* (v. IMPETO) e a *petitus*, come *origo* rispetto a *oriri* o come *(inter)trigo* rispetto a *tritus* (v. INTERTRIGINE). *Impetigo* è dunque « un pullulare (di pustole verso l'esterno) ».

impeto, dal lat. *impĕtus, -us*, forma semplificata

astr. di *impetĕre* (cfr. ÉMPITO) paragonabile a *metus* (v. METICOLOSO) e *gradus* (v. GRADO) rispetto ai temi di presente *\*metĕre, gradi*, anziché a quelli di part. pass. come in *status*. Il part. pass. *impetītus* risale forse a un secondario *\*impetire* con valore intensivo-iterativo e quindi equivale letteralmente a ' dirigersi o chiedere insistentemente ' e figuratam. ' pullulare '; v. IMPETÌ(G)GINE.

**impetràbile**, dal lat. *impetrabĭlis*.

**impetrare**, dal lat. *impetrare* ' ottenere ', comp. di *in*- illativo e *patrare* ' eseguire ', con norm. passaggio di *-ă-* in *-ĕ-* in sill. interna dav. a gruppo di cons. *Patrare* è verbo denom. da *pater*, col senso di « portare a compimento »; cfr. PERPETRARE.

**impetrazione**, dal lat. *impetratio, -onis.*

**impettito**, da *petto*, con *in*- illativo e il suff. *-ito* ' fornito di '.

**impetuoso**, dal lat. *impetuosus.*

**impiagare**, verbo denom. da *piaga* con *in*- illativo.

**impiallacciare**, verbo denom. da *piallaccio* con *in*- illativo, cfr. IMPELLICCIARE².

**impianellare**, verbo denom. da *pianella* con *in*- illativo.

**impiantare**, verbo denom. da *pianta* con *in*- illativo.

**impiantire**, verbo denom. da *pianta* con *in*- illativo.

**impiantito**, part. pass. di *impiantire* sostantiv.; cfr. PIANCITO.

**impianto**, sost. deverb. da *impiantare.*

**impiastrare**, lat. tardo *emplastrare*, denom. da *emplastrum* ' empiastro ' incr. con it. *in*- illativo.

**impiastricciare**, incr. di *impiastrare* e *pasticciare*, cfr. PIASTRICCIO.

**impiastro**, lat. *emplastrum* (dal gr. *émplastron*) incr. con it. *in*- illativo.

**impiccagione**, nome d'azione di *impiccare*, con leniz. settentr. di *-zione* in *-sgjone* corretta nel tosc. *-gione.*

**impiccare**, verbo denom. da *picca* ' palo aguzzo ' con *in*- illativo.

**impicciare**, dal frc. ant. *empeechier*, lat. *impedicare* ' prendere al laccio ', denom. da *pedĭca* con *in*- illativo; cfr. IMPACCIARE.

**impiccinire**, verbo denom. da *piccino* con *in*- illativo.

**impiccio**, sost. deverb. da *impicciare*; cfr. IMPACCIO.

**impicciolire**, verbo denom. da *pìcciolo* ' piccolo ' con *in*- illativo.

**impiccolire**, verbo denom. da *pìccolo* con *in*- illativo.

**impidocchiare** e **impidocchire**, verbo denom. da *pidocchio* con *in*- illativo.

**impiegare**, lat. *implicare* (con leniz. settentr. di *-c-* in *-g-*), che significa ' allacciare, impegnare ', comp. di *in*- illativo e *plicare*; v. PIEGARE e cfr. IMPLICARE.

**impiego**, sost. astr. da *impiegare.*

**impiegomanìa**, da *impiego* e *-manìa.*

**impietosire**, verbo denom. da *pietoso* con *in*- illativo.

**impietoso**, da *pietoso* con *in*- privat.

**impietrare** e **impietrire**, verbo denom. da *pietra* con *in*- illativo.

**impigliare**, da *pigliare* con *in*- illativo.

**impigrire**, verbo denom. da *pigro* con *in*- illativo.

**impigro**, dal lat. *impĭger, -gra, -grum*, da *piger* (v. PIGRO), con *in*- negativo.

**impilare**, dal frc. *empiler.*

**impillaccherare**, verbo denom. da *pillàcchera* con *in*- illativo.

**impinguare**, dal lat. tardo *impinguare*, verbo denom. da *pinguis* con *in*- illativo; v. PINGUE.

**impinzare**, lat. volg. *\*impinctiare*, intens. di class. *impingĕre* ' cacciar dentro ', comp. di *in*- illativo e *pangĕre* ' piantare ' con norm. passaggio di *-ă-* in *-i-* in sill. interna dav. al gruppo *-ng-*; v. PÀGINA, COMPÀGINE.

**impiolare**, verbo denom. da *piolo* con *in*- illativo.

**impiombare**, verbo denom. da *piombo* con *in*- illativo.

**impiotare**, verbo denom. da *piota* con *in*- illativo.

**impiparsi**, incr. di *pipa* e *infischiarsi.*

**impippiare**, verbo denom. da *pippio* con *in*- illativo.

**impiumare**, verbo denom. da *piuma* con *in*- illativo.

**implacàbile**, dal lat. *implacabĭlis*, comp. di *in*- negat. e l'agg. verb. di *placare.*

**implacabilità**, dal lat. tardo *implacabĭlĭtas.*

**implacato**, dal lat. *implacatus* con *in*- privat.

**implicare**, dal lat. *implicare*; cfr. IMPIEGARE.

**implicazione**, dal lat. *implicatio, -onis.*

**implicito**, dal lat. *implicĭtus*, forma suppletiva di *implicare* accanto a *implicatus*, risal. alla rad. PLEK; v. (SÉM)PLICE. Il participio in *-ĭtus* fa pensare a un verbo *\*plecĕre*, intermedio fra un *\*plecĕre* identico al gr. *plékō* ' intreccio ' e l'intens. lat. *plicare*; cfr. ESPLÌCITO. La vocale *-i-* di *plicare* è dovuta al fatto che il verbo semplice è stato sopraffatto dai suoi diversi composti, sottomessi tutti alla regola della apofonia che muta la *-ĕ-* in *-i-* in sillaba interna aperta.

**imploràbile**, dal lat. tardo *implorabĭlis.*

**implorare**, dal lat. *implorare*, comp. di *in*- intens. e *plorare* ' gridare piangendo '.

**imploratore**, dal lat. tardo *implorator, -oris.*

**implorazione**, dal lat. *imploratio, -onis.*

**implosione**, calco su *esplosione*, con sostituz. di *in*- illativo a *es*- estrattivo.

**implume**, dal lat. *implumis*, deriv. da *pluma* con *in*- privat.

**impluvio**, dal lat. *impluvium*, risal. a *impluĕre* ' piovere dentro '.

**impoètico**, da *poètico* con *in*- negat.

**impolìtico**, da *polìtico* con *in*- negat.

**impollinare**, verbo denom. da *pòlline* con *in*- illativo.

**impolpare**, verbo denom. da *polpa* con *in*- illativo.

**impoltronire**, verbo denom. da *poltrone* con *in*- illativo.

**impolverare**, verbo denom. da *polvere* con *in*- illativo.

**impomatare**, verbo denom. da *pomata* con *in*- illativo.

**impomiciare**, verbo denom. da *pómice* con *in*- illativo.

**imponderàbile**, da *in*- negat. e l'agg. verb. di *ponderare* incr. con frc. *impondérable.*

**imponente**, dal lat. *imponens, -entis*; per il signif. calco sul frc. *imposant.*

**impónere** (arc.), dal lat. *imponĕre*, comp. di *in-* e *ponĕre*; v. PORRE.

**imponìbile**, agg. verb. di *impónere*, usato anche come sost., per es. (*reddito*) *imponìbile* incr. col signif. fiscale it. di ' imposta '.

**impopolare**, da *popolare* con *in-* negat.

**impoppare**, verbo denom. da *poppa* con *in-* illativo.

**imporporare**, verbo denom. da *pórpora* con *in-* illativo.

**imporrare** e **imporrire**, verbo risultante dall'incr. del frc. *pourrir* (lat. *putrescĕre*) e it. *porro* con *in-* illativo.

**imporre**, incr. di lat. *imponĕre* e it. *porre*.

**importàbile**[1] ' che si può importare', agg. verb. di *importare*.

**importàbile**[2] ' che non si può portare', dal lat. tardo *importabĭlis* con *in-* negat.

**importante**, da *importare*[1].

**importare**[1], dal lat. *importare* ' introdurre', nel senso di « avere efficacia sulla sostanza di una cosa ».

**importare**[2], dal frc. *importer* (XVIII sec.).

**importo**, sost. deverb. estr. da *importare*[1], nel senso di ' aver rilievo '.

**importunare**, verbo denom. da *importuno*.

**importunità**, dal lat. *importunĭtas, -atis*.

**importuno**, dal lat. *importunus*, calco su *opportunus*, con la sostituz. di *in-* negat. a *ob-* rafforzat.

**importuoso**, dal lat. *importuosus*.

**imposizione**, dal lat. medv. *impositio, -onis*, nome d'azione nel sistema di class. *imponĕre*.

**impossessare**, verbo denom. da *possesso* con *in-* illativo.

**impossìbile**, dal lat. tardo *impossibĭlis*.

**impossibilità**, dal lat. tardo *impossibĭlitas*.

**imposta**[1] ' battente di una finestra', forma sostantiv. del part. pass. di *imporre* in senso figur.

**impòsta**[2] ' tassa', dal part. pass. di *imporre* in senso proprio, con pronuncia aperta di orig. settentr.

**impostare**[1] ' mettere in posizione', da *postare* con *in-* illativo.

**impostare**[2], verbo denom. da *posta* con *in-* illativo.

**impostime** ' sedimento', da *imposto* col suff. collettivo *-ime*.

**imposto**, lat. *impositus*; v. POSTO.

**impostore**, dal lat. crist. *impostor, -oris* « che impone (una credenza) », che si contrappone a una forma class. non sincopata *positor*.

**impostura**, dal lat. crist. *impostura*.

**impotente**, dal lat. *impŏtens, -entis*, da *potens* con *in-* privat.; v. POTENTE.

**impotenza**, dal lat. *impotentia*.

**impoverire**, verbo denom. da *pòvero* con *in-* illativo.

**impraticàbile**, da *praticàbile* con *in-* negat.

**impratichire**, verbo denom. da *pratica* con *in-* illativo.

**imprecare**, dal lat. *imprecari* ' pregare contro (qualcuno)'.

**imprecazione**, dal lat. *imprecatio, -onis*.

**impreciso**, da *preciso* con *in-* negat.

**impregiudicàbile**, dall'agg. verb. di *pregiudicare* con *in-* negat.

**impregiudicato**, dal lat. tardo *impraeiudicatus*.

**impregnare**, verbo denom. e causativo da *pregno* con *in-* illativo.

**impremeditato**, dal lat. tardo *impraemeditatus*.

**imprèndere**, lat. volg. *imprendĕre*, comp. di *in-* illativo e class. *prehendĕre*; v. PRENDERE.

**imprendìbile**, da *prendìbile* con *in-* privat.

**imprenditore**, nome d'agente di *imprèndere*.

**imprenta** ' impronta', dal frc. *empreinte*, part. pass. di *empreindre*, lat. *imprimĕre*.

**imprentare**, verbo denom. da *imprenta*; cfr. IMPRONTARE.

**impreparato**, da *preparato* con *in-* privat.

**impresa**, dal part. pass. di *imprèndere*.

**imprescindìbile**, agg. verb. di *prescìndere* con *in-* negat.

**imprescrittìbile**, da *prescrittìbile* con *in-* privat.

**impressionante**, part. pres. di *impressionare*.

**impressionare**, verbo denom. da *impressione*.

**impressione**, dal lat. *impressio, -onis*, nome d'azione di *imprimĕre*.

**impressionismo**, dal frc. *impressionisme* e questo da *impression*, da principio in senso sfavorevole.

**imprestare**, da *prestare* con *in-* illativo-intensivo.

**impreteribile**, agg. verb. di *preterire* con *in-* privat.

**imprevedìbile**, da *prevedìbile* con *in-* privat.

**impreveduto**, da *preveduto* con *in-* privat.

**imprevidente**, da *previdente* con *in-* privat.

**imprevidenza**, da *previdenza* con *in-* privat.

**imprevisto**, da *previsto* con *in-* privat.

**impreziosire**, verbo denom. da *prezioso* con *in-* illativo.

**imprigionare**, verbo denom. da *prigione* con *in-* illativo.

**imprimatur**, dal lat. *imprimatur*, terza pers. del congiunt. pres. passivo di *imprimĕre* « si stampi ».

**imprìmere**, dal lat. *imprimĕre*, comp. di *in-* intens. e *premĕre* con norm. passaggio di *-ĕ-* in *-ĭ-* in sill. interna aperta, v. PRÈMERE.

**improbàbile**, da *probàbile* con *in-* negat.

**improbità**, dal lat. *improbĭtas, -atis*.

**improbo**, dal lat. *imprŏbus*, comp. di *in-* negat. e *probus* ' buono '; v. PROBO.

**improcedìbile**, agg. verb. di *procèdere* con *in-* negat.

**improduttivo**, da *produttivo* con *in-* privat.

**impronta**[1] ' (all')improvviso', dal lat. *in promptu* incr. con it. *pronta*, v. PRONTO.

**impronta**[2], sost. deverb. tratto da *improntare*[1].

**improntare**[1] ' lasciare un'impronta', incr. di *imprentare* con *pronto*.

**improntare**[2] ' imprestare', dal frc. ant. *emprunter*, lat. volg. *impromutuare*, deriv. di class. *mutuari*.

**improntitùdine**, astr. di *impronto*, secondo il rapporto di *gratitudine* a *grato*.

**impronto**, lat. (*esse*) *in promptu* ' essere a disposizione' e cioè ' essere quello che si è, senza inibizioni ' e perciò ' sfacciato '; v. PRONTO.

**impronunciàbile**, da *pronunciàbile* con *in-* privat.

**improperare**, dal lat. *improperare* ' affrettarsi' incr. col signif. ' rimproverare ' di *exprobrare*, *opprobrare*. Lat. *improperare* è comp. di *in-* intens. e *properare*, verbo denom. da *propĕrus* ' frettoloso ', risal. a sua volta alla prep. *pro* ' avanti ' e a un tema verb. analogo a quello di *imperium* e *imperare* (v. IMPERO), dalla stessa rad. di *pario* (v. PARTO). Si hanno così i signif. paralleli di « preparare » con *in-* (*imperare*), con *pro-* (*properare*) e con *per-* (*perperare*); v. SPERPERARE.

**improperio,** dal lat. tardo *improperium,* deriv. di *improperare,* nel senso di ' rimproverare '.

**improprietà,** dal lat. *improprĭĕtas, -atis.*

**improprio,** dal lat. *improprius* con *in-* negat.

**improrogàbile,** da *prorogabile* con *in-* privativo.

**improsciuttire,** verbo denom. da *prosciutto* con *in-* illativo.

**improvvidenza,** dal lat. tardo *improvidentia* incr. con it. *impròvvido.*

**impròvvido,** dal lat. *improvĭdus,* comp. di *in-* privativo e *provĭdus* incr. con it. *pròvvido.*

**improvviso,** dal lat. *improvisus* (comp. di *in-* privat. e il part. pass. di *videre*) incr. con it. *provvisto.*

**imprudente,** dal lat. *imprudens, -entis* ' imprevidente ', v. PRUDENTE.

**imprudenza,** dal lat. *imprudentia.*

**imprunare,** verbo denom. da *pruno* con *in-* illativo.

**impube** e **impùbere,** dal lat. *impubis, -is* e *impubes, -ĕris,* v. PÙBERE.

**impudente,** dal lat. *impudens, -entis,* comp. di *in-* negat. e *pudens, -entis,* v. PUDORE.

**impudenza,** dal lat. *impudentia.*

**impudicizia,** dal lat. *impudicitia.*

**impudico,** dal lat. *impudicus.*

**impugnare**[1] ' prendere ', verbo denom. da *pugno* con *in-* illativo.

**impugnare**[2] ' osteggiare ', dal lat. *impugnare* che è *pugnare* con *in-* intens.

**impugnatore,** dal lat. tardo *impugnator, -oris.*

**impugnatura,** nome astr., dal part. pass. *impugnato* di *impugnare*[1].

**impugnazione,** dal lat. *impugnatio, -onis,* nome d'azione di *impugnare*[2].

**impulito** ' rozzo ', dal lat. *impolitus,* comp. di *in-* negativo e *politus* (v. POLITO) incr. per il signif. col frc. *impoli* ' sgarbato '.

**impulsione,** dal lat. *impulsio, -onis,* nome d'azione di *impellĕre.* Il part. *impulsus,* da cui *impulsio,* deriva da *\*im-pold-to-s* (v. IMPELLERE), con norm. passaggio di *-ŏ-* a *-ŭ-* in sill. interna dav. a *-l-* non seguita da *-i-.* A sua volta *-pold-* risale a *-pḷd-,* grado ridotto, caratteristico del part. pass.

**impulsivo,** dal lat. medv. *impulsivus.*

**impulso,** dal lat. *impulsus, -us,* astr. di *impellĕre.*

**impune,** dal lat. tardo *impunis* e questo dall'avv. class. *impune,* da *in-* privat. e *poena* « senza pena ». Il rapporto fra *-u-* e *-oe-* è lo stesso che fra *immunis* e *moenia.*

**impunità,** dal lat. *impunĭtas, -atis.*

**impunito,** dal lat. *impunitus* con *in-* privat.

**impuntare,** verbo denom. da *punta* con *in-* illativo.

**impuntire,** verbo denom. da *punto* con *in-* illativo.

**impuntura,** incr. di *impuntire* e *puntura* (invece di *impuntitura*).

**impurità,** dal lat. *impurĭtas, -atis.*

**impuro,** dal lat. *impurus,* comp. di *in-* negat. e *purus.*

**imputare,** dal lat. *imputare,* comp. di *putare* ' contare ' e *in-* intens. ' mettere in conto '; v. POTARE.

**imputatore,** dal lat. *imputator, -oris.*

**imputazione,** dal lat. tardo *imputatio, -onis.*

**imputrescibile,** da *putrescìbile* con *in-* privat.

**imputridire,** verbo denom. da *putrido* con *in-* illativo.

**impuzzare,** verbo denom. da *puzza* con *in-* illativo.

**in**[1] (prep.), lat. *in,* prep. (e pref.) che indica essenzialmente l'introdursi, e cioè il moto verso l'interno del luogo e quello dall'alto in basso (v. INCUBO) (illativo), opposta a *ab* che indica provenienza (ablativo); poi estesa allo stato in luogo, e a valori figur., come pref. intens. di verbi; per es. (*in*)*sisto*: largamente documentata nelle aree ideur. (non nella indo-iranica). La forma orig. è EN, come nel gr. *en* (nelle lingue germ. *in*). Forme rinforzate sono *ind-,* v. INDAGARE, INDÌGENO, INDOLE *endh-,* v. ÌNFERO.

**in-**[2], lat. *in,* pref. negat. e privat. che formava in orig. solo agg. e avv. Di antichità indeuropea, largamente attestato, rappresenta la forma regolare davanti a cons. gutt., di *en,* il quale rispecchia a sua volta il grado ridotto, N, della particella *ne*: in gr. *a-,* nelle lingue germ. *un-*; cfr. NÉ.

**inabbordàbile,** da *abbordàbile* con *in-* negat., agg. verb. di *abbordare.*

**inàbile,** dal lat. *inhabĭlis,* comp. di *in-* privat. e *habĭlis,* agg. verb. di *habēre,* e cioè « non maneggevole », inteso in it. invece come « non abile ».

**inabissare,** verbo denom. da *abisso* e *in-* illativo.

**inabitàbile,** da *abitàbile* con *in-* privat.

**inabitare** ' abitare ', dal lat. *inhabitare.*

**inabitato,** dal lat. *inhabitatus.*

**inabitazione** ' abitazione ' dal lat. *inhabitatio, -onis.*

**inaccessibile,** dal lat. tardo *inaccessibĭlis.*

**inaccessibilità,** dal lat. tardo *inaccessibilĭtas, -atis.*

**inaccesso,** dal lat. *inaccessus,* comp. di *in-* e *accessus,* part. pass. di *accedĕre.*

**inaccusàbile,** da *accusare* con *in-* privat. e il suff. *-bile* di agg. verbale.

**inacerbire,** verbo denom. da *acerbo* con *in-* illativo.

**inacetire,** verbo denom. da *aceto* con *in-* illativo.

**inacidire,** verbo denom. da *acido* con *in-* illativo.

**inacquare,** verbo denom. da *acqua* con *in-* illativo.

**inadeguato,** da *adeguato* con *in-* privat.

**inadempito** e **inadempiuto,** part. pass. di *adempire* e *adempiere* con *in-* privat.

**inadoperàbile,** da *adoperare* con *in-* privat. e il suff. di agg. verbale.

**inafferràbile,** da *afferràbile* con *in-* privat.

**inagrestire,** verbo denom. da *agresto* con *in-* illativo.

**inagrire,** verbo denom. da *agro* con *in-* illativo.

**inaiare,** verbo denom. da *aia* con *in-* illativo.

**inalare,** dal lat. *inhalare* ' soffiar dentro '; v. ÀLITO.

**inalazione,** dal lat. tardo *inhalatio, -onis.*

**inalbare,** dal lat. tardo *inalbare,* verbo denom. da *albus* con *in-* illativo.

**inalberare,** verbo denom. da *albero* con *in-* illativo.

**inalidire,** verbo denom. da *àlido* con *in-* illativo.

**inalienàbile,** da *alienàbile* con *in-* privat.

**inallettàbile,** da *in-* privat. e l'agg. verb. di *allettare,* nel senso di ' adagiarsi (sulla terra come) su un letto '.

**inalteràbile,** da *alteràbile* con *in-* privat.

**inalveare,** verbo denom. da *alveo* con *in-* illativo.

**inalzare,** da *alzare* con *in-* illativo, cfr. INNALZARE.

**inamàbile,** dal lat. *inamabĭlis.*

**inameno,** dal lat. *inamoenus.*

**inamidare,** verbo denom. da *àmido* con *in-* illativo.

**inammissìbile,** da *ammissìbile* con *in-* privat.

**inamovìbile,** da *amovibile* con *in-* privat.

**inane,** dal lat. *inanis,* comp. di *in-* e un secondo elemento risal. prob. alla rad. ANĒ di *animus* nel senso di ciò « che è privo di soffio vitale », senza che si spieghi però la quantità lunga della *-a-*, v. ÀNIMO.

**inanellare,** verbo denom. da *anello* con *in-* illativo.

**inanimare,** dal lat. tardo *inanimare* con *in-* illativo.

**inanimato,** dal lat. tardo *inanimatus* con *in-* privat.

**inanimire,** verbo denom. da *animo* con *in-* illativo.

**inanità,** dal lat. *inanìtas, -atis*.

**inanizione,** dal lat. tardo *inanitio, -onis*, nome d'azione di *inanire* ' vuotare '.

**inanònimo,** da *in-* negativo e *anonimo*.

**inappagato,** da *appagato* con *in-* privat.

**inappellàbile,** da *appellàbile*, agg. verb. di *appellare* con *in-* privat.

**inappetente,** da *appetente*, part. pres. di *appetire* con *in-* privat.

**inapplicàbile,** da *applicàbile* con *in-* privat.

**inapprendìbile,** agg. verb. di *apprèndere* con *in-* privat.

**inapprensìbile,** dal lat. tardo *inapprehensibìlis*, comp. di *in-* privat. e lat. tardo *apprehensibìlis*; cfr. PRÈNSILE.

**inapprezzàbile,** agg. verb. di *apprezzare* con *in-* privat.

**inappuntàbile,** agg. verb. di un verbo *appuntare*, denom. da *appunto* ' rilievo, critica ' con *in-* privat.

**inappuràbile,** agg. verb. di *appurare* con *in-* privat.

**inarato,** da *arato* con *in-* privat.

**inarcare,** verbo denom. da *arco* con *in-* illativo.

**inargentare,** verbo denom. da *argento* con *in-* illativo.

**inaridire,** verbo denom. da *arido* con *in-* illativo.

**inarmònico,** da *armònico* con *in-* negat.

**inarrendévole,** da *arrendévole* con *in-* negat.

**inarrestàbile,** dall'agg. verb. di *arrestare* con *in-* privat.

**inarrivàbile,** dall'agg. verb. di *arrivare* (trans.) con *in-* privat.

**inarticolato,** dal lat. tardo *inarticulatus* con *in-* privat.

**inascoltato,** da *ascoltato*, part. pass. di *ascoltare* con *in-* privat.

**inasinire,** verbo denom. da *asino* con *in-* illativo.

**inaspettato,** dal part. pass. di *aspettare* con *in-* privat.

**inasprire,** verbo denom. da *aspro* con *in-* illativo.

**inastare,** verbo denom. da *asta* con *in-* illativo.

**inattaccàbile,** dall'agg. verb. di *attaccare* con *in-* negat.

**inattendìbile,** da *attendìbile* con *in-* negat.

**inatteso,** dal part. pass. di *attèndere* con *in-* negat.

**inattivo,** da *attivo* con *in-* privat.

**inattuàbile,** dall'agg. verb. di *attuare* con *in-* privat.

**inattuale,** da *attuale* con *in-* privat.

**inaudìbile,** dal lat. tardo *inaudibìlis*.

**inaudito,** dal lat. *inauditus*, comp. di *in-* negat. e *auditus*.

**inaugurare,** dal lat. *inaugurare* ' prender gli augurî ', da *augurare* con *in-* illativo; v. AUGURARE.

**inaugurazione,** dal lat. tardo *inauguratio, -onis*.

**inauspicato,** dal lat. *inauspicatus* con *in-* privat.

**inavveduto,** da *avveduto* con *in-* privat.

**inavvertenza,** da *avvertenza* con *in-* privat.

**inavvertito,** dal part. pass. di *avvertire* con *in-* privat.

**inazione,** da *azione* con *in-* negat.

**inazzurrare,** verbo denom. da *azzurro* e *in-* illativo.

**incaciare,** verbo denom. da *cacio* con *in-* illativo.

**incadaverire,** verbo denom. da *cadavere* con *in-* illativo.

**incagliare**[1] ' inceppare ', dallo sp. *encallar*.

**incagliare**[2] ' accagliare ', verbo denom. da *caglio* con *in-* illativo.

**incaglio,** sost. deverb. estr. da *incagliare*.

**incalappiare,** verbo denom. da *calappio* con *in-* illativo.

**incalcare,** da *calcare* con *in-* illativo.

**incalciatura,** incr. di *calcio* (*del fucile*) e *impugnatura*.

**incalcinare,** verbo denom. da *calcina* con *in-* illativo.

**incalco,** sost. deverb. da *incalcare*.

**incalcolàbile,** dall'agg. verb. di *calcolare* con *in-* privat.

**incallire,** verbo denom. da *callo* con *in-* illativo.

**incalorire,** verbo denom. da *calore* con *in-* illativo.

**incalzare,** lat. volg. *incalcjare*, verbo denom. di *calx, calcis* ' calcagno ' (v.) (col prefisso *in-* illativo), che significa ' insistere sui calcagni ', e con assibilaz. settentr. di *-cja-* in *-sa-*, corretta nel tosc. *-za-*.

**incamerare,** verbo denom. da *càmera* nel senso di ' erario ' con *in-* illativo.

**incamiciare,** verbo denom. da *camicia* con *in-* illativo.

**incamminare,** verbo denom. da *cammino* con *in-* illativo.

**incanagliare,** verbo denom. da *canaglia* con *in-* illativo.

**incanalare,** verbo denom. da *canale* con *in-* illativo.

**incancellàbile,** dall'agg. verb. di *cancellare* con *in-* privat.

**incancherare** e **incancherire,** verbo denom. da *cànchero* (v.), con *in-* illativo.

**incancrenire,** verbo denom. da *cancrena* con *in-* illativo.

**incandescente,** dal lat. *incandescens, -entis*, part. pres. di *incandescĕre* ' diventar bianco ', comp. di *candescĕre* con *in-* intens.; v. CÀNDIDO.

**incannare,** verbo denom. da *canna* con *in-* illativo.

**incannicciare,** verbo denom. da *canniccio* con *in-* illativo.

**incannucciare,** verbo denom. da *cannuccia* con *in-* illativo.

**incantagione,** dal lat. tardo *incantatio, -onis*, con la leniz. settentr. di *-tio-* in *-sgjo-*, e la correzione tosc. in *-gio-*.

**incantamento,** dal lat. *incantamentum*.

**incantare,** dal lat. *incantare*, comp. di *cantare* ' recitare formule magiche ' e *in-* intens.

**incantatore,** dal lat. tardo *incantator, -oris*.

**incanto**[1], sost. deverb. da *incantare*.

**incanto**[2], dal lat. medv. *in quantum?* « a quanto (si vende)? ».

**incanutire,** verbo denom. da *canuto* con *in-* illativo.

**incapacciato,** part. pass. di un verbo denom. da *capaccio*, peggiorativo di *capo* con *in-* illativo.

**incapace,** dal lat. tardo *incapax, -acis* con *in-* negat.

**incapacità,** dal lat. tardo *incapacìtas, -atis*.

**incaparbire,** verbo denom. da *caparbio* con *in-* illativo.

**incapace,** verbo denom. da *capo* con *in-* illativo.

**incapestrare,** lat. tardo *incapistrare*, verbo denom. da *capistrum* (v. CAPESTRO) con *in-* illativo.

incaponire, verbo denom. da *capone* con *in-* illativo.

incappare, verbo denom. da *cappa* con *in-* illativo.

incappellare, verbo denom. da *cappello* con *in-* illativo.

incappiare, verbo denom. da *cappio* con *in-* illativo.

incappottare, verbo denom. da *cappotto* con *in-* illativo.

incappucciare, verbo denom. da *cappuccio* con *in-* illativo.

incapricciare e incapriccire, verbo denom. da *capriccio* con *in-* illativo.

incarbonchiare e incarbonchire, verbo denom. da *carbonchio* con *in-* illativo.

incarbonire, verbo denom. da *carbone* con *in-* illativo.

incarcerare, dal lat. tardo *incarcerare*, verbo denom. da *carcer, -ĕris* con *in-* illativo.

incarcerazione, dal lat. tardo *incarceratio, -onis*.

incardinare, verbo denom. da *càrdine* con *in-* illativo, incr. con lat. tardo *incardinare* ' ascrivere a una diocesi '.

incaricare, comp. di *in-* illativo e *caricare*.

incàrico, sost. deverb. estr. da *incaricare*.

incarnare, dal lat. crist. *incarnare*, verbo denom. da *caro carnis* e *in-* illativo.

incarnazione, dal lat. crist. *incarnatio, -onis*.

incarnire, verbo denom. da *carne* con *in-* illativo.

incarognire, verbo denom. da *carogna* con *in-* illativo.

incarrozzare, verbo denom. da *carrozza* e *in-* illativo.

incarrucolare, verbo denom. da *carrùcola* con *in-* illativo.

incartamento, sost. di valore collettivo e figur., tratto da *incartare*.

incartapecorito, da *cartapecora* con *in-* illativo e suff. *-ito* di part. di verbo denom. in *-ire*.

incartare, verbo denom. da *carta* con *in-* illativo.

incarto, sost. deverb. da *incartare*.

incartocciare, verbo denom. da *cartoccio* con *in-* illativo.

incartonare, verbo denom. da *cartone* con *in-* illativo.

incasellare, verbo denom. da *casella* con *in-* illativo.

incassare, verbo denom. da *cassa* con *in-* illativo.

incasso, sost. deverb. da *incassare*.

incastellare, verbo denom. da *castello* con *in-* illativo.

incastonare, verbo denom. da *castone* e *in-* illativo.

incastrare, lat. volg. *incastrare* ' inserire in una intagliatura ' dal class. *castrare* ' tagliare ' con *in-* illativo; v. CASTRARE.

incastro, sost. deverb. da *incastrare*.

incatarrare e incatarrire, verbo denom. da *catarro* con *in-* illativo.

incatenacciare, verbo denom. da *catenaccio* con *in-* illativo.

incatenare, verbo denom. da *catena* con *in-* illativo.

incatramare, verbo denom. da *catrame* con *in-* illativo.

incatricchiare, verbo denom. da lat. volg. *catricula*, class. *craticŭla*, con *in-* illativo; v. GRATICOLA e GRATA.

incattivire, verbo denom. da *cattivo* con *in-* illativo.

incauto, dal lat. *incautus* con *in-* negat.

incavalcare, da *cavalcare* con *in-* illativo.

incavare, dal lat. tardo *incavare*, comp. di *cavare* ' scavare ' con *in-* intens.

incavernare, verbo denom. da *caverna* con *in-* illativo.

incavezzare, verbo denom. da *cavezza* con *in-* illativo.

incavicchiare, verbo denom. da *cavicchio* con *in-* illativo.

incavigliare, verbo denom. da *caviglia* con *in-* illativo.

incavo, sost. deverb. estr. da *incavare*.

incèdere, dal lat. *incedĕre*, comp. di *cedĕre* ' andare ' con *in-* intens.

incedìbile, dall'agg. verb. di *cèdere* con *in-* negat.

incèndere, dal lat. *incendĕre*, comp. di *in-* intens. e *candĕre* ' bruciare ', da cui class. *candĕre* (v. CÀNDIDO e cfr. ACCENDERE). Lat. *incendĕre* mostra il norm. passaggio di *-ă-* in *-ĕ-* in sill. interna chiusa.

incendiare, verbo denom. da *incendio*.

incendiario, dal lat. *incendiarius*.

incendio, dal lat. *incendium*, deriv. di *incendĕre*.

incenerare, incenerire, verbo denom. da *cenere* e *in-* introduttivo.

incensare, verbo denom. da *incenso*.

incenso, dal lat. *incensum* ' incenso ' e propr. « cosa accesa », forma sostantiv. del neutro del part. pass. di *incendĕre*.

incensuràbile, dall'agg. verb. di *censurare* con *in-* privat.

incentivo, dal lat. *incentivus*, detto di suono che si intona al canto; in età tarda impiegato figuratam. Lat. *incentivus* è deriv. dal part. pass. di *incinĕre*, comp. di *in-* e *canĕre* con norm. passaggio di *-ă-* a *-ĕ-* in sill. interna chiusa e a *-i-* in sill. interna aperta.

incentrare, verbo denom. da *centro* con *in-* illativo.

inceppare, verbo denom. da *ceppo* con *in-* illativo.

incerare, verbo denom. da *cera* con *in-* illativo.

incerchiare, verbo denom. da *cerchio* con *in-* illativo.

incercinare, verbo denom. da *cércine* con *in-* illativo.

incerto, dal lat. *incertus*, comp. di *in-* negat. e *certus*, part. pass. di *cernĕre*; v. CERTO.

incespicare, da *cespicare* con *in-* illativo.

incessàbile, dal lat. *incessabilis* con *in-* negat.

incessante, dal lat. *incessans, -antis*, part. pres. di *incessare*, verbo intens. da *incedĕre* incr. in it. con *in-* negativo e quindi interpretato come « ciò che non cessa ».

incesso, dal lat. *incessus, -us*, astr. di *incedĕre*.

incesto, dal lat. *incestus, -us* e questo da *incestus, -a, -um*, che è da *in-* negat. e *castus*, con norm. passaggio di *-ă-* in *-ĕ-* in sill. interna chiusa.

incestuoso, dal lat. tardo *incestuosus*.

incetta, sost. deverb. da *incettare*.

incettare, lat. volg. *inceptare*, calcato su *acceptare*, con la sostituz. di *in-* illativo a *a(d)-*, che è forma intens. di *accipĕre*, v. RICÉVERE.

inchiavacciare, verbo denom. da *chiavaccio* con *in-* illativo.

inchiavardare, verbo denom. da *chiavarda* con *in-* illativo.

**inchiavistellare,** verbo denom. da *chiavistello* con *in-* illativo.

**inchiesta,** forma femm. sostantiv. del part. pass. di *inchièdere*; v. CHIESTO.

**inchinare,** lat. *inclinare,* comp. di *clinare* 'piegare' e *in-* intens.

**inchino,** sost. deverb. da *inchinare.*

**inchiodare,** verbo denom. da *chiodo* con *in-* illativo.

**inchiomare,** verbo denom. da *chioma* con *in-* illativo.

**inchiostro,** lat. tardo *encaustum,* che è dal gr. *énkauston* 'pittura a encausto' propr. 'bruciata dentro'. Il lat. volg. *\*enclaustum,* si è associato all'imagine di 'chiuso' (*claudo*), e poi inserito nella serie dei suff. in *-stro* come *registro* (v.) da *regesta, ginestra* da lat. *genesta.*

**inchiùdere,** incr. di lat. *includĕre* e it. *chiùdere.*

**inciampare,** verbo denom. da *ciampa* (v.), variante di *zampa* con *in-* illativo.

**inciampicare,** verbo iterat. di *inciampare.*

**inciampo,** sost. deverb. da *inciampare.*

**incicciare,** verbo denom. da *ciccia* con *in-* illativo.

**incidentale,** dal lat. medv. *incidentalis.*

**incidente,** dal lat. *incĭdens, -entis* part. pres. di *incidĕre,* 'sopraggiungere cadendo', comp. di *in-* e *cadĕre* con norm. passaggio di *-ă-* in *-ĭ-* in sill. interna aperta.

**incidenza,** dal lat. medv. *incidentia.*

**incidere¹,** dal lat. *incĭdĕre,* comp. di *in-* illativo-intens. e *cadĕre* 'cadere'; cfr. INCIDENTE.

**incidere²,** dal lat. *incīdĕre,* comp. di *in-* illativo-intensivo e *caedĕre* 'tagliare', con norm. passaggio di *-ae-* in *-ī-* in sill. interna.

**incielare,** verbo denom. da *cielo* con *in-* illativo.

**incignare,** lat. tardo *encaeniare* 'inaugurare', verbo denom. dal gr. *enkaínia* 'feste di inaugurazione' e questo da *kainós* 'nuovo'.

**incile,** dal lat. (*fossa*) *incilis* 'trincea', deriv. da *incidĕre* 'tagliare', attrav. una forma *\*in-cid-slis.*

**incimicire,** verbo denom. da *cimice* con *in-* illativo.

**incimurrire,** verbo denom. da *cimurro* con *in-* illativo.

**incincignare,** verbo iterat. risultante dall'incr. di *cencio* e *incignare.*

**incincischiare,** da *cincischiare,* incr. con *incischiare.*

**incinerare,** dal lat. tardo *incinerare.*

**incinerazione,** dal lat. medv. *incineratio, -onis.*

**incìngere,** dal lat. *incingĕre,* comp. di *in-* intens. e *cingĕre.*

**incinta,** da un lat. *inciens, -entis* 'gravida', incr. con *incincta* e oggi inteso come «non cinta». Lat. *inciens* ha vaghe connessioni nelle aree greca (*kyéō* 'sono incinta') e indiana.

**incipiente,** dal lat. *incipiens, -entis,* part. pres. di *incipĕre* 'cominciare', comp. di *in-* e *capĕre,* con norm. passaggio di *-ă-* in *-ĭ-* in sill. interna aperta.

**incipollire,** verbo denom. da *cipolla* con *in-* illativo.

**incipriare,** verbo denom. da *cipria* con *in-* illativo.

**inciprignire,** verbo denom. da *ciprigno* con *in-* illativo.

**incirca,** da *in* e *circa.*

**incirconciso,** dal lat. crist. *incircumcisus* con *in-* privat.

**incircoscritto,** dal lat. crist. *incircumscriptus* con *in-* privat.

**incischiare,** lat. volg. *\*incisulare,* iterat. di un *\*incisare,* intens. di *incidĕre*; v. INCÌDERE e CINCISCHIARE.

**incisione,** dal lat. *incīsio, -onis,* nome d'azione di *incidĕre* 'tagliare'.

**inciso,** dal lat. *incisum,* calco su gr. *kómma,* deriv. da *kóptō* 'io taglio'. Lat. *incisum* è forma neutra sostantiv. del part. pass. di *incidĕre,* e cioè da una forma orig. *\*en-caid-tom,* col normale passaggio da *ai* a *ī* in sillaba interna.

**incisore,** dal lat. tardo *incīsor, -oris,* nome d'agente di *incidĕre* 'tagliare'.

**incitamento,** sal lat. *incitamentum.*

**incitare,** dal lat. *incitare,* comp. di *in-* illativo e *citare* 'stimolare', intensivo di *ciere* 'muovere'; v. CITARE.

**incitatore,** dal lat. tardo *incitator, -oris.*

**incitazione,** dal lat. *incitatio, -onis.*

**incitrullire,** verbo denom. da *citrullo* con *in-* illativo.

**inciuchire,** verbo denom. da *ciuco* con *in-* illativo.

**incivettire,** verbo denom. da *civetta* con *in-* illativo.

**incivile,** dal lat. tardo *incivilis,* da *civilis* con *in-* negat.

**incivilire,** verbo denom. da *civile* con *in-* illativo.

**inciviltà,** astr. da *incivile.*

**inclemente,** dal lat. *inclemens, -entis.*

**inclemenza,** dal lat. *inclementia.*

**inclinàbile,** dal lat. *inclinabĭlis.*

**inclinare,** dal lat. *inclinare,* comp. di *in-* intens. e *clinare* 'piegare'; v. CHINARE.

**inclinazione,** dal lat. *inclinatio, -onis.*

**incline,** dal lat. *inclinis,* forma aggettiv. in *-i* di una sostantiv. *\*inclinus* in *-o.*

**inclinòmetro,** comp. del tema di *inclinare* e *-metro.*

**inclito,** dal lat. *inclĭtus,* arc. *inclūtus,* orig. part. pass. di *\*cluĕre* 'udire' con *in-* intens.; aggregato poi a *cluēre,* verbo di stato, significante 'aver fama', mentre *cluĕre* dell'età imp. è nato sotto l'influenza gr. di *klýō.* La rad. KLEU¹ è attestata nelle aree indo-iranica, tracia, armena, celtica, greca (per es. *kléwos* 'gloria'), baltica, slava, germanica (ted. *laut* da *\*klūto-*), e costituisce una delle più importanti famiglie lessicali ideur.

**inclùdere,** dal lat. *includĕre,* comp. di *in-* illativo e *claudĕre,* con norm. passaggio di *-au-* in *-ū-* in sill. interna; cfr. INCHIÙDERE.

**inclusione,** dal lat. *inclusio, -onis,* nome d'azione di *includĕre.*

**inclusivo,** dal lat. tardo *inclusivus.*

**incoare,** dal lat. *incohare* 'cominciare' estratto da *incohatus* 'incompiuto', comp. di *in-* privativo e un secondo elemento privo di connessioni fuori dell'Italia ant.: forse corrispond. all'osco *kahad* 'prenda' e quindi a una struttura parallela a quella del lat. *incipĕre* 'cominciare' risultante dalla somma di *in-* e *capĕre* 'prendere'.

**incoativo,** dal lat. tardo *inchoativus,* calco sul gr. *arktikós,* part. fut. pass. di *árkhō* 'comincio'.

**incoazione,** dal lat. tardo *incohatio, -onis.*

**incoccare,** verbo denom. da *cócca* con *in-* illativo.

**incocciarsi,** verbo denom. da *coccia* con *in-* illativo.

**incodardire,** verbo denom. da *codardo* con *in-* illativo.

**incoercìbile,** da *coercìbile* con *in-* privat.

**incoerente,** da *coerente* con *in-* privat.

**incògliere,** da *cogliere* con *in-* illativo.

**incògnito,** dal lat. *incognìtus,* deriv. da *cognìtus* ' conosciuto ', con *in-* negat.; v. CÒGNITO.

**incollare¹,** verbo denom. da *colla,* con *in-* illativo.

**incollare²,** verbo denom. da *collo¹* con *in-* illativo.

**incollatura¹** (di colla), astr. da *incollato, incollare.*

**incollatura²** (di collo), da *incollare².*

**incollerire,** verbo denom. da *còllera,* con *in-* illativo.

**incolmàbile,** da *colmare* col suff. di agg. verb. e pref. *in-* negativo.

**incolonnare,** verbo denom. da *colonna,* con *in-* illativo.

**incolore e incoloro,** dal lat. medv. *ìncolor, -oris,* da *color* ' colore ' con *in-* privat.

**incolpàbile¹** ' privo di colpa ', dal lat. tardo *inculpabìlis* con *in-* privat.

**incolpàbile²** ' accusabile ', agg. verb. di *incolpare.*

**incolpare,** dal lat. tardo *inculpare,* verbo denom. da *culpa* con *in-* illativo.

**incolpévole,** da *colpévole* con *in-* privat.

**incòlto¹,** dal lat. *incultus,* da *cultus* con *in-* privat.; v. CÓLTO.

**incòlto²,** part. pass. di *incògliere*; v. CÒLTO.

**incòlume,** dal lat. *incolùmis,* comp. di *in-* privat. e \**calàmus,* agg. di cui *calamìtas* è l'astr. Il mutamento vocalico è dovuto al passaggio di *-ă-* a *-ŭ-* all'interno di \**calamus,* dav. alla cons. labiale *-m-* e al conseg. passaggio di *ă* a *ŏ* dav. a *l* velare; v. CALAMITÀ.

**incolumità,** dal lat. *incolumìtas, -atis.*

**incómbere,** dal lat. *incumbĕre,* comp. di *in-* di movimento verso il basso e \**cumbĕre*; v. ÌNCUBO e INCUBARE.

**incombustìbile,** da *combustìbile* con *in-* negat.

**incominciare,** da *cominciare* con *in-* illativo.

**incommensuràbile,** dal lat. *incommensurabìlis.*

**incommutàbile,** dal lat. *incommutabìlis.*

**incommutabilità,** dal lat. tardo *incommutabilìtas, -atis.*

**incomodare,** dal lat. *incommodare,* verbo denom. da *incommŏdus,* incr. con it. *còmodo.*

**incomodità,** dal lat. *incommodìtas, -atis,* incr. con it. *còmodo.*

**incòmodo,** dal lat. *incommŏdum,* neutro sostantiv. dell'agg. *incommŏdus,* incr. con it. *còmodo.*

**incomparàbile,** dal lat. *incomparabìlis.*

**incomparabilità,** dal lat. tardo *incomparabilìtas.*

**incompartìbile,** dall'agg. verb. di *compartire* con *in-* negat.

**incompatibile,** dall'agg. verb. di *compatire* con *in-* negat.

**incompenetrabilità,** astr. dell'agg. verb. del verbo *compenetrare* con *in-* negat.

**incompensàbile,** dall'agg. verb. di *compensare* con *in-* negat.

**incomperàbile,** da *comperare* col suff. di agg. verb. e *in-* negativo.

**incompetente,** da *competente* con *in-* privat.

**incompiuto,** da *compiuto* con *in-* privat.

**incompleto,** dal lat. tardo *incompletus* con *in-* privat.

**incomportàbile,** dall'agg. verb. di *comportare* con *in-* negat.

**incomposto,** dal lat. *incomposìtus,* incr. con it. *posto,* part. pass. di *porre.*

**incompràbile,** agg. verb. di *comprare* con *in-* negat.

**incomprensìbile,** dal lat. *incomprehensibìlis,* comp. di *in-* negat. e l'agg. verb. di *comprehendĕre.*

**incomprensione,** da *comprensione* con *in-* privativo.

**incompreso,** dal lat. tardo *incomprehensus,* incr. con it. *compreso.*

**incomputàbile,** dall'agg. verb. di *computare* con *in-* negat.

**incomunicàbile,** dal lat. tardo *incommunicabìlis,* con *in-* negat., incr. con it. *comunicare.*

**inconcare,** verbo denom. da *conca* con *in-* illativo.

**inconcepìbile,** dall'agg. verb. di *concepire* con *in-* negat.

**inconcesso,** dal lat. *inconcessus.*

**inconciliàbile,** dall'agg. verb. di *conciliare* con *in-* negat.

**inconcludente,** da *concludente* part. pres. di *conclùdere* con *in-* negat.

**inconcusso,** dal lat. *inconcussus,* comp. di *in-* negat. e *concussus,* part. pass. di *conquatĕre* ' scuotere ' (v.).

**incòndito,** dal lat. *incondĭtus,* comp. di *in-* negat. e il part. pass. di *condĕre* ' porre insieme '; v. CÒNDITO, SÙDDITO.

**incondizionato,** dal part. pass. di *condizionare* con *in-* privat.

**inconfessato e inconfesso,** da *confess(at)o* con *in-* negat.

**inconfondìbile,** dall'agg. verb. di *confóndere* con *in-* negat.

**inconfortàbile,** dall'agg. verb. di *confortare* con *in-* negat.

**inconfutàbile,** dall'agg. verb. di *confutare* con *in-* negat.

**incongiungìbile,** dall'agg. verb. di *congiùngere* con *in-* negat.

**incongiunto,** dal lat. tardo *inconiunctus,* con *in-* privat.

**incongruente,** dal lat. *incongruens, -entis* con *in-* negat.

**incongruenza,** dal lat. tardo *incongruentia.*

**incongruità,** dal lat. tardo *incongruĭtas, -atis.*

**incongruo,** dal lat. tardo *incongruus*; v. CONGRUO.

**inconocchiare,** verbo denom. da *conocchia,* con *in-* illativo.

**inconoscìbile,** dal lat. *incognoscibìlis* con *in-* negat., incr. con it. *conóscere.*

**inconsapevole,** da *consapévole* con *in-* privat.

**inconscio,** dal lat. tardo *inconscius,* comp. di *in-* negat. e *conscius*; v. CONSCIO.

**inconseguente,** dal lat. tardo *inconsèquens, -entis,* incr. con it. *seguire.*

**inconseguenza,** dal lat. tardo *inconsequentia,* incr. con it. *conseguenza.*

**inconsideràbile,** da *considerabile* con *in-* privat.

**inconsiderato,** dal lat. *inconsideratus,* comp. di *in-* negat. e *consideratus* ' assennato '.

**inconsiderazione,** dal lat. tardo *inconsideratio, -onis.*

**inconsistente,** dal part. pres. di *consìstere* con *in-* privat.

inconsolàbile, dal lat. *inconsolabìlis*.

inconsolato, da *in*- privat. e *consolato*.

inconsueto, dal lat. *inconsuetus* con *in*- negat.

inconsulto, dal lat. *inconsultus*, da *consultus* part. pass. di *consulĕre* con *in*- negat.; v. CONSOLE.

inconsumàbile 'che non riesce a compiersi', dal lat. *inconsummabìlis*, incr. con it. *consumare*.

inconsumato, dal lat. *inconsummatus*, incr. con it. *consumare*.

inconsunto, dal lat. *inconsumptus* 'consumato', part. pass. di *consumĕre* con *in*- negat.

inconsùtile, dal lat. crist. *inconsutìlis*, comp. di *in*- negat. e *consutìlis*, agg. verb. di *consuĕre* 'cucire', tratto dal tema di part. *suto*-; cfr. *fissìlis*, *missìlis*, *fictìlis*, *fossìlis*.

incontaminàbile, dal lat. tardo *incontaminabìlis*.

incontaminato, dal lat. *incontaminatus* con *in*- privat.

incontanente, dal lat. tardo *in continenti (tempore)*, con dissimilaz. di *i...i* in *i...a*, per allontanarsi dalla famiglia di 'contenere' e 'continuo', e avvicinarsi agli avv. del tipo *prontamente*.

incontenìbile, dall'agg. verb. di *contenere* con *in*- negat.

incontentàbile, dall'agg. verb. di *contentare* con *in*- negat.

incontestàbile, agg. verb. di *contestare* con *in*- negat.

incontinente, dal lat. *incontìnens* con *in*- privat.

incontinenza, dal lat. *incontinentia*.

incontrare, lat. medv. *incontrare*, verbo denom. da lat. tardo *incontra*.

incontrastàbile, dall'agg. verb. di *contrastare* con *in*- negat.

incontro¹ (sost.), sost. deverb. da *incontrare*.

incontro² (avv.), da lat. tardo *incontra* (da *in contra*; v. CONTRO), incr. con it. *contro*.

incontroverso, da *controverso* con *in*- privat.

incontrovertìbile, da *controvertibile* con *in*- negat.

inconturbàbile, dall'agg. verb. di *conturbare* con *in*- negat.

inconveniente, dal lat. tardo *inconveniens*, *-entis*, comp. con *in*- negat.

inconvenienza, dal lat. tardo *inconvenientia*.

inconvertìbile, dal lat. tardo *inconvertibìlis* con *in*- negat.

inconvertibilità, dal lat. tardo *inconvertibilìtas*, *-atis*.

incoraggiare, verbo denom. da *coraggio* con *in*- illativo.

incordare, verbo denom. da *corda* con *in*- illativo.

incornare, verbo denom. da *corno*, con *in*- illativo.

incorniciare, verbo denom. da *cornice* con *in*- illativo.

incoronare, verbo denom. da *corona* con *in*- illativo.

incorporale, dal lat. tardo *incorporalis*.

incorporalità, dal lat. tardo *incorporalìtas*, *-atis*.

incorporare, dal lat. tardo *incorporare*.

incorporazione, dal lat. tardo *incorporatio*, *-onis*.

incorpòreo, dal lat. tardo *incorporĕus*, comp. di *in*- privat. e *corporĕus*, da *corpus*, *-ŏris*; v. CORPO.

incòrporo, sost. deverb. da *incorporare*; cfr. SCÒRPORO.

incorreggìbile, dall'agg. verb. di *corrèggere* con *in*- negat.

incórrere, dal lat. *incurrĕre* comp. di *currĕre* e *in*- intens.; v. CORRERE.

incorrotto, dal lat. *incorruptus*, comp. di *in*- negat. e *corruptus*, part. pass. di *corrumpĕre*.

incorruttìbile, dal lat. tardo *incorruptibìlis* con *in*- negat.

incorruttibilità, dal lat. tardo *incorruptibilìtas*, *-atis*.

incorruzione, dal lat. tardo *incorruptio*, *-onis*, comp. di *in*- privat. e *corruptio*, nome d'azione di *corrumpĕre*.

incosciente, da *cosciente* con *in*- privat.

incostante, dal lat. *inconstans* con *in*- negat.

incostanza, dal lat. *inconstantia*.

incostituzionale, da *costituzionale* con *in*- negat.

increato, dal lat. *increatus* con *in*- negat.

incredìbile, dal lat. *incredibilis* con *in*- negat.

incredibilità, dal lat. tardo *incredibilìtas*, *-atis*.

incredulità, dal lat. tardo *incredulìtas*, *-atis*.

incrèdulo, dal lat. *incredŭlus*, comp. di *in*- negat. e *credŭlus*, agg. di *credĕre*.

incrementare, dal lat. tardo *incrementare*.

incremento, dal lat. *incrementum*, astr. di *increscĕre*; v. CRESCERE.

incréscere, lat. *increscĕre* con *in*- intens. « crescere (oltre il dovere) ».

increspare, dal lat. tardo *incrispare*, verbo denom. da *crispus* con *in*- illativo, incr. con it. *crespo*.

incretinire, verbo denom. da *cretino* con *in*- illativo.

increto 'ormone', dal lat. *incretus*, part. pass. di *incernĕre* 'passare col crivello'.

incriminare, dal lat. medv. *incriminare*, verbo denom. da *crimen*, *-ìnis*, con *in*- illativo.

incriminazione, dal lat. tardo *incriminatio*, *-onis*.

incrinare, verbo denom. dal lat. tardo (e dubbio) *crena* 'fessura, intaglio', privo di connessioni attendibili, con *in*- illativo, incr. con *inclinare*.

incriticàbile, dall'agg. verb. di *criticare* con *in*- negat.

incrociare, verbo denom. da *croce* con *in*- illativo.

incrociatore, da *incrociare* nel senso marinaro.

incrocicchiare, incr. di *incrociare* e *crocicchio*.

incrocio, sost. deverb. da *incrociare*.

incrodare, verbo denom. da *croda* 'roccia' con *in*- illativo.

incrollàbile, dall'agg. verb. di *crollare* con *in*- negat.

incrostare, dal lat. *incrustare*, verbo denom. da *crusta* con *in*- illativo.

incrostazione, dal lat. *incrustatio*, *-onis*.

incrudelire, verbo denom. da *crudele* con *in*- illativo.

incruento, dal lat. *incruentus* con *in*- privat.

incrunare, verbo denom. da *cruna* con *in*- illativo.

incruscare, verbo denom. da *crusca* con *in*- illativo.

incubare, dal lat. *incubare*, comp. di *cubare* 'giacere' e *in*- di moto dall'alto in basso, verbo dur. della rad. KUB, non ben precisata, ma attestata anche nelle aree greca e germanica. Alla forma durativa del tipo *cubare*, corrisponde quella moment. con la semplice voc. tematica (ma con l'infisso nasale) *-cumbĕre*, che si trova solo con pref.; v. INCÓMBERE.

**incubatrice,** dal lat. tardo *incubatrix, -icis,* nome d'agente femm. da *incubare.*

**incubazione,** dal lat. *incubatio, -onis.*

**incubo,** dal lat. tardo *incŭbus* ' essere che giace su chi dorme ', sost. deverb., estr. da *\*incubĕre,* forma primitiva della rad. KUB da cui sono derivate le forme durativa di *incubare* (v. INCUBARE) e momentanea di *incómbere* (v. INCOMBERE) e cfr. *succubo,* che oppone il movimento dal basso in alto di *sub* a quello dall'alto in basso, associato a *in-.*

**incùdine,** dal lat. tardo *incus, incudĭnis* (class. *incus, incudis*), da *cudĕre* ' battere ', forma ampliata con *de/do* (cfr. *tendĕre, pellĕre* da *\*peldĕre,* v. TENDERE, IMPELLERE) della rad. KEU ' battere ', attestata anche nelle aree germanica, baltica, slava.

**inculcare,** dal lat. *inculcare,* comp. di *in-* illativo e *calcare,* con apofonia della vocale interna *-ă-* (sotto l'influenza della *l,* non seguita da *i*) in *-ŭ-.*

**inculcatore,** dal lat. tardo *inculcator, -oris.*

**incultura,** da *cultura* con *in-* privat.

**inculto,** dal lat. *incultus;* cfr. INCÓLTO.

**incunàbolo,** forma sg. tratta dal plur. lat. *incunabula* ' fasce ', dimin. deriv. da *cunae* ' culla '; titolo del primo repertorio (1688) di prodotti della tipografia anteriori al 1500.

**incuneare,** verbo denom. da *cuneo* con *in-* illativo.

**incuocere,** incr. di lat. *incoquĕre* e it. *cuòcere.*

**inc(u)orare,** verbo denom. da *cuore* con *in-* illativo, con event. abbandono del dittongo *-uo-* fuori d'accento; cfr. SC(U)ORARE.

**incupire,** verbo denom. da *cupo* con *in-* illativo.

**incuràbile,** dal lat. tardo *incurabĭlis.*

**incurante,** dal part. pres. di *curare* con *in-* negat.

**incuria,** dal lat. *incuria,* astr. di un agg. *\*curius* col pref. *in-* privat., che è alla base anche di *curiosus,* v. CURIOSO e cfr. SICURO.

**incuriosire,** verbo deriv. da *curioso* con *in-* illativo.

**incurioso,** dal lat. *incuriosus,* con *in-* privat.

**incursione,** dal lat. *incursio, -onis,* nome d'azione di *incurrĕre,* comp. di *currĕre* e *in-* intens.; v. CORSO.

**incursore,** incr. di *incursione* e *cursore.*

**incurvàbile,** dal lat. *incurvabĭlis* con *in-* negat.

**incurvare,** dal lat. *incurvare,* verbo denom. da *incurvus* ' ricurvo '.

**incurvire,** verbo denom. da *curvo* con *in-* illativo.

**incuso,** dal lat. *incusus,* da un più ant. *\*incud-tos,* part. pass. di *\*incudĕre* ' imprimere col conio '; v. INCUDINE.

**incustodito,** da *custodito,* part. pass. di *custodire* con *in-* privat.

**incùtere,** dal lat. *incutĕre,* comp. di *quatĕre* ' scuotere ' e *in-* intens., con norm. passaggio di *-qua-* in *-cu-* in sill. interna; v. SCUOTERE.

**indaco,** lat. *Indĭcum (folium)* ' (foglia) indiana ', col norm. passaggio di *-i-* postonica ad *-a-,* in parola sdrucciola; v. *tònaca, crònaca* ecc. e cfr. ÍNDICO.

**indaffarato,** da *daffare* con *in-* illativo e il suff. *-ato.*

**indagàbile,** dal lat. tardo *indagabĭlis.*

**indagare,** dal lat. *indagare,* comp. di *ind-,* forma rinforzata di *in-* illativo da un arc. *endo-* e *\*agare,* intens.-durativo di *agĕre:* « spinger dentro (la selvaggina nelle reti) ». Per altre formaz. con *ind(o)-* cfr. *indìgeno, indìgete, industria.*

**indagatore,** dal lat. *indagator, -oris.*

**indàgine,** dal lat. *indago, -ĭnis,* nome d'azione di *indagare.*

**indarno,** da *\*in darno* ' per magia ', risal. al gotico *\*darns* ' magico ', interpretato in età crist., naturalmente, come ' invano '.

**indebitare,** verbo denom. da *debito* con *in-* illativo.

**indébito,** dal lat. *indebĭtus* ' non dovuto ', con *in-* privat.

**indebolire,** verbo denom. da *débole* con *in-* illativo.

**indecente,** dal lat. *indĕcens, -entis* con *in-* privat., calco su gr. *aprepḗs.*

**indecenza,** dal lat. *indecentia.*

**indecifràbile,** dall'agg. verb. di *decifrare* con *in-* negat.

**indecisione,** da *decisione* con *in-* privat.

**indeciso,** da *deciso,* part. pass. di *decìdere* con *in-* privat.

**indeclinàbile,** dal lat. *indeclinabĭlis* con *in-* negat.

**indecomponìbile,** dall'agg. verb. di *decomporre,* incr. con *componente* e sim., con *in-* negat.: calco sul frc. *indécomposable.*

**indecoroso,** dal lat. tardo *indecorosus.*

**indefesso,** dal lat. *indefessus,* comp. di *in-* privat. e *defessus,* part. pass. di *defetisci,* a sua volta deriv. di *fatisci* ' fendersi, crepare ', poi ' esaurirsi ', v. denominativo-incoativo da un *\*fatis* ' crepa ' sopravv. in *affātim* ' abbondantemente, fino a crepare '. Lat. *\*fatis* è parola certamente di antichità ideur. ma priva di connessioni evidenti; cfr. FATISCENTE.

**indefettìbile,** dal lat. medv. *indefectibĭlis.*

**indefinìbile,** dal lat. tardo *indefinibĭlis* con *in-* privat.

**indefinito,** dal lat. tardo *indefinitus.*

**indeformàbile,** agg. verb. da *deformare* con *in-* negat.

**indegnità,** dal lat. *indignĭtas, -atis,* incr. con it. *degno.*

**indegno,** lat. *indignus,* comp. di *in-* negat. e *dignus,* incr. con *degno* (v.).

**indeiscente,** da *deiscente* con *in-* negat.

**indelèbile,** dal lat. *indelebĭlis* con *in-* negat.

**indelicato,** da *delicato* con *in-* negat.

**indemaniare,** verbo denom. da *demanio* con *in-* illativo.

**indemoniare,** verbo denom. da *demonio* con *in-* illativo.

**indenne,** dal lat. *indemnis,* comp. di *in-* privat. e *dammun* ' danno ', con regolare apofonia di *-ă-* interna in *-ĕ-,* in sill. interna chiusa.

**indennità,** dal lat. tardo *indemnĭtas, -atis.*

**indennizzare,** dal frc. *indemniser* (XVI sec.).

**indennizzo,** sost. deverb. da *indennizzare.*

**indentare,** verbo denom. da *dente* con *in-* illativo.

**indentrare,** verbo denom. da *dentro* con *in-* illativo.

**inderogàbile,** da *derogare* con suff. di agg. verbale e pref. *in-* negativo.

**indescrivìbile,** da *in-* privat. e l'agg. verb. di *descrivere.*

**indeterminàbile,** dal lat. tardo *indeterminabĭlis.*

**indeterminato,** dal lat. tardo *indeterminatus.*

**indeterminazione,** dal lat. tardo *indeterminatio, -onis.*

**indettare,** da *dettare* con *in-* illativo.

**indetto,** part. pass. del sistema di *indire* (v.), dal lat. *indictus,* incr. con it. *detto,* part. pass. di *dire* (v.).

**indi,** lat. *inde,* avv. di luogo indicante la provenienza e quindi equival. a 'ex eo' appartenente al sistema di *i-s* (v. ESTO), ma senza possibilità di chiarire l'elemento *-n-de* v. ONDE. Per l'impiego proclitico, v. NE[1].

**indiademare,** verbo denom. da *diadema* con *in-* illativo.

**indiamantare,** verbo denom. da *diamante* con *in-* illativo.

**indiare,** verbo denom. da *Dio* con *in-* illativo.

**indiavolare,** verbo denom. da *diàvolo* con *in-* illativo.

**indicàbile,** dal lat. tardo *indicabilis.*

**indicare,** dal lat. *indicare,* intens.-durativo di *indicĕre.*

**indicativo,** dal lat. tardo *indicativus,* calco sul gr. *horistikḗ (énklisis).*

**indicatore,** dal lat. tardo *indicator, -oris.*

**indicazione,** dal lat. *indicatio, -onis.*

**indice,** dal lat. *index, -icis* 'colui che indica', comp. di *dic-* e *in-* intens., v. DIRE, con norm. passaggio di *-ĭ-* a *-ĕ-* in sill. chiusa fuori d'accento; cfr. GIUDICE.

**indicibile,** dal lat. tardo *indicibilis* con *in-* negat.

**indico,** dal lat. *indĭcus* con *-i-* interna conservata; cfr. INDACO.

**indietro,** lat. volg. *in de retro,* attrav. una forma *in d(e)retro,* poi dissimilata in *in detro,* con *e* dittongata in it. perché dav. a *-tr-,* in posizione equiparata cioè a sill. aperta.

**indifendìbile,** dall'agg. verb. di *difendere* con *in-* privat.

**indifferente,** dal lat. *indiffĕrens, -entis* con *in-* negat., calco sul gr. *adiáphoros.*

**indifferenza,** dal lat. *indifferentia.*

**indifferìbile,** dall'agg. verb. di *differire* nel senso di 'procrastinare' con *in-* privat.

**indìgeno,** dal lat. *indĭgena,* passato ai temi in *-o.* Comp. di *ind(o)-* (da *endo-*), forma rinforzata arc. di *in-*[1] illativo e il tema di *gignĕre* 'generare', che attraverso la finale *a* appare come rad. bisillabica in una forma alternante di GENĒ[2]; v. GENERE.

**indigente,** dal lat. *indĭgens, -entis,* part. pres. di *indigĕre,* comp. di *ind-,* forma rafforzata arc. di *in-* (v. INDÀGINE, INDÌGENO) e *egĕre* 'aver bisogno' (che ha qualche connessione germanica), con passaggio di *-ĕ-* in *-ĭ-* in sill. interna aperta.

**indigenza,** dal lat. *indigentia.*

**indigerìbile,** dall'agg. verb. di *digerire* con *in-* negat.

**indigestione,** dal lat. tardo *indigestio, -onis.*

**indigesto,** dal lat. *indigestus,* comp. di *in-* negat. e *digestus,* part. pass. di *digerĕre;* v. GESTO.

**indigete,** dal lat. *indĭges, -ĕtis,* nome d'agente risultante da *ind-,* pref. arc. nella forma ampliata (v. INDÀGINE), e *ages, -ĭtis,* dalla rad. ĀG/AG di *aio* (v. ADAGIO), con norm. passaggio di *-ă-* a *-ĭ-* in sill. interna aperta: « colui che indica (il vero) », semanticamente parallelo a *index* da *in-* e *dic(o).*

**indigitamenti,** dal lat. *indigitamenta, -orum* 'invocazioni agli dei'. Comp. di *ind-,* forma rafforzata e arc. di *in-* intens. e un astr. deriv. dal verbo *agitare,* intens. di *aio* 'dico di sì', con apofonia di *-ă-* in *-ĭ-* in sill. interna aperta; cfr. il verbo lat. *indigitare* e v. INDIGETE.

**indignare,** dal lat. *indignari* 'sdegnarsi', verbo denom. da *indignus* 'indegno'.

**indignazione,** dal lat. *indignatio, -onis.*

**indimenticàbile,** dall'agg. verb. di *dimenticare* con *in-* negat.

**indimostràbile,** dal lat. tardo *indemonstrabilis.*

**indio,** (indiano d'America), dallo sp. *indio.*

**indipendente,** da *dipendente,* part. pres. di *dipèndere* con *in-* negat.

**indire,** incr. di lat. *indicĕre* e it. *dire.*

**indiretto,** da *diretto* part. pass. di *dirìgere* con *in-* negat.

**indirizzare,** lat. volg. *indirectiare,* verbo denom. intens. di *directus* con *in-* introduttivo, incr. con it. *diritto.*

**indirizzo,** sost. deverb. da *indirizzare.*

**indiscernìbile,** dal lat. tardo *indiscernibilis* con *in-* privat.

**indisciplina,** da *disciplina* con *in-* privat.

**indisciplinàbile,** dall'agg. verb. del verbo *disciplinare* con *in-* negat.

**indisciplinato,** dal lat. tardo *indisciplinatus.*

**indiscreto,** da *discreto* con *in-* negat.

**indiscrezione,** dal lat. tardo *indiscretio, -onis* 'mancanza di discernimento', da *in-* privat. e *discretio,* nome d'azione del sistema di *discernĕre,* tratto dal tema del part. pass. *discretus.*

**indiscriminato,** da *discriminato* con *in-* privat.

**indiscusso,** dal lat. tardo *indiscussus,* comp. di *in-* negat. e *discussus,* part. pass. di *discutĕre;* v. DISCÙTERE.

**indiscutìbile,** dall'agg. verb. di *discùtere* con *in-* negat.

**indispensàbile,** dall'agg. verb. di *dispensare* con *in-* negat.

**indispettire,** verbo denom. da *dispetto* con *in-* illativo.

**indisporre,** calco sul frc. *indisposer,* incr. con it. *disporre.*

**indisposizione,** incr. di *indisposto* e *disposizione.*

**indisposto,** da *disposto,* part. pass. di *disporre* con *in-* negat.; v. POSTO.

**indisputàbile,** dal lat. tardo *indisputabilis.*

**indissociàbile,** dal lat. tardo *indissociabilis.*

**indissolùbile,** dal lat. *indissolubilis.*

**indistinto,** dal lat. *indistinctus,* comp. di *in-* privat. e *distinctus,* v. DISTINTO, part. pres. di *distinguĕre.*

**indistruttìbile,** da *distruttìbile* con *in-* negat.

**indivia,** dal lat. med. *ent%bi* (pronuncia *endivi*) che è nel gr. tardo *entýbion.*

**individuo,** dal lat. *individuus* 'indivisibile', comp. di *in-* negat. e *dividŭus,* agg. in *-ŭo-* da *dividĕre* (come *continŭus* di *continere, contigŭus* di *contingĕre, exiguus* di *exigĕre*).

**indivisìbile,** dal lat. tardo *indivisibilis.*

**indiviso,** dal lat. *indivisus* con *in-* privat.

**indizio,** dal lat. *indicium,* deriv. di *index;* cfr. IMPERO.

**indizione,** dal lat. *indictio, -onis,* nome d'azione di *indicĕre.*

**indòcile,** dal lat. *indocĭlis,* comp. di *in-* e *docĭlis,* agg. verb. tratto dall'inf. *docere* e non dal tema di part. *doctus,* cfr. *facĭlis, agĭlis.*

**indocilire**, verbo denom. da *dòcile* con *in-* illativo.

**indocilità**, dal lat. tardo *indocilĭtas, -atis*.

**indolcire**, verbo denom. da *dolce* con *in-* illativo.

**indole**, dal lat. *indŏles*, comp. di *ind-*, forma rafforzata e arc. di *in-¹* illativo, (v. INDAGARE), e la rad. di *alĕre* 'nutrire' e perciò 'crescita interiore' poi 'carattere'; v. ALUNNO.

**indolente**, dal lat. *indŏlens, -entis*, da *dolens, -entis*, part. pres. di *dolere* con *in-* privat.

**indolenza**, dal lat. *indolentia* 'assenza di dolore'.

**indolenzire**, verbo denom. da un astr. *\*dolenza*, formato da *dolente*, secondo il rapporto di *pazienza* rispetto a *paziente*, con *in-* illativo.

**indoloro**, da *dolore* con *in-* privat. e passaggio alle declinaz. in *-o*.

**indomàbile**, dal lat. *indomabĭlis*.

**indomani**, da *in* e *domani* e cioè locuzione avv. rafforzata dal rapporto locativo « nel domani ».

**indòmito**, dal lat. *indomĭtus*, comp. di *in-* negat. e *domĭtus*, part. pass. di *domare*, nel quale *-ĭ-* appare ancora come elemento della rad. bisillabica, teoricamente rappresentata nella forma DEMĀ; v. DOMARE.

**indòmo**, da *domo* 'domato' con *in-* privat.

**indorare**, da *dorare* con *in-* illativo-intens.

**indormentire** (arc.), incr. di lat. *indormire* e it. *addormentare*.

**indossare**, verbo denom. da *in dosso*.

**indossatore**, calco maschile su *indossatrice*.

**indossatrice**, nome d'agente femm. da *indossare*.

**indosso**, da *in* e *dosso*.

**indotato**, da *dotato* con *in-* privat.

**indòtto**, dal lat. *indoctus* con *in-* privat.

**indòtto**, forma sostantiv. del part. pass. di *indurre*, dal lat. *indŭctus*, incr. con it. *condotto*.

**indottrinare**, verbo denom. da *dottrina* con *in-* illativo.

**indovinare**, lat. volg. *\*indivinare*, comp. di *in-* intens. e *divinare* 'indovinare, profetare', verbo denom. da *divinus*, sottratto al legame con *divino*, attrav. la dissimilaz. di *i...i* a *o...i*, favorita dalla presenza della *-v-*; cfr. *doventare* per 'diventare', *dovizia* (lat. *divitiae*).

**indovino**, incr. di lat. *divinus* 'indovino' e it. *indovinare*.

**indovuto**, da *dovuto* con *in-* privat.

**indozzare** 'intorpidire', prob. incr. di *ind(urre)* e *(ing)ozzare*.

**indù**, dal frc. *hindou*, persiano *hindū*, che deriva dal sanscrito *Sindhu*, nome del fiume Indo.

**indubbio**, dal lat. *indubius*, comp. di *in-* privat., incr. con it. *dubbio*.

**indubitàbile**, dal lat. *indubitabĭlis*.

**indubitato**, dal lat. *indubitatus*.

**indùcere**, dal lat. *inducĕre*; cfr. INDURRE.

**indugiare**, lat. *\*indutiare*, verbo denom. da *indutiae* 'tregua' con leniz. settentr. di *-tia-* in *-sgja-* riprodotta in Toscana con *-gia-*. La parola *indutiae* non ha connessioni attendibili fuori del latino anche se la formazione sembra derivare da *in-* negativo e un ampliam. in *-t*, v. INFICIARE, della rad. DWĀ/DŬ 'durare', v. DOMENTRE.

**indugio**, sost. deverb. estr. da *indugiare*.

**induismo**, da *indù*.

**indulgente**, dal lat. *indulgens, -entis*, part. pres. di *indulgēre*.

**indulgenza**, dal lat. *indulgentia*.

**indùlgere**, dal lat. *indulgēre*, passato alla coniug. in *-ēre*. L'etimol. di *indulgere* si può cercare per due strade. La prima presuppone l'analisi *in-dulg-* e cioè dalla rad. cui appartiene il gr. *dolikhós*, il sanscrito *dīrgha-*, col signif. di « allungare ». La seconda presuppone l'analisi *ind-ulg* da un più ant. *ind-alg* e vorrebbe dire « raffreddarsi », forse « placarsi ». Questa seconda pare più prob.; v. ÀLGIDO.

**indulto**, dal lat. tardo *indultum*, part. di *indulgēre*.

**indumento**, dal lat. tardo *indumentum* 'veste' class. 'involucro', da *induĕre* 'vestire'. Cfr. *exuĕre* 'spogliare', entrambi da una rad. EU, abbastanza bene documentata nelle varie aree ideur. (v. OMENTO). Qui comp. con *ind-*, forma rafforzata arc. di *in-* illativo, v. IND(AGARE): cfr. anche VESTE.

**indurare**, dal lat. *indurare*, verbo denom. da *durus* con *in-* illativo.

**indurire**, verbo denom. da *duro* con *in-* illativo.

**indurre**, lat. *inducĕre*, con norm. sincope di voc. postonica ed energica assimilaz. del gruppo consonantico che ne risulta, per cui v. CONDURRE, RIDURRE.

**indusio** (indumento romano), dal lat. *indusium*, prob. adattam. del gr. *éndysis* 'rivestimento'.

**industre**, dal lat. *industrius*, incr. con it. *illustre*.

**industria**, dal lat. *industria* 'operosità', astr. di *industrius*, forma dissimilata da *\*endo-stru-us* « che costruisce all'interno » e cioè 'segretamente'; v. STRUTTURA e, per il pref. INDAGARE.

**industrioso**, dal lat. tardo *industriosus*.

**induttanza**, dal frc. *inductance*, deriv. dal lat. *inductus*.

**induttivo**, dal lat. tardo *inductivus*.

**induzione**, dal lat. *inductio, -onis*, nome d'azione di *inducĕre*.

**inebetire**, verbo denom. da *èbete* con *in-* illativo.

**inebriare**, dal lat. *inebriare*, verbo denom. da *ebrius* con *in-* illativo.

**ineccepìbile**, dall'agg. verb. di *eccepire* con *in-* negat.

**inedia**, dal lat. *inedia*, comp. di *in-* privat. e *\*edia*, astr. di *edĕre* 'mangiare', dalla importantissima rad. ED, appartenente al vocab. compatto e largamente attestata (gr. *édein*, ted. *essen*) nel territorio ideur.; v. EDACE, ESCA.

**inedificàbile**, dall'agg. verb. di *edificare* con *in-* privat.

**inèdito**, dal lat. *ineditus*, comp. di *in-* privat. e *editus*, part. pass. di *edĕre* 'pubblicare'; cfr. INCÒNDITO e EDITO.

**ineducato**, part. pass. di *educare* con *in-* privat.

**ineffàbile**, dal lat. *ineffabĭlis*, comp. di *in-* negat. e *effabĭlis*, agg. verb. di *effari* 'pronunciare chiaramente una formula'; cfr. FANDONIA, NEFANDO, FATO.

**ineffabilità**, dal lat. tardo *ineffabilĭtas, -atis*.

**ineffettuàbile**, dall'agg. verb. di *effettuare* con *in-* negat.

**inefficace**, dal lat. *inefficax, -acis*, comp. di *in-* privat. e *efficax, -acis* 'efficace'; v. EFFICACE.

**inefficiente**, da *efficiente* con *in-* privat.

**ineguagliàbile**, dall'agg. verb. di *eguagliare* con *in-* negat.

**ineguale**, dal lat. *inaequalis*, incr. con it. *eguale*.

**inegualità**, dal lat. *inaequalĭtas*, incr. con it. *ineguale*.

**inelegante,** dal lat. *inelĕgans, -antis* con *in-* privat.

**ineleggìbile,** dall'agg. verb. di *elèggere* con *in-* negat.

**ineloquente,** dal lat. tardo *inelŏquens, -entis.*

**ineluttàbile,** dal lat. *ineluctabĭlis,* comp. di *in-* e *eluctabĭlis,* agg. verb. di *eluctari* 'lottare per sottrarsi' comp. di *e-* e *luctari;* v. LOTTARE.

**inemendàbile,** dal lat. *inemendabĭlis.*

**inenarràbile,** dal lat. *inenarrabĭlis,* comp. di *in-* negat. e l'agg. verb. di *enarrare* 'narrare minutamente'.

**inequivocàbile,** dall'agg. verb. di *equivocare* con *in-* privat.

**inerente,** dal part. pres. di *inerire.*

**inerire,** dal lat. *inhaerere,* passato alla coniugaz. in *-i-;* cfr. ADERIRE.

**inerme,** dal lat. *inermis,* comp. di *in-* privat. e *arma,* con norm. apofonia di *-ă-* in *-ĕ-* in sill. interna chiusa.

**inerpicare,** verbo denom. da *érpice,* con *in-* illativo 'agire in qualità di erpice', e cioè «aggrapparsi (con le dita, quasi fossero i denti) dell'erpice».

**inerte,** dal lat. *iners, inertis,* comp. di *in-* privat. e *ars, artis* 'senz'arte', con norm. apofonia dell'*-ă-* in *-ĕ-* in sill. interna chiusa.

**inerudito,** dal lat. *ineruditus* con *in-* privat.

**inerzia,** dal lat. *inertia.*

**inesatto**[1] (agg.) da *esatto* agg. con *in-* negat.

**inesatto**[2] (part.) da *esatto* part. pass. di *esigere* con *in* negat.

**inesaudito,** dal part. pass. di *esaudire* con *in-* negat.

**inesaurìbile,** da *esaurire* col suff. di agg. verbale e *in-* negativo.

**inesausto,** dal lat. *inexhaustus,* comp. di *in-* privat. e *exhaustus,* part. pass. di *exhaurire;* v. ESAURIRE.

**inescare,** verbo denom. da *esca* con *in-* illativo.

**inescogitàbile,** dal lat. tardo *inexcogitabĭlis.*

**inescusàbile,** dal lat. *inexcusabĭlis,* comp. di *in-* negat. e l'agg. verb. di *excusare;* cfr. INSCUSÀBILE.

**inesercitato,** dal lat. *inexercitatus* con *in-* privat.

**inesigìbile,** dall'agg. verb. di *esìgere* con *in-* negat.

**inesistente,** dal part. pres. di *esìstere* con *in-* privat.

**inesoràbile,** dal lat. *inexorabĭlis,* comp. di *in-* negat. e l'agg. verb. di *exorare* 'pregare'.

**inesorabilità,** dal lat. tardo *inexorabilĭtas, -atis.*

**inesorato,** dal lat. tardo *inexoratus.*

**inesperienza,** dal lat. *inexperientia.*

**inesperto,** dal lat. *inexpertus* con *in-* privat.

**inespiàbile,** dal lat. *inexpiabĭlis.*

**inespiato,** dal lat. *inexpiatus.*

**inesplicàbile,** dal lat. *inexplicabĭlis.*

**inesplicato,** dal lat. tardo *inexplicatus.*

**inesplorato,** dal lat. *inexploratus.*

**inespressivo,** dal frc. *inexpressif.*

**inesprimìbile,** dall'agg. verb. di *esprìmere* con *in-* negat.

**inespugnato,** dal lat. tardo *inexpugnatus* con *in-* privat.

**inessiccàbile,** dall'agg. verb. di *essiccare* con *in-* privat.

**inestimàbile,** dal lat. *ineastimabĭlis.*

**inestinguìbile,** dal lat. tardo *inextinguibĭlis.*

**inestirpàbile,** dal lat. *inextirpabĭlis.*

**inestricàbile,** dal lat. *inextricabĭlis,* comp. di *in-* negat. e l'agg. verb. di *extricare,* verbo denom. da *tricae* 'intrighi'; v. INTRIGARE, DISTRICARE.

**inettitùdine,** dal lat. *ineptitudo, -ĭnis* 'sciocchezza', incr. con il rapporto *atto - attitudine, grato - gratitudine;* cfr. INETTO.

**inetto,** dal lat. *ineptus,* comp. di *in-* privat. e *aptus* 'adatto', con la norm. apofonia dell'*-ă-* in *-ĕ-* in sill. interna chiusa, v. ATTO[2].

**inevaso,** da *evaso,* part. pass. di *evàdere* con *in-* privat.; v. EVASIVO.

**inevitàbile,** dal lat. *inevitabĭlis;* v. EVITARE.

**inezia,** dal lat. *ineptia.*

**infaceto,** dal lat. *inficetus,* comp. di *in-* e *facetus,* con passaggio di *-ă-* in *-ĭ-* in sill. interna aperta, incr. con it. *faceto.*

**infacondo,** dal lat. *infacundus.*

**infagottare,** verbo denom. da *fagotto* con *in-* illativo.

**infallantemente,** dal lat. medv. *infallanter* e il suff. it. di avv. *-mente.*

**infallìbile,** dal lat. tardo *infallibĭlis.*

**infamare,** dal lat. *infamare,* verbo denom. da *infamis.*

**infamatore,** dal lat. tardo *infamator, -oris.*

**infame,** dal lat. *infamis,* comp. di *in-* negat. e *fama* (v. FAMA), col suff. aggettiv. *-is:* di fronte a *fama* che si specializza nel senso favorevole, *infamis* significa «non fornito di (buona) fama» e si specializza poi in modo sfavorevole anzi spregiativo.

**infamia,** dal lat. *infamia.*

**infanatichire,** verbo denom. da *fanàtico* con *in-* illativo.

**infangare,** verbo denom. da *fango* con *in-* illativo.

**infante**[1] 'bambino', dal lat. *infans, -antis,* comp. di *in-* negat. e il part. pres. del verbo *fari* «che non può parlare»; v. FÀVOLA, FAMA.

**infante**[2] 'principe reale spagnolo', dallo sp. *infante.*

**infanticida,** dal lat. crist. *infanticida,* calco su *homicida, fratricida.*

**infanticìdio,** dal lat. crist. *infanticidium.*

**infantile,** dal lat. *infantilis.*

**infanzia,** dal lat. *infantia.*

**infarcire,** dal lat. *infarcire,* comp. di *in-* e *farcire;* v. FARCIRE.

**infardare,** verbo denom. da *farda* con *in-* illativo.

**infardellare,** verbo denom. da *fardello* con *in-* illativo.

**infarinare,** verbo denom. da *farina* con *in-* illativo.

**infarto,** dal lat. *infartum,* neutro sostantiv. del part. pass. di *infarcire* 'infarcire', per indicare l'immagine di una occlusione.

**infastidire,** verbo denom. da *fastidio* con *in-* illativo.

**infaticàbile,** dal lat. *infatigabĭlis,* incr. con it. *faticare.*

**infaticato,** dal lat. tardo *infatigatus,* incr. con. it. *fatica.*

**infatti,** comp. di prep. *in* e *fatti.*

**infatuare,** dal lat. *infatuare,* verbo denom. da *fatuus* con *in-* illativo, 'render sciocco'.

**infatuazione,** dal lat. tardo *infatuatio, -onis.*

**infausto,** dal lat. *infaustus* con *in-* negat.

**infecondità,** dal lat. *infecundĭtas, -atis.*

**infecondo,** dal lat. *infecundus* con *in-* privat.

**infedele,** dal lat. *infidelis* con *in-* negat., incr. con it. *fedele.*

**infedeltà,** dal lat. *infidelĭtas, -atis,* incr. con it. *fedeltà.*

**infederare,** verbo denom. da *fèdera* con *in-* illativo.

**infelice,** dal lat. *infēlix, -icis* con *in-* negat., v. FE-LICE.

**infelicità,** dal lat. *infelicĭtas.*

**infellonire,** verbo denom. da *fellone* con *in-* illativo.

**infeltrare** e **infeltrire,** verbo denom. da *feltro* con *in-* illativo.

**infemminire,** verbo denom. da *fémmina* con *in-* illativo.

**inferia,** dal lat. plur. *inferiae,* deriv. da *inferre* ' portare ', incr. con *infèri* ' abitanti del mondo infero: « (offerta) portata per i morti ».

**inferigno,** lat. volg. *farinjus,* v. FARINA incr. con *inferiore* e perciò ' grossolano, animalesco '.

**inferiore,** dal lat. *inferior, -oris,* deriv. di *infĕrus* (v. INFERO), già provvisto di un sostanziale valore compar., che viene così rinforzato. Per il superl. v. INFIMO e cfr. IMO.

**inferire,** dal lat. *inferre* passato come tutti gli altri deriv. di *ferre,* alla coniugaz. in *-ire* secondo lo schema dei verbi di tradiz. interrotta: così *conferire deferire, riferire* senza sincope, di fronte a quelli di tradiz. ininterrotta che, oltre il passaggio di coniugaz., mostrano la sincope; v. OFFRIRE, SOFFRIRE.

**infermare,** dal lat. *infirmare* ' indebolire ', verbo denom. da *infirmus,* incr. con it. *infermo.*

**infermerìa,** da *infermo,* come *armerìa* da *armi.*

**infermità,** dal lat. *infirmĭtas, -atis.*

**infermo,** lat. *infirmus,* da *firmus* (v. FERMO), con *in-* negat.

**infernale,** dal lat. crist. *infernalis.*

**inferno**[1] (agg.), dal lat. *infernus* ' inferiore ', che si comporta di fronte a *infĕrus* (v. INFERO), come *supernus* di fronte a *supĕrus.*

**inferno**[2] (sost.), dal lat. crist. *infernum,* neutro sostantiv. di *infernus* ' inferiore '.

**infero,** dal lat. *infĕrus* ' inferiore, infernale ', identico al sanscrito *adhara-* e al parallelo iranico; irrigidito in forma di prep. nel gotico *undar* (ted. *unter*) o nel lat. *infra* (v. INFRA). È parola rituale sopravv. nelle aree esterne, trasmessa in lat. però con una *-f-* interna propria dei dialetti rustici sabineggianti in opposizione al *-d-* lat. (cfr. IN-FIMO). Si tratta dell'elemento N, grado ridotto di EN, ampliato con *-DH-* e poi con un suff. di sostanziale valore compar.

**inferocire,** verbo denom. da *feroce* con *in-* illativo.

**inferraiolare,** verbo denom. da *ferraiolo* con *in-* illativo.

**inferriata,** part. pass. sostantiv. di un ant. *inferriare,* verbo denom. da *ferro* con *in-* illativo.

**infertilire,** verbo denom. da *fèrtile* con *in-* illativo.

**infervorare** e **infervorire,** verbo denom. da *fervore* con *in-* illativo.

**infestare,** dal lat. *infestare,* verbo denom. da *infestus;* v. INFESTO.

**infestatore,** dal lat. *infestator, -oris.*

**infestazione,** dal lat. tardo *infestatio, -onis.*

**infesto,** dal lat. *infestus* ' vòlto contro, ostile, dannoso ', comp. di *in-* illativo e *-festus,* privo di

connessioni attendìbili fuori del latino, v. MANI-FESTO.

**infetidire,** verbo denom. da *fètido* con *in-* illativo.

**infettare,** dal lat. *infectare* ' avvelenare ', intens. di *inficĕre.*

**infettivo,** dal lat. *infectivus* ' che serve a tingere ', incr. per il signif. con *infetto.*

**infetto,** dal lat. *infectus,* part. pass. di *inficĕre* ' tingere ' poi ' inquinare ', comp. di *in* e *facĕre,* con norm. apofonia della *-ă-* interna in *-ĕ-* in sill. interna chiusa, in *-ĭ-* in sill. interna aperta.

**infeudare,** verbo denom. da *feudo* con *in-* illativo.

**infezione,** dal lat. *infectio, -onis* ' tintura ', nome d'azione di *inficĕre;* cfr. INFETTO.

**infiacchire,** verbo denom. da *fiacco* con *in-* illativo.

**infialare,** verbo denom. da *fiala* con *in-* illativo.

**infiammare,** dal lat. *inflammare,* verbo denom. da *flamma* con *in-* illativo.

**infiammazione,** dal lat. *inflammatio, -onis.*

**infiascare,** verbo denom. da *fiasco* con *in-* illativo.

**inficiare,** dal lat. medv. *inficiari,* class. *infitiari,* denom. da *infitiae* ' negazione ', comp. di *in-* negat. e *fa-t* di *fateri* ' confessare ' (v. CONFES-SARE), con norm. passaggio di *-ă-* in *-ĭ-* in sill. interna aperta. Per il caso parallelo di *indutiae* ' tregua ' da *in-* e *dū-t* v. INDUGIARE.

**infido,** dal lat. *infīdus* con *in-* negat.

**infierire,** verbo denom. da *fiero* con *in-* illativo.

**infievolire,** verbo denom. da *fièvole* con *in-* illativo.

**infiggere,** dal lat. *infigĕre,* incr. con it. *figgere* (v.).

**infiguràbile,** dall'agg. verb. di *figurare* con *in-* negat.

**infilacappi, infilaguaine** e **infilanastri,** comp. di *infila(re)* e *cappio, guaina, nastro.*

**infilare,** verbo denom. da *filo* con *in-* illativo.

**infiltrare,** verbo denom. da *filtro* con *in-* illativo.

**infilzare,** verbo denom. da *filza* con *in-* illativo.

**ìnfimo,** dal lat. *infĭmus,* superl. di *infĕrus, inferior,* come questi trasmesso secondo una tradiz. sabina con *-f-* al posto del *-d-*. È identico al sanscrito *adhama-* scomparso in tutte le aree intermedie, da una base di partenza NDH-eMO-, cfr. POSTUMO. Per una forma più semplice, v. IMO e cfr. INFERO.

**infine,** da prep. *in* e *fine.*

**infinestrare,** verbo denom. da *finestra* con *in-* illativo.

**infingardire,** verbo denom. da *infingardo.*

**infingardo,** da *infingo,* prima pers. di *infingere* con suff. spregiativo *-ardo;* cfr. *bugiardo, codardo.*

**infingere,** dal lat. tardo *infingĕre* ' foggiare ', ' immaginarsi ', con *in-* intens.

**infinità,** dal lat. *infinĭtas, -atis,* astr. di un presunto *infinis,* agg. con *in-* privat. ' senza fine '.

**infinitèsimo,** da *infinito* col suff. dei numerali ordinali *-èsimo.*

**infinitivo,** dal lat. tardo *infinitivus,* calco sul gr. *aóristos.*

**infinito,** dal lat. *infinitus* con *in-* negat.

**infino,** da *in fino.*

**infinocchiare,** verbo denom. da *finocchio* con *in-* illativo.

**infioccare,** verbo denom. da *fiocco* con *in-* illativo.

**infiorare,** verbo denom. da *fiore* con *in-* illativo.

**infiorescenza,** dal lat. *inflorescĕre,* incr. con it. *fiore* e i tipi *(cresc)enza.*

**infirmare,** dal lat. *infirmare* ' indebolire '.

**infischiare,** dal frc. *s'enficher,* incr. con it. *fischiare.*

**infisso,** part. pass. di *infiggere,* sostantiv.; v. FISSO.

**infistolire,** verbo denom. da *fìstola* con *in-* illativo.

**infittire,** verbo denom. da *fitto* con *in-* illativo.

**inflazione,** dal frc. *inflation* e questo dal lat. *inflatio, -onis* ' gonfiamento ', v. FIATO.

**inflessìbile,** dal lat. *inflexibìlis.*

**inflessione,** dal lat. *inflexio, -onis,* nome d'azione di *inflectĕre* ' piegare '.

**inflèttere,** dal lat. *inflectĕre.*

**infliggere,** dal lat. *infligĕre,* incr. con *fìggere.*

**inflizione,** dal lat. tardo *inflictio, -onis,* nome d'azione di *infligĕre.*

**inflorescenza,** variante di *infiorescenza.*

**influenza,** dal lat. medv. *influentia.*

**influire,** dal lat. *influĕre,* pass. alla coniug. in *-ìre.*

**influsso,** dal lat. *influxus, -us,* astr. di *influĕre,* secondo la formaz. più recente del part. in *-xus* (cfr. FLUSSO) contro la più ant. in *-ctus*; v. FLUTTO.

**infocare,** verbo denom. da *fuoco* con *in-* illativo e l'eliminazione del dittongo *-uo-* fuori d'accento.

**infoderare,** verbo denom. da *fodero* con *in-* illativo.

**infogliare,** verbo denom. da *foglia* con *in-* illativo.

**infognare,** verbo denom. da *fogna* con *in-* illativo.

**infoibare,** verbo denom. da *foiba* e *in-* illativo.

**infoltire,** verbo denom. da *folto* con *in-* illativo.

**infondato,** part. pass. di *fondare* con *in-* privat.

**infóndere,** dal lat. *infundĕre*; v. FONDERE.

**inforcare,** verbo denom. da *forca* con *in-* illativo.

**inforestierare** e **inforestierire,** verbo denom. da *forestiero* con *in-* illativo.

**informale,** dall'ingl. *informal.*

**informare,** dal lat. *informare* ' dar forma ', ' istruire ', deriv. da *forma* con *in-* illativo.

**informe,** dal lat. *informis* con *in-* privat.; v. FORMA.

**informicolare** e **informicolire,** verbo iterat. denom. da *formica* con *in-* illativo e il suff. di derivaz. *-olare,* cfr. FORMICOLÌO.

**informità,** dal lat. tardo *informĭtas, -atis.*

**infornaciare,** verbo denom. da *fornace* con *in-* illativo.

**infornare,** verbo denom. da *forno* con *in-* illativo.

**infortire,** verbo denom. da *forte* con *in-* illativo.

**infortunato,** dal lat. *infortunatus.*

**infortunio,** dal lat. *infortunium* con *in-* negat., opposto a *fortuna* specializzata in senso buono.

**inforzare,** verbo denom. da un incr. di *forte* e di *forza* con *in-* illativo.

**infoscare,** verbo denom. da *fosco* con *in-* illativo.

**infossare,** verbo denom. da *fossa* con *in-* illativo.

**infra,** dal lat. *infra* ' sotto ', talvolta confuso con *intra-, intro-* ' dentro ', nel senso di it. ' fra ' (*inframmettere*), ' all'interno di ' (*infrasettimanale*): forma irrigidita da *inf(ĕ)ra,* ablativo sg. femm. di *inf(ĕ)rus*; v. INFERO.

**infracidare,** verbo denom. da *fràcido* con *in-* illativo.

**infradiciare,** verbo denom da *fràdicio* con *in-* illativo.

**infralire,** verbo denom. da *frale* con *in-* illativo.

**inframméttere,** comp. di *infra* e *mettere,* incr. con *intromèttere.*

**infrancesare,** verbo denom. da *francese* con *in-* illativo.

**infràngere,** incr. di lat. *infringĕre* e it. *fràngere.*

La forma lat. mostra l'apofonia interna, per la quale *-ă-* invece di passare in sill. chiusa a *ĕ* si è svolta, dav. al gruppo *-ng-,* ulteriormente a *ĭ.*

**infrangìbile,** dal lat. tardo *infrangibìlis* con *in-* negat.

**infrarosso,** da *infra-* e *rosso* e cioè ' al di sotto del limite inferiore (rosso) dello spettro delle onde luminose '.

**infrascare,** verbo denom. da *frasca* e *in-* illativo.

**infrasconare,** verbo denom. da *frascone* con *in-* illativo.

**infrascritto,** dal lat. *infra scriptus.*

**infrasettimanale,** da *infra* (incr. con *intra-*) e *settimanale.*

**infrastruttura,** da *infra-* ' sotto ' e *struttura.*

**infrazione,** dal lat. *infractio, -onis,* nome d'azione di *infringĕre* ' rompere ', tratto dal part. *infractus.*

**infreddare,** verbo denom. da *freddo* e *in-* illativo.

**infreddolire,** verbo denom. iterat. da *freddo* con *in-* illativo.

**infrenàbile,** dall'agg. verb. di *frenare* con *in-* negat.

**infrenare,** dal lat. *infrenare,* verbo denom. da *frenum* con *in-* illativo-intens.

**infrenesire,** verbo denom. da *frenesia* con *in-* illativo.

**infrequente,** dal lat. *infrĕquens, -entis* con *in-* negat.; v. FREQUENTE.

**infrequenza,** dal lat. *infrequentia.*

**infrollire,** verbo denom. da *frollo* con *in-* illativo.

**infrondare** e **infrondire,** verbo denom. da *fronda* con *in-* illativo.

**infronzolare,** verbo denom. da *frónzolo* con *in-* illativo.

**infruscare,** verbo denom. da *\*frusco,* incr. di lat. *fuscus* e it. *brusco* con *in-* illativo.

**infruttescenza,** da *frutto,* sul modello di *infiorescenza.*

**infruttìfero,** dal lat. tardo *infructifĕrus* con *in-* privat.

**infruttuosità,** dal lat. tardo *infructuosĭtas, -atis.*

**infruttuoso,** dal lat. *infructuosus* con *in-* privat.

**ìnfula,** dal lat. *infŭla* ' collana ', ' diadema ', parola definita dalla *-f-* interna come rustica, ma priva di connessioni evidenti fuori del latino.

**infunare,** verbo denom. da *fune* con *in-* illativo.

**infundìbolo,** dal lat. *infundibŭlum,* nome di strum. da *infundĕre.*

**infunghire,** verbo denom. da *fungo* con *in-* illativo.

**infurbire,** verbo denom. da *furbo* con *in-* illativo.

**infurfantire,** verbo denom. da *furfante* con *in-* illativo.

**infuriare,** verbo denom. da *furia* con *in-* illativo.

**infusìbile,** da *fusìbile* con *in-* negat.

**infusione,** dal lat. *infusio, -onis,* nome d'azione di *infundĕre* ' versare dentro '.

**infuso,** part. pass. di *infóndere,* sostantiv.; v. FUSO.

**infusorio,** dal lat. scient. (sec. XVIII) *infusoria,* neutro plur., che definisce esseri minuscoli presenti nelle « infusioni ».

**infuturare,** verbo denom. da *futuro* con *in-* illativo.

**ingabbanare,** verbo denom. da *gabbano* con *in-* illativo.

**ingabbiare,** verbo denom. da *gabbia* con *in-* illativo.

**ingaggiare,** dal frc. ant. *engagier*, verbo denom. da *gage* 'pegno', lat. medv. *vadium*, franco *waddi*; v. GAGGIO.

**ingaggio,** sost. deverb. da *ingaggiare*.

**ingagliardire,** verbo denom. da *gagliardo* con *in*- illativo.

**ingaglioffare,** verbo denom. da *gaglioffo* con *in*- illativo.

**ingallare,** verbo denom. da *galla* con *in*- illativo.

**ingalluzzire,** verbo denom. -iterat. da *gallo* con *in*- illativo.

**ingambalare,** verbo denom. da *gambale* con *in*- illativo.

**ingangherare,** verbo denom. da *gànghero* con *in*- illativo.

**ingannare,** lat. volg. *ingannare*, lat. tardo *gannat* 'canzona' (terza pers. sg.), che traduce il gr. *khleuázei*, di lontane orig. onomatop. *g...n...* e con una vaga corrispond. nell'area slava.

**ingannatore,** dal lat. tardo *gannator, -oris* 'canzonatore', incr. con it. *ingannare*.

**inganno,** sost. deverb. da *ingannare*.

**ingarbugliare,** verbo denom. da *garbuglio* con *in*- illativo.

**ingarzullire** 'mostrare brio un po' fatuo', incr. di *ingalluzzire* e *arzillo*.

**ingegnarsi,** verbo denom. da *ingegno*.

**ingegnere,** da *ingegno* nel senso ant. di 'congegno' col suff. (*i*)*ere* di mestiere, p. es. *cocchiere*, *droghiere*.

**ingegno,** lat. *ingenium*, astr. di *gignère* 'generare' col pref. *in*- 'indole', 'idea spontanea'; specializzato poi nel senso astr. e favorevole di 'ingegno'; v. GENIO.

**ingegnosità,** dal lat. tardo *ingeniosĭtas, -atis*, incr. con it. *ingegno*.

**ingegnoso,** dal lat. *ingeniosus*, incr. con it. *ingegno*.

**ingelosire,** verbo denom. da *geloso* con *in*- illativo.

**ingemmare,** verbo denom. da *gemma* con *in*- illativo.

**ingenerare,** dal lat. *ingenerare* con *in*- intens.

**ingeneroso,** da *generoso* con *in*- negat.

**ingente,** dal lat. *ingens, -entis*, privo di connessioni evidenti, benché di sicura struttura idear. forse riconducibile al gr. *gigas, -antos* 'gigante'.

**ingentilire,** verbo denom. da *gentile* con *in*- illativo.

**ingenuità,** dal lat. *ingenuĭtas, -atis*.

**ingenuo,** dal lat. *ingenuus* « nato all'interno (della stirpe) » e perciò 'libero': da cui 'schietto', 'spontaneo', specializzato poi in senso anche deteriore. La derivaz. in -*ŭo*- è del tipo di *contĭnŭus* rispetto a *continere*, *attĭgŭus* rispetto a *attingĕre*, anche se il rapporto col verbo *ingignĕre* (solo al perf. e al part. pass.) è meno evidente.

**ingerire,** dal lat. *ingerĕre* 'portar dentro', passato alla coniugaz. in -*i*-; cfr. DIGERIRE e GERENTE.

**ingessare,** verbo denom. da *gesso* con *in*- intens.

**ingessire,** verbo denom. da *gesso* con *in*- illativo.

**ingestione,** dal lat. tardo *ingestio, -onis*, nome d'azione di *ingerĕre* 'portar dentro'.

**inghebbiare,** lat. volg. *ingliviare*, deriv. da *inglivies*, variante di class. *ingluvies* 'gozzo', astr. da *ingluo*, comp. di *in*- e *gluĕre*; v. INGHIOTTIRE e cfr. GHEBBIO.

**inghiaiare,** verbo denom. da *ghiaia* con *in*- illativo.

**inghiottire,** lat. volg. *ingluttire*, comp. di *in*-intens., e di class. *gluttire*, lontanamente connesso con *gula* attrav. una forma perduta *gluĕre*; cfr. INGLUVIE.

**inghiottonire,** verbo denom. da *ghiottone* con *in*- illativo.

**inghirlandare,** verbo denom. da *ghirlanda*, con *in*- illativo.

**ingiallire,** verbo denom. da *giallo* con *in*- illativo.

**ingigantire,** verbo denom. da *gigante* con *in*- illativo.

**ingigliare,** verbo denom. da *giglio* con *in*- illativo.

**inginocchiare,** verbo denom. dalla locuzione in *ginocchio*.

**ingioiare** e **ingioiellare,** verbo denom. da *gioia* e *gioiello* con *in*- illativo.

**ingiù,** da *in* e *giù*.

**ingiucchire,** verbo denom. da *giucco* con *in*- illativo.

**ingiudicato,** dal part. pass. di *giudicare* con *in*-privat.

**ingiuncare,** verbo denom. da *giunco* con *in*- illativo.

**ingiùngere,** dal lat. *iniungĕre* 'attaccar sopra, imporre'; v. GIÙNGERE.

**ingiuntivo,** nel signif. grammat., dal ted. *Injunktiv*.

**ingiunzione,** dal lat. tardo *iniunctio, -onis*, nome d'azione di *iniungĕre*.

**ingiuria,** dal lat. *iniuria*, astr. dell'agg. *iniurius* 'ingiusto', deriv. da *in*- negat. e *ius* 'diritto'.

**ingiuriare,** dal lat. *iniuriare*.

**ingiurioso,** dal lat. *iniuriosus*.

**ingiustificàbile,** dall'agg. verb. di *giustificare* con *in*- privat.

**ingiustizia,** dal lat. *iniustitia* con *in*- negat.

**ingiusto,** dal lat. *iniustus* con *in*- negat.

**inglese,** dal frc. ant. *angleis*, anglosassone *anglisc* 'proprio degli Angli'.

**inglobare,** verbo denom. da *globo* con *in*- illativo.

**inglorioso,** dal lat. *ingloriosus* con *in*- negat.

**ingluvie,** dal lat. *ingluvies* 'gozzo'; v. INGHEBBIARE.

**ingobbiare,** v. INGHEBBIARE.

**ingobbire,** verbo denom. da *gobbo* con *in*- illativo.

**ingoffire,** verbo denom. da *goffo* con *in*- illativo.

**ingoiare,** incr. di lat. volg. *ingluviare*, denom. da *ingluvies* e *ingulare*, verbo denom. da *gula* con *in*- illativo.

**ingolfare,** verbo denom. da *golfo* con *in*- illativo.

**ingolla,** sost. deverb. estr. da *ingollare*.

**ingollare,** lat. volg. *ingulare*, denom. da *gula* con *in*- illativo e incr. con class. *collum*.

**ingolosire,** verbo denom. da *goloso* con *in*- illativo.

**ingombrare,** dal frc. ant. *encombrer*, incr. con *ingorgare*. La parola frc. è verbo denom. dal gallico *comboro*- « (materiale) raccolto (per sbarramento) ».

**ingombro,** sost. deverb. estr. da *ingombrare*.

**ingommare,** verbo denom. da *gomma* con *in*- illativo.

**ingordo,** dal lat. imp. *gurdus* 'grossolano' con *in*-intens. Lat. *gurdus* è forse in qualche connessione con gr. *bradýs* 'lento' da un tema idear. GWṚDU-.

**ingorgare,** lat. volg. *ingurgare*, verbo denom. dal lat. tardo *gurgus* (v. GORGO), con *in*- illativo.

**ingorgo,** sost. deverb. da *ingorgare*.

**ingovernàbile,** dall'agg. verb. di *governare* con *in-* privat.

**ingozzare,** verbo denom. da *gozzo,* con *in-* illativo, cfr. INDOZZARE.

**ingracilire,** verbo denom. da *gràcile* con *in-* illativo.

**ingranaggio,** dal frc. *engrenage* (XIX sec.).

**ingranare,** dal frc. *engrener* (XIX sec.) 'far combinare il movimento di due ruote dentate'; da un signif. precedente 'fornire di grano una tramoggia'.

**ingrandire,** verbo denom. da *grande* con *in-* illativo.

**ingrassabue,** da *ingrassa(re)* e *bue.*

**ingrassare,** verbo denom. da *grasso* con *in-* illativo.

**ingrasso,** sost. deverb. da *ingrassare.*

**ingrassucchiare,** iterat. vezzegg. di *ingrassare.*

**ingraticciare,** verbo denom. da *graticcio* con *in-* illativo.

**ingraticolare,** verbo denom. da *gratìcola* con *in-* illativo.

**ingratitùdine,** dal lat. *ingratitudo, -ĭnis.*

**ingrato,** dal lat. *ingratus* con *in-* negat.

**ingravidare,** dal lat. *ingravidare,* verbo denom. da *gravĭdus* con *in-* illativo.

**ingraziare,** verbo denom. da *grazia* con *in-* illativo.

**ingrediente,** dal lat. *ingrediens, -entis,* part. pres. di *ingrĕdi* 'entrare', comp. di *in-* e *gradi;* v. GRADO.

**ingresso,** dal lat. *ingressus, -us,* astr. di *ingrĕdi* 'entrare', comp. di *in-* e *gradi,* con norm. passaggio di *-ă-* in *-ĕ-* in posizione interna dav. a dentale. *Ingressus* è da *an. *in-gred-tu-s,* con norm. passaggio di *-dt-* a *-ss-.*

**ingrinzire,** verbo denom. da *grinza* con *in-* illativo.

**ingrippare,** da *grippare* con *in-* intens.

**ingrommare,** verbo denom. da *gromma* e *in-* illativo.

**ingronchire,** verbo denom. da *gronchio* con *in-* illativo.

**ingroppare,** da *groppo* con *in-* illativo.

**ingrossare,** da *grosso* con *in-* illativo.

**ingrosso,** da *in* e *grosso.*

**ingrottare,** da *grotta* con *in-* illativo.

**ingrugnare** e **ingrugnire,** da *grugno* con *in-* illativo.

**ingrullire,** da *grullo* con *in-* illativo.

**ingruppare,** verbo denom. da *gruppo* con *in-* illativo.

**inguadàbile,** dall'agg. verb. di *guadare* con *in-* privat.

**inguaiare,** verbo denom. da *guaio* con *in-* illativo.

**inguainare,** verbo denom. da *guaina* con *in-* illativo.

**ingualcìbile,** dall'agg. verb. di *gualcire* con *in-* negat.

**inguadrappare,** verbo denom. da *gualdrappa* con *in-* illativo.

**inguantare,** verbo denom. da *guanto* con *in-* illativo.

**inguantato,** da *guanto* col suff. *-ato* 'fornito di' e con *in-* illativo.

**inguarìbile,** da *guarìbile* con *in-* negat.

**ingubbiare,** lat. volg. *ingluviare,* verbo denom. di *ingluvies* 'gozzo', con dissimilaz. dal regolare *ingh(i)obbiare;* cfr. INGHEBBIARE.

**inguinale,** dal lat. *inguinalis.*

**inguine,** dal lat. *inguen, -ĭnis,* da un ant. NGwEN 'ghiandola' che si ritrova identico per forma e signif. nel gr. *adēn* e assai simile nell'area germanica settentr. Anche in lat. il signif. primitivo è quello di 'gonfiore' associato poi a 'inguine'.

**ingurgitare,** dal lat. *ingurgitare* 'riempirsi', denom. da *gurges, -ĭtis* 'gorgo', con *in-* illativo.

**inibire,** dal lat. *inhibere,* comp. di *habere* e *in-* negat., con passaggio alla coniugaz. in *-i-,* cfr. ADIBIRE e apofonia di *-ă-* in *-ĭ-* in sill. interna aperta.

**inibizione,** dal lat. *inhibitio, -onis.*

**inidoneo,** da *idòneo* con *in-* privat.

**iniettare,** dal lat. tardo *iniectare,* intens. di *inicĕre,* comp. di *in-* e *iacĕre,* con norm. passaggio di *-iă-* in *-iĕ-* in sill. interna chiusa e in *-ĭ-* in sill. interna aperta.

**iniettore,** dal frc. *injecteur,* nome d'agente formato sul lat. *iniectus,* part. pass. di *inicĕre.*

**iniezione,** dal lat. tardo *iniectio, -onis,* nome d'azione di *inicĕre* 'gettar dentro'.

**inimicare,** dal lat. *inimicare,* verbo denom. da *inimicus;* v. NEMICO.

**inimicizia,** dal lat. *inimicitia.*

**inimico,** dal lat. *inimicus,* comp. di *amicus,* con *in-* negat. e norm. apofonia di *-ă-* interna in *-ĭ-* in sill. aperta; v. NEMICO.

**inimitàbile,** dal lat. *inimitabĭlis,* v. IMITARE.

**inim(m)aginàbile,** dall'agg. verb. di *immaginare* con *in-* privat.

**ininfiammàbile,** dall'agg. verb. di *infiammare* con *in-* privat.

**inintelligìbile,** dal lat. tardo *inintelligibĭlis.*

**inintermediario,** da *intermediario* e *in-* privativo.

**ininterrotto,** dal part. pass. di *interrómpere* con *in-* privat.

**iniquità,** dal lat. *iniquĭtas, -atis.*

**iniquo,** dal lat. *iniquus,* comp. di *in-* negat. e *aequus* 'equo', con norm. apofonia in *-ĭ-* del dittongo *-ae-* in sill. interna; v. EQUO.

**iniziàbile,** dal lat. tardo *initiabĭlis.*

**iniziale,** dal lat. tardo *initialis.*

**iniziamento,** dal lat. tardo *initiamenta,* neutro plur. 'iniziazione ai misteri'.

**iniziare,** dal lat. tardo *initiare,* dapprima 'iniziare ai misteri religiosi' poi generico, verbo denom. da *initium.*

**iniziativa,** dal frc. *initiative* (XIX sec.).

**iniziato** (sost.), part. pass. di *iniziare* rimasto al signif. primitivo di 'introdotto (ai misteri religiosi)'.

**iniziatore,** dal lat. tardo *initiator, -oris.*

**iniziazione,** dal lat. tardo *initiatio, -onis.*

**inizio,** dal lat. *initium,* der. da *inĭtus,* astr. di *inire,* comp. di *in-* illativo e *ire,* cfr. COMINCIARE e COMIZIO.

**inlaidire,** verbo denom. da *làido* con *in-* illativo.

**inmalinconire,** verbo denom. da *malinconìa* con *in-* illativo.

**innaffiare,** lat. volg. *inafflare,* v. ANNAFFIARE, con *in-* raddopp. per analogia con *a(d)-.*

**innalzare,** da *alzare* con *in-* raddopp., v. *a(d)-* e cfr. INALZARE.

**innamorare,** verbo denom. da *amore* con *in-* illativo raddopp. per analogia con *a(d)-* nel tosc. arc.

**innante, innanti,** lat. *in ante* con *in-* raddopp., cfr. *a(d)-.*

**innanzi,** lat. *in antea* con *in-* raddopp. per analogia con i comp. con *a(d)-*.

**innario,** dal lat. medv. *hymnarius,* deriv. di *hymnus* ' inno '.

**innaspare,** verbo denom. da *aspo* con *in-* raddopp. perché incr. con *a(d)-*, cfr. ANNASPARE.

**innastare,** verbo denom. da *asta,* con *in-* illativo incr. con *a(d)-*.

**innato,** dal lat. *innatus* ' nato dentro ', part. pass. di *innasci,* da *in-* illativo e *nasci.*

**innaturale,** dal lat. *innaturalis* con *in-* negat.

**innavigàbile,** dal lat. *innavigabǐlis* con *in-* privat.

**innegàbile,** dall'agg. verb. di *negare* con *in-* negat.

**inneggiare,** incr. del lat. tardo *hymnizare* col suff. denom. it. *-eggiare.*

**innervare,** verbo denom. da *nervo* con *in-* illativo.

**innescare,** verbo denom. da *esca* ' materia accendibile ' con *in-* illativo e *-n-* raddopp. per analogia con i comp. in *a(d)-*.

**innesco,** sost. deverb. da *innescare.*

**innestare,** lat. volg. *ininsitare,* comp. di *in-* illativo e *insitare,* intens. di *inserĕre* ' piantare ', tratto dal part. *insǐtus* ' seminato dentro ', comp. di *in-* e *satus* con norm. passaggio di *-ă-* in *-ĭ-* in sill. interna aperta. *Satus* risulta a sua volta dal grado ridotto della rad. SE′ (v. SEME) col norm. suff. di part. pass.; cfr. INSITO.

**innesto,** sost. deverb. estr. da *innestare.*

**inno,** dal lat. *hymnus* che è dal gr. *hymnós.*

**innocente,** dal lat. *innŏcens, -entis,* comp. di *in-* negat. e *nocens,* part. di *nocēre;* v. NUOCERE.

**innocenza,** dal lat. *innocentia.*

**innocuo,** dal lat. *innocuus,* da *nocuus* con *in-* privat.; v. NUOCERE.

**innògrafo,** dal gr. tardo *hymnográphos,* comp. di *hymno-* ' inno ' e *-grapho-* ' scrittore '.

**innominàbile,** dal lat. *innominabǐlis,* comp. di *in-* negat. e l'agg. verb. di *nominare.*

**innominato,** dal lat. tardo *innominatus* con *in-* privat.

**innovare,** dal lat. *innovare,* verbo denom. da *novus* con *in-* illativo.

**innovatore,** dal lat. tardo *innovator, -oris.*

**innovazione,** dal lat. tardo *innovatio, -onis.*

**innovellare,** da *novello* con *in-* illativo.

**innuba** ' non sposata ', dal lat. *innŭba,* der. da *nubĕre* (v. NOZZE) con *in-* negativo, calco sul gr. *ánymphos.*

**innumeràbile,** dal lat. *innumerabǐlis* con *in-* privat.

**innumerabilità,** dal lat. *innumerabilǐtas, -atis.*

**innùmere,** dal lat. *innumĕrus,* allineato con i tipi *illune, informe* ecc.

**innumerévole,** dal lat. *innumerabǐlis,* incr. col suff. it. *-évole.*

**inobbediente,** dal lat. tardo *inoboediens, -entis,* incr. con it. *obbedire.*

**inobbedienza,** dal lat. tardo *inoboedientia,* incr. con it. *obbedire.*

**inobliàbile,** dall'agg. verb. di *obliare* con *in-* privat.

**inocchiare,** lat. *inoculare,* verbo denom. da *ocŭlus* ' gemma ' con *in-* illativo.

**inoccultàbile,** dall'agg. verb. di *occultare* con *in-* negat.

**inoccupato,** dal part. pass. di *occupare* con *in-* negat.

**inoculare,** dal lat. *inoculare;* v. INOCCHIARE.

**inoculazione,** dal lat. *inoculatio, -onis.*

**inodoràbile,** dall'agg. verb. di *odorare* con *in-* negat.

**inodoro,** dal lat. tardo *inodorus* con *in-* privat.

**inoffensìbile,** dal lat. tardo *inoffensibǐlis;* v. OFFENSIVO.

**inoffensivo,** da *offensivo* con *in-* privat.

**inofficiosità,** dal lat. tardo *inofficiosǐtas, -atis.*

**inofficioso,** dal lat. *inofficiosus* ' contrario al dovere ' con *in-* negat.

**inoliare,** comp. di *in-* intens. e *oliare* verbo denom. da *olio.*

**inoltrare,** verbo denom. da *oltre* con *in-* illativo.

**inoltre,** da *in* e *oltre.*

**inombrare,** dal lat. *inumbrare,* verbo denom. da *umbra* con *in-* illativo.

**inondare,** dal lat. *inundare,* verbo denom. da *unda* con *in-* illativo.

**inondazione,** dal lat. tardo *inundatio, -onis.*

**inonestà,** dal lat. tardo *inhonestas, -atis.*

**inonesto,** dal lat. *inhonestus* con *in-* negat.

**inonorato,** dal lat. *inhonoratus* con *in-* negat.

**inope,** dall'agg. lat. *inops, -opis* con *in-* privat. e *ops* ' ricchezza ', v. OPERA, OPIMO, OPULENTO, OTTIMO.

**inoperàbile,** dall'agg. verb. di *operare* con *in-* negat.

**inoperante,** dal part. pres. di *operare* con *in-* privat.

**inoperoso,** da *operoso* con *in-* privat.

**inopia,** dal lat. *inopia* con *in-* privat.; v. INOPE.

**inopinàbile,** dal lat. *inopinabǐlis* con *in-* privat.

**inopinato,** dal lat. *inopinatus* con *in-* privat.; v. OPINARE.

**inopportunità,** dal lat. tardo *inopportunǐtas, -atis.*

**inopportuno,** dal lat. *inopportunus* con *in-* negat.

**inoppugnàbile,** dall'agg. verb. di *oppugnare* con *in-* negat.

**inordinato,** dal lat. *inordinatus* con *in-* negat.: calco sul gr. *átaktos.*

**inorgànico,** da *orgànico* con *in-* privat.

**inorgoglire,** verbo denom. da *orgoglio* con *in-* illativo.

**inornato,** dal part. pass. di *ornare* con *in-* privat.

**inorpellare,** verbo denom. da *orpello* con *in-* illativo.

**inorridire,** verbo denom. da *òrrido* con *in-* illativo.

**inosàbile,** dall'agg. verb. di *osare* con *in-* negat.

**inoscuràbile,** dall'agg. verb. di *oscurare* con *in-* negat.

**inospitale,** dal lat. *inhospitalis* con *in-* privat.

**inospitalità,** dal lat. *inhospitalǐtas, -atis.*

**inòspite,** dal lat. *inhospes, -ǐtis* con *in-* privat.; v. OSPITE.

**inossare,** verbo denom. da *osso* con *in-* illativo.

**inosservàbile,** dal lat. *inobservabǐlis* con *in-* negat.

**inosservante,** dal lat. tardo *inobservans, -antis.*

**inosservanza,** dal lat. *inobservantia.*

**inosservato,** dal lat. *inobservatus.*

**inossidàbile,** dall'agg. verb. di *ossidare* con *in-* negativo.

**inquadrare,** verbo denom. da *quadro* con *in-* illativo.

**inqualificàbile,** calco sul frc. *inqualifiable* (secolo XIX), incr. con it. *qualificare.*

**inquartata,** astr. da *in quarta,* una delle figure della scherma.

inquietante, dal frc. *inquiétant* (XX sec.).

inquietare, dal lat. tardo *inquietare*, denom. da *inquietus*.

inquieto, dal lat. *inquietus*, comp. di *in-* negat. e *quietus*, v. CHETO.

inquietùdine, dal lat. tardo *inquietudo, -ĭnis*.

inquilinato, dal lat. *inquilinatus, -us*.

inquilino, dal lat. *inquilinus*, da *incŏla*, ant. *\*inquĕla*, appartenente alla famiglia del verbo *colĕre* 'coltivare', rappresentante di una delle più importanti famiglie lessicali ideur., quella di KᵂEL v. CÒLERE), 'muoversi in senso circolare' con le conseguenze magiche e giuridiche di una affermazione di proprietà. Da *\*inquĕla*, passato a *incŏla* perché la *-l-* non è seguìta da *i*, si è avuto, col suff. *-īnus, inquilinus* col passaggio di *-ĕ-* a *-ĭ-* dav. a *-l-* seguìta a sua volta da *-ĭ-*.

inquinare, dal lat. *inquinare*, comp. di *in-* e un verbo durativo *\*quinare* da una rad. KᵂEI⁴ di forma evidentem. ideur. ma priva di connessioni fuori del latino. *\*Quinare* mostra un ampliam. in *-nā* con la rad. al grado ridotto come *destĭno* da *de-* e *\*stăno*. Il parallelo *cunire* è forse un denom. dalla rad. al grado forte KᵂOI, come *munire* da una rad. MEI che al grado ridotto si trova in *mi(grare)*. Il valore fondamentale di KᵂEI⁴ dovrebbe essere perciò 'insudiciare'.

inquinazione, dal lat. tardo *inquinatio, -onis*.

inquirente, dal lat. *inquirens, -entis*, part. pres. di *inquirĕre*, comp. di *in-* introduttivo-intens. e *quaerĕre* 'domandare', con norm. apofonia di *-ae-* in *-ī-* in sill. interna, v. CHIEDERE e QUESTORE.

inquisìbile, dal lat. tardo *inquisibĭlis*.

inquisire, verbo denom. estr. dal part. pass. *inquisito*.

inquisitivo, dal lat. *inquisitivus*.

inquisito, dal lat. *inquisitus*, part. pass. di *inquirĕre*; v. QUESITO.

inquisitore, dal lat. *inquisitor, -oris*, nome d'agente nel sistema di *inquirĕre*, comp. di *in-* e *quaesitor* con norm. passaggio di *-ae-* in *-ī-* in sill. interna.

inquisizione, dal lat. *inquisitio, -onis*, nome d'azione nel sistema di *inquirĕre* 'indagare'.

insabbiare, verbo denom. da *sabbia* con *in-* illativo.

insaccare, verbo denom. da *sacco*, con *in-* illativo.

insalare, verbo denom. da *sale* con *in-* illativo.

insaldàbile, da *saldabile* con *in-* negativo.

insaldare, verbo denom. da *salda²* con *in-* illativo.

insaléggiola, incr. di lat. *senecio*, con it. *insalata* e suff. dim. *-ola*; cfr. SOLLECCIONE.

insalivare, verbo denom. da *saliva* con *in-* illativo.

insalubre, dal lat. *insalūber, -bris, -bre*, con *in-* negat.; v. SALUBRE.

insalutato, dal lat. *insalutatus* con *in-* privat.

insanàbile, dal lat. *insanabĭlis* con *in-* negat.

insanguinare, dal lat. *sanguinare* con *in-* illativo.

insania, dal lat. *insania*, astr. di *insanus*.

insanire, dal lat. *insanire*, verbo denom. da *insanus*.

insano, dal lat. *insanus* con *in-* negat., v. SANO.

insaponare, verbo denom. da *sapone* con *in-* illativo.

insaporare, dal lat. tardo *insaporare*, verbo denom. da *sapor* con *in-* illativo.

insaporo, calco su *inodoro, incoloro*.

insaputa, calco sul frc. *insu* con *in-* privat.; al genere femm. secondo i modelli di *alla francese* o *alla garibaldina*.

insatollàbile, dall'agg. verb. di *satollare* con *in-* privat.

insaziàbile, dal lat. *insatiabĭlis*.

insaziabilità, dal lat. tardo *insatiabilĭtas, -atis*.

insaziato, dal lat. tardo *insatiatus*.

insazietà, dal lat. *insatiĕtas, -atis*; v. SAZIO.

inscatolare, verbo denom. da *scatola* con *in-* illativo.

inscenare, verbo denom. da *scena* con *in-* illativo.

inscienza, dal lat. *inscientia* con *in-* privat.

inscindìbile, da *in-* privat. e l'agg. verb. di *scindere*.

inscio, dal lat. *inscius*, v. SCIENZA.

inscrivere (termine della geometria), comp. di *scrivere* con *in-* illativo.

inscrizione, incr. di *iscrizione* e *inscrivere*.

inscrutàbile, dal lat. tardo *inscrutabĭlis* con *in-* privat.

inscusàbile, dall'agg. verb. di *scusare* con *in-* negat.; cfr. INESCUSÀBILE.

insecchire, verbo denom. da *secco* con *in-* illativo.

insecutore, dal lat. tardo *insecutor, -oris*, nome d'agente di *insĕqui*.

insediare, verbo denom. da *sedia* con *in-* illativo.

insegare, verbo denom. da *sego* con *in-* illativo.

insegna, lat. *insignia*, neutro plur. di *insigne* 'insegna', neutro sostantiv. di *insignis* 'che porta il segno'; cfr. INSIGNE.

insegnare, lat. volg. *\*insignare*, verbo denom. da *signum* con *in-* illativo.

insegnucchiare, iterat. vezzegg. e peggiorativo di *insegnare*.

inseguire, incr. di lat. *insĕqui* e it. *seguire*.

insellare, verbo denom. da *sella* con *in-* illativo.

inselvare, verbo denom. da *selva* con *in-* illativo.

inselvatichire, verbo denom. da *selvatico* con *in-* illativo.

inseminare, dal lat. tardo *inseminare* con *in-* illativo-intens.

inseminato, dal part. pass. di *seminare* con *in-* privat.

insenare, verbo denom. da *seno* con *in-* illativo.

insenatura, astr. di *insenare* nella specializzazione marittima.

insensato, dal lat. tardo *insensatus* con *in-* privat.; cfr. SENSATO.

insensibile, dal lat. *insensibĭlis* con *in-* privat.

insensibilità, dal lat. tardo *insensibilĭtas, -atis*.

inseparàbile, dal lat. *inseparabĭlis* con *in-* negat.

inseparabilità, dal lat. tardo *inseparabilĭtas*.

inseparato, dal lat. tardo *inseparatus*.

insepolto, dal lat. *insepultus* con *in-* privat.

insequestràbile, dall'agg. verb. di *sequestrare* con *in-* negat.

inserire, dal lat. *inserĕre*, comp. di *in-* illativo e *serĕre* 'intrecciare', passato alla coniugaz. in *-i-*; v. SERIE.

inserto, dal lat. *insertum*, part. pass. neutro di *inserĕre*, sostantiv.

inservìbile, dall'agg. verb. di *servire* con *in-* negat.

inserviente, dal lat. *inserviens, -entis*, part. pres. di *inservire*, comp. di *in-* intens. e *servire*.

inserzione, dal lat. tardo *insertio, -onis*, nome d'azione di *inserĕre*.

**insetare** ' innestare ', lat. volg. *\*insitare*, intensivo di class. *inserĕre* (comp. di *in-* che indica pressione verso il basso e *serĕre*, v. SEME), attrav. il part. pass. *insĭtus* ' seminato '.

**insetticida**, comp. di *insetto* e *-cida*.

**insettìvoro**, comp. di *insetto* e *-voro*.

**insetto**, dal lat. *insectum*, sg. di un plur. *insecta*, calco sul gr. *éntoma* « (animali) divisi in segmenti »; v. SETTORE.

**insettologìa**, da *insetto* e *-logia*.

**insidia**, dal lat. *insidia*, astr. di *insidēre*, comp. di *in-* di moto verso il basso e *sedere*, perciò originariam. « appostamento ». Il passaggio di *-ĕ-* a *-ì-* è dovuto alla posizione in sill. interna aperta.

**insidiare**, dal lat. *insidiare*.

**insidiatore**, dal lat. *insidiator, -oris*.

**insidioso**, dal lat. *insidiosus*.

**insieme**, incr. di *insĭmul* con *semel* ' una volta '; cfr. ASSIEME.

**ìnsigne**, dal lat. *insignis*, da *in-* illativo e *signum* « colui nel quale sta un segno (caratteristico) »; cfr. INSEGNA e v. SEGNO.

**insignificante**, dal part. pres. di *significare* con *in*-privat.

**insignire**, dal lat. *insignire*, verbo denom. da *signum* con *in-* illativo.

**insignorire**, verbo denom. da *signore* con *in-* illativo.

**insilare**, verbo denom. da *silo* con *in-* illativo.

**insincerità**, dal lat. tardo *insincerĭtas, -atis*.

**insincero**, dal lat. *insincerus*, comp. di *in-* negat. e *sincerus*; v. SINCERO.

**insindacàbile**, dall'agg. verb. di *sindacare* con *in*-privat.

**insino**, da *in* e *sino*.

**insinuare**, dal lat. *insinuare*, verbo denom. da *sinus, -us* ' seno ' v., con *in-* illativo.

**insinuatore**, dal lat. tardo *insinuator, -oris*.

**insinuazione**, dal lat. *insinuatio, -onis*.

**insìpido**, dal lat. tardo *insipĭdus*, da *in-* privat. e *sapĭdus* ' saporoso ', con norm. apofonia di *-ă-* in *-ì-* in sill. interna e aperta; v. SÀPIDO.

**insipiente**, dal lat. *insipiens, -entis*, comp. di *in*-privat. e *sapiens*.

**insipienza**, dal lat. *insipientia*.

**insistere**, dal lat. *insistĕre*, comp. di *sistĕre* ' fermarsi ', con *in-* di moto verso il basso, v. ASSISTERE.

**insito**, dal lat. *insĭtus*, part. pass. di *inserĕre* ' seminare ', diverso da *inserĕre* ' inserire ', comp. di *in-* e *sătus* ' seminato ' con *-ì-* invece di *-ă-* in sillaba interna aperta. Da una rad. ideur. nordoccidentale SĒ', attestata fino alle lingue slave, da cui viene il pres. raddopp. lat. *\*siso*, poi *sero*) v. SEME.

**insoave**, dal lat. *insuavis*, con *in-* negativo, v. SOAVE.

**insociàbile**, dal lat. *insociabĭlis* con *in-* negat.

**insociévole**, da *sociévole* con *in-* negat.

**insocievolezza**, da *socievolezza* con *in-* negat.

**insod(d)isfatto**, da *sod(d)isfatto* con *in-* negativo.

**insofferente**, da *sofferente* con *in-* negat.

**insoggettàbile**, dall'agg. verb. di *(as)soggettare* con *in-* negat.

**insoggettire**, verbo denom. da *soggetto* con *in-* illativo.

**insogno**, lat. *insomnium* ' sogno ', calco sul gr. *enýpnion*, v. SOGNO.

**insolazione**, dal lat. *insolatio, -onis*, nome d'azione di *insolare*, denom. da *sol, solis* con *in-* illativo.

**insolcare**, dal lat. *insulcare*, verbo denom. da *sulcus*, con *in-* illativo.

**insolente**, dal lat. *insŏlens, -entis*, con *in-* negat.: « contro ciò che è solito », v. SÒLITO.

**insolentire**, verbo denom. da *insolente*.

**insolenza**, dal lat. *insolentia*.

**insollare** e **insollire**, verbo denom. da *sollo*, con *in-* illativo.

**insolùbile**, dal lat. tardo *insolubĭlis*.

**insolubilità**, dal lat. tardo *insolubilĭtas, -atis*.

**insoluto**, dal lat. *insolutus*, comp. di *in-* negat., cfr. ASSOLUTO, con *a(d)-* affermativo rafforzativo.

**insolvente**, calco su *assolvente*, con sostituz. di *in-* negat. a *a(d)-* affermativo rafforzativo.

**insolvìbile**, dall'agg. verb. di *sòlvere* con *in-* negat.

**insomma**, da *in somma*.

**insommergìbile**, da *sommergìbile* con *in-* privat.

**insondàbile**, dal frc. *insondable* e questo da *sonder* ' sondare ' con *in-* privat.

**insonne**, dal lat. *insomnis* « colui che è senza sonno », (con *in-* privat.) passato alla declinazione in *i-* come nei casi di *imbellis, informis*, dall'orig. *somnus*, v. SONNO.

**insonnia**, dal lat. *insomnia*.

**insonn(ol)ito**, da *sonno*, con *in-* illativo ed event. suff. iterativo-vezzegg., oltre il suffisso *-ito* ' fornito di '.

**insopportàbile**, dall'agg. verb. di *sopportare* con *in-* negat.

**insordire**, verbo denom. da *sordo* con *in-* illativo.

**insórgere**, dal lat. *insurgĕre*, comp. di *in-* intens. e *surgĕre*, incr. con it. *sórgere*.

**insormontàbile**, dal frc. *insurmontable* (XVIII sec.), forma negat. dell'agg. verb. di *surmonter*, comp. di *sur* e lat. volg. *\*montare*, denom. da *mons*, ' monte '.

**insospettàbile**, dell'agg. verb. di *sospettare* con *in*-privat.

**insospettire**, verbo denom. da *sospetto* con *in-* illativo.

**insostenìbile**, dall'agg. verb. di *sostenere* con *in-* negat.

**insostituìbile**, dall'agg. verb. di *sostituire* con *in-* privat.

**insozzare**, verbo denom. da *sozzo* con *in-* illativo.

**insperàbile**, dal lat. *insperabĭlis* con *in-* negat.

**insperato**, dal lat. *insperatus*.

**inspirare**, dal lat. *inspirare* con *in-* mantenuto per far risaltare il contrasto con *e-* di *espirare*; cfr. ISPIRARE.

**inspirazione**, dal lat. *inspiratio, -onis*.

**instàbile**, dal lat. *instabĭlis*, dall'agg. verb. di *stare* con *in-* privat.

**instabilità**, dal lat. *instabilĭtas, -atis*.

**installare**, dal lat. medv. *installare*, verbo denom. da *stallum* con *in-* illativo; v. STALLO.

**instancàbile**, dall'agg. verb. di *stancare* con *in*-privat.

**instare**, dal lat. *instare*, comp. di *stare* con *in-* che indica moto verso il basso.

**instaurare**, dal lat. *instaurare* ' ristabilire, rifare ', v. RISTORARE, irregolare nel non ridurre a *-ū-* il dittongo *-au-* in sill. interna.

**instauratore**, dal lat. *instaurator, -oris*.

**instaurazione**, dal lat. *instauratio, -onis*.

instillare, dal lat. *instillare*, verbo denom. da *stilla* ' goccia ' con *in-* illativo.

insù, da *in su*.

insubordinato, dal part. pass. di *subordinare* con *in-* negat.

insuccesso, da *successo* con *in-* negat.

insudiciare, verbo denom. da *sùdicio*, con *in-* illativo.

insueto, dal lat. *insuetus*, comp. di *in-* negat. e *suetus*, part. pass. di *suesco* 'mi abituo a'; v. CONSUETO e COSTUME.

insufficiente, dal lat. tardo *insufficiens*, *-entis* con *in-* negat.

insufficienza, dal lat. tardo *insufficientia*.

insufflare, dal lat. tardo *insufflare*, comp. di *in-* illativo e *sufflare*; v. SOFFIARE.

insufflazione, dal lat. tardo *insufflatio*, *-onis*.

insulare, dal lat. *insularis*, deriv. da *insùla*; v. ISOLA, ISCHIA.

insulina, dalle « isole (di Langenhans) », le ghiandole pancreatiche da cui è secreta.

insulsità, dal lat. *insulsĭtas*, *-atis*.

insulso, dal lat. *insulsus*, comp. di *in-* privat. e *salsus* ' salato ', con norm. apofonia di *-ă-* in *-ŭ-* all'interno di parola dav. a *-l-* non seguìta da *-i-*.

insultare, dal lat. *insultare*, comp. di *in-* introduttivo-intens. e *saltare*, con norm. apofonia di *-ă-* in *-ŭ-* all'interno di parola, dav. a *-l-* non seguìta da *-i-*. Il valore morale di ' saltare addosso ' cioè ' insultare ' risale all'età di Cicerone; v. SALTARE.

insulto, dal lat. *insultus*, *-us*, astr. da *insilire* ' saltare addosso ', comp. da *in-* e *salire* con la norm. apofonia a *-ă-* orig. a *-ŭ-* dav. a *-l-* non seguìta da *i*, e a *-i-* se seguìta da *-i-*; v. SALIRE, SALTARE.

insuperàbile, dal lat. *insuperabĭlis* con *in-* negat.

insuperato, dal lat. tardo *insuperatus*.

insuperbire, verbo denom. da *superbo* con *in-* illativo.

insurrezione, dal lat. tardo *insurrectio*, *-onis*, nome d'azione di *insurgère*, deriv. dal part. pass. *surrectus*; v. SORRETTO.

insussistente, dal part. pres. di *sussìstere* con *in-* privat.

intabaccare, verbo denom. da *tabacco* con *in-* illativo.

intabarrare, verbo denom. da *tabarro* con *in-* illativo.

intaccare, verbo denom. da *tacca* con *in-* illativo.

intacco, sost. deverb. estr. da *intaccare*.

intagliare, da *tagliare* con *in-* illativo-intens.

intaglio, sost. deverb. da *intagliare*.

intaminato ' incontaminato ', dal lat. *intaminatus*, incr. di *in-* e *(con)taminatus*, v. CONTAMINATO.

intanfire, verbo denom. da *tanfo* con *in-* introduttivo.

intangìbile, da *tangibile* con *in-* privat.

intanto, da *in tanto*.

intarlare, verbo denom. da *tarlo* con *in-* illativo.

intarmare, da *tarma*, con *in-* illativo.

intarsiare, verbo denom. da *tarsìa* con *in-* illativo.

intarsio, sost. deverb. da *intarsiare*.

intartarire, da *tartaro* con *in-* illativo.

intasare, verbo denom. da *taso* ' tartaro ' con *in-* illativo.

intascare, verbo denom. da *tasca* con *in-* illativo.

intatto, dal lat. *intactus* che è dal part. pass. di *tangère* con *in-* privat.

intavolare, verbo denom. da *tavola* con *in-* illativo.

intedescare, verbo denom. da *tedesco* con *in-* illativo.

integèrrimo, dal lat. *integerrĭmus*, superl. di *intĕger* (v. INTEGRO), da più ant. *\*integrsĭmos*, con lo stesso suff. di superlativo *-seMO-* che si trova in *maxĭmus*, *proxĭmus*.

integrale, dal lat. tardo *integralis*.

integrare, dal lat. *integrare*, verbo denom. da *intĕger*.

integrazione, dal lat. *integratio*, *-onis*.

integrità, dal lat. *integrĭtas*, *-atis*.

ìntegro, dal lat. *intĕger*, comp. di *in-* privat. e la rad. di *ta(n)gĕre* ' toccare '; v. INTERO.

integumento, dal lat. *integumentum* ' copertura ', deriv. di *integĕre*, comp. di *tegĕre* ' coprire ' con *in-* intens.; v. TEGUMENTO.

intelaiare, verbo denom. da *telaio* con *in-* illativo.

intellettivo, dal lat. tardo *intellectivus*.

intelletto, dal lat. *intellectus*, *-us*, astr. di *intelligĕre*, con la *-ĕ-* interna conservata in sill. chiusa e passata a *-i-* in sill. aperta.

intellettuale, dal lat. tardo *intellectualis*, deriv. da *intellectus*, *-us*.

intellettualità, dal lat. tardo *intellectualĭtas*, *-atis*.

intellezione, dal lat. *intellectio*, *-onis*, nome d'azione di *intelligĕre*.

intelligente, dal lat. *intellĭgens*, *-entis*, part. pres. di *intelligĕre*, comp. di *inter* ' fra ' e *legĕre* ' scegliere ': ' intelligente ' è perciò « chi sa trascegliere ».

intelligenza, dal lat. *intelligentia*.

intelligìbile, dal lat. *intelligibilis*.

intemerata, dall'inizio di una lunga preghiera alla Madonna « *o intemerata* ».

intemerato, dal lat. *intemeratus*, comp. di *in-* privat. e il part. pass. di *temerare* ' profanare ', verbo denom. da *\*temus*, *-ĕris* ' tenebra ', sopravv. nell'avv. *temĕre* ' alla cieca ', equivalente perciò a « non offuscato »; cfr. TEMERARIO.

intemperare, dal lat. *intempĕrans*, *-antis*.

intemperanza, dal lat. *intemperantia*.

intemperato, dal lat. *intemperatus* con *in-* privat.

intemperie, dal lat. *intemperies*, comp. con *in-* negat.; v. TEMPERIE.

intempestività, dal lat. tardo *intempestivĭtas*, *-atis*.

intempestivo, dal lat. *intempestivus* con *in-* negat.

intendente, dal frc. *intendant*, che è dal lat. *intendĕre* ' attendere a qualche cosa '.

intendenza, dal frc. *intendence*.

intèndere, dal lat. *intendĕre* ' mirare a ', comp. di *tendĕre* e *in-* intens.; v. TENDERE.

intenebrare e intenebrire, verbo denom. da *tenebra* con *in-* illativo.

intenerire, verbo denom. da *tenero*, con *in-* illativo.

intensificare, calco sul frc. *intensifier*.

intensivo, dal lat. medv. *intensivus*.

intenso, dal lat. tardo *intensus* (class. *intentus*, v. INTENTO), part. pass. di *intendĕre*, intens. di *tendĕre*.

intentàbile[1], agg. verb. di *intentare*.

intentàbile[2], dall'agg. verb. di *tentare* con *in-* negat.

intentare ' rivolgere ' dal lat. *intentare*, intens. di *intendĕre*; v. TENTARE.

**intentato** 'non tentato', dal lat. *intentatus* con privat.

**intento**[1] (agg.), dal lat. *intentus*, part. pass. del sistema di *intendère*, in realtà da ant. *\*en-tņto-s*, di un verbo *\*tenère*, senza ampliam. in *dedo*; v. TENDERE.

**intento**[2] (sost.), dal lat. *intentus, -us*, astr. nel sistema di *intendère*.

**intenzionale**, da *intenzione* col suff. aggettiv. *-ale*.

**intenzione**, dal lat. *intentio, -onis*, nome d'azione del sistema di *intendère*, formato sul part. pass. *intentus*.

**intepidire**, v. INTIEPIDIRE.

**inter-**, pref. dal lat. *inter* 'tra', deriv. da *in* (v. IN), col suff. compar. *-ter*. La forma primitiva è ENTER nell'area indo-iranica, ŅTER in quella germanica e osco-umbra, l'una o l'altra nelle aree latina e celtica. Accanto al signif. spaziale e temporale, *inter-* può avere quello di privazione e distruzione (lat. *interficère* 'uccidere') attestato anche nell'area iranica.

**interalleato**, da *inter-* e *alleato* « fra alleato ».

**interazione** 'azione reciproca', dal frc. *interaction*.

**interbèllico**, da *inter-* e lat. *bellum*: « fra le guerre ».

**interbinario**, da *inter-* e *binario* « fra i binarî ».

**intercalare**[1] (agg.), dal lat. *intercalaris* 'ciò che si intercala'.

**intercalare**[2] (verbo), dal lat. *intercalare* 'inserire nel calendario un giorno o un mese supplementari', da *inter-* 'fra' e *calare* 'chiamare'; v. CALENDE.

**intercalazione**, dal lat. *intercalatio, -onis*.

**intercambio**, calco su *scambio*, per accrescere il signif. reciproco.

**intercapèdine**, dal lat. *intercapedo, -ĭnis*, comp. di *inter* e *capèdo, -ĭnis*, sorta di recipiente, risultante da un ampliam. di *capis* 'coppa', secondo il rapporto di *dulcedo* a *dulcis*.

**intercèdere**, dal lat. *intercedère* 'intervenire'.

**intercessione**, dal lat. *intercessio, -onis*, nome di azione di *intercedère*.

**intercessore**, dal lat. *intercessor, -oris*, nome di agente di *intercedère*.

**intercettare**, calco sul frc. *intercepter*, estr. da *interception* e questo deriv. da lat. *interceptio, -onis* 'la presa al passaggio', nome d'azione di *intercipère*, comp. di *inter-* e *capère* con norm. passaggio di *-ă-* a *-ĭ-* in sill. interna aperta e a *-ĕ-* in sill. interna chiusa.

**intercetto**, dal lat. *interceptus*, part. pass. di *intercipère*.

**intercettore**, dall'ingl. *interceptor*, che è dal lat. *interceptor, -oris*, nome d'agente di *intercipère*.

**intercezione**, dal lat. *interceptio, -onis*, nome d'azione di *intercipère*.

**intercìdere**, dal lat. *intercidère*, comp. di *inter* 'tra' e *caedère* 'tagliare', con norm. passaggio di *-ae-* a *-ĭ-* in sill. interna chiusa.

**intercisione** 'interruzione, separazione', dal lat. *intercisio, -onis*, nome di azione di *intercidère*.

**interclassismo**, da *inter-* e *classe*.

**interclùdere**, dal lat. *intercludère*, comp. di *inter* e *claudère* 'tagliare', con norm. apofonia di *-au-* in *-ū-* in sill. interna.

**intercolunnio**, dal lat. *intercolumnium*, comp. di *inter-* e *columna*.

**intercomunale**, da *inter-* e *comune* col suff. aggettivale *-ale*.

**intercórrere**, dal lat. *intercurrère*.

**intercostale**, agg. deriv. da *inter-* e *costa* col suff. aggettiv. *-ale*.

**interdetto**[1] 'proibito', dal lat. *interdictus*.

**interdetto**[2] 'sconcertato', dal frc. *interdit*.

**interdetto**[3] (sost.), dal lat. *interdictum*.

**interdipendenza**, da *inter-* e *dipendenza*.

**interdire**, dal lat. *interdicère* « pronunciarsi fra (due litiganti) », incr. con it. *dire*.

**interdizione**, dal lat. *interdictio, -onis*, nome d'azione di *interdicère*.

**interessare**, verbo denom. da *interesse*.

**interesse**, dal verbo lat. sostantiv. *interesse* 'stare in mezzo' e perciò 'essere importante', comp. di *inter* e *esse*; v. ÈSSERE.

**interfacoltà**, forma sostantivata da *\*(comitato) interfacolta(rio)*, calco da *facoltà* sul modello di *universitario* rispetto a *università*.

**interferenza**, dal frc. *interférence*.

**interferire**, incr. di *inferire* e *interferenza*.

**interfogliare**, verbo denom. da *interfoglio*.

**interfoglio**, da *inter-* e *foglio*.

**interiezione**, dal lat. *interiectio, -onis* 'inserzione', nome d'azione di *intericère*, comp. di *inter-* e *iacère*, con norm. apofonia di *-iă-* in *-iĕ-* in sill. interna chiusa e di *-iă-* in *-ĭ-* in sill. aperta; v. GETTARE.

**ìnterim**, dal lat. *intèrim* 'frattanto', comp. di *inter* e della forma pron. *im* (accus. sg.) come *interea* con la forma *ea* (neutro plur.). Per la forma sincopata *\*intrim* (cfr. *intra*, *intro*) rispetto a *\*intèrus* v. INTRINSECO, e per il parallelo *\*extrim* rispetto a *extèrus*, v. ESTRINSECO.

**interinale**, da *interino*, sul modello del frc. *intérinaire*.

**interinare** 'perfezionare un atto giuridico', dal frc. *entériner*, der. di *enterin* 'perfetto' che è ampliamento di *entier* 'intero' e quindi una specie di « integrazione ».

**interino**, dallo sp. *interino*, risalente al lat. *interim*.

**interiore**, dal lat. *interior, -oris*, compar. di *\*intèrus* 'interno', a sua volta già compar. da *in*, mediante il suff. *-tero*; v. INTIMO e INTERNO, cfr. INFIMO e INFERO.

**intèrito**[1] 'morte', dal lat. *interĭtus, -us*, astr. di *interire*.

**interito**[2] 'intero', 'irrigidito', part. pass. di un presunto verbo denom. *\*interire*, da *intero*, cfr. INTIRIZZIRE.

**interlinea**, da *inter-* e *linea*.

**interlingua**, comp. di *inter(nazionale)* e *lingua*.

**interlocutorio**, dal lat. medv. *interlocutorius*.

**interlocuzione**, dal lat. *interlocutio, -onis*.

**interloquire**, dal lat. *interlŏqui*, comp. di *inter-* e *loqui* 'parlare', passato alla coniugaz. in *-ire*.

**interludio**, calco su *preludio* con *inter-* 'tra' al posto di *pre-* 'prima'.

**interlunio**, dal lat. *interlunium*.

**intermediario**, dal frc. *intermédiaire*.

**intermedio**, dal lat. *intermedius*.

**interméttere**, dal lat. *intermittère*, comp. di *inter* 'tra' e *mittère* 'mandare': « mandare in mezzo, tralasciare »; v. MÉTTERE.

**intermèzzo**, incr. di *intermedio* e di *mèzzo*.

**interminàbile,** dal lat. tardo *interminabĭlis* con *in*-privat.

**interminato,** dal lat. *interminatus,* comp. di *in*-e il part. pass. di *terminare.*

**intermissione,** dal lat. *intermissio, -onis,* nome di azione di *intermittĕre.*

**intermittente,** dal lat. *intermittens, -entis,* part. pres. di *intermittĕre.*

**internare,** verbo denom. da *interno.*

**internazionale,** da *inter*- e *nazione* col suff. aggettiv. -*ale.*

**interno,** dal lat. *internus,* deriv. da *\*intĕrus* (e *inter),* cfr. INTERIORE, come *infernus* da *infĕrus;* v. INFERNO.

**internodio,** dal lat. *internodium,* deriv. di *inter* e *nodus.*

**internunzio,** dal lat. *internuntius,* interpretato nel senso di ' interinale rispetto ai nunzi veri e propri '.

**intero,** lat. volg. *\*intĕgrus,* class. *intĕger,* comp. di *in*- privat. e la rad. di *ta(n)gĕre* ' toccare ', con norm. apofonia di -*ă*- in -*ĕ*- all'interno della parola e dav. a gruppo di cons. La sola corrispond. evidente fuori d'Italia della stessa rad. è il gr. *(te)tag(ón)* ' avente preso '. Da TAG è deriv. *\*tagro-* (come *\*pigro-* da *piget, \*taitro-* da *taedet,* v. TETRO), da cui *\*intagro-;* cfr. INTEGRO e TATTO. La variante *intiero* presuppone una base di partenza latino volgare *\*intĕrus* con una *e* aperta e perciò teoricamente breve, incapace ormai di determinare l'arretramento dell'accento: cfr. i dimin. in -*uolo* che risalgono a una *ò* aperta incapace di fare arretrare l'accento, v. LENZUOLO.

**interpellanza,** nome d'azione di *interpellare.*

**interpellare,** dal lat. *interpellare* ' rivolgere domanda interrompendo ', calco su *appellare* ' chiamare ', che è da un *\*pellare* ' dirigersi ', verbo durativo di *pellĕre* ' spingere ', v. IMPELLERE.

**interpetrare** (e deriv.), da *interpretare* e deriv. onde discende attraverso un incr. con it. *impetrare,* quasi l'interprete « chiedesse » al testo di lasciarsi capire.

**interpolare,** dal lat. *interpolare,* comp. di *inter* e *\*polare,* durativo di *polire,* ' rimettere a nuovo ', termine dei lavandai applicato alle « rappezzature » dei testi; v. PULIRE.

**interpolatore,** dal lat. tardo *interpolator, -oris.*

**interpolazione,** dal lat. *interpolatio, -onis.*

**interporre,** dal lat. *interponĕre,* incr. con it. *porre.*

**interposizione,** dal lat. *interpositio, -onis,* nome d'azione di *interponĕre.*

**interpretàbile,** dal lat. tardo *interpretabĭlis.*

**interpretare,** dal lat. *interpretari,* verbo denom. da *interpres, -ĕtis.*

**interpretariato,** dal frc. *interprétariat.*

**interpretazione,** dal lat. *interpretatio, -onis.*

**intèrprete,** dal lat. *interpres, -ĕtis* ' mediatore ', poi ' interprete ', comp. di *inter* e della rad. di *pretium;* v. PREZZO.

**interpùngere,** dal lat. *interpungĕre.*

**interpunzione,** dal lat. *interpunctio, -onis,* nome di azione da *interpungĕre.*

**interrare,** verbo denom. da *terra* con *in*- illativo.

**interré,** dal lat. *interrex, -regis,* comp. di *inter* e *rex.*

**interregno,** dal lat. *interregnum.*

**interrire,** verbo denom. da *terra* e *in*- illativo.

**interrogare,** dal lat. *interrogare,* comp. di *inter*- e *rogare* ' chiedere ',

**interrogativo,** dal lat. tardo *interrogativus.*

**interrogatore,** dal lat. tardo *interrogator, -oris.*

**interrogatorio** (sost.), dal lat. tardo *interrogatorius* (agg.).

**interrogazione,** dal lat. *interrogatio, -onis.*

**interrómpere,** dal lat. *interrumpĕre* ' praticare una rottura fra due parti contigue '.

**interruttore,** dal lat. tardo *interruptor, -oris,* nome d'agente di *interrumpĕre.*

**interruzione,** dal lat. *interruptio, -onis,* nome di azione di *interrumpĕre.*

**intersecare,** dal lat. *intersecare,* comp. di *inter*-e *secare* ' tagliare '; v. SEGARE.

**intersezione,** dal lat. *intersectio, -onis,* nome di azione nel sistema di *intersecare.*

**intersindacale,** da *inter*- e *sindaca(ta)le.*

**interstizio,** dal lat. tardo *interstitium,* comp. di *inter*- e -*stittum,* tema di *stare* in composiz., cfr. SOLSTIZIO: deriv. da un tema di nome d'agente del tipo *sta-t-,* p. es. *antistes, -ĭtis,* con la norm. alternanza in posiz. non iniz. di -*ĕ*- in sill. chiusa, -*ĭ*- in sill. aperta al posto di -*ă*-.

**intertrìgine,** dal lat. *intertrigo, -ĭnis,* comp. di *inter*-, la rad. di *terĕre* e un suff. di derivaz. di valore astr. ricalcato sul part. pass. *tritus* (v. TRITO): come *impetigo, -ĭnis* rispetto al part. pass. *petitus;* v. IMPETI(G)GINE.

**intertropicale,** da *inter*- e *tròpico* col suff. aggettivale -*ale.*

**interurbano,** da *inter*- e *urbe* col suff. aggettiv. -*ano.*

**intervallo,** dal lat. *intervallum,* comp. di *inter*- e *vallus* ' palo ', *vallum* ' palizzata '; v. VALLO.

**intervenire,** dal lat. *intervenire.*

**intervento,** dal lat. *interventus, -us.*

**intervista,** calco sull'ingl. *interview.*

**interzare,** verbo denom. da *terzo* con *in*- illativo.

**intesa,** forma femm. sostantiv. di *inteso,* part. pass. di *intèndere,* in parte calco sul frc. *entente.*

**inteso,** part. pass. di *intèndere,* incr. di lat. *intendĕre* e it. *teso.*

**intèssere,** dal lat. *intexĕre,* comp. di *texĕre* con *in*-intens.

**intestàbile,** agg. verb. da *intestare.*

**intestare,** verbo denom. da *testa* con *in*- illativo.

**intestato**[1] ' che non ha fatto testamento ', dal lat. *intestatus,* comp. di *testatus,* part. pass. attivo di *testari,* con *in*- privat.

**intestato**[2], part. pass. passivo di *intestare.*

**intestino,** dal lat. *intestinum,* neutro sostantiv. dell'agg. deriv. dall'avv. *intus* ' dentro ', anticam. *\*intos* con norm. apofonia di -*ŏ*- in -*ĕ*- in sill. interna e chiusa. L'ampliam. -*tinus* si ritrova in *clandestinus,* v. CLANDESTINO e cfr. MEDIASTINO.

**intesto,** dal lat. *intextus,* part. pass. di *intexĕre.*

**intiepidire (intepidire),** verbo denom. da *tièpido* con *in*- illativo ed eventuale eliminazione del dittongo *ie* fuori d'accento.

**intiero** e deriv., v. INTERO e deriv.

**intignare,** verbo denom. da *tigna* con *in*- illativo; cfr. STINTIGNARE.

**intimare,** dal lat. tardo *intimare,* verbo denom. da *intĭmus* ' far penetrare dentro '.

**intimatore,** dal lat. tardo *intimator, -oris.*

**intimazione,** dal lat. tardo *intimatio, -onis.*

**intimidatorio,** estr. da *intimidazione,* secondo il rapporto di *vessazione* a *vessatorio.*

**intimidazione,** dal frc. *intimidation.*

**intimidire,** verbo denom. da *timido* con *in-* illativo.

**intimo,** dal lat. *intimus,* agg. superl. dalla prep. *in-* col suff. *-timus* che sta di fronte a *intra,* *\*interus, interior,* come *extimus* a *extra, exterior, exterior*; cfr. INTERNO, INTERIORE, ENTRO, ESTERNO, ESTE-RIORE, ESTRA-.

**intimorire,** verbo denom. da *timore* con *in-* illativo.

**intimpanire,** verbo denom. da *timpano* con *in-* illativo.

**intìngere,** dal lat. *intingère,* comp. di *tingère* con *in-* illativo.

**intìngolo,** da un lat. *\*intingùlum,* tratto da *intingère,* con una formaz. in parte di strum. e in parte di dimin. come lat. *iuscùlum* ' brodetto '.

**intinto** ' salsa ', dal lat. *intinctus, -us,* astr. di *intingère.*

**intirannire,** verbo denom. da *tiranno* con *in-* illativo.

**intirizzire,** da *intero* nel senso di *interito* ' irrigidito ' (v.), inserito in una successione onomatop. *t.... r....* indicante il tremito, e con le voc. assimilate nella serie *i.... i....*

**intisichire,** verbo denom. da *tisico* con *in-* illativo.

**intitolare,** dal lat. *intitulare,* verbo denom. da *titùlus* con *in-* illativo; v. TITOLO.

**intitolazione,** dal lat. *intitulatio, -onis.*

**intoccàbile,** dall'agg. verb. di *toccare* con *in-* privat.

**intolleràbile,** dal lat. *intolerabìlis* con *in-* negat. incr. con it. *tollerare.*

**intollerante,** dal lat. *intolèrans, -antis* incr. con it. *tollerare.*

**intolleranza,** dal lat. *intolerantia* incr. con it. *tollerare.*

**intonacare,** verbo denom. da *tònaca* con *in-* illativo.

**intònaco,** sost. deverb. estr. da *intonacare.*

**intonare,** dal lat. medv. *intonare,* verbo denom. da *tonus* ' tono ' con *in-* illativo.

**intonchiare,** verbo denom. da *tonchio* con *in-* illativo.

**intonso,** dal lat. *intonsus* con *in-* privat. e il part. pass. di *tondère*; v. TOSARE.

**intontire,** verbo denom. da *tonto* con *in-* illativo.

**intoppare,** verbo denom. da *toppo* con *in-* illativo.

**intoppo,** sost. deverb. estr. da *intoppare.*

**intorb(id)are, intorbidire,** verbo denom. da *tórbido* con *in-* illativo.

**intormentire,** incr. di *indormentire* e *tormento.*

**intorno,** da *in* e *torno* ' giro '.

**intorpidire,** verbo denom. da *tòrpido* con *in-* illativo.

**intortigliare,** dal frc. *entortiller.*

**intorto** ' avvolto su sé, ' dal lat. *intortus,* part. pass. di *intorquere.*

**intoscanire,** da *toscano* con *in-* illativo.

**intossicare,** dal lat. medv. *intoxicare,* verbo denom. da *toxìcum* ' tossico ' con *in-* illativo.

**intostire,** verbo denom. da *tosto* nel senso di ' tostato ' con *in-* illativo.

**intozzare,** verbo denom. da *tozzo* con *in-* illativo.

**intra-,** dal lat. *intra* ' dentro ' (prep.), abl. femm. irrigidito di *\*int(è)rus,* deriv. di *in-* (per es. *intra-*

*europeo* e non *\*intereuropeo* che vorrebbe dire « fra due o più Europe »); cfr. INTRO- e INFRA.

**intradosso,** calco sul frc. *intrados* (XIX sec.).

**intraducìbile,** da *traducibile* con *in-* privat.

**intralciare,** verbo denom. da *tralcio* con *in-* illativo; perciò parola contadina, « avvilupparsi nei tralci ».

**intralcio,** sost. deverb. estr. da *intralciare.*

**intrallazzo,** dal siciliano *'ntrallazzu* ' inviluppo ', comp. del lat. *inter* e *laquèus* ' laccio ' e cioè « allacciamento reciproco ».

**intraméttere,** comp. di *intra-* e *méttere.*

**intramezzare,** verbo denom. da *mèzzo* col pref. *intra-.*

**intransigente,** dallo sp. *intransigente.*

**intransitivo,** dal lat. tardo *intransitivus,* calco sul gr. *ametábatos.*

**intraporre,** calco su *interporre.*

**intrappolare,** verbo denom. da *trappola* con *in-* illativo.

**intraprèndere,** comp. di *intra-* e *prèndere,* sul modello del frc. *entreprendre.*

**intrasferìbile,** dall'agg. verb. di *trasferire* con *in-* privat.

**intrasgredìbile,** dall'agg. verb. di *trasgredire* con *in-* privat.

**intrasmutàbile,** dall'agg. verb. di *trasmutare* con *in-* privat.

**intrattàbile,** dal lat. *intractabìlis* con *in-* negat.

**intrattenere,** incr. di *trattenere* e frc. *entretenir.*

**intrauterino,** comp. di *intra-* e *uterino.*

**intravedere,** calco sul frc. *entrevoir* (XIX sec.), incr. con it. *vedere.*

**intrecciare,** verbo denom. da *treccia* con *in-* illativo.

**intrèpido,** dal lat. *intrepìdus* con *in-* negat.

**intricare,** lat. *intricare,* verbo denom. da *tricae, -arum* ' imbrogli ' v. STRIGARE, con *in-* illativo; cfr. INTRIGARE.

**intrico,** sost. deverb. da *intricare.*

**intrìdere,** tema di inf. estr. dal part. pass. *intriso* secondo il rapporto di *incìdere* rispetto a *inciso*; v. INTRISO.

**intrigare,** lat. *intricare,* con leniz. settentr. di *-c-* in *-g-,* v. STRIGARE, e cfr. INTRICARE.

**intrigo,** sost. deverb. da *intrigare.*

**intrìnseco,** dall'avv. lat. *intrinsècus,* comp. di *\*intrim* (da *int(e)rim*) e *secus* ' lungo (una linea) ' (prep.); v. INTERIM e ESTRINSECO.

**intriso,** lat. volg. *\*intrisus* che soppianta *intritus,* part. pass. di *interère*; v. TRITO.

**intristire,** verbo denom. da *triste* con *in-* illativo.

**intro-,** pref. dal lat. *intro* (avv.), forma irrigidita dell'antico abl. masch. dell'agg. *\*int(è)rus*; v. INTRA- e cfr. RETRO.

**introcque** ' intanto ', lat. *inter hoc.*

**introdurre,** dal lat. *introducère* incr. con it. *condurre.*

**introduttore,** dal lat. tardo *introductor, -oris.*

**introduttorio,** dal lat. tardo *introductorius.*

**introduzione,** dal lat. *introductio, -onis.*

**introflèttere,** da *intro-* e *flèttere.*

**introgolare,** verbo denom. da *trògolo* con *in-* illativo.

**introiezione,** calco su *proiezione,* con la sostituz. di *intro-* ' dentro ' a *pro-* inteso come ' avanti, fuori '.

**introitare**, verbo denom. da *intròito*.

**intròito**, dal lat. *introĭtus, -us* 'entrata', astr. di *introire* 'entrare'.

**introméttere**, dal lat. *intromĭttere*, comp. di *intro-* e *mittĕre*.

**intromissione**, dal lat. tardo *intromissio, -onis*, nome d'azione di *intromittĕre*, incr. per il signif. con *intermittĕre* nel senso di 'interporre'.

**intronato**, da *intronare*, verbo denom. da *truono* (v.), variante di *tuono* con *in-* illativo e perdita del dittongo in posizione non accentata.

**intronfiare**, da *tronfio* con *in-* illativo.

**intronizzare**, verbo denom. da *trono* con *in-* illativo e il suff. di verbo denom. *-izzare*.

**introrso** 'volto all'interno' (bot.), dal lat. *introrsum* 'volto all'interno', comp. di *intro-* e *vorsum*; v. GIUSO e VÈRTERE.

**introspezione**, incr. di lat. *introspicĕre* e it. *ispezione*.

**introvàbile**, dall'agg. verb. di *trovare* con *in-* privat.

**introversione**, calco su *inversione*, con sostituz. di *intro-* 'dentro' a *in-*.

**introverso, introvertito**, comp. di *intro-* 'dentro' e dei due participî di *vèrtere*, rispettivamente dal lat. *versus* e dall'it. *(av)vertito*.

**intrùdere**, dal lat. medv. *intrùdere*, comp. di *in-* illativo e lat. class. *trudĕre* 'spingere', che è da una rad. TREUD 'battere', del vocab. ideur. nordoccidentale, attestato anche nelle aree germanica e slava.

**intrufolare**, verbo denom. da *\*trùfolo* 'tartufo' con *in-* illativo, cfr. TRUFOLARE.

**intrugliare**, da *troia* con *in-* illativo, corretto in Toscana, con la sostituz. di *-oia-*, ritenuto centro-orientale, in *-oglia* e poi incr. con *(ingarb)ugliare*.

**intruglio**, sost. deverb. da *intrugliare*.

**intruppare**, verbo denom. da *truppa* con *in-* illativo.

**intrusione**, nome d'azione da *intrùdere* (XVII sec.), secondo il rapporto di *illùdere* e *illusione*.

**intruso**, lat. medv. *intrusus*, part. pass. di *intrùdere*.

**intuire**, dal lat. *intueri* 'guardar dentro', passato alla coniugaz. in *-ire-*: *intueri* è comp. di *in-* e *tueri*; v. TUTELA.

**intùito**, dal lat. *intuĭtus, -us*, astr. di *intueri*, sulla base del part. pass. *tuĭtus*. Per il rapporto fra *tuĭtus* e *tūtus*, v. TUTELA.

**intuizione**, dal lat. tardo *intuitio, -onis*.

**intumescente**, dal lat. *intumescens, -entis*, part. pres. di *intumescĕre* 'gonfiarsi', verbo incoat. di *tumere*, v. TUMEFARE e TUMORE, con pref. *in-* illativo.

**intumidire**, verbo denom. da *tùmido* con *in-* illativo.

**inturgidire**, verbo denom. da *tùrgido* con *in-* illativo.

**inula**, dal lat. scient. *Inula*, class. *inŭla*, di prob. orig. greca, cfr. ÈNULA e LELLA.

**inulto**, dal lat. *inultus*, comp. di *in-* privat. e il part. pass. di *ulcisci* 'vendicare'; v. ULTORE.

**inumanità**, dal lat. *inhumanĭtas, -atis*.

**inumano**, dal lat. *inhumanus* con *in-* negat.

**inumare**, dal lat. *inhumare*, verbo denom. da *humus* 'terra' con *in-* illativo, v. ÙMILE.

**inumazione**, dal lat. tardo *inhumatio, -onis*.

**inumidire**, verbo denom. da *ùmido* con *in-* illativo.

**inurbano**, dal lat. *inurbanus* con *in-* negat.

**inurbare**, dal lat. *urbs, urbis* 'città' con *in-* illativo.

**inusato**, dal part. pass. di *usare* con *in-* negat.

**inusitato**, dal part. pass. di *usitare* con *in-* negat.

**inusto**, dal lat. *inustus*, part. pass. di *inurĕre*.

**inùtile**, dal lat. *inutĭlis* con *in-* privat.; v. ÙTILE.

**inutilità**, dal lat. *inutilĭtas, -atis*.

**inutilizzàbile**, dal frc. *inutilisable*.

**inuzzolire**, verbo denom. da *ùzzolo* con *in-* illativo.

**invacchire** (del baco da seta), verbo denom. da *vacca* con *in-* illativo.

**invàdere**, dal lat. *invadĕre*, comp. di *vadĕre* e *in-* illativo-intens.; v. VADERE.

**invaghire**, verbo denom. da *vago* con *in-* illativo.

**invaiare**, verbo denom. da *vaio*, con *in-* illlativo.

**invalere**, dal lat. *invalere* 'crescere', da *valere* con *in-* intens. e illativo.

**invalicàbile**, dall'agg. verb. di *valicare* con *in-* privat.

**invalidàbile**, agg. verb. di *invalidare*.

**invalidare**, verbo denom. da *invàlido*.

**invàlido**, dal lat. *invalĭdus* con *in-* privat. (di documento) e negat. (di persona non sana).

**invaligiare**, verbo denom. da *valigia* con *in-* illativo.

**invanire**, verbo denom. da *vano* con *in-* illativo.

**invano**, lat. tardo *in vanum*, tratto dalla formula biblica *non assumes nomen domini... in vanum*.

**invarcàbile**, dall'agg. verb. di *varcare* con *in-* privat.

**invariàbile**, dall'agg. verb. di *variare* con *in-* privat.

**invasare¹**, verbo denom. da *vaso* con *in-* illativo.

**invasare²**, verbo denom. da « *invaso* (dagli spiriti) », part. pass. di *invàdere*.

**invasato**, part. pass. di *invasare²*.

**invasione**, dal lat. tardo *invasio, -onis*, nome di azione di *invadĕre*; cfr. EVASIONE.

**invaso**, sost. deverb. da *invasare¹*.

**invasore**, dal lat. tardo *invasor, -oris*, nome di agente di *invàdere*.

**invecchiare**, verbo denom. da *vecchio* con *in-* illativo.

**invece**, da *in-* e *vece*.

**inveggia** (arc.), lat. *invidia*, v. INVIDIA.

**invegliare**, da *vegliare* con *in-* intensivo.

**inveire**, dal lat. *invĕhi (in aliquem)* 'scagliarsi', forma medio-passiva di *invehĕre* 'condur dentro', v. VEÌCOLO, passata alla coniugaz. in *-ire*.

**invelenire**, verbo denom. da *veleno* con *in-* illativo.

**invendibile**, dall'agg. verb. di *véndere* con *in-* privat.

**invendicato**, dal part. pass. di *vendicare* con *in-* privat.

**invenduto**, dal part. pass. di *véndere* con *in-* privat.

**inventare**, lat. volg. *\*inventare*, intens. di *invenire* 'trovare', da un part. primitivo *inventus* risalente a una forma primitiva (N)GWNTO- in cui la rad. GWEM davanti al suff. di participio non ha bisogno dell'ampliam. *-ī-* di *veni(re)*; v. VENIRE.

**inventario**, dal lat. tardo *inventarium* « (elenco fatto) per trovare ».

**inventivo**, dal lat. *inventus* 'trovato' col suff. it. *-ivo* che dà valore attivo e durativo.

**inventore,** dal lat. *inventor, -oris,* nome d'agente del sistema di *invenire.*

**invenzione,** dal lat. *inventio, -onis,* nome d'azione del sistema di *invenire.*

**inverare,** verbo denom. da *vero* con *in-* illativo.

**inverdire,** verbo denom. da *verde* con *in-* illativo.

**inverecondia,** dal lat. *inverecundia.*

**inverecondo,** dal lat. *inverecundus* con *in-* privat.

**invermigliare,** verbo denom. da *vermiglio,* con *in-* illativo.

**inverminare e inverminire,** verbo denom. da *vèrmine* con *in-* illativo.

**invernale,** dal lat. tardo *hibernalis,* incr. con it. *inverno.*

**inverniciare,** verbo denom. da *vernice* con *in-* illativo.

**inverno,** lat. *hibernum (tempus)* ' (tempo) invernale ' analizzato come *i(n)-verno* anziché come *\*iv-erno* (cfr. VERNO). Lat. *hibernus* risale a una forma aggettiv. *\*gheimrinos* che compare identica nel gr. *kheimerinós* ' invernale ', ampliam. in *-ino* di un sost. *\*kheimṛ \*kheimṇ* che compare in questa seconda forma nel gr. *kheîma* ' inverno ' e nelle aree indiana, ittita, albanese, mentre nella prima forma con *-ṛ* appare nell'area armena. Tutte queste forme risalgono a un più semplice GHEI-M per cui v. IEMALE.

**invero,** da *in* e *vero.*

**inverosìmile,** dal lat. tardo *inverisimĭlis* con *in-* negat.; incr. con it. *vero.*

**inversione,** dal lat. *inversio, -onis,* nome d'azione di *invertĕre.*

**inverso¹** (prep.), lat. tardo *inversum,* avv. deriv. da *inversus;* v. INVERSO².

**inverso²** (agg.), dal lat. *inversus,* part. pass. di *invertĕre.*

**invertire,** dal lat. *invertĕre,* passato alla coniugaz. in *-i-,* come *convertire, divertire, sovvertire.*

**invescare,** verbo denom. da *vésco* con *in-* illativo; cfr. INVISCHIARE.

**investìbile,** agg. verb. di *investire.*

**investigàbile,** dal lat. tardo *investigabĭlis.*

**investigare,** dal lat. *investigare,* comp. di *in-* intens. e *vestigare* ' seguir le tracce '; v. VESTIGIO.

**investigatore,** dal lat. *investigator, -oris.*

**investigazione,** dal lat. *investigatio, -onis.*

**investire,** dal lat. medv. *investire* ' mettere in possesso ', class. ' coprire con una veste '.

**investitura,** dal lat. medv. *investitura.*

**inveterato,** dal lat. *inveteratus,* part. pass. di *inveterare* ' fare invecchiare ', verbo denom. da *vetus, -ĕris* (v. VIETO) con *in-* illativo.

**invetriata,** da *in-* e *vetriata.*

**invettiva,** dal lat. tardo *(oratio) invectiva,* sostantiv.: deriv. da *invectus* ' scagliato ', part. pass. di *invehĕre;* v. INVEÌRE.

**inviàbile,** agg. verb. di *inviare.*

**inviare,** dal lat. tardo *inviare,* verbo denom. da *via* con *in-* illativo ' mettere in via '.

**invidia,** dal lat. *invidia,* astr. di *invĭdus.*

**invidioso,** dal lat. *invidiosus.*

**invido,** dal lat. *invĭdus,* agg. estr. da *invidēre* ' invidiare ' (comp. di *in-* illativo e *videre*) secondo il modello di *avĭdus* rispetto a *audere,* e cioè una specie di *\*inv(id)ĭdus.*

**invigilare,** dal lat. *invigilare,* comp. di *vigilare* con *in-* intens., cfr. INVEGLIARE.

**invigliacchire,** verbo denom. da *vigliacco* con *in-* illativo.

**invigorire,** verbo denom. da *vigore* con *in-* illativo.

**invilire,** verbo denom. da *vile* con *in-* illativo.

**invillanire,** verbo denom. da *villano* con *in* illativo.

**inviluppare,** verbo denom. da *viluppo,* con *in-* illativo.

**inviluppo,** sost. deverb. da *inviluppare.*

**invincìbile,** dal lat. tardo *invincibĭlis* con *in-* negat.

**invìo,** sost. deverb. da *inviare.*

**inviolàbile,** dal lat. *inviolabĭlis.*

**inviolabilità,** dal lat. tardo *inviolabilĭtas, -atis.*

**inviolato,** dal lat. *inviolatus.*

**inviperire,** verbo denom. da *vìpera* con *in-* illativo.

**invischiare,** verbo denom. da *vischio* con *in-* illativo; cfr. INVESCARE.

**inviscidire,** verbo denom. da *vìscido* con *in-* illativo.

**invisibile,** dal lat. tardo *invisibĭlis* con *in-* privat.

**invisibilità,** dal lat. tardo *invisibilĭtas, -atis.*

**inviso,** dal lat. *invisus* ' odioso ', deriv. di *invidēre,* cfr. ÌNVIDO.

**invispire,** verbo denom. da *vispo* con *in-* illativo.

**invitare¹** ' far venire ', dal lat. *invitare,* comp. di *in-* intens. e *\*vitare,* denom. da *\*vitus* ' di sua volontà ', legato a *vis* ' tu vuoi ', a forme parallele indiane e affini greche, tratte dalla radice WEI ' volere (in senso magico) '. Perciò « far sì che uno agisca di sua volontà ».

**invitare²** ' avvitare ', verbo denom. da *vite* con *in-* illativo.

**invitatore,** dal lat. *invitator, -oris.*

**invitatorio,** dal lat. tardo *invitatorius.*

**invito,** sost. deverb. da *invitare¹.*

**invitto,** dal lat. *invictus,* da *in-* privat. e *victus,* part. pass. regolare di *vincĕre* senza infisso nasale.

**invizzire,** verbo denom. da *vizzo* con *in-* illativo.

**invocare,** dal lat. *invocare* ' chiamare ', comp. di *in-* intens. e *vocare,* v. VOCAZIONE.

**invocativo,** dal lat. tardo *invocativus.*

**invocatore,** dal lat. tardo *invocator, -oris.*

**invocazione,** dal lat. *invocatio, -onis.*

**invogliare¹,** verbo denom. da *voglia* con *in-* illativo.

**invogliare²,** da un lat. *\*involiare,* intens. di *involvĕre* con *in-* illativo.

**invoglio,** sost. deverb. da *invogliare.*

**involare¹** ' decollare ', da *volare* con *in-* illativo-incoativo.

**involare²** ' rapire ', dal lat. *involare,* comp. di *volare* e *in-* illativo e intens. riferito agli uccelli da preda.

**invòlgere,** dal lat. *involvĕre,* incr. con it. *vòlgere.*

**involo,** sost. deverb. da *involare¹.*

**involontario,** dal lat. tardo *involontarius* con *in-* privat.

**involpire,** verbo denom. da *volpe* con *in-* illativo.

**involtare,** verbo denom. da *involto.*

**involto,** part. pass. sostantiv. di *invòlgere;* v. VÒLTO.

**invòlucro,** dal lat. *involūcrum* ' busta ', connesso con *volūcra* ' rampicante « che si avvolge » ', risal. a *volvĕre* col pref. *in-* illativo; incr. in it. con la accentazione sdrucciola di *invòlgere.*

**involuto,** dal lat. *involutus,* part. pass. di *involvĕre.*

**involuzione,** dal lat. *involutio, -onis,* nome d'azione di *involvĕre,* in parte calco su *evoluzione.*

invòlvere, dal lat. *involvĕre*, comp. di *in-* illativo e *volvĕre*, v. VÒLGERE e cfr. INVÒLGERE.

invulneràbile, dal lat. *invulnerabĭlis* con *in-* privat.

inzaccherare, verbo denom. da *zàcchera* con *in-* illativo.

inzafardare, incr. di *infardare* con *zaffo*.

inzaffare, verbo denom. da *zaffo* con *in-* illativo.

inzavorrare, verbo denom. da *zavorra* con *in-* illativo.

inzeppare[1] ' mettere una zeppa ', verbo denom. da *zeppa* con *in-* illativo.

inzeppare[2] ' riempire', verbo denom. da *zeppo* con *in-* illativo.

inzolfare, verbo denom. da *zolfo* con *in-* illativo.

inzotichire, verbo denom. da *zòtico* con *in-* illativo.

inzuccare, verbo denom. da *zucca* con *in-* illativo.

inzuccherare, verbo denom. da *zùcchero* con *in-* illativo.

inzuppare, verbo denom. da *zuppa* con *in-* illativo.

io (arc. *eo*), lat. volg. *\*eo*, con leniz. totale del *-g-* intervocalico del class. *ego*, pron. personale di prima pers. EG(H)O di antichità ideur. e generale diffusione, gr. *egṓ*, ted. *ich* e così nelle aree indo-iranica, armena, ittita, slava, baltica.

iod, dall'ebr. *yōd*.

iodio, dal frc. *iode* e questo dal gr. *iṓdēs* ' dall'aspetto di viola ', comp. di *io-* ' viola ' e *-eidēs* ' dall'aspetto di '.

iodoformio, calco su *cloroformio*, con la sostituz. di *iodo-* a *cloro-*

ioga (yoga), dall'ingl. *yoga* e questo dal sanscrito *yoga-* ' comunione '.

iogurt (yogurt), dal turco *yoğurt*.

iòide, dal frc. *hyoïde*, che è dal gr. *hyoeidēs (ostéon)* « osso a forma di *hý* e cioè di un ' ipsilon ' ».

iole, dal frc. *yole*, dal danese *jolle*.

ionadàttico, da *ionico-attico*, incr. con *adatto*.

ione, dal frc. *ion* e questo dal gr. *iṓn* ' che va ', part. pres. di *eîmi* ' vado '.

iònico[1] (di stirpe greca), dal lat. *ionĭcus*, che è dal gr. *iōnikós*.

iònico[2] (del mare Ionio), dal gr. *ionikós*.

iònico[3], da *ione* (p. es. *termoiònico*).

ionizzare, verbo denom. da *ione*.

ionosfera, calco su *atmosfera*, con la sostituz. di *ione* a *atmo-* ' vapore '.

iosa, forse da *(D)io sa*.

iota, dal gr. *iôta*, di orig. fenicia.

iotacismo, dal gr. *iôta* incr. con *(Soloi)kismós*, v. SOLECISMO.

ipàllage, dal lat. *hypallăge*, che è dal gr. *hypallagē* ' sostituzione '.

ipecacuana, dal frc. *ipécacuana*, risal. alla lingua tupì del Brasile.

iper-, dal gr. *hypér*.

ipèrbato, dal gr. *hypérbaton* ' trasposizione ', propr. ' passato oltre '.

ipèrbole, dal lat. *hyperbŏle*, che è dal gr. *hyperbolē* ' azione di lanciare oltre '.

iperbòlico, dal lat. *hyperbolĭcus*, che è dal gr. *hyperbolikós*.

iperbòreo, dal lat. *hyperboreus*, che è dal gr. *hyperbóreos* ' che sta oltre Borea '.

ipercloridrìa, da *iper-* e *cloridrìa*, astr. di *(acido) cloridri(co)*.

ipercorretto, da *iper-* e *corretto*.

ipercrìtico, da *iper-* e *critico*.

iperdulìa, da *iper-* e *dulìa*.

iperemìa, da *iper-* e *-emìa*.

iperestesìa, da *iper-* e *-estesìa*, calco su *an-estesìa*.

iperglicemia, da *iper-* e *glicemìa*.

iperglobulia, da *iper-* e *globulo* con suff. di astr. *-ìa*.

iperidrosi, da *iper-* e gr. *idrōs* ' sudore ', incr. col suff. *-osi* che indica malattia cronica.

ipèrmetro, dal lat. *hypermĕtrus*, che è dal gr. *hypérmetros*.

ipermètrope, da gr. *hypérmetros* e il tema gr. *ōp-* ' vedere ': « dall'occhio (*ōps*) eccessivo (*hypérmetros*) ».

ipermetropìa, dal gr. *hypérmetros* ' eccessivo ' e *-opìa*.

ipernutrizione, da *iper-* e *nutrizione*.

ipersònico, da *iper-* e *suono* con suff. di agg. *-ico*

ipertiroidismo, da *iper-* e *tiroide* col suff. *-ismo*.

ipertensiòne, da *iper-* e *tensione*.

ipertonìa, da *iper-* e *tono* con suff. di astr. *-ìa*.

ipertrofìa, da *iper-* e *-trofia*.

ipnosi, dal frc. *hypnose*, risal. al gr. *hýpnos* ' sonno '.

ipnòtico, lat. tardo *hypnotĭcus*, che è dal gr. *hypnōtikós*.

ipo-, dal gr. *hypó*.

ipocausto, dal lat. *hypocaustum*, che è dal gr. *hypókauston* der. da *hypokaiō*: « accendo (*kaiō*) di sotto (*hypó*) ».

ipocentro, da *ipo-* e *centro*.

ipocloridrìa, calco su *ipercloridrìa*, con *ipo-* al posto di *iper-*.

ipocondrìa, dal lat. tardo *hypochondria*, che è dal gr. neutro plur. (*tà*) *hypokhóndria*: perciò astr. della regione (*hypokhóndrion*) in cui si presumeva avesse sede la malinconia.

ipocondrìaco, dal gr. *hypokhondriakós* ' riferito all'ipocondrio '.

ipocondrio, dal gr. *hypokhóndrion*, ' regione cartilaginosa posta sotto alle costole '.

ipocorìstico (diminutivo), dal gr. *hypokoristikós*, der. da *hypokorizō* ' chiamo vezzosamente '.

ipocrisìa, dal gr. *hypókrisis* ' simulazione ' col suff. di astr. in *-ìa*.

ipòcrita, dal lat. *hypocrĭta* e questo dal gr. *hypokritēs* ' attore '; negli autori crist. ' simulatore '.

ipoderma, da *ipo-* e *derma*.

ipodermoclisi, comp. da *ipo-* e gr. *dérma* ' pelle ' con gr. *klýsis* ' lavaggio '.

ipòfisi, dal gr. *hypóphysis* ' escrescenza '.

ipogastrio, dal gr. *hypogástrion*, comp. di *hypó* ' sotto ' e *gastēr gastrós* ' ventre '.

ipogèo dal gr. *hypógaios* ' ciò che sta sotto terra ' (agg.) e dal gr. *hypógaion* (sost.).

ipoglicemìa, da *ipo-* e *glicemìa*.

ipoglobulia, da *ipo-*, *glòbulo* e suff. astr. *-ìa*.

ipòide ' a spirale ', dall'ingl. *hypoïd* tratto da *hyp(erbol)oid(al)*.

iporchema (canto), dal gr. *hypórkhēma*.

iposolfito, da *ipo-* e *solfito*.

ipospadìa (anomalia nello sbocco del canale uretrale), dal gr. *hypospadías*, der. da *hypó* ' sotto ' e *spadízō* ' ritiro (la pelle) '.

ipòstasi, dal lat. tardo *hypóstăsis*, che è dal gr. *hypóstasis* ' lo star sotto ', ' sedimento '.

ipostàtico, dal gr. *hypostatikós*.

ipòstilo, dal gr. *hypóstylos*, da *hypó* ' sotto ' e *stýlos* ' colonna '.

**ipotassi,** dal gr. *hypótaksis* ' dipendenza ', comp. di *hypó* ' sotto ' e *táksis* ' disposizione '.

**ipotàttico,** dal gr. *hypotaktikós,* comp. di *hypó* ' sotto ' e *taktikós* ' che dispone '.

**ipoteca,** dal lat. *hypotheca,* che è dal gr. *hypothḗkē* ' l'atto di metter sotto, impegnare '.

**ipotecario,** dal lat. tardo *hypothecarius.*

**ipotensione,** da *ipo-* e *tensione.*

**ipotenusa,** dal gr. *hypoteínūsa (grammḗ)* ' linea che tende sotto ', attrav. il lat. tardo *hypotenūsa.*

**ipòtesi,** dal lat. tardo *hypóthĕsis,* che è dal gr. *hypóthesis,* nome d'azione di *hypotíthēmi* ' pongo sotto '.

**ipotètico,** dal lat. tardo *hypothetĭcus,* che è dal gr. *hypothetikós.*

**ipotiposi,** dal gr. *hypotýpōsis* ' atto di delineare un tipo '.

**ipotizzare,** da *ipot(es)izzare,* verbo denom. da *ipòtesi.*

**ipotonìa,** da *ipo-* e *-tonìa.*

**ipotrofìa,** da *ipo-* e *-trofia.*

**ipparchia** (cavalleria greca), dal gr. *hipparkhía.*

**ippiatrìa,** dal gr. medv. *hippiatría,* da *híppos* ' cavallo ' e *-iatría,* astr. di *iatrós* ' medico '.

**ippica,** dal gr. *hippikḗ (tékhnē)* « (arte) dei cavalli ».

**ippo-,** dal gr. *híppos* ' cavallo '.

**ippocampo,** dal lat. *hyppocampus* e questo dal gr. *hippókampos* ' il cavallo-bruco ', comp. di *híppos* e *kámpē* ' animale ricurvo, bruco '.

**ippocastano,** comp. di *ippo-* e gr. *kástanon* ' castagno ', così detto perché i suoi frutti si ritenevano rimedio contro la tosse dei cavalli.

**ippòdromo,** dal lat. *hippodrŏmus,* che è dal gr. *hippódromos,* comp. di *híppos* ' cavallo ' e *drómos* ' luogo dove si corre '.

**ippofagìa,** dal gr. tardo *hippophagia,* comp. di *híppos* ' cavallo ' e *-phagía,* astr. di *phageîn* ' mangiare '.

**ippogrifo,** nome formato da L. Ariosto, comp. di *ippo-* e *grifo* ' grifone '.

**ippologìa,** da *ippo-* e *-logìa.*

**ippopòtamo,** dal lat. *hippopotămus,* che è dal gr. *hippopótamos* ' cavallo (da) fiume '.

**ippotrainato,** da *ippo-* e *trainato,* part. pass. di *trainare.*

**iprite,** dal nome della città di Ypres (Belgio) nella cui zona fu adoperata dai tedeschi per la prima volta nel 1917: col suff. *-ite* dei minerali, esteso a quel gas velenoso.

**ipsilon** (ipsilonne), dal gr. *hỳ psilón* ' Y semplice '.

**ipso-,** dal gr. *hýpsos* ' altezza '.

**ipsòmetro,** da *ipso-* e *-metro.*

**ira,** lat. *ira,* da una forma ideur. EISĀ ' vivacità ', attestata con ampliam. varî nelle aree indo-iranica, greca, germanica, baltica, però senza collegamenti stringenti.

**iracondia,** dal lat. *iracundia.*

**iracondo,** dal lat. *iracundus,* deriv. da *ira(sci)* ' adirarsi ', come *facundus* da *fari,* (v. FACONDO), con un suff. che dà vita a un part. pres. rinforzato.

**irascìbile,** dal lat. tardo *irascibĭlis,* agg. verb. di *irasci,* v. denom.-incoat. da *ira.*

**irascibilità,** dal lat. tardo *irascibilĭtas, -atis.*

**irato,** dal lat. *iratus,* part. pass. di *irasci,* verbo denom. incoat. da *ira.*

**irco** ' caprone ' (arc.), dal lat. *hircus,* più antico *\*hirquos,* forma regolare lat. rispetto a *hirpus*

' lupo ' degli osci, priva di connessioni attendibili. Per un verbo dial. *\*hirpere,* v. ISPIDO.

**ircocervo,** dal lat. tardo *hircocervus,* comp. di *hircus* ' capro ' e *cervus* ' cervo ', calco sul gr. *tragélaphos.*

**ire,** lat. *ire,* parola ideur. fondam., dalla rad. EI, che indica l' 'andare ' in quanto movimento durativo, di chiara attestazione nel gr. *eîmi* e così nelle aree indo-iranica e baltica; ampliata in alcune forme nell'area slava; cfr. GIRE e ITER.

**ireos,** dal lat. medv. *ireos,* genit. sg. di *iris* ' iride ' usato nelle formule degli speziali: dal gr. *íris, -eōs.*

**iridacee,** da *iride* nel senso di ' giaggiolo '.

**ìride,** dal lat. *iris, -ĭdis,* che è dal gr. *íris, -idos* ' arcobaleno '.

**iridio,** dal lat. scient. *iridium,* che è dal lat. *iris,* per il vario colore dei suoi sali.

**iris,** dal lat. *iris,* che è dal gr. *íris.*

**irizzare,** verbo denom. da *Iri,* sigla dell'« I(stituto per la) R(icostruzione) I(ndustriale) ».

**ironìa,** dal lat. *ironia,* che è dal gr. *eirōneía* ' finzione ', ' ironia '.

**irònico,** dal lat. *ironĭcus,* che è dal gr. *eirōnikós.*

**ironista,** dal frc. *ironiste.*

**ironizzare,** dal frc. *ironiser.*

**irraccontàbile,** dall'agg. verb. di *raccontare* con *in-* privat.

**irradiare,** dal lat. tardo *irradiare,* verbo denom. da *radius* ' raggio ' con *in-* illativo.

**irradiazione,** dal lat. tardo *irradiatio, -onis.*

**irraggiare,** incr. di *irradiare* con *raggio.*

**irraggiungìbile,** dall'agg. verb. di *raggiùngere* con *in-* negat.

**irragionévole,** da *ragionevole* con *in-* privat.

**irrancidire,** verbo denom. da *ràncido* con *in-* illativo.

**irrappresentàbile,** dall'agg. verb. di *rappresentare* con *in-* negat.

**irrazionale,** dal lat. *irrationalis* con *in-* negat.

**irreale,** da *reale²* con *in-* negat.

**irreconciliàbile,** dal lat. tardo *irreconciliabĭlis* con *in-* privat.

**irrecuperàbile,** dal lat. *irrecuperabĭlis* con *in-* negat.

**irrecusàbile,** dal lat. tardo *irrecusabĭlis* con *in-* negat.

**irredentismo, irredentista,** da *irredento.*

**irredento,** da *redento* con *in-* negat.

**irredimìbile,** dall'agg. verb. di *redìmere* con *in-* privat.

**irreducìbile,** incr. di lat. *reducĕre* e it. *irriducìbile.*

**irrefragàbile,** dal lat. *irrefragabĭlis,* comp. di *in-* negat. e l'agg. verb. di *refragari* ' opporsi ', v. REFRATTARIO.

**irrefrenàbile,** dal lat. tardo *irrefrenabĭlis* con *in-* privat.

**irrefutàbile,** dal lat. tardo *irrefutabĭlis* con *in-* privat., v. REFUTARE.

**irregolare,** dal lat. tardo *irregularis* con *in-* negat.

**irreligione,** dal lat. *irreligio, -onis* con *in-* negat.

**irreligiosità,** dal lat. *irreligiosĭtas, -atis.*

**irreligioso,** dal lat. *irreligiosus.*

**irremeàbile** ' da cui non si ritorna ', dal lat. *irremeabĭlis* con *in-* privat.; v. MEATO.

**irremissìbile,** dal lat. *irremissibĭlis* con *in-* privat.

**irremovìbile,** dal lat. *removere,* incr. con il suff. it. *-ìbile* degli agg. verb.

**irremuneràbile,** dal lat. *irremunerabìlis.*

**irreparàbile,** dal lat. *irreparabìlis* con *in-* negat.

**irreperìbile,** da *reperìbile* con *in-* privat.

**irreprensìbile,** dal lat. tardo *irreprehensibìlis* con *in-* privat.

**irrequieto,** dal lat. *irrequietus,* comp. di *in-* negat. e *requietus.*

**irresistìbile,** dal lat. medv. *irresistìbilis* con *in-* privat.

**irresolùbile,** dal lat. tardo *irresolubìlis.*

**irresoluto,** dal lat. *irresolutus,* incr. per il signif. con it. *risoluto.*

**irrespiràbile,** dal lat. tardo *irrespirabìlis,* con *in-* privat.

**irresponsàbile,** da *responsàbile* con *in-* privat.

**irretire,** dal lat. *irretire,* verbo denom. da *rete* con *in-* illativo.

**irreverente,** dal lat. *irrevèrens, -entis,* part. pres. di *reverèri* 'venerare' con *in-* negat.; v. RIVERIRE.

**irreverenza,** dal lat. *irreverentia.*

**irreversìbile,** da *reversìbile* con *in-* privat.

**irrevocàbile,** dal lat. *irrevocabilis.*

**irricevìbile,** dal frc. *irrecevable.*

**irriconciliàbile,** dal lat. *irreconciliabìlis,* incr. con l'it. *riconciliare.*

**irriconoscente,** da *riconoscente* con *in-* privat.

**irriconoscìbile,** dall'agg. verb. di *riconóscere* con *in-* negat.

**irricordévole,** da *ricordévole* con *in-* privat.

**irrìdere,** dal lat. *irridēre,* incr. con l'it. *rìdere.*

**irriducìbile,** da *riducìbile* con *in-* privat.

**irriflessivo,** da *riflessivo* con *in-* privat.

**irrigare,** dal lat. *irrigare,* comp. di *in-* intens. e *rigare,* parola priva di connessioni ideur., cfr. RIGÀGNOLO.

**irrigatore,** dal lat. tardo *irrigator, -oris.*

**irrigazione,** dal lat. *irrigatio, -onis.*

**irrigidire,** verbo denom. da *rìgido* con *in-* illativo.

**irriguardoso,** da *riguardoso* con *in-* negat.

**irriguo,** dal lat. *irriguus,* deriv. da *irrigare* per mezzo del suff. *-ŭus* secondo il modello di *adsìdŭus* rispetto a *adsidere, exigŭus* rispetto a *exigĕre* ecc.

**irrilevante,** da *rilevante* con *in-* privat.

**irrimediàbile,** dal lat. *irremediabìlis,* incr. con it. *rimediare.*

**irripetìbile,** dall'agg. verb. di *ripètere* con *in-* negat.

**irriproducìbile,** da *ri-* ripetitivo e *producìbile* con *in-* privat.

**irrisione,** dal lat. *irrisio, -onis,* nome d'azione da *irridēre.*

**irrisolvìbile,** da *risolvibile* con *in-* privat.

**irrisore,** dal lat. *irrisor, -oris,* nome d'agente di *irridēre.*

**irrisorio,** dal lat. tardo *irrisorius.*

**irritàbile,** dal lat. *irritabìlis,* agg. verb. di *irritare.*

**irritabilità,** dal lat. tardo *irritabìlitas, -atis.*

**irritamento,** dal lat. *irritamentum.*

**irritare,** dal lat. *irrītare* 'eccitare', verbo privo di connessioni attendibili, a meno che non si stabilisca un collegamento con *rītus:* 'provocare' sarebbe allora definito come « andare contro i riti ».

**irritazione,** dal lat. *irritatio, -onis.*

**ìrrito,** dal lat. *irrĭtus* 'che non conta' comp. di *in-* negat. e *rătus* (part. pass. di *reri* 'contare',

'calcolare', dalla rad. RĒ) con norm. passaggio di *-ă-* in *-ĭ-* in sill. interna aperta. La rad. RĒ è sicuram. ideur. ma non ha attestazioni evidenti fuori del lat.; cfr. RAGIONE e RATO.

**irrobustire,** verbo denom. da *robusto* con *in-* illativo.

**irrogare,** dal lat. *irrogare,* comp. di *rogare* 'chiedere' con *in-* illativo, 'proporre al popolo'.

**irrogazione,** dal lat. *irrogatio, -onis.*

**irrómpere,** dal lat. *irrumpĕre,* incr. con *rómpere.* Lat. *irrumpĕre* è *rumpĕre* con *in-* illativo e intens., propr. 'forzare un ingresso'.

**irrorare,** dal lat. *irrorare,* comp. di *in-* illativo e *rorare* « bagnar di rugiada », verbo denom. da *ros, roris;* v. ROSMARINO.

**irrorazione,** dal lat. tardo *irroratio, -onis.*

**irruente,** dal lat. *irruens, -entis,* part. pres. di *irruĕre,* comp. di *ruĕre* con *in-* intens., 'precipitarsi'; v. ROVINA.

**irruvidire,** verbo denom. da *rùvido* con *in-* illativo.

**irruzione,** dal lat. *irruptio, -onis,* nome d'azione di *irrumpĕre.*

**irsuto,** dal lat. *hirsutus,* agg. deriv. da *\*hirsu* come *astutus, cornutus* da *astu, cornu.* Le connessioni con *hirtus, -a, -um* 'peloso' e *hispĭdus,* per quanto favorite dal signif., non sono evidenti; v. IRTO e ISPIDO. Per un incrocio con *pectus* v. PETTORUTO.

**irto,** dal lat. *hirtus* 'dai peli duri', senza chiare connessioni ideur.: da un preced. *\*hirstus,* v. IRSUTO oppure da *\*hiru;* v. IRUDINICOLTURA.

**irudinicoltura** 'allevamento di sanguisughe', dall'it. *coltura* con il lat. *hirudo, -ĭnis,* privo di connessioni attendibili, ma interpretabile forse come « la pungente », in relaz. a un *\*hiru* 'punta' da *hirtus* 'dai peli duri', come *testudo* 'testuggine' in relazione a *testu* 'coperchio' e cioè « la coprente ».

**isabella,** dal frc. *isabelle* (XVIII sec.).

**isagoge,** dal lat. tardo *isagōge,* che è dal gr. *eisagōgḗ* 'introduzione'.

**isagògico,** dal lat. tardo *isagogĭcus,* che è dal gr. *eisagōgikós* 'introduttivo'.

**isba,** dal russo *izba.*

**ischia** 'isoletta' (arc.) oggi nome loc., lat. *insŭla.* La parola lat. è forse il dimin. di un tema mediterr. NASA, ṆSA, cfr. gr. dor. *nâsos* 'isola'.

**ischiàdico** e **ischiàtico,** dal lat. *ischiadĭcus,* che è dal gr. *iskhiadikós* (da *iskhiás, -ádos* 'sciatica'), incr. in parte col suff. it. *-àtico.*

**ischialgìa,** da *ischio²* (osso del femore) e *-algìa.*

**ischio¹,** lat. volg. *\*iscŭlus,* variante di *aescŭlus;* cfr. ESCHIO.

**ischio²,** dal gr. *iskhíon.*

**iscrìvere,** dal lat. *inscribĕre,* comp. di *scribĕre* con *in-* illativo; cfr. INSCRÌVERE.

**iscrizione,** dal lat. *inscriptio, -onis,* nome d'azione di *inscribĕre.*

**islàm,** dall'ar. *islām* « l'abbandonarsi (alla volontà divina) ».

**-ismo,** dal lat. *-ismus,* che è dal gr. *-ismós.*

**iso-,** dal gr. *ísos* 'uguale'.

**isòbaro** e **isobàrico,** da *iso-* e *báros* 'peso'.

**isòbato,** da *iso-* e gr. *báthos* 'profondità'.

**isochimena,** comp. di *iso-* e del gr. *kheimaínō* 'sono esposto al freddo invernale', propr. « (linea) di ugual freddo ».

**isòcrono**, da *iso-* e gr. *khrónos* 'tempo'.

**isòfono**, da *iso-* e *-fono*.

**isoglossa**, da *iso-* e gr. *glôssa* 'lingua'.

**isoìpsa**, da *iso-* e gr. *hýpsos* 'altezza', con desinenza femm. perché si sottintende 'linea'.

**ìsola**, dal lat. *insŭla*; v. ISCHIA.

**isolano**, dal lat. *insulanus*.

**isolare**, verbo denom. da *isola*.

**isolazionismo**, dall'ingl. d'America *isolationism*, deriv. dall'ingl. *isolation* 'isolamento'.

**isomerìa**, astr. di *isòmero*.

**isòmero**, comp. di *iso-* e *-mero* 'parte' e cioè « partecipe di uguali proprietà ».

**isometria**, dal gr. *isometría*, comp. di *ísos* 'uguale' e *-metría*, astr. di *métron* 'misura'.

**isomorfo**, comp. di *iso-* e *-morfo*.

**isonomìa**, dal gr. *isonomía*, comp. di *ísos* 'uguale' e *-nomia*, astr. di *nómos* 'legge'.

**isòscele**, dal lat. tardo *isoscĕles*, che è dal gr. *iso-skelés*, comp. di *ísos* 'uguale' e *skélos* 'gamba'.

**isosillabìco**, da *iso-* e *sìllaba* col suff. di agg. *-ico*.

**isotèrm(ic)o**, da *iso-* e *-termo*.

**isòtero**, da *iso-* e gr. *théros* 'stagione calda'.

**isòtopo**, da *iso-* e gr. *tópos* 'luogo'.

**isòtropo**, comp. di *iso-* e *-tropo*.

**isòtteri**, comp. di *iso-* e gr. *pterón* 'ala'.

**ispàn(ic)o**, dal lat. *Hispanus*, *Hispanĭcus*.

**ispessire**, verbo denom. da *spesso* con *in-* illativo.

**ispettivo**, dal lat. tardo *inspectivus*.

**ispettore**, dal lat. *inspector*, *-oris*, nome d'agente di *inspicĕre*, comp. di *in-* e *-specĕre*; v. SPETTARE.

**ispezione**, dal lat. *inspectio*, *-onis*, nome d'azione di *inspicĕre*.

**ispido**, dal lat. *hispĭdus*, privo di connessioni evidenti, forse da un *\*hirspĭdus*, incr. di *\*hirsu* (v. IRSUTO) con un verbo *\*hirpere* v. IRCO collegato con *hirpex* (v. ÉRPICE) e col suff. aggettivale *-ĭdus*.

**ispirare**, dal lat. *inspirare*, comp. di *spirare* con *in-* illativo.

**ispiratore**, dal lat. tardo *inspirator*, *-oris*.

**ispirazione**, dal lat. tardo *inspiratio*, *-onis*.

**issa¹** 'adesso', dal lat. *ipsa (hora)*; cfr. invece ESSA, lat. *ipsa*.

**issa²** 'suvvia', seconda pers. dell'imperat. di *issare*.

**issare**, dal frc. *hisser*, ol. *hijsen*.

**issopo**, dal lat. *hyssōpum*, che è dal gr. *hýssōpon*; cfr. ebr. *ēzōb*.

**istallare**, v. INSTALLARE.

**istantaneo**, da *istante* incr. con *momentaneo*.

**istante¹** 'attimo', dal lat. *instans*, *-antis*, forma sostantiv. del part. pres. neutro di *instare* 'incalzare', comp. di *stare* e *in-* illativo-intens.

**istante²** 'che chiede', incr. di lat. *instans* 'chi incalza' e *istanza*.

**istanza**, dal lat. *instantia* 'insistenza'.

**istèrico**, dal lat. *hysterĭcus*, che è dal gr. *hysteri-kós*, da *hystéra* 'utero'.

**isterilire**, verbo denom. da *sterile* con *i(n)-* illativo.

**istigare**, dal lat. *instigare*, intens. di un ant. *\*instin-gĕre* 'pungere'; v. ISTINTO.

**istigatore**, dal lat. *instigator*, *-oris*.

**istigazione**, dal lat. *instigatio*, *-onis*.

**istillare**, v. INSTILLARE.

**istimare**, variante di *(e)stimare* sopravv. nel comp. *(dis)istimare*, lat. *aestimare*; v. STIMARE.

**istinto**, dal lat. *instinctus*, *-us* 'stimolo', astr. di *\*instingĕre* 'eccitare', comp. di *in-* illativo e *\*stingĕre*, paragonab. approssimativamente al gr. *stizō* 'pungo', con infisso nasale.

**istituendo**, dal lat. *instituendus*, part. fut. passivo di *instituĕre*.

**istituire**, dal lat. *instituĕre*, passato alla coniugaz. in *-i-*, cfr. *restituire*, *costituire*, comp. di *statuĕre* con *in-* illativo-intens. e norm. passaggio di *-ă-* a *-ĭ-* in sill. interna aperta.

**istituto**, dal lat. *institutum* part. pass. di *instituĕre*, sostantiv.

**istitutore**, dal lat. *institutor*, *-oris*, nome d'agente di *instituĕre*: 'fondatore'.

**istituzione**, dal lat. *institutio*, *-onis*, nome d'azione di *instituĕre*.

**ìstmico**, dal lat. *isthmĭcus*, che è dal gr. *isthmikós*.

**istmo**, dal lat. *isthmus*, che è dal gr. *isthmós*.

**istologìa**, dal gr. *histós* 'tessuto' e *-logìa*.

**istoria**, dal lat. *historia*, che è dal gr. *historía*.

**istoriare**, verbo denom. da *istoria*, nel senso di « fornire di storie (figurate) ».

**istradare**, verbo denom. da *strada* con *i(n)-* illativo.

**ìstrice**, dal lat. *hystrix*, *-icis*, che è dal gr. *hýstriks*, *-ikhos*, comp. di *\*ud-* 'in alto' e *thríks* 'pelo': « dal pelo eretto ».

**istrione**, dal lat. *histrio*, *-onis*, deriv. secondo la tradiz. ant. da un etrusco *hister*.

**istriònico**, dal lat. *histrionĭcus*.

**istruire**, dal lat. *instruĕre*, comp. di *struĕre* con *in-* illativo-intens., passato alla coniugaz. in *-i-*; v. COSTRUIRE.

**istrumento**, dal lat. *instrumentum*; cfr. STRUMENTO.

**istruttivo**, da *istrutto* col suff. attivo e durativo *-ivo*; cfr. *costruttivo*.

**istrutto**, dal lat. *instructus*, part. pass. di *instruĕre*, che soppianta *\*instrutus*, legato al pres. *struo*, secondo il modello di *fructus* rispetto a *fruor*; cfr. FLUTTO.

**istruttore**, dal lat. *instructor*, *-oris*, nome d'agente di *instruĕre*, tratto dal part. pass. *instructus*; v. ISTRUTTO.

**istruttoria**, da *(fase) istruttoria*.

**istruzione**, dal lat. *instructio*, *-onis*, nome d'azione di *instruĕre*.

**istupidire**, verbo denom. da *stùpido*, con *i(n)-* illativo.

**itacismo**, dal gr. *êta*, nome della settima lettera dell'alfabeto greco (= E lunga) letta modernamente *ita*. Il suff. è dall'incrocio con *(sole)cismo* (v.), cfr. ETACISMO.

**itàlico** e **ìtalo**, dal lat. *italĭcus* e *itălus*. Da una forma orig. *\*Vitlo-*, nome di un popolo della Calabria preistorica, che aveva per totem un vitello: esteso poi progressivamente verso settentrione, fino a comprendere l'Italia intera. La parola con i suoi derivati è arrivata in lat. attrav. una intermediazione greca, che ha eliminato il *v-* iniz.

**iter**, dal lat. *iter*, *itinĕris* 'viaggio', derivaz. antichissima della rad. EI/I con il tema alternante *iter/iten*, sopravv. nelle aree tocaria e ittita; v. IRE e GIRE.

**iterare**, dal lat. *iterare*, verbo denom. da un tema *\*itĕro-* sopravv. nell'avv. *itĕrum* 'per la seconda volta'. Questo corrisponde al neutro di un agg. che indica l'« opposizione fra due »; deriv. dal tema del dim. *i-* col suff. compar. *-tero-*, secondo un procedim. sopravv., oltre che in lat., solo in sanscrito. È parola ideur. marginale, in opposizione a quella di tipo centrale *etero-*, attestata nelle aree iranica, slava, umbra, per la quale v. ECCÈTERA.

**iterativo,** dal lat. tardo *iterativus.*

**iterazione,** dal lat. *iteratio, -onis.*

**itinerante,** dal lat. *itinerans, -antis,* part. pres. di *itinerari,* verbo denom. da *iter, itinĕris.*

**itinerario,** dal lat. *itinerarius* (agg.), *itinerarium* (sost.).

**ittèrico,** dal lat. *icterĭcus,* che è dal gr. *ikterikós.*

**ìttero,** dal lat. *ictĕrus,* che è dal gr. *ìkteros* ' itterizia '.

**ittico,** dal gr. *ikhthuïkós,* deriv. di *ikhthýs* ' pesce '.

**ittio-,** dal tema *itti-* del gr. *ikhthýs* con la voc. *-o-* di collegamento.

**ittiòfago,** da *ittio-* e *-fago.*

**ittiologìa,** da *ittio-* e *-logìa.*

**ittiosauro,** da *ittio-* e *sauro²*.

**iucca,** dallo sp. *yuca,* di orig. americana (forse aruaca).

**iùgero,** dal lat. *iugĕrum,* deriv. da *iugĕra,* plur. di un ant. *iugus, -ĕris,* identico al gr. *zeûgos;* cfr. *iugum,* v. GIOGO.

**iugulare¹** (agg.), deriv. in *-are* di lat. *iugŭlum* ' gola ', ' collo '; cfr. GIUGULARE.

**iugulare²** (verbo), dal lat. *iugulare,* verbo denom. da *iugŭlum.*

**iunior(e),** dal lat. *iunior,* forma alternante in *iū(n)-* rispetto a *iuvĕ(nis),* v. GIOVANE, cfr. GIUNÒNICO, GIUNIORE.

**iussivo** ' imperativo ', cfr. FIDEIUSSIONE.

**iuta,** dall'ingl. *jute* e questo dal bengalese *jhuto.*

**ivi,** dal lat. *ibi,* da un ant. *\*IDHI,* diventato *ibi* anziché *\*idi* sotto l'influenza di *ubi;* cfr. VI. Il tema è quello del dimostr. element. *is* per cui v. ESTO.

**izza,** incr. tra *ira* e *stizza,* cfr. AIZZARE.

# J

**jolly** (pron. *giolli*), dall'ingl. *jolly* (*joker*) « allegro (giocatore) ».

# L

**la¹** (articolo e pron. atono), lat. *illa* (femm. di *ille*), *illam*.

**la²** (nota musicale), dalla prima sill. del sesto emistichio (*labii reatum*) dell'inno a S. Giovanni, secondo il procedim. di Guido d'Arezzo.

**là**, lat. *illac*, da *illā*, forma di abl. femm. irrigidita con signif. avv. e con l'elemento rideterminante -*c*, v. QUI.

**labarda**, da una diversa analisi di *l'alabarda* (v.) mutata in *la labarda*.

**làbaro**, dal lat. *labārum* 'stendardo', senza connessioni evidenti.

**labbia**, lat. volg. *\*labja*, class. lat. *labĭa* plur. collettivo di *labium* 'labbro' con norm. raddopp. del gruppo *bja* in *bbja* dopo l'accento.

**labbro**, da *labbra*, lat. class. *labra*, -*orum*, di lontane orig. onomatop. e connessioni vaghe nell'area germanica.

**labe**, dal lat. *labes*, -*is*, astr. di *labi* 'scivolare, crollare', connesso con lat. *labor* (v. LAVORO); per event. connessioni fuori d'Italia, v. LAVA.

**labiale**, dal lat. scient. *labialis*, che è da *labium* col suff. -*alis*.

**labiato**, dal lat. scient. *labiatus* « fornito di labbra ».

**làbile**, dal lat. tardo *labĭlis* 'caduco', agg. verb. di *labi* 'cadere'.

**labiovelare**, da *labia(le)-velare*.

**labirinto**, dal lat. *labyrinthus*, che è dal gr. *labýrinthos*, parola mediterr.

**laboratorio**, dal lat. medv. *laboratorium*, che è da *laborare* 'lavorare'.

**laboriosità**, dal lat. tardo *laboriosĭtas*, -*atis*.

**laborioso**, dal lat. *laboriosus*.

**laborismo, laborista**, v. LABUR-ISMO ecc.

**labrònico**, da un toponimo lat. *Labro*, -*onis*, localizzato in modo malcerto con Livorno, forse Castiglioncello.

**laburismo**, dall'ingl. *labourism*, deriv. di *labour* 'lavoro'.

**laburista**, dall'ingl. *labourist*.

**laburno**, dal lat. *laburnum*, privo di connessioni evidenti, tema prob. mediterr.; cfr. AVORNIO e LAMBRUSCO.

**lacca¹** (gomma), dal lat. medv. *lacca* (indostano *lākh*).

**lacca²** (forma di terreno), da un tema mediterr. LACCA, da cui, incr. con *lacus* (v. LAGO), è derivato il lat. tardo *laccus* 'fossa, cisterna'.

**lacca³**, dal lat. tardo *lacca* 'tumore alle gambe delle bestie da tiro', parola mediterr.

**laccamuffa**, dal ted. *Lackmus*, incr. con *muffa*.

**lacchè**, dal frc. *laquais*, che è dallo sp. *(a)lacayo*.

**lacchezzo**, incr. di *lacca¹* 'resina' con *leccare* e il suff. -*eggio*, assibilato, per tradiz. settentr., in -*ezzo*.

**laccio**, lat. volg. *\*lacjus*, class. *laqueus*, privo di connessioni, salvo forse con *lacĕre* 'attrarre' (v. ALLETTARE¹), con norm. rafforzam. del gruppo -*cj*- in -*ccj*-; cfr. LAZZO¹.

**lacco** 'avvallamento di terreno' (merid.), lat. tardo *laccus* 'fossa, cisterna', cfr. il nome locale *Lacco Ameno* (nell'isola di Ischia) che, col gr. *lákkos* 'fossa', mostra l'incrocio del tema ideur. LAK² (v. LAGO), col tema mediterr. LACCA (v. LACCA²).

**laceràbile**, dal lat. tardo *lacerabĭlis*.

**lacerare**, dal lat. *lacerare*, verbo denom. da un *\*lacus*, -*ĕris* che si comporta di fronte alla rad. LAK′ di *lacer* (v. LÀCERO) e di *la(n)c(inare)*, (v. LANCINANTE) come *\*tolus*, -*ĕris* (v. TOLLERARE), di fronte alla rad. TEL(Ā) di gr. *tálas*, -*antos* e di lat. *tollĕre* da *\*tol-nĕre*, v. TÒGLIERE.

**laceratore**, dal lat. tardo *lacerator*, -*oris*.

**lacerazione**, dal lat. *laceratio*, -*onis*.

**lacerna**, dal lat. *lacerna*, 'mantello a cappuccio', privo di connessioni evidenti.

**làcero**, dal lat. *lacer*, -*ĕra*, -*erum*, parola ideur. sicuramente arc., ma chiaram. connessa solo col gr. *lakís* 'strappo' e deriv.; cfr. *lac-erare*, v. LACERARE, LANCINANTE e cfr. LACINIA.

**lacerto**, dal lat. *lacertus* 'lucertola, muscolo', privo di connessioni evidenti.

**lacinia**, dal lat. *lacinia* 'brandello', prob. connesso con *lacer*.

**lacònico**, dal lat. *laconĭcus*, che è dal gr. *Lakōnikós*, da *Lákōn* 'spartano' e cioè da « chi è sobrio per eccellenza ».

**làcrima**, lat. *lacrĭma*, più ant. *lacrŭma*, ampliam. di *\*lacru*, connesso con la famiglia ideur. di DAKRU, largam. attestata (ma di tradiz. assai disturbata) oltre nel gr. *dákry* e nel ted. *Träne*, anche nelle aree indo-iranica, toscana, armena, baltica, celtica. L'iniz. *l*- per *d*- in lat. prova zelo verso i modelli sabini, cfr. LEVIRATO. LINGUA.

**lacrimàbile**, dal lat. *lacrimabĭlis*.

**lacrimare**, dal lat. *lacrimare*.

**lacrimatorio**, dal lat. tardo *lacrimatorius*.

**lacrimazione**, dal lat. *lacrimatio*, -*onis*.

**lacrimògeno**, da *lacrima* e -*geno*.

**lacrimoso**, dal lat. *lacrimosus*.

**lacuale**, dal lat. *lacus*, incr. col suff. it. -*ale*, v. LAGO.

**lacuna**, dal lat. *lacuna* 'mancanza', deriv. di *lacus*.

**lacunare**, dal lat. *lacunar*, forma neutra di un agg. *lacunaris*.

**lacunoso**, dal lat. *lacunosus*.

**lacustre**, dal lat. *lacus*, incr. con *palustre*.

**laddove**, da *là* e *dove*.

**ladino**[1] ' sciolto ', lat. *latinus* (con leniz. settentr. di *-t-* in *-d-*) in opposizione a ' barbaro ' o ' duro '.

**ladino**[2], dall'engandinese *ladin*, nome della parlata loc. in opposizione al ted.: lat. *latinus* con leniz. settentr. di *-t-* in *-d-*.

**ladrocinio**, dal lat. *latrocinium* (cfr. *patrocinium* rispetto a *pater*), astr. da *latro*, *-onis* e incr. con it. *ladro*.

**ladro(ne)**, lat. *latro*, *-onis* incr. di gr. *latreúō* ' sono servo ' e lat. *praedo*: con leniz. settentr.

**ladroneccio**, incr. di lat. *latrocinium* e it. *ladrone*, attrav. un intermedio *ladroneci(nio)*.

**ladrùncolo**, dal lat. *latruncŭlus*.

**lagena**, dal lat. *lagoena*, che è dal gr. *lágўnos*.

**laggiù**, da *là* e *giù*.

**lagna**, sost. deverb. da *lagnarsi*.

**lagnare**, lat. *laniare se* « graffiarsi (dal dolore) », privo di chiare connessioni ideur.

**lagno**[1] (lamento), sost. deverb. estr. da *lagnarsi*.

**lagno**[2] ' fossato ', tema mediterr. affine al tipo *(c)lanius* ' Chiana ' (v.).

**lago**, lat. *lacus* (con leniz. settentr. di *-c-* in *-g-*), parola ideur. da rad. LAK[2] di distrib. nordoccid., per es. nell'irland. *loch*, e nelle aree germ. e slava; incr. con forme mediterr. nel lat. *laccus*, v. LACCA[2].

**lagrima** e deriv., v. LACRIMA e deriv.

**laguna**, lat. *lacuna*, con leniz. settentr. (venez.) di *-c-* in *-g-*; cfr. LACUNA.

**lai**, dal frc. ant. *lai*, nome di componimenti lirici, col canto modulato su strumenti musicali: di orig. gallica.

**laicale**, dal lat. tardo *laicalis*.

**làico**, dal lat. tardo *laïcus*, che è dal gr. *laïkós* ' del popolo, profano ' in opposizione a *clerïcus*, dal gr. *klērikós* ' del clero '; v. CHIÈRICO.

**làido**, dal frc. ant. *laid*, che è dal franco *laid*.

**-lalia**, dal gr. *laléō* ' chiacchero, parlo ' con il suff. di astr. *-ia*.

**lallazione** ' balbettio degli infanti ', dal lat. *lallatio* *-onis*, che è da una serie onomat. *l*.... *l*.... nota anche nelle aree greca (*lálos* ' chiaccherone ') e baltica, cfr. LALÌA, LAMENTO, LATRARE.

**lama**[1] (metallica), dal frc. *lame* che è il lat. *lamĭna*.

**lama**[2] ' pantano ', lat. *lama*, parola mediterr., frequente anche nome loc.: Lama dei Peligni (Chieti), Lama Mocogno (Modena).

**lama**[3] (animale), dallo sp. *llama* e questo dalla lingua queciua del Perù.

**lama**[4], dal tibet. *(b)la-ma* ' maestro '.

**lamato**, calco sul frc. *lamé* ' laminato '.

**lambda**, dal gr. *lámbda*, che è dal fenicio *lamd*.

**lambdacismo**, dal lat. tardo *lambdacismus*, che è dal gr. *lambdakismós*, da *lambda* (undicesima lettera dell'alfabeto gr., equival. alla nostra *l*) incr. con *soloikismós*, v. SOLECISMO e cfr. ITACISMO e sim.

**lambello**, dal frc. ant. *la(m)bel* ' pezzo di stoffa ', che è dal franco *labba* ' stoffa pendente '.

**làmbere**, v. LAMBIRE.

**lambicco**, dall'ar. *al-ambīq*; cfr. ALAMBICCO.

**lambire**, dal lat. *lambĕre* (passato alla coniugaz. in *-i-*), da lontana formaz. onomatop. *l*.... *b*, abbastanza diffusa nel mondo ideur.

**lambretta**, da *Lambrate*, nei pressi di Milano, dove si trovano gli stabilimenti della ditta Innocenti.

**lambrusca**, lat. *la(m)brusca (vitis)*; v. LAMBRUSCO.

**lambrusco**, lat. *labruscum*, frutto della *la(m)brusca*, incr. con la forma nasalizzata e con qualche vago rapporto con *laburnum* (v. LABURNO), di prob. ascendenza mediterr.

**lamella**, dal lat. *lamella*, dimin. di *lamĭna*; v. LÀMINA.

**lamellato**, dal lat. tardo *lamellatus*.

**lamellibranchi**, dal lat. *lamella* e gr. *brankhia*, neutro plur. ' branchie '.

**lamellicorni**, da lat. *lamella* e *cornu*.

**lamellirostri**, da lat. *lamella* e *rostrum* ' becco '.

**lamentàbile**, dal lat. *lamentabĭlis*.

**lamentare**, lat. tardo *lamentare*, class. *lamentari*, verbo denom. da *lamentum*.

**lamentatore**, dal lat. tardo *lamentator*, *-oris*.

**lamentazione**, dal lat. *lamentatio*, *-onis*.

**lamentela**, da *lamento* col suff. *-ela* di lat. *cautela*, *tutela* ecc.

**lamento**, dal lat. *lāmentum*, privo di sicure connessioni fuori del lat., in qualche connessione forse con *lātrare* ' abbaiare ', da una comune rad. LĀ ' gridare ', di chiara origine onomat., cfr. LALLAZIONE.

**lamentoso**, dal lat. tardo *lamentosus*.

**lamia**[1] (mostro e pesce), dal lat. *Lamia*, che è dal gr. *Lámia*.

**lamia**[2] (copertura), dal gr. tardo *lámia* (neutro plur.) ' aperture profonde '.

**lamicare** ' piovigginare ', lat. volg. *lambicare* iterat. di *lambĕre*, trasmesso per mezzo di trad. centro merid. che muta *mb* in *(m)m*.

**lamiera**, da LAMA[1].

**làmina**, dal lat. *lam(m)ĭna*, privo di connessioni ideur.

**laminoso**, dal lat. tardo *laminosus*.

**lampa**, dal frc. *lampe*.

**làmpada**, dal lat. *lampas*, *-ădis*, che è dal gr. *lampás*, *-ádos*, passato alla declinaz. in *-a*.

**lampadoforìa**, dal gr. *lampadophoría*, comp. di *lampás*, *-ádos* e *-phoría*, astr. di *phoréō*.

**làmpana**, variante tosc. di *làmpada*; cfr. ALLAMPANATO.

**lampante**, dal provz. *lampan* ' splendente '.

**lampara**, da *lampa(da)ra*.

**lampare** (arc.), lat. tardo *lampare* dal gr. *lámpō* ' splendo '.

**lampassato** ' con la lingua penzoloni ', dal frc. *lampassé*.

**lampeggiare**, verbo denom. iterat. di *lampo*.

**lampione**, da *lampa*, con una formaz. simile a un nome d'agente, come *campione* rispetto a *campo*.

**lampìridi**, dal lat. *lampyris*, *-ĭdis* ' lucciola ' che è dal gr. *lampyrís*, *-ídos*.

**lampista**, dal frc. *lampiste*.

**lampo**, sost. deverb. da *lampare*.

**lampone**, da una forma settentr. *l'ampon* con l'art. innestato e la voc. finale restituita: da un tipo mediterr. AMPOMA.

**lampreda**, lat. tardo *lampraeda*, privo di connessioni evidenti.

**lana**, lat. *lana*, antichissima parola ideur., di diffusione generale e regolare: forma primitiva WĻNĀ, attestata tale e quale nelle aree indo-iranica, slava, baltica (lit. *vilna*), germanica (ted. *Wolle*). Più lontana è la parentela generale, nell'àmbito della rad. WELĒ ' strappare ' con le parole del tipo lat. *vellus* (v. VELLO). Lat. *lana* ci porta a un'età così antica che la lana « non si tosava » ancora, per mancanza di strum. da taglio adatti, ma solo si « strappava ».

**lanca,** lat. volg. *\*lanca*, parola mediterr., col valore di ' ansa di un fiume '.

**lance** ' piatto della bilancia ', dal lat. *lanx lancis*, parola mediterr. di struttura parallela a *calx calcis* ' tallone '.

**lanceolato,** dal lat. tardo *lanceolatus* « fornito di *lanceŏlae* » e cioè di piccole lance; v. LANCIA.

**lancia,** lat. *lancea*, di orig. forse gallica.

**lanciabombe,** da *lancia(re)* e *bomba*.

**lanciafiamme,** da *lancia(re)* e *fiamma*.

**lanciarazzo,** da *lancia(re)* e *razzo*.

**lanciare,** lat. tardo *lanceare* ' vibrare la lancia ', verbo denom. da *lancea*.

**lanciasàgola,** da *lancia(re)* e *sàgola*.

**lanciasiluri,** da *lancia(re)* e *siluro*.

**lanciere,** da *lancia*, col suff. *-iere*, proprio delle specialità militari (per es. *bersagliere*).

**lancinante,** dal lat. *lancĭnans, -antis*, part. pres. di *lancinare* ' lacerare ', forma, con infisso nasale, della stessa rad. di *lacer* (v. LÀCERO), e un ampliam. con un suff. *-no*: perciò si ha tra *lancĭno* e *lacĕro*, (v. LACERARE), lo stesso rapporto che fra *tol-no* (*tollo*) e *tolĕro* attrav. i temi *\*lacus, -ĕris* e *\*tolus, -ĕris* che essi rispettivamente presuppongono.

**lancio,** sost. deverb. da *lanciare*.

**landa,** dal provz. *landa* e questo da un tema celto-germ. *\*lando*, risal. forse alla civiltà dei bicchieri campaniformi, del III millennio a. C., proveniente dall'Iberia.

**landò,** dal frc. *landau* e questo dalla città ted. di *Landau* nel Palatinato bavarese da dove si diffusero queste vetture.

**landra,** dall'alto ted. medio *landern* ' vagabondare ': « vagabonda ».

**landrone,** da *landra*: « vagabondone ».

**langosta,** dal prov. *langosta* risal. a lat. *locusta*.

**langravio,** dal lat. medv. *landgravius* ' conte territoriale ', comp. di alto ted. ant. *lant* ' territorio ' (v. LANDA) e *grāvo* ' conte '; cfr. MARGRAVIO.

**lànguido,** dal lat. *languĭdus*.

**languire,** dal lat. *languere* (pass. alla coniugaz. in *-i-*), che è collegato con *laxus* ' rilassato ', v. LASCIARE.

**languore,** dal lat. *languor, -oris*.

**lanifero,** dal lat. *lanĭfer, -ĕri*.

**lanificio,** dal lat. *lanificium*.

**lanìgero,** dal lat. *lanĭger*, comp. di *lana* e *-ger, -gĕri* ' portatore ', tema di nome d'agente del verbo *gerĕre*; v. GERENTE e GESTO.

**lanista,** dal lat. *lanista*, che è, secondo ant. tradiz. di orig. etrusca.

**lanosità,** dal lat. tardo *lanosĭtas, -atis*.

**lanoso,** dal lat. *lanosus*.

**lantana** ' viburno ', incr. di lat. *\*lentago, -ĭnis*, da *lentus* ' pieghevole ' con *aln(e)tana*, femm. di *alnetanus* « appartenente a una macchia di ontani ».

**lanterna,** lat. *lanterna*, dal gr. *lamptḗr*, incr. con *lucerna*.

**lanùgine,** dal lat. *lanugo, -igĭnis*, der. da *lana* sul modello di *ferrugo, -ĭnis*, rispetto a *ferrum*.

**lanuginoso,** dal lat. *lanuginosus*.

**lanzichenecco,** dal ted. *Landsknecht* « servo (*Knecht*) del paese (*Land*) ».

**lanzo,** estr. da *lanz(ichenecco)*.

**laonde,** da *là* e *onde*.

**lapalissiano,** dal nome di J. de La Palisse (m. 1525), in onore del quale dopo morto i soldati cantarono una ingenua strofetta.

**laparo-,** dal gr. *lapára* ' addome '.

**laparotomìa,** da *laparo-* e *-tomìa*.

**lapazio,** dal lat. *lapathium*, dimin. di *lapăthum*, che è dal gr. *lápathon*.

**lapicida,** dal lat. *lapi(di)cida*, comp. di *lapid-* ' pietra ' e *-cida* ' tagliatore '.

**lapidare,** dal lat. *lapidare*, verbo denom. da *lapis, -ĭdis* ' pietra '.

**lapidario,** dal lat. *lapidarius*.

**lapidatore,** dal lat. *lapidator, -oris*.

**lapidazione,** dal lat. *lapidatio, -onis*.

**làpide,** lat. *lapis, -ĭdis*, privo di connessioni fuori del lat.

**lapìdeo,** dal lat. *lapidĕus*.

**lapidescente,** dal lat. *lapidescens, -entis*.

**lapidoso,** dal lat. *lapidosus*.

**lapillo,** dal lat. *lapillus*, dimin. di *lapis, -ĭdis* ' pietra '.

**lapis,** dal lat. *lapis* (sott. *aematitis*), cfr. MATITA.

**lapislàzzuli** e **lapislàzzoli,** dal lat. medv. *lapis làzuli* ' pietra di *làzulum* ' dall'ar. *lāzuward* ' lapislazzuli '; cfr. AZZURRO.

**lappa** ' bardana ', lat. sc. *arctium lappa* (pianta), lat. tardo *lappa*, parola mediterr.

**lappare** ' bere con avidità ', lat. volg. *\*lappare*, verbo denom. da *lappa*, nome di pianta le cui brattee uncinate si attaccano tenacemente al vello degli animali e alle vesti.

**làppola,** dal lat. *lappa*, parola mediterr.

**lapsus,** dal lat. *lapsus, -us* ' caduta ', astr. di *labi*; v. LABE e cfr. COLLASSO.

**laqueario** ' gladiatore armato di laccio ', dal lat. *laquearius*, der. di *laqueus*, v. LACCIO.

**larario,** dal lat. *lararium*, da *Lar*; v. LARE.

**lardo,** lat. *larĭdum, lardum*, privo di connessioni ideur.

**lare,** dal lat. *Lar, Laris*, privo di connessioni fuori d'Italia, attestato come nome personale in etrusco, ma, nel latino del « Carmen arvale », nella forma *Lases*.

**largire,** dal lat. *largiri*, verbo denom. da *largus*, come *blandiri* da *blandus*.

**largitore,** dal lat. *largĭtor, -oris*.

**largizione,** dal lat. *largitio, -onis*.

**largo,** lat. *largus*, privo di corrispond. ideur.

**lariano,** dal nome lat. del lago di Como *Larius*, col suff. it. *-ano*.

**làrice,** dal lat. *larix, -ĭcis*, privo di chiare corrispond.

**laringe,** dal gr. *lárynks, -yngos* ' laringe '.

**laringoiatr(ì)a,** da *laringe* e *-iatr(i)a*.

**laringoscopìa,** da *laringe* e *-scopia*.

**laringoscopio,** da *laringe* e *-scopio*.

**laringotomìa,** da *laringe* e *-tomìa*.

**laro** ' gabbiano ', dal lat. tardo *larus*, dal gr. *láros*.

**larva,** dal lat. *larva*, prob. deriv. di *Lar*; v. LARE.

**lasagna,** lat. volg. *\*lasanja*, deriv. da *lasānum* ' pentola ', che è dal gr. *lásanon* ' recipiente '.

**lasca,** dal gotico *\*aska* (ted. *Asche* ' cenere ') per il suo colore grigio, e con l'articolo assorbito da *l'asca*.

**lasciapassare**, da *lascia(re)* e *passare*.

**lasciare**, lat. *laxare* 'allargare, sciogliere', verbo denom. da *laxus* 'rilassato, disteso'. *Laxus* è forma desiderativa di una rad. (S)LĔG che, al grado norm., si trova nel gr. *lḗgō* 'io cesso' e, al grado ridotto, nelle aree germanica e celtica, oltre che nel lat. *languere* con infisso nasale; v. LANGUIRE.

**làscito**, estr. da *lasciato*, incr. con i tipi *bàttito*, *gèttito* (invece di ' battuto ', ' gettato ').

**lascivia**, dal lat. *lascivia*.

**lascivo**, dal lat. *lascivus* 'scherzoso, arrogante', ampliam. di una rad. LAS-K (attestata solo nell'area slava) come *nocivus* dalla rad. di *nocere*. Forme più semplici in LAS si trovano nelle aree greca (*lilaíomai*) e indiana col valore di ' desiderare '. Incr. in it., per il signif., con *lasciare*.

**laserpizio** (genere della famiglia Ombrellifere), dal lat. *lasserpicium*, che deriva da *lac serpicium* ' latte « serpicio » ' e quest'ultimo da lat. *sirpe* (ombrellifera), equival. di gr. *sílphion*.

**lassa**[1] ' guinzaglio ', sost. deverb. da *lassare*, incr. con *laccio*.

**lassa**[2] (strofa), dal frc. *laisse*, sost. deverb. da *laisser* ' lasciare '.

**lassare**, incr. di lat. *laxare* 'allargare ' (v. LASCIARE) e *lassare* ' stancare '; v. LASSO[2].

**lassativo**, dal lat. tardo *laxativus*.

**lassità**, dal lat. *laxĭtas*, *-atis*.

**lassismo**, dal lat. *laxus* ' largo, indulgente '.

**lassitùdine**, dal lat. *lassitudo*, *-ĭnis*, astr. di *lassus* ' stanco '.

**lasso**[1] (agg.), dal lat. *lassus* ' stanco ', part. pass. di una rad. LĔ-D (al grado ridotto), che ha paralleli nelle aree germanica e greca. Difficile è un rapporto con *laedo* (v. LEDERE), parallelo a quello di *cassus*, v. CASSO[2], rispetto a *caedo*. Per un amplam. in -N anziché in -D, v. LENE.

**lasso**[2] (agg.), ' allentato ' dal lat. *laxus*.

**lasso**[3] (sost.), dal lat. *lapsus*, *-us* ' scorrimento ', astr. di *labi*; v. LAPSUS.

**lassù**, da *là* e *su*.

**lastra**, lat. volg. *\*lastra*, parola mediterr.

**lastricare**, verbo denom. da *làstrico*.

**làstrico**, lat. medv. *àstracum*, dal gr. *óstrakon* ' coccio, conchiglia ', con cui si facevano i terrazzi; incr. con *lastra* e allineato con i tipi *càrico*, *mànico*.

**latebra**, dal lat. *latĕbra*, deriv. di *latere* ' star nascosto ' sotto l'influenza di *tenebrae*, v. TENEBRA, anche *latèbra*.

**latebroso**, dal lat. *latebrosus*.

**latente**, dal lat. *latens*, *-entis*, part. pres. di *latere* ' star nascosto ', che pare corrispondere, nonostante la cons. aspirata gr., al gr. *lanthánō* ' son nascosto ' da rad. LAT(H).

**laterale**, dal lat. *lateralis*, deriv. di *latus*, *-ĕris* ' lato ', v. LATO[1].

**làtere**, dal lat. *latĕre* ' dal lato '.

**laterizio**, dal lat. *latericius*, deriv. di *later*, *-ĕris* ' mattone ', privo di connessioni attendibili, forse da un tema mediterr. LATTA, v. LATTA[1].

**latero-** ' laterale ', dal lat. *latus*, *-ĕris*.

**làtice**, dal lat. *latex*, *-ĭcis*; v. LÀTTICE.

**laticlavio**, dal lat. *laticlavium*, neutro sostantiv. di *laticlavius* « colui che ha un largo (*latus*) nodo

di porpora (*clavus*) »; *clavus* è la stessa parola che significa ' chiodo ' (v.).

**latifondo**, dal lat. *latifundium* (comp. di *latus* ' ampio ' e *fundus* ' proprietà terriera ' col suff. aggettiv. *-ius*), incr. con it. *fondo*.

**latinità**, dal lat. *latinĭtas*, *-atis*.

**latinizzare**, dal lat. tardo *latinizare* ' tradurre in latino '.

**latino**, lat. *Latinus*, agg. di *Latium* ' Lazio ' in senso etnico.

**latitante**, dal lat. *latĭtans*, *-atis*, part. pres. di *latitare*, frequentativo di *latēre* ' star nascosto '; v. LATENTE.

**latitùdine**, dal lat. *latitudo*, *-ĭnis* ' larghezza ' astr. di *latus* ' largo '; v. LATO[2].

**lato**[1], dal lat. *latus* (gen. *latĕris*), che ha una forma parallela solo nell'area celtica, sia pure con diverso grado della rad. LĔT/LET (irl. *leth* ' lato ').

**lato**[2], dal lat. *lātus*, *-a*, *-um* ' largo ', prob. da un più ant. *\*stlātos* che trova un parallelo nell'area slava e risalirebbe perciò a una rad. STELĒ ' estendere '.

**latomìa**, dal gr. *latomía*, comp. di *lâs* ' pietra ' e *-tomía*, tema di astr. da *témnō* ' io taglio ': « cava di pietra ».

**latore**, dal lat. *lator*, *-oris*, nome d'agente appartenente al sistema di *ferre* ' portare ' e risal. a un tema di agg. verb. *latus*, più ant. *\*tlatos*, da una rad. TELĀ ' sollevare '; v. TÒGLIERE.

**-latra**, da *-latria* secondo il rapporto di *(ido)latra* rispetto a *(ido)latria*.

**latrare**, dal lat. *latrare*, forma di verbo denom. tratto da un tema risal. alla rad. LĀ ' gridare ', attestata nelle aree indiana, slava, baltica, albanese, cfr. LAMENTO, di lontane origini onomat.

**latrato**, dal lat. *latratus*, *-us*.

**latratore**, dal lat. *latrator*, *-oris*.

**latrìa**, dal lat. tardo *latrìa*, che è dal gr. *latreía* ' servitù, culto ', collegato a *latreúō* ' io servo '.

**latrina**, dal lat. *latrina*, deriv. da *\*lavatrina* e cioè da *lavare*; v. LAVARE.

**latrocinio**, dal lat. *latrocinium*, nome d'azione di *latrocinari*, che è a sua volta un denom. da *latro*, *-onis* ' ladro ', incr. con i tipi *tirocinium*, *tubicinium*.

**latta**[1] ' lamiera ', lat. volg. *\*latta*, tema mediterr., per indicare una superficie delimitata regolare, cfr. LATERIZIO.

**latta**[2], forse da *latta* intesa come ' cosa piatta '; cfr. *piattonata*.

**lattaio**, dal lat. tardo *lactarius*.

**lattante**, part. pres. di *lattare*, incr. con i temi in *-ante* come *bracciante*.

**lattare** (arc.), dal lat. *lactare*.

**lattasi**, da *latt(osio)* col suff. chimico *-asi*.

**latte**, lat. *lac*, *lactis*, parola ideur. ant. *\*(g)lac*, *(g)lactis*, sopravv. in modo chiaro solo in lat. e nel gr. *gála*, *gálaktos*; cfr. GALA-.

**lattemiele**, dal milan. *latimèl*, comp. di *latte* e di *miele*.

**làtteo**, dal lat. *lactĕus*.

**lattescente**, dal lat. *lactescens*, *-entis* « che si converte in latte », part. pres. di *lactescĕre*, incoat. di *lactēre*, a sua volta denom. da *lac*, *lactis*.

**làttice**, dal lat. *latex*, *-ĭcis* ' acqua corrente ', ' liquido ', incr. con *latte*. Lat. *latex* deriva forse dal gr. *látaks* ' resto di vino che si disperde nel gioco del cottabo', con scarsa evidenza però per quanto riguarda il signif.

**lattìfero,** dal lat. *lactìfer*, comp. di *lact-* ' latte ' e *-fer* ' portatore '.

**lattiginoso,** da un presunto *\*lattìgine* per dare l'imagine di qualcosa di piccolo e infinitamente ripetuto (cfr. *pruriginoso*, *fuligginoso* rispetto a *prurìgine*, *fulìggine*).

**lattone,** da *latta²*.

**lattoniere,** da *lattone*, forma accresc. settentr. di *latta¹*, con suff. di mestiere.

**lattonzo** e **lattonzolo,** incr. di *latte* e di *lonzo* (v.).

**lattovaro,** forma settentr. di *electuarius* (v. ELETTUARIO): *a*) con perdita della voc. iniz.; *b*) introduz. di *-v-* epentetica nella serie di voc. in iato *ua* come in *Genova* da *Genŭa*; *c*) incr. con *latte*; *d*) con suff. di derivaz. pure settentr. *-aro* (tosc. *-aio*).

**lattuga,** lat. *lactuca*, deriv. di *lac(t)are* ' gemer latte ' (cfr. *caducus*, deriv. di *cadĕre*) per l'umore che contiene; trasmesso con la leniz. settentr. di *-c-* in *-g-*; cfr. *festuca*, *\*fiducus*, v. FIDUCIA; *sambucus*, v. SAMBUCO¹.

**lauda,** dal lat. medv. plur. *laudes*.

**laudàbile,** dal lat. *laudabìlis*; cfr. LODÀBILE.

**làudano,** dal lat. rinascimentale *làudanum* (Paracelso), incr. di lat. *ladănum* ' resina del cistio ' (di orig. mediterr., come il gr. *lédanon* ' ragia ') e *laudare*.

**laudare,** dal lat. *laudare* verbo denom. da *laus*, *laudis*; v. LODE.

**laudario,** dal lat. medv. *laudarium*.

**laudativo,** dal lat. *laudativus*, cfr. LODATIVO.

**laudatore,** dal lat. *laudator*, *-oris*.

**laudatorio,** dal lat. tardo *laudatorius*.

**laude,** dal lat. *laus*, *laudis*; v. LODE.

**làurea,** dal lat. *(corona) laurea* ' (corona) di alloro '.

**laurenziano,** dal lat. *Laurentius* col suff. it. *-ano*.

**làureo,** dal lat. *laurĕus*.

**lauretano,** dal nome latinizzato di Loreto (*Lauretum*) col suff. *-ano*.

**laureto,** dal lat. *lauretum*, collettivo di *laurus*.

**lauro,** dal lat. *laurus* (cfr. ALLORO), parola di orig. mediterr.

**lausdeo,** dal lat. *laus Deo* ' lode a Dio '.

**lauto,** dal lat. *lautus*, propr. ' pulito ', part. pass. di *lavĕre* ' lavare ', v. LOZIONE.

**lava,** dal napoletano *lava*, lat. *labēs* ' caduta ', astr. di *labare* ' scivolare ', der. di *labi* (v. LABE), con connessioni sia pure imprecise nelle aree germanica, baltica, slava, indiana; cfr. LAVINA, LAVORARE, VALANGA.

**lavabo,** dal lat. *lavabo*, fut. del verbo *lavare*: ' io laverò '; v. LAVARE.

**lavacchio** ' guazzo sparso per terra ', lat. *lavacrum* incr. con lat. tardo *lacŭlus*, dimin. di *lacus*.

**lavacro,** dal lat. tardo *lavacrum*, nome di strum. di *lavare* da più ant. *\*lava-klo-* con dissimilaz. da *l.... l.... l.... r*.

**lavaggio,** dal frc. *lavage*.

**lavagna,** da Lavagna comune della Liguria orientale (ant. *Levannia*) dove sono le principali cave.

**lavanda,** dal lat. *lavanda*, femm. sostantiv. di *lavandus*, part. fut. passivo di *lavare*.

**lavandaio,** lat. *lavanda* ' le cose da lavare ', col suff. tosc. di mestiere *-aio*.

**lavandino,** da *lavanda* nel senso di ' lavatura ' col suff. *-ino* di strum. (non di dimin.).

**lavare,** lat. *lavare*, verbo durativo e intrans., dal trans. *lavĕre*, parola ideur. popolare, di distribuzione occidentale fino alle aree germanica, greca (gr. *lúō*) e armena, da una rad. LEU e varianti.

**lavativo,** dal frc. *lavatif* (XVI sec.).

**lavatoio,** lat. tardo *lavatorium*, con trattam. tosc. di *-oriu* in *-oio*.

**laveggio,** lat. volg. *\*lapidjum* « (vaso) di pietra » dall'agg. class. *lapidĕus* ' di pietra ', trasmesso con leniz. settentr. di *-p-* in *-v-* e il trattam. di *-djo-* come in *mòggio* da *modius*; forse attrav. il milan. *laveesc*; cfr. LAPÌDEO.

**lavello,** lat. *labellum*, dimin. di *labrum*, forma abbreviata di *lavabrum* ' strumento per lavare ' e cioè ' catino '.

**lavezzo,** lat. volg. *\*lapidjum* (v. LAVEGGIO), con *-djo-* trattato come in *mèzzo* da *\*medjum*; forse attrav. il veneto *lavezo*.

**lavina,** lat. tardo *labina* ' appezzamento di terreno che scivola ' da *labi* ' cadere ' come *ruina* da *ruĕre*; cfr. LAVA e SLAVINA.

**lavorare,** lat. *laborare*, verbo denom. da *labor* ' fatica, pena ', forse astr. di *labi* ' scivolare, cadere ' (v. LAVA), e cioè « l'atteggiamento di chi (lavorando) è (curvo) come chi scivola o cade ».

**lavoro,** sost. deverb. estr. da *lavorare*.

**laziale,** dal lat. *latialis*, che è da *Latium* (in senso geogr.).

**lazzaretto** e **lazzeretto,** incr. di (*S. Maria di*) *Nazarèth*, primo luogo di quarantena regolarm. stabilito (a Venezia), e *S. Lazzaro* patrono degli appestati. La forma in *-er-* è quella tosc. genuina.

**làzzaro** e **làzzero,** dallo sp. *lázaro* e questo dal *Lazzaro* biblico, infermo, piagato, davanti alla porta del ricco epulone.

**lazzeruolo,** dallo sp. *acerola* e questo dall'ar. *azzu'rūra*.

**lazzo¹** (con *-zz-* sonora), lat. *actio* ' atto ', incr. per la *-zz-* sonora con *razzo*, quasi « atto frizzante ».

**lazzo²** (con *-zz-* sorda) ' di sapore aspro ', lat. volg. *\*lactjus*, class. *lacteus*, v. LATTEO.

**le¹** (articolo plur. femm.), lat. *(il)lae*; v. IL.

**le²** (dat. del pron. femm. ' a lei '), lat. volg. *\*(il)lae* dativo analogico formato sul nom. *illa* al posto del class. maschile femm. *illi*, v. LEI.

**leale,** dal frc. ant. *leial*, lat. *legalis*.

**lealismo,** calco sul frc. *loyalisme*.

**leandro,** v. OLEANDRO.

**leardo,** dal frc. ant. *liard*.

**lebbio,** variante di *ebbio* (v.) con l'annessione dell'articolo determinativo *l'*.

**lebbra,** dal lat. *lepra*, incr. con *labbra*. Lat. *lepra* risale al gr. *lépra*, cfr. LEPRA.

**lebbroso,** dal lat. tardo *leprosus*, incr. con it. *lebbra*.

**lebete,** dal lat. *lebes*, *-etis*, che è dal gr. *lébēs*, *-ētos*.

**leccarda,** da *leccardo*, sostantiv. nella forma femm.

**leccardo,** da *leccare* col suff. spregiativo *-ardo* di *infingardo*, *beffardo*.

**leccare,** lat. volg. *\*ligicare*, intens. di class. *lingĕre*, importante parola ideur. del vocab. compatto, legata all'importanza dei sughi alcolici estratti dalle bacche, attestata quasi universalmente, p. es. gr. *leíkhō*, ted. *lecken*.

**leccio,** lat. *(quercus) (i)liceus*, agg. deriv. da *ilex*, *-ĭcis* ' leccio '; v. ELCE e cfr. ÌLICE.

**lecco,** sost. deverb. da *leccare*.

**lecconerìa,** incr. di *leccare* e *ghiottoneria*.

**leccornìa,** da *lecconerìa,* incr. col lat. tardo (glossarî) *gutturnia.*

**lece,** lat. *licet,* parola forse mediterr. sopravv. anche nella lingua osca, cfr. LICE.

**lecitina,** dal gr. *lékythos* ' ampolla, tuorlo ' col suff. *-ina* di prodotti chimici.

**lécito,** dal lat. *licĭtus,* part. pass. di *licere* ' esser lecito '; v. LECE.

**lèdere,** dal lat. *laedĕre,* senza corrispond. ideur. attendibili come nelle forme parallele *caedĕre* da rad. KAID, *taedet* da TAID. Per una variante LĒ-D, v. LASSO[1].

**lega[1]** (associazione), sost. deverb. da *legare.*

**lega[2]** (misura), dal provz. *lega,* lat. *leuga* di orig. gallica.

**legaccio,** incr. di *legare* e *laccio.*

**legale,** dal lat. *legalis,* deriv. di *lex* ' legge '.

**legalitario,** dal frc. *légalitaire,* incr. con it. *legale.*

**legalizzare,** dal frc. *légaliser.*

**legalizzazione,** dal frc. *légalisation.*

**legame,** dal lat. *ligamen, -ĭnis,* deriv. di *ligare*; v. LEGARE.

**legamento,** dal lat. *ligamentum,* incr. con it. *legare.*

**legante,** da *legare[1].*

**legare[1]** (unire), lat. *ligare,* forma durativa di un moment. *ligĕre,* sopravv. nel nome d'agente *lictor* ' littore ' v.; discend. dalla rad. LEIG, attestata solo nelle aree germanica e albanese.

**legare[2]** (delegare), dal lat. *legare,* verbo denom. da *lex, legis* ' legge '.

**legato[1],** part. pass. di *legare.*

**legato[2],** dal lat. *legatus.*

**legato[3]** (ereditario), dal lat. *legatum,* part. pass. sostantivato di *legare.*

**legatura,** dal lat. tardo *ligatura.*

**legazione,** dal lat. *legatio, -onis,* nome d'azione di *legare*; v. LEGARE[2].

**legge,** lat. *lex, legis,* parola ideur. arc., che definisce la ' legge religiosa ' e che, oltre che in latino, sopravvive solo nelle lingue indo-iraniche.

**leggenda,** dal lat. medv. *legenda,* forma femm. sostantiv. di *legendus,* part. fut. passivo di *legĕre* incr. con it. *lèggere.*

**lèggere,** lat. *legĕre* con norm. raddopp. della cons. postonica in parola sdrucciola. Parola ideur. col valore di ' raccogliere ' sopravv. solo in latino, greco (*légō*), albanese, da rad. LEG.

**leggero,** v. LEGGIERO.

**leggiadrìa,** dal provz. *leujairia* ' leggerezza ', dal lat. volg. *levjarius* col suff. di astr. in *-ia*; cfr. LEGGIERO.

**leggiadro,** estr. da *leggiadrìa.*

**leggibile,** dal lat. tardo *legibĭlis,* incr. con it. *lèggere.*

**leggiero,** dal frc. *legier,* lat. volg. *levjarius,* deriv. di *levis* ' lieve '.

**leggio,** dal gr. *logeîon* ' pulpito ', incr. con it. *lèggere.*

**legiferare,** dal frc. *légiférer,* deriv. dal lat. *legifer* ' legislatore ' comp. di *lex* e *-fer*: « portatore di leggi ».

**legionario,** dal lat. *legionarius.*

**legione,** dal lat. *legio, -onis,* astr. di *legĕre* ' raccogliere ', poi ' scégliere ' e perciò « scelta (di soldati) ».

**legislatore,** dal lat. *legislator, -oris* « proponitore *(lator)* di legge *(legis)* »; v. LATORE.

**legislatura,** calco sull'ingl. *legislature.*

**legislazione,** dal lat. tardo *legislatio, -onis.*

**legista,** dal lat. medv. *legista,* che è dal class. *lex, legis.*

**legìttimo,** lat. *legitĭmus* ' conforme alle leggi ', con norm. raddopp. della cons. postonica in parola sdrucciola. Il suff. *-tĭmus* di superl. indica « la massima vicinanza (cfr. *finitimus, optĭmus*; v. FINÌTIMO, ÒTTIMO) alla legge », rasentante la identità.

**legna,** lat. *ligna,* neutro plur. di *lignum*; v. LEGNO.

**legnaggio,** v. LIGNAGGIO.

**legname,** dal lat. *lignamen* ' armatura di legno '.

**legnàtico,** dal lat. medv. *lignàticum,* deriv. di *lignum* ' legno '.

**legno,** lat. *lignum* ' legna da ardere ', deriv. dalla rad. di *legĕre* ' raccogliere ' e cioè « raccolto ».

**legnoso,** dal lat. *lignosus,* incr. con it. *legno.*

**leguleio,** dal lat. *leguleius,* ampliam. di *lex, legis* con un dimin. (*-ul-*) e un ulteriore suff. non elogiativo (*-eius*).

**legume,** lat. *legūmen, -ĭnis* che presuppone un tema ideur., altrove perduto, *legu-,* come *volumen* rispetto a *volvo.* *Legu-* dovrebbe essere un ampliam. di *leg-* ' raccogliere '; v. LÈGGERE.

**lei,** lat. volg. *illaei,* forma secondaria di dat. femm. rifatta su *illae* (forma femm. analogica di fronte al class. *illi,* ritenuto erroneamente solo maschile, v. LE[2]) per analogia con *cui* e *illui*; v. LUI e cfr. COLEI.

**lella** ' enula campana ', lat. volg. *(il)la in(ŭ)la,* class. *illa inŭla,* v. ÈNULA, ÌNULA.

**lembo,** lat. *limbus,* parola priva di corrispond. ideur.

**lemma,** dal lat. *lemma* ' premessa ', che è dal gr. *lêmma* ' presa ' nome d'azione di *lambánō* ' io prendo '.

**lemme lemme,** forse lat. *(so)llemne (so)llemne,* nom.-accus. sg. di *sollemnis*; v. SOLENNE.

**lemòsina,** v. LIMOSINA.

**lèmuri,** dal lat. *lemŭres* ' anime dei morti ' di prob. orig. mediterr.

**lena,** sost. deverb. da *(a)lenare,* forma metatetica di lat. *anhelare*; v. ANELARE.

**lèndine,** lat. tardo *lendis, -ĭnis* (class. *lens, lendis*), parola popolare ideur. di diffusione larghissima, anche se disordinata, non suscettibile di essere ricondotta a un preciso prototipo.

**lene,** dal lat. *lēnis,* risal. forse alla rad. LĒ di *lassus* (v. LASSO[1]), con un ampliam. che riappare, sia pure in modo poco evidente, nelle aree baltica e slava.

**lenimento,** dal lat. *lenimentum.*

**lenire,** dal lat. *lenire,* verbo denom. da *lenis.*

**lenità,** dal lat. *lenĭtas, -atis.*

**leno** (var. di *lene*), lat. *lenis,* forse attrav. una tradiz. settentr. che fa cadere la voc. finale.

**lenocinio,** dal lat. *lenocinium,* deriv. di *leno, -onis* ' lenone '; cfr. LATROCINIO, PATROCINIO.

**lenone,** dal lat. *leno, lenonis,* privo di connessioni attendibili.

**lentàggine,** incr. di *lente* ' lenticchia ' con i tipi in *-àggine* come *(piomb)àggine.*

**lente,** lat. *lens, lentis* ' lenticchia ', da cui derivano tutti i signif. metaforici. La parola lat. è priva di corrispond. ideur.

**lenticchia,** lat. *lenticŭla,* dimin. di *lens*; v. LENTE.

**lenticolare,** dal lat. tardo *lenticularis.*

**lentìggine,** lat. *lentigo, -ĭnis,* deriv. di *lens, lentis* ' lenticchia ' con norm. raddopp. di cons. postonica in parola sdrucciola.

**lentigginoso**, dal lat. *lentiginosus*, incr. con it. *lentìggine*.

**lentisc(hi)o**, dal lat. *lentiscus*, event. incr. col tipo *vischio*, di lontane orig. mediterr.

**lento** (e **lente**), lat. *lentus* ' tenace, flessibile, lento ', senza evidenti conness. ideur., anche se formalmente analizzabile come part. pass. di una possibile rad. LEN, presente anche nell'area germanica.

**lenza**, lat. volg. *\*lintja*, femm. sostantiv. di class. *lintĕus* ' di lino ', deriv. (con procedim. poco chiaro) da *līnum* ' lino ', incr. con *lentus*; v. LINO e LENTO.

**lenzuolo**, lat. volg. *\*lintjòlum*, class. *linteŏlum*, dimin. di *linteum*, neutro sostantiv. dell'agg. *lintĕus*; v. LENZA. Per l'accentaz. anorm. del lat. volg. *\*lintjòlum*, cfr. il caso parallelo di *\*intèrus*, v. INTIERO.

**leoncino**, da *leone* col suff. dimin. *-cino* di *barboncino*, *camioncino* e sim.

**leone**, dal lat. *leo, leonis*, venuto dal gr. *léōn, léontos* in età arc.

**leonino**, dal lat. *leoninus*.

**leopardo**, dal lat. tardo *leopardus*, comp. di *leo* ' leone ' e *pardus* ' pantera '; v. LEONE E PARDO.

**lèpido**, dal lat. *lepĭdus*, tratto da *lepos, -ōris* ' grazia, fascino ', secondo il rapporto di *timĭdus* a *timor*, v. LEPORE.

**lepidòtteri**, comp. moderno di gr. *lepís, -ídos* ' scaglia ', per indicare aspetto scaglioso o squamoso, e *pterón* ' ala '.

**lepore**, dal lat. *lepos, -ōris*, privo di connessioni attendibili ancorché di struttura sicuram. ideur., cfr. LÈPIDO.

**leporino**, dal lat. *leporinus*, deriv. di *lepus, -ŏris*.

**leppo** ' odore sgradevole di sostanze untuose ', lat. *lippus*, v. LIPPO.

**lepra**, dal lat. *lepra*; v. LEBBRA.

**lepre**, lat. *lepus, -ōris*, parola mediterr., attrav. un accus. lat. volg. *\*lep(ŏ)rem* (class. *lepus*).

**lerciare**, verbo deriv. da *lercio*.

**lercio**, lat. volg. *\*hircjus* ' di capra ', deriv. di class. *hircus*, incr. con *lordo* (v.).

**lerfia** ' labbro grosso e sporgente ', dall'alto ted. ant. *lëffur*.

**lero** (erba), lat. tardo (gloss.) *erum*, variante di class. *ervum* (v. RUBIGLIA), con annes. dell'art. *l'*.

**lesena**, dal lombardo *lesena*, di lontana orig. ravennate-bizantina.

**lésina**[1] (arnese), dal franco *alisna*.

**lésina**[2] (risparmio), da una ' compagnia ' di avari che aveva per insegna la lesina.

**lesione**, dal lat. *laesio, -onis*, nome d'azione di *laedĕre* ' danneggiare ', v. LÈDERE.

**lesivo**, dal part. pass. lat. *laesus* con suff. di derivaz. it. *-ivo* che dà valore attivo.

**leso**, part. pass. di *lèdere* (v.): dal lat. *laesus*.

**lessare**, verbo denom. da *lesso*.

**lessema** ' unità lessicale ' da *lèssico*, incr. con i tipi *fonema, morfema*.

**lèssico**, dal gr. tardo *leksikón* (*biblíon*) ' libro di parole '; *leksikós* è da *léksis* ' discorso ', ' parola ', nome d'azione di *légō* ' io dico '.

**lessicògrafo**, dal gr. tardo *leksikográphos*, comp. di *leksikón* ' lessico ' e *grapho-*, tema del verbo *gráphō* ' scrivo '.

**lessicologìa**, comp. di gr. *leksikón*; v. LÈSSICO e *-logìa*.

**lessigrafìa**, dal gr. *léksis* ' parola ' e *-grafìa*.

**lesso**, lat. *(e)lixus* ' bollito '. Lat. *(e)lixus* è deriv. da una forma desider. in *-s*, della rad. LEIKw di *liquere* (v. LÌQUIDO) e perciò definisce qualcosa di « sfatto »; cfr. LISCIVA.

**lesto**, dal frc. ant. *lest* ' carico ' e perciò ' pronto per partire '.

**lestofante**, comp. di *lesto* e *fante* e cioè « garzone (troppo) lesto ».

**lestra** ' capanna ' (dial.), lat. *(il)la extèra* (neutro plur.) ' le cose di fuori ', v. ÈSTERO.

**letale**, dal lat. *letalis*, deriv. di *letum* ' morte ', che a sua volta trova un confronto malcerto nella famiglia gr. di *(ólethron* ' morte '.

**letame**, lat. *laetamen*, deriv. di *laetare* ' concimare ', denom. da *laetus* ' fertile ' (poi ' lieto '), dunque « ciò che rende fertile »: altro es. della componente agricola nel vocab. lat.

**letargìa**, dal gr. *lēthargía*; v. LETARGO.

**letàrgico**, dal lat. *lethargĭcus*, che è dal gr. *lēthargikós*.

**letargo**, dal lat. *lethargus*, che è dal gr. *lēthargos*, comp. di *lēthē* ' oblio ' e *argós* ' inerte ': « inerte per oblio ».

**lete**, dal gr. *Lēthē*.

**letèo**, dal gr. *lēthaîos*.

**leticare** e deriv. (cfr. LITIGARE e deriv.), lat. *litigare*, erroneam. corretto in Toscana con la sostituz. della sorda *-c-* alla sonora *-g-*, perché ritenuta dipendente da leniz.

**letifero**, dal lat. *letĭfer*, comp. di *letum* ' morte ' (v. LETALE) e *-fer* ' portatore '.

**letificare**, dal lat. *laetificare*, comp. di *laetus* ' lieto ' e *-ficare*, forma di denominat.-causativo dal tema di nome d'agente *-fex*.

**letizia**, dal lat. *laetitia*.

**letta**, dal femm. di *lètto*, che è dal lat. *lēctus*, part. pass. di *legĕre*, incr., per la pronuncia aperta della *è*, con la forma dell'inf. it. *lèggere*.

**lèttera**, lat. *littĕra*, prob. adattamento del gr. *diphthéra* ' tavoletta ', attrav. la cosiddetta « moda sabina », che estende ingiustificatamente all'iniz. il passaggio interno di *d* a *l*. La pronuncia fiorentina con la *è* aperta è dovuta a incrocio con ciò che si è « lètto ».

**letterale**, dal lat. tardo *litteralis*, incr. con it. *lèttera*.

**letterario**, dal lat. *litterarius*, incr. con *lèttere*.

**letterato**, dal lat. *litteratus*, incr. con *lèttera*.

**letteratura**, dal lat. *litteratura* ' alfabeto, grammatica, filologia ', deriv. da *littĕra*, come in gr. *grammatikē* (*tékhnē*) ' arte grammatica ' è deriv. da *grámma* ' segno ': incr. con *lèttera*.

**lettiga**, lat. *lectica* (con leniz. settentr. di *-c-* in *-g-*); deriv. di *lectus* ' letto '.

**lettigario**, e **lettighiere**, dal lat. *lecticarius* (con parziale sostituz. del suff. *-ario* con *-ière*, di orig. frc.), incr. con *lettiga*.

**lettisternio**, dal lat. *lectisternium*, comp. di *lectus* ' letto ' e il tema tratto da *sternĕre* ' stendere a terra '; v. COSTERNARE, STRATO.

**letto**, lat. *lectus*, part. pass. di una rad. LEGH altrimenti perduta in lat. ma attestata nell'area occidentale delle lingue ideur. fino al gr. *lékhos* e allo slavo compresi, p. es. ted. *liegen* ' giacere '.

**lettore**, dal lat. *lector, -oris*, nome d'agente di *legĕre* ' leggere '.

**lettura,** dal lat. tardo *lectura*.

**leucemìa,** dal gr. *leukós* e -*emìa*.

**leucite,** dal gr. *leukós* col suff. -*ite*, proprio di minerali.

**leucociti,** comp. di gr. *leukós* 'bianco' e *kýtos* 'cellula'.

**leucoma,** dal gr. *leúkōma*, deriv. di *leukóō* 'imbiancare', verbo denom. da *leukós* 'bianco'.

**leucoplasti,** comp. di gr. *leukós* 'bianco' e -*plasto*.

**leucorrèa,** dal gr. *leukós* 'bianco' e -*rèa*, cfr. GONORREA.

**leudo** 'protetto di re merovingio', dal lat. *leudus*, di origine franca (ted. *Leute*).

**leva**[1] (strum.), sost. deverb. da *levare*.

**leva**[2], sost. deverb. da *levare* (*soldati*).

**levante,** da (*sole*) *levante*, part. pres. di *levare* 'alzare'.

**levare,** lat. *levare*, verbo denom. da *levis* 'leggero' (v. LIEVE): vale 'alleggerire', 'alzare' (infine 'togliere').

**levigare,** dal lat. *levigare*, che è tratto da *lēvis* 'liscio', secondo il rapporto di *mitigare* rispetto a *mitis*. Questo procedim. risale a sua volta alla derivaz. dei verbi denom. del tipo *litigare* da *lis*, *litis*, risalenti al verbo *agĕre*. Per lat. *levis* (rad. LEI, con *ē* dial. per *ĭ*), v. LINIMENTO.

**levirato,** dal lat. *levir* 'cognato' in quanto 'fratello del marito' con il suff. -*ato*, proprio delle magistrature e delle istituzioni. *Levir* è parola ideur. risal. a un tipo DAIWĒR, attestato anche nelle aree greca (*daḗr*), armena, indiana, slava, baltica, germanica. La sostituzione della *d*- iniziale con *l*- è dovuta alla moda sabineggiante, come per es. in *lacrĭma*, v. LÀCRIMA.

**levita,** dal lat. crist. *Levita*, risal. all'ebr. *Lēwī*, nome del capostipite della tribù omonima, terzo figlio di Giacobbe.

**levità,** dal lat. *levĭtas*, -*atis*.

**levo-** (primo elem. di comp. tecnici col valore di 'sinistro'), dal lat. *laevus* che ha corrispondenze esatte nel gr. *laiwós* e nell'area slava.

**levogiro,** calco su *destrogiro*, con sostituz. di *levo*-, a *destro*.

**levriere** e **levriero,** dal frc. *levrier*, lat. (*canis*) *leporarius*.

**levulosio,** dal frc. *levulose*, abbreviaz. di *laevo*-(*g*)*l*(*uc*)*ose*, comp. di *laevo*- 'che fa rotare il piano della luce polarizzata in senso antiorario' e *glucose* 'glucosio'.

**lezio,** lat. (*de*)*liciae* 'seduzioni' (v. DELIZIA), incr. con (*di*)*lectio* 'affetto', nome d'azione di *dilĭgĕre* 'amare'.

**lezione,** dal lat. *lectio*, -*onis* 'lettura', nome d'azione di *legĕre*.

**lezioso,** lat. (*de*)*liciosus* 'seducente', deriv. di *deliciae*; v. LEZIO.

**lezzare,** da (*o*)*lezzare*.

**lezzo,** sost. deverb. da *lezzare*.

**li** (articolo), lat. (*il*)*li*, nom. plur. maschile, v. I, GLI.

**lì,** lat. *illic*, da un ant. locativo di *ille* (v. IL), con il rafforzam. -*c*; v. QUI.

**liana,** dal frc. delle Antille *liane*, deriv. da *lier* 'legare'.

**libagione,** dal lat. *libatio*, -*onis*, con leniz. settentr. -*sgjon* resa in tosc. con -*gione* (invece di -*zione*).

**libamento,** dal lat. *libamentum*.

**libare,** dal lat. *libare*, chiaram. confrontabile solo col gr. *leíbō* 'io verso goccia a goccia' e il suo nome d'azione *loibḗ*: lat. *libare* sarebbe il verbo denom. appunto da un tipo *loibā*. Le connessioni con altre lingue presuppongono una rad. LEI senza il -B finale e quindi sono meno evidenti.

**libbra,** lat. *libra* 'libbra' e 'bilancia' con norm. raddoppiam. del gruppo -*br*- in -*bbr*- dopo l'accento. *Libra* deriva (come il gr. *lítra*-) da una base di partenza *lĭdhra* non necessariamente ideur.

**libeccio,** dall'ar. *lebeǵ'*.

**libellàtico** 'cristiano discriminato durante la persecuzione dell'imperatore Decio', da *libellus* 'petizione' (v. LIBELLO), come *fanatĭcus* (v. FANATICO), da *fanum* 'tempio'.

**libello,** dal lat. *libellus*, dimin. di *liber* 'libro'.

**libèllula,** dal lat. scient. *libèllula*, dimin. di *libella* 'livella', che è dimin. di *libra* 'bilancia': perché nel volo tiene le ali bilanciate.

**liberale,** dal lat. *liberalis* 'generoso'.

**liberalità,** dal lat. *liberalĭtas*, -*atis*.

**liberare,** dal lat. *liberare*, verbo denom. da *liber* 'libero'.

**liberatore,** dal lat. *liberator*, -*oris*.

**liberazione,** dal lat. *liberatio*, -*onis*.

**libèrcolo,** dal lat. medv. *libèrculus*, calco sul rapporto di *later* 'mattone' e *latercŭlus* 'mattoncino' poi 'registro'.

**liberismo,** da *libero* con suff. -*ismo* proprio di dottrina filosofica, scientifica o politica.

**libero,** dal lat. *liber*, -*a*, -*um* 'libero', deriv. da LOIDHERO, var. italica di LOUDHERO, e perciò identico per forma e signif. col gr. *eleútheros*. L'agg. in -*ero* risale a un tema LEUDHO- sopravv. nelle aree slava, baltica, germanica (ted. *Leute* v. LEUDO). 'Libero' è perciò colui «che appartiene al popolo (in quanto comunità di discendenti da uno stesso capostipite)», secondo una visione aristocratica della società.

**libertà,** dal lat. *libertas*, -*atis*.

**libertario** 'anarchico', dal frc. *libertaire*.

**liberticida,** da *libertà* e -*cida*, col cambiamento della voc. interna in -*i*-, secondo il modello di *omicida* o *regicida*.

**libertinaggio,** dal frc. *libertinage*.

**libertino**[1] 'figlio di liberto', dal lat. *libertinus*.

**libertino**[2] 'licenzioso', dal frc. *libertin*.

**liberto,** dal lat. *libertus*, incr. di *liberatus* e *libertas*.

**libìdine,** dal lat. *libĭdo*, -*ĭnis*, astr. di *libet* 'piace', v. LÌBITO, secondo il rapporto di *cupĭdo* a *cupit* 'desidera'.

**libidinoso,** dal lat. *libidinosus*.

**libìdo,** dal lat. *libĭdo* 'desiderio dei sensi'; v. LÌBITO.

**libito,** dal lat. *libĭtum*, part. pass. neutro di *libet* 'piace', forma class. di un più ant. *lubet* risal. a una rad. LEUBH 'provar piacere', sopravv. nelle aree indiana, slava, e soprattutto germanica, dove nel solo ted. si hanno *lieb* 'caro', *Lob* 'lode' e *g-lauben* 'credere'.

**libra,** dal lat. *libra*; v. LIBBRA.

**libraio,** lat. *librarius*, con norm. trattam. tosc. di -*ariu* in -*aio*.

**librale** 'che pesa una libbra', dal lat. *libralis*.

**libramento,** dal lat. *libramentum* 'l'atto di equilibrare'.

**librare**, dal lat. *librare*, verbo denom. da *libra* ' bilancia '.

**librario**, dal lat. *librarius*.

**librazione**, dal lat. *libratio, -onis*.

**libresco**, incr. di frc. *livresque* e it. *libro*.

**libréttine** ' abbaco ', incr. di *bréttine* ' redini ' ' guide ', e *libro*.

**libro**, dal lat. *liber, libri*, originariam. ' pellicola sotto la scorza degli alberi ', che serviva, prima delle foglie di papiro, a scrivere. La sola vaga connessione possibile è rappresentata dallo slavo ant. *lubŭ* ' scorza '.

**liburna** (nave), dal lat. *(navis) liburna* ' (nave) dei Liburni ', popolazione delle rive orientali dell'Adriatico.

**licantropia**, dal gr. *lykanthrōpía*, che è da *lykán-thrōpos* (v. LICÀNTROPO), col suff. di astr. *-ía*.

**licàntropo**, dal gr. *lykánthrōpos* ' uomo-lupo ', comp. di *lýkos* ' lupo ' e *ánthrōpos* ' uomo '.

**licciaiola** (strum.), da *liccio*, secondo l'immagine del « filo » della spada, che è stata presa da un oggetto non metallico.

**liccio**, lat. *licium*, con norm. raddopp. del gruppo di palatale più *i* cons., dopo l'accento. *Licium*, tratto da un tema rad. *lix*, è privo di corrispondenze fuori del latino, cfr. TRALICCIO e ALLIC-CIARE.

**lice**, dal lat. *licet*; v. LECE.

**licenza**, dal lat. *licentia* ' libertà ' e anche ' sfrenatezza '.

**licenziare**, dal lat. medv. *licentiare*.

**licenzioso**, dal lat. *licentiosus*.

**licèo**, dal gr. *Lýkeion*, attrav. lat. *Lycēum*: dal nome di una località presso Atene denominata dal tempio di Apollo Licèo, dove Aristotele insegnava la sua filosofia, e che divenne perciò simbolo di scuola superiore.

**licet**, prob. dal lat. *licet?* dello scolaro che domanda di assentarsi.

**lichene**, dal lat. *lichen, -ēnis*, che è dal gr. *leikhḗn, -ênos* « il lambente, il serpeggiante ».

**licitare**, lat. *licitari*, frequentativo di *liceor* ' metto all'asta ', a sua volta risal. a *licet* ' è lecito ', v. LECE, con conseguente passaggio da un valore morale a uno economico.

**licitazione**, dal lat. *licitatio, -onis*.

**licopodio**, lat. botan. moderno, comp. del gr. *lýkos* ' lupo ' e *pûs, podós* ' piede ' e cioè ' piede di lupo '.

**liddite**, da *Lydd*, città dell'Inghilterra (Kent) dove venne sperimentata.

**lider** (leader), dall'ingl. *leader*, nome d'agente del verbo *to lead* ' guidare '.

**lido**, lat. *litus, -ōris*, con leniz. settentr., prob. veneta, di *-t-* in *-d-*. Lat. *litus* è privo di connessioni attendibili.

**lienale** ' della milza ', dal lat. *lien lienis*, parola di diffusione ideur. larghissima, ma disordinata, per es. *splēn* nel greco, *plīhā* nel sanscrito, e così nelle aree, celtica, baltica, slava, armena, iranica; cfr. SPLÈNICO.

**lieo**, dal gr. *Lyaîos* ' che scioglie ' da *lýō* « sciolgo (dagli affanni) ».

**lieto**, lat. *laetus* ' fertile, lieto ', privo di connessioni attendibili, ma di significato originario agricolo.

**lieve**, lat. *levis*, parola ideur. del vocab. compatto, dalla tradiz. ricca ma disturbata, riferita special-

mente ai pesi da caricare e alla velocità che consentivano nei trasporti. La base LEGHU, LEGHU- si trova nelle aree slava e gr. (*elakhýs*), e, più alterata, nel ted. *leicht*.

**lievità**, dal lat. *levĭtas* incr. con it. *lieve*.

**lièvito**, dal lat. *levatum* ' alzato ', incr. con *lieve* e i tipi *débito, bàttito, gèttito*; cfr. LÀSCITO.

**lift**, dall'ingl. *lift-boy* ' ragazzo addetto al *lift* ' e cioè a « ciò che sale in aria ».

**ligamento**, dal lat. *ligamentum*.

**ligio**, dal frc. ant. *lige*, lat. medv. *\*lèticus*, deriv. di *letus* ' vassallo ', parola di orig. germanica, appartenente a uno strato anteriore a quello franco, cfr. ted. *ledig* ' libero ' oggi ' celibe '.

**lignaggio**, dal frc. ant. *lignage*, che è dal lat. *linea* (nel senso di ' discendenza ').

**ligneo**, dal lat. *ligněus*.

**lignite**, dal lat. *lignum* col suff. *-ite* di *antracite* e di altri minerali.

**lìgula** ' cucchiaio dei Romani ', dal lat. *ligŭla*, der. di *lingĕre*, v. LECCARE.

**ligustro**, dal lat. *ligustrum*, tema mediterr.

**liliàceo**, dal lat. *liliaceus*, deriv. da *lilium* ' giglio '.

**liliale**, dal lat. *lilium*, col suff. it. *-ale*.

**lilla**, dal frc. *lilas*, dall'ar. *līlak* ' indaco '.

**lillipuziano**, proprio degli abitanti di Lilliput, nella fantasia di G. Swift (1667-1745) autore dei ' Viaggi di Gulliver ' (1726).

**lillo**, forse variante abbreviata e assimilata di *gingillo*.

**lima**, lat. *lima*, strumento e simbolo della rifinitura, parola forse mediterr., indicante cosa ruvida atta a limare, come il fiume toscano Lima, dalle acque saltellanti, mai acquietate in specchi lisci.

**limaccia**, lat. volg. *\*limacja*, femm. sostantiv. di *limax, -acis*, parola ideur. occid., del tipo (S)LEI-M, (S)LEI-K, sopravv. anche nelle lingue baltiche e slave; cfr. LUMACA.

**limaccio**, lat. tardo *limaceus*, agg. sostantiv. da *limus* ' fango '; v. LIMO.

**limare**, dal lat. *limare*, verbo denom. da *lima*.

**limatura**, dal lat. tardo *limatura*.

**limbello**, incr. di frc. ant. *limbel* ' pezzo di stoffa ' e lat. medv. *limbellus*, dimin. di *limbus*; v. LEMBO.

**limbo**, dal lat. *limbus* ' lembo ', nel senso di « (zona) marginale (dell'Inferno) », privo di connessioni attendibili.

**lìmine**, dal lat. *limen, -ĭnis* ' soglia, limitare ', sicuram. connesso con *limes, -ĭtis* (v. LÌMITE), ma privo di connessioni attendibili fuori d'Italia.

**limitamento**, dal lat. tardo *limitamentum*.

**limitare**[1] (agg.), dal lat. *limitaris*, agg. di *limes, -ĭtis*, incr. per il signif. con *liminaris*, agg. di *limen* ' soglia ' e poi sostantiv.

**limitare**[2] (verbo), dal lat. *limitare*, verbo denom. da *limes, -ĭtis*.

**limitazione**, dal lat. *limitatio, -onis*.

**lìmite**, dal lat. *limes, -ĭtis*, forse da *limus* ' obliquo ' e cioè « linea di confine naturale », non retta come quelle artificiali. La formaz. potrebbe corrispondere a quella di *comes, -ĭtis* (v. CONTE), mentre per la parte radicale non si hanno corrispond. attendibili fuori d'Italia; cfr. anche LÌMINE.

**limìtrofo**, dal lat. *limitrŏphus*, passato al signif. generale di ' adiacente ' da quello particolare delle regioni che erano chiamate a fornire vettovaglie alle guarnigioni di confine '; e questo da *limi(ti)-trophus, comp. di limes, -itis e il tema gr. tropho- del verbo tréphō ' nutro '.

**limnologìa**, dal gr. limnē ' acqua stagnante ', ' lago ' e -logìa.

**limo**, dal lat. limus ' fango ' parola ideur. occidentale, fino alle aree germanica (ted. Schleim) e greca (limnē ' acqua stagnante '), da una rad. SLEI-M-.

**limone**, dall'ar. līmūm.

**limonite**, dal frc. limonite, deriv. di limon ' melma '.

**limòsina** e deriv. (cfr. ELEMOSINA e deriv.), dal lat. crist. eleēmosўna, che è dal gr. eleēmosўnē con la sottrazione della voc. iniz., intesa come segnale del plur. dell'articolo (l'e lemòsine), e la pronuncia greca moderna di ē come i; perciò di tradiz. ravennate o venez.

**limosità**, dal lat. tardo limosĭtas, -atis.

**limoso**, dal lat. limosus.

**limpidità**, dal lat. tardo limpidĭtas, -atis.

**lìmpido**, dal lat. limpĭdus, agg. di orig. osco-umbra, che presuppone un verbo di stato, tratto dalla rad. LEIKw ideur. del vocab. compatto ' lasciare '; cfr. (RE)LITTO: « limpido perché lasciato (a sedimentare le particelle estranee) »; v. LÌQUIDO.

**lince**, dal lat. lynx, lyncis, che è dal gr. lýnks, lynkós; cfr. LONZA[1].

**linceo**, dal gr. lýnkeios, incr. con gli agg. lat. in -ĕus.

**lincèo**, dal lat. Lyncĕus, che è dal gr. lýnkeios.

**linci** ' da lì ', lat. volg. *illince, class. illinc, formazione avverbiale tratta da ille, con un elem. nasale che dà valore ablativo (v. ONDE) ma è di origine sconosciuta.

**linciaggio**, dal frc. lynchage; v. LINCIARE.

**linciare**, dall'ingl. to lynch e questo dal nome di W. Lynch (1742-1820), che fece approvare nel 1780 nello Stato americano della Virginia una legge che ammetteva il « linciaggio ».

**lincrusta** (rivestimento), comp. moderno di lat. linum e crusta.

**lindo**, dallo sp. lindo, lat. legitĭmus, perciò « rispondente alle regole ».

**lindura**, dallo sp. lindura.

**linea**, dal lat. linĕa, forma sostantiv. dell'agg. lineus « (filo) di lino ».

**lineamento**, dal lat. lineamentum.

**lineare**[1] (agg.), dal lat. linearis.

**lineare**[2] (verbo), dal lat. lineare.

**linfa**, dal lat. lympha, incr. di lumpa ' acqua ' (gloss.) e limpĭdus con gr. nýmphē; cfr. NINFA.

**linfàtico**, dal lat. lymphaticus ' idrofobo, furioso ', incr. per il senso, con linfa.

**linfoma**, da linfa, col suff. -oma, proprio di rigonfiamenti o tumori nel vocab. anatomico.

**lingerìa**, dal frc. lingerie ' biancheria ', collettivo di linge, lat. linĕus ' di lino '.

**lingotto**, dal frc. lingot e questo dall'ingl. ingot, con l'innesto dell'articolo.

**lingua**, lat. lingua, parola ideur. dal vocab. compatto, di larghissima attestazione, ma di tradiz. disturbata, perché sottoposta ad associazioni e incroci magici, particolarmente chiara nelle forme ingl. tongue e ted. Zunge, che, con lingua, risalgono a DŊGWĀ. Per l- invece di d- v. LÀCRIMA.

**linguìstica**, dal frc. linguistique.

**linificio**, dal lat. medv. linificium, calco su artificium.

**linimento**, dal lat. tardo linimentum da linire ' ungere ', verbo durativo di linĕre, dalla rad. LEI, che appare senza ampliam. nel part. pass. litus, ampliata con un elemento -n-, nel tema di presente in latino e anche nell'area germanica, e con l'elemento -v- nelle aree greca (leîos) e latina (levis), v. LEVIGARE: cfr. *livĕre, v. OBLIARE.

**lino**, lat. līnum, parola ideur. occidentale attestata fino alle aree slava e greca (gr. līnon però con ĭ).

**linòleo (linoleum)**, dall'ingl. linoleum, comp. dalle parole lat. linum ' lino ' e oleum ' olio '.

**linotipo**, dall'ingl. linotype e cioè line o(f) types « linea di tipi (tipografici) »; cfr. MONOTIPO.

**lìnteo**, dal lat. linteus ' di lino ', deriv. non perspicuo di linum.

**liocorno**, da l'unicorno, che è dal lat. unicornus, incr. con lio(ne), cfr. ALICORNO.

**lipemanìa**, da gr. lýpē ' dolore ' e -manìa ' pazzia '.

**lipemìa**, da lipo- e -emìa.

**lipo-** dal gr. lipos ' grasso '.

**lipoma**, da lipo- ' grasso ' e suff. -oma, proprio di rigonfiamenti e depositi; cfr. linfoma, ematoma ecc.

**lippa**, prob. voce infantile da una serie l.... p....

**lippo** e **lipposo**, dal lat. lippus appartenente alla rad. del gr. lipos ' grasso ', con raddopp. espressivo della cons. labiale, cfr. LEPPO.

**liquame**, dal lat. liquamen ' condimento liquido ', da liquare ' liquefarsi '.

**liquare** ' liquefare ' (arc.), dal lat. liquare, verbo causativo-durativo, tratto da liquēre ' esser liquido '.

**liquazione**, dal lat. tardo liquatio, -onis ' fusione '.

**liquefare**, dal lat. liquefacĕre ' render liquido ', incr. con l'it. fare; comp. di lique- tema di liquēre ' esser liquido ' e facĕre.

**liquefazione**, dal lat. tardo liquefactio, -onis.

**liquidità**, dal lat. tardo liquidĭtas, -atis.

**lìquido**, dal lat. liquĭdus, deriv. di liquēre ' esser liquido ' e cioè « esser lasciato (a sedimentare gli elementi solidi estranei) »: dalla rad. LEIKw di linquo (v. RELITTO). Limpĭdus deriva dalla stessa rad. per altra via; v. LÌMPIDO. Per un ampliamento con -s- desiderativo v. LESSO, LISCIVA, (PRO)LISSO.

**liquirizia**, dal lat. tardo liquiritia, incr. di gr. glykýrrhiza « radice (rhiza) dolce (glykýs) » e lat. liquor.

**liquore**, dal lat. class. liquor, -oris ' umore ', ' sostanza liquida ', deriv. di liquēre ' essere liquido ' secondo lo schema di calor-calĭdus-calere, ardor-arĭdus-ardere.

**lira**[1] (moneta), lat. libra, attrav. una forma settentr. con voc. epentetica e susseguente leniz. totale della cons. *libira: *li(v)ira, lira.

**lira**[2] (strum.), dal lat. lyra, che è dal gr. lýra.

**lirico**, dal lat. lyrĭcus, che è dal gr. lyrikós.

**lirismo**, da lir(ic)ismo.

**lisca**, dal got. *liska.

**lisciare**, lat. medv. (VIII sec.) lixare ' levigare ', forse dal gr. leîksai inf. aoristo di leíkhō ' io lecco '.

**liscio**, estr. da lisciato.

**lisciva** e **liscivia**, lat. lixiva (e lixivia) da lixa (aqua) ' acqua bollita (per il bucato) ', risal. alla famiglia di liquere con ampliam. in -s- di desiderativo; cfr. LESSO.

**-lisi**, dal gr. lýsis, nome d'azione di lýō ' sciolgo '.

**liso,** lat. (e)*lisus,* part. pass. di *elidĕre,* comp. di (e)*x* e *laedĕre* (v. LÈDERE), con norm. passaggio di *-ae-* in *-ĭ-* in sill. interna.

**lista,** dal franco *lista* ' orlo ', ' striscia '; cfr. LIZZA.

**litanìa,** dal lat. crist. *litanĭa,* che è dal gr. *litaneía,* astr. di *litaneúō* ' invoco in preghiere ' a sua volta ampliam. di *litḗ* ' preghiera '.

**litantrace,** comp. di gr. *líthos* ' pietra ' e *ánthraks, -akos* ' carbone ': « carbone di pietra ».

**litargirio,** dal lat. *lithargўrus,* che è dal gr. *lithárgyros,* comp. di *líthos* ' pietra ' e *árgyros* ' argento '; ampliato col suff. *-io.*

**lite,** lat. *lis, litis,* ant. *stlis,* senza corrispond. ideur. attendibili.

**-lite,** secondo elemento di comp., dal gr. *líthos* ' pietra '.

**litìasi,** dal gr. *lithíasis,* risal. a *líthos* ' pietra '.

**lìtico,** dal gr. *lithikós* ' di pietra ', deriv. di *líthos* ' pietra '.

**litigare,** dal lat. *litigare,* verbo denom. da *lis, litis,* secondo il rapporto di *iurgare* a *ius, rūmigare* a *rūmis, purgare* a *purus* resa. a composti con *agĕre,* con la apofonia della *-ă-* interna in sillaba aperta in *-ĭ-* e eventuale ulteriore caduta.

**litigioso,** dal lat. *litigiosus.*

**litio,** dal gr. *líthos* ' pietra ' perché i sali di litio erano impiegati contro la calcolosi (mal della pietra).

**lito,** dal lat. *litus, -ŏris,* privo di connessioni evidenti; cfr. LIDO.

**-lito,** secondo elemento di comp., da gr. *líthos* ' pietra ', p. es. *monòlito* ecc.

**litografìa,** comp. di *líthos* ' pietra ' e *-grafìa.*

**litòide,** dal gr. *lithoeidḗs* « somigliante (*eidḗs*), a pietra (*litho-*) ».

**litologìa,** da gr. *líthos* e *-logìa.*

**litorale,** dal lat. *litoralis,* agg. di *litus, -ŏris,* cfr. LIDO.

**litoraneo,** incr. di *litorale* e *sotterraneo.*

**litosfera,** dal gr. *líthos* ' pietra ' e *sfera.*

**litote,** dal gr. *litótēs* ' semplicità ', astr. di *litós* ' semplice '.

**litotomìa,** dal gr. *lithotomía,* comp. di *líthos* ' pietra ' e *-tomìa,* astr. di *témnō* ' io taglio '.

**litro,** dal frc. *litre* (XIX sec.) e questo dal lat. medv. *litra,* che è dal gr. *lítra* ' libbra di 12 once '.

**littore,** dal lat. *lictor, -oris,* nome d'agente di un verbo *\*ligĕre,* sopravv. solo nel durativo *ligare* ' legare ' (v.).

**littorio,** dal lat. *lictorius.*

**lìtuo,** dal lat. *litŭus* ' bastone ricurvo degli àuguri ', forse di orig. etrusca, o forse legato a *litare* ' ottenere un presagio favorevole ', secondo il rapporto degli agg. in *-ŭus* rispetto ai verbi; v. ASSIDUO.

**litura** ' cancellazione ', dal lat. *litura* astr. di *linĕre,* v. LINIMENTO.

**liturgìa,** dal gr. *leitūrgía* ' funzione pubblica ', comp. di *lḗïton* ' luogo di pubblici affari ' (deriv. da *lāós* ' popolo ') e *érgon* ' lavoro ' col suff. di astr. *-ía.*

**litùrgico,** dal gr. *leitūrgikós.*

**liuto,** dal frc. ant. *leut,* ar. *al-ʿūd* con l'articolo parzialm. inserito nel tema.

**livella,** lat. *libella;* dimin. di *libra* ' bilancia '.

**livellare,** verbo denom. da *livella.*

**livello**[1] (topografia) sost. deverb. estr. da *livellare.*

**livello**[2] (diritto), lat. *libellus,* dimin. di *liber* ' libro '.

**lìvido,** dal lat. *livĭdus,* deriv. di *livĕre* ' essere lì-

vido ', con connessioni evidenti solo nell'area celtica.

**livore,** dal lat. *livor, -oris,* astr. di *livĕre.*

**livrea,** dal frc. *livrée* (XVI sec.), part. pass. femm. di *livrer* ' fornire ' « (veste) fornita (a chi la deve indossare) ».

**lizza**[1] ' steccato ', dal frc. *lice,* franco *listja* ' spazio recintato '; cfr. LISTA.

**lizza**[2] ' scivolo per trasporto ', da *lizzare.*

**lizzare** ' far scivolare a valle ', incr. di *lisciare* e *drizzare.*

**lo**[1] (articolo), lat. (*il*)*lum* accus. maschile di *ille.*

**lo**[2] (pron. atono), lat. *illum* come il precedente.

**lobbia,** dal nome di C. Lobbia (1832-1870) deputato al Parlamento it. che lo introdusse, incr. con il dialettale *lobia* ' loggia '.

**lobo,** dal gr. *lobós* ' baccello '.

**locale**[1] (agg.), dal lat. tardo *localis,* deriv. di *locus* ' luogo '.

**locale**[2] (sost.), dal frc. *local.*

**località,** dal frc. *localité.*

**localizzare,** incr. di *locale* e del frc. *localiser.*

**localizzazione,** dal frc. *localisation.*

**locanda,** dal lat. (*camera*) *locanda* « (camera) da affittare ».

**locandina** (foglio pubblicitario), dimin. del lat. (*est*) *locanda* « (avviso che annunciava appartamenti) da affittare ».

**locare,** dal lat. *locare* ' dare in affitto ' verbo denom. da *locus.*

**locativo,** dal lat. *locus* incr. con it. (*accus*)*ativo.*

**locatizio,** dal lat. *locaticius.*

**locatore,** dal lat. *locator, -oris.*

**locazione,** dal lat. *locatio, -onis.*

**loco**[1] (sost.), dal lat. *locus,* privo di connessioni attendibili; v. LUOGO.

**loco**[2] (avv.), lat. *illoc,* avv. di luogo risultante da *illo* abl. di *ille* (v. IL), col suff. rafforzativo *-c* (v. ECCÈTERA), incr. con *loco* abl. sing. di *locus.*

**locomòbile,** dal frc. *locomobile,* comp. di *loco-* (*motive*) e *mobile.*

**locomotiva,** dal frc. (*faculté*) *locomotive* « (potere relativo) al movimento (*motif,* dal lat. medv. *motivus*) da luogo a luogo (*loco-* dal lat. *locus*) ».

**locomotore,** dal frc. *locomoteur,* calco su *locomotive,* con accentuazione del valore di agente e del genere maschile.

**lòculo,** dal lat. *locŭlus,* dimin. di *locus.*

**locupletare,** dal lat. *locupletare,* verbo denom. da *locŭples, -etis* ' ricco ' e cioè « pieno (*-ples*) di terra (*locus*) », cfr. MANÌPOLO[2]: esempio di irradiazione del vocabolario agricolo.

**locupletazione,** dal lat. tardo *locupletatio, -onis.*

**locusta,** dal lat. *locusta,* con vaghi confronti nelle aree baltica e greca.

**locutore,** dallo sp. *locutor,* lat. tardo *locutor, -oris* nome d'agente di *loqui* ' parlare '.

**locuzione,** dal lat. *locutio, -onis,* nome d'azione di *loqui* ' parlare ', privo di connessioni attendibili fuori del latino.

**lodàbile,** dal lat. *laudabĭlis,* incr. con *lodare.*

**lodabilità,** dal lat. tardo *laudabĭlitas, -atis,* incr. con *lodare.*

**lodare,** lat. *laudare,* verbo denom. da *laus.*

**lodativo,** dal lat. *laudativus,* incr. con *lodare,* cfr. LAUDATIVO.

**lodatore,** dal lat. *laudator, -oris,* incr. con *lodare.*

**lode,** lat. *laus, laudis,* con qualche fragile connessione celtica e germanica.

**lodévole,** agg. verb. di *lodare* col suff. *-évole* (lat. *-ibĭlis*), v. LODÀBILE, e cfr. *notévole* rispetto a 'notabile'.

**lodo,** dal lat. medv. *laudum,* sost. deverb. da *laudare.*

**lòdola,** dal lat. *alaudŭla,* con l'aferesi dell'*a-* iniz. passata all'articolo *\*l'alodola, la lodola;* cfr. ALLÒDOLA.

**loffio,** da un tipo *soffio,* incr. con *flòscio.*

**logaritmo,** dal lat. mod. (XVII sec.), *logarithmus,* comp. di gr. *lógos* 'proporzione' e gr. *arithmós* 'numero'.

**loggia,** dal frc. *loge,* franco *laubja* 'pergola'.

**-logìa,** dal gr. *-logía,* astr. dal tema di *lógos* 'discorso'.

**lògica,** dal lat. *logica,* che è dal gr. *logikḗ (tékhnē)* « (l'arte) ragionativa ».

**lògico,** dal lat. *logĭcus,* che è dal gr. *logikós* (da *lógos* 'discorso, ragionamento').

**logismografìa,** dal gr. *logismós* 'computo' e *-grafìa.*

**logistica,** da *(arte) logistica,* che è dal gr. *logistikḗ (tékhnē)* « (arte) computativa ».

**logistico,** dal lat. tardo *logistĭcus,* che è dal gr. *logistikós* 'relativo al calcolo', cfr. *logízomai* 'io computo'.

**loglio,** dal lat. *lolium,* parola senza connessioni ideur. attendibili.

**logo,** dal gr. *lógos* 'discorso, ragione'.

**-logo,** dal gr. *-lógos,* tema di nome d'agente del sistema del verbo *légō* 'io discorro'.

**logògrafo,** da gr. *logográphos,* comp. di *lógos* 'racconto' e *grapho-,* tema di *gráphō* 'io scrivo'.

**logogrìfo,** da *logo-* e gr. *gríphos* 'enigma': « enigma in parole ».

**logomachìa,** dal gr. *logomakhía,* comp. di *lógos* 'discorso' e *-makhía,* astr. di *mákhomai,* col valore di 'battaglia'.

**logopatìa,** da *logo-* e *-patìa.*

**logorare,** lat. *lucrare* 'guadagnare facendo il massimo sforzo' verbo denom. da *lucrum* 'guadagno' (v. LUCRO) con epentesi della voc. *-o-* e leniz. settentr. di *-c-* in *-g-.*

**lógoro[1],** agg. estr. dal part. pass. *logor(at)o.*

**lógoro[2]** (sost.) (richiamo per la caccia), dal provz. *loire,* franco *lōder,* più ant. *lōthr,* incr. con *lógoro[1].*

**logorrèa,** calco su *gonorrea,* con sostituz. di *logo-* a *gono-:* « colamento di parole ».

**loia,** lat. *lōrea* 'vinello', incr. con *loglio.* Lat. *lorĕa* è in qualche modo collegato con *lotus* 'lavato'.

**lòico,** lat. *logĭcus* con normale caduta di *-g-* davanti a *-ĭ-* postonico, cfr. *digĭtus* che diventa it. *dito;* v.

**loiolesco,** dalla città sp. di Loyola, luogo di orig. di S. Ignazio, fondatore della Compagnia di Gesù, col suff. ostile *-esco.*

**lolla,** incr. di *loppa* e *loglio.*

**lombàggine,** dal lat. tardo *lumbago, -ĭnis,* con norm. raddopp. di cons. postonica in parola sdrucciola: da *lumbus* 'lombo'.

**lombo,** lat. *lumbus,* con connessioni nelle lingue germaniche e slave.

**lombrico,** lat. *lumbricus,* con sole connessioni celtiche.

**longànime,** dal lat. tardo *longanĭmis,* comp. di *longus* 'lungo', 'grande' e *anĭmus* « colui che è di animo grande »; calco sul gr. *makróthymos.*

**longanimità,** dal lat. tardo *longanimĭtas, -atis.*

**longarina,** da *lungo* con passaggio settentr. di *-ung-* in *-ong-* e doppia suffissazione.

**longevità,** dal lat. tardo *longaevĭtas, -atis.*

**longevo,** dal lat. *longaevĭtas,* comp. di *longus* 'lungo' e *aevum* 'età', calco sul gr. *makraiōn.*

**longi-,** dal lat. *longus* 'lungo'.

**longilìneo,** calco su *rettilineo.*

**longinquo,** dal lat. *longinquus,* der. da *longe* (v. LUNGE), come *propinquus* da *prope* (v. PROPINQUO).

**longitùdine,** dal lat. *longitudo, -ĭnis* 'lunghezza'.

**lonicera,** dal lat. scient. *lonicera,* deriv. dal nome del naturalista ted. A. Lonitzer (sec. XVI).

**lontano,** lat. volg. *\*longitanus,* agg. deriv. dall'avv. *longe* 'lontano' che sostituisce il più ant. *longinquus.*

**lontra,** incr. di lat. *lutra* e gr. *en(ý)dria* (da *énydris* 'animale acquatico'). Lat. *lutra* sembra a sua volta incr. di UDRO- 'animale acquatico' attestato nelle aree indo-iranica, germanica e greca, con *lutum* 'fango'.

**lonza[1],** lat. volg. *\*luncja* da *\*lunx* 'lince' (class. *lynks*), forma di adattamento arc. del gr. *lýnks;* v. LINCE.

**lonza[2],** dal frc. *longe,* forse lat. *\*lumbea,* agg. da *lumbus* 'lombo'.

**lonzo,** prob. dal longob. *lunz* 'pigro'.

**loppa,** forse lat. tardo *(fa)luppa,* parola mediterr.; cfr. FALOPPA.

**loppo** e **loppio,** lat. *opŭlus* con l'articolo innestato *(l'oppio),* in parte incr. con *pioppo. Opŭlus* ha forse connessioni col mondo celtico, ma non oltre.

**loquace,** dal lat. *loquax, -acis,* deriv. da *loqui,* secondo il rapporto di *audax* e *audere.*

**loquacità,** dal lat. *loquacĭtas, -atis.*

**loquela,** dal lat. *loquela,* astr. da *loqui* come *querela* da *queri, candela* da *candere,* v. LOCUZIONE.

**lord,** dall'ingl. *lord,* anglosassone *hláford* 'signore del pane', da *hlaf* 'pane' e *ward* 'guardia'.

**lordo,** lat. *lurĭdus* 'livido, pallido', di formaz. ideur., ma senza connessioni evidenti.

**lordosi,** dal gr. *lórdōsis,* nome d'azione di *lordóō* 'mi piego' verbo denom. da *lordós* 'curvo'.

**lorica,** dal lat. *lorica,* apparentemente deriv. di *lorum* 'striscia di cuoio' come *lectica* da *lectus,* ma con qualche difficoltà dal punto di vista del signif.

**loricato,** dal lat. *loricatus.*

**loro,** lat. *(il)lorum,* genit. plur. di *ille,* v. IL.

**losanga,** dal frc. *losange,* forse parola gallica.

**losco,** lat. *luscus* 'guercio', senza connessioni ideur. attendibili, cfr. LUSCO, col suff. *-co* proprio di difetti fisici; cfr. *mancus, caecus, flaccus* ecc.

**loto[1]** (pianta), dal lat. *lotus,* che è dal gr. *lōtós.*

**loto[2]** 'fango', lat. *lutum* 'fango', con connessioni celtiche e greche.

**lotòfago,** dal lat. *lōtŏphăgus,* che è dal gr. *lōtophágos,* comp. di *lōtós* 'loto' e *-phago-,* tema di *phagein* 'mangiare': « mangiatore di loto »; v. LOTO[1].

**lotoso,** dal lat. *lotosus.*

**lotta,** dal lat. tardo *lucta,* sost. deverb. da *luctari.*

**lottare,** lat. *luctari,* verbo frequentativo medio di uno sconosciuto *\*lucĕre* o anche di un *\*lugĕre* confrontabile col gr. *lygízō* ' faccio dei piegamenti ginnastici '.

**lotto**, dal frc. *lot*, franco *lōt* (gotico *hlauts* ' sorte ').

**lozione**, dal lat. *lotio, -onis*, nome d'azione di *lavĕre* ' lavare ', dal tema di part. pass. *lotus* ' lavato '; v. LAVARE. *Lotus* è la forma rustica, contratta, che ha conservato il valore di ' lavato ', *lautus* (v. LAUTO) è la forma cittadina meglio conservata, ma passata a significare ' elegante '.

**lubbione**, dal lombardo *lubiòn*, accresc. di gotico *\*laubja* ' pergola '; cfr. invece LOGGIA.

**lùbrico**, dal lat. *lūbrĭcus* ' sdrucciolevole ', ampliam. di un presunto tema *\*loubro-* forse connesso col gotico *sliupan* ' scivolare '.

**lubrificare**, calco sul frc. *lubrifier*.

**lucarino**, v. LUCHERINO.

**lucchetto**, dal frc. *loquet*, franco *lok* ' chiusura ', ' serratura '.

**luccicare**, lat. volg. *\*lucicare*, denom. iterat. di *lux, lucis*, con raddopp. di cons. generalizzato dalla posizione postonica in forme sdrucciole, per es. *lùccica* che è lat. *\*lucĭcat*.

**luccio**, lat. *lucius*, con radopp. della cons. palat. postonica dav. a *i* cons.; cfr. *liccio, riccio*. La parola lat. ha una connessione interna evidente col prenome *Lūcius*, ma fuori del latino nessuna.

**lùcciola**, dimin. di lat. volg. *\*lucja*, femm. sostantiv. di class. *lucĕ*, con raddopp. di cons. poston. nella serie *-cj-*. *Lucĕus* è agg. di *lux, lucis*; v. LUCE.

**lucciolare**, verbo denom. da *lùcciola*.

**lucciolone**, nome d'agente da *lucciolare*.

**lucco**, dal frc. ant. *luque* ' cappa con cappuccio '.

**luce**, lat. *lux, lucis*. Nome radicale da LEUK che indica la ' luce riflessa ', superstite solo in lat. e in sanscrito, ma appartenente a famiglia ricchissima di derivaz., attestata in tutte le aree ideur. Manca invece in lat. l'agg. in *-o* (gr. *leukós*) attestato anche nelle aree indiana, baltica e celtica. Il sost. in *-o lucus* ' bosco sacro ' significava in orig. la « (macchia) chiara (nella foresta) » e cioè la radura nella quale si celebravano i riti sacri.

**lùcere**, lat. volg. *\*lucĕre*, class. *lucĕre*, verbo denom. da *lux, lucis*.

**lucerna**, lat. volg. *\*lūcerna*, class. *lŭcerna*, dal gr. *lýkhnos*, secondo il rapporto di *cisterna* a ' cista ', *taberna* a ' trabs ' o *caverna* a ' cava '. Poi inserito nel sistema di *lucere* con la *ū*.

**lucernario**, dal lat. tardo *lucernarium* ' lampadario '.

**lucèrtola**, dal lat. *\*lacertŭla*, dimin. di *lacerta*, incr. con *luce*. Lat. *lacerta* è privo di connessioni attendibili.

**lucèrtolo**, dal lat. *lacertŭlus*, dimin. di *lacertus* ' muscolo ', incr. con it. *lucèrtola*.

**luchera** ' stralunamento di occhi ', lat. volg. *\*lucaria* ' molteplicità di luci ', cfr. LUMINARIA, attrav. una tradiz. settentr. che muta *-aria* in *-era* (tosc. *-aia*).

**lucherare** ' stralunare gli occhi ', verbo denom. da *luchera*.

**lucherino** (uccello), dal lat. tardo (gloss.) *lucar, -aris*, da un sostrato padano, forse gallico e con passaggio tosc. di *-ar-* atono a *-er-*.

**lucìa** (insetto), dal nome di S. *Lucia*.

**lucidare**, dal lat. tardo *lucidare*, denom. da *lucĭdus*.

**lucidazione**, dal lat. tardo *lucidatio, -onis*.

**lucidità**, dal lat. tardo *lucidĭtas, -atis*.

**lùcido**, dal lat. *lucĭdus*, deriv. di *lucère*, forma di verbo durativo della famiglia di *lux*; v. LÙCERE.

**lucìfero**, dal lat. *lucifer, -fĕri*, comp. di *-fer* ' portatore ', v. -FERO e *luci-*, tema di *lux* ' luce '.

**lucìfugo**, dal lat. *lucifŭgus*, comp. di *lux, lucis* e *-fŭgus*; v. -FUGO.

**lucìgnola**, da *\*lu(sci)cigna*, con il dimin. *-ola*, incr. di lat. *lusca*, v. LOSCO, con *cicigna* (v.).

**lucignolo**, lat. tardo *lucinium*, incr. di gr. *lykhníon* ' lampada ' e lat. *lux* col suff. di dimin. *-olo*.

**lucrare**, dal lat. tardo *lucrare*, class. *lucrari*, verbo denom. da *lucrum*; v. LUCRO e cfr. LOGORARE.

**lucrativo**, dal lat. *lucrativus*.

**lucro**, dal lat. *lucrum*, con connessioni non perspicue nelle aree celtica, germanica, greca.

**lucroso**, dal lat. *lucrosus* ' guadagno '.

**luculento**, dal lat. *lūculentus*, prima ' luminoso ', poi ' magnifico '.

**luculliano**, dal lat. *Lucullianus*, dal nome del generale romano L. *Licinio Lucullo* (106 a. C. 57 a. C. circa), celebre per il suo fasto.

**lucumone**, dal lat. *Lucumo, -onis*, che è da un prob. etrusco *\*lauchume*.

**ludìbrio**, dal lat. *ludibrium*, incr. di *ludĕre* ' giocare ' con *opprobrium*.

**lùdico**, da *ludo*.

**lùdicro**, dal lat. *ludĭcer, -cra, -crum*, deriv. da *ludĕre* ' giocare '.

**ludo**, dal lat. *ludus* ' gioco ' più ant. *\*loidos*, forse connesso col gr. *loídoros* ' offensivo '.

**lue**, dal lat. *lues* ' peste ', ' epidemia ', astr. di *luĕre* ' sciogliere ' e cioè ' scioglimento ' influenzato in senso peggiorativo dall'incr. con la famiglia di *lutum* ' fango ' (v. LOTO²). Il valore primitivo di *luĕre* era « sciogliere (da un nodo o da un debito) » per cui v. SÒLVERE.

**lugàniga**, lat. *lucanica* « (salsiccia) lucana », con leniz. settentr. di *-c-* in *-g-*.

**lugliàtico** e **lugliengo**, da *luglio* con suff. tosc. (*-àtico*) e gotico-longob. (*-engo*).

**luglio**, lat. volg. *\*lūljus*, forma assimilata dal class. *Iulius*, dal nome di Giulio Cesare, nato in quel mese.

**lùgubre**, dal lat. *lūgubris*, della famiglia di *lugere* ' piangere ', attrav. un tema di sost. *\*leugos* secondo il rapporto di *funus* e *funebris*. La rad. LEUG significa originariamente ' rompere ' e si trova con signif. tecnici nelle aree indiana, baltica, germanica, celtica; col signif. figur., nel gr. *leug(aléos)* ' degno di compassione ', cfr. LUTTO. Per la forma desiderativa LEUG-S, v. LUSSARE.

**lui** (uccello), dal lat. serie onomatop. *lui.... uì...*.

**lùi**, lat. volg. *\*illui* (class. *illi*), forma di dat. sg. maschile modellata su *cui*, poi estesa in it. ai casi obliqui, oggi anche al nom.; cfr. LÈI.

**luigi** (moneta), dal frc. *Louis*, nome di Luigi XIII, re di Francia, che per primo la fece coniare.

**lulla**, lat. *lunŭla*, dimin. di *luna*; cfr. LÙNULA.

**lumaca**, lat. volg. *\*lumaca*, incr. di *limax, -acis* con *lum(bricus)*, passato alla declinaz. in *-a*; cfr. LIMACCIA.

**lumacato**, v. ALLUMACATO.

**lume**, lat. *lumen*, da un più ant. *\*leuksmen*, nome di strumento tratto dalla rad. LEUK ' rifletter luce ', che appartiene al vocab. ideur. compatto ed è di larghissima attestazione; v. LUCE.

**lumen** (unità di misura delle correnti di luce), dal lat. *lumen*.

**luminare**, dal lat. *luminare, -aris*, forma sostantiv. neutra dell'agg. *luminaris*, deriv. di *lumen*.

**luminaria**, dal lat. tardo *luminaria*, plur. del neutro *luminare*.

**luminescente**, dal lat. *lumen, -ĭnis* col suff. di part. pres. di verbo incoat.

**luminescenza**, dal lat. *lumen, -ĭnis* col suff. dei nomi astr. deriv. da incoat. *-escenza (fiorescenza* ecc.).

**luminoso**, dal lat. *luminosus*.

**luna**, lat. *luna*, da *\*louksna*, tipo diffuso di derivato con signif. vicino al nome d'agente, dalla rad. LEUK (v. LUCE, LUME). Dal punto di vista della forma la parola compare nelle aree iranica, tocaria, baltica, e, anche, in quelle slava, baltica e armena; dal punto di vista del signif. la definiz. come « la lucente » appare anche nel gr. *selénē* e nel sanscrito *candrama-* che sono di altra origine.

**lunare**, dal lat. *lunaris*.

**lunario**, da *luna* perché in orig. destinato a segnarne le fasi.

**lunàtico**, dal lat. tardo *lunatĭcus*, deriv. come *silvatĭcus* da *silva*.

**lunato**, dal lat. *lunatus*.

**lunazione**, dal lat. tardo *lunatio, -onis*.

**lunedì**, lat. *lunae dies* ' giorno della luna '.

**lungàggine**, da *lungo* con suff. peggiorativo *-àggine*.

**lungagnata**, incr. di *\*lungata* e *lagna*.

**lunge**, lat. *longē*; v. LUNGO.

**lunghesso**, da *lungo* (prep.) e *esso* (pron.).

**lungi-**, lat. *longi-*.

**lungi**, lat. *longē*.

**lungimirante**, da *lungi-* e *mirare*.

**lungo**, lat. *longus* con passaggio fiorentino a *lungo* secondo il rapporto di senese *ongo* e fiorentino *ungo*. Lat. *longus* si trova identico nell'area germanica (ted. *lang*), somigliante nell'area celtica da una base (D)LONG. Più a oriente si hanno invece i deriv. della rad. DELEGH (gr. *doliākhos*); v. DÒLICO-.

**lùnula**, dal lat. *lunŭla*, dimin. di *luna*; cfr. LULLA.

**luogo**, lat. *locus*, con leniz. settentr. di *-c-* in *-g-*; cfr. LOCO.

**luogotenente**, da *luogo* e *tenente*, part. pres. di *tenere*.

**lupa**, dal lat. *lupa*, forma analogica du *lupus*, al posto di *lupus femĭna*.

**lupanare**, dal lat. *lupanar, -aris*, deriv. da *lupa* ' prostituta ' come *Bacchanal* da *Bacchus*.

**lupercali**, dal lat. *Lupercalia*, deriv. di *Lupercus*, comp. di *lupus* e *arcere* « colui che tiene a bada i lupi », con normale passaggio di *-ă-* in *-ĕ-* in sillaba interna chiusa.

**lupinella**, da *lupino*.

**lupino**, dal lat. *lupinus*.

**lupo**, lat. *lupus*, senza il passaggio di *u* aperta in *o* che si ha invece nella forma veneta *lovo*. Parola fondam. del vocab. ideur. largamente attestata e usata anche nella onomastica, gr. *Lykûrgos*, ted. *Wolfgang*. La forma primitiva è LUKwOS (gr. *lýkos*) alternante con WLKwOS (sanscrito *vrka,-* ted. *Wolf*).

**lùppolo**, lat. medv. *lùpulus*, dimin. del class. *lupus*, nome di un'erba presso Plinio, incr. con *gràppolo*.

**lupus**, dal lat. *lupus*, che simboleggia il potere distruttivo della malattia.

**lurco**, da un lat. *\*lurcus*, estr. da *lurcare* ' mangiare a crepapancia ', privo di connessioni attendibili.

**lùrido**, dal lat. *lurĭdus*, collegato con *luror, -oris* ' colorito pallido o giallastro ', senza altre connessioni all'interno o fuori del latino.

**lusco**, dal lat. *luscus*, privo di connessioni attendibili (cfr. LOSCO), deriv. mediante il suff. *-co* proprio di parole indicanti difetti fisici.

**lusinga**, dal provz. *lauzenga*, franco *lausinga* ' bugia '.

**lusitano**, dal lat. *Lusitani*, popolazione iberica che occupava la reg. del Portogallo compresa fra il Duero e il Tago.

**lusorio**, dal lat. *lusorius*, deriv. da *lusor*, nome d'agente di *ludĕre* ' giocare ', tratto dal tema del supino *lusum*.

**lussare**, dal lat. *luxare*, verbo denom. da *luxus* ' dislocato ', ' spostato ', tratto a sua volta da un desiderativo della rad. LEUG, v. LUGUBRE, che significa letteralmente ' battere ', ' rompere ', figuratam. ' piangere '; cfr. PIÀNGERE che è il lat. *plangĕre* ' battere '.

**lussazione**, dal lat. tardo *luxatio, -onis*.

**lusso**, dal lat. *luxus, -us* ' eccesso ', tratto forse dalla immagine di ' storpiatura ', astr. della rad. LEUG ' battere ', ' rompere '; v. LUSSARE.

**lussureggiare**, incr. di un lat. *luxuriari*, denom. da *luxuria* e di un modello it. *\*lusseggiare*, denom.-iterativo di *lusso*.

**lussuria**, dal lat. *luxuria*, astr. di *luxus* di cui sottolinea la duratività.

**lussurioso**, dal lat. *luxuriosus*.

**lustra**[1] ' finzione ', sost. deverb. da *lustrare*.

**lustra**[2] ' tana ', dal lat. *lustra* plur. di *lustrum* ' luogo fangoso ', v. LUSTRARE[2].

**lustrale**, dal lat. *lustralis*, deriv. di *lustrum*; v. LUSTRO[1].

**lustrare**[1], lat. *lustrare* ' illuminare ', verbo denom. da *\*lustrum*, nome di strum. dalla rad. LEUK (v. LUCE, LUME), originariam. *\*luk-strom*.

**lustrare**[2], dal lat. *lustrare*, nel senso specifico di ' purificare ', verbo denom. da *lustrum*, che risale a *\*lous-trom* e cioè a una forma desiderativa della rad. di *lavare*; v. LAVARE e cfr. *monstrum*.

**lustrazione**, dal lat. *lustratio, -onis*.

**lustrino**, da *lustro*.

**lustro**[1] ' quinquennio ', sost. deverb. da *lustrare*[2].

**lustro**[2], agg. estr. da *lustrato*.

**lustro**[3], dal lat. *\*lustrum*, ant. *\*luk-strom* da cui *lustrare* ' illuminare ', dalla rad. LEUK, v. LUCE, LUME.

**lutare** ' spalmare ', dal lat. *lutare*, verbo denom. di *lutum* ' fango ', v. LOTO[2] E POLLUTO.

**lùteo**, dal lat. *lūtĕus*, agg. da *lūtum* ' l'erba guaderella, color giallo ', privo di connessioni attendibili.

**luteranesimo** e **luteranismo**, la dottrina di Martino Lutero (1483-1545), l'iniziatore della Riforma protestante in Germania.

**lutto**, lat. *lūctus, -us*, astr. di *lugere* ' piangere ', che risale a sua volta a un'antica rad. LEUG significante ' battere ', ' rompere ' (anche in segno di lutto) '; cfr. LÙGUBRE e LUSSARE.

**luttuoso**, dal lat. *luctuosus*.

**lutulento**, dal lat. *lutulentus*, deriv. di *lutum* ' fango '; v LOTO[2] e cfr. POLLUZIONE.

# M

**ma**, lat. (*sed*) *magis* fortemente accentato e perciò troncato in *ma'*. La parola lat. è un incr. tra *magnus*, rad. MEG(H)Ē (v. MAGGIO²) e un perduto *\*mais*, rad. MĒ², sopravv. nella lingua osca e in gotico.

**màcabro**, da (*danza*) *macabra* e questo dal frc. *danse macabre*, lettura errata per *danse Macabré* « danza dei Maccabei », figuraz. pittorica di una danza di scheletri.

**macac(c)o**, dal portogh. *macaco*, importato dal Brasile, e questo da un termine africano proveniente dall'Angola.

**macadàm**, dal nome di *J. L. Macadam* (1756-1836), ingegnere scozzese, che propose questo tipo di pavimentazione stradale.

**macao**, dal nome della città di Macao, colonia portogh. in Cina.

**macca**, sost. deverb. estr. da *maccare*.

**maccare**, verbo denom. da *macco* e perciò ' mescolare ', ' impastare '; cfr. SMACCARE.

**macché**, da *ma* e *che*.

**maccherìa** ' bonaccia ', da *\*macalia*, che è dal gr. *malakía* ' mollezza ', incr. con i tipi *dicerìa*, *mangerìa*.

**maccherone**, doppio deriv. di *macco* (v.).

**maccheronèa**, da *maccherone*, per allusione al latino contaminato dei cuochi dei conventi.

**maccherònico**, da *maccherone*; v. MACCHERONÈA.

**macchia**, lat. *macŭla*, senza corrispond. ideur. evidenti, dimin. forse di un MAKKA mediterr. da cui *ammaccare*; v.

**macchiare**, lat. *maculare*, verbo denom. da *macula*.

**màcchina**, lat. *machina*, con norm. raddopp. della cons. postonica in parola sdrucciola; dal gr. dor. *makhaná* ' espediente ', ' congegno ', con la apofonia lat. norm. di *ă* passato a, in sill. aperta all'interno della parola, in -*ĭ*-, e presente nelle parole greche giunte a Roma prima del V sec. a. C. Per una forma di grecismo più antica benché tratta dalla stessa parola greca, v. MACINA; per una più recente, v. MECCÀNICO.

**macchinale**, dal lat. *machinalis*, incr. con it. *màcchina*.

**macchinare**, dal lat. *machinari*, incr. con *màcchina*.

**macchinatore**, dal lat. *machinator, -oris*, incr. con it. *màcchina*.

**macchinazione**, dal lat. *machinatio, -onis*, incr. con it. *màcchina*.

**macchinoso**, dal lat. *machinosus*, incr. con it. *màcchina*.

**macco** ' polenta di fave ', incr. di *makka* mediterr. (v. AMMACCARE) con lat. *maccus* ' dalla grossa mascella ', ' ghiottone ', legato a *mala* ' mascella ', ant. *\*mak-sla*, con raddopp. espressivo, ma privo di altre connessioni attendibili.

**mace (macis)**, involucro del seme della noce moscata, dal lat. medv. *macis*, class. *maccis, -ĭdis*, privo di connessioni attendibili.

**macèa** ' maceria ' (arc.), lat. *maceria*, v. MACÌA.

**macedonia¹** di tabacchi provenienti o provenuti in origine dalla Macedonia, reg. della penisola balcanica.

**macedonia²**, dal frc. *macédoine*, il quale a sua volta si riferisce al miscuglio di razze che ha sempre reso inquieta la reg. macèdone.

**macellaio**, lat. *macellarius*, deriv. di *macellum*, con trattam. tosc. di -*ariu* in -*aio*.

**macellare**, lat. tardo (gloss.) *macellare*.

**macellaro**, forma non tosc. di *macellarius*.

**macello**, lat. *macellum* ' mercato delle carni ', dal gr. *mákelos, makéla* e questo di orig. semitica.

**macerare**, dal lat. *macerare*, verbo denom. da un tema *\*macos* privo di corrispond. ideur. evidenti al di fuori del gr. *mássō* ' io impasto '; cfr. MASCELLA.

**macerazione**, dal lat. *maceratio, -onis*.

**maceria**, dal lat. *maceria* ' muro rustico di cinta ', astr. di *macerare* come *temperies* e *intemperiae* di *temperare*; cfr. MACÌA.

**màcero**, sost. deverb. da *macerare*.

**macerone**, dal lat. (*petroselisum*) *Macedoniae* « (prezzemolo) di Macedonia », incr. con *macerare*.

**machia** ' astuzia ', dal nome abbreviato di Machiavelli.

**-machìa**, dal gr. -*makhía*, forma astr. dei *mákhomai* ' combatto '.

**macìa**, lat. *maceria* (v. MACERIA), con la norm. eliminazione tosc. della -*r*- nelle serie -*aria* -*eria*: passato a *\*maceia* e incr. col suff. di astr. in -*ìa*.

**macie**, dal lat. *macies* ' emaciazione ', ' magrezza ', astr. della stessa famiglia cui appartiene il gr. dor. *mâkos* ' lunghezza ' e l'agg. ampliato in -*ro* del lat. *macer* (v. MAGRO), e del gr. *makrós* ' lungo '; v. MACRO-.

**macigno**, lat. volg. *\*macinjus* (*lapis*) « pietra (da macina) », agg. deriv. da *\*macina*; v. MACINA.

**macilente** e **macilento**, dal lat. *macilentus*, deriv. di *macies* (v. MACIE), per analogia su *gracilentus*, erroneam. analizzato come *grac-ilentus*, invece di *gracil-*.

**màcina**, lat. volg. *macĭna, arc. *macīna, forma ancora senza aspiraz., tratta dal gr. dor. mākha-nā ' la macchina per eccellenza, la mola ', e introdotta in lat. in età ancora anteriore a machĭna, v. MÀCCHINA; cfr., per una assunzione posteriore, MECCÀNICO.

**macinare**, lat. tardo machinari, incr. con it. mà-cina.

**macis**, v. MACE.

**maciulla**, sost. deverb. estr. da maciullare.

**maciullare**, lat. volg. *macinulare, verbo denominativo-iterativo di *macĭna, incr. con macellare.

**màcola**, v. MÀCULA.

**macramè**, dal genov. macramè e questo dal turco makramà ' fazzoletto '.

**macro**, dal lat. macer; v. MAGRO.

**macro-**, dal gr. makrós 'lungo', esteso '; cfr. MACIE.

**macrocefalìa**, da macro- e -cefalìa.

**macrocèfalo**, da macro- e cèfalo.

**macrocosmo**, da macro- e cosmo.

**macroglossa**, da macro- e gr. glôssa ' lingua '.

**macroscopio**, calco su microscopio, con la sostituz. di macro- ' grande ' a micro- ' piccolo '.

**macuba**, dal nome della località di Macuba, nell'isola di Martinica.

**màcula**, dal lat. macŭla; v. MACCHIA.

**maculare** (verbo), dal lat. maculare.

**madama**, dal frc. madame.

**madamigella**, dal frc. mademoiselle, attrav. dial. settentr., di cui si corregge normalmente la pronuncia -ze- -zi- in -ge- -gi-, p. es. Genova rispetto a Zena, gelo rispetto a genov. zéu.

**madapolàm**, dal nome di Madapollam, sobborgo di Narasapur, presso Madras, nell'India merid.

**maddalena**, dal lat. Magdalēnē, che è dal gr. Magdalēnē ' donna di Màgdala ' località sul Lago di Genesarèt.

**madera**, dal portogh. madeira.

**madia**, lat. volg. *ma(g)ida, con leniz. totale di -g- dav. a voc. palat. (cfr. di(g)itus, v. DITO) e metatesi màdia (cfr. ARIA, BALIA). Il class. magĭda è adattamento del gr. magis, -ídos ' pane, madia '. Cfr. anche ARMADIO.

**màdido**, dal lat. madĭdus, deriv. di madere ' esser bagnato ', con un chiaro confronto col verbo gr. madáō ' sono umido ' e uno meno evidente per il signif., con l'irlandese maidid ' si diffonde '.

**madiere**, dal provz. madier, lat. volg. *materium ' trave ' estr. da materies ' sostanza « materna » del tronco d'albero '; v. MATERIA.

**madonna**, comp. di m(i)a (debolmente accentato) e donna.

**madornale**, lat. medv. maternalis ' materno ', riferito ai rami principali degli alberi che si distaccano direttamente dal tronco: con leniz. settentr. di -t- in -d- e incr. con adorno.

**madore**, dal lat. mador, -oris, deriv. di madere ' esser bagnato '; v. MÀDIDO.

**madre**, lat. mater, matris, con leniz. settentr. di -tr- in -dr-: da MĀTER, parola fondam. del vocab. ideur. compatto, di larghissima documentazione e stabile tradiz. (gr. mḗtēr, ted. Mutter, ingl. mother, sanscrito mātā ecc.).

**madrepatria**, da patria (che è) madre.

**madreperla**, da madre (della) perla.

**madrèpora**, calco moderno (XVI sec.) su madreperla, con -poro, che è dal gr. póros, riferito ai canali di comunicaz. fra le cellule che essa contiene; v. PORO.

**madreselva**, lat. volg. *matrisilva, adattamento del class. silvae mater.

**madrevite**, da vite (che è) madre.

**madrigale**, da un lat. tardo matricalis ' appartenente alla matrice ' e quindi ' elementare, primitivo ', con leniz. settentr. (venez.) di -tr- in -dr- e di -c- in -g-.

**madrina**, incr. di lat. tardo (gloss.) *matrina e it. madre.

**madroso**, dal frc. ant. masdre ' legno venato adatto per recipienti per bere ', dal franco maser ' acero '.

**maestà**, dal lat. maiestas, -atis, astr. di maior, ant. *maios (v. MAGGIORE,) secondo il rapporto di honestas rispetto a honor.

**maestra**, lat. magistra, femm. di magister, incr. con it. maestro.

**maestrale**, da maestro nel senso di « (vento) principale ».

**maestro**, lat. magister, da *magis-teros ' il più forte ', ' il maggiore ' (v. MAGGIO²), da magis col suff. -tero di opposizione fra due: con normale caduta di -g- intervoc. davanti a voc. palat., v. DITO e cfr. MASTRO.

**maf(f)ia**, forse dall'ar. maḥjaṣ ' millanteria '.

**maga**, da mago.

**magagna**, sost. deverb. da magagnare.

**magagnare**, dal provz. maganhar ' ridurre malconcio '.

**magari**, dal gr. makárie (vocat. di makários) ' te beato! ' con leniz. settentr. (venez. o ravennate) di -c- in -g-.

**magazzino¹**, dall'ar. makāhzin plur. di makhzan ' deposito, ufficio '.

**magazzino²**, dal frc. magasin.

**maggengo**, da maggio con suff. -engo e quindi di provenienza padana.

**maggese**, dal mese di maggio, in cui si facevano le lavorazioni caratteristiche di questa pratica agricola.

**maggio¹**, lat. Maius (mensis) « il mese della dea Maia (la madre di Mercurio) », con norm. raddopp. della -j- lat. nell'it. -gg'- dopo l'accento.

**maggio²**, lat. maior, maius sopravv. al caso nom. come nome loc. p. es. a Firenze in Via Maggio, cfr. MAGGIORE. Maior, maius derivano da *mag-yos, forma di compar. da una rad. bisillabica MEG(H)Ē ' grande ' (cfr. MAGNO), attestata nelle aree indiana, armena, greca (mégas), albanese tocaria, germanica; v. anche MAESTRO.

**maggiolino¹** (insetto), dimin. di maggio¹.

**maggiolino²** (mobile), dal nome dell'intarsiatore lombardo G. Maggiolini (1738-1814).

**maggiorana**, lat. medv. maiorana, correzione di una più ant. mazurāna, risal. a Dioscoride, medico greco del I sec. d. C.

**maggiorasco**, dallo sp. mayorazgo, lat. medv. maioràticum.

**maggiordomo**, dal lat. (servus) maior domus « maggiore (tra i servi) della casa ».

**maggiore**, lat. maior, -oris (più ant. *mag-yos), al caso obliquo; v. MAGGIO².

**maggiorenne**, da maggiore e -enne.

**magi**, v. MAGO.

**magìa**, dal lat. tardo magia, che è dal gr. mageia.

**magiaro,** dall'ungh. *magyar.*

**màgico,** dal lat. class. *magīcus,* che è dal gr. *magikós.*

**magio,** sg. formato sul plur. *magi.*

**magione,** lat. *mansio, -onis* 'luogo di soggiorno o di tappa': nome d'azione di *manere* v. RIMANERE. attrav. l'adattamento in *-gio-* di una tradiz. padana in *-sgjo-,* incr. col frc. ant. *maison;* cfr. il diverso svolgimento semantico di *mansione* (v.).

**magiostra** 'fragola', parola paleoeuropea, sopravv. in Lombardia, Piemonte ed Emilia, ma con connessioni che vanno fino alla regione basca.

**magistero,** dal lat. *magisterium,* secondo la tradiz. merid. di *-eriu* passato in *-ero.*

**magistrale,** dal lat. *magistralis.*

**magistrato,** dal lat. *magistratus, -us.*

**maglia,** dal provz. *malha,* lat. *macŭla,* perché una rete sembra un insieme di macchie, cfr. MACCHIA.

**magliaro,** da *maglia* col suff. centro-merid. *-aro* (da *-ariu*) opposto a quello tosc. *-aio.*

**maglificio,** da *maglia* e *-ficio.*

**maglio,** lat. volg. *\*maljus,* class. *malleus* 'martello', parola popolare con *l* raddopp. e con corrispond. nelle aree germanica e slava; cfr. MALLO.

**magliolo,** lat. volg. *\*malljŏlus* 'tralcio', class. *malleŏlus,* dimin. di *mallĕus* 'martello' cui viene riferito per la forma, con norm. spostamento da *-ĕo-* in *-jò-.*

**magma,** dal lat. *magma,* che è dal gr. *mágma,* deriv. di *mássō* 'io impasto'.

**magnaccia,** dal romanesco *magnà* 'mangiare', con suff. dispregiativo e desinenza in *-a* del tipo *capoccia.*

**magnanimità,** dal lat. *magnanimĭtas, -atis.*

**magnànimo,** dal lat. *magnanĭmus,* comp. di *magnus* 'grande' e *anĭmus,* calco sul gr. *megáthymos.*

**magnano,** lat. volg. *\*manjanus,* deriv. di *\*manja* 'maniglia' (class. *manua*), perciò «(l'uomo) delle maniglie».

**magnate,** dal lat. crist. *magnas, -atis.* Nel signif. metaforico si è incr. col frc. *magnat.*

**magnesia,** dal lat. *magnesia,* che è dal gr. tardo *magnēsia,* dal nome della città di Magnesia nella Turchia asiatica.

**magnete,** dal lat. *(lapis) magnes, -etis,* che è dal gr. *Mágnēs (lĭthos),* '(pietra) di Magnesia' (di Turchia).

**magnètico,** dal lat. *magnetĭcus,* che è dal gr. *magnētikós.*

**magneto-,** estr. da *magnètico.*

**magnetòfono,** da *magneto-* e *-fono.*

**magnificare,** dal lat. *magnificare,* comp. di *magnus* e *-ficare.*

**magnificenza,** dal lat. *magnificentia.*

**magnìfico,** dal lat. *magnifĭcus,* comp. di *magnus* e il tema *-fĭcus* da *facĕre* con norm. passaggio di *-ă-* in *-ĭ-* in sill. interna aperta.

**magniloquente,** estr. da *magniloquenza.*

**magniloquenza,** dal lat. *magniloquentia,* estr. di *magnilŏquus,* comp. di *magnus* e *-loquo-* tema del verbo *loqui* 'parlare'.

**magno,** dal lat. *magnus,* ampliam. in *-no-* della rad. ideur. MEG(H)Ē (v. MAGGIO²). Cfr. gli ampliam. in *-l* del gotico *mikils* e del gr. *megálē* (femm.) di fronte a *méga-s.*

**magnolia,** dal nome del botanico frc. *Pierre Magnol* (1638-1715).

**mago,** lat. *magus,* che è dal gr. *mágos* a sua volta dal persiano *magush.*

**magoga,** v. OGA.

**magona,** dall'ar. *ma'ūna* 'aiuto'.

**magone,** dal longob. *mago* (ted. *Magen* 'stomaco').

**magro,** lat. *macer, -cra, -crum,* dalla rad. ideur. MĀK 'sviluppare in lunghezza' e perciò 'sottile' o 'magro' in certe lingue, 'grande' in altre, come nel gr. *makrós.* Ha subìto la leniz. di *-cr-* in *-gr-;* cfr. MACIE.

**mah!,** forse onomatop. del suono *m.... m,* che implica semplice apertura di bocca.

**mai,** lat. *magis,* in fine di frase, per es. *jam magis* e perciò meno fortemente accentato e sottratto al troncamento; v. MA.

**maiale,** lat. *maialis,* forse perché offerto alla dea *Maia.*

**maìdico,** dal lat. scient. *mays, maydis;* v. MAIS.

**maiestàtico,** dal lat. medv. *maiestàticus,* agg. di *maiestas, -atis.*

**maièutica,** dal gr. *maieutikḗ (tékhnē)* 'ostetricia', l'arte della *maia* 'madre, levatrice, nutrice'.

**maio,** dal lat. *maius* 'maggio'; v. MAGGIO¹.

**maiòlica,** dal nome dell'isola di *Maiorca,* sp. *Mallorca,* con voc. anaptittica che scinde il gruppo *-rc-* in *-ric-,* e con la sostituzione della liquida in *-lic-,* forse per correggere (ingiustificatamente) una tradizione di impronta genovese.

**maionese,** dal frc. *mayonnaise,* forse da *Port Mahon,* capitale dell'isola di Minorca (Baleari).

**maiorascato** e **maiorasco,** v. MAGGIORASCO.

**mais,** dallo sp. *maiz,* aruaco (sud-americano) *mahiz.*

**maiùscolo,** dal lat. *maiuscŭlus,* dimin. di *maius;* v. MAGGIORE.

**malacarne,** da *mala* e *carne.*

**malaccorto,** da *male* e *accorto.*

**malachite,** dal gr. *molokhĭtēs (lĭthos)* 'pietra color malva', incr. con *malákhē* 'malva'.

**malacìa,** dal frc. *malacie* (XIX sec.), lat. *malacia,* che è dal gr. *malakia* 'mollezza'.

**malacologìa,** dal gr. *malakós* 'molle' e *-logìa.*

**malacreanza,** da *mala* e *creanza.*

**malafatta,** sost. tratto dal plur. *(cose) male fatte,* con desinenza di neutro plur., cui si assimila anche la voc. interna *-e-.*

**malafede,** da *mala* e *fede.*

**malaffare,** comp. di *malo* e *affare.*

**màlaga,** dal nome della città sp. di *Málaga.*

**malagévole,** comp. di *male* negat. e *agévole.*

**malandra** (piaga dei cavalli), lat. tardo *malandria,* adattam. del gr. *melándryon.*

**malandrino,** comp. di *malo* e *\*landrino,* dal ted. medio *landern* 'vagabondare' perciò «vagabondaccio».

**malanno,** comp. di *malo* e *anno.*

**malapena,** da *mala* e *pena.*

**malare¹** (osso), da lat. scient. *malaris,* der. di class. *mala* 'mascella', v.

**malare²** (verbo), verbo denom. da *male,* v. AMMALARE.

**malaria,** da *mala aria.*

**malato,** incr. di lat. volg. *male habĭtus* (calco sul gr. *kakôs ékhōn*) con una forma di verbo denom. *malare* (v. AMMALARE) al part. pass.

**malattìa,** astr. di *malatto,* forma settentr. di lat. *male habĭtus;* v. MALATO.

**malaugurio**, da *malo* e *augurio*.

**malavita**, da *mala* e *vita*.

**malavoglia**, da *mala* e *voglia*.

**malavveduto**, da *male* negat. e *avveduto*.

**malavventurato**, da *male* e *avventurato*.

**malavvezzo**, da *male* e *avvezzo*.

**malazzato**, incr. di *ammalato* e *malaccio*, con assibilaz. settentr. di *-accio* in *-asso* poi corretta nel tosc. *-azzo*.

**malcaduco**, da *mal(e)* *caduco*.

**malcapitato**, da *mal(e)* *capitato*.

**malcauto**, da *mal(e)* negat. e *cauto*; v. MALE[1].

**malcerto**, da *mal(e)* negat. e *certo*.

**malcomposto**, da *mal(e)* negat. e *composto*.

**malconcio**, da *mal(e)* e *concio* (da *conciato*).

**malcondotto**, da *mal(e)* e *condotto*.

**malconoscente**, da *mal(e)* negat. e *conoscente*.

**malcontento**, da *mal(e)* negat. e *contento*.

**malcostume**, da *mal(o)* *costume*.

**malcreato**, da *mal(e)* e *creato*.

**maldentati**, da *mal(e)* e *dentato*.

**maldestro**, da *mal(e)* negat. e *destro*.

**maldetto**, da *mal(e)* e *detto*.

**maldicente**, da *male* sost. e *dire*, calco sul lat. *maledĭcus*.

**maldicenza**, calco sul lat. tardo *maledicentia*.

**maldisposto**, da *mal(e)* negat. e *disposto*.

**mal(e)**, dall'avv. *male* non solo come opposto di *bene*, ma anche nel senso di negazione pura e semplice.

**male**[1] (avv.), lat. *male*, avv. di *malus* (cfr. MALO), da una rad. ideur. MEL, di valore religioso e largamente attestata, p. es. nelle aree iranica, armena, baltica, celtica, greca (gr. *meléos* ' vano ') sia pure con sensibili differenze di signif.

**male**[2] (sost.), lat. *malum*, incr. con l'avv. *male*.

**malebolge**, da *male* (femm. plur.) e *bolge*; v. BOLGIA.

**maledetto**, lat. *maledictus*.

**maledicente**, lat. *maledīcens, -entis*.

**malèdico**, dal lat. *maledĭcus*.

**maledire**, lat. *maledicĕre*, incr. con it. *dire*.

**maledizione**, dal lat. *maledictio, -onis*.

**malefatta**, dal lat. *male facta*, neutro plur. di *male factum* ' cattiva azione '.

**maleficio**, dal lat. *maleficium*.

**malèfico**, dal lat. *malefĭcus*.

**maleolente**, comp. di lat. *male* e *olens, -entis*, part. pres. di *olere* ' emanare odore '; v. OLEZZO.

**malescio**, dallo sp. *malejo*, deriv. di *malo* ' cattivo '.

**malèssere**, comp. di *mal(e)* e *essere*.

**malestro**, da *mal(o)* *estro*.

**malevolenza**, dal lat. *malevolentia*.

**malèvolo**, dal lat. *malevŏlus*.

**malfare**, lat. *malefacĕre*, incr. con it. *fare*.

**malfatto**, lat. *malefactum*.

**malfattore**, lat. *malefactor, -oris*.

**malfermo**, da *mal(e)*- negat. e *fermo*.

**malfido**, da *mal(e)* negat. e *fido*.

**malfondato**, da *mal(e)* e *fondato*.

**malfusso** ' birbone ', dallo sp. *marfuz* ' rinnegato ', che è dall'ar. *marfuḍ*.

**malga**, dal tema mediterr. paleoeuropeo *malga*, proprio delle reg. alpine.

**malgarbo**, da *mal(e)* negat. e *garbo*.

**malgascio**, dal frc. *malgache*.

**malgoverno**, da *mal(o)* *governo*.

**malgrado**, da *mal(o)* e *grado* ' gradimento '.

**malìa**, dal lat. *malus* ' cattivo ' col suff. it. di astr. *-ìa*.

**maliardo**, da *malìa* col suff. peggiorativo *-ardo*.

**màlico**, dal frc. *malique* e questo dal lat. *malum* ' mela ', frutto da cui fu estr. la prima volta l'acido.

**malignare**, dal lat. *malignare* ' avere cattiva natura ', incr. con it. *maligno*.

**malignità**, dal lat. *malignĭtas, -atis*.

**maligno**, dal lat. *malignus* ' di cattiva ascendenza ', comp. di *male* (avv.) e *-gnus*, tema di *gignĕre* ' generare '; v. BENIGNO.

**malinconia**, dal gr. *melankholìa*, comp. di *mélas* ' nero ' e astr. in *-ìa* di *kholé* ' bile '; dissimilato rispetto a *-l-* con la sostituz. della seconda *-l-* con *-n-*; incr. con *male*.

**malincònico**, dal gr. *melankholikós*, con lo stesso trattam. di *melankholìa*; v. MALINCONIA.

**malincuore**, da *mal(e)*[2] *in cuore*.

**malinteso**, da *(proposito) mal(e) inteso*.

**malizia**, dal lat. *malitia*, astr. di *malus* ' cattivo '.

**maliziosità**, dal lat. tardo *malitiosĭtas, -atis*.

**malizioso**, dal lat. *malitiosus*.

**malleàbile**, agg. verb. da un lat. *malleare* ' agire col *malleus* (martello) '; v. MAGLIO.

**mallèolo**, dal lat. *malleŏlus*, dimin. di *malleus* e perciò equival. a « martelletto »; v. MAGLIO.

**mallevadore**, nome d'agente di *mallevare*, con leniz. settentr. di *-t-* in *-d-*.

**mallevare**, lat. *man(um) levare* ' alzare la mano (in segno di giuramento) '.

**malleverìa**, da *malleva(do)ria*, incr. con *mallevare* e il suff. di astr. *-erìa*.

**mallo** (della noce), lat. *mallus* (Catone) ' tumoretto al ginocchio dei cavalli ', forse in connessione con *malleus*; v. MALLÈOLO.

**malloppo**, sost. deverb. centro-merid. estr. da *ammalloppà* che è it. *inviluppare*.

**malmaritata**, da *mal(e)*[1] e *maritata*.

**malmenare**, *mal(e)*[1] e *menare*.

**malmesso**, da *mal(e)*[1] e *messo*.

**malnato**, da *mal(e)*[1] e *nato*.

**malnoto**, *mal(e)*[1] e *noto*.

**malo**, lat. *malus* ' cattivo '; v. MALE[1].

**malocchio**, da *mal(o)* e *occhio*.

**malombra**, da *mal(a)* e *ombra*.

**malora**, da *mala* e *ora* (sost.).

**malore**, incr. di *male*[2] e *dolore*.

**malparlante**, da *mal(e)*[1] e *parlante*.

**malpensante**, da *mal(e)*[1] e *pensante*.

**malpiglio**, da *mal(o)* e *piglio*.

**malpràtico**, da *mal(e)*[1] negat. e *pràtico*.

**malpreparato**, da *mal(e)*[1] negat. e *preparato*.

**malsano**, da *mal(e)*[1], negat. e *sano*.

**malservito**, da *mal(e)*[1] e *servito*.

**malsicuro**, da *mal(e)*[1] negat. e *sicuro*.

**malsofferente**, da *mal(e)*[1] negat. e *sofferente*.

**malta**, dal lat. *maltha*, che è dal gr. *máltha* ' mistura di pece e di cera '.

**maltagliati**, da *mal(e)*[1] e *tagliati*.

**maltalento**, da *mal(o)* e *talento*.

**maltempo**, da *mal(o)* e *tempo*.

**maltenuto**, da *mal(e)*[1] e *mantenuto*.

**maltinto**, da *mal(e)*[1] e *tinto*.

**malto**, dall'ingl. *malt*.

**maltolto**, da *mal(e)*, avv. e *tolto*.

**maltosio**, da *malto* col suff. tecnico dei chimici *-osio*.

**maltrattare,** da *mal(e)*[1] e *trattare*.

**maltusiano,** dal nome di Ch. R. Malthus, economista inglese (1766-1834).

**malumore,** da *mal(o)* e *umore*.

**malva,** lat. *malva*, parola mediterr.

**malvàceo,** dal lat. *malvacĕus*.

**malvagio,** dal provz. *malvatz*, lat. tardo *malifatius*, calco su *bonifatius* nel senso di « colui a cui il destino è avverso », v. FATO.

**malvasìa,** adattamento venez. del gr. moderno *Monembasìa*, località del Peloponneso, in Grecia, forse incr. con *malva*.

**malvavischio,** lat. *malva (hi)biscus* (v. MALVA e IBISCO), incr. con it. *vischio*.

**malversazione,** dal frc. *malversation* (XIX sec.), nome d'azione di *malverser*, lat. *male versari* ' comportarsi male '.

**malvivente,** da *mal(e)*[1] e *vivente*.

**malvolentieri,** da *mal(e)*[1] negat. e *volentieri*.

**mamma**[1] lat. *mamma*, voce infantile, di antichità ideur. e di diffusa attestazione, sia pure nelle forme oscillanti MA(M)MA, A(M)MA.

**mamma**[2] (mammella), lat. *mamma*; v. MAMMA[1].

**mammà,** dal frc. *maman*.

**mammalucco,** dall'ar. *mamlūk* ' posseduto ', ' schiavo ', nome dato agli schiavi portati in Egitto dalla Turchia e dal Caucaso.

**mammario,** dal lat. *mamma* ' mammella ' col suff. *-ario*.

**mammella,** lat. *mamilla*, incr. con *mamma*[2].

**mammellone,** dal frc. *mamelon* ' capezzolo '.

**mammìfero,** comp. moderno dal lat. *mamma* ' mammella ' e *-fero* ' portatore '.

**mam(m)illare,** dal lat. *mamillaris*, incr. event. con it. *mammella*.

**màmmola,** variante merid. di *bàmbola* con assimilaz. norm. merid. di *-mb* in *-mm* e quella della *b-* iniz. alla *-mm-* così risultante.

**màmmolo,** variante merid. di *bàmbolo*, con assimilaz. di *-b-* a *-m-*; v. MÀMMOLA.

**mammona,** dal lat. crist. *mammōnā*, che è dal gr. *mamōnâs*, e questo dall'aramaico *māmōnā* ' ricchezza, guadagno '.

**mammone,** dall'ar. *maimūn* ' scimmia '.

**mammùt,** dal frc. *mammouth*, russo *mamont*, prob. dall'ostiaco, lingua ugro-finnica della Siberia occidentale.

**mana** (forza magica), termine introdotto dalla Polinesia dal missionario inglese R. H. Codrington ai primi del secolo.

**manale**[1]**,** da lat. *(lapis) manalis*, der. di *manes*, v. MANI.

**manale**[2] (mezzo guanto), da *mano*.

**mancare,** verbo denom. da *manco*, agg.

**mancese,** dal nome della popolazione dei *Manciù*.

**mancia,** dal frc. *manche* ' manica ' e cioè la manica che la dama regalava per ricordo al cavaliere nelle cerimonie cavalleresche.

**manciata,** lat. volg. *\*manuciare*, verbo denom. da *manucium* ' guanto ', (glossari) fornito del doppio suff. collettivo e intensivo *-ata*; e cioè equival. a « agguantata ».

**mancino,** da *manco*, nel senso di ' sinistro '.

**mancipio,** dal lat. *mancipium* nel senso di ' schiavo ', comp. di *man-* (v. MANO), e il tema di *capĕre*: l'atto di prendere con la mano dav. a testimoni

per affermare la proprietà, passato poi a indicare la « cosa presa ».

**manco,** lat. *mancus* ' monco ', deriv. da *man-* (v. MANO), col suff. *-cus*, tipico dei difetti fisici (cfr. *caecus, cascus, luscus*).

**mandamento,** nome d'azione da *mandare*.

**mandare,** lat. *mandare*, da *man(um)dare* ' mettere nella mano, affidare ', verbo durativo di più ant. *\*mandĕre*, comp. di *manum* e la rad. DHE̅ ' porre ' come in *condĕre, subdĕre*; v. SÙDDITO.

**mandarino**[1] (persona), dal portogh. *mandarìm*, malese *mantarī*, risal. al sanscrito *mantrin* ' consigliere '.

**mandarino**[2] (frutto), allusione al precedente per il suo colore giallo vistoso.

**mandatario,** dal lat. *mandatarius*.

**mandato,** dal lat. *mandatum*, neutro sostantiv. del part. pass. di *mandare*.

**mandìbola,** dal lat. *mandibŭla*, nome di strum. da *mandĕre* ' masticare ', che ha connessioni appena evanescenti nelle aree greca, germanica e celtica. Per il deriv. *mandūcus*, v. MANDUCARE.

**mandiritto** e **mandritto,** da *(colpo) d(i)ritto (con la) mano*.

**mandòla,** lat. *pandūra*, che è dal gr. *pandûra*, incr. con *mano* e il suff. *-òla*.

**mandolino,** dimin. di *mandòla*.

**màndorla,** lat. tardo *amandŭla* con l'inserimento dissimilatorio di *-r-* per escludere il valore dimin. di *-ola*. *Amandŭla* risulta dall'incr. di *amiddŭla* con *mandĕre* (v. MANDÌBOLA); *amiddŭla* è dal gr. *amygdálē*, precocemente ricevuto ed energicamente adattato.

**mandr(i)a,** lat. *mandra*, che è dal gr. *mándra* con il suff. facoltativo *-ia*, che accentua il valore collettivo.

**mandràgola** e **mandràgora,** dal lat. *mandragŏras*, che è dal gr. *mandragóras*, con event. dissimilaz. di *-r-* in *-l-*, che introduce il valore dimin.

**mandrillo,** dallo sp. *mandril*, importato dal territorio africano della Guinea.

**mandrino,** dal frc. *mandrin*.

**mandritta,** comp. di *man(o)* e *dritta*.

**manducare,** lat. *manducare*, verbo denom. da *mandūcus*, deriv. di *mandĕre* ' masticare ', come *caducus* da *cadĕre*; v. MANDÌBOLA, cfr. MANGIARE e MANICARE.

**-mane,** dal gr. *-manēs*: « pazzo (per qualche cosa) ».

**mane,** lat. *mane* ' mattino ', neutro dell'agg. *manis* ' buono ' (cfr. IMMANE) equival. a ' buona (ora) ' con una connessione evidente solo nell'area celtica, attrav. un ampliam. in *-t-* della stessa rad. MĀ. Questa rad., di signif. essenzialmente verbale e non nominale, conduce alla nozione di ' buono ', attrav. la definiz. del frutto « che si avvia dalla acerbità verso la maturazione » e del tempo « che si avvia dalla tenebra della notte verso la luce »; cfr. MATTUTINO e MATURO. Essa appartiene dunque al vocab. di una civiltà di « raccoglitori di frutti ». Cfr. anche *manes*, v. MANI.

**maneggiare,** verbo denom. da *mano*.

**maneggio,** sost. deverb. da *maneggiare*.

**manente** ' compartecipante agricolo ', lat. *manens, -entis*, part. pres. di *manere*, v. RIMANERE, MANSIONE.

**manescalco,** v. MANISCALCO.

**manesco,** da *mano* con suff. aggettiv. peggiorativo *-esco.*

**mànfano,** incr. di lat. *mamphur* (di orig. dialettale, forse con genit. *\*mamphĭnis*) con it. *pàmpano* (lat. *pampĭnus*) (v.), privo di connessioni evidenti.

**manganare,** verbo denom. da *màngano.*

**manganello,** dimin. di *màngano.*

**manganese,** da una variante medv. *\*ma(n)gnesi* (lat. XV sec. *manganexum*) del gr. biz. *magnēsi(on)* 'magnesia'.

**màngano,** lat. tardo *mangănum* 'macchina da guerra', che è dal gr. *mánganon.*

**mangerìa,** astr. di *mangiare,* come *ruberìa* di *rubare.*

**mangia,** abbreviaz. di *Mangia(guadagni)* soprannome di tale Giovanni Ducci, incaricato di sonare le ore nell'orologio della Torre di Siena prima che fosse messo in opera l'automa di bronzo.

**mangiare,** dal frc. ant. *mangier,* lat. *manducare;* v. MANDUCARE e MANDÌBOLA e cfr. MANICARE.

**mangiarino,** dimin. tratto da un verbo all'inf. del tipo *manicaretto,* v. MANICARE.

**mango,** dal portogh. *manga,* risal. al tamul (India merid.) *mānkāy.*

**mangosta** e **mangusta,** dal frc. *mangouste* e questo dal maratto (lingua neoindiana dell'India centro-occidentale) *mangūs.*

**mani,** dal lat. *manes* che sottintendendo *Di,* sono « (gli Dèi) buoni »; cfr. MANE.

**mania,** dal gr. *manía* 'follia', astr. di *maínomai* 'sono furioso'.

**maniaco,** dal lat. medv. *maniacus.*

**mànica,** dal lat. *manica,* deriv. da *manus* 'mano'.

**manicare,** incr. di lat. *manducare* e it. *masticare,* cfr. MANUCARE.

**manicaretto,** dimin. di *manicare* del tipo di *mangiarino* (v.) rispetto a *mangiare.*

**manichèo,** dal lat. tardo *Manichaeus,* dal siriaco *mānī ḥayyā* 'Mani il vivente', che così definisce il fondatore della dottrina, il persiano Mānī (216-277 d. C.).

**manichino,** dal frc. *mannequin* e questo dal fiammingo *manneken* 'ometto'.

**mànico,** dal lat. *\*manĭcum,* deriv. di *manus.*

**manicomio,** comp. del tema *mani-* (gr. *manía* 'follia') e *-comio* 'luogo di ricovero' (dal gr. *koméō* 'io curo').

**manicotto,** da *mànica* con suff. *-otto.*

**manicure,** dal frc. *manucure* (XX sec.), calco su *pédicure:* dai temi lat. di *manus -us* (al posto di *pes pedis*) e *curare.*

**maniera,** dal frc. ant. *manière,* femm. sostantiv. di *manier* 'che si fa con le mani, manuale', lat. volg. *\*manarius.*

**maniero,** dal verbo provz. *maner,* lat. *manere* 'rimanere', 'dimorare', sostantiv.

**manifattura,** dal lat. medv. *manifactura,* astr. di *manu facĕre* 'fare con la mano'.

**manifestare,** dal lat. *manifestare,* verbo denom. da *manifestus.*

**manifestazione,** dal lat. tardo *manifestatio, -onis.*

**manifesto,** dal lat. *manifestus* 'preso per mano', poi 'preso sul fatto', comp. di *manu-* e di un part. pass. *\*festus,* che si ritrova in *infestus,* v. INFESTO, risal. prob. a una forma desiderativa della rad. DHĒ 'porre' (v. FARE), ampliata con l'elemento *-s.*

**maniglia,** dal frc. *manille,* forse sp. *manilla,* dimin. di lat. *manus.*

**manigoldo,** dal nome personale ted. *Managold* (XI sec.) autore di libelli contro gli eretici.

**manilla,** dal nome della città di *Manilla* (sp. *Manila*), capitale delle Filippine.

**maniluvio,** dal lat. medv. *maniluvium,* calco su *pediluvium* (class. *malluvium;* v. MANTILE).

**maniméttere,** v. MANOMÉTTERE.

**manimorcia** 'donna disordinata nel vestire', dal lat. *manus* (v. MANO) e *murcus* 'monco', privo di connessioni attendibili, ma collegato con gli aggettivi in *-cus* che denotano difetti fisici come *caecus, mancus, luscus,* ecc.

**manioca,** dal frc. *manioc* e questo da un tipo *manihoca* delle lingue indigene del Brasile (tupì, guaranì), cfr. TAPIOCA.

**manipolare,** verbo denom. dal lat. medv. dei farmacisti *manìpulus.*

**manìpolo¹,** dal lat. medv. *manìpulus,* nel senso dei farmacisti: « manciata (di erbe medicinali) ».

**manìpolo²,** dal lat. *manìpŭlus* 'manciata', 'manìpolo', comp. di *manus* e un elemento *plē-* paragonab. a *locŭples* (v. LOCUPLETARE), ma di signif. attivo « che riempie la mano »: inteso poi come un dimin. *\*manip-lo-*

**maniscalco,** dal lat. medv. *mariscalcus* (incr. con *manus*); e questo dal franco *marhskalk* « servo (*skalk*) addetto ai cavalli (*marh*) », cfr. MARESCIALLO.

**manna¹,** dal lat. crist. *manna,* che è dal gr. *mánna,* risal. a ebr. *mān.*

**manna²,** lat. imp. *manua* 'manciata' con assimilaz. progressiva di *-nua* in *-nna;* cfr. MENNO.

**mannaggia!,** da *ma(la)nn'aggia* 'ma(la)nno abbia', secondo la tradiz. merid. del passaggio di *-abbia* in *-aggia.*

**mannaia,** lat. (*securis*) *manuaria,* femm. di *manuarius* 'maneggevole'.

**mannaro** (lupo), lat. volg. *\*(lupus) hominarius,* incr. con *mannara,* variante merid. di *mannaia;* v.

**mannello,** da *manna².*

**mannire,** forma dialettale lombarda ed emiliana per *ammannire* (v.), dal got. *manwjan* 'preparare'.

**mannite,** da *manna¹* col suff. chimico *-ite.*

**mano,** lat. *manus, -us,* con connessioni italiche e germaniche, non solo per la forma ma anche per i valori simbolici di 'protezione', e con connessioni meno evidenti nell'area celtica. Il tema si presenta nelle tre forme di MAN- MANU MANI. La mano è nozione così esposta a influenze magiche che la stabilità della terminologia ne risente; cfr. il gr. *kheir* « quella che afferra » e v. ASTA e PRESTO.

**manòmetro,** dal frc. *manomètre* e questo dal tema *-metro* 'misura' e il gr. *manós* 'poco denso': « misuratore (della pressione) di sostanza fluida ».

**manométtere,** dal lat. *manumittĕre* (che significa però 'affrancare'), incr. con it. *mano.*

**manomissione,** dal lat. *manumissio, onis,* incr. per il signif. con it. *manométtere.*

**manomorta,** da *mano,* nel senso di 'potere' e *morto* nel senso di 'rigido' che « non ammette trapassi ».

**manòpola,** dal lat. *manupŭla,* variante di *manipŭla,* forse attrav. lo sp. *manopla.*

**manoscritto,** dal lat. *manu scriptus.*

manovale, lat. *manualis*, con epentesi settentr. in iato del tipo *-ova* al posto di *-ŭa-*; cfr. *Genova* rispetto a lat. *Genŭa*.

manovella, lat. volg. *\*manibella*, dimin. di *\*manibŭla* ' maniglia ', nome di strum. di un presunto verbo *\*manire* incr. con it. *manovale*.

manovra, dal frc. *manoeuvre*, sost. deverb. da *manoeuvrer*.

manovrare, dal frc. *manoeuvrer*, lat. medv. *manu operare*.

manrovescio, calco su *mand(i)ritto*: e cioè « (colpo) *rovescio* (con la) *mano* ».

mansarda, dal frc. *mansarde* e questo da *F. Mansard*, architetto frc. (1598-1666) che le rimise in moda.

mansione, dal lat. *mansio, -onis* ' luogo di sosta ', nome d'azione di *manere* ' sostare ', passato dal signif. loc. a quello della « (funzione) che nell'ufficio o *mansio* (il funzionario svolge) »; cfr. MAGIONE e MASO e, per la rad., v. RIMANERE.

manso, incr. di lat. *mansuetus* ' mansueto ' e lat. *mansus* ' rimasto ', part. pass. di *manere*, tratto analogicam. dal perf. *mansi*, sostituendo l'orig. *\*mantus*, v. RIMANERE.

mansuefare, dal lat. *mansuefacĕre*, incr. con it. *fare*.

mansueto, dal lat. *mansuetus*, prop. « abituato (*suetus*) alla mano (*man-*) »; v. MANO e CONSUETO.

mansuetùdine, dal lat. *mansuetudo, -ĭnis*.

màntaco ' mantice ', lat. *mantĭca*, pass. al genere maschile, con normale passaggio della *-i-* interna ad *-a-* in parola sdrucciola (come in *crònaca*, *tònaca*, v.), v. MANTELLO.

-mante, dal gr. *mántis* ' indovino '.

manteca, dallo sp. *manteca* ' burro ', parola mediterr.

mantello, lat. *mantellum* ' velo, copertura ', privo di connessioni ideur., forse collegato con *mantĭca*, da un tema mediter. MANTA, v. MÀNTACO.

mantenere, lat. *manu tenere*.

màntica, dal gr. *mantiké* (*tékhnē*) « (arte) dell'indovino ».

màntice, lat. *mantĭcae* ' bisacce, sacchi ', inteso come sg. Forse della stessa famiglia di *mantellum*; v. MANTELLO.

màntide, dal lat. scient. *mantis*, gr. *mántis, -idos* propr. ' indovino ': per l'atteggiamento delle zampe come in preghiera.

mantiglia, dallo sp. *mantilla*, dimin. di *manta* ' coperta, scialle '; v. MANTO.

mantile, lat. tardo *mantile* ' asciugamano ', class. *mantele*, forma neutra sostantiv. di un agg. *\*manterg-s-lis* tratto da un sost. *\*man-terg-s-lom*, cfr. lat. *mantelum*, nome di strum. di un verbo comp. *\*mantergĕre* « tèrgere con la mano » (v. MANO e TÈRGERE). *Man-* invece di *manu-* appare come primo elemento di composiz. p. es. in *malluvium*; cfr. PEDILUVIO e v. MANCO, MANCIPIO, MANSUETO.

mantissa, dal lat. *mantissa* ' aggiunta ', di prob. orig. etrusca.

manto¹ ' molto ', dal frc. *maint*, che è dal lat. (*tam*) *magnus* incr. con *tantus*.

manto², dal lat. tardo *mantus*, estr. da *mantellum*.

mantrugiare, lat. volg. *manu \*trusiare*, intens. di *manu trudĕre* ' spiegare con la mano ', attrav. la leniz. settentr. in *-sgja-* corretta nel tosc. *-gia*.

manuale¹ (agg.), dal lat. *manualis*; cfr. MANOVALE.

manuale² (sost.), calco sul gr. *enkheirídion* ' libro a portata di mano ', da *en-* ' in ' e *kheír* ' mano ' col suff. *-idion*.

manubrio, dal lat. *manubrium*, deriv. oscuro di *manus*, forse attrav. un agg. *\*manŭber* che presupporrebbe però un verbo *\*manuĕre* piuttosto che il sost. *manus*.

manucare ' mangiare ', lat. *manducare* incr. con it. *manicare*.

manufatto, dal lat. *manu factus*.

manutèngolo, incr. di lat. *manu tenere* e it. *tengo mano* con suff. del tipo (*fruttivend*)*olo*.

manutenzione, dal lat. medv. *manutentio, -onis*, nome d'azione di *manu tenere*.

manzo, lat. volg. *\*mandjus*, di orig. preromana alpina.

maomettano, dal nome ar. *Muhammad* « degno di lode », del fondatore della religione omonima (570 circa-632).

maona¹ (barcone), dall'ar. *ma'una* ' aiuto '.

maona² (compagnia commerciale), dall'ar. *ma'una* ' aiuto '.

mappa, dal lat. *mappa* ' tovaglia ', parola mediterr.

mappamondo, dal lat. medv. *mappa mundi*.

marabù (uccello), dal frc. *marabout*, impiego figur. dell'ar. *murābiṭ*; v. MARABUTTO.

marabutto, adattamento dell'ar. *murābiṭ*, prop. « colui che è acquartierato ».

marachella, dall'ebr. *meraggēl* ' esploratore ', ' spia ', attrav. il giudeo-italiano.

maragià, da sanscrito *mahā* (' grande ')-*rājā* (' re '), con accentazione dovuta a intermediario frc.

maramaldo (traditore), dal nome di Fabrizio Maramaldo che uccise Francesco Ferrucci a Gavinana nel 1530.

maramào, v. MARAMÈO.

marame, dal provz. *mairam*, lat. *\*materiamen*, collettivo di *materia*, sul modello di *lignum-lignamen* ' legname '.

maramèo e maramào, da una serie onomatop. *m.... r* arieggiante il verso del gatto.

marangone (uccello), incr. di lat. *mergus*, lat. medv. *mergo, -onis*, con frc. ant. *marenc* ' marino '.

marasca, da *amarasca* (v.).

marasma e marasmo, dal frc. *marasme* (XVII sec.), che è dal gr. *marasmós* ' consunzione ', deriv. di *maraínō* ' io consumo '.

marasso (serpe), dal lat. *matăris* (con suff. peggiorativo *-aceus*), con leniz. totale di *-t-* e assibilaz. di *-accio* in *-asso*, caratteristiche della valle padana. Lat. *matăris* è di orig. gallica.

maratona, dal nome della località di Maratona, nell'Attica, gr. *Marathón*, da cui un soldato ateniese portò la notizia della vittoria sui Persiani, nel 490 a. C., con una lunga, estenuante corsa.

maravedì, dallo sp. *maravedì*, ar. *murābiṭī* « (moneta degli) Almoravidi ».

maraviglia, maravigliare ecc., v. MERAVIGLIA, MERAVIGLIARE ecc.

marca¹ ' bollo ', dal gotico *marka* ' segno (di confine) '.

marca² ' territorio ', dal lat. medv. (X sec.) *marca* e questo dal franco *\*marka* « segno (di confine), poi regione di confine », cui in lat. corrisponde a sua volta *margo, -ĭnis* ' margine '. Il signif. di ' segno ', era adombrato però nel verbo denom. franco *markōn* per cui v. MARCIARE e cfr. MARCO.

**marcantonio,** applicaz. scherzosa dei solenni nomi di Roma ant. *Marco* e *Antonio*.

**marcapunti,** da *marca(re)* e *punti*.

**marcare,** verbo denom. da *marca* nel senso di ' segno '.

**marcasite,** dal lat. medv. *marchasita*, che è dall'ar. *marqashīṭā*.

**marcescente,** dal lat. *marcescens, -entis*, part. pres. di *marcescĕre*, verbo incoat. di *marcere* ' essere marcio '.

**marcescìbile,** dal lat. *marcescibĭlis*.

**marchese,** dal provz. *marques* e questo dal franco *\*marka*; v. MARCA².

**marchiano,** da *marchigiano*, attributo di ciliege particolarmente grosse.

**marchiare,** dal frc. ant. *merchier*.

**marchio,** sost. deverb. da *marchiare*.

**marchionale,** dal lat. medv. *marchionalis*, deriv. di *marchio, -onis* ' marchese ' e questo dal franco *\*marka* ' terra di confine '; v. MARCA².

**marcia¹,** femm. sostantiv. di *marcio*.

**marcia²,** sost. deverb. da *marciare*.

**marciaia** (malattia di animali) da *marcio*.

**marciapiede,** dal frc. *marchepied* (XVIII sec.).

**marciare,** dal frc. *marcher* (XVI sec.), franco *markōn* ' lasciar traccia ': in frc. si tratta cioè di un termine della caccia, per cui ' camminare ' è in realtà un « lasciar traccia ».

**màrcido,** dal lat. *marcĭdus*, deriv. di *marcēre* ' esser marcio '.

**marcio,** lat. *marcĭdus* secondo una tradiz. settentr. con la leniz. totale del *-d-*.

**marcire,** lat. *marcere* con passaggio alla coniugaz. in *-i-*: da una rad. a carattere popolare di tipo MARK con corrispond. solo nell'area baltica, forse con qualche collegamento con la rad. di *fracĭdus*; v. FRÀDICIO.

**marcita,** da *marcire*, secondo il rapporto di *colata* rispetto a *colare*.

**marco,** dal franco *\*marka* ' segno '; v. MARCA².

**marconigramma,** dal nome di G. Marconi (1874-1937), inventore della radiotelegrafia, e *-gramma*.

**marconista,** da *marcon(igraf)ista*.

**marconiterapìa,** dal nome di G. Marconi e *terapia*.

**mare,** lat. *mare*, parola ideur. nordoccidentale che significava in orig. ' laguna ', attestata nelle aree celtica, germanica, baltica, slava. La sua corrispond. sudorientale è SELOS ' palude ' (gr. *hélos*, sanscrito *saras* ' specchio d'acqua ').

**marèa,** dall'ant. frc. *marée* (XIV sec.).

**maremma,** lat. *maritĭma (regio)* « (regione) marittima », con norm. sincope della voc. postonica; v. MARÌTTIMO.

**maremoto,** calco su *terremoto*, con la sostituz. di *mare a terre-*.

**marengo,** dalle prime monete che furono coniate da Napoleone dopo la battaglia di Marengo (14 giugno 1800).

**mareògrafo,** da *marea* e *-grafo*.

**maresciallo,** dal frc. *maréchal*, lat. medv. *mariscalcus*, franco *marhskalk* « servo (*skalk*) addetto ai cavalli (*marh*) »; cfr. MANISCALCO, MASCALCO.

**marese** ' acquitrino ' (arc.), dal frc. ant. *mareis*, mod. *marais*.

**marezzana** (strisce di terra lungo il Po, normalmente allagate in tempo in piena), ven. *maresana,* da *marese*, incr. con *mare* e correzione tosc. eccessiva di *-s-* in *-zz-*.

**marezzare** ' dipingere a forma di onde marine ', verbo denom. da *mare* col suff. settentr. *-ezzare* anziché *-eggiare*.

**marezzo,** sost. deverb. da *marezzare*.

**marga** ' marna ', dal lat. *marga*, parola gallica, di prob. orig. mediterranea, cfr. MARNA.

**margarina,** dal frc. *margarine* (XIX sec.), deriv. di *(acide) margarique*, e questo dal gr. *márgaron* ' perla ' per il suo colore.

**margherita,** lat. *margarita*, con passaggio tosc. di *-ar-* atono in *-er-*; dal gr. *margarĭtēs* ' perla ' e ' fiore della margherita '.

**marginare,** dal lat. *marginare*, verbo denom. da *margo, -ĭnis*.

**màrgine,** lat. *margo, -ĭnis*, parola ideur. di signif. preciso anche se di tradiz. non stabile, attestata soprattutto nell'area germanica; v. MARCA¹.

**margotta,** dal frc. *margotte*, deriv. di lat. *mergus* ' propaggine ', privo di connessioni evidenti.

**margravio,** dal lat. medv. *margravius*, che è dal ted. *Markgraf* « conte di una marca », comp. di *mark* ' marca ' e *graf* ' conte '; cfr. LANGRAVIO.

**Maria,** lat. *Marīa*, dall'ebr. *Miryām*, attrav. il gr. crist. *Mariám, María*.

**mariano,** da *Maria*.

**marina,** forma sostantiv. del femm. dell'agg. *marino*.

**marinaio** e **marinaro,** da *marina* nel senso di flotta con i due suff. di tipo toscano (*-aio*) e non toscano (*-aro*).

**marinare,** verbo denom. da *marino*. Riferito alla scuola, significa « serbarla per altra occasione ».

**marinato,** da *marinare*.

**marino¹** ' di mare ', lat. *marinus*.

**marino²** ' materiale roccioso risultante dalla perforazione di gallerie ', forse da *marra* ' mucchio di sassi ' con suff. dimin. e semplificaz. settentr. della *-rr-* in *-r-*, v. MARRA².

**mariolo,** dalla formula *far le marie*; v. MARIA, « fingere semplicità o devozione ».

**marionetta,** dal frc. *marionnette*, doppio dimin. di *Marie*, attrav. *Marion*, riferito a imagini e bambole.

**maritale,** dal lat. *maritalis*.

**maritare,** lat. *maritare* verbo denom. da *maritus*.

**marito,** lat. *maritus*, deriv. da un tema *\*mar(i)-* ' adolescente ' (anche di donna), sopravv. con ampliam. e signif. varî nelle aree indiana, greca, baltica; in latino, incr. con *mas, maris* ' maschio ' da cui ha avuto la specializzazione maschile. *Maritus* significava perciò in orig. « fornito di un (compagno) giovane », anche nella lingua dell'agricoltura.

**maritozzo,** forse da *marito* come simbolo della cerimonia matrimoniale: di provenienza romanesca.

**marìttimo,** dal lat. *maritĭmus*, con norm. raddopp. della cons. occlusiva dopo l'accento in parola sdrucciola. L'ampliam. in *-tĭmus*, suff. di superl., in orig. signif. dipendenza particolarmente stretta; v. MAREMMA e cfr. LEGÌTTIMO, ÒTTIMO.

**marmaglia,** dal frc. *marmaille*.

**marmaio,** da *marmo* con il suff. tosc. *-aio* (non tosc. *-aro*).

**marmeggia,** incr. parziale padano di lat. *vermi-*

*cŭlus* (v. VERME), con *barba*: cfr. *barbeggia*, che è invece incr. completo.

**marmellata,** dal portogh. *marmelada*, forma dissimilata del lat. *melimēla*, che è dal gr. *melimēlon*, incr. con un presunto ampliam. in *-ella* e con in più il suff. *-ata*.

**marmìfero,** da *marmo* e *-fero* ' portatore '.

**marmitta,** dal frc. *marmite*.

**marmo,** lat. *marmor*, che è dal gr. *mármaros*.

**marmocchio,** adattamento del frc. *marmot* ' scimmia ', quindi « scimmiotto ».

**marmorario,** dal lat. *marmorarius*.

**marmorizzare,** verbo denom. da *marmo*, incr. con *marmoreo*.

**marmotta,** dal frc. *marmotte*.

**marna,** dal frc. *marne*, deriv. da un gallico *\*margila*, cfr. MARGA.

**maro** (erba), dal lat. *marum*, che è dal gr. *máron*.

**marocchino,** da *Marocco*, regione dove si fabbricava questo tipo di cuoio.

**marone** (magistrato etrusco-italico), da mediterr. MARU, v. MARRONE².

**maroso,** da *mare*, con una vistosa derivaz. intens.

**marra**¹ ' zappa ', lat. *marra*, parola mediterr., anche se non è esclusa la provenienza semitica.

**marra**² ' mucchio di sassi ', da un tema mediterr. MARRA, cfr. MARINO² e MARRONE¹.

**marrancio** (coltello), da *marraccio*, peggiorativo di *marra*, incr. con *gancio*.

**marrano,** dallo sp. *marrano* ' porco ', che è dall'ar. *màhram* ' cosa vietata ', incr. con *(al)barrano* ' forestiero recentemente giunto ', risal. all'ar. *albarrān*.

**marrone**¹ (castagno), lat. medv. (XIII sec.) *marro, -onis*, parola alpina, forse paleo-europea, col senso originario di ciottolo.

**marrone**² (guida), lat. volg. *\*marro, -onis*, con rafforzam. espressivo, connessa con la magistratura italica latinizzata in *maro, -onis* (p. es. nel cognome di Virgilio). Parola mediterr.

**marrone**³ (colore) dal frc. *marron*.

**marrovescio,** v. MANROVESCIO.

**marrubio** (pianta), dal lat. *marrubium*, privo di connessioni attendibili.

**marruca** (pianta) da un tema mediterr. *\*marruca*.

**marsala,** dal nome della città di *Marsala*, prov. di Trapani.

**marsigliese,** dal nome dei volontarî di Marsiglia che per primi la cantarono a Parigi.

**marsina,** prob. dal nome del belga Jean de Marsin (1601-1673) comandante di truppe spagnole in Fiandra.

**marsupio,** dal lat. *marsupium* ' borsa ', che è dal gr. *marsýpion*, con adattamento arc. di *y* gr. in *-u* lat.

**marta,** dall'aramaico *martā* ' signora '.

**martagone,** dallo sp. *martagon*.

**marte,** dal lat. *Mars, Martis*, dio della vegetazione e insieme della guerra. Nel primo senso da una ascendenza ideur., comune con gli indiani *Marut* ' divinità del vento ', da una base di partenza alternante MAWRT/MARUT (come WLKwO-/LUKwO-, v. LUPO), cfr. MAVORZIO. Nel secondo risale a parola mediterr. del tipo MARIT- (etr. *maris*).

**martedì,** lat. *martis dies* ' giorno di Marte '.

**martelliano,** da P. J. Martello (1665-1727) che lo rimise in onore nel XVII sec.

**martello,** lat. tardo *martellus*, dimin. di *martŭlus*, forma parallela di un *marcŭlus*, a sua volta dimin. di *marcus* ' martello '. Quest'ultima potrebbe però essere stata ricavata dalle due precedenti, se si tien conto che la rad. di *malleus* (v. MAGLIO) mostra nelle lingue slave un ampliam. in *-to* (da cui il cognome-pseudonimo russo *Molotov*). La forma essenziale sarebbe allora *martŭlus*, dissimilata da un più ant. *\*maltŭlus, \*maltus*.

**martinaccio** (chiocciola), dal nome *Martino*.

**martinella,** dal nome di una campana del Palazzo Comunale di Firenze.

**martinello** (uccello), dal nome *Martino*.

**martinetto,** dal nome *Martino*.

**martingala,** dal frc. *martingale*.

**martinicca,** dal nome *Martino*.

**màrtire,** dal lat. crist. *martyr, martýris* « testimone (della fede) », che è dal gr. *mártyr, -yros*.

**martirio,** dal lat. crist. *martyrium*.

**martirizzare,** dal lat. crist. *martyrizare*.

**martirologio,** dal lat. medv. *martyrologium*; cfr. MENOLOGIO.

**màrtora,** dal lat. volg. *\*martŏra*, risal. al germ. occidentale *\*marthr* in età anteriore alla gotica (cfr. gotico *\*marthus*).

**martoriare,** da *martirio*, incr. con *martoro*.

**martoro,** lat. tardo *marturium*, che è dal gr. *martýrion*, incr. con temi lat. in *-turium* e con trattam. merid. del gruppo *-uriu* in *-oro*.

**marxismo,** dal nome di Carlo Marx (1818-1883).

**marza,** dal nome del mese di *marzo*, stagione degli innesti.

**marzapane,** adattamento dell'ar. *mauthabān*, che da moneta passò a indicare misura, poi la scatola caratteristica contenente il dolce « marzapane ».

**marziale,** dal lat. *martialis*.

**marzio,** dal lat. *martius*.

**marzo,** lat. *martius (mensis)*, dedicato al dio Marte (v.).

**marzocco,** dal lat. *martius*, col suff. it. *-occo*.

**mas,** dalle iniz. M.A.S. ' motoscafi armati SVAN ', interpretate poi ' motoscafo anti-sommergibile '.

**masca** ' strega ', e anche ' parte prodiera della nave ', dial. anche ' guancia ', tema mediterr. MASKA, col signif. di ' lato della faccia ' (o della ' nave ') e ' maschera '.

**mascagno** ' malizioso ', da *masca* nel senso di ' strega '.

**mascalcìa,** astr. di *mascalco*.

**mascalco,** dal franco *marhskalk* ' servo del cavallo '; v. MANISCALCO e cfr. MARESCIALLO.

**mascalzone,** incr. di *maniscalco* con *scalzo* e col suff. peggiorativo *-one* in più.

**mascarpone** e **mascherpone,** da una forma dialettale padana *ma(ni)scarpa* ' ricotta ' (col suff. accresc. *-ón*), estr. da un lat. volg. event. *\*manu excarpare*, class. *excerpĕre*.

**mascella,** lat. *maxilla*, dimin. di *mala* ' mascella ', deriv. da un più ant. *\*mak-s-la*, e questo collegato alla rad. MAK (di *macerare*) come *velum* da un più ant. *\*wek-s-lom*, è collegato alla rad. WECH di *vehĕre*; v. MACERARE.

**mascellare,** dal lat. *maxillaris*, incr. con it. *mascella*.

**màschera,** deriv. in *-era*, da un lat. medv. *masca* ' strega ', affine al dialettale *masca* v. ' guancia ', risal. a un tema mediterr.

**maschiettare**, verbo denom. da *maschietto*.

**maschietto** (arpione), da *maschio*.

**maschio**, lat. *mascŭlus*, dimin. di *mas, maris* 'maschio', parola antichissima, però priva di connessioni ideur.

**mascolino**, dal lat. *masculinus*.

**mascotta**, dal frc. *mascotte*, provz. *mascoto*, deriv. di *masca* 'strega'; v. MÀSCHERA.

**masnada**, dal provz. *maisnada*, lat. *\*mansionata*, deriv. di *mansio, -onis* 'casa, ospizio'; cfr. MAGIONE, MANSIONE.

**maso** (podere), lat. medv. *mansum*, neutro sost. del part. pass. di *manere*; v. MANSIONE.

**masochismo**, dal nome di *L. Sacher-Masoch* (1836-1895), la cui vita e scritti sono stati esempio classico di questa perversione.

**masonite**, dal nome dell'inventore W. H. Mason (XX sec.).

**massa**, lat. *massa*, precocemente preso dal gr. *mâza* 'pasta', e, in età tarda, impiegato anche a indicare un insieme di fondi agricoli; cfr. MASSERÌA.

**massacrare**, dal frc. *massacrer*.

**massacro**, dal frc. *massacre* (XVI sec.).

**massaggio**, dal frc. *massage*, deriv. di *masser* e questo dall'ar. *masah* 'fregare'.

**massaio**, lat. medv. *massarius*, 'amministratore di una «massa»', e cioè di un insieme di fondi agricoli, nel medio evo, col trattam. tosc. della finale *-ariu* in *-aio*.

**massaro**, da lat. *massarius*, secondo il trattam. merid. di *-ariu* in *-aro*.

**massello**, deriv. di *massa*.

**masserìa**, collettivo di *massa*, nel senso di 'proprietà agricola' e da *massaro* nel senso di 'sede del massaro'; cfr. il rapporto di *fattore* e *fattoria, trattore* e *trattoria*.

**masserizia**, dal lat. medv. *massaricius* 'ciò che appartiene al *massarius*', col passaggio toscano di *-ar-* atono in *-er-*, v. MASSAIO.

**massetere**, dal gr. *masētḗr (mȳs)* '(muscolo) masticatore', attrav. il verbo frc. *masséter*.

**massicciare**, da *massiccia(ta)re*, e cioè verbo denom. da *massicciata*.

**massicciata**, da *massiccio* col suff. di collettivo.

**massiccio**, da *massa[1]*.

**màssima**, dal lat. *maxĭma (sententia)*.

**massimale**, dall'ingl. *maximal* (XX sec.), e questo dal lat. *maxĭmus*.

**màssime**, dal lat. *maxĭme*, forma irrigidita dell'agg. *maxĭmus*, da un antico strumentale.

**màssimo**, dal lat. *maxĭmus*, superl. di *magnus* (v. MAGGIO[2]), ottenuto mediante il suff. di superl. *-sĭmus* (da SEMO-), come in *pessimus*, mentre *summus*, da *sup-*, *minŭmus* da *minu-* hanno solo *-mus*; v. MENOMO.

**masso**, deriv. di *massa*.

**massone**, dal frc. *(franc-)maçon* 'libero muratore'.

**massonerìa**, da *massone*, col suff. collettivo *-erìa*.

**mastalgìa**, comp. di *masto-* e *-algìa*.

**mastello**, dimin. del gr. biz. (Ravenna) *mastós* «(recipiente) a forma di mammella».

**masticare**, lat. tardo *masticare*, dal gr. *mastikháō*.

**masticazione**, dal lat. tardo *masticatio, -onis*.

**màstice**, dal lat. *mastix, -ĭcis*, che è dal gr. *mastíkhē* 'gomma di lentisco'.

**mastietto**, dimin. di *mastio*, variante tosc. di *maschio*.

**mastino**, dal frc. ant. *mastin*, lat. *(canis) mansuetinus*, dimin. di *mansuetus*.

**mastite**, da *masto-* e *-ite* suff. di malattia acuta.

**masto-**, dal gr. *mastós* 'mammella'.

**mastodonte**, dal lat. scient. *màstodon* e questo dal gr. *mastós* 'mammella' e *odús, -óntos* 'dente', per i molari che sembravano capezzoli di una enorme mammella.

**mastòide**, dal gr. *mastoeidḗs* «simile (*-eidḗs*) a mammella (*mastós*)».

**mastro**, lat. volg. *\*ma(g)strum*, con leniz. totale di *-g-* (cfr. MAESTRO) e norm. passaggio di *ài* in *a* come in *frale* che è lat. *fra(g)ĭlis*, cfr. *preite* che diventa PRETE (v.).

**mastruca** (pelliccia), dal tema mediterr. (paleosardo) *\*mastruca*.

**masturbare**, dal frc. *masturber* e questo dal lat. *masturbari*, forse di orig. gr.

**matassa**, lat. *mataxa*, dal gr. *mátaksa* 'seta', variante di *métaksa*.

**matè**, dallo sp. *mate* (XVIII sec.) e questo dalla lingua queciua (Perù), col valore prima di 'zucca usata come recipiente' e poi di 'contenuto tipico'. L'accentazione tronca si è imposta per l'influenza di *tè*.

**matemàtica**, dal lat. *(ars) mathematĭca*, che è dal gr. *mathēmatikḗ (tékhnē)*.

**matemàtico**, dal lat. *mathematĭcus*, che è dal gr. *mathēmatikós*, agg. di *máthēma* 'insegnamento': astr. di *manthánō* 'imparo'.

**materassa**, dall'ar. *matṛaḥ*.

**materia**, dal lat. *materia*, astr. di *mater*, perché riferito originariam. dagli agricoltori alla «sostanza materna» dei tronchi d'albero.

**materiale**, dal lat. tardo *materialis*.

**materiato**, dal lat. medv. *materiatus*.

**maternale**, dal lat. medv. *maternalis*.

**materno**, dal lat. *maternus*.

**màtero** 'pallone', dal lat. *matăris* con passaggio tosc. di *-ar-* atono in *-er*, v. MATERÒZZOLO.

**materòzzolo**, lat. *matăra* 'giavellotto gallico' con doppio dimin.: lat. *matăra* è parola di provenienza gallica; cfr. MATTERELLO.

**matita**, dal lat. *(lapis) haematitos* 'pietra di ematite' inteso come forma attributiva anziché di specificaz. e quindi resa con *(pietra a) matita*; v. EMATITE e AMATITA.

**matraccio**, dal frc. *matras* (XVII sec.) di prob. orig. dall'ar. *matara* 'otre'.

**matriarcato**, calco su *patriarcato*, con la introduz. di *matri-*, primo elemento di composiz. dal lat. *mater*.

**matrice**, lat. *matrix, -icis*, nome d'agente rinforzato nel senso del genere femm. rispetto a *mater*, sul modello di *genĕtrix*.

**matricida**, dal lat. *matricida*, comp. di *matri-* e del tema di *caedĕre* 'uccidere', come *fratricida, parricida*; v. *-CIDA*.

**matricidio**, dal lat. *matricidium*.

**matrìcola**, dal lat. tardo *matrĭcŭla* 'pubblico registro', dimin. di *matrix, -icis*.

**matrigna**, lat. tardo *matrigna*, calco su *privignus* 'figliastro', nel senso di 'generato da uno solo (dei coniugi)'; v. PRIVO.

**matrilìneo**, calco su *rettilineo* con la introduz. del tema lat. *matri-* al posto di *retto-*.

**matrimoniale**, dal lat. tardo *matrimonialis*.

**matrimonio**, dal lat. *matrimonium* che ha indicato dapprima la ' maternità legale ' e poi il suo strumento o la sua condizione. *Matrimonium* è un calco su *patrimonium*; v. PATRIMONIO.

**matrona**, dal lat. *matrona*, calco su *patronus*; v. PATRONO.

**matronale**, dal lat. *matronalis*.

**matronèo**, dal lat. medv. *matronèum*, deriv. da *matrona*.

**matronìmico**, calco su *patronìmico* (v.) con la introduz. di *matr-* al posto di *patr-*.

**matta**[1], dallo sp. *mata* (estr. da *matar* ' uccidere ') nome di un gioco di carte.

**matta**[2] (stuoia), lat. *matta*, di orig. mediterr.; cfr. MATTAIONE.

**mattacchione**, doppio deriv. di *matto*.

**mattaccino**, doppio deriv. di *matto*.

**mattaione**, da *\*mattaia*, collettivo dal tema mediterr. *\*matta* ' blocco di terra ', ' rivestimento '; cfr. MATTA.

**mattanza**, dallo sp. *matanza* ' uccisione ', astr. di *matar* ' uccidere '.

**mattare**, dal lat. *mactare* ' onorare (attrav. il sacrificio di una vittima) ', privo di connessioni evidenti.

**mattatoio**, incr. di sp. *matar* (XIX sec.) ' uccidere ' e i tipi *frantoio* e sim.

**mattatore**, dallo sp. *matador*, esteso dalle corride alle manifestazioni sportive e mondane in genere.

**matterello**, dimin. di lat. *matăra* ' giavellotto gallico ' (v. MATERÒZZOLO), col norm. raddopp. di cons. postonica in parola sdrucciola e passaggio tosc. di *-ar-* in *-er-* fuori d'accento.

**màttero** ' randello ', lat. *matăra* ' giavellotto gallico ', pass. al genere maschile con norm. raddopp. della cons. postonica in parola sdrucciola.

**mattina**, forma sostantiv. di lat. *(hora) matutina* con semplificazione delle due sillabe comincianti con *t-*.

**mattino**, forma sostantiv. di lat. *(tempus) matutinum*; v. MATTUTINO.

**matto**[1], lat. tardo *ma(t)tus* ' ubriaco ' forse forma abbreviata di *madĭdus* ' imbevuto ', come *netto* (v.), che è il lat. *nitĭdus*.

**matto**[2], dall'arabo-persiano *(Shāh) māt* « (il re) è morto ».

**matto**[3] ' di colore non lucente ', dal frc. *mat*.

**mattòide**, da *matto* e *-òide*.

**mattone**, accresc. di un lat. volg. *\*matta*, tema mediterr. col valore di ' blocco di terra ', ' rivestimento '; cfr. la variante MOTTA e v. MATTA[2].

**mattugio**, incr. di *matto* e *minugio*.

**mattutino**, dal lat. *matutinus*, incr. con it. *mattino*. Lat. *matutinus* deriva da *Matuta*, nome dell'ant. dea laziale dell'aurora. *Matuta* è forma femm. sostantiv. di un agg. *\*matutus*, deriv. da *\*matus* come *acutus* da *acus* e quindi equival. a « fornito di bontà (nel senso figur. del tempo) ». *\*Matus* a sua volta, attestato anche in osco, è legato al tema di part. pass. di una rad. MĀ, la cui forma di part. fut. sopravvive in *maturus* (v. MATURO), mentre un deriv. aggettiv. sopravvive in *manis*; v. MANE.

**maturare**, lat. *maturare*, verbo denom. da *maturus*.

**maturazione**, dal lat. *maturatio, -onis*.

**maturità**, dal lat. *maturĭtas, -atis*.

**maturo**, lat. *maturus*, part. fut. di una rad. MĀ

' avviarsi alla maturazione (come dalle tenebre alla luce) '; v. MANE e MATTUTINO.

**matusalemme**, dal lat. *Mathusălam*, che è dal gr. *Mathúsála*, a sua volta dall'ebr. *Mĕtūshelāh*.

**mauro**, dal lat. *Maurus*, che è dal gr. *Maûros*.

**mausolèo**, dal lat. *mausolěum*, che è dal gr. *mausóleion*, da *Maúsōlos*, satrapo della Caria nella prima metà del IV sec. a. C.

**mavorzio** ' marziale ', dal lat. *mavortius*, deriv. di *mavors*, variante di *Mars*, per cui v. MARTE.

**mazurca**, dal polacco *mazurka* « proprio della regione dei laghi Masuri (sulle frontiere settentr. della Polonia) ».

**mazza**, lat. arc. *\*matea* (da cui il dimin. class. *mateŏla* ' bastone ') privo di corrispond. ideur. evidenti.

**mazzàcchera** (lenza portante un mazzo di lombrichi), dal lat. *mazacara* ' salsiccia ' (VII-VIII sec. d. C.), incr. con *mazzo* e associato all'immagine dei lombrichi come « mazzo di salsicce ».

**mazzàngola** (canna da pesca), incr. di lat. tardo *mazacăra* e it. *angolo*.

**mazzapicchiare**, verbo denom. da *mazzapicchio*.

**mazzapicchio**, da *mazza (da) picchio*.

**màzzera**, dall'ar. *ma'sara* ' pressa '.

**mazzo**, da *mazza*.

**me**, lat. *me*, più ant. *med*: tema del pron. di prima persona limitatamente ai casi obliqui della declinaz.; appartenente al vocab. compatto, di larga attestazione nelle lingue ideur., p. es. nelle aree irlandese e greca da *\*mĕ* (gr. *emé*), nelle aree indiana e iranica da *\*mē* (sanscrito *mā*), altrove con ampliam. varî, con *-g-* nel gr. *emége* e nel ted. *mich*.

**meandro**, dal lat. *meandrus*, che è dal gr. *maiandros*.

**meare** ' trapelare ', dal lat. *meare* ' passare per una data via ', prob. connesso con *migrare* e *mutare* (v. MIGRARE, MUTARE) da una rad. MEI ' passare ' attestata anche nelle aree celtica e slava.

**meato**, dal lat. *meatus, -us*, astr. di *meare*; cfr. COMMIATO.

**mecca**, dall'ar. *Makka*, la città santa dell'islamismo.

**meccànica**, dal lat. tardo *mechanĭca*, che è dal gr. *mĕkhanikĕ́ (tékhnē)*, incr. per la *-cc-* con it. *macchina*.

**meccànico**, dal lat. *mechanĭcus*, che è dal gr. *mĕkhanikós*, di tradiz. ionica e perciò di introduz. più recente rispetto ai tipi dorici; cfr. MÀCCHINA, MÀCINA, incr. con it. *macchina*.

**meccanizzare**, dal frc. *mécaniser*.

**meccanogràfico**, da *meccan(ic)o-* e *-grafico*.

**mecco** ' adultero ', lat. *moechus*, che è dal gr. *moikkós*, con raddopp. dovuto a incr. con *becco*.

**mecenate**, dal nome del celebre consigliere dell'imperatore Augusto, *Gaius Cilnius Maecenas* (69-8 a. C.).

**mechitarista**, dall'armeno *Mxithar* ' consolatore ' assunto come nome di religione da Manuk, fondatore della congregazione.

**meco**, lat. *mecum*, comp. di *me* e *-cum* pospositivo; v. ME e CON.

**meconio**, dal lat. *meconium*, che è dal gr. *mĕkónion*, deriv. di *mĕkōn* ' papavero '.

**medaglia**, lat. *\*medalia*, forma dissimilata di *\*medialia*, neutro plur. di *medialis*, ' di metà valore ', deriv. da *medius*; v. MEZZO.

**medésimo**, lat. volg. *metipsĭmus*, comp. di *met*, rafforzativo di orig. imprecisata del pron. pers. e *ipsĭmus*, superl. di *ipse* ' esso ', « proprio esso »; con leniz. settentr. di -*t*- in -*d*-.

**media**, femm. sostantiv. dell'agg. *medio* (v.).

**mediànico**, deriv. in -*ico* risultante da un incr. di *medium* con *mediano*.

**mediano**, dal lat. *medianus*.

**mediante**, dal lat. medv. *mediante (auxilio)* e simili, abl. assoluto: « intervenendo (l'aiuto) ». È l'abl. di *medians*, -*antis*, part. pres. di *mediare*, verbo denom. da *medius*, poi irrigidito e ridotto a prep.

**mediastino**, dal lat. medv. *mediastinus* ' intermedio ', class. ' specie di schiavo ', deriv. da *medius*, con un rapporto assai simile a quello di *intestinus* rispetto a *intus*; v. INTESTINO.

**mediatore**, dal lat. tardo *mediator*, -*oris*.

**mediazione**, dal lat. tardo *mediatio*, -*onis*.

**mèdica**, dal lat. *medĭca (herba)* « (erba) venuta dalla Media », la reg. abitata dai Medi: dal persiano *Mada*, attrav. gr. *Mêdoi*, col norm. passaggio ion. di *ā* in *ē*; cfr. MÈLICA[1].

**medicàbile**, dal lat. *medicabĭlis*.

**medicamento**, dal lat. *medicamentum*.

**medicamentoso**, dal lat. *medicamentosus*.

**medicare**, dal lat. *medicare*.

**medicatore**, dal lat. tardo *medicator*, -*oris*.

**medicazione**, dal lat. tardo *medicatio*, -*onis*.

**medicina**, dal lat. *medicina (ars)*.

**medicinale**, dal lat. *medicinalis*.

**mèdico**, dal lat. *medĭcus*, deriv. di *mederi* ' riflettere ', ' curare ', dalla antichissima rad. ideur. MED, che conserva l'ant. valore medico solo in lat. e iranico, dove sopravvivevano le tradiz. magico-sacerdotali, mentre si è laicizzata altrove; v. MEDITARE e RIMEDIO.

**medieuropeo**, calco sul ted. *Mitteleuropäisch*.

**medievale**, da *medi(o)evo* col suff. -*ale*.

**medio**, dal lat. *medius*; v. MEZZO.

**mediocre**, dal lat. *mediŏcris*, comp. di *medius* e *ocris* ' rilievo del terreno ' e cioè « che si trova a metà altezza », altro resto della terminologia di agricoltori passato a valori morali. Lat. *ocris* trova confronti efficaci soprattutto nelle aree celtica, greca, ittita e, meno evidenti, in altre aree. Sopravvive in Italia in nomi loc. come *Otrì-(coli)* prov. di Terni e *Crecchio* (da *Ocricŭlum*) prov. di Chieti.

**mediocrédito**, da *medio* e *crédito*.

**mediocrità**, dal lat. *mediocrĭtas*, -*atis*.

**medioevo**, da *medio* e *evo* (v.).

**meditabondo**, dal lat. *meditabundus*, forma di part. pres. o fut. di *meditari* secondo lo schema di *moribundus* a *mori*.

**meditare**, dal lat. *meditari*, iterat. di *mederi* « riflettere (per curare) » (cfr. MÈDICO), che riflette il processo di laicizzazione non venuto a compimento in lat. per quanto riguarda il verbo semplice. Questo raggiunge il valore giuridico di ' giudizio ' nelle aree celtica e osco-umbra, quello tecnico di ' misura ' nell'area germanica (ted. *messen*), quello psicologico-generico di ' riflettere ' nell'area greca (*médomai* e *mèdomai*). Sono numerose anche le formaz. sostantiv. per cui v. MODO.

**meditativo**, dal lat. tardo *meditativus*.

**meditatore**, dal lat. tardo *meditator*, -*oris*.

**meditazione**, dal lat. *meditatio*, -*onis*.

**mediterraneo**, dal lat. *mediterraneus* « che si trova in mezzo a terre », calco su gr. *mesógeios*.

**medium**, dall'ingl. *medium* (XIX sec.), neutro dell'agg. lat. *medius* ' intermediario '.

**medusa**, dal lat. *medusa*, che è dal gr. *Médūsa* ' moderatrice ', ' governatrice ', nome di una delle Gorgoni, per le « serpi » che apparentemente si diramano dalla testa dell'animale marino.

**Mefistòfele**, dal ted. *Mephistopheles*.

**mefistofèlico**, da *Mefistòfele*.

**mefite**, dal lat. *mefitis* e questo dalla lingua osca, col senso forse di ' inebriatrice ', dal tema ideur. MEDHU, gr. *méthy* ' miele inebriante ', cfr. MOFETA, in opposizione al tema ideur. MEL ' miele non inebriante ', v. MIELE.

**mefìtico**, dal lat. *mefitĭcus*.

**mega-**, dal gr. *mégas* ' grande '.

**megaciclo**, da *mega*- e *ciclo*.

**megàfono**, da *mega*- e -*fono*.

**megalite**, da *mega*- e gr. *lithos* ' pietra ' « grande pietra », con la finale in -*ite* sotto l'influenza dei minerali denominati per mezzo di questo suff.

**megalitico**, da *megalite*.

**mègalo-** dal gr. *megalo*-, tema parallelo e *mega*-.

**megalomanìa**, da *mègalo*- e *manìa*.

**megaterio**, da *mega*- e gr. *thērion* ' fiera '.

**megera**, dal lat. *megaera*, che è dal gr. *Mégaira* (una delle tre Erinni) l'« invidiatrice », da *megaírō* ' io invidio '.

**meggia** ' escremento ', lat. volg. *meiia*, sost. deverb. estr. da *meiare* ' urinare ' (cfr. *piscia* da *pisciare*). *Meiare* risale a una rad. MEIGH, di cui esiste un deriv. con infisso nasale; v. MÌNGERE.

**meggione**, deriv. da *meggia*.

**meglio**, lat. *melius*, neutro di *melior*, -*oris*, parola di struttura arc., priva di connessioni fuori d'Italia, per cui v. MIGLIORE.

**meharista**, dall'ar. *mahārī*, plur. di *mahriya* ' dromedario ' (della tribù dei *Mahra*).

**mela**, da *melo*.

**melagrano**, incr. di lat. *malum granatum*, con *mela* e *grano*.

**melanconìa** e deriv., v. MALINCONÌA e deriv.

**melàngolo**, dal lat. medv. *melàngolus*, parola biz. comp. di gr. *mêlon* ' mela ' e *ánguron* ' cetriolo ', con la -*r*- assimilata alla -*l*- precedente.

**melanzana**, incr. di ar. *bādingiān* con *mela*, attrav. una tradiz. settentr. erroneam. corretta nel tosc. -*za*- al posto di -*gia*-; cfr. PETONCIANO.

**melappio**, dal lat. *melapium*, che è dal gr. *mēlápion* ' mela appiola '.

**melarancia** e **melarancio**, da *mela* e *arancia*, *melo* e *arancio*.

**melario**, incr. di lat. *mellarium* con it. *miele*.

**melassa**, dal frc. *mélasse*, sp. *melaza*, plur. del lat. tardo *mellacium* ' mosto di vino ', deriv. di *mel mellis* ' miele '.

**melata**, da *miele*, con *e* non dittongato perché fuori d'accento.

**melato**, da *miele*, con *e* non dittongato perché fuori d'accento.

**mele**, v. MIELE.

**melenso**, incr. di un deriv. di *mel mellis*, p. es. *mellaceus* ' dolciastro ', ' mosto di vino bollito a metà ' e una forma settentr. *menso* (dal frc. *mince* ' sottile '); v. MENCIO.

**mèlica**[1], dal lat. *(herba) medĭca* « (erba) della Media », incr. con *mel* ' miele ' per il sapore della midolla; cfr. MÈDICA.

**mèlica²**, dal gr. *melikḗ* (*poíēsis*) ' poesia associata al canto '.

**mèlico**, dal lat. *melĭcus*, che è dal gr. *melikós*, agg. di *mélos* ' canto ', anteriorm. ' membro, pezzo '.

**melifero**, dal lat. *mellĭfer*, incr. con it. *mièle*.

**mèliga**, dal lat. *mēlĭca*, con leniz. settentr. di *-c- in -g-*; v. MÈLICA¹.

**melina** (far la) nel gergo calcistico, di gioco puramente ornamentale e quasi ozioso, forse dal termine apuano che indica una rena finissima, atta alla pulizia del rame.

**melissa**, dal lat. medv. *melissa*, abbr. di *melisso-* (*phyllum*), che è dal gr. *melissóphyllon* ' apiastro ', comp. di *phýllon* ' foglia ' e *mélissa* ' ape ': « foglia per api ».

**melitense**, dal lat. *melitensis*, deriv. di *Melĭta* 'Malta'.

**mèlleo** ' di miele ', dal lat. *melleus*.

**melletta**, da *belletta* riavvicinato a *melma*.

**mellifero**, dal lat. *mellĭfer*, comp. di *mel, mellis* ' miele ' e *-fer* ' portatore '.

**mellificare**, dal lat. *mellĭficare*.

**mellifluo**, dal lat. tardo *melliflŭus*, comp. di *mel mellis* ' miele ' e il tema di *fluĕre* ' scorrere '.

**melione**, v. MELONE.

**melma**, dal longob. *mĕlm* ' sabbia ', attrav. un lat. medv. *melmum*.

**melo¹**, lat. pop. *melum*, che è dal gr. attico *mêlon*, mentre il class. *malum*, è dal gr. dor. *mâlon*.

**melo²** (e **melos**), dal lat. *melos*, che è dal gr. *mélos* ' membro (di composiz. musicale) ', ' musica '.

**melo-**, dal gr. *mélos*, sia nel senso di ' arto ' sia di ' membro (musicale) '.

**melocotogno**, da *melo* e *cotogno*.

**melodìa**, dal gr. *melōidía* ' canto ', astr. di *melōidéō* ' io canto ', verbo denom. comp. di *mélos* e *ōidḗ*.

**melodramma**, comp. di *melo²-* ' canto ' e *dramma*.

**melòmane** e **melomanìa**, comp. di *melo²-* ' musica ' e *-mane* (v.), *-mania* (v.).

**melone**, lat. *melo, -onis*, forma abbreviata di gr. *mēlo*(*pépōn*); cfr. POPONE.

**melopèa**, dal lat. tardo *melopoeia*, che è dal gr. *melopoiïa*, astr. di *melopoiéō* « compongo (*poiéō*) un canto (*mélos*) ».

**membrana**, dal lat. (*pellis*) *membrana* « (pelle che copre) le membra »; v. MEMBRO.

**membranaceo**, dal lat. *membranaceus*.

**membranoso**, dal lat. tardo *membranosus*.

**membrare**, dal provz. *membrar*, lat. *memorare*; v. MÈMORE.

**membratura**, dal lat. *membratura* ' conformazione delle membra '.

**membro**, lat. *membrum*, ant. *\*mēmsro-*, attestato in forma identica nell'area celtica; senza l'ampliam. in *-r-* anche nelle aree indiana, tocaria, slava, armena, albanese, germanica, col signif. costante di ' carne, pezzo di carne '.

**memento**, dal lat. *memento* ' ricòrdati ', imperat. di *meminisse* ' ricordare '.

**memoràbile**, dal lat. *memorabĭlis*.

**memorando¹** (agg.), dal lat. *memorandus*.

**memorando²** e **memorandum** (sost.), dal lat. *memorandum*, forma neutra sostantiv. di *memorandus*; v. MEMORANDO¹.

**memorare**, dal lat. *memorare*, verbo denom. da *memor, -ŏris* ' memore '.

**mèmore**, dal lat. *memor, -ŏris*, forma raddopp. della rad. (S)MER ' ricordo ', ' preoccupazione ', bene attestata fra le lingue ideur., anche se in modo non uniforme: con maggiore fedeltà nell'area indo-iranica, solo con approssimazioni nelle aree germanica e greca (gr. *mérmēra* ' cruccio ').

**memoria**, dal lat. *memoria*.

**memoriale**, dal lat. tardo (*libellus*) *memorialis* « (libretto) di annotazioni ».

**mena** ' raggiro ', sost. deverb. estr. da *menare*.

**menabò**, da lombardo *men'a bo'* « conduci a buon (fine) », metafora scherzosa passata nella terminologia tecnica dei tipografi.

**mènade**, dal lat. *Maenas, -ădis*, che è dal gr. *Mainás, -ádos* ' Baccante ', da *maínomai* ' sono furioso '.

**menadito**, da *mena*(*re*) e *dito* « a guida di dito ».

**menagramo**, dal lombardo *menagràm* « porta-male ».

**menare**, lat. tardo *minare* « spingere (con minacce) », signif. rustico svoltosi da *minari* ' minacciare ', parola priva di corrispond. ideur. evidenti, prob. da collegare con la rad. MEN² di *mons montis*, v. MINACCIA.

**ménchero**, deriv. peggiorativo di *menco*, con lo stesso suff. di *bècero*.

**mencio**, dal frc. *mince* ' sottile ' con correzione tosc. di una pronuncia settentr. *\*menso*.

**menco**, abbreviaz. di (*Do*)*mén*(*i*)*co*, con norm. caduta della voc. postonica non finale.

**mènda**, lat. *menda* ' errore ', collettivo da un neutro *mendum*, privo di corrispond. attendibili.

**mendace**, dal lat. *mendax, -acis* che si ' esprime erroneamente ' poi ' bugiardo ', legato sicuram. a *mendum* e a un presumibile verbo *\*mendĕre* come *audax* (v. AUDACE), a *audere*.

**mendacio**, dal lat. *mendacium*.

**mendicante**, da *mendicare*.

**mendicare**, lat. *mendicare*, verbo denom. da *mendicus*, incr. con *indicare* e perciò con l'accentazione sdrucciola e la é chiusa nelle forme verbali come io *méndico*.

**mendicità**, dal lat. *mendicĭtas, -atis*.

**mendico**, lat. *mendicus* « che ha difetti (fisici) » poi ' mendico ' in genere, deriv. da *mendum*; v. MENDA.

**meneghino**, milan. *meneghìn* « (Do)menichino », dimin. di Domenico, con leniz. settentr. di *-chi- in -ghi-*.

**menestrello**, dal frc. *menestrel*, lat. *ministerialis*, colui che è incaricato di un certo compito (*ministerium*).

**meninge**, dal gr. *mêninks, -ingos* ' membrana '.

**mènir** (*menhir*), dal brettone *men hir* ' pietra lunga '.

**menisco**, deriv. moderno (XVII sec.) dal gr. *mēnískos* ' lunetta ', dimin. di *mēn mēnós* ' luna '.

**menno**, lat. volg. *\*minuus* ' minorato ' estr. da class. *minuĕre* ' diminuire ' con assimilaz. progressiva di *nua* in *nna*; cfr. MANNA².

**meno-**, primo elemento di composiz. nominale del gr. *mên mēnós*; v. MESE.

**meno**, lat. *minus*, neutro di *minor, -oris*, identico all'osco *mins*, legato al verbo *minuo*, da un tema *mi-nu-*, non ancora influenzato dalla rad. parallela di MEN³ ' piccolo ', come invece nell'osco *menvom* ' diminuire ': inserito nel sistema dei compar. in *-or -us* come *maior, maius*, solo in un secondo tempo. Per un incr. di *men-* e *minu-* anche in lat., v. MÌGNOLO.

**menologio,** dal lat. medv. *menologium,* che è dal gr. tardo *mēnológion,* comp. di *mēn* 'mese' e *-lógion,* deriv. da *lógos* 'trattato' e cioè «calendario mensile»; cfr. MARTIROLOGIO.

**menomare,** verbo denom. da *ménomo.*

**ménomo,** lat. *minŭmus,* forma orig. di *minĭmus* (v. MÌNIMO), con la voc. interna, rimasta *u* dav. a *m. Minŭmus* è la forma primitiva di superl. tratta dal tema *\*minu-,* (v. MENO), come *summus* da *sup-* col semplice suff. *-mo;* cfr. per gli altri suff. di superl. MASSIMO (per *-sĭmo*) ÒTTIMO (per *-tĭmo-*).

**menopausa,** comp. di *meno-* e *pausa* «cessazione della (attività) mensile».

**mensa,** dal lat. *mensa,* forma femm. sostantiv. del part. pass. appartenente al sistema del verbo *metiri,* denom. di un *\*metis,* nome d'azione della rad. MĒ[1] 'misurare' (v. MESE), che si ritrova identico nel gr. *mêtis* 'prudenza', oltre che nelle aree germanica e indiana. Teoricamente, *mensa* da *\*ment-ta,* dovrebbe essere il part. pass. della rad. MĒ[1] ampliata però con -NT-, con qualche analogia con le forme germaniche; v. MESE.

**menscevico,** dal russo *men'shevìk* 'minoritario' da *men'shistvò* 'minoranza'.

**mensile,** dal lat. *mensis* col suff. it. *-ile.*

**mènsola,** dal lat. *mensŭla,* dimin. di *mensa.*

**mensuale,** dal lat. *mensualis.*

**menta,** lat. *menta,* parola mediterr. con la caratteristica incertezza della voc. radicale *e/i* attestata dal confronto col gr. *mínthē.*

**mentale**[1], dal lat. tardo *mentalis,* deriv. di *mens, mentis.*

**mentale**[2], da *mento.*

**mentastro,** dal lat. *mentastrum,* deriv. peggiorativo di *menta.*

**mente,** lat. *mens, mentis,* ant. nome d'azione di *meminisse,* dalla rad. MEN[1] 'pensare attivamente, ricordare', chiaramente attestata in tutto il dominio ideur. La forma lat. si ritrova identica solo nel sanscrito *mati-* 'pensiero'; con pref. (e qualche varietà di suff.) nelle aree germanica, baltica, slava. Per l'ampliam. affine in *-tion-* v. MENZIONE; per forme verb. v. MÒNITO, COMMENTO.

**-mente,** lat. *mente,* abl. sg. di *mens, mentis* e cioè «con intenzione o atteggiamento (lungo, largo, stretto)».

**mentecatto,** dal lat. *mente captus* «preso nella mente, toccato nella mente».

**mentire,** lat. tardo *mentire,* class. *mentiri,* verbo denom. da *mens, mentis,* dapprima 'immaginare', poi 'fingere', quindi 'mentire'.

**mento,** lat. *mentum,* forma fondam. della rad. MEN[2] 'sporgere' e quindi legato a *mons* 'monte': parola occidentale, documentata nell'area italo-celto-germanica, cui risale tra l'altro il ted. *Mund* 'bocca' (derivato da un valore anteriore di 'mascella'); cfr. MONTE, MINCHIA, EMINENTE.

**mentolo,** da *menta,* col suff. tecnico della chimica *-òlo.*

**mentoniero** 'relativo al mento', dal frc. *mentonnier.*

**mèntore,** dal «Telemaco» di Fénelon dove Mentore sostiene tale parte. Questo, dal lat. *Mentor, -ŏris,* che è dal gr. *Méntōr,* personaggio dell'«Odissea».

**mentovare,** dal frc. ant. *mentevoir,* lat. *mente habere* 'avere in mente'.

**mentre,** da it. ant. *domentre,* lat. *dum intĕrim,* con norm. caduta di voc. postonica non finale; v. INTERIM.

**menù,** dal frc. *menu* (XIX sec.), nel senso di '(elenco) particolareggiato'.

**menzione,** dal lat. *mentio, -onis,* nome d'azione di *meminisse* 'ricordare', formato mediante il suff. *-tion-* attestato anche nell'area celtica e che si affianca al nome d'azione primitivo in *-ti* (per cui v. MENTE) dalla rad. MEN[1] 'pensare attivamente'.

**menzogna,** lat. volg. *\*mentionia,* astr. collettivo deriv. da *mentio, -onis* incr. per il signif. con *mentiri.*

**menzognero,** deriv. settentr. di *menzogna,* anticam. nella forma *-èr(e),* anziché *-ero.*

**meraviglia** e **maraviglia,** lat. *mirabilia,* neutro plur. di *mirabĭlis,* agg. verb. di *mirari* e questo, verbo denom. da *mirus, -a, -um* 'meraviglioso'; v. MIRO.

**meravigliare,** verbo denom. da *meraviglia.*

**mercante,** da *merc(at)ante,* deriv. da *mercato* come *bracciante* da *braccio.*

**mercanzia,** da *merca(ta)nzia.*

**mercare**[1], dal lat. *mercari* 'trafficare', verbo denom. da *merx, mercis* 'merce'; v. MERCE.

**mercare**[2] 'bollare il bestiame', dal provz. *mercar,* cfr. MERCO.

**mercatare,** lat. volg. *\*mercatare,* verbo denom. da *mercatus, -us* 'commercio'.

**mercatistica,** calco sull'ingl. *marketing,* incr. con *statistica* e sim.

**mercato,** lat. *mercatus, -us,* astr. di *mercari;* v. MERCE.

**mercatore,** dal lat. *mercator, -oris.*

**mercatura,** dal lat. *mercatura.*

**merce,** lat. *merx, mercis,* parola priva di connessioni ideur. attendibili prob. medit., come *calx, lanx.*

**mercé,** forma tronca di *mercéde.*

**mercede,** lat. *merces, -edis* 'paga, ricompensa', comp. di *merx, mercis* e di un elemento *-ēd-* che significa 'entrare in possesso'; cfr. *heres, ēdis,* v. EREDE e, anche, CUSTODE.

**mercenario,** dal lat. *mercennarius* 'assoldato', deriv. di *merces, -edis,* incr. con i tipi *centenario* e sim.

**merceologìa,** comp. di *merce* e *-logìa.*

**mercerizzare,** dal chimico ingl. *J. Mercer* (1791-1866).

**mercimonio,** dal lat. *mercimonium* 'mercanzia' senza senso ostile, formata su *mercari* come *testimonium* su *testari.*

**merco** (marchio), da *marco* 'marchio', incr. con *mercare*[2].

**mercol(e)dì,** lat. tardo *mercŭri dies,* con dissimilaz. di *-r-* in *-l-*.

**mercorella,** adattamento di *mercurialis* (herba).

**mercuriale**[1] (listino), dal frc. *mercuriale,* deriv. moderno di *Mercurio,* simbolo del commercio.

**mercuriale**[2] (agg.), dal lat. medv. *mercurialis.*

**mercurio** (metallo), dal nome del dio lat. *Mercurius,* perché connesso dagli astrologi col pianeta da lui denominato. Lat. *mercurius* a sua volta pare di formaz. etrusca, associato in un secondo tempo all'immagine di *merx, mercis* per ragioni di assonanza.

**merda,** lat. *merda,* privo di connessioni ideur. attendibili.

**merenda**, lat. *merenda*, neutr plur. del part. fut. passivo di *merere* 'meritare' (v.).

**merendare**, dal lat. tardo *merendare*.

**meretrice**, dal lat. *meretrix, -icis* « colei che guadagna danaro (attrav. rapporti amorosi) », nome femm. d'agente di *merere*; v. MERITARE.

**meretricio**, dal lat. *meretricium*, forma sostantiv. dell'agg. *meretricius*.

**mergo**, lat. *mergus* « (l'uccello) che si immerge », dalla importante rad. MEZG chiaram. attestata nelle aree latina, baltica, indiana, v. IMMÈRGERE, e cfr. la variante it. SMERGO.

**meriare**, abbreviaz. di *meri(di)are*; cfr. MERIGGIARE.

**meridiana**, da *(linea) meridiana*.

**meridiano**, dal lat. *meridianus*, agg. di *meridies* 'mezzogiorno'.

**meridionale**, dal lat. *meridionalis*, deriv. di *meridies*, calco su *septentrionalis*.

**meridione**, estr. da *meridionale*.

**merigge** 'meriggio' (arc.), lat. *meridies*, v. MERIGGIO.

**meriggiare**, lat. volg. *\*meridjare*, class. *meridiare*, verbo denom. da *meridies*, con passaggio di -*dja*- in -*ggia*-, come in *moggio* da *modius*.

**meriggio**, lat. volg. *\*meridjus*, class. *meridies*, passato alla declinaz. in -*o*, comp. di *medio*- (v. MEZZO) e di *dies* (v. DÌ), con la dissimilaz. del primo -*d*- in -*r*-; cfr. MERIGGIARE.

**meringa**, dal frc. *méringue*.

**merino**, dallo sp. *merino*, ant. nome di una tribù berbera.

**merìo (e merìa)**, sost. deverb. da *meriare*.

**meritare**, dal lat. *meritare*, verbo intens. di *merere*, che trova una buona corrispond. nel verbo ittita *mark*- 'far le parti' e una ancora migliore nella famiglia gr. di *méros* 'parte' e *meíromai* 'ricevo come mia parte'. MER' è dunque la rad. che significava un tempo « attrarre (per forza magica) la propria parte » e poi, con un resto religioso o morale 'meritare' in lat.; senza più nessuna sfumatura esterna 'ricevere', in latino e greco.

**mèrito**, dal lat. *meritum*, forma sostantiv. del part. pass. di *merere* 'meritare'; cfr. MERTO.

**meritorio**, dal lat. *meritorius* 'che procura guadagno'.

**merletto**, da *merlo²*.

**merlo¹** (uccello), lat. *merula* (passato al genere maschile), con qualche connessione ideur. occidentale.

**merlo²** (architettura), lat. medv. *merulus*.

**merluzzo**, dal provz. *merlùs*.

**mero**, dal lat. *merus*, che pare risalire a una rad. MER² col signif. di 'chiaro' o 'brillante', attestata nelle aree celtica, germanica, greca (*marmaírō* 'io brillo').

**-mero**, dal gr. *méros* 'parte'.

**merto**, lat. *meritum* con norm. sincope di voc. postonica non finale; v. MÈRITO.

**mèsaro**, v. MÈSERO.

**méscere**, lat. volg. *\*miscere*, class. *miscère*. Il verbo lat. deriva da una rad. ideur. MEIK MEIG, provvista di suff. incoat., largamente ma non regolarm. docum., p. es. nelle due forme greche *meígnymi* e *misgō* e nel ted. *mischen* 'mescolare'. Per le alternanze analoghe PEIK/PEIG e PAK/PAG; v. rispettivamente PITTORE e PACE.

**meschino**, dall'ar. *miskin* 'povero'.

**meschita** 'moschea', dallo sp. *mezquita*, che è dall'ar. *màsgid* 'luogo di culto'.

**mescianza** 'disavventura', dal frc. ant. *mescheance*, comp. di *mes*- pref. peggiorativo e *chéance* 'fortuna'.

**mescidare** 'mescolare', lat. tardo *miscitare*, intens. di *miscere* (v. MESCERE), con leniz. sett. di -*t*- in -*d*-.

**méscita**, deriv. di *méscere*, che presuppone una forma di part. *\*méscito* anziché quello di tipo lat. *misto* (v.) o di tipo it. *mesciuto*; cfr. *cèrnita* e *bàttito*, *làscito*.

**mescolare**, dal lat. volg. *\*misculare*, iterat. di *miscere* 'mescolare', cfr. MISCHIARE.

**méscolo**, nel senso di 'mescolato' da *mescol(at)o*, nel senso di 'mescolanza', sost. deverb. da *mescolare*.

**mese**, lat. *mensis*, parola fondam. del vocab. ideur. nel quale rappresentava l'unità principale del calendario: dalla rad. MĒ¹ 'misurare' successivam. ampliata in -*n*- poi in -*s*-, nelle aree greca, italica, celtica, armena; oppure nella forma semplificata MĒS nell'area indo-iranica; con la sola nasale e event. altri ampliam. nelle aree tocaria, albanese, germanica (ted. *Mond* 'luna', *Monat* 'mese') e nel lat. *mensa* da *\*ment-tā* (v. MENSA); con particolari disposizioni degli elementi nasale e sibilante nell'area baltica e slava: cfr. MISURA.

**mesenterio**, dal gr. *mesentérion*, comp. di *mésos* 'medio' e di *énteron* 'intestino'.

**mèsero (mèsaro)**, dall'ar. *mi'zar* 'velo'.

**mesmerismo**, dal nome del medico tedesco F. A. Mesmer (1734-1815).

**meso-**, dal gr. *mésos* 'medio'.

**mesocarpo**, comp. di gr. *mésos* 'medio' e *karpós* 'frutto'.

**mesone**, deriv. di gr. *mésos* 'medio' e suff. -*one* di *(elettr)one*.

**mesozòico**, comp. di gr. *mésos* 'medio' e *zōion* 'animale' col suff. -*ico*: « (èra) intermedia della vita (sulla Terra) ».

**messa¹** (religiosa), lat. tardo *missa*, femm. sostantiv. del part. pass. *missus*; v. MESSO.

**messa²** (profana), femm. sostantiv. di *messo*, part. pass. di *méttere*.

**messaggio**, dal frc. ant. *message* e questo da *mes*, lat. *missus* 'mandato', v. MESSO¹.

**messale**, dal lat. medv. *missale*, deriv. di *missa*, in senso liturgico, incr. con *messa¹*.

**messe**, lat. *messis*, nome d'azione di *metere* 'mietere', parola ideur. nordoccidentale che vuol dire insieme 'raccogliere' e 'depositare': da rad. MET, cfr. MIETERE.

**messere**, dal provz. *meser* 'mio signore'.

**messìa**, dal lat. tardo *messìas*, che è dal gr. *messías*, a sua volta dall'ebr. *mashiah* 'unto'.

**messiànico**, dal frc. *messianique* (XIX sec.).

**messidoro**, dal frc. *messidor* (XIX sec.), comp. di lat. *messis* 'messe' e gr. *dôron* 'dono': « che dona le messi ».

**messo¹**, forma sostantiv. del lat. *missus* 'inviato', col norm. risultato -*ss*- dell'orig. *\*mit-to-s*, part. pass. di *mittere*; v. MÉTTERE.

**messo²** 'portata di cibo', dal frc. ant. *mes*, v. MESSAGGIO.

**messorio**, dal lat. *messorius*, deriv. di *messor, -oris* 'mietitore', nome d'agente di *metere*; v. MESSE, MIÈTERE.

**mestare**, lat. *\*miscitare*, intens. di *miscere* ' mescolare '; v. MÉSCERE.

**mèstica**, sost. deverb. estr. da *mesticare*.

**mesticare**, lat. volg. *\*mixticare*, frequentativo di *miscere*, deriv. dal part. pass. *mixtus*; cfr. MÉSCERE e v. MISTO.

**mestiere**, dall'ant. frc. *mestier*, lat. *ministerium*; cfr. MINISTRO e MINISTERO.

**mestizia**, dal lat. *maestitia*.

**mesto**, dal lat. *maestus*, part. pass. di *maereo* ' sono afflitto ', privo di connessioni ideur. attendibili, salvo con lat. *miser*; v. MÌSERO.

**méstola**, sost. deverb. da *\*mestolare*, verbo iterat. di *mestare*.

**mestruale**, dal lat. *menstrualis*.

**mestruare**, dal lat. tardo *menstruare*.

**mestruo**, dal lat. *menstrŭus*, calco da *bimestris* (v. BIMESTRE) secondo il rapporto di *annŭus* rispetto a *biennis* (v. ANNUO). Incr. poi con *mensis*.

**meta-**, dal gr. *metá* ' con ', ' dopo '.

**metà**, lat. *mediĕtas*, *-atis*, attrav. una forma non tosc. *\*me(di)età*.

**méta¹** (sterco), lat. *mēta* (per la forma conica che gli si attribuisce): con fragili assonanze nelle aree celtica, germanica, baltica, indiana.

**mèta²** (traguardo), dal lat. *mēta*, con connessioni nelle aree germanica, baltica, celtica, imprecise però nel signif. ora di ' palo ' ora di ' limite '.

**metabolismo**, deriv. moderno del gr. *metabolē* ' scambio ' deriv. di *metabállō* ' io cambio '.

**metacarpo**, dal frc. *métacarpe*, che è dal gr. *metakárpion*, comp. di *meta-* ' dopo ' e *karpós* ' polso ', ' giuntura '.

**metafisica**, dal lat. medv. *metaphysĭca* e questo dal gr. *metà tà physiká* ' dopo le cose fisiche, naturali ', inteso come « oltre le cose fisiche ».

**metafonesi**, e **metafonìa**, calco sul ted. *Umlaut*, da gr. *meta-* ' oltre ' e *-fonesi* o *-fonìa*, astr. da gr. *phōnē* ' voce '.

**metàfora**, dal lat. *metaphŏra*, che è dal gr. *metaphorá* ' trasferimento '.

**metafòrico**, dal gr. *metaphorikós*.

**metagènesi**, da *meta-* e *gènesi*.

**metalepsi** e **metalessi**, dal lat. *metalēpsis*, che è dal gr. *metálēpsis* (nome d'azione di *metalambánō*) ' sostituzione '.

**metàllico**, dal lat. *metallĭcus*, che è dal gr. *metallikós*.

**metallifero**, dal lat. *metallĭfer*, comp. di *metallum* e *-fer* ' portatore '.

**metallo**, dal lat. *metallum*, che è dal gr. *métallon*.

**metallografìa**, da *metallo* e *-grafìa*.

**metallòide**, dal frc. *métalloïde* e questo dal gr. *métallon*, col suff. *-eidés* ' simile '.

**metallurgìa**, astr. in *-ìa* dal gr. *metallūrgéō* ' lavoro metalli ', verbo denom. comp. di *métallon* e *érgon*.

**metamòrfosi**, dal gr. *metamórphōsis* ' trasformazione ' nome d'azione di *metamorphéō*, comp. di *meta-* ' dopo ' e di un verbo denom. da *morphē* ' forma '.

**metano**, da *met(ile)* col suff. tecnico della chimica *-ano*.

**metanodotto**, da *metano* e *dotto¹*.

**metaplasmo**, dal lat. *metaplasmus*, che è dal gr. *metaplasmós*, deriv. di *metaplássō* ' modello diversamente '.

**metapsìchica**, comp. di *meta-* e l'agg. *psichico*, come calco su *metafìsica*.

**metàstasi**, dal gr. *metástasis* ' spostamento ', nome d'azione di *methístēmi* ' io trasporto '.

**metatarso**, da *meta-* e *tarso*.

**metàtesi**, dal gr. *metáthesis* ' trasposizione ', nome d'azione di *metatíthēmi*, comp. di *meta-* e *títhēmi* ' pongo '.

**metatetico**, da *metatesi* secondo il rapporto di *sintetico* a *sintesi*.

**metatiere** (specie di mezzadro), dal lat. *mediĕtas*, *-atis* incr. con il tipo frc. di *métayer* e col suff. *-iere*.

**metato**, dal lat. *metatum*, deriv. di *meta* ' catasta ' (v. META²), riferito al luogo dove si seccano le castagne deposte sui graticci.

**metazòi**, calco su *protozòi* con la sostituz. di *meta-* a *proto-* per mettere in rilievo la loro pluricellularità di fronte alla unicellularità dei protozoi.

**meteco¹** dal gr. *métoikos*, comp. di *meta-* ' dopo ' e *oîkos* ' casa ': « di oltre casa ».

**meteco²**, dal frc. *métèque* (XIX sec.), deriv. dalla stessa parola gr.

**metempsicosi**, dal lat. tardo *metempsychosis*, che è dal gr. *metempsýkhōsis*, nome di azione di *metem-psykhóomai* ' passo da uno spirito in un altro ', verbo denom. da *psykhē* ' anima '.

**metèora**, dal gr. *metéōra*, neutro plur. dell'agg. *metéōros*, ' che sta in alto sull'aria '.

**meteorismo**, dal gr. *meteōrismós* ' sollevamento, gonfiore '.

**meteorologìa**, dal gr. *meteōrología*, comp. di *(tà) metéōra* ' i fenomeni celesti ' e *-logìa*, tema astr. da *lógos* ' trattato '.

**meteorològico**, dal gr. *meteōrologikós*.

**meteoròlogo**, dal gr. *meteōrológos*.

**meticcio**, dal frc. *métis* e questo dallo sp. *mestizo*, lat. tardo *mixticius*, incr. con it. *metà*.

**meticoloso**, dal lat. *metĭculosus*, incr. di *metus* ' timore ' e *perìculosus*. *Metus* è privo di qualsiasi raffronto attendibile, ancorché sembri presupporre un verbo *\*metĕre* secondo il rapporto di *gradus* a *gradi*, *impetus* a *impetĕre*.

**metile**, estr. da *metilene*.

**metilene**, dal frc. *méthylène*, calco su *éthylène*, comp. di gr. *methy-* ' bevanda inebriante ', *hýlē* ' legno ', ' sostanza ' e il suff. chimico *-ène*.

**metòdico**, dal lat. *methodĭcus*, che è dal gr. *methodikós*.

**metodismo**, dall'ingl. *methodism*.

**metodista**, dall'ingl. *methodist*.

**mètodo**, dal lat. *methŏdus*, che è dal gr. *méthodos* ' indagine ', da *meta-* e *hodós* ' strada ' « la strada che si percorre ».

**metodologìa**, da *metodo* e *-logìa*.

**metonimia** (e **metonimìa**), dal lat. tardo *metonymia*, che è dal gr. *metōnymía*, propr. ' scambio di nome ', comp. di *met(à)-* e *ónyma*, variante eol. e dor. di *ónoma* ' nome '.

**metonìmico**, dal lat. tardo *metonymĭcus*, che è dal gr. *metōnymikós*.

**metonomasia**, dal gr. *metonomasía*, astr. di *metonomázō* ' chiamo con altro nome '.

**mètopa**, dal lat. *metŏpa*, che è dal gr. *metópē*, comp. di *meta-* e *opḗ* ' buco ' « spazio fra due cavità ».

**metraggio**, dal frc. *métrage*.

**-metrìa**, estr. da gr. (*geō*)*metrìa*.

**mètrica**, dal gr. *metrikḗ* (*tékhnē*) « (arte) della misura (dei ritmi) ».

**mètrico**, dal lat. *metrĭcus*, che è dal gr. *metrikós*.

**metrite**, dal gr. *mḗtra* ' utero ', col suff. *-ìte* di malattia acuta.

**-metro¹**, dal gr. *métron* ' misura ', p. es. *termòmetro*.

**-metro²**, da *metro* diviso o moltiplicato dal primo elemento (*decimetro, decametro*).

**metro**, dal lat. *metrum*, che è dal gr. *métron*.

**metrò**, abbreviaz. di *metro*(*politana*).

**metrologìa**, dal gr. *métron* ' misure ' e *-logìa*.

**metrònomo**, comp. di gr. *métron* ' misura ' e *-nomos* ' regolatore '.

**metronotte**, da « *metro*(politano per il servizio di) *notte* ».

**metròpoli**, dal gr. *mētrópolis* « città madre ».

**metropolita**, dal lat. *metropolita*, che è dal gr. *metropolĭtēs* ' cittadino della città madre ' poi « (vescovo) di città madre ».

**metropolitana**, da (ferrovia) *metropolitana*, calco sul frc. (chemin de fer) *métropolitain*.

**metropolitano**, dal lat. *metropolitanus*.

**méttere**, lat. *mittĕre* nell'età tarda ' mettere ', class. ' mandare ', forma espressiva di una rad. MEIT che trova un'unica ma efficace corrispond. nell'area iranica nel tema verb. *maeth-* ' mandare '.

**mettifoglio**, da *méttere* e *foglio*.

**mettimale**, da *mettere* e il sost. *male*.

**meve** (forma forte di *me*, arc.), lat. *me* incr. con *tibi*.

**mezzadro**, lat. *mediator*, incr. con lat. tardo *mediarius* e con leniz. settentr. di *-t-* in *-d-*: « colui che media, nel senso che ' divide a metà ' ».

**mezzano**, lat. volg. *medjanus*, class. *medianus*.

**mezzédima**, lat. *media hebdŏmas* ' metà settimana ', incr. con i tipi (*quar*)*ésima*.

**mezzerìa**, da *mezzadrìa*, incr. con *mèzzo* e il suff. *-eria*.

**mézzo**, lat. volg. *metius*, forma rustica parallela a class. *mitius*, comp. neutro di *mitis* ' molle, tenero '; v. MITE.

**mèzzo¹** (agg.), lat. volg. *medjus*, class. *medĭus*, da una forma ideur. MEDHYO-, perfettamente conservata nelle aree indo-iranica, greca (*mésos*), germanica (ted. *mitte*), celtica, osco-umbra. Per il trattamento di lat. volg. *-dj-* nell'it. *-ggj-*, v. MOGGIO.

**mezzo²** (sost.), da *mezzo* (*di trasporto*).

**mezzule**, calco su *grembiule, pedule*.

**mi¹** (pron.), lat. *me* e *mi* (*mihi*); v. ME.

**mi²** (nota), prima sill. di *mira*, nell'inno di S. Giovanni Battista, preso per base da Guido d'Arezzo.

**miagolare**, da *miaulare* ' fare miau ', da una serie onomatop. *m.... ul* con restituzione arbitraria di una *-g-* intervocalica per accentuare il valore iterat. della finale *-olare*; cfr. PIGOLARE ' fare pio pio '.

**mialgìa**, comp. di *mio¹-* e *-algìa*.

**miasma**, dal gr. *mìasma* ' macchia ', deriv. di *miaínō* ' io contamino '.

**mica¹**, lat. *mīca* ' briciola ', risal. prob. alla rad. MEIK-MEIG ' mescolare ', per cui v. MISTO e MESCERE.

**mica²**, dal lat. *mīca* ' briciola ', associato al valore di ' brillare ', proprio del verbo *mĭcare*, che risale a sua volta a una rad. MEIK², diversa da MEIK¹ (v. MICA¹), attestata, sia pure in modo fragile, anche nelle aree celtica e slava.

**micado**, dal giapponese *mikado*, comp. di *mi* ' augusto ' e *kado* ' porta ' (cfr. nella Turchia dei Sultani, la « sublime Porta »).

**miccia**, dal frc. *mèche*, lat. volg. *micca*, forma popolare del class. *myxa* che è dal gr. *mýksa* « (muco) pendente (dal naso) ».

**miccino**, dimin. di *mica¹* ' briciola ' incr. con *piccino*.

**miccio** (asino), da un onomatop. *mu*, voce dell'asino, incr. con i tipi *pìccio*(*lo*).

**micco**, dallo sp. *mico*, preso da lingua caribica (Indie occid.), con raddopp. espressivo.

**micelio**, dal gr. *mýkēs* ' fungo ', attrav. il lat. scient. *mycelium*.

**micenèo**, la fase arc. della lingua greca che è stata individuata attrav. la scrittura detta lineare B delle tavolette trovate a Micene (a Pilo e Cnosso), del XV sec. a. C. dal gr. *mykēnaîos*.

**micetologìa**, dal gr. *mýkes, -ētos* e *-logìa*.

**michelaccio**, da un ipotetico Michele, famoso per infingardaggine.

**micheletto**, dallo sp. *miquelete* ' fuciliere catalano '.

**micidiale**, da (*o*)*micidiale*.

**-micina**, dal gr. *mýkēs* ' fungo ' con suff. *-ina* di prodotti medicinali.

**micio**, voce onomatop. dalla serie *m.... c....* propria della voce del gatto.

**micologia**, da *mic*(*et*)*ologìa*.

**micosi**, da *mico-*, forma abbreviata da gr. *mýkēs* ' fungo ' e il suff. *-osi* di malattie croniche.

**micragna**, lat. volg. *(he)micranja* (v. EMICRANIA), applicato come metafora ironica.

**micro-**, dal gr. *mikrós* ' piccolo '.

**microasiàtico**, da *micro-* e *asiatico*.

**micròbio**, dal frc. *microbe*, tratto da gr. *mikrós* ' piccolo ' e *bios* ' vita ': « piccola vita ».

**microbiologìa**, da *micro-* e *biologìa*.

**microbo**, sg. fatto sul plur. *mìcrobi*, letto erroneam. come parola sdrucciola invece di *micròbi*; v. MICROBIO.

**microcàmera**, da *micro-* e il ted. *Kamera* ' apparecchio fotografico '.

**microcèfalo**, dal gr. *mikroképhalos*, comp. di *mikrós* ' piccolo ' e *kephalé* ' testa '.

**microcosmo**, dal lat. tardo *microcosmus*, comp. di gr. *mikrós* ' piccolo ' e *kósmos* ' mondo '.

**microfilm**, da *micro-* e *film*.

**micròfono**, da *micro-* e (*tele*)*fono*.

**microfotografìa**, da *micro-* e *fotografia*.

**microgrammo**, da *micro-* e *grammo*.

**micrometrìa**, da *micro-* e *-metrìa*.

**micromotore**, da *micro-* e *motore*.

**micròmetro**, da *micro-* e *metro*.

**micron**, dal gr. *mikrón*, neutro di *mikrós* ' piccolo '.

**microonda**, da *micro-* e *onda*.

**microrganismo**, da *micro-* e *organismo*.

**microscopio**, da *micro-* e *-scopio* (XVII sec.); cfr. TELESCOPIO.

**microsolco**, da *micro-* e *solco*.

**micròtomo**, da *micro-* e *-tomo*.

**midolla**, lat. *medulla*, vagamente avvicinabile a *medius*, ma senza possibilità di analizzarne il processo di derivaz.

**midollare**, dal lat. tardo *medullaris* incr. con it. *midollo*.

**midollo**, da MIDOLLA.

**midolloso**, dal lat. *medullosus* incr. con it. *midollo*.

**miele,** lat. *mel, mellis,* forma espressiva della rad. ideur. MEL(L) ' miele ', attestata nelle aree greca, ittita, armena, albanese, germanica e celtica. Relitto di una civiltà di collettori che non adopravano ancora il miele come inebriante, v. MEFITE. Per il verbo deriv. *meldĕre,* v. MULSO.

**mielite,** dal gr. *myelós* ' midollo ' e il suff. *-ite* di malattie acute.

**mièṭere,** lat. *metĕre,* con connessioni chiare nell'area celtica e forse col lituano *mêtas* ' anno ' se è lecito identificare l'anno con la messe; cfr. MESSE.

**mietilega,** da *mieti(trice)-lega(trice).*

**mìgale** ' toporagno ', dal lat. *mygăle* che è dal gr. *mygálē,* comp. di *mŷs* ' topo ' e *galê* ' donnola '.

**migliaccio,** lat. volg. *miliacjum,* neutro sostantiv. di *miliaceus,* deriv. di *milium* ' miglio '.

**migliaio,** lat. *miliarium,* deriv. di *mille,* con norm. trattam. tosc.

**miglio[1],** lat. *milia* ' migliaia ', al plur. con sg. rifatto regolarm. in *-o,* secondo i norm. schemi it.

**miglio[2],** lat. *milium,* da un tema ideur. MELI che con diverso grado della voc. radicale compare anche nelle aree baltica e greca.

**migliorare,** dal lat. tardo *meliorare,* denom. da *melior.*

**migliore,** lat. *melior, -oris,* comp. di una rad. MEL[1] che appare con diverso grado vocalico nel gr. *mála* ' molto ', da MEL e nel lat. *multus* da ML̥ (cfr. MOLTO). Il suo valore è ' buono, abbondante '; per l'astr. in *-ta* della rad. MEL[1], v. MULTA: cfr. anche MEGLIO.

**mignatta,** da un tema *migno* ' piccolo ', simbolico per vermi e altri piccoli animali, col suff. *-atta* di *pignatta;* v. MÌGNOLA.

**mìgnola,** da un tema *migno-* ' piccolo ', lat. volg. *minjus;* v. MENO.

**mìgnolo,** lat. volg. *minjus,* incr. di *minu-s* (v. MENO) con la rad. MEN[3] dell'osco *menvum,* con suff. aggettiv. e il dimin. in *-olo.*

**mignone** ' favorito ', dal frc. *mignon.*

**migrare,** dal lat. *migrare,* verbo denom. da *migro-,* forse connesso con la rad. MEIGW del gr. *(a)meíbō* ' io scambio ', risultante da un ampliam. in GW di una più semplice MEI; v. MEATO. Per un ampliam. invece in T(H) v. MUTARE.

**migratore,** dal lat. tardo *migrator, -oris.*

**migrazione,** dal lat. *migratio, -onis.*

**mila,** incr. di lat. *mille* e lat. *milia.*

**miliardo,** dal frc. *milliard* (XIX sec.), calco su *million* e con suff. accrescitivo peggiorativo.

**miliare** (febbre), adattamento del lat. *miliarius* ' proprio del miglio ', sul modello di lat. medv. *ciliaris* da *cilium,* per le vescichette che provoca, simili a grani di miglio.

**miliare** (pietra), dal lat. *miliarium,* deriv. di *milia,* incr. col suff. aggettiv. it. *-are.*

**milione,** dal frc. *million.*

**militare[1]** (verbo), dal lat. *militare,* verbo denom. da *miles, -ĭtis* ' soldato '.

**militare[2]** (agg.), dal lat. *militaris.*

**milite,** dal lat. *miles, -ĭtis,* deriv. da un tema *milo-* ' gruppo ' come *pedes* da *pes, eques* da *equo-.* *Mílo-* appare nel gr. *hómilos* ' assemblea ' (da *homo-milos*) ed è attestato in forma verb. anche nell'area indiana. *Miles* è dunque quello « che cammina in gruppo ».

**milizia,** dal lat. *militia.*

**millanta,** calco su *(qua)ranta, (cinqu)anta,* tratto da *mille.*

**millantare,** verbo denom. da *millanta.*

**mille,** lat. *mille,* forma con raddopp. espressivo di *mili* e questo da una base di partenza SMI-GHZ-LI-più o meno decisamente paragonab. alle forme delle parole corrispond., il sanscrito *sahasra-* da SM-GHEZ-LO e il gr. *khílioi* da GHEZ-LYO-.

**millecuplicare,** calco su *decuplicare,* analizzato nella forma *(de)cuplicare* anziché su quella etimol. *(decu)plicare.*

**millefoglie,** da *mille* e *foglia.*

**millefoglio,** dal lat. *millefolium,* comp. di *mille* e *folium* ' foglia '.

**millenario,** dal lat. tardo *millenarius* che è da *milleni* ' mille per mille ', deriv. da *mille* come *centeni* da *centum.*

**millennio,** comp. di *mille* e *-ennio,* calco su *decennio* e sim.

**millèsimo,** dal lat. *millesĭmus,* calco su *centesĭmus.*

**milli-,** dal lat. *mille,* modellato su *centi-.*

**millibar,** da *milli-* e *-bar.*

**milord,** dalla formula allocutiva ingl. *my lord* ' mio signore ', attrav. il frc. *milord.*

**miluogo,** calco sul frc. *milieu.*

**milvo** ' nibbio ', dal lat. *milvus,* privo di connessioni attendibili.

**milza,** dal longob. *milzi.*

**milzadella** (pianta), doppio deriv. di *milza* per le macchie chiare che ha sulle foglie, arieggianti le parti bianche sul fondo rosso della milza.

**mimare,** dal frc. *mimer* (XX sec.), deriv. di *mime* ' mimo '.

**mimesi,** dal lat. tardo *mimēsis* che è dal gr. *mímēsis* ' imitazione ', nome d'azione di *miméomai* ' io imito '.

**mimètico,** dal gr. *mimētikós.*

**mimiambo** ' mimo in versi ', dal lat. *mimiambus,* che è dal gr. *mimíambos,* comp. di *mímos* ' mimo ' e *íambos* ' giambo ': « giambo dei mimi ».

**mìmico,** dal lat. *mimĭcus* che è dal gr. *mimikós,* deriv. di *mímos* ' mimo '.

**mimmo,** dalla serie onomatop. m.... m, propria delle articolazioni foniche infantili.

**mimo,** dal lat. *mimus* che è dal gr. *mîmos,* sost. deverb. estr. da *miméomai* ' imito '.

**mimògrafo,** dal lat. *mimogrăphus* che è dal gr. *mimográphos,* comp. di *mîmos* ' mimo ' e *grapho-* ' che scrive '.

**mimosa,** dal lat. scient. *mimosa,* tratto da *mimus,* per le contrazioni che ricordano quelle di un mimo.

**mina[1]** (misura), lat. *(he)mĭna,* dal gr. *hēmína,* deriv. di *hēmi-* ' mezzo '.

**mina[2]** (moneta), lat. *mina,* dal gr. *mnâ,* risal. al mondo semitico, per es. ebr. *māneh.*

**mina[3]** (di minatore), dal frc. *mine.*

**minaccia,** lat. *minaciae,* deriv. di *minax, -acis* ' minaccioso ', deriv. di *minari* ' minacciare ', a sua volta verbo denom. da *minae, -arum,* ' sporgenza incombente ', da connettere con la radice MEN[2] di *mons montis* (v. MONTE e MONILE), da cui anche *eminere* (v. EMINENTE) e *imminere* (v. IMMINENTE). La vocale avrebbe dovuto essere *menare, -arum,* ma si è adeguata a quella dei composti.

**minare,** verbo denom. da *mina[3].*

**minareto,** dal frc. *minaret* e questo dal turco *minare* risal. all'ar. *manāra.*

**minatore,** nome d'agente di *minare.*

**minatorio,** dal lat. *minari* col doppio suff. it. *-torio.*

**minchia,** lat. *mentŭla* ' membro virile ', simbolo di dispregio; senza dubbio dimin. personificato di *mentum* da ant. *\*mņtom*; v. MENTO e cfr. MONTE.

**minchione,** accresc. di *minchia.*

**minerale,** dal lat. medv. *mineralis,* deriv. del frc. ant. *miniere* ' miniera '; v. MINIERA.

**mineralogìa,** da *\*minera(li)logia.*

**minestra,** sost. deverb. di *minestrare.*

**minestrare,** lat. *ministrare,* verbo denom. da *minister* ' inferiore, servitore '; v. MINISTRO.

**mingere,** dal lat. *mingĕre,* forma con infisso nasale di una rad. MEIGH ' urinare ', che si ritrova identica nell'area baltica, mentre, senza infisso nasale, compare nelle aree indo-iranica, greca, armena, slava, germanica e persino tocaria, oltre che nel lat. *meiĕre* (v. MEGGIA). Fa parte di quel vocab. della fisiologia, compatto, freddamente osservato e ritualizzato, caratteristico del mondo ideur.

**mingherlino,** dal frc. ant. *mingrelin.*

**mini-,** da *minimo (minigonna) (Minimorris).*

**miniare,** dal lat. *miniare* ' tingere col minio ', verbo denom. da *minium;* v. MINIO.

**miniera,** dal frc. ant. *miniere,* deriv. di *mine* ' mina '; cfr. MINA³.

**minimalista,** dal frc. *minimaliste.*

**mìnimo,** dal lat. *minĭmus,* superl. in *-mo* di un tema *\*minu-* (v. MÉNOMO e cfr. MENO, MINORE), deriv. dalla rad. MEI ' piccolo ' con ampliam. in -NU-, più tardi incr. con MEN; v. MIGNO.

**minio,** dal lat. *minium* ' cinabro ', parola mediterr.

**ministeriale,** dal lat. tardo *ministerialis.*

**ministero,** dal lat. *ministerium* (con passaggio centro-merid. non tosc. di *-eriu* in *-ero*), deriv. di *minister* ' inferiore, dipendente, servitore '.

**ministrare,** dal lat. *ministrare.*

**ministro,** dal lat. *minister, -tri* ' servitore ', ant. *\*minus-ter* (v. MENO, MINORE), incr. con *magis-ter* da *magis* (v. MAI) col suff. *-ter* di opposizione fra due; v. MAESTRO.

**minòico,** dal lat. *Minōs, -ŏis* che è dal gr. *Mínōs, -ōos* ' re cretese ' col suff. aggettiv. *-ico.*

**minorare,** dal lat. tardo *minorare,* verbo denom. da *minor, -oris.*

**minorazione,** dal lat. tardo *minoratio, -onis.*

**minore,** lat. *minor, -oris,* tratto dal neutro *minus* (v. MENO) secondo il rapporto di *maior* rispetto a *maius.* Per il superl. *minimus* v. MÌNIMO, MÉNOMO.

**minoritario,** dal frc. *minoritaire.*

**minotauro,** dal gr. *Minôtauros.*

**minuendo,** dal lat. *minuendus,* part. fut. passivo di *minuĕre* ' diminuire '.

**minuetto,** dal frc. *menuet,* dimin. di *menu;* v. MENÙ.

**minugia,** lat. volg. *\*minutja,* class. *minutiae,* con leniz. settentr. di *-tj-* in *-sgj-* e adattamento tosc.; v. MINUZIA.

**minugio,** da *minugia,* inteso come plur. neutro e come deriv. in *-ugio;* cfr. MATTUGIO.

**minuire,** v. DIMINUIRE.

**minùscolo,** dal lat. *minuscŭlus,* dimin. di *minus;* v. MENO.

**minusvalenza,** calco su *plusvalenza.*

**minuta,** femm. sostantiv. di *minuto,* foglio dove sono contenuti i particolari anche inutili.

**minutaglia,** lat. tardo *minutalia,* neutro plur. di *minutalis* ' piccolo '.

**minutina,** dimin. di *minuto,* agg. sostantiv.

**minuto¹** (agg.), lat. *minutus,* part. pass. di *minuĕre* ' diminuire '. *Minuĕre* deriva da un ampliam. in *-nu-* della rad. MEI ' piccolo ', ampliam. attestata anche nell'area greca. Con altri ampliam. la rad. è attestata nelle aree tocaria, indiana, armena, greca, ittita, baltica, slava, germanica, celtica.

**minuto²** (sost.), dal lat. tardo *minutum,* neutro sostantiv. di *minutus;* v. MINUTO¹ (agg.).

**minuzia,** dal lat. *minutia,* astr. di *minutus,* agg.; cfr. MINUGIA.

**minuzzare,** lat. volg. *\*minutjare,* verbo denom. da *minutia.*

**minuzzo,** sost. deverb. da *minuzzare.*

**minùzzolo,** dimin. di *minuzzo.*

**mio-¹,** dal gr. *mŷs, myós* ' topo ', poi ' muscolo '.

**mio²,** lat. *meus,* attrav. una fase ant. *mieo;* cfr. *dio* da *deus* attrav. *dieo.* Lat. *meus* rappresenta una forma più moderna rispetto alla orig. *\*mos,* per es. del gr. *(e)mós.*

**miocardio,** comp. moderno irregolare di *mio-¹* ' muscolo ' e *-cardio* ' cuore '.

**miocene,** dal frc. *miocène* e questo dal gr. *meiōn* ' minore ' e *-cene* (v.) ' nuovo '; cfr. *pliocene* e *pleistocene.*

**miografìa,** da *mio-¹* e *-grafia.*

**miologìa,** da *mio-¹* e *-logia.*

**mìope,** dal lat. tardo *myops, myōpis* che è dal gr. *mýops, mýōpos,* comp. di *mýō* ' chiudo ' e *-ōps* ' sguardo ': « dagli occhi socchiusi ».

**miopìa,** dal gr. *myōpia.*

**miosòtide,** dal lat. *myosotis, -ĭdis* che è dal gr. *myosōtís, -ídos,* comp. di *myós* ' di topo ', *ōt-* tema di ' orecchio ' e suff. *-id:* « orecchio di topo » (per la forma delle foglie).

**mira,** sost. deverb. da *mirare.*

**miràbile,** dal lat. *mirabĭlis.*

**mirabilia,** dal lat. *mirabilia,* neutro plur.; cfr. MERAVIGLIA.

**mirabolano,** dal frc. *myrobalan,* dal lat. *myrobalănus* che è dal gr. *myrobálanos,* comp. di *mýron* ' unguento ' e *bálanos* ' ghianda ': « ghianda da unguento ».

**mirabolante,** dal frc. *mirabolant* (XX sec.).

**miràcolo,** dal lat. *miracŭlum* ' cosa meravigliosa ' poi ' prodigio ', nome di strum. del verbo *mirari;* v. MIRARE.

**miracoloso,** dal lat. medv. *miraculosus.*

**miraggio,** dal frc. *mirage.*

**mirallegro,** da *mi rallegro.*

**mirare,** lat. *mirari,* volg. ' guardare ', class. ' stupirsi ', verbo denom. da *mirus;* v. MIRO.

**miria-,** dal lat. tardo *myrias* che è dal gr. *myriás.*

**mirìade,** dal lat. tardo *myrias, -ădis* che è dal gr. *myriás, -ádos* ' collettività di diecimila '.

**miriàpodo,** dal gr. *mýrioi* ' moltissimi ' e *pûs podós* ' piede '.

**mirica,** dal lat. *myrica* che è dal gr. *myrikē* ' tamerice '.

**mirìfico,** dal lat. *mirifĭcus,* comp. di *mirus* ' meraviglioso ' e *-fĭcus* ' fattore ' (v. MIRO), che funge da superl. dello stesso *mirus.*

**mirino,** dimin. di *mira.*

**mirmillone,** dal lat. *mirmillo, -onis,* variante di *murmillo, -onis,* risal. forse al gr. *mormýros.*

**miro**, lat. *mirus*, privo di connessioni attendibili fuori del lat.

**mirra**, dal lat. *myrrha* che è dal gr. *mýrrha*.

**mirtàceo**, da *mirto*.

**mirteto**, dal lat. *myrtetum*.

**mirtillo**, dal frc. *myrtille*, dimin. di *myrtus*.

**mirto**, dal lat. *myrtus* che è dal gr. *mýrtos*, secondo il trattam. più recente che mantiene in lat. la *y* gr.; cfr. invece *murtus* in MORTELLA.

**mis-**, dal frc. ant. *mes-*, franco *missi*.

**misantropìa**, dal gr. *misanthrōpía*; v. MISÀNTROPO.

**misàntropo**, dal gr. *misànthrōpos*, comp. di *mise-* tema di *miséō* 'io odio' e *ánthrōpos* 'uomo'.

**miscea** 'mescolanza di cose misere', lat. volg. *misceria*, incr. di class. *miscere* e *miseria*.

**miscela**, femm. sostantiv. di lat. *miscellus* 'mescolato' incr. con *-ela* del tipo di *cautela*, *tutela*, ecc.

**miscellaneo**, dal lat. tardo *miscellaneus*, deriv. di *miscellus* 'mescolato'.

**mischia**, sost. deverb. estr. da *mischiare*.

**mischiare**, lat. volg. *misculare*, iterat. di *miscere*; v. MISTO e cfr. MESCOLARE.

**mischio**, estr. da *mischi(at)o*.

**misconóscere**, comp. di *mis-* e *conóscere*.

**miscredente**, comp. di *mis-* e *credente*.

**miscuglio**, lat. volg. *misculium*, legato a *miscŭlus* e *misculare* (v. MISCHIARE), dallo stesso rapporto di *dominium* a *domĭnus* e *dominare*.

**miseràbile**, dal lat. *miserabĭlis*, agg. verb. di *miserari* 'aver compassione', verbo denom. da *miser* 'misero'.

**miserabilità**, dal lat. tardo *miserabĭlĭtas*, *-atis*.

**miserando**, dal lat. *miserandus*.

**miserere**, dal lat. *miserere*, seconda pers. sg. dell'imperat. di *misereri* 'aver pietà'.

**miseria**, dal lat. *miseria*, astr. di *miser*.

**misericorde**, dal lat. *miserĭcors*, *-rdis*, comp. di *miserere*, tema verb. 'aver pietà' e *cor* 'cuore': « dal cuore che sente pietà ».

**misericordia**, dal lat. *misericordia*.

**misero**, dal lat. *miser*, *-ĕri*, privo di connessioni attendibili, salvo con *maestus*; v. MESTO.

**misèrrimo**, dal lat. *miserrĭmus*, superl. di *miser*, attrav. il suff. *-sĭmo*; cfr. *maxĭmus* e v. MÀSSIMO.

**misfatto**, comp. di *mis-* e *fatto*.

**misirizzi** (balocco), da *mi si rizzi*.

**miso-**, dal gr. *miso-* 'che odia'.

**misogallo**, da *miso-* e *Gallo* nel senso di 'francese'.

**misògamo**, da *miso-* e *-gamo*.

**misoginìa**, dal gr. *misogynía*, astr. di *misógynos*.

**misògino**, dal gr. *misógynos*, comp. di *miso-* 'che odia' e *gyné* 'donna'.

**misoneismo**, ampliam. in *-ismo* di parola comp. di *miso-* e gr. *néos* 'nuovo'.

**miss**, dall'ingl. *miss* 'signorina', abbreviaz. di *mistress* 'signora', dal frc. ant. *maistresse*, lat. *magistra* con suff. femm. rafforzato in *-issa*.

**missile**, dal lat. *missĭlis*, agg. verb. di *mittĕre* 'mandare', tratto dal tema del part. pass. cfr. *fissĭlis*, *ductĭlis*, *fossĭlis*, contro i tipi *facĭlis*, *agĭlis* dal tema di pres.

**missionario**, da *missione*.

**missione**, dal lat. *missio*, *-onis*, nome d'azione di *mittĕre* 'mandare'.

**missiva**, femm. sostantiv. del lat. medv. *missivus*, agg. durativo del part. pass. *missus* 'mandato'.

**missivo**, dal lat. medv. *missivus*.

**misterio**, v. MISTERO.

**mistero**, dal lat. *mysterium*, con la finale centro-merid. non tosc. di *-eriu* in *-ero*.

**mìstico**, dal lat. *mystĭcus* che è dal gr. *mystikós* « relativo ai misteri (pagani) », deriv. di *mýstēs* 'iniziato ai misteri'.

**mistificare**, calco sul frc. *mistifier*, comp. di *myst(ère)* e *-ifier* '-ificare': « render misterioso ».

**mistilingue**, calco su *bilingue*, con sostituz. di *misto* a *bi-* 'due'.

**mistione**, dal lat. *mixtio*, *-onis*, nome d'azione di *miscere* 'mescolare'.

**misto**, lat. *mixtus*, part. pass. di *miscere*, dalla rad. MEIK/MEIG (v. MÉSCERE e cfr. MICA), ampliato con un *-s-* desiderativo.

**mistrà**, prob. dal gr. *Mystrâs*, nome moderno di Sparta, attrav. tradiz. veneta.

**mistura**, lat. *mixtura*, astr. di *miscere*.

**misura**, it. ant. *mesura*, lat. *mensura*, astr. deriv. da *mensus*, part. pass. del sistema di *metiri*. Questo è verbo denom. da *metis* 'misura (in senso psicologico)' che si ritrova identico nel gr. *mêtis* 'saggezza' e inoltre nelle aree germanica e indiana, ed è nome d'azione della rad. MĒ[1]. Di questa sopravvive un verbo atematico nell'area indo-iranica. Da questa stessa rad., ampliata in modo diverso, nasce la definizione del 'misurare tecnico', per es. nel nome radicale d'agente MĒN della luna e in quello d'azione MĒN-S (v. MESE). Il part. pass. di *metiri* è stato preso dalla nozione di 'misura tecnica' e perciò è *mensus*, attrav. un ampliam. nasale e dentale che appare anche nell'area germanica; v. MENSA, MESE.

**misuràbile**, dal lat. *mensurabĭlis* incr. con it. *misurare*.

**misurare**, lat. tardo *mensurare* incr. con it. *misura*.

**misuratore**, dal lat. tardo *mensurator*, *-oris* incr. con it. *misurare*.

**misurazione**, dal lat. tardo *mensuratio*, *-onis* incr. con it. *misurare*.

**mite**, dal lat. *mitis*, privo di connessioni veramente evidenti, cfr. MÉZZO.

**mìtera**, lat. *mitra* con epèntesi di *-e-*, dal gr. *mítra*, risal. al persiano *mithra* 'tiara dei sovrani della Persia'; v. MITRA[1].

**mìtico**, dal lat. tardo *mythĭcus* che è dal gr. *mythikós*, deriv. di *mythos*.

**mitidio** 'senno', prob. da un gr. biz. *metídion*, dimin. di class. *mêtis*, *-idos* 'senno'; cfr. MISURA.

**mitigare**, dal lat. *mitigare*, der. da *mitis* (v. MITE), come *levigare* da *levis*.

**mitigatore**, dal lat. tardo *mitigator*, *-oris*.

**mìtilo**, dal gr. *mýtilos*.

**mito**, dal gr. *mythos* 'parola, leggenda'.

**mitògrafo**, dal gr. *mythográphos*.

**mitologìa**, dal gr. *mythología*.

**mitògrafo**, da *mito* e *-grafo*.

**mitologìa**, da *mito* e *-logia*.

**mitopoiètico**, da *mito* e il gr. *poiētikós* 'produttivo'.

**mitra**[1] (anche *mitria*), dal lat. *mitra* che è dal gr. *mítra*; cfr. MÌTERA.

**mitra**[2], da *mitra(gliatore)*.

**mitraglia**, dal frc. *mitraille* 'insieme di monetine', doppio deriv. di frc. ant. *mite* 'monetina di rame'.

**mitridatismo**, dal nome di Mitridate VI Eupàtore, re del Ponto, per la leggenda che si fosse assuefatto gradualmente ai veleni.

**mittente,** dal lat. *mittens, -entis,* part. pres. di *mittĕre* 'mandare'.

**mnemònica,** da (*arte*) *mnemònica.*

**mnemònico,** dal gr. *mnēmonikós,* deriv. di *mnēmōn* 'memore'.

**mo',** lat. *modo* (v. MODO), nel doppio signif. avv. di tempo e di modo.

**mòbile** (agg. e sost.), dal lat. *mobĭlis,* agg. verb. in *-bĭlis* da *movere,* tratto regolarm. dal tema di pres. come in *nobĭlis.*

**mobilia,** dal lat. *mobilia,* neutro plur. di *mobĭlis.*

**mobilità,** dal lat. *mobilĭtas, -atis.*

**mobilitare,** dal lat. *mobilitare* 'rendere mobile'.

**moca,** dalla città dello Yemen, ar. *Mokhā.*

**mocassino,** dal frc. *mocassin* che è dall'algonchino (indiano del Nordamerica) *mokasin.*

**moccicare,** verbo denom. iterat. di *moccio.*

**moccio,** lat. volg. *muccjus,* agg. di *muccus* (*mūcus*); v. MUCO.

**móccolo,** dimin. di lat. *muccus* (class. *mūcus*); v. MUCO.

**moda,** dal frc. *mode* che è dal lat. *modus* trasportato al femm.

**mòdano,** incr. di lat. *modŭlus* con i tipi *acĭnus, pampĭnus* e norm. passaggio ad *-a-* della voc. atona interna; cfr. MÒDINE.

**modellare,** verbo denom. da *modello.*

**modello,** lat. volg. *modellus,* dimin. di *modŭlus.*

**moderàbile,** dal lat. *moderabĭlis.*

**moderamento,** dal lat. tardo *moderamentum.*

**moderare,** dal lat. *moderare,* class. *moderari,* verbo denom. da *modus, -ĕris* 'misura, forma' (v. MODESTO), incr. di un più ant. *medos-* con *modo-s;* v. MODO.

**moderatore,** dal lat. *moderator, -oris.*

**moderazione,** dal lat. *moderatio, -onis.*

**moderno,** dal lat. tardo *modernus,* deriv. da *modo* 'adesso', come calco su *hodiernus* (*hodie*), *hesternus* (*heri*). Lat. *modo* ha assunto il valore temporale passando attrav. quello modale: prima « nella misura » poi « giusto, esatto (nella misura) », poi « giusto (nel tempo) ».

**modestia,** dal lat. *modestia.*

**modesto,** dal lat. *modestus,* deriv. in *-to* di *modus, -ĕris* 'misura, freno'; cfr. MODERARE.

**modicità,** dal lat. tardo *modicĭtas, -atis.*

**mòdico,** dal lat. *modĭcus,* deriv. di *modus.*

**modìfica,** sost. deverb. da *modificare.*

**modificare,** dal lat. *modificare* 'moderare', comp. di *modus* 'misura' e *-ficare* dal tema di *facĕre,* verbo denom. da un nome d'agente in *-fex.*

**modificatore,** dal lat. tardo *modificator, -oris.*

**modificazione,** dal lat. tardo *modificatio, -onis.*

**modiglione,** lat. *mutilio, -onis,* con leniz. settentr. di *-t-* in *-d-,* ampliam. di *mutŭlus* (v. MUCCHIO).

**modinare,** verbo denom. da *mòdine.*

**mòdine** (arc.), lat. *modŭlus* incr. con *pampĭnus,* attrav. una tradiz. settentr. che fa cadere la voc. finale; cfr. MÒDANO.

**modio,** dal lat. *modius;* v. MOGGIO.

**modista,** dal frc. *modiste,* deriv. di *mode* 'moda'.

**modo,** lat. *modus* 'misura' poi 'regola', tema in *-o* con la rad. al grado forte da MED, da cui deriva anche *modus, -ĕris;* v. MODERARE e MODESTO. La rad. MED è la stessa di *meditari* e di *mederi;* v. MEDITARE e MEDICO.

**modulàbile,** dal lat. tardo *modulabĭlis.*

**modulare,** dal lat. *modulari,* verbo denom. da *modŭlus.*

**modulatore,** dal lat. *modulator, -oris.*

**modulazione,** dal lat. *modulatio, -onis.*

**mòdulo,** dal lat. *modŭlus,* dimin. di *modus.*

**moerro,** dal frc. *moire,* v. AMOERRO.

**mof(f)et(t)a,** lat. *mephitis* (v. MEFITE) incr. con la serie onomatop. *m…. f,* propria di esalazioni e soffi.

**mògano,** da *mohògoni,* di una lingua indiana d'America, attrav. una forma tosc. *mog(og)ano.*

**moggio,** lat. volg. *modjus,* class. *modius,* ampliam. di *modus* (v. MODO) secondo il rapporto che lega (*du*)*pundius* a *pondus. Moggio* rappresenta uno dei due trattam. del lat. *-dj-* trasformato in *-gg'-:* l'altro è quello *-zz-* di *mezzo* (v.) da *medjus.*

**mogio,** lat. *mollius,* compar. neutro di *mollis* 'molle' (v. MOLLE) incr. con *brogio* (v.) 'sciocco'.

**moglie,** lat. *mulier,* vagamente collegabile con *mollis,* ma senza nessuna evidenza. La forma orig. era *mulies,* come mostra il deriv. *muliebris;* v. MULÌEBRE.

**mogliera,** lat. volg. *muljèrem,* da class. *muliĕrem,* passato alla declinaz. in *-a-.*

**mogòl,** dal persiano *mugäl* 'mongolo'.

**moia,** lat. *murĭa* 'salamoia', privo di connessioni attendibili, con norm. trattam. tosc. di *-ŭria* in *-oia;* cfr. MURIATO.

**moina,** vezzegg. deverb. della famiglia onomatop. *miao, moi,* che richiama il verso e i vezzi del gatto.

**mola,** lat. *mola,* legato a *molĕre* 'macinare'. La rad. è MELĒ, con le norm. alternanze vocaliche. Il signif. del verbo rimane 'macinare' nelle regioni nordoccidentali: nelle aree greca, armena, indoiranica è rappresentato da un'altra unità lessicale (gr. *aléō*) mentre i deriv. di MELĒ assumono il valore di 'schiacciare'; evidentemente un qualche perfezionamento tecnico ha imposto in quelle reg. una parola nuova; cfr. IMMOLARE.

**molare** (agg.), dal lat. *molaris.*

**molazza,** dal lat. *moles* col suff. peggiorativo *-acea,* parzialmente assibilato nella forma settentr. *-azza* (tosc. *-accia*).

**mólcere,** dal lat. *mulcēre,* passato alla coniugaz. in *-ĕre;* ha una corrispond. quasi perfetta nel sanscrito *mr̥ç(ati)* 'tocca'.

**mole,** dal lat. *mōles,* forma allungata della rad. MOL come *sēdes* della rad. SED. La rad. MOL ha la sua variante in MEL (v. MOLESTO) e dà vita a un verbo causativo-iterativo come *moliri* 'sforzarsi per muoversi o smuovere'. Fuori del lat. si ha il solo confronto col gr. *molôs* 'lavoro penoso'.

**molècola,** dal lat. *moles* con suff. dimin. dal lat. *-cula;* v. MOLE.

**molenda,** lat. (*ad*) *molenda* (*grana*), neutro plur. del part. fut. passivo di *molĕre* 'macinare'; v. MOLA.

**molestare,** dal lat. tardo *molestare.*

**molestia,** dal lat. *molestia.*

**molesto,** dal lat. *molestus,* deriv. di *meles* e perciò 'pesante'; *meles* è una variante di *mōles* (v. MOLE), come di fronte a *modus* si deve presupporre un *medos* (v. MODERARE, MODESTO). Il gruppo lat. *el* passa in *ol* quando la *l* non è seguìta da *i.*

**molibdeno,** dal lat. *molybdaena* 'piombaggine' che è dal gr. *molýbdaina* 'sostanza metallica che ri-

chiama il piombo ', da *mólybdos* ' piombo ';
v. PIOMBO.

**molino**, v. MULINO e deriv.

**molitore**, dal lat. *molĭtor, -oris*, nome d'agente di
*molĕre* ' macinare '; v. MOLA.

**molla**, sost. deverb. estr. da *mollare*.

**mollare**, verbo denom. da *molle*.

**molle**, lat. *mollis*, ant. *mḷdw-is* e cioè risal. a MḶDU-
attestato in forma identica in sanscrito e, in un
verbo deriv., nel gr. (*a*)*maldý*(*nō*) ' indebolisco ':
cfr. MLĀ, v. FIACCO. Forme un po' diverse compaiono poi nelle aree celtica, germanica, baltica e slava.

**molleggiare**, verbo denom. da *molla*.

**mollettiera**, dal frc. *molletière*, deriv. di *mollet*
' polpaccio '.

**mollettone**, dal frc. *molleton*, doppio deriv. di *mou*
' molle '.

**mollezza**, lat. *mollitia*.

**mollica**, lat. volg. *mollĭca*, deriv. di *mollis*.

**mollificare**, dal lat. tardo *mollificare*, comp. di *mollis* e *-ficare*, tema di verbo denom. dal tema di
nome d'agente *-fex*.

**mollizia**, dal lat. *mollitia*.

**mollusco**, dal lat. *mollusca* (*nux*) ' (noce) dal guscio
molliccio '.

**molo**, dal gr. biz. *môlos*, risal. al lat. class. *moles*.

**Moloc**, dal lat. *Moloc* che è dal gr. *Mólokh* e questo dall'ebr. *Melek*.

**molosso**, dal lat. *molossus* che è dal gr. *molossós*.

**moltéplice**, dal lat. *multĭplex*, comp. di *multi-*
' molto ' e *-plex*, tema di nome d'azione: « che
piega », poi ' che moltiplica '.

**molteplicità**, dal lat. tardo *multiplicĭtas, -atis* incr.
con *molto*.

**moltìplica**, sost. deverb. estr. da *moltiplicare*.

**moltiplicando**, dal lat. *multiplicandus*, part. fut.
passivo di *multiplicare* incr. con it. *molto*.

**moltiplicare**, dal lat. *multiplicare*, verbo denom.
da *multĭplex* (v. MOLTÉPLICE) incr. con it. *molto*.

**moltiplicativo**, dal lat. tardo *multiplicativus* incr.
con it. *molto*.

**moltiplicatore**, dal lat. tardo *multiplicator, -oris*
incr. con it. *molto*.

**moltiplicazione**, dal lat. *multiplicatio, -onis* incr.
con it. *molto*.

**moltitùdine**, dal lat. *multitudo, -ĭnis*, astr. di *multus* incr. con it. *molto*.

**molto**, lat. *multus* (avv. *multum*), che ha la forma
di part. pass. di una rad. MEL'. Siccome questa
però dà un compar. *melior* (v. MEGLIO, MIGLIORE),
occorre darle un signif. nominale, e cioè ' buono ',
' abbondante ' e quindi *multus* deve essere agg.
tratto da un tema nominale radicale MEL', conosciuto con gli stessi ampliam. nell'area osco-
umbra e, in forma un po' diversa, nel gr. *mála*.
Per l'astr. in *-ta*, v. MULTA.

**momentaneo**, dal lat. tardo *momentănĕus*.

**momento**, dal lat. *momentum*, deriv. di *movere* e
cioè « (minimo) movimento »; v. MUÒVERE.

**mommo** (bevanda), dalla serie onomatop. *m.... m.*

**mona** (scimmia), dallo sp. *mona* (XVI sec.).

**mònaca**, dal lat. tardo *monăcha* che è dal gr. *mo-
nakhḗ*, deriv. di *mónos* ' solo '.

**monacale**, dal lat. *monachalis*.

**monacato**, dal lat. *monachatus, -us*.

**monacchia** ' cornacchia ', incr. di lat. *monedŭla*
' gazza ' col lat. tardo *cornacŭla*; *monedŭla* si

allinea con formaz. come *ficedŭla, querquedŭla*,
senza una connessione evidente, per quanto riguarda la rad., in altre lingue.

**mònaco**, dal lat. crist. *monăchus* che è dal gr. *mo-
nakhós*, deriv. di *mónos* ' solo '.

**mònade**, dal lat. tardo *monas, -ădis* che è dal gr.
*monás, -ádos* ' unità '.

**monarca**, dal lat. tardo *monarca* che è dal gr. *mo-
nárkhēs*, comp. di *mónos* ' solo ' e il tema di *árkhō*
' io comando ': « colui che comanda da solo ».

**monarchìa**, dal lat. tardo *monarchīa* che è dal
gr. *monarkhía*.

**monàrchico**, dal lat. tardo *monarchĭcus* che è dal
gr. *monarkhikós*.

**monastero**, dal lat. tardo *monasterium* (con *-ero* di
tradiz. centro-merid. non tosc.), e questo dal
gr. *monastḗrion*, deriv. di *monastḗs* ' monaco ',
nome d'agente di *monázō* ' vivo da solo ', verbo
denom. da *mónos* ' solo '.

**monàstico**, dal lat. tardo *monastĭcus* che è dal
gr. *monastikós*, deriv. di *monastḗs*; v. MONASTERO.

**monatto**, deriv. spregiativo in *-atto* di *mona*, forma
lombarda, senza cons. geminata, di *monna* ' signora ' (v.); cfr. MONELLO.

**moncherino**, doppio deriv. di *monco*.

**monco**, incr. di *manco* e *tronco*.

**moncone**, accresc. di *monco*.

**monda**, sost. deverb. da *mondare*.

**mondano**, dal lat. *mundanus*, deriv. di *mundus* ' il
mondo '.

**mondare**, lat. tardo *mundare*, verbo denom. da
*mundus* ' pulito '.

**mondariso**, dal lat. *monda*(*re*) e *riso*.

**mondatore**, dal lat. tardo *mundator, -oris*.

**mondezza**, lat. *munditia*.

**mondezzaio**, da (*im*)*mondezzaio*.

**mondiale**, dal lat. *mundialis*.

**mondiglia** (avanzo della monda), estr. da *mondare*
con suff. dimin. peggiorativo.

**mondina**, da *mondare* col suff. *-ina* di chi esercita
un mestiere.

**mondizia**, dal lat. *munditia*.

**mondo**[1], lat. *mundus* ' il mondo ' e la ' toeletta '.
Forse collegato insieme con l'agg. *mundus*, col
mondo etrusco.

**mondo**[2], lat. *mundus, -a, -um* ' pulito ', in quanto
' rivestito ', privo di connessioni attendibili.

**monello**, dimin. di *mona*, forma settentr. di *monna*
' signora ' (v.) incr. con *mona* ' scimmia ' (v.):
perciò ' signorino ' in senso ironico, cfr. MONATTO.

**moneta**, dal nome del tempio di Giunone *moneta*,
che serviva anche da zecca. *Moneta* non appartiene necessariamente alla famiglia di *monere*. Tuttavia il fatto che Livio Andronico abbia usato
*moneta* per tradurre il gr. *Mnēmosýnē* giustifica
l'ipotesi di un derivato in *-etus, -eta* da *monere*
come (*ob*)*soletus* di fronte a *solere* o *facetus* di
fronte a un *facescĕre*, v. MONITO.

**monetario**, dal lat. *monetarius*.

**monferrina**, da (*danza*) *monferrina* e cioè ' del Mon-
ferrato '.

**mongana** ' vitella da latte ', incr. di lat. *mulgaris*
(a sua volta incr. di *mulgeo* e (*e*)*mungo*) e lat. *pri-
mana*.

**mongolfiera**, dal frc. *montgolfière*, e questo dai fratelli J. M. e J. E. Montgolfier che lo sperimen-
tarono per primi (1783).

**monile,** dal lat. *monile,* agg. sostantiv. di un ant. *\*monis* ' nuca ' (« la sporgente »), con ampliam. varî nelle aree indiana (' nuca ') e celtica (' collo '). Nell'area germ. la forma corrispond. equivale invece a ' criniera '. La rad. è MEN¹/MON¹ v. MENTO.

**monismo,** dal gr. *mónos* ' uno solo '.

**mònito,** dal lat. *monĭtus, -us,* astr. di *monere,* verbo causativo della rad. MEN¹ ' ricordare ' e quindi equival. a « far ricordare », conservato identico per forma e signif. nell'area indo-iranica, e, per il signif. attestato anche nell'area germ. (ted. *mahnen*); v. MENTE.

**monitore¹** ' avvisatore ', dal lat. *monĭtor, -oris,* nome d'agente di *monere.*

**monitore²** (nave), dal prototipo americano che fu chiamato *Monitor.*

**monna,** lat. volg. *\*m(e)a (d)omna,* con la variante settentr. *mona*; v. MONATTO e MONELLO.

**mono-,** dal gr. *mónos* ' solo '.

**monoblocco,** da *mono-* e *blocco.*

**monocèntrico,** da *mono-, centro* e il suff. *-ico.*

**monòcolo,** dal lat. tardo *monocŭlus,* comp. di gr. *mónos* e lat. *ocŭlus*: « che ha un occhio solo ».

**monocolore,** da *mono-* e *colore.*

**monocorde** ' monotono ', da *mono(cordo)* incr. con *(con)corde.*

**monocordo,** dal gr. *monókhordos,* comp. di *mónos* ' uno solo ' e *khordḗ* ' corda '.

**monocromàtico,** comp. di *mono-* e gr. *khrōmatikós.*

**monocromo,** dal gr. *monókhrōmos,* comp. di *mónos* ' solo ', *khrȏma* ' colore ' e il suff. aggettiv.

**monodìa,** dal lat. medv. (VII sec.) *monodia* che è dal gr. *monōidía,* comp. di *mónos* ' uno solo ' e *ōidḗ* ' canto ' col suff. di astr. *-ia.*

**monòdico,** dal gr. *monōidikós.*

**monofase,** da *mono-* e *fase.*

**monogamìa,** dal lat. tardo *monogamia,* che è dal gr. *monogamía.*

**monògamo,** dal lat. crist. *monogămus,* che è dal gr. *monógamos,* comp. di *mónos* ' uno solo ' e il tema di *gaméō* ' mi sposo '.

**monogènesi,** da *mono-* e *gènesi.*

**monografia,** da *mono-* e *-grafia.*

**monogramma,** dal lat. tardo *monogramma,* estr. dal gr. *monográmmatos* ' di una sola lettera ', comp. di *mónos* ' solo ', *grámma* ' lettera ' e il suff. di agg.

**monòico,** comp. di *mono-* e gr. *oĩkos* ' casa ': « di sede unica '.

**monòlito,** dal lat. tardo *monolĭthus* che è dal gr. *monólithos,* comp. di *mónos* ' solo ' e *lithos* ' pietra '.

**monòlogo,** dal gr. tardo *monólogos* ' che parla da solo ' incr. con it. *dialogo* ' conversazione ': « discorso da solo ».

**monòmane,** da *mono-* e *-mane.*

**monomanìa,** da *mono-* e *manìa.*

**monometallismo,** da *mono-* e *metallo.*

**monòmetro,** dal lat. *monomĕter* che è dal gr. *monómetros,* comp. di *mónos* ' solo ' e *métron* ' misura ', ' metro ': « di un sol metro ».

**monomio,** calco su *binomio* con sostituz. di *mono-* a *bi-.*

**monopàttino,** da *mono-* e *pàttino.*

**monoplano,** dal frc. *monoplan,* comp. di *mono-* e *plan* ' piano '.

**monopolio,** dal lat. *monopolium* che è dal gr. *mo-*nopólion, comp. di *mónos* ' solo ' e un tema nominale da *pōléō* ' vendo ': « vendita da parte di uno solo ».

**monopolizzare,** dal frc. *monopoliser.*

**monoposto,** da *mono-* e *posto.*

**monorima,** comp. di *mono-* e *rima.*

**monoritmo,** comp. di *mono-* e *ritmo.*

**monosillabo,** dal lat. tardo *monosyllăbus* che è dal gr. *monosýllabos,* comp. di *mónos* ' solo ' e *syllabḗ* ' sillaba '.

**monoteismo,** comp. di *mono-* e gr. *theós* ' dio ' col suff. *-ismo.*

**monotipo,** dall'ingl. *monotype* e questo da *mono-* e *type* ' carattere tipografico '; cfr. LINOTIPO.

**monòtono,** dal gr. *monótonos,* comp. di *mónos* ' solo ' e *tónos* ' tono '.

**monotremi,** comp. di *mono-* e gr. *trêma* ' orifizio '.

**monottongo,** dal gr. *monóphthongos,* comp. di *mónos* ' solo ' e un tema tratto da *phthéngomai* ' emetto un suono '; cfr. DITTONGO.

**monovalente,** comp. di *mono-* e *valente,* part. pres. di *valere,* incr. con *valenza.*

**monoverbo,** comp. di *mono-* e lat. *verbum* ' parola '.

**monsignore,** dal frc. *monseigneur* ' mio signore '.

**monsone,** dallo sp. *monzon,* ar. *mausim* ' stagione '.

**monta,** sost. deverb. da *montare.*

**montacàrico,** calco sul frc. *monte-charge.*

**montaggio,** dal frc. *montage.*

**montagna,** lat. volg. *\*montania,* forma collettiva plur. di fronte al class. *montana,* da *mons* ' monte '.

**montagnardo,** dal frc. *montagnard,* e cioè chi sedeva sui banchi più elevati della Convenzione francese (1792-95).

**montagnoso,** dal lat. tardo *montaniosus.*

**montanaro,** dal lat. *montanus* col suff. (non tosc.) *-aro* per *-aio.*

**montanino,** dal lat. *montanus* col suff. *-ino.*

**montano,** lat. *montanus.*

**montare¹** ' salire ', verbo denom. da *monte.*

**montare²** (meccanico), dal frc. *monter.*

**monte,** lat. *mons montis,* risal. a una rad. al grado forte MON² (cfr. *monile*), ampliata con *-t-* come in *mentum* e *mentŭla* (v. MENTO, MINCHIONE), e in forma verb. attestata dal verbo *(im)minere* (v. IMMINENTE) collegato al gruppo di *minae* e deriv. (v. MINACCIA). La famiglia è attestata bene nell'area celtica e, sporadicamente, nelle aree germanica e iranica.

**montone,** lat. volg. *\*multo, -onis* incr. con *montare,* di orig. prob. gallica.

**montuoso,** dal lat. *montuosus,* calco su *saltuosus* (da *saltus, -us*).

**montura,** dal frc. *monture* ' allestimento '.

**monumentale,** dal lat. tardo *monumentalis.*

**monumento,** dal lat. *monumentum* ' ricordo ', nome di strum. di *monere* e quindi « strumento per far ricordare », con la *-u-* al posto della *-ĭ-* nella seconda sill., sotto l'influenza della *-m-* seguente; cfr. MONITO.

**mora¹** ' mucchio ', lat. volg. *\*mu(r)ra,* tema mediterr.; cfr. (CA)MORRA e MORENA. Cfr. il tema parallelo *nur(r)a,* s. v. NURAGHE.

**mora²** ' frutto del gelso ', lat. *morus, -us,* femm. e perciò passato alla declinaz. in *-a,* in parte influenzato da *mora* ' scura '; v. MORO².

**mora³** ' attesa ', dal lat. *mora,* con una sola corrispond. nell'area celtica.

**moraiolo**, deriv. di *moro* 'scuro'.

**morale**, dal lat. *moralis*, deriv. di *mos, moris* ' costume ', parola sicuram. ideur. ma priva di connessioni visibili.

**moralità**, dal lat. tardo *moralĭtas, -atis*.

**morato**, incr. di *mora*² (frutto) e *moro* ' scuro '.

**moratoria**, femm. sostantiv. di lat. tardo *moratorius*, risal. attrav. il verbo *morari* a *mora*; v. MORA³.

**mòrbida**, da *mòrbido*.

**mòrbido**, lat. *morbĭdus* ' fradicio ', deriv. di *morbus* ' malattia ' e legato al sistema di *morbere* ' essere invalido '; v. MORBO.

**morbifero**, dal lat. tardo *morbĭfer*, comp. di *morbus* ' malattia ' e *-fer* ' portatore '.

**morbigeno**, da *morbo* e *-geno*.

**morbilità**, calco su *mortalità*, deriv. da *morbo*.

**morbillo**, lat. scient. medv. *morbilli* (plur.), dimin. di *morbus* ' malattia '.

**morbo**, dal lat. *morbus*, deriv. di MER³ ' consumare ' col suff. *-bho* che indica la materia o l'attività intrinseca: il morbo è « cosa, per natura, consumatrice »; cfr. TABE. Forse in qualche connessione con *mordere*; v. MÒRDERE.

**morbosità**, dal lat. *morbosĭtas, -atis*.

**morboso**, dal lat. *morbosus*.

**morchia**, lat. volg. *(a)murcŭla*, dimin. di *amurca*, dal gr. *amórgē*, pervenuto in età arc. attrav. l'etrusco che ha determinato il passaggio di *-g-* in *-c-*.

**mordacchia** ' museruola ', lat. volg. *mordacŭla*, calco sul lat. tardo *tenacŭla* ' tenaglia '.

**mordace**, dal lat. *mordax, -acis*, deriv. di *mordere*, come *audax* da *audere*.

**mordacità**, dal lat. *mordacĭtas, -atis*.

**mordente** ' capacità aggressiva ', dal frc. *mordant* incr. con it. *mòrdere*.

**mòrdere**, lat. volg. *mordĕre*, class. *mordēre*, con una esatta corrispond. formale solo nell'area indiana, significante ' stritolare '. Cfr. però MORBO.

**mordicare**, dal lat. tardo *mordicare*.

**mordicchiare**, lat. volg. *mordicŭlare*, iterat. di *mordicare*.

**morello**, dimin. di *moro*.

**morena**, dal frc. *moraine*, savoiardo *morena*, lat. volg. *mu(r)ra* (v. MORA¹) ' mucchio '.

**moresca** (ballo), da *moresco*.

**moresco**, dallo sp. *morisco*.

**moretta**, dimin. di *mora*, femm. di *moro*.

**morfema**, calco su *fonema*, con la sostituz. di gr. *morphḗ* ' forma ' a *fono-*; cfr. LESSEMA, STILEMA.

**Morfèo**, dal lat. *Morpheus* che è dal gr. *Morpheús*.

**morfina**, dal frc. *morphine* e questo da *Morphée*, dio del sonno (per le sue proprietà narcotiche), col suff. *-ine* dei prodotti medicinali.

**morfo-**, dal gr. *morphḗ* ' forma '.

**morfologìa**, dal ted. *Morphologie* (XIX sec.), comp. di gr. *morphḗ* ' forma ' e *-logia* ' discorso ': « trattazione delle forme ».

**Morgana**, dal frc. *Morgain la fée*, nelle leggende arturiane.

**morganàtico**, dal lat. medv. *morganàticus*, deriv. di *morganatus* (X sec.), dal franco *Morgangëba* « dono del mattino (alla sposa novella) ».

**morìa**, dal frc. ant. *morie*.

**moribondo**, dal lat. *moribundus*, deriv. di *mori* ' morire '; secondo alcuni è il risultato di un incr. fra *moriundus*, part. fut. passivo di *mori* e *morb-*

di *morbere* (v. MÒRBIDO), ma in realtà ha agito il modello cui si allineano *furibundus, vagabundus*.

**morici** ' emorroidi ', lat. *(hae)morrhoici*, plur. di *haemorrhoicus* incr. con *varici*, v. EMORROIDE.

**morigerare**, dal lat. *morigerari* ' compiacere ', verbo denom. da *morigĕrus* ' addomesticato, docile ', quindi ' educare ', comp. di *mos, moris* (v. MORALE) e *-gero-*.

**morione**, dallo sp. *morrion*, deriv. di *morra* ' cocuzzolo '; v. MORA¹ ' mucchio '.

**morire**, lat. volg. *morire*, arc. *moriri*, class. *mori*. La rad. MER⁴ ' morire ', indica un'azione moment. e ha perciò dei temi di aoristo omogenei e dei temi di pres. deriv. È attestata in quasi tutte le aree ideur.: in gr. sopravvive nell'agg. verb. *brotós* ' mortale ', nelle lingue germ., in seguito al rito dell'uccisione dei vecchi, ha finito per valere ' assassinio ' come nel ted. *Mord*.

**morituro**, dal lat. *moriturus*, part. fut. di *mori* ' morire '.

**mormoni**, dall'ingl. *Mormons* e questo dal nome del presunto autore delle lastre d'oro contenenti il testo sacro della nuova religione.

**mormorare**, lat. *murmurare*, verbo denom. da *murmur*; v. MÙRMURE.

**mormoratore**, dal lat. tardo *murmurator, -oris*.

**mormorazione**, dal lat. *murmuratio, -onis*.

**moro**¹, lat. *Maurus* ' abitante della Mauritania '.

**moro**², lat. *mŏrus*, parola mediterr. attestata anche nel gr. *móron*; cfr. MORA².

**moroso**¹, dal lat. *morosus* ' che indugia '; v. MORA³.

**moroso**², da *(a)moroso*.

**morra**, forse da un'ant. formula di gioco *zuca o mora?* « giochi o aspetti? », di provenienza settentr. e quindi corretta (ingiustificatamente) con l'introduz. della *-r-* geminata; v. MORA³.

**morsa**, da *morso* sostantiv. in forma femm.

**morsicare**, lat. tardo *morsicare*, intens. di *mordere*.

**morsicchiare**, lat. volg. *morsicŭlare*, iterat. di *morsicare*.

**morso**, lat. *morsus, -us*, astr. di *mordēre*.

**morsura**, dal frc. *morsure*.

**mortadella**, dimin. con leniz. settentr. di *-t-* in *-d-* di *(carne) mortata*, lat. *murtata* « (condita di bacche) di mirto »; v. MORTELLA.

**mortaio**, lat. volg. *mortarjum*, class. *mortarium*, nome di strum. di *mortare* ' far le parti ', verbo denom. da *Morta*, nome di una delle Parche, astr. in *-ta* (cfr. PORTA, MULTA) con la rad. MER¹ al grado ridotto o al grado forte: « quello che assegna le parti »; cfr. gr. *Moîra* e v. MERITARE.

**mortale**, dal lat. *mortalis*, agg. di *mors mortis*.

**mortaletto**, da *mortaretto*, con dissimilaz. di *r....* in *r.... l*.

**mortalità**, dal lat. *mortalĭtas, -atis*.

**mortaretto**, dimin. di *mortaro*, variante non tosc. di *mortaio*.

**morte**, lat. *mors mortis*, nome d'azione della rad. MER⁴ (v. MORIRE), da ant. *mr̥ti-s*, che si ritrova identico nell'area indiana, e, con pref., altrove, per es. nell'area slava.

**mortella**, lat. volg. *murtella*, dimin. di *murtus, -i* (anche *murta, -ae*) ' mirto ' (v.) secondo il trattam. arc. della *-y-* gr. in lat. *u*; cfr. invece *myrtus* e v. MIRTO.

**mortifero**, dal lat. *mortĭfer*, comp. di *mors* ' morte ' e *-fer* ' portatore '.

**mortificare**, dal lat. crist. *mortificare*, comp. di *mors* 'morte' e *-ficare*, tema di verbo denom. da tema di nome d'agente in *-fex*.

**mortificazione**, dal lat. crist. *mortificatio, -onis*.

**mortizza** 'fondo pantanoso nei pressi di alveo fluviale', da *(acqua) mortizza* col trattam. (settentrionale) delle cons. palatali, diverso dal toscano *morticcio*.

**morto**, lat. volg. *\*mortus*, class. *mortŭus*, quest'ultimo risultante da un incr. ant. tra la derivaz. di (G^wĭ)wo- 'vivo' e quella di (MŖ)TO- 'morto' (effettivamente attestata nel greco *brotós* e nel sanscrito *mŗta-*), attrav. il tipo (MŖ)TWO-, attestato non solo in lat. ma anche nell'area slava.

**mortorio**, da *morto* col suff. lat. *-orium*.

**mortuario**, dal lat. *mortuarius*.

**morva**, dal frc. *morve*.

**mosàico¹**, dal lat. medv. *musaicum (opus)* «(opera relativa) alle Muse» (class. *musaeum*); v. MUSEO.

**mosàico²**, da *Mosè* che è l'ebr. *Mōsheh*.

**mosca**, lat. *musca*, ampliam. in *-ca* di una rad. MŬS/MUS, attestata nelle aree baltica, slava, greca (gr. *myîa*). Da una forma ancora più semplice MŬ/MU, diversamente ampliata, derivano nomi dell'insetto nelle aree germanica, albanese, armena.

**moscadello**, v. MOSCATELLO.

**moscardino**, incr. di *moscardo*, variaz. di *moscato* 'muschiato' con *moscardo* 'sparviere' e dimin. *-ino*.

**moscardo**, da *mosca* (con suff. *-ardo*), per le macchiette sulle penne del petto.

**moscat(ell)o**, dal lat. tardo *muscus* 'muschio', col suff. *-ato* ed event. dimin.; v. MUSCHIO.

**moscerino**, doppio deriv. di *mosca*.

**moschèa**, dallo sp. *mezquita* (XV sec.) 'luogo di adorazione', attrav. dialetti settentr., con leniz. totale di *-t-* e incr. con *mosco* (v.): «la profumata».

**moschetta** 'freccia', dimin. di *mosca*.

**moschettato**, da *mosca*, con doppia derivaz.

**moschetto**, da *moschetta*.

**moschicida**, da *mosca* e *-cida*.

**moscio**, lat. volg. *\*mustjus*, class. *mustĕus*, deriv. di *mustum* 'mosto' (v.): «appiccicoso come mosto»: cfr., per il trattam. consonantico, POSCIA, USCIO.

**moscione**, lat. tardo *mustio, -onis*, deriv. di *mustum*.

**mosco**, variante di *musco* (v.); cfr. MOSCHEA.

**moscone**, accresc. di *mosca*.

**moscovita**, da *Moscovia*, ant. nome di *Mosca*, russo *Moskva*, col suff. *-ita*, dal gr. *-ítēs*.

**mossa**, femm. sostantiv. di *mosso*, part. pass. del sistema di *muòvere*.

**mosso**, part. pass. introdotto accanto a *muòvere*, sul modello del pass. rem. *mossi*, introdotto a sua volta secondo il rapporto di *scrissi* a *scrivere*.

**mostaccio**, lat. tardo *\*mustaceum*, dal gr. medv. *mŭstáki*, class. *mýstaks, -akos* 'labbro superiore'.

**mostacciolo**, dal lat. *mustaceus* 'simile a mosto' col dimin. *-olo*.

**mostarda**, dal provz. *mostarda*, deriv. di lat. *mustum* 'mosto'.

**mosto**, lat. *mustum* 'mosto', da *(vinum) mustum* '(vino) nuovo'. *Mustus* 'novello' (anche di animali) è privo di connessioni attendibili.

**mostra**, sost. deriv. da *mostrare*.

**mostràbile**, dal lat. *monstrabĭlis* 'insigne' incr. con it. *mostrare*.

**mostrare**, lat. *monstrare*, verbo denom. da *monstrum*, originariam. «segno (da indicare)».

**mostro**, lat. *monstrum* 'segno (divino), prodigio', nome di strum. tratto dalla rad. MON¹, grado forte di MEN' (v. MÒNITO), mediante il suff. desiderativo *-s-* e quello di strum. *-tro* v. LUSTRARE².

**mostruoso**, dal lat. *monstruosus*, formaz. analogica sui tipi *portuosus* subentrata a *\*monstrosus*.

**mota**, lat. *maltha*, dal gr. *máltha*, con labializzazione it. nordoccidentale della serie *-alt-* in *-aut-*, corretta poi nel tosc. *-òt-*.

**motèl**, dall'ingl. d'America *motel*, incr. di *motor* e *hotel*.

**motilità**, dall'ingl. *motility*, astr. di *motile* 'capace di movimento', dal lat. *motus*, part. pass. di *movere*.

**motivo**, dal lat. tardo *motivus* 'capace di far muovere', deriv. di *motus*, part. pass. di *movere*.

**moto-¹**, da *moto(re)*.

**moto²**, dal lat. *motus, -us*, astr. di *movere* (v. MUÒVERE), deriv. da un part. pass. orig. *\*movĭtus*, che si comporta rispetto a *movere* come *monĭtus* rispetto a *monere*.

**moto³**, da *moto(cicletta)*.

**motoaratrice**, da *moto-¹* e *aratrice*.

**motobarca**, da *moto-¹* e *barca*.

**motocicletta**, da *moto-¹* e *(bi)cicletta*.

**motofurgone**, da *moto-¹* e *furgone*.

**motonàutica**, da *moto-¹* e *nàutica*.

**motopompa**, da *moto-¹* e *pompa*.

**motore**, dal lat. *motor, -oris*, nome d'agente di *movere* 'che mette in movimento'. Da un più ant. *\*movĭtor* che si comporta di fronte a *movere* come *monĭtor* di fronte a *monere*.

**motoretta**, dimin. di *motore*, femm. perché riferito soprattutto a vespe e lambrette.

**motorio**, dal lat. *motorius*.

**motoscafo**, da *moto-¹* e *scafo*.

**motta**, lat. volg. *\*mut(t)a*, tema mediterr. sopravv. ad es. nel nome della città di *Mutina* oggi *Mòdena*; v. MUCCHIO.

**motteggiare**, verbo denom. iterat. da *motto*.

**motteggio**, sost. deverb. da *motteggiare*.

**motto**, lat. volg. *\*muttum*, sost. deverb. estr. da *muttire* 'parlare sottovoce', incr. con frc. *mot* e con vocalismo settentr.

**motuproprio**, dal lat. *motu proprio* 'di propria iniziativa'.

**movìbile**, dal lat. medv. *movìbilis* (class. *mobĭlis*); v. MÒBILE.

**mozione**, dal lat. *motio, -onis*, nome d'azione di *movere*.

**mozzarella**, doppio deriv. con *-ar-* (forma non tosc., invece di *-er-*) di *mozza*, femm. sostantiv. di *mozzo*: «(forma di formaggio) mozza».

**mozzetta**, dimin. di *(veste) mozza* (perché corta).

**mozzicare**, incr. di *mozzo²* e *morsicare*.

**mòzzo¹** (pezzo meccanico), lat. volg. *\*modjus*, class. *modius*, nel senso di 'misura' (v. MOGGIO): con il passaggio di *-djo-* in *-zz-* come in *mezzo* da *medius*.

**mózzo²** (pezzo), lat. volg. *\*mutjus*, class. *mutĭlus*, secondo il rapporto di *rubeus* a *rutĭlus*; v. MÙTILO.

**mózzo³**, dallo sp. *mozo*.

**mozzone**, da *mózzo²* 'mutilo'.

**mozzorecchi**, «dalle orecchie mozze».

**mucca**, incr. di *muggire* e di *vacca*.

**mucchio**, lat. *mutŭlus*, dimin. del mediterr. *\*mutta*; v. MOTTA.

mùcido, dal lat. *mucĭdus* 'ammuffito', deriv. di *mucere* e questo, verbo denom. da *mucus*; v. MUCO.

mucillàgine, dal lat. tardo *mucilago, -ĭnis*, deriv. di *mucus*, con la *-ll-* raddopp. perché interpretata come forma dimin.

mucillaginoso, dal lat. tardo *mucilaginosus* incr. con it. *mucillàgine*.

muco, dal lat. *mucus*, con qualche connessione nell'area gr., per es. *myktér* 'naso' propr. « produttore di muco ». Per contatti meno diretti, attrav. una oscillazione MUK/MUG si può ricordare *mugil* (v. MÙGGINE). Numerose documentazioni della rad. MUK nelle aree indiana, germanica, baltica, slava, spesso con una *s-* iniz., sono poco evidenti per la genericità del signif.

mucosa, dal lat. tardo *mucosus*, con forma femm. sostantiv.

mucoso, dal lat. *mucosus*.

mucrone (parte del cuore) dal lat. *mucro, -onis*, privo di connessioni evidenti.

muda, sost. deverb. da *mudare*.

mudare, dal provz. *mudar*, lat. *mutare*; v. MUTARE.

muezzino, dal turco *muezzìn*, risal. all'ar. *mu'adh-dhin* 'colui che pronuncia l'invito alla preghiera'.

muffa, impiego figur. di una serie onomatop. *m....f* che indica esalazioni e soffi.

mùffola, dal frc. *moufle* 'guanto, manicotto'.

muflone, lat. tardo *mufro, -onis*, privo di connessioni attendibili, forse attrav. una tradiz. frc. o còrsa.

muftì, dall'ar. *muftì*.

mugghiare, lat. volg. *mugulare*, iterat. di *mugire*; v. MUGGIRE.

mugghio, sost. deverb. da *mugghiare*.

mùggine, dal lat. *mugil* incr. con it. *bùcine*. *Mugil* significa « il vischioso » e si comporta rispetto a *(e)mungo* 'soffio il naso' come *pugil* rispetto a *pungo* o *vigil* a *vigeo*. La rad. MUG dovrebbe essere legata a quella alternante MUK (v. MUCO), analogamente a MEIG/MEIK (v. MISTO) e PEIG/PEIK (v. PITTORE).

muggire, lat. *mugire*. Si tratta di un verbo dalle lontane orig. onomatop. *mu....mu*, che, ampliato con un elemento *g*, è attestato nelle aree umbra, greca, ittita. Il raddopp. consonantico è analogo a quello di *fuggire, ruggire* (v.).

muggito, lat. *mugitus, -us*, incr. con it. *muggire*.

mughetto, dal frc. *muguet*.

mugìc, dal russo *muzhìk* 'contadino'.

mugliare, lat. *mugilare*, iterat. di *mugire*.

muglio, sost. deverb. estr. da *mugliare*.

mugnaio, dal frc. ant. *mounier*, lat. tardo *molinarius*, che è dal lat. tardo *molinum*, deriv. di *molĕre* 'macinare'; v. MOLA.

mugo, da un tema mediterraneo alpino MUKO- con leniz. settentr.

mugolare, dal lat. *mugilare*, incr. con gli iterat. it. in *-olare*.

mugolìo, sost. deverb. estr. da *mugolare*.

mugòlio, comp. di *mugo* e *olio*.

mugugno, dal genov. *mugugnu*, deriv. dalla serie onomatop. *m....gn*; cfr. MUGGIRE.

mulacchia, lat. volg. *monacŭla* (v. MONACCHIA) incr. con *mulo*.

mulàggine, da *mulo* con suff. peggiorativo *-àggine*.

mulattiere, da *mulo* sul modello di *carrettiere, vinattiere*.

mulatto, da *mulo*, simbolo di ibridismo, col suff. peggiorativo *-atto*; cfr. MONATTO.

muliebre, dal lat. *muliébris*, deriv. di *mulier* 'donna' (v. MOGLIE), dalla sua forma primitiva *mulies* col suff. *-ri-*; cfr. *funebris* da *funes-ris*.

mulinare, verbo deriv. da *mulino*.

mulino, lat. tardo *molinum*, neutro sostantiv. di *molinus*, agg. deriv. da *molĕre* 'macinare'.

mulo, lat. *mulus*, di orig. mediterr.

mulso 'vino mescolato col miele', dal lat. *mulsum* part. pass. di un *meldĕre*, v. MIELE.

multa, dal lat. *multa*, astr. in *-ta* (cfr. PORTA, MORTA) di una rad. MEL (v. MOLTO, MIGLIORE). Essa significa dunque « accredito (a carico del colpevole, a favore del danneggiato o della comunità) ».

multànime, dal lat. tardo *multanĭmis*.

multare, dal lat. *multare*, verbo denom. da *multa*.

multi-, dal lat. *multi-* (-color, -formis, ecc.).

multicolore, dal lat. *multicŏlor, -oris*.

multiforme, dal lat. *multiformis*.

multilaterale, calco su *bi(laterale)*, con la sostituz. di *multi-* a *bi-*.

mùltiplo, dal lat. *multĭplus*, incr. di *multĭplex* (v. MOLTÉPLICE) e *duplus*; v. DOPPIO.

mummia, dal lat. medv. *mummia* che è dall'ar. *mūmiyya*, nome della sostanza che serviva per l'imbalsamazione.

mùngere, lat. volg. *mungĕre*, incr. di class. *mulgere* 'mungere' e *(e)mungĕre* 'soffiare il naso' (v. MÙGGINE). La rad. di *mulgere* è MELG, largamente attestata, per es. nell'area gr. con *(a)mélgō*, in quella germ. col ted. *melken*. In sanscrito ha un valore più generale « estrarre fregando »; in alcuni deriv. assume valori giuridici, v. PROMULGARE.

municipale, dal lat. *municipalis*.

municipalità, dal frc. *municipalité*.

municipio, dal lat. *municipium*, astr. di *munĭceps*, comp. di *munia* 'doveri' e *-cap-* tema di nome d'agente di *capĕre* col norm. passaggio di *-ă-* in *-ĕ-* in sill. non iniziale chiusa e in *-ĭ-* in sill. interna aperta.

munificente, dal lat. *munificens, -entis*.

munificenza, dal lat. *munificentia*.

munifico, dal lat. *munifĭcus*, comp. di *munia* 'doveri' e *-fĭcus* 'che compie': « colui che adempie i doveri (della carica) ».

munire, dal lat. *munire* 'fortificare' (in senso morale e fisico), verbo denom. dall'agg. *munis* 'che adempie al suo ufficio', più anticam. 'rivestito di autorità'; cfr. *communis* « che subisce una autorità insieme ad altri » (v. COMUNE), e *immunis* « che è libero dalla soggezione a una autorità (v. IMMUNE). *Munis* deriva dai casi obliqui di un tema MOI-N, con un ampliam. in nasale, cui rispondeva nel nom. un tipo MOI-R con un ampliam. in *-R* (v. MURO). Le forme in nasale si trovano nelle aree occidentali, italica, celtica, germanica, quelle in *-r* solo in latino. A forme in nasale, sia pure rimaste ferme a una grafia più arc., risalgono anche i tipi lat. di signif. tecnico di *moenia* 'mura' in quanto « segnali (dei limiti cui si arresta) l'autorità ».

munizione, dal lat. *munitio, -onis*.

muòvere, lat. volg. *movĕre*, class. *movere*, causativo di una rad. MEU 'spostarsi', attestata nelle aree greca e baltica.

muraiolo, da *mura*.

**murale**, dal lat. *muralis*.

**murare**, lat. tardo *murare*.

**murena**, dal lat. *muraena* che è dal gr. *mýraina*.

**murgia** (roccia), lat. *murex, -ĭcis* ' murice ' poi ' sasso acuto '.

**muriàtico**, da *muriato*, denom. ant. del ' cloruro '.

**muriato**, dal lat. *muria* ' acqua salata ' col suff. chimico *-ato*; cfr. MOIA in cui il lat. *muria* ha subìto il norm. trattam. tosc.

**mùrice**, dal lat. *murex, -ĭcis*, di prob. orig. mediterr.

**muriella**, dimin. di *mora*[1] (v.) ' mucchio ', incr. con *muro*.

**mùrmure**, dal lat. *murmur, -ūris*, forma onomatop. della serie *m.... r*, bene attestata nelle aree indiana, greca, armena, baltica; cfr. MORMORARE.

**muro**, lat. *murus*, forma tematica di un più ant. MOI-R- alternante con una declinaz. alternante con -N come nel caso del termine per il ' fuoco ' in cui il ted. *Feuer* e il gr. *pŷr* risalgono a un tipo PŪ-R, proprio in orig. del solo caso nom., mentre il gotico *fōn* risale a un tipo in nasale, proprio orig. dei soli casi obliqui. Il signif. di MOI-R, MOI-N era quello di ' autorità ' vista come ' limite, barriera ' e solo il lat. ha continuato ad associarla alla nozione astr. di ' muro ' che altre lingue hanno invece indicato con le imagini di ' intreccio ' (ted. *Wand*) o impasto (gr. *teîkhos*). Per le sopravvivenze del tipo MOI-N v. MUNIRE.

**Musa**[1] (dea), dal lat. *Musa* che è dal gr. *Mûsa*.

**musa**[2] (pianta), dall'ar. *mūza* ' banana '.

**musaragno** ' toporagno ', lat. *mus araneus* « topo (piccolo come un) ragno ».

**muschio**, lat. volg. *\*muscŭlus*, dimin. di lat. tardo *muscus*, risal. al gr. *móskhos*, di orig. orientale.

**musco**, dal lat. *muscus*, con connessioni germaniche, baltiche, slave.

**mùscolo**, dal lat. *muscŭlus*, dimin. di *mus* ' topo ', calco sul gr. *mŷs* ' topo ' e ' muscolo ' per le contrazioni muscolari che ricordano il guizzare dei topi.

**muscoso**, dal lat. *muscosus*.

**museo**, dal lat. *musēum* che è dal gr. *mūseîon* ' (luogo sacro) alle Muse '.

**museografia**, da *museo* e *-grafìa*.

**museruola**, doppio deriv. di *muso*, quasi da « (rete) musaria » col dimin. *-uòla*.

**mùsica**, dal lat. *musĭca* che è dal gr. *Mūsikḗ (tékhnē)* ' (arte) delle Muse '.

**musicale**, dal lat. medv. *musicalis*.

**mùsico**, dal lat. *musĭcus* che è dal gr. *mūsikós*.

**musicologìa**, da *musica* e *-logìa*.

**musivo**, dal lat. tardo *musivus*, deriv. di *Musa*; v. MUSA[1].

**muso**, lat. medv. (VIII sec.) *mūsum*, di prob. orig. mediterr.

**mussare**, dal frc. *mousser*.

**mussitare** ' parlottare ', dal lat. *mussitare*, intens. di *mussare* ' mormorare ', da una serie onomatop. *mu*, v. MUGGIRE, MUTO.

**mùssola**, dal nome della città irachena di *Mōṣul*.

**mussulmano**, v. MUSULMANO.

**mustacchio**, dal gr. medv. *mūstáki*; v. MOSTACCIO.

**mustela**, dal lat. *mustela*, forse da *\*mus nitela* « topo-scoiattolo ». Lat. *mūs* è parola ideur. benissimo attestata nelle aree indo-iranica, slava, albanese, greca (*mýs*), germanica (ted. *Maus*). Lat. *nitela* è invece isolato, non essendo evidente un legame con *nitere* ' luccicare '.

**musulmano**, dall'ar.-persiano *muslimān*, plur. di *muslim* ' aderente all'Islam '.

**muta**[1], sost. deverb. da *mutare*.

**muta**[2], dal frc. *meute*, lat. volg. *\*movĭta*, femm. sostantiv. di un part. pass. analogico di *movere*.

**mutàbile**, dal lat. *mutabĭlis*.

**mutabilità**, dal lat. *mutabilĭtas, -atis*.

**mutacismo**, dal gr. *mytakismós*, calco su *ētakismós*, con la sostituz. non di *ēta* ma del solo *-ē-* mediante *my*, nome della rispettiva lettera dell'alfabeto.

**mutande**, lat. (*vestes*) *mutandae, -arum*, plur. femm. del part. fut. passivo di *mutare*.

**mutare**, lat. *mutare*, verbo denom. da arc. *\*moitos*, di tradiz. sicula-protolatina, risal. alla rad. MEIT(H) ' scambiare ', attestata chiaram. nelle aree germanica, baltica, slava, indo-iranica. La rad. MEIT(H) potrebbe esser poi un ampliam. della più semplice MEI, alternante con MOI e col signif. di ' passare '; v. MEATO.

**mutatore**, dal lat. *mutator, -oris*.

**mutatura**, dal lat. tardo *mutatura*.

**mutazione**, dal lat. *mutatio, -onis*.

**mutilare**, dal lat. *mutilare*.

**mutilazione**, dal lat. tardo *mutilatio, -onis*.

**mùtilo**, dal lat. *mutĭlus*, privo di connessioni ideur. anche se, come *rutĭlus* (v. RUTILANTE), di sicura tradiz. protolatina; cfr. MOZZO[2].

**mutismo**, dal frc. *mutisme*.

**muto**, lat. *mutus*, dalla serie onomatop. *mu.... mu*.

**mùtolo**, dal lat. *\*mutŭlus*, dimin. di *mutus*.

**mutria**, dal gr. moderno *mûtra*, plur. di *mûtro* ' faccia '.

**mutuare**, dal lat. *mutuare*, verbo denom. da *mutŭus*.

**mutuazione**, dal lat. *mutuatio, -onis*.

**mùtulo** (sporgenza architettonica), dal lat. *mutŭlus*, forse di orig. etrusca.

**mutuo**, dal lat. *mutuus* ' dato in cambio ', più o meno direttam. legato al verbo *mutare* come *arvus* ad *arare* nella formula plautina *arvus ager* ' campo da arare '.

# N

**nababbo,** dal frc. *nabab* (XIX sec.) e questo attrav. l'ingl. dall'ar. *nawwāb*, plur. di *nā'ib* ' viceré, reggente '.

**naca** ' rete da pesca a strascico ', dal gr. *nákē* ' culla '.

**nàcchera,** dall'ar. *naqqāra* ' timpano '.

**nàchero,** incr. di *cànchero* con *naca*.

**nafta,** dal frc. *naphte* (XVI sec.) e questo dal lat. *naphtha* che è dal gr. *náphtha* ' bitume ' e questo dal persiano *näft*.

**naftalina,** dal frc. *naphtaline*; v. NAFTA.

**naia,** dal lat. scient. *naia*.

**nailon,** dall'ingl. *nylon*, risal. a un incr. impreciso fra *ni(trogen)* e *rayon*.

**nana,** incr. di lat. *anas* (v. ANITRA) con *nana*, femm. di *nano* (v.).

**naneròttolo,** doppio dimin. di *nano*; cfr. PIANE-RÒTTOLO.

**nanfa,** dall'ar. *nafkha* ' odore ' incr. con *linfa*, *ninfa*.

**nanna,** dalla serie onomatop. *n.... n* conciliatrice del sonno, con l'alternanza delle voc. *i.... a*; v. NINNA e cfr. *zig zag*.

**nano,** lat. *nanus*, dal gr. *nânos*.

**napello,** lat. *napellus*, dimin. di *napus* ' cavolo navone ', di orig. mediterr.; cfr. NAVONE.

**napo,** lat. *napus* ' cavolo navone ', v. NAPELLO.

**napoleone** (moneta d'oro), dal nome di Napoleone I, sotto cui si cominciò a coniare.

**napoleònico,** dal nome di Napoleone Bonaparte (1769-1821).

**napoletano,** dal lat. *Neapolitanus*, ampliam. di gr. *Neapolitēs* ' cittadino di *Neápolis* ', incr. con it. *Napoli*.

**nappa,** lat. *mappa*, tema mediterr. con dissimilaz. da *m.... p* a *n.... p*; cfr. NÈSPOLO dissimilato dal lat. *mespĭlum*.

**nappo,** dal franco *hnapp* ' vaso da bere '.

**narancio,** variante settentr. di *arancia*, v.

**narcisismo** (complesso freudiano), da Narciso, il mitico contemplatore, innamorato della propria imagine.

**narciso,** dal lat. *narcissus* che è dal gr. *nárkissos*.

**narcoanàlisi,** da *narco(si)-anàlisi* « analisi per narcosi ».

**narcosi,** dal gr. *nárkōsis* ' torpore '.

**narcòtico,** dal gr. *narkōtikós* ' che fa intorpidire '.

**nardo,** dal lat. *nardus* che è dal gr. *nárdos*.

**nare,** forma sg. estr. dal plur. lat. *nares*, ant. tema femm. NASI-, attestato in forma identica nell'area baltica. Per le forme più semplici in NAS- e quelle ampliate in -O v. NASO.

**narghilè,** dal persiano *nārgīlè* ' noce di cocco ', poi ' recipiente d'acqua odorosa, attrav. cui passa il fumo '.

**narice,** sg. formato sul plur. *narici*, lat. tardo *naricae* « (fosse) nasali »; v. NASO.

**narràbile,** dal lat. *narrabĭlis*.

**narrare,** dal lat. *narrare*, verbo denom. da *(g)narus* ' informato ' con raddopp. espressivo-durativo. Per la formaz. di *(g)narus* v. IGNARO.

**narrativo,** dal lat. tardo *narrativus*.

**narratore,** dal lat. *narrator, -oris*.

**narrazione,** dal lat. *narratio, -onis*.

**nartece,** dal gr. *nárthēks, -ēkos* ' atrio delle chiese '.

**narvalo,** dal frc. *narval* e questo dal danese *narhval*.

**nasale,** da *naso*.

**nàscere,** lat. volg. *\*nascĕre*, class. *nasci*, verbo incoativo-intransitivo tratto da *natus* che è invece il part. pass. al grado ridotto della rad. bisillabica GENĒ² ' generare ', di valore moment. e trans.; v. NATO e GENITORE.

**nàscita,** femm. sostantiv. di un part. *\*nàscito*, da *nàscere*, secondo il rapporto di *bàttito* a *bàttere* o *méscita* a *méscere*. Una forma lat. *nascĭtus* è attestata presso Cassiodoro (V sec. d. C.).

**nascituro,** dal lat. *nasciturus*, part. fut. di *nasci*.

**nascóndere,** lat. tardo *(i)nabscondĕre*, comp. di *in-* e *abscondĕre*, comp. a sua volta di *abs-* e *condĕre* che significa ' fondare ', ' comporre ' e anche ' sistemare (all'interno di qualche cosa) '. *Condĕre* deriva da *com* e *-do* dalla rad. DHĒ/DHŌ ' porre '; v. FARE e cfr. INCÒNDITO.

**nascoso,** lat. tardo *(i)nabsconsus* (cfr. ASCOSO), forma tardiva di part. pass. sostituito all'orig. *abscondĭtus* secondo il modello di *accensus* rispetto a *accendĕre*.

**nascosto,** incr. di *(i)nabscondĭtus* e *posĭtus*.

**nasello,** incr. di lat. *asellus*, dimin. di *asĭnus* e it. *naso*.

**naso,** lat. *nasus*, ampliam. in *-o* del tema rad. NĀS/NAS (v. NARE). Trova corrispond. esatte nelle aree germanica e slava. La *-s-* interna si sottrae al rotacismo perché pronunciata con intensità espressiva; cfr. la grafia *nassus*. Per il deriv. *narĭcus* v. NARICI.

**naspo,** sost. deverb. da *annaspare* (v.).

**nassa,** lat. *nassa* di prob. orig. mediterr.

**nassiterna** (innaffiatoio e ' uccello '), dal lat. *nassiterna*, incr. di *nas(s)us* nel senso di ' becco ' e i tipi *(cist)erna*.

**nasso** ' tasso ', incr. del marchigiano *in(tasso)* e centro-settentr. *(t)asso*.

**nastro**, dal gotico \*nastilō 'correggia', con allineamento ai tipi it. in -astro.

**nastroteca**, da nastro e -teca; cfr. biblioteca, discoteca.

**nasturzio**, dal lat. nasturtium, privo di connessioni attendibili.

**natale**, lat. natalis.

**natalità**, dal frc. natalité.

**natalizio**, dal lat. natalicius.

**natante**, part. pres. di natare.

**natare**, lat. natare, intens. di nare 'nuotare', dalla rad. SNĀ 'bagnarsi', attestata, semplice o ampliata, anche in verbi delle aree tocaria, indo-iranica, greca, celtica.

**natatorio**, dal lat. natatorius.

**nàtica**, lat. tardo (pars) natica 'parte posteriore', ampliam. del class. natis 'natica' con una sola corrispond. attendibile nel gr. nôtos 'dorso'.

**natività**, dal lat. tardo nativĭtas, -atis.

**nati(v)o**, lat. nativus, con leniz. occasionale del -v-; cfr. BACÌO.

**nato**, lat. natus (part. pass. attivo di nasci 'nascere'), arc. gnatus dal grado ridotto della rad. bisillabica GENĒ² 'generare' e quindi equival. a « generato ». Esso è attestato in forma identica nelle aree indoiranica e germanica; v. GENITORE, COGNATO e cfr. invece NOTO.

**nàtola** (apertura per i remi), incr. di nassa e di scatola.

**natrice** 'biscia d'acqua', dal lat. natrix, -icis inteso come « la nuotatrice » e cioè come nome d'agente femm. di nare (v. NATARE). In realtà si tratta di un tema NATR- 'serpente' attestato anche nelle aree celtica e germanica.

**natta¹**, dal frc. natte che è dal lat. matta, con assim. da m.... t a n.... t; cfr. NESPOLO (da lat. mespilus).

**natta²** 'cisti', lat. volg. \*natta, tema mediterr.

**natura**, lat. natura, legato a natus, dallo stesso rapporto di statura a status.

**naturale**, dal lat. naturalis.

**naturalità**, dal lat. tardo naturalĭtas, -atis.

**nauco** 'parte carnosa di frutto', dal lat. naucus, di signif. e orig. oscura.

**naufragare**, dal lat. tardo naufragare.

**naufragio**, dal lat. naufragium, comp. di navis 'nave' e -fragium 'rottura'; v. FRÀNGERE.

**nàufrago**, dal lat. naufrăgus, comp. di navis e -fragus, calco su gr. nau-agós « rompitore di nave ».

**naumachìa**, dal lat. naumachia che è dal gr. naumakhía, comp. di naûs 'nave' e -makhía, astr. di mákhomai 'combatto'.

**naupatìa**, comp. di gr. naûs 'nave' e -patìa.

**nàusea**, dal lat. nausĕa 'mal di mare' che è dal gr. ion. nausía, astr. di naûs 'nave'.

**nauseabondo**, dal lat. nauseabundus, deriv. di nauseare, col suff. -bundus, per il quale v. MORIBONDO.

**nauseare**, dal lat. nauseare tardo 'eccitar la nausea', class. 'aver la nausea'.

**nauseoso**, dal lat. nauseosus.

**nauta**, **-nauta**, dal lat. nauta che è dal gr. naútēs.

**nàutico**, dal lat. nautĭcus che è dal gr. nautikós, deriv. di naútēs 'marinaio'.

**nàutilo**, dal gr. naútilos 'navigante', deriv. di naútēs 'marinaio'.

**navale**, dal lat. navalis, deriv. di navis 'nave'.

**navalestro**, incr. di \*navalista 'noleggiatore di barche' e maestro.

**navarca** e **navarco**, dal lat. navarchus che è dal gr. naúarkhos (gr. tardo nauárkhēs), comp. di naûs 'nave' e -arkho-, tema del verbo arkhō 'io comando'.

**nave**, lat. navis, parola ideur. antichissima passata alla declinaz. in -i dalla forma primitiva NAU, attestata nelle aree indiana, armena, greca (naûs), germanica, celtica.

**navicella**, doppio deriv. di nave.

**navigàbile**, dal lat. navigabilis.

**navigare**, dal lat. navigare, verbo denom. da navis, deriv. come litigare da lis litis o remigare da remus.

**navigatore**, dal lat. navigator, -oris.

**navigazione**, dal lat. navigatio, -onis.

**naviglio**, dal lat. navigium 'nave', sost. deverb. estr. da navigare, associato ai collettivi it. in -iglio, forse attrav. una tradiz. settentr.

**navone**, lat. volg. \*napo, -onis, da class. napus (con leniz. settentr. di -p- in -v-). Napus è di orig. mediterr.; cfr. NAPO.

**nazionale**, da nazione.

**nazionalizzare**, da nazionale inteso come 'statale'.

**nazione**, dal lat. natio, -onis, in orig. equival. a 'nascita' e cioè nome d'azione della rad. GENĒ² 'generare' formato sul part. pass. passivo lat. (g)natus come actio su actus.

**nazismo**, dal ted. Nazi, abbreviaz. di Nati(onalso)-zi(alist).

**nazzareno**, dal lat. nazarenus che è dal gr. Nazarēnós.

**né**, lat. nec, variante di neque (come ac di atque); v. NEGARE, NEGOZIO, NEGLÌGERE. Neque è ampliam. mediante l'enclitica -que, di ne, cong. negat. che è attestata anche nelle aree celtica, germanica, baltica, slava e indiana. Per la forma al grado ridotto N, v. IN-² (pref. negat.).

**ne¹** (avv. e particella pronominale), lat. inde (v. INDI), fortemente proclitico e quindi semplificato in serie del tipo non ne diede da un più ant. non (i)n(d)e diede.

**ne²** (prep.), lat. (i)n i(llum), (i)n i(llam), (i)n i(lli), (i)n i(llae); v. IN, IL.

**ne³** (pron. personale), lat. nos atono (v. NOI), attrav. la forma intermedia no attestata in testi tosc. ant.

**neanche**, da né e anche.

**neanco**, da né e anco.

**nebbia**, lat. nebŭla, parola antichissima, che si ritrova identica nel gr. nephélē e, con diverso genere grammat., nelle aree germanica (ted. nebel) e celtica. Con altro ampliam. la rad. NEBH è attestata anche nelle aree indiana, ittita, slava; v. NEMBO e cfr. NUBE.

**nebbio**, variante di ebbio (v.) con l'annessione dell'art. indeterm. (u)n.

**nebbiògeno**, da nebbia e -geno.

**nebbiolo**, da nebbia per l'aspetto dei suoi acini, rivestiti di spessa pruina.

**nebbioso**, dal lat. nebulosus incr. con it. nebbia.

**nebulizzare**, dall'ingl. to nebulize (XIX sec.).

**nebulosa**, forma femm. sostantiv. di nebuloso.

**nebuloso**, dal lat. nebulosus.

**neccio**, ant. \*(casta)neccio, incr. di iliceus 'attinente alla (ghianda del) leccio' (v. LECCIO), con il tema di castanea in reg. di montagna dove esistevano castagni ma non lecci.

**necessario**, dal lat. necessarius, deriv. di necesse, forma aggettiv. estr. da un più ant. \*necessis,

giustapposizione di *ne-* ' non ' e \**cessis*, nome
d'azione di *cedĕre* e perciò « la negazione (della
possibilità) di muoversi (o di esser rimosso) »
(v. CEDERE). L'idea della necessità è nata dunque
dalla immobilità.

**necessità,** dal lat. *necessĭtas, -atis,* astr. di *necesse.*

**necessitare,** verbo denom. da *necessità.*

**necro-,** dal gr. *nekrós.*

**necrofilìa,** da *necro-* e *filìa.*

**necròforo,** dal gr. *nekrophóros,* comp. di *nekrós* e
di *-phoros,* tema di nome d'agente da *phérō* ' io
porto '.

**necrologìa,** da *necro-* e *-logìa.*

**necrologio,** dal lat. medv. *necrologium,* calco su
*eulogium,* con la sostituz. di *necro-* a *eu-*; v. ELOGIO.

**necròpoli,** dal gr. *nekrópolis,* che definiva da prima
i sepolcri sotterranei di Alessandria d'Egitto.

**necroscopìa,** da *necro-* e *-scopìa.*

**necrosi,** dal lat. *necrosis* che è dal gr. *nékrōsis,* nome
d'azione di *nekróō* ' riduco a morte ', verbo denom.
da *nekrós* ' morto '.

**ned,** incr. di *né* e di *ed.*

**nefando,** dal lat. *nefandus,* comp. di *ne* e *fandus,*
part. fut. passivo di *fari* ' parlare ': « che non si
deve dire »; cfr. FANDONIA, FACONDO, INEFFABILE.

**nefario,** dal lat. *nefarius,* deriv. di *nefas* ' illecito ',
secondo il rapporto di *iniurius* a *ius.*

**nefasto,** dal lat. *nefastus,* comp. di *ne-* e *fastus* « non
corrispondente al diritto divino », e perciò ' non
autorizzato '; v. FASTO².

**nefrite,** dal lat. tardo *nephritis* che è dal gr. *nephrî-
tis,* a sua volta da *nephrós* ' rene '.

**nefritico,** dal lat. *nephritĭcus* che è dal gr. *nephri-
tikós.*

**nefro-,** dal gr. *nephrós.*

**nefropatìa,** da *nefro-* e *-patìa.*

**nefrotomìa,** da *nefro-* e *-tomìa.*

**negare,** lat. *negare,* verbo deriv. da \**neg,* variante
di *nec,* forma abbreviata di *neque;* v. NÉ e cfr. NE-
GOZIO.

**negativo,** dal lat. tardo *negativus.*

**negatore,** dal lat. tardo *negator, -oris.*

**negazione,** dal lat. *negatio, -onis.*

**negghienza** ' negligenza ' (arc.), lat. *negli(g)entia* con
normale caduta di *-g-* intervocalica davanti a
vocale palatale.

**neghittoso,** lat. volg. \**neglictus* (class. *neglectus*),
part. pass. di *negligĕre* col suff. *-oso.*

**negletto,** dal lat. *neglectus,* part. pass. di *negligĕre.*

**negligente,** dal lat. *neglĭgens, -entis.*

**negligenza,** dal lat. *negligentia.*

**negligere,** dal lat. *negligĕre,* comp. di *neg* e *legĕre*
' non raccogliere '; *neg-* è variante di *nec* (v. NE-
GARE). Il passaggio di *-ĕ-* in *-ĭ-* è norm. in sill.
interna aperta.

**negossa** (rete), incr. di *negotium* e *nassa* in area
veneta.

**negoziare,** dal lat. *negotiari.*

**negoziatore,** dal lat. *negotiator, -oris.*

**negoziazione,** dal lat. *negotiatio, -onis.*

**negozio,** dal lat. *negotium* ' attività ', comp. di *neg*
(v. NEGARE) e *otium.*

**negro,** dallo sp. *negro,* lat. *niger, nigra, nigrum;*
v. NERO.

**negromante,** dal gr. *nekrómantis,* comp. di *nekrós*
' morto ' e *mántis* ' indovino ', incr. con it. *negro.*

**negromanzìa,** dal lat. tardo *necromantia* che è dal

gr. *nekromanteía* (comp. di *nekrós* ' morto ' e *manteía* ' arte divinatoria ') incr. con it. *negro-.*

**negus,** dall'etiopico *nĕgùs* ' sovrano '.

**neh,** da *n(on) è?*

**nel** e sim., v. NE².

**nembìfero,** dal lat. *nimbĭfer* incr. con it. *nembo.*

**nembo,** lat. *nimbus,* prob. da un ant. \**nebus* (identico al gr. *néphos*) incr. con lat. *imber;* v. IMBRÌ-
FERO e cfr. NEBBIA, e NIMBO.

**nèmesi,** dal nome della greca *Némesis,* dea della giustizia distributiva, da *némesis,* nome d'azione di
*némō* ' distribuisco ', tratto dalla importantissima
rad. ideur. NEM; v. NÙMERO.

**nemico,** lat. *(i)nimicus,* comp. di *in-* negat. e *amicus,* con norm. passaggio di *-ă-* in *-ĭ-* in sill. interna
aperta.

**nemmanco,** da *né(c) manco.*

**nemmeno,** da *né(c) meno.*

**nemo** ' nessuno ' (arc.), lat. *nemo, -ĭnis* che è da
più ant. \**ne hemo* forma orig. di *homo* (v. UOMO):
perciò equival. a « non uomo ».

**nemorale** ' che cresce nei boschi ', dal lat. *nemo-
ralis,* agg. der. da *nemus, -ŏris* ' bosco ' che pare
risalga alla rad. NEM ' assegnare ' nel senso di
' luogo assegnato a scopi sacri '; v. NÙMERO.

**nenia,** dal lat. *nenia,* di prob. orig. onomatop. da
una serie *n.... n,* con valore di lamento durevole e
uggioso.

**nenùfaro** e **nenùfero,** dal lat. medv. *nenufar* che è
dall'ar. *ninūfar.*

**neo-,** dal gr. *néos.*

**neo,** lat. *naevus,* che si allinea con *laevus* e *scaevus,*
ma è privo di connessioni evidenti.

**neoclàssico,** da *neo-* e *classico.*

**neòfito,** dal lat. *neophўtus* che è dal gr. *neóphytos*
' germogliato di recente ', da *néos* ' nuovo ' e *phўō*
' io genero '.

**neoformazione,** da *neo-* e *formazione.*

**neogrammàtico,** da *neo-* e l'agg. *grammàtico,* calco
sul ted. *Iunggrammatiker.*

**neoguelfo,** da *neo-* e *guelfo.*

**neolatino,** da *neo-* e *latino.*

**neolìtico,** da *neo-* e *lìtico.*

**neologismo,** deriv. in *-ismo* di un comp. di gr. *néos*
' nuovo ' con *lógos* ' discorso '.

**neon,** dall'ingl. *neon* (XX sec.) e questo dal gr. *néon,*
neutro di *néos* ' nuovo '.

**neonato,** da *neo-* e *nato.*

**neoplasìa,** da *neo-* e gr. *plásis* ' formazione ' col suff.
di astr. in *-ìa.*

**neoplasma,** da *neo-* e gr. *plásma* ' formazione '.

**neoplatònico,** da *neo-* e *platònico.*

**neopurismo,** da *neo-* e *purismo.*

**neoscolàstica,** da *neo-* e *scolàstica.*

**neozelandese,** incr. di *neo-* e (*Nuova*) *Zelanda.*

**neozòico,** deriv. in *-ico* di gr. *néos* ' nuovo ' e *zōion*
' animale ': « (età) degli animali nuovi ».

**nepa** ' ginestrone ' da un tema mediterr. NEPA;
cfr. NEPITELLA.

**nepente** (pianta), dall'agg. gr. *nĕpenthés,* comp. di
*nē-* ' non ' e *pénthos* ' dolore ': « che è contro il
dolore ».

**nepitella,** dal lat. *nepēta* (con dimin. it. *-ella*), risal.
alla famiglia del nome loc. dell'Etruria merid.
*Nepet,* oggi *Nepi* e al tema mediter. *nepa;* v. NEPA.

**nepote** (v. NIPOTE), dal lat. *nepos, -otis,* antichissima
parola ideur. che indica la discendenza indiretta,

attrav. un figlio o anche collateralmente, secondo il doppio valore sopravv. in it. Il tipo NEPOT, identico al lat., si trova anche nelle aree indo-iranica, baltica, celtica, germanica (ted. *Neffe*); ulteriormente ampliato in forma aggettiv. nelle aree greca e slava.

**neppure,** da *né* e *pure* incr. con *eppure*.

**nequità,** lat. *iniquĭtas, -atis,* incr. con *nequitia*; v. INIQUO.

**nequizia,** dal lat. *nequitia,* astr. affiancato a *nequam* ' tristo ', agg. indefinito indeclinabile tratto da *nē* come *quisquam* da *quis* e quindi originariam. « un (da) nulla ».

**nerbo,** lat. *nervus* (v. NERVO) con norm. trattam. tosc. di *-rv-* in *-rb-,* come in *serbare* (lat. *servare*) o anche in *Elba* (lat. *Ilva*).

**nerboruto,** calco su *pettoruto,* inesattamente analizzato come *pett-oruto*.

**Nerèide,** dal lat. *Nereis, -ĭdis* che è dal gr. *Nēreΐs* ' figlia di Nereo (*Nēreús*) '.

**nero,** lat. *niger, -gra, -grum,* attrav. un lat. volg. *\*ni(g)rus* come *intero* (lat. class. *intĕger*), attrav. un lat. volg. *\*intè(g)rus. Niger,* come *piger,* è privo di corrispond. attendibili.

**nervino,** dal lat. tardo *nervinus.*

**nervo,** dal lat. medv. *nervus* ' nervo ', class. ' tendine ', da un più ant. *\*neuro-* che si ritrova nel gr. *neûron,* con la stessa inversione che appare in *alvus* rispetto a gr. *aulós* (v. ALVO). La forma più antica della rad. è SNEU che, con lo stesso ampliam. è attestato nelle aree iranica e tocaria, mentre, senza ampliam. in *-r-,* si trova nelle aree indiana, germanica e slava. Il suo valore fondam. è ' filare ' e quindi il tendine è un « filo »; cfr. NERBO.

**nervosità,** dal lat. *nervosĭtas, -atis* ' vigore '.

**nervoso,** dal lat. *nervosus* ' vigoroso '.

**nescafé,** dalla ditta svizzera *Nes(tlé)* e frc. *café.*

**nesci,** estr. dal lat. *nescit* ' non sa ', terza pers. sg. del pres. indic. di *nescire,* da *ne scit*; v. SCIENZA.

**nesciente,** dal lat. *nesciens, -entis.*

**nescienza,** dal lat. *nescientia.*

**nèspola,** da *nèspolo.*

**nèspolo,** lat. *mespĭlum,* con dissimilaz. da *m.... p* in *n.... p* (cfr. NAPPA, lat. *mappa*); *mespĭlum,* risale al gr. *méspilon* di prob. orig. mediterr.

**nesso,** dal lat. *nexus, -us,* astr. di *nectĕre* ' collegare ' formaz. parallela a *flectĕre, plectĕre* (v. FLÈTTERE, PLESSO), da una rad. NEGH[2], che sopravvive solo nel sanscrito *nahyati* ' congiunge '.

**nessuno,** lat. *n(e) ips(e) unus*; cfr. NISSUNO.

**nestaia,** da *nesto.*

**nesto,** da *(in)nesto.*

**nèstore,** dal personaggio di Omero, vecchio e venerando, gr. *Néstōr,* re di Pilo.

**nestoriano,** da *Nestorio* che è dal gr. *Nestórios,* patriarca di Costantinopoli nella prima metà del V sec. d. C.

**nettapenne,** da *netta(re)* e *penne.*

**nettare,** verbo denom. da *netto.*

**nèttare,** dal lat. *nectar, -ăris* che è dal gr. *néktar, -aros.*

**nettàreo,** dal lat. *nectareus,* risal. al gr. *nektáreos.*

**netto,** lat. *nitĭdus* (v. NÌTIDO) con norm. sincope della voc. atona interna e assimilaz. regressiva delle due cons. venute in contatto, cfr. RATTO[2].

**nettuniano,** dall'ingl. *neptunian* (XVIII sec.) e questo dal lat. *Neptunus,* dio del mare.

**nettunio,** dal lat. *Neptunus,* tratto da *\*neptus* ' sostanza umida ', come *Portunus* da *portus.* Una corrispond. abbastanza concreta la offre l'agg. *napta-* ' umido ' nell'area iranica.

**netturbino,** da *nett(ezza) urb(ana)* col suff. di mestiere *-ino.*

**neuma,** dal gr. *neûma* ' cenno ', deriv. di *neúō* ' faccio cenno '; cfr. lat. *numen* e v. NUME.

**neurastenìa,** da *neuro-* e *astenìa.*

**neurite,** da *neuro-* e il suff. *-ite* di malattia acuta.

**neuro-,** dal gr. *neûron.*

**neurologìa,** da *neuro-* e *-logìa.*

**neuropatologìa,** da *neuro-* e *patologia.*

**neuropsichiatria,** da *neuro-* e *psichiatria.*

**neuròtteri,** comp. di *neûron* ' nervo ' e *pterón* ' ala ': « che hanno nervi come ali ».

**neurovegetativo,** da *neuro-* e *vegetativo.*

**neutrale,** dal lat. *neutralis.*

**neutralizzare,** dal frc. *neutraliser.*

**neutro,** dal lat. *neuter, -tra, -trum* ' nessuno dei due ', comp. di *ne-* e ant. *\*(k)uter* (class. *uter*), risal. a un primitivo KWOTERO- formato dal tema di interrogativo KWO- e il suff. -TERO- di confronto fra due: perfettamente conservato nelle aree indoiranica, baltica, germanica, greca (*póteros*) e oscoumbra.

**neutrone,** da *neu(tro)trone,* calco su *elettrone,* con la sostituz. di *neutro-* a *elettro-.*

**nevaio,** calco su *ghiacciaio.*

**nevato,** dal lat. *nivatus* incr. con it. *neve.*

**neve,** lat. *nix, nivis,* parola antichissima risal. a un tema radicale (S)N(E)IGWH che compare immutato nelle aree greca (acc. sg. *nipha*) e celtica, mentre ampliato in *-o-,* nelle aree germanica (ted. *Schnee*), baltica, slava. Solo come forma verb. compare anche nell'area iranica, mentre totalmente assente, per ragioni climatiche, è nell'area indiana. La forma del verbo lat., pure antichissima, mostra l'infisso nasale (*ninguit*).

**nevicare,** lat. volg. *\*nivicare,* intens. di *nivĕre,* incr. con it. *neve.* Forme analoghe si trovano oltre che nell'iranico (v. NEVE), anche nelle aree baltica, germanica (ted. *schneien*), greca (*neiphei* ' nevica '), e, col grado ridotto della radice, celtica (irl. *snigid*).

**nevoso**[1] (agg.), lat. *nivosus* incr. con it. *neve.*

**nevoso**[2] (sost.), dal frc. *nivôse* che è dal lat. *nivosus.*

**nevralgìa,** da *nevro-* e *-algìa.*

**nevrastenìa,** da *nevro-* e gr. *asthéneia* ' debolezza '; v. ASTENÌA.

**nevrite,** v. NEURITE.

**nevro-,** dal gr. moderno *neûron* ' nervo ', pronunciato *névron.*

**nevvero,** da *(no)n è vero?*

**ni** (avv.), incr. di *no* e *sì.*

**nibbio,** lat. tardo (unica glossa) *nibŭlus,* prob. forma dissimilata a *\*milvulus,* dimin. di *milvus* (uccello rapace); v. MILVO.

**nicchia,** sost. deverb. da *nicchiare.*

**nicchiare,** lat. volg. *\*nidiculare* ' star nel nido ', verbo denom. iterat. da *nidus,* con leniz. totale di *-d-.*

**nicchio,** lat. *mitŭlus* (dal gr. *mit́ylos*) incr. con *nicchia.*

**nichel** e **nichelio,** da *Nickel* abbreviaz. ted. e svedese di *Nicolaus,* nome dato agli spiriti maligni cui i minatori attribuivano la difficoltà di trovare il rame nella lega detta perciò in ted. *Kupfernickel*, in svedese *Kopparnickel*: quasi « rame (del) diavolo ».

**nichilismo**, dal lat. *nihil* ' nulla ' e il suff. *-ismo*, che indica una dottrina. *Nihil* è da *ni hīlum*, forse variante di *filum* (v. FILO e ILO) come il falisco *haba* di lat. *faba*. La nozione di ' niente ' sarebbe dunque stata definita come « non un filo », cfr. il der. ANNICHILIRE.

**nicotina**, dal frc. *nicotine* (XIX sec.) e questo dal nome del medico frc. *J. Nicot* (1530-1600), che primo importò il tabacco in Francia (1560).

**nictàlope**, v. NITTÀLOPE.

**nidiace e nidiaceo**, lat. volg. *\*nidax, -acis* (frc. *niais*) incr. con it. *nidio*; *\*nidax* dovrebbe presupporre un *\*nidere* ' stare nel nido ' secondo lo schema di *audax* rispetto a *audere*.

**nidiata**, forma collettiva da *nidio*.

**nidificare**, dal lat. *nidificare*, comp. di *nidus* e *-ficare*.

**nidio**, ampliam. di *-io* di *nido*, paragonab. a quello di *guardia* rispetto a *guardo, guardare*.

**nido**, lat. *nidus*, antichissima parola ideur. discendente da NIZDOS, comp. del pref. NI- ' giù ' e della rad. SED ' sedere ' al grado ridotto ZD, quindi « giaciglio ». Attestata in forma identica nelle aree indiana, germanica (ted. *Nest*), celtica, armena, e, con varianti di scarso rilievo, nelle aree baltica e slava.

**nidore**, dal lat. *nidor, -oris*, da una rad. KNID ' odore, vapore ', attestata anche nelle aree germanica e greca (*knîsa*).

**niego**, sost. deverb. estr. da *negare* con regolare dittongazione della *e* accentata.

**niello**, lat. *nigellus*, dimin. di *niger* (v. NERO), con leniz. totale della *-g-* tra voc. palat.; cfr. *dito* da *di(g)itus*.

**niente**, lat. medv. *nec entem* ' neanche un essere ', dal part. pres., analogico per il verbo ' essere ', *ens, entis*, v. ENTE, attrav. forme arc. *neente, neiente*.

**niente(di)meno, nientemeno**, da *niente (di) meno*.

**nievo**, lat. *nepos* (v. NIPOTE), con leniz. settentr. di *-p-* in *-v-*.

**niffo** ' grugno ', dal basso ted. *nif*.

**nigella**, dal lat. tardo *nigella*, femm. sostantiv. del dimin. di *niger* ' nero '; cfr. NIELLO.

**nilòtico**, dal gr. *Neilótēs* ' abitante del Nilo ', col suff. it. *-ico*.

**nimbo**, dal lat. *nimbus*; v. NEMBO.

**nimicare**, v. INIMICARE.

**nimistà**, dal provz. *enemistat*, lat. *\*inimicĭtas*; v. NEMICO.

**ninfa**, dal lat. *nympha* che è dal gr. *nýmphē* ' fanciulla ', ' crisalide '; cfr. LINFA.

**ninfale**, dal lat. *nymphalis*.

**ninfèa**, dal lat. *nymphaea* che è dal gr. *nymphaía*.

**ninfèo**, dal lat. *nymphaeum* che è dal gr. *nymphaîon* ' sacrario delle ninfe '.

**ninna**, voce onomatop. (cfr. NANNA) sulla base dell'alternanza *i.... a*; cfr. ZIG ZAG.

**ninnolo**, dalla serie onomatop. infantile *n.... n* con suff. dimin.

**ninnananna**, v. NANNA.

**nino**, dalla serie vezzegg. infantile *n.... n*, associata al dimin. *-ino*.

**nipiologìa**, dal gr. *nḗpios* (secondo la pronuncia moderna) ' infante ' e *-logìa*.

**nipote**, lat. *nepos, -otis* (v. NEPOTE) con passaggio

della *e* protonica a *i*, come *divoto* (v.) rispetto a lat. *devotus*.

**nippònico**, dalla forma *Nippon*, risultante da una lettura arbitraria del cinese *Jihpen(-kuo)* ' (paese) del Sol levante '.

**nirvana**, dal sanscrito *nirvāṇa* ' estinzione '.

**nissuno**, lat. *n(e) ips(e) unus* (v. NESSUNO), con passaggio della *e* protonica a *i*.

**nìtido**, dal lat. *nitĭdus* (cfr. NETTO), agg. deriv. dal sistema di *nitere*, che risale a una rad. NEI ' splendere ' attestata anche nell'area celtica. Il verbo è tratto da un tema aggettiv. *\*nitos* con lo stesso procedim. con cui *fateri* risale alla rad. BHĀ del lat. *fari* ' parlare '; v. (CON)FESSO, (PRO)FESSO e cfr. anche PATIRE.

**nitore**, dal lat. *nitor, -oris*, deriv. di *nitere* ' splendere '.

**nitrificazione**, da *nitro-* e *-ficare*.

**nitrire**, lat. volg. *\*(hin)nitrire*, denom. da *hinnitus* ' nitrito ', incr. con *\*pullitrire* « agire come un *\*pullĭter* ' puledro ' », deriv. di *pullus*; *hinnitus*, astr. di *hinnire* è formaz. onomatop., con espressività accentuata sia con la cons. geminata, sia con l'aspiraz. iniz.

**nitro-**, dal lat. sc. *nitrò(genum)*, nome dell'elemento chimico ' azoto '.

**nitro**, dal lat. *nitrum* che è dal gr. *nítron*.

**nittalope**, dal lat. *nyctalops, -opis* che è dal gr. *nyktálōps, -ōpos*, comp. di *nýks* ' notte ', *alaós* ' cieco ' e *ōps* ' occhio ': ' dall'occhio cieco di notte '.

**nittitante**, dal lat. scient. *nìctitans, -antis*, part. pres. di *nictitare*, forma moderna di iterat. di lat. class. *nictare*, forma a sua volta intens. di una rad. *\*MEIG* attestata anche nell'area slava e sottoposta in lat. a un incr. non precisato che ha mutato l'iniz. *m-* in *n-*, forse con *nectĕre* e cioè la nozione di ' legare ' si incrocia con quella primitiva di ' batter gli occhi '.

**niuno**, lat. *ne unus*.

**nivale**, dal lat. *nivalis*.

**nìveo**, dal lat. *nivĕus*.

**no**, lat. *non*, arc. *noenum*, risultante da un più ant. *\*ne oinom* « non uno », da *ne* particella negat. (v. NE[1]) e *oinom* accus. sg. neutro di *oinos*, forma arc. di *unus*. La *-n* finale cade regolarm. in it. quando la parola è impiegata isolatamente. Quando, come parola proclitica, si appoggia alla seguente, la *-n* si salva; v. NON.

**nòbile**, dal lat. *nobĭlis*, agg. verb. di *noscĕre* ' conoscere ', deriv. dal grado GNŌ della rad. GENĒ[1] di ' conoscibile ' a quello storico di ' conosciuto ': v. lat. *stabĭlis* (v. STÀBILE), *ignobĭlis* (s. v. IGNÒBILE) e cfr. *(ef)fabĭlis* (s. v. EFFÀBILE).

**nobilitare**, dal lat. *nobilitare*, verbo denom. risultante da un incr. di *nobilis* e *nobilĭtas*.

**nobiltà**, dal lat. *nobilĭtas, -atis*.

**nocca**, dal longob. *knohha* ' giuntura '; cfr. GNOCCO.

**nocchia** ' nocciola ', lat. volg. *\*nucŭla*, dimin. di *nux* (v. NOCE), forse di orig. merid. a causa della *ò* aperta.

**nocchiere e nocchiero**, lat. *nauclerus* che è dal gr. *naúklēros* ' guida della nave '. La forma in *-e* è dovuta al suff. di mestiere *-iere* come *cocchiere*.

**nocchio**, lat. volg. *\*nocljus*, incr. di lat. *nodŭlus* e *nuclĕus* (v. NODO e NUCLEO), con la *o* tonica aperta di orig. settentr.

**nocciola,** lat. volg. *\*nucjòla,* dimin. del femm. di *nuceus,* der. da *nux nucis* (v. NOCE), con la cons. raddopp. di un presunto it. *\*noccio* (lat. *nuceus*) in posizione immediatamente postonica.

**nocciòlo,** lat. volg. *\*nucjòlus,* dimin. di *nucĕus,* con raddopp. della cons. preso da *\*noccio*; v. NOC-CIOLA.

**nòcciolo,** incr. di *nucĕus* e *nucleus* con suff. dimin. in *-olo* e apertura della voc. accentata.

**nòccola,** dimin. di *nocca.*

**noce,** lat. *nux nucis,* con corrispond. (limitate alla parte radicale NEU²) nelle aree celtica e germanica (ted. *Nuss*).

**nocella,** lat. *nucella,* doppio dimin. di *nux nucis.*

**nocemoscata,** dal lat. medv. (XIV sec.) *nux muscata.*

**noceto,** lat. tardo *nucetum.*

**nocévole,** dal lat. tardo *nocibìlis.*

**nocivo,** dal lat. *nocivus.*

**nocumento,** dal lat. tardo *nocumentum.*

**noderoso,** calco di *nodo* su *poderoso,* erroneam. analizzato come *pod-eroso.*

**nodo,** dal lat. *nodus* che è da una rad. NEDH attestata nelle aree indiana (*naddha-* 'attaccato') e celtica e col signif. di 'attaccare, legare'. Per la variante NEGH², v. NESSO.

**nodosità,** dal lat. tardo *nodosìtas, -atis.*

**nodoso,** dal lat. *nodosus.*

**nòdulo,** dal lat. *nodŭlus.*

**Noè,** dal lat. *Nōe* che è dal gr. *Nōé,* risal. a ebr. *Nōaḥ.*

**noi,** lat. *nos,* con norm. passaggio di *-s* finale in *-i* (lat. *das,* it. *dai*). Il tema pronominale NE/NO/N indicava la prima pers. plur. nei casi obliqui della declinaz. In questi limiti è attestato nelle aree indiana, germanica, albanese, slava senza ampliam., nelle aree greca e baltica con ampliam. Nel latino e nell'area celtica si è esteso al nom., mentre tuttora in tedesco e in inglese si hanno i nom. *wir* e *we* di fronte ai casi obliqui *uns, us* (da N-S). Solo questi ultimi sono legati al lat. *nos.*

**noia,** dal provz. *enoja,* sost. deverb. da *enojar.*

**noiare,** dal provz. *enojar,* lat. tardo *inodiare* 'avere in odio'.

**noioso,** dal provz. *enojòs,* lat. tardo *inodiosus* con *in-* introduttivo.

**noleggiare,** verbo denom. da *nolo.*

**noleggio,** sost. deverb. da *noleggiare.*

**nolente,** dal lat. *nolens, -entis* 'che non vuole', part. pres. di *nolo,* da più ant. *\*novòlo* e questo da *\*ne volo* con norm. passaggio di *eu* a *ou* e susseguente contrazione di *-ovo-* in *-ō-*; v. VOLERE.

**nolo,** lat. tardo *naulum* che è dal gr. *naûlon,* deriv. di *naûs* 'nave'.

**nòmade,** dal lat. *nomas, -ădis* che è dal gr. *nomás, -ádos* 'che pascola', deriv. di *némō* 'io pascolo'.

**nome,** dal lat. *nomen, -ìnis,* antichissima parola ideur. del tipo NOMN, che si ritrova identica nelle aree indoiranica, armena, umbra, con qualche differenza nel grado di alternanza nella rad. (o nello svolgimento della cons. iniz.) nelle aree ittita, greca, slava, baltica, celtica e germanica (ted. *Name*).

**nomenclatore,** dal lat. *nomenclator, -oris* « (lo schiavo) che chiama (*-clator*) il nome (*nomen*) (dei clienti incontrati per via) »; v. NOME e CA-LENDE.

**nomenclatura,** dal lat. *nomenclatura.*

**-nomìa,** dal gr. *-nomía,* astr. deriv. da *némō* 'io governo, amministro'.

**nomìgnolo,** incr. di *nome* e *mìgnolo:* « piccolo nome ».

**nòmina,** sost. estr. da *nominare.*

**nominale,** dal lat. *nominalis,* deriv. di *nomen, -ìnis.*

**nominare,** dal lat. *nominare,* verbo denom. da *nomen, -ìnis.*

**nominativo,** dal lat. *nominativus (casus),* calco sul gr. *onomastikê (ptôsis).*

**nominatore,** dal lat. tardo *nominator, -oris.*

**nominazione,** dal lat. *nominatio, -onis.*

**nomo** (circoscrizione dell'Egitto ant.), dal gr. *nomós.*

**-nomo,** dal gr. *-nómos* (v. -NOMÌA), secondo elemento di composiz. che forma nomi d'agente.

**non,** lat. *non* (v. NO). La *-n* finale si è salvata, perché in parola impiegata come proclitica, si appoggia alla sill. iniz. della seguente.

**nonagenario,** dal lat. *nonagenarius,* deriv. di *nonageni* 'novanta per ciascuno', incr. di *nonag(inta)* e *(nov)eni*; v. NOVENA.

**nonagèsimo,** dal lat. *nonagesìmus,* deriv. di *nonaginta* 'novanta', come *trigesìmus* da *triginta* o *vigesìmus* da *viginti.*

**nonché,** da *non* e *che.*

**nondimeno,** da *non di meno.*

**none,** dal lat. *nonae (feriae),* nom. plur. femm. di *nonus.*

**non-io,** da *non* e *io.*

**nonna, nonno,** lat. tardo *nonna* 'monaca, balia', *nonnus* 'monaco, balio', parola infantile.

**nonnulla,** lat. *nonnulla,* neutro pl. di *nonnullum* 'qualcosa' incr. con it. *nulla* (v.) e quindi assai ristretto nel signif.

**nono,** lat. *nōnus* incr. con it. *nove. Nonus* è ant. forma di numerale ordinale risal. a *\*novìnus* e cioè ottenuta mediante l'aggiunta della semplice *-o* alla forma cardinale *\*noven* (v. NOVE). L'ordinale in *-o* attestato nelle aree latina, celtica, indiana è quello primitivo contro il tipo innovato in *-to* delle aree baltica, greca, germanica (ted. *neunter*).

**nonostante,** costruzione assoluta da *non ostante,* part. pres. di *ostare* (v.), impiegata come locuzione congiuntiva.

**nònuplo,** incr. di lat. *nonus* e it. *dècuplo.*

**norcino,** da *Norcia* (prov. di Perugia) donde molti venivano per esercitare nelle campagne quel mestiere.

**nord,** dallo sp. *norte* incr. col frc. *nord.*

**noria,** dallo sp. *noria,* ar. *na'ūra.*

**norma,** dal lat. *norma* 'squadra', risal. al gr. *gnómona,* acc. di *gnómōn* 'colui che misura', attrav. prob. intermediario etrusco *\*numna* incr. con *forma*; cfr. GROMA.

**normale,** dal lat. *normalis* 'perpendicolare'.

**norreno,** dal norvegese *norrōn* 'settentrionale'.

**nosco,** lat. volg. *\*nò(b)iscum,* con leniz. tot. del *-b-* e semplificaz. del dittongo *òi* in *o* come in *prete* (da *preite*), il dittongo *ei* si riduce a *e.*

**nosocòmio,** dal lat. tardo *nosocomium* che è dal gr. *nosokomeîon,* comp. di *nósos* 'malattia' e *-komeîon* 'luogo di cura', deriv. di *koméō* 'io curo'.

**nosologìa,** dal gr. *nósos* 'malattia' e *-logìa.*

**nostalgìa,** dal gr. *nóstos* 'ritorno' e *-algìa:* « sofferenza (per il desiderio) del ritorno ».

**nostrificare,** da *nostro* e *-ficare* « render nostro ».

**nostro,** lat. *noster, nostra, nostrum,* deriv. da *nos*

(v. NOI), mediante il suff. -*tero* che significa opposizione tra due entità (cfr. *alter* ' l'altro '). Il procedim. è recente. Si trova, in forma indipendente, anche nel gr. (*hēmé*)*teros*, mentre nelle altre aree si hanno deriv. più semplici, per es. ted. (*uns*)*er*.

**nostromo**, dallo sp. *nuestramo* ' scrivano ', comp. di *nuestro* ' nostro ' e *amo* ' padrone ', incr. con genov. *omu* ' uomo '.

**nota**, dal lat. *nota*, privo di connessioni evidenti.

**notàbile**, dal lat. *notabĭlis*.

**notaio**, lat. *notarius* ' (chi prende) annotazioni (durante un discorso) '.

**notare**[1] e deriv., v. NUOTARE e deriv.

**notare**[2], dal lat. *notare*, verbo denom. da *nota*.

**notaro**, forma non tosc. di *notaio* (v.).

**notazione**, dal lat. *notatio*, -*onis*.

**notes**, dal frc. *notes*, plur. di *note* ' nota '.

**notìfica**, sost. deverb. da *notificare*.

**notificare**, dal lat. tardo *notificare*, comp. di *notus* e -*ficare*.

**notificazione**, dal lat. *notificatio*, -*onis*.

**notizia**, dal lat. *notitia*, in orig. ' il fatto di essere conosciuto, celebrità '.

**noto**[1] (vento), dal lat. *nŏtus* che è dal gr. *nótos*.

**noto**[2] ' conosciuto ', dal lat. *nōtus*, part. pass. di *noscĕre*, formato analogicamente sul grado forte della rad. (G)NŌ (da GENĒ') come accade in greco, sanscrito, irlandese. La forma regolare sarebbe stata, sulla base del grado ridotto, \**natus*, ma si sarebbe confusa con il valore di ' nato ' (v.); a una forma monosillabica invece risalgono le forme composte *agnĭtus*, *cognĭtus*, v. CÒGNITO e CONOSCERE.

**notomìa**, forse incr. di (*a*)*natomìa* e *noto*[2].

**notorio**, dal lat. *notorius*.

**nottàmbulo**, calco su *sonnàmbulo* con *notte* al posto di *sonno*; v. -AMBULO, per es. *funàmbulo*.

**notte**, lat. *nox noctis*, antichissima famiglia lessicale ideur. risal. a una forma elementare NEGH' sopravv., senza ampliam. in gr., e con l'ampliam. -T- o -TI pressoché in tutte le aree ideur. Le forme ampliate possono avere i varî gradi di alternanza della rad., il norm. in ittita, il semiridotto nel gr. *nýks*, il forte ad es. nel latino e nell'area germanica (ted. *Nacht*), ecc.

**nottetempo**, da *notte* e *tempo*.

**nottiluca**, dal lat. scient. *noctiluca*, comp. di *nox noctis* ' notte ' e il tema di sost. deverb. da *lucere* ' far luce '.

**nottìvago**, dal lat. *noctivăgus*, comp. di *nox* ' notte ' e *vagus* ' vagante '.

**nòttola**, dal lat. tardo *noctŭla*, dimin. di *noctua*, femm. sostantiv. tratto dalla formula *noctua* (*avis*) « (uccello) notturno (per eccellenza) ».

**notturno**, dal lat. *nocturnus*, deriv. in -*no* di un ant. tema NOKT-R/NOKT-N ampliato a sua volta da NOKT (v. NOTTE) e di cui ci sono tracce nelle aree indiana e greca; cfr. ODIERNO, DIUTURNO.

**nòtula**, dal lat. *notŭla*, dimin. di *nota*.

**noùmeno**, dal gr. *noúmenon* ' ciò che è pensato ': termine introdotto in tedesco da E. Kant e passato dal tedesco all'italiano.

**novale**, dal lat. *novale*, neutro sostantiv. di *novalis* ' maggese ', deriv. di *novus*.

**novanta**, incr. di lat. volg. \**nonanta* (con leniz. totale della -*g*- davanti a voc. palat. rispetto al class. *nonaginta*) con it. *nove*.

**novantenne**, da *novanta* e -*enne*.

**novatore**, dal lat. *novator*, -*oris*.

**novazione**, dal lat. tardo *novatio*, -*onis*.

**nove**, lat. *novem*, senza dittongazione per distinguersi da *nuove*, plur. di *nuovo*. *Novem* rappresenta un più ant. \**noven* deriv. da NEWN e poi allineato con *decem* per quanto riguarda la finale NEWN è rappresentato nelle aree indoiranica, germanica (ted. *neun*), celtica, e, con qualche alterazione, in gr. (*ennéwa* invece di \**newa*): inoltre, alle porte di Roma, in una iscrizione falisca (*neven*).

**novella**, femm. sostantiv. di *novello*, passato da ' novità ' (come ' notizia ') a ' notizia ' (come ' racconto agile ').

**novellare**, verbo denom. da *novella*.

**novello**, lat. *novellus*, doppio dimin. di *novus* ' nuovo '.

**novembre**, lat. *november* (*mensis*), genit. -*bris*, deriv. da *novem* perché nono mese dell'anno nel calendario romano arcaico.

**novena**, femm. sostantiv. dal lat. *noveni* ' a nove a nove ', passato da distributivo a sost. numerale collettivo come *dozzina*, *decina*. *Noveni* si è formato sull'es. di (*s*)*eni*, che in realtà era (*sex*)-*ni*; cfr. OTTOGENARIO.

**novenario**, dal lat. *novenarius* ' composto di nove elementi '.

**novendiale**, dal lat. *novendialis*, deriv. di *novem dies*, col suff. aggettiv. -*alis*.

**novenne**, dal lat. *novennis*, comp. di *novem* e -*ennis*; cfr. ENNE.

**novennio**, dal lat. *novennium*, comp. di *novem* e -*ennium*; cfr. -ENNIO.

**noverare**, lat. *numerare*, poi \**nuberare* per dissimilaz. delle due nasali da *n*.... *m* a *n*.... *b*.

**noverca** ' matrigna ', dal lat. *noverca*, der. di *novus* con un suff. imprecisato.

**nòvero**, lat. *numĕrus*, passato a \**nuberus*, dissimilando le nasali *n*.... *m* in *n*.... *b*, e con la *o* aperta sotto l'influenza di *noverare*, in cui la *o* è fuori d'accento. La rad. di lat. *numĕrus* sembra NEM ' assegnare, dividere ' (v. NÈMESI), ma la sua derivaz. rimane oscura.

**novilunio**, dal lat. tardo *novilunium*, comp. di *novus* e *luna*.

**novità**, dal lat. *novĭtas*, -*atis*.

**novizio**, dal lat. *novicius*.

**nozione**, dal lat. *notio*, -*onis*, nome d'azione di *noscĕre* ' conoscere ', dal part. pass. *notus*.

**nozze**, incr. di lat. *nuptiae*, astr. deverb. dal part. pass. di *nubĕre* ' sposare ' (v. NÙBILE) e it. *nòtte* con la *o* aperta.

**nube**, lat. *nubes*, nome astr., deriv. da una rad. SNEUDH ' coprire ' attestata, sia pure in modo non massiccio, nelle aree iranica e celtica, e poi sentita in qualche modo affine (in lat.) a *nebŭla* (v. NEBBIA, NEMBO). La sua forma di astr. in -*es* si collega al verbo *nubĕre* (v. NÙBILE) come *caedes* a *caedĕre*; v. (IN)CÌDERE.

**nubifragio**, dal lat. medv. *nubifragium*, calco su *nau-fragium*; v. NAUFRAGIO.

**nùbile**, dal lat. *nubĭlis*, agg. verb. di *nubĕre* (come *facĭlis* di *facĕre*), verbo tratto dalla stessa rad. SNEUDH di *nubes* col signif. primitivo di ' coprire ', specificato poi nell'operazione simbolica di « velare la sposa » in quanto la si sottrae alla potestà della famiglia di origine. È un resto del matrimonio « per raccolta », impropriamente detto « per ratto », cfr. PRÒNUBO.

**nùbilo,** dal lat. *nubĭlus.*

**nubiloso,** dal lat. *nubilosus.*

**nuca,** dal lat. medv. *nucha* che è dall'ar. *nukhā'* ' midollo spinale '.

**nucleo,** dal lat. *nuc(u)lĕus,* deriv. da *nux nucis,* come *acŭlĕus* da *acus.*

**nudare,** dal lat. *nudare,* verbo denom. da *nudus.*

**nudità,** dal lat. *nudĭtas, -atis.*

**nudo,** lat. *nudus,* dalla rad. NEGᵂ/NOGᵂ che, priva di ampliam. si trova solo nelle aree baltica e slava, ma, con ampliam. sempre diversi, nelle altre aree ideur. Con *-edo-,* appare nella forma NOGᵂEDOS cui il lat. *nudus* risale direttam., con *-eto-/-oto-* appare nell'area germ. (ted. *nackt*).

**nudrire,** forma settentr. di *nutrire* (v.).

**nùgolo,** variante di *nùvolo,* attrav. *\*nù-olo* e cioè di tradiz. settentr.

**nulla,** lat. *nulla,* nentro plur. di *nullus;* v. NULLO.

**nullaosta,** traduz. del lat. *nihil obstat;* v. OSTARE.

**nullo,** dal lat. *nullus* ' nessuno ', deriv. da *ne ullus.* *Ullus* è dimin. di *unus;* v. UNO.

**nume,** dal lat. *numen, -ĭnis,* nome neutro di azione del verbo *nuĕre* ' fare un cenno ' (cfr. NEUMA), attestato solo da glosse, ma esattamente comparabile a forme greche e indiane tratte dalla rad. NEU' ' fare un cenno (spec. della testa) '. Per l'intens. *nutare,* v. NUTAZIONE; per l'astr. *nuntium* (da *\*neventium*), v. NUNZIO.

**numeràbile,** dal lat. *numerabĭlis.*

**numerale,** dal lat. tardo *numeralis.*

**numerare,** dal lat. *numerare;* cfr. NOVERARE.

**numerario,** dal lat. tardo *numerarius,* poi sostantivato.

**numeratore,** dal lat. tardo *numerator, -oris.*

**numerazione,** dal lat. tardo *numeratio, -onis.*

**nùmero,** dal lat. *numĕrus;* v. NÒVERO e cfr. NUMMO.

**numerosità,** dal lat. tardo *numerosĭtas, -atis.*

**numeroso,** dal lat. *numerosus.*

**numismàtica,** femm. sostantiv. di *(arte) numismatica.*

**numismàtico,** ampliam. in *-àtico* del lat. tardo *numisma,* risultante dall'incr. con *nummus* ' moneta ', di lat. class. *nomisma, -ătis,* che è dal gr. *nómisma, -atos* ' moneta, danaro corrente ', deriv. da *nomízō* ' io uso correntemente '.

**nummo,** dal lat. *nummus,* certo collegato con *numĕrus;* v. NÙMERO.

**nuncupativo,** dal lat. *nuncupativus,* deriv. di *nuncupare* ' prendere il nome, proclamare ', verbo denom. da *\*nomi-caps* ' che prende il nome ', con passaggio di *-ă-* a *-ŭ-* in sill. interna aperta dav. a *-p-* (occupare rispetto a *capĕre*).

**nùndine** (mercato dell'ant. Roma tenuto ogni nove giorni), dal lat. *nundĭnae (feriae),* comp. di *novem* ' nove ' e *\*dino-* ' giorno ', tema risultante dall'ampliam. della rad. DEI/DI (v. DÌ) col suff. *-no* e attestato semplice o in composiz. nelle aree indiana, baltica, celtica, germanica.

**nunzio,** dal lat. *nuntius,* più ant. *nountios,* risal. a un orig. neutro *nuntium,* proprio della lingua augurale (opposto a *silentium*), e quindi dalla stessa rad. NEU' ' fare un cenno ' da cui *numen* (v. NUME e cfr. NEUMA): la forma intermedia sarebbe stata dunque *\*neventiom.*

**nuòcere,** lat. volg. *\*nocĕre,* class. *nocere,* verbo causativo di un rad. NEK di valore nominale, sopravv. senza ampliam. solo nel lat. *nex* ' uccisione ' e nel gr. *nékes* ' i morti '. Il valore tecnico è rimasto nel solo verbo denom. *necare* (v. (AN)NEGARE), mentre il causativo ha attenuato il suo signif. a ' far del male '. Forme identiche di causativo appaiono nell'area indo-iranica. Con ampliam. diversi, la rad. è attestata inoltre nelle aree tocaria, germanica, celtica.

**nuora,** lat. volg. *\*nora,* incr. di class. *nurus* con *soror* per la voc. radicale e col passaggio alla declinaz. in *-a* cone in *suora,* cfr. lat. tardo *socĕra,* class. *socrus. Nurus* è il tema ideur. SNUSO- largam. attestato nelle varie aree.

**nuotare,** lat. volg. *\*notare,* incr. di class. *natare* e *rotare* ' far girare '; con il dittongo mantenuto anche in sill. atona per distinguersi da *notare* ' registrare '. *Nătare* è deriv. da un agg. *\*nătos* come *fateor,* v. (CON)FESSARE), e *niteo,* v. NITIDO, da *\*fatos* e *\*nitos.* La rad. è SNĀ che si trova, senza nessun ampliam. nel lat. *nare* e nel sanscrito *snāti* ' fa il bagno ', con ampliam. nelle aree tocaria, greca, iranica, celtica.

**nuoto,** sost. deverb. estr. da *nuotare.*

**nuova,** femm. sostantiv. di *nuovo.*

**nuovo,** lat. *novus,* da una forma ideur. NEWO-, attestata identica nelle aree indo-iranica, ittita, greca, slava, baltica e, con un ampliam. in *-yo,* anche nella germanica (ted. *neu*) e celtica.

**nuraghe,** dal tema mediterr. paleosardo *nurra* ' mucchio di sassi ' (cfr. MORA), col suff. sardo *-aghe.*

**nutazione,** dal lat. *nutatio, -onis* ' vacillamento ' da *nutare* ' oscillare ', iterativo-intensivo di *nuĕre* ' assentire col capo '; v. NUME, NUNZIO.

**nutrìbile,** dal lat. *nutribĭlis.*

**nutricare,** dal lat. *nutrĭcari,* verbo iterat. di *nutrire* secondo il rapporto di *fodicare* a *fodĕre.*

**nutrice,** dal lat. *nutrix, -icis,* nome d'agente femm. dalla rad. SNEU/SNU ' allattare ' attestata sia pure in modo tutt'altro che abbondante nelle aree greca e indiana.

**nutriente,** dal lat. *nutriens, -entis.*

**nutrimento,** dal lat. *nutrimentum.*

**nutrire,** dal lat. *nutrire,* verbo denom. da *\*nūtri-* forma parallela e prob. anteriore, a *nutrix;* v. NUTRICE.

**nutritore,** dal lat. *nutritor, -oris.*

**nutrizione,** dal lat. *nutritio, -onis.*

**nùvola,** lat. volg. *\*nubŭla,* class. *nubĭla,* neutro plur. di *nubĭlus,* agg. senza la sincope della voc. interna; cfr. NUBE.

**nùvolo,** lat. volg. *\*nubŭlus,* class. *nubĭlus.*

**nuvoloso,** dal lat. *nubilosus.* incr. con *nùvola.*

**nuziale,** dal lat. *nuptialis;* v. NOZZE.

# o

**o¹,** lat. *ō,* interiez. attestata anche nelle aree greca e gotica.

**o²,** lat. *aut,* da un ant. *\*auti,* ampliam. di una particella AU attestata semplice o ampliata anche nelle aree indo-iranica, greca, osco-umbra e germanica (ted. *auch* ' anche '); cfr. O(D).

**ò,** lat. *habeo,* prima pers. sg. del pres. del verbo *habere,* con leniz. totale della *-b-* e conseg. contrazione attrav. le fasi *aio, ao.*

**òasi,** dal lat. tardo *oăsis,* che è dal gr. *óasis,* egiz. ant. *uah* ' stagione '.

**obbediente,** dal lat. *oboediens, -entis,* part. pres. di *oboedire,* incr. con it. *obbedire.*

**obbedienza,** dal lat. *oboedientia,* incr. con it. *obbedire.*

**obbedire,** dal lat. *oboedire,* con rafforzam. della labiale, che si sottrae alla leniz. di *-b-* in *-v-.* *Oboedire* è comp. di *ob-* e *audire* con anorm. trattam. del dittongo in sill. interna che avrebbe dovuto dare *\*obudire* (v. UDIRE). *Ob,* anche *obs-,* ant. OP-, trova confronti, non sempre perspicui, con tipi *op(s)* per es. nell'area osco-umbra e venetica, con il tipo *ob* nell'area slava, e, con alternanze della voc. non sempre evidenti, nelle aree greca (gr. *epi*), baltica, indo-iranica; cfr. OPACO. Il suo signif. fondamentale è, perciò, ' di fronte ', ' opposto ' invece di ' sopra '.

**obbi** (anche *hobby*), dall'ingl. *hobby* ' puledrino (da gioco o svago) '.

**obbligare,** dal lat. *obligare,* con rafforzam. della *-b-* nel gruppo *-bl-*; v. LEGARE.

**obbligazione,** dal lat. *obligatio, -onis,* incr. con it. *obbligare.*

**òbbligo,** sost. deverb. estr. da *obbligare.*

**obbrobrio,** dal lat. *opprobrium* con assimilaz. da *pp.... b* a *bb..... b* Lat. *opprobrium* è astr. di *opprobrare* comp. di *ob-* e *probrare,* verbo denom. da *prober* ' meritevole di rimprovero ', risal. a un *\*pro-bhero-s* « mandato avanti (contro qualcuno) » da *pro-* e la rad. BHER' ' portare ', lat. *fero,* v. -FERO.

**obbrobrioso,** dal lat. tardo *opprobriosus,* incr. con it. *obbrobrio.*

**obelisco,** dal lat. *obeliscus,* che è dal gr. *obelískos,* dimin. di *obelós* ' spiedo ', ' obelisco '.

**oberato,** dal lat. *obaeratus* « carico di danaro (altrui e cioè di debito) »; v. ERARIO.

**obesità,** dal lat. *obesitas, -atis.*

**obeso,** dal lat. *obesus,* comp. di *ob-* e *esus,* part. pass. attivo di *edĕre* ' mangiare ' (v. EDACE), nell'età più

ant. in senso passivo e cioè ' mangiato, eroso, consunto '.

**òbice,** dal ted. *Haubitze* (XVIII sec.), ceco *houfnice* ' frómbola ', attrav. tradiz. settentr. e quindi con correzione tosc. di *-ze* in *-ce.*

**obiettare,** dal lat. *obiectare,* intens. di *obicĕre* ' gettar contro, opporre '; v. GETTARE.

**obiettivo,** dal lat. medv. *obiectivum.*

**obietto,** dal lat. medv. *obiectum,* forma neutra sostantiv. del class. *obiectus,* part. pass. di *obicĕre,* comp. di *ob-* e *iacĕre* con norm. passaggio di *-iă-* in *-iĕ-* in sill. interna chiusa.

**obiettore,** dal lat. tardo *obiector, -oris,* nome di agente di *obicĕre* ' opporre '.

**obiezione,** dal lat. tardo *obiectio, -onis,* nome di azione di *obicĕre* ' opporre '.

**òbito,** dal lat. *obĭtus, -us,* astr. di *obire* (*mortem*) ' andare incontro (alla morte) '.

**obitorio,** dal lat. *obĭtus, -us* ' morte ' col suff. *-orio* di (*laborat*)*orio.*

**obituario,** dal lat. *obĭtus, -us* ' morte ' col suff. *-ario.*

**obiurgazione** (s. f.) ' rimprovero ', dal lat. *obiurgatio, -onis,* nome d'azione di *obiurgare* ' rimproverare ', comp. di *ob-* e *iurgare,* più antico *\*iurigare* che è un derivato di *ius* come *litigare* (v.) lo è di *lis.*

**oblato,** dal lat. *oblatus,* part. pass. del sistema di *offerre* ' offrire ', comp. di *ob-* e del part. pass. (*t*)*lātus* per cui v. TÒGLIERE.

**oblatore,** dal lat. tardo *oblator, -oris,* nome d'agente del sistema di *offerre.*

**oblazione,** dal lat. tardo *oblatio, -onis,* nome di azione del sistema di *offerre.*

**obliare,** dal frc. ant. *oblier,* lat. volg. *\*oblitare,* intens. di class. *oblivisci,* tratto dal part. pass. attivo *oblitus,* ant. *\*oblivĭtus.* Si tratta di un comp. di *ob-* col verbo *\*livĕre* ' cancellare ' risultante dall'ampliam. in *-w-* della rad. LEI che compare anche nelle aree greca e germanica, e anche nel lat. *lēvis* ' liscio '. Per l'ampliam. in *-n-* del lat. *linĕre* v. LINIMENTO. Il signif. primitivo è dunque quello del ' raschiar via '.

**oblio,** sost. deverb. estr. da *obliare.*

**obliquare,** dal lat. *obliquare.*

**obliquità,** dal lat. *obliquĭtas.*

**obliquo,** dal lat. *obliquus* ' obliquo, indiretto ', comp. di *ob-* e di un elemento *liq-* venuto in qualche modo in contatto con la famiglia di *linquĕre* (cfr. *deliquium solis* ' eclisse di sole ') ma senza collegamenti evidenti.

**obliterare,** dal lat. *obli(t)terare,* denom. da *li(t)těra,* comp. con *ob-* e perciò ' togliere le lettere '.

**obliterazione,** dal lat. *obli(t)teratio, -onis.*

**oblivione,** dal lat. *oblivio, -onis,* nome d'azione del presunto *\*oblivěre* (v. OBLIARE) e dell'attestato *oblivisci.*

**oblivioso,** dal lat. *obliviosus.*

**oblò,** dal frc. *hublot.*

**oblungo,** dal lat. *oblongus,* incr. con *lungo.*

**obnubilare,** dal lat. tardo *obnubilare,* comp. di *ob* e *nubilare* che è verbo denom. da *nubĭlus,* v. NÙVOLO.

**òboe,** dal frc. *haut-bois* (XVIII sec.) pronunciato in quel tempo ancora *oboè* e cioè ' legno (dal suono) alto '.

**òbolo,** dal lat. *obŏlus,* che è dal gr. *obolós* ' moneta ateniese '.

**obsoleto,** dal lat. *obsoletus,* part. pass. di *obsolescěre* ' logorarsi, andare in disuso ', connesso con *solere* (v. SOLITO e cfr. MONETA), ma senza un legame veramente evidente così dal punto di vista del pref. *ob-* come della voc. *-ē-* del tema.

**oca,** lat. tardo *auca,* da *\*auĭca,* dimin. di class. *avis* ' uccello '.

**ocàggine,** da *oca* con suff. peggiorativo *-àggine.*

**ocarina,** dimin. di *oca* con suff. settentr. che mantiene *-ar-* (senza mutarla in *-er-*) secondo modelli non tosc.

**occasionare,** dal lat. tardo *occasionari.*

**occasione,** dal lat. *occasio, -onis,* nome d'azione di *occiděre* ' cadere ', cfr. CAGIONE, che è da *ob* e *caděre* ' cadere ' con mantenim. della *a* interna perché lunga.

**occaso,** dal lat. *occasus, -us,* astr. di *occiděre* ' cadere, tramontare ', formato sul tema del supino *cāsum.*

**occhio,** lat. *ocŭlus,* ampliam. in *-lo* proprio dei nomi d'agente (cfr. *credŭlus,* v. CREDULO) della rad. OKW. Questa sopravvive senza ampliam. nei comp. lat. del tipo *(fer)ox, (atr)ox* ' dallo sguardo fiero, nero '. Con ampliam. e alteraz. varie, la rad. è attestata pressoché in tutte le aree ideur. p. es. nel gr. *oph(thalmós)* e nel ted. *Auge.*

**occidentale,** dal lat. *occidentalis.*

**occidente,** dal lat. *(sol) occidens* ' (sole) tramontante ' e cioè « (direzione) del sole tramontante », part. di *occiděre,* comp. di *ob-* e *caděre* con norm. passaggio di *-ă-* a *-i-* in sill. interna aperta.

**occiduo,** dal lat. *occidŭus,* deriv. di *occiděre* ' tramontare ' col suff. *-ŭus* come in *attigŭus* rispetto a *attingěre.*

**occìpite,** dal lat. *occĭput,* comp. di *ob-* e di *caput* (v. CAPO), con norm. passaggio di *-a-* in *-i-* in sill. interna aperta.

**occitànico,** da *Occitania,* nome della regione, formato, come calco su *(Aqui)tania,* introducendo *oc* (lat. *hoc*), la particella caratteristica col valore di ' sì ' nella lingua provz.

**occlùdere,** dal lat. *occluděre,* comp. di *ob* e *clauděre* ' chiudere ', con norm. passaggio del dittongo *-au-* in *-ū-* in sill. interna.

**occlusione,** dal lat. tardo *occlusio, -onis,* nome d'azione di *occluděre.*

**occórrere,** dal lat. *occurrěre,* comp. di *ob* e *currěre*; v. CÒRRERE.

**occultare,** dal lat. *occultare,* intens. di *occulěre*; v. OCCULTO.

**occultatore,** dal lat. *occultator, -oris.*

**occultazione,** dal lat. *occultatio, -onis.*

**occultismo,** da *occulto* col suff. *-ismo* di dottrina.

**occulto,** dal lat. *occultus,* part. pass. di *occulěre,* comp. di *ob* e *\*colěre* ' velare (per un istante) ', appartenente alla famiglia di cui *cēlare* è la forma durativa-intensiva (v. CELARE). Secondo la regola, *ě* passa a *ŏ* quando si trova dav. a *-l-* non seguìto da *i*; se poi *-l-* è seguìto da cons. diventa *-ŭ-*: quindi da *\*celěre* si ha *colěre* ma *cultus.*

**occupare,** lat. *occupare,* comp. di *ob* e *\*capare,* forma durativa-intensiva di *capěre* ' prendere ', con norm. passaggio di *-ă-* in *-ŭ-* in sill. interna aperta dav. a *-p-.*

**occupatore,** dal lat. tardo *occupator, -oris.*

**occupazione,** dal lat. *occupatio, -onis.*

**oceànico,** dal lat. tardo *oceanĭcus.*

**ocèano,** dal lat. *oceănus,* che è dal gr. *ōkeanós,* divinità marina.

**oceanografìa,** da *ocèano* e *-grafìa.*

**ocello,** dal lat. *ocellus,* dimin. di *ocŭlus.*

**oclocrazìa,** dal gr. *okhlokratía,* comp. di *ókhlos* ' folla ' e *-kratía,* astr. di *krátos* ' potere '; v. -CRAZÌA.

**oco** (lingua d'), del prov. *oc.*

**ocra,** dal lat. *ochra,* che è dal gr. *ōkhrá,* sost. deriv. dall'agg. *ōkhrós* ' giallo '.

**òcrea** ' schiniere ', dal lat. *ocreae, -arum,* privo di connessioni attendibili.

**oculare,** dal lat. tardo *ocularis.*

**oculato,** dal lat. *oculatus* ' occhiuto '.

**oculista,** dal lat. *ocŭlus* col suff. moderno *-ista* indicante mestiere.

**o(d),** lat. *aut,* in posizione proclitica dav. a parola a iniz. vocalica (v. o²). Dav. a iniz. consonantica dà luogo ad assimilazione, p. es. in *oppure.*

**odalisca,** dal frc. *odalisque,* turco *odalïk* ' cameriera ', deriv. di *oda* ' camera '.

**ode,** dal lat. tardo *ode,* che è dal gr. *ōidé* ' carme '.

**odiare,** verbo denom. da *odio.*

**odierno,** dal lat. *hodiernus,* deriv. da *hodie* ' oggi ', sul modello di *(heste)rnus* da *\*hesi,* class. *heri* ' ieri '; cfr. NOTTURNO, DIURNO.

**odio,** dal lat. *odium,* astr. di *ōdi* ' io odio ', risal. a una rad. ŌD/OD che si ritrova soltanto nell'area armena. Ammettendo un pref. K- (v. COSTA, CAPRO), si potrebbero associare forme del tipo KOD nelle aree osco-umbra, celtica, germanica (ted. *Hass*).

**odioso,** dal lat. *odiosus.*

**odissèa,** dal lat. *Odyssēa,* che è dal gr. *Odýsseia,* poema di Omero, così chiamato dal suo eroe *Odysseús* ' Ulisse '.

**odòmetro,** dal gr. *hodómetron,* comp. di *hodós* ' strada ' e *métron* ' misura '.

**odontalgìa,** da *odonto-* e *-algìa.*

**odonto-** dal gr. *odús, -óntos* ' dente '; v. DENTE.

**odontoiatra,** da *odonto-* e *-iatra.*

**odoràbile,** dal lat. tardo *odorabĭlis.*

**odorare,** dal lat. *odorari* ' fiutare ', verbo denom. da *odor, -oris* ' odore '.

**odorato,** dal lat. *odoratus, -us.*

**odore,** lat. *odor, -oris,* anticam. *odos,* ampliam. della rad. OD, attestata nelle aree greca, armena (col pref. *h-*) e baltica. Per il verbo che appare nella forma *olere* v. OLIRE.

**odorìfero,** dal lat. *odorĭfer, -eri,* comp. di *odor* ' odore ' e *-fer* ' che porta '.

**ofèlimo** 'utile in senso economico', da gr. *óphelos* 'utilità'.

**offa**, lat. *offa* 'polpetta', priva di connessioni attendibili: forse di orig. mediterr. da un tema AUFA.

**offella**, lat. *ofella*, privo di connessioni evidenti, incr. con it. *offa*.

**offèndere**, lat. *offendĕre*, comp. di *ob* e -*fendĕre* 'urtare'; v. DIFÈNDERE.

**offensivo**, da *offenso* col suff. -*ivo* attivo e durativo.

**offenso** 'offeso' (arc.), dal lat. *offensus*, part. pass. di *offendĕre*.

**offensore**, dal lat. tardo *offensor*, -*oris*, nome di agente di *offendĕre*.

**offerire**, dal lat. *offerre*, pass. alla coniug. in -*ire*, var. di it. *offrire*; v.

**offerta**, femm. sostantiv. di *offerto*, part. pass. di *offrire*.

**offertorio**, dal lat. crist. *offertorium* 'strumento di offerta'.

**offesa**, lat. *offensa*, forma femm. sostantiv. di *offensus*; v. OFFESO.

**offeso**, lat. *offensus*, part. pass. di *offendĕre*.

**officiale**, v. UFFICIALE.

**officiare**, dal lat. medv. *officiare*, verbo denom. da *officium* 'atto liturgico'.

**officina**, dal lat. class. *officina*, arcaico *opificina*, deriv. di *opifex* 'lavoratore', comp. di *opus* 'lavoro' e -*fex* 'che compie'; v. ÒPERA e cfr. FUCINA.

**officio**, v. UFFICIO.

**officiosità**, dal lat. tardo *officiosĭtas*, -*atis*.

**officioso**, dal lat. *officiosus*, deriv. di *officium*; v. UFFICIO.

**offrire (offerire)**, lat. volg. *offerire*, class. *offerre*, comp. di *ob* e *ferre* 'portare', passato alla coniugaz. in -*ire* come *soffrire*, con norm. caduta della voc. protonica.

**offuscare**, dal lat. tardo *offuscare*, verbo denom. da *fuscus* 'scuro' col pref. *ob*-; v. FOSCO.

**offuscazione**, dal lat. tardo *offuscatio*, -*onis*.

**ofidio**, dal lat. scient. *ophidia*, neutro plur. che risale al gr. *óphis* 'serpente' col suff. -*idium* di dimin., anch'esso di orig. gr.

**ofite**, dal gr. *ophítēs* (*lithos*) 'pietra serpentina'.

**oftalmìa**, dal gr. *ophthalmía*, astr. in -*ía*, da *ophthalmós* 'occhio'.

**oftàlmico**, dal gr. *ophthalmikós*.

**oftalmologìa**, dal gr. *ophthalmós* 'occhio' e -*logìa*.

**oga**, dal personaggio biblico (*G*)*ōg* di *Māgōg*, paese lontanissimo dalla Palestina; cfr. MAGOGA.

**ogàmico**, dall'irlandese *ógham*, nome della scrittura più ant. delle lingue celtiche insulari.

**oggettivo**, dal lat. medv. *obiectivus*, deriv. di *obiectum*, incr. con it. *oggetto*.

**oggetto**, lat. medv. *obiectum*, forma sostantiv. dal part. pass. di *obicĕre*; cfr. OBIETTO.

**oggi**, lat. *hodie* da *ho die* 'in questo giorno'; v. DÌ.

**ogiva**, dal frc. *ogive*, sp. (*bóveda de*) *aljibe* 'arco di) cisterna', che è dall'ar. *al-giubb* 'pozzo'.

**ogni**, lat. *omnis*, privo di connessioni evidenti, salvo un vago accenno a OP (v. OPULENTO), con una derivazione in nasale che si ritrova nel sanscrito *apnas* 'abbondanza'. La forma palatizzata dipende dalla serie *omnj ora*, *omnj uno*; cfr. ONNE.

**ognissanti**, lat. crist. *Omnes Sancti*, incr. con it. *ogni*.

**ognuno**, da *ogni* e *uno*.

**oh**, serie fonosimbol. fondata sulla voc. prolungata.

**ohè**, ampliam. della precedente.

**o(h)i** (di dolore), variante della precedente.

**ohimè**, da *ohi* di dolore e *mé*, incr. con *ohè*.

**ohm**, dal nome di G. S. Ohm (1787-1854), fisico tedesco.

**oibò**, da *oi* di dolore e *bò* forma onomatop. di disprezzo fondata sulla serie *b....b*.

**-òide**, dal lat. *oĩdes*, che è dal gr. -*eidés* 'somigliante a', con l'elemento -*o* del tema immediatamente precedente.

**oìdio**, dal gr. *ōíón* col suff. dimin. (di orig. gr.) -*idio*.

**olà**, da *oh* e *là*.

**-olare**, dal lat. -*ulare*, suff. di verbi denominativi tratti da dimin. e quindi di valore iterat.

**oleaginoso**, incr. di lat. *oleagĭnus* e lat. *oleosus*.

**oleandro**, incr. di lat. medv. (*lor*)*andrum* con *oleo*-, cfr. LEANDRO.

**oleario**, dal lat. *olearius*.

**oleastro**, dal lat. *oleaster*, -*stri*, deriv. di *olea* 'olivo'.

**oleato**, dal lat. *oleum*, incr. con it. *oliato*.

**olèico**, dal lat. *oleum* col suff. tecnico della chimica -*ico*, proprio degli acidi.

**oleificio**, comp. di *oleo*- e -*ficio*.

**olente**, part. pres. di *olire*; cfr. AULENTE.

**oleo**-, da lat. *oleum* 'olio'; v. OLIO.

**oleodotto**, da *oleo*- e -*dótto²*.

**oleografìa**, da *oleo*- e *grafìa*.

**oleòmetro**, da *oleo*- e -*metro*.

**oleopolio**, da *oleo*- e -*polio*, cfr. ENOPOLIO.

**oleoso**, dal lat. *oleosus*.

**olezzare**, lat. volg. *olidiare*, verbo denom. da *olĭdus* 'odorante', deriv. di *olere* 'odorare'; v. ODORE.

**olfatto**, dal lat. *olfactus*, -*us*, astr. di *ol(e)facĕre* 'odorare', 'fiutare', comp. di *olere* e *facĕre* 'far sentire l'odore'.

**oliàndolo**, incr. di *olia(rio)* e -(*vé*)*ndolo*.

**oliare**, verbo denom. da *olio*.

**oliario**, dal lat. *olearium*, neutro sostantiv. di *olearius*, incr. con it. -*olio*.

**olibano** 'incenso', dal lat. medv. *olĭbanus*, che è dal gr. *ho libanos* (ebr. *lebōnāh*).

**olifante**, dal frc. *olifant* 'avorio', che è dal lat. *elephantus* 'elefante'.

**oligarca**, dal gr. *oligárkhēs*, membro di un'*oligarkhía*.

**oligarchìa**, dal gr. *oligarkhía* «governo (-*arkhía*, astr. di *árkhō* 'io comando') di pochi (*olígos*)».

**oligàrchico**, dal gr. *oligarkhikós* 'riferito a oligarchia'.

**oligisto**, dal gr. *olígistos* (*sídēros*) «(che ha) pochissimo, minimo (ferro)» in proporzione con la magnetite.

**oligo**-, dal gr. *oligos* 'poco'.

**oligocene**, da *oligo*- e gr. *kainós* 'recente'.

**oligoemia**, da *oligo*- e -*emìa*.

**oligopolio**, da *oligo*- e (*mono*)*polio*.

**Olimpìade**, dal lat. *Olympias*, -*ădis*, che è dal gr. *Olympiás*, -*ádos*.

**olìmpico**, dal gr. *Olympikós* sia come deriv. del monte *Olympos*, sia della città di *Olympia*, sede dei giochi olimpici.

olimpiònico, dal gr. *olympiónikos*, deriv. da *olym-pioníkēs* ' vincitore ad Olimpia ', comp. di *Olympia* e *nikē* ' vittoria '.

Olimpo, dal gr. *Olympos*.

olio (non *oglio*), lat. *olĕum*, dal gr. *élaion* appartenente allo strato (più recente) di dialetti ion. che, spec. da Cuma, hanno diffuso la tecnica della lavorazione delle olive. Il passaggio da *el* a *ol* è regolare perché la *l-* non è seguìta da *-i-*. La quantità breve all'interno (cfr. invece la lunga in *olivum*) è dovuta alla sua posizione antevocalica; v. OLIVA, OLIVO.

olioso, v. OLEOSO.

olire, lat. volg. *olire*, class. *olere*, risal. alla rad. OD (v. ODORE), con la sostituz. della *-d-* interna mediante la *-l-*, secondo la moda sabina dei primi secoli della repubblica romana.

olitorio (mercato delle erbe a Roma), dal lat. *holitorius*, der. da *holus, -ĕris* ' erba ', ' cavolo ', collegato in lat. con *helvus* ' giallo-rosa ': rad. GHEL ' verde-fresco ', ' giallo ' attestata nelle aree greca, baltica, slava, indo-iranica e ted. (*gelb*).

oliva, lat. *oliva*, dal gr. *elaiwā* ' olivo ' e ' oliva ', appartenente allo strato linguistico più ant. dei grecismi it., arrivato per via di terra, prob. da Taranto, attrav. dialetti dor. che hanno conservato più a lungo il digamma (*-w-*). Il dittongo *-ai-* è passato regolarm. in *-ī-* in sill. interna.

olivagno, incr. di gr. (*elai*)*agnos* con *olivo*.

olivastro (s. m.), dal lat. *oleaster*, incr. con it. *olivo*.

olivetano, dal nome del convento di Monte Oliveto (Siena).

oliveto, lat. *olivetum*.

olivicoltura, calco su (*agri*)*coltura*.

olivo, da *oliva*; cfr. ULIVO.

olla, dal lat. *olla, aulla*, più ant. *auk-sla*, da una rad. AUK^W/UK^W ' pentola ', attestata anche nelle aree germanica e indiana.

olmo, lat. *ulmus*, con sole corrispond. nordoccidentali nelle aree celtica e germanica.

olo-, dal gr. *hólos* ' tutto '.

olocàusto, dal lat. tardo *holocaustum*, che è dal gr. *holókauston*, neutro sostantiv. dell'agg. *hólokaustos*, comp. di *holo-* ' tutto ' e *kaustós*, agg. verb. di *kaiō* ' io brucio '.

olocene, comp. di *olo-* e *kainós* ' recente ' e cioè il periodo « tutto-recente ».

olofràstico, comp. di *olo-* e gr. *phrastikós* ' esplicativo '.

ològrafo, dal gr. *hológraphos* « scritto (*grapho-*) tutto (*holo-*) (di pugno del testatore) ».

olona (tela), dalla città di *Olonne* (Vandea, Francia), incr. col fiume lombardo *Olona* nella cui valle è molto sviluppata l'industria tessile.

oltra (arc.), dal lat. *ultra*; v. OLTRE.

oltracotante, dal provz. *oltracuidan*, comp. di lat. *ultra* e lat. *cogitans, -antis* e cioè « pensante al di là dei limiti (del giusto) ».

oltraggio, dal frc. ant. *oltrage*, deriv. di *oltrer*, verbo denom. da *oltre*, lat. *ultra* « andare al di là (del giusto) ».

oltralpe, sg. estr. da *oltre* (*le*) *Alpi*.

oltramontano, dal lat. dell'alto medio evo *ultra-montanus*.

oltranza, dal frc. *outrance*, incr. con it. *oltra*.

oltranzista, calco su (*estrem*)*ista*, partendo dalla locuzione *a oltranza*.

oltre, dall'arc. *oltra*, lat. *ultra* ' al di là di ', deriv. da *uls* come *citra* da *cis*. *Uls* appartiene allo stesso tema di pron. dim. indicante cosa lontana da cui il lat. *ollus, olle* per ' ille ' e, a un diverso grado d'alternanza, *al-ius*. Fuori del lat., questo tema appare chiaram. solo nelle aree osco-umbra e celtica. Per il compar. rideterminato *ulterior* e il superl. *ultimus* v. ULTERIORE, ULTIMO.

oltremare[1] (geografia), da *oltre-* e *mare*.

oltremare[2] (colore), da *oltremare* perché di orig. transmarina.

oltremondano, dal lat. tardo *ultramundanus*, incr. con it. *oltre*.

oltremonte e oltremonti, da *oltre-* e *monti*.

oltrepassare, comp. di *oltre* e *passare*.

omaggio, dal frc. *hommage*, cfr. lat. medv. *hominàticum*.

omai, da *o*(*ggi*)*mai*.

omarino, doppio deriv. di *uomo*, con *-ar-* non tosc. (invece del tosc. *-er-*).

omaso, dal lat. *omasum*, di prob. orig. gallica.

ombelico e ombellico, lat. *umbilicus*, incr. talvolta con it. *bello* (cfr. BELLICO). Parola ideur. antichissima, risal. a una rad. ENEBH, variamente trattata e ampliata. Le forme, ampliate con *-l-* che più si avvicinano al lat. si trovano nelle aree greca (*omphalós*), germanica (ted. *Nabel*) e celtica: ma solo il greco mostra lo stesso grado di alternanza del latino. Senza ampliam. in *-l-* si hanno forme indo-iraniche dal grado NEBH/NOBH e il lat. *umbo, -onis* da OMBH; v. UMBONE.

ombra, lat. *umbra*, ant. *ondh-sra* che trova paralleli indo-iranici col signif. di ' cieco ' e di ' tenebra '. Parola di orig. ideur. settentr. per cui le risonanze affettive sono normalm. sfavorevoli. In regioni calde l'ombra si associa all'imagine di ' riparo (dal sole) '.

ombrare, dal lat. *umbrare*.

ombràtile, dal lat. *umbratĭlis*, incr. con it. *ombra*.

ombrella, lat. medv. *umbrella*, incr. di class. *umbella* (dimin. di *umbra*) con *umbra*.

ombrina, lat. volg. *umbrina*, deriv. di lat. *umbra*, calco su gr. *skíaina*, deriv. di *skiá* ' ombra ', per le strisce che ombreggiano i fianchi di questo pesce.

ombrinali (fori), deriv. di gr. *ombrinós* ' pluviale ', deriv. di *ómbros* ' pioggia '.

ombroso, lat. *umbrosus*.

òmega, dal gr. *ō méga* ' O grande '.

omèi (lamenti), da *o*(*i*)*mè* con la desinenza di plurale.

omelìa, dal lat. crist. *homilia* ' discorso al popolo ', gr. *homilía* ' adunanza ', astr. deriv. da *homiléō* ' mi aduno '.

omento, dal lat. *omentum*, forse collegato alla famiglia di (*ind*)*uĕre*, (*ex*)*uĕre* attrav. una presunta forma anteriore *ovi-mentum*, con un trattam. rustico in *-ō-* invece dell'urbano *umentum*; cfr. INDUMENTO.

omeopatìa, comp. moderno (XIX sec.) di gr. *hómoios* ' lo stesso ' e *páthos* ' malattia ' con suff. *-ìa* di astr.

omèrico, dal lat. *homerĭcus*, che è dal gr. *homerikós*, da *Hómēros* ' Omero '.

òmero, dal lat. *umĕrus*, risal. a OMSO- ' spalla ' attestato nelle aree indiana, armena, germanica, umbra, greca (*ōmos*), con l'inserimento non spiegato di una *-e-* interna in lat.

**omertà,** dal napoletano *omertà,* lat. *humilĭtas* (v. UMILTÀ), per la cieca sottomissione alle regole della « onorata » società della Camorra.

**ométtere,** dal lat. *omittĕre,* risal. a *\*ommittĕre* e questo a *\*ob-mittĕre,* v. MÉTTERE.

**omicida,** dal lat. *homicida,* comp. di *homo* ' uomo ' al posto di *homon-* e *-cida;* v. -CIDA.

**omicidiale** (arc.), da *omicidio.*

**omicidio,** dal lat. *homicidĭum.*

**òmicron,** dal gr. *O mikrón* ' O piccolo '.

**omilètico,** dal lat. crist. *homilĕticus,* che è dal gr. *homilētikós.*

**ominide,** dal lat. scient. *homìnidae,* comp. di *homo homĭnis* ' uomo ' e il suff. di discendenza *-idae,* dal gr. *-idai,* nom. plur.

**ominoso,** dal lat. *ominosus,* deriv. di *omen, -ĭnis* ' presagio ' prob. da *\*augsmen* e cioè dalla famiglia di *augur,* v. ÀUGURE.

**omissione,** dal lat. *omissio, -onis,* nome d'azione di *omittĕre.*

**òmnibus,** dal frc. *omnibus* (XIX sec.), che è dal lat. *omnibus,* dat. abl. plur. di *omnis:* « (veicolo) per tutti ».

**omniscienza,** v. ONNISCIENZA.

**omo-,** dal gr. *homós* ' simile '.

**omofonìa,** dal gr. *homophōnía;* v. OMÒFONO.

**omòfono,** dal gr. *homóphōnos* « (fornito) di ugual (homo-) suono (phōno-) ».

**omogeneo,** dal gr. *homogenḗs,* comp. di *homo-* ' lo stesso ' e *génos* ' genere ': « di uguale stirpe ».

**omologare,** dal lat. medv. *homologare* ' considerare *omòlogo* alla realtà, riconoscere '.

**omòlogo,** dal gr. *homólogos* ' concordante ', comp. di *homo-* e *logos.*

**omonimìa,** da *omònimo* con *-ìa* di astr.

**omònimo,** dal lat. tardo *homonȳmus,* gr. *homónȳmos* ' di ugual nome ', comp. di *homós* ' uguale ' e *ónyma* ' nome ' variante dor. eol. di fronte a *ónoma.*

**omòplata,** dal gr. *ōmoplátē,* comp. di *ōmos* ' spalla ' e *platýs* ' largo '.

**omosessuale,** da *omo-* e *sessuale.*

**omùncolo,** dal lat. *homuncŭlus,* dimin. di *homo, -ĭnis.*

**onagro,** dal lat. *onăger, -gri* che è dal gr. *ónagros,* comp. di *ónos* ' asino ' e *ágrios* ' selvatico '.

**onanismo,** dal nome del personaggio biblico *onān* (gr. *Aunán*), punito da Dio per il suo vizio.

**oncia,** lat. *uncia,* deriv. di *unus,* con un procedim. morfologico non precisato.

**onciale,** dal lat. *uncialis* incr. con it. *oncia.*

**oncologìa,** dal gr. *ónkos* ' volume, tumore ' e *-logìa.*

**ónda,** lat. *unda,* antichissima denominaz. dell'acqua come essere animato di genere femm. (come nello slavo *voda*) e con infisso nasale come nel nome lituano dell'acqua *vanduô* e nel verbo indiano *unatti* ' si diffonde nell'acqua '. La rad. è WED/UD, attestata, si può dire, in tutte le aree ideur.: in quelle centrali con l'ampliam. *-R/-N* e il genere neutro, in quanto l'acqua viene ivi considerata strumento (così gr. *hýdōr,* ted. *Wasser*).

**onde,** lat. *unde* ' da dove '. La forma primitiva è *\*quunde* come quello di *ubi* è *\*quubi* (v. OVE). Ma l'ampliam. in nasale che dà valore ablativo (parallelo a quello di *i-n-de,* v. INDI) è oscuro, e la finale *-de* trova una corrispond. solo nell'area slava.

**ondina,** dal lat. del XVI sec. *undina.*

**ondìvago,** dal lat. tardo *undivăgus,* comp. di *unda* e *vagus* ' vagante '; v. VAGARE.

**ondosità,** dal lat. tardo *undosĭtas, -atis.*

**ondoso,** dal lat. *undosus.*

**ondulare,** verbo estr. dall'agg. *ondulato.*

**ondulato,** dal lat. *undulatus,* deriv. in *-atus* di *undŭla,* dimin. di *unda.*

**onerare,** dal lat. *onerare.*

**onerario,** dal lat. *onerarius.*

**ònere,** dal lat. *onus, -ĕris,* con un'esatta corrispond. nel sanscrito *anas* ' veicolo da carico '.

**oneroso,** dal lat. *onerosus.*

**onestà,** dal lat. *honestas, -atis* ' onorabilità ', da più ant. *\*honestĭtas,* astr. di *honestus.*

**onestare,** incr. di lat. *honestare* ' onorare ' con it. *onèsto.*

**onesto,** dal lat. *honestus* ' onorato ', deriv. da un sost. neutro *\*honus, -ĕris;* v. ONORE.

**ònice,** dal lat. *onyx, -ȳchis,* che è dal gr. *ónyks, ónykhos* ' unghia ', per la somiglianza del colore.

**onicofagìa,** dal gr. *ónyks, -ykhos* ' unghia ' e *-fagìa.*

**-ònimo,** dal gr. *ónyma* ' nome ', variante dialettale dor.-eol. di *ónoma:* per es. *topònimo, idrònimo.*

**onìrico,** dal gr. *óneiros* ' sogno ' con suff. aggettiv. *-ico.*

**onisco,** dal gr. *onískos* ' asinello ', dimin. di *ónos* ' asino '.

**onne** (arc.), v. OGNI.

**onni-,** dal lat. *omnis.*

**onninamente,** dal lat. *omnino,* avv. da abl. irrigidito di un agg. *\*omninus,* deriv. di *omnis* (v. OGNI) e il suff. di avv. it. *-mente.*

**onnipossente,** incr. di lat. *omnipŏtens* e it. *possente.*

**onnipotente,** dal lat. *omnipŏtens, -entis.*

**onnipotenza,** dal lat. crist. *omnipotentia.*

**onniscienza,** dal lat. medv. *omniscientia.*

**onniveggente,** da *onni-* e *veggente.*

**onnìvoro,** dal lat. *omnivŏrus,* comp. di *omnis* e *-vorus,* tema di nome d'agente del verbo *vorare* (v. VORACE) incr. con it. *onni-.*

**onomasiologìa,** comp. di gr. *onomasía* ' designazione ' e *-logìa.*

**onomàstica,** dalla formula *(scienza) onomastica* ' scienza dei nomi '.

**onomàstico,** dal gr. *onomastikós* ' che si riferisce all'attribuzione di un nome ', deriv. di *onomázō* ' io denòmino '; verbo denom. da *ónoma* ' nome '.

**onomatopèa,** dal lat. tardo *onomatopoeia* che è dal gr. *onomatopoïĭa* ' formazione di nomi ', comp. di *ónoma* ' nome ' e l'astr. in *-ìa* di *poiéō* ' faccio '.

**onoràbile,** dal lat. *honorabĭlis.*

**onorando,** dal lat. *honorandus.*

**onorare,** lat. *honorare,* verbo denom. da *honos, -oris.*

**onorario[1]** (agg.), dal lat. *honorarius* ' fatto per onorare '.

**onorario[2]** (sost.), dal lat. *honorarium.*

**onore,** lat. *honos, -ōris,* affiancato a un ant. *\*honus, -ĕris* (da cui *honestus,* v. ONESTO) privo di corrispond. attendibili, ancorché di formaz. sicuram. ideur.

**onorévole,** incr. di lat. *honorabĭlis* e it. *-évolĕ.*

**onorificenza,** dal lat. tardo *honorificentia.*

**onorìfico,** dal lat. *honorifĭcus.*

**onta,** dal frc. ant. *honte,* franco *haunitha.*

**ontano**, lat. tardo (glossa) *alnetanus* incr. con dialettale *oneto* ' bosco o macchia di ontani ', forma tratta da \**auneto*, che è l'equival. nord-occidentale di lat. *alnetum*, collettivo di *alnus*; cfr. ALNO.

**onto-**, dal gr. *ṓn*, *óntos*, part. pres. di *eimí* ' io sono '.

**ontogènesi**, comp. di *onto-* e *gènesi*.

**ontologìa**, comp. di *onto-* e *-logìa*.

**ontoso**, dal frc. ant. *honteux*; v. ONTA.

**onusto**, dal lat. *onustus*, deriv. di *onus*, *-ĕris* ' peso '; v. ÒNERE.

**oolite**, dal lat. scient. *oolithes*, comp. di gr. *ōión* ' uovo ' e *líthos* ' pietra ', perché granuloso.

**oosfera**, dal gr. *ōión* ' uovo ' e *sfera*.

**opacità**, dal lat. *opacĭtas*, *-atis*.

**opaco**, dal lat. *opacus*, prob. già ideur. OPAKO-, attestato anche nelle aree slava e indiana, ampliam. (non chiaro) della prep. OP alternante con EP (gr. *epí* ' sopra '). Opposto di *opacus* è *apricus* (v. APRICO), come *aperire* ' aprire ' lo è di *operire* ' chiudere '; cfr. OBBEDIRE.

**opale**, dal frc. *opale* che è dal lat. *opălus* e questo dal gr. *opállios*, risal. forse al sanscrito *upalas* ' pietra preziosa '.

**opalescente**, incr. di *opale* e *(latte)scente*.

**òpera**, dal lat. *opĕra* (cfr. OPRA), collettivo di *opus*, *-ĕris*, risal. a OPOS che si ritrova identico nel sanscrito *apas* ' opera '. Alla stessa rad. OP appartiene il verbo germanico da cui il ted. *üben* ' esercitare ', e in lat. il tema radicale \**ops*, *opis* (v. OPULENTO, OTTIMO e cfr. INOPE). Per la variante EP², v. EPULONE.

**operaio**, dal lat. *operarius*.

**operare**, dal lat. *operari*, verbo denom. da *opus*, *-ĕris*.

**operativo**, dal lat. tardo *operativus*.

**operatore**, dal lat. tardo *operator*, *-oris*.

**operatorio**, dal lat. tardo *operatorius*.

**operazione**, dal lat. *operatio*, *-onis* ' l'occuparsi di qualcosa '.

**opèrcolo**, dal lat. *opercŭlum*, nome di strum. di *operire* ' chiudere, coprire '; cfr. APRIRE, COPERCHIO.

**operosità**, dal lat. *operosĭtas*, *-atis*.

**operoso**, dal lat. *operosus*.

**-opìa**, dal gr. *-ōpía*, astr. deriv. da *óps*, *ōpós* ' occhio '.

**opificio**, dal lat. *opificium*, deriv. di *opĭfex*, *-ĭcis* ' artefice ', comp. di *opus* ' lavoro ' e *-fex* tema di nome d'agente di *facĕre*.

**opimo**, dal lat. *opimus* ' fertile, pingue ', sicuram. collegabile con *ops* ' ricchezza ', ma con un suff. di superl. che non ha paralleli per la quantità lunga della *-i-*.

**opinàbile**, dal lat. *opinabĭlis*.

**opinare**, dal lat. *opinari*, oscuro ampliam. intens. in *-inare* (cfr. *festinare*) di un precedente \**opinĕre* (v. OPINIONE) forse connesso con la rad. EP³/OP ' scegliere, prendere ' di *optare*; v. OPTARE.

**opinativo**, dal lat. tardo *opinativus*.

**opinione**, dal lat. *opinio*, *-onis*, nome d'azione di un presunto \**opinĕre*, forma primitiva di cui è tratto l'intensivo-durativo *opinari*; v. OPINARE.

**op là** (interiez. per il salto), dall'ingl. *hop* ' salto ' e it. *là*.

**oplita**, dal lat. *hoplites* che è dal gr. *hoplítēs*, deriv. di *hóplon* ' armatura '.

**opossum**, dall'ingl. *opossum* e questo dall'algonchino (ìndiano d'America) *āpăsŭm*.

**opoterapìa**, dal gr. *opós* ' succo ' e *terapia*.

**òppido**, dal lat. *oppidum*, prob. da PEDO- ' impronta ' attestato nelle aree indiana, greca, armena, umbra, con *ob-* di valore contrappositivo.

**oppilare**, dal lat. *oppilare*, comp. di *ob* e *pilare* ' comprimere '; v. PILA.

**oppilazione**, dal lat. tardo *oppilatio*, *-onis*.

**oppio**[1], lat. *ŏpŭlus*, parola mediterr. somigliante a *pŏpŭlus*; v. PIOPPO e cfr. LOPPIO.

**oppio**[2], dal lat. *opium* che è dal gr. *ópion* ' succo di papavero '.

**oppiòmane**, da *oppio* e *-mane*.

**oppiomania**, da *oppio* e *manìa*.

**opporre**, dal lat. *opponĕre* incr. con it. *porre*.

**opportunità**, dal lat. *opportunĭtas*, *-atis*.

**opportuno**, dal lat. *opportunus*, comp. di *ob* e *portunus*, deriv. di *portus* e perciò tratto in orig. dalla lingua nautica: *ventus opportunus* ' vento che spinge verso il porto '; v. PORTO.

**oppòsito** (arc.), dal lat. *opposĭtus*, part. pass. di *opponĕre*; v. OPPORRE e cfr. OPPOSTO.

**oppositore**, nome d'agente deriv. da *oppòsito*, part. pass. arc. di *opporre*.

**opposizione**, dal lat. *oppositio*, *-onis*, nome d'azione di *opponĕre*; v. POSIZIONE.

**opposto**, lat. *opposĭtus* incr. con it. *posto*.

**oppressione**, dal lat. *oppressio*, *-onis*, nome d'azione di *opprimĕre*; v. OPPRÌMERE e PRESSIONE.

**oppressore**, dal lat. *oppressor*, *-oris*, nome d'agente di *opprimĕre*.

**opprìmere**, dal lat. *opprimĕre*, comp. di *ob* e *premĕre* con norm. passaggio di *-ĕ-* in *-ĭ-* in sill. interna aperta.

**oppugnare**, dal lat. *oppugnare*, comp. di *ob-* e *pugnare*; v. PUGNA.

**oppugnatore**, dal lat. *oppugnator*, *-oris*.

**oppugnazione**, dal lat. *oppugnatio*, *-onis*.

**oppure**, comp. di *o(d)* e *pure*.

**opra**, lat. *opĕra*; v. ÒPERA.

**oprare**, lat. *operari*.

**oprire** ' aprire ' (arc.), lat. volg. \**oprire*, incr. di class. *aperire* ' aprire ' e *cooperire* ' coprire '.

**optare**, dal lat. *optare* ' scegliere ', verbo intens. di un presunto \**opĕre* ' prendere ' (cfr. il part. pass. \**optus*, v. ADOTTIVO, ADOZIONE), risal. a una rad. EP³/OP, attestato anche nelle aree umbra, ittita, armena; cfr. OPINARE e OTTARE.

**opulento**, dal lat. *opulentus*, deriv. di \**ops opis* ' ricchezza ', con un deriv. del tipo *lutulentus*, *fraudulentus*; cfr. OPIMO, ÒTTIMO.

**opulenza**, dal lat. *opulentia*.

**opunzia**, dal lat. *(herba) opuntia*, femm. di *opuntius* che è dal gr. *opúntios* ' abitante di Opunte ' nella Locride (Grecia orientale).

**opùscolo**, dal lat. *opuscŭlum*, dimin. di *opus*, *-ĕris*.

**ora**[1] (sost.), lat. *hora*, dal gr. *hóra* ' stagione '; cfr. ORIOLO.

**ora**[2] (avv.), lat. *horā*, abl. di *hora*.

**oràcolo**, dal lat. *oracŭlum*, nome di strum. di *orare* ' parlare '; v. ORARE.

**òrafo**, lat. *aurĭfex*, passato alla declinaz. in *o*, con norm. passaggio ad *-a-* della voc. postonica in parola sdrucciola come in *crònaca*, *tònaca*; cfr. OREFICE.

**orale**, dal lat. *os*, *oris* ' bocca ', passata poi a indicare l'intiera ' faccia ', col suff. *-ale*. *ōs'* è antichissima parola ideur. sopravv. anche nelle aree indoiranica, celtica, ittita, nell'area germanica (ant. islandese) solo col signif. di ' bocca (di fiume) '; v. ORLARE e OSTIO. Per il pref. *c-* in *coram* v. ORLARE e COSTA.

**or(a)mai,** da *ora* e *mai*.

**orango,** abbreviaz. di *orangutàn,* dall'ingl. *orangoutang* (XVIII sec.), e questo dal malese *ōrang* ' creatura umana ', *ūtan* ' selvaggia '.

**orare,** dal lat. *orare* ' parlare ' (poi ' pregare '), verbo denom. da *os oris* ' bocca '; v. ORALE.

**orario,** forma sostantiv. dal lat. medv. *horarius,* agg. deriv. di *hora;* cfr. ORIOLO.

**orata,** lat. rustico *orata,* class. *aurata,* femm. sostantiv. di *auratus* ' dorato '; v. ORO.

**oratore,** dal lat. *orator, -oris.*

**oratoria,** femm. sostantiv. di *oratorio.*

**oratorio**[1] (agg.), dal lat. *oratorius,* deriv. di *orator, -oris.*

**oratorio**[2] (sost.), dal lat. crist. *oratorium,* deriv. di *orare* ' pregare '.

**orazione,** dal lat. crist. *oratio* ' preghiera ', class. ' discorso '.

**orbacca,** lat. *lauri bacca* ' bacca d'alloro ', analizzata attrav. la forma *\*l'orbacca,* con l'articolo « deglutinato ».

**orbace,** dal sardo *orbaci,* ar. *al-bazz* ' stoffa '; cfr. ALBAGIO.

**orbare,** dal lat. *orbare,* verbo denom. da *orbus* ' privo '.

**orbe,** dal lat. *orbis* ' circolo, globo, mondo ', privo di connessioni attendibili salvo fosse con *urbs.*

**orbello,** dimin. di *orbis* per sottolineare la forma rotonda del manico.

**orbettino,** doppio dimin. di *orbo,* dovuto alla errata opinione che fosse cieco.

**orbicolare** e **orbicolato,** dal lat. tardo *orbicularis,* deriv. di *orbicŭlus* ' cerchietto '.

**òrbita,** dal lat. *orbĭta* ' linea circolare ', deriv. di *orbis* ' cerchio ', con un procedim. non chiaro.

**orbo,** lat. *orbus* ' orfano ', conservato identico nell'area armena, e, con vistoso ampliam., nel gr. *orph(anós).* Passato al signif. di ' eredità ', e cioè di « cosa orfana (di padrone) » nelle aree celtica e germanica (ted. *Erbe*).

**orca,** dal lat. *orca* ' balena ' e ' grosso recipiente '. Sembra di doppia orig. gr., da *óryks* nel primo senso, da *hýrkhē* nel secondo, entrambe però di prob. orig. mediterr.

**orchestra,** dal lat. *orchestra* che è dal gr. *orkhêstra* ' spazio riservato ai movimenti del coro ', da *orkhéomai* ' io danzo '.

**orchidèa,** dal gr. *orkhídion* ' testicolo ' e ' orchidea ', dimin. di *órkhis* ' testicolo ', attrav. il lat. scient. dei botan. del primo Ottocento.

**orcina,** da *oric(ello)* col suff. chimico *-ina;* cfr. RESORCINA.

**orcio,** lat. *urceus,* connesso con gr. *hýrkhē* e, come quello, di orig. mediterr.; cfr. ORCA.

**orco,** lat. *Orcus* ' sede dei morti ', priva di connessioni attendibili.

**orda,** da una forma dialettale turca *orda* ' tenda del capo ', poi ' corpo militare '.

**ordalia,** dal lat. medv. *ordalium* e questo dall'anglosassone *ordāl* (ted. *Urteil*).

**ordigno,** lat. medv. (IX sec.) *ordinium* ' suppellettile ', deriv. di *ordo, -ĭnis.*

**ordinale,** dal lat. tardo dei gramm. *ordinalis.*

**ordinare,** dal lat. *ordinare,* verbo denom. da *ordo,*

*-ĭnis,* che prende il posto, in questa funzione, del primitivo *or(di)nare* (v. ORNARE), passato ad altro signif.

**ordinario,** dal lat. *ordinarius.*

**ordinativo,** forma sostantiv. dal lat. tardo *ordinativus.*

**ordinatore,** dal lat. *ordinator, -oris.*

**ordinazione,** dal lat. *ordinatio, -onis.*

**órdine,** lat. *ordo, -ĭnis,* anticam. ' ordine dei fili nella trama ', poi impiegato in valori più astr. Ma dall'elemento *ord-* non si ricavano spunti per connessioni attendibili in altre aree, al di fuori della vaghissima rad. ARĒ, per cui v. ARTE.

**ordire,** lat. *ordiri,* in principio riferito a ' trama ' e cioè all'inizio dell'operazione tecnica della tessitura. Legato sicuram. a *ordo, -ĭnis,* ma senza altre connessioni evidenti.

**orèade,** dal lat. *oreas, oreădis* che è dal gr. *oreiás, -ádos,* deriv. di *óros* ' monte '.

**orecchia,** lat. tardo *oricla,* class. *auricŭla,* dimin. di *auris,* antichiss. e diffusissima parola ideur. che compare nelle forme AUS/OUS attrav. una tradiz. assai disturbata; spesso di genere neutro e di forma duale, talvolta con un ampliam. come nel gr. *\*ous-n̥t-* che dà *ōt* (v. OTO-) o con *-en* come nelle aree germaniche (ted. *Ohren*) e armena, caratterizzata da una nasale. *Auris* mostra il passaggio alla declinaz. in *-i;* una traccia della forma semplice si trova in *auscultare* (v. ASCOLTARE) e nelle aree baltica e iranica.

**oréfice,** dal lat. *aurifex, -ĭcis;* cfr. ÒRAFO.

**oremus,** dal lat. *oremus,* prima pers. plur. del pres. congiunt. di *orare* ' pregare '; v. ORARE.

**orerìa,** da *oro,* secondo lo schema di *argento* e *argenterìa.*

**orezzare,** lat. volg. *\*auridjare,* verbo denom. e iterat. di *aura* (cfr. AURA), col trattam. del gruppo *-dja-* come in *mezzo,* cfr. BREZZA (anziché come in *moggio*), rispetto ai verbi denominativi-iterativi norm. come *ondeggiare* e sim.

**orezzo,** sost. deverb. estr. da *orezzare;* cfr. REZZO.

**òrfano,** lat. tardo *orphănus* (dal gr. *orphanós*), con la *a* postonica conservata in parola sdrucciola.

**orfanotrofio,** dal lat. tardo *orphanatrophĭum,* che è dal gr. *orphanotropheion,* comp. di *orphanós* e il tema deriv. da *tréphō* ' io nutro ': incr. con *-trofio* (v.).

**organdi,** dal frc. *organdi,* prob. dal nome della città di *Urgenc'* (Turchestan russo); v. ORGANZINO.

**organare,** verbo denom. da *òrgano.*

**organica,** da *(arte) organica.*

**organico,** dal lat. *organĭcus* che è dal gr. *organikós* ' attinente alle macchine '.

**organigramma,** da *organi(co)* e *(dia)gramma.*

**organismo,** dal frc. *organisme* (XIX sec.).

**organista,** dal lat. medv. *organista.*

**organizzare,** dal lat. medv. *organizare* ' conformare '.

**òrgano,** dal lat. *orgănum* che è dal gr. *órganon* ' strumento ', della famiglia di *érgon* ' lavoro '; v. ERGON.

**organolèttico,** dal frc. *organoleptique,* comp. del gr. *órganon* ' organo di senso ' e *lēptós,* agg. verb. di *lambánō* ' io prendo '.

**organoterapìa,** da *organo* e *terapìa.*

**organza,** v. ORGANDI.

**organzino,** da *Organzi,* nome medv. della città di *Urgenc',* nel Turchestan russo.

**orgasmo,** dal gr. *orgasmós,* deriv. di *orgáō* ' sono pieno di ardore ', verbo denom. da *orgḗ* ' eccitamento ', della famiglia di *érgon;* v. ERGON.

**orgia,** dal lat. *orgia,* neutro plur., che è dal gr. *órgia,* plur. di *órgion,* della famiglia di *érgon* ' lavoro '; v. ERGON.

**orgiàstico,** dal gr. *orgiastikós.*

**orgoglio,** dal provz. *orgolh,* franco *orgōli.*

**oricalco,** dal lat. *orichalcum* che è dal gr. *oreíkhalkos,* comp. di *óros* ' monte ' e *khalkós* ' rame ': « rame di monte ».

**oricello,** dal nome di un'erba detta in lat. *urceolaris* incr. con *aurum* e in più il dimin. *-ello.*

**orichicco,** da *oro-* e *chicco,* e cioè « chicco d'oro ».

**oricrinito,** doppio calco sul lat. *auricŏmus* ' dalle auree chiome ': comp. di *oro* e *crinito* ' chiomato '.

**orientale,** dal lat. *orientalis.*

**orientare,** verbo denom. da *oriente,* nel senso del primo dei punti cardinali.

**oriente,** dal lat. *oriens, orientis,* part. pres. di *oriri* ' sorgere ', riferito al sole. *Oriri* è un tema di pres. deriv. da un tema primitivo OR, attestato in lat. nel part. pass. *ortus* e nelle aree ittita, greca (*órto*), indiana (*r̥ta-*). Per la forma ampliata in *-ī-* v. ORÌGINE.

**orifiamma,** dal frc. ant. *orie flambe* che è dal lat. *aurea flamma* incr. con it. *fiamma.*

**orificio,** dal lat. tardo *orificium,* comp. di *os oris* ' bocca ' e *-ficium* « che fa da bocca »; v. ORALE.

**orìgano,** dal lat. *origănum* che è dal gr. *oríganon.*

**originale,** dal lat. tardo *originalis,* deriv. di *origo, -ĭnis.*

**originario,** dal lat. tardo *originarius.*

**orìgine,** dal lat. *origo, -ĭnis,* astr. di *oriri* ' sorgere ', tratto dalla rad. OR (v. ORIENTE), ampliata in *-i-* come avviene nell'area armena e nel verbo gr. derivato *orínō* ' io sollevo '.

**origliare,** dal frc. ant. *oreillier,* lat. volg. *oriclare,* verbo denom. da *oricla;* v. ORECCHIA.

**origliere,** dal frc. *oreiller,* deriv. di *oreille,* lat. volg. *oricla.*

**orina,** lat. *urina,* senza connessioni attendibili.

**oriolo,** lat. volg. *hor(ar)jòlum,* dimin. di *horarium* ' orologio ', agg. sostantiv. da *hora;* v. ORA[1].

**orittogenìa,** dal gr. *oryktós* ' scavato ' e *-genìa* ' genesi '.

**orittologìa,** dal gr. *oryktós* ' scavato ' e *-logìa.*

**oriundo,** dal lat. *oriundus,* part. fut. di *oriri* ' sorgere ', che ha mantenuto il vocalismo orig., senza passare a *oriendus.*

**orizzonte,** dal lat. *horìzon, -ontis* che è dal gr. *horízōn (kýklos)* ' circolo delimitante ', part. pres. di *horízō* ' io delimito ', verbo denom. da *hóros* ' confine '.

**orlare,** lat. volg. *orulare,* verbo denom. da *orŭla,* dimin. di *ōra* ' orlo '; *ōra* a sua volta è ampliam. di *ōs, ōris* ' bocca ', passato a indicare figuratam. ' ciò che mette in comunicazione con l'esterno ', e, sviluppato in lunghezza, ' bordo '; cfr. la forma irrigidita dell'avv. *c-oram* ' faccia a faccia ' che presuppone una forma antichissima *cora* di fronte a *os, oris* come *costa* di fronte a *os, ossis;* v. COSTA.

**orlo,** lat. volg. *orŭlum,* dimin. di *ōra* ' orlo '.

**orma,** sost. deverb. da *ormare.*

**ormai,** da *ora mai.*

**ormare** ' seguire le orme ', dal gr. *osmáō* ' io fiuto ' incr. con it. *forma;* cfr. OSMIO.

**ormeggiare,** dal lat. medv. *hormizare* che è dal gr. *hormízō,* verbo denom. da *hórmos* ' rada ': « luogo per ancoraggio ».

**ormone,** dall'ingl. *hormone* (XX sec.), deriv. di gr. *hormôn* ' eccitante ', part. pres. di *hormáō.*

**ormonoterapia,** da *ormone* e *terapìa.*

**ornamentazione,** dal frc. *ornementation,* nome di azione di *ornementer* ' ornare '.

**ornamento,** dal lat. *ornamentum.*

**ornare,** dal lat. *ornare,* ant. *or(di)nare,* verbo denom. da *ordo, -ĭnis* col valore ' disporre, guarnire ', passato poi a significare cosa superflua e decorativa.

**ornato[1],** dal lat. *ornatus, -a, -um,* part. pass. di *ornare.*

**ornato[2],** dal lat. *ornatus, -us.*

**ornatore,** dal lat. tardo *ornator, -oris.*

**ornatura,** dal lat. tardo *ornatura.*

**ornello** e **orniello,** dimin. di *orno* (v.).

**ornitologìa,** comp. di gr. *órnis, -ithos* ' uccello ' e *-logìa* (XVI sec.).

**ornitorinco,** comp. di gr. *órnis, -ithos* ' uccello ' e *rhýnkhos* ' becco ': « (mammifero) dal becco di uccello ».

**orno,** lat. *ornus,* allineato con i temi del tipo *alburnum, viburnum.* La forma lat. di partenza è *osinos,* da una rad. ōs[2]/OS, che, con ampliam. varî è attestata, secondo il quadro tipico della terminologia forestale, anche nelle aree celtica, germanica, baltica, slava.

**oro-,** dal gr. *óros* ' monte '.

**oro,** lat. *aurum,* da un più ant. *ausom* attestato presso i Sabini. La forma della rad. è AWES che, con diversi gradi d'alternanza, appare anche nelle aree baltica e tocaria. Facile è dunque il richiamo alla famiglia di *aurora,* ant. *ausosa;* v. AURORA.

**orobanche,** dal lat. *orobanche* che è dal gr. *orobánkhē,* comp. di *órobos* ' veccia ' e il tema di *ánkhō* ' io stringo '.

**orogènesi,** da *oro-* e *gènesi.*

**orografìa,** da *oro-* e *-grafìa.*

**orologio,** dal lat. *horologium* che è dal gr. *hōrológion,* comp. di *hōra* ' stagione, ora ' e *-lógion,* tema di nome di strum. da *légō* ' io dico ': « quello che dice l'ora ».

**orònimo** ' denominazione di monte ', incr. di *oro-* e *(top)onimo.*

**oròscopo,** dal lat. *horoscŏpus,* che è dal gr. *horoskópos,* comp. di *hōra* ' ora ' e *-skopo-,* tema di nome di agente da *sképtomai* ' io osservo ': « quello che osserva l'ora (della nascita) ».

**orpello,** dal provz. *auripel,* lat. *aurea pellis* ' pelle d'oro '.

**orpimento,** dal frc. *orpiment,* lat. *auri pigmentum* ' pigmento d'oro '.

**orrendo,** dal lat. *horrendus,* part. fut. passivo di *horrere* ' avere orrore ', da una rad. GHERS, attestata anche nelle aree armena e indiana, e che significa originariam. ' eccitarsi ' (non necessariamente in senso di sofferenza).

**orrettizio,** dal lat. tardo *obrepticius,* risal. a *obrepĕre.*

**orrezione,** dal lat. tardo *obreptio, -onis,* nome di azione di *obrepĕre* ' insinuare contro (la verità) '; v. RÈTTILE.

**orrìbile,** dal lat. *horribĭlis,* agg. verb. attivo di *horrere* ' avere orrore '; v. ORRENDO.

**orridità,** dal lat. *horridĭtas, -atis.*

**òrrido,** dal lat. *horrĭdus* ' ruvido, irto ', deriv. di *horrere* ' avere orrore '.

orripilante, dal lat. *horripĭlans, -antis* « che fa rizzare i capelli », part. pres. di *horripilare*, verbo denom. da *\*horri-pĭlus*, calco sul gr. *orthóthriks*; v. ORRENDO e PELO.

orrore, dal lat. *horror, -oris*, astr. di *horrere*.

orsàggine, da *orso* col suff. peggiorativo *-àggine*.

orso, lat. *ursus*, da un più ant. *\*orcsos*, risal. al tema ideur. ṚKYO- 'orso', che si ritrova identico anche nelle aree indo-iranica, armena, greca, celtica.

orsoio, da (*filo*) *orsoio* ' (filo) che ordisce ', dal lat. *orsus*, part. pass. di *ordiri*, col suff. *-orius* (v. ORDINE, ORDIRE), passato toscanamente a *-oio*; cfr. CORSOIO.

orsù, da *ora* e *su*.

ortense, dal lat. *hortensis*.

ortensia, dal nome di una dama frc. del Settecento, *Hortense Barré Lepante*.

ortica, lat. *urtica*, privo di connessioni attendibili.

ortìcolo, da *orto* e *-colo*, calco su *agrìcolo*.

orticoltura, da *orto* e *coltura*, calco su *agricoltura*.

orto-, dal gr. *orthós*.

orto, lat. *hortus*, che risale a un tipo GHORTO-, presente non solo nell'area osco-umbra ma anche in quella celtica. Il tipo germanico, sopravv. nel ted. *Garden* ' giardino ', presuppone una base di partenza GHORTO-, ma non esclude varianti come GHORD- e GHORDH-. Le corrispond. nelle aree baltica, slava, tocaria si limitano alla rad. GHER[1]-GHOR, ma il signif. di ' recinto ' rimane solido; cfr. GIARDINO.

ortocromàtico, dal ted. *Orthochromasie* incr. con it. *cromàtico*.

ortodosso, dal lat. tardo *orthodoxus* che è dal gr. *orthódoksos*, comp. di *orthós* ' retto ' e *dóksa* ' opinione ': « colui che è di retta opinione ».

ortoepìa, dal gr. *orthoépeia*, comp. di *orthós* ' retto ' e *épos* ' parola '.

ortofonìa, da *orto-* e *-fonìa*.

ortofrenìa, da *orto-* e il gr. *phrēn* ' mente ' col suff. di astr. it. *-ìa*.

ortogonale, dal lat. *orthogōnus* ' angolo retto ', estr. dal gr. *orthogōnios*, comp. di *orthós* ' retto ' e *gōnía* ' angolo ', col suff. aggettiv. it. *-ale*.

ortografìa, dal gr. *orthographía*, comp. di *orthós* ' retto ' e *-graphía* astr. di *gráphō* ' io scrivo '.

ortolano, dal lat. tardo *hortulanus*.

ortopedìa, dal frc. *orthopédie*, comp. di gr. *orthós* ' retto ' e *país paidós* ' ragazzo ' con suff. *-ie* di astr.: perché questo studio è cominciato in relazione alle deformità infantili.

ortòttero, comp. di *orto-* e *-ttero*.

orza, lat. medv. *ortia*, forse risal. al termine della marineria biz. *orthías* ' parte dell'albero della nave '.

orzaiolo, doppio deriv. da (*grano*) *d'orzo*, cui somiglia.

orzo, lat. volg. *\*hordjum*, class. *hordeum*, da un tema ideur. rappresentato approssimativamente dal simbolo GHREZDH, con varî gradi di alternanza possibili, attestati nelle aree germanica (ted. *Gerste*), greca (*krithé*) e albanese. La forma lat. risale a GHRZDH- col suff. EYO-.

osanna, dal lat. crist. *hosanna* ' evviva ' che è dal gr. *hosanna*, ebr. *hōhī'āh-nnā* ' salvaci '.

osare, lat. volg. *\*ausare*, intens. di class. *audere* ' osare '; v. AUDACE, AVARO.

oscenità, dal lat. *obscenĭtas, -atis*.

osceno, dal lat. *obscenus* ' di cattivo augurio ', che vagamente potrebbe essere connesso con *scaena* ' scena ' oppure con *scaevus* ' sinistro ', senza sufficiente evidenza.

oscillare, dal lat. tardo *oscillare*, denom. da *oscillum*, doppio dimin. di *os, oris* col signif. di ' piccola maschera (di solito appesa) ': « agire come maschera appesa, e cioè oscillare »; v. ORLARE.

oscillazione, dal lat. tardo *oscillatio, -onis*.

oscillògrafo e oscillòmetro, comp. di *oscill(azione)* e *-grafo* o *-metro*.

oscitanza, dal lat. tardo *oscitantia* ' indolenza ', astr. di *oscitare* ' sbadigliare ', ' sonnecchiare '. *Oscitare* a sua volta è verbo denom. iterat. di *\*oscus* ' a bocca aperta ', agg. indicante difetto fisico tratto da *os, oris* ' bocca ' (v. ORLARE) mediante il suff. *-co*, come *mancus* ' moncherino ' da *man-*.

osculare, dal lat. *osculari*, verbo denom. da *oscŭlum* ' bacio ', dimin. di *os, oris* ' bocca '; v. ORALE.

oscurantismo, dal frc. *obscurantisme*.

oscurare, dal lat. *obscurare*, verbo denom. da *obscurus*.

oscurazione, dal lat. *obscuratio, -onis*.

oscurità, dal lat. *obscurĭtas, -atis*.

oscuro, dal lat. *obscurus*, con vaghe connessioni nelle aree indiana e germanica.

osmio, dal gr. *osmé* ' odorosità ', per il forte odore che, ossidato, emana, cfr. ORMARE.

osmosi, dal gr. *ōsmós* ' spinta ' incr. col suff. *-osi* (normalm. riservato però a nomi di malattie croniche).

oso, lat. *ausus*, part. pass. di *audere* ' osare '; v. AUDACE.

ospedale, lat. *hospitalis*, con leniz. settentr. di *-t-* in *-d-*.

ospitale, dal lat. *hospitalis*.

ospitalità, dal lat. *hospitalĭtas, -atis*.

ospitare, dal lat. *hospitari*.

òspite, dal lat. *hospes, -ĭtis*, ant. comp. del tipo *\*hosti-potis* « signore dello straniero » in cui il secondo elemento è stato trattato però diversamente da *compos* (che non è divenuto *\*compes*). Questo non autorizza però a cercare una diversa etimologia; v. OSTE[2], POTÌSSIMO e cfr. OSTE[1].

ospizio, dal lat. *hospitium*.

ossalato, da *ossàl(ico)* col suff. chimico *-ato*.

ossàlico, dal frc. *oxalique*, dal lat. *oxălis* ' acetosella ', che è dal gr. *oksalis, -idos*, deriv. di *oksýs* ' acuto, acido '.

ossaluria, da *ossal(ico)* e *-ùria*.

ossecrazione, dal lat. *obsecratio, -onis*, nome di azione di *obsecrare* ' supplicare ', comp. di *ob* e *sacrare* ' consacrare ', con norm. passaggio di *-ă-* in *-ĕ-* in sill. interna dav. a gruppo di cons.

òsseo, dal lat. *ossĕus*.

ossequente, dal lat. *obsĕquens, -entis*, part. pres. di *obsĕqui* ' accondiscendere ', comp. di *ob* e *sequi*; v. SEGUIRE.

ossequio, dal lat. *obsequium*.

ossequioso, dal lat. *obsequiosus*.

osservàbile, dal lat. *observabĭlis*.

osservanza, dal lat. *observantia*.

osservare, dal lat. *observare* ' osservare, onorare ', comp. di *ob* e *servare*; v. SERBARE.

osservatore, dal lat. *observator, -oris*.

osservazione, dal lat. *observatio, -onis*.

ossessione, dal lat. *obsessio, -onis* ' occupazione ',

nome d'azione di *obsidere* 'assediare', comp. di *ob* e *sedere* con norm. passaggio di *-ĕ-* in *-ĭ-* in sill. interna aperta.

**ossesso,** dal lat. *obsessus,* part. pass. di *obsidere* 'assediare'.

**ossia,** da *o(d) sia.*

**ossiànico,** da *Ossian* (gaelico *Oisin*), bardo scozzese del III sec. a. C., a cui sono stati attribuiti antichi canti.

**ossidiana** (roccia eruttiva), dal frc. *obsidienne,* risal. a una lettura arbitraria (nei mss. di Plinio) *obsidiana (lapis)*, invece di *obsiana.*

**ossidionale,** dal lat. tardo *obsidionalis,* deriv. di *obsidio, -onis,* nome astr. di *obsidere,* parallelo a *obsessio, -onis;* v. OSSESSIONE.

**òssido,** dal frc. *oxide,* risal. al gr. *oksýs* 'acido, acuto', col suff. *-ide* proprio degli acidi.

**ossìdrico,** comp. di *oss(igeno), idr(ogeno)* e suff. aggettiv. *-ico.*

**ossìfero,** comp. di lat. *os, ossis* 'osso' e *-fer.*

**ossigeno,** dal frc. *oxygène,* comp. moderno (XVIII sec.) di *oksýs* 'acido' e *geno-* 'generatore' perché ritenuto generatore di acidi.

**ossitono,** dal gr. *oksýtonos,* comp. di *oksýs* 'acuto' e *tónos* 'accento': « che ha l'accento acuto ».

**ossiuro** (verme), comp. di *oksýs* 'acuto' e *ūrá* 'coda'.

**osso,** lat. tardo *ossum,* class. *os, ossis.* Di questo la base di partenza è OSS, attestata solo in lat. Con ampliam. in *-t(h)-* appare nelle aree indo-iranica, greca (*ostéon*), ittita. Attrav. un pref. *k-* queste forme ampliate potrebbero trovare un vago collegamento col lat. *c-ost-a;* cfr. *c-oram* rispetto a *os* 'bocca'; v. ORLO.

**ossuario,** dal lat. tardo *ossuarium,* neutro sostantiv. di *ossuarius* 'che si riferisce alle ossa', tratto da una forma di *oss-* ampliata in *-u-* che ha un parallelo anche nell'area armena.

**ostàcolo,** dal lat. *obstacŭlum,* nome di strum., da *obstare;* v. OSTARE.

**ostaggio,** dal frc. ant. (XIV sec.) *hostage,* incr. di lat. medv. *\*obsidàticum* (da *obses* 'ostaggio') e *\*hospitàticum* (da *hospes* 'ospite').

**ostare,** dal lat. *obstare,* comp. di *ob* e *stare* 'star di fronte, ostacolare' (v. STARE). Il pref. *ob* risale a un tipo OP; v. OBBEDIRE, OPACO.

**oste**[1], dal frc. ant. *oste,* lat. *hospes, -ĭtis;* v. ÒSPITE.

**oste**[2], lat. *hostis, -is* 'nemico' (anteriorm. 'straniero'), risal. a una tipica parola nordoccidentale GHOSTIS, sopravv. nelle aree germanica e slava, col valore di 'ospite' (ted. *Gast*). Il valore primitivo di straniero sopravvive in *\*hosti(potis)*, la forma originaria di *hospes,* v. OSPITE e in *hostire,* v. OSTIA.

**osteggiare,** verbo denom. da *oste*[2] (esercito, campo).

**osteite,** dal gr. *ostéon* 'osso' (v. OSSO), col suff. *-ite* di malattie infiammatorie.

**ostellaggio,** 'albergo' (XIV sec.), da *ostello.*

**ostello,** dal frc. ant. (XIII sec.) *hostel,* lat. *hospitale* 'alloggio per forestieri'.

**ostensìbile,** agg. verb. tratto dal lat. *ostensus,* part. pass. tardo di *ostendĕre* (class. *ostentus*), formato sul modello di *accensus* rispetto a *accendĕre,* col suff. it. in *-ibile* (dal lat. *-ibĭlis*).

**ostensione,** dal lat. tardo *ostensio, -onis,* nome d'azione di *ostendĕre* 'mostrare'.

**ostensivo,** dal lat. tardo *ostensivus.*

**ostensore,** dal lat. tardo *ostensor, -oris,* nome di agente di *ostendĕre* 'mostrare', comp. di *obs,* variante di *ob-* (v. OSTARE) e *tendĕre;* v. TÈNDERE.

**ostensorio,** deriv. col suff. di strum. *-orio* dal lat. tardo *ostensus* (class. *ostentus*), part. pass. di *ostendĕre* 'mostrare'.

**ostentare,** dal lat. *ostentare,* intens. di *ostendĕre* 'mostrare', regolarm. tratto dal part. pass. *ostentus.*

**ostentatore,** dal lat. *ostentator, -oris.*

**ostentazione,** dal lat. *ostentatio, -onis.*

**osteo-,** dal gr. *ostéon;* v. OSSO.

**osteoclasia,** da *osteo-* e l'astr. in *-ìa* di gr. *klásis* 'rottura'.

**osteologìa,** da *osteo-* e *-logìa.*

**osteoma,** da *osteo-* e *-òma,* suff. tipico per depositi e ingrossamenti patologici, dal gr. *-oma.*

**osteomalacia,** comp. di *osteo-* e del gr. *malakós* 'molle' col suff. di astr. in *-ìa.*

**osteomielite,** comp. di *osteo-* e *mielite.*

**osteopatìa,** da *osteo-* e *-patìa.*

**osteotomìa,** da *osteo-* e *-tomìa.*

**osterìa,** da *oste*[1] col suff. esteso poi a *armerìa, quadrerìa, drogheria.*

**ostètrica,** femm. sostantiv. di *ostètrico.*

**ostetricia,** femm. sostantiv. di *obstetricius,* agg. deriv. da *obstetrix, -icis,* nome d'azione di *obstare* « star di fronte, assistere (le partorienti) » (v. OSTARE), con norm. passaggio di *-ă-* in *-ĕ-* in sill. interna dav. a gruppo di cons.

**ostètrico,** sost. estr. da *ostetricia,* come *clinico* da *clinica.*

**ostia,** dal lat. *hostia* 'vittima', di orig. imprecisata, collegata col verbo *hostire* 'compensare, pareggiare', e cioè con *hostis* 'ospite' non ancora divenuto 'nemico', associata poi a *hostis* 'nemico' nel presunto senso comune di « ciò che si colpisce ».

**ostiario,** dal lat. *ostiarius* 'portiere', lat. crist. 'sagrestano', da *ostium* 'uscio'; v. USCIO.

**òstico,** dal lat. *hosticus* 'ostile', deriv. di *hostis* 'nemici'.

**ostile,** dal lat. *hostilis,* deriv. di *hostis,* come *civilis* da *civis, aedilis* da *aedes.*

**ostilità,** dal lat. tardo *hostilĭtas, -atis.*

**ostinare,** dal lat. *obstinare,* comp. di *ob* e *\*stanare,* deriv. di *stare* 'star contro, resistere', con norm. passaggio di *-ă-* interna in *-ĭ-.* L'ampliam. con suff. in nasale serve a indicare il valore conclusivo dell'azione verb., ed è attestato anche nelle aree greca, armena, slava, baltica; v. STARE e cfr. DESTINARE.

**ostinato,** dal lat. *obstinatus.*

**ostinazione,** dal lat. *obstinatio, -onis.*

**ostio** 'apertura', dal lat. *ostium* 'bocca' (per es. del Tevere nella località di *Ostia*); v. ORALE e cfr. USCIO.

**ostracismo,** dal gr. *ostrakismós,* deriv. di *ostrakízō,* verbo deriv. dall'*óstrakon* 'coccio' (su cui si scriveva il nome del condannato).

**ostrica,** lat. *ostrea* incr. con gr. *óstrakon* e norm. apofonia di *-ă-* in *-ĭ-* in sill. interna aperta. *Ostrea* è femm. tratto dal neutro di *ostreum,* già di orig. greca, da *óstreon.*

**ostricoltura,** da *ostri(co)coltura.*

**ostro**[1], dal lat. *ostrum* che è dal gr. *óstreon* 'conchiglia' e 'porpora'.

**ostro**[2], lat. *auster, austri* 'vento di mezzogiorno',

attestato nell'area germanica, però come ' vento dell'est ', e risal. forse lontanamente al tema AUSOS, che sopravvive in *aurora*, v.

**ostruire**, dal lat. *obstruĕre* incr. con it. *costruire*. Lat. *obstruĕre* è comp. di *ob-* e *struĕre*, per cui v. STRUTTURA.

**ostruzione**, dal lat. *obstructio, -onis*, nome d'azione di *obstruĕre*.

**ostruzionismo**, dall'ingl. *obstructionism*.

**otalgìa**, da *oto-* e *-algìa*.

**otarda**, v. OTTARDA.

**otaria**, dal lat. scient. *otaria* che è dal gr. *ōtárion* (deriv. di *ûs ōtós*) ' piccolo orecchio ', per allusione alla forma caratteristica del padiglione del loro orecchio.

**otite**, da *oto-* col suff. *-ite* di malattie infiammatorie.

**oto-**, dal gr. *ōtós*, genit. di *ûs* ' orecchio ', risal. a un tipo OUSṆT; v. ORECCHIA.

**otoiatra**, da *oto-* e *iatra*.

**otoiatrìa**, da *oto-* e *-iatrìa*.

**otorinolaringoiatrìa**, da *oto-*, *rino-*, *laringe* e *-iatrìa*.

**otorrèa**, da *oto-* incr. con *(gon)orrea*.

**otoscopìa**, da *oto-* e *-scopìa*.

**otoscopio**, da *oto-* e *-scopio*.

**otre**, lat. *uter, utris*, risal. forse, attrav. l'etrusco, al gr. *hydr-ía* ' vaso per acqua '.

**otta**, lat. volg. *\*quotta (hora)*, con raddopp. espressivo (come in *quottidie*), privato della cons. iniz. per influenza di *ora*; cfr. *allotta* ' allora ', *talotta* ' talora '; cfr. DOTTATO.

**ottaedro**, dal lat. tardo *octahedrum* che è dal gr. *oktáedron* « dalle otto *(okta-)* basi *(hédra)* ». La forma *okta-* invece di *oktō-* è dovuta a incrocio con *tétra-* ' 4 '.

**ottàgono**, dal gr. *oktágōnos*, comp. di *októ* ' otto ' e *gonìa* ' angolo ', con suff. di agg.: « che ha otto angoli ».

**ottàngolo**, dal lat. tardo *octangŭlus*, comp. di *octo* e *angŭlus*.

**ottano**, dal frc. *octane* (XIX sec.), comp. di gr. *októ* e *-ane*, suff. tecnico della chimica.

**ottanta**, lat. volg. *\*octanta* da *\*octà(g)inta*, class. *octoginta*. Quest'ultimo risulta da *octo-* e da *-ginta* che significa ' decina ', con la desinenza del neutro plur. in *-a*, mentre *(vi)ginti* (v. VENTI), ha quella del duale in *-i*. La forma *-ginta* risale a più ant. *-cinta* (v. VENTI), con la cons. sonora nota solo in latino. Per la caduta della *-g-* intervoc. davanti a voc. pal. cfr. *frale* da *frà(ile)*, *dito* ecc.

**ottante**, dal lat. *octans, antis* ' l'ottava parte ', in senso tecnico presso Vitruvio.

**ottantenne**, da *ottanta* e *-enne*.

**ottarda**, dal frc. *outarde* (XVIII sec.), lat. *avis tarda* ' uccello lento '.

**ottare**, dal lat. *optare* ' scegliere ', collegato con l'umbro *upetu* ' si prenda ' e l'ittita *epmi* ' io prendo '; cfr. OPTARE.

**ottàstilo**, dal gr. *oktástylos*, comp. di *októ* ' otto ' e *stýlos* ' colonna ', incr. con it. *otto*.

**ottativo**, dal lat. *optativus (modus)*, calco sul gr. *euktiké (énklisis)*.

**ottava**, femm. sostantiv. di *ottavo*.

**ottavario**, dal lat. crist. *octavarium*, deriv. di *octava (feria)*.

**ottavo**, lat. class. *octavus*, deriv. di *octo*. *Octavus* nasce dall'incr. *a)* di una forma orig. *\*OGDOWOS*

(gr. *ógdoos*) con la voc. interna breve e il gruppo di cons. sonore, da cui regolarm. si sarebbe avuto in lat. *\*ogdāvus* e *b)* del numerale cardinale *octo*, con la voc. lunga e il gruppo di cons. sorde.

**ottemperare**, dal lat. *obtemperare*, comp. di *temperare* ' moderare ', ' moderarsi ' e *ob* ' davanti a qualcuno '; v. TEMPERARE.

**ottenebrare**, dal lat. tardo *obtenebrare*, comp. di *tenebrare*, verbo denom. da *tenebrae* e *ob*; v. TENEBRA.

**ottenebrazione**, dal lat. tardo *obtenebratio, -onis*.

**ottenere**, dal lat. *obtinere* ' tener fermo (in confronto di qualcuno) '; v. TENERE.

**ottenne**, dal lat. tardo *octennis*, calco su *quinquennis*; v. QUINQUENNE.

**ottennio**, calco su *biennio*, ecc.

**ottentotto**, dall'ol. *hottentot* (XIX sec.) nome spregiativo dato con un criterio onomatop. all'incomprensibile parlare di una popolazione indigena dell'Africa australe (così come i Greci che definirono barbari « balbettanti » quelli che parlavano altra lingua).

**ottetto**, incr. di *otto* e *(du)etto*.

**òttica**, dal gr. *optikĕ (tékhnĕ)* ' (arte) delle cose visive '.

**òttico**, dal gr. *optikós* ' visivo '.

**ottimate**, dal lat. *optĭmas, -atis*, deriv. di *optĭmus* ' ottimo ': « che appartiene agli ottimi ».

**ottimismo**, dal frc. *optimisme*.

**ottimista**, dal frc. *optimiste*.

**òttimo**, dal lat. *optĭmus*, superl. del sost. *ops, opis* ' ricchezza ', in orig. nome d'azione col valore di ' assistenza, aiuto ' (v. ÒPERA); deriv. nello stesso modo è *victima* da un orig. *\*vix* (v. VÌTTIMA) ' (offerta) adeguatissima '.

**otto**, lat. *octo*, da una forma orig. OKTŌU con la desinenza duale, ancora palese in sanscrito e in gotico, e sottintesa nelle altre aree ideur. (gr. *októ*, ted. *acht*). La desinenza duale presuppone un antichissimo sistema numerale a base « quattrale », nel quale l'otto è ovviamente definito come una coppia (di due quattri).

**ottobre**, lat. *(mensis) october*, l'ottavo mese del calendario romano arc., calco su *(novem)ber*, *(decem)ber*.

**ottogenario**, dal lat. *octogenarius* (Plinio), deriv. in *-arius* di *octogĕni*, forma analogica di distributivo, tratta da *octog(inta)*, come *quadrageni*, che Catone ha tratto da *quadrag(inta)*, isolando un suff. *-eni* da un distributivo come *seni*, anche se in realtà era da *se(x)+ni*; cfr. NONAGENARIO e NOVENA.

**ottomana**, femm. sostantiv. di *ottomano*.

**ottomano**, dall'ar. *'othmāni*, agg. di *'Othmān*, nome del capostipite di una dinastia musulmana (XIV sec.).

**ottonario**, dal lat. *octonarius*, deriv. di *octoni* ' a otto a otto ', norm. distributivo ottenuto mediante il suff. *-ni*, come *seni* da *sex*, *quini* da *qui(nque)*.

**ottone**, prob. dall'ar. *latūn* ' rame ', incr. con *la latta* (v. LATTA): *\*(il)lottone*, che ne deriva è stato analizzato poi *l'ottone*.

**ottuagenario**, dal lat. *octogenarius*, deriv. di *octogeni* ' a ottanta a ottanta ' (v. OTTOGENARIO) incr. con it. *settuagenario*.

**ottùndere**, dal lat. *obtundĕre*, comp. di *ob* (v. OSTARE) e *tundĕre* ' percuotere ', antichissima parola, sopravv. in forma identica nell'area indiana, e, col pref. *s-*, nell'area germanica. La rad. è TEUD, e l'elemento nasale è un infisso; cfr. PERTUGIARE.

**ottuplicare**, dal lat. *octuplicare*, calco su *duplicare*.

**òttuplo**, dal lat. *octŭplus*, calco su *duplus*.

**otturare**, dal lat. *obturare*, comp. di *ob-* e *\*turare*, non attestato in lat., e totalmente privo di connessioni attendibili, salvo forse con *turgere*.

**otturazione**, dal lat. tardo *obturatio, -onis*.

**ottusàngolo**, dal lat. *obtusiangŭlus*.

**ottusità**, dal lat. tardo *obtusĭtas, -atis*.

**ottuso**, dal lat. *obtusus* (part. pass. di *obtundĕre*, v. OTTÙNDERE) ' percosso, stordito ', e perciò, riferito alla punta di un'arma ' smussato ', all'apertura di un angolo, ' allargato ' (perché meno appuntito).

**ovaia**, lat. tardo (gloss.) *ovarium*, passato al genere femm., e col norm. trattam. tosc. di *-ariu* in *-aio*.

**ovaio**, dal lat. tardo *ovarius* ' chi bada alle uova '.

**ovale**, da *(linea) ovale*, lat. volg. *\*ovalis* con la *o* non dittongata perché fuori d'accento; cfr. UOVO.

**ovariectomìa**, da *ovario-* e *-ectomìa*.

**ovario**, dal lat. scient. *ovarium*.

**ovato**, dal lat. *ovatus*; v. UOVO.

**ovatta**, dal frc. *ouate* (XVIII sec.) di orig. orientale non precisata.

**ovazione**, dal lat. *ovatio, -onis*, nome d'azione di *ovare* ' inneggiare, plaudire ', parola di lontana orig. onomatop., e forse discend. come verbo denom. dalla interiez. gr. di saluto *euoî*.

**ove**, lat. *ubi*, più anticam. *\*cubi*, risal. alla forma ideur. KwU, tratto dal pron. indefinito per indicare l'avv. di luogo, e attestata nella forma pura e semplice nell'area indo-iranica. La forma ampliata KwU-DHE si trova anche nelle aree indoiranica, slava, osco-umbra. Il lat. ha sostituito poi la voc. finale con la desinenza di locativo *-i*, e, sotto l'influenza della *-u*, ha reso l'ant. cons. *dh* con *b*

come in *ruber* rispetto al gr. *erythrós*. La forma *-cubi* si è salvata nel comp. *ali-cubi* ' altrove '.

**ovest**, dal frc. (XVI sec.) *ouest* (letto inesattamente ' ovest ') e questo dall'ingl. *west* (dalla rad. WES di lat. *uesper*).

**ovidotto**, calco su *acquedotto* con la sostituz. di *ovi-* a *acqua*.

**ovidutto**, dal frc. *oviducte* (XVIII sec.).

**oviforme**, comp. di lat. *ovum* e it. *-forme*.

**ovile**, dal lat. *ovile*, neutro sostantiv. di *ovilis*, tratto da *ovis* ' pecora ' che è ideur. OWI-, attestata nelle aree gr., indiana, baltica, slava e, con signif. alterati, nella germ. e nella celtica.

**ovino**, dal lat. tardo *ovinus*.

**ovìparo**, dal lat. tardo *ovipărus*, comp. di *ovo-* ' uovo ' e *-părus*, tema di nome d'agente di *parĕre* ' partorire '; v. PARTO.

**òvolo**, dal lat. tardo *ovŭlum*, dimin. di *ovum*.

**ovovivìparo**, comp. moderno di lat. *ovum* e *vivipărus*; v. VIVÌPARO.

**òvulo**, dal lat. scient. *ovulum*, dimin. di *ovum*.

**ovunque**, comp. di lat. *ubi* (v. OVE) e *unquam* (v. -UNQUE).

**ovvero**, da *o(d)* e *véro*.

**ovvia**, da *oh* e *via*.

**ovviare**, dal lat. tardo *obviare*, verbo denom. da *via*, con pref. *ob-* ' andare incontro, rimediare '.

**ovvio**, dal lat. *obvius*, agg. tratto dall'avv. *obviam*, giustapposizione di *ob* e *viam* ' davanti alla strada, in faccia alla strada '.

**ozena**, dal lat. *ozaena* che è dal gr. *ózaina*, deriv. di *ózō* ' mando odore '.

**oziare**, dal lat. *otiari*, verbo denom. da *otium*.

**ozio**, dal lat. *ōtium*, privo di connessioni evidenti.

**oziosità**, dal lat. tardo *otiosĭtas, -atis*.

**ozioso**, dal lat. *otiosus*.

**ozono**, deriv. moderno (XIX sec.) dal gr. *ózōn*, part. pres. di *ózō* ' mando odore '.

# P

**pàbulo**, dal lat. *pabŭlum*, nome di strum. dalla rad. PĀ di *pascĕre* ' nutrire '; v. PÀSCERE.

**pacare**, dal lat. *pacare*, verbo denom. da *pax* ' pace '.

**pacato**, dal lat. *pacatus*.

**pacca**, dalla serie onomatop. *pac.... pac...*, che indica ' colpo '.

**pacchia**, sost. deverb. da *pacchiare*.

**pacchiano**, da *pacchia*, secondo il rapporto di *villano* a *villa*.

**pacchiare** (mangiare), verbo denom. iterat. di un tema onomatop. *pacc'-*.

**pacciame**, dall'onomatop. *pac'.... pac'....* che significa ' spiacciicare ' col suff. di collettivo *-ame*.

**pacco**, dall'ol. *pack*.

**paccottiglia**, dal frc. *pacotille* che è dallo sp. *pacotilla*, incr. con it. *pacco*.

**pace**, lat. *pax pacis*, nome d'azione dalla rad. PAK ' l'atto di pattuire '. Forme alternanti con la cons. sonora del tipo PAG consentono confronti sia all'interno del lat. con la famiglia di *pangĕre* ' piantare ', dal signif. concreto, che bene corrisponde a quello astr. di pattuire, sia con parole delle aree greca (*pégnymi*) e germanica; cfr. SPÌNGERE. Per alternanze come PEIK/PEIG, v. PITTORE, per MEIK/MEIG, v. MESCERE, per SUK/SUG, v. SÙGGERE.

**pachiderma**, dal gr. *pakhýdermos*, comp. di *pakhýs* e *dérma*: « dalla pelle spessa ».

**pacificare**, dal lat. *pacificare*, verbo denom. da *pacifĭcus*.

**pacificatore**, dal lat. *pacificator, -oris*.

**pacificazione**, dal lat. *pacificatio, -onis*.

**pacifico**, dal lat. *pacifĭcus*.

**pacifismo**, dal frc. *pacifisme*.

**pacifista**, dal frc. *pacifiste*.

**pacio(cco)ne**, deriv. di *pace* con i due suff. *-òcco-* e *-one* e, rispettivamente, col solo *-one*.

**padano**, dal lat. *Padus*, agg. di *Padus*, oggi (con leniz. totale settentr. del *-d-* intervocalico) *Po*; cfr. BÒDOLA.

**padella**, lat. *patella*, dimin. di *patĕra* ' piatto ', con leniz. settentr. di *-t-* in *-d-*; v. PÀTERA.

**padiglione**, lat. *papilio, -onis* ' farfalla, tenda ', con leniz. settentr. di *-p-* in *-v-* (frc. *pavillon*, it. ant. *paviglione*), incr. con *badiglio* ' apertura di una bocca ' (v. SBADIGLIO). Lat. *papilio* risale a una forma onomatop. *p.... l* che simboleggia il palpito delle alette delle farfalle; cfr. FARFALLA, PALPARE.

**padiscià**, dal persiano *pādishāh*, comp. di *pad* ' protettore ' e *shāh* ' sovrano '.

**padre**, lat. *pater, patris*, con leniz. settentr. di *-t-* in *-d-*. Lat. *pater* rappresenta la forma orig. del nome del capo della famiglia patriarcale, attestato in quasi tutte le lingue ideur. (gr. *patér*, ted. *Vater*), dalla struttura orig. di nome d'agente, quasi significasse « protettore o nutritore » dalla rad. PĀ.

**padrigno**, v. PATRIGNO.

**padrino**, lat. crist. *patrinus* incr. con it. *padre*.

**padrone**, lat. *patronus* incr. con *padre*, quasi ne fosse un accresc.

**padule**, metatesi di *palude*.

**paesaggio**, incr. di frc. *paysage* e it. *paese*.

**paese**, lat. volg. *pagensis*, deriv. di *pagus* ' villaggio ', con leniz. totale di *-g-* dav. a voc. palat.: dalla rad. PAG, variante di PAK, v. PACE.

**paf, paffe** o **pàffete**, dalla serie onomatop. *p.... f* che implica guancia e sbuffo.

**paffa**, incr. di *pappa* ' cosa che si mangia ' con *paf*, immagine di guancia gonfia.

**paffuto**, deriv. di *paffa*.

**paga**, sost. deverb. di *pagare*.

**pagaia** (varietà di remo), dal frc. *pagaye* (XVIII sec.) che è dal malese *pagaia*.

**pagano**, lat. *paganus* ' abitante del villaggio ', contrapposto all'*urbanus* « abitante delle città (ormai passato alla nuova religione) ».

**pagare**, lat. *pacare*, volg. ' pagare ', class. ' placare ', con leniz. settentr. di *-c-* in *-g-*.

**pagella**, dal lat. *pagella*, dimin. di *pagĭna*; v. PÀGINA.

**paggio**, forse dal frc. ant. *page*, lat. *pathĭcus* ' cinedo ' (dal gr. *pathikós*) privato del signif. deteriore, e rimasto con quello etimol. di ' sottomesso '.

**pagherò** (cambiale), da *pagherò*, prima pers. del fut. indic. di *pagare*, con norm. passaggio tosc. di *-ar-* in *-er-* fuori d'accento.

**pàgina**, dal lat. *pagina* ' piantagione a spalliera ', dalla cui regolarità si è tratta la denominazione di colonna scritta o pagina in senso nostro. Appartiene alla famiglia di *pangĕre* ' piantare ', per cui v. PACE e cfr. PROPAGARE.

**paglia**, lat. volg. *palja*, class. *palea*, con qualche connessione nelle aree baltica e slava, e una vaga possibilità di inserimento nella famiglia di PEL[1], rad. che indica rivestimento o buccia; cfr. PELLE, PELVI.

**pagliaccio**, da *pagliaccio* nel senso di ' pagliericcio ' perché simile nel vestito a un saccone.

**pagliaio**, lat. *palearium*.

**pagliericcio**, doppio deriv. di *paglia*, con i suff.

**-ario** di collettivo e **-iceo** di materia, e col passaggio tosc. di -ar- in -er-, fuori d'accento.

**paglierino,** doppio deriv. di *paglia*, con -er-ino tosc. invece di -ar-ino.

**paglieto,** da *paglia* col suff. di collettivo -eto.

**paglietta,** dalle pagliette nere che portavano a Napoli gli avvocati nel sec. XVII.

**pagliuca** e **pagliùcola,** incr. di *paglia* e *festuca.*

**pagnotta,** dal provz. *panhota*, da un ampliam. in -io di lat. *panis*, con un suff. -ota.

**pago,** agg. estr. da lat. *pacatus* (part. pass. di *pacare*) ' appagato ', con leniz. settentr. di -c- in -g-.

**pagoda,** dal portogh. *pagode* che è dall'indiano medv. *bhagodī* ' divina ', sanscrito *bhagavatī* ' beata '.

**pagro,** dal lat. *pager* che è dal gr. *phágros.*

**paguro** (crostaceo), dal lat. *pagurus* che è dal gr. *págūros;* cfr. PÀRAGO.

**paidologìa,** dal gr. *paîs paidós* e -logìa.

**paino,** dal lat. medv. *patavinus* ' studente di Padova ' con leniz. totale veneta di -t- e di -v- intervocal.; v. PATAVINO.

**paio,** forma tosc. (di fronte al non tosc. *paro*), deriv. dal plur. *paia, para*, lat. *paria* ' due cose della stessa specie '; v. PARI, PARO.

**paiolo,** lat. medv. (VIII sec.) *parjòlum*, dimin. di lat. volg. *parium*, di prob. orig. gallica.

**pala¹** (strum.), lat. *pala*, ant. *pag-s-la* « ciò che si pianta, si affonda in qualche cosa », deriv. di *pangĕre;* v. PACE.

**pala²** (dosso montano), dalla base mediterr. PALA ' rotondità '.

**paladino,** lat. (comes) *palatinus*, con leniz. settentr. di -t- in -d-.

**palafitta,** forma femm. sostantiv. del part. pass. di un verbo *palafìggere*, comp. di *palo* e *fìggere.*

**palafreno,** lat. tardo *paraverēdus* ' cavallo di rinforzo ', incr. con *freno*, e con dissimilaz. di ara.... re in ala.... re. La parola lat. è comp. di gr. *para-* e lat. imp. *verēdus* ' cavallo di posta ', di orig. gallica.

**palagio,** lat. *palatium*, con leniz. settentr. di -tio in -sgjo, reso in forma tosc. in -gio; v. PALAZZO.

**palamidone,** forse accrescitivo-peggiorativo di *palamida* ' grosso tonno ', forma venez. di *palamita* (v.).

**palamita** (specie di tonno), dal gr. moderno *palamída* (XVI sec.) con correzione tosc. e merid. del -d- in -t-.

**palàmito** (ordigno da pesca), dal lat. *palamitus*, incr. di gr. *polýmitos* ' dai molti fili ' con lat. *calămus* ' canna '.

**palanca¹** (trave), lat. volg. *palanca*, dal gr. *phálanga*, accus. di *phalanks* ' tronco ', cfr. PARANCO.

**palanca²** (moneta), dallo sp. *blanca* ' la bianca '.

**palanchino,** dal portogh. *palanquim* che è dal sanscrito *palyanka* ' letto '.

**palandra¹** (imbarcazione), dall'ol. *bijlander.*

**palandra²** e **palandrana,** varianti di *pelanda* (v.) con assimilaz. di voc. atona e introduz. di un suff. in -r-.

**palare¹,** verbo denom. da *palo.*

**palare²,** verbo denom. da *pala.*

**palatale,** da *palato.*

**palatino¹,** da *palato.*

**palatino²,** dal lat. *palatinus* nel senso medv. di « (sacro) Palazzo (imperiale) ».

**palato,** dal lat. *palatum*, parola mediterr., deriv.

dalla base PALA ' rotondità ' (v. PALA²), per indicare « la rotondità della volta del palato ».

**palazzo,** lat. *Palatium* ' (il colle del) Palatino ', ampliam. di PALA ' rotondità ', base mediterr., per cui v. PALA².

**palco,** dal longob. *balk* ' trave '; cfr. BALCONE.

**paleggiare,** verbo denom. iterat. da *pala¹.*

**paleo-,** dal gr. *palaiós* ' antico '.

**palèo¹,** incr. di un deriv. di lat. *palla* (per es. ' pallaio ') e di *pala* (per es. ' paleggiare '), nel senso di ' agitare il grano con la pala '.

**palèo²,** lat. volg. *palerium*, incr. di gr. *phalērís* con *palĕa*, con norm. trattam. toscano di -eriu in -e(i)o.

**paleofitologìa,** da *paleo-* e *fitologia.*

**paleografìa,** da *paleo-* e -grafia.

**paleolitico,** da *paleo-* e -litico.

**paleontologìa,** da *paleo-* e *onto-* che è dal gr. *ón óntos*, part. pres. del verbo « essere » (v. ONTO-) più -logìa.

**paleozòico,** da *paleo-* e *zôion* ' essere vivente ' con suff. aggettiv. -ico.

**palese,** dal lat. *pala(m)* ' all'aperto ', opposto di *clam* ' di nascosto ', col suff. di derivaz. it. -ese. Lat. *palam* è forma irrigidita (come *clam*) di un tema risal. alla rad. PELĀ, che riappare nel lat. *planus* (v. PIANO¹), e ha una corrispond. evidente nell'area slava; cfr. PALMA, PLAGA.

**palestra,** dal lat. *palaestra* che è dal gr. *palaístra*, deriv. di *palaíō* ' io lotto '.

**palestrita,** dal lat. *palaestrita* che è dal gr. *palaistrḗs.*

**paletnologìa,** da *paleo-* e *etnologia.*

**paletò,** v. PALTÒ.

**paletta,** da *pala.*

**paletto,** dimin. di *palo.*

**pali,** dal sanscrito *pāli* ' linea, serie ', nome della lingua medio-indiana, usata dai testi buddistici.

**palina,** da *palo.*

**palingènesi,** dal gr. *palingenesía*, comp. di *pálin* ' di nuovo ' e *génesis* ' generazione ' col suff. -ia di astr.; incr. con it. *gènesi.*

**palinodìa,** dal gr. *palinōidía*, comp. di *pálin* ' di nuovo ', *ōidḗ* ' canto ' e -ia, suff. di astr.

**palinsesto,** dal lat. *palimpsestus* che è dal gr. *palimpsēstos* ' raschiato di nuovo ', comp. di *pálin* ' di nuovo ' e *psáō* ' io raschio '.

**palio,** variante di *pallio* (v.).

**palischermo,** dal gr. *polýskalmos* (naûs) ' imbarcazione dai molti scalmi ', incr. attrav. diversi filoni regionali con *palo* e *schermo* ' riparo ' (forse a Venezia).

**palissandro,** dall'ol. *palissander* (XVIII sec.) e questo da una lingua della Guiana olandese.

**palizzata,** dal provz. *palisada* (XIV sec.).

**palla¹,** dal longob. *palla* (franco *balla*).

**palla²,** dal lat. *palla* ' sopravveste ', di prob. orig. mediterr.; cfr. *paludatus.*

**pallacanestro,** calco dall'ingl. *basket-ball.*

**pàllade** (pianetino), dal lat. scient. *Pallas*, che è dal gr. *Pallás*, epiteto della dea Atena.

**palladio¹** (agg.), dal lat. *palladĭus* ' di Pàllade '.

**palladio²** ' protezione ', dal gr. *Palládion*, deriv. di *Pallás* ' Pallade '.

**palladio³** (metallo), dal nome del pianetino *Pàllade.*

**pallavolo,** adattamento dell'ingl. *volley ball.*

**pallente,** dal lat. *pallens, -entis,* part. pres. di *pallere;* v. PÀLLIDO.

**palliare,** dal verbo lat. tardo *palliare,* estr. da *palliatus* ' coperto di pallio '.

**palliativo,** da *palliare* col doppio suff. di part. pass. *-ato-* e col agg. verb. attivo-durativo *-ivo* e cioè di un rimedio « rivestivo » dei mali anziché effettivamente « curativo ».

**pàllido,** lat. *pallĭdus,* deriv. di *pallere* ' impallidire '. Da una rad. PEL[2] omofona di quella di *palea,* il lat. ha tratto forme con il raddopp. espressivo della *-l-,* il cui valore primitivo era quello del colore grigio o azzurro sbiadito. Derivati, ma con sensibili varianti, si trovano nelle aree indo-iranica, greca, armena, slava, baltica, germanica; cfr. PALOMBO.

**pallio,** dal lat. *pallium,* di prob. orig. mediterr.; cfr. PALLA.

**pallone,** da *palla (pallone-sonda,* calco sul frc. *ballon d'essai).*

**pallore,** dal lat. *pallor, -oris,* astr. di *pallere;* v. PÀLLIDO.

**pallòttola,** doppio dimin. di *palla.*

**palma**[1]**,** lat. *palma,* appartenente alla grande famiglia di *planus* (v. PIANO[1]), rad. con diverso suff., e con derivaz. parallele in *-m-* attestate nelle aree greca, germanica, celtica; cfr. anche PALESE, PLAGA.

**palma**[2]**,** da un impiego figur. di lat. *palma,* prima ' tronco (dell'albero di palma) ' poi ' palma '.

**palmare,** dal lat. *palmaris* ' grande un palmo '.

**palmato,** dal lat. *palmatus* ' ornato di foglie di palma '.

**palmento,** prob. lat. volg. *paumentum,* class. *pavimentum* ' atto di battere ', attrav. una tradiz. marinara settentr., sottoposta poi alla correzione (arbitraria) di *-au-* in *-al-. Pavimentum* deriva da *pavire,* privo di connessioni evidenti; cfr. PAVENTARE.

**palmeto,** dal lat. *palmetum.*

**palmìpede,** dal lat. *palmĭpes, -ĕdis.*

**pàlmite** ' tralcio ', dal lat. *palmes, -ĭtis,* deriv. di *palma.*

**palmizio,** dal lat. tardo *palmicius* incr. con it. *palma*[2].

**palmo,** lat. *palmus,* deriv. da *palma.*

**pàlmola,** dal lat. *palmŭla,* dimin. di *palma.*

**palo,** lat. *palus,* da *pag-s-lo-;* cfr. PALA[1].

**palombaro,** lat. tardo *palumbarius* ' sparviero ', dall'immagine di chi si precipita o s'immerge per raggiungere la preda: passato in it. attrav. una tradiz. non tosc. che muta *-ariu* in *-aro* anziché in *-aio.*

**palombo,** dal lat. *palumbus,* formaz. parallela a *columbus* tratta dalla rad. PEL[2] di *pallere;* v. PÀLLIDO.

**palpàbile,** dal lat. tardo *palpabĭlis.*

**palpabilità,** dal lat. tardo *palpabilĭtas, -atis.*

**palpamento,** dal lat. tardo *palpamentum.*

**palpare,** lat. *palpari,* verbo durativo di *palpĕre;* v. PÀLPEBRA.

**palpazione,** dal lat. tardo *palpatio, -onis.*

**pàlpebra,** dal lat. *palpĕbra,* nome di strum. di *palpĕre,* ' battere (delle ciglia o delle ali delle farfalle; cfr. lat. *papilio, -onis)',* parola di orig. onomatop. dalla serie *p.... l....* inserita fra i nomi

di strum. come *vertebra* e *terebra* (da *vertĕre* e *terĕre);* v. PADIGLIONE e cfr. FARFALLA.

**palpitare,** dal lat. *palpitare,* doppio intens. di *palpĕre;* cfr. PALPARE.

**palpitazione,** dal lat. *palpitatio, -onis.*

**pàlpito,** sost. estr. da *palpitare.*

**palta** ' fango ' (dial.), tema mediterr.; v. PANTANO.

**paltò** (*paletò*)*,* dal frc. *paletot* che è dall'ingl. *paltok* ' giacca corta '.

**paltoniere,** dal frc. ant. *pautonier* ' uomo di nessun pregio '.

**paludamento,** dal lat. *paludamentum,* nome di vestito o uniforme antica; v. PALUDATO.

**paludato,** dal lat. *paludatus* ' armato, ornato ', risal. a (*Minerva*) *Paluda,* priva di connessioni attendibili, ma cfr. PALA[2].

**palude,** lat. *palus, -udis,* con ricchi ma poco consistenti confronti in parecchie aree ideur. Meno fragile è quello con sanscr. *palv(alam)* ' palude '.

**paludismo,** dal frc. *paludisme.*

**paludoso,** dal lat. *paludosus.*

**palustre,** dal lat. *paluster.*

**pamela** (cappello), dal nome proprio femm. *Pamela,* diffuso nel sec. XVIII.

**pampa,** dallo sp. *pampa* e questo dal quechua *pampa* ' pianura '.

**pàmpano,** lat. *pampĭnus* (v. PÀMPINO), con norm. passaggio di *-i-* postonica in *-a-,* in parola sdrucciola; cfr. *tònaca, crònaca.*

**pampineo,** dal lat. *pampineus.*

**pàmpino,** dal lat. *pampĭnus* (cfr. PÀMPANO) di sicura orig. mediterr. come *acĭnus;* v. ÀCINO.

**pan-,** dal gr. *pân* neutro di *pâs* ' tutto ', p. es. *pangermanismo, panslavismo.* Per la variante *panto-* v. PANTÒGRAFO, PANTÒFOLA.

**panacèa,** dal lat. *panacĕa,* che è dal gr. *panákeia,* comp. di *pân* ' tutto ' e un tema astr. da *akéomai* ' io curo '.

**pànama** (cappello), dal nome della città centroamericana di *Panamà,* con l'accentazione ingl. sull'iniz.

**panare,** verbo denom. da *pane.*

**panatenèo,** dal gr. (*tà*) *Panathénaia* (*hierá*), comp. di *pân* ' tutto ' e *Athēnâ* ' la dea Atena '.

**panca,** dal longob. *panka;* cfr. BANCO.

**pancia,** sg. di *pance,* che è il lat. plur. *pantĭces* (con norm. sincope interna), pl. di *pantex,* e privo di connessioni evidenti.

**panciolle,** da *pancia* col suff. toponomastico *-olle* di parecchie località tosc., come *Marignolle, Terzolle.*

**panclastite,** da *pan-* e gr. *klastós* ' rotto ' col suff. in *-ite.*

**pancrazìa,** incr. di *pancrazio* con *-crazìa.*

**pancraziaste,** dal gr. *pankratiastés;* v. PANCRAZIO.

**pancrazio** (gara), dal gr. *pankrátion,* comp. di *pân* ' tutto ' e *krátos* ' sforzo ': « forza integrale ».

**pàncreas,** dal gr. *pánkreas,* comp. di *pân* ' tutto ' e *kréas* ' carne '.

**pancreàtico,** da *pàncrea(s),* secondo l'analogia di *asma-asmàtico.*

**pancromàtico,** comp. di *pan-* e *cromàtico.*

**pandemìa,** calco su *epidemia* con la sostituz. di *pan-* a *epi-;* incr. con gr. *pandēmía* ' totalità del popolo ', comp. di *pân* ' tutto ', *dêmos* ' popolo ' con suff. di astr. *-ia.*

**pandèmio,** dal gr. *pandémios;* v. PANDEMÌA.

**pandemonio,** dal lat. *Pandēmonium*, nome della città dei demonî foggiato dal poeta ingl. J. Milton (1608-1674), comp. di gr. *pân* ' tutto ' e *daimónion* ' demonio '.

**pandette,** dal lat. tardo *Pandectae*, che è dal gr. *Pandéktai*, comp. di *pân* ' tutto ' e *dékhomai* ' ricevo ': « raccolte complete ».

**pandit,** dall'indostano *pandit*, sanscrito *paṇḍiṭas*.

**pandora** (strum. musicale), dal lat. *pandūra* (gr. *pandûra*), incr. con it. *mandòla*.

**pane**[1], lat. *panis*, ant. *past-nis*, doppio ampliam. della rad. PĀS che si trova in *pas-tus* e *pas-tor* col signif. di ' nutrire '; v. PÀSCERE.

**pane**[2] (della vite), lat. *panus* ' filo avvolto sul rocchetto ', attrav. una tradiz. it. settentr. che perde la voc. finale primitiva. Lat. *panus* risal. a una forma gr. dor. *pânos* (attica *pênos*) ' filo, bobina '.

**panegìrico,** dal lat. *panegyrĭcus*, questo dal gr. *panēgyrikós* (*lógos*) « (discorso) dav. a una *panégyris* ' assemblea plenaria ' (da *pân* ' tutto ' e *ágyris* ' assemblea ') ».

**panegirista,** dal lat. tardo *panegyrista*.

**panereccio,** lat. tardo *panaricium*, metatesi di *paronychium*, dal gr. *parōnykhia* (comp. di *pará* ' vicino ' e *ónyks, -ykhos* ' unghia ' col suff. di astr. *-ía*). Il passaggio di *-ar-* atono in *-er-* è tipicamente tosc.; cfr. PATERECCIO.

**panetterìa,** da *panettiere* secondo il rapporto di *drogheria* a *droghiere*.

**panettiere,** dal frc. ant. *panetier*, incr. con i tipi *carrettiere, mulattiere, vinattiere*.

**pànfilo** e **panfilio,** dal gr. *pámphylon*, propr. ' (nave) Panfilia '.

**pania,** lat. *pa(g)ina* ' pergola ' con metatesi (cfr. *aria* da lat. *aëra*): da *pèrgola*, il signif. deriv. di ' bastoncino invischiato '.

**paniccia,** lat. tardo *panicium* ' migliaccio ' (VI sec.), attrav. lat. medv. *panicia* ' farinata ' (VIII sec.) in forma di femm. sostantiv.: ampliam. di *panus* nel senso di ' miglio ', che non è certo sia lo stesso *panus* ' filo del rocchetto ', per cui v. PANE [2]. Cfr. PANZANA.

**pànico,** lat. *panicum*, deriv. di *panus* ' pannocchia di miglio '.

**pànico**[1], dal lat. *panĭcus*, che è dal gr. *panikós* ' relativo al dio *Pân* '.

**pànico**[2], dal frc. *panique* (XIX sec.).

**paniere,** dal frc. *panier* (lat. *panarium*).

**panificare,** dal lat. tardo *panificare*, comp. di *panis* e *-ficare*.

**panificio,** dal lat. *panificium*, nome d'azione ' il fare il pane '.

**panna**[1], da *panno* in quanto ' velo che ricopre la superficie di un liquido '.

**panna**[2], dal frc. *panne*.

**pannello,** lat. volg. *pannellus*, dimin. di *pannus*, incr., per i valori tecnici, col frc. *panneau*.

**pannìcolo,** dal lat. *pannicŭlus* nel senso di ' pezzetto di panno '.

**panno,** lat. *pannus*, privo di connessioni evidenti.

**pannocchia,** lat. tardo *panucŭla*, variaz. di *panicŭla*, dimin. di *panus* ' pannocchia di miglio ', e con una variante (gloss.) *pannucla*.

**panoplia,** dal gr. *panoplía*, comp. di *pân* ' tutto ' e *hóplon* ' arma ': « armatura completa ».

**panorama,** comp. di *pan-* e gr. *hórama* ' vista ', deriv. di *hordō* ' vedo '.

**pantagruèlico,** « quale era *Pantagruel* », personaggio fantastico di F. Rabelais (circa 1494-1553).

**pantalone,** dal venez. *pantalòn* e questo dal patrono della chiesa di San Pantaleone a Venezia.

**pantaloni,** dal frc. *pantalons*, calzoni lunghi associati all'immagine della maschera italiana *Pantalone*.

**pantano,** da un tema mediterr. *palta* ' fango ', assimilato al suff. *-ano*.

**panteismo,** comp. di *pan-*, gr. *theós* ' dio ' e suff. *-ismo*.

**pànteon,** forma sostantiv. della formula gr. *pántheion* (*hierón*) « tempio (*hierón*) di tutti (*pan-*) gli dèi (*-theion*) ».

**pantera**[1] (felino), dal lat. *panthera*, che è dal gr. *panthér, -êros*.

**pantera**[2] (rete), lat. tardo *panthera*, dal gr. *panthéra*; v. PANTERA [1].

**panto-,** dal gr. *panto-* tema dei casi obliqui di *pâs pâsa pân* ' tutto '.

**pantòfola,** da una formaz. artificiale bizantina quattrocentesca del tipo *pantóphellos*, comp. di *panto-* ' tutto ' e *phellós* ' sughero ' intesa poi come dimin. *pantòf(ola)*, in regioni che eliminano le cons. doppie.

**pantofolaio,** da *pantofola*, in quanto lo stare in pantofole è simbolo dello stare attaccato ai proprî comodi.

**pantògrafo,** comp. di *panto-*; e *-grafo*; cfr. PAN-.

**pantomima,** dal frc. *pantomime*.

**pantomìmico,** dal lat. *pantomimĭcus*.

**pantomimo,** dal lat. *pantomimus*, che è dal gr. *pantómimos*, comp. di *panto-* tema di *pâs* ' tutto ', e *mímos* ' imitatore '.

**panzana,** prob. da *panicciana* (v. *paniccia*), attrav. una assibilaz. settentr. in *-ss-* poi corretta in Toscana in *-z-*: « cosa molle, inconsistente ».

**panzanella,** dimin. di *panzana*, rimasta al signif. letterale.

**paolo** (moneta), dal nome di Paolo III, papa dal 1534 al 1549.

**paolotto** ' ipocrita ', impiego peggiorativo di *paolotto* ' membro delle congregazioni di S. Francesco di Paola ' o ' di S. Vincenzo de' Paoli '.

**paonazzo,** dal lat. *pavonaceus*, con leniz. totale della *-v-* e assimilaz. settentr. in *-asso*, poi parzialmente corretta nel tosc. *-azzo*; cfr. PAVONAZZO.

**papa,** lat. *papa*, dal gr. *pápas* ' padre ', dal III sec. d. C. spettante ai vescovi, dal VI sec. d. C. solo a quello di Roma; cfr. POPE.

**papà,** dal frc. *papa*, di orig. onomatop.

**papàbile,** agg. verb. di un supposto verbo *papare* ' far papa ', denom. da *papa*.

**papaia,** dallo sp. *papaya* (XVI sec.) di orig. aruaca (centro-americana).

**papale,** agg. di *papa*.

**papalina,** femm. sostantiv. di *papalino*, per allusione scherzosa allo zucchetto del papa.

**papalino,** dimin. di *papale*, con sfumatura peggiorativa.

**paparazzo,** da un cognome inventato da F. Fellini per un personaggio della *Dolce vita* (1960).

**paparino,** dim. di *papà* con *-r-* intervocalica; cfr. GAGARONE.

papasso, dal turco *papàz*, attrav. la lingua franca e questo dal gr. biz. *papâs*, class. *pápas* ' padre '.

papato, dal lat. medv. *papatus*, *-us*, sullo schema di *consulatus* rispetto a *consul*, *-ŭlis*.

papàvero, lat. volg. *\*papavĕrum*, class. *papāver* *-ĕris*. Lat. *papaver* ha la forma di un part. perf. attivo di un verbo *\*papĕre* come *cadaver* (v. CADÀVERE) di un verbo *cadĕre*. *\*Papĕre* va con *papŭla* ' bottone, vescichetta, pustola ' (v. PÀPULA), e il papàvero è lo « sbocciato » per eccellenza.

pàpera, da *pàpero*.

paperina, incr. di *(erba) peperina* (lat. *piperina*) con *pàpera*.

pàpero, dalla serie onomatop. *p.... r* di rumore sgradevole.

papilla, dal lat. *papilla*, dimin. di *papŭla*; v. PÀPULA.

papilloma, da *papilla* col suff. *-oma*, di rigonfiamenti e tumori.

papiràceo, dal lat. *papyraceus*.

papiro, dal lat. *papȳrus*, che è dal gr. *pápyros*.

papirologìa, da *papiro* e *-logìa*.

pappa, lat. *pappa*, forma onomatop., dai primi movimenti della bocca del bambino.

pappafico, da *pappa(re)* e *fico*, applicato alla vela per la forma.

pappagallo, incr. del gr. biz. *papagâs* con *gallo*; la parola gr. è dall'ar. *babaghā*.

pappagorgia, da *pappa* e *gorgia*.

pappardelle, dal provz. *papard* ' pappa ', con suff. vezzegg.

pappare, lat. *pappare*, verbo denom. da *pappa*; v. PAPPA.

pappataci, da *pappa* e *taci*, comp. imperativale.

pappo, dal lat. *pappus*, parola infantile parallela al gr. *páppos*.

pàprica, dal serbo croato *paprika* e questo dal lat. *piper* ' pepe ', ampliato col suff. *-ika*.

pàpula, dal lat. *papŭla* ' vescichetta ', dimin. di un *\*papus* che trova la esatta corrispond nel lituano *pãpas* ' capezzolo ' e risale a una rad. PAP ' sbocciare '; cfr. PAPÀVERO.

para-¹, da *parare*.

para-², dal gr. *pará* ' presso '.

para³, (gomma), dalla città e dallo stato brasiliano di *Parà* donde proviene.

parà, dal frc. *para(chutiste)*, incr. con it. *para(cadutista)*.

paràbasi, dal gr. *parábasis*, nome d'azione di *parabainō* ' camminare a fianco '.

paràbola, dal gr. *parabolé*, astr. di *parabállō*, sia nel senso di ' confrontare ', sia in quello di « gettare accanto (un piano in parallelo con una generatrice) ».

parabrezza, calco sul frc. *pare-brise*.

paracadute, calco sul frc. *parachute*.

paracadutista, da *paracadute* col suff. di specialità *-ista*.

paracarro, da *para-¹* e *carro*.

paracentesi, dal lat. *paracentesis*, che è dal gr. *parakéntēsis*, nome d'azione di *parakentéō* ' faccio una puntura '.

paracielo, da *para-¹* e *cielo*.

paracinta, da *para-¹* e *cinta*.

paraclasi, comp. di *para-²* e gr. *klásis* ' rottura '.

paracleto e paràclito, dal lat. tardo *paraclētus* (*\*paraclĭtus*) dal gr. *paráklētos* ' intercessore ',

agg. verb. di *parakaléō* ' chiamo a me ', comp. di *pará-* ' presso ' e *kaléō* ' chiamo ', in parte incr. col tema di gr. *klitós*, agg. verb. di *klínō* ' inclino '.

paradigma, dal lat. *paradigma*, che è dal gr. *parádeigma*, astr. di *paradeiknymi* ' io indico a lato ', ' io confronto '.

paradigmàtico, dal gr. *paradeigmatikós*.

paradisìaco, dal lat. tardo *paradisiăcus*, che è dal gr. *parideisiakós*.

paradiso, dal lat. *paradisus*, che è dal gr. *parádeisos* ' giardino ', dall'iranico *pairi-daēza* ' recinto circolare ', comp. di *pairi* (= gr. *perí*) ' intorno ' e *daēza* (= gr. *teîkhos* ' muro ').

paradosso, dal gr. *parádokson*, neutro sost. di *parádoksos* ' oltre l'opinione ' e cioè ' contro l'opinione ', da *pará* e *dóksa*.

parafango, da *para-¹* e *fango*.

parafare, dal frc. *parapher*, verbo denom. da *paraphe*, dal lat. medv. *paráphus*; v. PARAFFO.

parafernale, dal lat. medv. *paraphernalis*, agg. dal lat. tardo *parapherna* dal gr. *tà parápherna*, comp. di *para-* ' oltre ' e *phernē* ' dote '.

paraffina, dal frc. *paraffine* (XIX sec.) e questo dal lat. *parum affinis* per la scarsa capacità di reazioni con gli altri idrocarburi.

paraffo, dal lat. medv. *paraphus*, lat. tardo *paragrăphus*; v. PARÀGRAFO.

paràfrasi, dal lat. *paraphrăsis*, che è dal gr. *paráphrasis*, nome d'azione di *paraphrázō* ' dico a fianco (con altre parole) ', comp. di *para-* ' presso ' e *phrázō* ' parlo '.

parafùlmine, da *para-¹* e *fùlmine*.

parafumo, da *para-¹* e *fumo*.

parafuoco, comp. di *para-¹* e *fuoco*.

paraggio, dallo sp. *paraje*, attrav. il frc. *parage*.

pàrago, lat. volg. *\*parŭgus*, forma metatetica di gr. *págūros*, con norm. passaggio di voc. postonica interna ad *-a-*; cfr. PAGURO.

paragoge, dal lat. tardo *paragoge*, che è dal gr. *paragōgé* ' il condurre accanto ', ' l'aggiungere '.

paragonare, dal gr. *parakonáō* ' sfrego contro ', ' affilo ' (attrav. una tradiz. forse ravennate con la leniz. di *-c-* in *-g-*), comp. di *pará-* e *akonáō*, verbo denom. da *akonē* ' cote '.

paragone, sost. deverb. estr. da *paragonare*.

paràgrafo, dal lat. tardo *paragrăphus*, che è dal gr. *parágraphos* ' scritto accanto ', comp. di *pará-*, ' accanto ' e il tema di *gráphō* ' scrivo '; cfr. PARAFFO.

paralipòmeni, dal lat. tardo *paralipomĕna*, che è dal gr. *paraleipómena*, neutro plur. del part. pres. passivo di *paraleípō* ' tralascio ': « le cose tralasciate ».

paràlisi, dal lat. *paralўsis*, che è dal gr. *parálysis* ' allentamento ', nome d'azione di *paralўō* ' allento ', comp. di *pará-* e *lўō* ' sciolgo '.

paralitico, dal lat. *paralytĭcus*, che è dal gr. *paralytikós*; cfr. PARLÈTICO.

paralizzare, dal frc. *paralyser*.

parallasse, dal gr. *parállaksis* ' cambiamento ', nome d'azione di *parallássō* ' io sposto ', comp. di *pará-* e *allássō* ' muto al fianco '.

parallàttico, dal gr. *parallaktikós*.

parallela, sost. femm. di *parallelo*.

parallelepìpedo, dal lat. tardo *parallelepipĕdum*, che è dal gr. *parallēlepípedon*, comp. di *parállēlos* e *epípedon* ' superficie piana '; v. PARALLELO.

**parallelo,** dal lat. *parallelus,* dal gr. *parállēlos,* comp. di *pará-* ' presso ' e *állēlos* ' l'un l'altro '.

**parallelogrammo,** dal lat. tardo *parallelogrammum,* che è dal gr. *parallēlógrammon,* comp. di *parállēlos* ' parallelo ' e *grammḗ* ' linea '.

**paralogismo,** dal lat. tardo *paralogismus,* che è dal gr. *paralogismós,* comp. di *pará-* ' presso ' e *logismós* ' ragionamento ': « ragionamento fuori della linea retta, solo approssimato (e perciò errato) ».

**paralogìstico,** dal gr. *paralogistikós.*

**paralume,** da *para-[1]* e *lume.*

**paramagnètico,** da *para-[2]* e *magnètico.*

**paramano,** dal frc. *parement* ' paramento ' (deriv. di *parer,* incr. con *para-* e *mano*).

**paramento,** dal lat. tardo *paramentum,* deriv. di *parare* ' preparare '.

**paràmetro,** dal frc. *paramètre,* comp. di *para-* e *-mètre* ' metro '.

**paramilitare,** da *para-[2]* e *militare.*

**paramosche,** da *para-[1]* e *mosche.*

**paranco,** lat. volg. *\*palanca* (v. PALANCA), passato al genere maschile col passaggio di *-l-* in *-r-,* attrav. una tradiz. genov.

**paraninfo,** dal lat. *paranymphus,* che è dal gr. *paránymphos,* comp. di *para-* ' presso ' e *nýmphē* ' sposa '.

**paranòia,** dal gr. *paránoia,* da *paránoos* ' demente ', comp. di *pará-* di ' approssimazione ' (e quindi di ' inesattezza ') con *nóos* ' mente ' e il suff. di astr. *-ia.*

**paranòico,** da *paranoia.*

**paranza,** dall'it. merid. *paranza,* deriv. di *paro* ' paio '.

**paraocchi,** da *para-[1]* e *occhi.*

**parapalle,** da *para-[1]* e *palle.*

**parapegma,** dal lat. *parapegma, -ătis,* che è dal gr. *parápēgma, -atos* ' cosa affissa ', da *parapḗgnymi* ' affiggo, pianto a lato '.

**parapetto,** da *para-[1]* e *petto.*

**parapiglia,** da *para-piglia,* imper. dei verbi *parare* e rispettivamente *pigliare.*

**paraplegìa,** dal gr. *paraplēgía,* astr. di *paraplḗssō* ' colpisco a lato ' (riferito a paralisi).

**parapioggia,** calco sul frc. *para-pluie.*

**parare,** lat. *parare* (nel senso di ' apparecchiare ', solo in it. passato a ' difendere '), verbo durativo di *parère*; v. PARTO.

**parasanga,** dal gr. *parasángēs* e questo dall'iranico ant. *\*parasanga,* moderno *farsang.*

**parasàrtie,** da *para-[1]* e *sàrtie.*

**parasceve,** dal lat. crist. *parasceue,* che è dal gr. *paraskeuḗ* ' preparazione (di suppellettili) '.

**parascolàstico,** da *para-[2]* e *scolàstico.*

**parasole,** da *para-[1]* e *sole.*

**parassita,** dal lat. *parasita,* che è dal gr. *parásitos,* comp. di *pará* ' presso ' e *sîtos* ' cibo ' (' funzionario ') legato alla divisione **delle vittime** ' poi ' commensale '.

**parassìtico,** dal lat. *parasitĭcus* che è dal gr. *parasitikós,* incr. con it. *parassita.*

**parastatale,** da *para-[2]* e *statale.*

**parata[1]** ' difesa ', da *parare.*

**parata[2]** ' rivista ', dallo sp. *parada.*

**paratassi,** da gr. *pará* ' accanto ' e gr. *táksis* ' ordinamento ' e cioè « disposizione a membri paralleli », opposto di *ipotassi* (v.).

**paratìa,** da *paretìo* (v.), incr. con *parata[1].*

**paratifo,** da *para-[2]* e *tifo.*

**parato[1]** dal lat. *paratus,* part. pass. di *parare.*

**parato[2]** (drappo), dal lat. *paratus, -us.*

**paratoia,** forma femm. sostantiv. di lat. volg. *paratorius* ' che para, arresta o protegge ', secondo il trattam. tosc. di *-oria* in *-oia.*

**paraurti,** da *para-[1]* e *urti.*

**paravento,** da *para-[1]* e *vento.*

**parca,** dal lat. *Parca,* prob. femm. sostantiv. di *parcus* nel signif. primitivo di « chi trattiene (il filo della vita) », passato poi a quello di « chi trattiene le cose »; v. PARCO[1].

**parcare,** dal frc. *parquer,* incr. con it. *parcheggio.*

**parcella,** dal frc. *parcelle,* lat. *\*particella,* dimin. di *pars, partis.*

**parcellare** (agg.) da *parcella* in senso catastale.

**parcheggiare,** verbo denom. da *parco.*

**parcheggio,** sost. deverb. sa *parcheggiare.*

**parchìmetro,** da *parco-* e *metro.*

**parco[1]** (agg.), dal lat. *parcus,* formaz. primitiva della stessa rad. del verbo *parcĕre* ' trattenere ' poi ' risparmiare ', privo di connessioni evidenti fuori del lat.; cfr. PARCA.

**parco[2],** dal lat. dell'VIII sec. *pàrricum* nel senso di *recinto,* riferito alle « cose (contenute nel recinto) », attrav. il frc. *parc.*

**pardo,** lat. *pardus,* che è dal gr. *párdos* ' pantera '; cfr. LEOPARDO.

**parecchio,** lat. volg. *\*paricŭlus,* dimin. di *par* ' pari ', passato al nuovo signif. attraverso la nozione intermedia di ' doppio '.

**pareggiare,** verbo denom. da *pari.*

**pareggio,** sost. deverb. da *pareggiare.*

**parelio,** dal lat. *parelium,* che è dal gr. *parélion,* comp. di *para-* ' presso ' e *hḗlios* ' sole '.

**paremiologìa,** dal gr. *paroimía* ' proverbio ', astr. di *pároimos* ' che è fuori della strada normale ' (comp. di *para-* ' presso ' e *oîmos* ' sentiero ') e *-logìa.*

**parènchima,** dal gr. *parénkhyma, -atos,* deriv. di *parenkhéō* ' io spendo ' doppio deriv. (con *pará-* e *en-*) di *khéō* ' io verso '.

**parènesi,** dal lat. tardo *paraenēsis,* che è dal gr. *paraínesis,* nome d'azione di *parainéō* ' esorto ', comp. di *pará-* ' a lato ' e *ainéō* ' approvo ' e cioè « approvazione parziale ».

**parenètico,** dal gr. *parainetikós.*

**parentado,** lat. volg. *\*parentatus, -us,* con leniz. settentr. di *-t-* in *-d-.*

**parentale,** dal lat. *parentalis,* deriv. di *parens, -entis* ' genitore '.

**parente,** dal lat. tardo *parens, -entis* ' parente ', class. ' genitore ', part. di un pres. *\*paro, parère* e non di *pario* (che avrebbe dato *\*pariens, -entis*). Esso risale dunque al valore più generale di ' produrre ' o ' procurare ' insito nel durativo *parere,* (v. PARARE), e non ancora lo specifico e tecnico ' mettere al mondo, partorire '; v. PARTO.

**parentela,** dal lat. tardo *parentela,* astr. tratto da *parens, -entis,* sul modello di *tutela* da *tutus*; estensione secondaria di un ampliam. destinato in orig. a formare nomi d'azione come *loquela* o *querela* da *loquor* e *queror.*

**parèntesi,** dal lat. tardo *parenthēsis,* che è dal gr. *parénthesis,* nome d'azione di *parentíthēmi* ' inserisco ', doppio deriv. (con *pará-* e *en-*) di *títhēmi* ' pongo '.

**parere**, lat. *parere* 'apparire', privo di connessioni attendibili.

**parergo**, dal lat. *parergon*, che è dal gr. *párergon*, comp. di *pará-* e *érgon*: « lavoro accessorio ».

**pàresi**, dal gr. *páresis*, nome d'azione di *pariēmi* ' mando a lato, allento' (comp. di *para-* 'a lato' e *hiēmi* ' mando ').

**parete**, lat. volg. *pares, -ĕtis*, class. *parĭes, -ĕtis*, forse da una rad. TWERĒ, attestata nell'area baltica, col signif. di ' abbracciare ', cfr. APRIRE.

**paretìo** (arc.), da *parete* con valore collettivo.

**pàrgolo**, lat. *parvŭlus*, col passaggio di -*v*- in -*g*- come in *ùgola*, v. PARVITÀ.

**pari**, lat. *par, paris*, di prob. orig. etrusca, cfr. il magistrato etrusco *par(chis)*.

**paria**, dall'ingl. *pariah* e questo dal tamil (lingua dravidica dell'India merid.) *paraiyan*.

**parietale**, dal lat. *parietalis*, deriv. di *paries, -ĕtis*.

**parietaria**, dal lat. tardo *(herba) parietaria*.

**parificare**, da *pari-* e *-ficare*, tema di verbo denom. causativo.

**pariglia**, dal frc. *pareille*, lat. volg. *paricŭla*, dimin. di *par, paris*; cfr. PARECCHIO.

**pario**, dal lat. *Parĭus*, che è dal gr. *Pários* 'di Paro', isola del mare Egeo.

**parisillabo**, comp. di *pari-* e *sillaba*.

**parità**, dal lat. *parĭtas, -atis*, astr. di *par, paris*.

**paritètico**, dal ted. *paritätisch*, deriv. di *Parität* ' parità', che è dal lat. *parĭtas*, incr. con *antitètico*.

**parlagio** (arc.), dal gr. *periélasis* ' lo spingere attorno (carri)', incr. con it. *palagio*.

**parlamento**, da *parlare*.

**parlare**, lat. medv. *parabolare* (IX sec.) poi *paravolare*, *par(au)lare*, verbo denom. dal lat. tardo *parabŏla*, che ha assunto il signif. di ' parola': termine trasmesso dalla lingua della predicazione in chiesa; cfr. PARÀBOLA.

**parlètico**, lat. tardo *paralytĭcum*, neutro sostantiv. dell'agg. *paralytĭcus*; v. PARALÌTICO.

**parnaso**, dal gr. *Parna(s)sós*, massiccio montano a nord del golfo di Corinto, sede delle Muse.

**parnassiano**, dal frc. *parnassien*.

**-paro**, dal lat. *-părus*, tema di *pario* 'partorisco' e *paro* 'produco'; v. PARTO.

**paro**, sg. di *para*, variante non tosc. di lat. *paria*, neutro plur. di *par, paris*; cfr. PAIO.

**parodìa**, dal gr. *parōidía*, astr. di *parōidós* ' che imita un canto' da *pará-* e *ōidós* ' cantore'.

**pàrodo**, dal gr. *párodos*, comp. di *pará-* ' presso' e *hodós* ' via'.

**parola**, lat. medv. *paraula*, lat. tardo *parabŏla*, con leniz. totale della -*b*- intervocal. e con lo stesso procedim. per cui lat. *fabŭla* è diventato it. *fola* (v.).

**paronomasìa**, dal lat. tardo *paronomasìa*, che è dal gr. *paronomasìa*, comp. di *pará-* ' presso' e *onomasìa* 'denominazione', quasi « denominazione adiacente ».

**parossismo**, dal gr. *paroksysmós* ' irritazione', collegato col verbo *paroksýnō* 'eccito', verbo denom. di *oksýs* ' acuto' col pref. *pará-* ' presso'.

**parossìtono**, dal gr. *paroksýtonos*, comp. di *pará-* e *oksýtonos* ' vicino all'ossitono'; v. OSSÌTONO.

**paròtide**, dal lat. *parotis, -ĭdis*, che è dal gr. *parōtís, -ídos*, comp. di *pará-* ' presso', *ûs ōtos* ' orecchio' e suff. -*id*-.

**parotite**, da *parot(id)ite*.

**parpaglione**, incr. di un *papiglione*, lat. *papilio, -onis* con *farfalla* (v.).

**parricida**, dal lat. *parricida*, prob. ' uccisore di un *par*' e cioè di un appartenente allo stesso gruppo sociale: definisce cioè un delitto più grave di quello dell'*homicida*, uccisore di un uomo qualsiasi; v. PARI e -CIDA.

**parricidio**, dal lat. *parricidium*.

**parrocchetto**, dal frc. *perroquet*.

**parrocchia**, dal lat. tardo *paroecia*, che è dal gr. *paroikía*, incr. con *pàrroco* e analizzato come fosse un dimin. da ant. *parrocŭla*.

**pàrroco**, dal lat. *parŏchus* ' somministratore', che è dal gr. *párokhos*, nome d'agente di *parékhō* ' somministro', con norm. raddopp. di cons. postonica in parola sdrucciola.

**parrucca**, prob. derivaz. dialettale settentr. da *pelo*, incr. con *zucca*.

**parsi**, dal persiano *pārsī* ' persiano'.

**parsimonia**, dal lat. *parsimonia*, deriv. di *parsum*, supino di *parcĕre*, cfr. *castimonia, sanctimonia* e anche *caerimonia*.

**parso**, part. pass. di *parere* che sostituisce il norm. *parto* (lat. *parĭtum*) secondo il rapporto di *corso* a *córrere*.

**parte**, lat. *pars, partis*, ant. *pors, portis*, nome di azione del verbo *parĕre* ' produrre' (v. PARTO), che invece di mantenere il vocalismo orig. (cfr. *portio*, v. PORZIONE) si è incr. con *parĕre* e *parare*. Cfr. invece *sors* rispetto a *serĕre* (v. SORTE) e *fors* rispetto a *ferre*; v. -FERO.

**partecipàbile**, dal lat. tardo *participabĭlis*.

**partecipare**, dal lat. *participare*, verbo denom. da *partĭceps, -ĭpis*.

**partecipatore**, dal lat. tardo *participator, -oris*.

**partecipazione**, dal lat. tardo *participatio, -onis*.

**partécipe**, dal lat. *partĭceps, -ĭpis*, comp. di *pars, partis* e il tema di *capĕre* ' prendere', con norm. alternanza di -*ă*- in -*ĕ*- in sill. non accentata chiusa e in -*ĭ*- in sill. aperta.

**partenogènesi**, dal gr. *parthénos* ' vergine' e *gènesi*.

**partenopèo** dal lat. *Parthenopeius*, deriv. di *Parthenṓpē*, che è dal gr. *Parthenṓpē*, nome di una sirena.

**parterre**, dal frc. *parterre*, comp. di *par* e *terre*.

**partibile**, dal lat. tardo *partibĭlis*, agg. verb. di *partiri* ' dividere'.

**particella**, lat. volg. *particella*, dimin. di *particŭla*, dimin. di *pars*.

**participiale**, dal lat. *participialis*.

**participio**, dal lat. *participium*, calco sul gr. *metokhikós* e cioè la forma « che partecipa (del verbo e del nome) ».

**particola**, dal lat. *particŭla*, dimin. di *pars*; v. PARTE.

**particolare**, dal lat. tardo *particularis*, deriv. di *particŭla*.

**particolarità**, dal lat. tardo *particularĭtas, -atis*.

**partigiana**, ' (arma) del partigiano'.

**partigiano**, da *parte*, con doppio suff. di derivaz. « (soldato di) parte »; cfr. *artigiano* rispetto a *arte*, *cortigiano* rispetto a *corte*.

**partire**, lat. *partiri* ' dividere' e (come intr.) ' dividersi', ' allontanarsi', verbo denom. da *pars, partis*; v. PARTE.

**partita¹,** da *partire* (intr.).

**partita²,** da *partire* (tr.).

**partitante,** da *partito* col suff. di nome d'agente come *bracciante,* da *braccio,* o *casellante* da *casello.*

**partitario,** da *partita².*

**partitivo,** dal frc. *partitif.*

**partito,** forma sostantiv. del part. pass. di *partire* ' dividere '.

**partitocrazia,** calco su *aristocrazia, democrazia.*

**partitore,** dal lat. tardo *partitor, -oris.*

**partizione,** dal lat. *partitio, -onis* ' divisione '.

**parto,** dal lat. *partus, -us,* astr. di *pario* ' partorisco '. La forma primitiva della rad. PER la si trova nel part. *parens, -entis* (v. PARENTE). Essa si confronta con il tipo PER del lituano, *periù* ' io covo ', e quella POR del gr. *époron* ' ho procurato '. Dalla forma primitiva si sono avuti un tipo *paro-parare* durativo e un tipo *parìo-parĕre* specializzato nel ' mettere al mondo '.

**partorire,** dal lat. *parturire,* deriv. di *parĕre* ' partorire ', con valore iterativo-intensivo.

**parusìa,** dal gr. *parūsía,* astr. di *parón* ' presente ', part. pres. di *páreimi,* comp. di *pará-* ' presso ' e *eimí* ' io sono '.

**parvente,** part. pres. di *parere,* incr. col tema del pass. rem. *parvi.*

**parvenza,** da *parvente,* secondo il rapporto di *presenza* a *presente.*

**parvità,** dal lat. *parvìtas, -atis,* astr. di *parvus* ' piccolo '_ forma metatetica di un più ant. *paurus,* che si ritrova identico nel gr. *paûros* ' poco ' (cfr. lat. *alvus* di fronte a gr. *aulós,* v. ALVO) e appartiene alla stessa famiglia di PAU, attestata anche da *paucus* (v. POCO), *paulus* e *pauper* (v. POVERO).

**pàrvolo,** dal lat. *parvŭlus,* dimin. di *parvus;* cfr. PÀRGOLO.

**parziale,** dal lat. tardo *partialis.*

**parziario,** dal lat. *partiarius.*

**pàscere,** dal lat. *pascĕre* ' pascolare ', ' nutrire ', forma incoativa dalla rad. PĀ ' nutrire ' che si ritrova senza ampliam. nel perf. *pavi,* nel deriv. sostantiv. *pabŭlum* (v. PÀBULO), mentre nella forma PĀS appare nel part. *pastus* e nel nome d'agente *pas-tor* (v. PASTORE). Connessione senza ampliam. si ha forse con *pa(ter).* Con l'ampliam. -T- si trova nelle aree germanica (ted. *Futter* ' cibo ') e greca (*patéomai* ' mangio ').

**pascià,** dal turco *pashà.*

**pasciona,** dal lat. *pastio, -onis,* nome d'azione del sistema di *pasci,* incr. con l'accr. *-ona.*

**pasciulì,** dal frc. *patchouli,* che è dall'indostano *pacioli.*

**pasco,** lat. volg. *pascum,* class. *pascuum,* forma sostantiv. dell'agg. *pascuus,* che si comporta rispetto a *pascĕre* come *arvus* rispetto a *arare* e sim.

**pascolare,** verbo denom. da *pàscolo.*

**pàscolo,** dimin. di *pasco.*

**pasqua,** lat. *pascha* (dal gr. *páskha,* che è dall'ebr. *pēsah* ' passaggio '), incr. con lat. *pascua* ' pascolo '.

**pasquale,** dal lat. *paschalis,* incr. con it. *Pasqua.*

**passàbile,** dal frc. *passable.*

**passacaglia,** dallo sp. *pasacalle,* comp. di *pasar* ' passare ' e *calle* ' strada '.

**passagallo,** incr. di sp. *pasacalle* con it. *gallo.*

**passaggero** (arc.) calco sul frc. *passager;* v. PASSEGGERO.

**passaggio,** dal frc. ant. *passage.*

**passamanerìa,** da *passamano.*

**passamano,** dal frc. *passement* « azione di passare » e cioè ' tessuto che si ottiene passando (intrecciando) i fili '.

**passamontagna,** da *passa(re)* e *montagna.*

**passante,** part. pres. sostantiv. di *passare.*

**passaporto,** da *passa(re)* e *porto* (nel senso di ' luogo di passaggio ').

**passare,** lat. volg. *passare,* verbo denom. da *passus, -us;* v. PASSO.

**passata,** forma femm. sostantiv. con valore di astr. del part. pass. di *passare.*

**passatempo,** da *passa(re)* e *tempo.*

**passatismo,** da *passato,* con suff. di dottrina o atteggiamento.

**passato,** forma sostantiv. del part. pass. di *passare.*

**passeggero,** incr. di frc. *passager* con it. *passeggiare.*

**passeggiare,** verbo denom. e iterat. da *passo.*

**passeggio,** sost. deverb. da *passeggiare.*

**passerella,** dal frc. *passerelle.*

**pàssero,** lat. *passer, -ĕris,* passato alla declinaz. in *-o* attrav. una tradiz. settentr. di parole prive della voc. finale. *Passer* non ha connessioni evidenti fuori del lat., e, all'interno del lat., si allinea solo con *(ans)er, -ĕris* per quello che riguarda la derivaz., il che fa supporre una rad. PASS. però non altrimenti conosciuta.

**passibile,** dal lat. tardo *passibìlis,* agg. verb. di *pati:* « che può soffrire o subire », tratto dal part. pass. al posto di quello class. *patibìlis,* risal. al tema di pres.

**passiflora,** dal lat. scient. *passiflora,* comp. di lat. tardo *passio, -onis* ' passione (di Cristo) ' e *flos, floris* ' fiore ': « fiore della Passione ».

**passim,** dal lat. *passim,* forma irrigidita dell'acc. del nome d'azione di *pandĕre* nel senso di « aprirsi in tutte le direzioni ».

**passio,** dal lat. *Passio* ' Passione (di Gesù Cristo) ', analizzato come sost. maschile a causa della finale in *-o;* cfr. PREFAZIO.

**passionale,** dal lat. tardo *passionalis* ' soggetto a passione '.

**passionario,** dal lat. medv. *passionarium,* deriv. di *passio, -onis,* nel senso di ' martirio '.

**passione,** dal lat. crist. *passio, -onis,* nome d'azione di *pati* ' soffrire '; v. PATIRE.

**passista,** da *passo.*

**passito,** da *(uva) passa,* femm. di *passo¹.*

**passività,** dal lat. tardo *passivìtas, -atis.*

**passivo,** dal lat. tardo *passivus,* deriv. di *passus.*

**passo¹** ' passato ', lat. *passus,* part. pass. di *pandĕre* ' disteso ', incr. con it. *passato.*

**passo²** (cammino), lat. *passus, -us,* astr. di *pandĕre* ' aprire ', privo di connessioni ideur. e somigliante a *patere* ' essere aperto ', se ci si arresta dav. alla differenza tra PED di *pandĕre* e PET di *patere* (cfr. quella fra PAK di *pax, pacis* e PAG di *pangĕre*); cfr. PATENTE¹.

**passo³** (passaggio), sost. deverb. da *passare.*

**passone,** lat. volg. *paxo, -onis,* accr. di *palus,* ant. *pax-lo-s* (cfr. il dimin. class. *paxillus,* deriv. di *pangĕre* ' piantare '); v. PALA¹ e PACE.

**pasta,** lat. tardo *pasta,* che è dal gr. *pástē* ' farina mescolata con salsa '.

**pastaio,** da *pasta.*

**pasteggiare,** verbo denominativo da *pasto.*

**pastello,** da *pasta*.

**pasticca,** da *pastello,* incr. con *chicca*.

**pasticcere,** v. PASTICCIERE.

**pasticcerìa,** da *pasticciere,* secondo il rapporto di *drogheria* rispetto a *droghiere*.

**pasticciare,** verbo denom. da *pasticcio*.

**pasticciere,** da *pasticcio* col suff. di nome d'agente (di orig. frc.) *-iere*.

**pasticcio,** lat. volg. \**pasticjum,* deriv. di *pasta*.

**pastificio,** comp. di *pasta* e *-ficio*.

**pastiglia,** dallo sp. *pastilla,* lat. volg. \**pasticŭla,* dimin. di *pasta*.

**pastinaca,** dal lat. *pastinaca,* privo di connessioni evidenti.

**pastinare,** lat. *pastinare,* verbo denom. da *pastĭnum*.

**pàstino** (arnese agricolo), lat. *pastĭnum* da ant. \**paks-tino-* e cioè deriv. aggettivale ma sostantivato di *pangĕre* (v. PALA[1] e PACE), mediante un suffisso normalm. di valore temporale, e che si riferisce all'ora in cui si va al lavoro.

**pasto,** dal lat. *pastus, -us,* astr. di *pascĕre* 'pascere', tratto dal tema del part. *pas-tus,* che risale alla rad. (ampliata con S) PĀS che, senza ampliam., appare in *pa(bŭlum)* (v. PABULO) e *pa(sco)*. Connessioni ideur. non evidenti si hanno forse nella famiglia di lat. *pater,* v. PÀSCERE.

**pastocchia,** dalla formula *(dar) pasto* nel senso di 'raggirare' col suff. spregiativo *-occhia*.

**pastoia,** lat. medv. *pastoria (Lex Lang.),* deriv. di *pastus, -us* 'pascolo' e col trattam. tosc. di *-oria* in *-oia*.

**pastorale,** dal lat. *pastoralis,* deriv. di *pastor, -oris* 'pastore'.

**pastore,** lat. *pastor, -oris,* nome d'agente di *pascĕre* 'pascolare', tratto dalla forma del part. pass. *pas-tus;* v. PÀSCERE.

**pastorizia,** femm. sostantiv. dell'agg. *pastorizio*.

**pastorizio,** dal lat. *pastoricius*.

**pastorizzare,** dal frc. *pasteuriser* e questo dal nome di L. Pasteur (1822-1895), famoso studioso dei processi di fermentazione.

**pastorizzazione,** dal frc. *pasteurisation*.

**pastrano,** prob. dal nome di un duca di Pastrana, città spagnola della prov. di Guadalajara.

**pastricciano,** deriv. in *-ano* di un prob. incr. di lat. tardo (gloss.) *pastinacium* e *pastoricium*.

**pastura,** lat. tardo *pastura,* astr. del sistema di *pascĕre* 'pascolare', tratto dal part. pass. *pastus;* v. PÀSCERE.

**patacca,** dal provz. ant. *patac*.

**pataffio,** lat. volg. \**(ill'e)pataphium,* class. *epitaphium,* con assimilaz. della *i* protonica alla voc. tonica: cfr., con la voc. iniz. immutata, PITAFFIO, e v. EPITAFFIO.

**pataffione,** accresc. di *pataffio,* nel senso di elencazione di titoli e virtù esagerate o inesistenti.

**patano** 'patente', agg. dal frc. *patent,* che è dal lat. *patens* 'aperto', 'manifesto'; v. PATENTE[1].

**patapùm,** dalla serie onomatop. *p.... t...,* incr. con *p.... m.*

**patarino,** dal milan. *patèe* 'rigattiere' (cfr. a Milano 'Via dei Pattari'), risal. a un lat. volg. \**patarius,* di orig. mediterr.

**patassìo** 'frastuono', deriv. di lat. volg. \**patassare,* che è dal gr. *patássō* 'picchiare'; v. BATASSARE.

**patata,** dallo sp. *patata,* incr. di *batata* haitiano (centro-America) e *papa* (queciua).

**patavino,** dal lat. *Patavinus,* deriv. di *Patavium* 'Padova'; cfr. PAÌNO.

**patella,** dal lat. *patella* 'padella', 'piatto' (v. PADELLA), dimin. di *patĕra;* v. PÀTERA.

**patatràc** e **patatùnfete,** dalla serie onomatop. *p.... tr, p.... n.*

**patema,** dal gr. *páthēma* 'sofferenza', deriv. dal tema *path* di *páthos, páskhō* 'soffro', da una rad. PENTH al grado ridotto.

**patena,** incr. di lat. *patĭna,* v. PÀTINA, e frc. *patène* (XIV sec.).

**patente**[1]**,** dal lat. *patens, -entis,* part. pres. di *patere* 'essere manifesto', da una rad. PET (al grado norm. PET) attestata nelle aree greca *(petánnymi),* baltica, germanica, iranica; legato meno evidentem. col lat. *pandĕre* che presuppone PAD invece che PAT; v. PASSO[2] e cfr. SPÀNDERE. Per una eventuale variante SPET/SPĔT, v. SPAZIO.

**patente**[2] (sost.), da *(lettera) patente*.

**pàtera,** dal lat. *patĕra,* variante non perspicua di *patina,* forse incr. di gr. *patáne* e gr. *kratḗr;* v. PATINA.

**pateracchio,** incr. di *pataffio* e *panereccio,* attrav. una tradiz. settentr., poi corretta da *-ccio* in *-cchio*.

**patereccio,** da *panereccio,* incr. con *patire*.

**paterino,** v. PATARINO.

**paternale,** dal lat. medv. *paternalis,* deriv. di *paternus;* v. PATERNO. Come sost. da *(sgridata) paternale*.

**paternalismo,** dall'ingl. *paternalism,* deriv. di *paternal* 'paterno', dal lat. medv. *paternalis*.

**paternità,** dal lat. tardo *paternĭtas, -atis*.

**paterno,** dal lat. *paternus,* calco su *maternus.* L'agg. primitivo di *pater* era *patrius;* v. PÀTRIO.

**paternostro,** dal lat. *pater noster*.

**patètico,** dal lat. *pathetĭcus,* che è dal gr. *pathētikós,* deriv. di *páthos* 'sofferenza'.

**-patìa,** dal gr. *páthos* col suff. di astr. *-ìa*.

**patìbile,** dal lat. *patibĭlis,* agg. verb. di *pati* 'patire'.

**patibolare,** dal frc. *patibulaire*.

**patìbolo,** dal lat. *patibŭlum,* 'luogo dove il condannato veniva esposto al pubblico'. Nome di strum. da *patere* 'essere manifesto'; v. PATENTE[1].

**-pàtico,** dal gr. *-pathikós*.

**pàtina,** dal lat. *patĭna* 'padella', passato al valore di 'contenente', poi di 'rivestimento'. Dal gr. *patánē,* accolto in età arc. e quindi soggetto al norm. passaggio di *-ă-* in *-ĭ-* in sill. interna aperta; cfr. PÀTERA.

**patinare,** verbo denom. da *pàtina*.

**pàtio,** dallo sp. *patio*.

**patire,** lat. volg. \**patire,* class. *pati* 'soffrire', privo di connessioni evidenti, e forse da collegare con la rad. PĒ del gr. *pêma* 'sofferenza', come *fateor* (v. CONFESSARE) è da collegare con la rad. BHĀ di gr. *phēmí* e di lat. *fama,* e *nitere* (v. NÌTIDO) con una rad. NEI 'splendere'.

**pato-,** dal gr. *páthos* 'malattia'.

**patogènesi,** da *pato-* e *gènesi*.

**patògeno,** da *pato-* e *-geno*.

**patologìa,** da *pato-* e *-logìa*.

**patològico,** da *patologìa*.

**patos** (pathos), dal gr. *páthos* 'sofferenza', deriv. della rad. PṆTH di *páskhō* 'soffro', grado ridotto di PENTH.

**patria**, dal lat. *patria*, forma sostantiv. di *(terra) patria* ' terra dei padri '.

**patriarca**, dal lat. tardo *patriarcha*, che è dal gr. *patriárkhēs*, comp. di *patriá* ' stirpe ' e *-árkhēs*, tema deriv. da *árkhō* ' sono a capo '.

**patriarcale**, dal lat. tardo *patriarchalis*.

**patriarcato**, dal lat. medv. *patriarchatus*.

**patricida**, dal lat. tardo *patricida*, calco su *parricida*.

**patricidio**, dal lat. tardo *patricidium*, calco su *parricidium*.

**patrigno**, lat. volg. *\*patrignus*, calco su *matrigna*.

**patrimoniale**, dal lat. tardo *patrimonialis*.

**patrimonio**, dal lat. *patrimonium* ' insieme di cose appartenenti al *pater familias* '. Il suff. *-monium* deriva da agg. in *-mon* risal. a loro volta a verbi, come nel caso di *alimonium* ' alimento ' risal. a *alĕre* ' nutrire ', attrav. un *\*alĭmon*. In un secondo tempo, come in *patrimonium* da *pater*, il suff. è stato applicato a sost.; cfr. TESTIMONIO.

**patrio**, dal lat. *patrius*, deriv. primitivo di *pater*, originariam. ' paterno ', poi soppiantato da *paternus*: divenuto poi agg. di *patria* sostantiv., che pure ne era stato in orig. la forma femm. (v. PATRIA). *Patrius* ha corrispond. esatte nel gr. *pátrios* e nel sanscrito.

**patriota** *(patriotta)*, dal frc. *patriote* e questo dal lat. tardo *patriota*, che è dal gr. *patriṓtēs* ' compatriota '; la forma geminata *-tt-* per influenza di *patriottico*.

**patriottardo**, dal frc. *patriotard*, incr. con *patriotta*.

**patriòttico**, dal frc. *patriotique* con il raddopp. della *-t-* perché in posizione postonica in parola sdrucciola.

**patriotto**, v. PATRIOTA.

**patrìstica**, dal lat. eccl. (XVII sec.) *(theologia) patristica* e questo da *\*patrista*, « specialista nello studio dei ' padri ' della Chiesa ».

**patriziato**, dal lat. *patriciatus, -us* ' dignità di patrizio ', astr. di *patricius*.

**patrizio**, dal lat. *patricius*, agg. tratto da *patres*.

**patrizzare**, dal lat. tardo *patrizare*, class. *patrissare*.

**patrocinare**, dal lat. *patrocinari*, verbo denom. da *patrocinium*.

**patrocinio**, dal lat. *patrocinium*, incr. di *patronus* e il tipo di *tirocinium*.

**patrologìa**, dal gr. *patḗr* ' padre (della Chiesa) ' e *-logìa*.

**patronale**, dal lat. tardo *patronalis*.

**patronato**, dal lat. tardo *patronatus, -us*, astr. di *patronus*.

**patronìmico**, dal lat. tardo *patronymĭcus*, che è dal gr. *patrōnymikós*, comp. di *patḗr, patrós* ' padre ' e *ónyma*, variante eol. e dor. di *ónoma* ' nome ' con suff. di agg.

**patrono**, dal lat. *patronus*, deriv. da *pater* come *colōnus* da *(in)cŏla*.

**patta** (parità al gioco), lat. *pacta*, plur. di *pactum* ' patto '.

**pattinaggio**, dal frc. *patinage*, incr. con it. *pattinare*.

**pattinare**, dal frc. *patiner*.

**pàttino**, dal frc. *patin*, incr. con *pattinare*.

**pattino**, dal frc. *patin*, deriv. di *patte* ' zampa ', incr. col suff. it. di dim. *-ino* (linea economizzata da PATRIMONIO).

**patto**, lat. *pactum* forma sostantiv. di *pactus*, part. pass. dell'arc. *pacĕre* che si trova nella legge delle XII Tavole, v. PACE.

**pattuglia**, adattam. del frc. *patrouille*.

**pattume**, deriv. di *pactus* ' compatto ', part. pass. di *pangĕre* ' piantare, conficcare ', con suff. di collettivo e peggiorativo *-ume*.

**pattumiera**, da *pattume*.

**patullare**, incr. di lat. volg. *\*patibulare* ' tormentare ' e it. *trastullare*.

**paturna** e **paturnia**, incr. di *patire* e *Saturno*, pianeta provocatore di stato d'animo malinconico.

**pauperismo**, dal frc. *paupérisme* (XIX sec.) che è dall'ingl. *pauperism*, deriv. di lat. *pauper* ' povero '; v. PÒVERO.

**paupulare**, dal lat. tardo *paupulare*, incr. della serie onomatop. *pa....u* con lat. *ululare*; cfr. PAVONE.

**paura**, lat. volg. *\*pavura*, astr. in *-ura* (di signif. identico a *pavor, -oris*), da *pavēre* ' aver paura '. *Pavere* è il verbo di stato corrispond. a *pavire* ' battere il terreno per livellarlo ' di valore moment. (cfr. PAVIMENTO). L' ' aver paura ' è dunque la conseguenza dell'esser battuto. Né *pavere* né *pavire* hanno connessioni evidenti fuori del lat.

**pausa**, sost. deverb. da *pausare*.

**pausare**, dal lat. *\*pausare*, che è dal gr. *paûsai* ' férmati! ' imperat. aoristo di *paúō* ' mi fermo '; cfr. POSARE[1].

**pavana**, femm. sostantiv. da *(danza) pavana* ' (danza) padovana '.

**pavano**, da *pa(d)ovano* con la leniz. totale della *-d-* intervocalica e conseg. contrazione delle voc. in contatto; cfr. PATAVINO e PAÌNO.

**paventare**, lat. volg. *\*paventare*, incr. di class. *pavitare*, intens. di *pavere*, con *pavens, -entis*, part. pres. di *pavere*.

**pavese**, forma sostantiv. da *(scudo) pavese*.

**pàvido**, dal lat. *pavĭdus*, deriv. di *pavere* ' aver paura '.

**pavimentare**, dal lat. *pavimentare*, verbo denom. da *pavimentum*.

**pavimento**, dal lat. *pavimentum*, deriv. di *pavire* ' battere, assodare '; v. PAURA.

**pavonazzo**, da *pavonaceus*, con conservazione della *-v-* intervocalica; v. PAONAZZO.

**pavoncella**, dimin. di *pavone*.

**pavone**, lat. *pavo, -onis*, di lontana orig. orientale, senza corrispond. fonetiche attendibili, e con qualche conness. onomatop. con *paupulare* (v.).

**pazientare**, verbo denom. da *paziente*.

**paziente**, dal lat. *patiens, -entis*, part. pres. di *pati* ' sopportare '; v. PATIRE.

**pazienza**, dal lat. *patientia*.

**pazzo**, forma abbreviata di lat. *patiens* ' sofferente '.

**peana**, dal lat. *paeana*, accus. alla greca di *paean*, dal gr. *Paián, -ânos*, epiteto di Apollo ' risanatore '.

**pecca**, sost. deverb. da *peccare*.

**peccaminoso**, deriv. del lat. tardo *peccamen, -ĭnis*, col suff. it. *-oso*.

**peccare**, lat. *peccare*, verbo denom. da *\*peccus* ' difettoso nel piede ' (come *mancus* ' difettoso nella mano '). La nozione del peccato nasce dall'errore, e questo dall'errore di strada, grave di conseguenze nelle piste e sentieri della foresta primitiva; cfr. SCELLERATO e FALLIRE.

**peccato,** lat. *peccatum,* part. pass. sostantiv. di *peccare.*

**peccatore,** lat. *peccator, -oris.*

**pècchero,** dal longob. *behhari* ' bicchiere ' (ted. *Becher*).

**pecchia,** lat. *(a)picŭla,* dimin. di *apis;* v. APE.

**pece,** lat. *pix picis,* da una rad. PIK, attestata, con qualche ampliam., nelle aree umbra, greca, slava, baltica.

**pechblenda,** dal ted. *Pechblende,* comp. di *pech* ' pece ' e *blende* ' blenda '.

**pechinese,** dall'ingl. (XX sec.) *pekinese (dog)* ' cane di Pechino '.

**pècora,** lat. *pecŏra,* neutro plur. di *pecus, -ŏris* ' bestiame, gregge ', forma collettiva di *pecu,* antichissima parola sopravv. nelle aree indo-iranica e germanica (ted. *Vieh*). Il gregge primitivo era essenzialmente quello di ovini, solo successivamente di bovini (v. VITELLO e cfr. FEUDO). Per le connessioni con la rad. PEK-T del ' pettinare '; v. PÉTTINE.

**pecorino,** lat. tardo *pecorinus.*

**pècoro,** da *pecora.*

**pecorone,** accresc. di *pecora.*

**peculato,** dal lat. *peculatus, -us,* astr. di *peculari* « formarsi un peculio (amministrando disonestamente) », verbo denom. da *peculium* incr. con i deriv. denom.-iterat. in *-ulare.*

**peculiare,** dal lat. *peculiaris,* deriv. di *peculium.*

**peculiarità,** dal lat. tardo *peculiarĭtas, -atis.*

**peculio,** dal lat. *peculium* ' piccola parte del gregge lasciata in proprietà dello schiavo che lo custodiva ' poi ' peculio, gruzzolo ', deriv. da *\*peculis* ' appartenente al gregge ' come *tribulis* da *tribu-s* o *curulis* da *currus.*

**pecunia,** dal lat. *pecunia* ' ricchezza in bestiame ' poi ' ricchezza ' in genere, ' danaro ', astr. di un *\*pecunus,* tratto da *pecu* come *tribūnus* da *tribu-s* o *Portūnus* da *portus.*

**pecuniario,** dal lat. *pecuniarius,* deriv. di *pecunia* ' danaro '.

**pedaggio,** dal lat. *pes pedis,* calco sul frc. *péage.*

**pedagna,** femm. sostantiv. dal lat. tardo *pedaneus* ' attinente al piede '.

**pedàgnolo,** dimin. di *pedagna.*

**pedagogìa,** dal gr. *paidogōgìa,* astr. di *paidagōgós;* v. PEDAGOGO.

**pedagògico,** dal gr. *paidagōgikós.*

**pedagogo,** dal lat. *paedagogus* che è dal gr. *paidagōgós,* comp. di *paid-* ' fanciullo ' e *agōgós* ' accompagnatore ': « accompagnatore di fanciulli ».

**pedale,** uso sostantiv. del lat. *pedalis* ' attinente al piede '.

**pedana,** lat. volg. *\*pedana,* forma femm. sostantiv. dell'agg. corrispond. al class. *pedaneus.*

**pedano,** lat. volg. *\*pedanus,* class. *pedaneus.*

**pedante,** forma sostantiv. dell'agg. nella formula (*pedagogo*) *pedante* ' accompagnatore a piedi '.

**pedata,** deriv. in *-ata* da *ped-* non dittongato perché fuori d'accento.

**pedemontano,** dal lat. tardo *pedemontanus* ' piemontese ' e in genere ' posto al piede dei monti '.

**pederasta,** dal gr. *paiderastés* ' amante di fanciulli ', comp. di *paid-* ' fanciullo ' e *erastés,* nome d'agente di *eráō* ' io amo ': e cioè « omosessuale maschile specializzato nella preferenza per i fanciulli ».

**pedestre,** dal lat. *pedester, -stris,* deriv. di *pedes,*

*-ĭtis* ' fantaccino ' come *equester* da *eques, -ĭtis* ' cavaliere '.

**pediatra,** dal gr. *paîs, paidós* e *-iatra.*

**pediatrìa,** dal gr. *paîs, paidós* e *-iatrìa.*

**pedicare,** dal lat. *paedicare,* verbo denom. tratto dall'agg. gr. *paidikós* ' infantile ' incr. con lat. *pudĭcus.*

**pedicello,** lat. volg. *\*pedicellus* ' acaro ', dimin. di *pedicŭlus* ' pidocchio ', dimin. di *pedis* ' pidocchio ', da un più ant. PEZD, con una vaga connessione nell'area iranica, cfr. PIDOCCHIO.

**pedicolare,** dal lat. (*morbus*) *pedicularis,* deriv. di *pedicŭlus;* v. PIDOCCHIO.

**pediculosi,** dal lat. *pedicŭlus* ' pidocchio ' e il suff. *-osi* di malattie croniche.

**pedicure,** dal frc. *pédicure,* comp. di lat. *pes, pedis* e il tema di *cura(re).*

**pedignone** ' gelone ', incr. di it. *\*pergnone,* lat. *pernio, -onis* ' gelone ai piedi ' (deriv. di *perna* ' gamba ') con it. *piede.* Lat. *perna,* v. PERLA, risale a un tema attestato nelle aree indiana, ittita, greca, germanica (cfr. ted. *Ferse* ' calcagno ').

**pediluvio,** dal lat. medv. *pediluvium,* comp. di *pes pedis* e *-luvium* tema di *luĕre* ' lavare '; v. LAVARE.

**pedina,** lat. volg. *\*pedina,* femm. sostantiv. di un agg. *\*pedinus,* deriv. da *pes pedis* con la *e* non sottoposta a dittongazione perché fuori d'accento.

**pedinare,** lat. volg. *\*pedinare,* verbo denom. da *\*pedinus.*

**pedìssequo,** dal lat. *pedisĕquus,* comp. di *pes pedis* e il tema di *sequi* ' seguire '; v. SEGUIRE.

**pedivella,** calco su *manovella.*

**pedologìa,** comp. di gr. *pédon* ' terreno ' e *-logìa.*

**pedone,** lat. tardo *pedo, -onis* « dai piedi larghi », accresc. di *pes pedis* come *Naso, -onis* è un accresc. di *nasus* ' naso ': passato oggi a indicare chi va a piedi in opposizione alla crescente moltitudine dei motorizzati.

**pedoto, pedotto** e **pedotta,** dal gr. *pēdón* ' pala del remo ', con suff. di nome d'agente, forse attrav. un biz. (ravennate) *\*pēdótēs* ' timoniere '.

**peduccio,** dimin. di *piede,* con la *e* non dittongata perché fuori d'accento.

**pedule,** dal lat. *pedule,* forma neutra sostantiv. di *pedulis* ' attinente ai piedi '.

**pedùncolo,** dal lat. tardo *peduncŭlus* (gl.) dim. di *pedo, -onis* ' individuo dai grossi piedi ', inteso come dimin. di *pes, pedis;* v. PEDONE.

**pegasèo,** dal gr. *pēgáseios,* agg. di *Pégasos.*

**pègaso,** dal lat. *Pegăsus,* gr. *Pégasos.*

**peggio,** lat. *peius,* neutro di *peior, -oris,* forma di compar. tratta da una rad. PED[2] ' cadere ', attestata nelle aree indiana, slava e germ.: una forma verb. di questa rad. si ha nel lat. *pessum;* v. *pessum dare* ' far cadere, mandare in rovina '.

**peggiorare,** dal lat. tardo *peiorare,* verbo denom. da *peior* ' peggiore ', incr. con it. *peggiore.*

**peggiore,** lat. *peior, -oris;* v. PEGGIO.

**peglia** ' riccio di castagna ', lat. *pilleus,* senza conn.

**pegno,** lat. *pignus (-ŏris),* parola giuridica in *-nus* (come *fenus, munus, facinus*) dalla rad. di *pingĕre* (v. PITTORE) e cioè « segno (per ricordare un impegno) ».

**pègola,** lat. tardo *picŭla,* dimin. di *pix, -picis* ' pece ' con leniz. settentr. di *-c-* in *-g-.*

**pelàgico,** dal lat. *pelagĭcus* che è dal gr. *pelagikós,* deriv. di *pélagos* ' mare '.

**pelagione,** da *pelare,* attrav. una tradiz. settentr. in *-sgjo-,* che darebbe normal. tosc. *-zione, -zzone.*

**pèlago,** dal lat. *pelăgus* che è dal gr. *pélagos* 'mare'; cfr. PILEGGIO e PLAGA.

**pelanda,** dal frc. ant. *houp(pelande).*

**pelandrone,** incr. di *pelanda* 'veste da camera' e *landrone* (v.) 'mascalzone': « mascalzone in veste da camera »; cfr. *malandrino.*

**pelare,** lat. tardo *pilare,* verbo denom. da *pilus* 'pelo'.

**pelargonio,** dal lat. scient. *pelargonium,* deriv. del gr. *pelargós* 'cicogna' (per la forma a becco allungato dei frutti): calco sul lat. *geranion,* v. GERANIO.

**pelàsgico,** dal lat. *pelasgĭcus* che è dal gr. *pelasgikós.*

**peleggio,** v. PILEGGIO.

**pellagra,** dal lat. medv. (X sec.) *palagra,* calco su *podágra,* con la sostituz. di *pellis* a *pod-* 'piede'.

**pellaio,** lat. *pellarius,* deriv. di *pellis* 'pelle', con trattam. tosc. di *-ariu* in *-aio.*

**pelle,** lat. *pellis,* con connessioni nelle aree greca e germ. [per es. ted. *Fell* 'pelle (di animale)'], tutte con la *-ll-* doppia; più alla lontana, collegato con la rad. PEL' di *palea* (v. PAGLIA) e *peluis* (v. PELVI), che definisce un rivestimento o una buccia.

**pellegrina,** dal frc. *pèlerine* incr. con it. *pellegrino.*

**pellegrinare,** dal lat. *peregrinare* incr. con it. *pellegrino.*

**pellegrino,** lat. *peregrinus* 'straniero' poi 'pellegrino' (v. PEREGRINO), dissimilato nel lat. medv. *\*pelegrinus,* quindi analizzato come comp. col pref. *pe(r)-* e *\*legrinus;* cfr. PELLICANO.

**pellética,** incr. di *pelle* e *còtica.*

**pelletterìa,** da *pellettiere* secondo il rapporto di *drogheria* a *droghiere.*

**pellettiere,** dal frc. *pelletier* (XIV sec.), dal frc. ant. *pel* 'pelle'.

**pellicano,** dal lat. tardo *pelecanus* che è dal gr. *pelekán, -ános,* analizzato come comp. col pref. *pe(r)-;* cfr. PELLEGRINO.

**pelliccia,** femm. sostantiv. di lat. tardo *pellicius* 'attinente a pelle'.

**pellicello** (acaro), lat. volg. *\*pedicellus* incr. con it. *pelle.*

**pellicino,** lat. *pedicinus* 'piede del torchio' incr. con *pelle.*

**pellicola,** dal lat. *pellicŭla,* dimin. di *pellis.*

**pellirossa,** dal plur. *pellirosse,* calco sul frc. *peaux-rouges.*

**pellùcido,** dal lat. *pellucĭdus,* comp. di *per* 'attraverso' e *lucĭdus* 'luminoso'.

**pelo,** lat. *pilus,* privo di connessioni attendibili.

**peloso,** lat. *pilosus,* deriv. di *pilus.*

**pelota,** dallo sp. *pelota* (XX sec.) che è dal frc. ant. *pelote* e questo dal lat. *pila* 'palla', privo di connessioni attendibili.

**pelta,** dal lat. *pelta* che è dal gr. *péltē.*

**peltasta,** dal lat. *peltastae, -arum* al plur., che è dal gr. *peltastés,* deriv. di *péltē;* v. PELTA.

**peltato,** dal lat. tardo *peltatus.*

**peltro,** lat. volg. *\*peltrum,* parola mediterr., di area spec. ligure.

**peluria,** da *pelo,* come « insieme di (singoli) peli », secondo il rapporto di *lussuria* a *lusso* o, in lat., di *paenuria* a *paene.*

**pelvi,** dal lat. *pēlvis* 'catino, bacino', più ant.

**\*pelewis,** ampliam. in *-ew-* della rad. PEL' 'rivestimento, buccia', ampliam. che compare identico nel sanscrito *pālavī* 'vaso'; v. PAGLIA, PELLE.

**pèmfigo,** dal gr. *pémphiks, -igos.*

**pena,** lat. *poena,* dal gr. *poinè* e questo da KwoINĀ 'prezzo' rad. KwEI 'pagare' attestata nelle aree centrali iranica (non indiana), slava, baltica. Essa introduce la nozione della 'pena' come valore economico e cioè 'multa'. Per la nozione anteriore di 'pena' in senso magico cfr. DANNO.

**penale,** dal lat. *poenalis.*

**penare,** verbo denom. da *pena.*

**penati,** dal lat. *Penates,* deriv. di *penus, -ŏris* 'parte interna della casa' nel lat. arc. (nel class. 'provviste'). La rad. sicuram. ideur. è PEN[1], il suo signif. è 'penetrare' e poi 'custodire', ma manca qualsiasi connessione evidente fuori del lat.

**pencolare,** lat. volg. *\*pendiculare,* iterat. di *pendēre* 'pèndere'.

**pendaglio,** dal frc. ant. *pendaille* « (canaglia degna di) pendere (dalla forca) ».

**pèndere,** lat. volg. *\*pendēre,* class. *pendēre* incr. con *pendere* 'sospendere, pesare'. Si tratta a quanto pare di una rad. PEN[2], diversa da quella di *penus* (v. PENATI) e ampliata con un suff. *-D-.* Sembra parallela a TEN in quanto contrappone alla tensione orizzontale di quest'ultima, la tensione verticale di ciò che si sospende nell'aria. Ma mancano connessioni attendibili fuori del lat., così per la forma come per il signif.

**pendice,** lat. *pendix, -icis,* deriv. di *pendēre.*

**pendìo,** da *pèndere,* quasi *luogo \*pendivo,* come nei casi di *bacio, scancìo* ecc.

**pèndolo,** forma sostantiv. dell'agg. lat. *pendŭlus* 'che oscilla', dal verbo *pendēre.*

**pèndulo,** dal lat. *pendŭlus,* deriv. per forma da *pendere* 'oscillare' incr. per il signif. con it. *pèndere.*

**pene,** dal lat. *penis* originariam. 'coda', ampliam. di PES, che appare, nella forma PESOS, in sanscrito e in greco; cfr. PENICILLINA.

**pènero** 'lembo dell'ordito', incr. di lat. volg. *\*pedinus* e class. *tener* 'tenero'.

**penetràbile,** dal lat. *penetrabĭlis.*

**penetrale,** dal lat. *penetrale,* neutro sostantiv. di *penetralis* 'interiore'.

**penetrare,** dal lat. *penetrare,* verbo denom. da *penĭtus,* avv. col valore di 'dall'interno di', 'nel fondo di' deriv. di *penus, -ŏris* 'dispensa', che risale a rad. PEN[1], v. PENATI.

**penetrativo,** dal lat. medv. *penetrativus.*

**penetratore,** dal lat. tardo *penetrator, -oris.*

**penetrazione,** dal lat. tardo *penetratio, -onis.*

**penicillina,** dal lat. scient. *penicillium,* genere di funghi deriv. dal lat. class. *penicillum* 'pennello' col suff. *-ina,* proprio dei prodotti medicinali. *Penicillum* è dimin. di *peniculus* 'spazzola, spugna' e questo di *penis* nel senso di 'coda'; v. PENE.

**peninsulare,** dal lat. *paeninsŭla* incr. con *insularis.*

**penìsola,** incr. di lat. *paeninsŭla* e it. *ìsola. Paeninsŭla* deriva dalla giustapposizione *paene-insŭla* « quasi isola », per cui v. ÌSOLA. *Paene* non ha connessioni attendibili, però cfr. PENTIRE.

**penitente,** dal lat. *paenĭtens, -entis,* part. pres. di *paenitere* 'pentirsi'; v. PENTIRE.

**penitenza,** dal lat. *paenitentia.*

**penitenziale,** dal lat. crist. *paenitentialis.*

**penna,** lat. *pinna* 'penna d'uccello' e *penna* 'ala',

derivaz. in *-na* della rad. PETĒ ' tendere a una meta ' e cioè sostanziale nome di strum. (v. PETIZIONE). La forma orig. era PETER/PETEN sopravv. nelle due forme nell'area ittita e nell'una o nell'altra forma nelle aree greca (*pterón* ' ala '), germanica (ted. *Feder* ' penna '), celtica. *Pinna* è variante dialettale di *penna*, come *vigor/vegeo*, *vitŭlus/vetŭlus*; v. VIGORE, VITELLO.

**pennacchio**, lat. tardo *pinnacŭlum*, dimin. di *pinna*; cfr. PINNÀCOLO.

**pennato**, dal lat. *pinnatus*.

**pennecchio**, dal lat. *penicŭlus* ' piccola coda ' incr. con *penna*; v. PENICILLINA.

**pennello**, incr. di lat. volg. *\*penellus*, dimin. di *penis* ' coda ' con *penna*.

**pennino**, dimin. di *penna*.

**pennivéndolo**, calco su *straccivéndolo* e sim., con valore peggiorativo.

**pennone**, accresc. di *penna*.

**penombra**, dal lat. *paene* ' quasi ' (v. PENTIRE) e *ombra*.

**penoso**, da *pena*.

**pensàbile**, agg. verb. di *pensare*.

**pensare**, dal lat. *pensare*, intens. di *pendĕre* ' pesare '; v. PÈNDERE.

**pensiero**, dal provz. *pensier*, deriv. da lat. *pensare*.

**pènsile**, dal lat. *pensĭlis*, agg. verb. attivo di *pendere*, tratto dal part. pass. *pensus* da più ant. *\*pend-to-s*, come *ductĭlis, fissĭlis, fossĭlis*, ecc.

**pensilina**, da (*copertura*) *pènsile*.

**pensione**, dal lat. *pensio, -onis*, nome d'azione di *pendĕre* nel senso di ' pagare '.

**penso**, dal lat. *pensum* ' peso di lana da filare ' assegnato alle schiave, generalizzato poi nel senso di qualsiasi compito da assolvere. Lat. *pensum* è ant. part. pass. e dunque è « il pesato (per eccellenza) ».

**penta-**, dal gr. *penta-* che è da *pénte* incr. con *tetra-*.

**pentaedro**, comp. di *penta-* e *-edro*.

**pentàgono**, dal gr. *pentágōnon*, comp. di *penta-* e *-gōnos*, estr. da *gōnía* ' angolo '.

**pentagramma**, dall'agg. gr. *pentágrammos* ' di cinque segni (o righe) ', comp. di *penta-* ' cinque ' e *grámma* ' scrittura ', con suff. aggettiv.

**pentàmetro**, dal lat. *pentamĕter, -tri*, che è dal gr. *pentámetros* ' di cinque misure ', comp. di *penta-* e *métron*, per la inesatta analisi di due dattili più spondeo, più due anapesti (in tutto cinque), anziché dei sei piedi della definizione esatta.

**pentapodia**, da *penta-* e *-podìa*.

**pentarchìa**, dal gr. *pent(e)-* ' cinque ' e *-arkhía*, astr. deriv. da *árkhō* ' sono a capo '.

**pentasìllabo**, dal lat. tardo *pentasyllăbus* che è dal gr. *pentasýllabos*, comp. di *pénte* ' cinque ' e *syllabē*.

**pentatèuco**, dal lat. *Pentateuchus*, che è dal gr. *pentáteukhos*, comp. di *penta-* ' cinque ' e *teûkhos* ' astuccio, per libri '.

**pentatlo**, dal gr. *péntathlon*, comp. di *pént(e)* ' cinque ' e *âthlon* ' lotta '.

**pentecoste**, dal gr. *pentēkostē* (*hēméra*) ' cinquantesimo (giorno, dopo la Pasqua) '.

**pentemìmero**, dal gr. *pénte* ' cinque ' e *hēmimerēs* ' corrispondente a mezza parte ' (comp. di *hēmi-* ' mezzo ' e *méros* ' parte ').

**pèntima** ' pendio su laghi vulcanici ', tema mediterr.

**pentire**, lat. *paenitere* ' non avere abbastanza ', verbo di stato tratto da un presunto *\*paenĭtus* ' chi non ha abbastanza di qualche cosa ', passato alla coniugazione in *-ire*. Esso è a sua volta collegato con *paene* ' quasi ', a sua volta privo di connessioni fuori del lat.; cfr. PENURIA.

**pèntodo**, da *pente*(*elettr*)*odo*.

**péntola**, lat. volg. *\*pincta* (class. *picta*), con suff. dimin.: « piccolo (recipiente) verniciato ».

**penùltimo**, dal lat. tardo *paenultĭmus*, comp. di *paene* ' quasi ' e *ultĭmus*.

**penuria**, dal lat. *paenuria*, deriv. di *paene* (v. PENTIRE), attrav. un agg. *\*paenur* ' mancante ', secondo il rapporto del suo opposto *satur* ' sazio ' rispetto all'avv. *\*sate* ' abbastanza '.

**pènzolo**, lat. volg. *\*pendjòlus*, var. di class. *pendŭlus* (v. PÉNDOLO) incr. con it. *pèndolo*.

**penzolone** e **penzoloni**, formaz. del tipo *bocconi, carponi*, ecc. tratta da *pènzolo*.

**peonia**, dal lat. *paeonia* che è dal gr. *paiōnía*, femm. sostantiv. di *paiónios* ' salutare ', in relazione all'uso medicinale delle sue radici.

**peòta**, dal venez. *peòta* che, con leniz. totale del *-d-* intervocalico, è dal biz. *\*pēdótēs* ' addetto al remo o al timone ', dal gr. *pēdón* ' pala del remo ': « (barca) timoniera »; cfr. PEDOTO e PILOTA.

**pepe**, lat. *piper*, dal gr. *péperi*, proveniente a sua volta dalle reg. occidentali dell'India.

**peperino**, lat. tardo (*lapis*) *piperinus*, per la presenza di particelle nere che richiamano i grani di pepe, incr. con it. *pepe*; cfr. PIPERINO.

**peperita**, dal lat. scient. (*mentha*) *piperita* ' menta pepata ', incr. con it. *pepe*.

**peperone**, incr. del settentr. *pevrón* con tosc. *pepe*.

**pepiniera**, dal frc. *pépinière*, deriv. di *pépin* ' seme '.

**pepita**, dallo sp. *pepita* ' seme '.

**peplo**, dal lat. *peplum* che è dal gr. *péplon*.

**pepolino**, incr. di *serpollino* con *pepe*, attrav. una tradiz. settentr., attestata dalla semplificaz. della geminata *-ll-*.

**pèppola** (uccello), da una serie onomatop. *p.... p*, col suff. *-l-* di iterat.

**pepsina**, dal gr. *pépsis* ' digestione ' col suff. *-ina* di prodotti farmaceutici.

**peptone**, dal gr. *peptós*, agg. verb. di *péssō* ' cuocio ' col suff. *-one* attrav. il ted. *Pepton*.

**per**, incr. di lat. *per* e di lat. *pro*. Lat. *per* ha i tre valori di ' al di là ', ' attraverso ', e ' molto '. La forma orig. è PERI con desinenza di locativo, da un tema PER che voleva dire ' davanti ', bene attestato nelle diverse aree ideur. sia pure con signif. divergenti. Il primo signif. ha paralleli nelle aree germanica, baltica, iranica, il secondo si ritrova nelle aree slava e soprattutto baltica; cfr. PERI-.

**per-**, pref. rafforzativo, spec. chimico, dal lat. *per-* con valore superl.

**pera**, lat. *pira*, neutro plur. di *pirum*, da un tema mediterr. (A)PISO-, pres. nel gr. *ápios*.

**peranco**, da *per* e *anco*.

**perbene**, da *per* e *bene*.

**perca**, dal lat. *perca* ' pesce persico ' che è dal gr. *pérkē*; cfr. PIRCHIO.

**percalle**, dal frc. *percale*, persiano *pargālè* ' pezzo di tessuto ', col raddopp. della consonante sentita sgradevolmente in posizione finale; cfr. CONSOLLE, CONTROLLO.

**percentuale**, deriv. dal lat. *per centu(m)*.

**percepìbile**, dal lat. tardo *percipibĭlis*; cfr. PERCETTÌBILE.

**percepire**, dal lat. *percipĕre* incr. con it. *capire*.

*Percipĕre* è comp. di *per* e *capĕre* con norm. passaggio di -*ă*- in -*ĭ*- in sill. interna aperta.

**percettibile,** dal lat. tardo *perceptibĭlis,* agg. verb. di *percipĕre* tratto, anziché dal tema di pres. (v. PERCEPÌBILE), dal tema del part. pass.: cfr. it. *fattibile* in confronto del lat. *facĭlis.*

**percettore,** dal lat. *perceptor, -oris,* nome d'agente di *percipĕre.*

**percezione,** dal lat. *perceptio, -onis,* nome d'azione di *percipĕre.*

**perché,** comp. di *per* e *che* relativo.

**perciò,** comp. di *per* e *ciò.*

**perciocché,** da *perciò* e *che.*

**percipiente,** dal lat. *percipiens, -entis,* part. pres. di *percipĕre;* v. PERCEPIRE.

**percórrere,** dal lat. *percurrĕre,* comp. di *per-* e *currĕre.*

**percorso,** sost. deverb. da *percórrere,* inserito nello schema di it. *corso* rispetto a *córrere.*

**percossa,** femm. sostantiv. di lat. *percussus,* part. di *percutĕre,* incr. con it. *mòssa;* v. SCOSSA.

**percuòtere,** lat. *percutĕre* incr. con it. *muòvere;* cfr. *scuòtere. Percutĕre* è comp. di *per-* e *quatĕre* con norm. passaggio di -*uă*- in -*ŭ*- in sill. interna.

**percussione,** dal lat. *percussio, -onis,* nome d'azione di *percutĕre.*

**percussore,** dal lat. *percussor, -oris,* nome d'agente di *percutĕre.*

**pèrdere,** lat. *perdĕre,* comp. di *per* nel senso di 'al di là' (cfr. *peregrinus*) e *dare* con pass. di -*ă*- in -*ĕ*- in sill. interna dav. a -*r*-.

**perdifiato,** da *perde(re)* e *fiato.*

**perdio,** da *per Dio.*

**pèrdita,** femm. sostantiv. di lat. *perdĭtus,* part. pass. di *perdĕre;* cfr. PERSO.

**perditempo,** da *perde(re)* e *tempo.*

**perdizione,** dal lat. tardo *perditio, -onis,* nome di azione di *perdĕre.*

**perdonare,** lat. medv. *perdonare* (X sec.) « fare atto di donazione per eccellenza ».

**perdono,** sost. deverb. da *perdonare.*

**perduellione,** dal lat. *perduellio, -onis,* astr. di *perduellis* 'reo di tradimento', comp. di *per-* rafforzativo e *duellum* forma arc. di *bellum* 'guerra'; v. BÈLLICO.

**perdurare,** dal lat. *perdurare,* comp. di *durare* con *per-* rafforzativo.

**peregrinare,** dal lat. *peregrinari,* verbo denom. da *peregrinus* 'straniero'.

**peregrinazione,** dal lat. *peregrinatio, -onis.*

**peregrinità,** dal lat. *peregrinĭtas, -atis.*

**peregrino,** dal lat. *peregrinus* 'forestiero', deriv. dell'avv. *peregre* 'fuori di città', da *per* 'di là' (cfr. PÈRDERE) e *ager* 'territorio': con passaggio di -*ă*- in -*ĕ*- in sill. interna dav. a gruppo di cons.

**perenne,** dal lat. *perennis,* comp. di *per* e *annus* 'attraverso tutto l'anno', con passaggio di -*ă*- in -*ĕ*- in sill. interna chiusa.

**perennità,** dal lat. *perennĭtas, -atis.*

**perento,** dal lat. *peremptus,* part. pass. di *perimĕre* 'annullare', comp. di *per-* 'di là' (cfr. PÈRDERE) e *emĕre* con norm. passaggio di -*ĕ*- in -*ĭ*- in sill. interna aperta.

**perentorio,** dal lat. tardo *peremptorius.*

**perenzione,** dal lat. tardo *peremptio, -onis,* nome d'azione di *perimĕre.*

**perequare,** dal lat. *peraequare,* verbo denom. da *aequus,* col pref. *per-* rafforzativo.

**perequatore,** dal lat. *peraequatuor, -oris.*

**perequazione,** dal lat. tardo *peraequatio, -onis.*

**perfettivo,** dal lat. tardo *perfectivus.*

**perfetto,** dal lat. *perfectus,* part. pass. di *perficĕre* 'condurre a compimento', comp. di *per* e *facĕre* con passaggio di -*ă*- in -*ĭ*- in sill. interna aperta, a -*ĕ*- in sill. interna chiusa.

**perfezione,** dal lat. *perfectio, -onis,* nome d'azione di *perficĕre.*

**perfidia,** dal lat. *perfidia.*

**pèrfido,** dal lat. *perfĭdus,* comp. di *per-* e *fidus* 'che è al di là della fiducia'; cfr. PÈRDERE, PEREGRINO, PERENTO, PERVERTIRE, PERIRE.

**perfine** (alla), comp. di *per* e *fine.*

**perfino,** da *fino* con *per* rafforzativo.

**perforare,** dal lat. *perforare,* comp. di *per* 'attraverso' e *forare.*

**perforatore,** dal lat. *perforator, -oris.*

**perforazione,** dal lat. tardo *perforatio, -onis.*

**perfosfato,** da *per(ossi)fosfato,* sale dell'acido perossifosforico, deriv. dal lat. *fosforo,* col pref. *per-* di superl. in senso chimico.

**perfusione,** dal lat. *perfusio, -onis,* nome d'azione di *perfundĕre.*

**pergamena,** dal lat. *pergamena (charta)* « carta di Pergamo » perché si deve, secondo Plinio, a Eumene II di Pergamo la moda della pergamena al posto del papiro (II sec. a. C.).

**pèrgamo,** lat. *pergŭla,* incr. con lat. medv. *pèrgamum* 'altura', dal gr. *Pérgamon* città della Misia.

**pèrgola,** dal lat. *pergŭla* 'loggetta', variante del tema mediterr. BARGA, PARGA 'capanna', forse incr. con *tegŭla;* cfr. BARCA.

**peri-,** dal gr. *perí* 'intorno', che risale alla stessa famiglia di lat. *per* (v. PER), con la conservazione della desinenza -*i* di locativo e l'introduz. (comune all'area indo-iranica) del valore 'intorno a'.

**perianzio,** dal gr. *perianthés,* comp. di *perí* 'intorno' e *ánthos* 'fiore' col suff. -*io.*

**pericardio,** da *peri-* e gr. *kardía* 'cuore'.

**pericarp(i)o,** da *peri-* e gr. *karpós* 'frutto'.

**periclitare,** dal lat. *periclitari,* verbo intens. di *periculari.*

**pericolare,** dal lat. *periculari,* verbo den. da *pericŭlum.*

**perìcolo,** dal lat. *pericŭlum* 'esperimento, rischio' (cfr. *peritus* 'esperto'), nome di strum. di *\*periri* 'fare esperienza', con una chiara corrispond. solo nel gr. *peîra* 'prova'; cfr. ESPERTO e IMPERITO.

**pericoloso,** dal lat. *periculosus.*

**pericondrio,** comp. di *peri-* e di gr. *khóndros* 'cartilagine' con suff. aggettiv.

**pericope** 'capoverso', dal lat. tardo *pericŏpe* che è dal gr. *perikopé* 'taglio circolare', comp. di *perí* e del tema di *kóptō* 'io taglio'.

**perielio,** comp. di *peri-* e gr. *hélios* 'sole'.

**periferia,** dal lat. *peripheria* che è dal gr. *periphéreia* 'circonferenza', astr. da *periphérō* 'porto intorno'.

**perìfrasi,** dal gr. *periphrasis,* nome d'azione di *periphrázō* 'parlo con circonlocuzioni'.

**perifràstico,** dal gr. *periphrastikós.*

**perigèo,** dal gr. *perígeios,* deriv. di *gê* 'terra' col pref. *peri-* e il suff. aggettiv. -*ios.*

**perìglio,** dal provz. *perilh,* lat. *pericŭlum;* v. PERÌCOLO.

**periindeuropeo**, 'spazio periferico rispetto alle regioni totalmente indeuropeizzate', da gr. *peri-* 'intorno' e *indeuropeo*.

**perìmetro**, dal lat. *perimĕtros* che è dal gr. *perimetros*, forma sostantiv. di *perímetros* (*grammē*) ' scrittura che misura attorno '.

**perinèo**, dal frc. *périnée* e questo dal lat. tardo *perineus*, che è dal gr. *períneos*.

**periòdico**, dal lat. *periodĭcus* che è dal gr. *periodikós*, agg. di *períodos*; v. PERÌODO.

**perìodo**, dal lat. *periŏdus* che è dal gr. *períodos* ' circuito ', comp. di *peri-* ' intorno ' e *hodós* ' strada '.

**periostio**, dal gr. *periósteon*, comp. di *peri-* e *ostéon* ' osso '.

**periostite**, da *periostio*, col suff. *-ite* di malattia acuta.

**peripatètico**, dal lat. *peripateticus* che è dal gr. *peripatētikós*, deriv. da *Perípatos*, nome loc. ateniese, propr. « la passeggiata ».

**peripezìa**, dal gr. *peripéteia* ' avvenimento improvvisto ', deriv. di *peripetḗs* ' che cade in mezzo a qualcosa ', comp. di *peri-* e il tema di *píptō* ' cado '.

**pèriplo**, dal lat. *periplus* che è dal gr. *períplūs*, comp. di *peri-* e *plûs* ' navigazione ': « circumnavigazione ».

**perire**, lat. *perire*, comp. di *ire* e *per* ' oltre '; cfr. PÈRDERE, PEREGRINO, PERENTO, PÈRFIDO e PRAVO.

**periscopio**, da *peri-* e *-scopio*.

**perispòmeno**, dal gr. *perispṓmenos*, part. pres. passivo di *perispáō* ' segno con l'accento circonflesso ', comp. di *peri-* ' intorno ' e *spáō* ' io tiro '.

**perissodàttili**, comp. di gr. *perissós* ' dispari ' e *dáktylos* ' dito '.

**peristàltico**, dal gr. *peristaltikós*, deriv. di *peristéllō* ' mando attorno, avvolgo, comprimo '.

**peristilio**, dal lat. *peristylium* che è dal gr. *peristýlion*, comp. di *peri-* e *stýlos* ' colonna ' con suff. *-ion*: « colonnato posto intorno ».

**peritare**, lat. tardo *pigritari*, intens. di *pigrari*, denom. da *piger*, con semplificaz. del gruppo *-gr-* in *-r-* come in *nero* per lat. *nigrum*.

**perito**, dal lat. *peritus*, part. pass. attivo di *\*periri*; v. PERÌCOLO.

**peritonèo**, dal lat. tardo *peritonaeum* che è dal gr. *peritónaion*, comp. di *perí* e un deriv. di *teínō*: « teso intorno ».

**perìttero**, dal gr. *perípteros* « (che ha) attorno (*perí*) un'ala (*pterón*) di colonne ».

**perituro**, dal lat. *periturus*, part. fut. di *perire*; v. PERIRE.

**perizia**, dal lat. *peritia*, astr. di *peritus*; v. PERÌCOLO.

**perizoma**, dal lat. tardo *perizoma* che è dal gr. *perízōma*, comp. di *peri-* ' attorno ' e il tema di *zṓnnymi* ' cingo '.

**perla**, lat. volg. *\*pernŭla*, dimin. di *perna* ' prosciutto ', con connessioni nelle aree greca, ittita, indiana, germanica (ted. *Ferse* ' calcagno ') sia pure con ondeggiamenti fonetici: il tema è PYERSN-.

**perlìfero**, comp. di *perla* e *-fero* ' portatore '.

**perlustrare**, dal lat. *perlustrare*, comp. di *per-* intens. e *lustrare* ' passare in rassegna ', più anticam. ' compiere la cerimonia della lustrazione '.

**permale**, da *per* e *male*.

**permaloso**, da *permale*.

**permanenza**, dal lat. *manentia* incr. con it. *permanere*.

**permanere**, dal lat. *permanere* ' rimanere sino alla fine ', comp. di *per* e *manere*; v. RIMANERE.

**permanganato**, comp. di *per-* e *mangan(ese)* col suff. chim. *-ato*.

**permeàbile**, dal lat. *permeabĭlis*, agg. verb. di *permeare* ' passare '.

**permeare**, dal lat. *permeare*, comp. di *per* ' attraverso ' e *meare* ' passare '; v. MEATO.

**permesso**, dal lat. *permissum*, neutro sostantiv. del part. pass. di *permittĕre*.

**perméttere**, dal lat. *permittĕre* incr. con it. *méttere*.

**permissìbile**, dal lat. *permissus*, part. pass. di *permittĕre* col suff. it. *-ìbile* di agg. verb. aggiunto al tema del part. pass. come nell'it. *fattìbile*.

**permissione**, dal lat. *permissio, -onis*, nome d'azione di *permittĕre*.

**pèrmuta**, sost. deverb. da *permutare*.

**permutàbile**, dal lat. tardo *permutabĭlis*.

**permutare**, dal lat. *permutare*, comp. di *per* e *mutare*: « mutare scambievolmente ».

**permutazione**, dal lat. *permutatio, -onis*.

**pernacchia**, dal napoletano *pernacchia*, incr. di lat. *vernacŭla* (femm. sostantiv. di *vernacŭlus* ' servile ', v. VERNÀCOLO) e di lat. *pernix* ' svelto ', deriv. di *perna* ' gamba ' e cioè « in gamba » (v. PERLA): passato a indicare « azione da servo » secondo il rapporto approssimativo di lat. *scurra* a *scurrilis*; v. SCURRILE.

**pernice**, incr. di lat. *perdix, -icis* con *(cotu)rnix, -icis*. *Perdix* è dal gr. *pérdiks*.

**pernicioso**, dal lat. *perniciosus*, deriv. di *pernicies*, astr. di *nex, necis* ' uccisione ' col pref. *per-* intens. e norm. passaggio di *-ĕ-* in *-ì-* in sill. interna aperta; v. NUÒCERE.

**pern(i)o**, lat. *perna* ' prosciutto ' per la somiglianza della forma passato alla declinaz. in *-o*; v. PERLA e PERNACCHIA.

**pernottare**, dal lat. *pernoctare*, verbo denom. da *nox noctis* ' notte ' con *per* ' attraverso '.

**pero**, lat. *pirus*, da un tema mediterraneo (A)PISO-; v. PERA.

**però**, lat. *per hoc* nel senso di ' attraverso questo '.

**perocché**, lat. *per hoc* ' per questo ' e *che*.

**perone**, dal gr. *peronḗ*.

**peronòspora**, dal lat. scient. *peronòspora*, comp. di gr. *peronē* ' punta ' e *sporá* ' seme ': « dalle spore a punta ».

**perorare**, dal lat. *perorare*, comp. di *orare* con *per* intens.

**perorazione**, dal lat. *peroratio, -onis*.

**peròssido**, comp. di *per-* e *òssido*.

**perpendicolare**, dal lat. *perpendicularis*, deriv. di *perpendicŭlum* ' filo a piombo '.

**perpendìcolo**, dal lat. *perpendicŭlum* ' filo a piombo ', dimin. di *pendŭlus* col pref. *per-*.

**perpetrare**, dal lat. *perpetrare*, comp. di *per* intens. e *patrare* ' compiere ', con norm. passaggio di *-ă-* in *-ĕ-* dav. a gruppo di cons. in sill. interna. *Patrare* è verbo denom. da *pater*, specializzatosi poi come termine religioso; cfr. IMPETRARE.

**perpetratore**, dal lat. tardo *perpetrator, -oris*.

**perpetrazione**, dal lat. tardo *perpetratio, -onis*.

**perpetua**, dal nome della domestica di Don Abbondio nei *Promessi sposi* di Alessandro Manzoni.

**perpetuàbile**, dal lat. *perpetuabĭlis*.

**perpetuare**, dal lat. *perpetuare*, verbo denom. da *perpetŭus*.

**perpetuità,** dal lat. *perpetuĭtas, -atis.*

**perpetuo,** dal lat. *perpetuus,* comp. di *pet(ĕre)* con *per-* intens. ' che procede in modo continuo ': formaz. in *-ŭus* come *continuus* da *tenere, perspicuus* da \**specĕre, assiduus* da *sedere.*

**perplessità,** dal lat. tardo *perplexĭtas, -atis.*

**perplesso,** dal lat. *perplexus,* part. pass. di *perplectĕre* ' intrecciare ', comp. di *per-* e *plectĕre*; v. PLESSO.

**perquisire,** verbo estr. dal sost. *perquisizione.*

**perquisitore,** dal lat. tardo *perquisitor, -oris,* nome d'agente nel sistema di *perquirĕre,* tratto da *per-* e *quaesitor,* nome d'agente fatto sul part. pass. del tema di desiderativo di *quaerĕre* (v. QUESITO) e col norm. passaggio di *-ae-* a *-i-* in sill. interna.

**perquisizione,** dal lat. *perquisitio, -onis,* nome di azione nel sistema di *perquirĕre* sul modello di *perquisitor, -oris*; v. PERQUISITORE.

**perscrutare,** dal lat. *perscrutari,* comp. di *per-* intens. e *scrutari.*

**persecutore,** dal lat. tardo *persecutor, -oris,* nome d'agente di *persĕqui.*

**persecuzione,** dal lat. tardo *persecutio, -onis,* nome d'azione di *persĕqui.*

**perseguire,** dal lat. *persĕqui* ' inseguire ' incr. con it. *seguire.*

**perseguitare,** incr. di *persecuzione* e *seguitare.*

**Perseo,** dal lat. *Persēus* che è dal gr. *Perseús.*

**perseveranza,** dal lat. *perseverantia.*

**perseverare,** dal lat. *perseverare,* verbo denom. da *severus* con pref. *per-* intens.

**persiana,** femm. sostantiv. di *persiano* ' appartenente alla Persia ', donde sarebbe irradiato il modello.

**pèrsica,** dal lat. *persĭca*; v. PESCA.

**pèrsico,** incr. di lat. *perca* (v. PERCA) con longob. \**parsik* (cfr. ted. *Barsch*).

**persino,** da *per* e *sino.*

**persistere,** dal lat. *persistĕre,* comp. di *sistĕre* ' fermarsi ' e *per-* intens.; *sistĕre* è la forma raddopp. di *stare* (v. STARE), di valore moment., che parte dalla rad. al grado ridotto.

**perso¹,** part. pass. di *pèrdere,* calcato su *arso* da *àrdere,* o *morso* da *mòrdere*; cfr. SPERSO.

**perso²,** dal lat. medv. *persus* (VIII sec. d. C.) ' color perso ', e cioè ' persiano ' perché colore tipico delle stoffe provenienti dall'Oriente: formato su *persĭcus* (v. PÈRSICA) come *poenus* su *poenic(e)us.*

**persona,** lat. *persona,* risal. forse al gr. *prósōpon* ' maschera ', attrav. all'etrusco *phersu.*

**personaggio,** dal frc. *personnage* incr. con it. *persona.*

**personale,** dal lat. tardo *personalis.*

**personalità,** dal lat. tardo *personalĭtas, -atis.*

**personificare,** da *persona* e *-ficare,* tema di verbo denom. causativo.

**perspicace,** dal lat. *perspĭcax, -acis* ' dallo sguardo acuto ', deriv. da *perspicĕre* ' penetrare con lo sguardo ' come *fugax* da *fugĕre. Perspicĕre* è comp. di *per-* ' attraverso ' e *-specĕre* con norm. passaggio di *-ĕ-* in *-i-* in sill. interna aperta.

**perspicacia,** dal lat. *perspicacia.*

**perspicuità,** dal lat. *perspicuĭtas, -atis.*

**perspicuo,** dal lat. *perspicĭus,* deriv. di *perspicĕre* ' guardare addentro ', con *per-* intens. e con un ampliam. analogo a quello di *continŭus* da *tenere, assidŭus* da *sedere, perpetŭus* da *petĕre.*

**persuadere,** dal lat. *persuadere,* comp. di *per-* intens. e *suadere*; v. SUADENTE.

**persuadìbile,** agg. verb. dal tema di pres. di *persuadere.*

**persuasìbile,** dal lat. *persuasibĭlis,* agg. verb. dal tema del part. pass. di *persuadere.*

**persuasione,** dal lat. *persuasio, -onis,* nome d'azione di *persuadere,* formato sul tema del part. pass. *persuaso-* da \**per-suad-to-.*

**persuasivo,** dal lat. medv. *persuasivus.*

**persuasore,** dal lat. tardo *persuasor, -oris,* nome d'agente di *persuadere.*

**pertanto,** da *per* e *tanto* nel senso di ' (per) ciò '.

**pèrtica,** dal lat. *pertĭca,* privo di connessioni evidenti.

**pertinace,** dal lat. *pertĭnax, -acis,* comp. di *per-* intens. e *tenax* ' tenace ', con norm. passaggio di *-ĕ-* in *-i-* in sill. interna aperta.

**pertinacia,** dal lat. *pertinacia.*

**pertinente,** dal lat. *pertĭnens, -entis,* part. pres. di *pertinere,* comp. di *per* e *tenere* con norm. passaggio di *-ĕ-* a *-i-* in sill. interna aperta.

**pertosse,** comp. di *per-* incr. con *iper-* (v.) e *tosse.*

**pertugiare,** lat. volg. \**pertusiare,* verbo denom. da *pertusus,* part. pass. di *pertundĕre* ' forare ', comp. di *per-* ' attraverso ' e *tundĕre* ' battere ', con leniz. settentr. di *-sia-* in *-sgja-. Tundĕre,* col suo perf. *tutŭdi,* trova una corrispond. esatta solo nel sanscrito *tundate* e *tudati,* col perf. *tutoda*; cfr. OTTÙNDERE.

**pertugio,** sost. deverb. estr. da *pertugiare*; cfr. BUGIO.

**perturbare,** dal lat. *perturbare,* comp. di *per-* intens. e *turbare.*

**perturbatore,** dal lat. tardo *perturbator, -oris.*

**perturbazione,** dal lat. *perturbatio, -onis.*

**perù,** dallo sp. *Perú.*

**pèrula** (botanica), dal lat. *perŭla,* dimin. di *pera* ' sacco ', che è dal gr. *pḗra.*

**pervàdere,** dal lat. *pervadĕre,* comp. di *vadĕre* ' andare ' e *per-* ' attraverso '; v. VADO.

**pervenire,** dal lat. *pervenire,* comp. di *per-* ' attraverso ' e *venire.*

**perversione,** dal lat. *perversio, -onis,* nome d'azione di *pervertĕre.*

**perversità,** dal lat. *perversĭtas, -atis.*

**perverso,** dal lat. *perversus,* part. pass. di *pervertĕre,* cfr. IMPERVERSARE.

**pervertire,** dal lat. *pervertĕre,* comp. di *vertere* ' volgere ' e *per-* nel senso di ' al di là '; cfr. *peregrino, perire, pèrdere, pèrfido, perento.*

**pervicace,** dal lat. *pervĭcax, -acis,* da *pervi(n)cĕre,* comp. di *vincĕre* e *per-* intens.: formaz. parallela a quella di *pertinax* rispetto a *pertinere,* di *perspicax* rispetto a *perspicĕre.*

**pervicacia,** dal lat. *pervicacia.*

**pervinca,** dal lat. *pervinca,* privo di connessioni evidenti.

**pervio,** dal lat. *pervius,* comp. di *per-* ' attraverso ' e *via* col suff. aggettiv.

**pesare,** lat. volg. \**pe(n)sare,* intens. di *pendĕre* ' pesare '; v. PÈNDERE.

**pèsca,** lat. *persica (malus)* ' (mela) persiana '; cfr. PERSICA, PESCO.

**pésca,** sost. deverb. tratto da *pescare.*

**pescagione,** dal lat. *piscatio, -onis,* nome d'azione di *piscari* ' pescare ' con leniz. settentr. di *-tio-* in *-sgjo-,* resa in tosc. in *-gio-.*

**pescaia,** lat. medv. *piscaria.*

**pescare,** lat. *piscari,* verbo denom. da *piscis* ' pesce '.

**pescatore,** lat. *piscator, -oris.*

**pesce,** lat. *piscis* con connessioni effettive solo nelle aree celtica e germanica (ted. *Fisch*).

**pescecane,** da *pesce-cane.*

**pescherìa,** incr. di lat. *piscaria* ' mercato del pesce ' col suff. *-erìa* di *drogherìa, latteria.*

**pescivéndolo,** lat. medv. *piscivèndulus;* cfr. (STRACCI)VÉNDOLO.

**pesco,** lat. *persìcus* ' di Persia '; v. PÈSCA.

**pescoso,** dal lat. *piscosus,* agg. di *piscis;* v. PESCE.

**peseta,** dallo sp. *peseta,* dimin. di *peso,* antica moneta e unità di peso: lat. *pensum,* cfr. PENSO.

**peso[1],** lat. *pènsum,* neutro sostantiv. di *pensus,* part. pass. di *pendère* ' pesare '; cfr. PENSO.

**peso[2],** estr. da *pesato* secondo lo schema di *pesto* rispetto a *pestato:* incr. per il signif. con *pesante.*

**pésolo,** ' pendulo ', lat. *pensìlis* incr. con *dóndolo;* cfr. PÒSOLA.

**pessario,** dal lat. tardo *pessarium,* deriv. di *pessum* che è dal gr. *pessós* ' dado, supposta '.

**pèssimo,** dal lat. *pessìmus,* superl. di *peior* (da *\*pedior*), da più ant. *\*ped-tìmus;* cfr. *op-tìmus* e v. PEGGIO.

**pesta,** sost. deverb. da *pestare;* cfr. PISTA.

**pestare,** lat. tardo *pistare,* intens. di *pinsère* ' pestare ', con corrispond. esatte per forma e signif. nell'area indiana, e con corrispond. parziali nelle aree iranica, baltica, slava e greca (gr. *ptissó*): da rad. PEIS, cfr. PISTORE.

**peste,** dal lat. *pestis* ' distruzione ', privo di connessioni attendibili, ma forse analizzabile come nome d'azione della rad. PED-S (v. PEGGIO) e cioè si sarebbe passati dalla nozione momentanea di ' caduta ' a quella durativa di ' deperimento ' e ' corrompimento ' attrav. l'-s- desiderativo.

**pestello,** lat. *pistillum,* dimin. di *pilum* (da *\*pistlom*), nome di strum. di *pinsère* ' pestare '; v. PESTARE.

**pestifero,** dal lat. *pestifer, -feri,* comp. di *pestis* e *-fer* ' portatore '.

**pestilente,** dal lat. *pestìlens, -entis.*

**pestilenza,** dal lat. *pestilentia.*

**pestilenziale,** dal lat. medv. *pestilentialis.*

**pesto,** estr. da *pest(at)o.*

**pètalo,** dal gr. *pétalon* ' foglia, lamina '.

**petardo,** dal frc. *pétard.*

**pètaso,** dal lat. *petàsus* che è dal gr. *pétasos,* appartenente alla famiglia di *petánnymi* ' apro '.

**petecchia,** lat. volg. *\*(im)petìcùla,* dimin. di lat. tardo *impètix, -ìcis,* class. *impetigo, -ìnis;* v. IMPETÌGINE.

**petente,** dal lat. *petens, -entis,* part. pres. di *petère* ' chiedere '; v. PETIZIONE.

**petitorio,** dal lat. *petitorius.*

**petizione,** dal lat. *petìtio, -onis,* nome d'azione di *petère.* Questo deriva dalla rad. PETÈ che indica la direzione immediata verso una meta orizzontale (*petere Romam*) o verticale (gr. *pìptein* ' cadere '). Solo da questi signif. spaziali si svolge in lat. l'imagine del ' chiedere '. La rad. PETÈ è bene attestata anche nel signif. di ' volare ' nell'area greca, indo-iranica, ittita e celtica. La quantità lunga di lat. *petìtio* è dovuta al part. pass. *petìtus* che presuppone un ampliam. della rad. in *-ì-* mentre la forma orig. avrebbe dovuto essere *\*petìtus.*

**-peto,** dal lat. *-pètus,* formaz. aggettiv. in *-o* dalla rad. di *petère;* v. PETIZIONE.

**peto,** lat. *pèdìtum,* con leniz. settentr. totale del *-d-* intervocalico e conseg. monottongazione di *-ei-* in *-e-* (cfr. *prete* da *preite,* v. PRETE). Il verbo lat. *pèdère* deriva da una rad. PEZD, attestata anche nelle aree baltica, slava e greca, con le alternanze POZD e BZD; cfr. PÒDICE.

**petonciano,** dall'ar. *bādingiän* incr. con *pet(rosello),* cfr. MELANZANA.

**petraia,** lat. *petraria* ' cave di pietre ' inteso come sg. di un collettivo e trattato secondo il procedim. tosc. che muta *-aria* in *-aia.*

**petrificare,** v. PIETRIFICARE.

**petrografìa,** dal gr. *petro-* (deriv. di *pétra* ' pietra ') e *-grafia.*

**petrolchìmica,** da *petrol(io)* e *chìmica.*

**petroliera,** da (*nave*) *petroliera.*

**petrolifero,** dal frc. *pétrolifère.*

**petrolio,** dal frc. *pétrole* e questo dal lat. medv. *petrae oleum* ' olio di pietra '.

**petronciano,** dall'ar. *bādingiän* incr. con *petro-,* per es. di *petro(sello);* cfr. PETONCIANO.

**petrosello,** lat. medv. *petrosillum,* adattamento del gr. *petrosélinon* ' prezzemolo '.

**petroso,** dal lat. *petrosus,* senza dittongazione della *-e-* perché fuori d'accento.

**pettegolare,** dal veneto *petegolàr,* verbo denom. da *petégolo;* v. PETTÉGOLO.

**pettegolezzo,** da *pettégolo.*

**pettégolo,** dal veneto *petégolo* ' piccolo peto ' e cioè allusione a sgradevole incontinenza verbale.

**pettignone,** lat. volg. *\*pectinio, -onis,* ampliam. di *pecten, -ìnis;* v. PÈTTINE.

**pettinare,** lat. *pectinare,* verbo denom. di *pecten, -ìnis;* v. PÈTTINE.

**pèttine,** lat. *pecten, -ìnis,* ampliam. in *-en* della rad. PEK-T che si ritrova al grado ridotto nel gr. *kteis ktenós* ' pettine ' da più ant. *\*pkt-en.* La forma verb. della rad., con lo stesso ampliam. *-t-,* si trova nel lat. *pecto* e nel gr. *pektô* (cfr. FLÈTTERE, NESSO, PLESSO). La forma semplice PEK si trova nelle aree greca e baltica e significa anche ' strappare '. Essa è in qualche connessione anche con lat. *pectus* (v. PETTO) e *pecu* (v. PÈCORA).

**pettirosso,** da *petto* e *rosso.*

**petto,** lat. *pectus, -òris,* ampliam. in *-òs* di PEK-T (v. PÈTTINE), con signif. passivo anziché attivo. Il petto è la « (regione) da cui si strappano, tosano o pettinano (peli) ». Connessioni non impeccabili si hanno nelle aree tocaria e celtica.

**pettorale,** dal lat. *pectoralis.*

**pettoruto,** incr. di lat. *pectorosus* e *hirsutus;* v. IRSUTO.

**petulante,** dal lat. *petùlans, -antis,* part. pres. di *\*petulare,* verbo iterat. dal signif. fortemente peggiorativo rispetto a *petère;* v. PETIZIONE.

**petulanza,** dal lat. *petulantia.*

**petunia,** dal frc. *petun* ' tabacco ' e questo da lingua indigena del Brasile (tupi o guaranì).

**petuzzo,** dimin. di *peto.*

**pévera** (cassetta per imbottare il vino), da un settentr. *pidria* incr. con *bévere.* L'orig. lontana sta in un tipo biz. *\*plétria* ' la riempitrice ' irradiato da Ravenna, lontanamente collegato con *pléthron* unità di misura (di lunghezza e superficie).

**pezza,** dal gallico *\*pettia,* lat. medv. *pettia.*

**pezzare**, 'macchiare', verbo denom. da *pezza*; cfr. BRIZZOLATO.

**pezzente**, lat. volg. *petjens, -entis*, part. pres. di *petire*, tratto da *petītus*, part. pass. di *petĕre*: nei dialetti merid. da *pezzente* si è deriv. *pezzire*, col signif. di 'accattare'.

**pezzo**, da *pezza*, cfr. *tocco*[1] da *tocca*.

**piacciaddio**, da *piaccia a Dio*.

**piaccichiccio**, dalle forme onomatop. del tipo *spiaccicare*, private della *s-* iniz., per sottolineare l'aspetto introduttivo.

**piaccicone, piaccicoso, piaccicotto**, v. PIACCICHICCIO.

**piacere**, lat. *placere*, verbo originariam. impersonale col valore di 'sta bene', da una rad. PLAK 'concordare' attestata anche nell'area tocaria. Per il suo corrispond. causativo v. PLACARE.

**piacévole**, lat. tardo *placibĭlis*.

**piada**, estr. da un settentr. *piàdena* 'vaso', lat. medv. *plàdena* (XIV sec.), dal gr. *pláthanon* 'scodella', con leniz. di *-th-* in *-d-*.

**piaga**, lat. *plăga* 'percossa' poi 'ferita', da una rad. PLAG/PLAK di orig. onomatop. attestata anche in forma verb. nel lat. *plangĕre* e, parallelamente, in gr. nel sost. *plēgḗ* 'colpo' e nel verbo *plázō* 'colpisco'.

**piagare**, lat. tardo *plăgare* 'battere, ferire', verbo denom. da *plaga*.

**piaggia**, incr. di lat. *plăga* 'estensione' e gr. *plágios* 'laterale'.

**piaggiare**, verbo denom. da *(s)piaggia* '(navigare lungo la) spiaggia' in senso figur.

**piàgnere**, lat. *plangĕre* 'percuotere' e quindi 'battersi il petto'; v. PIAGA.

**piagnisteo**, forma tosc. (con *-e(i)o* da *-eriu*) di un lat. medv. *plangisterium*, risultante *piàgnere*, incr. con *baptisterium*.

**piagnucolare**, verbo iterat. di *piàgnere*, con doppia suffissazione.

**piagoso**, dal lat. *plăgosus*.

**pialla**, lat. volg. *planŭla*, dimin. di *plana*, femm. sostantiv. di *planus* 'piano', con norm. caduta della voc. interna dopo l'accento.

**pianale**, forma sostantiv. di agg. deriv. da *piano*.

**piancito**, calco sul frc. *plancher*, verbo denom. da *planche* 'lastra', incr. con *(im)piantito*.

**pianella**, da *piano*.

**pianeròttolo**, doppio dimin. di *piano*, attrav. una forma *pianerotto*, da confrontare perciò con la serie *nano, *nanerotto, naneròttolo*.

**pianeta**[1], lat. *planeta*, dal gr. *planḗtēs* 'vagante'.

**pianeta**[2], lat. tardo *planeta* 'veste da viaggio' risalente anch'essa al greco *planḗtēs* perché poteva girare intorno alla persona.

**piàngere**, lat. *plangĕre*; v. PIÀGNERE.

**pianificare**, da *piano* e *-ficare*, tema di verbo denom.-causativo.

**piano**[1] (agg.), lat. *planus*, da una rad. PELĀ 'piatto, disteso', di cui rispecchia il grado ridotto, regolare per gli agg. verb. (ma cfr. PIENO). La radice è variamente attestata in alcune aree ideur. e più o meno direttam. presente nelle parole lat. *palam* (v. PALESE), *palma* (v. PALMA[1]). Per gli ampliam. in *-g* v. PLAGA.

**piano**[2] (sost.), dal frc. *plan*.

**piano**[3] (sost.), abbreviaz. di *piano(forte)*.

**pi-ano**[4], agg. in *-ano* dal nome proprio *Pio*.

**pianoforte**, da *(clavicembalo con il) piano (e il) forte*.

**pianoro**, da un lat. *planurium* incr. con finali settentr. *-òro* (contro le forme tosc. in *-oio*).

**pianta**[1] (del piede), lat. *planta*, deriv. di una rad. PḶT(H) con infisso nasale. Le corrispond. più importanti si trovano nel sanscrito *pṛthu-* 'terra' e nel gr. *platýs* 'largo'; cfr. PIATTO.

**pianta**[2], lat. *planta* 'virgulto', sost. deverb. da *plantare*, verbo denom. da *planta* 'pianta dei piedi', riferito ad es. a ortaggi che si « piantavano » calcando con la pianta del piede.

**piantàggine**, lat. *plantago, -ĭnis* con raddopp. norm. di cons. postonica in parola sdrucciola. *Plantago* è da *planta* (v. PIANTA[1]) per l'analogia delle sue foglie con la pianta del piede.

**piantagione**, lat. tardo *plantatio, -ōnis*, con leniz. settentr. di *-tion* in *-sgjon*, resa poi in forma toscana in *-gione*.

**piantagrane**, da *pianta(re)* e *grana*.

**piantare**, lat. tardo *plantare*; v. PIANTA[2].

**piantatore**, dal lat. tardo *plantator, -oris*.

**pianto**, lat. *planctus, -us*, astr. di *plangĕre*; v. PIÀNGERE.

**piantonare**, verbo denom. da *piantone*.

**piantone**[1] (arboscello), da *pianta* con suff. accresc.

**piantone**[2], impiego figur. di *piantone*[1] per sottolinearne la voluta immobilità.

**pianura**, astr. collettivo di *piano*[1] come *bassura* rispetto a *basso* o *altura* a *alto*.

**piare**, verbo denom. dalla serie onom. *pio pio*.

**piastra**, da *(im)piastro* incr. con *lastra*.

**piastriccio**, sost. deverb. da *(im)piastricciare*.

**piastrina**, da *piastra*.

**piastrino**, da *piastra*.

**piato**, lat. *placĭtum* 'sentenza', con leniz. settentr. totale di *-c-* intervocalico e conseg. riduzione di *piaito* in *piato*, cfr. *preite-prete, frà(g)ile-frale, *frà(g)ina-frana*, ecc., cfr. PLÀCITO.

**piattaforma**, dal frc. *plate-forme* e, in senso politico, dall'ingl. *plat-form*.

**piattello** (gioco), dimin. di PIATTO.

**piatto**, lat. *plattus*, forma con raddopp. espressivo, dal gr. *platýs* 'piatto, piano'; v. PIANTA[1].

**piàttola**, dal lat. *blattŭla*, dimin. di *blatta* incr. con *piatto* per la sua forma schiacciata. *Blatta*, priva di connessioni evidenti, è prob. di orig. mediterr.

**piattone**, lat. *blatta* incr. con *piatto* 'schiacciato' e il suff. accresc. *-one*.

**piazza**[1], lat. volg. *platja*, class. *platĕa* 'via larga, piazza', dal gr. *plateia*, forma femm. sostantiv. di *platýs* 'largo'; cfr. PLATEA.

**piazza**[2] (riferito a letto), dal frc. *place* 'posto'.

**piazzare**, dal frc. *placer* incr. con it. *piazza*[1].

**piazzuola** e **piazzola**, lat. volg. *platjŏla*, class. *plateŏla*, dimin. di *platea*.

**pica** 'gazza', lat. *pīca*, privo di connessioni evidenti fuori d'Italia; cfr. *picus* e v. PICCHIO[1].

**picaresco**, dallo sp. *picaresco* e questo da *picaro* 'mascalzone, imbroglione'.

**picca**, da una serie onomatop. *p.... k*, tipica del 'pungere'.

**piccante**, part. pres. di *piccare*.

**piccare**, lat. volg. *piccare*, verbo denom. da *picca*, forma espressiva di *pica* 'gazza' incr. con la nozione di 'beccare'.

**piccato**, da *piccare*.

**picche**, plur. di *picca*.

**picchè**, dal frc. *piqué*.

**picchetto**, dal frc. *piquet* 'drappello'.

**picchiare**, lat. volg. *\*picculare*, iterat. di *\*piccare*; v. PICCARE.

**picchiatello**, calco sulla parola gergale americana *pixilated* di signif. identico.

**picchio¹**, lat. volg. *\*picŭlus*, dimin. di class. *pīcus*; v. PICA.

**picchio²**, sost. deverb. da *picchiare*.

**piccia**, sost. deverb. da *(ap)picciare* 'congiungere', verbo denom. da lat. *picĕus* 'di pece' col pref. *a(d)-*.

**piccino**, incr. di lat. *pisinnus*, *pitzinnus*, con un dimin. dell'onomatop. *pikk-* (v. PÌCCOLO). Anche le forme lat. derivano dall'immagine di un balbettìo infantile.

**picciolo**, incr. di *piccolo* e *piccino*.

**picciòlo**, lat. volg. *\*pecjòlus*, class. *peciŏlus*, dimin. di *\*ped-cus*, der. peggiorativo in *-c-* di *ped* 'piede' (cfr. PECCARE), e quindi col valore di 'difettoso nel piede' o di « falso piedino ».

**piccione**, lat. tardo *pipio*, *-onis* (cfr. PIPPIONE), secondo una tradiz. merid. che muta lat. volg. *-ipjo-* in *-iccio*.

**picciotto**, dal siciliano *picciottu*, dimin. parallelo a *piccittu*.

**picco**, da *picca* 'punta'.

**pìccolo**, dimin. di *picca* 'punta': una piccola cosa è « una puntina di cosa » (cfr. le forme negat. *mica*, *punto*, ecc.).

**piccone**, accresc. di *picco* nel senso di strum.

**piccoso**, da *picca* in senso figur.

**piccozza**, ampliam. di *picco* nel senso di 'piccone'.

**pìceo**, dal lat. *piceus*, deriv. di *pix picis* 'pece'; v. PECE.

**picnic**, dall'ingl. *picnic*.

**pìcrico**, dal gr. *pikrós* 'amaro', col suff. chimico *-ico*.

**pidocchio**, lat. tardo *peducŭlus* incr. col suff. it. *-occhio*. *Peducŭlus* è dimin. di *pēdis* 'pidocchio', privo di connessioni evidenti, v. PEDICELLO.

**pidocchioso**, lat. tardo *peduculosus*.

**piedatterra**, dal frc. *pied-à-terre*.

**piede**, lat. *pes pedis*, parola fondam. del vocab. ideur. sopravv. dappertutto (salvo nelle aree slava e celtica), nelle forme alternanti PEDO'/POD/PŌD': contrapposto alla mano, che ha invece terminologia varia e disturbata nella tradiz.; v. MANO, PRESTO.

**piedistallo**, da *piede-stallo* « piede-appoggio ».

**piedritto**, da *pie(de) dritto*.

**piega**, sost. deverb. da *piegare*.

**piegare**, lat. *plicare*, con leniz. settentr. di *-c-* in *-g-*. *Plicare* contiene la voc. *-i-* per effetto dei comp., nei quali essa appare attrav. il norm. passaggio di *-ĕ-* in *-ĭ-* in sill. interna aperta, mentre la forma semplice avrebbe dovuto essere *\*plecare*. La rad. PLEK 'intrecciare' compare nel gr. *plékō* 'io intreccio' e nel sost. sanscrito *praç-na-* 'cesto'. Essa serve poi a formare il tema dei numerali moltiplicativi del tipo *duplex*, *triplex*, *multiplex*, ecc.: v. anche SÙPPLICE e cfr. DOPPIO, TRIPLO, SÉMPLICE. Per la variante P(H)LEK v. FLÈTTERE.

**pieghévole¹** (agg.), da *piegare* col suff. *-évole*.

**pieghévole²** (sost.), calco sul frc. *dépliant*.

**piemìa**, dal gr. *pýon* 'pus' e *-emìa*.

**pieno**, lat. *plenus*, agg. verb. della rad. PELĒ 'riem-pire' attestato con lo stesso suff. nelle aree indoiranica, baltica, slava, germanica. Nell'area italica, invece del grado ridotto, si ha il grado norm. della rad.; cfr. lat. *fenum* della rad. DHĒ(I) (v. FIENO) mentre regolare è invece *plānus* (v. PIANO¹). Quanto al verbo, esso aveva signif. moment., e quindi le corrispond. fra le lingue ideur. sono evidenti per quanto riguarda gli aoristi del tipo del gr. *plêto* 'riempì'. In lat. si è tratto da questo il pres. *plere*, normalm. con pref., come *implere* (v. EMPIRE), *complere* (v. COMPIRE).

**pietà**, lat. *piĕtas*, *-atis*, astr. di *pĭus*, con passaggio da *-iĭtas* a *-iĕtas*; cfr. PROPRIETÀ, SOCIETÀ, ecc.

**pietanza**, deriv. da *pietà* e cioè « cibo (straordinario) che si dava in certe ricorrenze ».

**piètica** (cavalletto), incr. di lat. *pedica* 'ceppo ai piedi, trappola' e it. *pèrtica*.

**pietra**, lat. *petra*, dal gr. *pétra*.

**pietrificato**, da *pietra*, col part. pass. del tema di verbo denom. causativo *-ficare*.

**pietroso**, incr. di *petroso* e *pietra*.

**pievano**, forma sostantiv. dell'agg. da *pieve*.

**pieve**, lat. *plebs*, *plebis* nel lat. crist. 'pieve' (class. 'plebe').

**pieveloce**, calco sul gr. *ōkýpūs*, comp. di *ōkýs* 'veloce' e *pús* 'piede'.

**piezòmetro**, dal tema del verbo gr. *piézō* 'comprimo' e *-metro*.

**pìffero**, dal ted. medio *pfifer* 'sonatore di piffero' propr. « fischiatore » (ted. *pfeiffen* 'fischiare').

**pigiama**, dall'ingl. *pyjamas*, risal. al persiano *pāy jāmè*, comp. di *pāy* 'piede, gamba' e *jāmè* 'vestito' « vestito da gamba ».

**pigiare**, lat. volg. *\*pinsiare*, deriv. di *pinsĕre* 'pestare', con leniz. settentr. di *-sja-* in *-(s)gja-*, resa in tosc. con *-gia-*.

**pigio**, da *pigiare*.

**pigione¹** (strum.), sost. deverb. da *pigiare*.

**pigione²**, lat. *pensio*, *-onis*, nome d'azione di *pendĕre* 'pesare, pagare' e quindi 'pagamento da farsi in giorno determinato, fitto' attrav. la tradiz. settentr. che muta *sjo-* in *-sgjo-*.

**pigliare**, lat. volg. *\*piliare*, deriv. di lat. tardo *pilare* 'rubare', svolgimento quasi gergale di *pilare* 'piantare un pilastro, affossare, ammassare', verbo denom. da *pila* 'pilastro, colonna'; v. PILA.

**piglio¹**, sost. deverb. da *pigliare*.

**piglio²**, da *(ci)piglio* (v.).

**pigmento**, dal lat. *pigmentum*, deriv. di *pingĕre* 'tingere' e perciò « coloritura »; v. PÌNGERE¹ e cfr. PIMENTO.

**pigmèo**, dal lat. *pygmaeus*, che è dal gr. *pygmaîos*, deriv. di *pygmê* 'pugno': « (alto) quanto un pugno ».

**pigna**, lat. *pinea*, femm. sostantiv. dell'agg. *pineus* 'attinente a pino'; v. PINO.

**pignatta**, da *pigna*, per la forma: di orig. settentr. e perciò con correzione ingiustificata della *-t-* semplice in doppia.

**pignolo**, da *pigna*, in senso figur. perché incastrato nei regolamenti come il pignolo nella pigna.

**pignone**, lat. volg. *\*pinnio*, *-onis*, deriv. di *pinna* in quanto 'pinnacolo'.

**pignorare**, dal lat. *pignorare*, verbo denom. da *pignus*, *-ŏris* 'pegno'; v. PEGNO.

**pigolare**, lat. volg. *\*piulare*, da una serie omatop.

*p.... ul...*, con svolgimento parallelo a quello di *miaulare* in *miagolare*.

**pigrezza**, lat. *pigritia*.

**pigrizia**, dal lat. *pigritia*.

**pigro**, dal lat. *piger, -gra, -grum*, privo di connessioni attendibili, salvo lat. *piget* 'far contro voglia, seccarsi' donde è stato tratto con lo stesso ampliamento *-ro* con cui (*in*)*tĕger* è stato tratto da *ta*(*n*)*go* (v. INTERO), e *taeter* da *taedet*; v. TETRO.

**pila**, lat. *pila* 'pilastro, mortaio'. Il signif. elettrico fu dato nel 1799 da A. Volta perché l'apparecchio da lui inventato constava di una colonna di piccole lastre di rame e zinco. Lat. *pila* è privo di connessioni attendibili; cfr. PILO.

**pilao**, dal persiano *pilau*.

**pilastro**, lat. volg. *pilaster*, prob. contaminaz. di *parastata* presso Vitruvio e *pila*.

**pilato**, dal cognome del procuratore romano della Giudea *Pontius Pilatus*.

**pileato**, dal lat. *pileatus*.

**pileggio** (e **peleggio**), lat. volg. *peligjum*, deriv. di *peligus*, adattam. arc. del gr. *pélagos* 'mare aperto', sottoposto al passaggio della *-ă-* interna a *-i-* in sillaba interna aperta: « (attinente alle rotte) in mare aperto »; v. PELAGO e PULEGGIO.

**pileo**, dal lat. *pilleus*, privo di connessioni evidenti.

**pileoriza**, comp. di lat. *pilleus* 'cappuccio' e gr. *rhiza* 'radice'.

**pilifero**, comp. di lat. *pilus* 'pelo' e *-fero* 'portatore'.

**pillàcchera**, dal gr. biz. *pilós*, class. *pēlós* 'fango', incr. con *brillare* e *zàcchera* (v.).

**pillo**, lat. volg. *pillum*, class. *pilum* 'pestello' da più ant. *peis-tlo-m*; cfr. PESTARE e PISTILLO.

**pillola**, dal lat. *pilŭla* 'pallottolina', dimin. di *pila* 'palla', per la *-ll-* incr. con *palla*.

**pillora**, forma dissimilata di *pillola*.

**pillotta**, dal frc. *pelotte* con la doppia *-ll-* per influenza di *palla*.

**pilo** 'dardo', dal lat. *pilum*, forse connesso con *pila*, e, come questo, privo di connessioni evidenti.

**pilone**, incr. di *pila* con *pignone*.

**pilorcio** 'spilorcio' (arc.), incr. di *pil*(*uccare*) e *sorcio*.

**piloro**, dal lat. tardo *pylorus*, che è dal gr. *pylōrós* 'portiere', comp. di *pýlē* 'porta' e il tema di nome d'agente del verbo *horáō* 'guardo'.

**pilota** e **piloto**, da *pedota* 'guida', cfr. PEOTA e PEDOTO, incr. con *pileggio* 'rotta di navigazione'.

**pilotaggio**, dal frc. *pilotage*.

**pilotare**, dal frc. *piloter*, verbo denom. da *pilote*, che è dall'it. *pilota*.

**piluccare**, lat. volg. *piluccare*, iterat. di *pilare* 'pelare', verbo denom. da *pilus* 'pelo'.

**pimento**, dal frc. *piment*, lat. *pigmentum*, nel senso medv. di 'spezie'; v. PIGMENTO e PÌNGERE¹.

**pimmèo**, v. PIGMÈO.

**pimpante**, dal frc. *pimpant*.

**pimperimpèra** (polvere), deformaz. onomatop. del lat. medv. *diatrionpepèreon*, dal gr. *dià trîon pepeéēon* « (sostanza ottenuta) attrav. (*dià*) tre (*trîon*) spezie (*peperéōn*) ».

**pimpinella**, lat. medv. (VIII sec.) *pipinella*, forma dimin. di lat. class. *pepìnem*, accus. di *pepo, -ŏnis* 'popone' con assimilaz. vocalica di *e* in *i*, v. POPONE, e incr. con *pàmpino*.

**pina**, deriv. da *pino*.

**pinacoteca**, dal lat. *pinacotheca*, che è dal gr. *pinakothḗkē*, comp. di gr. *pínaks, -akos*, 'tavola, quadro' e *thḗkē* 'deposito' (*biblioteca, discoteca, enoteca*); cfr. BOTTEGA.

**pinastro**, dal lat. *pinaster, -tri*, ampliam. peggiorativo di *pinus*; v. PINO.

**pinca**, dal lat. medv. *pinca* « subula », cioè 'lesina', « cosa aguzza »: privo di connessioni attendibili.

**pincione**, lat. tardo *pincio, -onis*, privo di connessioni attendibili.

**pinco**, da *pinca* 'cetriolo, (cosa aguzza)'.

**pindàrico**, dal lat. *Pindarĭcus*, che è dal gr. *pindarikós*, da *Píndaros*.

**pineale**, deriv. del lat. *pinĕa* per la forma della ghiandola, arieggiante una pina.

**pineta** e **pineto**, dal lat. *pinetum*, plur. neutro *pineta*, collettivo da *pinus*.

**pìngere¹**, lat. *pingĕre* 'ricamare, tingere, dipingere'. Forma a infisso nasale di una rad. PEIG 'colorire' attestato nelle aree indiana e slava. La variante PEIK ' ornare (sia attrav. il colore sia attrav. la scrittura)' è attestata nelle aree indo-iranica, tocaria, slava, germanica, greca (gr. *poikílos*). Per le varianti parallele MEIK/MEIG, PAK/PAG, PAT/PAD; v. MISTO, PACE, SPÀNDERE.

**pìngere²**, da *spìngere*; privato della *s-* per accentuare l'istantaneità del movimento.

**pingue**, dal lat. *pinguis*, discend. da ant. PNGU- e quindi incr. delle due famiglie ideur. di BHENGH (gr. *pakhýs* 'spesso, grosso') attestata anche nelle aree indiana e baltica e PĪ-w- (gr. *pîon* 'grasso'), attestata anche nell'area indiana.

**pinguèdine**, dal lat. *pinguedo, -ĭnis*, astr. di *pinguis* secondo il rapporto di *salsēdo, -ĭnis* a *salsus*; v. SALSÈDINE, SALSO.

**pinguino**, dal frc. *pingouin*, prob. dal bretone *penngwenn* 'testa bianca'.

**pinna**, dal lat. *pinna* 'penna', variante di *penna*; v. PENNA e cfr. VIGORE e VITELLO.

**pinnàcolo**, dal lat. tardo *pinnacŭlum*, dimin. di *pinna*; cfr. PENNACCHIO.

**pinnìpedi**, comp. di lat. *pinna* e lat. *pes, pedis* « che hanno pinne come piedi ».

**pino**, lat. *pīnus*, con connessioni nelle aree greca e indiana limitatam. alla pura rad. PĪ, variamente ampliata.

**pinocchio**, lat. volg. *pinucŭlus*, dimin. di *pinus*, incr. col suff. it. *-occhio*.

**pinòlo**, deriv. di *pina*.

**pinta**, dal frc. *pinte*.

**pinto**, lat. *pictus*, part. pass. di *pingĕre*, incr. con it. *pìngere*.

**pinza**, dal frc. *pince*.

**pinzare**, incr. di lat. volg. *punctiare*, intens. di class. *pungĕre*, e lat. volg. *piccare*; v. PICCARE.

**pinzette**, dal frc. *pincettes*.

**pinzimonio**, incr. scherzoso di *pinz*(*are*) e (*matr*)*imonio*.

**pinzo¹** sost. deverb. da *pinzare*.

**pinzo²**, agg. estr. da (*im*)*pinz*(*at*)*o*.

**pinzòchero**, incr. di *bizzoco* (cfr. *bigotto*) e *pinzare*, col suff. spregiativo in *-ero* (*bécero, bìschero*); cfr. PIZZÒCHERO.

**pio-**, dal gr. *pýon* 'pus'.

**pio**, dal lat. *pius*, senza connessioni al di fuori di quelle osco-umbre di tipo *piho-*.

**pìo pìo**, dalla serie onomat. *pi.... pi*, del pigolare.

pioggia, lat. volg. *plovia, class. pluvia, forma sostantiv. di (aqua) pluvia, che sostituisce a poco a poco il termine orig. imber (v. IMBRIFERO). Lat. pluvia è agg. sostantiv. tratto da pluĕre con lo stesso rapporto di fluvius rispetto a fluĕre; v. FLUVIALE.

piolo, lat. volg. *pirjòlus, dimin. di un tema *pirus, risal. a modelli greci della famiglia di petrō 'io attraverso', e trattato secondo il modello tosc. di -irio- in -io: cfr. PIRONE.

piombàggine, dal lat. plumbago, -ĭnis, con norm. raddopp. di cons. postonica in parola sdrucciola.

piombare, dal lat. tardo plumbare, verbo denom. da plumbum; v. PIOMBO.

piombìfero, comp. di piombo e -fero.

piombo, lat. plumbum, da un tema mediterr., prob. occidentale, da cui deriva anche il gr. mólybdos e varianti; cfr. PLUMBEO.

piomboso, dal lat. plumbosus.

pioniere e pioniero, dal frc. pionnier, in origine 'fantaccino', deriv. di pion, lat. pedo, -onis 'che cammina a piedi'.

pioppicoltura, da pioppo e coltura.

pioppo, lat. volg. *ploppus, class. pōpŭlus, privo di connessioni attendibili.

piorrèa, dal gr. pyorrhoía, comp. di pýon 'pus' e tema di nome d'azione di rhéō 'scorro', incr. con gonorrèa.

piota, femm. sostantiv. di lat. plautus 'piatto', privo di connessioni attendibili anche se non lontano dai tipi di planus (v. PIANO¹) e gr. platýs (v. PIATTO); cfr. IMPIOTARE.

piova, sost. deverb. estr. da piòvere.

piovano¹, agg. di piova.

piovano², forma sostantiv. di piovano, variante di pievano (v.).

piòvere, lat. volg. *plovĕre, class. pluĕre, dalla rad. PLEU 'scuotere l'acqua (col remo)', sopravv. in questo senso nel gr. pléō 'io navigo', nel senso di 'straripare' nel sanscrito, in quello di 'lavare' di nuovo nel greco (plýnō) e, ulteriorm. ampliata, nell'area germanica col senso di 'scorrere' (ted. fliessen). Il trapasso al valore di 'piovere' in lat. è legato al carattere violento delle piogge mediterr., in confronto a quelle miti dell'Europa centrale.

piovigginare, iterat. e vezzegg. di piòvere.

piovorno, lat. volg. *pluviurnus, incr. di pluvia con diurnus e nocturnus.

piovoso¹, lat. pluviosus, incr. con it. piova.

piovoso², dal frc. pluviôse, incr. con l'agg. it. piovoso.

piovra, dal frc. pieuvre, forma dialettale settentr. (normanna) del lat. polýpus 'polipo'.

pipa, dal frc. pipe, prima 'cannuccia', poi 'pipa'.

piperina, dal lat. piper 'pepe' col suff. -ina di sostanze chimiche.

piperino, v. PEPERINO.

piperno (roccia), da Piperno, loc. della prov. di Latina, risultante dall'incr. del toponimo lat. class. Privernum con l'agg. piperinus.

pipetta, dal frc. pipette, dimin. di pipe 'cannuccia'.

pipì, dalla serie onomatop. p.... s (v. PISCIARE) attenuata in p.... p.

pipilare, dal lat. pipilare, verbo iterat. tratto da pipire, che deriva a sua volta dalla serie onomatop. pi(o) pi(o), propria del pigolare.

pipistrello, lat. volg. *vespertellus, dimin. di class. vespertilio, -onis, deriv. di vesper 'sera' passato nell'it. ant. vi(s)pistrello e incr. con la serie onomatop. simbolo del fruscio pi.... pis. Vespertilio è forma assimilata di un *vespertinio, -onis che, rispetto a vesper 'sera' si appoggia alla forma intermedia *vespertinus; v. VESPERTINO.

pipita, lat. tardo (gloss.) pipita, variante rustica di class. pituita; cfr. PITUITA.

pìppio 'becco di vaso', dal lat. medv. pipium; cfr. IMPIPPIARE.

pippione 'piccione', lat. pipio, -onis, cfr. PICCIONE, deriv. da pipire; v. PIPILARE.

pìppo(lo) 'chicco', da una serie onomatop. p.... p....

pira, dal lat. pyra e questo dal gr. pyrá, deriv. di pýr 'fuoco'.

pirale (farfalla), dal lat. pyrallis, che è dal gr. pyra(l)lís, cfr. pýr 'fuoco', perché si credeva che vivessero anche nel fuoco.

piramidale, dal lat. tardo pyramidalis.

piràmide, dal lat. pyrămis, -ĭdis, che è dal gr. pyramis, -idos.

piramidone, nome commerciale risultante dall'incr. arbitrario del nome di un comp. chimico come il pirazolone e quello dell'amido.

pirata, dal lat. pirata, che è dal gr. peiratés, nome d'agente di peiráō 'io tento, assalgo'.

piràtico, dal lat. piraticus, che è dal gr. peiratikós.

pirchio 'tirchio', forma merid. di un deriv. di perca, pesce preso come simbolo di rozzezza. Da 'rozzo' la parola è passata poi a significare 'tirchio' per svolgim. proprio; cfr. TIRCHIO.

piressìa, dal gr. pyréssō 'ho la febbre', col suff. -ìa di astr.

pirètico, dal gr. pyretós 'febbre' e il suff. aggettiv. -ico.

piretro, dal lat. pyrethrum, che è dal gr. pýrethron.

pìrico, dal gr. pýr 'fuoco' col suff. di agg. -ico.

pirite, dal lat. pyrites, che è dal gr. pyrítēs, deriv. di pýr 'fuoco'.

piro-, dal gr. pýr, pýrós.

pirocorvetta, da piro- e corvetta.

piroelettricità, da piro- e elettricità.

piroetta, dal frc. pirouette.

piròfila, da (sostanza) piròfila e cioè 'amica (-fila) del fuoco (piro-)'.

pirofobìa, da piro- e fobìa.

pirofregata, da piro- e fregata.

piròfugo, da piro- e -fugo.

piroga, dal frc. pirogue, che è dallo sp. piragua, orig. delle lingue indigene dei Caribi.

pirògeno, da piro- e -geno.

pirografìa, da piro- e -grafìa, calco sul frc. pyrogravure.

piromanìa, da piro- e manìa.

piromante, dal lat. pyromantis, che è dal gr. pyrómantis, comp. di pýr 'fuoco' e mántis 'indovino'.

piromanzìa, dal lat. tardo pyromantìa, che è dal gr. pyromanteía, comp. di pýr 'fuoco' e manteía 'divinazione'.

piròmetro, da piro- e -metro.

pirone 'perno', lat. volg. *pīrus (con suff. accresc.), risal. a un tema gr. della famiglia di peirō 'io attraverso'; cfr. PIOLO.

piropiro (uccello), da una serie onomatop. pr.... pr.

**piropo,** dal gr. *pyrōpós* ' che ha l'aspetto di fuoco ', comp. di *pŷr* ' fuoco ' e *ōps, ōpós* ' aspetto '.

**piròscafo,** comp. di gr. *pŷr* ' fuoco ' e *skáphos* ' battello '.

**piroscissione,** da *piro-* e *scissione.*

**pirosi,** dal gr. *pýrōsis,* nome d'azione di *pyróō* ' brucio ', verbo denom. da *pŷr* ' fuoco '.

**piròsseno,** comp. di *piro-* e gr. *ksénos* ' straniero (al fuoco) ' perché ritenuto « estraneo alle rocce eruttive ».

**pirotècnico,** comp. di *piro-* ' fuoco ' e *-tecnico.*

**pìrrica,** dal lat. *pyrrhĭcha,* che è dal gr. *pyrrhikhḗ* (*órkhēsis*) ' danza pirrica ', da gr. *Pýrrhikhos,* suo leggendario inventore.

**pirrichio,** dal lat. *pyrrhichius* (*pes*), che è dal gr. *pyrrhíkhios* (*pús*) ' attinente alla danza pirrica '.

**pirrònico,** dal nome del filosofo gr. *Pýrrhōn* (360-270 a. C.).

**pisani** ' sonno ', incr. di (*ap*)*pisolarsi* e *pìsolo* col nome loc. di Pisa e cioè da *\*pis(ol)ani.*

**piscatorio,** dal lat. *piscatorius;* cfr. PESCATORE.

**piscia,** sost. deverb. da *pisciare.*

**pisciare,** dalla serie onomatop. *ps.... ps,* proprio della fuoruscita di un liquido.

**piscicoltore,** calco su *agricoltore* con *pisci-* al posto di *agri-.*

**piscina,** dal lat. *piscina,* deriv. di *piscis* ' pesce '.

**pisello,** lat. volg. *\*pisellum,* dimin. di *pisum,* che è dal gr. *písos, píson.*

**pisolare** da *ps.... ps....* quasi un fruscio con suff. iterat.

**pisolino** e **pìsolo,** sost. deverb. da *pisolare.*

**pispigliare,** dalla serie onomatop. *ps.... ps* (*bs.... bs*) propria del fruscio; cfr. BISBIGLIARE.

**pispillòria,** incr. della serie di *pispigliare* con *oratoria* e sim.

**pìspino** (getto d'acqua), dalla serie onomatop. *ps.... ps.*

**pispola,** dalla serie onomatop. *ps.... ps.*

**pissi** (bisbiglio), dalla serie onomatop. *ps.... ps.*

**pìsside,** dal lat. *pyxis, -ĭdis,* che è dal gr. *pyksís -ídos* ' scatola ', deriv. di *pýksos* ' bosso ' perché originario di bosso.

**pìstola,** da (*e*)*pìstola* (v,).

**pistòla**[1] (arma), dal frc. *pistole,* ted. *Pistole,* ceco *pištal* ' canna ', ' tubo '.

**pistola**[2] (moneta), dal frc. *pistole* epiteto scherzoso degli scudi spagnoli, più piccoli di quelli francesi, come le pistole sono più piccole degli archibugi.

**pistolero,** dallo sp. *pistolero* ' anarchico '.

**pistolotto,** da (*e*)*pistolotto,* dimin. di (*e*)*pìstola.*

**pistone,** dal frc. *piston.*

**pistore,** lat. *pistor, -oris,* nome d'agente di *pinsĕre* e cioè ' pestatore '; v. PESTARE.

**pìstrice** (cetaceo), dal lat. *pistrix, -īcis,* che è dal gr. *pístris. Pistrix* si è poi incr. con it. *ìstrice.*

**pitaffio,** v. PATAFFIO.

**pitagòrico,** dal lat. *Pythagorĭcus,* che è dal gr. *Pythagorikós,* deriv. di *Pythagóras* ' Pitagora '.

**pitale,** dal gr. *pithárion,* nome di recipiente, incr. con it. *orinale.*

**pitecàntropo,** comp. di gr. *píthēkos* ' scimmia ' e *ánthrōpos* ' uomo '.

**pìtico,** dal gr. *pythikós,* deriv. di *Pythṓ,* ant. nome di Delfi.

**pitirìasi** ' desquamazione della pelle ', dal gr. *pityríasis,* nome d'azione d'un presunto *\*pityriáō,* denom. da *pítyron* ' crusca '.

**pitocco,** dal gr. *ptōkhós* ' mendico ', incr. col suff. it. *-òcco.*

**pitone,** dal nome di un drago mitico, figlio della Terra, lat. *Pythōn, -onis,* che è dal gr. *Pýthōn, -ōnos.*

**pitonessa,** dal lat. tardo *pythonissa.*

**pittare,** lat. volg. *\*pictare,* intens. di *pingĕre;* v. PÌNGERE.

**pìttima,** lat. tardo (*e*)*pithēma,* dal gr. *epíthema* ' ciò che è posto sopra ', con aferesi di *e-* e raddopp. della cons. postonica in parola sdrucciola.

**pittografìa,** dal frc. *pictographie,* comp. di lat. *pictus,* part. pass. di *pingĕre* e gr. *-graphía.*

**pittore,** lat. *pictor, -oris,* nome d'azione di *pingĕre;* v. PINGERE.

**pittura,** lat. *pictura,* astr. di *pingĕre;* v. PÌNGERE.

**pitturare,** lat. tardo *picturare,* verbo denom. da *pictura.*

**pitùita,** dal lat. *pituīta* (con allineamento sulle parole sdrucciole in *-ita*) il cui tema *pitu-* si trova col valore di ' pino ' nelle aree greca e indiana. Il suff. *-ītus* è parallelo a quello di *fortuĭtus* da *\*fortu-* (v. FORTUITO) e *gratuitus* da *\*gratu-* (v. GRATUITO). La saldatura con la nozione di ' pino ' è data da quella intermedia di ' resina '.

**pituitario,** dal lat. *pituitarius.*

**più,** lat. *plus.* Forma avv. di compar. della rad. PLĒ di *plenus* (v. PIENO), da un più ant. *\*plē-is,* passato a *\*ple-us, plous* sotto l'influenza di *minus.* La forma parallela, col suff. alternante in *-yos* anziché in *-is,* si trova nelle aree iranica, germanica, celtica. Per le forme del superl. corrispond. v. PLURIMO.

**piuccheperfetto,** calco sul lat. *plusquamperfectum.*

**piuma,** lat. *pluma,* con una corrispond. attendibile solo nell'area baltica, e quindi prob. da più ant. *\*pluks-ma.*

**piumaccio,** lat. tardo *plumacium.*

**piumato,** dal lat. *plumatus,* incr. con it. *piuma.*

**piumoso,** dal lat. *plumosus,* incr. con it. *piuma.*

**piuttosto,** da *più* e *tosto,* e cioè « più presto ».

**piùvico** ' pubblico ' (arc.), lat. volg. *\*plūbĭcus,* class. *pūblĭcus.*

**piva,** lat. volg. *\*pipa,* con leniz. settentr. di *-p-* in *-v-. \*Pipa* appartiene alla famiglia di *pipire* (v. PIPILARE), in cui l'imagine del pigolare si estende anche all'azione degli strumenti a fiato.

**pivello,** dimin. di *pivo.*

**piviale,** lat. *pluviale,* neutro sostantiv. di *pluvialis:* « (mantello) da pioggia ».

**piviere**[1] (uccello), da *piova* col suff. *-iere.*

**piviere**[2] (territorio), da *pieve,* sul modello di *quartiere;* cfr. lat. medv. *plebarium.*

**pivo,** lat. volg. *pipa* ' canna ' trasferito nella sfera sessuale maschile, e con intenzione spregiativa.

**pizia,** dal lat. *Pythia* che è dal gr. *Pythía.*

**pizza,** da *pizzo.*

**pizzarda,** da *pizzo* ' becco ' col suff. *-arda.*

**pizzardone,** da *pizzarda.*

**pizzare**, da una serie onomatop. *p.... zz*, che si associa a ' punta '; v. PIZZO.

**pizzicàgnolo**, da (*cose*) *pizzicanti* (perché vende cose pizzicanti) con suff. di derivaz. più o meno influenzato dai tipi in -*véndolo* (v.); cfr. ATTAC-CÀGNOLO, APPICCÀGNOLO.

**pizzicare**, forma intens. di *pizzare*.

**pizzicherìa**, da (*cose*) *pizzica(nti)* e il suff. -*erìa*, secondo il rapporto di *latteria* a *latte*.

**pìzzico**, sost. deverb. estr. da *pizzicare*.

**pizzo**, da una serie onomatop. *p.... zz*, che si associa a ' punta '.

**pizzòchero**, da *pinzòchero*, incr. con *pizzare*.

**pizzutello**, dimin. di *pizzuto*.

**pizzuto**, da *pizzo*.

**placàbile**, dal lat. *placabĭlis*.

**placabilità**, dal lat. *placabĭlĭtas*, -*atis*.

**placare**, dal lat. *plăcare*, verbo causativo, che si comporta di fronte al verbo di stato *plăcĕre* come *sĕdare* di fronte a *sĕdĕre*. Per la sua rad. PLAK, v. PIACERE.

**placazione**, dal lat. *placatio*, -*onis*.

**placca**, dal frc. *plaque*, estr. da *plaquer* e questo dall'ol. medv. *plaken* ' aggiustare ', ' attaccare '.

**placcare**, dal frc. *plaquer*.

**placenta**, dal lat. *placenta*, propriam. ' focaccia ', dal gr. *plakûs*, -*ûntos*.

**placet**, dal lat. *placet*, terza pers. sg. pres. indic. di *placere* ' piace '; v. PIACERE.

**placidità**, dal lat. *placidĭtas*, -*atis*.

**plàcido**, dal lat. *placĭdus*, passato al valore ' tranquillo ' da quello originario ' che piace '; deriv. di *placere*, come *calĭdus* da *calere*, *frigĭdus* da *frigere*.

**plàcito**, dal lat. *placĭtum*, der. di *placere*, v. PIATO.

**plafoniera**, dal frc. *plafonnier*, incr. con *lumiera*.

**plaga**, dal lat. *plăga*, ampliam. in -*g*- della rad. PELÀ, che si ritrova così ampliata anche nel sost. gr. *pélagos* e nell'agg. ted. *flach* ' liscio '. Per le altre derivaz. da PELÀ, v. PIANO[1], PALMA[1], PALESE.

**plagiare**, dal lat. *plagiare*.

**plagiario**, dal frc. *plagiaire*, che è dal lat. *plagiarius* ' sottrattore di servi ', deriv. di *plagium* ' riduzione di un uomo libero in servitù, furto di uno schiavo ', a sua volta dall'agg. gr. *plágios* ' obliquo '.

**plagiatore**, dal lat. *plagiator*, -*oris*.

**plagio**, estr. da *plagiario*.

**planare**, dal frc. *planer*, che è dal lat. *planus*.

**plancia**, dal frc. *planche*, femm. sostantiv. di lat. *plancus* ' dai piedi piatti ', sostantiv. ' cosa liscia '.

**plancton**, dal frc. *plancton*, che è dal gr. *planktón*, neutro sostantiv. dell'agg. verb. di *plázō* ' vado errando '.

**planetario**, dal lat. *planetae* ' pianeti ' col suff. -*ario*; v. PIANETA[1].

**plani-**, dal lat. *planus*; v. PIANO[1].

**planimetrìa**, da *plani*- e -*metrìa*.

**planìmetro**, da *plani*- e -*metro*.

**planisfero**, comp. di *plani*- e (*emi*)*sfero*.

**-plano**, dal frc. -*plan*.

**plantìgrado**, comp. di lat. *planta* ' pianta (del piede)' (v. PIANTA[1]) e -*gradus*, tema di *gradi* ' camminare '; v. GRADO.

**plasma**, dal gr. *plasma*, -*ătis*, che è dal gr. *plásma*, -*atos* ' cosa formata '.

**plasmare**, dal lat. tardo *plasmare*.

**plasmatore**, dal lat. tardo *plasmator*, -*oris*.

**plàstica**[1] (arte), dal lat. *plastĭca*, che è dal gr. *plastikḗ* (*tékhnē*).

**plàstica**[2] (materia), forma femm. sostantiv. di *plàstico*.

**plasticatore**, dal lat. tardo *plasticator*, -*oris*.

**plàstico**, dal lat. *plastĭcus* ' attinente al modellare ', che è dal gr. *plastikós*, deriv. di *plásso* ' io plasmo '.

**-plasto**, dal gr. *plastós* ' formato '.

**plàtano**, dal lat. *platănus*, che è dal gr. *plátanos*.

**platèa**, dal lat. *platĕa*, che è dal gr. *plateîa*, femm. sostantiv. di *platẏs* ' largo '; cfr. invece PIAZZA.

**plateale**, dal lat. *platea* col suff. aggettiv. -*ale*.

**platelminti**, comp. di gr. *platẏs* ' largo, piatto ' e gr. *hélmis*, -*inthos* ' verme '.

**plàtino**, dallo sp. *platina*, deriv. di *plata* ' argento '.

**platirrine**, dal gr. *platẏrrhinos*, comp. di *platẏs* ' largo ' e *rhis*, *rhinós* ' naso '.

**platònico**, dal lat. *Platonĭcus*, che è dal gr. *Platōnikós*, deriv. da *Plátōn*, -*ōnos* ' Platone '.

**plaudente**, dal lat. *plaudens*, -*entis*, part. pres. di *plaudĕre* ' applaudire '.

**plaudire**, dal lat. *plaudĕre*, passato alla coniugaz. in -*ire*. Privo di connessioni attendibili fuori del lat.

**plausìbile**, dal lat. *plausibĭlis*, agg. verb. tratto dal tema di part. pass.

**plauso**, dal lat. *plausus*, -*us*, astr. di *plaudĕre*, da *plaud-tu-s*.

**plaustro**, dal lat. *plaustrum*, privo di connessioni attendibili.

**plebe**, dal lat. *plebs*, *plebis*, forse connesso col gr. *plēthẏs*, variante ion. per *plēthos* ' moltitudine ' e quindi risal. a un tema PLĒ-DHW- ampliam. di PLĒ ' pieno '. D'altra parte non è esclusa una orig. mediterr. come avviene con *urbs* (v. URBE) e *popŭlus* (v. PÒPOLO).

**plebèo**, dal lat. *plebeius*.

**plebiscito**, dal lat. *plebiscitum*, comp. di *plebs* ' plebe ' e *scitum* ' ordine ', part. pass. di *sciscĕre* ' ordinare ', incoativo di *scire* ' sapere ' passato attrav. il valore intermediario di ' cercar di sapere, informarsi '; v. SCÌBILE.

**-plegìa**, dal gr. -*plēgía*, astr. di *plēgḗ* ' percossa ' e di *plḗssō* ' colpisco '.

**plèiade**, dal lat. *Pleias*, -*ădis*, che è dal gr. *Pleiás*, -*ádos*.

**pleistocene**, comp. del gr. *pleîstos* ' moltissimo ' e *kainós* ' nuovo ', e cioè « il periodo più nuovo dell'età cenozoica » (che precede la neozoica). La finale in -*e* è dovuta all'intermediario frc.

**plenario**, dal lat. tardo *plenarius*, deriv. di *plenus*; v. PIENO.

**plenilunio**, dal lat. *plenilunium*, comp. di *plenus* ' pieno ' e *luna* col suff. -*ium*.

**plenipotenziario**, dal lat. tardo *plenipŏtens*, -*entis* ' munito di pieni poteri ' col suff. -*ario*.

**pleonasmo**, dal lat. *pleonasmus*, che è dal gr. *pleonasmós*, deriv. di *pleonázō* ' sovrabbondo '.

**pleonàstico**, dal gr. *pleonastikós*, deriv. di *pleonasmós*; v. PLEONASMO.

**plesso**, dal lat. *plexum*, part. pass. sostantiv. di *plectĕre* ' intrecciare '. *Plectĕre* è ampliam. in -*te*/-*to* della rad. PLEK, docum. anche nell'area germanica (ted. *flechten* ' intrecciare ') come *pectĕre* (v. PETTINE) della rad. PEK e *nectĕre* della rad. NECH[2], v. NESSO.

**plètora**, dal gr. *plēthŏrā* 'pienezza', deriv. di *plēthō* 'sono pieno', incr. con i tipi it. *tèmpora* ecc.

**pletòrico**, dal gr. *plēthōrikós*, deriv. di *plēthŏrā* 'abbondanza'.

**plettro**, dal lat. *plectrum*, che è dal gr. *plēktron*, deriv. di *plēssō* 'io percuoto'.

**pleura**, dal gr. *pleurá* 'fianco'.

**plèurico**, dal lat. tardo *pleurĭcus* 'che riguarda il fianco'.

**pleurite**, dal lat. tardo *pleuritis*, *-ĭdis*, che è dal gr. *pleurítis*, *-idos*, deriv. di *pleurá* 'fianco'.

**pleurìtico**, dal lat. *pleurĭtĭcus*.

**pleuropolmonite**, comp. di *pleura*, *polmone* e suff. *-ite* di malattia acuta.

**pleurotomìa**, comp. di *pleura* e *-tomìa*.

**plico**, sost. deverb. estr. nel Rinascimento dal lat. *plicare* 'piegare'.

**plinto**, dal lat. *plinthus*, che è dal gr. *plínthos*, propr. 'mattone'.

**pliocene**, comp. di gr. *pleîon* 'più' e *kainós* 'nuovo', legato a *pleistocene* « moltissimo nuovo » (v.), secondo il rapporto di compar. a superl.: esso è perciò la fase immediatamente anteriore a quella del *pleistocene*.

**plorare**, dal lat. *plorare* di lontane orig. onomatop. secondo la serie *p(h)l.... p(h)l*; cfr. *flere*, v. FLÈBILE.

**plotone**, dal frc. *peloton*, dimin. di *pelote* 'gomitolo, pallottola'.

**plùmbeo**, dal lat. *plumbeus*, deriv. di *plumbum*; v. PIOMBO.

**plurale**, dal lat. *pluralis*, deriv. di *plus*, *pluris*.

**pluralità**, dal lat. tardo *pluralĭtas*, *-atis*.

**pluri-**, dal lat. *plus*, *pluris*; v. PIÙ.

**pluricellulare**, deriv. da *pluri-* e *cèllula*.

**pluriclasse**, da *pluri-* e *classe*.

**pluridecorato**, da *pluri-* e *decorato*.

**plùrimo**, dal lat. *plurĭmus*, da una forma orig. *\*ple-i-sĭmo-* conservata nel neutro plur. *plisima* di Festo; incr. poi con *plous* (v. PIÙ) nella forma di plur. rotazzicata *ploirume* della tomba degli Scipioni, a cui *plurĭmus* risale direttamente.

**plurimotore**, da *pluri-* e *motore*.

**plusvalore**, calco sul ted. *Mehrwert*, col lat. *plus* (= *mehr*) e l'it. *valore* (= *Wert*).

**plùteo**, dal lat. *pluteus* 'riparo', 'spalliera', privo di connessioni attendibili.

**plutòcrate**, dall'ingl. *plutocrate*, estr. dal gr. *plūtokratía*; v. PLUTOCRAZÌA.

**plutocrazìa**, dall'ingl. *plutocracy*, che è dal gr. *plūtokratía* 'dominio (-*kratia*) della ricchezza (*plûtos*)'.

**plutònico**, dal gr. *Plútōn*, nome di divinità infera.

**plutonio**, dal lat. *Pluto*, *-onis*, che è dal gr. *Plútōn*, dio infero dei Greci.

**plutonismo**, dal gr. *Plútōn*, nome di divinità infera.

**pluviale**, dal lat. *pluvialis*, deriv. di *pluvia* 'pioggia'.

**pluvio**, dal lat. *pluvius*, deriv. di *pluĕre*; v. PIÒVERE.

**pluviòmetro**, comp. di lat. *pluvia* 'pioggia' e *-metro*.

**pluvioso**, dal lat. *pluviosus*.

**pneuma**, dal lat. tardo *pneuma*, che è dal gr. *pneûma* 'soffio', deriv. da *pnéō* 'io soffio'.

**pneumàtico**, dal gr. *pneumatikós*, deriv. di *pneûma*.

**pneumonìa**, dal gr. *pneumonía*.

**pneumonite**, dal gr. *pneúmōn* 'polmone', e il suff. *-ite* di malattia acuta.

**pneumotomìa**, comp. di gr. *pneúmōn* 'polmone' e *-tomìa*.

**pneumotorace**, comp. di gr. *pneuma* 'soffio' e perciò 'aria' e *torace*: « torace (pieno d')aria ».

**pocher** (poker), dall'ingl. *poker*.

**pochezza**, da *poco*.

**poco**, lat. *paucus*, ampliam. mediante il suff. *-co*, proprio di difetti fisici da una rad. PAU che compare anche in *\*pauro* (lat. *parvus*, v. PARVITÀ), lat. *pauper* (v. PÒVERO). La rad. PAU è attestata anche nelle aree greca (*paûros*) e germanica (ingl. *few*).

**podagra**, dal lat. *podagra*, che è dal gr. *podágra*, comp. di *pod-* 'piede' e *-agra* tema di *agréō* 'io prendo': « trappola per i piedi ».

**podagroso**, dal lat. *podagrosus*.

**poderale**, da *podere*.

**podere**, lat. volg. *\*potere*, nel senso di 'possesso', con leniz. settentr. di *-t-* in *-d-*. La nozione è connessa con la riforma agraria dei Longobardi, che irradiò appunto dal settentrione.

**poderoso**, da *podere* in senso astr., col suff. *-oso*.

**podestà**, lat. *potestas*, *-atis*, con leniz. settentr. di *-t-* in *-d-*. *Potestas* è formato su *potis* come *maiestas* su *magis*; cfr. POTESTÀ.

**podestarile**, da *podesteria*, incr. con *podestà*.

**podesteria**, da *podestà* col suff. *-eria*.

**-podìa**, da *-podo* con suff. di astr. *-ìa*; cfr. POGGIA.

**pòdice**, dal lat. *podex*, *-ĭcis*, ant. *\*pozd-ek-* nome d'agente della rad. PEZD al grado forte: « quello che emette peti »; v. PETO.

**podio**, dal lat. *podium*, che è dal gr. *pódion*; cfr. POGGIO.

**podismo**, dal frc. *podisme*, deriv. di gr. *pús*, *podós*.

**pod(o)-** e *-podo*, dal gr. *pús*, *podós* 'piede'.

**podologìa**, da *podo-* e *-logìa*.

**podòmetro**, da *podo-* e *-metro*.

**poema**, dal lat. *poĕma*, *-ătis* 'composizione poetica', che è dal gr. *poíēma*, *atos* 'creazione'.

**poesìa**, dal lat. *poĕsis* (che è dal gr. *poíēsis*, nome d'azione di *poiéō* 'creo'), passato alla declinaz. it. in *-a-*.

**poeta**, dal lat. *poĕta*, che è dal gr. *poiētés*, nome di agente di *poiéō* 'creo'.

**poetare**, dal lat. *poĕtari*, verbo denom. da *poēta*.

**poètica**, dal lat. (*ars*) *poĕtĭca*, che è dal gr. *poiētiké* (*tékhnē*).

**poètico**, dal lat. *poĕtĭcus*, che è dal gr. *poiētikós*, deriv. di *poiētés*.

**poetizzare**[1] 'far versi', dal lat. medv. *poetizare*.

**poetizzare**[2] 'render poetico', verbo denom. da *poeti(co)*.

**poffare** (p. es. Bacco), da *può far* (*Bacco che sia così*)!

**poggia**, lat. tardo *podia*, che è dal gr. *podía*, astr. deriv. da *pódes* 'piedi', per indicare gli angoli più bassi della vela; cfr. -PODÌA.

**poggiare**[1] (appoggiare), lat. volg. *\*podiare*, verbo denom. da class. *podium* 'piedistallo'.

**poggiare**[2] (rispetto alla vela), verbo denom. da *poggia*.

**poggio**, lat. *podium* 'piedistallo' passato al signif. geografico. *Podium* deriva dal gr. *pódion*; cfr. PODIO.

**poggiolo**, lat. volg. *\*podjòlum*, class. *\*podiŏlum*, dimin. di *podium*.

**poi**, lat. *pos(t)* 'dopo', con norm. passaggio in fine

di parola del gruppo voc. più *s* in voc. più *i*. Cfr. *sei* che è lat. volg. *\*ses, dai* che è lat. *das*. Post è un ampliam. della rad. POS, che si trova, senza altri ampliam., solo nelle aree baltica e albanese, con l'ampliam. *-t-* solo nelle aree latina, osco-umbra e tocaria, con altri ampliam. nelle aree indo-iranica e slava. Il suo valore essenziale è ' dietro ' così nel tempo come nello spazio.

**poiana** (uccello), forma settentr., con *-ia-* invece di *-glia-*, di lat. volg. *\*pulliana*, doppio deriv. di *pullus*; v. POLLO.

**poiché**, dall'avv. *poi* divenuto, con l'aggiunta di *che*, locuzione congiuntiva e cong. vera e propria.

**poker**, v. POCHER.

**polacca**, da (*danza*) *polacca*.

**polacco**, dal polacco *polak*.

**polare**, dal lat. medv. *polaris*, deriv. di *polus*; v. POLO.

**polarizzare**, dal frc. *polariser*.

**polca**, dal ceco *polka* (attrav. il ted.), deriv. da *pul* ' mezzo ', per il mezzo passo che devono fare i ballerini.

**polder**, dall'ol. *polder*.

**polèmica**, femm. sostantiv. dell'agg. *polèmico*.

**polèmico**, dal gr. *polemikós* ' attinente alla guerra '.

**polemista**, dal gr. *polemistés* ' lottatore '.

**polemizzare**, dal frc. *polémiser*, che è dal gr. *polemízō* ' combatto '.

**polena** ' ornamento sulla prua ', dal frc. *poulaine*.

**polenta**, lat. *polenta* ' farina d'orzo ', incr. di *pollen*, *-ĭnis* (v. POLLINE) e *puls*, *pultis* (v. POLTA e anche POLVERE).

**poleografìa**, da *poli-²* e *-grafìa*.

**polésine**, lat. medv. *pullĭcinum*, dal gr. biz. *polýkenos* ' dai molti vuoti ', con leniz. e assibil. ven.

**poli-¹**, dal gr. *polýs* ' molto '.

**-poli²**, dal gr. *pólis* ' città '.

**poliadenìa**, da *poliaden(opat)ìa*, comp. di *poli-*, gr. *adēn* ' ghiandola ' e *-patìa*.

**poliambulanza**, da *poli-¹* e *ambulanza* nel senso di ' ambulatorio '.

**poliandrìa**, dal gr. *polýandros* ' dai molti (*poly-*) mariti (*andro-*) ' col suff. it. *-ìa*.

**poliarchia**, dal gr. *polyarkhía* ' governo di molti ', comp. di *poly-* e il tema di *árkhō* ' io governo '.

**poliartrite**, da *poli¹-* e *artrite*.

**policèntrico**, da *poli-¹*, *centro* e il suff. *-ico*.

**policlìnico**, da (*ospedale*) *policlinico*, dal gr. *pólis* ' città ' e *clìnico*: « clinica (complessiva) cittadina ».

**policromo**, dal gr. *polýkhrōmos*, comp. di *poly-* ' molto ' e *khrôma* ' colore '.

**poliedro**, da *poli-¹* e *-edro*.

**poliennale**, calco su *biennale*, *triennale*, con *poli-¹* al posto di *bi-*, *tri-* ecc.

**polifase**, da *poli-¹* e *fase*.

**polifonia**, dal gr. *polyphōnía*, astr. di *polýphōnos* ' dai molti suoni ', comp. di *poly-* ' molto ' e *phōnē* ' suono ' col suff. *-ia* di astr.

**polìgala**, dal lat. class. *polygăla*, tratto dal neutro plur. del gr. *polýgalon*, comp. di *poly-* ' molto ' e *gála* ' latte '.

**poligamìa**, dal gr. *polygamía*, astr. di *polýgamos*.

**polìgamo**, dal gr. *polýgamos*, comp. di *poly-* e *gámos* « dalle molte nozze ».

**poligènesi**, comp. di *poli-¹* e *gènesi*.

**poliglotta** e **poliglotto**, dal gr. *polýglōttos* « dalle molte (*poly-*) lingue (*glôtta*) ».

**polìgono**, dal gr. *polýgōnon*, comp. di *poly-* e *-gō-non*, tema estr. da *gōnía* ' angolo '.

**polìgrafo¹**, dal gr. *polygráphos*, comp. di *poly-* e *-gráphos*, tema di *gráphō* ' scrivo '.

**polìgrafo²**, da *poli-¹* e *-grafo*.

**polìmero**, dal gr. *polymerḗs*, comp. di *polýs* ' molto ' e *méros* ' parte '.

**polìmetro**, dall'agg. *polýmetros*, comp. di *poly-* ' molto ' e *métron* ' metro (ritmico) '.

**polimorfo**, dall'agg. gr. *polýmorphos*, comp. di *poly-* ' molto ' e *morphḗ* ' forma '.

**polinomio**, calco su *binomio*, con sostituz. di *poli-* a *bi-*.

**polio**, da *poliomielite* (v.).

**-polio**, tema nominale estr. dal verbo gr. *pōléō* ' vendo ', p. es. (*eno*)*polio*.

**poliomielite**, comp. di gr. *poliós* ' grigio ', *myelós* ' midollo ' e suff. *-ite* di malattia acuta.

**polipètalo**, comp. di *poli-¹* e *pètalo*.

**polìpo**, dal lat. *polýpus*, che è dal gr. *polýpūs* « dai molti (*poly-*) piedi (*pūs*) »; cfr. POLPO.

**polipodio**, dal gr. *polypódion*, comp. di *poly-* ' molto ', *pod-* ' piede ' e suff. di dimin. in *-ion*.

**polire**, dal lat. *polire*, privo di connessioni attendibili; cfr. PULIRE.

**polireme**, calco su *bireme*, *trireme*, con l'introduz. di *poli-¹* al posto di *bi-*, *tri-*.

**polisarcìa**, dal gr. *polisarkía*, comp. di *poly-*, *sárks*, *sarkós* ' carne ', e suff. *-ìa* di astr.

**polisemìa**, dall'agg. gr. *polýsēmos* « che ha molti (*poly-*) significati (*sêma*) col suff. it. di astr. in *-ìa*.

**polisenso**, da *poli¹-* e *senso*.

**polisìllabo**, dal lat. tardo *polysyllăbus*, che è dal gr. *polysýllabos*, comp. di *poly-* e *syllabḗ* ' sillaba '.

**polisillogismo**, da *poli-¹* e *sillogismo*.

**polisìndeto**, dal gr. *polysýndeton*, comp. di *poly-* e una forma di agg. verb. dal verbo *syndéō* ' lego insieme '.

**polisportivo**, da *poli-* e *sportivo*.

**politeama**, da *poli-* e gr. *théama* ' spettacolo ', deriv. di *theáomai* ' osservo '.

**politècnico**, dal frc. *polytechnique*, comp. di *poly-* ' molto ' e *technique* ' tecnico ' (cfr. gr. *polýtekhnos* ' dalle molte arti ').

**politeismo**, dal gr. *polýtheos* « che ha molti (*poly-*) dèi (*theós*) ».

**politica**, da (*arte*) *politica*, cfr. gr. *politikḗ* (*tékhnē*).

**polìtico**, dal lat. *politĭcus*, che è dal gr. *politikós*, deriv. di *polítēs* ' cittadino '.

**polito** ' lisciato ', dal lat. *politus*; cfr. IMPULITO.

**polìttico**, dall'agg. lat. tardo *polyptўchus*, che è dal gr. *polýptykhos* « che ha molte (*poly-*) pieghe (*ptýks ptykhós*) », attrav. una forma neutra sostantiv.

**polivalente**, comp. di *poli-¹* e *valente*.

**polizìa**, dal lat. tardo *politía*, che è dal gr. *politeía*, deriv. di *polítēs* ' cittadino '.

**pòlizza**, da un gr. biz. *\*apódeiksa* (class. *apódeiksis* ' dimostrazione ', nome d'azione di *apodeíknymi* ' io mostro '), passato ad un tipo venez. *\*pòdissa*, corretto nel tosc. in *-izza* e incr. con la famiglia di *polìtica* e *polizia*.

**polla**, sost. deverb. estr. da *pollare*.

**pollanca**, dal napoletano *pullanca*, deriv. da *pollo*.

**pollare**, lat. *pullare* ' germogliare ', verbo denom. da *pullus* ' piccolo nato di animale '; v. POLLO.

**pollastra**, lat. *pullastra*, deriv. da *pullus*.

**pollastro**, da *pollastra*.

**pòllice**, dal lat. *pollex, -ĭcis*, con una vaga connessione con lo slavo *palĭcĭ* ' dito '.

**pollina**, femm. sostantiv. di *pollino*.

**pòlline**, dal lat. *pollen, -ĭnis* ' fior di farina ' poi ' polvere finissima ', appartenente, con raddopp. espressivo della *-ll-*, alle famiglie di *pulvis* (v. POLVERE), di *polenta* (v.) e di *puls* (v. POLTA), con connessioni, sia pure approssimative, nelle aree greca, indiana, slava, celtica.

**pollino**[1], dal lat. *pullus* ' scuro, nero ', legato in qualche modo con *pallere* ' esser di color grigio '; v. PÀLLIDO.

**pollino**[2], dal lat. *pullinus* deriv. di *pullus* ' animale giovane '; v. POLLO.

**pollo**, lat. *pullus* 'animale giovane ', forma con raddopp. espressivo della *-l-* e con connessioni soltanto approssimative nelle aree greca e germanica.

**pollone**, nome d'azione estr. da *pollare* (v. POLLA) con suff. di accresc.

**polluto**, dal lat. *pollutus*, part. pass. di *polluĕre*.

**polluzione**, dal lat. tardo *pollutio, -onis*, nome di azione di *polluĕre* ' macchiare '. *Polluĕre* è comp. di *por-* e *luĕre* ' macchiare ', sopravv. in *lutum* ' fango ' con chiari confronti nelle aree celtica e greca; cfr. LUTULENTO. Lat. *por-* è forma al grado ridotto, alternante con *per* (v. PER) e *pro* (v. PRO). Per il valore opposto ottenuto col pref. *de-*, v. DELUBRO.

**polmone**, lat. *pulmo, -ōnis*, con connessioni, sia pure irregolari, nelle aree greca (*pleúmōn, -onos*), baltica, slava.

**polmonite**, da *polmone* col suff. *-ite* di malattia acuta.

**polo**[1], dal lat. *polus*, che è dal gr. *pólos* ' asse, perno ', collegato con *pélomai* ' io giro '.

**polo**[2], dall'ingl. *polo*, che è dal tibetano *pulu* ' palla '.

**polonio**, dal nome della Polonia, paese d'origine della scopritrice, Maria Sklodowska Curie (1867-1934).

**polpa**, lat. *pulpa*, collegato con *pul(p)mentum*, ma privo di connessioni fuori d'Italia.

**polpo**, lat. *polpus*, incr. di class. *polýpus* con *pulpa*; v. PÒLIPO.

**polposo**, dal lat. tardo *pulposus*.

**polso**, lat. *pulsus, -us* ' battito ', astr. di *pellĕre* ' battere, urtare, spingere ', tratto da *\*pļd-tus* con la forma al grado ridotto della rad. PEL-D; v. PULSARE, IMPÈLLERE, REPELLENTE.

**polta**, lat. *puls, pultis*, passato alla declinaz. in *-a*. Forse lontanamente collegato con lat. *pollen* e gr. *póltos*: cfr. POLTIGLIA e v. PÒLLINE, PÒLVERE, POLENTA.

**poltiglia**, dal frc. ant. *poltille*, dimin. del lat. *puls, pultis* ' polenta di farro o di fava '; v. POLTA.

**poltrire**, verbo denom. da *poltro*[2] ' letto '.

**poltro**[1] ' puledro ', lat. volg. *\*pullĭter, -tri*, lat. medv. *pùllitrus*, ampliam. di *pullus*; v. POLLO.

**poltro**[2], da *poltro*[1] in quanto animale da trasporto, che sorregge, passato finalmente a ' letto '.

**poltrona**, da *poltro*[2] quasi « (sedia comoda) come un poltro (o letto) ».

**poltrone**, da *poltro*[2] ' letto ', quasi nome d'agente.

**polve**, dal lat. *pulvis* ' polvere '.

**pólvere**, lat. *pulvis, -ĕris*, forse in qualche connessione con *pollen*; v. PÒLLINE, POLENTA, POLTA.

**polverizzare**, dal lat. tardo *pulverizare*.

**polverulento**, dal lat. *pulverulentus*, incr. con it. *pólvere*.

**pomario**, dal lat. *pomarium*, deriv. di *pomus* ' albero da frutto '.

**pomata**, da una varietà di mele (*pomi*) usata per profumare gli unguenti.

**pomello**, dimin. di *pomo*.

**pòmere** e **pòmero** (cani), dal ted. *Pommer*, deriv. da *Pommern* ' Pomerania ', regione della odierna Polonia occidentale tra l'Oder e la Vistola.

**pomeridiano**, dal lat. *pomeridianus*, deriv. di *post meridiem* ' dopo mezzodì '.

**pomeriggio**, sost. estr. da *pomeridiano*, incr. con *meriggio*.

**pomerio**, dal lat. *pomoerium*, comp. di *post* e *\*moiros*, forma arc. di *murus* (v. MURO) più il suff. *-ium*.

**pòmero**, v. PÒMERE.

**pometo**, dal lat. tardo *pometum*; v. POMO.

**pómice**, lat. tardo (e rustico) *pōmex, -ĭcis*, class. *pūmex, -ĭcis*, legato in qualche modo con *(s)puma*; v. SPUMA.

**pomiciare**, verbo denom. da *pómice* in senso figur.

**pomicione**, nome d'agente da *pomiciare* col suff. accresc. *-one*.

**pomìfero**, dal lat. *pomĭfer, -fĕri*, comp. di *pomum* ' pomo ' e *-fer* ' portatore '.

**pomo**, lat. *pōmum* ' frutto ', *pōmus* ' albero da frutto ', privo di connessioni attendibili.

**pomodoro**, da *pomo d'oro*.

**pomologìa**, dal lat. *pomus* ' albero da frutto ' e *-logìa*.

**pomoso**, dal lat. *pomosus*, deriv. di *pomum* ' pomo (frutto) '.

**pompa**[1] ' fasto ', dal lat. *pompa* che è dal gr. *pompé*, astr. di *pémpō* ' io mando, io accompagno '.

**pompa**[2] (strum.), dal frc. *pompe*.

**pompare**, dal frc. *pomper*, verbo denom. da *pompe*; v. *pompa*[2].

**pompelmo**, dall'ol. *pompelmo(es)*, comp. di *pompoen* ' grosso ' e il portogh. *limoes* ' limone '.

**pompiere**, dal frc. *pompier*.

**pomposità**, dal lat. tardo *pomposĭtas, -atis*.

**pomposo**, dal lat. tardo *pomposus*.

**ponce**, dall'ingl. *punch*, risal. al sanscrito *pañca* ' cinque ' perché composto di cinque ingredienti.

**ponderàbile**, dal lat. tardo *ponderabĭlis*, agg. verb. di *ponderare*.

**ponderale**, dal frc. *ponderal*.

**ponderare**, dal lat. *ponderare*, verbo denom. da *pondus, -ĕris* ' peso '.

**ponderazione**, dal lat. *ponderatio, -onis*.

**ponderosità**, dal lat. tardo *ponderosĭtas, -atis*.

**ponderoso**, dal lat. *ponderosus*.

**pondo**, dal lat. *pondus, -ĕris*, deriv. di *pendĕre* ' pesare ' (trans.), con la rad. al grado forte (v. PÈNDERE), ma legata per il signif. piuttosto al valore di *pendĕre* ' pesare ' in senso intrans.

**ponente**, dalla formula (*sole*) *ponente* nel senso di ' tramontante ' opposto a *levante*, nel senso di ' sorgente ': lat. *ponens, -entis*, part. pres. di *ponĕre*.

**pónere**, dal lat. *ponĕre*; v. PORRE.

**ponimento**, nome di strum., da *pónere*.

**ponitore**, nome d'agente da *pónere*.

**ponsò**, dal frc. *ponceau*, nome dialettale del papàvero.

**ponta**, lat. *puncta* (femm. sostantiv. del part. pass. di *pungĕre*) col passaggio non fiorentino di *unct* a *ont* (cfr. senese *onto* per *unto*).

**pontare**, verbo denom. da *ponta*.

**ponte**, lat. *pons pontis*, antichissima parola ideur., attestata nelle aree indo-iranica, armena, greca, baltica e slava con varî gradi di alternanza della rad. che, nella forma normale, è PENTH². Il signif. fondam. è ' via '. Per i greci la ' via per eccellenza ' è il « mare » (*póntos*), per i romani il « ponte ».

**pontéfice**, dal lat. *pontĭfex, -ĭcis*, sacerdote che presiedeva in origine al ponte sul Tevere, comp. di *pons pontis* e *-fex* tema di nome d'azione da *facĕre*, qui in senso non tecnico ma rituale.

**ponticello**, lat. medv. *ponticellus*, dimin. di *pontĭcŭlus*, dimin. di *pons*.

**pontificale**, dal lat. *pontificalis*.

**pontificato**, dal lat. *pontificatus, -us*.

**pontificio**, dal lat. *pontificius*.

**pontile**, dal lat. tardo *pontilis* sostantivato.

**ponto** (mare), dal lat. *pontus* che è dal gr. *póntos*; v. PONTE.

**pontone**, dal lat. *ponto, -onis*.

**ponzare**, lat. volg. *\*punctiare*, intens. di *pungĕre*; v. PÙNGERE.

**pope**, dal russo *pop* risal. al gr. tardo *páppos*; cfr. PAPA.

**pòplite**, dal lat. *poples, -ĭtis*, privo di qualsiasi connessione ideur., anche se di formaz. norm., paragonab. a *miles, -ĭtis*.

**popolare**¹ (agg.), dal lat. *popularis*.

**popolare**² (verbo), verbo denom. da *popolo*.

**popolarità**, dal lat. *popularĭtas, -atis*.

**popolarizzare**, dal frc. *populariser*.

**popolazione**, dal lat. tardo *populatio, -onis* (che nel class. vuol dire solo ' saccheggio ').

**pòpolo**, dal lat. *pŏpŭlus*, parola mediterr. risal. a una base POPLO ' crescita '.

**popoloso**, dal lat. tardo *populosus*.

**popone**, lat. volg. *\*popo, -onis*, forma assimilata di class. *pepo, -ŏnis*, risal. al gr. *pépōn, péponos*.

**poppa**¹ (mammella), lat. volg. *\*puppa*, forma espressiva di class. *pūpa* ' bambina '.

**poppa**² (parte della nave), lat. *puppis* (privo di corrispond. attendibili) incr. con it. *poppa*¹.

**poppare**, verbo denom. da *poppa*¹.

**poppavìa**, da *poppa*² e *via*.

**popùleo**, dal lat. *pōpuleus*, agg. di *pōpŭlus*; v. PIOPPO.

**porca** ' striscia di terra fra solco e solco ', lat. *porca* ' solco per lo scolo delle acque ', parola ideur. occidentale attestata nelle aree celtica, germanica (ted. *Furche*), leponzia (il fiume *Porcobĕra* « portatore di zolle », l'odierno *Polcévera*).

**porcacchia**, lat. tardo *porcacla*, uno dei tanti nomi della portulaca, di cui il prototipo sembra *porcastrum* ' portulaca ', incr. con un suff. di dimin.: *porcastrum* è da *porcus* in senso anatomico.

**porcaccione**, doppio deriv. di lat. *porcus* incr. con lat. *spurcus*; v. SPORCO.

**porcaio**¹ (luogo), lat. volg. *\*porcarium*, con norm. trattam. tosc. di *-ariu* in *-aio*.

**porcaio**² ' guardiano di porci ', lat. tardo *porcarius*, secondo la tradiz. tosc. di *-ariu* in *-aio*.

**porcaro**, lat. tardo *porcarius*, secondo una tradiz. centro-merid., non tosc., di *-ariu* in *-aro*.

**porcellana**¹ (caolino), deriv. di *porcella* (v. PORCELLO), per l'analogia riscontrata tra il nicchio del mollusco e le parti genitali di una scrofa giovane.

**porcellana**² (pianta), lat. volg. *\*porcillana*, variante di *porcillaca*, uno dei tanti nomi della *portulaca*; cfr. PORCACCHIA.

**porcello**, lat. *porcellus*, doppio dimin. di *porcus*.

**porcile**, da *porco* sul modello di *canile, ovile*.

**porcino**, lat. *porcinus*.

**porco**, lat. *porcus*, parola ideur. nordoccidentale, in orig. PORKO-, che designa l'animale domestico (non il cinghiale); è attestata nelle aree celtica, germanica, baltica, slava, in quest'ultima soprattutto per designare l'animale giovane.

**pòrfido**, incr. di *pòrfiro* (v.) con un tipo aggettiv. come *mòrbido*.

**pòrfiro**, dal frc. ant. *porfire*, risal. al gr. *pórphyros*.

**pòrgere**, lat. arc. *porgĕre*, class. *porrigĕre*, comp. di *por-* (variante di *pro-* e *per-*) e *regĕre* (v. RÈGGERE). La sincope della voc. interna è attestata anche in *pergĕre* e *surgĕre*; v. SÓRGERE.

**pornògrafo**, dal gr. *pornográphos*, comp. di *pórnē* ' meretrice ' e *grápho-*: « scrittore (di cose attinenti alle) meretrici ».

**poro**, dal lat. tardo *porus* che è dal gr. *póros* ' condotto, passaggio '.

**pórpora**, lat. *purpŭra* che è dal gr. *porphýra*, col trattam. arc. che priva il gr. *ph* dell'aspiraz.

**porporato**, dal lat. *purpuratus*.

**porràceo**, dal lat. *porracĕus*, deriv. di *porrum*; v. PORRO.

**porre**, lat. *ponĕre* da *\*posnĕre*, comp. di *po-* e *sinĕre* ' lasciare ', del quale dovrebbe indicare l'azione ormai conclusa: mentre *sinĕre* non si preoccupa della sorte della cosa lasciata, *ponĕre* la considera collocata definitivamente (v. SITO ' luogo '). La sincope lat. è arc. e non tocca altri comp. di *sinĕre* come *desinĕre*. La sincope it. allinea *porre* sul piano dell'it. arc. *còrre*, dalla cui prima pers. *còlgo*, prende il modello per *pongo*; cfr. *tolgo* rispetto a *tògliere*. L'elemento lat. *po-* è una forma arc. di *\*apo-* normalm. rappresentato in lat. da *ab-*. Che si tratti dello stesso elemento è provato dal fatto che *pono*, ricchissimo di comp. a prefisso, non ne ha uno con *a(b)-*. Così pure è privo di comp. con *ab-* il verbo primitivo *sinĕre*.

**porro** (pianta e bitorzolo), lat. *porrum*, parola mediterr. di signif. botan., estesa in it. a impieghi metaforici.

**porta**, lat. *porta* originariam. ' passaggio '; cfr. PORTO.

**porta-**, primo elemento di composiz. dal tema di *portare* (*porta-bagagli, porta-fogli*).

**portàbile**, dal lat. tardo *portabĭlis*.

**portafoglio**, sg. di *porta-fogli*.

**portantina**, dimin. di (*sedia*) *portante*.

**portare**, lat. *portare*, verbo denom. da *porta*.

**portatore**, dal lat. tardo *portator, -oris*.

**portento**, dal lat. *portentum* ' segno celeste ', deriv. di *portendĕre* ' presentare '; v. TÈNDERE.

**portentoso**, dal lat. *portentosus*.

**pòrtico**, lat. *portĭcus, -us*, deriv. femm. da *porta* come *manica* da *manus*, e poi passato alla quarta declinaz. per analogia con *domus*.

**porto**¹ (di mare), lat. *portus*, ant. tema ideur. PRTU- che indica essenzialmente il passaggio del fiume o guado: attestato da forme identiche nelle aree iranica, germanica (ted. *Furt*), celtica; cfr. FIORDO. La rad. più lontana è PER² ' traversare, passare '; v. PER nel suo secondo significato.

**porto**² (trasporto), sost. deverb. estr. da *portare*.

**porto**[3] (part. pass. di *pòrgere*), da *pòrgere*, secondo il rapporto di *erto, sorto, accorto* rispetto a *èrgere, sórgere* e *accòrgersi*.

**portoghese**, dal port. *portuguez* incr. con it. *Porto-g(allo)*.

**portolano**, dal lat. medv. *portulanus* ' pilota '.

**portuale**, dal lat. medv. *portualis*.

**portulaca**, dal lat. imp. *portulaca*, che pare un rifacimento da un *\*porclaca*, cfr. *porcillaca*, presso Plinio e v. PORCACCHIA, PORCELLANA[2].

**portuoso**, dal lat. *portuosus*.

**porzione**, dal lat. *portio, -onis*, malamente collegabile con *pars* (v. PARTE), perché in orig. attestato solo nella formula *pro portione* e solo più tardi disposto in un paradigma completo. Naturalmente, sul piano formale, nulla si oppone a che *pars* e *portio* siano antichi nomi d'azione deriv. della rad. PER' (come *mens* e *mentio* lo sono della rad. MEN', v. MENTE, MENZIONE), tanto più che il vocalismo originario di *pars* era stato *\*pors*.

**pos-**, pref. col valore di ' dopo ', per es. *postutto*, dal lat. *post*, attestato con lo stesso ampliam. *-t-* anche nelle antiche aree umbra e tocaria, nella forma più semplice *pos*, o, con altri ampliam., nelle aree baltica, slava, albanese, indoiranica; cfr. POI e POSTICO.

**posa-**, primo elemento di comp. nomin. da *posare*[1].

**posa**[1] (fotografia), sost. deverb. da *posare*[1].

**posa**[2], sost. deverb. da *posare*[2].

**posare**[1], lat. tardo *pausare* ' cessare ', tratto dall'aoristo gr. *épausa* ' cessai ' (cfr. PAUSARE), e cioè il momento finale nel quale « si finisce di deporre un oggetto »; cfr. RIPOSARE.

**posare**[2] ' mostrare affettazione ', dal frc. *poser*.

**posata**, prob. dallo sp. *posada* ' astuccio ' incr. con it. *posare*.

**posca**, dal lat. *posca*, incr. di *potus* ' che ha bevuto ' e *esca* ' nutrimento ' (da *edo* ' mangio '), v. ESCA: cfr. POZIONE.

**poscia**, lat. volg. *\*postja*, class. *postĕa* da *post ea* ' dopo di questa ' (abl. sg. femm.), con lo stesso passaggio di *mustĕus* a *moscio* o di *ostĭum* a *uscio* (v.). *Postea* ricorda ancora la costruzione orig. di *post* con l'abl., sostituita da quella più recente con l'accus., sul modello di *ante*.

**poscrai**, lat. *post cras*; v. POS- e CRAI.

**poscritto**, dal lat. *post scriptum*.

**posdomani**, incr. dell'arc. *pos(crai)* con *domani*.

**positivismo**, dal frc. *positivisme*.

**positivo**, dal lat. tardo *positivus*.

**positura**, dal lat. *positura*; cfr. POSTURA.

**posizione**, dal lat. *positio, -onis*, nome d'azione di *ponĕre*, v. PORRE e POSTO.

**pòsola** (finimento di cavallo), forma femm. sostantiv. di *pésolo* (v.) ' pèndulo ' incr. con *posare*; v. APPOSOLARE.

**posolatura**, astr. di un presunto *\*posolare*, verbo denom. da *pòsola*.

**posologìa**, dal gr. *pósos* ' quanto ' e *-logìa*: « la scienza delle quantità o dosi ».

**posporre**, dal lat. *postponĕre*, comp. di *post* e *ponĕre* incr. con it. *porre* (v.).

**pospositivo**, dal lat. tardo *postpositivus*.

**posposizione**, incr. di *pos-* e *(pre)posizione*.

**possa**, sost. deverb. dall'arc. *possere* ' potere '.

**possanza**, dal frc. ant. *poissance* incr. con *possa* (v.).

**possedere**, lat. *possidēre*, comp. di *potis* ' padrone '

e *sedere* ' risiedere ', con sincope del primo elemento del comp., e passaggio di *-ĕ-* in *-ĭ-* in sill. interna aperta: « occupare uno spazio come padrone »; passato poi dalla proprietà immobiliare alle altre.

**possente**, part. pass. di *possere*.

**possere**, lat. *posse*, inquadrato nel sistema dei norm. inf. it. come *essere* rispetto a *esse* (v. ESSERE), ma con l'accentazione piana di *potere*.

**possessione**, dal lat. *possessio, -onis*, nome d'azione di *possĭdère* e *possīdère*, e perciò col doppio signif. di ' possesso ' e ' acquisto '.

**possessivo**, dal lat. *possessivus*; come **termine** grammat., calcato sul gr. *ktētikós*.

**possesso**, dal lat. *possessus, -us*, astr. di *possidere*, poi diventato concreto e inteso quasi come **part.** pass.

**possessore**, dal lat. *possessor*, nome d'azione di *possidere*.

**possessorio**, dal lat. tardo *possessorius*.

**possìbile**, dal lat. *possibĭlis*, agg. verb. di *posse* ' potere '.

**possibilità**, dal lat. tardo *possibĭlĭtas, -atis*.

**possidente**, dal lat. *possĭdens, -entis*, part. pres. di *possidere*.

**post-**, dal lat. *post*; v. POS- e POI.

**posta**, lat. *posĭta* e cioè « (luoghi) stabiliti (per stazioni di tappa) »; v. POSTO.

**postare**, verbo denom. da *posto* « mettere a posto »; cfr. invece IMPOSTARE[2].

**postbèllico**, da *post-* e *bèllico*.

**posteggiare**, verbo denom. durativo da *posta*: « stazionare », oggi incrociato con *posto*.

**posteggio**, sost. deverb. da *posteggiare*.

**postelegràfico**, da *pos(ta)telegràfico*.

**postelegrafònico**, da *pos(ta-)telegra(fo-tele)fònico*.

**postema**, lat. *(a)postema* che è dal gr. *apóstēma* ' ascesso ': « ciò che parte (dal corpo) »; con distacco della vocale iniz.

**postergare**, dal lat. medv. *postergare*, verbo denom. tratto dalla locuzione *post tergum* ' dietro alle spalle '.

**pòsteri**, dal lat. *postĕri* ' discendenti ', forma sostantiv. di un ant. compar. *postĕrus*, der. da *post-* e *-tero*: « colui che (vien) dietro o dopo ».

**posteriore**, dal lat. *posterior*, comparat. rideterminato di *postĕrus*, che non era più sentito come **tale**.

**posterità**, dal lat. *posterĭtas, -atis*.

**posterla**, lat. tardo *posterŭla (porta)* ' porticina posteriore '.

**posticcio**, lat. *(ap)positicius*, con norm. caduta della voc. protonica, col raddopp. del gruppo *-cj-* dopo l'accento e la perdita della sill. iniz.; cfr. APPOSTICCIO.

**posticipare**, calco su *anticipare*, mediante sostituz. di *pos-* a *anti-*.

**postico**, dal lat. *posticus* ' posteriore (in senso spaziale) ', da *post-* con procedim. parallelo a quello che da *\*anti (ante)* ha dato *antiquus (anticus)*; v. ANTICO.

**postiglione**, da *posta*.

**postilla**, dal lat. medv. *postilla*, risal. a *post illa* ' dopo quelle parole ', inteso come parola unica, al sg. femm.

**postillare**, dal lat. medv. *postillare*, verbo denom. da *postilla*.

**postillatore**, dal lat. medv. *postillator, -oris*.

**postime,** nome collettivo deriv. da *postare* come *mangime* rispetto a *mangiare*.

**postione** ' deretano ', lat. *\*posterio, -onis,* deriv. da *postĕrus* e trattato secondo la formula tosc. di *-erio-* in *-eio-, -io-;* cfr. COD(R)IONE.

**postmilitare,** calco su *(pre)militare.*

**posto,** forma sostantiv. di lat. *posĭtus,* part. pass. di *\*po-sinĕre* (divenuto poi *ponĕre,* v. PORRE), con norm. caduta della voc. postonica: « (luogo) fissato ».

**postremo,** dal lat. *postremus,* forma di superl. di *postĕrus* (v. PÒSTERI) ricalcata su *supremus* e *extremus;* v. SUPREMO, ESTREMO.

**postrìbolo,** dal lat. *prostibŭlum,* nome di strum. tratto da *prostare* ' star davanti, essere esposto in vendita ' (v. STARE) con norm. passaggio di *-ă-* in *-ĭ-* in sill. interna aperta (cfr. VESTÌBOLO), incr. in it. con *tribolo.*

**postulare,** dal lat. *postulare,* verbo iterat. di un presunto intens. *\*postare,* deriv. da un part. PRK-TO- (cfr. sanscrito *pṛṣṭa-*) incr. con *poscĕre.*

**postulato,** dal lat. *postulatum* ' richiesta '.

**postulatore,** dal lat. *postulator, -oris.*

**pòstumo,** dal lat. *post-ŭmus,* superl. di *postĕrus,* da una forma primitiva POST-EMO-, come nel caso di *inf-ĭmus:* « l'ultimo di tutti »; v. ÌNFIMO.

**postura,** lat. *positura,* astr. di *ponĕre,* tratto dal part. *posĭtus* incr. con it. *posto.*

**postutto,** da *pos-* e *tutto.*

**potàbile,** dal lat. tardo *potabĭlis,* agg. verb. di *potare,* verbo intens. tratto da *potus,* che funge da part. pass. nel sistema di *bibĕre;* v. POZIONE.

**potare,** lat. *putare,* forma intens. di un presunto *\*puĕre* che trova corrispond. nel lituano *piáuti* ' tagliare ', dunque da una rad. PEU. Per gli impieghi metaforici v. PUTATIVO, REPUTARE. *Imputare* (v.) è esempio di terminologia giuridica risal. all'agricoltura.

**potassa,** dal ted. *Pottasche* « cenere di vaso ».

**potatore,** lat. *potator, -oris.*

**potentato,** dal lat. *potentatus, -us* ' dominazione '.

**potente,** dal lat. *potens, -entis* che, insieme con il perf. *potui* è la sola sopravvivenza del sistema dell'ant. verbo *\*potere* nel lat. class. *\*Potere* è verbo in *-e-,* attestato anche nell'area osco-umbra, ma che non può essere denom. di *potis* perché questo ha, come suo denom., *potiri* (v. POTÌSSIMO). Esso appare dunque come causativo di *petĕre* e significa cioè in orig. ' far sollecitare ' da un più ant. ' faccio indirizzare, dirigo ' (secondo il rapporto di *monere* rispetto a *meminisse* o *docere* rispetto a *discĕre).* Incr. a un certo momento con *potis* ' signore ', ha assunto dapprima valore intrans. e generico, rimanendo poi in buona parte sopraffatto dal paradigma di *possum;* v. POSSERE.

**potentilla** (pianta), dal gr. *(pentáph)yllon* « cinquefoglie » incr. con *potent(e).*

**potenza,** dal lat. *potentia.*

**potenziale,** dal lat. medv. *potentialis.*

**potere,** lat. volg. *\*potere* (risal. o no al *\*potere* preistorico sopravv. nel part. pres. *potens;* v. POTENTE), che si afferma o mantiene nel condizionale *pot(e)re -ei* e nel congiunt. imperf. *pot(u)issem,* mentre nell'indic. cong. e inf. pres. si continuano le forme risultanti dall'incr. di *potis* con *esse* ' esser signore ': *pot(is)sum, pot(is)est, pot(is)sit, pot(is es)se,* dalla quale ultima il class. *posse;* cfr. POSSERE.

**potestà,** dal lat. *potestas, -atis,* formato su *potis,* secondo il rapporto di *maiestas* rispetto a *magis.* Per la forma it. con leniz. settentr. v. PODESTÀ.

**potìssimo,** dal lat. *potissĭmus,* superl. di *potis* ' signore ', parola fondam. del vocab. ideur., attestata, nella forma semplice o in composizione, nelle aree indoiranica, slava, baltica, greca e germanica, avendo per simbolo POTI-. *Potis* ha in lat. anche un verbo denominativo, *potiri* ' impadronirsi '. La forma *potĭtur* risale a un tipo più ant. che si ritrova identico nell'area indo-iranica quasi si trattasse di radice di valore anche verbale.

**pòvero,** lat. *pauper, -ĕra, -ĕrum,* da un più ant. *pauper, -is,* con leniz. settentr. di *-p-* in *-v-. Pauper* è comp. di *pau-* ' poco ' (v. POCO) e *per-,* tema del verbo *parĕre* ' produrre ' con norm. passaggio di *-ă-* in *-ĕ-* dav. a *r* in sill. atona: « che produce poco »; cfr. PARTO.

**povertà,** lat. *paupertas, -atis,* astr. di *pauper,* anche esso (come *pauper)* attrav. una tradiz. settentr., con la leniz. di *-p-* in *-v-.*

**pozione,** dal lat. *potio, -onis,* nome d'azione di un verbo momentaneo, tratto dalla rad. PŌ(I) che non ammette tema di pres. Essa sopravvive in lat. solo nella forma intens. *potare;* in forma di aoristo e perfetto in greco e sanscrito, e in modo esclusivo nell'area baltica. Con un grado diverso della rad. (PI), si trova in greco e nell'area slava. Al grado ridotto si trova in greco e in falisco. Per il pres. *bibo* v. invece BERE, BÉVERE.

**poziore,** dal lat. *potior* ' più potente ', compar. tratto da *potis* ' signore '; v. POTÌSSIMO.

**pozza,** da *pozzo.*

**pozzànghera,** adattamento tosc. di un settentr. *\*pocciànghera* risultante da un incr. di milan. *pociàchera* ' fanghiglia ' con *fango.*

**pozzo,** lat. volg. *\*putjus,* class. *putĕus,* privo di connessioni attendibili per quanto riguarda la rad.; inserito nel sistema di *baltĕus, plutĕus* per quanto riguarda invece la derivaz.

**pozzolana,** lat. *puteolana (terra)* « terra di Pozzuoli ».

**pragmàtico, prammàtico,** dal lat. *pragmatĭcus* che è dal gr. *pragmatikós* ' attinente ai fatti ', deriv. di *prâgma* ' fatto '.

**pragmatismo,** dall'ingl. *pragmatism,* deriv. (dal filosofo americano W. James, 1842-1910), dal gr. *prâgma* ' fatto '.

**praio** (pesce), sg. di lat. volg. *\*pra(g)i,* class. *pagri.*

**prandio,** dal lat. *prandium;* v. PRANZO.

**pranzo,** lat. *prandium,* forma sostantiv. in *-io,* corrispond. a un part. pass. in *-so* come *pransus,* secondo il rapporto che unisce *incendium* a *incensus.* La « radice » *prand-* risulta dalla composiz. di *\*prămo-* da PR̥MO- (v. PRIMO) sopravv. nel lituano *pìrmas* ' primo ' e *-D-,* grado ridotto della rad. ED ' mangiare ', secondo un rapporto analogo a quello del gr. *ari-s-ton,* in cui la *-s-* rappresenta la *-d-* del grado ridotto di ED (cfr. DENTE). Il senso di *prandium* è dunque quello di « primo pasto ». Il nome d'agente sopravvive presso Nevio in *(de)prans* legato a *prandium* dallo stesso rapporto di *princeps* a *principium.*

**prassi,** dal gr. *prâksis,* nome d'azione di *prássō* ' faccio '.

**pratense,** dal lat. *pratensis;* v. PRATO.

**pràtico,** dal lat. tardo *practĭcus* che è dal gr. *prakti-*

*kós,* deriv. da *prássō* 'io faccio', prob. attrav. il frc. *pratique,* e in opposizione alla forma regolare merid. *pràttico.*

**pratile** (mese), calco sul frc. *prairial.*

**prato,** lat. *prātum,* senza connessioni attendibili.

**pravità,** dal lat. *pravĭtas, -atis.*

**pravo,** dal lat. *prāvus,* incr. di un \*PERWOS 'storto' (opp. di *rectus*) da un *per* che significa 'oltre (il giusto)', cfr. *per(ire), per(dĕre),* e *nāvus* 'industrioso'; v. IGNAVO e cfr. BRAVO.

**pre-,** dal lat. *prae,* ant. *prai,* chiaram. attestato solo in Italia, con vaghi collegamenti nelle aree celtica, baltica, slava; cfr. PRIVO.

**preàmbolo,** dal lat. tardo *praeambŭlus,* sost. deverb. da *praeambulare,* comp. di *prae* e *ambulare.*

**prebèllico,** dal lat. *bellum* 'guerra' (v. BÈLLICO) col pref. *pre-* e il suff. aggettiv. *-ico.*

**prebenda,** dal lat. tardo *praebenda, -ae,* forma sostantiv. da un neutro plur. di *praebendus,* part. futuro passivo di *praebere,* comp. di *prae* e *habere;* v. AVERE, e cfr. PROVENDA.

**precario,** dal lat. *precarius* 'ottenuto per preghiere' e quindi non « per diritto »; v. PRECE.

**precauzione,** dal lat. tardo *precautio, -onis,* nome d'azione di *praecavere,* comp. di *prae* e *cavere;* v. CAUTO.

**prece,** dal lat. *prex precis,* attestato solo da gramm. e glosse. Tema radicale della rad. PREK attestata in forma identica nel sanscrito e, leggermente ampliata, nel ted. *Frage* 'domanda'. Per le forme verb., v. PREGARE e cfr. PROCI.

**precèdere,** dal lat. *praecedĕre,* comp. di *prae* e *cedĕre* 'andare'; v. CEDERE.

**precessione,** dal lat. tardo *praecessio, -onis,* nome d'azione di *praecedĕre.*

**precettare,** dal lat. tardo *praeceptare,* verbo denom. da *praecepta, -orum* 'prescrizioni'.

**precettivo,** dal lat. *praeceptivus.*

**precetto,** dal lat. *praeceptum,* forma sostantiv. di *praeceptus,* part. pass. di *praecipĕre,* da *prae-* e *capĕre* con norm. passaggio di *-a-* in *-e-* in sill. interna chiusa.

**precettore,** dal lat. *praeceptor, -oris,* nome d'agente di *praecipĕre.*

**precìngere,** dal lat. *praecingĕre,* comp. di *prae-* e *cingĕre;* v. CÌNGERE.

**precinzione,** dal lat. tardo *praecinctio, -onis,* nome d'azione di *praecingĕre.*

**precipitare,** dal lat. *praecipitare,* verbo denom. da *praeceps, -ipĭtis.*

**precipitazione,** dal lat. *praecipitatio, -onis.*

**precìpite,** dal lat. *praeceps, -ipĭtis,* comp. di *prae-* e *caput* « (che cade) con la testa in avanti »; con il norm. passaggio di *-ă-* a *-ĕ-* in sill. postonica chiusa e a *-ĭ-* in sill. postonica aperta.

**precipizio,** dal lat. *praecipitium,* tratto dal plur. *praecipitia,* forma aggettiv. che corrispondeva in orig. al sg. *praeceps* (v. PRECÌPITE), poi sostantiv. col valore di 'precipizio'.

**precìpuo,** dal lat. *praecipŭus,* comp. di *prae, capio* e del suff. *-ŭo-* (cfr. *assidŭus, perpetŭus, perspicŭus*): « che si prende prima ».

**precisione,** dal lat. *praecisio, -onis* 'taglio', nome d'azione di *praecidĕre;* v. PRECISO.

**preciso,** dal lat. *praecisus,* part. pass. di *praecidĕre,* comp. di *prae-* e *caedĕre* con norm. passaggio di *-ae-* in *-i-* in sill. interna. Lo svolgim. di signif.

ha consistito nel passare da ' ciò che è stato tagliato davanti ', a « ciò che è stato sfrondato (di ogni ornamento superfluo) », soprattutto dal punto di vista della retorica.

**preclarità,** dal lat. tardo *praeclarĭtas, -atis.*

**preclaro,** dal lat. *praeclarus,* comp. di *prae* con valore superl. e *clarus;* v. CHIARO.

**preclùdere,** dal lat. *praecludĕre* 'chiudere inanzi', comp. di *prae* 'davanti' e *claudĕre* con norm. passaggio di *-au-* a *-ū-* in sill. interna.

**preclusione,** dal lat. tardo (gloss.) *praeclusio, -onis,* nome d'azione di *praecludĕre;* cfr. CHIUSURA.

**precoce,** dal lat. *praecox, -ocis,* comp. di *prae-* ' prima ' e *coc-* tema radicale di *coquĕre,* nel senso passivo « che è cotto prima » (v. CUÒCERE), secondo lo schema di *con-iux* « che è legato insieme », *re-dux* « che è ricondotto indietro ».

**precògnito,** dal lat. *praecognĭtus,* comp. di *prae* e *cognĭtus;* v. CÒGNITO.

**preconcetto,** da *pre-* e *concetto* nel senso di ' concepito ', poi sostantiv.

**precone,** dal lat. *praeco, -onis,* più ant. \*prai-vico, -onis, comp. di arc. *prai,* class. *prae,* la rad. WEKw (v. VOCE) e il suff. *-o, -onis* di nome d'agente, col passaggio di *-ŏ-* in *-ĭ-* in sill. interna aperta: « colui che chiama avanti » e cioè proprio il ' banditore '.

**preconizzare,** dal lat. medv. *praeconizare,* in parte incr. col frc. *préconiser.*

**precordi,** dal lat. *praecordia, -orum,* comp. di *prae* e *cor cordis* (v. CUORE): « le cose che stanno davanti al cuore ».

**precórrere,** dal lat. *praecurrĕre,* comp. di *prae* e *currĕre;* v. CORRERE.

**precursore,** dal lat. *praecursor, -oris,* nome d'agente di *praecurrĕre.*

**preda,** lat. *praeda, -ae,* da \*prai-hed-a, comp. di *prai,* class. *prae* ' davanti ' e la rad. GHED ' prendere ' che, fornita di infisso nasale, compare in *(pre)hend(o)* (v. PRÈNDERE e cfr. ÈDERA). La forma non nasalizzata si trova nell'area germ. e, forse, anche in quella celtica, quella nasalizzata nelle aree greca (*khandánō* ' io contengo ') e albanese.

**predare,** lat. *praedari,* verbo denom. da *praeda.*

**predatore,** lat. *praedator, -oris.*

**predecessore,** dal lat. tardo *praedecessor, -oris,* comp. di *prae* e *decessor, -oris,* nome d'azione di *decedĕre* ' andar via '; v. CÈDERE.

**predella¹** (basamento), dal longob. \*pretil (ted. *Brett* ' tavola ').

**predella²** (briglia), dal longob. *pridel* ' briglia '.

**predestinare,** dal lat. *praedestinare,* comp. di *prae* e *destinare;* v. DESTINARE.

**predestinazione,** dal lat. tardo *praedestinatio, -onis.*

**predetto,** dal lat. *praedictus,* comp. di *prae* e *dictus;* v. DIRE.

**prediale,** da *predio* ' podere '.

**prèdica,** sost. deverb. da *predicare.*

**predicàbile,** dal lat. *praedicabĭlis.*

**predicamento,** dal lat. crist. *praedicamentum.*

**predicare,** dal lat. crist. *praedicare* che nel lat. class. vale ' celebrare ', comp. di *prae* e *dicare,* forma durativa di *dicĕre;* v. DEDICARE.

**predicativo,** dal lat. tardo *praedicativus.*

**predicato,** dal lat. tardo *praedicatum.*

**predicatore,** dal lat. crist. *praedicator, -oris.*

**predicazione,** dal lat. crist. *praedicatio, -onis.*

**prediletto**, da *pre-* e *diletto*².

**predilezione**, da *pre-* e *dilezione* (v.).

**predilìgere**, da *pre-* e *dilìgere* (v.).

**predio**, dal lat. *praedium* ' ipoteca domandata dallo stato ai proprietarî debitori ', deriv. da *praes praedis* ' cauzione ' e cioè « (fondo impegnato) con cauzione ». *Praes* deriva da *\*praives* il cui plur. *praevìdes* è attestato epigraficamente. La forma orig., che ha poi subìto la norm. alteraz. di *-ă-* in *-ĕ-* in sill. chiusa non accentata è *\*prai-wad-* comp. di *prai* e *\*wad-* e cioè « garanzia prioritaria (a vantaggio dello stato) ». WAD' è tema radicale nordoccidentale attestato con ampliam. varî nelle aree germanica e baltica ed è tipico di zone essenzialmente agricole.

**predire**, dal lat. *praedicĕre* incr. con *dire*.

**predizione**, dal lat. *praedictio*, *-onis*.

**predominare**, da *pre-* e *dominare*.

**predone**, lat. *praedo*, *-onis*, nome d'agente di *praedari*, tratto da *praeda*; v. PREDA.

**preesistenza**, dal lat. tardo *praeexsistentia*.

**preesìstere**, dal lat. tardo *praeexsistĕre*, comp. di *prae* e *exsistĕre* ' alzarsi '; v. ESÌSTERE.

**prefato**, dal lat. *praefatus*, part. pass. di *praefari* con il valore passivo dell'età tarda (attivo in quella class.); v. FATO.

**prefazio**, dal lat. crist. *praefatio*, nome d'azione di *praefari* ' introdurre un discorso ', passato al genere maschile (cfr. PREFAZIONE), perché attratto dalla finale in *-o*; cfr. PASSIO.

**prefazione**, dal lat. *praefatio*, *-onis*; v. PREFAZIO.

**preferire**, lat. *praeferre* ' portare avanti ' incr. con *offrire*, *soffrire* (v.).

**prefetto**, dal lat. *praefectus* ' preposto ', part. pass. di *praeficĕre*, comp. di *prae* e *facĕre*, con norm. cambiamento di *-ă-* in *-ĭ-* in sill. interna aperta, in *-ĕ-* in sill. interna chiusa.

**prefettura**, dal lat. *praefectura*, astr. di *praeficĕre* « carica di prefetto ».

**prèfica**, dal lat. *praefĭca*, femm. sostantiv. di *\*praefĭcus*, nome d'agente di *praeficĕre*: «quella che presiede (alle ancelle che si lamentano) ».

**prefìggere**, dal lat. *praefigĕre* ' fissare avanti' incr. con it. *figgere* (v.).

**prefigurare**, dal lat. tardo *praefigurare*, comp. di *prae* e *figurare*; v. FIGURA.

**prefigurazione**, dal lat. tardo *praefiguratio*, *-onis*.

**prefisso**, forma sostantiv. dal lat. *praefixus*, part. pass. di *praefigĕre* (al posto di un più ant. *\*praefictus*); v. FISSO.

**pregare**, lat. *precari*, con leniz. settentr. di *-c-* in *-g-*. *Precari* è verbo denom. da *prex* (v. PRECE), tema radicale che, al di fuori dell'area celtica e baltica, non mostra temi verbali di presente se non col suff. incoativo: così nel lat. *poscĕre* da PRK-SK-E, nel sanscrito *pṛcchati* ' chiede ', nel ted. *forschen* ' indagare ', e in armeno. Le forme semplici di questa rad. si trovano solo in ant. perfetti (radd.) e aoristi nelle aree umbra e indiana. Con un ampliam. in *-i-* si trova nelle aree baltica e slava (p. es. slavo ant. *prositi* ' domandare ') con valore iterativo.

**preghiera**, dal provz. *preguiera* (lat. tardo *precaria*, forma sostantiv. femm. di *precarius*); v. PRECARIO.

**pregiare**, verbo denom. da *pregio*.

**pregio**, lat. *pretium* attrav. la leniz. settentr. *\*presgjo*, resa in forma tosc. con *-gio*; cfr. RAGIONE, MAGIONE, e v. PREZZO.

**pregiudicare**, dal lat. *praeiudicare*, da *prae* e *iudicare*; v. GIÙDICE.

**pregiudiziale**, dal lat. tardo *praeiudicialis* incr. con it. *giudizio*.

**pregiudizio**, dal lat. *praeiudicium*, originariam. ' giudizio di prima istanza ' poi ' giudizio prematuro '.

**pregnante**, dal lat. tardo *\*praegnans*, *-antis*, che risulta dall'incr. col suff. di part. pres. *-ans*, *-antis*, del class. *praegnas*, *-atis* il cui suff. *-at-* significa ' fornito di '. Il primo elemento *praegn-* risulta comp. a sua volta di *prae* ' prima ', e del tema *-gno-* di *benignus*, *malignus*, *bignus*, rispettivamente « bene-, male-, doppio-generato ». *Praegnas* significa dunque ' fornita di un essere pre-generato (e cioè prima che sia nato) '.

**pregno**, lat. volg. *\*pregnus*, agg. deverb. estr. da *praegna(n)s*, incr., forse anche per influenza rustica, con *plenus*.

**pregustare**, dal lat. *praegustare* ' assaggiar prima '; v. GUSTO.

**pregustatore**, dal lat. *pregustator*, *-oris*.

**preindicato**, dal lat. tardo *praeindicatus*; v. INDICARE.

**preistoria**, comp. di *pre-* e lat. *historia*.

**preistòrico**, da *preistoria*.

**prelato**, dal lat. medv. *praelatus*, forma sostantiv. del part. pass. del sistema di *praeferre* ' metter davanti ' e cioè « colui che è messo davanti »; v. LATORE.

**prelazione**, dal lat. *praelatio*, *-onis*, nome d'azione nel sistema di *praeferre*.

**prelevare**, dal lat. tardo *praelevare* ' levar prima '; v. LEVARE.

**prelibare**, dal lat. tardo *praelibare* ' assaggiare prima '; v. LIBARE.

**preliminare**, dal lat. medv. *praeliminaris*, deriv. di *limen* ' soglia ' (v. LÌMINE) col suff. *-aris* e il pref. *prae-*.

**prelùdere**, dal lat. *praeludĕre* ' far prove ', comp. di *prae-* e *ludĕre* ' giocare '; v. LUDO.

**preludiare**, verbo denom. da *preludio*.

**preludio**, incr. di *prelùdere* con il lat. *-ludium*, tema di nomi d'azione come *colludium*, *diludium*, *proludium*.

**prematuro**, dal lat. *praematurus*; v. MATURO.

**premeditare**, dal lat. *praemeditari*; v. MEDITARE.

**premeditazione**, dal lat. *praemeditatio*, *-onis*.

**prèmere**, si tratta della rad. PER² ' batere ', ' schiacciare ' che si conserva senza ampliam. nell'area slava e che in lat. ne ha avuti due diversi: nel tema del pres. in *-em-*, parallelo a quello di *tremĕre* (da rad. TER; v. TREMARE) e al part. pass. in *-et-*, in modo da dare *pressus* (e non *\*prēsus*); v. PRESSO.

**premèttere**, dal lat. *praemittĕre* ' mandare avanti ' incr. con l'it. *méttere* e perciò « metter davanti ».

**premiando**, dal lat. *praemiandus*, part. fut. passivo di *praemiare*; v. PREMIARE.

**premiare**, dal lat. *praemiare*, verbo denom. da *praemium*.

**premiatore**, dal lat. tardo *praemiator*, *-oris*.

**preminente**, dal lat. *praeeminens*, part. pres. di *prae-eminēre*; v. EMINENTE, MONTE.

**premio**, dal lat. *praemium*, da un più ant. *\*prai-em-iom* e cioè un derivato dal verbo *emĕre* nel

senso più antico di ' prendere ', col pref. *prai-*:
« la prima presa (del bottino, da destinare agli dèi) ».
Per la rad. EM v. ESEMPIO.

**premorire,** da *pre-* e *morire* (mentre lat. *praemŏri*
è ' morire prima del tempo ').

**premunire,** dal lat. *praemunire,* comp. di *prae* e
*munire;* v. MUNIRE.

**premura,** dallo sp. *primor* ' gran cura ' incr. con
it. *prèmere.*

**prenàscere,** dal lat. *praenasci* incr. con it. *nàscere.*

**prence,** dal frc. ant. *prince* che è il lat. *princeps;*
v. PRÌNCIPE.

**prèndere,** lat. tardo *prendĕre,* class. *praehendĕre,*
comp. di *prae-* e della rad. GHED fornita, a differenza del caso di *praeda* (v. PREDA), di un infisso
nasale, che ricompare nelle aree greca e albanese.
Il signif. fondam. è quello di ' prendere ' sia pure
con sfumature che oggi ci sfuggono; cfr. ÈDERA.

**prendìbile,** da *prèndere* con suff. di agg. verb. (passivo); cfr. IMPRENDIBÌLE.

**prenome,** dal lat. *praenomen, -ĭnis,* comp. di *prae*
e *nomen;* v. NOME.

**prenominato**[1] ' fornito di prenome ', dal lat. *prae-
nominatus.*

**prenominato**[2] ' nominato prima ', da *pre-* e *nominato.*

**prenotare,** dal lat. tardo *praenotare,* comp. di *prae-*
e *notare,* verbo denom. da *nota;* v. NOTA.

**prenozione,** dal lat. *praenotio, -onis,* nome d'azione
di *praenoscĕre;* v. NOZIONE e CONOSCERE.

**prènsile,** incr. del lat. *prensus,* variante tarda del
class. *praehensus,* con i tipi it. *fìssile, mìssile, pènsile, rèttile.*

**prensione,** dal lat. tardo *prensio, -onis,* class. *praehen-
sio, -onis,* nome d'azione di *praehendĕre;* v. PRÈN-
DERE e cfr. PRIGIONE.

**prenunziare,** dal lat. *praenuntiare,* comp. di *prae-*
e *nuntiare;* v. NUNZIO.

**preoccupare,** dal lat. *praeoccupare* ' occupar prima ';
v. OCCUPARE.

**preoccupazione,** dal lat. *praeoccupatio, -onis.*

**preordinare,** dal lat. tardo *praeordinare,* comp. di
*prae-* e *ordinare;* v. ORDINE.

**preordinazione,** dal lat. tardo *praeordinatio, -onis.*

**preparare,** dal lat. *praeparare,* comp. di *prae-* e
*parare;* v. PARARE.

**preparatore,** dal lat. tardo *praeparator, -oris.*

**preparatorio,** dal lat. tardo *praeparatorius.*

**preparazione,** dal lat. *praeparatio, -onis.*

**preponderante,** dal lat. *praeponderare* ' pesar di
più ', comp. di *prae-* e *ponderare* ' pesare ' (v. PON-
DERARE) col suff. it. di part. pres.

**preporre,** dal lat. *praeponĕre* incr. con it. *porre.*

**prepositivo,** dal lat. tardo *praepositivus.*

**prepositura,** dal lat. tardo *praepositura,* astr. di
*praeponĕre;* v. POSTURA.

**preposizione,** dal lat. *praepositio, -onis,* nome di
azione di *praeponĕre;* v. POSIZIONE.

**preposto,** lat. *praeposĭtus,* forma sostantiv. del part.
pass. di *praeponĕre;* v. PREPORRE, POSTO e cfr. PRE-
VOSTO e PROPOSTO.

**prepotente,** dal lat. *praepŏtens, -entis,* comp. di
*potens* e *prae* superl.; v. POTENTE.

**prepotenza,** dal lat. tardo *praepotentia.*

**prepuzio,** dal lat. *praeputium,* di cui è riconoscibile
solo il primo elemento *prae-* col signif. di ' anteriore ', mentre il secondo richiama al massimo

la nozione di ' piccolo ' (v. PUTTO): « quasi piccolo putto anteriore ».

**preraffaellita,** seguace di un indirizzo artistico
ottocentesco ispirato a modelli anteriori a Raffaello,
dall'ingl. *praeraphaelite.*

**prerogativa,** dal lat. tardo *praerogativa,* forma
femm. sostantiv. di *praerogativus* ' che vota prima
degli altri ', deriv. da *praerogatus,* part. pass. di
*praerogare;* v. ROGARE.

**presa,** forma sostantiv. femm. di *preso,* part. pass.
di *prèndere,* lat. tardo *presus;* v. PRÈNDERE.

**presagio,** dal lat. *praesagium,* risal. a *presagus;*
v. PRESAGO.

**presagire,** dal lat. *praesagire,* comp. di *prae-* e
*sagire;* v. SAGACE.

**presago,** dal lat. *praesagus,* comp. di *prae-* e *sagus;*
v. SAGACE.

**presame,** forma di collettivo, da *prèndere,* attrav.
il part. pass. *preso,* come *rottame* da *rotto.*

**presbiopìa,** calco su *miopìa* con la sostituz. di *mi-*
(v. MÌOPE) mediante *presbi-* ' vecchio ', e cioè
« vista da vecchi ».

**prèsbite,** dal gr. *presbýtēs* « vecchio (per quanto
riguarda la vista) ».

**presbiterato,** dal lat. crist. *presbyteratus, -us,* astr.
di *presbýter* ' prete ' (v.).

**presbiteriano,** forma sg. dall'ingl. *presbyterians,*
gli appartenenti a chiese protestanti prive di gerar-
chie ecclesiastiche (in opposiz. alle chiese « epi-
scopali »).

**presbiterio,** dal lat. crist. *presbyterium* ' collegio dei
preti ' (che è dal gr. *presbytérion* ' consiglio degli
anziani ').

**prescégliere,** da *pre-* e *scégliere.*

**presciente,** dal lat. *praesciens, -entis* ' che sa in pre-
cedenza ', part. pres. di *praescire;* v. SCÌBILE e
SCIENZA.

**prescienza,** dal lat. tardo *praescientia.*

**prescìndere,** dal lat. *praescindĕre* ' tagliar davanti ',
senza applicaz. metaforiche, comp. di *prae-* e
*scindĕre;* v. SCÌNDERE.

**presciutto,** lat. volg. *\*perexsuctus,* comp. di *per-*
superl. e *exsuctus,* part. pass. di *exsūgĕre* ' esaurire succhiando ' e cioè « privare di ogni liquido,
asciugare ». La caduta di *e* dav. all'accento, e in
condizioni fonetiche propizie, è norm.; cfr. PRO-
SCIUGARE e PROSCIUTTO.

**prescrittìbile,** incr. del lat. *praescriptus,* part. pass.
di *praescribĕre* con gli agg. verb. it. in *-ìbile,*
per es. *indescrivìbile.*

**prescrìvere,** dal lat. *praescribĕre* ' scrivere davanti ';
v. scrìvere.

**prescrizione,** dal lat. *praescriptio, -onis,* nome di
azione di *praescribĕre.*

**presentare,** dal lat. tardo *praesentare,* verbo denom.
da *praesens, -entis;* v. PRESENTE[1].

**presentatore,** dal lat. tardo *praesentator, -oris.*

**presentazione,** dal lat. tardo *praesentatio, -onis.*

**presente**[1] (agg.), dal lat. *praesens, -entis* che non è
part. pres. di *praesum* ' sono alla testa di qualcosa ', ma calco su *absens* con la sostituz. di *prae-*
' davanti ' a *ab-* di assenza.

**presente**[2] (sost.), dal frc. ant. *présent* incr. con it.
*presente*[1].

**presentire,** dal lat. *praesentire,* comp. di *prae* e
*sentire;* v. SENTIRE.

**presenza,** dal lat. *praesentia.*

**presepe,** dal lat. *praesaepe* ' stalla ', comp. di *prae-* e *saepes, -is* ' siepe '; v. SIÈPE.

**presepio,** dal lat. *praesepium* variante di *praes(a)epe.*

**preservare,** dal lat. tardo *praeservare,* comp. di *prae* e *servare;* v. SERBARE.

**prèside,** dal lat. *praeses, -ĭdis,* comp. di *prae-* e di *sed-* tema radicale di nome d'agente « che siede davanti » e cioè ' presiede '; v. SEDERE.

**presidente,** dal lat. *praesĭdens, -entis,* part. pres. di *praesidĕre,* comp. di *prae* e *sedere,* con norm. passaggio di *-ĕ-* a *-ĭ-* in sill. interna aperta; cfr. invece *presièdere* (v.), assorbito nel paradigma norm. dalla terza pers. sg. del pres. *presiede.*

**presidiare,** dal lat. tardo *praesidiari,* verbo denom. da *praesidium.*

**presidiario,** dal lat. *praesidiarius.*

**presidio,** dal lat. *praesidium* « residenza avanzata », deriv. da *praesidere;* v. PRESIDENTE.

**presièdere,** inf. formato sulla terza pers. sg. *presiede,* secondo lo schema di *miete* e *miètere, mette* e *méttere, riede* e *rièdere* (invece dell'orig. *redire*); cfr. *presidente* (v.), che si sottrae invece al livellamento del paradigma.

**pressappoco,** da *presso a poco (di distanza).*

**pressare,** dal lat. *pressare,* intens. tratto dal part. pass. di *premĕre;* v. PRÈMERE e PRESSO.

**pressione,** dal lat. *pressio, -onis,* nome d'azione di *premĕre;* v. PRESSO.

**presso,** incr. del lat. *presse* e della locuz. lat. *ad pressum,* entrambe da forme irrigidite del part. pass. del sistema di *premĕre* (v. PRÈMERE), impiegate come avv. e anche come prep. *Pressus* deriva da un ampliam. in *-et-* della rad. P(E)R[3] al grado ridotto, che nel tema di pres. è ampliata invece in *-em.*

**pressura,** dal lat. *pressura,* astr. di *premĕre;* v. PRESSO.

**pressurizzare,** dal frc. *pressuriser.*

**prestante,** dal lat. *praestans, -antis,* part. pres. di *praestare* « che sta davanti », ' che eccelle '.

**prestanza,** dal lat. *praestantia;* v. PRESTANTE.

**prestare,** dal lat. *praestare* ' fornire ', verbo denom. dal tema dell'avv. *praesto* ' a portata di '; v. PRESTO[2].

**prestatore,** dal lat. tardo *praestator* ' garante ' incr. con it. *prestare.*

**prestazione,** dal lat. *praestatio, -onis* ' garanzia '.

**prestidigitatore,** nome d'agente di un presunto verbo *\*prestidigitare* « agire presto con le dita », denom. del tema del lat. *digitus* (v. DITO) sopravv. ad es. in *digitale*[1] (agg.) (v.).

**prestigiatore,** dal lat. tardo *praestigiator, -oris* (v. PRESTIGIO), incr. con *presti(di)gi(t)atore.*

**prestigio,** dal lat. *praestigiae,* forma dissimilata da *\*praestrigiae,* collegata al verbo *praestringĕre,* comp. di *prae* e *stringĕre:* « (azioni molteplici consistenti) nello stringere cose davanti (a un pubblico) ».

**prestigioso,** dal lat. tardo *praestigiosus.*

**prestinaio** (fornaio), lat. volg. *\*pristinarius,* tardo *pistrinarius,* deriv. di *pistrinum,* il negozio del *pistor* ' panettiere ', etimol. « pestatore », nome di agente di *pinsĕre* ' pestare '; v. PESTARE.

**prèstito,** da *prestato* incr. con *débito.*

**presto**[1], forma sostantiv. di agg. estr. da *prest(at)o.*

**presto**[2], lat. *praesto* ' a portata di ', contraz. di *\*praihestod,* forma irrigidita di *\*prai hastod* ' davanti alla mano ' divenuta *\*praihestod* con norm.

passaggio di *-a-* in *-e-* in sill. interna chiusa. *\*Hasto-* è a sua volta la forma corrispond. al sanscrito *hasta-* ' mano ', terminologia magica antichissima, che ragguaglia la mano a un « ramo (del corpo) ». La forma primitiva è GHASTO- cfr. ASTA.

**prèsule,** dal lat. *praesul, -ŭlis,* da *prae* e la rad. SEL[1] di *salire* (v. SALIRE, SALTARE), con norm. passaggio di *-ĕl-* in *-ŭl-* in sill. atona non seguìta da voc. *-i-. Praesul* era il primo dei sacerdoti, quello che fra l'altro iniziava la danza, v. SALIARE (carme); cfr. per il signif. PRETORE, per la forma CÒNSOLE, ÈSULE.

**presùmere,** dal lat. imp. *praesumĕre* ' prendere in anticipo ' poi ' anticipare ' in senso figur., comp. di *prae* e *sumĕre;* v. SUNTO.

**presuntivo,** dal lat. tardo *praesumptivus.*

**presuntuoso,** dal lat. tardo *praesumptuosus;* cfr. SONTUOSO.

**presunzione,** dal lat. *praesumptio, -onis,* nome di azione di *praesumĕre.*

**prete,** lat. tardo *prebўter,* class. *presbўter,* dal gr. *presbўteros,* compar. di *présbys* ' anziano '. Contro la tradiz. centro-merid. di *previte, prete* presuppone la leniz. totale di *-b-* intervocalico attrav. *-v-,* propria di regioni centro-settentr., con eliminazione ulteriore del dittongo *ei* da *preite* in *prete;* cfr. *quaranta* da *\*quaràinta* (v. QUARANTA), *rècere,* che è il lat. *reicĕre,* o *futa* (arc.) da *\*fu(g)ĭta.*

**pretèndere,** dal lat. *praetendĕre* ' tendere inanzi ', comp. di *prae* e *tendĕre;* v. TÈNDERE.

**pretensione,** dal lat. tardo *praetensio, -onis,* nome d'azione di *praetendĕre.*

**pretensioso,** dal frc. *prétentieux.*

**preterintenzionale,** incr. di *pretermissione* e *intenzionale;* v. INTENZIONE e PRETERIRE.

**preterire,** dal lat. tardo *praeterire,* comp. di *ire* ' andare ' (v. GIRE) con *praeter* ' al di là ', forma comparativa di *prae* (v. PRE-), come *inter* rispetto a *in,* o *propter* rispetto a *prope.*

**pretèrito,** forma sostantiv. di *praeterĭtum,* part. pass. di *praeterire* « andato oltre, passato ».

**preterizione,** dal lat. *praeteritio, -onis,* nome di azione di *praeterire.*

**preterméttere,** dal lat. *praetermittĕre* ' lasciar passare oltre ', comp. di *praeter* (v. PRETERIRE) e *mittĕre,* incr. con it. *méttere.*

**pretermissione,** dal lat. *praetermissio, -onis,* nome d'azione di *praetermittĕre.*

**pretesta,** dal lat. *praetexta,* forma femm. sostantiv. di *praetextus,* part. pass. di *praetexĕre* ' tessere davanti, fornire di un bordo ', comp. di *prae-* e *texĕre;* v. TESSERE.

**pretestato,** dal lat. *praetextatus.*

**pretesto,** dal lat. *praetextus, -us,* da principio ' ornamento ', poi, fig. « (argomento) ornamentale (non sostanziale) »: astr. in *-tu-* di *praetexĕre;* v. PRETESTA.

**pretore,** dal lat. *praetor, -oris* (comp. di *prae-* e *-itor*), nome d'agente di *praeire* « chi va davanti (all'esercito) »; cfr. PRÈSULE.

**pretoriano,** dal lat. *praetorianus.*

**pretorio**[1] (agg.), dal lat. *praetorius, -a, -um.*

**pretorio**[2] (sost.), dal lat. *praetorium.*

**pretto,** incr. di *puro* con *schietto* (con *e* aperta).

**pretura,** dal lat. *praetura,* incr. di *praetor* con *censura;* cfr. *censor.*

**prevalenza,** dal lat. tardo *praevalentia.*

**prevalere**, dal lat. *praevalere*, da *prae-* e *valere* « esser forte in avanti », e cioè « più forte »; v. VALERE.

**prevaricare**, dal lat. imp. *praevaricare*, class. *praevaricari* nella terminologia agricola « avanzare allargando le gambe più del consentito », e cioè ' invadere la proprietà altrui '; v. VARCARE.

**prevaricatore**, dal lat. *praevaricator, -oris*.

**prevaricazione**, dal lat. *praevaricatio, -onis*.

**prevedere**, dal lat. *praevidere* incr. con it. *vedere*.

**prevenire**, dal lat. *praevenire*; v. VENIRE.

**preventivo**, ampliam. in *-ivo* dell'arc. *prevento* (poi vinto da *prevenuto*), come part. pass. di *prevenire*, secondo lo schema di *successivo* e *repressivo* rispetto a *successo* e *represso*.

**preventorio**, incr. di *preven(ire)* con *(sana)torio*.

**prevenzione**, dal lat. tardo *praeventio, -onis*, nome d'azione di *praevenire*.

**previdente**, dal lat. *praevidens, -entis*, part. pres. di *praevidere*, comp. di *prae* e *videre*.

**previdenza**, dal lat. tardo *praevidentia*.

**previo**, dal lat. *praevius*, comp. di *prae* e *via* « che ha la strada per primo ».

**previsìbile**, incr. di lat. *praevidere* con ital. *visibile* (v.).

**previsione**, incr. di lat. *praevidere* con it. *visione* (v.).

**prevosto**, dal frc. ant. *prevost* che è il lat. *praepositus*; v. PREPOSTO e cfr. PROFOSSO.

**preziosità**, dal lat. tardo *pretiosìtas, -atis*.

**prezioso**, dal lat. *pretiosus*; v. PREZZO.

**prezzémolo**, lat. volg. *pretosemòlum*, con doppia metatesi rispetto al class. *petroselinon* (che è dal gr. *petro-sélinon* « sedano delle pietre »), incr. con i tipi *tremùlus* e sim.

**prezzo**, lat. *pretium*, astr. di un perduto verbo *pretěre*, la cui rad. PRET ' scambiare ' si ritrova nel lat. *interpres, -ětis* ' mediatore ' (v. INTÈRPRETE) ma è priva di attestazioni chiare in altre aree ideur., salvo, forse, nel gr. *pérnēmi* ' vendo '. Cfr. la variante it. PREGIO.

**pria**, lat. volg. *\*pria*, incr. di lat. *prius* e *postea*. *Prius* è il compar. neutro *\*priyos*; v. PRIORE.

**prigione** (carcere), lat. *prehensio, -onis*, nome di azione di *prehendère*, con leniz. settentr. del gruppo *-sio-* in *-sgjo-*; v. PRÈNDERE e PRENSIONE.

**prillare**, da una serie onomatop. di cons. labiali con le liquide *r*.... *ll*; cfr. BIRILLO.

**prima**, lat. tardo *prima*, incr. di class. *primum* con *postea*; cfr. PRIA e PRIMO.

**primaio**, lat. *primarius* ' di prim'ordine ' con norm. trattam. tosc. di *-ariu* in *-aio*; cfr. PRIMARIO.

**primario**, dal lat. *primarius*; v. PRIMAIO.

**primate**, dal lat. tardo *primas, -atis* ' proveniente dalle prime famiglie '.

**primaticcio**, forma dissimilata da *\*primiticcio*, deriv. di lat. *primitiae*; v. PRIMIZIA.

**primato**, dal lat. *primatus, -us*, astr. di un presunto *\*primare* ' primeggiare ', verbo denom. da *primus*; v. PRIMO.

**primavera**, lat. tardo *primavera*, adattamento al genere femm. del class. *primo vere* ' al principio della primavera '. *Ver* lat. risale a una forma ideur. WER attestata nell'area germanica, fornita di una variante WESR attestata nelle aree greca (*éar*), slava e iranica.

**primazìa**, da *primate*, calco sulla base del rapporto fra *abbazìa* e *abbate*.

**primevo**, dal lat. *primaevus*, comp. di *primo-* e *aevo-*; v. EVO.

**primiceriato**, dal lat. tardo *primiceriatus, -us*, astr. di *primicerius*.

**primicerio**, dal lat. tardo *primicerius*, comp. di *primus* e di *cera* « (funzionario che è iscritto per) primo (sulle tavolette) di cera »; v. CERA.

**primiera**, femm. sostantiv. di *primiero*, e cioè l'insieme delle prime carte di ogni seme.

**primiero**, dal frc. ant. *premier* (che è il lat. *primarius*); v. PRIMAIO.

**primigenio**, dal lat. *primigenius*, comp. di *primus* e della serie in *-genius* successiva a quella in *-genus* (*primigěnus, multigěnus*) e in *-gena* (*omnigěna, alienigěna*), equival. al gr. *-geněs*.

**primìpara**, dal lat. *primìpăra*, comp. di *primo-* con norm. passaggio di *-ŏ-* a *-ĭ-* in sill. int. aperta, e *-păra*, femm. di *-părus*, nome d'agente della rad. di *parěre*, senza alternanza in *-ě-*; v. invece PUÈRPERA, e cfr. PARTO.

**primitivo**, dal lat. *primitivus*, deriv. dall'avv. *primìtus* ' in primo luogo ', come se fosse stato un part. passato. *Primìtus* è dal tema *primo-* con norm. passaggio di *-ŏ-* in *-ĭ-* in sill. interna aperta col suff. *-tus* che indica moto dal luogo.

**primizia**, dal lat. tardo *primitia*, class. *primitiae, -arum*, astr. di *primus*.

**primo**, lat. *primus*, ant. *prismos* risultante da *priseguito* dal suff. *-is*, cfr. *-is(sìmus)*, dei superl. norm., e da *-mo-*, suff. primitivo di superl. come *summus*. Una forma parallela, risal. a una base di partenza *\*pr̄mo-* si trova nel lat. *\*pramos* sopravv. in *prandium*; v. PRANZO.

**primogènito**, dal lat. *primogenìtus*, comp. di *primo-* (senza il passaggio regolare di *-ŏ-* a *-ĭ-* in sill. interna aperta, e perciò relativamente recente) e *genìtus*, part. pass. di *gignère*; v. GENITO.

**primola**, dal lat. *primùlus*, vezzegg. di *primus*, attrav. il lat. dei botan. *prìmula* (XVIII sec.).

**primordiale**, dal lat. tardo *primordialis*.

**primordio**, dal lat. *primordium*, comp. di *primo-* e *\*ordium*, astr. del verbo *ordìri* ' ordire ', cfr. *exordium*, e v. ORDINE e ORDIRE.

**principale**, dal lat. *principalis*, deriv. di *princeps, -ìpis*.

**principalità**, dal lat. tardo *principalìtas, -atis*.

**principato**, dal lat. *principatus, -us*.

**prìncipe**, dal lat. *princeps, -ìpis*, comp. di *primo-* e *cap-* « che prende il primo (posto) ». *Cap-*, tema radicale di nome d'agente della rad. KAP (v. CAPIRE), con passaggio di *-ă-* in *-ě* in sill. chiusa non accentata, in *-ĭ-* in sill. aperta.

**principiare**, dal lat. tardo *principiare*, verbo denom. da *principium*.

**principio**, dal lat. *principium*, deriv. di *princeps, -ìpis*.

**princisbecco** (lega metallica), dal nome di un orologiaio londinese, C. Pinchbeck (1670-1732) incr. con *princ(ipe)* e *becco*.

**priorato**, dal lat. *prioratus, -us* (età imp.) ' priorità ', incr. con it. *priore*.

**priore**, dal lat. *prior, -oris* ' anteriore, superiore ', comp. di PRI (v. PRIMO e cfr. PRIA). *Prior* (e il neutro *prius*) risultano da *pri-* ' davanti ' con il suff. di compar. *-yōs* (maschile-femm.) e *-yŏs* (neutro).

**priorità**, dal lat. medv. *prìoritas, -atis*, astr. di *prior*.

**prisco,** dal lat. *prĭscus,* ampliam. norm. in *-co* di un elemento *pris* che si ritrova in *pristĭnus* (v. PRÌ-STINO) e non esclude una connessione col gr. *preí-sbys,* variante di *présbys.*

**prisma,** dal lat. tardo *prisma* (che è dal gr. *prîsma, -atos,* dal verbo *prízō* 'io sego').

**pristino,** dal lat. *pristĭnus,* deriv. da *pris-* (v. PRI-SCO), e l'ant. suff. *-tĭnus* (per es. di *diutĭnus, crastĭnus;* v. DIUTURNO, CRÀSTINO, SERÒTINO) che è attestato anche in sanscrito.

**pritanèo,** dal lat. *prytanēum,* che è dal gr. *prytaneîon,* deriv. di *prýtanis* 'signore', parola mediterr. con connessioni etrusche, fra le quali il nome personale *Porsenna.*

**privare,** dal lat. *privare,* verbo denom. da *privus.*

**privativa,** femm. sostantiv. dalla locuzione '(facoltà) privativa', dal lat. tardo *privativus.*

**privato,** dal lat. *privatus,* in orig. 'esentato'.

**privazione,** dal lat. *privatio, -onis.*

**privigno** 'figliastro' (arc.), dal lat. *privignus* comp. di *privus* 'a parte' e *-gno-* di *benignus, malignus:* «generato a parte».

**privilegio,** dal lat. *privilegium,* deriv. da un comp. di *lex* 'legge' e *privus* 'singolo': «(attinente a) legge (che si riferisce a un) singolo (caso) ».

**privo,** dal lat. *privus,* deriv. in *-vo-* di un tema *prei:* «che sta davanti (isolato) », che si trova anche nell'ant. area umbra. Il tema *prei* è variante di *prai;* v. PRE-.

**pro-**[1], dal lat. *pro-* 'in luogo di' da un più ant. 'nell'interesse di' (v. PRO[2]). Questo pref. (anche prep. e avv.) è attestato in molte aree indeuropee, anche se incerto nelle due quantità lunga e breve, che non sembrano giustificare una distinzione orig. In it. per es. *prorettore, prosindaco.*

**pro**[2], dal lat. *pro* (prep.) 'a favore di' (*pro loco*): in forma ampliata, antevocalica, *prŏd-,* con l'elemento *-d* di orig. non chiara, prob. da più ant. *-de.* Il signif. anteriore era quello di 'davanti', specializzato poi in senso favorevole.

**pro**[3], forma tronca di *prode* incr. con *pro*[2] (*buon pro' ti faccia*); v. PRODE.

**proavo,** dal lat. *proăvus* 'che è anteriore all'avo', incr. con it. *avo* (v.). La parola compare in it. prima al plur. e poi al sg.

**probàbile,** dal lat. *probabĭlis* 'meritevole di approvazione'.

**probabilità,** dal lat. *probabilĭtas, -atis.*

**probàtico,** dal lat. tardo *probatĭcus* (che è dal gr. *probatikós* 'delle pecore', da *próbaton* 'pecora').

**probativo,** dal lat. imp. *probativus.*

**probità,** dal lat. *probĭtas, -atis.*

**problema,** dal lat. *problema* che è dal gr. *próblēma,* appartenente al sistema di *probállō* 'propongo'.

**problemàtico,** dal lat. tardo *problematĭcus.*

**probo,** dal lat. *probus,* formaz. antichissima sopravv. solo nelle aree italica e indiana: *pro-bhu-* 'che cresce favorevolmente', identico al sanscrito vedico *pra-bhu-* 'eminente, potente'. Identica è la formaz. di *superbus* 'che cresce sopra', v. SU-PERBO; di *dubus* 'che si riferisce a due soluzioni', v. DUBBIO; e di *acerbus* 'che è acre'.

**probòscide,** dal lat. *proboscis, -ĭdis* che è dal gr. *pro-boskís, -ídos,* deriv. di *bóskō* 'io nutro' e quindi «strumento sporgente di nutrizione».

**procaccia,** sost. deverb. da *procacciare.*

**procacciare,** incr. di *cacciare* e *procurare.*

**procace,** dal lat. *procax, -acis,* agg. da *procare,* verbo denom. da *procus* (v. PROCI) come *vorax* rispetto a *vorare.*

**procacia,** dal lat. tardo *procacia.*

**procacità,** dal lat. *procacĭtas, -atis.*

**procèdere,** lat. *procēdĕre,* comp. di *pro* 'avanti' e *cedĕre* 'andare'.

**procedura,** dal frc. *procédure.*

**procella,** dal lat. *procella,* sost. deverb. da *procel-lĕre* comp. di *pro-* e *-cellĕre* 'battere' dalla rad. KELA[2] ampliata con *-D-;* v. CALAMITÀ.

**procelloso,** dal lat. *procellosus.*

**processione,** dal lat. *processio, -onis* 'avanzata', nome d'azione di *procēdĕre* (v. PROCEDERE), applicato a signif. religioso a partire dal lat. medv.

**processo,** dal lat. *processus, -us,* astr. di *procēdĕre* 'muovere in avanti'.

**proci,** forma plur. di *proco* (arc.), dal lat. *procus,* nome d'agente della rad. PREK (v. PRECE), col grado *o* della rad., regolare in questa classe di nomi, secondo il rapporto che passa fra *toga* e *tegĕre* 'coprire'. Il valore matrimoniale di PREK appare anche nel lituano *pirśti* 'domandare in matrimonio' (v. PREGARE). Lat. *procus* non deve essere confuso con la forma ricostruita *procus,* per cui v. RECÌPROCO.

**procinto (in),** dal lat. *procinctus, -us* 'assetto di guerra', astr. di *procingĕre* (*arma*): banalizzato a indicare «essere pronto (per una attività) ».

**proclamare,** dal lat. *proclamare,* comp. di *clamare* (v. CHIAMARE), con *pro-* 'in avanti'.

**proclamatore,** dal lat. *proclamator, -oris.*

**proclamazione,** dal lat. *proclamatio, -onis.*

**pròclisi,** calco su *ènclisi,* con la sostituz. di *pro-* 'in avanti' a *en-* 'in', nel senso di «appoggio in avanti (per quanto riguarda l'accento) ».

**proclìtico,** da *pròclisi* come calco secondo il rapporto di *enclìtico* (v.) rispetto a *ènclisi.*

**proclive,** dal lat. *proclivis,* deriv. di *cl'vus* 'pendio' con il pref. *pro-* 'in avanti': «che pende in avanti »; v. CLIVO.

**proclività,** dal lat. *proclivĭtas, -atis.*

**procómbere,** dal lat. *procumbĕre* 'cadere in avanti'; cfr. INCÓMBERE.

**proconsolare,** dal lat. *proconsularis.*

**proconsolato,** dal lat. *proconsulatus, -us.*

**procònsole,** dal lat. *proconsul, -ŭlis,* comp. di *con-sul* (v. CÒNSOLE) e *pro-* 'in luogo di'; cfr. PRO-[1].

**procrastinare,** dal lat. *procrastinare,* verbo denom. da *crastĭnus* (agg. deriv. da *cras* 'domani', v. CRAI, col suff. *-tino,* v. PRÌSTINO) col pref. *pro-* 'in avanti' (per es. it. *protrarre*).

**procrastinazione,** dal lat. *procrastinatio, -onis.*

**procreàbile,** dal lat. tardo *procreabĭlis.*

**procreare,** dal lat. *procreare,* comp. di *pro-* e *creare;* v. CREARE.

**procreatore,** dal lat. *procreator, -oris.*

**procreazione,** dal lat. *procreatio, -onis.*

**procurare,** dal lat. *procurare,* comp. di *pro-* e *cu-rare;* v. CURA.

**procuratore,** dal lat. *procurator, -oris.*

**proda,** incr. di lat. *prora* 'parte anteriore della nave' (dal gr. *próira*) e l'it. (*terra*) *soda;* v. SALDO e SODO.

**prode,** lat. tardo *prode,* agg. indeclinabile, estr. da *prodest* 'giova', a sua volta tratto da *prod-* (v. PRO[2]), secondo lo schema approssimativo che si trova in (*potis est*) *pote est* (**v.** POTENTE) o in *necesse est*; **v.** NECESSARIO.

**prodigalità,** dal lat. tardo *prodigălĭtas, -atis.*

**prodigio,** dal lat. *prodigium* 'segno profetico' da *prod-* 'avanti' e *\*-agium,* deriv. di *aio* (da *\*agio*) 'io parlo', con norm. passaggio di *-ă-* ad *-ĭ-* in sill. interna aperta. Senza questo passaggio è invece *adagium* (v. ADAGIO²). La rad. di *aio* è attestata anche nelle aree greca e armena. Un'altra possibilità è offerta dall'accostamento alla rad. *ag-* 'condurre' (v. AGITARE) attrav. un nome d'agente *\*prodex* e il relativo astr. *prodigium* come *litigium, remigium, navigium.* Il valore primitivo sarebbe allora « spinta iniziale ».

**prodigioso,** dal lat. *prodigiosus.*

**pròdigo,** dal lat. *prodĭgus,* estr. da *prodigĕre* 'sperperare', comp. di *pro-* antevoc. (v. PRO-²), e *agĕre* 'condurre avanti (in senso peggiorativo) e con passaggio di *-ă-* a *-ĭ-* in sill. interna aperta.

**proditorio,** dal lat. tardo *proditorius,* da *prodĭtor,* nome d'agente di *prodĕre* 'consegnare' e perciò 'tradire', comp. di *pro-* e *dăre* con norm. passaggio di *-ă-* a *-ĕ-* in sill. interna aperta dav. a *-r-.*

**prodittatore,** da *pro-¹* e *dittatore.*

**prodotto,** lat. *prodŭctus,* part. pass. di *producĕre.*

**pròdromo,** dal lat. tardo *prodrŏmus* 'staffetta' che è dal gr. *pródromos* 'che corre avanti'.

**producìbile,** dal lat. tardo *producibĭlis.*

**produrre,** dal lat. *producĕre* incr. con it. *condurre* (v.).

**produttore,** dal lat. *productor, -oris* 'prolungatore', nome d'agente di *producĕre* incr. col signif. it. di *produrre* in quanto 'creare'.

**produzione,** dal lat. *productio, -onis* 'prolungamento', nome d'azione di *producĕre* incr. col signif. it. di *produrre* in quanto 'creare'.

**proemiare,** dal lat. *prooemiari,* verbo denom. da *prooemium.*

**proemio,** dal lat. *prooemium* che è dal gr. *prooímion,* comp. di *pro-* di inizio e *oîmos* 'melodia'.

**profanare,** dal lat. *profanare,* verbo denom. da *profanus.*

**profanatore,** dal lat. tardo *profanator, -oris.*

**profanazione,** dal lat. tardo *profanatio, -onis.*

**profanità,** dal lat. tardo *profanĭtas, -atis.*

**profano,** dal lat. *profanus.* Dalla locuzione *pro fano* « davanti al tempio », considerata come parola unica al caso abl., si è tratto il nom. *profanus* e tutto il restante paradigma (cfr. PROPORZIONE e PROPRIO). *Fanum* è legato a *fas* 'diritto sacro' e quindi deriva da più ant. *\*fas-nom;* v. FASTO².

**profenda,** lat. medv. *provenda,* ant. *praebenda* (v. PREBENDA) incr. con *prof(itto)*; cfr. PROVENDA.

**proferire,** dal lat. *proferre,* incr. con *off(e)rire.*

**professare,** verbo denom. da *professo.*

**professione,** dal lat. *professio, -onis,* nome d'azione di *profiteri*; v. PROFESSO.

**professo,** dal lat. *professus,* part. pass. del sistema di *profiteor* 'dichiaro pubblicamente', comp. di *pro-* e *fateor* 'dichiaro' con norm. passaggio di *-ă-* in *-ĭ-* in sill. interna aperta e di *-ă-* in *-ĕ-* in sill. interna chiusa. *Fateor* è un verbo di stato deriv. da *\*fato-* agg. verb. di *fari* (v. FATO, NEFANDO). Il part. pass. *\*-fassus* è tratto direttam. da *\*fat-* (non da *fateor*), col norm. trattam. di *-tt-* che diventa *-ss-.* Analogo è il rapporto di *doctus* rispetto a *doceo,* del quale ci si sarebbe aspettato *\*docĭtus*; v. DÒTTO, cfr. NÌTIDO.

**professore,** dal lat. *professor, -oris,* nome d'agente nel sistema di *profiteri*; v. PROFESSO.

**professorio,** dal lat. dell'età imp. *professorius.*

**profeta,** dal lat. tardo *propheta,* che è dal gr. *prophḗtēs,* da *próphēmi,* comp. di *pro-* e *phēmí* 'parlo': « chi parla prima, predice ».

**profetare,** dal lat. tardo *prophetare.*

**profètico,** dal lat. tardo *propheticus.*

**profetizzare,** dal lat. tardo *prophetizare.*

**profezìa,** dal lat. tardo *prophetīa,* che è dal gr. *prophēteía.*

**profferire,** variante di *proferire,* maggiormente influenzata da *offerire.*

**proficuo,** dal lat. *proficuus,* deriv. in *ŭo-* paragonab. a *adsidŭus* (v. ASSIDUO), da *proficĕre,* comp. di *pro-* e *facĕre,* con norm. passaggio di *-ă-* in *-ĭ-* in sill. interna aperta.

**profilare,** verbo denom. da *filo-* con *pro-* nel senso di 'davanti': opposto a *fronte* secondo il rapporto che oppone linea a superficie.

**profilassi,** dal gr. *prophýlaksis* 'difesa anteriore', nome d'azione di *prophylássō,* comp. di *pro-* 'prima' e *phylássō* 'difendo'.

**profilàttico,** dal gr. *prophylaktikós,* appartenente al sistema di *prophylássō.*

**profilo,** sost. deverb. da *profilare.*

**profitto,** dal frc. ant. *profit,* lat. *profectum,* forma sostantiv. del part. pass. di *proficĕre* 'progredire'; v. PROFICUO.

**profluvio,** dal lat. *profluvium,* deriv. di *profluĕre,* ant. *\*proflovēre,* comp. di *pro-* 'avanti' e *fluĕre* 'scorrere'; v. FLUIRE.

**profóndere,** dal lat. *profundĕre,* comp. di *pro-* 'avanti' e *fundĕre* 'versare'; v. FÓNDERE.

**profondità,** dal lat. tardo *profundĭtas,* astr. di *profundus.*

**profondo,** lat. *profundus,* incr. di un agg. da *profundĕre* 'versare abbondantemente' e *fundus* 'base inferiore'; v. FONDO.

**profosso** 'carceriere', dal ted. *Profoss,* risal. al frc. ant. *prevost*; v. PREVOSTO.

**pròfugo,** dal lat. *profŭgus,* agg. da *profugĕre* 'sfuggire', comp. di *pro-* 'avanti' e *fugĕre*; v. FUGGIRE.

**profumo,** lat. volg. *\*perfumus,* sost. deverb. da *\*perfumare,* verbo denom. intens. da *fumus* « (bene) affumicare », incr. con it. *pro-.*

**profusione,** dal lat. *profusio, -onis,* nome d'azione di *profundĕre*; v. PROFONDERE.

**progenerare,** dal lat. *progenerare.*

**progenie,** dal lat. *progenies,* astr. del sistema di *progignĕre* « prolungare la stirpe, proiettarsi generando nel futuro ». L'elemento *pro-geni-,* da una rad. GENĒ², privo del suff. di astr., trova una corrispond. essenziale nel sanscrito *prajā-* 'prole'. Il suff. lat. è perciò *-es* (e non *ies*), come in *proles* da *\*pro-al-es*; v. PROLE.

**progenitore,** dal lat. *progenĭtor, -oris,* comp. di *pro-* e *genĭtor,* nome d'agente di *gignĕre* 'generare'; v. GENITORE.

**progettare,** dal frc. *projeter,* che è dal lat. *proiectare,* intens. di *proicĕre*; cfr. PROIETTARE.

**progetto,** dal frc. *projet.*

**prognato,** dal gr. *gnáthos* 'mascella' col pref. *pro-* « dalle mascelle in avanti ».

**prògnosi,** dal gr. *prógnōsis,* nome d'azione di *progignṓskō* 'prevedo'.

**prognòstico,** dal lat. tardo *prognostĭcum,* che è dal gr. *prognōstikón* ' previsione '; cfr. PRONÒSTICO.

**programma,** dal lat. *programma,* che è dal gr. *prógramma, -atos* ' avviso pubblico ', dal verbo *prográphō,* comp. di *pro-* e *gráphō* ' scrivo '.

**progredire,** dal lat. *progrĕdi,* passato alla coniugaz. in *-i-,* comp. di *pro-* e *gradi,* con passaggio di *-ă-* a *-ĕ-* in sill. interna aperta dav. a cons. dentale; v. GRADO.

**progressione,** dal lat. *progressio, -onis,* nome di azione di *progrĕdi.*

**progressivo,** da lat. *progressus* in quanto part. pass. di *progrĕdius,* col suff. it. *-ivo* di valore durativo.

**progresso,** dal lat. *progressus, -us,* astr. di *progrĕdi,* da una forma primitiva *\*pro-grad-tu-s.*

**proibire,** dal lat. *prohibere,* comp. di *pro-* e *habere* (v. AVERE), con norm. passaggio di *-ă-* in *-ĭ-* in sill. interna aperta, e col passaggio alla coniugaz. in *-i-:* « tenere davanti », cioè « trattenere ».

**proibitore,** dal lat. tardo *prohibĭtor, -oris,* nome d'agente di *prohibere.*

**proibitorio,** dal lat. tardo *prohibitorius.*

**proibizione,** dal lat. *prohibitio, -onis.*

**proiettare,** dal lat. tardo *proiectare* ' gettare avanti ', intens. di *proicĕre,* comp. di *pro* e *iactare;* v. GETTARE e cfr. PROGETTARE.

**proièttile,** dal lat. *proiectus,* con il procedim. che ha dato i valori moderni a *mìssile, fissile, fìttile, rèttile.*

**proietto,** dal lat. *proiectum,* forma sostantiv. del part. pass. di *proicĕre,* comp. di *pro-* e *iacĕre,* con passaggio del gruppo *-ia-* a *-ie-* in sill. interna chiusa e a *-i-* in sill. interna aperta.

**proiezione,** dal lat. *proiectio, -onis,* nome d'azione di *proicĕre.*

**prolasso,** dal lat. tardo *prolapsus, -us,* astr. di *prolābi* ' cadere in avanti '; v. LASSO[3].

**prole,** dal lat. *proles,* da un ant. *\*pro-ăles,* formato da *pro-* ' avanti ' e *\*ales,* astr. di *alĕre* ' allevare ': forma parallela a *progenies* (v. PROGENIE), con la proiezione in avanti associata, anziché alla generazione, all'allevamento; cfr. PROSAPIA.

**prolegato,** dal lat. tardo *prolegatus,* comp. di *pro-*[1] e *legatus;* v. LEGATO[1].

**prolegòmeni,** dal gr. *prolegómena,* neutro plur. sostantiv. del part. pres. medio di *prolégō* « cose dette avanti ».

**prolessi,** dal gr. *prólēpsis,* nome d'azione del verbo *prolambánō* ' io anticipo ', comp. di *pro-* e *lambánō* ' io prendo '.

**proletario,** dal lat. *proletarius,* tratto da *proles* secondo il rapporto di *solitarius* rispetto a *solus* e col signif. di « colui di cui la prole (è il solo patrimonio) »; v. SOLITARIO.

**prolèttico,** dal gr. *prolēptikós* collegato con *prólēpsis;* v. PROLESSI.

**prolìfero,** calco su *fruttìfero,* con la sostituz. di *prole* a *frutto.*

**prolìfico,** dal lat. medv. *prolĭficus,* calco sui tipi class. come *munifĭcus;* v. MUNÌFICO.

**prolissità,** dal lat. tardo *prolixĭtas, -atis.*

**prolisso,** dal lat. *prolixus,* part. pass. di un verbo *\*proliquĕre* ' colare ', comp. di *pro-* ' avanti ' e la rad. LEIKW (v. RELITTO), di *linquĕre* ' lasciare ', specializzata in senso tecnico. *Prolixus* indicherebbe dunque la « (lunghezza) di ciò che è (len-

tamente) scolato in avanti » (cfr. LÌQUIDO, LIQUORE). Il part. in *-s* avrebbe valore desiderativoduratitivo in confronto del norm. *\*prolictus* ' scolato '. L'associaz. dei valori ' lasciare ' e ' versare (liquidi) ' si trova in lat. e nell'area iranica.

**pròlogo,** dal lat. *prológus,* senza alteraz. della voc. interna perché dal gr. *prólogos,* da *pro-* e *lógos* ' discorso introduttivo '.

**prolùdere,** dal lat. *proludĕre* ' prepararsi ', comp. di *pro-* e *ludĕre* ' giocare '; v. LUDO.

**prolunga,** dal frc. *prolonge,* sost. deverb. da *prolonger* ' prolungare ', incr. con it. *lungo.*

**prolungare,** dal lat. tardo *prolongare,* incr. con it. *lungo.*

**prolusione,** dal lat. *prolusio, -onis,* nome d'azione di *proludĕre.*

**promanare,** dal lat. tardo *promanare,* comp. di *pro-* e *manare* ' scorrere '; v. EMANARE.

**promemoria,** dal lat. *pro memoria* ' per memoria '.

**promessa,** lat. tardo *promissa, -ae,* class. *promissa, -orum,* forma sostantiv. del part. pass. di *promittĕre;* v. MESSO.

**prométtere,** lat. *promittĕre* ' mandare avanti ' poi ' prométtere ', comp. di *pro-* e *mittĕre;* v. MÉTTERE.

**prominente,** dal lat. *promĭnens, -entis,* part. pres. di *prominere,* verbo comp. di *pro-* e *minere* ' sporgere ' verbo denom. da *minae, -arum* (v. MINACCIA), con la rad. MEN[2] al grado semirid. MEN, appartenente al sistema di *mons* (v. MONTE), secondo il rapporto di lat. *cinis* ' cenere ' con *i* e gr. *kónis* ' polvere ' con *o.*

**prominenza,** dal lat. *prominentia.*

**promiscuo,** dal lat. *promiscuus,* collegato al verbo *promiscere,* attrav. il suff. *-ŭo-* tipico di agg. deriv. da verbi (come *adsidŭus, contigŭus, exigŭus*).

**promissione,** dal lat. *promissio, -onis,* nome d'azione di *promittĕre.*

**promissivo,** dal lat. *promissivus.*

**promissorio,** incr. di lat. *promissor, -oris,* nome d'agente di *promittĕre,* con i tipi *scrittorio* e sim.

**promontorio,** dal lat. *promunturium,* incr. di *prominere* (v. PROMINENTE) e *mons* (v. MONTE) con un suff. isolato *-urium* (cfr. TUGURIO) e il passaggio di *-ŏ-* a *-ŭ-* in un gruppo interno *-mont-.*

**promotore,** dal lat. *promotor, -oris,* nome d'agente di *promovere,* comp. di *pro-* e *movere;* v. MUÒVERE e MOTO.

**promozione,** dal lat. tardo *promotio, -onis,* nome d'azione di *promovere.*

**promulgare,** dal lat. *promulgare,* comp. di *pro-* e *\*mulgare,* verbo durativo della rad. MELG ' mungere ', trasferito dalla terminologia dell'allevamento a quella della amministrazione: da « esprimere (il latte) » a « metter fuori » nel senso di « rendere di pubblica ragione ». Lo stesso passaggio si ha nell'area irlandese. Per la rad. MELG, diffusissima nel mondo ideur.; v. MÙNGERE.

**promulgatore,** dal lat. tardo *promulgator, -oris.*

**promulgazione,** dal lat. *promulgatio, -onis.*

**promuòvere,** dal lat. *promovēre,* incr. con it. *muòvere.*

**prònao,** dal gr. *prónaos* ' vestibolo del tempio ' da *pro-* e *naós* ' tempio ' (forma dialettale dor. per attica *neós*).

**pronipote,** dal lat. *pronĕpos, -otis,* calco su *proǎvus;* v. NIPOTE.

**prono**, dal lat. *pronus*, deriv. in *-nus* dalla prep. *prō* (nel suo valore orig. di 'davanti'), come *internus* da *inter*, *infernus* da *\*infer*.

**pronome**, dal lat. *pronomen*, comp. di *pro-* e *nomen* (v. NOME), calco sul gr. *antōnymos*.

**pronominale**, dal lat. *pronominalis*.

**pronosticare**, dal frc. *pronostiquer*.

**pronòstico**, dal frc. *pronostic*; cfr. PROGNÒSTICO.

**pronto**, lat. *promptus* 'portato fuori', part. pass. di *promĕre*, comp. di *pro-* e *emĕre*; v. ESEMPIO, e cfr. CONTO[2] e CONCIARE.

**prontuario**, dal lat. tardo *promptuarium* 'dispensa', forma sostantiv. di *promptuarius*, deriv. di *promptus* 'pronto' (v. PRONTO), incr. con *promptus* della locuzione *in promptu esse* 'essere a portata di mano'.

**prònubo**, dal lat. *pronŭbus*, « che presiede ai matrimonî », deriv. di *nubĕre* 'sposare', ricalcato sul gr. *paránymphos*, col pref. *pro-* al posto di gr. *pará*. Per la rad. lat. di *nubĕre* v. NÙBILE e NUBE.

**pronuncia**, sost. deverb. da *pronunciare*.

**pronunciàbile**, dal lat. tardo *pronuntiabĭlis*, incr. con it. *pronunciare*.

**pronunciamento**, dallo sp. *pronunciamiento*.

**pronunciare**, dal lat. *pronuntiare* 'proclamare', comp. di *pro-* e *nuntiare*; v. NUNZIO.

**pronunciatore**, dal lat. *pronuntiator, -oris*.

**propaganda**, dal lat. *(de) propaganda (fide)*, titolo della Congregazione pontificia che presiede alle missioni. *Propaganda* è perciò formalmente il femm. del part. fut. passivo lat. di *propagare* al caso abl.; v. PROPAGARE.

**propagare**, dal lat. *propagare*, termine agricolo 'riprodurre per propagginazione', poi in senso figur. Verbo denom. da *propāges, -is* 'propàggine', comp. di *pro-* e un presunto *\*pāges*, astr. di *pangĕre* 'piantare'; v. PÀGINA.

**propagatore**, dal lat. *propagator, -oris*.

**propagazione**, dal lat. *propagatio, -onis*.

**propagginare**, dal lat. tardo *propaginare*, verbo denom. da *propago, -ĭnis*, incr. con it. *propàggine*.

**propagginazione**, dal lat. tardo *propaginatio, -onis*, incr. con it. *propàggine*.

**propàggine**, lat. *propago, -ĭnis*, con norm. raddopp. di *-g-* dopo l'accento in parola sdrucciola. Lat. *propago* è ampliam. di *propāges*; v. PROPAGANDA.

**propalare**, dal lat. tardo *propalare*, verbo denom. da un tema *\*pala* 'spazio aperto' sopravv. nell'acc. irrigidito *palam* 'apertamente' prob. connesso con *planus* (v. PIANO) e *palma* (v. PALMA); con il pref. *pro-* «(metter) davanti allo spazio aperto »; cfr. per il parallelo *c(o)lam*, CLANDESTINO.

**propalazione**, dal lat. tardo *propalatio, -onis*.

**proparossìtono**, dal gr. *proparoksýtonos*, comp. di *pro-* e *paroksýtonos* « (di parola che ha l'accento) prima della parossìtone »; v. PAROSSÌTONO.

**propedèutico**, dal gr. *propaideúō* 'istruisco prima' con un suff. aggettiv. *-tico* (cfr. gr. *maieutikós*).

**propellente**, dal lat. *propellens, -entis*, v. IMPELLERE.

**propèndere**, dal lat. *propendĕre* 'essere inclinato in avanti', comp. di *pro-* e *pendere*, incr. con it. *pèndere* (v.).

**propensione**, dal lat. *propensio, -onis*.

**propenso**, dal lat. *propensus*, part. pass. di *pendere* 'inclinato, incline'.

**properispòmeno**, dal gr. *properispómenos*, comp. di *pro-* e *perispómenos*; v. PERISPÒMENO.

**propilèo**, dal lat. *propylaeon*, che è dal gr. *propýlaion*, forma sostantiv. di *propýlaios* « che è davanti alla porta (del tempio) », comp. di *pro-* e *pýlē* 'porta'.

**propina**, sost. deverb. da *propinare* 'bere alla salute', e cioè « l'equivalente in danaro di quello che costa il bere alla salute ».

**propinare**, dal lat. *propinare*, che è dal gr. *propínō* 'bevo in favore di qualcuno'.

**propinquo**, dal lat. *propinquus*, deriv. di *prope* come *longinquus* lo è di *longe*. Il suff. *-inquo-* somiglia al tipo indiano alternante *-yank-*, *-īk-*, tipico delle definizioni geografiche. Quanto a *prope*, esso risale a un PROKwE, con la cons. labiovelare salva nel superl. *proxĭmus* mentre si assimila all'iniziale nel grado positivo, da *\*proque* a *prope*; cfr. PRÒSSIMO.

**propiziare**, dal lat. *propitiare*, verbo denom. da *propitius*.

**propiziatore**, dal lat. tardo *propitiator, -oris*.

**propiziatorio**, dal lat. tardo *propitiatorius*.

**propiziazione**, dal lat. tardo *propitiatio, -onis*.

**propizio**, dal lat. *propitius*, comp. di *pro-* 'in favore di' e *pet(ĕre)* 'che avanza verso una meta', « che viene diritto in favore » (cfr. *perpetuus* « che avanza senza interruzione » e v. PERPETUO). Per la rad. PETĔ, v. PETIZIONE.

**pròpoli** (sostanza resinosa), dal gr. *própolis* 'sobborgo, ingresso a una città', comp. di *pro-* e *pólis* 'città': perché le api se ne servono per chiudere le fessure dell'alveare.

**proporre**, dal lat. *proponĕre*, incr. con it. *porre* (v.).

**proporzionale**, dal lat. tardo *proportionalis*.

**proporzionalità**, dal lat. tardo *proportionalĭtas, -atis*.

**proporzione**, dal lat. *proportio, -onis*, paradigma estr. dalla locuzione *pro portione*, considerata come parola unica al caso abl.; v. PORZIONE e cfr. PROFANO e PROPRIO.

**propòsito**, dal lat. *proposĭtum*, forma sostantiv. del part. pass. di *proponĕre*; cfr. POSTO.

**proposizione**, dal lat. *propositio, -onis*, nome di azione di *proponĕre*; v. PROPORRE e POSIZIONE.

**proposta**, femm. sostantiv. di *proposto*, part. pass. di *proporre*; lat. *posĭtus* con norm. caduta della voc. breve dopo l'accento; v. POSTO.

**proposto**, forma assimilata da *preposto* (v.).

**propretore**, dal lat. *propraetor, -oris* 'sostituto del pretore', comp. di *pro-* e *praetor*; v. PRETORE.

**proprietà**, dal lat. *proprĭĕtas, -atis*, con il passaggio del suff. *-ĭtas* a *-ĕtas* per dissimilaz. dalla *-ĭ-* precedente; cfr. PIETÀ, SOCIETÀ.

**proprietario**, dal lat. tardo *proprietarius*.

**proprio**, dal lat. *proprius*, paradigma estratto dalla locuz. *pro privo* 'a titolo privato', considerata come una parola unica al caso abl. Ad esso si sarebbe fatto corrispondere un nom. in una prima forma *\*proprīvus*, in forma definitiva *proprius*; cfr. PROFANO e PROPORZIONE.

**propugnàcolo**, dal lat. *propugnacŭlum* 'opera avanzata di difesa', nome di strum. di *propugnare* 'combattere sulle linee avanzate'.

**propugnare**, dal lat. *propugnare*, comp. di *pro-* e *pugnare*; v. PUGNA.

**propugnatore**, dal lat. *propugnator, -oris*.

**propugnazione**, dal lat. *propugnatio, -onis*.

**propulsare**, dal lat. *propulsare*, comp. di *pro-* e *pulsare*, intens. di *pellĕre*; v. PULSARE.

**propulsatore**, dal lat. *propulsator, -oris.*

**propulsione**, dal frc. *propulsion*, incr. con il lat. *propulsio, -onis*, nome d'azione di *propellĕre.*

**propulsore**, dal frc. *propulseur*, incr. con lat. *propulsor, -oris*, nome d'agente di *propellĕre.*

**prora**, dal lat. *prora*, che è dal gr. *prôira*; cfr. la variante PRODA.

**pròroga**, sost. deverb. da *prorogare.*

**prorogare**, dal lat. *prorogare* « chiedere (se si possa concedere al magistrato un differimento) », comp. di *pro-* e *rogare*; v. ROGARE.

**prorogazione**, dal lat. *prorogatio, -onis.*

**prorómpere**, dal lat. *prorumpĕre*, comp. di *pro-* e *rumpĕre*; v. ROMPERE.

**prosa**, dal lat. *prosa (oratio)* « (discorso) in linea retta (fino alla fine della riga) » in contrasto con *versus, -us* « linea della scrittura che volta (nella primitiva tradiz. bustrofedica) ». *Prosa* è il femm. di *prosus* anticam. *prorsus*, ancora prima *proversus* 'diretto in avanti'; v. VERSO.

**prosàico**, dal lat. tardo *prosaĭcus* (non *prosĭcus*).

**prosapia**, dal lat. *prosapĭa*, astr. di una rad. SAP 'fecondare' attestata anche nell'area indiana e che si allineerebbe semanticamente sul piano di *progenies* e *proles*; v. PROGENIE e PROLE.

**proscenio**, dal lat. *proscaenium*, che è dal gr. *proskḗnion*, comp. di *pro-* e *skēné* 'tenda, scena,' incr. con lat. *scaena.*

**prosciògliere**, incr. di *promuòvere* con *sciògliere.*

**prosciugare**, lat. volg. *proexsucare*, comp. di *pro-* e lat. tardo *exsucare* (opposto di *adexsucare*; v. ASCIUGARE) con leniz. settentr. di *-c-* in *-g-.*

**prosciutto**, incr. di *presciutto* con *prosciugato* (di lat. volg. *perexsuctus* e *proexsucatus*); cfr. PRESCIUTTO e PROSCIUGATO.

**proscrìvere**, dal lat. *proscribĕre*, comp. di *pro-* e *scribĕre* (v. SCRIVERE) « render noto per scritto (un sequestro o una condanna all'esilio) ».

**proscrizione**, dal lat. tardo *proscriptio, -onis*, nome d'azione di *proscribĕre.*

**prosecuzione**, dal lat. tardo *prosecutio, -onis*, nome d'azione di *prosĕqui*; v. ESECUZIONE.

**proseguire**, dal lat. *prosĕqui*, incr. con it. *seguire.*

**prosèlito**, dal lat. crist. *proselȳtus*, che è dal gr. *prosélytos* 'sopraggiunto', comp. di *pros-* e del tema verb. *ely-* 'venire'; cfr. *eleúthō* 'vengo', (gloss. Esichio), con ampliam. in *-th.*

**prosodìa**, dal gr. *prosōidía*, comp. di *pros-* e *ōidé* 'canto' col suff. di astr. in *-ía.*

**prosopografìa**, comp. moderno di gr. *prósōpon* 'faccia' e *-grafía* (v.).

**prosopopèa**, dal lat. *prosopopoeia*, che è dal gr. *prosōpoiḯa*, comp. di *prósōpon* 'faccia' e l'astr. di *poiéō* 'faccio': « (personificazione attraverso l'imagine del) fabbricare un volto ».

**prosperare**, dal lat. *prosperare*, verbo denom. da *prosper, -ĕra, -ĕrum.*

**prosperità**, dal lat. *prosperĭtas, -atis.*

**pròspero**, dal lat. *prosper, -ĕra, -ĕrum*, comp. di *pro-* e di un tema SPARO- 'abbondante' (con vocalismo incerto), attestato nelle aree slava e indiana. Il passaggio da *-ă-* a *-ĕ-* in lat. è norm. in sill. interna aperta dav. a *-r-.*

**prospettare**[1] 'presentare', dal lat. *prospectare*, intens. di *prospicĕre*, comp. di *pro-* e *specĕre*, con passaggio di *-ĕ-* in *-i-* in sill. interna aperta.

**prospettare**[2] (in senso minerario), dall'ingl. *to prospect.*

**prospettiva**, femm. sost. di *prospettivo.*

**prospettivo**, dal lat. tardo *prospectivus.*

**prospetto**, dal lat. *prospectus, -us*, astr. di *prospicĕre*, v. SPECCHIO.

**prospiciente**, dal lat. *prospiciens, -entis*, part. pres. di *prospicĕre.*

**prosseneta**, dal lat. *proxeneta*, che è dal gr. *proksenḗtḗs* « che ospita forestieri (per conto dello Stato) », deriv. di *pro-* e *ksénos* 'straniero'.

**prossimità**, dal lat. *proximĭtas, -atis.*

**pròssimo**, dal lat. *proxĭmus*, superl. di *prope*, ant. PROKwE, mediante il suff. *-seMO-* (cfr. *maxĭmus, pessĭmus*); v. PROPINQUO.

**pròstata**, dal lat. degli anatomici mod. *pròstata*, tratto indirettam. dal gr. *prostátēs* « che sta davanti », deriv. di *pro-* 'davanti', la rad. di *(hí)stē(mi)* 'sto' e il suff. di nome d'agente *-tēs.*

**prosternare**, incr. di *prostèrnere* con *costernare.*

**prostèrnere**, dal lat. *prosternĕre*, comp. di *pro-* e *sternĕre*, forma ampliata per mezzo di *-n-* di una rad. STER 'stendere', attestata, oltre che in lat., nell'area celtica. Nella forma semplice STER, o con ampliam. diversi da *-n-*, si trova nelle aree indiana, greca, germanica, baltica e slava. Per il tipo STERĀ v. STRATO; per il tipo STR-EU v. COSTRUIRE. Come forma nominale è da ricordare il gr. *stérnon* 'parte anteriore del petto'; v. STERNO.

**pròstesi**, dal lat. tardo *prosthĕsis*, che è dal gr. *prósthesis* 'aggiunta', nome d'azione di *prostíthēmi* 'aggiungo'.

**prostètico**, dal gr. *prosthetikós*, collegato con *prósthesis.*

**pròstilo**, dal gr. *próstylos*, comp. di *pro-* 'avanti' e *stýlos* 'colonna': « che ha davanti delle colonne ».

**prostituire**, dal lat. *prostituĕre*, comp. di *pro-* e *statuĕre* con norm. passaggio di *-ă-* ad *-ĭ-* in sill. interna aperta; passato alla coniugaz. in *-i*; v. STATUIRE.

**prostituta**, dal lat. *prostituta*, femm. sostantiv. del part. pass. di *prostituĕre.*

**prostituzione**, dal lat. tardo *prostitutio, -onis*, nome d'azione di *prostituĕre.*

**prostrare**, dal lat. *prostrare*, incr. di *prostratus* e *prosternĕre.*

**prostrazione**, dal lat. *prostratio, -onis*, nome d'azione di *prosternĕre.*

**prosuntuoso, prosunzione**, varianti di *presuntuoso, presunzione* (v.).

**protagonista**, dal gr. *prōtagōnistḗs*, comp. di *prôtos* 'primo' e *agōnistḗs* 'attore'.

**pròtasi**, dal gr. *prótasis*, nome d'azione di *proteínō* 'propongo', comp. di *pro-* e *teínō.*

**protèggere**, lat. *protegĕre*, con norm. raddopp. di *-g-* postonica in parola sdrucciola. Comp. di *pro-* e *tegĕre* 'coprire'; v. TETTO.

**protèico**, deriv. moderno da un gr. *prôteios*, deriv. di *prôtos* 'primo', con suff. chimico *-ico*; cfr. PROTEINA.

**proteiforme**, comp. di *proteo* (v.) e *-forme* (v.).

**proteina**, deriv. moderno da un gr. *prôteîos*, deriv. di *prôtos* 'primo' e il suff. *-ina* di sostanze chimiche o medicinali; cfr. PROTÈICO.

**protèndere**, dal lat. *protendĕre*, comp. di *pro-* e *tendĕre*; v. TÈNDERE.

**pròteo**, dal lat. *Proteus*, che è dal gr. *Prōteús*, divinità marina dai molteplici aspetti.

**protervia**, dal lat. tardo *protervia*.

**protervo**, dal lat. *protervus* 'sfrontato', prob. legato alla rad. TERGw di *torvus* (v. TORVO). La grafia *proptervus* giustificherebbe un incr. di *propter* e *torvus*.

**pròtesi**, dal lat. *prothĕsis*, che è dal gr. *próthesis*, nome d'azione di *protithēmi* 'metto avanti'.

**protestare**, dal lat. *protestari* 'attestare pubblicamente', comp. di *pro-* e *testari*, verbo denom. da *testis*; v. TESTE.

**protètico**, dal gr. *prothetikós*, collegato con *próthesis*.

**protettivo**, deriv. in *-ivo* da *protetto*, part. pass. di *protèggere*.

**protettore**, dal lat. tardo *protector*, nome d'agente di *protegĕre*.

**protezione**, dal lat. *protectio, -onis*, nome d'azione di *protegĕre*.

**proto**, dal gr. *prôtos* 'primo'.

**proto-**, primo elemento di composiz. dal gr. *prôtos* 'primo'.

**protocollo**, dal lat. medv. *protocollum*, che è dal gr. *prōtókollon* « primo (foglio) incollato » da *prōto-* 'primo' e *kólla* 'colla'.

**protone**, dal gr. *prôtos* 'primo', calco su *elettrone* (XX sec.).

**protònico**, dal gr. *pro-* 'prima' e *tónos* 'accento' col suff. it. *-ico*; v. TÒNICO.

**protonotario**, dal lat. medv. *protonotarius*, comp. di gr. *prôtos* 'primo' e lat. *notarius*: « primo notaio ».

**protoplasma**, comp. moderno dal gr. *prôtos* 'primo' e *plasma* 'formazione' (v.).

**protostoria**, da gr. *prôtos* 'primo' e it. *storia*: la « prima storia », intermedia tra la *pre-istoria* « anteriore alla storia » e la *storia* propr. detta.

**protòtipo**, dal gr. *prōtótypos*, comp. di *prôtos* 'primo' e *týpos*; v. TIPO.

**protozòo**, comp. moderno di gr. *prôtos* 'primo' e *zóion* 'animale'.

**protrarre**, dal lat. *protrahĕre* 'tirare in avanti', comp. di *pro-* e *trahĕre*, incr. con it. *trarre*.

**protrazione**, dal lat. tardo *protractio, -onis*, nome d'azione di *protrahĕre*.

**protuberante**, dal lat. tardo *protubĕrans, -antis*, comp. di *tubĕrans* e *pro-*, deriv. di *tuber* 'escrescenza'; v. TÙBERO.

**provare**, lat. *probare* « trovar probo » poi « approvare », verbo denom. da *probus*; v. PROBO.

**provatura** (formaggio), astr. di *provare*.

**provenda**, dal frc. *provende*, risal. a lat. *praebenda*; v. PREBENDA e cfr. PROFENDA.

**provenire**, dal lat. *provenire*, comp. di *pro-* e *venire*; v. VENIRE.

**provento**, dal lat. *proventus, -us*, astr. di *provenire*.

**provenza**, lat. *provincia*, attrav. la pronuncia assibilata del gruppo *-cia* propria delle Gallie; v. PROVINCIA.

**proverbiale**, dal lat. tardo *proverbialis*.

**proverbio**, dal lat. *proverbium*, comp. di *pro* e *verbum* col suff. *-io-* come in *adverbium*; v. VERBO.

**provetta**, dal frc. *éprouvette*, incr. con it. *provare*.

**provetto**, dal lat. *provectus*, part. pass. di *prove-*

*hĕre* 'condotto avanti', comp. di *pro-* e *vehĕre*; v. VETTURA.

**provianda**, da *provenda*, incr. con *vivanda* (v.).

**provincia**, dal lat. *provincia*, originariamente 'incarico attribuito a un magistrato' poi 'territorio conquistato': corrispond. forse al valore giuridico di « legare ». Perciò si può imaginare un rapporto tra *provincia* e un *\*provincire*, comp. di *vincire* 'legare' (cfr. *pronectĕre* accanto a *nectĕre*) come quello di *invidia* rispetto a *invidere* o *vindiciae* rispetto a *vindicare*.

**provinciale**, dal lat. *provincialis*.

**provocàbile**, dal lat. tardo *provocabĭlis*.

**provocare**, dal lat. *provocare*, comp. di *pro-* e *vocare*, verbo denom. da *vox*; v. VOCE.

**provocativo**, dal lat. tardo *provocativus*.

**provocatore**, dal lat. *provocator, -oris*.

**provocatorio**, dal lat. tardo *provocatorius*.

**provocazione**, dal lat. *provocatio, -onis*.

**pròvola** (formaggio), sost. deverb. da un *\*provolare*, iterat. di *provare*.

**provvedere**, dal lat. *providere*, incr. con *avvedersi*, comp. di *vedere* e *a(d)-*; v. VEDERE.

**provveduto**, part. pass. di *provvedere*; v. VEDUTO.

**provvidente**, dal lat. *providens, -entis*, incr. con it. *provvedere*. *Providens* è un rifacimento rispetto alla forma orig. che è quella contratta in *prudens*; v. PRUDENTE.

**provvidenza**, dal lat. *providentia*, passata al signif. crist. e incr. con *provvedere*.

**pròvvido**, dal lat. *providus*, estr. da *providere* (cfr. *invidus* da *invidere*), incr. con it. *provvedere*.

**provvigione**, dal lat. *provisio, -onis*, nome d'azione di *providere*, incr. con it. *provvedere* e trasmesso attrav. una tradiz. settentr. che muta *-sio-* in *-sgjo-*, reso poi in forma tosc. *-gio-*.

**provvisione**, dal lat. *provisio, -onis* (v. la preced.), incr. con it. *provvedere*.

**provvisorio**, dal lat. medv. *provisorius*, deriv. di *provisus*, part. pass. di *providere*: incr. con it. *provvedere*.

**provvista**, forma femm. sostantiv. di *provvisto*, part. pass. di *provvedere*; v. VISTO.

**prozio**, comp. di *pro-* e *zio*, calco su *proavo*, quasi « zio anteriore ».

**prua**, dal genov. *prua*, forma foneticamente corretta del lat. *prora* (v. PRORA), con passaggio di *-o-* a *-u-* e caduta di *-r-* intervocalica.

**prudente**, dal lat. *prudens, -entis*, forma orig. del part. pres. *providens* di *providere*, sottratta al sistema del verbo e sottoposta alla contrazione del trittongo *-oui-* in *-ū-*, come in *nūdus* da *\*novĭdus*, v. NUDO, e cfr. PROVVIDENTE.

**prudenza**, dal lat. *prudentia*.

**prùdere**, lat. volg. *\*prudĕre* da *\*prurĕre*, class. *prurire*, con dissimilaz. di *r.... r* in *d.... r* e passaggio alla seconda coniugaz. it. come *rìdere*, *muòvere*. *Prurire* 'bruciare, prudere' (anche in senso figur.) è verbo denom. da *\*pruris*, ant. *\*preusis* (legato al sistema di PREU, v. PRUDERE, PRUINA), con collegam. nelle aree indiana e germanica, dove il ted. *frieren* 'aver freddo', sottolinea il formicolio connesso con la sensazione del freddo. L'elemento *-s*, divenuto in lat. *-r*, ha signif. desiderativo-iterativo.

**prugna**, lat. volg. *\*prunja*, class. *prunĕa*, agg. deriv. da *prunus* 'susino'; v. PRUNO.

**pruina**, dal lat. *pruina* 'brina' dalla rad. PREU, (come *ruina* da REU, v. ROVINA), forma non ampliata con -s- come invece presso *\*prurio*, v. PRÙDERE.

**pruno**, lat. *prunus* 'susino' parola mediterr.

**prurìgine**, dal lat. *prurigo*, -*igĭnis*, astr. di *prurire*; v. PRÙDERE.

**pruriginoso**, dal lat. tardo *pruriginosus*.

**prurito**, dal lat. *pruritus*, -*us*, astr. di *prurire*; v. PRÙDERE.

**prùssico**, agg. in -*ico* dalla locuzione (*blu di*) *Prussia*.

**pseudo-**, primo elemento di comp. dal tema gr. *pseudo-* 'falsità', p. es. in *pseudés* 'menzognero', *pseúdomai* 'io mento'.

**pseudònimo**, dal gr. *pseudónymos* « che va sotto falso (*pseudo-*) nome (*ónyma*) ».

**psicanàlisi**, comp. moderno dovuto a Siegmund Freud (1856-1939), da *psico-* 'anima' e *anàlisi*.

**psiche**, dal gr. *psykhḗ* 'anima'.

**psichiatra**, comp. moderno di *psico-* e gr. *iatrós* 'medico' passato alla declinaz. in -*a* di temi di nomi d'agente.

**psichiatrìa**, comp. moderno di *psico-* e -*iatrìa*.

**psìchico**, dal gr. *psykhikós*; v. PSICHE.

**psico-**, primo elemento di composiz., dal gr. *psykhḗ* 'anima'.

**psicologìa**, da *psico-* e -*logìa*.

**psicopatìa**, da *psico-* e -*patìa*.

**psicosi**, dal gr. *psykhḗ*, col suff. -*osi* delle malattie croniche.

**psicotècnico**, dall'ingl. *psychotechnical*.

**psicoterapìa**, da *psico-* e *terapia*.

**psilosi**, dal gr. *psilōsis*.

**psittacismo**, dal gr. *psittakós* 'pappagallo' con il suff. -*ismo*, che indica un atteggiamento abituale.

**psorìasi**, dal gr. *psōríasis* 'scabbia', risal. a *psóra*, di signif. identico.

**psòrico**, dal gr. *psōrikós*.

**ptialina**, dal gr. *ptýalon* 'saliva' con il suff. -*ina* di elementi chimici o medicinali.

**pubblicano**, dal lat. *publicanus* 'appaltatore', deriv. di *publĭcum*, agg. sostantiv. per indicare il « (tesoro) pubblico ». Incr. con it. *pùbblico*.

**pubblicare**, dal lat. *publicare*, verbo denom. da *publĭcus*, incr. con it. *pùbblico*.

**pubblicatore**, dal lat. tardo *publicator*.

**pubblicazione**, dal lat. *publicatio*, -*onis* 'confisca dei beni', incr. con it. *pubblicare*.

**pùbblico**, dal lat. *publĭcus*, con norm. raddopp. di cons. semplice o in gruppo dopo l'accento in parola sdrucciola. Lat. *publĭcus* è incr. di ant. *poplĭcus* (v. PÒPOLO) e *pubes* 'gioventù di età atta alle armi'; v. PÙBERE.

**pube**, dal lat. *pubes*, -*is* 'pelo caratteristico della pubertà'. Antico *\*pumes* (cfr. sanscrito *pumān*, accus. *pumāmsam* 'uomo virile'), incr. con *nūbēs* (v. NUBE) e cfr. lat. *nubĕre* che significò 'velare' prima di 'sposare'.

**pùbere**, dal lat. *pūbes*, -*ĕris* 'che ha raggiunto l'età per essere fornito di pelo': da *pubes*, con la -*s* finale intesa, non come desinenza ma come suff.

**pubertà**, dal lat. *pubertas*, -*atis*.

**pubescente**, dal lat. *pubescens*, -*entis* 'in via di diventar pùbere'.

**puddinga** (geologia), dall'ingl. *pudding-stone* « pietra budino »; v. BUDINO.

**pudendo**, dal lat. *pudendus*, part. fut. passivo di *pudere* 'vergognarsi'; v. PUDORE.

**pudibondo**, dal lat. *pudibundus*, deriv. di *pudere* secondo il rapporto di *furibundus* a *furĕre*, di *moribundus* a *mori*.

**pudicizia**, dal lat. *pudicitia*.

**pudico**, dal lat. *pudicus*, deriv. di *pudere*, come *amicus* da *amare* (cfr. AMICO), *apricus* da *ap(e)rire*.

**pudore**, dal lat. *pudor*, -*oris*, forse da una rad. (S)PEUD, rappresentata nelle aree greca e baltica, però con il signif. non corrispond. di 'mi dò pena, mi sforzo'.

**puericoltura**, comp. del lat. *puer*, *puĕri* (v. PUERILE) e -*coltura* 'coltivazione'.

**puerile**, dal lat. *puerilis*, deriv. da *puer* come *virilis* da *vir*. La rad. è PEU, rappresentata in lat. con un ampliam. in -*ĕro*, nelle aree osco-umbra e indiana con l'ampliam. -*tlo-* (cfr. il sanscrito *putra-* 'figlio'); in gr., con vocalismo differente, da *\*pawis*, *paîs*; cfr. anche PUTTO.

**puerilità**, dal lat. *puerilĭtas*, -*atis*.

**puerizia**, dal lat. *pueritia*.

**puèrpera**, dal lat. *puerpĕra*, comp. di *puer* e -*pĕra* tema del verbo *parĕre* 'partorire', che subisce il norm. passaggio di -*ă*- in -*ĕ*- in sill. interna aperta dav. a -*r*- (cfr. PRIMÌPARA, con -*a*- mantenuta).

**puerperio**, dal lat. *puerperium*.

**puffino** (palmipede), da una serie onomatop. *p.... ff*.

**pugilato**, dal lat. *pugilatus*, -*us*.

**pugilatore**, dal lat. tardo *pugilator*, -*oris*.

**pùgile**, dal lat. *pugil*, -*ĭlis*, formaz. di agg. da un verbo *\*pugĕre* come *vigil* 'vigile' da un verbo *vigere*. La rad. di *\*pugĕre* è attestata in lat. con infisso nasale in *pungĕre* (v. PÙNGERE), e col suff. -*no* in *pugnus*; v. PUGNO.

**pugna**, dal lat. *pugna*, sost. deverb. da *pugnare*.

**pugnace**, dal lat. *pugnax*, -*acis*, deriv. da *pugnare*, come *vorax* da *vorare*.

**pugnale**, lat. volg. *\*pugnale* « (arma) che si tiene nel pugno ».

**pugnare**, dal lat. *pugnare*, verbo denom. da *pugnus* 'pugno', che indica dunque una nozione ancora molto rudimentale del 'combattere'.

**pugnatore**, dal lat. *pugnator*, -*oris*.

**pùgnere**, variante di *pùngere* (cfr. *spègnere* rispetto a *spèngere*).

**pugnitopo**, dal tema di *pùgnere* (*pùngere*) e *topo*, perché pianta spinosa usata come difesa dai topi.

**pugno**, dal lat. *pugnus*, ampliam. della rad. PEUG 'colpire' poi 'pùngere', per mezzo di -*no*- come *somnus* rispetto a SWEP (v. SONNO). Connessioni fuori d'Italia si hanno però solo nell'area gr. p. es. *pýks* 'col pugno'; cfr. PÙNGERE.

**puina** 'ricotta', lat. *popina* con leniz. sett. di -*p*-.

**pula**, tema mediterr.

**pulce**, lat. *pulex*, -*ĭcis*, con connessioni nelle aree greca, armena, indiana, germanica, baltica e slava, ma attrav. tradiz. fortemente disturbate (gr. *psýlla*, ted. *Floh*).

**pulcinella**, dalla maschera napoletana *Polecenella*, dimin. di *polecino* 'pulcino'.

**pulcino**, lat. tardo *pullicinus*, variante del più comune *pullicenus*, doppio dimin. di *pullus*; v. POLLO.

**puledro**, lat. volg. *\*pulletrus*, forma maschile di *pulletra*, deriv. di *pullus* (v. POLLO e cfr. POLTRO[1]), attrav. una tradiz. settentr. che riduce le cons. doppie a semplici e lenisce la -*t*- in -*d*-.

**puleggia**, lat. volg. *\*polidja* (dal gr. *\*polidia*, plur. di *\*polidion*, dimin. di *pólos* ' perno '), trattato come *\*modjus*, che diventa *moggio* (v.).

**puleggio**[1] (pianta) lat. *pūlēium*, ampliam. italico di un tema mediterr. *pūla*; cfr. PULA.

**puleggio**[2] (viaggio di mare), lat. *pelăgus*, incr. con il suff. di verbo denom. durativo -*eggiare* perciò *\*pel(agh)eggiare*, da cui il sost. deverb. *peleggio* (v.), con la variante *pileggio*.

**pùliga** (bollicina nel vetro), venez. *pùlega*, lat. *pulex*, -*ĭcis*; v. PULCE.

**pulire**, lat. *polire*, forse da una rad. PEL[4]/POL che, in forma non ampliata, si trova anche in (*inter*)-*pol(are)* (v.) e ampliata con -*d*- nelle lingue germaniche, (v. FELTRO): il signif. primitivo sarebbe il « battere (dei lavandai) ».

**pullulare**, dal lat. *pullulare*, ' mettere al mondo dei piccoli ', verbo denom. da *pullŭlus*, dimin. di *pullus* (v. POLLO), incr. con il suff. -*ul*- nel senso iterat., proprio dell'it. *pullulare*.

**pulmino** ' piccolo pullman ', da *pulm(an)ino*.

**pulo** (conca carsica in Puglia), tema mediterr.

**pùlpito**, dal lat. imp. *pulpĭtum*, privo di connessioni.

**pulsare**, dal lat. *pulsare*, intens. di *pellĕre*, deriv. dal part. pass. *pulsus*; v. POLSO.

**pulsatilla** (pianta), dal lat. moderno dei botan.: così detta per la mobilità dei ricettacoli dei semi, che richiamano l'imagine del ' pulsare '.

**pulsazione**, dal lat. *pulsatio*, -*onis*.

**pulverolento**, dal lat. *pulverulentus*, deriv. di *pulvis*, -*ĕris* come *sanguinolentus* da *sanguis*; v. POLVERE.

**pulvinare**, dal lat. *pulvinar*, -*aris*, deriv. di *pulvīnus* ' cuscino '; v. PULVINO.

**pulvino** (architett.), dal lat. *pulvinus* ' guanciale ', privo di connessioni attendibili.

**pulvìscolo**, dal lat. *pulviscŭlus*, dimin. di *pulvis*, -*ĕris*; v. POLVERE.

**pulzella**, dal frc. ant. *pulcele*, lat. volg. *\*pu(e)llicella*, dimin. di *puella*, incr. con *\*pullicella*, dimin. di *pullus*.

**puma**, dallo sp. *puma* e questo da una lingua peruviana (queciua).

**pùngere**, lat. *pungĕre*, forma ad infisso nasale della rad. PEUG ' battere (con uno strumento aguzzo) ', attestato anche in gr. (*pýks* ' col pugno '); cfr. PUGNO.

**punire**, dal lat. *punire*, deriv. da *poena* (v. PENA), sul modello di *moenia* e *munire*.

**punitore**, dal lat. *punitor*, -*oris*.

**punizione**, dal lat. *punitio*, -*onis*.

**punta**, lat. tardo *puncta*, forma sostantiv. di un part. pass. di class. *pungĕre*.

**puntare**, verbo denom. da *punta*.

**puntello**, dimin. di *ponte*, incr. con *punta*.

**punteruolo** (strumento e insetto), dimin. di *\*puntaro* (con passaggio tosc. di -*ar*- in -*er*-) risal. a una forma *\*puntario* trattata in modo centro-merid. (non tosc.): « piccolo puntore ».

**puntiglio**, dallo sp. *puntillo*, dimin. di *punto* (*de honor*).

**punto**[1] (sost.), lat. *punctum*, forma sostantiv. del part. pass. di *pungĕre*, che sostituisce un più ant. *\*puctum*, senza infisso nasale, cfr. il perf. *pupŭgi*, che ne è rimasto privo sino alla fine.

**punto**[2] (avv.), dalla locuzione (*nemmeno un*) *punto*,

*non ho* (*nemmeno un*) *punto* (*di fame*). È in via di trasformazione in agg. equival. a ' nessuno ', come appare attrav. la concordanza nella formula *punta fame* ' nessuna fame '.

**puntone**, accresc. di fronte a *puntello*.

**puntuale**, dal lat. *punctus*, -*us*, astr. di *pungĕre* col suff. it. -*ale*.

**puntura**, dal lat. tardo *punctura*, astr. di *pungĕre*.

**punzecchiare**, iterat. di *\*punzare*, incr. di *ponzare* e *pùngere*: sullo schema di *sonnecchiare* rispetto a *\*sonnare*; v. ASSONNATO.

**punzone** (prima astr. ' spinta ', poi concr. ' conio '), lat. *punctio*, -*onis*, nome d'azione di *pungĕre*.

**pupa**, lat. *pupa* ' bambola ' della stessa famiglia di *poppa*[1] (v.), di orig. onomatop.

**pupàttola**, da *pupa* con doppia derivaz. del tipo *giocàttolo*.

**pupilla**, dal lat. *pupilla*, dimin. di *pupŭla* e questo di *pupa*; v. PUPA.

**pupillare**, dal lat. *pupillaris*, deriv. di *pupillus*.

**pupillo**, dal lat. *pupillus*, dimin. di *pupŭlus* e questo di *pupus*: il pupillo inteso come « bamboletto »; v. PUPO.

**pupo**, lat. *pupus*, forma maschile di *pupa*.

**purché**, da *pure che*.

**pure**, lat. *pure* ' puramente, senza mescolanze ' (v. PURO), passato poi da valore copulativo ad avversativo.

**purè**, dal frc. *purée* (XIV sec.) ' passata ', part. pass. sostantiv. nella forma femm. di frc. ant. *purer* « spremere (i legumi) ».

**purga**, sost. deverb. da *purgare*.

**purgare**, lat. *purgare*, arc. *purigare*, verbo denom. da *purus* col suff. -*igo*- (cfr. *litigare*, *levigare*) e caduta della voc. postonica in condizioni fonetiche favorevoli come nella serie -*r(i)g*-; v. PURO.

**purgativo**, dal lat. tardo *purgativus*.

**purgatorio**[1] (agg.), dal lat. *purgatorius*.

**purgatorio**[2] (sost.), dal lat. crist. *purgatorium*, forma sostantiv. del precedente.

**purgatura**, dal lat. tardo *purgatura*.

**purgazione**, dal lat. *purgatio*, -*onis*.

**purificare**, dal lat. *purificare*, comp. di *purus* e -*ficare*.

**purificativo**, dal lat. tardo *purificativus*.

**purificatorio**, dal lat. tardo *purificatorius*.

**purificazione**, dal lat. *purificatio*, -*onis*.

**purismo**, da it. *puro* (in senso linguistico) e il suff. -*ismo* che indica atteggiamento o dottrina.

**purità**, dal lat. tardo *purĭtas*, -*atis*.

**puritano**, dall'ingl. *puritan* (XVI sec.), applicato dagli anglicani contro la setta rigorista dissidente, cui il nome è poi rimasto.

**puro**, lat. *purus*, deriv. in -*ro* della rad. PEWĒ alternante con PŪ, col signif. di ' purificare ', che sopravvive nell'area indiana nella famiglia del verbo *punāti*. Nelle aree intermedie, greca, ittita, germanica il tema PŪ-R ' purificatore ' ha dato vita al termine che definisce strumentalmente il fuoco come il ' purificatore ' per eccellenza (gr. *pýr*, ted. *Feuer*).

**purpùreo**, dal lat. *purpŭrĕus*, che è dal gr. *porphýreos*; cfr. PORPORA.

**purulento**, dal lat. *purulentus*, deriv. di *pus* come *lutulentus* da *lutum* e *pulverulentus* da *pulvis*, -*ĕris*.

**purulenza,** dal lat. *purulentia.*

**pus,** dal lat. *pus puris,* più ant. PUWOS (rad. PŪ), attestato identico nelle aree greca e armena, in forma di verbo nell'area indiana e con un ampliam. in *-l-,* invece che in *-s-,* nelle aree baltica e germanica (ted. *faul*). Per un ampliam. in *-t-;* v. PUTIRE.

**pusigno,** lat. volg. *\*pos(tc)enium* ' riferito al dopocena ' (milan. *puscenna*), con vocalismo *-u-* per *-o-* di orig. settentr.: incr. con gli agg. in *-igno* (*benigno* ecc.).

**pusillànime,** dal lat. tardo *pusillanĭmis,* comp. di *pusillus* e *anĭmus.*

**pusillanimità,** dal lat. tardo *pusillanimĭtas, -atis.*

**pusillo,** dal lat. *pusillus,* dimin. di *pūsus* della famiglia di *puer* (v. PUERILE), da cui anche *putus* (v. PUTTO), senza che si possa decidere se la sibilante deriva da un ampliam. in *-d,* per il quale *pūsus* risalirebbe a *\*pud-to-s;* cfr. anche POLLO.

**pùstola,** forma dimin. da una serie onomatop. *p.... s* attinente al ' soffiare ' e alla conseg. nozione di ' vescica ', attestata, in modo peraltro impreciso, in svariate aree ideur.

**pustoloso,** dal lat. *pustulosus.*

**putare,** verbo intens. di un presunto *\*puĕre* dalla rad. PEU ' tagliare ', poi ' analizzare ', sopravv. solo nell'area baltica.

**putativo,** dal lat. crist. *putativus.*

**puteale,** dal lat. *puteal, -alis,* deriv. di *puteus;* v. POZZO.

**putera** (pianta), dalla famiglia del lat. *putere;* v. PUTIRE.

**pùtido,** dal lat. *putĭdus,* agg. legato a *putere* dallo stesso rapporto di *calĭdus* a *calere* ' esser caldo '.

**putiferio,** da *vituperio,* con energica metatesi, attrav. *\*pituverio,* incr. poi con *pùtido* e con *ferie.*

**putire,** lat. volg. *\*putire,* class. *putere,* dalla stessa rad. PŪ di *pus,* ampliata in *-t-* (anziché in *-s-*), come nell'area indiana il sanscrito *pūti-* ' marcio '; v. PUS.

**putizza,** lat. volg. *\*putitia* ' puzzo ', astr. di *\*putire,* trasmesso attrav. una tradiz. merid.

**putrèdine,** dal lat. *putredo, -ĭnis,* astr. di *puter, -tris, -tre* ' marcio ', agg. in *-er* dalla rad. PŪ-T di *putere* (v. PUTIRE), con abbreviamento della voc. radicale.

**putrefare,** dal lat. *putrefacĕre,* comp. di *putre-* incr. di *putrĭdus* (v. PÙTRIDO) con *putere* e di *facĕre;* il tutto incr. poi con it. *fare.*

**putrefazione,** dal lat. tardo *putrefactio, -onis.*

**putrella,** dal frc. *poutrelle.*

**putrescente,** dal lat. *putrescens, -entis,* part. pres. di *putrescĕre,* verbo denom. incoat. di *puter, -tris, -tre;* v. PUTRÈDINE.

**putrescìbile,** dal lat. tardo *putrescibĭlis.*

**putridità,** dal lat. tardo *putridĭtas, -atis.*

**pùtrido,** dal lat. *putrĭdus,* incr. di *pūtĭdus* con *pùter, pŭtris, pŭtre;* v. PUTIRE e PUTREDINE.

**putta,** femm. di *putto.*

**puttana,** dal frc. ant. *putaine.*

**putto,** lat. *puttus,* forma affettiva di *putus,* ampliam. della rad. di *puer;* v. PUERILE, PUSILLO, e cfr. PREPUZIO.

**puzza, puzzo,** lat. volg. *\*putjum,* sost. deverb. di *putere;* v. PUTIRE.

**q**

**qua**, lat. *eccu(m) hac* «proprio per di qui» (v. ECCO). *Hac* è forma irrigidita di abl. sg. femm. di *hic*, *haec*, *hoc*, per cui v. OGGI e cfr. QUI.

**quàcchero**, dall'ingl. *quaker* 'tremante', nome d'agente del verbo *to quake* 'tremare' (sec. XVII): applicato ai seguaci di G. Fox (1624-1691), perché invitati a «tremare» davanti alla parola di Dio.

**quaderletto**, da *quadrelletto*, incr. con i tipi *quader(no)*.

**quaderno**, lat. *quaterni* 'a quattro a quattro', detto di fogli così legati; inteso come deriv. da *quartus* (cfr. QUINTERNO) e trasmesso attrav. tradiz. settentr., come prova la leniz. di -*t*- a -*d*-.

**quadragenario**, dal lat. *quadragenarius*, deriv. di *quadrageni*, -*ae*, -*a*, formato da *quadrag(inta)* con suff. analogico a quello dei distributivi; cfr. QUARANTA.

**quadragèsimo**, dal lat. *quadragesĭmus* 'quarantesimo' (cfr. QUARÉSIMA), tratto da *quadrag(inta)* secondo il rapporto di *(trig)esimus* rispetto a *trig(inta)*.

**quadrangolare**, dal lat. tardo *quadrangularis*.

**quadràngolo**, dal lat. *quadrangŭlus* (agg.), comp. di *quadr*- (v. QUADRO) e *angŭlus* (v. ÀNGOLO).

**quadrante**, dal lat. *quadrans*, -*antis*, incr. di un ant. \**quartans* e *quadrare* 'render quadro', sullo schema di *dodrans* e *triens*.

**quadrare**, lat. *quadrare*, verbo denom. da *quadrus* 'quadrato'; v. QUADRO.

**quadrato** lat. *quadratus* (agg.) 'reso quadrato', *quadratum* (sost.); v. QUADRO.

**quadratura**, dal lat. *quadratura*, astr. di *quadrare*.

**quadrello**, dimin. di *quadro*.

**quadrerìa**, da *quadro*, calco su *armerìa*.

**quadri-**, primo elemento di composiz. dal lat. *quadri-*; v. QUADRO.

**quadriennale**, dal lat. tardo *quadriennalis*.

**quadriennio**, dal lat. *quadriennium*; cfr. BIENNIO, TRIENNIO.

**quadrifronte**, dal lat. tardo *quadrĭfrons*, -*ontis*.

**quadriga**, dal lat. tardo *quadriga*, -*ae*, class. *quadrigae*, -*arum*, comp. di *quadri*- e *iuga* plur. di *iugum*.

**Quadrigario** dal lat. *quadrigarius*.

**quadrigèmino**, dal lat. *quadrigemĭnus* 'quadruplo'.

**quadriglia**, dallo sp. *cuadrilla* «gruppo di quattro».

**quadrilàtero**, dal lat. tardo *quadrilatĕrus*, da *quadri* e *latus*, -*ĕris*; v. LATO.

**quadrilingue**, da *quadri-*, calco su *bi-lingue* (v.).

**quadrilione**, da *quadri-*, calco su *bi-lione* (v.).

**quadrimestre**, dal lat. *quadrimestris*, calco su *bimestris*; v. BIMESTRE.

**quadrimotore**, da *quadri*- e *motore*.

**quadrinomio**, da *quadri-*, calco su *bi-nomio* (v.).

**quadripartito¹** (agg.), dal lat. *quadripartitus*, calco su *bi-partitus*; v. PARTE.

**quadripartito²** (sost.), da *quadri*- e *partito* (*politico*); v. PARTITO.

**quadrireme**, dal lat. *quadriremis*, calco su *biremis*; v. REMO.

**quadrisillabo**, dal lat. tardo *quadrisyllăbus*, calco su *bisyllăbus*; v. SÌLLABA.

**quadrivio**, dal lat. *quadrivium*, forma sostantiv. dall'agg. *quadrivius* «dalle quattro strade»; v. VIA.

**quadro**, dal lat. *quadrus*, forma anomala, forse alternante con il più ant. \**quatro*- risal. a KWeTRO-, che è forma tematica di KWeTṚ 'quattro' (v. QUATTRO). Altro esempio di alternanza di cons. sorda e sonora nei numerali è quello di *viginti* accanto a *viceni* (v. VENTI) di gr. *hébdomos* di fronte a lat. *septĭmus*, di gr. *ógdowos*, di fronte a lat. *octavus*.

**quadrùmane**, dal lat. *quadrimănis* incr. con it. *quadrùpede*.

**quadrùnviro**, incr. di *tri-ùnviro* (v.) e *quadri-*.

**quadrùpede**, dal lat. *quadrŭpes*, -*ĕdis*, comp. di *quadri*- e -*pes*, con -*ŭ*- al posto di -*ĭ*- perché dav. a cons. labiale.

**quadruplicare**, dal lat. *quadruplicare* calco su *duplicare*.

**quadruplicazione**, dal lat. tardo *quadruplicatio*,-*onis*.

**quadrùplice**, dal lat. *quadrŭplex*, -*ĭcis*, comp. di *quadri*- con -*ŭ*- al posto di -*ĭ*- perché dav. a cons. labiale, e -*plex*, tema radicale di agg. moltiplicativi, risal. alla rad. PLEK 'intrecciare'; v. PIEGARE e cfr. DÙPLICE.

**quàdruplo**, dal lat. *quadrŭplus*, con -*plus* al posto di -*plex*, di cui costituisce una forma semplificata; cfr. QUADRÙPLICE.

**quagga** (equino), voce onomatop., tratta da una lingua dell'Africa merid.

**quaglia**, lat. *coacŭla*, con leniz. settentr. del gruppo -*cla* in -*glia* (anziché in -*cchia*). *Coacŭla* è di orig. onomatop. da una serie *k.... k.... l.*

**quagliare**, lat. volg. \**quag(u)lare*, class. *coagulare*, verbo denom. da *coagŭlum*; v. CAGLIARE.

**quaglio**, lat. volg. \**quag(u)lum*, class. *coagŭlum*, incr. tra *agŏlum* « (bastone) che spinge (le bestie al pascolo) » e *coactus*, part. pass. del verbo *cogĕre* 'riunire, condensare': con regolare passaggio da lat. *qua*- a it. *qua*-, cfr. CAGLIO, e v. AGITARE.

**qualche,** da *quale che* (*sia*).

**quale,** lat. *qualis,* formaz. in *-lĭ* parallela a quelle del correlativo *tālis,* ma con paralleli vaghi nelle altre aree ideur., al di fuori di quella gallese. La parte radicale è data dal femm. di *quo-, qui-* rad. ᴋᴡᴏ- e ᴋᴡɪ-: tema orig. di interrogativo e indefinito, in lat. anche di (cor)relativo, cfr. ᴛᴀʟᴇ.

**qualificare,** dal lat. medv. *qualificare,* da *\*quali(ti)ficare* ' assicurare una qualità '.

**qualificazione,** dal lat. medv. *qualificatio, -onis.*

**qualità,** dal lat. *qualĭtas, -atis,* astr. di *qualis,* come calco sul gr. *poiótēs.*

**qualitativo,** dal lat. tardo *qualitativus.*

**qualsìasi,** da *quale si sia.*

**qualsivoglia,** da *quale si voglia.*

**qualunque,** da *quale-unque.*

**qualunquismo,** da *\*uomo-qualunque-ismo* e cioè « (atteggiamento) proprio del (movimento simboleggiato dall'uomo) qualunque ».

**quando,** lat. *quando,* risultante dalla associaz. della cong. *quam* (forma irrigidita del pron. interrogativo-indefinito ᴋᴡᴏ-) e *do-* sopravv. in *donec* e appartenente all'ant. prep. di direzione ᴅᴇ/ᴅᴏ, attestata anche nelle aree celtica, baltica, slava, greca (*oíkónde* ' verso casa '), germanica (ingl. *to,* ted. *zu*).

**quantificazione,** dall'ingl. *quantification.*

**quantità,** dal lat. *quantĭtas, -atis.*

**quanto** (pron., avv. e sost. maschile), lat. *quantus* (agg.) e *quantum* (avv.), deriv. da *quam* col suff. *-to:* attestato anche nell'area umbra.

**quantunque,** da *quanto* e *-unque* (v.).

**quaranta,** lat. tardo (epigr.) *quarrà(gi)nta,* class. *quadraginta,* con leniz. totale della *-g-* dav. a voc. palatale, ritrazione dell'accento e assorbimento in *a* del dittongo risultante (cfr. *prete* da *preite* e v. ᴘʀᴇᴛᴇ). La semplificaz. di *-dr-* in *-(r)r-* sembra di carattere settentr. Il lat. *quadrāginta* mostra, accanto a *-ginta* ' decina ' (v. ᴠᴇ̀ɴᴛɪ), il tema *quadrā* con la quantità lunga che postula non già ᴋᴡᴇᴅʀ ᴏ ᴋᴡᴇᴅʀ̥ come in *quadrus* e simm. ma ᴋᴡᴇᴅʀ̥, come se dopo la liquida ci dovesse essere, al grado norm., un'altra voc. radicale; lo stesso rapporto riappare nel gr. *tetró(konta),* rispetto a *tetralogía;* v. ᴛᴇᴛʀᴀ-.

**quarésima,** lat. crist. *quadr(ag)esĭma,* con leniz. totale della *-g-* dav. a voc. palatale; della *-d-* nel gruppo *-dr-;* della voc. protonica in iato.

**quartana,** lat. *quartana* (*febris*), deriv. da *quarta* (*dies*); v. ǫᴜᴀʀᴛᴏ.

**quartarolo,** da *quarto* con il suff. centromerid. (non tosc.) *-arolo* (invece di *-aiòlo*).

**quartetto,** da *quarto* nel senso di « insieme di quarti »; cfr. ᴛᴇʀᴢᴇᴛᴛᴏ, ꜱᴇꜱᴛᴇᴛᴛᴏ.

**quartiere,** dal frc. *quartier* (lat. *quartarius*): « appartenente a uno dei quattro rioni cittadini ».

**quartiermastro,** calco risal. all'ol. *Kwartier-meester* ' maestro ' o ' capo ' del quartiere, ' capo degli alloggiamenti '.

**quarto,** lat. *quartus,* risal. a ᴋᴡᴇ(ᴛᴡ)ʀ-ᴛᴏ-, parallelo al gr. *tétratos,* con la differenza che in gr. la prima voc. è al grado norm. (*e*) e la *r* è vocalizzata (*ra*), mentre in lat. la prima voc. è al grado semiridotto (*a*) e la *r* è consonantica (*r*). Una forma intermedia è data dal prenestino *Quorta* risal. a ᴋᴡ(ᴛᴡ)ʀ-ᴛᴀ. La quantità lunga dell'*a* è dovuta alla semplificaz. del gruppo di cons. -ᴇᴛᴡʀ-

in -*ār*-. L'ordinale di ' 4 ' ha suffissi paralleli in -*t(h)o-* anche nelle aree indiana, baltica, slava e germanica (ted. *Vierte*).

**quarto-,** primo elemento di composiz. (*quartogènito*).

**quartodècimo,** dal lat. *quartusdecĭmus.*

**quarzo,** dal ted. *Quarz.*

**quasi,** lat. *quasi,* da *quam si,* senza allungamento di compenso, data la natura di parola accessoria.

**quassia** (pianta medicinale americana), dal nome di Graman Quassi, indovino della Guiana olandese, che ne avrebbe scoperto l'efficacia terapeutica nel sec. XVIII.

**quaterna,** lat. *quaterni,* passato a nome collettivo della prima declinaz.: da *quater* ' quattro volte ', col suff. distributivo *-no-,* al pl. *-ni* (cfr. *bini, terni, quini*). *Quater* è un tema moltiplicativo del numerale, deriv. da una forma più complessa come ᴋᴡᴇᴛᴡʀɪ-ꜱ (cfr. *ter* da ᴛʀɪ-ꜱ e v. ᴛʀᴇ), che riappare in forma assai somigliante nell'area iranica.

**quaternario,** dal lat. *quaternarius,* deriv. di *quaterni* ' a quattro a quattro '; v. ǫᴜᴀᴛᴇʀɴᴀ.

**quatriduano,** dal lat. *quatriduanus,* deriv. da *quatrĭduum* ' spazio di quattro giorni ', comp. di *quatri-* e *\*divom* (come in *biduum* e *triduum,* v. ᴛʀɪᴅᴜᴏ); ampliam. in *-wo-* del tipo ᴅ̣ʏᴇ̄, al grado ridotto ᴅɪ- (v. ᴅɪ̀). La quantità lunga della *-ĭ-* di *quatri-* è dovuta al modello di *postrīdiē* ' nel giorno successivo ', antica forma locativa.

**quatto,** lat. *coactus,* part. pass. del sistema di *cogĕre* da *\*co-agĕre* con norm. passaggio di *coa* a *qua-.* Il signif. è quello di « compresso in sé »; cfr. ᴄʜɪᴀᴛᴛᴏɴ, ᴄʜɪᴀᴛᴛᴏɴɪ, e v. ᴀᴄᴄᴜᴀᴛᴛᴀʀᴇ.

**quattórdici,** lat. *quattuor-dĕcim* con semplificaz. del gruppo *-uo-* in *-o-.* Il comp. appositivo lat. significa propr. « quattro-dieci ». Il passaggio da *-em* a *-im* è dettato dalla tendenza a render più netta l'articolazione della *-m* finale.

**quattrino,** da *quattro:* « (monetina da) quattro (denari) ».

**quattro,** lat. volg. *\*quattrum* con la *qu-* conservata regolarm. dav. ad *a.* *\*Quattrum* è formazione tematica di un tardo *quattor,* semplificaz. del class. *quattuor,* un tempo declinato con la desinenza del nom. plur. *-es,* nella forma ideur. ᴋᴡᴇᴛᴡᴏʀ-ᴇꜱ, attestata con varî gradi di alternanza, nelle aree indo-iranica, armena, greca (*téssares*), celtica, germanica (ted. *vier*), baltica e slava.

**quegli,** lat. volg. *\*(ec)cu(m) illī* (v. ᴇᴄᴄᴏ e ɪʟ), risultante dal class. (*ec*)*cum ille* incr. con il pron. rel. *quī,* ma non passato a *\*chegli* come lat. *qui a chi* per la perdurante autonomia dei due elementi costitutivi.

**quello,** lat. volg. *\*(ec)cu(m) illum,* in forma di accus. sg. maschile irrigidito; v. ǫᴜᴇɢʟɪ.

**quercéto,** dal lat. *quercetum,* deriv. di *quercus,* con suff. *-etum* di valore collettivo: « estensione di querce ».

**quercia,** lat. (*arbor*) *quercea,* agg. di *quercus,* forma, con l'iniz. assimilata, di un più ant. ᴘᴇʀᴋᴜꜱ, sopravv. nell'area germanica; attrav. il dio *Perkùnas,* in quella baltica; attrav. la (*selva P)ercynia* in quella gallica.

**quercino,** dal lat. tardo *quercinus.*

**querela,** dal lat. *querela,* astr. di *queri* ' lamentarsi ', secondo il rapporto di *loquela* a *loqui.* *Queri* appartiene prob. alla rad. ᴋᴡᴇꜱ, attestata solo nell'area indiana, da *çvasiti* ' soffia, ànsima '.

**querelare,** dal lat. tardo *querelari.*

**querimonia,** dal lat. *querimonia* (cfr. *caerimonia* ' pratica di culto '), da *queri* ' lamentarsi '; v. QUE-RELA.

**quèrulo,** dal lat. *querŭlus,* agg. di *queri* come *tremŭlus* rispetto a *tremĕre;* v. QUERELA.

**quesito,** dal lat. *quaesitum,* forma sostantiv. di *quaesitus,* part. pass. del sistema di *quaerĕre;* originariam. legato al suo desiderativo *quaes(s)o,* il quale solo ammette un part. pass. in *-ītus* così come un perf. in *-ivi;* cfr. REQUISITO e v. CHIEDERE.

**questi,** lat. volg. *(ec)cu(m) isti,* incr. di class. *(eccum) iste* ' proprio codesto ' con *quī* del pron. rel. (v. QUESTO), e cfr., per il *que-,* QUEGLI.

**questionario,** dal frc. *questionnaire* ' raccolta di domande '.

**questione,** dal lat. *quaestio, -onis,* nome d'azione del verbo *quaerĕre,* anticam. *quaesĕre,* privo di connessioni al di fuori del lat., anche se sicuram. di formaz. ideur. *Quaestio* presuppone un part. pass. *quaistos,* andato perduto, e sostituito da *quaesitus* in lat. (v. QUESITO), ma sopravv. nell'it. *chiesto* (v.).

**questo,** lat. volg. *(ec)cu(m) istum,* forma di accus. sg. maschile di *iste. Iste, ista, istud,* dim. di seconda persona, rappresenta l'incr. di due paradigmi: al maschile *is* (lo stesso di *ea, id*), rinforzato da una particella *-te* (gr. *hó-te*); al femm. e al neutro gli ant. *tā tod* rinforzati dallo *is* del maschile irrigidito. Si tratta cioè della « sostituzione » dell'orig. *so-* (gr. *ho,* sanscrito *sa*) mediante *is-* rinforzato da *-te,* e dell'allineamento dei « preesistenti » *tā tod* al nuovo maschile.

**questore,** dal lat. *quaestor, -oris,* nome d'agente di *quaerĕre,* ant. *quaesĕre* prima della introduz. del rotacismo (IV sec. a. C.); v. CHIÈDERE.

**questua,** sost. deverb. da *questuare.*

**questuare,** verbo denom. da lat. *quaestus, -us,* astr. di *quaerĕre* (ant. *quaesĕre*) ' ricerca (spec. di danaro) '.

**questura,** dal lat. *quaestura,* astr. di *quaerĕre* (ant. *quaes-*), incr. per il signif. con *quaestor.*

**qui,** lat. *eccu(m) hic* ' proprio qui ' (v. ECCO), con perdurante autonomia dei due elementi costitutivi, che ha impedito l'ulteriore passaggio a *chi.* Lat. *hic* discende da un più ant. *heic* e risulta dal locativo sg. *-ei-* rinforzato da un pref. *gh-,* e da un suff. indeclinabile *-c(e);* cfr. l'abl. *(h)o-* in *hodie,* v. OGGI. Per l'ampliam. in *-c(e)* cfr. SE[2].

**quiddità,** dal lat. medv. *quìdditas, -atis,* astr. da *quid.*

**quiescente,** dal lat. *quiescens, -entis,* part. pres. di *quiescĕre;* v. QUIETE.

**quiescenza,** dal lat. tardo *quiescentia.*

**quietanza,** dal frc. *quittance* incr. con it. *quieto.*

**quietare,** dal lat. tardo *quietare,* verbo denom. da *quies quietis;* cfr. CHETARE.

**quiete,** dal lat. *quies, -etis,* un tempo tema radicale *quie-;* cfr. l'abl. *requie* in confronto di *quie(te)*: dalla rad. KwYĒ, attestata in varie forme e ampliam. nelle aree iranica, slava, leponzia e germanica; cfr. REQUIE.

**quietismo,** dal frc. *quiétisme* (XVII sec.).

**quieto** (cfr. CHETO), dal lat. *quietus,* deriv. in *-to* di *quie-s,* quando era ancora tema in voc. (se no sarebbe stato *quietus*); v. QUIETE.

**quilio** (*cantare in quilio* ' in falsetto '), prob. dalla formula *ky(rie e)lei(son),* con l'eliminazione della parte finale pronunciata più bassa.

**quinario,** dal lat. *quinarius* ' composto di cinque ', deriv. da *quini,* distributivo di *quinque* ' a cinque a cinque ', risultante dall'incrocio di *qui(nqui)ni* con *bini-.*

**quinci,** lat. volg. *(ec)cu(m) hince,* class. *hinc.* Risulta dal tema di dimostrativo *(h)i-* con desinenza di accus. *-im* incr., a causa della nasale, con *unde* e col suo signif. di provenienza; cfr. QUI.

**quinconce,** dal lat. *quincunx, -uncis,* comp. di *quinque* e *uncia;* v. ONCIA.

**quindecenvirale,** dal lat. *quindecimviralis.*

**quindecenvirato,** dal lat. tardo *quindecimviratus, -us,* incr. con *decenviri.*

**quindecènviri,** dal lat. *quindecimvĭri* incr. con *decemvĭri.*

**quindi,** lat. volg. *(ec)cu(m) inde;* v. INDI e ECCO.

**quindicennale,** dal lat. tardo *quindecennalis,* comp. di *quindĕc(im)* e *annus* con suff. *-alis,* e norm. passaggio di *-ă-* in *-ĕ-* in sill. interna chiusa.

**quìndici,** lat. volg. *quīndĭcim,* con norm. passaggio di *-ĕ-* in *-ĭ-* in sill. interna aperta, da class. *quindĕcim,* ant. *quinque-decim;* v. CINQUE e DIECI.

**quinquagenario,** dal lat. *quinquagenarius,* deriv. da *quinquageni,* distributivo di *quinquaginta;* v. CIN-QUANTA.

**quinquagèsima,** forma sostantiv. femm. dal lat. crist. *quinquagesĭma* (*dies*).

**quinquagèsimo,** dal lat. *quinquagesĭmus,* ordinale di *quinquaginta* ' cinquanta ', secondo il rapporto di *(trig)esimus* a *trig(inta).*

**quinquennale,** dal lat. *quinquennalis.*

**quinquenne,** dal lat. *quinquennis,* comp. di *quinque, annus* e il suff. aggettiv. *-is,* con norm. passaggio di *-ă-* in *-ĕ-* in sill. interna chiusa; v. ANNO.

**quinquennio,** dal lat. *quinquennium.*

**quinquereme,** dal lat. *quinqueremis,* comp. di *quinque* e *remus;* v. REMO.

**quinta** (musica e teatro), forma sostantiv. femm. di *quinto* (v.).

**quintale,** dallo sp. *quintal* che è dall'ar. *qinṭār;* cfr. CÀNTARO.

**quintana** (gioco medv.), lat. *quintana,* la strada che nel campo militare separava le due legioni (cfr. *decumanus*), deriv. da *quintus;* v. QUINTO.

**quinterno,** calco su *quaderno* (v.) inteso come *quarterno.*

**quintessenza,** dal lat. medv. *quinta essentia,* calco sul gr. *pémptē ūsía* (v. ESSENZA), termine alchim. per designare la parte attiva dei corpi.

**quintile,** dal lat. *quintilis* (*mensis*): « (il luglio) perché quinto (a partire da marzo) », deriv. da *quintus* come *aedilis* da *aedes.*

**quinto,** lat. *quintus,* ordinale di *quinque,* più anticam. *quinctus* di larga diffusione ideur. (v. CINQUE). La forma di partenza è stata PENKwTO- oppure PNKwTO-. La quantità lunga della *-i-* invece non è spiegata.

**quintodècimo,** dal lat. *quintus-decĭmus.*

**quintùplice,** dal lat. tardo *quintŭplex, -ĭcis,* calco su *quadrŭplex.*

**quintuplo,** calco su *quàdruplo* come *quinterno* su *quaderno.*

**qui pro quo,** dal lat. medv. *qui pro quo* (nom. invece che abl.), simbolo di uno scambio evidentem. frequente.

**quisquilie,** dal lat. *quisquǐliae, -arum,* di lontane orig. onomatop. secondo la serie *k.... sk.... l;* cfr. gr. *koskylmátia.*

**quissìmile,** dal lat. *quid simǐle* ' un che di simile '.

**quivi,** lat. volg. *(ec)cu(m) ibi,* v. IVI, e cfr. QUESTI, QUEGLI.

**quiz,** dall'ingl. d'America *quiz* che è forse dal lat. *quis.*

**quota,** forma sostantiv. del lat. *quota (pars);* v. QUOTO.

**quotidiano,** dal lat. *quotidianus,* deriv. di *cottǐdiē* incr. con *quot.* A sua volta *cottǐdiē* è una locuzione *cottǐ diē* al caso locativo con geminazione espressiva da un più ant. KwOTEI ' nel quale (si sia) giorno ' e cioè « ogni giorno ». Il passaggio da KwO a *co-* sembra regolare nelle parole polisillabe.

**quoto,** forma sostantiv. maschile di *quotus* ' quanto ', agg. tratto da *quot,* che discende da una forma KwOT, attestata con ampliam. varî nelle aree indiana, greca e ittita, e, essendo monosillabica in lat., ha conservato l'iniz. *qu-;* cfr. invece *cottidie,* v. QUOTIDIANO.

**quoziente,** dall'avv. lat. *quotiens,* deriv. da *quot* (v. QUOTO), e trattato come fosse il nom. di un part. pres.

# R

**ra-**, v. RA(D)-.

**rabàrbaro**, dal lat. tardo *reubarbărum*, dal gr. *rhêon, bárbaron* incr. con *Rhâ* nome del fiume Volga, sulle cui rive la pianta cresceva.

**rabattino**, dimin. di un *\*rabatto*, sost. deverb. da *arrabattarsi* (v.).

**rabberciare**, da *\*rabbersa(glia)re* « riaggiustare il bersaglio », attrav. una tradiz. settentr. che giustifica la correzione tosc. successiva della serie *-bersa-* in *-bercia-*; v. IMBERCIARE E BERSAGLIO.

**rabbia**, lat. tardo *rabia* (class. *rabies*), con norm. raddopp. di cons. labiale in gruppo con *i* cons. dopo l'accento. Astr. collegato con il verbo *rabire*, da una rad. al grado semiridotto REBH, attestata solo all'altro estremo del mondo ideur., nel sanscrito *rabha-* (al grado norm. REBH) 'impeto, violenza'.

**rabbino**, dall'aramaico *rabbī* 'mio maestro', attrav. il gr. *rhabbínos* e il lat. tardo *rabbinus*.

**rabbioso**, dal lat. *rabiosus* incr. con it. *rabbia*.

**rabbonire**, verbo denom. da *buono* col doppio pref. *ra(d)-* e la voc. postonica senza dittongo.

**rabbrividire**, verbo denom. da *brivido* col doppio pref. *ra(d)-*.

**rabbuffare**, verbo denom. da *buffo¹* col doppio pref. *ra(d)-*.

**rabdomante**, dal gr. tardo *rhabdómantis* « indovino (*mantis*) attrav. la bacchetta (*rhabdo-*) ».

**rabdomanzìa**, dal gr. tardo *rhabdomanteía*.

**rabesco**, aferesi di *arabesco* (v.).

**rabicano**, dallo sp. *rabicano* « di coda (*rabo*) bianca (*cano*) ».

**ràbido**, dal lat. *rabidus*, agg. collegato al sistema di *rabire*; v. RABBIA.

**ràbula**, dal lat. *rabŭla*, incr. di *ravŭla*, nome d'agente collegato con *ravus* 'roco', e della famiglia di *rabies*; v. RABBIA e ROCO.

**raca**, dall'aramaico *rēqā* 'vuotezza'.

**raccapezzare**, verbo denom. da *capezzo* col doppio pref. *ra(d)-*.

**raccapricciare**, verbo denom. da *capriccio* col doppio pref. *ra(d)-*.

**raccapriccio**, sost. deverb. da *raccapricciare*.

**raccattare**, da *accattare* con *r(i)-* ripetitivo che sottolinea il movimento di giù in su, opposto a quello di caduta.

**racchetare**, verbo denom. da *cheto* col doppio pref. *ra(d)-*.

**racchetta¹** (tennis), dal frc. *raquette* (XIV sec.) che vale da prima 'palma della mano', e che risale al lat. medv. *rasceta* (dall'ar. volg. *rāhet* 'mano').

**racchetta²** (razzo), da *rocchetta*; v. ROCCA.

**racchia**, femm. di *racchio* 'raspo' in senso figur.

**racchio**, lat. volg. *\*racŭlum*, dimin. di un *\*rax* (cfr. *fax* e *facŭla*, *faex* e *faecŭla*) da un tema mediterr. sopravv. nel gr. *rháks* (v. RACEMO), incr. con *rachìticus* (v. RACHÌTICO).

**raccògliere**, da *cògliere* col doppio pref. *ra(d)-*.

**raccomandare**, da *accomandare* con *r(i)-* intens.

**raccomodare**, da *accomodare* con *r(i)-* iterat.

**racconciare**, da *acconciare* con *r(i)-* iterat.

**racconsolare**, da *consolare* col doppio pref. *ra(d)-*.

**raccontare**, da *contare* col doppio pref. *ra(d)-*.

**raccorciare**, da *accorciare* con *r(i)-* iterat.

**raccordare**, da *accordare* con *r(i)-* reciproco.

**raccordo**, sost. deverb. da *raccordare*.

**racemìfero**, dal lat. *racemĭfer, -ĕri*, comp. di *racemus* e *-fer*.

**racemo**, dal lat. *racemus* 'grappolo', da un tema mediterr. RAK/RAG, rappresentato anche in greco, v. *rháks rhāgós* 'granello d'uva', e cfr. RACCHIO.

**ràchide** (colonna vertebrale), dal gr. *rhákhis, -eōs*.

**rachìtico**, da *rach(id)ìtico*.

**rachìtide**, incr. di ingl. *the rickets* 'rachitide' e gr. *rhákhis* 'colonna vertebrale', attrav. un gr. scient. moderno (XVII sec.) *rhakhitis*.

**rachitismo**, da *rach(id)itismo*.

**racimolare**, verbo denom. da *racìmolo*.

**racìmolo**, dimin. in *-olo* di un lat. volg. *\*racĭmus* (cfr. *raisin*) « il grappolo per eccellenza », variante di *racemus*; v. RACEMO, cfr. GRACÌMOLO.

**ra(d)-**, doppio pref. che indica ripetizione, v. R(I)-, e avvicinamento, v. A(D)-.

**rada**, dal frc. *rade* (XV sec.), risal. all'anglosassone *rad*.

**radar**, dall'ingl. *Ra(dio) D(etecting) a(nd) R(anging)*.

**radazza**, variante settentr. (con leniz. di *-t-* e assibilaz. di *-cja* di *retaccia*; v. RETE e cfr. REDAZZA.

**raddobbare**, da *addobbare* con *r(i)-* ripetitivo.

**raddolcire**, verbo denom. da *dolce* col doppio pref. *ra(d)-*.

**raddoppiare**, verbo denom. da *doppio* col doppio pref. *ra(d)-*.

**raddrizzare**, da *drizzare* col doppio pref. *ra(d)-*.

**ràdere**, lat. *rādĕre*, privo di connessioni evidenti, anche se sia ammissibile una serie onomatop. *r.... d* da cui derivino, con *rādĕre* anche *rōdĕre* (v. RÓDERE) e il sanscrito *radati* 'gratta': esempio di sopravvivenza nelle sole aree marginali estreme.

**radiale**[1] (di raggio), dal lat. *radius* (v. RAGGIO) col suff. it. *-ale*.

**radiale**[2] (di radio), dall'it. *radio* ' osso dell'avambraccio '; v. RADIO[1].

**radiare**[1], dal lat. *radiare*, verbo denom. da *radius*; v. RAGGIO.

**radiare**[2] (cancellare), dal frc. *radier* (lat. medv. *radiare*, erroneamente ricostruito sul frc. *rayer* ' tirare una riga ').

**radiazione**, dal lat. *radiatio, -onis*; v. RADIARE[1] e RAGGIO.

**ràdica**, lat. volg. *radīca*, estr. da *radīcŭla*, dimin. di *radix, -icis*; v. RADICE.

**radicaia**, collettivo di *ràdica*, sopravviv. soltanto come nome loc. tosc.; cfr. il nome loc. *Radicaia* presso Pistoia risal. a una forma *radicaria* e il parallelo BARBICAIA.

**radicale**, dal lat. tardo *radicalis*, deriv. di *radix, -icis*; v. RADICE. Influenzato nella terminologia politica dall'ingl. *radical* nel primo Ottocento.

**radicare**, dal lat. tardo *radicare*, verbo denom. da *radix*; v. RADICE.

**radicato**, dal lat. tardo *radicatus*.

**radicchio**, lat. volg. *radicŭlum*, class. *radīcŭla*, dimin. di *radix, -icis*; v. RADICE.

**radice**, lat. *radix, -icis*, deriv. fortemente personificato di una rad. che si presenta nelle forme WRAD nelle aree celtica, greca e germanica (ted. *Wurzel*) e nella forma RAD nelle aree latina e armena. Collegata vagamente con *ramus*; v. RAMO.

**radio**[1] (osso), dal lat. *radius* ' raggio ' perché ha la forma di un raggio di ruota; v. RAGGIO.

**radio**[2] (sostanza radioattiva), dal lat. *radius* ' raggio ', attrav. *radium* con la desinenza *-um*, propria dei nomi di corpi semplici: poi italianizzata anch'essa in *-o*.

**radio-**[3] (onde elettromagnetiche), solo come primo elemento di composiz., dal lat. *radius*; v. RAGGIO.

**radio**[4] (radiofonia), abbreviaz. di *radiofonìa* e di *(apparecchio) radio (ricevente)*.

**radioamatore**, da *radio-*[4] e *amatore*.

**radioascoltatore**, da *radio-*[4] e *ascoltatore*.

**radioassistenza**, da *radio-*[4] e *assistenza*.

**radioastronomia**, da *radio-*[3] e *astronomia*.

**radioattivo**, da *radio-*[2] e *attivo*.

**radioaudizione**, da *radio-*[4] e *audizione*.

**radiobùssola**, da *radio-*[3] e *bussola*.

**radiocomandare**, da *radio-*[3] e *comandare*.

**radiocommentatore**, da *radio-*[4] e *commentatore*.

**radiocomunicazione**, da *radio-*[4] e *comunicazione*.

**radiocrònaca**, da *radio-*[4] e *cronaca*.

**radiodermite**, da *radio-*[2] e *dermite*.

**radiodiffusione**, da *radio-*[4] e *diffusione*.

**radioestesia**, da *radio-*[3] e dal gr. *aisthēsis* ' percezione ', col suff. *-ìa* di astr.

**radiofaro**, da *radio-*[3] e *faro*.

**radiofonìa**, da *radio-*[3] e *-fonia*.

**radiofonògrafo**, da *radio-*[3] e *fonografo*.

**radiogoniòmetro**, da *radio-*[3] e *goniometro*.

**radiografìa**, da *radio-*[3] e *-grafia*.

**radiogramma**, da *radio-*[3], calco su *telegramma*.

**radiolina**, doppio dimin. di *radio-*[4].

**radiologìa**, da *radio-*[2] e *-logia*.

**radioonda**, da *radio-*[3] e *onda*.

**radioprogramma**, da *radio-*[4] e *programma*.

**radioricevente**, da *radio-*[4] e *ricevente*.

**radioscopìa**, da *radio-*[2] e *-scopia*.

**radioso**, dal lat. *radiosus*.

**radiotècnica**, da *radio-*[3] e *tecnica*.

**radiotelefonìa**, da *radio-*[3] e *telefonia*.

**radiotelegrafìa**, da *radio-*[3] e *telegrafia*.

**radiotelevisione**, da *radio-*[4] e *televisione*.

**radioterapìa**, da *radio-*[2] e *terapia*.

**radiotrasmittente**, da *radio-*[4] e *trasmittente*.

**radioutente**, da *radio-*[4] e *utente*.

**rado**, lat. *rarus* con dissimilaz. da *r.... r a r.... d*, forse per reazione agli usi merid. di *-r-* al posto di *-d-*, per es. in *niru* per ' nido '; v. RARO.

**radunare**, da *adunare* con *r(i)-* intens.

**raduno**, sost. deverb. estr. da *radunare*.

**ràfano**, lat. *raphănus* che è dal gr. *rháphanos*; cfr. RAVANELLO.

**raffa**, sost. deverb. estr. da *(ar)raffare* (v.) risal. a sua volta al longob. *hraffōn* ' strappar via '; cfr. RIFFA.

**raffazzonare**, verbo denom. col doppio pref. *ra(d)-*, tratto da *fazzone* (v.), forma di tradiz. ininterrotta di lat. *factio, -onis*, nome d'azione di *facěre*; cfr. frc. *façon* « preparare alla meglio », e v. FAZIONE.

**rafferma**, sost. deverb. da *raffermare*[2].

**raffermare**[1], verbo denom. da *fermo* (v.) col doppio pref. *ra(d)-*.

**raffermare**[2] (in senso mil.), verbo denom. da *ferma* con *a(d)-* illativo e *r(i)-* ripetitivo « rinnovare la ferma »; v. FERMA.

**raffermo**, agg. deverb. estr. da *rafferm(at)o*; v. RAFFERMARE[1].

**ràffica**, sost. deverb. da *rafficare*, verbo iterat. di *(ar)raffare* (v.).

**raffigurare**, verbo denom. da *figura* col doppio pref. *ra(d)-*.

**raffilare**, da *affilare* con *r(i)-* intens.

**raffinerìa**, dal frc. *raffinerie*.

**raffio**, dal longob. *krapfo* ' uncino ' incr. con it. *raffa*.

**rafforzare**, verbo denom. da *forza* col doppio pref. *ra(d)-*.

**raffreddare**, verbo denom. da *freddo* col doppio pref. *ra(d)-*.

**raffrenare**, verbo denom. da *freno* col doppio pref. *ra(d)-*.

**raffrontare**, verbo denom. da *fronte* col doppio pref. *ra(d)-*.

**raffronto**, sost. deverb. da *raffrontare*.

**rafia**, da una voce malgascia (Madagascar).

**ràgade**, dal gr. *rhagás, -ádos* ' screpolatura ', appartenente alla famiglia di *rhégnymi* ' rompo '.

**raganella**, dimin. di *ràgano* ' ramarro ', forma settentr. con leniz. di *-c-* in *-g-*, risal. a un lat. volg. *racănus*, deriv. del tardo *raccare* ' gridare ' di orig. onomatop.; cfr. *gracidare*, *ragliare*, *rana* e v. RAGLIARE e RANA.

**ragazzo**, dall'ar. magrebino *raqqas*, plur. *raqaqis* ' corriere, messaggero ', lat. medv. *ragatius* e varianti (G. B. Pellegrini).

**raggelare**, verbo denom. da *gelo* col doppio pref. *ra(d)-*.

**raggentilire**, verbo denom. da *gentile* col doppio pref. *ra(d)-*.

**raggiante**, part. pres. di *raggiare*.

**raggiare**, lat. *radiare*, verbo denom. da *radius*.

**raggio**, lat. volg. *radjus*, class. *radĭus* (trattato in it. come *modius*) privo di connessioni attendibili nelle altre aree ideur.

**raggirare**, da *aggirare* con *r(i)*- intens.

**raggiùngere**, da *giùngere* col doppio pref. *ra(d)*-.

**raggomitolare**, verbo denom. da *gomìtolo* col doppio pref. *ra(d)*-.

**raggranellare**, verbo denom. da *granello* col doppio pref. *ra(d)*-.

**raggricciare**, da *aggricciare* con *r(i)*- intens.

**raggrinzare**, da *aggrinzare* con *r(i)*- intens.

**raggrumare**, verbo denom. da *grumo* col doppio pref. *ra(d)*-.

**raggruppare**, da *aggruppare* con *r(i)*- intens.

**ragguagliare**, lat. volg. *\*aequaliare* incr. con *(u)guale* e col doppio pref. *ra(d)*-.

**ragguaglio**, sost. deverb. da *ragguagliare*.

**ragguardare**, da *guardare* col doppio pref. *ra(d)*-.

**ragguardévole**, agg. verb. da *ragguardare*.

**ragia**, lat. volg. *\*rasja*, agg. deriv. da *rasis* (lat. imp.) 'varietà di pece', attrav. una tradiz. settentr. che muta *\*rasja* in *\*rasgja*, resa poi tosc. in *ragia*. Lat. *rasis* si confronta forse con *rēsīna*; v. RÈSINA.

**ragià** (principe ind.), dal sanscrito *rājā* 're' attrav. accentazione frc.

**ragione**, lat. *ratio, -onis*, nome d'azione di *reri* 'contare', da una rad. RĒ, sicuram. ideur. ma priva di connessioni attendibili fuori d'Italia. La forma lat. è passata in it. attrav. una tradiz. settentr. che ha dato *\*rasgjone*, toscanizzata poi in *ragione*.

**ragionévole**, dal lat. *rationabìlis* incr. con it. *ragione* e col suff. *-évole* degli agg. verb. it.

**ragliare**, lat. volg. *\*rag(u)lare*, iterat. di *ragĕre* da una serie onomatop. *r.... g....* parallela a quella *r.... c* di lat. *raccare*; v. RAGANELLA e cfr. RANTO-LARE.

**ragno**, lat. volg. *\*ranjus*, class. *(a)rānĕus*, formaz. aggettiv. da un più ant. *\*araksno-* identico al gr. (femm.) *arákhnē*, parola forse mediterr., comunque assente dalle altre aree ideur.

**ragù**, dal frc. *ragout*, sost. deverb. da *ragouter* 'risvegliare l'appetito'.

**ragunare**, da *raunare* con epentesi di *-g-* fra le due vocali in iato.

**rai** (raggi), dal provz. *rai* (lat. *radii*); v. RAGGIO.

**raia** (pesce), dal lat. *raia* (cfr. RAZZA²), di prob. orig. mediterr.

**raion**, dall'ingl. *rayon* formaz. artificiale sorta negli Stati Uniti d'America.

**ralla**, lat. tardo *ralla*, nome di strum. da *\*rad-lo-* appartenente al sistema di *radĕre* 'raschiare'.

**rallegrare**, verbo denom. da *allegro* con *r(i)*- intens.

**rallentare**, verbo denom. da *lento* con *ra(d)*- intens.

**ramaccia**, pegg. di *(le) rama*, plur. coll. di *ramo*.

**ramadàn**, dall'ar. *ramaḍān*, nono mese dell'anno islamico.

**ramaglia**, lat. *ramalia*, ampliam. di *ramus*, 'rami secchi' (collettivo e peggiorativo); v. RAMO.

**ramaiolo**, da *rame* con il trattam. tosc. di *-ariu* in *-aio* e il suff. di strum. *-olo*, secondo il rapporto di *fumaiolo* a *fumo*.

**ramanzina**, assimilaz. *a.... a* da *o.... a*, da *romanzina* «rimprovero superficiale (*-ina*) ma prolisso come un romanzo».

**ramarro**, forse da un settentr. *ramàr*, risal. a lat. volg. *\*ramarius*, con (ingiustificato) raddopp. della *-r-* in tosc.; v. RAMO.

**ramazza**, dal piemontese *ramassa*, collettivo e peg-

giorativo di *ramo* (v.), toscanizzato in *-zz-* (anziché in *-ccj-*).

**rame**, lat. tardo *(ae)ramen, -ìnis*, ampliam. di class. *aes aeris*, da un tema ideur. orig. AYOS 'rame', poi anche 'bronzo', attestato anche nelle aree germanica e indiana.

**ramengo**, forma veneta per *ramingo*.

**ramerino**, lat. *ros marinus* incr. con *ramo* e trattato secondo la formula tosc. che muta *-ar-* interno e non accentato in *-er-*.

**ramia** (fibra tessile), dal malese, attraverso il frc. *ramié* (XIX sec.).

**ramificare**, dal lat. medv. *ramificare*, deriv. da *ramus*.

**ramificazione**, dal lat. medv. *ramificatio, -onis*.

**ramingo**, da *ramo* (v.) col suff. (germ.) *-ingo* (di *solingo, guardingo, casalingo*).

**ramino¹** (recipiente), dimin. di *rame*.

**ramino²** (gioco), da *ramì* di orig. gergali oscure.

**rammaricare**, verbo denom. da *amaro* col suff. iterat. *-icare*, incr. col doppio suff. *ra(d)*- e quindi da *ra(d)-(a)maricare*.

**rammemorare**, dal lat. tardo *rememorari* incr. col doppio pref. it. *ra(d)*-; v. MÈMORE.

**rammemorazione**, dal lat. tardo *rememoratio, -onis*, incr. con it. *rammemorare*.

**rammendare**, da *ammendare* con *r(i)*- ripetitivo-intensivo.

**rammentare**, verbo denom. da *mente* col doppio pref. *ra(d)*-.

**rammodernare**, da *ammodernare* con *r(i)*- intens.

**rammollire**, da *ammollire* con *r(i)*- intens.

**rammollito**, dal frc. *ramolli* (XIX sec.) incr. con it. *rammollito*.

**ramo**, lat. *ramus*, prob. ant. *\*radsmos*, della stessa famiglia di *radix, -ìcis*; v. RADICE.

**ramolaccio**, incr. di lat. *armoracia*, che è dal gr. *armorakia*, con *ramo* e successiva dissimilaz. da *r.... r* in *r.... l*.

**ramoso**, dal lat. *ramosus*.

**rampa**, sost. deverb. da *rampare*.

**rampare**, dal franco *\*hrampōn* 'contrarsi'; v. (AR)RAMPICARE.

**rampicante**, part. pres. di *rampicare*.

**rampicare**, iterat. di *rampare*.

**rampogna**, dal frc. ant. *ramposne*.

**rampognare**, dal frc. ant. *ramposner* 'schernire', risal. forse al franco *\*hrampōn*; cfr. *rampare*.

**rampollare**, incr. di *pollare* (v.) 'germogliare' con *ampolla* e perciò 'scaturire' col pref. *r(i)*- ripetitivo.

**rampollo**, sost. deverb. da *rampollare*.

**rampone**, sost. deverb. estr. da *rampare* con suff. accresc.

**rana**, lat. *rana*, ant. *\*raksna* dalla rad. onomatop. RAK/RAG; cfr. i verbi lat. *raccare* e *ragĕre* e v. RAGA-NELLA, RAGLIARE.

**rancare**, verbo denom. da *ranco*; cfr. ARRANCARE.

**ràncido**, dal lat. *rancìdus*, dal verbo *rancēre* 'saper di rancido', privo di connessioni etimol. attendibili.

**rancio**, dallo sp. *rancho* 'camerata di soldati'.

**ranco** 'zoppo', dal gotico *\*wranks*.

**rancore**, dal lat. tardo *rancor* 'odore di rancido' impiegato figuratam.

**randa** 'orlo' e 'strumento per falegnami', dal gotico *\*randa* 'orlo dello scudo' (ted. *Rand*).

**randagio**, agg. deverb. estr. da *randeggiare* (v.) incr. con *adagio*.

**randeggiare**, verbo denom. da *randa* ' orlo '.

**randello**, dimin. di *randa* nel senso di ' strum. per falegname ', passato a ' bastone '.

**ranfia, ranfio**, dal longob. *rampf*, collegato col franco \**hrampōn*; v. RAMPARE.

**rangìfero** (renna), dal lat. medv. *ràngifer, -feri*, risal. prob. al finnico *raingo*, norreno *hreinn* ' cervo '; cfr. RENNA.

**rango**, dal frc. *rang*, risal. al franco \**hring* ' anello ' poi ' assemblea '.

**ràngola** ' respiro affannoso ', incr. di *ràntolo* e *stràngola*.

**rannicchiare**, verbo denom. da *nicchio* col doppio pref. *ra(d)-*.

**ranno**, lat. medv. (XII sec.) *ranna*, dal longob. *rann(j)ā* ' mezzo per ammollire ', della famiglia del ted. *rinnen* ' gocciolare '.

**rannodare**, verbo denom. da *nodo* col doppio pref. *ra(d)-*.

**rannuvolare**, da *annuvolare* con *r(i)-* intens.

**ranocchia**, lat. volg. \**ranucŭla*, dimin. di *rana*.

**rantolare**, lat. volg. \**ragulare* (v. RAGLIARE), incr. con la serie onomatop. *(b)r.... ntol* di it. *brontolare*.

**ràntolo**, sost. deverb. da *rantolare*.

**ranùncolo**, dal lat. *ranuncŭlus*, dimin. di *rana* attrav. un presunto deriv. maschile \**rano, \*ranonis*, seguìto da un diminutivo: calco sul gr. *batrákhion*, dimin. di *bátrakhos* ' rana '.

**rapa**, lat. *rapa, -ae*, più ant. *rapum, -i* con connessioni germaniche (ted. *Rübe*) e baltiche. Non chiare sono le forme corrispond. greca e slava.

**rapace**, dal lat. *rapax, -acis*, deriv. di *rapĕre* come *audax* da *audere*.

**rapacità**, dal lat. *rapacĭtas, -atis*.

**rapare**[1] (tagliare i capelli), verbo denom. da *rapa* « rendere rapa (una testa) ».

**rapare**[2] (polverizzare il tabacco), dal frc. *râper*; cfr. RASPARE.

**rapè** (qualità di tabacco), dal frc. *râpé*, part. pass. di *râper*.

**raperino**, doppio deriv. di *rapa*.

**raperónzolo**, incr. di *rapónzolo* con *raperino*.

**rapidità**, dal lat. *rapidĭtas, -atis*.

**ràpido**, dal lat. *rapĭdus*, deriv. di *rapĕre* come *cupĭdus* di *cupĕre*; v. RAPIRE.

**rapina**, dal lat. *rapina*, deriv. di *rapĕre* come *ruina* da *ruĕre*.

**rapire**, lat. volg. \**rapire*, class. *rapĕre*, risal. a una rad. REP ' prendere golosamente ', attestata anche nelle aree greca, albanese e baltica.

**rapónzolo**, dal lat. medv. *rapuntium*, deriv. del lat. *rapum* (v. RAPA) e provvisto di un suff. dimin.

**rappa** (anomalìa al ginocchio dei cavalli), dal gotico \**rappa*.

**rappaciare**, verbo denom. da *pace* col pref. *ra(d)-*.

**rappacificare** ' rimettere in rapporti di pace ', da *pacificare* (v.) ' mettere in rapporti di pace quanti potevano non esservi mai stati ', col doppio pref. *ra(d)-* intens. e reciproco.

**rappattumare**, verbo denom. da *pattume* ' insieme di erbe destinate a lettime ' col doppio pref. *ra(d)-*.

**rappezzare**, lat medv. (VIII sec.) *repettiare* incr. con *appezzare* (v.).

**rapportare**, da *apportare* con *r(i)-* intens.

**rapporto**, sost. deverb. da *rapportare*. Nel senso di ' relazione congressuale ', dal frc. *rapport*.

**rapprèndere**, da *prèndere* col doppio pref. *ra(d)-*.

**rappresaglia**, dal lat. medv. *rapresalia*, collettivo in *-alia* di *represa* « presa in ricambio » (cfr. lat. medv. *presa* ' sequestro ') incr. col doppio pref. it. *ra(d)-*.

**rappresentare**, dal lat. *repraesentare*, comp. di *re-* e *praesentare* (v. PRESENTARE), incr. col doppio pref. it. *ra(d)-*.

**rappresentazione**, dal lat. *repraesentatio, -onis* incr. con it. *rappresentare*.

**rapsodìa**, dal gr. *rhapsōidía*, astr. di *rhapsōidós*.

**rapsodo**, dal gr. *rhapsōidós*, comp. di *rháptō* ' cucio insieme ' e *ōidé* ' canto ', col suff. *-ó-* di nome d'agente.

**rarefare**, dal lat. *rarĕfacĕre* incr. con it. *fare. Rarĕ* (v. RARO) è avverbio, e, come tipo di composiz., è parallelo al tipo non primitivo di *benefacĕre*.

**rarità**, dal lat. *rarĭtas, -atis*.

**raro**, dal lat. *rārus* che sembra rappresentare una rad. (E)RĒ[2] ' separare ', ' allentare ', attestata nelle aree baltica e slava e collegabile con lat. *rētĕ*; v. RETE.

**ras**, dall'amarico *ras* ' capo ', ' sommità '.

**rasare**, lat. volg. \**rasare*, intens. di *radĕre*, deriv. dal part. pass. *rasus*; v. RÀDERE.

**raschiare**, lat. volg. \**rasculare*, verbo denom. da *rascŭlum* ' strumento per radere ', da *radĕre* con il suff. di strum. *-cŭlo*.

**rascia** (tessuto), dalla città di *Rascia* in Serbia e dal regno (*Rasc'ka*) che ne dipendeva.

**rasciugare**, da *asciugare* con *r(i)-* intens.

**rasentare**, verbo denom. da *rasente* (v.).

**rasente**, incr. di *radente*, part. pres. di *ràdere* con *raso* ' spianato ' (v.).

**rasiera**, dal frc. *rasière*, risal. a *raser* ' ràdere '.

**raso**, lat. *rasus*, part. pass. di *radĕre*, in it. anche sostantiv. (« stoffa rasata »).

**rasoio**, lat. *rasorium*, deriv. da *rasus* col suff. di agg. « d'agente », sostantiv. in *-orium* e passato alla forma norm. tosc. in *-oio*.

**raspa**, sost. deverb. da *raspare*.

**raspare**, dal franco *raspōn*.

**raspo**, da *rasp(at)o*, part. pass. di *raspare* poi sostantiv.

**rassegna**, sost. deverb. da *rassegnare*.

**rassegnare**, dal lat. *resignare*, comp. di *re-* e *signare* da principio ' dissuggellare ' (v. SEGNARE), incr. col doppio pref. it. *ra(d)-*.

**rassegnazione**, nome d'azione di *rassegnare* nel solo senso religioso e morale.

**rasserenare**, da \**riserenare*, verbo denom. da *sereno* con *ri-* ripetitivo (« restituire la serenità ») incr. col doppio pref. it. *ra(d)-*.

**rassettare**, da *assettare* con *r(i)-* intens.-iterat.

**rassicurare**, da *assicurare* con *r(i)-* intensivo-conclusivo.

**rassodare**, da *sodo* col doppio pref. *ra(d)-*.

**rassomigliare**, da *assomigliare* con *r(i)-* intensivo-reciproco.

**rastrello**, lat. volg. \**rastrellum*, incr. di *rastellum* con *rastrum*, nome di strum. da *radĕre*; v. RÀDERE.

**rastremare**, verbo denom. da *stremo* col doppio pref. *ra(d)-*.

**rastro**, dal lat. *rastrum*; v. RASTRELLO.

**rasura**, dal lat. *rasura*, astr. di *radĕre*.

**rata,** dal lat. *rata* (*pars*) ' (parte) stabilita ', forma sostantiv. femm. di *ratus*, part. pass. di *reri*; v. RAGIONE.

**ratafià,** dal frc. *ratafia*, di orig. creola (XVII sec.).

**rate** ' zattera ', dal lat. *ratis*, *-is*, privo di conness.

**rateare,** verbo denom. da *rata*, intermedio fra i tipi *ratare* e *rateggiare*.

**rateo,** sost. deverb. da *rateare*.

**ratifica,** sost. deverb. da *ratificare*.

**ratificare,** dal lat. medv. *ratificare*, calco sul class. *ratum facĕre* ' render valido '; v. RATA e RAGIONE.

**rato** ' ratificato ', dal lat. *ratus*, part. pass. di *reri*; v. RATA, RAGIONE e cfr. ÌRRITO.

**rattenere,** lat. *retinere*, comp. di *re-* e *tenere* (v. RITE-NERE) incr. col doppio pref. it. *ra(d)-*.

**rattina** (stoffa), dal frc. *ratine* (XVII sec.).

**rattizzare,** da *attizzare* con *r(i)-* intens.

**ratto¹** (rapimento), dal lat. *raptus*, *-us*, astr. di *rapĕre*; v. RAPIRE.

**ratto²** ' rapido ', lat. *rapĭdus*, con normale sincope della voc. postonica e assimilaz. progressiva del grado d'articolaz. da *pd* a *tt*; cfr. NETTO che è il lat. *nitĭdus*.

**ratto³** (rapito), dal lat. *raptus*, part. pass. di *rapĕre*.

**ratto⁴** (topo), da una serie onomatop. *r.... t* legato alla nozione di ' rodere ', attestata in tutta l'area romanza e germanica occidentale (ted. *Ratte*).

**rattoppare,** verbo denom. da *toppa* col doppio pref. it. *ra(d)-*.

**rattrappire,** verbo denom. dal long. *trappa* ' laccio ' (v. TRÀPPOLA) e il doppio suff. it. *ra(d)-*.

**rattrarre,** da *attrarre* con *r(i)-*, che indica movimento inverso.

**rattristare,** verbo denom. da *triste* col doppio pref. *ra(d)-*.

**raucèdine,** dal lat. *raucedo*, *-ĭnis*, astr. di *raucus*; v. RAUCO.

**rauco,** dal lat. *raucus*, ant. *ravicus*, deriv. da *ravis* ' arrocamento ', privo di connessioni etimol., forse di orig. onomatop.

**raunare,** da *radunare* con leniz. totale settentr. della *-d-* intervoc.; cfr. RAGUNARE.

**ravanello,** variante di *rafanello*, dimin. di *ràfano* (v.) con leniz. settentr. di *-f-* in *-v-*.

**ravaneto** (insieme di detriti), collettivo di *ravano* e questo dalla base mediterr. RAVA ' frana, precipizio '; v. RAVE.

**ravastrello,** lat. *rapistrum* ' ravanello ' con leniz. settentr. di *-p-* in *-v-* incr. col suff. *-astro-* e in più con un suff. vezzegg. *-ello*; v. RAPA.

**rave** (precipizio), da una base mediter. RAVA; cfr. RAVANETO.

**raveggiolo** (formaggio), forse da un nome loc. Raveggi.

**raviolo,** dal lat. medv. *rabiola* (XIII sec.) e cioè « piccola rapa »: da *rapa* (v.) con leniz. settentr.

**ravizzone,** dal lat. *rapĭcius*, deriv. di *rapum* (v. RAPA), con leniz. settentr. di *-p-* in *-v-* e assibilaz. di *-cjo-* in *-sso-*, in Toscana corretta poi in *-zz-*.

**ravo** ' biondo scuro ', dal lat. *ravus*, privo di conness.

**ravvalorare,** da *avvalorare* con *r(i)-* intens.

**ravvedersi,** da *avvedersi* con *r(i)-* indicante movimento in senso inverso.

**ravviare,** da *avviare* con *r(i)-* di movimento in senso inverso.

**ravvicinare,** da *avvicinare* con *r(i)-* intens.

**ravvisare,** verbo denom. da *viso* col pref. *ra(d)-*.

**ravvivare,** da *avvivare* con *r(i)-* di movimento in senso inverso.

**ravvòlgere,** da *avvòlgere* con *r(i)-* intens.

**ravvoltolare,** da *avvoltolare* con *r(i)-* intens.

**raziocinare,** dal lat. *ratiocinari* ' calcolare ', verbo denom. da *ratio*, *-onis* con un suff. di derivaz. *-cinari* come in *patrocinari* o *latrocinari*.

**raziocinativo,** dal lat. *ratiocinativus*.

**raziocinio,** dal lat. *ratiocinium*, sost. deverb. da *ratiocinari*.

**razionale,** dal lat. *rationalis*, deriv. di *ratio*, *-onis*; v. RAGIONE.

**razionalità,** dal lat. tardo *rationalĭtas*, *-atis*.

**razione,** dal lat. *ratio*, *-onis* (v. RAGIONE) ricalcato per il signif. sullo sp. *ración*.

**razza¹,** dal frc. ant. *haraz* ' allevamento di cavalli ', attrav. una forma it. *l'arazz* maschile, poi analizzata come la *razz(a)* femm. (G. Contini).

**razza²** (pesce), lat. *raia*; v. RAIA (con *zz* sonora).

**razzamaglia,** doppio collettivo-peggiorativo di *razza*, attrav. i due suff. *-ame* e *-aglia*.

**razzare¹,** verbo denom. da *razzo* ' raggio ' (v.).

**razzare²** ' grattare ', dal long. *razz(j)an*.

**razzente,** incr. di *friggente* (v. FRÌGGERE), con *razzante* (v. RAZZARE).

**razzìa,** dall'ar. *ghāziyya*, forma magrebina di *ghazwa* ' incursione ', attrav. il frc. *razzia* (XIX sec.).

**razziale,** dal frc. *racial* (deriv. di *race* ' razza '), incr. con it. *razza¹*.

**razzismo,** dal frc. *racisme* incr. con it. *razza*'.

**razzo,** lat. volg. *radjus*, class. *radius*, trattato come *medius* in *mezzo*; v. RAGGIO.

**razzolare,** da *razzare²* col suff. iterat. *-olare*.

**re-,** dal lat. *re(d)* pref. che indica un movimento in senso inverso (*recedo*), un ritorno a stato precedente (*restituo*), una ripetizione (*recanto*), o un annullamento dello stato precedente (*revelo*). Privo di connessioni fuori d'Italia.

**re¹,** lat. *rex*, antichissimo tema radicale ideur. sopravv. solo nelle aree estreme latina, celtica (gallico *-rix*), indiana (sanscrito *rājā*, v. RAGIÀ), collegato con la rad. REG; v. REGGERE.

**re²** (nota musicale), dalla prima sill. di *resonare* nell'inno di S. Giovanni solfeggiato da Guido d'Arezzo: *ut queant laxis REsonare* ecc.

**-rea,** secondo elemento di composiz., dal gr. *-rhoïa* ' il fatto di scorrere ' (*gonorrea*, *logorrea*).

**reagire,** da *agire* con *re-* di movimento in senso inverso.

**reale¹** (del re), dal lat. *regalis* attrav. il frc. ant. *reial*.

**reale²** (obiettivo), dal lat. medv. *realis*, deriv. di *res* ' cosa ', rad. RĒI, parola antichissima, sopravv. solo in Italia e nell'area indo-iranica, e indicante in lat. ' i beni ', poi ' affare ', alla fine ' cosa '.

**reale³** (moneta), dallo sp. *real*.

**realizzare¹** ' vendere ', dal frc. *réaliser*.

**realizzare²** ' capire ', dall'ingl. *to realize*.

**realtà,** dal lat. *realĭtas*, *-atis*.

**reame,** dal frc. ant. *reame*, incr. al lat. *regĭmen* con *reial* ' reale '; v. REALE¹.

**reato,** dal lat. tardo *reatus*, *-us*, astr. di un presunto *reare* ' agire in qualità di reo ', verbo denom. da *reus*; v. REO.

**reattino,** da *regattino*, con leniz. totale settentr. di *-g-* intervocalico, dimin. di *regatto*, dimin. di *re*.

**reattivo,** dal frc. *réactif*, incr. di *réagir* e *actif*.

**reattore,** dal frc. *réacteur*, incr. di *réagir* e *acteur*.

**reazione,** incr. di *reagire* e *azione.*

**rebbio,** dal franco *ripil* ' pettine con denti di ferro '.

**reboante,** dal lat. *rebŏans, -antis,* part. pres. di *reboare* ' rimbombare ', comp. di *re-* e *boare;* v. BOATO.

**rebus,** dalla locuz. *de rebus quae geruntur,* titolo di componimenti letterari frc., attrav. il frc. *rébus* (XVI sec.).

**recalcitrare,** dal lat. *recalcitrare,* comp. di *re-* e *calcitrare,* verbo denom. da *\*calcitrum* ' colpo di tallone ', nome legato a *calx calcis* ' tallone ', di origine mediterr. v. CALCE².

**recapitare,** da *capitare* (in senso trans.) con *re-* intens. « portare proprio a capo ».

**recare,** dal gotico *rikan* (ted. *reichen* ' arrivare, bastare ').

**recèdere,** dal lat. *recedĕre,* comp. di *re-* di movimento inverso e *cedĕre* ' andare '; v. CÈDERE.

**recensione,** dal lat. *recensio, -onis,* nome d'azione di *recensere;* v. CENSIRE.

**recensire,** dal lat. *recensere* incr. con it. *censire.*

**recente,** dal lat. *recens, -entis,* forse da *re-* di movimento in senso inverso e la rad. KEN ' incominciare ', attestata anche nell'area slava, con un ampliam. in *-t* associato al valore di nome d'agente: cfr. l'analoga formazione di *repens, -entis,* v. REPENTE.

**recepire** ' ricevere ', incr. di lat. *recipĕre* e it. *capire.*

**recere,** lat. *reicĕre* con assorbimento del dittongo *-ei-* in *-e-;* cfr. *prete* da *preite.* Lat. *reicĕre* è comp. di *re-* di movimento in senso inverso e *iacĕre* ' gettare ' con norm. passaggio di *-iă-* in *-ĭ-* in sill. interna aperta.

**recessione,** dal lat. tardo *recessio, -onis,* nome di azione di *recedĕre.* In senso economico, dall'ingl. *recession.*

**recesso,** dal lat. *recessus, -us,* astr. di *recedĕre.*

**recettivo, recezione,** v. RICETTIVO, RICEZIONE.

**recìdere,** dal lat. *recidĕre,* comp. di *re-* e *caedĕre,* con norm. passaggio di *-ae-* in *-ĭ-* in sill. interna; v. -CIDA.

**recidivo,** dal lat. *recidivus,* deriv. di *recidĕre,* comp. di *re-* e *cadĕre* con passaggio di *-ă-* in *-ĭ-* in sill. interna aperta; cfr. *subsecivus* rispetto a *subsecare, redivivus* rispetto a *\*reduvĕre;* v. REDIVIVO.

**recìngere,** dal lat. *recingĕre,* originariam. ' sciogliere ', più tardi ' cinger di nuovo ' con la sostituz. di *-re* ripetitivo a *re-* negativo e sottrattivo; v. CÌNGERE.

**recinto,** forma sostantiv. del part. pass. di *recìngere,* lat. *recinctus.*

**rècipe,** dal lat. *recĭpe,* imperat. pres. (seconda pers.) di *recipĕre,* comp. di *re-* e *capĕre,* cfr. la locuzione *(formula) recepta* (v. RICETTA), con norm. passaggio di *-ă-* a *-ĕ-* in sill. interna chiusa, e di *-ă-* in *-ĭ-* in sill. interna aperta.

**recipiente,** forma sostantiv. dal lat. *recipiens, -entis,* part. pres. di *recipĕre;* v. RÈCIPE.

**reciprocare,** dal lat. *reciprocare.*

**reciprocità,** dal lat. tardo *reciprocĭtas, -atis.*

**reciproco,** dal lat. *reciprŏcus,* comp. di *\*recus,* deriv. di *re-* ' indietro ' (v. RE- e cfr. RETRO), e *\*procus,* deriv. di *pro-* ' avanti ' (v. -PRO): « che va avanti e indietro ». Ma per *procus* ' pretendente ', di orig. tutta diversa, v. PROCI.

**recisione,** dal lat. tardo *recisio, -onis,* nome d'azione di *recidĕre;* v. RECÌDERE.

**recitare,** dal lat. *recitare* ' rifare l'appello delle persone convocate in Tribunale ', comp. di *re-* ripetitivo e *citare;* v. CITARE.

**recitatore,** dal lat. *recitator, -oris.*

**recitazione,** dal lat. *recitatio, -onis.*

**reclamare,** dal lat. *reclamare* ' gridar contro ', comp. di *clamare* e *re-* di movimento in senso inverso.

**reclame,** dal frc. *réclame* ' richiamo (tipografico) '.

**reclamo,** sost. deverb. da *reclamare.*

**reclinare,** dal lat. *reclinare,* da *clinare* (v. CHINARE) con *re-* di movimento inverso.

**reclùdere,** dal lat. *recludĕre,* comp. di *claudĕre* con norm. passaggio di *-au-* a *-ū-* in sill. interna e *re-,* originariam. di movimento in senso inverso e valore negat., e perciò « aprire »; in ultimo invece con *re-* intens. e perciò « chiuder via ».

**reclusione,** dal lat. *reclusio, -onis,* nome d'azione di *recludĕre* ' aprire ', incr. per il signif. con it. *reclùdere.*

**rècluta,** dallo sp. *recluta,* e questa, forma dissimilata dal frc. *recrue* « ricréscita (delle forze armate) ».

**reclutare,** dallo sp. *reclutar,* verbo denom. da *recluta.*

**recòndito,** dal lat. *reconditus* ' messo in disparte ', comp. di *re-* di movimento all'indietro e *conditus,* comp. di *com* e il part. pass. della rad. DHĒ ' porre ', col valore di ' costituito ', ' disposto '; con il norm. trattam. di *-d-* da *-dh-* all'interno della parola; v. FARE.

**record,** dall'ingl. *record* « registrazione (di un primato) » attrav. il frc. (XIX sec.).

**recriminare,** dal lat. medv. *recriminari,* verbo denom. da *crimen,* con *re-* di movimento inverso: « ritorcere l'accusa »; v. CRÌMINE.

**recriminazione,** dal lat. medv. *recriminatio, -onis.*

**recrudescenza,** dal lat. *recrudescĕre,* comp. di *crudescĕre,* verbo denom. incoat. di *crudus* (v. CRUDO), col pref. *re-* di ripetizione e intensità, il tutto incr. con it. *crescenza, convalescenza.*

**recto,** dalla locuzione lat. *(folio) recto* « dalla parte diritta (del foglio) », opposto a *verso* « dalla parte voltata »; v. VERSO³.

**recuperare,** v. RICUPERARE.

**reda,** dal lat. *raeda* ' carro a quattro ruote ', di orig. gallica.

**redarguire,** dal lat. *redarguĕre* incr. con it. *arguire:* comp. di *arguĕre* (v. ARGUIRE) e *red-* di movimento inverso: « controbattere un'argomentazione ».

**redatto,** dal lat. *redactus,* part. pass. di *redigĕre,* da *red-* e *āctus,* part. pass. di *agĕre;* v. AGIRE.

**redattore,** dal lat. *redactus* incr. con it. *attore.*

**redazione,** dal lat. tardo *redactio, -onis,* nome di azione di *redigĕre,* deriv. dal part. *redactus.*

**redazza,** v. RADAZZA.

**rèddito,** forma sostantiv. dal lat. *reddĭtus,* comp. di *red-* di movimento all'indietro e *dătus* ' dato ' con norm. passaggio di *-ă-* a *-ĭ-* in sill. interna aperta.

**redento,** dal lat. *redemptus,* part. pass. di *redimĕre* ' riscattare ' (v. REDÌMERE), con signif. cristiano.

**redentore,** dal lat. crist. *redemptor, -oris,* nome di agente di *redimĕre* in senso crist.

**redenzione,** dal lat. *redemptio, -onis,* nome d'azione di *redimĕre* in senso crist.

**redibitorio,** dal lat. tardo *redhibitorius,* agg. di *redhibĭtor,* nome d'agente di *redhibere* ' (far) riprendere ', comp. di *red-* di movimento inverso e *habere,* con passaggio di *-ă-* in *-ĭ-* in sill. interna aperta.

**redibizione**, dal lat. *redhibitio, -onis*, nome d'azione di *redhibere*.

**redigere**, dal lat. *redigĕre*, comp. di *red-* di movimento inverso e *agĕre* (v. AGIRE), con norm. passaggio di *-ă-* in *-ĭ-* in sill. interna aperta.

**redìmere**, dal lat. *redimĕre* ' riscattare ', comp. di *red-* di movimento inverso e *emĕre* ' comprare ' con norm. passaggio di *-ĕ-* in *-ĭ-* in sill. interna aperta.

**redimire**, dal lat. *redimire*, verbo denom. estr. da *redimĭcŭlum* ' coroncina, braccialetto ', comp. di *red-* intens. e *amĭcŭlum* ' oggetto che circonda ' con norm. passaggio di *-ă-* in *-ĭ-* in sill. interna aperta. *Amĭculum* è un deriv. di *amicire* « gettarsi addosso (una veste) » che risale a sua volta a *am(b)-* ' intorno ' e *iacĕre* ' gettare ', ed è passato alla quarta coniugaz. per evitare una serie di tre vocali brevi; cfr. REPERIRE.

**rèdine**, lat. medv. *rètina*, sost. deverb. da *retinere* (v. RITENERE), con leniz. settentr. di *-t-* in *-d-* e col sg. in *-e* fatto sul plur. in *-i*.

**redingotta**, dal frc. *redingote* che è dall'ingl. *riding-coat* ' vestito per cavalcare '.

**redintegrare**, dal lat. *redintegrare*, comp. di *red-* e *integrare* (v. INTEGRO), con *red-* di movimento inverso, restitutivo; cfr. REINTEGRARE.

**redire**, dal lat. *redire*, comp. di *red-* di movimento inverso e *ire*; v. GIRE e cfr. RIÈDERE.

**redivivo**, dal lat. *redivivus* ' restaurato ', deriv. di *\*reduvĕre* (come *recidivus* di *recidĕre*, v. RECIDIVO), comp. di *red-* e *\*-euĕre, \*-ouĕre* (cfr. *induĕre, exuĕre* e v. INDUMENTO), col passaggio di *-ŭv-* a *-iv-* in sill. interna aperta. Il signif. crist., assunto dopo, è stato invece quello di « risuscitato ».

**redo**, da *(e)rede*, passato alla declinaz. in *-o*.

**rèdola** (sentiero), sost. deverb. da un *\*redolare*, verbo denom. iterat. da lat. *raeda* ' carro ', parola di origine gallica.

**redolente**, dal lat. *redŏlens, -entis*, part. pres. di *redolere*, comp. di *red-* di movimento in senso inverso e *olere*; v. OLEZZO.

**rèduce**, dal lat. *redux, -ŭcis*, propr. « che è condotto indietro »; v. DUCE.

**reduplicare**, dal lat. tardo *reduplicare*, comp. di *re-* ripetitivo e *duplicare*; v. DUPLICARE.

**reduplicazione**, dal lat. tardo *reduplicatio, -onis*.

**refe**, da un lat. dei gloss. *ripe* ' filo ', forse attrav. la trasmissione del venez. *reve*, con passaggio da *-v-* a *-f-* come nel caso di *cafone* (v.).

**referendario**, dal lat. tardo *referendarius* « addetto alle cose che devono essere riferite (*referenda*) »; v. RIFERIRE.

**referendum**, dalla locuzione (*convocatio*) *ad referendum* « per riferire », part. fut. passivo di *referre*; v. RIFERIRE.

**referenza**, dal frc. *référence* (XIX sec.).

**referto**, dal lat. medv. *refertum*, part. sostantiv. di *referre* (invece del class. *relatum*).

**refettorio**, dal lat. crist. *refectorium*, forma sostantiv. di *refectorius* « che serve a ristorare »; v. REFICIARE.

**refezione**, dal lat. *refectio, -onis*, nome d'azione di *reficĕre* ' rifare ', v. REFICIARE.

**reficiare**, dal lat. *reficĕre* incr. con *officiare*. *Reficĕre* è comp. di *re-* restitutivo e *facĕre* (v. FARE), con norm. passaggio di *-ă-* a *-ĭ-* in sill. interna aperta.

**rèfluo**, dal lat. *reflŭus*, deriv. di *refluĕre*, comp. di *re-* di movimento inverso e *fluĕre* ' scorrere '; v. FLUIRE.

**rèfolo**, lat. volg. *\*refŭlum*, sost. deverb. da un verbo *reflare* ' soffiare all'indietro ', analizzato invece che come *re-flare* (v. FIATO), come *ref-* con suff. iterat. *(o)lare* (v.).

**refrattario**, dal lat. *refractarius* ' caparbio ', doppio deriv. di *refragari* ' opporsi ', comp. di *re-* di movimento inverso e *\*fragari*, durativo di *frangĕre*, (v. FRÀNGERE), ottenuto attraverso l'allungam. della vocale radicale; cfr. SUFFRAGARE.

**refrigerare**, dal lat. *refrigerare*, verbo denom. da *frigus, -ŏris* ' freddo ' col pref. *re-* che sottolinea il movimento di distacco (dal caldo).

**refrigerativo**, dal lat. tardo *refrigerativus*.

**refrigerazione**, dal lat. *refrigeratio, -onis*.

**refrigerio**, dal lat. tardo *refrigerium*.

**refurtiva**, dal lat. *re(s) furtiva* ' roba rubata '; v. FURTIVO e REALE[2].

**refuso**, dal lat. *refusum*, forma sostantiv. del part. pass. di *refundĕre*, comp. di *re-* di movimento in senso inverso e *fusus* (v. FUSO): « fuso a rovescio ».

**refutare**, dal lat. *refutare*; v. RIFIUTARE.

**refutazione**, dal lat. *refutatio, -onis*.

**regalare**, dallo sp. *regalar* ' render omaggio al re '.

**regale**, dal lat. *regalis*, deriv. di *rex* ' re '; v. RE[1].

**regalia**, dal lat. medv. (XI sec.) *regalia* ' diritti del re ', incr. con *regalare* e col suff. di astr. in *-ìa*; cfr. RIGAGLIA.

**regalo**, dallo sp. *regalo* ' dono al re '; cfr. RIGAGLIA.

**règamo**, lat. *(o)rigănum*, risal. al gr. *origanon*, incr. con *dìttamo* (v.).

**regata**, dal venez. *regata*, sost. deverb. da *regatàr*, lat. *\*recaptare*, comp. di *re-* di movimento e di restituzione, con *captare*, intens. di *capĕre*, con norm. leniz. settentr. di *-c-* in *-g-*; cfr. RICATTARE.

**regesto**, dal lat. tardo *regesta, -orum* ' registro ', part. pass. sostantiv. di *regerĕre*, comp. di *re-* di senso inverso e *gerĕre* ' portare '; v. GERENTE e GESTO, cfr. REGISTRO.

**règgere**, lat. *regĕre* con norm. raddopp. di cons. postonica in parola sdrucciola. La rad. REG indica il movimento in linea retta ed è attestata nelle aree indoiranica, greca, germanica, celtica, baltica e osco-umbra. Essa è suscettibile di applicazioni figurate, per es. al senso del ' diritto ' (ted. *Recht*). Per il tema nominale radicale REG, v. RE[1]. Per la forma verbale durativa-intensiva del lat. *rogare*, v. ROGARE.

**reggetta** (nastro di ferro), dimin. di *reggia*, forma settentr. di *regŭla*; v. RÈGOLA.

**reggia**, lat. volg. *\*regja (domus)*, forma femm. sostantiv. di class. *regius*, con norm. raddopp. di cons. palat. postonica in gruppo con *j*; v. REGIO.

**reggimento**, dal lat. tardo *regimentum* incr. con it. *règgere*.

**regia**, dal frc. *régie*, astr. di *régir* che è dal lat. *regĕre*.

**regicida**, dal lat. medv. *regicida*, calco su *homicida*; v. OMICIDA.

**regicidio**, dal lat. medv. *regicidium*.

**regime**, dal lat. *regĭmen*, deriv. di *regĕre* incr. col frc. *régime*.

**regina**, lat. *regina*, ant. *\*regnina*, ampliam. in *-na* del tema ideur. REGNĪ- attestato anche nel sanscrito *rājñī*.

**regio**, dal lat. *regius*, deriv. di *rex*; v. RE[1].

**regionale**, dal lat. tardo *regionalis*.

**regione**, dal lat. *regio, -onis*, astr. di *regĕre*, **come**

*legio* lo è di *legĕre* 'raccogliere' (v. LEGIONE e RÈGGERE). Il senso primitivo è quello di 'linea (di demarcazione)' e poi di 'territorio compreso fra più linee di demarcazione'; cfr. RIONE.

**regista**, dal frc. *régisseur* incr. con i tipi it. *macchinista*.

**registro**, dal lat. tardo *regesta, -orum* (v. REGESTO) incr. col suff. *-stro*; cfr. *ginestra, inchiostro*.

**regnare**, dal lat. *regnare*, verbo denom. da *regnum*.

**regnatore**, dal lat. *regnator, -oris*.

**regnìcolo**, dal lat. tardo *regnicŏla*, calco su *incŏla*, con la sostituz. del tema *regno-* (con *-i-* al posto di *-o-* in sill. interna aperta) a *in-* 'dentro'.

**regno**, dal lat. *regnum*, ampliam. in *-no-* di *rex*; v. RE[1].

**règola**, dal lat. *regŭla*, da principio 'assicella di legno', associata alla nozione di linea retta, poi adattata a impieghi figurati.

**regolare**[1] (agg.), dal lat. *regularis*.

**regolare**[2] (verbo), dal lat. tardo *regulare*.

**regolizia**, incr. di *liquirizia* (v.) con *règola*, forse perché venduta in bastoncini detti 'regole'.

**règolo**[1], sost. deverb. estr. da *regolare*[2].

**règolo**[2] (uccello), da lat. *regŭlus*, dimin. di *rex regis*; v. RE[1].

**regredire**, dal lat. *regrĕdi* incr. con it. *progredire*. *Regrĕdi* è comp. di *re-* di movimento inverso e *gradi* con norm. passaggio di *-ă-* in *-ĕ-* in sill. interna aperta, dav. a dentale.

**regressione**, dal lat. *regressio, -onis*, nome d'azione di *regrĕdi*; cfr. *aggressio, digressio*.

**regressivo**, calco su *progressivo*, con la sostituz. di *re-* a *pro-*.

**regresso**, dal lat. *regressus, -us* (da *-gred-tu-s*), astr. di *regrĕdi*, formato sul part. pass. *regressus* (da *-gred-to-s*).

**reietto**, dal lat. *reiectus*, part. pass. di *reicĕre* (v. RÉCERE), comp. di *re-* di movimento inverso e *iacĕre* 'gettare' con norm. passaggio di *-iă-* in *-iĕ-* in sill. interna chiusa; v. GETTARE.

**reiezione**, dal lat. *reiectio, -onis*, nome d'azione di *reicĕre*.

**reimpiegare**, da *impiegare* e *re-* di ripetizione.

**reina**, lat. *regina*, con leniz. totale della *-g-* palatale, di orig. settentr.

**reingaggio**, da *ingaggio* (v.) e *re-* di ripetizione.

**reintegrare**, dal lat. *redintegrare* (v. REDINTEGRARE), incr. con it. *re-* al posto di lat. *red-*.

**reintegrazione**, dal lat. tardo *redintegratio, -onis*, incr. con it. *reintegrare*.

**reiterare**, dal lat. tardo *reiterare*, forma rinforzata di *iterare*; v. ITERARE.

**reiterazione**, dal lat. tardo *reiteratio, -onis*.

**relativo**, dal lat. tardo *relativus* 'che si riferisce a qualcosa', deriv. durativo di *relatus*, part. pass. del sistema di *referre*; v. LATORE e TÒGLIERE.

**relatore**, dal lat. *relator, -oris*, nome d'agente del sistema di *referre*; v. LATORE.

**relazione**, dal lat. *relatio, -onis*, nome d'azione del sistema di *referre*.

**relè**, dal frc. *relais*, sost. deverb. da *relayer* 'dare il cambio'.

**relegare**, dal lat. *relegare*, comp. di *re-* di movimento inverso, e *legare* verbo denom. da *lex legis*; v. LEGATO.

**relegazione**, dal lat. *relegatio, -onis*.

**religione**, dal lat. *religio, -onis*, astr. di *relegĕre*

'raccogliere', comp. di *re-* intens. di *legĕre* e cioè « raccolta selezionata (di formule e atti rituali) » (cfr. SUPERSTIZIONE): con norm. passaggio di *-ĕ-* in *-ĭ-* in sill. interna aperta; v. LÈGGERE.

**religiosità**, dal lat. tardo *religiosĭtas, -atis*.

**religioso**, dal lat. tardo *religiosus*.

**reliquia**, dal lat. *reliquiae, -arum*, deriv. di *reliquus*; v. RELITTO.

**reliquiario**, dal lat. tardo *reliquiarium*.

**relitto**, dal lat. *relictum*, part. pass. di *relinquĕre* in forma sostantiv. *Relinquĕre* è comp. di *re-*, che sottolinea il distacco ed è quindi intens., e di *linquĕre* forma a infisso nasale della rad. LEIKʷ 'lasciare', così attestato anche nell'area indoiranica. Con prevalenza della forma tematica, LEIKʷ appare nelle aree greca (*leipō*), baltica e armena; col signif., ormai economico, di 'prestare' nell'area germ. (ted. *leihen*). Cfr. LIQUIDO e, per gli ampliam. con *-s-* desiderativo LISCIVA e PROLISSO.

**remare**, verbo denom. da *remo*.

**rembata** (fianco della nave), da un presunto *\*rembo* che è alla base di *arrembare* (v.).

**remeggio**, lat. *remigium* « complesso dei rematori con le loro attrezzature », con norm. raddopp. della cons. palatale postonica. *Remigium*, deriv. da *remex, -igis* 'rematore', propr. « conduttore di remi », comp. di *remo-* (v. REMO) e il tema radicale di nome d'agente *-ăg-* passato normalm. a *-ĕg-* in sill. postonica chiusa e a *-ĭg-* in sill. interna aperta.

**remigare**, dal lat. *remigare*, verbo denom. da *remex, -igis*; v. REMEGGIO.

**reminiscenza**, dal lat. tardo *reminiscentia*, astr. di *reminisci*, verbo incoat. dalla rad. MEN (v. MENTE), col pref. *re-* di movimento inverso.

**remissìbile**, dal lat. tardo *remissibĭlis*.

**remissione**, dal lat. *remissio, -onis*, nome d'azione di *remittĕre*, comp. di *re-* di movimento inverso e *mittĕre* (v. METTERE), formato sul part. pass. *missus* (da *\*mit-to-*).

**remissivo**, dal lat. tardo *remissivus*.

**remo**, lat. *rēmus*, ant. *\*retsmos*, risultante da un ampliam. della rad. ERĒ[1], attestata nelle aree indiana, baltica, greca (*eretmós*) e celtica. Questa rad. è alla base anche di quella dell'*arare* (v.) nozione che è stata definita in principio come un « remar la terra ».

**remolino** (vortice), dallo sp. *remolino*.

**rèmora**, dal lat. *remŏra*, comp. di *mora* e *re-* intens.; v. MORA.

**remoto**, dal lat. *remotus* 'lontano', part. pass. di *removere*, comp. di *re-* di movimento inverso e *movere*; v. MOTO e MUÒVERE.

**remunerare**, v. RIMUNERARE.

**réna**, lat. *(a)rēna*; v. ARENA.

**renaccio**, dal lat. *arenaceus*, incr. con it. *rena*.

**renaio**, dal lat. tardo *arenarius*, incr. con it. *rena*.

**renale**, dal lat. tardo *renalis*, deriv. di *ren, renis*.

**rèndere**, lat. *reddĕre*, incr. con lat. tardo *prendĕre* e *expendĕre* (v. PRÈNDERE, SPÈNDERE). *Reddĕre* è comp. di *red-* che indica il movimento inverso e *dăre*, con norm. passaggio di *-ă-* in *-ĕ-* in sill. interna aperta dav. a *-r-*; v. DARE.

**rèndita**, incr. di lat. *reddĭta* neutro plur. e it. *vèndita*.

**rène**, dal lat. *ren, renis* normalm. plur. *renes, -ium*, privo di connessioni etimol. per quanto riguarda la rad., mentre è legato da evidente parallelismo di formaz. con *lien, lienis* ' milza'; per la qual voce v. LIENALE.

**renetta**, dal frc. *reinette* ' reginetta ' e cioè « (mela) da reginetta ».

**réni**, lat. *renes, -ium*, v. RÈNE.

**renitente**, dal lat. *renĭtens, -entis*, part. pres. di *renĭti* (lat. imp.) ' resistere ', comp. di *re-* di movimento inverso e *niti* ' sforzarsi '. Questo risale a una rad. KNEIGWH ' appoggiarsi ', che pare attestata anche nell'area germanica; cfr. CONNIVENTE.

**renitenza**, dal lat. tardo *renitentia*.

**renna**, dal frc. *renne* e questo dal norreno *hreinn*; cfr. RANGÌFERO.

**renoso**, dal lat. *arenosus*, incr. con it. *rena*.

**rensa** (stoffa), dalla città frc. di *Reims*.

**reo**, dal lat. *reus* ' colui che si difende ', dagli antichi collegato con *res*; v. RIO¹.

**reo-**, primo elemento di comp. dal gr. *rhéos* ' flusso ' legato a *rhéō* ' io scorro '.

**reòforo**, da *reo-* e il tema del gr. *phérō* ' io porto '.

**reòstato**, da *reo-* e il tema *-stato* collegato con *histēmi* ' io sto ' e perciò « ciò che resiste ».

**reparto**, variante di *riparto* (v.).

**repellente**, dal lat. *repellens, -entis*, part. pres. di *repellĕre*, comp. di *re-* di senso inverso e *pellĕre* ' spingere '. *Pellĕre* è un ant. *peldĕre* col tema di pres. ampliato mentre quello di perf. lo ha invece semplice, *(pe)pŭli* (da *pepĕli) con passaggio di *-ĕ-* in *-ŭ-* dav. a *l* benché seg. da *-i*. La rad. PEL-D ' battere ' si trova anche nelle aree armena e greca (*pólemos* ' guerra '). Data la differenza fra tema di perf. (semplice) e tema di pres. (ampliato), il valore primitivo della rad. sarà stato quello di ' cacciare ' in senso momentaneo, cfr. POLSO.

**repentaglio**, lat. *repentalia*, plur. di *repentalis*, forma abbreviata di *repentinalis*, sopravv. solo nell'avv. tardo *repentinaliter*. *Repentinalia* sarebbero i (pericoli) improvvisi ».

**repente**, dal lat. *repens, -entis*, comp. di *re-* di movimento inverso e *pend-* ' pendere ', v. PÈNDERE, e cioè «che incombe», con una formazione analoga a quella di *recens*; v. RECENTE.

**repentino**, dal lat. *repentinus*.

**rèpere**, dal lat. *rēpĕre* ' strisciare ' con corrispond. nell'area baltica; cfr. RÈTTILE.

**reperìbile**, agg. verb. di *reperire*.

**reperire**, dal lat. *reperire*, verbo durativo col valore primitivo di ' procurarsi ' (poi di ' trovare '), comp. di *re-* di movimento in senso inverso e *parĕre* ' condurre a termine, partorire ' (v. PARTO), con norm. passaggio di *-ă-* a *-ĕ-* in sill. interna aperta davanti a *-r-*. Passato alla coniugaz. in *-ire* per evitare una serie di tre brevi come *amicire*; v. REDIMIRE.

**reperto**, dal lat. *repertum*, part. pass. di *reparēre*, incr. con *reperire* e sostantiv.: « ciò che è stato trovato ».

**repertorio**, dal lat. tardo *repertorium* ' catalogo ' formato, rispetto a *repertus e reperire*, con procedim. analogo a quello di *inventarium* rispetto a *inventus, invenire*.

**replicàbile**, dal lat. tardo *replicabĭlis*.

**replicare**, dal lat. *replicare* ' ripiegare ' nel suo

signif. giur. *Replicare* è comp. di *re-* di movimento in senso inverso e *plicare*; v. PIEGARE.

**repressione**, dal lat. tardo *repressio, -onis*, nome d'azione di *reprĭmere*, formato sul part. pass. *pressus*; v. PRESSO.

**repressivo**, da *repressione* con lo stesso rapporto che lega *remissivo* a *remissione, preventivo* a *prevenzione*.

**repressore**, dal lat. *repressor, -oris*, nome d'agente di *reprĭmere*.

**reprimenda**, dal frc. *réprimande*, deriv. dal lat. *reprimenda*, part. fut. passivo di *reprĭmere*.

**reprìmere**, dal lat. *reprĭmere*, comp. di *re-* di movimento in senso inverso e *premĕre*, con norm. passaggio di *-ĕ-* in *-ì-* in sill. interna aperta; v. PRÈMERE.

**rèprobo**, dal lat. *reprŏbus*, agg. deverb. da *reprobare*, comp. di *re-* di senso inverso e ormai negat., e *probare*; v. PROVARE.

**repùbblica**, dal lat. *res publica*; v. REALE² e PÙBBLICO.

**repulisti**, dal salmo 42 (*quare me*) *repulisti* ? ' perché mi hai respinto ? ', incr. con *pulire*.

**repulsione**, dal lat. tardo *repulsio, -onis*, nome di azione di *repellĕre*.

**repulsore**, dal lat. *repulsor, -oris*, nome d'agente di *repellĕre* (v. REPELLENTE), deriv. da un tema di part. pass. *(re)pulsus*; v. POLSO.

**reputare**, dal lat. *reputare*, comp. di *re-* di senso inverso, diventato durativo-intensivo, e *putare*; v. POTARE.

**reputazione**, dal lat. *reputatio, -onis*.

**requie**, dal lat. *requies*, comp. di *re-* ripetitivo e quindi intens., e di *quies*, non ancora passata alla declinaz. in *-t*, come mostra l'opposizione tra l'abl. *quiete* di fronte a *requie* (non *requiete*); v. QUIETE e cfr. QUIETO.

**requisire**, tema di pres. deriv. dal part. pass. *requisito* (v.) (XIX sec.).

**requisito**, dal lat. *requisitus*, part. pass. di *requīrĕre*, comp. di *re-* intens. e *quaerĕre* con norm. passaggio di *-ae-* in *-ì-* in sill. interna aperta (cfr. RICHIEDERE). La mancanza di rotacismo dimostra che in realtà *quaesitus* era il part. del desiderativo *quaes(s)o* e non del norm. *quaero*; v. QUESTIONE.

**requisitoria**, da una locuzione (*arringa*) *requisitoria*, deriv. da *requisito* come (*arringa*) *accusatoria* da *accusato*.

**requisizione**, dal frc. *réquisition*.

**resa**, forma sostantiv. femm. del part. *reso*, tratto da *rèndere* secondo il rapporto di *speso* a *spèndere* (dal lat. *expensus e expendĕre*) e di *preso* a *prèndere* (lat. *prehensus e prehendĕre*).

**rescìndere**, dal lat. *rescindĕre*, comp. di *re-* di rapporto reciproco e *scindĕre*; v. SCÌNDERE.

**rescissione**, dal lat. tardo *rescissio, -onis*, nome di azione di *rescindĕre*, formato sul part. pass.; v. SCISSO.

**rescritto**, dal lat. *rescriptum*, neutro sostantiv. del part. pass. di *rescribĕre* ' scrivere in risposta ', comp. di *re-* di direzione opposta, e *scribĕre*; v. SCRÌVERE.

**resecare**, dal lat. *resecare*, comp. di *secare* ' tagliare ' e *re-* di direzione opposta e sottrattivo: « tagliar via »; v. SEGARE.

**reseda**, dal lat. *resēda*, sost. deverb. da *resedare*, comp. di *re-* durativo e *sedare* (v. SEDARE): « (pianta) sedatrice ».

resezione, dal lat. *resectio, -onis,* nome d'azione di *resecare*; v. SEZIONE.

residente, dal lat. *residens, -entis,* part. pres. di *residēre,* comp. di *re-* 'indietro, in disparte' e *sedere* con norm. passaggio di *-ě-* in *-ĭ-* in sill. interna aperta; cfr. RISIÈDERE.

residuo, dal lat. *residuus,* legato a *residere* dallo stesso rapporto di *adsiduus* a *adsidere.*

rèsina, dal lat. *resīna,* incr. con it. *lésina.* Lat. *resina,* come il gr. *rhētínē* risalgono a un tema mediterr.

resinato, dal lat. *resinatus.*

resinoso, dal lat. *resinosus.*

resipiscente, dal lat. *resipiscens, -entis,* part. pres. di *resipiscěre,* forma incoat. di *sapěre* 'esser savio' col pref. *re-* di movimento inverso: « ritornar saggio »: con il norm. passaggio di *-ă-* in *-ĭ-* in sill. interna aperta; v. SAPERE.

resipiscenza, dal lat. tardo *resipiscentia.*

resìpola, variante di *erisìpela* (v.), cfr. RISÌPOLA.

resistenza, dal lat. tardo *resistentia.*

resìstere, dal lat. *resistěre,* comp. di *re-* 'indietro' e *sistěre* 'fermarsi, fermare', di valore moment. rispetto a *stare* che è invece durativo (v. STARE): « fermarsi indietro » e « fermarsi contro »; cfr. ASSISTERE.

resoconto, calco sul frc. *compte-rendu* (XVIII sec.).

resorcina, comp. di *res(ina)* e *orcina.*

respìngere, da *spingere* con *re-* di senso inverso.

respiràbile, dal lat. tardo *respirabilis.*

respirare, dal lat. *respirare,* comp. di *re-* durativo e *spirare;* v. SPIRARE.

respiratorio, dal lat. tardo *respiratorius.*

respirazione, dal lat. *respiratio, -onis.*

responsàbile, agg. verb. di un presunto *\*responsare,* verbo denom. da *responso.*

responsivo, dal lat. tardo *responsivus.*

responso, dal lat. *responsum,* forma sostantiv. del part. *responsus* di *respondere;* v. RISPONDERE.

responsorio, dal lat. crist. *responsorium.*

ressa, lat. *rixa,* forma desiderativa della rad. REIK 'rompere, strappare' attestata nelle aree greca (*ereíkō* 'rompo') e indiana. Forme analoghe desiderat. in *-s-* sono *saxum* rispetto a *secare* (v. SASSO), *\*colsum* da cui *collum* (v. COLLO), *(e)lixus,* v. LESSO, cfr. RISSA.

resta¹ (del grano e del pesce), lat. *arista,* privo di connessioni attendibili.

resta² (filza), lat. *restis* 'fune', risal. forse a una rad. REZG 'treccia', attestata anche nelle aree baltica e indiana.

resta³ (appoggio della lancia), sost. deverb. estr. da *restare.*

restare, lat. *restare,* comp. di *re-* 'all'indietro' e *stare;* v. STARE.

restaurare, dal lat. *restaurare,* comp. di *re-* e *staurare;* v. RISTORARE.

restauratore, dal lat. tardo *restaurator, -oris.*

restauro, sost. deverb. da *restaurare.*

restìo, lat. volg. *\*res(i)s(ti)tivus,* agg. di valore durativo, deriv. da un part. pass. *\*resistĭtum* di *resistěre* 'che sta in disparte', con doppia dissimilaz. sillabica; cfr. i tipi *bacìo, solatìo, stantìo.*

restituire, dal lat. *restituěre* passato alla coniugaz. in *-ire.* Comp. di *re-* di movimento in senso inverso e *statuěre,* con norm. passaggio di *-ă-* in *-ĭ-* in sill. interna aperta; v. STATUIRE.

restituzione, dal lat. *restitutio, -onis,* nome d'azione di *restituěre.*

resto, sost. deverb. da *restare.*

restone¹ (cane), sost. deverb. da *restare* con suff. accresc.

restone² (grano), da *resta¹* con suff. accresc.

restrìngere, dal lat. *restringěre,* comp. di *re-* di senso inverso e aspetto durativo e *stringěre;* v. STRÌNGERE.

restrizione, dal lat. *restrictio, -onis,* nome d'azione di *restringěre,* formato sul part. pass. *strictus;* v. STRETTO.

resupino, dal lat. *resupinus,* comp. di *re-* di senso inverso e *supinus* 'volto all'indietro'; v. SUPINO.

retaggio, dal frc. ant. *(e)ritage,* lat. *\*hereditatĭcum;* v. EREDE.

rete, lat. *rete, -is,* privo di connessioni attendibili, salvo forse con *rarus,* attrav. una rad. (E)RĒ²; v. RARO e RITRÉCINE.

reticente, dal lat. *reticens, -entis,* part. pres. di *reticere,* da *re-* intens. e *tacere,* con norm. passaggio di *-ă-* in *-ĭ-* in sill. interna aperta; v. TACERE.

reticenza, dal lat. *reticentia.*

reticolato, dal lat. *(opus) reticulatum* 'fatto a rete'.

reticolo, dal lat. *reticŭlum,* dimin. di *rete.*

rètina, dal lat. medv. *rètina,* derivazione di *rete,* per il reticolo di vasi sanguigni che vi si intrecciano.

rètore, dal lat. *rhetor, -ŏris,* che è dal gr. *rhḗtōr, -oros.*

retòrica, dal lat. *(ars) rhetorĭca,* calco sul gr. *rhētorikḗ (tékhnē).*

retòrico, dal lat. *rhetorĭcus,* che è dal gr. *rhētorikós.*

retrarre, v. RITRARRE.

retràttile, agg. verb. da *retratto* (che è dal lat. *retractus,* part. pass. di *retrahěre*) secondo il rapporto di *fittile* a *fitto.*

retribuire, dal lat. *retribuěre,* comp. di *re-* di movimento in senso inverso, e *tribuěre* passato alla coniugaz. in *-i-*; cfr. *contribuire* e v. TRIBUTO.

retributore, dal lat. tardo *retributor, -oris.*

retribuzione, dal lat. tardo *retributio, -onis.*

retrivo, da *retro,* calco su *tardivo.*

retro e retro- dal lat. *retro,* da *re-* pref. che indica il movimento inverso (o lo stare in disparte) con il suff. di compar. *-tro-* irrigidito nella forma di strum. come in *intro* da *in* (v. INTRO-). Senza connessioni fuori d'Italia; v. RE-.

retroattivo, da *retro-* e *attivo.*

retrocèdere, dal lat. *retrocedĕre,* comp. di *retro-* (v. RETRO) e *cedĕre* 'andare'; v. CÈDERE.

retrocessione, dal lat. tardo *retrocessio, -onis,* nome d'azione di *retrocedĕre;* v. CESSIONE.

retrocesso, part. pass. di *retrocèdere* secondo il rapporto di *successo* a *succedere* di valore trans., contro le forme norm. in *-uto* (*deceduto* di fronte a *decèdere*), di solito legate al verbo intrans.

retrogradare, dal lat. tardo *retrogradare,* comp. di *retro-* (v. RETRO) e *gradi* (v. GRADO).

retrogradazione, dal lat. tardo *retrogradatio, -onis.*

retrògrado, dal lat. *retrogrădus.*

retroguardia, da *retro-* e *guardia.*

retroscena, da *retro-* e *scena.*

retrospettivo, calco su *prospettivo* con sostituz. di *retro-* a *pro-*.

retroterra, calco sul ted. *Hinter-land* « dietroterra », cfr. ENTROTERRA.

**retta**[1] (pensione), da (*somma*) *retta* cioè « regolare », « pattuita ».

**retta**[2] (linea), dal lat. *recta* (*linea*), part. pass. di *regĕre*: « tracciata in linea retta ».

**retta**[3] (attenzione), adattamento della locuzione lat. *arrectis* (*auribus*) ' con le orecchie drizzate ', part. pass. di (*ar*)*rigĕre*.

**rettàngolo**, calco su *triàngolo* (v.).

**rettìfica**, sost. deverb. da *rettificare*.

**rettificare**, dal lat. tardo *rectificare*.

**rettificazione**, dal lat. tardo *rectificatio*, *-onis*.

**rettifilo**, da *retto* e *filo*.

**rèttile**, dal lat. tardo *reptĭle*, neutro di *reptĭlis*, agg. verb. attivo di *repĕre* ' strisciare '; v. RÈPERE.

**rettilineo**, dal lat. tardo *rectilineus*, comp. di *rectus* e *linea*.

**rettitùdine**, dal lat. tardo *rectitudo*, *-ĭnis*, astr. di *rectus* ' retto ' (in senso figur.).

**retto**, dal lat. *rēctus*, part. pass. di *regĕre* (v. RÈGGERE), con la pronuncia aperta della *e* allineata con *règgo règgere*.

**rettore**, dal lat. *rector*, *-oris*, nome d'agente di *regĕre*; v. RÈGGERE.

**reuma**, dal lat. *rheuma*, che è dal gr. *rheûma*, astr. di *rhéō* ' scorro '.

**reumàtico**, dal lat. *rheumaticus*, che è dal gr. *rheumatikós*.

**reumatismo**, dal lat. *rheumatismus*, che è dal gr. *rheumatismós*.

**reumatizzare**, dal lat. tardo *rheumatizare*, che è dal gr. *rheumatízomai*.

**revanscista**, dal frc. *revanchiste*; cfr. RIVINCISTA.

**reverendo**, dal lat. *reverendus*, part. fut. passivo di lat. crist. \**reverere* (v. RIVERIRE), class. *revereri*, comp. di *re-* di ripetizione e *vereri*; v. VERECONDO.

**reverente**, dal lat. *revĕrens*, *-entis*, part. pres. di *revereri*; v. RIVERIRE.

**reversale**, dal lat. medv. *reversalis*, deriv. di class. *reversus*, part. pass. di *revertĕre*; cfr. RIVERSO.

**reversìbile**, agg. verb. di *riversare*, incr. con lat. *reversus*, part. pass. di *revertĕre*; v. RIVERSO.

**revisione**, dal lat. *revisio*, *-onis*, nome d'azione di *revidere*, comp. di *re-* ripetitivo e *videre*; v. VEDERE.

**revisore**, nome d'agente calcato su *revisione* secondo lo schema di *repressione-repressore*, *evasione-evasore*.

**reviviscenza**, dal lat. tardo *reviviscentia*, astr. di *reviviscĕre*, verbo denom. incoat. da *vivus* col pref. *re-* di ritorno allo stato pristino; v. VIVO.

**revocàbile**, dal lat. *revocabĭlis*.

**revocare**, dal lat. *revocare* ' ritrattare ', comp. di *re-* ' all'indietro ' e *vocare* ' chiamare ', verbo denom. da *vox*; v. VOCE.

**revolver**, dall'ingl. (XIX sec.) *revolver*, nome di agente del verbo *to revolve* ' girare ', così detto dal tamburo girevole; cfr. RIVOLTELLA.

**revulsione**, dal lat. *revulsio*, *-onis*, nome d'azione di *revellĕre* ' strappare ', comp. di *re-* di movimento in senso inverso e *vellĕre*. Questo risulta dalla rad. WEL(Ē) ampliata mediante -D- (cfr. *pellĕre*, v. REPELLENTE). Il part. *vulsus* equivale a WḶD-TOS. La forma semplice WEL(Ē) si trova forse in *lana* (v. LANA). Corrispond. non del tutto evidenti, si trovano nelle aree greca, germanica e armena; cfr. VELLO.

**reziario** (gladiatore), dal lat. *retiarius*, deriv. di *rete*.

**rezzo**, da (*o*)*rezzo*.

**r(i)-**, lat. *re-* col valore corrente di ripetizione (v. RE-), volta a volta con valore restitutivo, intens., o di movimento in senso inverso; cfr. RA(D)-.

**riabilitare**, da *ri-* restitutivo e *abilitare* (v.).

**rialto**, incr. di *rialzare* e *alto*. Il nome locale venez. è invece ant. *Ri*(*o*)*alto*.

**rialzare**, da *alzare* con *ri-* intens.

**riassettare**, da *assettare* con *ri-* intens.

**riassicurazione**, da *assicurazione* con *ri-* di movimento inverso: « controassicurazione ».

**riassumere**[1] (condensare), incr. di lat. *resumĕre* ' riprendere ', comp. di *re-* ripetitivo e *sumĕre*, (v. SUNTO), incr. con it. *assùmere*.

**riassùmere**[2] (prender di nuovo), da *assùmere* con *ri-* ripetitivo.

**riassunto**, dal part. pass. di *riassùmere* sostantiv. cfr. SUNTO.

**riattare**, da *ri*(*ad*)*attare*, comp. di *ri-* restitutivo e *adattare* con dissimilaz. sillabica.

**ribadire**, da \**badire* (con *ri-* intensivo), appartenente alla famiglia di it. *badile* (v.) e lat. *batillum*: « agire con uno strumento, non meglio precisato, che appoggi (*batillum*) raccolga (*badile*) o batta (*ribadire*) ». *Batillum* è privo di connessioni attendibili.

**ribaldo**, dal frc. ant. *ribaud*, attrav. il lat. medv. *ribaldus*. *Ribaud* risale a *hriba* ' donna di malaffare ', nell'alto ted. ant.; cfr. RIBOTTA.

**ribalta**, sost. deverb. da *ribaltare*.

**ribaltare**, verbo denom. da *balta* (v.) col pref. *ri-* di movimento in senso inverso o addirittura capovolto.

**ribassare**, verbo denom. da *basso*, con *ri-* che sottolinea il movimento inverso (all'alto).

**ribeca** (strum. musicale), dall'ar. *rabāb* ' piffero ', attrav. mediaz. provz. che l'ha incr. forse con *bec* ' becco '.

**ribellare**, dal lat. *rebellare* ' ricominciar la guerra ', da *bellare* verbo denom. da *bellum* ' guerra ', (v. BÈLLICO) e *re-* ripetitivo, incr. con it. *ri-*; cfr. ROVELLO, (AR)ROVELLARSI.

**ribelle**, dal lat. *rebellis*, incr. con it. *ribellare*.

**ribellione**, dal lat. *rebellio*, *-onis*.

**ribes**, dal lat. medv. *ribes*, dall'ar. *ribās* ' rabarbaro '.

**ribòbolo**, da una serie onomatop. *r.... b.... b*, con suff. dimin.

**riboccare**, verbo denom. da *bocca* con *ri-* di movimento in senso inverso, quasi da « traboccare ».

**ribollire**, da *bollire* con *ri-*, tanto ripetitivo da diventare iterat.

**ribotta** (riunione conviviale), dal frc. *ribote*, prob. affine a *ribaud*; v. RIBALDO.

**ribrezzare**, verbo denom. da *brezza* (v.) con valore di ' ventilare ' che, col pref. *ri-* di movimento in senso inverso e con signif. figur., definisce un rapporto di assoluta ripugnanza.

**ribrezzo**, sost. deverb. da *ribrezzare*.

**ribruscolare**, verbo denom. da *brùscolo* con *ri-* ripetitivo.

**ributtante**, part. pres. di *ributtare*.

**ributtare**, da *buttare* con *ri-* di movimento in senso inverso; v. BUTTARE.

**ricacciare**, da *cacciare* e *ri-* di movimento in senso inverso.

**ricadere**, da *cadere* con *ri-* ripetitivo,

**ricalcare,** dal lat. *recalcare,* comp. di *calcare* con *re-* ripetitivo (v. CALCAGNO), incr. con it. *ri-.*

**ricalcitrare,** v. RECALCITRARE.

**ricamare,** verbo denom. dall'ar. *raqama.*

**ricambiare,** da *cambiare* con *ri-* di movimento inverso.

**ricambio,** sost. deverb. da *ricambiare.*

**ricamo,** sost. deverb. da *ricamare.*

**ricapitare,** da *ri-* ripetitivo e *capitare.*

**ricapitolare,** dal lat. tardo *recapitulare,* verbo denom. da *capitŭlum* con *re-* ripetitivo.

**ricapitolazione,** dal lat. tardo *recapitulatio, -onis,* incr. con it. *ricapitolare.*

**ricattare,** lat. volg. *recaptare,* comp. di *re-* intens. e *captare* intens. di *capĕre* (v. ACCATTO), incr. con it. *ri-.*

**ricavare,** da *cavare* con *ri-* di movimento in senso inverso.

**ricchezza,** da *ricco* (XIII sec.), secondo il rapporto di *duro* a *durezza, molle* a *mollezza.*

**riccio** (animale), lat. volg. *ricjus,* class. *(e)ricius,* con norm. raddopp. della cons. palat. postonica dav. a *j. Erĭcius* è ampliam. di *(h)ēr (h)ĕris,* che ha una corrispond. perfetta nel gr. *khḗr,* ma nulla di attendibile nelle restanti aree ideur. Sono usi figur. sia quello del riccio della castagna come quello dei capelli ricci; cfr. CAPRICCIO.

**ricco,** dal longob. *rîhhi.*

**ricerca,** sost. deverb. da *ricercare.*

**ricercare,** da *cercare* con *ri-* intens.

**ricetta,** dal lat. *(formula) recepta* in relazione alla forma di imperat. *rècipe* con cui le ricette cominciano; v. RÈCIPE.

**ricettàcolo,** dal lat. *receptacŭlum,* nome di strum. di *receptare;* v. RICETTARE.

**ricettare,** lat. *receptare,* intens. di *recipĕre.*

**ricettatore** dal lat. *receptator, -oris* 'che dà asilo'.

**ricettazione,** dal lat. tardo *receptatio, -onis,* incr. con it. *ri-.*

**ricettivo,** dal lat. *receptus,* part. pass. di *recipĕre,* incr. col suff. durativo it. *-ivo* e il pref. *ri-.*

**ricetto,** dal lat. *receptus, -us* (astratto di *recipĕre*), nel senso concreto di 'rifugio, ricovero'.

**ricévere,** lat. *recipĕre,* con leniz. settentr. di *-p-* in *-v-. Recipĕre* è comp. di *re-* di movimento in senso inverso e *capĕre* con norm. passaggio di *-ă-* in *-ĭ-* in sill. interna aperta.

**ricezione,** dal lat. *receptio, -onis,* nome d'azione di *recipĕre,* incr. con it. *ri-.*

**richiamare,** da *chiamare* col pref. di ripetiz. *ri-.*

**richiamo,** sost. deverb. da *richiamare.*

**richièdere,** lat. volg. *requaerĕre,* class. *requirĕre,* incr. con it. *chiedere.*

**richiùdere,** da *chiùdere* (v.) con *ri-* ripetitivo (il lat. *recludĕre* significa 'aprire' con *re-* oppositivo); cfr. il più intenso RINCHIUDERE.

**rìcino,** dal lat. *ricĭnus,* nome dell'insetto 'zecca', applicato alla pianta per l'analogia della forma dei semi. Privo di connessioni etimol. attendibili.

**ricognitore,** nome d'agente ricalcato su quello d'azione *ricognizione* secondo lo schema di *fondazione-fondatore, orazione-oratore.*

**ricognizione,** dal lat. *recognitio, -onis,* nome di azione di *recognoscĕre* 'osservare attentamente', comp. con *re-* iterat.-intens.; v. CÒGNITO.

**ricompensare,** dal lat. tardo *recompensare* (v. COMPENSARE), con *re-* di movimento inverso.

**ricompensatore,** dal lat. tardo *recompensator, -oris.*

**ricompensazione,** dal lat. tardo *recompensatio, -onis.*

**riconciliare,** dal lat. *reconciliare* (v. CONCILIARE[1]) con *re-* di restituzione in stato precedente.

**riconciliatore,** dal lat. *reconciliator, -oris.*

**riconciliazione,** dal lat. *reconciliatio, -onis.*

**ricondurre,** da *condurre* con *ri-* non solo ripetitivo ma durativo.

**riconduzione** 'riaffitto', dal lat. medv. dei giur. *reconductio, -onis.*

**riconoscente,** da *riconoscenza* nel senso affettivo, secondo lo schema di *paziente* rispetto a *pazienza.*

**riconoscenza,** dal lat. medv. *recognoscentia,* dapprima nel senso giur. di « riconoscimento (di un debito) ».

**riconóscere,** lat. *recognoscĕre,* incr. con it. *conoscere* (v.).

**ricoprire,** da *coprire* con *ri-* durativo e estensivo.

**ricordàbile,** dal lat. tardo *recordabilis.*

**ricordanza,** dal lat. tardo *recordantia.*

**ricordare,** lat. *recordari,* verbo denom. da *cor, cordis* « il cuore (come sede della memoria) » col pref. *re-* di movimento inverso, cioè « rimettere nel cuore, nella memoria ».

**ricordévole,** agg. verb. di *ricordare* secondo il rapporto di *lodevole* rispetto a *lodare.*

**ricordo,** sost. deverb. da *ricordare.*

**ricórrere,** lat. *recurrĕre* (v. CORRERE), con *re-* di movimento inverso.

**ricorso,** dal lat. *recursus, -us* 'ritorno' con il signif. tecnico dei giur.

**ricostituente,** part. pres. sostantiv. di *ricostituire.*

**ricostituire,** incr. di *restituire* (dal lat. *restituĕre* 'ricostruire') e *costruire* (v.).

**ricotta,** part. pass. femm. di *ricuòcere,* sostantiv., senza la voc. dittongata perché in sill. chiusa.

**ricoverare,** incr. dell'it. ant. *ricovrare,* lat. *recuperare* (con norm. sincope della voc. interna e leniz. settentr.) e *ricuperare* (v.).

**ricóvero,** sost. deverb. da *ricoverare.*

**ricreare,** dal lat. *recreare* (v. CREARE), con *re-* di ripetizione.

**ricreatore,** dal lat. *recreator, -oris.*

**ricreazione,** dal lat. *recreatio, -onis.*

**ricréder(si),** dal lat. medv. *recrèdere,* forse dal provz. *se recreire:* nel senso che « il credere all'indietro » equivale a 'disingannarsi' o 'mutare opinione'.

**rictus,** 'contrazione muscolare', dal lat. *rictus, -us,* nome d'azione del verbo *ringor, ringi* 'mostrare, digrignare i denti'; v. RINGHIARE.

**ricuperàbile,** agg. verb. di *ricuperare.*

**ricuperare,** dal lat. *recuperare,* comp. di *re-* che indica un movimento inverso e una forma *caperare,* verbo denom. da un *capus, -ĕris,* che funge da desiderativo di *capĕre* come *tolerare* è desiderativo di *tollĕre* (v. CAPIRE). La forma primitiva *recaperare* ha subìto la apofonia di *-ă-* in *-ŭ-* in sillaba interna dav. a cons. labiale, come *occapare* è diventato *occupare.*

**ricurvare,** dal lat. *recurvare.*

**ricurvo,** dal lat. *recurvus* (v. CURVO), con *re-* di movimento in senso inverso.

**ricusàbile,** dal lat. tardo *recusabĭlis.*

**ricusare,** dal lat. *recusare,* verbo denom. di *causa* col pref. *re-* di movimento in senso inverso e la norm. apofonia di *-au-* in *-ŭ-* in sill. interna.

**ricusazione,** dal lat. *recusatio, -onis.*

**ridacchiare,** verbo iterativo-dimin. (e peggior.) di *ridere,* da un antico *ridecchiare,* incr. con *rubacchiare, scribacchiare.*

**ridda,** sost. deverb. da *riddare.*

**riddare,** dal longob. *wridan* 'svolgere', 'voltare'.

**rìdere,** lat. volg. *\*rìdĕre,* class. *rīdēre,* senza connessioni evidenti nelle aree ideur.

**ridicolo,** dal lat. *ridicŭlus,* forma aggettiv. di un ant. sost. di strum. di *ridere* col suff. *-tlo-* (poi *-culo-*): « ciò che causa riso ».

**ridondante,** dal lat. *redundans* 'straripante', part. pres. di *redundare;* v. RIDONDARE.

**ridondanza,** dal lat. *redundantia.*

**ridondare,** dal lat. *redundare,* 'straripare', verbo denom. da *unda* (v. ONDA) col pref. *red-* che indica il movimento in senso inverso.

**ridosso,** da *dosso* col pref. *ri-,* che qui significa non movimento in senso inverso o ripetizione, ma resistenza o pressione suppletiva.

**ridotta,** dal frc. *redoute* di orig. it.

**ridotto,** part. pass. di *ridurre,* in forma sostantiv., dal lat. *reductus;* v. DÓTTO.

**riducìbile,** incr. del lat. *conducibìlis* e dell'it. *ridurre.*

**ridurre,** lat. *reducĕre,* con norm. sincope della voc. interna come in *condurre, indurre* e allineamento nella serie di *trarre, tòrre, còrre* ecc.; v. DUCE.

**riduzione,** dal lat. *reductio, -onis,* nome d'azione di *reducĕre;* v. RIDOTTO.

**riecco,** da *ri-* ripetitivo e *ecco.*

**rièdere,** forma analogica di *redire* fatta sul pres. *rïède,* lat. *redit;* v. REDIRE e cfr. PRESIÈDERE.

**riémpiere, riempire,** da *émpiere, empire* (v.) col pref. iterat.-intens. *ri-.*

**riepilogare,** verbo denom. da *riepìlogo.*

**riepìlogo,** da *epìlogo* con *ri-* ripetitivo.

**riesumare,** da *esumare* (v.) sentito come verbo semplice e col pref. *ri-* che accentua il valore di « estrazione » e « ritorno indietro ».

**rievocare,** da *evocare* con *ri-* iterat.-intens.

**riferire,** dal lat. *referre,* incr. con it. *offrire, soffrire* (cfr. *conferire, deferire, inferire* ecc.).

**riffa**[1] 'sopruso', dall'it. ant. *riffo* 'robusto', risal. al longob. *rìffi* 'maturo', ted. *reif,* incr. con *raffa, arraffare,* risal. al longob. *hraffōn* 'strappar via'; v. RAFFA.

**riffa**[2] (lotteria), dallo sp. *rifa,* sost. deverb. da *rifar* 'sorteggiare'.

**rificolona,** metatesi da *\*fiericolona,* accresc. di un dimin. di *fiera.*

**rifilare**[1] (rifinire), verbo denom. da *filo* con *ri-* iterat.

**rifilare**[2] 'affibbiare', verbo denom. da *fila* con *ri-* iterat. e intens.

**rifiutare**[1] (fiuto) da *fiutare* con *ri-* ripetitivo.

**rifiutare**[2] (rifiuto), lat. *refutare,* comp. di *re-* e un presunto *\*futare* ' battere ', incr. con it. *fiutare* (v.). Lat. *\*futare* è privo di connessioni evidenti; cfr. CONFUTARE.

**rifiuto,** sost. deverb. di *rifiutare*[2].

**riflessione,** dal lat. tardo *reflexio, -onis,* nome di azione di *reflectĕre,* col senso di ' ripiegamento '.

**riflessivo,** dal part. pass. *riflesso* col suff. *-ivo* di valore attivo e durativo.

**riflesso,** dal lat. tardo *reflexus, -us,* astr. di *reflectĕre;* v. FLESSO.

**riflèttere,** dal lat. *reflectĕre* ' piegare all'indietro ', comp. di *re-* di movimento inverso e *flectĕre;* v. FLÈTTERE.

**riflettore,** dal frc. *réflecteur* e questo dal lat. *reflectĕre.*

**rifluire,** dal lat. *refluĕre,* incr. con it. *fluire.*

**riflusso,** da *flusso* con *ri-* che indica ' movimento inverso.

**rifocillare,** dal lat. *refocilare,* verbo denom. da *fŏcŭlum,* nome di strum. di *fovere* (da non confondere con *fŏcŭlus* dimin. di *focus*) col pref. *re-* e il suff. *-il(l)are,* entrambi di valore iterat.

**rifóndere,** dal lat. *refundĕre* ' riversare ', comp. di *re-* di movimento inverso e *fundĕre;* v. FONDERE.

**riforma,** sost. deverb. da *riformare.*

**riformàbile,** dal lat. tardo *reformabìlis.*

**riformare,** dal lat. *reformare,* comp. di *formare,* verbo denom. da *forma* con *re-* che indica un movimento in senso inverso.

**riformatore,** dal lat. *reformator, -oris.*

**riformazione,** dal lat. *reformatio, -onis.*

**rifràngere,** dal lat. *refringĕre,* incr. con it. *fràngere. Refringĕre* è comp. di *re-* di movimento inverso e *frangĕre* con passaggio di *-ă-* in *-ĭ-* in sill. interna dav. al gruppo *-ng-.*

**rifratto,** dal lat. *refractus,* part. pass. di *refringĕre* ' spezzare ', con la *-a-* interna rimasta immutata perché di quantità lunga.

**rifrattore,** da *rifratto* col suff. di nome d'agente, ricalcato sul rapporto di *attore-atto, fattore-fatto, lettore-letto.*

**rifrazione,** dal lat. tardo *refractio, -onis,* nome di azione di *refringĕre.*

**rifuggire**[1] (evitare), dal lat. *refugĕre,* incr. con i t. *fuggire* (v.). *Refugĕre* è da *re-* di movimento inverso e *fugĕre*[2].

**rifuggire**[2] ' fuggir di nuovo ', da *fuggire* col pref. *ri-* di ripetizione.

**rifugio,** dal lat. *refugium,* astr. di *refugĕre;* v. FUGGIRE.

**rifùlgere,** dal lat. *refulgĕre,* incr. con it. *fùlgere.*

**rifusìbile,** incr. di *fondìbile* col part. pass. *rifuso.*

**rifusione,** dal lat. tardo *refusio, -onis,* nome d'azione di *refundĕre;* v. FONDERE.

**rifuso,** dal lat. *refusus,* part. pass. di *refundĕre* (v. FUSO), incr. con it. *rifóndere;* cfr. REFUSO.

**riga,** dal longob. *riga* (ted. *Reihe*).

**rigaglia,** lat. medv. *regalia* « (parti) spettanti al re (sulle rendite di benefici ecclesiastici) » e, fra i cacciatori, « (parti della selvaggina uccisa) spettanti al signore »; v. REGALO.

**rigàgnolo,** da *\*rivàgnolo,* incr. con *rigare,* forma ant. di *(ir)rigare* (v.).

**rigatino,** dimin. di *rigato,* part. pass. di *rigare,* verbo denom. da *riga.*

**rigatoni,** accresc. di *rigato,* forma sostantiv. del part. pass. di *rigare* ' provvedere di righe ', con suff. accresc.

**rigattiere,** forma dissimilata per *\*rigrattiere* dal frc. *regrattier* e questo dal franco *krattōn,* da cui pure l'it. *grattare* (v.).

**rigenerare,** dal lat. *regenerare,* comp. di *generare* col pref. *re-,* che indica movimento in senso inverso; v. GENERARE.

**rigeneratore,** dal lat. tardo *regenerator, -oris.*

**rigenerazione,** dal lat. tardo *regeneratio, -onis.*

**rigettare,** lat. *reiectare,* forma intens. di *reicĕre;* v. GETTARE, e cfr. REIETTO, REIEZIONE.

**rigetto**, sost. deverb. da *rigettare*.

**rigidità**, dal lat. *rigidĭtas, -atis*.

**rigido**, dal lat. *rigĭdus*, agg. connesso col verbo di stato *rigēre* ' esser rigido ' privo di connessioni etimol.

**rignare** ' ringhiare ', lat. volg. *\*ring(u)lare* con palatizzazione spinta del gruppo *nglj* dav. ad *a* (cfr. *cignale, ugna*); forma iterat. del verbo class. *ringi* ' digrignare i denti ' (cfr. RICTUS). Per le forme a palatizzazione norm. v. *cinghiale, unghia*, cfr. RINGHIARE.

**rigo**, variante maschile di *riga*.

**rigoglio**, dal franco *orgōli* ' senso di superiorità ' (v. ORGOGLIO): analizzato (invece che in *\*org-oli*), come fosse comp. di *or-* pref. e *gol* rad., e quindi incr. con il pref. *ri-*, che implica spinta e attività riferita alla vegetazione.

**rigògolo** (uccello), lat. volg. *\*aurigalgŭlus*, comp. di *galgŭlus*, variante pliniana di *galbŭla* e *aurum* ' oro ' e cioè « uccelletto giallo come l'oro »; sottratto per ragioni di onomatopea al trattam. norm. *\*orgalghio* e assoggettato al passaggio settentr. di *al*+cons. in *-au-* e *-o-*. Per *galbŭla* v. GIALLO.

**rigoletto**, doppio dimin. di *riga*.

**rigore**, dal lat. *rigor, -oris*, astr. di *rigere* ' esser rigido '; cfr. RÌGIDO.

**riguardare**, da *guardare* con *ri-* ripetitivo o intens.

**riguardo**, sost. deverb. da *riguardare*.

**riguardoso**, da *riguardo* come *rispettoso* da *rispetto*.

**rigurgitare**, calco su *ingurgitare* con sostituz. dell'*in-* ingressivo mediante *re-* indicante movimento inverso.

**rigùrgito**, sost. deverb. da *rigurgitare*.

**rilasciare**, lat. *relaxare*, comp. di *laxare* (v. LASCIARE), col pref. *re-* di movimento inverso.

**rilascio**, sost. deverb. di *rilasciare*.

**rilassare**, dal lat. *relaxare*, comp. di *re-* e *laxare*, incr. con it. *lasciare*, v.

**rilegare**, dal lat. *religare* ' legare dalla parte posteriore ', comp. di *re-* di movimento inverso e *ligare*; v. LEGARE.

**rilento**, da *lento* col pref. *ri-* rafforzativo.

**rilevante**, part. pres. di *rilevare*.

**rilevare**, lat. *relevare* ' sollevare ', comp. di *re-* che indica movimento in senso inverso e *levare*.

**rilievo**, sost. deverb. ant. da *rilevare* con norm. dittongazione della *e* accentata in sill. aperta, come nel rapporto *sollievo-sollevare*.

**rilùcere**, dal lat. *relucēre*, comp. di *re-* di movimento inverso e *lucēre*, incr. it. *lùcere*.

**riluttare**, dal lat. *reluctari* ' combattere contro, resistere ', comp. di *re-* di movimento in senso inverso e *luctari*; v. LOTTARE.

**rima**[1] ' fenditura ', dal lat. *rima* risal. a un possibile *\*ricsma*, senza chiare connessioni etimol.

**rima**[2] (metrica), dal frc. ant. *rime*, che deriva dal lat. *rhythmus*, incr. col franco *rim* ' linea ' (ted. *Reim* ' rima ').

**rimandare**, da *ri-* e *mandare*.

**rimando**, sost. deverb. di *rimandare*.

**rimaneggiare**, da *maneggiare* col suff. ripetitivo-iterativo *ri-*.

**rimanere**, lat. *remanere*, comp. di *manere* ' rimanere ' e *re-* col signif. di ' rimanere indietro '. La rad. ideur. MEN[2], sembra in orig. avere il valore moment. di ' mi arresto ' più che quello durativo di ' rimango, aspetto '. Sue forme sono attestate,

sempre ampliate, nelle aree **indo-iranica**, armena, greca (*ménō* ' io rimango ').

**rimarcare**[1] ' marcar di nuovo ', da *marcare* con *ri-* ripetitivo.

**rimarcare**[2] ' osservare ', dal frc. *remarquer*.

**rimarchévole**, calco sul frc. *remarquable*.

**rimarginare**, verbo denom. da *margine* col pref. ripetitivo *ri-*.

**rimaso**, lat. volg. *\*rema(n)sus*, part. pass. di *remanere*, tratto dalla forma class. del supino *remansum*.

**rimasto**, lat. volg. *\*rema(n)sĭtus* forma analogica di part. pass. di *remanere* sul modello di *posĭtus* (v. POSTO), *\*visĭtus* (v. VISTO), *\*quaesĭtus* (v. CHIESTO).

**rimbacuccare**, da *imbacuccare* con *r(i)-* intens.

**rimbalzare**, da *ribalzare*, comp. di *balzare* col pref. *ri-* che indica movimento in senso inverso, incr. con *inalzare*.

**rimbambire**, verbo denom. da *bambo* ' sciocco ' con i due pref. *in-* illativo e *ri-* intens.

**rimbeccare**, da *imbeccare* con *r(i)-* di movimento in senso inverso.

**rimbecillire**, verbo denom. da *imbecille* con *r(i)-* intens.

**rimboccare**, verbo denom. da *bocca* con *in-* illativo e *ri-* indicante movimento inverso.

**rimbombare**, verbo denom. da *bomba* con *ri-* ripetitivo, e ampliamento onomatop. di *ri-bomb* in *rim-bomb(are)*.

**rimborsare**, verbo denom. da *borsa* con *in-* illativo e *ri-* di movimento in senso inverso.

**rimboschire**, verbo denom. da *bosco* con *in-* illativo e *ri-* ripetitivo-intensivo.

**rimbrottare**, lat. (Petronio e Vulgata) *impr(operare)*, incr. con *(borb)ottare*, più il pref. intens. *ri-*; cfr. RIMPROTTARE, RIMPROTTO.

**rimbuzzare** ' rimpinzare ', verbo denom. da *buzzo* con *in-* illativo incr. con *riempire*.

**rimediàbile**, dal lat. *remediabĭlis*.

**rimediare**, dal lat. *remediare*, verbo denom. da *remedium*.

**rimedio**, dal lat. *remedium*, che soppianta nel lat. class. l'ant. nome di strum. *medēla*; v. MÈDICO.

**rimedire** ' riscattare ', lat. volg. *\*remidēre*, forma metatetica di class. *redimĕre* ' riscattare ', v. REDÌMERE, incr. poi con it. *rimedio*.

**rimembranza**, dal frc. *remembrance*.

**rimembrare**, dal frc. *remembrer*, lat. *rememorari*, verbo denom. da *memor* con *re-* che è calco della lingua crist. sul gr. *ana-* « ricordare all'insù, all'indietro »; v. MÈMORE.

**rimessa**, forma sostantiv. del part. pass. femm. di *riméttere*; v. MESSO.

**rimestare**, da *mestare* con *ri-* ripetitivo-iterativo.

**riméttere**[1] ' metter di nuovo ', da *méttere* con *ri-* ripetitivo.

**riméttere**[2] ' perdonare ', lat. *remittĕre* ' rimandare ' e cioè ' perdonare '; v. MÉTTERE.

**rimonta**, sost. deverb. di *rimontare*.

**rimontare**, da *montare* con *ri-* di movimento in senso inverso.

**rimorchio**, lat. volg. *\*remurcŭlum*, dimin. di class. *remulcum* ' rimorchio ' (risal. a sua volta al gr. *rhymŭlkós*), incr. con *tòrchio*.

**rimòrdere**, lat. *remordēre*, incr. con it. *mòrdere*.

**rimorso**, forma sostantiv. del part. pass. di *rimòrdere*; v. MORSO.

**rimostranza,** da *rimostrare* nel senso di « mostrare contro (replicando) ».

**rimostrare,** da *mostrare* e *ri-* nel senso di ' contro '.

**rimozione,** dal lat. *remotio, -onis,* nome d'azione di *removere;* v. RIMUÒVERE.

**rimpannucciare,** verbo denom. da *panno* con suff. diminutivo-spregiativo *-uccio* e il doppio pref. *in-* illativo e *ri-* intens.

**rimpastare,** verbo denom. da *pasta* col doppio pref. *in-* illativo e *ri-* iterat.

**rimpasto,** sost. deverb. da *rimpastare.*

**rimpatriare,** verbo denom. da *patria* col doppio pref. *in-* illativo e *ri-* di movimento inverso.

**rimpetto,** da *petto* doppio pref. di *in-* di direzione e *ri-* di movimento inverso.

**rimpiaccicare,** verbo denom. della serie onomatop. *pl.... cc'* col doppio pref. di direzione *in-* e ripetizione *ri-.*

**rimpiallacciare,** da *impiallacciare* col pref. ripetitivo *r(i)-.*

**rimpiàngere,** da *piàngere* col doppio pref. *in-* di direzione e *ri-* di movimento inverso.

**rimpianto,** forma sostantiv. del part. pass. di *rimpiangere.*

**rimpiattarsi,** verbo denom. da *piatto* e cioè « farsi piatto » con il doppio pref. *in-* di direzione e *ri-* intens.

**rimpiazzare,** dal frc. *remplacer,* incr. con it. *piazza.*

**rimpinzare,** lat. volg. *\*impinctiare* forma intens. del class. *impingĕre* ' spingere dentro ', comp. di *in-* e *pangĕre* (v. PAGINA), con raddopp. di *-ă-* in *-i-* in sill. interna dav. a gruppo *-ng-.* Il pref. *ri-* ha valore intens. ed è dovuto a incr. con *riempire.*

**rimpolpare,** verbo denom. da *polpa* con il doppio pref. *in-* illativo e *ri-* restitutivo.

**rimprocciare** ' rampognare ', dal provz. *repropchar,* lat. volg. *\*repropiare,* incr. di *reprobrare* ' rimproverare ' con *propius* ' vicino ' e cioè « spingere in direzione opposta (*re-*) alla nozione di vicino (*propius*) » e cioè « respingere (rimproverando) ».

**rimprottare, rimprotto,** forme ant. di *rimbrottare, rimbrotto,* meno influenzate di queste da *borbottare;* v. RIMBROTTARE.

**rimproverare,** lat. volg. *\*improbrare,* verbo denom. da *prober* ' riprovevole ' con *in-* illativo, incr. con *improperare* ' rimproverare ' e rafforzato col pref. intens. it. *ri-.* Il lat. *prober* è un ant. *\*probhĕros* dalla rad. BHER' ' portare ' col pref. *pro-* « ciò che è messo davanti (contro qualcuno) ».

**rimpròvero,** sost. deverb. da *rimproverare.*

**rimuginare,** dal lat. *muginari* col pref. iterat. it. *ri-; muginari* è di prob. orig. onomatop.

**rimunerare,** dal lat. tardo *remunerare,* class. *remunerari,* verbo denom. da *munus, -ĕris* col pref. restitutivo *re-:* « restituire il dono ».

**rimuneratore,** dal lat. tardo *remunerator, -oris.*

**rimunerazione,** dal lat. *remuneratio, -onis.*

**rimuòvere,** dal lat. *removĕre,* comp. di *re-* di direzione opposta e *movĕre,* incr. con it. *muòvere.*

**rin-,** pref. risultante dalla somma di *in-* illativo e *ri-* ripetitivo, restitutivo o intens.

**rinascenza,** dal frc. *renaissance,* incr. con it. *rinàscere.*

**rinàscere,** lat. *renasci* con *re-* ripetitivo.

**rincagnarsi,** lat. volg. *\*incaniare,* verbo denom.

intens. da *canis* con pref. *in-* illativo, poi rinforzato dall'it. *ri-.*

**rincalzare,** dal verbo *calzare* col doppio pref. *in-* illativo e *ri-* di movimento in senso inverso.

**rincarare,** verbo denom. da *caro* col doppio pref. *in-* illativo e *ri-* intens.

**rincaro,** sost. deverb. da *rincarare.*

**rincasare,** verbo denom. da *casa* col doppio pref. *in-* illativo e *ri-* di movimento inverso: « ritornare a casa ».

**rinchiùdere,** da *chiùdere* col doppio pref. intensivo-illativo *rin-;* v. CHIÙDERE e cfr. RICHIÙDERE.

**rinciprignire** (inasprirsi), da *inciprignire* col pref. intens. *ri-.*

**rincitrullire,** da *incitrullire* col pref. intens. *ri-.*

**rincorare,** da *incorare* col pref. intens. *ri-.*

**rincórrere,** da *córrere* col doppio pref. *rin-.*

**rincoto** (ordine di insetti), dal lat. scient. *Rhynchota,* der. dal gr. *rhýnkhos* ' becco ': « provvisto di becco ».

**rincréscere,** da *incréscere* con *ri-* intens.

**rinculare,** dal frc. *reculer,* incr. col doppio pref. it. *rin-.*

**rinfacciare,** verbo denom. da *faccia* col doppio pref. *rin-.*

**rinfilare,** da *infilare* con *ri-* ripetitivo.

**rinfittire,** da *infittire* con *ri-* rafforzativo.

**rinfocolare,** dal lat. *foculare* ' attizzare ', verbo denom. da *focula* (plur.), nome di strum. di *fovere* ' scaldare ' col doppio pref. it. *rin-.*

**rinfoderare,** da *infoderare* con *ri-* di movimento in senso inverso.

**rinforzare,** verbo denom. da *forza* col doppio pref. *rin-.*

**rinforzo,** sost. deverb. da *rinforzare.*

**rinfrancare,** verbo denom. da *franco²* col doppio pref. *rin-* intens.

**rinfrescare,** verbo denom. da *fresco* col doppio pref. *rin-* intens.

**rinfresco,** sost. deverb. da *rinfrescare.*

**rinfrinzellare** ' rattoppare ', verbo denom. da *frinzello* col doppio pref. intens. *rin-.*

**rinfusa,** forma sostantiv. di un part. pass. femm. di *rinfóndere,* incr. di *confóndere* e *infóndere* col pref. rafforzativo *rin-;* v. FUSO.

**ringalluzzire,** verbo denom. da *gallo* col suff. vezzegg. *-uzzo-* e il doppio pref. rafforzativo *rin-.*

**ringhiare,** lat. volg. *\*ringulare* con suff. iterat. rispetto al class. *ringi* ' digrignare i denti ', prob. deriv. da una serie onomatop. *r.... g;* cfr. RICTUS e RIGNARE.

**ringhiera,** da *(a)ringhiera* forma sostantiv. di un agg. deriv. da *aringo* col suff. frc. *-iera;* v. ARRINGO.

**ringiovanire,** verbo denom. da *giovane* col pref. *in-* illativo e *ri-* di movimento in senso inverso.

**ringiucchire** ' rimbecillire ', da *ingiucchire* con *r(i)-* intens.

**ringraziare,** verbo denom. da *grazie* con *in-* illativo e *ri-* restitutivo.

**ringrullire,** da *ingrullire* col pref. intens. *r(i)-.*

**rinite,** dal gr. *rhis, rhinós* ' naso ' col suff. *-ite* di malattia acuta.

**rinnegare,** lat. volg. *\*renegare,* incr. con l'it. *rin-,* che implica non solo distacco ma controffesa.

**rinnocare,** verbo denom. da *oca* col doppio pref. *rin-* e la *n-* raddopp. sul modello di *in(n)alzare, in(n)amorare.*

**rinnovare,** dal lat. *renovare,* incr. con it. *innovare.*

**rinnovatore,** dal lat. tardo *renovator, -oris,* incr. con *rinnovare.*

**rinnovazione,** dal lat. *renovatio, -onis,* incr. con it. *rinnovare.*

**rinnovellare,** dal lat. tardo *renovellare,* verbo denom. da *novellus* (doppio dimin. di *novus*), incr. con *rinnovare.*

**rino-,** dal tema del gr. *rhís, rhinós* ' naso '.

**rinoceronte,** dal lat. *rhinocĕros, -ontis,* che è dal gr. *rhinókerōs,* comp. di *rhis* ' naso ' e *kéras* ' corno '.

**rinomato,** dal frc. *renommé,* incr. con it. *nome.*

**rinoplàstica** da *rino-* e *plàstica.*

**rinoscopio,** da *rino-* e *-scopio.*

**rinquartare,** verbo denom. da *quarto* col doppio pref. *in-* illativo e *ri-* intens.

**rinquarto,** sost. deverb. da *rinquartare.*

**rinsaldare,** verbo denom. da *saldo* col doppio pref. *in-* illativo e *ri-* intens.

**rinsavire,** verbo denom. da *savio* col doppio pref. *in-* illativo e *ri-* di movimento di ritorno.

**rintanarsi,** verbo denom. da *tana* col doppio pref. *in-* illativo e *ri-* intens.

**rinterzare,** verbo denom. da *terzo* con doppio pref. *in-* illativo e *ri-* intens.

**rintoccare,** verbo denom. da *tocco,* col doppio pref. *in-* illativo e *ri-* iterat.

**rintocco,** sost. deverb. da *rintoccare.*

**rintontire,** verbo denom. da *tonto* col doppio pref. *in-* illativo e *ri-* intens.

**rintracciare,** verbo denom. da *traccia* col doppio pref. *in-* illativo e *ri-* di movimento di ritorno.

**rintronare,** da *intronare* con *ri-* intens.

**rintuzzare,** lat. volg. *tuditiare,* forma intens. dell'arc. *tuditare,* verbo denom. di *tudes, -ĭtis* ' martello ', v. (CON)TUSO, col doppio pref. *in-* illativo e *ri-* di movimento di ritorno; cfr. STUZZICARE.

**rinunziare,** dal lat. *renuntiare,* incr. con it. *ri-* di movimento inverso e quindi limitato al signif. di ' annuncio negativo ' in contrasto col valore lat. di ' emano una notizia '.

**rinvangare,** da *rivangare,* incr. col pref. *rin-* intens.; cfr. RIVANGARE.

**rinvenire**[1] ' trovare ', dal lat. *invenire* ' trovare ' con *ri-* ripetitivo.

**rinvenire**[2] ' riprender coscienza ', calco su *svenire* (v.) con la sostituz. di *s-* sottrattivo mediante *rin-* illativo e intens.

**rinviare,** da *inviare* con *ri-* di movimento di ritorno: « mandare all'indietro ».

**rinvìo,** sost. deverb. da *rinviare.*

**rinvigorire,** da *invigorire* con *ri-* intens.

**rinvilire,** verbo denom. da *vile* con doppio pref. *in-* illativo e *ri-* intens.

**rinvòlgere, rinvoltare,** forme iterat. di *invòlgere, involtare.*

**rio**[1], lat. *reus,* prob. deriv. di *res* e cioè « l'interessato alla cosa » (v. REO): in orig. nel senso di ' difensore ' poi in quello di ' chi si difende ' e cioè ' accusato ' e poi ' colpevole '. *Reus* è passato a ' rio ' come *meus* a ' mio ' e *deus* a dio in seguito alla posizione in iato, sfavorevole alla dittongazione in *rieo, *mieo.

**rio**[2], lat. *rivus* con norm. caduta di *-v-* intervocalica, già biasimata nell'Appendice di Probo (III sec. d. C.). *Rivus* mostra un ampliam. in *-v-* di

una rad. REI ' sgorgare ' attestata in varie aree ideur. e, con un diverso ampliam., nel serbocroato *rijeka* ' fiume '. Analogo ampliam. in *-v-* appare nel lat. *frivŏlus* rispetto al verbo *friare;* v. FRIVOLO.

**rione,** lat. *regio, -onis* con palatalizzazione totale della *-g-* dav. a voc. palatale, incr. col suff. accresc. *-one* e perciò considerata maschile. *Regio* è astr. di *regĕre* e indica perciò la direzione in linea retta, poi applicata a ' superficie esattamente delimitata '; v. REGIONE.

**riotta** ' disputa ', dal frc. *riote* ' lite '.

**riottoso,** da *riotta* col suff. *-oso* che indica qualità permanenti.

**ripa,** lat. *rīpa,* con connessioni greche e germaniche indicanti ' strappo ' e perciò ' ripido pendio '; cfr. RIVA.

**riparàbile,** dal lat. *reparabĭlis,* incr. con it. *riparare.*

**riparare**[1] ' rimettere in ordine ', dal lat. *reparare* ' riprocurarsi ' poi ' ristorare ', ' rinnovare ', comp. di *parare* (v. PARARE), e *re-* restitutivo.

**riparare**[2] ' rifugiarsi ', dal provz. *repairar,* lat. tardo *repatriare* ' rientrare in patria '.

**riparatore,** dal lat. tardo *reparator, -oris.*

**riparazione,** dal lat. tardo *reparatio, -onis.*

**riparo,** sost. deverb. di *riparare*[2].

**ripartire**[1], da *partire*[2] nel senso di movimento con *ri-* di senso inverso.

**ripartire**[2], da *partire*[1], verbo denom. da *parte* con *ri-* intens.

**riparto,** sost. deverb. da *ripartire*[2].

**ripercuòtere,** dal lat. *repercutĕre,* comp. di *re-* e *percutĕre* (e questo di *per* e *quatĕre*), incr. con it. *percuòtere* (v.) e cfr. SCUÒTERE.

**ripercussione,** dal lat. *repercussio, -onis,* nome di azione di *repercutĕre,* formato sul tema del part. pass.; v. PERCOSSA.

**ripètere,** dal lat. *repetĕre,* in orig. ' dirigersi di nuovo verso qualcuno ', incr. col pref. it. *ri-:* comp. di *petĕre,* il verbo ideur. (rad. PETĔ), che indica il movimento attratto istantaneamente verso una mèta, e quindi anche il ' volare ' e il ' cadere '; cfr. PETENTE, PETIZIONE.

**ripetitore,** dal lat. tardo *repetitor, -oris,* nome di agente di *repetĕre,* incr. con it. *ripètere.*

**ripetizione,** dal lat. *repetitio, -onis,* nome d'azione di *repetĕre;* v. PETIZIONE.

**ripiano,** da *piano* ' pianura ' col pref. *ri-* che indica in questo caso « sviluppo in senso inverso al pendio ».

**ripicca,** da *picca* con *ri-* di movimento in senso inverso.

**rìpido,** da *ràpido,* incr. con *ripa.*

**ripiegare,** da *piegare* con *ri-* di movimento inverso.

**ripieno,** da *pieno* con *ri-* intens.

**ripónere** (arc.), dal lat. *reponĕre.*

**riporre,** lat. *reponĕre,* incr. con it. *ri-* e *porre.*

**riportare,** dal lat. *reportare,* incr. con it. *ri-.*

**riposare**[1] ' rimettere ', da *posare* con *ri-* ripetitivo.

**riposare**[2] ' non lavorare ', lat. *repausare,* comp. di *pausare* (v. PAUSARE), e *re-* ripetitivo secondo lo schema di *quiescĕre* e *requiescĕre.*

**riposo,** sost. deverb. da *riposare*[2].

**ripostiglio,** da *riposto,* part. pass. di *riporre,* col suff. *-iglio* di *nascondiglio, giaciglio.*

**riposto,** lat. *repositus,* part. pass. di *reponĕre.*

**riprèndere**, lat. volg. *\*reprendĕre*, class. *reprehen-dĕre* (v. PRÈNDERE) (nel senso proprio come in quello figur. di ' biasimare '), incr. col pref. it. *ri-*.

**riprensìbile**, dal lat. tardo *reprehensibĭlis*, incr. con it. *ri-*.

**riprensione**, dal lat. *reprehensio, -onis*, nome di azione di *reprehendĕre*.

**riprensore**, dal lat. *reprehensor, -oris*, nome di agente di *reprehendĕre*.

**ripresa**, part. pass. di *riprèndere*, sostantiv. nella forma femm.; v. PRESA.

**ripristinare**, verbo denom. da *prìstino*, incr. con *ri-* di movimento in senso inverso.

**riproducìbile**, da *producìbile* con *ri-* ripetitivo.

**riprométtere**, dal lat. *repromittĕre*, comp. di *re-* e *promittĕre*; v. PROMÉTTERE.

**ripromissione**, dal lat. *repromissio, -onis*, nome d'azione di *repromittĕre*; v. MISSIONE.

**riprovare**[1], da *provare* e *ri-* ripetitivo.

**riprovare**[2], dal lat. tardo *reprobare*, comp. di *pro-bare*, verbo denom. da *probus* (v. PROBO), e *re-* di movimento in senso inverso (figur.).

**ripudiàbile**, dal lat. tardo *repudiabĭlis*.

**ripudiare**, dal lat. *repudiare*, verbo denom. da *re-pudium*.

**ripudio**, dal lat. *repudium*, astr. di *pudet* con il pref. *re-* di movimento in senso inverso e cioè l'« atto di svergognare e allontanare »; cfr. PUDORE.

**ripugnante**, dal lat. *repugnans, -antis*, part. pres. di *repugnare*.

**ripugnanza**, dal lat. *repugnantia*.

**ripugnare**, dal lat. *repugnare* ' contrastare ', comp. di *pugnare* col pref. *re-* di movimento in senso inverso.

**ripulire**, da *pulire* con *ri-* durativo e intens.

**ripulsa**, dal lat. *repulsa*, part. perf. (sostantiv. nella forma femm.) del sistema di *repellĕre* ' respingere ' (v. POLSO): comp. di *re-* di movimento in senso inverso e *pellĕre*; cfr. REPELLENTE.

**ripulsione**, v. REPULSIONE.

**riputare, riputazione**, v. REPUTARE, REPUTAZIONE.

**riquadrare**, verbo denom. da *quadro* con *ri-* intens.

**risacca**, dallo sp. *resaca*, sost. deverb. da *resecar* ' tirar su ', da *sacar* ' togliere ', verbo denom. risal. al lat. *saccus* ' sacco '.

**risalire**, da *salire* col pref. *ri-* di ripetizione o di movimento in senso inverso.

**risaltare**, da *saltare* con *ri-* intens. e senso figur.

**risanare**, dal lat. tardo *resanare*, comp. di *sanare* e di *re-* restitutivo; v. SANARE.

**risarcire**, dal lat. *resarcire*, comp. di *re-* restitutivo e *sarcire* col senso primitivo di ' ricucire '. Privo di connessioni evidenti nelle aree ideur. estranee all'Italia; cfr. SARTO.

**riscaldare**, da *scaldare* con *ri-* ripetitivo e intens.

**riscattare**, dal lat. volg. *\*reexcaptare*, comp. dei due prefissi di movimento estrattivo (*ex-*) e in senso inverso (*re-*), con *captare* verbo intens. di *capĕre*; cfr. ATTACCARE, RICATTARE, SCATTARE.

**rischiarare, rischiarire**, verbi denom. da *chiaro* con doppio pref. *s-* durativo e *ri-* intens.

**rischiare**, lat. medv. *\*reseclare*, iterat. di *resecare* ' tagliare ', che nei contratti si riferiva ai pericoli incombenti sulle due parti, in conseguenza di tagli o divisioni arbitrarie o imprecise.

**rischio**, sost. deverb. da *rischiare*.

**risciacquare**, da *sciacquare* con *ri-* iterat. e intens.

**risco** (rischio), sost. deverb. da lat. medv. *res(e)ca-re*; v. RISCHIARE.

**riscontrare**, verbo denom. da *contro* col doppio pref. *s-* durativo e *ri-* intens.

**riscossa**, part. pass. femm. sostantiv. di *riscuòtere* comp. di *scuòtere* e *ri-* di movimento in senso inverso; v. SCOSSA.

**riscossione**, nome d'azione di *riscuòtere*, tratto dal part. pass. *riscosso*, secondo il modello di *successione* da *successo*.

**riscuòtere**, da *scuòtere* con *ri-* che indica (figuratam.) « il movimento in senso inverso (dal debitore verso il creditore) ».

**risedere** ' sedere di nuovo ', da *sedere* con *ri-* ripetitivo, diverso da *risièdere* (v.).

**risentire**, da *sentire* e *ri-* in senso ripetitivo (' sentir di nuovo ') e di movimento in senso inverso (risentirsi per un'offesa).

**riserbare**[1] ' serbare di nuovo ', da *ri-* e *serbare*.

**riserbare**[2] ' metter da parte ', lat. *reservare* (v. SERBARE), con *re-* di movimento in senso inverso.

**riserva**, sost. deverb. da *riservare*.

**riservare**, dal lat. *reservare*; v. RISERBARE[2].

**risìbile**, dal lat. tardo *risibĭlis*, agg. verb. di *ridère*; v. RISO[2].

**risicare** (XVIII sec.), verbo denom. da *rìsico*.

**rìsico**, sost. deverb. (XIV sec.) risultante dall'incr. di lat. medv. *resecare*, v. RISCHIARE, e it. *risco*.

**risièdere**, lat. volg. *\*resedēre*, class. *residere*, comp. di *re-* di movimento in senso inverso e di *sedere* (v. SEDERE), che vale perciò in orig. « fermarsi indietro (mentre gli altri vanno avanti) »: *-sedere* diventa *-sidere* per il norm. passaggio di *-ĕ-* in *-ĭ-* in sill. interna aperta. Ma il lat. volg. ha introdotto di nuovo la voc. radicale del verbo semplice, che, nelle forme accentate, si è dittongata, p. es. nelle forme del pres. *risiedo, risiedi, risiede*. Su queste si è formato l'inf. con la accentazione sdrucciola, mentre *risedere* (v.) è in it. un altro verbo.

**risìpola**, da (*e*)*risìpola*, incr. con il tema di *riso* e il suff. dimin. *-ìpola* (p. es. *casìpola*).

**risma**, dall'ar. *rizma*.

**riso**[1] ' pianta ', lat. tardo *orȳza*, incr. con *pisum* e quindi mascolinizzato. Lat. *orȳza* risale al gr. *órȳza* che è di prob. orig. orientale.

**riso**[2], lat. *risus, -us*, astr. di *ridère*, da *\*rid-tu-*; v. RÌDERE.

**risolùbile**, dal lat. tardo *resolubĭlis*, ' che si può scioglier di nuovo '.

**risoluto**, dal lat. *resolutus*, part. pass. di *resolvĕre*; v. SOLUTO.

**risoluzione**, dal lat. tardo *resolutio, -onis*, nome d'azione di *resolvĕre*.

**risòlvere**, dal lat. *resolvĕre*, comp. di *solvĕre* (v. SCIOGLIERE), e *re-* che, attrav. il valore ripetitivo, arriva a signif. « conclusivo ».

**risonanza**, dal lat. *resonantia*, incr. con *risonare*.

**risonare**, dal lat. *resonare*, comp. di *sonare* e *re-* di movimento in senso inverso, incr. con it. *ri-*.

**risórgere**, dal lat. *resurgĕre*, comp. di *surgĕre* (v. SORGERE), con *re-* di movimento in senso inverso.

**risorio**, dal lat. tardo *risorius*, deriv. di *risus, -us*.

**risorsa**, dal frc. *ressource*, sost. deverb. dal frc. ant. *resourdre* ' rialzarsi ', lat. *resurgĕre*, secondo l'immagine dell'acqua che sgorga; da cui quella, più generica, del « provento ».

**risorto**, part. pass. di *risórgere*; v. SORTO.

**risparmiare**, dal longob. *sparōn* 'risparmiare', incr. col gallo-romano (dal franco) *wadaniare* (v. GUADAGNARE), già nel lat. tardissimo *sparniare* delle glosse di Reichenau (VIII sec.). Di là vengono le forme it. settentr. del tipo *sparagnare*, mentre quelle centrali, sotto l'influenza di *armare* presuppongono un tipo \*sparmare. Col pref. *ri-* di valore intens. si ha quindi \*risparmare, divenuto sotto l'influenza di *sparniare*, (*ri*)*sparmiare*.

**rispecchiare**, verbo denom. da *specchio* col pref. *ri-* di movimento in senso inverso.

**rispettare**, lat. *respectare* 'guardare indietro', da *spectare* (v. SPETTARE) col pref. *re-* di senso inverso, incr. con it. *ri-*.

**rispettivo**, dal lat. medv. *respectivus*.

**rispetto**, dal lat. *respectus, -us*, astr. di *respicĕre*, cfr. *aspetto*, col valore dell'atto di ' guardare indietro « con rispetto »'.

**rispettivo**, dal lat. medv. *respectivus*, incr. con it. *rispetto*.

**risplèndere**, dal lat. *resplendĕre*, incr. con it. *splèndere*.

**rispolverare**, da *spolverare* con *ri-* di movimento in senso inverso.

**rispóndere**, lat. volg. \*respondĕre, class. *respondēre* 'ricambiare o rispondere a un impegno', da *re-* di movimento inverso e *spondere*; v. SPOSA.

**risposta**, part. pass. di *rispóndere*, sostantiv. nella forma femm.

**risposto**, part. pass. di *rispóndere*, sulla base del rapporto di *nascosto* rispetto a *nascóndere* e di *riposto* rispetto a *ripónere*.

**rissa**, dal lat. *rixa*; v. RESSA.

**rissoso**, dal lat. *rixosus*.

**ristagnare**, lat. volg. \*restagnare, class. *stagnare* (v. STAGNO[1]), con *re-* intens.

**ristagno**, sost. deverb. da *ristagnare*.

**ristare**, lat. *restare*, originariam. 'rimanere indietro', comp. di *stare* con *re-* di movimento in senso inverso.

**ristorante**, calco sul frc. *restaurant*.

**ristorare**, lat. *restaurare*, comp. privo di apofonia vocalica (dovrebbe essere stato \*resturare), da \*staurare, verbo denom. da un tema \*stauro- sopravv. nel gr. *staurós* 'piolo', e con connessioni nell'area germanica.

**ristoratore**, dal lat. tardo *restaurator, -oris* incr. con it. *ristorare*.

**ristorazione**, dal lat. tardo *restauratio, -onis*, incr. con it. *ristorare*.

**ristoro**, sost. deverb. da *ristorare*.

**ristretto**, lat. *restrictus*, part. pass. di *restringĕre*.

**ristrìngere**, da *stringere* con *ri-* ripetitivo; cfr. RESTRINGERE.

**ristuccare**, verbo denom. da *stucco* con *ri-* intens.

**risucchiare**, da *succhiare* con *ri-* ripetitivo e di movimento inverso.

**risucchio**, sost. deverb. da *risucchiare*.

**risultare**, dal lat. *resultare*, comp. di *re-* di movimento in senso inverso e *saltare* (v. SALTARE), con norm. apofonia di *ă* in *ŭ* in sill. interna dav. a -*l*- non seguìto da -*i*-. Il pref. *re-* si è incr. con l'it. *ri-*.

**risurrezione**, dal lat. crist. *resurrectio, -onis*, nome d'azione di *resurgĕre*, legato al tema del part. pass. *resurrectus*, cui in it. corrisponde per signif.

*risorto* (v.). L'it. *sorretto* è stato tratto da *sorrèggere* (v.), che ha il valore trans. del lat. *subrigĕre* e non quello intrans. di *surgĕre*; v. SÓRGERE.

**risuscitare**, dal lat. crist. *resuscitare*, comp. di *re-* ripetitivo e *suscitare* 'fare alzare'; v. SUSCITARE.

**risuscitatore**, dal lat. crist. *resuscitator, -oris*.

**risvoltare**, da *voltare* col doppio pref. *s-* durativo e *ri-* ripetitivo.

**risvolto**, sost. deverb. da *risvoltare*.

**ritagliare**, da *tagliare* con *ri-* iterat.

**ritaglio**, sost. deverb. da *ritagliare*.

**ritardare**, lat. *retardare*, comp. di *re-* intens. e *tardare*, verbo denom. da *tardus* 'lento'; v. TARDO.

**ritardo**, sost. deverb. da *ritardare*.

**ritegno**, sost. deverb. da *ritenere* secondo il rapporto di *contegno* a *contenere*, *convegno* a *convenire*.

**ritemprare**, verbo denom. da *tempra* col pref. *ri-* di movimento in senso inverso: « far ritornare alla tempra normale ».

**ritenere**, dal lat. *retinere*, comp. di *re-* di movimento in senso inverso e *tenere* e cioè « trattenere all'indietro (mentre le altre cose si lasciano andare) »: con norm. apofonia di -*ĕ*- in -*i*- in sill. interna aperta. Incr. col pref. it. *ri-*.

**ritentare**, da *tentare* con *ri-* ripetitivo.

**ritentivo**, dal lat. *retentus*, part. pass. di *retinere*, incr. con i tipi di *accusativo*, *positivo*, *negativo* di valore durativo e attivo.

**ritenzione**, dal lat. *retentio, -onis*, nome d'azione di *retinere*, incr. con it. *ri-*.

**ritirare**, da *tirare* con *ri-* che ha valore ora di ripetizione ('di nuovo') ora di movimento in senso inverso ('portar via').

**ritmico**, dal lat. *rhythmĭcus*, che è dal gr. *rhythmikós*; v. RITMO.

**ritmo**, dal lat. *rhythmus*, che è dal gr. *rhythmós*, risal. alla rad. SREU, 'scorrere', sopravv. in *rhéō*.

**rito**, dal lat. *ritus, -us*, astr. di un verbo scomparso in lat., risal. a una rad. ARĒ-[1], di cui si ha un deriv. nel gr. (*a*)*rithmós* 'numero'.

**ritoccare**, da *toccare* e *ri-* ripetitivo, passato poi a indicare anziché « toccar di nuovo », 'far correzioni supplementari'.

**ritocco**, sost. deverb. da *ritoccare* nel suo senso definitivo.

**ritondo**, lat. \*retundus, forma orig. da cui *rotundus* (v. ROTONDO), per influenza di *rota*; v. RUOTA.

**ritòrcere**, lat. volg. \*retorcĕre, class. *retorquere*, comp. di *torquere* e *re-* di movimento in senso inverso.

**ritornare**, da *tornare* rinforzato con *ri-* ripetitivo.

**ritorno**, sost. deverb. da *ritornare*.

**ritorsione**, dal lat. dei giur. medv. *retorsio, -onis* tratto da un part. pass. tardo *retorsus* al posto del class. *retortus*; v. TORSIONE.

**ritorta**, part. pass. di *ritòrcere*, sostantiv. nelle forme femm.

**ritrarre**, lat. *retrahĕre*, comp. di *trahĕre* (v. TRARRE), con *re-* di movimento in senso inverso.

**ritrattare**[1], da *trattare* con *ri-* ripetitivo.

**ritrattare**[2], dal lat. *retractare*, verbo intens. di *retrahĕre*; v. RITRARRE.

**ritrattare**[3], verbo denom. da *ritratto*.

**ritrattazione**, dal lat. *retractatio, -onis*; v. RITRATTARE[2].

**ritratto**, lat. *retractus* part. pass. sostantiv. di *ritrarre*; v. TRATTO.

**ritrazione**, dal lat. *retractio, -onis*, nome d'azione di *retrahère*.

**ritrécine** (varietà di rete), incr. di lat. *retrex, -ĭcis* con *bùcine* (v.). La parola lat. è priva di connessioni etimol. evidenti salvo con *rete*; v. RETE.

**ritroso**, lat. *retrorsus*, incr. col suff. it. *-oso* di ' bizzoso ', ' goloso ' ecc. *Retrorsus* è comp. a sua volta di *retro* ' all'indietro ' e *versus* ' volto a ', part. pass. di *vertĕre*; v. VERSO³.

**ritrovare**, da *trovare* con *ri-* iterat.

**ritrovo**, sost. deverb. da *ritrovare*.

**ritto**, lat. *rectus*, part. pass. di *regĕre*, incr. con it. *diritto*.

**rituale**, dal lat. *ritualis*, deriv. di *ritus*; v. RITO.

**riunione, riunire**, da *unione, unire* con *ri-* di movimento in senso inverso.

**riuscire, riescire**, da *uscire, escire* con *ri-* intens.

**riva**, lat. *ripa*, con leniz. settentr. di *-p-* in *-v-*; v. RIPA.

**rivale**, dal lat. *rivalis*, deriv. di *rivus* che indica colui « al quale appartiene l'altra riva del ruscello (e del quale si è naturalmente gelosi) »: esempio dell'importante componente rappresentata nel vocab. lat. dalla terminologia degli agricoltori.

**rivalersi**, da *valersi* con *ri-* di movimento in senso inverso.

**rivalità**, dal lat. *rivalĭtas, -atis*.

**rivalsa**, forma femm. sostantiv. del part. pass. di *rivalere*; v. VALERE e VALSO.

**rivalutare**, da *valutare* con *ri-* di movimento inverso (rispetto a quello sottrattivo di *s-* in *svalutare*).

**rivangare**, da *vangare* con *ri-* ripetitivo, anche in senso metaforico; cfr. RINVANGARE.

**rivedere**, dal lat. *revidere*, incr. con it. *ri-*.

**rivelare**, dal lat. tardo *revelare*, verbo denom. da *velum* col pref. *re-* di movimento in senso inverso: « agire contro la direzione di ' mettere il velo ' », e cioè « togliere il velo » « render chiaro ». Incr. col pref. it. *ri-*.

**rivelatore**, dal lat. *revelator, -oris*, incr. con it. *rivelare*.

**rivelazione**, dal lat. *revelatio, -onis*, incr. con it. *rivelare*.

**rivellino** (parte di fortificazione), doppio dimin. di *riva*.

**rivéndere**, lat. tardo *revendĕre*, comp. di *re-* e *vendĕre*; v. VÉNDERE.

**rivendicare¹**, da *vendicare* col pref. *ri-* di movimento in senso inverso.

**rivendicare²**, verbo denom. estr. da *rivendicazione*.

**rivendicazione**, dal frc. *revendication*.

**riverberare**, dal lat. *reverberare* ' ripercuotere ', comp. di *verberare* (v. VERBERARE) e *re-* di movimento in senso inverso.

**riverberazione**, dal lat. tardo *reverberatio, -onis*.

**rivèrbero**, sost. deverb. da *riverberare*.

**riverente**, v. REVERENTE.

**riverenza**, dal lat. *reverentia*, incr. con it. *riverire*.

**riverire**, lat. volg. *reverire*, class. *revereri* ' temere, onorare ', comp. di *re-* intens. e *vereri*, v. VERECONDO. Parola di tradiz. ininterrotta legata al saluto consuetudinario; cfr. REVERENDO.

**riversare**, dal lat. tardo *reversare* ' rovesciare ', comp. di *versare*, intens. di *vertĕre* e del pref. *re-* di movimento in senso inverso.

**riverso**, dal lat. *reversus*, part. pass. di *revertĕre*, comp. di *re-* di movimento in senso inverso e *vertĕre*: incr. con it. *ri-*; cfr. ROVESCIO VÈRTERE, e v. VERSO³.

**riviera**, dal frc. ant. *riviere* ' pendìo lungo i fiumi ', lat. (*terra*) *riparia*.

**rivestire**, dal lat. tardo *revestire*, incr. con it. *ri-* a) di movimento in senso inverso, cfr. *svestire* secondo il rapporto di *rivalutare* rispetto a *svalutare*, quando si tratta di persone; b) di ripetizione « aggiungere una copertura » quando si tratta di cose.

**rivìncere**, dal lat. *revincĕre*, comp. di *re-* ripetitivo e *vincĕre*; v. VÌNCERE.

**rivincista**, calco sul frc. *revanche*, forma abbreviata di *rivinc(it)ista*; cfr. REVANSCISTA.

**rivìncita**, sost. deverb. di *rivìncere* sullo schema di *rinàscita, ricréscita* rispetto a *rinàscere* e *ricréscere*, e cioè con *ri-* di movimento in senso inverso, quasi un « vincere contro (l'aver prima perduto) » o un « nascere contro (l'esser prima morti) » o un « crescer contro (l'esser prima isteriliti o caduti) ».

**rivista¹**, forma sostantiv. del part. pass. femm. di *rivedere*; v. VISTO.

**rivista²** ' periodico ', calco sul frc. *revue*.

**rivivere**, dal lat. tardo *revivĕre*, da *re-* ripetitivo e *vivĕre*; v. VÌVERE.

**rivo**, dal lat. *rivus*; v. RIO.

**rivòlgere**, dal lat. *revolvĕre*, incr. con it. *vòlgere* e it. *ri-*.

**rìvolo**, dal lat. *rivŭlus*, dimin. di *rivus*; v. RIO.

**rivolta**, sost. deverb. da *rivoltarsi*.

**rivoltare**, da *voltare* con *ri-* di movimento in senso inverso (letterale o figur.).

**rivoltella**, calco sull'ingl. *revolver* ' pistola a tamburo o a rotazione ' che si gira ' '.

**rivoltolare**, forma iterat. di *rivoltare*.

**rivoluzione**, dal lat. tardo *revolutio, -onis*, ' rivolgimento, ritorno ', nome d'azione di *revolvĕre*, incr. con it. *ri-*.

**rivulsione, rivulsivo**, v. REVULSIONE, REVULSIVO.

**rizo-**, primo elemento di parole comp. dal gr. *rhizo-*, in forma autonoma *rhiza* ' radice '.

**rizoma**, da *rizo-* col suff. *-oma*, proprio di rigonfiamenti o depositi anormali (*sarcoma, ematoma*).

**rizzare**, lat. volg. *rectiare*, verbo denom. intens. di *rectus*, incr. con it. *ritto*.

**roano** (mantello di cavallo o cane), dallo sp. *roano*, risal. a un deriv. del lat. *ravĭdus* ' grigio ', che è ampl. di *ravus* ' grigio ', privo di connessioni attendibili.

**roba**, dal franco *rauba*, col doppio valore di ' armatura ' e ' veste ', cfr. *rubare*, che si riferisce invece al signif. gotico di ' preda '.

**ròbbia** (erba), lat. volg. *rubja*, class. *rubia*, da un incr. di *ruber* con *robus* e con norm. trattam. di *-bj-* in *-bbi-*; cfr. *rabbia* rispetto a lat. volg. *rabja*.

**ròbbio**, lat. volg. *rubjus*, class. *rubĕus*, variante di *ruber*, soprav. nel frc. *rouge* e in toponimi it., v. ROGGIO. (Il nome loc. *Robbio*, prov. Pavia, è invece ant. *Retovium*).

**robinia**, dal lat. dei botan. *robinia*, foggiato da Linneo in onore del botan. frc. J. Robin (1550-1628), che introdusse per primo la pianta in Europa.

**robòt**, dal ceco *Ròbot*, nome coniato dallo scrittore

cèco K. Čapek per designare gli automi nel suo dramma R.U.R. Estr. a sua volta dal ceco *ròbota* ' lavoro '.

**robusto**, dal lat. *robustus*, a sua volta deriv. da una forma arc. *robus*, ancora attestata presso Catone, poi sostituita da *robur* (v. ROVERE). La quercia è stata considerata simbolo di durezza, quindi di forza.

**ròcca**[1], lat. volg. *rocca*, parola mediterr.

**ròcca**[2], dal gotico *rukka*.

**rocchetto**[1] (veste ecclesiastica), dal lat. medv. *rocchettum*, dimin. di *roccus* ' abito ', attestato nell'età carolingia, e deriv. dal franco *hrok*.

**rocchetto**[2] ' cannello intorno a cui si avvolge il filo ', dimin. di *ròcca*.

**rocchio**, lat. *rotŭlus*, deriv. di *rota*, cfr. *ròtolo*, *ruolo* e v. RUOTA, così come *vecchio* (v.) è lat. *vetŭlus* deriv. di *vetus*.

**roccia**, dal frc. *roche*, lat. volg. *rocca*; v. RÒCCA.

**rocco** ' torre nel gioco degli scacchi ' (arc. v. ARROCCARE), dal pers. *rōkh* ' cammello che porta una torre con uomini armati '.

**ròccolo**, voce settentr. risultante dall'incr. di *ròcca* con *ròtolo*.

**roco**, lat. *raucus*; v. RAUCO.

**rococò**, dal frc. *rococo*, abbreviaz. vezzegg. di *rocaille* ' roccia artificiale ', che è un ornamento frequente nello stile rococò; cfr. ROCCIA.

**rodaggio**, dal frc. *rodage*, nome d'azione del verbo *roder* ' levigare per attrito ', a sua volta tratto dal lat. *rodĕre*; v. RODERE.

**rodare**, verbo denom. estr. da *rodaggio*.

**ródere**, lat. *rodĕre*, parola di lontana orig. onomatop. *r.... d*, cristallizzata con vocalismo vario, ad es. nel sanscrito *radati* ' gratta ' (con *a* da *e*) e nel lat. *rādĕre* (con *ā*); v. RÀDERE e cfr. ROSTRO.

**rodio**, dal lat. moderno *rhodium*, coniato dal chimico H. W. Wollaston (1766-1828) e tratto dal gr. *rhódon* ' rosa '.

**rododendro**, dal gr. *rhodódendron*, comp. di *déndron* ' albero ' e *rhodo-* ' rosa '.

**rodomonte**, dal nome del personaggio dell'« Orlando Furioso », risal. al *Rodamonte* dell'« Orlando Innamorato » di M. M. Boiardo.

**rogare**, dal lat. *rogare* ' chiedere ' poi ' proporre una legge ', forma durativa-intensiva di *regĕre* e cioè sostanzialmente « dirigere (una richiesta) »; v. RÈGGERE.

**rogatore**, dal lat. *rogator, -oris*.

**rogatorio**, dal lat. medv. *rogatorius*.

**rogazione**, dal lat. *rogatio, -onis* secondo il senso cristiano.

**roggia**, lat. *(ar)rugia* ' galleria per lo scarico delle miniere ', proprio dell'industria mineraria iberica. Perciò voce mediterr. occidentale, sopravv. oggi solo nell'area lombardo-veneta (e nel fiume *Arroscia*, che sbocca nel Tirreno ad Albenga).

**roggio**, lat. volg. *rubjus*, class. *rubĕus*, con trattam. ligure, cfr. presso Quarto dei Mille *Priaruggia* ' Pietrarossa '; v. ROSSO, ROVENTE, ROBBIO.

**rògito**, dal lat. medv. *rògitum*, incr. tra *rogatum* e *plàcitum*.

**rogna**, lat. *(ae)rugo, -inis* ' verderame ' (v. RÙGGINE), incr. con *(ver)gogna*.

**rognone**, lat. volg. *renio, -onis*, ampliam. di *ren, renis*, (v. RENE), assimilato da *regnone* in *rognone*; cfr. ARNIONE.

**rògo**[1] ' pira ', dal lat. *rogus*, connesso forse col gr. di Sicilia *rhogós* ' covone ' ma difficilmente con la famiglia di *regĕre*, che implica movimento in linea retta.

**rógo**[2], variante popolare tosc. di *rovo*.

**rollare**, dal frc. *rouler*, lat. volg. *rotulare*, incr. con it. *rotella*; v. RÒTOLO, RUOTA.

**rollè** (di carne di vitello), dal frc. *rouleau* ' rotolo ', cfr. ROLLARE, incr. con i tipi *purè*.

**romagnolo** (panno di lana greggia), da *romagnolo* ' di Romagna '.

**romànico**, dal lat. medv. *romànicus*, contrapposto di *gòthicus*.

**romanità**, dal lat. tardo *Romanĭtas, -atis*.

**romano**[1], lat. *Romanus*, deriv. di *Roma* ' la città del fiume *Rumon* ', ant. nome del Tevere, o di un affl., verso il quale indirizzava la porta « Romana », al limite nordoccidentale del Palatino.

**romano**[2] (contrappeso della stadera), dall'ar. *rummān* ' melagrana '.

**romàntico**, dall'ingl. *romantic* (XVII sec.), attrav. il frc. *romantique*.

**romanza**, dal frc. *romance* (femm.), a sua volta dallo sp. *romance* (maschile).

**romanzo**[1] ' neolatino ', dal frc. ant. *romanz*, estr. dalla locuzione *romanice loqui* « parlare in volgare neolatino (contro il parlare dei Franchi) ».

**romanzo**[2] (racconto), dal frc. ant. *romanz* sostantiv.

**rombare**, verbo denom. da *rombo*[1] nel senso del ronzare della trottola, incr. con una serie onomatop. *r.... mb*.

**rombo**[1] (figura geometrica), dal lat. *rhombus*, che è dal gr. *rhómbos* ' trottola ', collegato con *rhémbō* ' io giro '.

**rombo**[2] (pesce), dal lat. *rhombus*, come metafora, per la sua forma.

**rombo**[3] (rumore), sost. deverb. estr. da *rombare*.

**romboedro**, da *rombo*[1] e l'elemento compositivo *-edro* ' faccia ' (v.).

**rombòide**, dal lat. *rhombŏides*, che è dal gr. *rhomboeidés* ' simile a rombo '.

**rómbola** ' fionda ', dimin. di *rombo*[1], incr. con la serie onomatop. *r.... mb*.

**romèo** (pellegrino), dal lat. medv. *romaeus* che in occidente definisce il pellegrino come « (colui che è diretto) a Roma », mentre in oriente, in antitesi a ' barbaro ', equivale a ' greco '.

**rómice** (acetosa), lat. *rumex, -ĭcis*, nome di pianta del tipo assai comune in *-ex*, *-ĭcis*; privo però di connessioni attendibili per quanto riguarda la rad.

**romito**, lat. *eremita*, incr. con *romèo*; cfr. EREMITA.

**rómpere**, lat. *rumpĕre*, forma con infisso nasale della rad. di valore spiccatamente moment. REUP, variante di REUB, attestata senza infisso nasale nel lat. *rupes* (v. RUPE) e nelle lingue germaniche col senso di ' rompere ' e ' strappare '; con lo stesso infisso, nella forma dialettale indiana, *lumpati* ' rompe '.

**ronca** (strum. agricolo), sost. deverb. da *roncare*.

**roncare** (diboscare), lat. *runcare*, verbo durativo deriv. da un presunto *runcĕre*, connesso col gr. *orýssō* ' io scavo ', da una rad. REUKH. Per una possibile variante REUG[2], v. RUGA. Cfr. i frequenti nomi locali del tipo *Ronchi*.

**ronchio**, incr. di lat. *rotŭlus* (v. ROCCHIO), con lat. volg. *montŭlus* (v. MONTE) e cfr. il toponimo moderno *Monchio* (prov. di Parma).

**ronciglio**, lat. *runcilio, -onis*, deriv. di *\*runculare*, iterat. di *runcare* (v. RONCARE); cfr. il nome loc. *Ronciglione* (Viterbo).

**ronco¹** (terreno messo a coltura), sost. deverb. da *roncare*.

**ronco²** (rumore bronchiale), dal lat. *rhonchus*, che è dal gr. *rhónkhos* 'rumore di chi russa'.

**róncola**, dimin. di *ronca*.

**roncone**, lat. *runco, -onis*, nome di strum. di *runcare*; v. RONCARE.

**ronda**, dallo sp. *ronda* (nel XVI sec.), e questo dal frc. *à la ronde*, risal. al lat. *rotundus*; v. ROTONDO.

**róndine**, lat. *(hi)rundo, -inis*, risal. a una serie onomatop. *gh.... r*, cfr. lat. *hirrire* (di latrato di cane), con un ampliam., parallelo a quello del lat. arc. rustico *nefrundines* rispetto al prenestino *nefrones*, e quindi derivabile da un *\*hiro, -onis*.

**rondò**, dal frc. *rondeau*, risal. al lat. volg. *\*retundellus*, doppio dimin. dissimilato nella voc. iniz. di *rotundus*; v. ROTONDO.

**ronfare**, verbo denom. da *ronco²*, incr. con *sbuffare*.

**ronfiare**, verbo denom. da *ronco²*, incr. con *soffiare*.

**ronzare**, da una serie onomatop. *r.... nz*.

**ronzinante**, dallo sp. *Rocinante*, nome del cavallo di don Chisciotte, incr. con *ronzino*.

**ronzino**, dal frc. ant. *roncin* (XI sec.).

**ròrido**, dal lat. *rōridus*, deriv. di *rōs, rōris* 'rugiada', tema rad. ROS, rappresentato nelle aree baltica, slava e indo-iranica da temi in *-ā*, con vocalismo radicale di quantità breve.

**ròsa¹**, lat. *rosa*, parola mediterr. risalente a una approssimativa WR(O)D(YA)- attestata nelle aree greca (*wrhódon, rhodéa*) e iranica, e passato da quest'ultima nell'armena.

**rósa²** (prurito), part. pass. di *ródere*, sostantiv. nella forma femm.; v. ROSO.

**rosario**, dal lat. *rosarium* 'rosaio', passato nel XIII sec. a significato mistico, nel senso che le preghiere del rosario sono come una corona di rose per la Madonna.

**rosato**, dal lat. *rosatus*.

**ròsbif**, dall'ingl. *roast-beef* « manzo arrosto ».

**ròseo**, dal lat. *rosĕus*.

**roséola**, forma dimin., sostantiv. nel genere femm., di *roseo* (cfr. ROSOLÌA), calco sul lat. scient. *rubèola*.

**roseto**, dal lat. *rosetum*.

**rosicare**, lat. volg. *\*rosicare*, intens. di class. *rodĕre*; v. RODERE.

**rosicchiare**, lat. volg. *\*rosiculare*, iterat. di *rosicare*; v. ROSICARE.

**rosignolo**, dal provz. *rosinhol*, lat. volg. *\*luscinjòlus*, dimin. di class. *luscinia* 'usignolo' (v.).

**rosmarino**, lat. *ros marinus* propr. « rugiada di mare »; v. RÒRIDO.

**róso**, lat. *rōsus*, part. pass. di *rodĕre* (v. RODERE), regolarmente tratto da *\*rod-to-s*.

**rosolaccio**, peggiorativo di *ròsolo*, dimin. di *rosa*.

**rosolare**, forma iterat. di verbo denom. da *rosa* « dare progressivamente il color di rosa »: incr. di *rostire* con *\*brusolare*, iterat. del lombardoveneto *brusare* 'bruciare' (v.).

**rosolìa**, da *rosa* con suff. dimin. e suff. di astr. e collettivo: « massa di piccole rose ».

**rosòlio**, dal lat. medv. *ros solis* « rugiada del sole », passato al frc. *ros(s)olis* e quindi, ritornato in Italia, incr. con *olio*.

**rosone**, accresc. di *rosa*.

**rospo**, incr. di lat. volg. *\*broscus*, sopravv. nel milanese ant. *brosco* e nel romeno *broasca* 'tartaruga' (e collegato col ted. *Frosch* ' rana '), e di lat. *ruspor, -ari* ' cercare, scovare ', privo di connessioni attendibili.

**rosso**, lat. *russus* (ant. *\*rudh-to-s* come *iussus* da ant. *\*iudh-to-s*), part. pass. di un verbo *\*rudĕre*, più ant. *\*rudhĕre*, sopravv. nelle aree greca (*ereúthō* ' arrossisco ') e germanica. *Russus* è adoperato in età storica come forma parallela di *ruber* e *rūfus*, tratti dalla stessa rad. REUDH/RUDH, con ampliamenti in *-ro-* e rispettivamente in *-o* che riappaiono nelle aree germanica (ted. *rot*), slava, baltica, greca (*erythrós*) e, con una piccola variante, nel sanscrito *rudhira*; v. ROVENTE, ROBBIO, ROGGIO, RUFFIANO; per l'ampliam. in *-ro*, v. RUBRICA; per l'ampliam. in *-os*, v. ROVERE; per il trattam. della cons. dentale sonora aspirata v. RUTILANTE; per la forma semplice, ma alterata nel signif., v. ROVO.

**rosta** (ventaglio di frasche), dal longob. *hrausta* ' fascio di frasche '.

**rosticcerìa**, incr. di *arrostire* e *pasticceria*.

**rostire** ' arrostire ', dal franco *hraustjan*.

**rostro**, dal lat. *rostrum*, nome di strum. tratto dal verbo *rodĕre*; v. RODERE.

**rotàbile**, dal lat. *rotabilis*, agg. verb. di *rotare* ' far girare ' allineato con i tipi *carrozzàbile* e sim.

**rotacismo**, dal gr. *rhōtakismós* ' tendenza all'impiego (errato) del suono *rhô*, calco su *iotakismós* ' tendenza all'impiego dello iota '.

**rotaia**, forma femm. sostantiv. di un agg. tratto da *ruota* e privo di dittongaz. in posizione non accentata.

**rotare**, lat. *rotare*, passato dal signif. causativo a quello intrans.; v. RUOTA E ROTONDO.

**rotativa**, dall'ingl. *rotative* (XVIII sec.), attrav. il frc. *rotative*, femm. di *rotatif* (XIX sec.).

**rotatore**, dal lat. *rotator, -oris*.

**rotazione**, dal lat. *rotatio, -onis*.

**roteare**, verbo denom. da lat. *\*rotĕus*, agg. deriv. da *rota*; v. RUOTA.

**rotella**, lat. tardo *rotella*, doppio dimin. di *rota* (attrav. *rotŭla*); v. RUOTA.

**rotocalco**, da *rotocalcografia*, comp. di *calcografia* (v.) e il tema *roto-*, che definisce l'impressione per mezzo di grandi cilindri.

**rotolare**, verbo denom. da *rotolo*.

**ròtolo¹** (involto), lat. tardo *rotŭlus*, dimin. di *rota*; cfr. RUOLO.

**ròtolo²** (misura di peso), dall'ar. *ratl*.

**rotondare**, dal lat. *rotundare*.

**rotondità**, dal lat. *rotundĭtas, -atis*.

**rotondo**, lat. *rotundus*, agg. verb. di un verbo *\*retĕre*, perduto in lat. ma sopravv. nell'area irlandese, col signif. di ' correre (in giro) '. Equival. quindi a « quello che corre (in giro) » come *secundus* è « quello che segue » rispetto a *sequor*. La forma *rotundus* risulta dall'incr. di *\*retundus* (sopravv. nelle lingue romanze) e *rota*; v. RUOTA.

**rotore**, forma abbreviata di *rot(at)ore*, incr. con *motore*, opposto di *statore*.

**rotta¹** ' sconfitta ', forma sostantiv. femm. di *rotto*, part. pass. di *rómpere*, lat. *ruptus* (v. ROMPERE), part. pass. regolarmente tratto dalla rad. senza infisso nasale. L'imagine di partenza è stata quella della « rottura (di argini) ».

**rotta**[2] ' itinerario ', dal lat. (*via*) *rupta* ' (strada) aperta (fra gli ostacoli) ', forse attrav. lo sp. *rota* nella lingua dei navigatori.

**rottura,** lat. tardo *ruptura*, astr. di *rumpĕre*.

**ròtula,** dal lat. *rotŭla*, dimin. di *rota* (come la forma dell'osso mostra).

**rovaio** (vento di tramontana), incr. di *\*boraio* (lat. *\*borearius*, equival. a *borealis*, v. BORA) con *rovo* perché pungente.

**rovello** (rabbia), lat. volg. *\*rebellum*, sost. deverb. estr. da *rebellare*, con passaggio tosc. di *i* protonica a *o* dav. a *v*, cfr. lat. *debere* che diventa it. *dovere*.

**rovente,** lat. *rubens, -entis* ' rosseggiante ', part. pres. di *rubere* ' esser rosso ', che ha confronti nelle aree germaniche e slava e, con un diverso grado della rad. e diversa derivaz., nell'area greca. Per le forme aggettiv. derivate dalla rad. REUDH v. ROSSO.

**róvere,** lat. *robus, -ŏris* ' quercia rossa ', più tardi simbolo della durezza e resistenza del legno di quercia e quindi ' forza, vigore '. La forma più ant. era *robus* (v. ROBUSTO), senza rotacismo finale; significava ' materia rossa '. Risaliva alla rad. REUDH ampliata in -OS (v. ROSSO). Il trattam. -*ō*- invece di -*ū*- del dittongo *eu* mostra l'orig. suburbana e rustica della parola.

**rovesciare,** lat. volg. *\*reversiare*, forma secondaria di *reversare* (v. RIVERSARE). La voc. protonica *e* dav. a *v* passa regolarmente in tosc. a *o*; cfr. ROVELLO, DOVERE.

**rovescio,** lat. *reversus*, forma sostantiv. del part. pass. di *revertĕre*, incr. con *rovesciare*.

**roveto,** lat. *rubetum*, collettivo di *rubus*; v. ROVO.

**roviglia,** incr. di lat. *rubus* (v. ROVO) e lat. *ervilia* ' lenticchia ', ampliam. di *ervum*, che ha una connessione attendibile solo nell'area germanica; v. RUBIGLIA.

**rovina,** lat. *ruina*, astr. di *ruĕre* ' rovesciare, rovinare ' risal. a una rad. alternante RŪ/RU, vagamente attestata nelle aree baltica, slava e indiana. La introduzione della -*v*- serve a salvaguardare l'autonomia sillabica delle due voc.; cfr. *Genova*, lat. *Genua*, *védova* lat. *vidua*, *stoviglie*, lat. (*te*)*stuilia*.

**rovinoso,** dal lat. *ruinosus*, incr. con it. *rovina*.

**rovistare,** lat. *revisitare*, verbo intens. di *revisĕre* (v. VISITARE) con norm. caduta della voc. atona vicina all'accento e passaggio della -*e*- protonica a *o* dav. a *v*, secondo l'uso tosc.; cfr. *dovere*, *rovello*, *rovesciare*.

**rovo,** lat. *rubus*, formalmente identico alla forma orig. RUDHO- ' rosso ', cfr. ROSSO, attestato anche nell'area baltica, col signif. di ' bruno rosso ', e passato al signif. sostantiv. di ' rovo '.

**rozza,** dall'alto ted. medio *Ross* ' destriero ', incr. con l'agg. it. *rozzo* e sostantiv. nella forma femm.

**rozzo,** lat. *rudius*, compar. neutro di *rudis* (v. RUDE), trattato come *mezzo* da *medius*.

**ruba,** sost. deverb. da *rubare*.

**rubacchiare,** verbo iterativo diminutivo (come *stiracchiare*, *scribacchiare*) da *rubare*.

**rubare,** dal gotico *raubōn*, verbo denom. da *rauba* ' bottino ', inserito in it. in età tarda, perché prima avrebbe subìto la leniz. di -*b*- in -*v*-, ma anteriore all'età carolingia per mantenere il signif. di ' preda ', senza passare a quello franco di ' roba '; v. ROBA.

**rubbio,** dall'ar. *rub'a*, peso di 12 kg. e 1/2, forse incr. con lat. *rubeus*; cfr. lat. medv. *rublum*.

**rubello,** dal lat. *rebellis*, passato alla declinaz. in -*o* e con il mutamento della -*e*- protonica in *u* dav. a *b*; v. RIBELLE e cfr. ROVELLO.

**rubesto,** dal lat. *robustus*, v. ROBUSTO, col passaggio di voc. protonica a *u* in seguito a incr. con tipi come *rubi*(*cundus*), e incr. poi con le forme it. *desto*, *lesto*.

**rubicondo,** dal lat. *rubicundus*, agg. verb. di *rubere*, secondo il rapporto di *facundus* rispetto a *fari* ' parlare ', *iucundus* (da *\*iuvicundus*) rispetto a *iuvare* ' giovare ', o *verecundus* rispetto a *vereri*.

**rubiglia,** lat. *ervilia, -ae* varietà di veccia o lenticchia, deriv. da *ervum* ' lenticchia ' (cfr. LERO) connesso con la famiglia del ted. *Erbse* ' pisello '. Il tipo *\*erbiglia* col passaggio norm. di *rv* a *rb* ha creato una confusione con *erba*, che è stata superata attrav. la metatesi *\*rebiglia* e il passaggio di *e* protonica a *u* dav. a *b*; cfr. ROVIGLIA.

**rubinetto,** dal frc. *robinet*, dimin. del soprannome popolare francese dei montoni, *robin*. Questo perché la chiave del rubinetto ricorda la testa dei montoni.

**rubino,** lat. medv. *rubinus*, deriv. di *rubeus*; v. ROVENTE, RUBICONDO, ROSSO.

**rubizzo,** dallo sp. *roblizo* ' sodo ', deriv. di *roble* ' rovere '; v. ROVERE.

**rublo,** dal russo *rubl'* « ritaglio (d'argento) », deriv. di *rubit'* ' tagliare '.

**rubrica,** lat. (*terra*) *rubrica* ' (terra) rossa ', usata per scrivere i titoli dei capitoli e quindi passata nel medio evo a indicare sunti e registri. *Rubricus* è agg. che sta a *rubor* come *pudicus* a *pudor*, *mendicus* a *mendum*, *amicus* a *amor*, cfr. ROVENTE: non è *\*rubicus* perché incrociato con *rubro*.

**ruca** ' bruco ', lat. *ērūca* di prob. orig. mediterr. (cfr. RUGA[2]), anche se teoricamente può essere allineata con i tipi *lactuca*, *festuca*.

**ruchetta** (erba), dimin. della precedente.

**rude,** dal lat. *rudis*, privo di connessioni evidenti fuori del lat.; cfr. ROZZO e ERUDIRE.

**rudente** ' fune ', dal lat. *rudens, -entis* ' fune ', privo di connessioni evidenti.

**rùdere,** dal lat. *rudus, -ĕris* ' calcinacci, rottami ', risal. forse a *rudis*.

**rudimento,** dal lat. dell'età imp. *rudimentum*, deriv. da *rudis*, incr. con *elementum*.

**ruffa**[1] (calca di folla), sost. deverb. dal longob. (*bi*)*hröff*(*j*)*an*; cfr. BARUFFA, ARRUFFARE.

**ruffa**[2] (muffa), dal longob. *hruf* ' forfora '.

**ruffiano,** lat. *rūfŭlus*, incr. con it. *ruffa*[1] ' turba ' e *puttana*, attrav. una fase intermedia *\*ruffio*. *Rūfŭlus* è dimin. di *rufus* ' tendente al rosso ', variante rustica sabina rispetto a *rubus* ' rovo ' (v. ROVO), e alla famiglia di *rubēre* e *ruber*; v. ROSSO, ROVENTE, RUBRICA, RUTILANTE.

**ruga**[1] (grinza), lat. *rūga* ' grinza, piega ', vagamente connessa con i tipi REUG/REUKH del gr. (*o*)*rýssō* e *orygē* ' scavo ' e del lituano *runkù* e *raûkas* ' aggrinzirsi ', ' grinza ', cfr. RONCARE.

**ruga**[2] (bruco), lat. *ērūca* (v. RUCA), con leniz. settentr. di -*c*- in -*g*-.

**rugghiare,** incr. di *ruggire* e *mugghiare*.

**rùggine,** lat. (*ae*)*rugo, -ĭnis* ' verderame ', con aferesi della prima sill. e norm. raddopp. della cons. -*g*- dopo l'accento in parola sdrucciola. *Aerugo* deriva da *aes, aeris* ' bronzo ' (v. ERARIO), col suff. di collettivo, paragonab. a *ferrugo* e *lanugo* rispetto a *ferrum* e *lana*; cfr. ROGNA.

**rugginoso,** dal lat. *aeruginosus,* incr. con it. *rùggine.*

**ruggire,** lat. *rugire,* con estensione del raddopp. della *-g-* dalle forme postoniche (cfr. FUGGIRE): da una rad. al grado ridotto RUG, attestata nelle aree celtica, slava e greca, collegata in qualche modo con la forma REUG' di lat. *erūgĕre*; v. RUTTARE.

**ruggito,** dal lat. *rugitus, -us,* astr. di *rugire,* incr. con it. *ruggire.*

**rugiada,** da un settentr. *rosada* collettivo di lat. *ros* ' rugiada ' secondo il rapporto di *cantada* a *canto*: col mantenimento della forma lenita intervocalica in *-d-* al posto di *-t-* e con la correzione per eccesso di zelo di *-sa-* (sonoro) in *-gia-*.

**rugliare,** da *ruggire,* incr. con *mugliare.*

**rugosità,** dal lat. tardo *rugosĭtas, -atis.*

**rugoso,** dal lat. *rugosus*; v. RUGA¹.

**rugumare** ' ruminare ', lat. imp. *rumigare,* verbo denom. da *rumis* ' mammella ' (v. RUMINARE), venuto poi a confondersi con *ruminare,* nonostante la metatesi di *-mig-* in *-gum-*.

**ruina,** dal lat. *ruina*; v. ROVINA.

**rullare,** dal frc. *rouler*; v. ROLLARE.

**rum,** dall'ingl. *rum.*

**rumba,** dallo sp. di Cuba *rumba.*

**rumicare,** lat. *rumigare* ' inghiottire ', deriv. da *rumis* ' mammella ' con errata correzione della cons. sonora in sorda, come in *faticare* (v.). Per il signif. si è avuto un incr. con *ruminare* (v.). Per i verbi lat. in *-igare,* v. LITIGARE.

**ruminare,** dal lat. imp. *ruminare,* verbo denom. da *rumen, -ĭnis* ' primo stomaco dei ruminanti '; v. RÙMINE.

**rùmine,** dal lat. *rumen, -ĭnis,* collegato forse con *rumis* ' mammella ' in quanto « rilievo rotondo », ma privo di altre connessioni attendibili.

**rumore,** lat. *rumor, -oris,* astr. della rad. REU ampliata mediante -M-, che compare bene attestata e senza ampliam. nelle aree slava e indiana.

**rumugare** ' ruminare ', forma dialettale (padana orig.) di lat. *rumigare,* incr. per il senso con *ruminare*; cfr. DIGRUMARE.

**runa** (segno alfab. dei Germani), dal ted. *Rune* e questo dal norreno *rūnar* ' scrittura (segreta) ', forma di plur. di *rūn*; cfr. gotico *rūna* ' mistero '.

**ruolo,** dal frc. *rôle,* lat. tardo *rotŭlus* (v. RUOTA), allineato alla serie di *suolo, duolo.*

**ruota,** lat. *rota,* praticamente nome d'azione che si comporta di fronte a uno scomparso *retĕre* ' correre in tondo ', sopravv. nell'area irlandese e nel lat. *retundus* (v. ROTONDO), come *toga* rispetto a *tegĕre* ' coprire '. Il tema nominale nell'area indo-iranica significa ' carro ' (sanscrito *ra-*

*thas*); in quella baltica ' carro ' al plur., ' ruota ' al sg.; nelle aree germanica (ted. *Rad*), celtica, latina ' ruota ': manca nelle aree greca, armena, slava.

**rupe,** dal lat. *rupes* ' roccia ', ant. astr. di *rumpĕre* senza infisso nasale (v. ROMPERE), con la rad. al grado normale, REUP.

**rupìa** (moneta indiana), dall'ingl. *rupee,* adattamento di una forma hindi *rupĭā.*

**rurale,** dal lat. tardo *ruralis,* deriv. da *rus, ruris* ' campagna ', ant. REWOS, chiaramente confrontabile con la parola iranica *ravō* ' spazio libero ', e forse anche con la famiglia, ampliata mediante *-m-,* del ted. *Raum* ' spazio '.

**ruscello,** lat. volg. *riuscellus,* doppio dimin. (attrav. *riuscŭlus*) di *rivus,* con la caduta della *-v-* intervocalica; v. RIO.

**rusco** ' pungitopo ', lat. *rūscus, rūscum,* privo di connessioni attendibili.

**rusignolo,** v. ROSIGNOLO.

**ruspa,** sost. deverb. da *ruspare.*

**ruspare,** lat. *ruspari* ' scavare ', privo di connessioni attendibili.

**russare,** dal longob. *hrūzzan* che soppianta in parte *snarhhjan*; v. SORNACCHIARE.

**rusticano,** dal lat. *rusticanus.*

**rusticità,** dal lat. *rusticĭtas, -atis.*

**rùstico,** dal lat. *rusticus,* tratto da *rus* con lo stesso procedimento con cui *viatĭcus* e *silvatĭcus* da *via* e *silva.*

**ruta,** lat. *rūta,* prob. dal gr. *rhytế.*

**rutilante,** dal lat. *rutĭlans, -antis,* part. pres. del verbo denom. da *rutĭlus,* che attrav. il trattam. della dentale sonora aspirata passata a dentale sorda, rappresenta in lat. la componente protolatina-sicula: *rutĭlus* sta a *ruber* come *aetna* a *aedes,* la glossa *litra* a *libra*; cfr. ROVENTE, ROSSO, RUBRICA, RUFFIANO.

**ruttare,** lat. *ructare,* forma intens. di *rugĕre,* attestata soltanto attrav. il comp. *erugĕre* di signif. identico. Si tratta della antichissima rad. ideur. REUG', attestata in forme atematiche solo in lituano, in forme tematiche più o meno ampie nelle aree greca, germanica, baltica, slava, armena. Una forma parallela in *-io* si trova nel lat. *rugire*; v. RUGGIRE.

**rutto,** lat. *ructus, -us,* astr. di *(e)rugĕre.*

**rùvido,** lat. volg. *ruĭdus,* risultante dalla leniz. totale di *-g-* dav. a *-i-* (cfr. *dito*), da un tardo *rūgĭdus* ' fornito di rughe ' (v. RUGA¹), e con introduz. di una *-v-* per difendere l'autonomia sillabica delle due voc. in iato, cfr. *rovina, Genova* rispetto a lat. *ruina, Genŭa.*

**ruzzare,** da una serie onomatop. *r.... z.*

**ruzzolare,** lat. volg. *rotjolare,* verbo denom. iterat. da *rotjus* (v. ROTEARE): incr. con *ruzzare.*

# S

**s-¹** (di valore estrattivo, durativo, intensivo), lat. *e(x)* risal. a \**eks* dav. a suoni sordi, \**e(gz)* dav. a suoni sonori. Si trova nelle aree osco-umbra, greca, celtica, baltica, slava, armena. Il signif. orig. di EKS è l'opposto di EN e cioè 'al di fuori di'.

**s-²** (di valore sottrattivo, privativo, negativo), lat. *di(s)-* attestato anche nelle aree albanese, greca (*diá*), germanica (ted. *zer-*). Indica la separazione o il movimento in direzione opposta.

**sabàtico,** dal gr. *sabbatikós*, deriv. di *sábbaton* ' sabato ', incr. con it. *sàbato*.

**sàbato,** lat. *sabbătum*, parola rituale, dal gr. *sábbaton* e questo dall'ebr. *shabbāth* ' riposo '.

**sabba** (riunione di streghe), dal frc. *sabbat*, lat. *sabbātum*.

**sabbia,** lat. *sabŭla*, plur. neutro di *sabŭlum* con vaghe connessioni nelle aree greca e germanica.

**sabbione,** lat. *sabŭlo, -onis*.

**sabbioso,** lat. *sabulosus*.

**sabina** (specie di ginepro), dal lat. *sabina*, prob. di orig. mediterr. incr. con la regione *Sabina*.

**sabotaggio,** dal frc. *sabotage*.

**sabotare,** dal frc. *saboter*, verbo denom. da *sabot* ' zoccolo ' e quindi « disturbare con gli zoccoli ».

**saccardo,** da *sacco*, con il suff. sostanzialmente spregiativo *-ardo* (p. es. *codardo, bugiardo*) di orig. germanica.

**saccarifero,** comp. moderno di *saccaro-* ' zucchero ' e *-fero* ' portatore ', ' produttore '.

**saccarina,** deriv. moderno di *saccaro-* col suff. *-ina* proprio di sostanze chimiche o medicinali (*albumina, aspirina*).

**saccaro-,** primo elemento di composiz., dal lat. *sacchărum*, che è dal gr. *sákkharon* e questo dal pāli (India) *sakkharā*.

**saccarosio,** da *sàccaro-* col suff. chimico *-osio*.

**saccente,** lat. volg. \**sapiens*, class. *sapiens, -entis*, con palatalizzazione meridionale del gruppo *-pje-* in *-cce-*; v. SAPERE.

**saccheggiare,** verbo denom. iterat. da *sacco*.

**sacco,** lat. *saccus*, che è dal gr. *sákkos*, risal. al semitico (ebr. o fenicio) *saq* ' stoffa grossolana '.

**saccoccia,** da *sacco* col suff. vezzegg. *-occio*, sostantiv. in forma femm.; cfr. *belloccio*.

**saccomanno** (addetto alle salmerie), dall'alto ted. medio *sackman*, comp. di *sack* ' sacco ' e *man* ' uomo '.

**sacello,** dal lat. *sacellum*, neutro sostantiv. di un dimin. di *sacer*.

**sacerdotale,** dal lat. *sacerdotalis*.

**sacerdote,** dal lat. *sacerdos*, comp. di *sacer* e del tema di un nome d'agente tratto dalla rad. del verbo sopravv. in *(con)děre* ' fondare '. Essa risale a una forma simbolica DHĒ ' porre ', (diffusa in quasi tutte le aree ideur., tra l'altro nel greco *títhēmi* ' pongo ' e nel ted. *tun* ' fare '), a cui si accompagna il suff. *-t* di nome d'agente.

**sacerdotessa,** dal lat. tardo *sacerdotissa*.

**sacerdozio,** dal lat. *sacerdotium*.

**sacramentale,** dal lat. tardo *sacramentalis*.

**sacramentario,** dal lat. medv. *sacramentarium*.

**sacramento,** dal lat. crist. *sacramentum* ' pegno ', nome di strum. da *sacrare*, verbo denom. da *sacer*; v. SACRO.

**sacrare,** dal lat. *sacrare*, verbo denom. da *sacer*; v. SACRO.

**sacrario,** dal lat. *sacrarium*.

**sacrato** ' luogo sacro ', dal lat. *sacratum*, forma sostantiv. del neutro del part. pass. di *sacrare*; v. SAGRATO.

**sacrestia,** v. SACRISTÌA.

**sacrificale,** dal lat. tardo *sacrificalis*.

**sacrificare,** dal lat. *sacrificare*, comp. di *sacro-* con norm. passaggio di *-ŏ-* in *-ĭ-* in sill. interna aperta e *-ficare*, tema di verbo denom. tratto dal tema d'agente *-fex* (da *facio*), pure con passaggio di *-ă-* in *-ĕ-* in sill. atona chiusa e in *-ĭ-* in sill. aperta.

**sacrificatore,** dal lat. tardo *sacrificator, -oris*.

**sacrificazione,** dal lat. *sacrificatio, -onis*.

**sacrificio,** dal lat. *sacrificium*, comp. di *sacro-* e *-ficium*, tema di nome d'azione appartenente al sistema di *-ficare*; v. SACRIFICARE.

**sacrilegio,** dal lat. *sacrilegium*, comp. di *sacro-* (con norm. passaggio di *-ŏ-* in *-ĭ-* in sill. interna aperta) e *-legium*, tema di nome d'azione da *sacrilĕgus*; v. SACRÌLEGO e cfr. SORTILEGIO.

**sacrilego,** dal lat. *sacrilĕgus* « raccoglitore (e perciò ladro) di cose sacre ». Comp. di *sacro-* con norm. passaggio di *-ŏ-* in *-ĭ-* e *-lĕgus* tema di nome di agente da *legĕre* ' cògliere '.

**sacrista,** dal lat. medv. *sacrista*, deriv. da *sacer*, col suff. greco di nome d'agente.

**sacristìa,** da *sacrista* secondo il rapporto di *scrivanìa* a *scrivano*, di *scud(i)erìa* a *scudiero*; cfr. SAGRESTIA.

**sacro¹** lat. *sacer, -cra, -crum*. Dalla rad. SAK, propria delle aree italica, ittita, germanica settentr. e tocaria per indicare « ciò da cui si deve stare lontani perché sacro », cui si oppone nelle aree greca e indiana la rad. TYEGᵂ (gr. *sébō* ' venero '); v. SANCIRE e cfr. SAGRO.

**sacro²** (osso), dal lat. *os sacrum* che ricalca il gr. *hierón ostéon* « osso sacro (perché grosso) ».

**sacrosanto,** dal lat. *sacrōsanctus*, propr. « santo (perché reso) sacro » e cioè comp. di *sacrō* abl. sg. maschile di *sacer*, e *sanctus*; v. SANTO.

**sàdico,** dal nome del marchese D. A. F. de Sade (1740-1814), descrittore di perversioni sopraffattrici o sanguinarie.

**sadismo,** da *sadi(ci)smo*.

**saéppolo** (pollone della vite), incr. di *saetta* con *gràppolo*.

**saetta,** lat. *sagitta*, di orig. forse etrusca così nella parte radicale come nel suff. *-itta* (cfr. SAGITTARIO): con leniz. totale della *-g-* intervocalica dav. a voc. palat.; cfr. DITO.

**saettare,** dal lat. imp. *sagittare*, verbo denom. da *sagitta*, incr. con it. *saetta*.

**safari,** voce suahili, dall'ar. *safara* ' viaggiare '.

**safena** (vena), dal lat. medv. *saphena*, che è dall'ar. *sāfin*.

**sàffico,** dal lat. *sapphĭcus*, che è dal gr. *sapphikós*, deriv. dalla poetessa *Sapphó* (VII-VI sec. a. C.).

**saga,** dal ted. *Sage* ' narrazione ', appartenente alla famiglia di *sagen* ' dire '.

**sagace,** dal lat. *sagax, -acis*, agg. tratto dal verbo *sagire* ' vado in cerca ', come *audax* da *audere* ' osare '. La rad. è SAG attestata nelle aree celtica, germanica, greca ittita, e significa essenzialmente l' ' andare in cerca (nel senso della caccia) '; banalizzata nel ted. *suchen* ' cercare ' o nel gr. *hēgéomai* ' io guido '.

**sagacità,** dal lat. *sagacĭtas, -atis*.

**saggiare,** verbo denom. da *saggio²*.

**saggina** (pianta), lat. *sagina* ' ingrassamento ' poi ' nutrimento per ingrassare ', priva di connessioni etimol. attendibili e con *-g-* rinforzato per sottrarlo alla palatalizzazione che si compie invece totalmente nella variante tosc. *saina*.

**sagginare** (ingrassare), lat. *saginare* ' ingrassare ' con rafforzam. della *-g-*; cfr. SAGGINA.

**saggio¹** (agg.), dal frc. ant. *sage*, lat. volg. *sapjus*, cfr. *nesapius* presso Petronio, paragonab. a *-scius* (v. SCÌOLO), rispetto a *nescius*; v. SAPERE.

**saggio²** (prova), lat. tardo *exagium* ' peso ' estr. da *exigĕre* nel senso di ' pesare '. Rende la *-x-* con *s-* anziché con *sc'-* per evitare così, dissimilando, la eccessiva palatalizzazione di un event. *sciaggio*.

**saggio³** (scritto), calco sull'ingl. *essay*.

**saggista,** dall'ingl. *essayist*, incr. con it. *saggio³*.

**sagittale** (termine anatomico), dal lat. medv. *sagittalis*.

**sagittario** (arciere, poi costellazione), dal lat. *sagittarius*; v. SAETTA.

**sago¹** (mantello), dal lat. *sagum*, con una unica vaga connessione baltica.

**sago²** (fecola), variante di *sagù*.

**sàgola** (funicella, termine marinaro), dimin. di un presunto *SAGA* forse parola mediterr.; cfr. LANCIASÀGOLA.

**sàgoma,** sost. deverb. estr. da *sagomare*.

**sagomare,** lat. medv. *sagomare* (Venezia 1227), con leniz. settentr. di *-c-* in *-g-*: verbo denom. da lat. class. *sācōma* ' contrappeso ', che è dal gr. dor. *sákōma*.

**sagra,** femm. sostantiv. di *sagro*, forma con leniz. settentr. di *sagro*; v. SACRO.

**sagrare¹** (bestemmiare), verbo denom. da *sagro*, impiegato in formule blasfeme.

**sagrare²** (consacrare), verbo denom. da *sagro*.

**sagrato¹** (luogo consacrato), da *(luogo) sagrato* e cioè « consacrato »; cfr. SACRATO.

**sagrato²** (bestemmia), part. pass. sostantiv. di *sagrare¹*.

**sagrestano,** lat. medv. *sacristanus* incr. con *sagrestìa*.

**sagrestìa,** lat. medv. *sacrista* (v. SACRISTA), col norm. passaggio di *-i-* aperta a *-e-*, incr. con la forma settentr. lenita *sagro-*: ampliato con *-ia*, sullo schema di *abbazìa* rispetto ad *abate*, *scrivanìa* a *scrivano*.

**sagrì** (pelle di pescecane conciato), dal turco *sağri* ' pelle della groppa di animali '; cfr. ZIGRINO.

**sagro¹** (sacro), variante con leniz. settentr. di *-c-* in *-g-*; v. SACRO.

**sagro²** (falcone e bocca da fuoco), dall'ar. *şaqr* ' falco '.

**sagù** (sago) ' fecola ', dal frc. *sagou*, risal. attrav. il portogh. *sagu*, al malese *sāgū*.

**saia,** dal frc. ant. *saie* (XIII sec.), lat. *saga*, plur. neutro di *sagum* ' mantello '; v. SAGO¹.

**saìme** (grasso di maiale), lat. volg. *sagīmen*, con leniz. totale della *-g-* dav. a *-i-*, forse dissimilato da *saginīmen*, tratto da *sagina*; v. SAGGINA.

**saina** ' saggina ' (variante tosc.), v. SAGGINA.

**saio** (tonaca), incr. di frc. *saie* (v. SAIA) con it. *sago* (v.).

**sala¹** (stanza), dal franco *sal*, edificio a una sola stanza (ted. *Saal*) (cfr. SUOLO), incr. con longob. *sala* ' palazzo '. Frequente nei nomi locali del tipo *Sala al Barro* (Como), *Sala Baganza* (Parma).

**sala²** (delle ruote), lat. volg. *axalis*, deriv. di *axis* (v. ASSE), col distacco della prima sill. che, passando ad articolo, accentua la natura femm. della parola, e determina il passaggio da *l'assale* in *la (s)sala*.

**sala³** (erba palustre), dal tema mediterr. SALA.

**salacca** (pesce), incr. di *saracca* (XVII sec.) con *sale*.

**salace,** dal lat. *salax, -acis*, deriv. di *salire* come *audax* da *audere* ' osare '. Il senso di *salire* ' saltare ' è quello degli allevatori che lo riferiscono all'accoppiamento del maschio « sulla » femmina.

**salacità,** dal lat. *salacĭtas, -atis*.

**salamandra,** dal lat. *salamandra*, che è dal gr. *salamándra*.

**salamanna** (vite), forma dissimilata da *S(er)alamanna*, e questa da Ser Alamanno (Salviati), che introdusse il vitigno nel XVIII sec.

**salame,** dal lat. medv. *salamen* « insieme di cose salate » come *dolciumi* « insieme di cose dolci ».

**salamelecco,** dalla forma di saluto araba *salām 'alaik* ' pace sopra te '.

**salamoia,** lat. tardo *salemoria*, comp. di *sal, salis* ' sale ' che rinforza una forma tarda di *muries, -ei* ' salamoia ', priva di connessioni attendibili.

**salangana** (uccello) dal frc. *salangane*, risal. a voce filippina.

**salario,** dal lat. *salarium* forma sostantiv. di un agg. « attinente al sale », che indica da prima la « (razione) di sale », poi un'indennità sostitutiva non soltanto del sale, infine il nostro ' salario ' o ' stipendio '; v. SALE.

**salassare,** lat. tardo *sa(nguinem) laxare* 'far scorrere il sangue'; v. SANGUE e LASCIARE.

**salasso,** sost. deverb. da *salassare*.

**salce,** lat. *salix, -ĭcis,* risal. a una rad. dalle forme alternanti SELIK (in lat.), SELIK (nel gr. *helíkē*), SOL(I)K (nell'area germanica); presente anche nell'area celtica.

**salceto,** lat. *salicetum;* v. SALCE.

**salcio,** lat. *salix, -ĭcis* passato alla declinaz. in *-o;* v. SALCE.

**salcrauti,** dal ted. *Sauerkraut,* comp. di *sauer* 'agro' e *Kraut* 'erba', con dissimilaz. da *r.... cr* a *l.... cr;* cfr. CRAUTI.

**salda**[1] (terreno non coltivato), forma sostantiv. del femm. di *saldo.*

**salda**[2] (amido per biancheria), sost. deverb. da *saldare.*

**saldàbile,** agg. verb. di *saldare.*

**saldare,** verbo denom. da *saldo*[1].

**saldo**[1] (agg.), lat. *solĭdus,* incr. con *valĭdus,* cfr. SODO.

**saldo**[2] (sost.), sost. deverb. da *saldare* (nel senso di «chiudere un conto»).

**sale,** lat. *sal salis,* risal. a una forma ideur. SAL che, semplice o ampliata, è attestata in quasi tutte le aree (ted. *Salz,* gr. *háls*), salvo la indo-iranica.

**salesiano,** dal nome di Sales, castello dell'Alta Savoia, donde era oriundo S. Francesco di Sales (1567-1622), patrono della congregazione religiosa fondata da S. Giovanni Bosco nel 1859.

**salgemma,** comp. di *sale* e *gemma,* per sottolineare la struttura regolare dei suoi cristalli.

**saliare,** dal lat. *saliaris,* deriv. da *Salii* nome di un sodalizio sacerdotale romano, i cui componenti erano tenuti ad alcune danze sacre; v. SALIRE e PRÈSULE.

**sàlice,** dal lat. *salix, -ĭcis;* v. SALCE.

**saliceto,** dal lat. *salicetum;* v. SALCETO.

**salicile,** da *sàlice* col suff. chimico *-ile.*

**salicilico,** da *salicile.*

**sàlico,** dal lat. tardo *Salĭcus,* deriv. di *Salii* uno dei due gruppi maggiori dei Franchi.

**saliente,** dal lat. *saliens, -entis* (v. SALIRE), in parte influenzato dal frc. *saillant.*

**salina,** lat. volg. *salina,* class. solo al plur. *salinae, -arum,* forma sostantiv. femm. plur. dell'agg. *salinus;* v. SALINO.

**salino,** dal lat. *salinus,* agg. di *sal.*

**salire,** lat. *salire* 'saltare', dalla rad. SEL[1] 'alzarsi', presente con lo stesso grado semiridotto della radice, SEL, e con lo stesso ampliam. in *-i-,* nel gr. *hállomai* e in forma non ampliata nell'aoristo gr. *hálto* 'saltò'. Il valore originario è indicato dall'intens. *saltare;* v. SALTARE. Per il verbo tematico *solēre;* v. CONSULTARE.

**saliva,** lat. *saliva,* forma sostantiv. di un agg. deriv. forse da una forma *(aqua) saliva* «(acqua) che sale» (come in it. *(acqua) sorgiva),* secondo il rapporto di *nocivus* a *nocere* o di *(re)cidivus* a *(re)cidĕre.*

**salivare** (verbo), dal lat. *salivare.*

**salivazione,** dal lat. tardo *salivatio, -onis.*

**salma** ('carico' poi 'cadavere'), lat. tardo *sauma,* forma risultante dal passaggio a *-um-* del gruppo *-gm-* in seguito alla leniz. del *-g-;* risal. al gr. *ságma* 'il basto'. La successiva sostituz. della *-u-* con *-l-* indica che la parola it. è di tradiz. settentr. alpina, toscanamente ricorretta; v. SOMA.

**salmastro,** dal lat. *salmacĭdus,* incr. con *sale* e un suff. peggiorativo *-aster.* Lat. *salmacĭdus* deriva dal *salgama, -orum* 'conserve preparate nel sale', a sua volta privo di connessioni attendibili.

**salmerìa,** collettivo di *salma* (v.): «insieme di salme o carichi», del tipo di *foresteria* rispetto a *foresto* 'che è di fuori'.

**salmì,** dal frc. *salmis* (XVIII sec.), forse forma abbreviata di *salmigondis,* deriv. dall'it. *salami conditi.*

**salmista,** dal lat. crist. *psalmista,* che è dal gr. *psalmistḗs.*

**salmistrare,** verbo denom. dal venez. *salmistro* 'salnitro', comp. di lat. *sal* e lat. *nitrum,* incr. con *mistro* 'maestro'.

**salmo,** dal lat. tardo crist. *psalmus,* che è dal gr. *psalmós,* risal. a *psállō* 'io canto al suono della cetra'; cfr. SALTERIO.

**salmodìa,** dal lat. crist. *psalmodia,* che è dal gr. *psalmōidía* «canto di un salmo», comp. di *psalmós* e *ōidḗ* 'canto'.

**salmone,** lat. *salmo, -onis,* di prevenienza gallica.

**salnitro,** dal lat. *sal nitrum;* v. SALE e NITRO.

**salone**[1] (grande sala), accresc. di *sala*[1].

**salone**[2] (sala specializzata), dal frc. *salon.*

**salpa** (pesce), lat. *salpa,* dal gr. *sálpē.*

**salpare,** dal catalano *(an)xarpar,* che è da un lat. volg. *exarpare,* a sua volta dal gr. *eksarpázō* «traggo fuori (l'ancora)».

**salpinge** (tromba, strum. musicale e termine anatomico), dal gr. *sálpinks, -ingos* 'tromba'.

**salsa,** lat. *salsa,* forma femm. sostantiv. del part. pass. *salsus;* v. SALSO.

**salsamentario,** dal lat. *salsamentarius,* deriv. di *salsamentum* 'salamoia di pesce', e questo da un presunto *salsare,* verbo intens. di *sallēre* 'salare', da un più ant. *saldēre,* che si trova identico nel ted. *salzen* 'salare'.

**salsapariglia,** dal frc. *salsepareille,* risal. allo sp. *zarzaparrilla.*

**salsèdine,** dal lat. tardo *salsedo, -ĭnis,* astr. di *salsus;* v. SALSO, con la stessa derivazione di *pinguedo, -ĭnis* rispetto a *pinguis;* v. PINGUÈDINE.

**salsiccia,** lat. *insicia,* di carne tagliata prima a scopi sacrificali, poi laici, deriv. da *in* e la rad. di *secare* 'tagliare' (v. SETTORE), con norm. passaggio di *-ĕ-* a *-ĭ-* in sill. interna aperta. Il tutto incr. con *salsa* 'salata' e *salsiccia (farta);* v. SALSO e cfr. CICCIA.

**salso,** lat. *salsus,* part. pass. (da *sald-tos*) del verbo *sallēre* 'salare' da *saldēre* (v. SALSAMENTARIO) come *falsus* da *fallēre* (e *faldēre)* e *celsus* da *cellēre* (e *celdēre);* v. SALE.

**salsùggine,** dal lat. *salsugo, -ĭnis,* astr. di *salsus* con norm. raddopp. di *-g-* dopo l'accento in parola sdrucciola.

**saltare,** lat. *saltare,* intens. di *salire,* dal quale assume il signif., mentre lat. *salire* assume in it. quello di 'procedere verso l'alto'; v. SALIRE.

**saltatore,** dal lat. *saltator, -oris* 'saltatore' e anche 'ballerino'.

**salterio,** dal lat. crist. *psalterium,* che è dal gr. *psaltĕrion,* deriv. di *psállō* 'io canto'; v. SALMO.

**saltimbanco,** da *salta(re) in banco,* cioè per spettacolo.

**saltimbocca,** da *salta(re) in bocca* (perché cosa appetitosa).

**salto,** lat. *saltus, -us,* astr. di *salire* (v. SALIRE), poi adattato ad indicare luogo dirupato o ricco di ostacoli.

**saltuario,** dal lat. *saltuarius,* agg. deriv. da *saltus, -us;* v. SALTO.

**salubre,** dal lat. *salūber, -bris, -bre,* agg. verb. attivo di un presunto *\*salvĕre* ' salvare ', come *volūbĭlis* da *volvĕre:* da un più ant. *\*salŭb(i)lis,* dissimilato secondo la formula da *l.... l* a *l.... r.*

**salubrità,** dal lat. *salubrĭtas, -atis.*

**salume,** dal lat. medv. *salùmen, -ĭnis* « insieme di cose salate »; cfr. *salame* e v. SALE.

**salunta,** da *(fetta) sale-unta.*

**salutare**[1] (agg.), dal lat. *salutaris.*

**salutare**[2] (verbo), dal lat. *salutare,* verbo denom. da *salus, -utis;* v. SALUTE.

**salutatore,** dal lat. *salutator, -oris.*

**salutazione,** dal lat. *salutatio, -onis.*

**salute,** lat. *salus, -utis,* astr. arc. di *salvus* (v. SALVO) e di *\*salvĕre* (v. SALUBRE) col suff. *-t-.*

**salutìfero,** dal lat. *salutĭfer, -fĕri,* comp. di *salus, -utis* e *-fer* ' portatore ' (tema di nome d'agente); v. -FERO.

**saluto,** sost. deverb. estr. da *salutare.*

**salva,** dal frc. *salve* che riproduce in forma di sost. l'imperat. lat. *salve* ' salute '.

**salvacondotto,** calco sul frc. ant. *saufconduit* (sec. XII) inteso, invece che come ' scorta sicura ', come « ciò che assicura il passaggio ».

**salvadanaio,** comp. di *salva(re)* e *danaio,* forma tosc. del lat. *denarium;* v. DANARO.

**salvagente,** comp. di *salva(re)* e *gente.*

**salvaguardare,** calco sul frc. *sauvegarder.*

**salvaguardia,** calco sul frc. *sauvegarde.*

**salvamento,** dal lat. tardo *salvamentum.*

**salvare,** lat. tardo *salvare,* verbo denom. da *salvus,* che si sostituisce a *servare;* v. SALVO.

**salvastrella,** forma assimilata dall'ant. *selvastrella,* più anticam. *\*(erba) selvestrella* (v. SILVESTRE), con dimin. in *-ella:* naturalmente l'associaz. con *silvestre* non è primitiva perché un'erba da prato non può essere associata alle selve, ma solo alla nozione di « selvatico », secondariamente: l'etimol. lontana rimane oscura.

**salvataggio,** incr. del frc. *sauvetage,* nome d'azione di *sauver* (lat. *salvare*), e dell'it. *salvare.*

**salvàtico,** dal lat. tardo *salvatĭcus,* incr. di *saltus* e *silvatĭcus;* v. SELVÀTICO.

**salvatore,** lat. tardo crist. *salvator, -oris.*

**salvazione,** dal lat. tardo *salvatio, -onis.*

**salve,** forma di imperat. lat. del verbo *salvere* col signif. di ' star bene ': denom. da *salvus;* v. SALVO.

**salvia,** lat. *salvia,* deriv. da *salvus* per le sue proprietà benefiche.

**salvietta,** dal frc. *serviette* (XV sec.) deriv. di *servir* ' servire ', sottratto a questa associaz. e avvicinato a quella di *salvare.*

**salvo,** lat. *salvus,* che sottolinea l'interezza e l'integrità. Si confronta esattamente con forme indoiraniche, e osco-umbre, meno col gr. *hólwos* che presuppone, invece di *selwo-,* la base di partenza SOL-WO-. L'ant. signif. di *salvus* è stato preso poi in lat. da *totus.* È possibile una connessione etimol. con la famiglia di *solĭdus,* v. SOLDO, attrav. una rad. SEL[3]/SOL non ampliata con -w-.

**samba,** da un termine brasiliano significante ' ballo ', attrav. il portogh. *samba* (maschile).

**sambuca** (strum. a corde, macchina d'assedio), dal lat. *sambuca,* che è dal gr. *samb̆kĕ,* aramaico *sebāka* ' graticcio '.

**sambuco**[1] (pianta), lat. *sambucus,* senza connessioni etimol. attendibili, ma con una derivaz. parallela a *lactuca, festuca;* cfr. LATTUGA, FESTUCA.

**sambuco**[2] (imbarcazione a vela), dall'ar. *sambuq.*

**samovàr,** parola russa composta di *samo-* ' se stesso ' e *var* ' acqua '.

**sampogna,** lat. arc. *\*sumponia,* volg. *\*sumponja* (class. *symphonìa*) da gr. *symphônìa,* con i trattamenti arc. di *y* in *u* e *ph* in *p* con passaggio di *sum-* a *sam-,* secondo lo schema di *sambuca,* ma senza la correzione ingiustificata di *s-* in *z-,* per cui v. ZAMPOGNA.

**sanàbile,** dal lat. *sanabĭlis.*

**sanare,** lat. *sanare,* verbo denom. da *sanus* ' sano '.

**sanatore,** dal lat. tardo *sanator, -oris.*

**sanatorio,** dal neutro dell'agg. lat. tardo *sanatorius* sostantiv.

**sancire,** dal lat. *sancire,* verbo appartenente alla rad. di *sacer* con infisso nasale, generalizzato però al perf. *sanxi* e al part. pass. *sanctus,* e perciò non primitivo. Di valore in parte causativo: « rendere intangibile »; v. SACRO.

**sanculotto,** dal frc. *sans-culotte* ' senza calzoni corti ', sostituiti nel costume rivoluzionario da quelli lunghi.

**sàndalo**[1] (legno), dal lat. med. *sàndalum,* ar. ṣandal.

**sàndalo**[2] (calzatura e imbarcazione), dal gr. *sándalon.*

**sandolino,** dimin. di *sàndalo,* con passaggio dell'elemento *-al-* a *-ol-* per insistere sul valore dimin.

**sandracca** (resina), dal lat. *sandarăc(h)a,* incr. col gr. *sandarák(h)ē,* e, in seguito all'accento di penultima di quest'ultimo, allineato con i temi it. in *-acca.*

**sandwich,** dal nome dell'inventore J. Montague conte di Sandwich (1718-1792).

**sanfedista,** da *san(ta)-fedista* perché combatteva, oltre che per la monarchia borbonica, per la « Santa Fede ».

**sangiaccato,** da *sangiacco,* calco su *sultanato.*

**sangiacco,** dal turco *sangiāq* ' bandiera '.

**sangiovese** (vitigno e vino), da *Sangiov(ann)ese,* forse S. Giovanni Valdarno.

**sangue,** lat. *sanguen, -ĭnis,* forma arc. di *sanguis, -ĭnis,* parola isolata nel vocab. idear. come il gr. *haîma* e il ted. *Blut;* cfr. anche CRUDO. All'interno del latino, collegabile forse con *sanies;* v. SANIE.

**sanguigno,** lat. volg. *\*sanguinjus,* class. *sanguinĕus.*

**sanguinare,** dal lat. *sanguinare.*

**sanguinario,** dal lat. *sanguinarius.*

**sanguìneo,** dal lat. *sanguineus;* cfr. SANGUIGNO.

**sanguinolento,** dal lat. *sanguinolentus.*

**sanguinoso,** dal lat. tardo *sanguinosus.*

**sanguisuga,** dal lat. *sanguisuga,* comp. di *sanguis* e un tema di nome d'agente da *sugĕre;* v. SÙGGERE.

**sanie** (materia purulenta), dal lat. *sanies, -ei,* astr. di una rad. SAN (cfr. *acies* da AK), senza collegamenti fuori del lat. Tuttavia sembra difficile separarlo da una parte da *sanguis* (v. SANGUE), dall'altra da un possibile verbo *sanĕre ' scorrere ' secondo il rapporto di series a serĕre e di species a specĕre.

**sanità,** dal lat. sanĭtas, astr. di sanus.

**sanna,** forma settentr. del longob. zann ' dente ', regolarm. adattato invece nella forma tosc. zanna (v.).

**sano,** lat. sanus, privo di connessioni al di là delle aree umbra e venetica.

**sansa**[1] (residuo dell'olio), lat. sampsa, privo di connessioni attendibili anche all'interno del lat.

**sansa**[2] (strum. musicale), dall'ar. ṣang' ' cembalo '.

**sànscrito,** dal sanscrito saṃskṛta- « compiuto, perfetto (grammaticalmente) ».

**santabàrbara,** dal nome di S. Barbara (IV sec. d. C.), patrona degli artiglieri e degli artificieri.

**santificare,** dal lat. crist. sanctificare, comp. di sanctus (v. SANTO), e -ficare tema di verbo denom. dal tema di nome d'agente -fex.

**santificatore,** dal lat. crist. sanctificator, -oris.

**santificazione,** dal lat. crist. sanctificatiò, -onis.

**santimonia** ' falsa santità ', dal lat. sanctimonia, neutro plur. di sanctimonium.

**santippe,** dal nome della moglie di Socrate, lat. Xanthippe, che è dal gr. Ksanthíppē.

**santità,** dal lat. sanctĭtas, -atis, astr. di sanctus; v. SANTO.

**santo,** lat. sanctus, part. pass. di sancire e cioè da prima ' pattuito, reso intangibile ' poi inserito nella visione cristiana della santità; v. SANCIRE.

**santònico,** dal lat. (herba) santonĭca, risal. alla popolazione gallica dei Santŏnes e significante l'assenzio.

**santonina,** da santon(ico), in quanto nome di acido, col suff. -ina di prodotti chimici e medicinali.

**santoreggia** (erba), lat. satureia (privo di connessioni etimol.), incr. con santo.

**santuario,** dal lat. sanctuarium, incr. di sanctus e sacrarium, del quale ultimo prende il posto nella terminologia cristiana.

**sanzione,** dal lat. sanctio, -onis ' prescrizione ', nome d'azione di sancire, ancora privo di risonanze ostili.

**sapa** (mosto), lat. sapa ' vino cotto ', prob. collegato col ted. Saft ' succo ' nel quadro di una terminologia ideur. nordoccidentale, riferibile a bacche commestibili e fermentate.

**sapere,** lat. volg. *sapere, class. sapĕre, da una rad. SAP, attestata anche nelle aree osco-umbra e germanica.

**sàpido,** dal lat. tardo sapĭdus, che presuppone *sapĕre come calĭdus rispetto a calēre ' esser caldo '.

**sapiente,** dal lat. sapiens, -entis, part. pres. di sapio, sapĕre; v. SAPERE.

**sapienza,** dal lat. sapientia.

**sapone,** lat. sapo, -onis indicante la miscela che i Galli usavano per tingersi di rosso i capelli. Parola di orig. gallica.

**sapore,** lat. sapor, -oris, astr. di sapĕre; v. SAPERE.

**saporoso,** dal lat. tardo saporosus.

**sara** (pesce leggendario provvisto di una cresta a seghetta), dall'ant. frc. sarre risal. a lat. serra ' sega ', v. SERRETTA.

**sarabanda,** dallo sp. zarabanda e questo dal persiano sarband.

**saracca,** lat. medv. saraqua (XIV sec.), deriv. da sara ' pesce leggendario '; v. SARA.

**saraceno,** dal lat. Saracenus, che è dal gr. Sarakēnós.

**saracinesca,** femm. sostantiv. di saracinesco, per indicare la chiusura resistente di un edificio fortificato. Cfr. per il tipo di derivaz. BERTESCA.

**saracinesco,** da saracino col suff. (non elogiativo) -esco.

**saracino,** dal gr. medv. Sarakēnós con pronuncia itacistica di i per ē.

**sàrago** (pesce), variante di sargo (v.).

**sarcasmo,** dal lat. tardo sarcasmus, che è dal gr. sarkasmós, deriv. di sarkázō ' lacero le carni ' (in senso figur.), verbo denom. da sárks ' carne '.

**sarchiare,** lat. tardo sarculare, verbo denom. da sarcŭlun.

**sarchio,** lat. sarcŭlum, ant. *sar-tlo-m, nome di strum. di sarire ' sarchiare ', risal. a una rad. SER[1] che, variamente ampliata, si trova in altre lingue ideur. con signif. di ' tagliare ', e riappare nel lat. serra; v. SERRETTA e cfr. SARMENTO.

**sarcòfago,** dal lat. sarcophăgus, che è dal gr. sarkophágos propr. « mangiatore di carne », attributo di una pietra che consumava rapidamente i cadaveri, esteso poi a qualsiasi urna sepolcrale.

**sarcoma,** dal lat. sarcoma, che è dal gr. sárkōma ' escrescenza carnosa ', deriv. di sárks ' carne '.

**sarda, sardina** (pesce), lat. sarda, sardina, femm. sostantiv. di sardus ' di Sardegna ' col suo dimin.

**sardònica** (miner., varietà di agata), dal lat. sardonўcha, forma femm. sostantiv. di gr. sardónyks, -ykhos « onice (proveniente) da Sardi (in Lidia) ».

**sardònico** (maligno), dal lat. sardonĭus (col suff. it. -ico) ' proprio del riso proveniente dall'herba sardonia » (dal gr. sardónia ' ranuncolo ').

**sargasso,** dal frc. sargasse (XVI sec.) e questo dallo sp. sargazo, deriv. di sarga, lat. tardo salĭca, variante di salix, -ĭcis; v. SALCE.

**sargia** (stoffa), dal frc. ant. sarge, lat. volg. *sarĭca, variante di serĭca; v. SÈRICO.

**sargo** (pesce), lat. sargus, che è dal gr. sárgos.

**sari** (veste indiana), dall'indostano sāṛī.

**sarissa** (lancia macedone), dal lat. saris(s)a, che è dal gr. sárisa.

**sarmento,** dal lat. sarmentum, deriv. di sarpĕre ' potare le viti ', da un ampliam. in -p- della rad. SER[1] (v. SARCHIO, SERRETTA), attestato nelle aree baltica, slava e greca (hárpē ' falce ').

**sarmentoso,** dal lat. sarmentosus.

**sàrtia,** dal gr. tardo (ek)sártia, plur. di eksártion ' attrezzatura della nave '.

**sarto,** lat. tardo sartor ' rammendatore ', nome d'agente di sarcire ' ricucire ', senza chiare connessioni fuori del lat.

**sartore,** lat. tardo sartor, -oris; v. SARTO.

**sartoria,** da sartore, come tintoria rispetto a tintore, fattoria rispetto a fattore.

**sassafrasso** (legno americano), dal frc. sassafras, risal. a lingue indigene d'America, attrav. lo sp. sasafrás.

**sassèfrica,** lat. saxifrĭca, variante di saxifrăga « la pianta che si frega (o che si rompe) contro le rocce », comp. di saxum (v. SASSO), e -frico- o -frago-; v. FREGARE e FRÀNGERE.

**sasseto,** lat. saxetum; v. SASSO.

**sassifraga,** dal lat. (herba) saxifrăga; v. SASSÈFRICA.

**sasso,** lat. saxum dalla rad. SEK (al grado semiridotto seK), ' tagliare ', e cioè risal. all'età della pietra, quando si definiva insieme la materia, prima e dopo la lavorazione. La parola, identica dell'alto ted. ant. *sahs*, significa ' coltello ' (v. SETTORE): cfr. per la formaz. COLLO (lat. *collum*, più ant. *col-so-m*).

**sassòfono** (strum. musicale), dal frc. *saxophone* e questo comp. dal nome dell'inventore, il belga A. Sax (1814-1894) e il tema *-phone*, dal gr. *-phono*; cfr. *telèfono* e v. -FONO.

**sassoso**, dal lat. *saxosus*; v. SASSO.

**sàtana**, dal lat. crist. *Satan*, che è dal gr. *Satân*, ebr. *S'āṭān*.

**satanasso**, dal lat. cris. *Satānas*, che è dal gr. *Satanâs*.

**satànico**, dal gr. eccl. *satanikós*.

**satèllite**, dal lat. *satelles, -ĭtis*, di presunta orig. etrusca, inserito nella serie di *miles, -ĭtis, comes, -ĭtis*.

**satin** (pron. *satèn*), dal frc. *satin* e questo dall'ar. *Zaitūn*, nome della città cinese da cui proviene la stoffa.

**satinare**, dal frc. *satiner*.

**sàtira**, dal lat. *satira*, variante imperiale di *satùra*, che nella formula (*lanx*) *satura* indica una macedonia di frutta, e viene poi a definire un componimento poetico composito: risal. a *satur* ' pieno di cose (varie) '; v. SATURO.

**satiriasi**, dal lat. tardo *satyrĭăsis*, che è dal gr. *satyríasis*, deriv. di *sátyros*.

**satìrico**, dal lat. *satirĭcus*.

**sàtiro**, dal lat. *saty̆rus*, che è dal gr. *sátyros*.

**sativo**, dal lat. *satĭvus*, deriv. di *satus*, part. pass. di *serĕre* ' seminare ' come *activus* da *actus*. La rad. con la *a* breve indica il grado ridotto come è di regola nel part. pass. in confronto al grado norm. SĒ[1], per cui v. SEME. Fuori del lat. il grado ridotto si trova però solo nell'area celtica.

**satollare**, lat. *satullare*, verbo denom. da *satullus*; v. SATOLLO.

**satollo**, lat. *satullus*, dimin. di *satur*; v. SÀTURO.

**satrapia**, dal lat. *satrapīa*, che è dal gr. *satrapeía*, astr. di *satrápēs*.

**sàtrapo**, dal lat. *satrăpes*, passato alla declinaz. in *-o*; e questo dal gr. *satrápēs*, che è dal pers. ant. *khsathra-pa-* « signore (*pa-*) del regno (*khsathra-*) ».

**saturare**, dal lat. *saturare*, verbo denom. da *satur*; v. SÀTURO.

**saturazione**, dal lat. tardo *saturatio, -onis*.

**saturità**, dal lat. *saturĭtas, -atis*.

**saturnale**, dal lat. *saturnalis* (col plur. *saturnalia*), deriv. di *Sāturnus*, associato dagli antichi alla famiglia di *satus* ' seminato ' e alla esuberanza della natura.

**saturnino**, dal lat. *saturninus*.

**saturnio**, dal lat. *saturnius*.

**saturnismo**, deriv. moderno per indicare l'avvelenamento cronico da piombo, associato dagli alchimisti al dio Saturno.

**sàturo**, dal lat. *satur, -ŭra, -ŭrum*, ant. *saturos*, ampliam. in *-ro* di un tema *satu-* risal. a una rad. SĀT, da cui anche *satis* ' abbastanza ', v. SAZIARE. La forma ampliata con *-u-* si trova, oltre che in lat., anche nel lituano *sotùs* ' saziante ' e ' sazio '. La forma semplice *sāt-, săt* si trova nelle aree greca, celtica, germanica (ted. *satt*). Diramazioni meno perspicue appaiono nelle aree armena, slava e indiana.

**sauro**[1] (colore di cavallo), dal provz. *saur*, franco *saur* ' secco (associato al colore giallo dei prati aridi) '; cfr. SORO.

**sauro**[2] (rettile), dal lat. *saurus*, deriv. da gr. *saûros*.

**savana**, dallo sp. *sabana*, risal. a un nome indigeno aruaco, dell'America centr. (Haiti).

**savio**, dal provz. *savi*, lat. volg. *sapjus*, con leniz. di *-p-* in *-v-*; v. SAGGIO[1] e SAPERE.

**savonetta** (orologio), dal frc. *savonette* « saponetta ».

**savore** (salsa), lat. *sapor, -oris*, con leniz. settentr. di *-p-* in *-v-*.

**saziàbile**, dal lat. tardo *satiabĭlis*.

**saziare**, dal lat. *satiare*, verbo denom. da *satis* ' abbastanza ', forma irrigidita tratta da un ampliam. avverbiale della rad. SĀT al grado ridotto, sopravv. nella forma senza *-s* del lat. *sat* ' abbastanza ' (da *sati*): v. SÀTURO.

**sazietà**, dal lat. *satiĕtas, -atis*.

**sazio**, agg. deverb. da *sazia(to)*.

**sbacchiare** (sbatacchiare), incr. di *sbatacchiare* e *bacchiare* con *s-*[1] durativo-intensivo.

**sbaciucchiare**, verbo denom. da *bacio* con *s-*[1] iterat. e *-ucch-* vezzegg.

**sbadato**, dal part. pass. di *badare* con *s-*[2] privat.

**sbadigliare**, dall'ant. *badigliare* (v.) con *s-*[1] durativo, cfr. i tipi *origliare, bisbigliare*.

**sbadiglio**, sost. deverb. da *sbadigliare*.

**sbadire**, calco su *ribadire* con sostituz. di *s-*[2] privat. a *ri-* ripetitivo.

**sbafare**, da una serie onomatop. *b.... f*, associata all'aprir bocca e alla espirazione, col pref. durativo *s-*[1]; cfr. AFA.

**sbafo**, sost. deverb. da *sbafare*.

**sbagliare**, da (*ab*)*bagliare* incr. con *s-*[2] sottrattivo; cfr. BAGLIORE.

**sbalestrare**, verbo denom. da *balestra* con *s-*[1] estrattivo.

**sballare**, verbo denom. da *balla* con *s-*[1] estrattivo.

**sballato**, incr. di *spallato* con *balla*.

**sballottare**, da *ballottare* con *s-*[1] iterat.

**sbalordire**, verbo denom. da *balordo* con *s-*[1] intens.

**sbalzare**, da *balzare* con *s-*[1] intens.

**sbalzo**, sost. deverb. estr. da *sbalzare*.

**sbancare**, verbo denom. da *banco*, sia in senso di terreno che di danaro, con *s-*[2] sottrattivo: « annullare il banco ».

**sbandare**, verbo denom. da *banda*[1] ' parte ' con *s-*[2] sottrattivo.

**sbandierare**, verbo denom. da *bandiera* con *s-*[1] intens. durativo.

**sbandire**, da *bandire* con *s-*[1] intensivo.

**sbaragliare**, dal provz. ant. *baralhar* ' disputare ' con *s-*[1] intensivo-conclusivo.

**sbaraglio**, sost. deverb. da *sbaragliare*.

**sbarazzare**, calco su *imbarazzare* con la sostituz. di *s-*[1] estrattivo a *in-* illativo.

**sbarazzino**, sost. deverb. da *sbarazzare* con il suff. *-ino*, in parte col valore di agente (« colui che sbarazza »), in parte diminutivo-vezzeggiativo.

**sbarbare**, verbo denom. da *barba* con *s-*[2] sottrattivo.

**sbarcare**, verbo denom. da *barca* con *s-*[1] estrattivo.

**sbardellare**, verbo denom. da *bardella* con *s-*[1] intens.

**sbarra**, incr. di *barra* con gotico *sparra* (ted. *Sparren*).

**sbarrare**, incr. di *barrare* con *sbarra*.

sbasire, incr. di *basire* e *svenire*.

sbassare, verbo denom. da *basso* con *s*-¹ intens.

sbatacchiare, verbo denom. da *batacchio* con *s*-¹ iterativo-durativo; cfr. SBACCHIARE.

sbàttere, da *bàttere* con *s*-¹ intens.

sbavare, verbo denom. da *bava* con *s*-¹ estrattivo.

sbeccare, verbo denom. da *becco*¹ con *s*-² sottratt.

sbeffare, da *beffare* con *s*-¹ durativo.

sbellicare, verbo denom. da *bellìco* con *s*-² sottrattivo.

sberciare, da *berciare* con *s*-¹ intens.

sberleffare, verbo denom. da *sberleffo*.

sberleffo, da *berleffe* con *s*-¹ intens., cfr. LERFIA.

sbertare, verbo denom. da *berta* ' burla ' con *s*-¹ durativo.

sbevazzare, da *bévere* con *s*-¹ durativo e il suff. *-azz-* intensivo-peggiorativo.

sbiadire, verbo denom. da *biado* con *s*-¹ durativo.

sbiancare, verbo denom. da *bianco* con *s*-¹ durativo.

sbieco, da *bieco* con *s*-¹ intens.

sbigottire, dal frc. ant. *esbahir*, incr. con *bigotto*.

sbilanciare, da *bilanciare* con *s*-² negat.

sbilenco, da *bilenco* con *s*-¹ intens.

sbirciare, verbo denom. da *bircio* con *s*-¹ durativo.

sbirro, da *birro* con *s*-¹ intens.

sbizzarrire, verbo denom. da *bizzarro* con *s*-¹ iterativo-intensivo.

sbloccare, da *bloccare* con *s*-² sottrattivo.

sblocco, sost. deverb. da *sbloccare*.

sbobb(i)a, da *boba* con *s*-¹ intens. e raddopp. consonantico pure intens.

sboccare, verbo denom. da *bocca* con *s*-¹ estrattivo.

sboccato, con *s*-² privat. « privo (dei freni) della bocca ».

sbocciare¹ (colpire la boccia), verbo denom. da *boccia* con *s*-¹ intens.

sbocciare² (aprirsi di un fiore), verbo denom. da *boccio* con *s*-¹ estrattivo.

sbocco, sost. deverb. da *sboccare*.

sbocconcellare, verbo denom. da *bocconcello*, dimin. di *boccone*, con *s*-¹ durativo.

sboffo, v. SBUFFO.

sbolgiare, verbo denom. da *bolgia* con *s*-¹ durativo

sbollire, da *bollire* con *s*-² negativo-conclusivo.

sbolognare, verbo denom. da Bologna, un tempo centro di smercio di ori falsi e oggetti privi di pregio, con *s*-¹ estrattivo-intensivo: « (dar via alla svelta) secondo l'uso bolognese ».

sbornia, sost. deverb. da *sborniare*.

sborniare, verbo denom. risultante dall'incr. di lat. tardo *ebrionia* con it. *bornio* (v.) attrav. l'errata analisi di *e-* come prefisso e la conseguente sostituz. con it. *s*-¹ durativo: cfr. EB(B)RO.

sborrare, verbo denom. da *borra*¹ con *s*-² sottrattivo.

sborsare, verbo denom. da *borsa*¹ con *s*-¹ estrattivo.

sbottare, verbo denom. da *botta*² ' percossa ' con *s*-¹ intens.

sbottonare, calco su *abbottonare* mediante sostituz. di *s*-² sottrattivo a *a(d)-* allativo.

sbozzare, verbo denom. da *bozza*¹ con *s*-² sottrattivo (opposto ad *abbozzare*).

sbracare, verbo denom. da *braca* con *s*-² sottrattivo.

sbraitare, da *braitare*, intens. di *braire* (v.) con *s*-¹ durativo-intensivo.

sbranare, verbo denom. da *brano* con *s*-¹ durativo-intensivo.

sbrattare, calco su *imbrattare* con sostituz. di *s*-² sottrattivo a *in-* illativo.

sbreccare ' rompere gli orli di un piatto , dal longob. *brëhhan* ' rompere ' (ted. *brechen*) con *s*-² sottrattivo.

sbregare ' strappare ' (dial.), dal got. *brikan* ' rompere ' con *s*-¹ estrattivo-intensivo.

sbrendolare, verbo denom. da *sbréndolo*.

sbréndolo, da *bréndolo* con *s*-¹ estrattivo-intensivo. cfr. BRINDELLO.

sbriciolare, verbo denom. da *brìciola* con *s*-¹ durativo-intensivo.

sbrigare, verbo denom. da *briga* con *s*-² sottrattivo.

sbrindellare, verbo denom. da *brindello* con *s*-¹ durativo.

sbrindello, sost. deverb. da *sbrindellare*.

sbrocco (lesina) da *brocco* con *s*-¹ intens. nel senso di ' cosa sporgente '.

sbrodolare, verbo denom. da *brodo* con suff. di iterat. *-ol-* e *s*-¹ intens.

sbrogliare, calco su *imbrogliare* mediante sostituz. di *s*-² estrattivo a *in-* illativo; v. BROGLIARE.

sbronza, incr. di lat. tardo *ebrionia* con it. *broncio*: a) con sostituz. di *s*-² estrattivo a *e-* erroneamente ritenuto prefisso rispetto a *-brionia*; b) con trattam. settentr. di *broncio* in *bronso* poi *bronzo*, parallelo al risultato finale di *lyncĕus* nell'it. *lonza* (v.): v. anche SBORNIA.

sbroscia, da *broscia* con *s*-¹ intens.

sbruffare, da una serie onomatop. *sbr.... f.*

sbucare, verbo den. da *buca, buco*, con *s*-¹ estrattivo.

sbucciare, verbo denom. da *buccia* con *s*-² sottratt.

sbuffare, da *buffare* con *s*-¹ durativo.

sbuffo, sost. deverb. da *sbuffare*.

sbugiardare, verbo denom. da *bugiardo* con *s*-¹ estrattivo-intensivo: « estrarre la prova che uno è bugiardo ».

sbuzzare, verbo denom. da *buzzo* con *s*-¹ estrattivo.

scabbia, lat. tardo *scabia* (class. *scabies*), con raddopp. della *-b-* dav. a *i* cons. dopo l'accento. *Scabies* è l'ant. astr. di *scabĕre* ' grattare ', bene collegato, con forme analoghe della rad. SKEBH, nelle aree germanica, baltica e slava. Più vaghe connessioni si hanno nell'area greca.

scabbioso, dal lat. *scabiosus*, incr. con it. *scabbia*.

scabino (magistrato comunale), dal lat. medv. *scabinus*, risal. al franco *skapîn* ' colui che fa ' appartenente alla famiglia del ted. *schaffen*.

scabro, dal lat. *scaber*, *-bra*, *-brum*, appartenente alla famiglia di *scabĕre*; v. SCABBIA.

scabroso, dal lat. tardo *scabrosus*.

scacchiare, verbo denom. da *cacchio* ' getto della pianta ', con *s*-² sottrattivo.

scacchiera, da *scacchiere*, reso femminile, attrav. una formula del tipo (tavola) *scacchiera*.

scacchiere, dal frc. ant. *eschaquier*.

scacciare, da *cacciare* con *s*-¹ estrattivo-intensivo.

scaccino, da *scacciare* col suff. *-ino* di mestiere.

scacco, dal provz. ant. *escac*, risal. al persiano *shāh* ' re ' prob. attrav. lo sp. *jaque*; cfr. SCIÀ.

scadere, lat. volg. *excadĕre*, incr. di *cadĕre* e class. *excidĕre*, comp. di *cadĕre* con norm. passaggio di *-ă-* in *-ĭ-* in sill. interna aperta, con la prep. *ex-*.

scafandro, dal frc. *scaphandre*, comp. dei due elementi gr. *skáphē* ' oggetto galleggiante ' e *anêr andrós* ' uomo ': « uomo galleggiante ».

scaffa ' scaffale ', dal longob. *skaf* ' apparecchiatura di tavole, ripiano di legno '.

scaffale, agg. sostantiv. da *scaffa*.

scafo, dal gr. *skáphos* ' imbarcazione ', deriv. dalla rad. di *skáptō* ' io scavo '.

scagionare, verbo denom. da *cagione* con *s-²* sottrattivo.

scaglia, dal gotico *skalja* ' baccello '.

scagliare¹ (gettare), verbo denom. da *scaglia*, incr. con *s-¹* estrattivo-intensivo.

scagliare² (scheggiare), verbo denom. da *scaglia*.

scagliare³ ' disincagliare ', calco su *incagliare¹*, con la sostituz. di *s-²* estrattivo a *in-* illativo.

scagliola, dimin. di *scaglia*.

scaglione, accresc. di *scaglia*, influenzato in certi signif. dal frc. *échelon*.

scagnare, verbo denom. da *cagna* con *s-¹* durativo.

scagnozzo, sost. deverb. da *scagnare* con suff. dimin. e peggiorativo *-ozzo*.

scala¹, lat. *scala*, ant. *skandsla*, nome di strum. della rad. SKAND di *scandēre* ' salire ', dal signif. orig. di ' mettersi in movimento ', attestato anche nelle aree celtica e indiana. Nell'area gr. le appartiene prob. il sost. deriv. *skándalon* ' trabocchetto '; cfr. SCANDIRE.

scala² (porto), dal gr. *skála*, di orig. lat.

scalamento, s.m. da *scalare²*.

scalandrone (passerella d'imbarco e sbarco), dal gr. *skalánthron*, incr. con it. *scala*.

scalare¹ (agg.), dal lat. *scalaris*, deriv. di *scala*.

scalare² (verbo), verbo denom. da *scala* sia nel senso di salirla (*scalare una montagna*) sia di scenderla (*scalare un debito*): in questo secondo signif. incr. con *calare* ' scendere ' e un pref. *s-¹* durativo.

scalcinato, dal gergo militare: (*muro*) *scalcinato* « privo di calcina » passato a « militare (e poi a qualsiasi persona) scadente », nelle sole apparenze o anche nella sostanza.

scalco, dal longob. *skalk* ' servo '.

scaldare, lat. tardo *excaldare*, verbo denom. da *cal(ĭ)dus* col pref. *ex-* che indica il passaggio dallo stato precedente a quello nuovo e dà al composto il signif. di « mettere nell('acqua) calda », e infine, in ital. quello durativo di rendere progressivamente più caldo.

scaldo (poeta nel medio evo scandinavo), dal norreno *skáld*.

scaleno, dal lat. tardo *scalenus*, che è dal gr. *skalēnós* ' disuguale, zoppicante ': tale appare il triangolo di questa forma, comunque lo si disponga.

scalèo, lat. tardo *scalerius*, variante di *scalarius*, trattato secondo la regolare formula tosc., per cui *-eriu* diventa *-è(i)o*.

scalfare (scaldare) arc., incr. di lat. *excalefacĕre* e it. *fare*, con norm. caduta della *-e-* protonica.

scalferotto (pantofola), da *scalfare* ' scaldare ' col suff. vezzegg. *-otto-* e il norm. passaggio tosc. di *-ar-* privo d'accento in *-er-*.

scalfìggere, lat. volg. *scarfire* (v. SCALFIRE), incr. con class. *configĕre*; v. FÌGGERE.

scalfire, lat. volg. *scarfire* (dissimilato dalla serie *r.... r a l.... r*); risalente al gr. *skaripháomai*, attrav. l'incr. con *sacrifico* e conseguenti adattamenti dei verbi dell'età imp. *scarifĭco, scarifĭo*.

scalfittura, astr. di *scalfìggere*, deriv. dal part. pass. *scalfitto*, anziché da *scalfito* di *scalfire*.

scaligero, dagli *Scalìgeri* di Verona, incr. col nome del Teatro alla *Scala* di Milano.

scalmana, da *calma* col suff. *-ana* di accresc. e il pref. *s-²* privat.

scalmo, lat. *scalmus*, che è dal gr. *skalmós*.

scalo, da *scala²*.

scalogna¹ (cipolla), lat. (*a*)*scalonia* (*cepa*) « (cipolla) di Ascalona (in Palestina) ».

scalogna² (disdetta), lat. *calumnia* con *s¹-* intens.; v. CALUNNIA.

scaloppa, dal frc. *escalope*.

scalpellare, dal lat. tardo *scalpellare*, verbo denom. da *scalpellum*; v. SCALPELLO.

scalpello, lat. *scalpellum*, dimin. di *scalprum* ' strumento da taglio ', nome di strum. legato a *scalpĕre* ' grattare ', con una parziale connessione solo nel gr. *skálops* ' talpa '.

scalpicciare, incr. di *scalpitare* e *pasticciare*.

scalpitare, lat. volg. *scalpitare*, intens. di *scalpĕre* ' grattare ' poi ' incidere ', secondo il rapporto di *agitare* rispetto ad *agĕre*.

scalpo (trofeo degli scotennatori), dall'ingl. *scalp*.

scalpore, sost. deverb. estr. da *scalp(itare)*, secondo lo schema di *bagliore* rispetto ad (*ab*)*bagliare*, *malore* e (*am*)*malare*.

scaltrire, dall'ant. *calterire*, verbo denom. da *cauterio* (v.), con la correzione in *al* di un *au* ritenuto a torto settentr. e col pref. *s-¹* intens.: « bruciare a fondo » e cioè « rendere esperto a fondo ».

scaltro, agg. deverb. estr. da *scaltr(it)o*.

scalzare, lat. *excalceare*, incr. con *calzare* (v.).

scalzo, agg. deverb. estr. da *scalz(at)o*.

scamato, ' bacchetta per materassai ' e sim., da *camato* (arc.) con *s-¹* intensivo.

scambiare, da *cambiare* con *s-¹* durativo.

scambio, sost. deverb. da *scambiare*.

scam(m)onèa (pianta), dal lat. *scammonea*, che è dal gr. *skam(m)ōnía*, incr. per l'accento con *panacèa*.

scamorza, sost. deverb. da *scamozzare*, incr. con *scorza*.

scamosciare, verbo denom. da *camoscio* con *s-¹* intens.

scamozzare, da *ca(po)mozzare* con *s-¹* intens.; v. CAPO e MOZZO.

scampagnare, verbo denom. da *campagna* con *s-¹* intens.

scampagnata, sost. deverb. collettivo da *scampagnare*.

scampanare, verbo denom. da *campana* con *s-¹* durativo.

scampare, verbo denom. da *campo* con *s-¹* estrattivo.

scampo¹, sost. deverb. da *scampare*.

scampo² (gambero), dal venez. *scampo*, risal. a parola gr. del tipo *hippókampos* ' cavalluccio marino ', con *s-¹* intens.

scàmpolo, dimin. di un presunto *scampo*, agg. deverb. estr. da *scamp(at)o* e cioè « superstite ».

scanalare, verbo denom. da *canale* con *s-¹* estrattivo: « estrarre un canale (da una materia uniforme) ».

scancìo, nome d'azione iterativo-collettivo risultante dall'incr. di *schiancire* (XIII sec.) e *scansare*. La nozione di ' sghembo ' deriva cioè da un incr.

fra le due immagini del « battere (obliquamente) » (v. SCHIANCIRE) e dell'« angolo che si evita » (v. SCANSARE). La forma in -*io* si comporta di fronte a *sc(hi)ancire* come *pendìo* di fronte a *pèndere*.

**scandaglio,** lat. volg. *\*scandaclum,* nome di strum. tratto da *\*scandare,* verbo durativo di *scandère* ' salire ' (v. SCALA), con trattam. settentr. del suff. *-clo-* in *-glio-* (invece che in *-cchio-*).

**scandalizzare,** dal lat. crist. *scandalizare,* che è dal gr. *skandalizō.*

**scàndalo,** dal lat. crist. *scandălum,* che è dal gr. *skándalon* ' impedimento '; v. SCALA.

**scandaloso,** dal lat. crist. *scandalosus.*

**scandella** (orzo), lat. *scandăla* ' spelta ' da un tema mediterr. SKANDA con suff. di dimin. Il suff. di dimin. è stato rinforzato nella forma it.

**scandire,** dal lat. dei gramm. *scandĕre (versus)* ' salire ' nel senso di accentare i tempi forti del verso e quindi « distinguere » i piedi; passato alla coniugaz. in *-i-*; v. SCALA.

**scàndola** (tavoletta), lat. tardo *scandŭla* privo di connessioni attendibili.

**scangèo,** da *cangio* ' cambio ' secondo il rapporto di *scalèo* a *scala* (v. SCALÈO) e con *s-1* intens.: « frenetico scambio, confusione ».

**scannafosso,** da *scanna(re)* ' scava(re) ' e *fosso,* passato dal valore attivo del nome d'agente ' che scava il fosso ' a quello passivo di ' fosso scavato '; v. SCANNARE[2] e FOSSO.

**scannare**[1] (ammazzare), verbo denom. da *canna (della gola)* con *s-2* sottrattivo.

**scannare**[2] (scavare), verbo denom. da *canna* con *s-1* intens.

**scannellare,** verbo denom. da *scanal(atura),* incr. con *cannella.*

**scannello**[1] (taglio di carne), da *cannello,* dimin. di *canna* con *s-2* estrattivo.

**scannello**[2] (cassetta), lat. tardo *scamnellum,* dimin. di *scamnum;* v. SCANNO.

**scanno,** lat. *scamnum,* da una rad. costituita dal gruppo SK all'iniziale, da una cons. labiale finale, e vocalismo oscillante, con signif. di ' appoggiare ', attestata nelle aree indo-iranica e greca.

**scansare,** da *cansare* con *s-1* durativo e intens.

**scansìa,** dal venez. *scansìa,* prob. astr. risultante da un incr. di *scano* ' banco ' e *scanzelo* ' scrittoio ', il primo dal lat. *scamnum* (v. SCANNO), il secondo da lat. tardo *cancellus* con *s-1-* intens.

**scansione,** dal lat. *scansio, -onis,* nome d'azione di *scandĕre.*

**scantinare,** verbo denom. da *cantino,* dimin. di *canto*[2] in senso figur. con *s-1* estrattivo.

**scantonare,** verbo denom. da *cantone,* accresc. di *canto*[2] in senso proprio, con *s-1* durativo; cfr. CANTONATA.

**scapaccione,** doppio accresc. di *capo* con *s-1* intens.

**scapato,** agg. deriv. da *capo* con *s-2* privat.

**scapestrato,** da *capestro* con *s-2* privat.

**scapezzare,** da *capezzo* con *s-2* privat.

**scapigliare,** verbo denom. da *capegli,* plur. di *capello* con *s-1* estrattivo durativo; incr. con tipi iterativi come *(or)igliare.*

**scapitare,** incr. del sost. *capitale* e del verbo *capitare* ' far capo ' col pref. *s-2* sottrattivo.

**scàpito,** sost. deverb. da *scapitare.*

**scapitozzare,** da *capitozzare* con *s-1* durativo-intensivo.

**scapo** (fusto di colonna), dal lat. *scapus,* prob. dal gr. *skâpos* (glossa) e comunque dalla rad. approssimativa SK.... cons. labiale; v. SCANNO e cfr. IMOSCAPO.

**scàpola,** dal lat. tardo *scapŭla, -ae,* class. *-ae, -arum,* con qualche collegamento con lat. *scabĕre* ' grattare ' per la sua forma appuntita.

**scapolare**[1] (sost.), dal lat. medv. *scapulare,* forma di agg. sostantivato, deriv. da *scapŭla;* v. SCÀPOLA.

**scapolare**[2] (verbo) lat. volg. *\*excapulare,* verbo denom. da *capŭlus* (v. CAPPIO), con pref. *ex-* sottrattivo.

**scàpolo,** nome deverb. da *scapolare*[2]: « libero da cappio ».

**scaponire,** calco su *incaponire,* mediante sostituz. di *s-2* sottrattivo a *in-* illativo.

**scappare,** lat. volg. *\*excappare,* verbo denom. da *cappa* con *ex-* estrattivo.

**scappellare,** verbo denom. da *cappello* con *s-2* sottrattivo.

**scappellotto,** dimin. vezzegg. di *\*scappello,* presunto sost. deverb. da *scappellare* e cioè « (colpetto) che priva del cappello ».

**scappucciare**[1] (levare il cappuccio), verbo denom. da *cappuccio* con *s-2* sottrattivo.

**scappucciare**[2] (inciampare), verbo denom. dalla formula *cappuccio (calato sugli occhi)* e *s-1* intens.

**scarabàttolo,** dallo sp. *escaparate,* incr. con *carabàttola* (v.).

**scarabèo,** dal lat. *scarabaeus,* adattamento del gr. *kárabos* con un pref. *s-* secondo il rapporto di *corium* (v. CUOIO) e *scortum* e un suff. di derivaz. aggettiv.; cfr. SCARAFAGGIO.

**scarabocchio,** incr. di frc. *escarbot* ' scarafaggio ' con it. *scarabèo* e col suff. regolato secondo il rapporto di frc. *marmot* e it. *marmocchio.* La macchia d'inchiostro richiama infatti l'impronta di uno scarafaggio.

**scaracchiare,** da una serie onomatop. *(s)cr.... c* (cfr. il frc. *cracher* ' sputare '); cfr. SCREARE e SQUARQUOIO.

**scarafaggio,** lat. volg. *\*scarafajjus* con il doppio carattere di rusticità campana, di *-f-* di fronte a lat. class. *-b-* e di *-ajjo-* di fronte al lat. class. *-aeus;* cfr. SCARABÈO.

**scaraguàita,** ' sentinella ' dal lat. medv. *scaraguaita,* franco *skara-wahta,* comp. di *skara* ' schiera ' e *wahta* ' sentinella ' (ted. *Schar* e *Wache*); cfr. GUAITA.

**scaramanzìa,** incr. di *chiromanzìa* con *gramanzìa* (da *negromanzìa*) (v.) col pref. *s-1* estrattivo.

**scaramazzo** ' bernoccoluto (di perle) ', incr. di *scara(faggio)* venez. *scaravazo* e *stramazzo,* incr. di *strame* con *materasso:* perciò « giaciglio di bernoccoli o scarafaggi ».

**scaramuccia,** dimin. di *scherma* (v.), incr. con il franco *skara* ' schiera '; v. SCARAGUÀITA.

**scaraventare,** incr. di *\*traventare,* verbo denom. da *vento* col pref. *tra-.* e *sca(gliare)*.

**scardare,** verbo denom. da *cardo* con *s-.* sottrattivo.

**scareggio** (schifo), da un ant. *\*ascareggio,* deriv. di *àscaro*[1] (v.).

**scaricare,** da *caricare* con *s-2* sottrattivo e oppositivo.

**scarificare,** dal lat. tardo *scarificare;* v. SCALFIRE.

**scarificazione**, dal lat. tardo *scarificatio, -onis*.

**scariola** (lattuga), dal lat. tardo (gloss.) *scariŏla*, più ant. *\*escariŏla*, dimin. di *escarius*, deriv. di *esca*, e questo deriv. di *edĕre* 'mangiare'; v. ESCA.

**scarlattina**, forma abbreviata di (*febbre*) *scarlattina*, deriv. di *scarlatto*, con suff. di appartenenza.

**scarlatto**, dal lat. medv. *scarlatus*, risal. al persiano *saqirlāṭ* e trasmesso attrav. una tradiz. settentr., contro la quale si è introdotto la cons. doppia *-tt-*.

**scarlèa** (erba), lat. tardo *sclareia* (di orig. sconosciuta), con metatesi regionale, forse emiliana, da *-lar-* in *-arl-*.

**scarlina** (erba), da *carlina* con *s-[1]* intens.

**scarmigliare**, lat. tardo *excarminiare*, deriv. di *carminare* 'cardare' (v. CARMINARE[1]), incrociato con tipi come *scapigliare* e sim.

**scarnare**, lat. tardo *excarnare*, verbo denom. da *caro, carnis* col pref. *ex-*; v. CARNE.

**scarnificare**, incr. di lat. *excarnificare* 'dilaniare' con it. *carne* e il pref. *s-[2]* sottrattivo.

**scarno**, agg. deverb. da *scarn(at)o*.

**scaro** (pesce), dal lat. *scarus*, che è dal gr. *skáros*.

**scarogna**, da *scalogna[2]*, incr. con *carogna*.

**scarpa[1]** (indumento), da un tema *\*skarpa* di lingua germ. imprecisata (cfr. alto ted. ant. *scharpe*).

**scarpa[2]**, **scarpata** (pendio), dal gotico *\*skrapa* 'sostegno'.

**scarpello**, variante di *scalpello* con dissimilaz. da *-lpell-* in *-rpell-*.

**scarrocciare**, verbo denom. da *carro* con *s-[1]* estrattivo e il suff. *-occiare* di iterat.: «andar fuori di carreggiata».

**scarroccio** (spostamento di nave), sost. deverb. da *scarrocciare*.

**scarrozzare**, verbo denom. da *carrozza* con *s-[1]* durativo.

**scarruffare**, incr. di *scarmigliare* con *arruffare*.

**scarsella**, femm. sostantiv. di un dimin. di *scarso* nel senso gergale di «avaro»; v. SCARSO.

**scarso**, lat. volg. *\*excarpsus*, ricomposizione tarda di *excerptus* 'tirato fuori', comp. di *ex-* e *carpĕre* 'cogliere' (v. CARPIRE), con norm. passaggio di *-ă-* in *-ĕ-* in sill. interna chiusa. La forma in *-SUS* al posto di *\*(excarp)tus* può esser dovuta a incr. con *sparsus*.

**scartabello**, ant. *cartabello* con *s-[1]* intens.; v. CARTABELLO.

**scartafaccio**, da *scartoffia* (v.), incr. con *carta*, ampliata col suff. peggiorativo *-accio*.

**scartamento**, dal frc. *écartement*.

**scartare[1]** (svolgere), verbo denom. da *carta* con *s-[2]* sottrattivo.

**scartare[2]** (spostarsi), dal frc. *écarter*.

**scartoffia**, dal milan. *scartofia* 'cartuccia del gioco' con suff. spregiativo del tipo *gaglioffo* e *s-[1]* intens.

**scassare[1]** (levar dalla cassa), verbo denom. da *cassa* con *s-[1]* estrattivo.

**scassare[2]** (cancellare), da *cassare* con *s-[1]* intens.

**scassare[3]** (dissodare), lat. volg. *\*exquassare*, comp. di *quassare* intens. di *quatĕre* ed *ex-* estrattivo; v. SCUÒTERE, SCONQUASSARE.

**scassinare**, incr. di *scassare[1]* e *(ass)assinare*.

**scasso** (per le viti), sost. deverb. da *scassare[3]*.

**scataroscio**, incr. di *scroscio* con *catarro*.

**scatenare**, verbo denom. da *catena* con *s-[2]* sottrattivo.

**scato-** (sterco), dal gr. (*skŏr*) *skatós* 'escremento'.

**scàtola**, lat. medv. *càstula*, dimin. del franco *kasto* (ted. *Kasten*), con metatesi da *cast-* in *scat-*.

**scattare**, lat. *excaptare*, comp. di *captare*, intens. di *capĕre* e di *ex-*; cfr. RISCATTARE.

**scatto**, sost. deverb. da *scattare*.

**scaturìgine**, dal lat. *scaturigo, -ĭnis*, astr. di *scaturire*.

**scaturire**, dal lat. *scaturire*, iterativo-desiderativo di *scatere* 'sgorgare', con una corrispond. identica nel lituano *skatù* 'io salto', mentre in altre aree ideur. le corrispond. si limitano al gruppo SK.

**scavalcare**, da *cavalcare* con *s-[1]* estrattivo e risultato finale moment.

**scavare**, lat. *excavare*, verbo denom. da *cavus* con *ex-* estrattivo; cfr. ESCAVARE.

**scavezzare[1]**, verbo denom. da *cavezza* con *s-[2]* privat.

**scavezzare[2]** (scapezzare), variante di *scapezzare*, con leniz. settentr. di *-p-* in *-v-*.

**scavizzolare**, lat. volg. *\*excavitiare*, forma intens. di *excavare* (v. SCAVARE), presente nel lat. medv. *excavitiare*, rinforzato poi col suff. vezz. it. *-ol-*.

**scazonte**, dal lat. *scazon -ontis*, che è dal gr. *skázōn -ontos* 'zoppicante', così detto per la lunga irrazionale della penultima sill. (incompatibile col norm. ritmo giambico).

**scégliere** (scerre), lat. volg. *\*(e)xeljĕre* da più ant. *\*(e)xel(i)gĕre*, comp. di *ex-* e *eligĕre* con norm. passaggio di *-ĕ-* in *-ĭ-* in sill. interna aperta e palatizzazione totale di *-g-* dav. a voc. palat.; cfr. *cògliere* rispetto a *colligĕre*, v. SCELGO.

**sceicco**, dall'ar. *shaikh* 'anziano', attrav. il frc. *(s)cheik*.

**scelgo** (prima pers. sg. del pres. indic. di *scégliere*), lat. *exelĭgo*; cfr. SCÉGLIERE.

**scellerato**, dal lat. *sceleratus*, incr. con it. arc. *scèllere*.

**scèllere** (arc.), lat. *scelus, -ĕris* con norm. raddopp. di *-l-* dopo l'accento in parola sdrucciola. *Scelus* è tema in sibilante legato a una rad. SKHEL 'compiere un passo falso, inciampare', attestata nelle aree indiana e armena in norm. forme verb. Per l'imagine della «colpa» come di un passo falso cfr. PECCARE e FALLIRE.

**scellino**, dal frc. *schelling* risal. all'ingl. *shilling*.

**scelto**, part. pass. di *scégliere*, formato su un lat. volg. *\*(e)xeltus* che si comporta rispetto a *\*exeljĕre* (v. SCÉGLIERE) come lat. volg. *\*cultus*, *\*coltus* rispetto a *colĕre* e *\*coljĕre* (da *colligĕre*); v. CÒGLIERE.

**scemare**, lat. volg. *\*(e)xsemare*, verbo denom. del lat. tardo *semus* 'mezzo' deriv. dal tema classico *semi-* con corrispond. identiche nelle aree greca, indiana e germanica (v. SEMI-). Il valore di *ex-* è sottrattivo-estratt.: «prendere la metà sottraendola al tutto».

**scemo**, agg. deverb. estr. da *scem(at)o*.

**scempio[1]** 'semplice', incr. di lat. *simplus* (v. SEMPLICE), con leniz. settentr. di *-p-* in *-v-*.

**scempio[2]** 'strazio', lat. *(e)xemplum* nel senso di «esempio (crudele)»; v. ESEMPIO.

**scena**, dal lat. *scaena*, risal. al gr. *skēnḗ*, attrav. intemediarî dialettali che determinano una ingiustificata introduzione del dittongo *ae* al posto del normale *ē*.

**scenario**, dal lat. tardo *scaenarium* 'spazio dove si dispongono le scene'.

**scéndere**, estr. da (di)scéndere (v.) secondo lo stesso procedim. per cui si è avuto sfare, sfatto da disfare, disfatto.

**scènico**, dal lat. scaenĭcus, incr. di gr. skēnikós e lat. scaena.

**scenografìa**, dal gr. skēnographía.

**scenogràfico**, dal gr. skēnographikós.

**scenògrafo**, dal gr. skēnográphos, comp. del tema di skēnḗ 'tenda, scena', e grapho- 'scrivere'; v. GRAFÌA.

**scepsi**, dal gr. sképsis 'controllo critico', nome di azione del verbo sképtomai 'osservo'; cfr. lat. specio, v. SPECCHIO.

**scerbare**, lat. (e)xherbare, verbo denom. da herba con ex- sottrattivo.

**sceriffo**[1] (magistrato anglosassone), dal frc. chérif, che è dall'ingl. sheriff, da un ant. scír-geréfa « magistrato (geréfa) di contea (scír) ».

**sceriffo**[2] (titolo musulmano), dall'ar. sharīf 'nobile'.

**scèrnere**, dal lat. discernĕre (comp. di dis- e cernĕre, v. CÈRNERE), come scéndere da discéndere.

**scerpare**, incr. di lat. excerpĕre, comp. di carpĕre (v. CARPIRE) e ex- (con norm. passaggio di -ă- in -ĕ- in sill. interna chiusa), e it. strappare.

**scerpellato**, part. pass. di un iterativo-diminutivo di scerpare e cioè con le palpebre « rivoltate » anziché « strappate ».

**scerpellino, scerpellone**, dimin. e accresc. di un *scerpello, agg. deverb. estr. da scerpell(at)o, cfr. CERPELLINO.

**scesa**, da discesa; cfr. SCÉNDERE e v. DISCESA.

**scespiriano**, italianizzazione dell'ingl. Shakespearian ' di Shakespeare '.

**scèttico**, dal frc. sceptique e questo dal gr. skeptikós ' dedito alla osservazione critica '.

**scettro**, dal lat. sceptrum, che è dal gr. skēptron ' bastone '.

**sceverare**, lat. volg. *exseperare, comp. di ex- estrattivo e *seperare (forma con regolare passaggio di -ă- in -ĕ- in sill. interna aperta dav. a -r-), class. separare (v. SEPARARE). La forma it. mostra poi la leniz. settentr. di -p- in -v-.

**scheda**, dal lat. scheda, che è dal gr. tardo skhédē.

**scheggia**, lat. schidia, che è dal gr. skhídia, plur. di skhídion, risal. al verbo skhízō ' io spacco '; cfr. lat. scindo (v. SCÌNDERE). Per il trattam. di lat. volg. -dj- in it. -ggj-, v. MOGGIO.

**schèletro**, dal gr. skeletós, agg. verb. connesso con skéllō ' dissecco ', incr. con i tipi it. báratro, bàlatro (variante arc. schèlatro) e poltro (variante arc. scheltro).

**schema**, dal lat. schema, che è dal gr. skhêma ' configurazione ', dalla famiglia di ékhō ' ho ', rad. SEGH, cui appartiene anche, come nome d'agente, il nome proprio Héktōr « il conquistatore ».

**schemàtico**, dal gr. skhēmatikós.

**schematismo**, dal gr. skhēmatismós.

**schematizzare**, dal gr. skhēmatizō ' schematizzo '.

**scherano**, dal provz. escaran ' brigante ', risal. al gotico *skarja ' capitano '; cfr. SCHIERA e SGHERRO.

**scherma**, sost. deverb. da schermire (XVI sec.).

**schermire**, dal longob. skirmjan; cfr. il ted. Schirm ' ombrello '.

**schermo**, sost. deverb. da schermire (XIII sec.).

**schernire**, dal franco skernjan ' burlare '.

**scherzare**, dal longob. skerzan (ted. scherzen).

**schiacciare**, da una serie onomatop. sc.... cc'; cfr. SCHIZZARE.

**schiaffare**, verbo denom. da schiaffo « gettare (così violentemente) come si dà uno schiaffo ».

**schiaffo**, da una serie onomatop. scl.... ff.

**schiamazzare**, lat. exclamare (v. ESCLAMARE) con suff. -azz- iterativo-peggiorativo come ad es. in svolazzare.

**schiancire**, dal frc. ant. guenchir ' andar di traverso ', incr. con it. s-[1] durativo; cfr. SCANCÌO.

**schiantare**, incr. di schiattare con spiantare.

**schianto**, sost. deverb. da schiantare.

**schianza** ' cicatrice ', incr. di chiazzare e stanza.

**schiappa** ' grossa scheggia ', sost. deverb. da schiappare.

**schiappare**, lat. volgare *sclappare, di orig. onomatop. da una serie sl.... pp, cfr. lat. volg. *scloppus, lat. imp. stloppus ' rumore improvviso ' (v. SCOPPIO), qui con vocalizzazione a invece di o; v. SCHIATTARE.

**schiatta**, dal gotico *slahta (ted. Geschlecht) ' stirpe '.

**schiattare**, lat. volg. *sclappitare, variante con a della serie onomatop. sl.... pp di *scloppus (v. SCOPPIO); forma intens. di un semplice *sclappare; v. SCHIAPPARE.

**schiavina** (veste), da schiavo, perché caratteristica di popolazioni slave merid.

**schiavo**, dal lat. medv. slavus « (prigioniero) slavo »; v. SLAVO.

**schiccherare**[1] (scarabocchiare), da una serie onomatop. s.... cc.... r, incr. forse con scrìvere (v.).

**schiccherare**[2] (bere), verbo denom. da chìcchera con s-[1] estrattivo-durativo.

**schidione**, variante di schedone (XIII sec.), incr. di spiedo (con suff. accresc.) e scheggia, a questo associato per la sua forma lunga e sottile.

**schiena**, dal longob. skĕna.

**schiera**, dal provz. esquiera che è dal frc. ant. eschiere (franco skara, ted. Schar); cfr. SCHERANO e SGHERRO.

**schietto**, dal gotico slaíhts, cfr. ted. schlecht (« di poco conto », perciò « cattivo »).

**schifo**[1] (ripugnanza), dal frc. ant. eschif, che è dal franco skiuhjan ' aver riguardo '; cfr. SCHIVARE.

**schifo**[2] (imbarcazione), dal longob. skif (ted. Schiff).

**schiniere**, dal franco skina ' tibia ' con suff. -iere di orig. frc.

**schioccare**, da chioccare con s-[1] intens.

**schioppo**, lat. volg. *scloppus, imp. stloppus; v. SCHIAPPARE e SCOPPIO.

**schiribizzo**, v. SGHIRIBIZZO.

**schisare** ' sfiorare un bersaglio ', verbo denom. dal gr. skhísis, nome d'azione del verbo skhízō ' io divido '.

**sc(h)isto**, dal lat. schistus, che è dal gr. skhistós, agg. verb. di skhízō ' io divido': perciò « (pietra) divisa ».

**schiùdere**, lat. excludĕre, comp. di ex- e claudĕre con norm. passaggio di -au- a -ū- in sill. interna.

**schiuma**, dal franco skūm (ted. Schaum), incr. con it. spuma e event. dimin. del tipo *spùmola, *spluma.

**schivare**, dal franco skiuhjan ' aver riguardo (ted. scheuen); cfr. SCHIFO[1].

**schivo**, agg. deverb. da schivare.

**schizofrenìa**, comp. moderno di gr. skhízō ' scindo ' e phrēn ' mente ': « dissociazione della mente ».

**schizzare**, da una serie onomatop. *sc.... zz*, affine a quello *sc.... cc'*; v. SCHIACCIARE.

**schizzinoso**, dall'it. settentr. *schissa* « naso schiacciato (in senso di disgusto) » con doppio suff. di derivaz.

**schizzo**, sost. deverb. da *schizzare* in senso proprio e figur. («abbozzo» come «spruzzo» di un liquido).

**sci-** (variante di *s-*¹ dav. a voc.), lat. *ex-*.

**sci**, dal norveg. *ski*, pronuncia *sci*.

**scìa**, sost. deverb. da *sciare*¹.

**scià**, dal persiano *shāh* ' re '.

**sciàbica** (rete da pesca), dall'ar. *shabaka*.

**sciàbola**, dal polacco *szabla*.

**sciabordare**, da *bordare* incr. con *sciacquare*.

**sciacallo**, dal turco *ciaqal*, attrav. il frc. *chacal*.

**sciacquare**, lat. volg. *exaquare*, verbo denom. da *aqua* con *ex-* intens. Il class. *aquari* vuol dire ' approvvigionarsi d'acqua '.

**sciaguattare**, da un settentr. *sciaguàr*, identico al tosc. *sciacquare* (v.) con un suff. iterativo-vezzeggiativo *-atàr*.

**sciagurato**, lat. *(e)xauguratus* ' sconsacrato ' con norm. passaggio di *au* ad *a* in posizione protonica. Il valore lat. di *ex-* è in questo caso sottrattivo.

**scialacquare**, incr. di *scialare* con *(ann)acquare*.

**scialare**, lat. *(e)xhalare*; v. ESALARE.

**scialbare** (arc.), lat. tardo *exalbare*, verbo denom. da *albus* con *ex-* sottrattivo esterno, e cioè « si toglie l'(altro) colore ».

**scialbo**, agg. deverb. estr. da *scialb(at)o*.

**scialle**, dal frc. *châle* risal. a un persiano *shāl*.

**scialo**, sost. deverb. da *scialare*.

**scialorrèa**, dal gr. *síalon* ' saliva ' e il tema *-rèa* ' flusso '.

**scialuppa**, dal frc. *chaloupe*.

**sciamannare**, incr. di *ammannare* ' apparecchiare ' (v. MANNA²) col pref. estrattivo *sci-*.

**sciamanno** (abbigliamento ebraico), prob. dall'aramaico *simān* ' segno '.

**sciamano** (stregone), dal ted. *Schamane*, risal. al tunguso (dialetto altaico della Mongolia) *samān*.

**sciame**, lat. *examen*; v. ESAME.

**sciàmito** (tessuto), dal gr. *(he)ksámitos*, attrav. forme lat. medv. del tipo *(e)xàmitum*: « (stoffa) a sei *(héksa-)* fili *(mítos)* ».

**sciamma** (mantello abissino), dall'amarico *shāmmā*.

**sciampagna**, dalla reg. francese della Champagne, donde il vino proviene.

**sciampo**, dall'ingl. *shampooing* « il frizionare (la testa) ».

**sciancare**, verbo denom. da *anca* (v.) con *sci-* (variante di *s-*¹) estrattivo.

**sciara** (varietà di lava), ampliamento di *scia*.

**sciarada**, dal frc. *charade* e questo dal provz. *charrado* ' chiacchierata '.

**sci-are**¹ (vogare a ritroso), da una serie onomatop. *sci.... sci*.

**sci-are**² (andare in sci), verbo denom. da *sci*.

**sciarpa**, dal frc. *écharpe* e questo dal franco *skërpa* ' bandoliera '; cfr. CIARPA¹.

**sciàtico**, dal lat. tardo *sciaticus*, incr. di *ischiadicus* che è dal gr. *iskhiadikós* (v. ISCHIO), con *scia* ' osso dell'anca ' (che è dal gr. *iskhiás*) e con i deriv. del tipo *silvaticus*.

**sciattare**, lat. tardo *exaptare*, verbo denom. da *exaptus* (con *ex-* sottrattivo), passato al signif. di ' disadattare '.

**sciatto**, agg. deverb. estr. da *sciatt(at)o*.

**sciaverare**, variante di *sceverare*.

**sciàvero** (ritaglio di stoffa o di legno), sost. deverb. da *sciaverare*.

**scìbile**, dal lat. tardo *scibĭlis*, agg. verb. di *scire* ' sapere '. *Scio* parte da un senso primitivo di ' decidere ' e anteriormente di ' tagliare ', con corrispond. nelle aree celtica e indiana, e, meno strette, con la famiglia del lat. *secare*. Il passaggio da ' decidere ' a ' sapere ' è stato favorito in lat. dal mancato svolgim. da ' vedere ' a ' sapere ' che è uniforme nelle aree indiana, greca, germanica, per i deriv. della rad. WEID (gr. *woida*, ted. *wissen*).

**scic**, dal frc. *chic*.

**sciente, scientemente**, dal lat. *sciens, -entis* (v. SCÌBILE), con l'avverbio, ricalcato italianamente, senza dipendere dal modello lat. *scienter*.

**scientìfico**, dal lat. tardo *scientĭficus*.

**scienza**, dal lat. *scientia*; v. SCIENTE e SCÌBILE.

**scilinguàgnolo**, lat. volg. *sublinguanjus* « che sta sotto la lingua » (parallelo a *sublinguis* presupposto ad es. dal pisano *sollinguo*), incr. con *sciògliere* e con in più il dimin. *-olo*.

**scilinguare**, lat. volg. *exelinguare*, verbo denom. da *elinguis* ' che non ha il talento della parola ', col pref. *ex-* intens.; v. LINGUA.

**scilla** (pianta medicinale), dal gr. *skilla*.

**sciloma**, adattamento di ant. *celeuma* con *s-*¹ intensivo-durativo, risal. a lat. *celeusma* ' canto dei rematori ', dal gr. *kéleusma*, forse attrav. una tradiz. marinara settentr. genov. o venez.; cfr. CILOMA.

**scimitarra**, dal persiano *shimṣīr*, attrav. il frc. *cimeterre*.

**scimmia**, lat. volg. *simja*, class. *simia*, deriv. di *simus* ' dal naso schiacciato ', risal. al gr. *simós* con lo stesso signif. Il raddopp. della *-m-* è norm. dopo l'accento in gruppo con *j*. La palatalizzazione di *si-* in *sci* trova paralleli in tipi tosc. (arcaici o rustici) come *sciringa* per ' siringa ' o *sciguro* per ' sicuro '.

**scimpanzè**, dal frc. *chimpanzé*, più ant. (XVIII sec.) *quimpezé*, proveniente da un dialetto del Congo.

**scimunito**, ant. *scemunito*, incr. di *scemo* (v.) con *smunire* (v.) e cioè dei signif. di ' stupido ' e di ' sprovveduto '.

**scìndere**, dal lat. *scindĕre*, verbo con infisso nasale della rad. SK(H)EID(H), oscillante in alcuni particolari, senza aspiraz. nel lat. e nel sanscrito, con la prima aspiraz. nel gr. *skhízō* ' scindo ', con la seconda nel ted. *scheiden*. Per il tema di part. pass. v. SCISSO.

**scintilla**, lat. *scintilla*, dimin. di un ant. *scinter*, collegabile con una rad. SKWENT(H), pres. nel gr. *spinthér* ' scintilla ', anche se con un vocalismo *i* non inquadrabile in regolare alternanza.

**scintillare**, lat. *scintillare*, verbo denom. da *scintilla*.

**scintillazione**, dal lat. *scintillatio, -onis*.

**scintoismo**, dal giapponese *shin-tô* ' degli dèi *(shin)* via *(tô)* ': « la via degli dèi ».

**sciocco**, lat. volg. *(e)xsuccus*, agg. deverb. da *exsu(c)care*, verbo denom. da *su(c)cus* ' sugo ' con *ex-* estrattivo: «privato del sugo, insipido ». Allineato con *cocco* e simili per l'apertura della voc. *o*.

**sciògliere**, lat. *(e)xsolvĕre*, allineato nella prima sg. del pres. con *coll(i)go*, it. *colgo*, e cioè *sciolgo* invece di *sciolvo*; donde l'inf. come *sciògliere*, cfr. *tolgo* rispetto a *tògliere*. Il lat. *solvĕre* è comp. di *sŏ-* (alternante con *sē- sĕ-*, v. SECÈRNERE) e *la-vĕre* « separare bagnando », per cui v. LAVARE. Per il part. *solutus* v. SOLUTO.

**sciolina**, da *sci*, *olio* e il suff. *-ina* dei preparati chimici.

**sciòlo** ' saputello ', dal lat. tardo *sciŏlus*, dimin. di *-scius* (cfr. *con-scius, in-scius*), dialettalmente incr. con *mollo* e quindi ad es. genov. *sciollu*; v. SCIENZA.

**sciolto**, part. pass. di *sciolgo, sciògliere* sul modello di *còlto* rispetto a *colgo, cògliere*. Soppianta il tipo del lat. *exsolutus* per cui v. SOLUZIONE, SOLUTO.

**scioperare**, verbo intrans. estr. da *scioperato*, inteso come part. pass.

**scioperato**, dal lat. *\*(e)xoperatus*, agg. in *-atus*, tratto da *opĕra*, col pref. sottrattivo *ex-*: « tolto al lavoro, assente dal lavoro ».

**sciòpero**, sost. deverb. estr. da *scioperare*.

**sciorare** ' sfogarsi ', lat. *\*exaurare*, verbo denom. da *aura* con pref. *ex-* dispersivo; v. AURA ' aria '.

**sciorinare**, verbo denom. da *sciorino*.

**sciorino**, nome di strum. specializzato nella terminologia marittima, deriv. da *sciorare* (v.).

**sciorre**, ' sciogliere ', lat. *(e)xsolvĕre* (v. SCIÒGLIERE), forma parallela a *còrre* rispetto a *cogliere* (v.).

**sciovìa**, comp. di *sci* e *via*, calco su *ferrovia*; cfr. *filovia, seggiovia*.

**sciovinismo**, dal frc. *chauvinisme* e questo dal nome di un vecchio granatiere dell'età napoleonica, Nicolas Chauvin, che, a partire dal 1830 circa, fu assunto a simbolo del fanatismo patriottico.

**scipare**, lat. *\*exsipare*, comp. di *ex-* dispersivo e *supare*, attestato solo da Festo come sinonimo di *iacĕre* ' gettare '. Per la variante meglio conservata *\*exsupare* v. SCIUPARE.

**scipidire**, verbo denom. da *scìpido*.

**scìpido**, lat. *(e)xsipĭdus*, comp. di *sapĭdus* col pref. *ex-* sottrattivo e la norm. apofonia di *-ă-* in *-ĭ-* in sill. interna aperta.

**scipito**, part. pass. di *scipire*, forma dissimilata prob. merid. di *scipidire*.

**scippo** ' furto con destrezza ', sost. deverb. dal napoletano *scippare* ' strappare ', di prob. orig. onomatop.

**scirocco**, dall'ar. magrebino *shulûq*, col passaggio genov. di *-l-* in *-r-*.

**sciroppo**, lat. medv. *sirupus*, dall'ar. *sharûb* ' bibita '.

**scirro** ' tumore ', dal lat. *scirrhos* che è dal gr. *skîros* ' radice, tumore '.

**scisma**, dal lat. tardo *schisma* che è dal gr. *skhísma, -atos*, astr. di *skhízō* ' scindo '.

**scissione**, dal lat. *scissio, -onis*, nome d'azione di *scindĕre*.

**scisso**, dal lat. *scissus*, forma norm. di part. pass. senza infisso nasale, ant. *\*scid-to-s*; v. SCÌNDERE.

**scissura**, dal lat. *scissura*, astr. di *scindĕre*.

**scisto**, v. SCHISTO.

**sciupare**, lat. *\*exsupare*, comp. di *ex-* dispersivo e *supare* (variante di *\*sipare*), attestata solo da Festo col valore di ' gettare ', quindi « gettar via ». Parola priva di connessioni ideur. di qualche evidenza.

**sciuscià**, dall'ingl. *shoe-shine* (pronuncia *sciusciàin*) ' lustratura di scarpe '.

**scivolare**, lat. *exsibilare*, trasferito dal valore onomatop. della serie *s.... bl* di ' fischiare ' a quello fonosimbolico dello ' sdrucciolare '.

**scìvolo**, sost. deverb. estr. da *scivolare*.

**sclerosi**, dal gr. tardo *sklérōsis* ' indurimento ', nome d'azione di un presumibile verbo denom. da *sklērós* ' duro '.

**scleròtica**, dal lat. medv. *scleròtica*, deriv. dal gr. *sklērótēs* ' durezza '.

**scoccare**, da *cócca* con *s-¹* estrattivo.

**scocciare**, da *coccia* con *s-²* sottrattivo.

**scodella**, lat. *scutella*, dimin. di *scutra* ' piatto ', con leniz. settentr. di *-t-* in *-d-*. Lat. *scutra* è privo di connessioni ideur. attendibili.

**scodinzolare**, verbo denom. da *codìnzolo*, doppio dimin. di *coda* (v.) col pref. *s-¹* di durativo-iterativo.

**scoglia**, lat. *spolia*, plur. di *spolium*, incr. con it. *scaglia*. Lat. *spolia* trova alcuni confronti nelle aree baltica, greca, germanica (ted. *spalten* ' dividere ').

**scoglio**, adattam. toscano del genov. *scŏggiu* che è il lat. *scop(ŭ)lus*, a sua volta proveniente dal gr. *skópelos*.

**scoiare**, lat. tardo *excoriare*, verbo denom. da *corium* con il pref. *ex-* estrattivo; cfr. it. ESCORIARE.

**scoiàttolo**, lat. *scuriŏlus* incr. col dimin. it. *-àttolo* (cfr. *baràttolo, giocàttolo*). *Scuriŏlus* è forma dissimilata di *\*sciuriŏlus*, dimin. di *sciurus*, dal gr. *skíuros*, comp. di *skiá* ' ombra ' e *ürá* ' coda ': « che fa ombra con la coda ».

**scolare** (verbo), da *colare* con pref. *s-¹* durativo.

**scolaro**, da un più ant. *scolare*, lat. medv. *scholaris*, forma sostantiv. dell'agg. lat. tardo *scholaris*, deriv. da *schola*, allineato con i nomi non tosc. di mestiere in *-aro*.

**scolàstico**, dal lat. *scholastĭcus* e questo dal gr. *skholastikós*, deriv. di *skholé*; v. SCUOLA.

**scoliasta**, dal gr. *skholiastés*.

**scolio**, dal gr. *skhólion*, deriv. di *skholé* ' scuola '.

**scoliosi**, dal gr. tardo *skolíōsis* ' incurvamento ', nome d'azione del verbo *skolióō* ' incurvo ', denom. da *skoliós* ' storto '.

**scollare¹** (di scollatura), verbo denom. da *collo*, in senso figur., con *s-²* sottrattivo.

**scollare²** (colla), verbo denom. da *colla* con *s-²* sottrattivo.

**scolmare**, verbo denom. da *colmo* con *s-²* sottrattivo.

**scolo**, sost. deverb. da *scolare*.

**scolopendra**, dal lat. *scolopendra* che è dal gr. *skolópendra*.

**scolopio**, dal plur. *scolò-pii* « (religiosi appartenenti alle) Scuole Pie ».

**scolorare, scolorire**, verbo denom. da *colore* con *s-²* sottrattivo.

**scolpare**, verbo denom. da *colpa* con *s-²* sottratt.

**scolpire**, lat. *sculpĕre* incr. con *colpire*. *Sculpĕre* è estr. da comp. del tipo *insculpĕre* da *\*inscalpĕre* (con norm. apofonia di *-ă-* in *-ŭ-* in sill. interna dav. a *-l-*), allo scopo di distinguere il raffinato « scolpire » dal rudimentale « grattare ». A questo rimane aderente l'orig. *scalpĕre*, parola di struttura ideur., ma priva di connessioni evidenti.

**scolta**, lat. tardo (VI sec.) *sculca*, dal gotico *\*skulka* ' spia ', incr. con l'it. *(a)scolta(re)*.

**scombiccherare**, verbo denom. da *scorbio* col suff. di iterat. *-icch-* (*\*scorbicchiare*) ulteriorm. ampliato in *scorbiccherare*. L'elemento radicale è stato poi trasferito su *-bicch-* in modo che *scor-* ha potuto incrociarsi col doppio pref. *scom-* di *scomposto* e *scombussolato*.

scombro, dal lat. *scomber*, che è dal gr. *skómbros*, cfr. SGOMBRO².

scombugliare, scombuiare, lat. volg. *combulljare*, verbo denom. da *bulla* 'bolla d'aria', col pref. durativo it. *s-¹* e un event. trattam. del gruppo *-llja-* che non corrisponde al tosc. *-glia-* all'umbro *-ia-*; cfr. SUBBUGLIO e SCOMPIGLIARE.

scombussolare, verbo denom. da *bùssola* col doppio pref. durativo-intensivo *scom-*.

scommessa, forma sostantiv. del part. pass. femm. di *scomméttere²* nel senso di cosa contrastata, sottratta (« s-commessa ») a un accordo.

scomméttere¹ (staccare), da *comméttere* con *s-²* sottrattivo.

scomméttere² (scommessa), dal precedente in senso figur.

scòmodo, da *còmodo* con *s-²* sottrattivo-negativo.

scompaginare, verbo denom. da *compàgine* con *s-²* sottrattivo.

scompagnare, verbo denom. da *compagno* con *s-²* sottrattivo, che si oppone all'*a(d)-* allativo di *accompagnare*.

scompagno, da *scompagn(at)o*.

scomparire, incr. di *sparire* e *comparire* (vv.).

scompartimento, nome di strum. da *scompartire*.

scompartire, da *compartire* con *s-¹* durativo-intens.

scompenso, da *compenso* con *s-²* sottrattivo.

scompigliare, da *compigliare* 'ordinare', intens. di *pigliare* con *s-¹* durativo, incr. con tipi come (*or*)*igliare*.

scompiglio, sost. deverb. da *scompigliare*.

scompisciare, da *compisciare*, intens. di *pisciare* con *s-¹* durativo.

scomporre, da *comporre* con *s-²* sottrattivo.

scomputare, da *computare* con *s-²* sottrattivo.

scomunicare, dal lat. eccl. *excommunicare*, con *ex-* sottrattivo-negativo rispetto a *communicare*, che sottintende *altari*, e cioè significa ' entrare in relazione con l'altare '. La semplificaz. della *-mm-* in *-m-* è dovuta all'incr. con it. *comunione*.

scon-, doppio pref. che rafforza, per mezzo di *s-¹* estrattivo e durativo, il valore perfettivo di *con*, per es. *scompartire, scompisciare, sconvòlgere*.

sconcertare, da *concertare* con *s-²* sottrattivo.

sconciare, da *conciare* con *s-²* sottrattivo-negativo opposto all'*a(d)-* aggiuntivo di *acconciare*.

sconcio, agg. estr. da *sconci(at)o*, part. pass. di *sconciare*.

sconfessare, da *confessare* con *s-²* fortemente sottrattivo e negat.

sconfìggere, dal provz. ant. *esconfire*, che è il lat. *exconfìcère*, da *conficère* con *ex-* conclusivo, incr. con it. *configgere*, dal lat. *configère* ' conficcare '; cfr. FARE e FÌGGERE.

sconfortare, da *confortare* con *s-²* sottrattivo-negativo.

sconforto, sost. deverb. da *sconfortare* incr. con *conforto* e *s²-* fortemente sottrattivo e negat.

scongiurare, da *congiurare* con *s-¹* durativo-intensivo.

sconnèttere, da *connèttere* con *s-²* sottrattivo e negat.

sconoscere, incr. di *conóscere* e *riconoscente* con *s-²* sottrattivo e negat. al posto di *ri-* iterat. e intens. (cfr. *scordare* rispetto a *ricordare*).

sconquassare, da *conquassare* con *s-¹* durativo e intens.

sconsigliare, da *consigliare* con *s-²* sottrattivo e oppositivo: « consigliar di non fare ».

sconsigliato, da *consiglio* col suff. *-ato* ' provvisto di ' e *s-²* sottrattivo e negat.

sconsolato, da *consolato* con *s-²* sottrattivo.

scontare, verbo denom. da *conto* con *s-²* sottrattivo.

scontentare, verbo denom. causativo da *scontento*.

scontento, da *contento* con *s-²* sottrattivo e negat.

sconto, sost. deverb. da *scontare*.

scontrare, verbo denom. da un lat. volg. *ex contra* (nell'Itala *ē contra*), forma rinforzata di *contra*, come *incontra* (v. INCONTRARE). Il pref. *s-¹* sottolinea, in it., di fronte alla parola semplice, la durativití delle sue conseguenze (sfavorevoli) mentre *in-* lo definisce nella istantaneità (indifferente) dall'evento a cui conduce.

scontrino, dimin. di (*foglietto di ri*)*scontro*.

scontroso, da *scontro*, come *ombroso* da *ombra*.

sconveniente, da *conveniente* con *s-²* sottrattivo e negat.

sconvòlgere, dall'ant. *convòlgere* con *s-¹* intens.

scopa¹ (pianta), lat. *scopa*, prob. parola mediterr.

scopa² (attrezzo), lat. *scopae*, *-arum*, riportato al sg. Lat. *scopae* è parola priva di connessioni evidenti.

scopare, lat. tardo *scopare*, verbo denom. da *scopae*, *-arum*.

scoperchiare, verbo denom. da *coperchio* con *s-²* sottrattivo.

scoperta, forma sostantiv. del part. pass. femm. di *scoprire*; v. COPERTA.

-scopìa, secondo elemento di comp. nominali che indica l'azione di osservare, per es. (*micro*)*scopìa*. Risale al gr. *skopéō* ' vedo '.

scopiazzare, da *copiare* col suff. iterativo-pegg. *-azzare* e il pref. *s-¹* durativo

-scòpio, secondo elemento di comp. nominali che indica strum. per osservare, per es. (*tele*)*scopio*, calco del sec. XVII su lat. tardo (*horo*)*scopium*, dal gr. (*hōro*)*skópion* « (strumento per) osservare (le ore) ».

scopo, dal lat. tardo *scopus* che è il gr. *skopós* ' bersaglio '.

scoppiare¹, verbo denom. da *scoppio*.

scoppiare², verbo denom. da *coppia* con *s-²* sottrattivo e oppositivo.

scoppiettare, verbo denom. da *scoppietto*, dimin. di *scoppio* con valore iterat. rispetto a *scoppiare*.

scoppio, lat. volg. *scoplus*, forma metatetica di *scloppus*, regolarm. deriv. da più ant. *stloppus*; v. SCHIOPPO.

scòp(p)ola, dimin. di *coppa* col pref. *s-¹* estrattivo, che sottolinea la fugacità del colpo.

scoprire, da *coprire* con *s-²* sottrattivo e negat.

scoraggiato, da *coraggio* col suff. *-ato* ' provvisto di ' e *s-²* sottrattivo, opposto di (*in*)*coraggiato*.

scorbacchiare, verbo denom. da *corbacchio*, incr. di *corbo* e *cornacchia* col pref. *s-¹* durativo.

scorbellato, da *corbello* col suff. *-ato* ' provvisto di ' e *s-²* sottrattivo.

scorbiccherare, verbo denom. *-iter*. con doppia derivaz. da *scorbio*.

scorbio, v. SGORBIO.

scòrbuto, dal lat. scient. moderno *scorbuthus*, *scorbuttus*, dall'ol. *scorft* (più recente *schurft*).

scorciare, lat. volg. *excurtiare*, verbo denom. da *curtus* ' corto ' col pref. *ex-* conclusivo. Ha di fronte *adcurtiare*, invece, incoat. e momentaneo.

**scorciatoia**, da (*via*) *scorciatoia* « accorciatrice ».

**scorcio**, sost. deverb. da *scorciare*.

**scordare**[1], calco su *ricordare* con la stessa sostituz. di *s*-[2] a *ri*- riscontrata in *sconoscente* rispetto a *riconoscente*.

**scordare**[2], calco su *accordare*, con la sostituz. di *s*-[2] sottrattivo a *a*(*d*)- allativo.

**scordio** (pianta), dal lat. *scordium* che è dal gr. *skórdion*.

**scoreggia**, da *coreggia* con *s*-[1] durativo-intensivo; cfr. SCORREGGIA.

**scòrfano**, dal gr. *skórpaina*, ampliam. di *skorpíos* ‘ scorpione ’, passato alla declinaz. in -*o*, con aspiraz. paragonab. a quella di *golfo* da gr. *kólpos*.

**scòrgere**, lat. volg. *excorr(i)gĕre*, comp. di *ex*-estrattivo-durativo, in opposiz. a *adcorrigĕre*, comp. di *a*(*d*)- allativo-momentaneo (v. ACCORGERSI). La sincope è dovuta alla forma di prima pers. *excorr(i)go, *adcorr(i)go* in cui la -*i*- si trova in posizione postonica: su queste forme sincopate si sono allineate le altre. Il passaggio di signif. è avvenuto invece da un primitivo ‘ guidare ’ che si è specializzato alla fine nel ‘ guidare l’occhio ’ e cioè ‘ vedere ’.

**scoria**, dal lat. *scoria* che è dal gr. *skōría*, ampliam. di *skôr* ‘ escremento ’.

**scornare**[1] (romper le corna), verbo denom. da *corno* e *s*-[2] sottrattivo.

**scornare**[2] (dar cornate), verbo denom. da *corno* con *s*-[1] intens.

**scorno**, sost. deverb. da *scornaré*[1].

**scorpacciata**, comp. di *s*-[1] durativo e *corpacciata*, forma collettiva di *corpaccio*, accresc. di *corpo* nel senso di ‘ ventre ’: « grande (riempita) di ventre ».

**scorpione**, lat. *scorpio, -onis* che è dal gr. *skorpíos*, passato alla categoria lat. dei temi in nasale.

**scorporare**, dal lat. medv. *excorporare* ‘ andarsene da una corporazione ’, verbo denom. da *corpus* (v. CORPO) con *ex*- di allontanamento; cfr. INCORPORARE.

**scòrporo**, sost. deverb. da *scorporare*.

**scorrazzare**, verbo iterat. da *scórrere*, attrav. una tradiz. settentr. *scorrassare* (per *scorracciare*), resa poi toscanamente con la finale -*azzare*.

**scorreggia**, incr. di *correggia* e *scoreggia*, forse influenzato anche da *scórrere*.

**scórrere**, lat. *excurrĕre* ‘ correr fuori ’, incr. con it. *s*-[1] durativo.

**scorretto**, da *corretto* con *s*-[2] sottrattivo e negat.

**scorribanda**, dallo sp. *escurribanda* ‘ sferzata ’, ‘ rissa ’.

**scorsa**, sost. deverb. da *scorrere*, risultante dall’incr. di *scórrere* e di *corsa* con *s*-[1] durativo.

**scorsoio**, da *corsoio* (v.) con *s*-[1] durativo.

**scorta**, femm. sostantiv. del part. pass. di *scòrgere* (v. SCORTO), nel senso di ‘ guardata ’, astr. e attivo, di fronte al norm. *guardato*, concreto e passivo.

**scortare**, verbo denom. da *scorta*.

**scortese**, da *cortese* con *s*-[2] sottrattivo e negat.

**scorticare**, lat. tardo (*e*)*xcorticare*, verbo denom. da *cortex, -icis* con *ex*- sottrattivo; v. CORTECCIA.

**scorto**, part. pass. di *scòrgere*, formato sulla prima pers. del pres. *scorgo*, secondo il modello del part. pass. *còlto* rispetto alla prima pers. *còlgo*; cfr. *accorto* rispetto a *accorgere*. La forma regolare lat.

avrebbe dovuto determinare *scorretto*; cfr. *diretto*, *eretto*.

**scorza**, lat. volg. *scortja*, class. *scortĕa*, femm. sostantiv. di *scorteus*, agg. deriv. da *scortum* ‘ pelle ’. Questa è forma sostantiv. di un part. pass. della rad. SKER ‘ tagliar via ’, che sopravvive nelle aree celtica e germanica (ted. *Schere* ‘ forbice ’). La variante KER, senza sibilante iniz. è rappresentata in lat. dal deriv. *corium*; v. CUOIO.

**scorzobianca**, calco su *scorzonera*, analizzata non già come *scorzon-era*, ma come *scorzo-nera*.

**scorzone**, lat. *curtio, -onis* ‘ vipera ’, incr. con *scortea* « (cosa) fatta di pelle ». *Curtio, -onis* non ha connessioni attendibili.

**scorzonera**, dallo sp. *escorzonera* e questo da *escorzon*, catalano *escurzó* ‘ vipera ’; cfr. it. *scorzone*: « (pianta) anti-vipere ».

**scoscéndere**, lat. *conscindĕre* ‘ lacerare ’, comp. di *cum* e *scindĕre* con it. *s*-[1] durativo (v. SCÌNDERE) e inserito nel sistema di it. *scéndere*.

**scosceso**, da *scoscéndere* incr. con *disceso*, part. pass. di *discéndere* (v.), come mostra il fatto che è stata messa da parte la forma, etimologicamente corretta, *scoscesso*; v. SCISSO.

**scossa**, femm. sostantiv. di *scosso*, lat. (*e*)*xcussus*, part. pass. di *excutĕre*, comp. di *ex*- e *quatĕre*, con norm. passaggio di -*uă*- in -*ŭ*- in sill. interna; incr. con *mòssa*, per la pronuncia aperta della *ò*.

**scostare**, verbo denom. da *costa* con *s*-[2] di sottrazione e allontanamento, opposto e simmetrico ad *accostare*, con *a*(*d*)- di avvicinamento.

**scòtano**, lat. medv. *scòtanum* (XIV sec.), da lat. class. (*rhu*)*s cotĭnus* (dal gr. *kótinos*), con norm. passaggio medv. di -*i*- ad -*a*- in posizione postonica di parola sdrucciola.

**scotennare**, verbo denom. da *cotenna* con *s*-[2] sottrattivo.

**scoto-**, elemento di composiz. nominale dal gr. *skótos* ‘ oscurità ’.

**scòtola**, sost. deverb. da *scotolare*.

**scotolare**, lat. *excutulare*, forma iterat. di *excutĕre*; v. SCUÒTERE.

**scotoma**, da *scoto*- col suff. -*oma*, generalmente usato nel definire escrescenze o depositi, per es. *ematoma*, *sarcoma*.

**scotta**[1] (siero), lat. (*e*)*xcocta*, part. pass. femm. di *excoquĕre*, comp. di *ex*- conclusivo e *coquĕre*; v. CUOCERE.

**scotta**[2] (cavo di manovra), dallo sp. *escota*, deriv. dal germ. settentr. *skaut* ‘ angolo inferiore della vela ’.

**scottare**, lat. volg. *(e)xcoctare*, intens. di *excoquĕre*, comp. di *coquĕre* con *ex*- conclusivo.

**scotto**, dal franco *skot* ‘ tassa ’.

**scovare**, verbo denom. da *covo* con *s*-[1] estrattivo.

**scóvolo**, lat. *scopŭla*, dimin. di *scopa* (v. SCOPA[2]), con leniz. settentr. prob. venez. di -*p*- in -*v*-.

**scozzare**, calco su *accozzare* (v.) con sostituz. di *s*-[2] sottrattivo a *a*(*d*)- allativo.

**scozzonare**, verbo denom. da *cozzone*, con *s*-[1] durativo.

**scranna**, dal longob. *skranna* ‘ panca ’.

**screare** ‘ sputare ’, dal lat. *screare*, di prob. orig. onomatop. dalla serie *s.... c.... r....*; cfr. SCARACCHIARE e SQUARQUOIO.

**screditare**, verbo denom. da *crédito* con *s*-[2] sottrattivo-negativo.

**screpolare,** da *crepolare,* verbo incoativo-iterativo di *crepare* con *s-¹* durativo.

**screzio,** lat. *(di)scretio,* impiegato in senso figur.; v. DISCREZIONE.

**scriba,** dal lat. *scriba,* sost. deverb. da *scribĕre;* v. SCRÌVERE.

**scribacchiare,** iterativo-diminutivo, e perciò peggiorativo, di *scrivere* (cfr. *rubacchiare, ridacchiare*), incr. con lat. *scriba.*

**scricchiare,** verbo denom. da *cricchio* (v.) con *s-¹* durativo.

**scricchiolare,** verbo iterat. di *scricchiare.*

**scrìcciolo,** dimin. di una serie onomatop. *scr.... cc'....*

**scrigno,** lat. *scrinium,* privo di connessioni evidenti.

**scriminatura,** astr. di *(di)scriminare.*

**scrìmolo,** dimin. di *\*scrime,* lat. *(di)scrimen,* appartenente al sistema di *discernĕre;* v. DISCRIMINARE e CRÌMINE.

**scrio,** agg. estr. da un part. pass. *\*scri(at)o* 'sputato', lat. *screatus,* da un verbo *screare* 'sputare' (v. SCREARE) con norm. passaggio di *-e-* antevocalico in it. *-i-.*

**scritto,** lat. *scriptus,* part. pass. di *scribĕre.*

**scrittoio,** lat. medv. *scriptorium* « (locale dove) si copiavano (i manoscritti) », con norm. trattam. tosc. di *-oriu* in *-oio.*

**scrittore,** lat. *scriptor, -oris,* nome d'agente di *scribĕre.*

**scrittorio,** dal lat. *scriptorius.*

**scrittura,** lat. *scriptura,* astr. di *scribĕre.*

**scrivacchiare,** v. SCRIBACCHIARE.

**scrivanìa,** da *scrivano* secondo il rapporto di *sacristìa* a *sacrista* e *scud(i)erìa* a *scudiero.*

**scrivano,** lat. medv. *scriba, -anis* (class. *scriba, -ae*), passato alla declinaz. in *-o.*

**scrìvere,** lat. *scribĕre,* ant. parola ideur. da una rad. SKER, ampliata con -IBH, dal valore fondam. di ' incidere ' o ' grattare ', attestata nelle aree germanica, baltica e greca.

**scroccare,** verbo denom. da *crocco* ' uncino ' con *s-¹* estrattivo.

**scrofa,** lat. *scrofa,* di orig. rustica come mostra la *-f-* intervocalica al posto di una *-b-* o *-d-;* ma priva di connessioni attendibili.

**scròfola,** dal lat. tardo *scrofŭlae* ' ghiandole ', usato al sg.; la parola lat., dimin. di *scrofa,* è un calco semantico sul gr. *khoirádes* ' scrofole ', deriv. da *khoîros* ' maiale ', attrav. l'imagine delle ghiandole, rappresentate come quelle « che sono proprie dei maiali ».

**scrofolaria,** dal lat. medv. *scrofularia,* deriv. da *scrofŭlae,* perché ritenuta pianta efficace contro la scròfola.

**scrollare,** da *crollare* con *s-¹* durativo.

**scrosciare,** da *crosciare* con *s-¹* durativo.

**scroscio,** sost. deverb. da *scrosciare.*

**scroto,** dal lat. *scrotum,* privo di conness. evidenti.

**scrùpolo,** dal lat. *scrupŭlus* ' sassolino ', dimin. di *scrupus* ' pietra appuntita ', privo di connessioni attendibili.

**scrupolosità,** dal lat. tardo *scrupolosĭtas, -atis.*

**scrupoloso,** dal lat. *scrupulosus.*

**scrutare,** dal lat. *scrutari* ' rovistare tra gli stracci ', verbo denom. da *scruta, -orum* ' stracci ', privo di connessioni attendibili.

**scrutatore,** dal lat. *scrutator, -oris.*

**scrutinare,** dal lat. tardo *scrutinare,* iterat. di *scrutari;* cfr. SQUITRINARE.

**scrutinio,** dal lat. tardo *scrutinium,* sost. deverb. estr. da *scrutinare.*

**scucire,** da *cucire* con *s-²* sottrattivo.

**scudato,** dal lat. *scutatus* incr. con it. *scudo.*

**scuderìa,** da *scud(i)erìa,* deriv. di *scudiero* come *scrivanìa* da *scrivano* e *sacristìa* da *sacrista.*

**scudiero,** dal provz. *escudier,* lat. *scutarius.*

**scudiscio,** lat. *scutĭca,* passato al genere neutro attrav. un deriv. *\*scuticium* e questo attrav. la leniz. settentr. di *-t-* in *-d-* incr. poi con *strisciare.* Lat. *scutica* a sua volta è il femm. dell'agg. *scutĭcus* ' Scitico ', dal gr. *Skythikós,* incr. con lat. *scutum.*

**scudo,** lat. *scutum* (con leniz. settentr. di *-t-* in *-d-*), forse da SKOITOM, con connessioni celtiche e slave.

**scuffia,** da *cuffia* con *s-¹* durativo, quasi « copertura più intensa e durevole ».

**scuffiare,** verbo di orig. onomatop. attrav. la serie *sc.... fl.*

**scuffina** ' raspa ', lat. *\*scofina* forma rustica parallela alla urbana *scobina* ' raspa ', incr. con *scuffiare* per il rumore persistente. *Scobina* appartiene alla famiglia di *scabĕre* ' grattare ', con connessioni non sempre evidenti nelle aree baltica, slava, greca, germanica (ted. *schaben* ' raschiare ').

**scugnizzo,** parola napoletana, deriv. da *scugnare* ' scalfire ', lat. *\*excuneare,* verbo denom. da *cuneus* (v. CUNEO) con *ex-* estrattivo. Prob. il monello « che scalfisce (con la punta della trottola, la trottola del compagno) ».

**sculto,** dal lat. *sculptus,* part. pass. regolare di *sculpĕre* ' scolpire '; v. SCOLPIRE.

**scultore,** dal lat. *sculptor, -oris.*

**scultura,** lat. *sculptura,* astr. di *sculpĕre.*

**scuola,** lat. *schola* che è dal gr. *skholḗ* ' riposo '.

**sc(u)orare,** verbo denom. da *cuore* con *s-²* sottrattivo, event. senza dittongo fuori d'accento, opposto di *inc(u)orare* (v.).

**scuòtere,** lat. *excutĕre,* comp. di *ex-* conclusivo e *quatĕre* con norm. passaggio di *-uă-* in *-ŭ-* in sill. interna. L'it. *\*scótere* è passato a *scuòtere* partendo da *scossa* (v.) secondo il rapporto di *mossa* a *muòvere.*

**scure,** lat. *securis* con sincope della voc. protonica, forse per distinguersi da *securus* (v. SICURO). Lat. *securis,* appartenente alla rad. SEK ' tagliare ', trova una corrispond. esatta nella parola slava ant. *sekyra,* dello stesso signif.; v. SECARE.

**scuriata,** lat. *\*excorrigiata,* deriv. di *corrigia;* v. CORREGGIA.

**scuro¹,** lat. *obscūrus* (cfr. OSCURO), comp. di *ob-* e una rad. SKŪ ' coprire ', che si ritrova nelle aree indiana e germanica (ingl. *sky* ' cielo ').

**scuro²** (persiana), dal long. *skur.*

**scurrile,** dal lat. *scurrīlis,* deriv. di *scurra,* nel signif. spec. di ' buffone ', che è di prob. orig. etrusca.

**scurrilità,** dal lat. *scurrilĭtas, -atis.*

**scusàbile,** dal lat. *(e)xcusabĭlis* incr. con it. *scusare.*

**scusare,** lat. *(e)xcusare,* verbo denom. da *causa* con *ex-* estrattivo, e norm. passaggio di *-au-* in *-ū-* in sill. interna (v. CAUSA). Il suo opposto è *accusare* con *a(d)-* allativo.

**scusatore,** dal lat. tardo *excusator, -oris* incr. con it. *scusare.*

**scusso,** dal lat. *excussus,* part. pass. di *excutĕre,* incr. con it. *scossa.*

**scutrettolare**, verbo denom. **da** *cutrèttola* con *s*-[1] durativo.

**sdarsi**, da *dare* con *s*-[2] sottrattivo.

**sdaziare**, verbo denom. da *dazio* con *s*-[2] sottrattivo.

**sdebitare**, verbo denom. da *débito* con *s*-[2] sottrattivo-negativo, opposto di *in*(*debitare*) con *in*- illativo e aggiuntivo.

**sdegnare**, lat. \*(*di*)*sdignare*, verbo denom. da *dignus* (v. DEGNO), con *dis*- di separazione; cfr. DISDEGNARE.

**sdegno**, sost. deverb. estr. da *sdegnare*.

**sdentato**, da *dentato* ‘ provvisto di denti ’ con *s*-[2] sottrattivo.

**sdiacciare**, verbo denom. da *diaccio* con *s*-[2] sottrattivo.

**sdilinquire**, dal lat. *delinquère* ‘ mancare ’, passato alla coniugaz. in -*i*-, e col pref. *s*-[1] durativo; cfr. DELIQUIO.

**sdiricciare**, da *diricciare* con *s*-[1] durativo.

**sdoganare**, verbo denom. da *dogana* con *s*-[2] sottrattivo.

**sdolcinato**, part. pass. di un \**dolcinare*, intens. di *dolcire* (v. ADDOLCIRE) con *s*-[1] durativo.

**sdoppiare**, da *doppiare*[1] con *s*-[1] durativo.

**sdossare**, calco su *indossare* con sostituz. di *in*- illativo con *s*-[1] estrattivo.

**sdottorare**, verbo denom. da *dottore* con *s*-[1] durativo.

**sdraiare**, lat. volg. \**exderadjare*, verbo denom. di *radius* ‘ raggio ’ con doppio pref. di provenienza e di durata; con norm. sincope di voc. protonica e trattam. centromerid. non tosc. di -*dja*- in -*ia*- « disporre gambe e braccia a raggio ».

**sdrucciolare**, lat. volg. \*(*e*)*xderotjolare*, verbo denom. iterat. di *rotèus*, agg. tratto da *rota* ‘ ruota ’, con doppio pref. di provenienza e durata. Incr. con *ruzzolare* per la voc. -*u*-, e allineato con tradiz. settentr. del tipo -*ss*- corrette in -*cc'*- anziché nel norm. -*zz*-.

**sdrùcciolo**, sost. e agg. deverb. da *sdrucciolare*.

**sdrucire**, lat. volg. \**deresuère*, incr. di *desuère* e *resuère* passato alla coniugaz. in -*i*- e con *s*-[1] durativo (\**sdresire*): incr. con it. *cucire* (v.).

**se**[1] (cong. condiz.), lat. *si*, ant. *sei*, forse caso locativo di un tema di dimostr. *se/so*.

**se**[2] (cong. desiderativa), lat. *sic*, ant. \**sei*, ampliato con la particella -*c*; cfr. *hic, illic* e v. QUI.

**se**[3] (pron. rifless.), lat. *se* atono; v. SÉ e cfr. SI[1].

**sé**, lat. *se*, ant. *sed*, tema del pron. personale di terza pers. con valore riflessivo, attestato (con la variante SWE) nelle aree baltica, slava, indo-iranica, greca, germanica (ted. *si-ch*); cfr. SUO e SODALE.

**sebaceo**, dal lat. tardo *sebaceus*, deriv. di *sebum*; v. SEBO.

**sebbene**, da *se*[1] *bene*.

**sebo**, dal lat. *sebum*, privo di connessioni attendibili.

**seborrèa**, calco su *gonorrèa* con la sostituz. di *sebo*- a *gono*-.

**secante**, part. pres. sostantiv. di *secare*; cfr. COSECANTE.

**secare**, dal lat. *secare*, parziale sostituto italico di un ant. \**secère*, dalla rad. SEK ‘ tagliare ’, attestato anche nelle aree celtica, baltica, slava e, limitatamente ai temi nominali, in quella germanica; cfr. SETTO[2], SCURE, SETTORE.

**seccàbile**, dal lat. tardo *siccabìlis*, incr. con it. *secco*.

**seccare**, lat. *siccare*, verbo denom. da *siccus*; v. SECCO.

**seccativo**, dal lat. tardo *siccativus* incr. con it. *secco*.

**secchia**, lat. *sit*(*ŭ*)*la* con norm. passaggio di -*tl*- a -*cl*-. Lat. *situla* è privo di connessioni ideur. attendibili; cfr. SÌTULA.

**secchio**, lat. *sitŭlus*, variante di *situla*; v. SECCHIA.

**seccia** ‘ stoppia ’, lat. volg. \**sicja*, class. (*feni*)*sicia* « taglio (del fieno) » il cui secondo elemento -*sec*- (v. SECARE), mostra apofonia di -*ĕ*- in -*i*- in sill. interna aperta, col rafforzamento it. del gruppo -*cj*- in -*cc'*- dopo l'accento.

**secco**, lat. *siccus*, da \**sitìcus* e cioè ‘ assetato ’; v. SETE.

**secento**, lat. *sexcenti* incr. con *cento* e dissimilato da \**sescento*.

**secèrnere**, dal lat. *secernère*, comp. di *sē*-(*sĕ*-) di separazione e *cernère* (v. CÈRNERE). *Se*-, dav. a voc. *sed*, è pref. che indica separazione, allontanamento, sottrazione; cfr. *secedère* (v. SECESSIONE), *securus* (v. SICURO), *semitare* ‘ camminare appartato ’ (v. SENTIERO), *separare* (v. SEPARARE), *seditio* (v. SEDIZIONE), inoltre *sedulō* ‘ senza inganno ’, *seponère*. Per la forma alternante *sō*-, v. SOBRIO; per *sŏ*- v. SCIOGLIERE; per un ampliam. aggettiv. di *sō*- in -*lo* v. SOLO.

**secessione**, dal lat. *secessio, -onis*, nome d'azione di *secedère* ‘ ritirarsi ’, comp. di *se*- (v. SECÈRNERE) e *cedère* (v. CÈDERE e CESSARE).

**seco**, lat *secum*, da *se cum* ‘ con sé ’; v. SÉ e cfr. MECO ecc.

**secolare**, dal lat. *saecularis*.

**sècolo**, dal lat. *saecŭlum*, con unica corrispond. nell'area celtico-britannica.

**secondare**, dal lat. *secundare*, verbo denom. da *secundus*.

**secondario**, dal lat. *secundarius*.

**secondo**[1] (agg.), lat. *secundus*, part. pres. di tipo arc., v. ORIUNDO; dal verbo *sequi*, v. SEGUIRE.

**secondo**[2] (prep.), lat. *secundum*, forma irrigidita del part. *secundus* con valore di prep.

**secondogènito**, calco su *primogènito*, con la sostituz. di *secondo*- a *primo*-.

**secreto**, part. pass. di *secèrnere*, dal lat. *secretus*, part. pass. nel sistema di *secernère*, tratto da una base *crē*- priva di connessioni attendibili; v. CÈRNERE.

**secrezione**, dal lat. *secretio, -onis*, nome d'azione nel sistema di *secernère*.

**sèdano**, lat. volg. \**selĭnum* (class. *selīnum*), dal gr. *sélinon*; considerato come rustico, e corretto in \**sedīnum*, con successivo norm. passaggio in -*a*- di -*i*- postonica in parola sdrucciola (cfr. *crònaca, tònaca*). Cfr. la variante settentr. *sèllero*, con la -*l*- mantenuta e poi raddoppiata in parola sdrucciola, e con la assimilaz. progressiva da *l*.... *n* in *l*.... *r*.

**sedare**, dal lat. *sēdare*, causativo di *sedere* (v. SEDERE) (del tipo di *cēlāre* rispetto a un ant. \**celĕre* o di *plācare* rispetto a *placēre*).

**sedativo**, dal lat. medv. *sedativus*.

**sedatore**, dal lat. tardo *sedator, -oris*.

**sede**, dal lat. *sedes*, astr. di *sedere*, da un tema radicale SED, ampliato con -*ĕ*-.

**sedentario**, dal lat. *sedentarius*, ampliam. di *sedens, -entis*, part. pres. di *sedere*.

**sedere**[1] (verbo), lat. *sedere*, verbo di stato ‘ esser seduto ', dalla rad. SED, bene attestata anche nelle aree baltica, slava, indiana, iranica, greca (*hézomai* ' siedo '), germanica (ted. *sitzen*).

**sedere²** (sost.), forma sostantiv. dall'inf. *sedere*.

**sedia,** sost. deverb. da *sedere*, risultante dalla metatesi di un ant. *sieda*; cfr. *aria* che è il lat. *aëra*.

**sedicenne,** dal lat. tardo *sedecennis* incr. con *sédici*.

**sedicente,** da *sé dicente*, calco sul frc. *soidisant*.

**sédici,** lat. *sēdĕcim*, con tardivo allineamento da *ē.... e.... i* a *ē.... i.... i*.

**sedile,** lat. *sedīle*, deriv. da *sedere*, come *cubile* da *cubare*.

**sedimento,** dal lat. *sedimentum*, nome di strum., da *sedere*.

**sedizione,** dal lat. *seditio, -onis*, comp. di *sed-* di separazione e il nome d'azione di *ire* (v. GIRE), prob. calco su *secessio, -onis*; v. SE(CÈRNERE).

**sedizioso,** dal lat. *seditiosus*.

**seducente,** dal lat. *seducens, -entis* incr. per il signif. col frc. *séduisant*.

**sèdulo,** dal lat. *sedŭlus*, da *se-* ' senza ' e *dolus*.

**sedurre,** dal lat. *seducĕre*, comp. di *se-* di separazione e *ducĕre*, incr. con it. *(con)durre*; v. DUCE.

**seduta,** forma sostantiv. del part. pass. femm. di *sedere*, formato sullo schema di *tenuto* rispetto a *tenere*. Cfr. invece *sessione*, che è dal part. lat. *sessus*.

**seduttore,** dal lat. tardo *seductor*, nome d'agente di *seducĕre*.

**seduzione,** dal lat. *seductio, -onis*, nome d'azione di *seducĕre*.

**seenne,** calco su *bienne* con *se-* (per *sei*) al posto di *bi-*.

**sega,** sost. deverb. da *segare*.

**ségale,** lat. *secāle*, privo di connessioni ideur. evidenti, con leniz. settentr. di *-c-* in *-g-*.

**segare,** lat. *secare*, con leniz. settentr. di *-c-* in *-g-*; v. SECARE.

**seggio,** sost. deverb. da *sèggere*, ant. inf. di *sedere*, tratto dalla prima pers. sg. dell'indic. pres. io *seggio*, che riproduce esattamente lat. volg. *sedjo*, class. *sedeo*.

**sèggiola,** dimin. di *seggio*, col genere grammat. di *sedia*.

**seggiovìa,** incr. di *séggio(la)* con *funivia* o *ferrovia*.

**segmento,** dal lat. *segmentum*, nome di strum. di un ant. *sĕcĕre*, class. *secare*; cfr. SETTO, SEZIONE.

**segnàcolo,** dal lat. tardo *signacŭlum*, nome di strum. di *signare*; v. SEGNO.

**segnalare,** verbo denom. da *segnale*, per il signif., calco parziale sul frc. *signaler*.

**segnale,** lat. tardo *signale*, neutro sostantiv. di *signalis*, agg. tratto da *signum*; v. SEGNO.

**segnalètica,** forma femm. sostantiv. di *segnalètico*.

**segnalètico,** dal frc. *signalétique*.

**segnare,** lat. *signare*, verbo denom. da *signum*, incr. con it. *segno*.

**segnatura,** dal lat. medv. *signatura*.

**segno,** lat. *signum*, propr. ' intaglio ' da un ant. *sĕcĕre*, class. *secare* (v. SECARE); cfr. *dignus* rispetto a *decet*, *lignum* a *lego*, *tignum* a *tego*, col norm. passaggio di *-ĕ-* in *-ĭ-* dav. al gruppo *-gn-*.

**sego,** lat. *sebum* (v. SEBO), con norm. leniz. di *-b-* in *-v-* in posizione intervocalica e successivo passaggio di *-v-* in *-g-* come fosse parola franca; cfr. *ùgola* rispetto a *uva*, *pàrgolo* rispetto a lat. *parvŭlus*.

**segregare,** dal lat. *segregare*, verbo denom. da *grex* ' gregge ' con *se-* di separazione; opposto di *congregare*; v. GREGGE e cfr. SE(CÈRNERE).

**segregazione,** dal lat. *segregatio, -onis*.

**segretario,** dal lat. medv. *secretarius* incr. con *segreto*.

**segreto,** lat. *secretus*, con leniz. settentr. di *-cr-* in *-gr-*.

**seguace,** dal lat. *sequax*, deriv. di *sequi* come *edax* di *edo* o *audax* di *audeo*, incr. con *seguire*.

**segugio,** lat. tardo *segusius*, di orig. forse gallica, con riduzione tosc. in *-gio-* di una forma settentr. lenita *-sgjo-* (invece del tosc. norm. *-scio-*).

**seguire,** lat. *sequi*, passato alla coniugaz. in *-i-* e con leniz. settentr. da *-qui-* a *-gui-*. Deriva dalla importante rad. SEKW ' seguire mentalmente ', che ha mantenuto forma e signif. anche nelle aree celtica, baltica, indiana, greca (gr. *hépomai*), e si è specializzato nel ' seguire visivo ', ' vedere ' nell'area germanica (ted. *sehen*).

**seguitare,** lat. volg. *secutare*, intens. di *sequi*, incr. con it. *seguìto*, part. pass. di *seguire*.

**séguito,** sost. deverb. da *seguitare*.

**sei,** lat. volg. *sess*, class. *sex*, con la *-(s)s* finale, sostituita da *-i* (cfr. *noi, voi, poi* rispetto a lat. *nos, vos, post*), e la rinuncia alla dittongazione in *siei* per dissimilaz. dalla *-i* finale. Lat. *sex* si trova identico nelle aree indiana, baltica, germanica (ted. *sechs*) da un SEKS orig. Risalgono a SWEKS le testimonianze delle aree greca (gr. *héks*) e celtica. Ci sono tracce iraniche e slave addirittura di un orig. KSWEKS.

**selce,** lat. *silex, -ĭcis* ' pietra dura ', di struttura ideur., ma privo di connessioni evidenti; cfr. SÌLICE.

**selenio,** dal lat. scient. *selenium*, tratto dal gr. *selénē* ' luna ', perché, fuso, è paragonabile alla luce lunare.

**selenita,** dal gr. *selénítēs* ' abitante della luna '.

**seleno-,** primo elemento di comp., dal gr. *selénē* ' luna '.

**selettivo,** da *selezione*, calco su *elettivo* rispetto a *elezione*.

**selettore,** dal lat. tardo *selector, -oris*, nome d'agente di *seligĕre*, comp. di *se-* di separazione (v. SECÈRNERE) e *legĕre* ' scegliere ', con norm. apofonia di *-ĕ-* in *-ĭ-* in sill. interna aperta.

**selezione,** dal lat. *selectio, -onis*, nome d'azione di *seligĕre*; v. ELÈGGERE.

**sella,** lat. *sella*, ant. *sed-la*, di formazione già ideur. attestata nell'area gr. (laconico *hellá*) e, con genere grammat. diverso, in quella gotica, dalla rad. SED; v. SEDERE.

**sellaio,** lat. *sellarius*, con norm. trattam. tosc. di *-ariu* in *-aio*.

**selva,** lat. *silva*, privo di connessioni ideur. attendibili.

**selvaggio,** dal provz. *salvatge*, che è il lat. *silvatĭcus*.

**selvàtico,** dal lat. *silvatĭcus* con lo stesso procedimento per cui si ha *rustĭcus* da *rus*, *viatĭcus* da *via*, *aquatĭcus* da *aqua*.

**selvoso,** dal lat. *silvosus* incr. con it. *selva*.

**selz,** dal nome frc. *Seltz* della cittadina ted. di *Selters*, presso Wiesbaden, dove si hanno sorgenti di acque gasate.

**semàforo,** dal frc. *sémaphore* (XIX sec.), comp. di gr. *sêma* ' segno ' e *-phoros* ' portatore '.

**semàntica,** dal frc. *sémantique* (XIX sec.) foggiato come calco su nomi di branche del sapere da un presunto *sēmantikḗ* (*tékhnē*) sul modello dell'ant. *grammatikḗ* (*tékhnē*).

**semàntico,** agg. estr. dal sost. *semàntica.*

**semasiologìa,** dal gr. *sēmasía,* astr. di *sēmaínō* ' significo ' e *-logìa.*

**sembiante,** dal provz. *semblan,* part. pres. di *semblar,* adattato in it. col passaggio di *-bla-* in *-bia-*; v. SEMBRARE.

**sembiare,** dal provz. *semblar.*

**sembianza,** dal provz. *semblanza*; v. SEMBIANTE.

**sembrare,** dal provz. *semblar* con assimilaz. di *-l-* alla *-r-* seguente, come difesa della norm. palatalizzazione it., attuata invece nell'arc. *sembiare.* Provz. *semblar* è il lat. tardo *similare,* verbo denom. da *simĭlis*; v. SIMILE.

**seme,** lat. *semen, -ĭnis,* deriv. dalla rad. nordoccidentale SĒ[1], che appare nelle aree celtica, germanica (ted. *säen*), baltica e slava col signif. di ' seminare ' e ' piantare ', cioè disporre i semi uno a uno. In lat. si ha la forma raddoppiata *si-s-o,* attestata in età classica nella forma *sero, serĕre*; cfr. ÌNSITO.

**semeiòtica,** dal gr. *sēmeiōtikḗ,* formaz. sostantiv. che presuppone una formula precedente *sēmeiōtikḗ* (*tékhnē*) « (arte) diagnostica ».

**sementare,** lat. *sementare,* verbo denom. da *sementis* ' semina '.

**semente,** lat. *sementis, -is,* nome d'azione di *serĕre* ' seminare ', incr. con *semen* (v. SEME), opposto a *messis* e analogo a *satio, -onis,* cui si sovrappone.

**sementivo,** dal lat. *sementivus* ' che appartiene alla semina '.

**semenza,** lat. tardo *sementia* che funge da astr. di *serĕre.*

**semestre,** dal lat. *semestris,* comp. di *sex* e *-mestris,* deriv. da *mēns-* ' mese ' col suff. *-tris.*

**semi-,** dal lat. *sēmi-* con corrispond. precise nelle aree germanica, greca (gr. *hēmi-,* v. EMI-) indiana, e risal. alla rad. SEM ' uno ', nel senso di « ciò che ha solo uno degli elementi costitutivi ».

**-semìa,** secondo elemento di comp., dal gr. *sêma* ' segno ' con *-ìa* di astr.

**semiaperto,** dal lat. *semiapertus*; v. SEMI- e APERTO.

**semibàrbaro,** dal lat. *semibarbǎrus.*

**semicerchio,** da *semi-* e *cerchio.*

**semicìrcolo,** dal lat. *semicircŭlus.*

**semicrudo,** dal lat. *semicrudus.*

**semicupio,** dal lat. medv. *semicupium,* deriv. da *semi-* e *cupa* ' recipiente '.

**semidio,** dal lat. *semideus,* calco sul gr. *hēmítheos.*

**semidotto,** dal lat. *semidoctus.*

**semilìbero,** dal lat. *semiliber.*

**semimorto,** dal lat. *semimortuus* incr. con it. *morto.*

**sémina,** sost. deverb. estr. da *seminare.*

**seminagione,** dal lat. *seminatio, -onis,* attrav. una tradiz. settentr. che rende *-tio-* con *-sgjo-,* poi toscanizzato in *-gio-.*

**seminale,** dal lat. *seminalis,* deriv. di *semen, -ĭnis.*

**seminare,** dal lat. *seminare,* verbo denom. da *semen, -ĭnis.*

**seminario,** dal lat. *seminarium* ' vivaio ' in senso figur.

**seminatore,** dal lat. *seminator, -oris,* nome d'agente di *seminare.*

**seminfermità,** da *sem(i)-* e *infermità.*

**seminterrato,** da *sem(i)-* e *interrato.*

**seminudo,** dal lat. *seminudus.*

**semiologìa,** comp. di gr. *sēmeîon* ' segno ' e *-logìa.*

**semioncia,** dal lat. *semuncia* (v. ONCIA), incr. con it. *semi-* e *oncia.*

**semipieno,** dal lat. *semiplenus* incr. con it. *pieno.*

**semisse,** dal lat. *semis, -issis,* comp. di *semi-* e *as*; v. ASSE.

**semita,** sost. estr. dall'agg. *semìtico.*

**semìtico,** dal ted. *semitisch,* che definì alla fine del sec. XVIII, un gruppo di lingue, proprie di popolazioni, biblicamente riconducibili a *Sem* (ebr. *Shēm*), figlio di Noè.

**semivivo,** dal lat. *semivivus.*

**semivocale,** dal lat. *semivocalis,* calco sul gr. *hēmíphōnos.*

**sémola,** lat. volg. *simŭla,* class. *simĭla* ' fior di farina ', con norm. passaggio di *-i-* a *-u-* dav. a *-l-* non seguìto da *i*: di orig. mediterr.

**semovente,** da *sé movente.*

**sempiterno,** dal lat. *sempiternus,* da *sempri-aeternus,* dissimilato in *semp(r)i(ae)ternus.*

**sémplice[1],** lat. *simplex, -icis,* numerale moltiplicativo comp. di *sem-* ' una volta ' (v. SEMPRE) e il tema di *plectĕre* ' intrecciare ': « intrecciato una sola volta ». *Plectĕre* trova una corrispond. esatta nell'area germanica, nel ted. *flechten,* ed entrambi risultano da un ampliam. in *-te/-to* (cfr. NESSO), della rad. PLEK, per cui v. PIEGARE.

**semplice[2]** ' erba medicinale ', dal lat. medv. (*medicamentum*) *simplex.*

**semplicità,** dal lat. *simplicĭtas, -atis.*

**semplificare,** dal lat. medv. *simplificare,* da *simplificare,* comp. di *simplex* e del tema *-ficare,* denom. di nomi d'agente in *-fex.*

**sempre,** lat. volg. *sempri-,* primo elem. di comp. da class. *semper*; cfr. *sempiternus* da *semp(r)i(ae)ternus. Semper* è avv. comp. di *-per* moltiplicativo e SEM, rad. ideur. dell'unità e dell'identità, attestata anche nelle aree greca (gr. *heîs* ' uno ' da *sems*), germanica, slava, indoiranica. *Semper* definisce perciò la durata in quanto « unica » e cioè senza limiti; cfr. SEMPLICE.

**semprevivo,** dal lat. *sempervivum,* comp. sostantiv. di *semper* e *vivus,* incr. con it. *sempre.*

**sena[1]** (numero), neutro sostantiv. dell'agg. distributivo lat. che è al nom. plur. maschile *seni* ' a sei a sei ', da ant. *sexnoi*; v. SEI.

**sena[2]** (arbusto), dall'ar. *sanā.*

**sènape,** dal gr. *sínapi.*

**senapismo,** dal lat. *sinapismus* incr. con it. *sènape.*

**senario,** dal lat. *senarius,* deriv. di *seni*; v. SENA[1].

**senato,** dal lat. *senatus,* nome di magistratura tratto da un presunto *senare* ' agire in qualità di anziano ', verbo denom. da *senex* ' vecchio '; v. SIGNORE.

**senatoconsulto,** dal lat. *senatus consultum* ' decreto del senato '.

**senatore,** dal lat. *senator, -oris,* nome d'agente di *senare*; v. SENATO.

**senatorio,** dal lat. *senatorius.*

**senescente,** dal lat. *senescens,* part. pres. di *senescĕre,* verbo incoat. e denom. da *senex.*

**senile,** dal lat. *senilis,* deriv. in *-ilis* da un tema nominale *senes* (come *aedilis* da *aedes*); v. SENATO.

**seniore,** dal lat. *senior,* compar. di *senex*; cfr. SIGNORE.

**senna,** variante di *sena[2]* (v.), forse di tradiz. sett.

e perciò con la cons. germinata per eccesso di zelo.

**senno,** dal franco *sin* (ted. mod. *Sinn*), forse attrav. il frc. ant. *sen*; cfr. SENTIRE.

**seno**[1] (anatomia), lat. *sinus, -us* ' piega della veste femminile ', privo di connessioni ideur. attendibili.

**seno**[2] (geometria), dal lat. medv. *sinus*, calco sull'ar. *giaib*, nel suo valore matematico.

**senofobìa** (anche *xenofobia*), comp. di gr. *ksénos* e *-fobìa*.

**sensale,** dall'ar. *simsār* ' mediatore '.

**sensato,** dal lat. tardo *sensatus* ' provvisto di *sensus*, e cioè di ' intelletto '.

**sensazionale,** calco sul frc. *sensationnel.*

**sensazione,** dal lat. *sensatio, -onis*, che funge da astr. di *sensatus*; cfr. *insensatus* e *insensatio* e v. INSENSATO.

**senserìa,** da *sens(al)eria.*

**sensìbile,** dal lat. *sensibĭlis*, agg. verb. di possibilità, dal part. pass. di *sentire*; cfr. *flexibĭlis, plausibĭlis.*

**sensibilità,** dal lat. tardo *sensibĭlĭtas, -atis.*

**sensismo,** da *senso*, con suff. -*ismo* che indica una dottrina.

**sensitivo,** dal lat. medv. *sensitivus.*

**senso,** lat. *sensus, -us*, astr. di *sentire* (v. SENTIRE), da ant. *\*sent-tu-s.*

**sensoriale,** calco sul frc. *sensorial.*

**sensorio,** dal lat. tardo *sensorium* (sost.).

**sensuale,** dal lat. tardo *sensualis.*

**sensualità,** dal lat. tardo *sensualĭtas, -atis.*

**sentenza,** dal lat. *sententia*, astr. di *sentire*, che presuppone un part. pres. *\*sentens, -entis* e cioè un verbo *\*sento, \*sentĕre* come *parentes* presuppone un verbo *\*paro, parĕre*; v. SENTIRE.

**sentenziàre,** dal lat. tardo *sententiare.*

**sentenzioso,** dal lat. *sententiosus.*

**sentiero,** dal frc. ant. *sentier*, che è dal lat. tardo *semitarium*, deriv. di class. *semĭta*, sost. deverb. di *semitare*, intens. della rad. MEI sopravv. in *meare* (v. MEATO), col pref. *sĕ(d)-* (v. SECÈRNERE), « camminare appartato »; cfr. *sĕd(itio)*, v. SEDIZIONE.

**sentimento,** dal lat. medv. *sentimentum*, nome di strum. di *sentire.*

**sentina,** dal lat. *sentina*, privo di connessioni ideur. attendibili.

**sentinella,** sost. deverb. da un *\*sentinellare*, iterat. di lat. tardo *sentinare* (gloss.) « evitare con astuzia un pericolo », risal. a *sentire.*

**sentire,** lat. *sentire*, prob. collegato con la famiglia germanica di ted. *Sinn* e del verbo corrispond. *sinnen* (v. SENNO), preceduto da un più ant. *\*sentĕre* (v. SENTENZA), che dovrebbe essere ampliam. in -*te*/-*to* di SEN come *plectĕre* (v. PLESSO), *nectĕre*; v. NESSO.

**sentore,** dal lat. *\*sentor, -oris*, astr. di *sent(ire).*

**senza,** lat. *(ab)sentia*, forma di abl., irrigidita a uso di prep.: « in assenza di ».

**senziente,** dal lat. *sentiens, -entis*, part. pres. di *sentire.*

**sepaiola,** doppio deriv. di *siepe* (v.), attrav. una forma intermedia *\*sepaia*, senza dittongo perché fuori d'accento.

**sèpalo,** dal lat. scient. *sèpalum*, risultante da *sep(arato-pèt)alum.*

**separàbile,** dal lat. *separabĭlis.*

**separabilità,** dal lat. tardo *separabĭlĭtas, -atis.*

**separare,** dal lat. *separare*, comp. di *se-* di separazione (v. SECÈRNERE) e *parare* (v. PREPARARE).

**separativo,** dal lat. tardo *separativus.*

**separatore,** dal lat. tardo *separator, -oris.*

**separazione,** dal lat. *separatio, -onis.*

**sepolcrale,** dal lat. *sepulcralis.*

**sepolcreto,** dal lat. *sepulcretum.*

**sepolcro,** dal lat. *sepulcrum*, nome di strum. da *sepelire*, con norm. passaggio di -*ĕ*- a -*ŭ*- in sill. interna dav. a -*l*- non seguito da -*i*-. Il suff. -*clo*- proprio dei nomi di strum. passa a -*cro*- quando nella parte radicale c'è già una *l*.

**sepoltura,** dal lat. *sepultura*, astr. di *sepelire.*

**seppellire,** lat. *sepelire*, parola del vocab. ideur. arc., sopravv. nelle sole aree latina e indiana, come termine rituale dell'onoranza funebre (indipendentemente dalla tecnica inumatoria o inceneratrice). Nel passaggio all'it. il centro di gravità si è concentrato nella seconda sill. e incr. con *pelle*: da ciò il raddopp. della -*ll*- e quello del pref., quasi fosse dall'ant. *se(d)*, per cui v. SECÈRNERE.

**seppia,** lat. volg. *\*sepja*, class. *sepia* e questo dal gr. *sēpía*, con norm. raddopp. it. del gruppo -*pja* in -*ppia* in posizione postonica.

**seppure,** da *se*[1] *pure.*

**sepsi,** dal gr. *sêpsis* ' putrefazione ', nome d'azione di *sēpō* ' marcisco '.

**sequela,** dal lat. tardo *sequela*, astr. di *sequi*, paragonab. a *loquela* rispetto a *loqui*, o *querela* rispetto a *queri.*

**sequenza,** dal lat. tardo *sequentia*, astr. di *sequi.*

**sequestràbile,** agg. verb. di *sequestrare.*

**sequestrare,** dal lat. *sequestrare*, verbo denom. da *sequestrum.*

**sequestratore,** dal lat. tardo *sequestrator, -oris.*

**sequestro,** dal lat. *sequestrum*, forma sostantiv. dal neutro di *sequester*, derivaz. in -*tero*- da *secus* (ant. *\*seques/\*sequos*) come *magister* da *magis*: perciò dal signif. fondam. di *secus* ' lungo, al fianco di ', *sequester* significherebbe « ciò che affianca » e il neutro sostantiv. « (deposito) affiancante », ben distinto dal « possesso ». *Secus* discende dalla rad. SEKw (v. SEGUIRE), dalla quale derivano parole accessorie nelle aree celtica, baltica, indo-iranica.

**sequoia,** dal nome del mezzosangue *Sequoiah* (1760-1843), promotore dell'incivilimento dei Cherokee, tribù indiana dell'America settentrionale.

**ser,** lat. *se(nio)r* in posizione proclitica dav. al nome proprio seguente: *Senior Maximus* ' Ser Màssimo '. Provvisto di una finale vocalica nella forma. di età posteriore, *sere*; v. SIGNORE e cfr. SOR e SIRE.

**sera,** lat. *sera (dies)* « (ora) tarda (del giorno) », con connessioni evidenti solo nell'area celtica, al di là della quale si deve supporre una rad. SĒ[2] con diversi e non evidenti ampliam.; v. SEZZO e cfr. SERIORE.

**seracco** ' blocco di ghiaccio ', dal frc. *sérac.*

**seràfico,** dal lat. medv. *seràficus*, abbrev. di *\*seraf(in)icus.*

**serafino,** dal lat. tardo *Seräphim* che è dal plur. ebr. *sĕräphīm* ' ardenti '.

**serbare,** lat. *servare* con rafforzam. della -*v*- postconsonantica in -*b*-; cfr. *Elba* che è lat. *Ilva*, *nerbo* che è lat. *nervus*, *cerbia* che è lat. *cervia*; v. SERVO.

**serbatoio**, dal lat. *servatorium* ' amuleto ', incr. con it. *serbare* e col norm. trattam. tosc. di -*oriu* in -*oio*.

**serbatore**, dal lat. *servator, -oris*, incr. con it. *serbare*.

**serbévole**, dal lat. *servabĭlis*, incr. con it. *serbare* e il suff. -*évole*.

**serbo**, sost. deverb. da *serbare*.

**sere**, v. SER.

**serenare**, dal lat. *serenare*.

**serenata**, forma astr. da *sereno*.

**serenità**, dal lat. *serenĭtas, -atis*.

**sereno**, dal lat. *serenus* ' secco ', ant. *seresnos*, tratto da un tema in sibilante che avrebbe dovuto essere *seros, -ĕris*, di struttura ideur., collegato prob. col gr. *kserós* ' secco ' e il sanscrito *kṣāra-* ' bruciante ', perché il tempo asciutto è un pregio nelle regioni ideur. nordoccidentali, ma una sofferenza in quelle sudorientali.

**sergente**, dal frc. ant. *sergent*, che è il lat. *serviens, -entis*, part. pres. di *servire*; cfr. SERVENTE e INSERVIENTE.

**sergozzone**, da *sor-* ' sopra ' e *gozzo* con suff. accresc. -*one*, e incr. con *serrare*: « (colpo) che serra il gozzo ».

**sèrico**, dal lat. *serĭcus* ' proprio dei Seri ', che è dal gr. *Sêres*, popolo dell'Asia centrale, famoso per la lavorazione della seta; cfr. SARGIA.

**serie**, dal lat. *series*, astr. del verbo *serĕre* ' allineare ', di cui si ritrovano connessioni nelle aree celtica e greca, cfr. SERMONE da una rad. SER[2].

**serietà**, dal lat. *serĭĕtas, -atis*, astr. di *serius*.

**serio**, dal lat. *serius*, da una rad. SWER ' pesare ', che si ritrova nelle aree baltica e germanica (ted. *schwer*).

**seriore**, dal lat. *serior, -oris*, comparativo di *serus*; v. SERA.

**serioso**, dal lat. tardo *seriosus*.

**sermocinare**, dal lat. *sermocinari*, verbo denom. da *sermo, -onis*, incr. con *patrocinare* e *tirocinium*, attrav. un presunto *sermocinium*; cfr. *vaticinium* e *vaticinari*, v. VATICINIO.

**sermone**, dal lat. *sermo, -onis*, propr. « allineamento (di parole) », nome d'azione derivante da *serĕre* (v. SERIE), paragonab. per la formaz. a *Semo, -onis* ' la Semina personificata ' dalla rad. SĒ[1] ' seminare ' con lo stesso suff. -*mo*; v. SEME.

**sero-** (1° elem. di comp. nom.), dal gr. *kséros* ' secco '.

**seròtino**, dal lat. tardo *serotīnus*, deriv. dall'avv. *sero* ' tardi ', con un suff. di valore temporale, cfr. *crastinus* da *cras*, v. CRAI, e *annotĭnus* da *annus*, *diutīnus* da *diu*.

**serpa** (cassetta della carrozza), lat. *scirpea* « (cassetta) di giunco », agg. deriv. da *scirpus* privo di connessioni ideur. Penetrato attrav. una tradiz. romagnola con *s-* invece di *sc-*.

**serpe**, lat. *serpens* e cioè la « (bestia) serpeggiante (per eccellenza) »; v. SERPENTE e cfr. BISCIA.

**serpentaria** (herba), dal lat. *serpentaria* (herba), deriv. di *serpens, -entis*.

**serpentario** (uccello), dal lat. scient. *serpentarius*.

**serpente**, lat. *serpens, -entis*, part. pres. di *serpĕre*, dalla rad. attestata nelle aree greca (*hérpō*), indiana, e di tradiz. ordinata e stabile.

**serpentiforme**, dal lat. tardo *serpentiformis*.

**serpentino**, dal lat. tardo *serpentinus*.

**serpillo**, dal lat. *serpillum*, incr. del gr. *hérpyllon* con lat. *serpĕre* e col suff. dimin. -*illum*.

**serpollino** (timo), dimin. di lat. *serpullum*, forma arc. risultante dal gr. *hérpyllon* e lat. *serpĕre*.

**serqua**, lat. *silĭqua* (cfr. SÌLIQUA), con norm. caduta della voc. postonica in parola sdrucciola, attrav. una tradiz. romanesca o toscana-occidentale che muta il gruppo -*lq-* in -*rq-*. Lat. *silĭqua* è privo di connessioni attendibili.

**serra**, sost. deverb. da *serrare* ' chiudere '.

**serraglio[1]** (di bestie), dal provz. *serralh* e questo dal lat. tardo *serracŭlum* (gloss.), incr. di lat. tardo *serare* ' chiudere ' con *serrare* ' segare '.

**serraglio[2]** (del Sultano), dal turco *saray*.

**serrare**, lat. tardo *serare* ' chiudere ', verbo denom. da *sera* ' catenaccio, chiusura ', incr. con lat. *serrare* ' segare ' e it. *ferro*. Lat. *serrare* è invece denom. da *serra* ' sega '. Né *sera* né *serra* hanno chiare connessioni al di fuori del lat.: cfr. tuttavia SARCHIO.

**serretta** (pianta delle Composte), dal lat. *serra* ' sega ' (v. SERRARE) col dimin. -*etta*, per le sue foglie seghettate.

**serto**, dal lat. *sertum*, neutro sostantiv. del part. pass. di *serĕre* ' allineare, intrecciare '; v. SERIE.

**servaggio**, dal frc. *servage*.

**servente**, part. pres. di *servire*, senza la -*i-* propria della terza coniugaz.: variante del norm. *serviente*; cfr. INSERVIENTE.

**servìbile**, agg. verbale di *servire*.

**servigio**, lat. *servitium*, forse attrav. una tradiz. ligure che, con leniz., dà il genov. *servisgiu*, poi toscanizzato da -*sgju* in -*gio*.

**servile**, dal lat. *servĭlis*, derivaz. aggettiv. in -*īlis* dal sost. *servus*, come *aedilis* da *aedes*.

**servire**, lat. *servire*, verbo denom. da *servus*; v. SERVO.

**servita**, da *servo* col suff. -*ita* di appartenenza a un ordine religioso, cfr. *barnabita, gesuita*.

**servitore**, dal lat. tardo *servitor, -oris*, nome di agente di *servire*.

**servitù**, dal lat. *servĭtus, -utis*, astr. di *servo*.

**servizio**, dal lat. *servitium*, propr. ' condizione di schiavo ', astr. di *servus* con un suff. -*itium*, estr. dai tipi *comitium, initium* (in cui *it-* faceva invece parte della rad. -*i-* ampliata con -*t-*).

**servo**, lat. *servus* ' schiavo ' che trova un'esatta corrispond. formale nella parola iranica *haurvo*, secondo elemento di comp. che significa « guardiano (del bestiame, del villaggio) ». Al di fuori di questo ampliam. in -*wo-* rimane la rad. che risale a una forma primitiva SWER', alternante con WER e SER, significante ' osservare '. La prima appare nell'area greca (*horáō* ' osservo '), la seconda nel lat. *vereor* (v. VERECONDO), la terza, oltre che in *servus* nelle aree umbra e iranica. Il passaggio della nozione di ' osservatore ' e ' guardiano ' a quella di ' schiavo ' è determinato dal rivolgimento compiutosi nella famiglia lat. sotto l'influenza di elementi mediterranei.

**servofreno**, da *servo* e *freno*.

**sèsamo**, dal lat. *sēsămum*, che è dal gr. *sésamon*, con norm. conserv. it. di -*a-* interna in parola sdrucciola.

**sesqui-**, dal lat. *sesqui-* primo elemento di composiz. risultante da *semisque* ' mezzo in più ', propr. « e mezzo » (v. SEMI-); esso aggiunge cioè al valore del secondo elemento una metà in più.

**sesquipedale**, dal lat. *sesquipedalis*, deriv. di *se-*

*squĭpes* ' di un piede e mezzo ' (riferito special-
mente a parole).

**sessagenario,** dal lat. *sexagenarius*, deriv. di *sexa-
geni*, numerale distributivo di *sexaginta*; cfr.
*septuagenarius* ecc.

**sessagèsimo,** dal lat. *sexagesĭmus*, numerale ordinale di *sexaginta*, tratto da *sexag(inta)* secondo
il rapporto di *(trig)esĭmus* rispetto a *trig(inta)*.

**sessanta,** lat. *sexa(g)inta*, con leniz. totale della
*-g-* intervocalica dav. a *-i-* e la ritrazione d'accento del conseguente dittongo, cui segue la semplificazione di *ài* in *a*; cfr. PRETE (da *prèite*), FRALE
(da *fràile*), FRANA (da *\*fraina*). Lat. *sexăginta* ha
la *ā* per incrocio con *quadrā(ginta)*.

**sessenne,** dal lat. *sexennis*, comp. di *sex* e *annus*
con norm. apofonia di *-ă-* in *-ĕ-* in sill. interna
chiusa e il suff. aggettiv. *-i*.

**sessennio,** dal lat. *sexennium*.

**sèssile,** dal lat. *sessĭlis*, agg. verb. deriv. da *sessus*
con norm. *-ĭ-* breve, perché da forma non nominale ma verb. (v. SEDERE), mentre *aedilis* ha la
*ī* lunga perché deriv. dal sost. *aedes*; cfr. *fossĭlis*,
*missĭlis*, *ductĭlis*.

**sessione,** dal lat. *sessio, -onis*, nome d'azione nel
sistema di *sedere*, tratto da regolare part. pass.
*sessus*, più ant. *\*sed-to-s*.

**sesso,** dal lat. *sexus, -us*, astr. di un presunto *\*sec-
tĕre*, risal. a *secare* ' tagliare ', senza possibilità
di collegamento formale veramente evidente,
mentre sul piano semantico rispecchia il « taglio »
risoluto delle specie animali nelle due categorie
di maschili e femminili. La variante neutra *secus*
deriverebbe da *\*secĕre*, v. SETTO, come *genus* dalla
rad. di *gignĕre*.

**sèssola** (pala per prendere acqua sulle navi e annaffiare) da una serie onomatop. *s.... ss* con suff.
diminutivo-iterativo.

**sessuale,** dal lat. tardo *sexualis*.

**sessuologìa,** comp. di *sessua(le)* e *-logìa*.

**sesta** (compasso), forma sostantiv. del femm. di
*sesto* perché misura la sesta parte del cerchio
descritto dalla sua apertura.

**sestante,** dal lat. tardo *sextans, -antis*, numerale divisore
dell'ordinale *sextus*; v. SESTO e cfr. QUADRANTE.

**sestario,** dal lat. *sextarius*; v. STAIO.

**sesterzio,** dal lat. *sestertius*, ant. *\*se(mi)stertius
(nummus)* « (moneta) di due assi e mezzo », comp.
di *semis* (v. SEMISSE) e *tertius* (v. TERZO).

**sestiere,** dal lat. *sextarius*, attrav. una tradiz. provz.

**sestile,** dal lat. *sextilis (mensis)*, deriv. di *sextus*
con *i* di quantità lunga perché tratto da tema
nominale, come *aedilis* da *aedes*.

**sesto¹** (agg.), lat. *sextus*, ordinale antichissimo,
così conservato nell'aree indiana, baltica, germanica (ted. *sechster*), da un tema SEKS-TO- di
fronte al tipo SWEK- dell'area celtica.

**sesto²** (sost.), sost. deverb. da un *\*sestare*, denom.
da *sesta* ' compasso '; cfr. ASSESTARE, DISSESTARE.

**sestùplice,** incr. di *sesto* e *quadrùplice*.

**sèstuplo,** incr. di *sesto* e *quàdruplo*.

**seta,** lat. *seta*, variante rustica di *saeta* ' setola,
crine ', di prob. orig. mediterr.

**setaccio,** lat. volg. *\*setacjum*, lat. tardo *saetacium*,
deriv. di *saeta* ' setola ' (v. SETA), con raddopp.
consonantico di *-cjo-* in *-ccio-* dopo l'accento.

**sete,** lat. *sitis*, antichissimo tema che si ricostruisce
nella forma GWHYTIS, col valore di ' sete ', pas-

sato poi, in zone aride, a indicare ' consunzione ',
come nell'indiano *kṣiti-* e soprattutto nel gr.
*phthísis*; v. TISI.

**sétola¹** (pelo), dal lat. tardo *setŭla*, variante di *sae-
tŭla*, dimin. di *saeta*; v. SETA.

**sétola²** ' screpolatura ', incr. di un *\*sèttola* da *\*sec-
tŭla*, dimin. di *secta* ' tagliata ' con *sétola¹*.

**setta,** dal lat. *secta*, sost. deverb. da *sectari*, intens.
di *sequi*; v. SEGUIRE.

**settanta,** lat. tardo *septua(g)inta*, class. *septuaginta*,
allineato su *sessanta* (v.). L'elemento lat. *septu-
a* al posto di *septem-* è dovuto a un incr. con *qua-
dru-* che solo permette il mantenimento del valore bisillabico rispetto a *\*septe(m)aginta*.

**settatore,** dal lat. *sectator, -oris*, nome d'agente di
*sectari*, intens. di *sequi*; v. SETTA.

**sette,** lat. *septem*, con corrispond. esatte nelle aree
celtica, indoiranica, armena, greca (gr. *heptá*),
da una base di partenza SEPTM̥, che, con qualche
alteraz., compare anche nelle aree baltica, slava,
albanese, ittita, germanica (ted. *sieben*).

**settembre,** lat. *september*, il settimo mese del calendario romano arcaico, forse da *\*sept(umo-
m)ens-ri-* ' che appartiene al settimo mese '.

**settèmplice,** dal lat. *septemplex, -ĭcis*, comp. di
*septem* e *-plex*; v. DÙPLICE, SÉMPLICE.

**settenario,** dal lat. *septenarius*, deriv. di *septeni*,
numerale distributivo di *septem*, allineato con
*seni* da *\*sex-noi*; v. SENA¹ e cfr. CENTEN(ARIO).

**settenne,** dal lat. *septennis* da *sept(em)* e *annus*, con
norm. apofonia di *-ă-* in *-ĕ-* in sill. interna chiusa
e suff. aggettiv. *-i*.

**settennio,** dal lat. *septennium*.

**settentrionale,** dal lat. *septentrionalis*.

**settentrione,** dal lat. *septentrio*, sg. estratto dal-
l'orig. *septentriones* ' sette buoi ', nome delle
stelle dell'Orsa Maggiore, intesa come simbolo
della direzione settentrionale e quindi bisognosa
di una forma sg. *Trio, -onis* è privo di connessioni evidenti e può avere solo qualche legame
lontano con *terère* « fregare, battere, tritare (la
terra) »; v. TRITO.

**settenvirale,** dal lat. *septemviralis*.

**settenvirato,** dal lat. *septemviratus*.

**settènviro,** dal lat. *septemvir*, forma sg. estr. dal
plur. *septemvĭri* ' 7 uomini '.

**setti-,** primo elemento di comp. col valore ' sette '
dal lat. *septi-*, calco su *quadri-*, *deci-*.

**setticemìa,** da *sèttico* (v.) e *-emìa*.

**setticlavio,** da *setti-* e il tema del lat. *clavis* ' chiave '; v. CHIAVE.

**sèttico,** dal gr. *sēptikós*, agg. deriv. di *sēpsis* ' putrefazione ', nome d'azione di *sépō* ' marcisco '.

**sèttile,** dal lat. *sectĭlis*, agg. verb. tratto da *sectus*,
part. pass. legato a *secare* e quindi con la *i* di
quantità breve: così *ductĭlis* rispetto a *ductus* e
*ducĕre*.

**settilustre,** da *setti-* e *lustro* ' quinquennio ' con
suff. aggettiv. *-e*.

**settimana,** dal lat. *septimana*, forma sostantiv.
femm. di *septimanus* ' che raggiunge il numero
di sette ', calco sul gr. *hebdomás*.

**sèttimo,** lat. *septĭmus*, ordinale di *septem*, ottenuto
con la semplice voc. *-o* come nelle aree indiana,
iranica, celtica e con le cons. interne sorde, in
opposizione al tipo slavo e greco con le cons.
interne sonore (gr. *hébdomos*).

settimonzio, dal lat. *septimontium*, collettivo tratto da *septem montes*.

setto[1], dal lat. *saeptum*, forma sostantiv. di un verbo *\*saepĕre* 'recingere', da cui *saepes* 'recinto', e il suo verbo denom. *saepire*. Privo di connessioni ideur. attendibili, cfr. SIEPE.

setto[2], forma sostantiv. dal lat. *sectus* 'tagliato', part. pass. di *\*secĕre*, forma più ant. da cui il durativo *secare* (v. SECARE) e il sost. neutro *secus* sinonimo di *sexus*; v. SESSO.

settore, dal lat. *sector, -oris*, nome d'agente nel sistema di *secare* 'tagliare', da un più ant. *\*secĕre*; v. SETTO[2].

settuagenario, dal lat. *septuagenarius*, deriv. di *septuageni*, distributivo di *septuag(inta)*; v. SETTANTA.

settuagèsimo, dal lat. *septuagesimus*, ordinale di *septuag(inta)* sul modello di *(trig)esĭmus*, rispetto a *trig(inta)*.

sèttuplo, dal lat. tardo *septŭplus*, calco su *quadru-* e *(du)plus*.

severità, dal lat. *severĭtas, -atis*.

severo, lat. *sĕverus*, comp. di *sĕ(d)-* (v. SECÈRNERE) e *\*vera* (v. VERO), come *sĕcurus* da *sĕ(d)-* e *cura*: e cioè, come « sicuro » è colui « che non ha crucci », « severo » è colui « che non ha fede (nel prossimo) ».

sevizia, dal lat. *saevitia*, astr. di *saevus* 'feroce', privo di connessioni ideur. evidenti.

sévo, lat. *sēbum* (v. SEGO), con norm. leniz. di *-b-* in *-v-*.

sezione, dal lat. *sectio, -onis*, nome d'azione nel sistema di *secare* 'tagliare', deriv. da un più ant. *\*secĕre*; v. SECARE.

sezzo, lat. *sētius* 'più tardi', forse lontanamente collegato con *sērus* 'tardo'; v. SERA.

sfaccettare, verbo denom. da *faccetta* dimin. di *faccia*, con *s-*[1] durativo.

sfaccendato, da *faccenda* con suff. *-ato* 'provvisto di' e *s-*[2] sottrattivo-negativo, opposto a *a(d)-* in *affaccendato*.

sfaccettare, verbo denom. da *faccetta* con *s-*[1] durativo.

sfacciato, da *faccia*, il suff. *-ato* e *s-*[2] sottrattivo.

sfacelo, dal gr. *sphákelos* 'cancrena'.

sfagliare 'fendersi', verbo denom. da *faglia*[2] con *s-*[1] durativo.

sfaldare, verbo denom. da *falda* con *s-*[2] sottrattivo.

sfalsare, verbo denom. da *falso* con *s-*[1] durativo.

sfamare, verbo denom. da *fame* con *s-*[2] sottrattivo.

sfare, da *fare* con *s-*[2] sottrattivo-negativo.

sfarfallare, verbo denom. da *farfalla* con *s-*[1] durativo.

sfarzo, dal napoletano *sfarzo* 'vanto infondato', sost. deverb. da *sfarzare* 'ostentare', dallo sp. *disfrazar* 'simulare'.

sfasato, da *fase* col suff. *-ato* e il pref. *s-*[2] sottrattivo.

sfasciare[1], verbo denom. da *fascia* con *s-*[2] sottrattivo.

sfasciare[2], da *fascio*, verbo denom. con *s-*[1] durativo « ridurre permanentemente a fascio » e cioè « distruggere ».

sfatare, verbo denom. da *fata* con *s-*[2] sottrattivo.

sfaticare, da *faticare* con *s-*[1] durativo.

sfaticato, da *fatica* con suff. *-ato* e *s-*[2] sottrattivo.

sfatto, da *fatto* con *s-*[2] negativo.

sfavillare, verbo denom. da *favilla* con *s-*[1] durativo.

sfavore, da *favore* con *s-*[2] negativo.

sfegatarsi, verbo denom. da *fégato* con *s-*[1] durativo.

sfenòide, dal gr. *sphēnoeidés*, comp. di *sphēn, sphēnós* 'cuneo' e *-eidés* 'a forma di'.

sfera, dal lat. *sphaera*, che è dal gr. *sphaíra*.

sfèrico, dal lat. tardo *sphaerĭcus*, che è dal gr. *sphairĭkós*.

sferisterio, dal lat. *sphaeristerium*, che è dal gr. *sphairistérion*.

sferòide, dal lat. *sphaeroĭdes*, che è dal gr. *sphairoeidés*, comp. di *sphaíra* 'sfera' e *-eidés* 'che ha l'aspetto di'.

sferragliare, verbo denom. da *ferraglia*, collettivo di *ferro* con *s-*[1] durativo.

sferrare, verbo denom. da *ferro* con *s-*[1] estrattivo, opposto all'*a(d)-* di *afferrare*.

sferruzzare, verbo denom. da *ferro* (*da calza*), con suff. vezzeggiativo-iterativo e pref. *s-*[1] durativo.

sferza, sost. deverb. da *sferzare*.

sferzare, prob. dal longob. *fillezzan* 'staffilare' con *s-*[1] durativo.

sfiancare, verbo denom. da *fianco* con *s-*[2] sottrattivo.

sfiatare, verbo denom. da *fiato* con *s-*[2] sottrattivo.

sfibbiare, lat. tardo *(e)xfibulare*, verbo denom. da *fibŭla* (v. FIBBIA) e *ex-* sottrattivo.

sfibrare, verbo denom. da *fibra* con *s-*[2] sottrattivo.

sfida, sost. deverb. estr. da *sfidare*.

sfidare, lat. medv. *(di)sfidare*, da *fidare*, verbo denom. da *fides* con *dis-* di separazione e sottrazione; cfr. *s-*[2].

sfiduciato, da *fiducia* col suff. *-ato* e il pref. *s-*[2] sottrattivo.

sfigurare, verbo denom. da *figura* con *s-*[2] sottrattivo.

sfilacciare, verbo denom. da *filaccia* con *s-*[2] sottrattivo.

sfilare[1] (togliere), calco su *infilare*, con la sostituz. di *s-*[1] estrattivo a *in-* illativo.

sfilare[2] (marciare), verbo denom. da *fila* con *s-*[1] durativo.

sfilzare, calco su *infilzare*, con la sostituz. di *s-*[2] sottrattivo a *in-* illativo.

sfinge, dal lat. *Sphinx, -ingis*, che è dal gr. *Sphínks, -ingós*, figura mitologica egiz.

sfinire, da *finire* con *s-*[1] durativo-progressivo.

sfintere, dal lat. tardo *sphincter, -eris*, che è dal gr. *sphinktér, -êros*, nome d'agente di *sphingō* 'stringo'.

sfiorare, verbo denom. trans. da *fiore* nel senso di 'parte superficiale' e *s-*[1] durativo; cfr. *affiorare* « arrivare alla superficie ».

sfiorire, verbo denom. intrans. da *fiore* con *s-*[2] sottrattivo.

sfitto, agg. estr. dal part. pass. *sfitt(at)o*, calco su *affittato* con la sostituz. di *s-*[2] sottrattivo a *a(d)-* allativo.

sfocato, da *fuoco* col suff. *-ato* e il pref. *s-*[2] sottrattivo: senza la dittongaz. in *uo*, perché fuori d'accento.

sfociare, verbo denom. da *foce* con *s-*[1] estrattivo-durativo.

sfoderare, verbo denom. da *fòdero* con *s-*[1] estrattivo.

**sfogare,** verbo denom. da *foga* con *s*-¹ estrattivo-intensivo.

**sfoggiare,** verbo denom. da *foggia* con *s*-¹ durativo.

**sfoglia,** sost. deverb. da *sfogliare.*

**sfogliare**¹ ʻ levar le foglie ʼ, lat. tardo (*e*)*xfoliare* ʻ levare le foglie ʼ, incr. con *foglio* (v.).

**sfogliare**² ʻ voltare i fogli ʼ, verbo denom. da *foglio* con *s*-¹ durativo.

**sfogo,** sost. deverb. da *sfogare.*

**sfolgorare,** da *folgorare* con *s*-¹ durativo.

**sfollare,** verbo denom. da *folla* con *s*-² sottrattivo, opposto di *affollare* con *a*(*d*)- allativo.

**sfoltire,** verbo denom. di *folto* (v.) con *s*-² sottrattivo.

**sfondare,** lat. tardo (*e*)*xfundare*, verbo denom. da *fundus* col pref. *ex*- di sottrazione e col signif. di lat. *evertĕre* ʻ sconvolgere ʼ.

**sfondo,** sost. deverb. da *sfondare.*

**sfondone,** dal romanesco *sfonnone* ʻ parolaccia ʼ e di lì ʻ errore grossolano ʼ quasi « grosso sfondamento ».

**sforacchiare,** verbo deriv. da *forare* col suff. -*acchia*- di iterat. e il pref. *s*-¹ di durativo.

**sforbiciare,** verbo denom. da *forbici* con *s*-¹ durativo.

**sformato,** deriv. di *forma* col suff. -*ato* e il pref. *s*-² sottrattivo.

**sfornare,** verbo denom. da *forno* con *s*-¹ estrattivo.

**sfornire,** da *fornire* con *s*-² sottrattivo.

**sfortuna,** da *fortuna* con *s*-² sottrattivo-negativo.

**sforzare,** da *forzare* con *s*-¹ durativo-intensivo.

**sforzino,** incr. di *sferzino* (dimin. di *sferza*) e *sforzare.*

**sforzo,** sost. deverb. estr. da *sforzare.*

**sfóttere,** da *fóttere* in senso fig. con *s*-¹ durativo.

**sfracellare,** da *flagellare*, incr. con *macellare* (col gruppo *fla*- dissimilato in *fra*- rispetto agli -*ll*- seguenti) e col pref. *s*-¹ durativo.

**sfragìstica,** forma sostantiv. da una presunta loc. gr. *sphragistiké* (*tékhmē*) (cfr. GRAMMÀTICA): deriv. da *sphragìs*, -*idos* ʻ sigillo ʼ.

**sfrattare,** verbo denom. da *fratta* ʻ recinto ʼ con *s*-¹ estrattivo.

**sfratto,** sost. deverb. da *sfrattare.*

**sfrecciare,** verbo denom. da *freccia* con *s*-¹ durativo.

**sfregare,** da *fregare* con *s*-¹ durativo.

**sfregiare,** verbo denom. da *fregio* con *s*-² sottrattivo.

**sfregio,** sost. deverb. da *sfregiare.*

**sfrenare,** verbo denom. da *freno* con *s*-² sottrattivo.

**sfrido,** lat. volg. *frivĭdus*, appartenente alla famiglia di *frivŏlus* ʻ ridotto in frammenti ʼ, incr. con un verbo *exfriare*, opposto a *infriare*, comp. di *ex*- e *friare* ʻ ridurre in frammenti ʼ. Da collegare forse con *fricare* (v. FREGARE); privo invece di collegamenti attendibili fuori d'Italia.

**sfringuellare,** verbo denom. da *fringuello* con *s*-¹ durativo.

**sfrittellare,** verbo denom. da *frittella*, con *s*-¹ durativo.

**sfrondare,** verbo denom. da *fronda* con *s*-² sottrattivo.

**sfrontato,** da *fronte* col suff. -*ato* e il pref. *s*-² sottrattivo; v. per il signif. SFACCIATO.

**sfruttare,** verbo denom. da *frutto* con *s*-¹ durativo-estrattivo.

**sfuggire,** da *fuggire* con *s*-¹ estrattivo.

**sfumare,** verbo denom. da *fumo*, con *s*-¹ durativo.

**sfuriare,** verbo denom. da *furia* con *s*-¹ durativo in opposizione a *infuriare* con *in*- illativo.

**sfuriata,** astr. di *sfuriare.*

**sfuso,** incr. di *fuso*, part. pass. di *fóndere* e di *s*(*ciolto*).

**sgabellare,** verbo denom. da *gabella* con *s*-² sottrattivo come in *sdaziare, sdoganare.*

**sgabello,** lat. *scabellum*, dimin. di *scamnum* (v. SCANNO), incr. con *gabella.*

**sgabuzzino,** dall'ol. *kabuys* (v. CAMBUSA), attrav. un intermediario settentr. provvisto del suffisso di dimin. -*uzìn*, reso tosc. in -*uzzino*: con l'*s*- iniz. di *scanno* o *sgabello.*

**sgambare,** verbo denom. da *gamba* col suff. *s*-¹ durativo.

**sgambata,** astr. di *sgambare.*

**sganasciare,** verbo denom. da *ganascia* con *s*-¹ durativo.

**sganciare,** calco su *agganciare*, con sostituz. di *s*-¹ estrattivo a *a*(*d*)- allativo.

**sgancio,** sost. deverb. da *sganciare.*

**sgangherare,** verbo denom. da *gànghero*, con *s*-² sottrattivo.

**sgannare,** calco su *ingannare* con la sostituz. di *s*-² sottrattivo a *in*- illativo.

**sgarbato,** da *garbato* con *s*-² sottrattivo.

**sgarbo,** da *garbo*, con *s*-² sottrattivo.

**sgargiante,** ricondotto da alcuni a un frc. *gorgeant* ʻ sbuffante ʼ con *s*-¹ durativo it.

**sgarrare**¹, dallo sp. *desgarrar* ʻ lacerarsi ʼ, opposto di *engarrar* ʻ afferrare ʼ, attrav. dialetti merid. che conservano la coppia *sgarrare* ʻ lacerare ʼ come opposto di *ʼngarrare* ʻ dar nel segno ʼ.

**sgarrare**² ʻ sviarsi ʼ, dal frc. ant. *esguarer*, mod. *égarer.*

**sgattaiolare,** verbo denom. da *gattaiola* con *s*-¹ estrattivo.

**sgelare,** verbo denom. da *gelo*, con *s*-² sottrattivo.

**sghembo,** lat. tardo (Codex Cavensis) *sclimbus*, dal gotico *slimbs* ʻ obliquo ʼ, col gruppo *sche*- sonorizzato in *sghe*- per assimilaz. con il gruppo sonoro *mb* seguente, secondo lo schema da « sorda.... sonora » a « sonora... sonora ».

**sgherro,** dal longob. *skarr*(*j*)*o* ʻ capitano ʼ, con la sonorizzazione del gruppo iniz. attrav. un venez. *sghero*; cfr. SCHERANO e SCHIERA.

**sghignazzare,** da *ghignare* col suff. iterativo-spregiativo -*azza*- e il pref. *s*-¹ durativo.

**sghimbescio,** da *sghembo*, incrociato con *rovescio.*

**sghiribizzo** (variante *schiribizzo*), da *ghiribizzo* con *s*-¹ durativo.

**sgobbare,** verbo denom. da *gobbo* con *s*-¹ durativo.

**sgocciolare,** da *gocciolare* con *s*-¹ durativo.

**sgolarsi,** verbo denom. da *gola* con *s*-² sottrattivo.

**sgombrare,** calco su *ingombrare* con la sostituz. di *in*- illativo mediante *s*-¹ estrattivo.

**sgombro**¹, agg. deriv. da part. pass. *sgombr*(*at*)*o.*

**sgombro**², v. SCOMBRO,

**sgomentare,** lat. *excommentari*, comp. di *commentari* ʻ riflettere ʼ e *ex*- sottrattivo, perciò equivalente a « turbare », cfr. COMMENTO: forse attrav. una tradiz. settentr.

**sgomento**¹ (agg.), agg. estr. dal part. pass. *sgomen*t(*at*)*o.*

**sgomento**[2] (sost.) sost. deverb. da *sgomentare*.

**sgominare**, lat. \**excombinare*, comp. di *combinare* ' unire ' (v. COMBINARE) e *ex-* sottrattivo, incr. con \**exglomerare* ' sgomitolare '; v. GHIOMO, GOMÌTOLO.

**sgonfiare**, da *gonfiare* e *s-*[2] sottrattivo e negat.

**sgonfio**, agg. estr. da part. *sgonfi(at)o*.

**sgonnellare**, verbo denom. da *gonnella* con *s-*[1] durativo.

**sgorbia** (strum.), lat. tardo *gulbia*, di orig. gallica, col passaggio romanesco di *-lb-* a *-rb-* e il pref. *s-*[1] durativo-intensivo.

**sgorbio**, lat. *scorpius*, che è dal gr. *skorpíos* ' scorpione ' con doppia sonorizzazione delle cons. sorde. La macchia d'inchiostro richiama facilmente l'imagine dello scorpione (v.).

**sgorgare**, verbo denom. da *gorgo* con *s-*[1] estrattivo.

**sgovernare**, da *governare* con *s-*[2] sottrattivo-negativo.

**sgozzare**, verbo denom. da *gozzo* con *s-*[1] estrattivo.

**sgradévole**, da *gradévole* con *s-*[2] sottrattivo-negativo.

**sgrammaticare**, verbo denom. da *grammàtica* con *s-*[2] sottrattivo.

**sgranare**, verbo denom. da *grano* con *s-*[1] estrattivo.

**sgranchire**, verbo denom. da *granchio* ' crampo ' con *s-*[2] sottrattivo.

**sgranocchiare**, da *sgranare* col suff. iterat. *-occhia-*.

**sgravare**, verbo denom. da *grave* con *s-*[2] sottrattivo.

**sgraziato**, da *grazia* col suff. *-ato* e *s-*[2] sottrattivo.

**sgretolare**, verbo denom. da *gretola* (v.), incr. con *crepolare* (v.): col pref. *s-*[2] sottrattivo.

**sgridare**, da *gridare* con *s-*[1] durativo.

**sgrommare**, verbo denom. da *gromma* con *s-*[2] sottrattivo.

**sgrondare**, verbo denom. da *gronda* con *s-*[2] sottrattivo.

**sgroppare**[1] (sciogliere), verbo denom. da *groppo* con *s-*[2] sottrattivo.

**sgroppare**[2] (rovinare), verbo denom. da *groppa* con *s-*[1] durativo.

**sgrossare**, verbo denom. da *grosso* con *s-*[2] sottrattivo.

**sgrovigliare**, calco su *aggrovigliare* con la sostituzione di *a(d)-* allativo mediante *s-*[1] estrattivo.

**sguaiato**, da *guaio* col suff. *-ato* ' fornito di ' e *s-*[2] sottrattivo « sottratto ai guai »: opposto di *inguaiato* part. pass. di *inguaiare* (v.) con *in-* illativo.

**sguainare**, verbo denom. da *guaìna* con *s-*[1] estrattivo.

**sgualcire**, da *gualcire* con *s-*[1] durativo.

**sgualdrina**, incr. di \**gheldrina*, dimin. di *gheldra*, dal frc. ant. *gelde* (v. GHELDA), con *sgualcire*.

**sguancio**, da *sguincio*, incr. con *guancia*.

**sguardare**, da *guardare* con *s-*[1] durativo.

**sguardo**, sost. deverb. estr. da *sguardare*.

**sguarnire**, da *guarnire* con *s-*[2] sottrattivo.

**sguàttero**, dal longob. *wahtari*, attrav. un ant. *guàttero*, con *s-*[1] durativo-intensivo.

**sguazzare**, verbo denom. da *guazzo* con *s-*[1] durativo.

**sgubbia**, lat. volg. \**gubja*, lat. tardo *gubia*, variante di *gulbia* (v. SGORBIA), col pref. durativo-intensivo *s-*[1] e il norm. rafforzam. del gruppo *-bja-* in *-bbia* dopo l'accento.

**sguincio**, sost. deverb. estr. dal frc. ant. *guenchir* (risal. a un franco *wenkjan*) col pref. *s-*[1] estrattivo.

**sguinzagliare**, verbo denom. da *guinzaglio* con *s-*[2] sottrattivo.

**sguizzare**, da *guizzare* con *s-*[1] durativo.

**sgusciare**, verbo denom. da *guscio* con *s-*[1] estrattivo e con impieghi figurati (' scivolar via ') di origine forse gergale.

**si**[1] (pron. rifl.), lat. *se*, *sibi* in posizione proclitica; cfr. SE[3].

**si**[2] (nota musicale), dalle iniziali *S(ancte) I(ohanne)* dell'inno solfeggiato da Guido d'Arezzo.

**sì**[1] (avv. ' così '), abbreviat. di *(co)sì*.

**sì**[2] (affermazione), lat. *sic*; cfr. SE[2].

**sia** (cong. ' o '), terza pers. sg. del cong. pres. di *èssere*. *Sia* è adattam. del lat. *sit*, più ant. *sied*, che si ritrova nell'ottativo sanscrito *syát*, arricchito della voc. *e-* nel gr. *eíē*. Si tratta di forme della rad. ES, al grado ridotto S, col suff. di ottativo *-yē*.

**siamese**, dalla locuzione *(fratelli) siamesi* « abitanti del Siam », dove si è verificato un caso tipico nei due fratelli congiunti Eng e Chang (1811-1874).

**sibarita**, dal lat. *sybarita*, che è dal gr. *Sybarítēs* « di Sibari », simbolo della mollezza di costumi.

**sibarìtico**, dal lat. *sybarítĭcus*, che è dal gr. *Sybaritikós*.

**sibbene**, da *sì*[2] e *bene*.

**sibilante**, calco sul frc. *sifflant*, che è dal lat. *sifilare*; v. ZUFOLARE.

**sibilare**, dal lat. *sibilare*, verbo denom. da *sibĭlus*, con una variante rustica *sifilare*; v. ZUFOLARE e cfr. SOBILLARE.

**sibilla**, dal lat. *Sibylla*, che è dal gr. *Síbylla*, sacerdotessa di Apollo, dotata di spirito profetico.

**sibillino**, dal lat. *sibyllinus*, per l'ambiguità e oscurità dei responsi della Sibilla.

**sìbilo**, dal lat. *sibĭlus*, di lontane orig. onomatop. *s…. b…. l*, con connessioni ideur. soltanto vaghe.

**sicario**, dal lat. *sicarius*, deriv. da *sīca* ' pugnale ', privo di connessioni ideur. attendibili.

**sicché**, da *sì*[1] e *che*.

**siccità**, dal lat. *siccĭtas*, *-atis*, astr. di *siccus*; v. SECCO.

**siccome**, da *sì*[1] *come*.

**siclo** (misura ebraica), dall'ebr. *sheqel*.

**sicofante** ' delatore ', dal gr. *sykophántēs*, comp. di *sýkon* ' fico ' e *-phántēs*, tema di *phaínō* ' io manifesto ': « denunciatore (dei ladri) di fichi ».

**sicomoro**, dal lat. *sycomŏrus*, che è dal gr. *sykómoros*, comp. di *sýkon* ' fico ' e *móron* ' mora '.

**sicumera**, dalla formula lat. *sicut erant*, incr. erroneamente con *cum*.

**sicuro**, lat. volg. \**sēcurus*, con norm. passaggio di *-e-* protonica a *-i-*, class. *sēcurus*, comp. di *sē(d)* ' senza ' (v. SECÈRNERE) e *cura* ' cruccio ': « senza crucci »; v. CURA e cfr. SE(VERO).

**sicurtà**, lat. *securĭtas*, *atis*, incr. con it. *sicuro*.

**siderale**, dal lat. *sideralis*, deriv. da *sidus*, *-ĕris*, parola di struttura sicuram. ideur., ma priva di connessioni evidenti.

**siderazione**, dal lat. *sideratio*, *-onis*.

**sidèreo**, dal lat. *sidereus*, deriv. di *sidus*, *-ĕris*.

**siderite**, dal lat. *sideritis*, che è dal gr. *siderîtis* (da *sídēros* ' ferro '), inserito nei nomi di minerali in *-ite*.

**siderurgìa**, dal gr. *sidērūrgía* ' lavorazione del ferro ', comp. di *sídēro-* ' ferro ' e l'astr. in *-ia* di *érgon* ' lavoro '.

**sidro,** dal frc. *cidre,* che è il lat. tardo *sicěra,* dal gr. *tà síkera,* di orig. ebr.

**siepe,** lat. *saepes, -is,* v. SETTO[1].

**siero,** lat. *serum* ' parte acquosa del latte ' con corrispond. evidenti, anche se non arrivano all'identità, nel gr. *orós* ' siero ' e nel sanscrito *saras* ' che scorre '.

**sierra,** dallo sp. *sierra,* lat. *serra* ' sega '; v. SERRARE.

**siesta,** dallo sp. *siesta* « (l'ora) sesta » (lat. *sexta*), con la dittongazione della voc. tonica, norm. in sp. anche in sill. chiusa.

**siffatto,** da *sì*[1] *fatto.*

**sifilide,** dal lat. scient. *syphilis,* che deriva dal poema di G. Fracastoro *Syphilis sive de morbo gallico* (1530). Il titolo deriva dal nome del protagonista, *Syphilus* che risale a un *Sipylus,* nome di uno dei figli di Niobe.

**sifilitico,** dal lat. scient. *syphiliticus,* da *sifilide,* incr. col suff. di agg. di malattia in *-iticus* (da *-itis* suff. sostant. di malattia, più *-icus,* suff. aggettiv.).

**sifone,** dal lat. *sipho, -onis* (che è dal gr. *síphōn, -ōnos* ' tubo ').

**sigaretta,** calco sul frc. *cigarette.*

**sigaro,** dallo sp. *cigarro,* risal. a un *jigar* della lingua (indigena del Messico) dei Maia; pervenuto nella lingua letteraria it. attrav. il frc. *cigare,* che ha eliminato la doppia cons. *r* e favorito la ritrazione dell'accento in it.

**sigillare,** dal lat. tardo *sigillare,* verbo denom. da *sigillum.*

**sigillo,** dal lat. *sigillum,* dimin. di *signum;* v. SEGNO.

**sigla,** dal lat. *sigla, -orum,* forma abbreviata di *si(n)g(u)la* (*signa*) (in analogia a *singulae litterae*), che significa ' abbreviazioni '.

**sigma,** dal lat. *sigma,* che è dal gr. *sígma.*

**sigmàtico,** da *sigma:* calco su *temàtico* rispetto a *tema.*

**sigmoidèo,** dal gr. *sigmoeidés* ' che ha forma di sigma ', comp. di *sígma* e *-eidés* ' che ha aspetto di '.

**signifero,** dal lat. *signifer,* comp. di *signum* e del tema di nome d'agente *-fer.*

**significanza,** astr. di *significare.*

**significare,** dal lat. *significare,* comp. di *signum* e del tema di verbo causativo *-ficare,* denom. da *-ficus,* agg. tratto dal tema di nome radicale d'agente *-fex;* v. FARE.

**significativo,** dal lat. tardo *significativus.*

**significato,** dal lat. *significatus, -us,* astr. di *significare.*

**significatore,** dal lat. tardo *significator, -oris.*

**significazione,** dal lat. *significatio, -onis.*

**signoraggio,** dal provz. *senhoratge,* deriv. di *senhor* ' signore ', incr. con it. *signore.*

**signore,** lat. *senior, -oris,* compar. di *senex* ' vecchio ' con norm. passaggio della *-e-* protonica in *-i-* (cfr. SENIORE). *Senex* è parola ideur. antichissima, da un tema SENO- ampliato in lat. e in gotico con un suff. in gutturale, ma conservato intatto nelle aree celtica, baltica, indo-iranica, armena, greca (gr. *hénos*), e solo parzialmente nelle aree latina (v. SENILE) e germanica (v. SINISCALCO); perduto nella restante area germanica e nell'area slava, in connessione con il rito dell'uccisione dei vecchi (ted. *alt,* russo *starŭ*), per il quale il ' vecchio ' da persona di riguardo (v. SENATO) si trasformava in persona da eliminare.

**silente,** dal lat. *silens, -entis,* part. pass. di *silere;* v. SILENZIO.

**silenziario,** dal lat. *silentiarius.*

**silenzio,** dal lat. *silentium,* deriv. da *silens, -entis,* come *exilium* da *exul* (v. ESILIO), prob. da una rad. SWEI-, ampliata con liquida anche nell'area gotica, con gutturale nell'area germanica restante (ted. *schweigen*) e nel gr. *sigé.*

**silenzioso,** dal lat. tardo *silentiosus.*

**silfide,** femm. di *silfo,* dal frc. *sylphide* (XVII sec.).

**silfo,** adattamento del lat. moderno *Sylphus,* tratto da *Sylphes,* nome di esseri demoniaci che Paracelso (1493-1541), derivò dal lat. *silves(ter).*

**silice,** dal lat. *silex, -ĭcis;* v. SELCE.

**siliceo,** dal lat. *silicěus.*

**silicio,** dal lat. scient. *silicium,* deriv. moderno (XIX sec.) di lat. *silex, -icis.*

**siliqua,** dal lat. *silĭqua* ' baccello '; v. SERQUA.

**sillaba,** dal lat. *syllăba,* che è dal gr. *syllabé,* astr. del sistema di *syllambánō* ' prendo insieme '.

**sillabario,** forma sg. sostantiv. tratta dal plur. del lat. tardo *syllabarii* ' (ragazzi) che sanno appena « sillabare » '.

**sillàbico,** dal lat. tardo *syllabĭcus,* che è dal gr. *syllabikós.*

**sillabo,** dal lat. tardo *syllăbus* ' catalogo ', che è dal gr. *sýllabos;* v. SÌLLABA.

**sillessi,** dal lat. tardo *syllepsis,* che è dal gr. *sýllēpsis,* nome d'azione di *syllambánō* ' prendo insieme '.

**silloge,** dal gr. *syllogé* ' raccolta ', astr. di *syllégō* ' raccolgo insieme ', comp. di *syn-* ' con ' e *légō* ' raccolgo '.

**sillogismo,** dal lat. *syllogismus,* che è dal gr. *syllogismós* (da *syllogízomai*).

**sillogìstico,** dal lat. *syllogistĭcus,* che è dal gr. *syllogistikós* (da *syllogismós*).

**sillogizzare,** dal lat. tardo *syllogizare,* che è dal gr. *syllogízomai* ' ragiono coordinatamente ', comp. di *syn-* ' con ' e *logízomai* ' penso ', verbo denom. da *lógos* ' ragione '.

**silo**[1], dallo sp. *silo,* che è dal lat. *sirus* ' granaio sotterraneo ' e questo dal gr. *sirós* dello stesso signif.

**silo**[2]- (anche *xilo-*), dal gr. *ksýlon* ' legno '.

**silòfono,** da *silo-* e *-fono.*

**silografia,** da *silo-* e *-grafìa.*

**siloteca,** da *silo*[2]- e *-teca;* cfr. biblioteca.

**siluriano** (termine geologico), dall'ingl. *silurian* (XIX sec.) e questo dal nome dei *Silūres,* ant. popolazione britannica.

**siluro,** dal lat. *silurus,* che è dal gr. *silūros,* comp. di *\*sil-* (variante di *\*sim-,* v. SIMO) e *ūrá* ' coda ' « (pesce) che dimena la coda ». Forse connesso col lat. *silus* ' volto all'insù ', che trova anch'esso un parallelo in *-m-* in *simus* ' camuso '.

**silvano,** incr. di lat. *Silvanus* ' dio delle selve ' con i deriv. norm. in *-ano* del tipo *montano.*

**silvestre,** dal lat. *silvester,* da *silva* secondo lo schema di *equester* rispetto a *equus.*

**silvi-,** v. SILVO-.

**silvia,** dal lat. scient. *sylvia,* deriv. di *sylva* con questa grafia errata per incr. col gr. *hýlē.*

**silvo-,** dal lat. *silva,* come primo elemento di comp. nominali.

**simbiosi,** dal gr. *symbíōsis* ' convivenza ', nome di azione di *symbióō,* verbo denom. comp. di *syn-* ' con ' e *bíos* ' vita '.

**simbòlico**, dal lat. tardo *symbolĭcus*, che è dal gr. *symbolikós*, agg. da *sýmbolon*.

**simbolizzare**, dal lat. medv. *symbolizare*, verbo denom. da *symbŏlum* col suff. di verbo denom. *-izo* di orig. gr.

**sìmbolo**, dal lat. *symbŏlum* 'contrassegno', che è dal gr. *sýmbolon*, della famiglia di *symbállō* 'metto insieme' (da *syn-* 'con' e *bállō* 'getto').

**simbologìa**, da *simbo(lo)-logìa*.

**simigliante** e deriv., v. SOMIGLIANTE e deriv.

**sìmile**, dal lat. *similis*, forma assimilata di un ant. *\*semilis*, dalla rad. SEM 'unico', v. SÉM(PLICE), presente (semplice o con la sola voc. tematica) nelle aree germanica (ingl. *same*), greca (*homós*), indo-iranica, slava; ampliata con un elemento *-l-* nelle aree greca (*homalós*) e celtica.

**similitùdine**, dal lat. *similitudo, -ĭnis*, astr. di *sĭmilis*.

**simmachìa**, dal gr. *symmakhìa*, astr. di *sýmmakhos* 'alleato', comp. di *syn-* 'con' e *makho-*, tema di nome d'agente, da *mákhē* 'battaglia', *mákhomai* 'combatto'.

**simmetrìa**, dal gr. *symmetría*, comp. di *syn-* 'con', *métron* 'misura' e *-ia* suff. di astr.

**simmètrico**, dal gr. *symmetrikós*.

**simo**, dal lat. *simus* 'che ha il naso schiacciato', che è dal gr. *sīmós*. Per una forma parallela gr. in *sil-*; v. SILURO.

**simonìa**, dal lat. medv. *simonìa*, deriv. dal nome di Simone Mago, che tentò di comperare dai santi Pietro e Giovanni il dono dello Spirito Santo.

**simonìaco**, dal lat. medv. *simonìacus*.

**simpatètico**, incr. di *simpatìa* con *patètico*.

**simpatìa**, dal lat. *sympathìa*, che è dal gr. *sympátheia*, comp. di *syn-* 'con', *páthos* 'sentimento' e *-eia* suff. di astr.

**simpàtico¹**, da *simpatìa*.

**simpàtico²**, dal lat. scient. *sympàthicus*, che è dal gr. *sympathikós* 'che sente la stessa influenza'.

**simpatizzare**, dal frc. *sympathiser*.

**simplo**, dal lat. *simplus*, deriv. moltiplicativo sostantiv. di *sem-* con l'elemento semplice *-plo-* anziché *-plex*, cfr. DUPLO, TRIPLO: oggi sentito come incr. di *duplex* e *singolo*.

**simposio¹** (convito) dal lat. *symposium*, che è dal gr. *sympósion*, comp. di *syn-* 'con' e una derivaz. aggettiv. di *pósis*, nome d'azione di *pínō* 'bevo'.

**simposio²** (riunione), dall'ingl. *symposium*.

**simulacro**, dal lat. *simulacrum*, nome di strum. da *simulare*.

**simulare**, dal lat. *simulare*, verbo denom. da *simĭlis* con norm. passaggio di *-ĭ-* a *-ŭ-* in sill. interna dav. a *-l-* non seguito da *-i*; v. SÌMILE.

**simulatore**, dal lat. *simulator, -oris*.

**simulazione**, dal lat. *simulatio, -onis*.

**simultaneo**, dal lat. medv. *simultaneus*, incr. di *simul* 'insieme' con lat. tardo *momentaneus*. *Simul* è un ant. neutro di *simĭlis*, irrigidito come avv.; v. SÌMILE.

**simùn** (vento) dal frc. *simoun*, che è dall'ar. *samūn*.

**sin-** (pref.), da gr. *syn-* 'con'.

**sinagoga**, dal lat. tardo *synagoga*, che è dal gr. *synagōgē* 'adunanza', astr. di *synágō* 'raduno', comp. di *syn-* 'con' e *ágō* 'conduco'.

**sinalefe**, dal lat. *synaloephe* che è dal gr. *synaloiphē*, astr. di *synaleíphō* (comp. di *syn-* 'con' e *aleíphō* 'ungo', perciò «confondo insieme»).

**sinallagma**, dal gr. *synállagma* 'contratto', deriv. di *synallássō* 'mi accordo', comp. di *syn-* 'con' e *allássō* 'io cambio'.

**sinallagmàtico**, dal gr. *synallagmatikós*.

**sincerità**, dal lat. *sincerĭtas, -atis*.

**sincero**, dal lat. *sincerus*, comp. di *sem-* 'uno solo' e *-cerus* dalla rad. KERĒ 'crescere', quindi « di una sola ascendenza, omogeneo, genuino, puro »; cfr. *procerus* 'che cresce in avanti, in alto'.

**sìncope**, dal lat. tardo *syncŏpe* che è dal gr. *synkopē*, astr. di *synkóptō* 'spezzo' da *syn-* 'con' e *kóptō* 'io taglio', perciò « rottura ».

**sincretismo**, dal gr. *synkrētismós*, tratto da *synkrētízō* 'mi confèdero alla maniera cretese' (da *syn-* 'con' e *Krétē* 'Creta' con il suff. denominativo *-ízō*).

**sincro-**, da *sincro(no)*, primo elemento di composiz.

**sincronìa** e **sincrònico**, dal frc. *synchronie, synchronique*, opposto di *diachronie, diachronique*; v. DIACRONÌA, DIACRÒNICO.

**sincronismo**, dal gr. *synkhronismós*.

**sincronizzare**, dal gr. *synkhronízō*.

**sìncrono**, dal gr. *sýnkhronos*, comp. di *syn-* 'con', *khrónos* 'tempo' e *-o-* suff. aggettiv.

**sincrotrone**, da *sincro(ciclo)trone*, comp. di *sincro-* e *ciclotrone* (v.).

**sindacale, sindacalismo**, dal frc. *syndical, syndicalisme*.

**sindacare**, verbo denom. da *sìndaco*, nel solo signif. più ant. di « amministrare la giustizia, sorvegliare ».

**sindacato**, dal frc. *syndicat* e questo da *syndic* nel senso di 'rappresentante legale'; cfr. SÌNDACO.

**sìndaco**, lat. tardo *syndĭcus* con norm. passaggio di *-i-* ad it. *-a-* in posiz. postonica di parola sdrucciola; cfr. *crònaca, tònaca*. *Syndĭcus* è dal gr. *sýndikos* 'patrocinatore', comp. di *syn-* 'con' e *díkē* 'giustizia': « colui che è associato all'esercizio della giustizia ».

**sindèresi**, dal gr. *syntérēsis* « vigilanza (della coscienza) », nome d'azione di *syntērēō* 'vigilo', comp. di *syn-* 'con' e *tērēō* 'osservo'. Il passaggio da *-nt-* a *-nd-* è dovuto alla assimilaz. progressiva propria dell'età biz.; cfr. il lat. medv. *syndèresis*.

**sìndone**, dal lat. *sindon, -ŏnis* che è dal gr. *sindṓn, -ónos*.

**sìndrome**, dal gr. *syndromē*, nel senso di « confluenza (di sintomi) », comp. di *syn-* 'con' e *dromē*, astr. della famiglia di *drómos* 'corsa'.

**sinecismo**, dal lat. tardo *synoecismus* che è dal gr. *synoikismós*, deriv. di *synoikéō* 'abito insieme', comp. di *syn-* e *oikéo*, verbo denom. da *oîkos* 'casa'.

**sinecura**, dal lat. *sine cura* 'senza cruccio'.

**sinèddoche**, dal lat. *sinecdŏche* che è dal gr. *synekdokhē*, astr. di *synekdékhomai*, comp. di *dékhomai* 'ricevo' con i due pref. *syn-* 'con' e *ek(s)-* 'da'.

**sinedrio**, dal lat. tardo *synedrium* che è dal gr. *synédrion* 'consesso, assemblea', deriv. da *syn-* 'con' e *hédra* 'seggio', col suff. *-io-*.

**sinèresi**, dal lat. medv. *synaèresis* che è dal gr. *synairesis*, nome d'azione del verbo *synairéō*, comp. di *syn-* 'con' e *hairéō* 'prendo insieme'.

**sinestesìa**, calco su *anestesìa*, con sostituz. di *sin-* 'con' a *an-* 'senza'; v. -ESTESIA.

**sìnfisi,** dal gr. *sýmphysis* ' contatto, coesione ', nome d'azione del verbo *symphýō* ' cresco insieme '.

**sinfonìa,** dal gr. *symphōnía* ' concerto ', comp. di *syn-* ' con ', *phōné* ' voce ' e il suff. *-ía* di astr.

**sinforosa,** dal ridicolo personaggio femminile della commedia (*Eustachio e*) *Sinforosa* di G. Giraud (1776-1834).

**singhiozzare,** lat. volg. *\*singlutiare,* incr. di lat. tardo *singultiare* (verbo denom. da *singultus*) e di *gluttire*; v. GHIOTTO.

**singhiozzo,** sost. deverb. da *singhiozzare*.

**singolare,** dal lat. *singularis* ' appartenente a uno solo '.

**singolarità,** dal lat. tardo *singularĭtas, -atis*.

**singolativo,** da *singolare,* calco su *collettivo*.

**sìngolo,** dal lat. *singŭlus,* distributivo di *unus,* comp. di *sem-* ' uno solo ' e di un suff. *-glo-* che trova una corrispond. nel gotico; cfr. SÉM(PLICE).

**singulto,** dal lat. *singultus, -us,* astr. di un presunto verbo *\*singulĕre,* prob. forma iterat. della rad. SENGW ' cantare ' attestata nelle aree greca (*omphé* ' voce ') e germanica (ted. *singen*), con un procedim. parallelo a quello che traspare in *tumultus* rispetto a *tumere*; v. TUMULTO.

**siniscalco,** dal lat. medv. *siniscalcus* che è dal franco *siniskalk* ' servo anziano ', comp. di *sini-* ' vecchio ' (v. SIGNORE e SENATO), e *skalk* ' servo '. Per il longob. *skalk* v. SCALCO.

**sinistro,** lat. *sinister,* deriv. da *\*sinis* (avv. corrispond. alla prep. *sine,* ant. SENI che trova corrispondenze nell'area celtica, e, con la rad. al grado ridotto anziché semiridotto nella tocaria), come *magister* da *magis; \*sinis* significherebbe ' a differenza di ', e col suff. *-ter* di comparazione e opposizione, *sinister* indicherebbe ciò che è diverso dalla cosa normale, e, in particolare « la (mano) anormale ». Lat. *sinister* prende il posto delle due parole più ant. *laevus* e *scaevus*. In generale nel lessico ideur. la terminologia della ' destra ' è stabile (perché lato « normale »), quella della ' sinistra ' è disturbata. Questo non vuol dire che solo la prima sia portafortuna, perché la fortuna può associarsi anche all'anormalità; cfr. DESTRO.

**sinistrorso,** dal lat. *sinistrorsus,* comp. di *sinister* e *versus;* v. VERSO.

**sinizesi,** dal lat. tardo *synizesis* che è dal gr. *synízēsis* ' condensazione ', nome d'azione di *synizánō* ' mi abbasso '.

**sino** ' fino ', incr. di *fino* con *sì*[1].

**sinodale,** dal lat. tardo *synodalis,* deriv. di *synŏdus*.

**sinòdico,** dal lat. tardo *synodĭcus* che è dal gr. *synodikós*.

**sìnodo,** dal lat. tardo *synŏdus* (di genere femm.) che è dal gr. *sýnodos* ' convegno ', da *syn-* ' con ' e *hodós* ' via '.

**sinòlogo,** dal lat. medv. *Sina* ' Cina ' e *-logo*.

**sinonimia,** dal gr. *synōnymía,* astr. di *synónymos*.

**sinònimo,** dal gr. *synónymos* « (che ha) il nome (*ónyma*) in comune (*syn-*) »: *ónyma* è variante dorico-eolica rispetto a *ónoma* attico.

**sinopia,** adattamento di lat. *sinopis* che è dal gr. *sinōpís:* da *Sinópē,* città del Mar Nero, donde proveniva la ocra rossa.

**sinossi,** dal lat. tardo *synopsis* che è dal gr. *sýnopsis,* nome d'azione nel sistema di *synoráō* e perciò « sguardo d'insieme ».

**sinòttico,** dal gr. *synoptikós*.

**sinovia,** dal lat. scient. *synovia,* foggiato da Paracelso (1493-1541).

**sintagma,** dal gr. *sýntagma* ' composizione ' appartenente al sistema del verbo *syntáttō* ' io depongo in ordine '.

**sintassi,** dal gr. *sýntaksis,* nome d'azione di *syntáttō* ' dispongo in ordine '.

**sintàttico,** dal gr. *syntaktikós*.

**sìntesi,** dal lat. tardo *synthĕsis* ' composizione ' che è dal gr. *sýnthesis,* nome d'azione di *syntíthēmi* ' compongo '.

**sintètico,** dal gr. *synthetikós*.

**sintomàtico,** dal gr. *symptōmatikós* ' accidentale ', agg. di *sýmptōma*.

**sintomatologìa,** comp. del tema dei casi obliqui di gr. *sýmptōma, -atos* e *-logìa*.

**sìntomo,** dal gr. *sýmptōma* ' avvenimento fortuito ', passato alla declinaz. in *-o-*. *Sýmptōma* appartiene al sistema di *sympíptō,* comp. di *syn-* ' con ' e *píptō* ' cado '.

**sintonìa,** dal gr. *syntonía,* comp. di *syn-* ' con ', *tónos* ' tono ' e il suff. *-ía* di astr.

**sintropìa,** calco su *entropìa,* mediante la sostituz. di *sin-* ' con ' a *en-* ' dentro ', per contrapporre ai fenomeni regolati dal principio (interno) di causalità, quelli in cui affluiscono altre forze.

**sinuosità,** dal lat. tardo *sinuosĭtas, -atis*.

**sinuoso,** dal lat. *sinuosus,* deriv. di *sinus;* v. SENO.

**sinusite,** dal lat. *sinus* (riferito ai seni paranasali) col suff. *-ite* di malattia acuta.

**sinusoide,** dal lat. *sinus* col suff. *-oide* (v.).

**sionismo,** da *Sion,* nome di Gerusalemme, ebr. *Şiyyōn*.

**sipario,** dal lat. *siparium* ' velo ', collegato con *suppărus* ' velo, stendardo, veste ', priva di connessioni fuori d'Italia; forse di orig. osca, come appare dal mancato passaggio di *-ă-* in *-ĕ-* in sill. interna aperta dav. a *-r-*.

**sire,** dal frc. *sire,* lat. *senior;* cfr. it. SER.

**sirena,** dal lat. tardo *sirena,* class. *siren, -enis* che è dal gr. *Seirén, -ênos*.

**sirighella,** dal gr. biz. *sērikós* (pron. *sirikós*), con dimin. *-ella* e leniz. settentr. (romagnola) di *-c-*.

**sìrima,** dal lat. *syrma, -ae* che è dal gr. *sýrma, -atos,* incr. con *rima;* cfr. SÌRIMA.

**siringa,** dal lat. tardo *syringa,* class. *syrinx, -ingis* che è dal gr. *sŷrinks, -ingos*.

**sirma,** dal lat. *syrma, -ae* che è dal gr. *sýrma, -atos;* cfr. SÌRIMA.

**sirocchia** ' sorella ' (arc.), lat. *sororcŭla,* da *soror*.

**sirventese,** dal provz. *sirventès,* deriv. di *sirven* ' servente ', quasi « (poesia) di servente » e cioè inferiore.

**sisma,** dal gr. *seismós,* incr. con i tipi ital. *cataclisma, scisma* ecc.

**sìsmico,** deriv. aggettiv. di *sismo-*.

**sismo-, -sismo,** elemento di composiz. nominale, da gr. *seismós* ' scossa ', deriv. di *seíō* ' scuoto '.

**sismògrafo,** da *sismo-* e *-grafo*.

**sismologìa,** da *sismo-* e *-logìa*.

**sistema,** dal gr. *sýstēma, -atos* ' complesso ' della famiglia di *synístēmi* ' raccolgo '.

**sistemàtico,** dal gr. *systematikós*.

**sìstola** (vaso bucherellato), incr. di lat. *situla* ' secchio ' con *fistŭla* ' tubo '; cfr. SECCHIA e FÌSTOLA.

**sìstole**, dal gr. *systolé* 'contrazione', astr. di *systéllō* 'restringo', comp. di *syn-* e *stéllō*.

**sistro**, dal lat. *sistrum* che è dal gr. *seístron*, deriv. di *seíō* 'scuoto'.

**sitibondo**, dal lat. tardo *sitibundus*, agg. participiale di *sitire* (denom. da *sitis* 'sete'), come *moribundus* di *mori*; v. SETE.

**sito**[1] (luogo), dal lat. *situs, -us* nel signif. orig. di 'posizione'. *Situs* è astr. di un verbo *sinĕre*, da una rad. SEI, di struttura ideur. ma priva di connessioni evidenti.

**sito**[2] 'fetore', dal lat. *situs, -us* 'muffa', più anticam. 'abbandono'; v. SITO[3].

**sito**[3] (agg.), dal lat. *situs, -a, -um*, part. pass. di *sinĕre*; v. SITO[1].

**sito**[4], da gr. *sítos* 'grano, cibo', per es. *sitofobìa, sitomanìa*.

**situare**, dal lat. medv. *situare*, verbo denom. da *situs, -us*; v. SITO[1].

**sìtula**, dal lat. *sitŭla*; v. SECCHIA.

**sizigìa** 'congiunzione di un pianeta col sole', dal lat. tardo *syzygia* che è dal gr. *syzygía*, astr. di *sýzygos* 'accoppiato', comp. di *syn-* 'con' e *zygón* 'giogo'.

**sizza**, dalla serie onomatop. s.... z.... applicata al vento che fischia.

**slabbrato**, da *labbro* con *-ato* e il pref. *s-*[2] sottrattivo.

**slacciare**, verbo denom. di *laccio* con *s-*[2] sottrattivo.

**slanciare**, da *lanciare* con *s-*[1] durativo.

**slamare** 'smottare', verbo denom. da *lama*[2] con *s-*[1] estrattivo-durativo.

**slargare**, verbo denom. da *largo* con *s-*[1] durativo: distinto da *allargare* con *a(d)-* momentaneo.

**slattare**, calco su *allattare* con *s-*[2] sottrattivo.

**slavato**, da *lavato* con *s-*[1] durativo (e peggiorativo).

**slavina**, da *lavina* con *s-*[1] durativo.

**slavo**, dal lat. medv. *Slavus*; v. SCHIAVO.

**sleale**, da *leale* con *s-*[2] sottrattivo-negativo.

**slealtà**, da *lealtà* con *s-*[2] sottrattivo.

**slegare**, da *legare* con *s-*[2] sottrattivo.

**slip**, dall'ingl. *to slip* 'far scorrere'.

**slitta**, dal ted. *Schlitten*.

**slittovìa**, da *slitta*, calco su *sciovìa* (v.).

**slogan**, dall'ingl. *slogan* e questo dal gaelico di Scozia *Sluagh-ghairm* « grido (*ghairm*) di guerra (*sluagh*) ».

**slogare**, verbo denom. da *luogo* col pref. *s-*[2] sottrattivo e norm. assenza di dittongo in sill. atona.

**sloggiare**, calco su *alloggiare*, con sostituz. di *s-*[1] estrattivo a *a(d)-* allativo.

**slungare**, verbo denom. da *lungo* con *s-*[1] durativo.

**smaccare**, da *maccare* con *s-*[1] durativo; cfr. AMMACCARE.

**smacco**, sost. deverb. da *smaccare*.

**smagare**, lat. tardo *exmagare*, dal gotico *magan* 'potere' con *ex-* sottrattivo.

**smagliante**, part. pres. di *smagliare*[1].

**smagliare**[1], dal frc. *esmal* (XII sec.) 'smalto', più ant. *esmalt*, dal franco *smalt* (v. SMALTO), come verbo denom.: 'brillare come smalto'.

**smagliare**[2], verbo denom. da *maglia* con *s-*[2] sottrattivo.

**smagrire**, verbo denom. da *magro* con *s-*[1] durativo.

**smaliziare**, verbo denom. da *malizia* con *s-*[1] durativo.

**smaltare**, verbo denom. da *smalto*.

**smaltire**, dal gotico *smaltjan* (cfr. ted. *schmelzen* 'sciogliere').

**smalto**, dal franco *smalt* (ted. *Schmelz*), voce tecnica della ceramica; cfr. SMALTIRE e SMAGLIANTE.

**smancerìa**, astr. di *smanciare* 'fare il damerino', secondo il rapporto di *mangerìa* a *mangiare*.

**smanciare**, calco su *\*(a)manzare* da *amanza* (cfr. *fidanzare* rispetto a *fidanza*) con *s-*[1] durativo e sostituz. della palatale *-cia-* a una sibilante ritenuta settentr.

**smania**, sost. deverb. da *smaniare*.

**smaniare**, lat. volg. *\*(e)xmaniare*, verbo denom. da lat. tardo *manìa* che è dal gr. *manía*, con *ex-* durativo.

**smantellare**, verbo denom. da *mantello* con *s-*[2] sottrattivo.

**smarcare**, da *marcare* con *s-*[2] sottrattivo.

**smargiasso**, da una forma padana *\*smargiass* (lombardo *smargèss* e *smargessòn*), risal. per via ravennate a un nome d'agente della famiglia di gr. *smaragéō* 'rumoreggio' col suff. peggiorativo *-ass* (lat. *-aceus*).

**smarrire**, lat. volg. *\*marrire*, germ. occ. *marrjan* 'disturbare' con *s-*[2] sottrattivo.

**smascellare**, verbo denom. da *mascella* con *s-*[2] sottrattivo.

**smascherare**, verbo denom. da *màschera* con *s-*[2] sottrattivo.

**smazzata**, astr. di un *\*mazzare*, verbo denom. da *mazzo*, con *s-*[1] durativo.

**smegma**, dal gr. *smêgma, -atos* 'unguento'.

**smembrare**, verbo denom. da *membro* con *s-*[2] sottrattivo.

**smemorare**, verbo denom. da *mèmore* con *s-*[2] sottrattivo.

**smemorato**, da *memore* col suff. *-ato* e *s-*[2] privativo.

**smentire**, da *mentire* con *s-*[2] sottrattivo-oppositivo.

**smeraldo**, lat. volg. *\*smaraudus*, class. *smaragdus*, dal gr. *smáragdos*, inteso come parola settentr. (piemontese) da correggere da *aud-* in *ald-*; cfr. *salma* (v.) da *sagma*.

**smerciare**, verbo denom. da *merce* con *s-*[1] durativo.

**smercio**, sost. deverb. da *smerciare*.

**smergo**, lat. *mergus*, incr. con una forma verb. scomparsa del tipo *smergolare* (v.) provvista di *s-*[1] durativo; cfr. MERGO. Lat. *mergus* è collegato con il verbo *mergĕre*, per cui v. IMMÈRGERE.

**smergolare**, verbo denom. da *mergo* con suff. iterat. *-ola-*.

**smeriglio**[1] (minerale), dal gr. biz. *smerílion*, dimin. di *smeri*, gr. class. *smýris, -idos*.

**smeriglio**[2] (falchetto), dal frc. ant. *esmeril* e questo dal franco *smiril*.

**smerlare**, verbo denom. da *merlo* con *s-*[1] durativo.

**smerlo**, sost. deverb. di *smerlare*.

**sméttere**, da *méttere* con *s-*[2] sottrattivo.

**smezzare**, da *mezzo* con *s-*[1] durativo.

**smidollato**, da *midollo* col suff. *-ato* e *s-*[2] sottrattivo.

**smìlace** (arbusto), dal lat. *smilax, -acis* che è dal gr. *smílaks, -akos*.

**smilzo**, da *mencio* (v.) incr. con *milza* e *s-*[2] sottrattivo, forse sul modello del gen. *sminsu* 'segaligno'.

**sminuire**, calco su *diminuire* con *s-*[1] intens.; v. DIMINUIRE.

sminuzzare, lat. volg. *minutiare, verbo denom. da minutia con s-¹ durativo.

smistare, verbo denom. da misto con s-¹ estrattivo.

smisurato, da misura col suff. -ato e s-² sottrattivo.

smobiliare, verbo denom. da mobilio con s-² sottrattivo.

smobilitare, da mobilitare con s-² sottrattivo-oppositivo.

smocciare, verbo denom. da moccio con s-² sottrattivo.

smoccolare, verbo denom. da mòccolo con s-² sottrattivo.

smodato, da modo col pref. -ato e s-² sottrattivo.

smog, dall'ingl. smog, incr. di fog 'nebbia' e smoke 'fumo'.

smontaggio, dal frc. démontage incr. con it. smontare.

smontare, verbo denom. da monte con s-² sottrattivo.

smorfia¹ (contrazione del viso), lat. medv. mòrphea 'malattia che sfigurava la bocca' e quindi risal. al gr. morphḗ 'forma' con s-² sottrattivo; quasi ' deforme ', nel senso di « ciò che sforma ».

smorfia² (libro dei sogni), da Morfèo, dio del sonno e dei sogni, incr. con smòrfia¹.

smorire, da morire con s-¹ durativo.

smorto, part. pass. di smorire.

smorzare, calco su lat. volg. *admortiare con la sostituz. di s-¹ durativo ad a(d)- momentaneo; v. AMMORZARE.

smottare, verbo denom. da motta con s-² sottrattivo.

smozzare, da mozzare con s-¹ durativo.

smozzicare, da mozzicare con s-¹ durativo.

smùngere, da mùngere con s-¹ durativo.

smunire, comp. di munire e di s-² sottrattivo.

smuòvere, lat. volg. *(e)xmovere, class. (e)movere, incr. con it. muòvere.

smussare, dal frc. émousser.

snaturare, verbo denom. da natura con s-² sottrattivo.

snazionalizzare, verbo denom. da nazionale col suff. -izzare e s-² sottrattivo.

snebbiare, verbo denom. da nebbia con s-² sottrattivo.

snellire, verbo denom. da snello.

snello, dal franco snēl (ted. schnell).

snervare, verbo denom. da nervo con s-² sottrattivo.

snidare, verbo denom. da nido con s-² sottrattivo.

snob, dal termine del gergo studentesco ingl., che definisce persona mediocre o rozza; diffuso in Europa col « Libro degli Snob » (1848) di W. Thackeray (1811-1863).

snobbare, dall'ingl. to snub incr. con it. snob.

snobismo, da snob col suff. -ismo.

snocciolare, verbo denom. da nòcciolo con s-¹ durativo.

snodare, verbo denom. da nodo con s-² sottrattivo.

so (prima pers. sg. del verbo sapere), lat. sa(p)io, sottratto al sistema dell'inf. sapĕre secondo il rapporto di it. ant. aio (lat. habĕo) sottratto al sistema di habere attrav. la fase intermedia avio (lat. volg. *habjo). In forma ancora non contratta, il lat. sa(p)io appare nei placiti cassinesi (X sec.) come sao. Aio, sao sono forme it. settentr. che si oppongono alle merid. aggiu ' ho ', sacciu ' so '; cfr. VO, FO, HO.

soave, lat. suavis, ant. *suadu-is, da un tema ideur. SWĀDU- ' dolce ', sopravv. esattamente così nel sanscrito come nel gr. hēdýs. La rad. SWĀD appare nel suo valore figur. nel verbo deriv. suadeo; v. PERSUADERE, SUADENTE.

soavità, dal lat. suavitas, -atis.

so(b), lat. sub- ' sotto ', ampliam. di UPO con un pref. s- che si trova solo in Italia, mentre UPO è attestato nelle aree celtica, germanica (ted. auf), greca (hypó), indo-iranica; cfr. so(s). Il valore ' sotto ' così in lat. come in greco è derivato secondariamente in opposizione a super e rispettivam. hypér. Il signif. fondam. era quello di indicare la stasi su una superficie e il movimento verticale dal basso verso l'alto; v. SOPRA, SOTTO, SOMMO, SU, SUPER-.

sobbàggiolo, da bàggiolo (v.) con il pref. so(b)-: « sottosostegno »; cfr. SOVVÀGGIOLO.

sobbalzare, da balzare col pref. so(b)-.

sobbarcare, lat. volg. *subbrachiare, verbo denom. da class. brachium, incr. con (im)barcare.

sob(b)illare, lat. sibilare (v. SIBILARE) incr. con sugillare ' colpire ripetutamente ' e il pref. it. so(b)-.

sobbollire, dal lat. tardo subbullire, comp. di sub- e bullire; v. BOLLIRE.

sobborgo, dal lat. suburbium (v. URBANO) incr. con borgo e il pref. so(b)- (v. BORGO).

sobrietà, dal lat. sobrietas, -atis.

sobrio, dal lat. sōbrius, comp. di sō- (v. SOLO), grado forte di se-, per es. se(curus), se(verus), pref. di privazione o opposizione (v. SECÈRNERE), e di ebrius, v. EBBRO e cfr. UBBRIACO.

socchiùdere, da so(b)- e chiùdere.

sòccida, lat. volg. *sòcjetas, class. sociĕtas (v. SOCIETÀ), astr. di socius (v. SOCIO), con leniz. settentr. di -t- in -d-; v. SOCCIO.

soccio, lat. volg. *socjus, class. socius, da una rad. SEKH, bene attestata nelle aree germanica e indo-iranica (sanscrito sakhā ' compagno '), con raddopp. della cons. nel gruppo palatale -cj- in posizione postonica.

socco, dal lat. soccus di prob. orig. mediterr.; cfr. ZÒCCOLO.

soccómbere, dal lat. succumbĕre, comp. di sub- e -cumbĕre, verbo (docum. solo con pref.), deriv. con infisso nasale dalla rad. KUB (cfr. COVARE), con qualche connessione evanescente nelle aree germanica e greca.

soccórrere, dal lat. succurrĕre, comp. di sub- e currĕre; v. CORRERE.

soccorso, sost. deverb. da soccórrere secondo il rapporto di corso (v.) a córrere.

soccoscio, comp. di so(b)- e coscia equival. a (taglio) sottocoscio.

sociàbile, dal lat. sociabĭlis, agg. verb. di sociare, verbo denom. da socius; cfr. SOCIÉVOLE.

sociale, dal lat. socialis.

socialismo, incr. del frc. socialisme con it. sociale.

socialità, in parte dal lat. socialĭtas, -atis ' socievolezza ' in parte astr. dell'it. sociale nel senso di ' sensibilità sociale '.

socializzare, dal frc. socialiser.

società, dal lat. sociĕtas, -atis (v. SÒCCIDA), forma dissimilata da *soci-ĭtas; cfr. PIETÀ, PROPRIETÀ.

societario, dal frc. sociétaire.

sociévole, dal lat. sociabĭlis incr. col suff. it. -évole.

**socio,** dal lat. *socius*; v. SOCCIO.

**sociologìa,** dal frc. *sociologie*, comp. di *soci(été)* e *-logia*.

**socràtico,** dal lat. *socratĭcus* che è dal gr. *sōkratikós*.

**soda,** dall'ar. *suwwād*, nome di pianta, applicato in Sicilia alle ceneri che se ne ricavano e ulteriorm. ai sali contenuti in queste.

**sodaglia,** da *sodo* col suff. collettivo *-aglia*, secondo il rapporto di *boscaglia* a *bosco*.

**sodale,** dal lat. *sodalis*, prob. da una rad. SWED, SWET, con vaghe connessioni nelle aree greca e slava, e comunque risultante da un ampliam. della rad. S(W)E del pron. riflessivo; v. SÉ e SUO.

**sodalizio,** dal lat. *sodalicium*.

**sod(d)isfare,** dal lat. *satisfacĕre*, incr. con it. *fare*. *Satis-* v. SAZIO, è trattato con leniz. settentr. di *-t-* in *-d-* e analizzato poi come somma di *so(b)-* e *-dis-*.

**sod(d)isfatto,** part. pass. di *sod(d)isfare*.

**sod(d)isfazione,** dal lat. *satisfactio, -onis*, incr. con it. *soddisfare*.

**sodio,** dal lat. scient. moderno (XIX sec.) *sodium*, deriv. da *soda* (v.).

**sodo,** lat. *sol(ĭ)dus* (v. SOLDO) con trattam. ligure di *-ld-* in *-d-* (cfr. ligure *cādu*, lat. *calĭdus*), corretto arbitrariam. nel lat. medv. (IX sec.) *saudus*; cfr. SALDO[1].

**sodomìa,** astr. in *-ìa* dal nome della città di *Sodoma* (ebr. *Sĕdōm*), simbolo della corruzione, per la quale fu punita.

**sofà,** dal frc. *sofa* che è dall'ar. *suffa* 'cuscino'.

**sofferente,** dal lat. *sufferens, -entis*, part. pres. di *sufferre*, comp. di *su(b)-* e *ferre* 'sopportare'; cfr. SOFFRIRE.

**sofferenza,** dal lat. tardo *sufferentia*, astr. di *sufferens, -entis*.

**soffermare,** da *fermare* col pref. *so(b)-*.

**soffiare,** lat. *sufflare*, comp. di *sub-* 'sotto' e *flare*; v. FIATO.

**sòffice,** lat. volg. *\*sufflex, -ĭcis*, incr. di *supplex, -ĭcis* con *flectĕre* 'piegare'; v. FLÈTTERE e SÙPPLICE.

**soffio,** sost. deverb. da *soffiare*.

**soffione,** accresc.-durativo di *soffio*.

**soffitto,** lat. volg. *suffictus*, class. *\*suffixus* (v. SUFFISSO), part. pass. di *suffigĕre*, comp. di *sub-* e *figĕre* 'conficcare' (opposto di *affigĕre*, comp. di *ad-* 'attaccare'); v. FÌGGERE.

**soffocare,** lat. *suffocare*, verbo denom. da *faux, faucis* 'gola' col pref. *su(b)-* e col dittongo *au* passato a *o* già in età repubblicana, secondo la tradiz. rustica (v. FAUCE). Attratto in it. da *soffio*, con conseguente anticipazione dell'accento in *sóffoco* al posto di *\*soffóco*.

**soffocazione,** dal lat. *suffocatio, -onis*.

**soffogare,** lat. *suffocare*, con leniz. settentr. prob. ligure, di *-c-* in *-g-* (cfr. *affogare, annegare*).

**soffóndere,** dal lat. *suffundĕre*, comp. di *su(b)-* e *fundĕre* 'versare', incr. con il pref. it. *so(b)-*; cfr. SOFFUSIONE.

**soffregare,** lat. *suffricare*, comp. di *su(b)-* e *fricare* 'strofinare', incr. col pref. it. *so(b)-* e il verbo *fregare*.

**soffrìggere,** da *friggere* col pref. *so(b)-*.

**soffrire,** lat. volg. *\*suff(e)rire*, class. *sufferre* (v. SOFFERENTE), con norm. caduta della voc. breve protonica; cfr. OFFRIRE.

**soffusione,** dal lat. *suffusio, -onis* 'spargimento', nome d'azione di *suffundĕre* incr. col pref. it.

*so(b)-*. Per il tema di part. pass. da cui deriva, v. FUSO.

**soffuso,** dal lat. *suffusus*, incr. col pref. it. *so(b)-*; v. FUSO.

**sofìa** e **-sofìa,** dal gr. *sophía,* astr. di *sophós* 'saggio'.

**sofisma,** dal lat. *sophisma* che è dal gr. *sóphisma*, astr. di *sophizomai* 'faccio ragionamenti cavillosi'; cfr. FÌSIMA.

**sofista,** dal lat. *sophista* che è dal gr. *sophistĕs*.

**sofisticare,** dal lat. tardo *sophisticari*.

**sofisticato,** dall'ingl. *sophisticated*.

**sofìstico,** dal lat. *sophistĭcus* che è dal gr. *sophistikós*.

**sofo,** dal lat. *sophus* che è al gr. *sophós*.

**soga,** lat. tardo (VI sec.) *sōca* 'fune', con leniz. settentr. di *-c-* in *-g-*: di orig. mediterr.

**soggettivo,** dal lat. medv. *subiectivus* incr. con it. *soggetto*.

**soggetto**[1] (agg.), lat. *subiectus*, part. pass. di *subicĕre*, comp. di *sub-* e *iacĕre*, con norm. passaggio di *-ĭă-* in *-iĕ-* in sill. interna chiusa e in *-i-* in sill. interna aperta.

**soggetto**[2] (sost.), dal lat. tardo *subiectum*, forma sostantiv. del part. pass. di *subicĕre* (v. sopra).

**soggezione,** dal lat. *subiectio, -onis*, nome d'azione di *subicĕre* incr. con *soggetto*[1].

**sogghignare,** da *ghignare* col pref. *so(b)-*; cfr. SGHIGNAZZARE.

**soggiacere,** dal lat. *subiacere*, comp. di *sub-* e *iacĕre*; v. GIACERE.

**soggiogare,** dal lat. *subiugare*, verbo denom. da *iugum* col pref. *sub-*.

**soggiogatore,** dal lat. tardo *subiugator, -oris*.

**soggiogazione,** dal lat. *subiugatio, -onis*.

**soggiornare,** lat. volg. *\*subdjurnare*, verbo denom. da *diurnus* (v. GIORNO) col pref. *sub-*.

**soggiorno,** sost. deverb. da *soggiornare*.

**soggiùngere,** dal lat. *subiungĕre* 'congiungere', comp. di *sub-* e *iungĕre*; v. GIÙNGERE.

**soggiuntivo,** dal lat. tardo *subiunctivus*.

**soggolare** (arc.), verbo denom. da *gola* col prefisso *so(b)-*.

**soggòlo,** sost. deverb. estr. da *soggolare*.

**soglia,** lat. volg. *\*solja*, class. *solĕa* 'sandalo', incr. per il signif. con l'alto ted. ant. *swelli* (ted. *Schwelle*) 'soglia'. *Solĕa* è forma sostantiv. femm. di un agg. *\*soleus* «appartenente al *solum*», dal tema ideur. SELO- 'insediamento umano', gravitante verso la terra in lat., verso la nozione di 'casa' e 'villaggio' nelle aree germanica, baltica, slava (ru. *selò* 'villaggio', longob. *sala* 'costruzione', ted. *Saal* 'sala').

**soglio,** dal lat. *solium*, con la *-d-* sostituita da *-l-* all'interno della parola per moda umbro-sabina. La forma orig. è stata *\*sodium* dalla famiglia di *sedeo* (v. SEDERE), al grado forte, con un parallelo nell'area celtica.

**sògliola,** dimin. di lat. volg. *\*solja* 'pesce dalla forma di sandalo'; v. SOGLIA.

**sognare,** lat. *somniare*, verbo denom. da *somnium*.

**sognatore,** dal lat. *somniator, -oris*.

**sogno,** lat. *somnium*, deriv. di *somnus* 'sonno'; v. SONNO.

**soia**[1] 'adulazione', dal frc. ant. *soie*, lat. *saeta*; v. SETA.

**soia**[2], pianta importata dal Giappone, con nome di orig. manciù, dal giapponese *shay*.

**sol,** dalla prima sill. di *sol(ve)* nell'inno di S. Giovanni, solfeggiato da Guido d'Arezzo.

**solaio,** dal lat. *solarium* ' luogo esposto al sole ', incr. con it. *suolo*, senza dittongo in sill. fuori d'accento, e col trattam. normale tosc. di *-ariu* in *-aio*.

**solamente,** da *sola-mente*, risultante non dall'agg. *solo* accordato con *mente*, ma dall'avv. *solo* incr. con gli avv. norm. in *-mente*.

**solanàcea,** dal lat. *solanum*, nome di pianta che funge da modello per l'intera famiglia, ampliato col norm. suff. *-acea-*. *Solanum* è forma sostantiv. di *solanus* ' esposto al sole '.

**solare,** dal lat. *solaris*, deriv. di *sol solis*; v. SOLE.

**solario,** dal lat. *solarium*, senza alteraz. del gruppo *-ariu*, v. SOLAIO.

**solatìo,** lat. volg. *solativus*, ampliam. durativo del lat. class. *solatus* « che ha ricevuto un colpo di sole » (v. SOLE), con leniz. totale della *-v-* intervocalica (cfr. *bacìo, rio* rispetto a *opacivus, rivus*, e così *restio, stantio*).

**solatro,** dal lat. *solanum atrum*, dissimilato da *sola(na)tro*.

**solcàbile,** dal lat. tardo *sulcabĭlis*.

**solcare,** dal lat. *sulcare*, verbo denom. da *sulcus*; v. SOLCO.

**solcatore,** dal lat. tardo *sulcator, -oris*.

**solco,** lat. *sulcus*, identico al gr. *holkós* ' briglia ' entrambi deriv. dalla rad. SELK ' tirare ' documentata, oltre che in Grecia, anche nell'area albanese.

**soldanella** (pianta), doppio deriv. di *soldo* e questo a causa della forma rotonda delle foglie.

**soldare** ' assoldare ', verbo denom. da *soldo*.

**soldato,** part. pass. di *soldare*.

**soldo,** lat. tardo *(nummus) soldus*, class. *solĭdus*, sostantiv., moneta di oro massiccio dell'età di Costantino. *Solĭdus* presuppone un verbo *solère* ' essere stabile, integro ' (v. SÒLITO), dalla rad. SEL[3], che, ampliata in -w, compare nel lat. *salvus* (v. SALVO). Per la variante *soll-*, v. SOLLÉCITO.

**sole,** lat. *sol*, parola antichissima, di ricca ancorché disturbata tradiz. La forma orig. sembra si debba restituire in SĀWEL, che appare nello stato più o meno primitivo anche nelle aree celtica e germanica, con diversa alternanza nell'area indoiranica, con ampliam. in -yo nelle aree indiana, greca (*hélios* da *sāwélios*), in altre forme ancora, più o meno semplici, nelle aree baltica e slava.

**solecchio,** lat. volg. *solĭculus*, dimin. di class. *sol* presupposto dal suo denom. *soliculari*; cfr. SOLICELLO.

**solecismo,** dal lat. *soloecismus* che è dal gr. *soloikismós*, dalla città di *Sóloi*, dove si parlava scorrettamente il greco. La parola ha fornito il modello per i tipi *etacismo, rotacismo* e sim.

**solenne,** lat. *sol(l)emnis*, comp. di *sollus* ' intiero ' (v. SOLLÉCITO), e la parola italica *amno-* ' circùito ', in lat. con apofonia di *-ă-* in *-ĕ-* in sill. interna chiusa: « (valido) per l'intiero itinerario circolare (dell'anno) ».

**solennità,** dal lat. tardo *sollemnĭtas, -atis*, incr. con *solenne* (v.).

**solennizzare,** dal lat. tardo *sollemnizare*.

**solere,** lat. *solere*, parola sicuram. ideur., però senza chiare connessioni fuori d'Italia.

**solerte,** dal lat. *sollers, -ertis*, comp. di *sollus* (v. SOLLÉCITO) e *ars artis* « cui è propria tutta l'arte »,

con norm. apofonia di *-ă-* in *-ĕ-* in sill. interna chiusa; cfr. *iners* « che è privo di (qualsiasi) arte » e v. INERTE.

**solerzia,** dal lat. *sollertia*, astr. di *sollers*.

**soletta,** dimin. di *suola*, con l'assenza del dittongo in sill. fuori d'accento.

**solfa,** dalle due note musicali *sol* e *fa* (v.).

**solfanello,** v. ZOLFANELLO.

**solfara, solfatara,** da *solfo*, v. ZOLFO.

**solfato,** da *solfo* col suff. chimico *-ato* per indicare un sale dell'acido solforico.

**solfeggiare,** verbo denom. durativo da *solfa*.

**solfito,** da *solfo*, ant. pronuncia di *zolfo* (v.) col suff. chimico *-ito* per indicare un sale dell'acido solforoso.

**solfo,** v. ZOLFO.

**solfòrico,** dal frc. *sulphorique* (fine sec. XVIII).

**solforoso,** dal lat. *sulp(h)urosus*, inserito nel sistema dei deriv. chimici in *-oso*.

**solicello,** da un lat. *solicŭlus*, dimin. di *sol* ' sole ', presupposto dal verbo *soliculari* (v. SOLECCHIO), ulteriorm. ampliato in *-ellus*.

**solidale,** deriv. dalla formula giur. lat. *(in) solido*.

**solidarietà,** astr. di *solidario*.

**solidario,** dal frc. *solidaire*.

**solidificare,** da *sòlido*, col tema verb. di valore denom. causativo *-ficare*.

**solidità,** dal lat. *solidĭtas, -atis*.

**sòlido,** dal lat. *solĭdus*; v. SOLDO.

**soliloquio,** dal lat. tardo *soli-loquium*, calco su *alloquium, colloquium* ecc., con l'introduz. del tema *solo-* di *solus* ' solo ' come pref.

**solingo,** lat. *solus* col suff. germ. *-ingo* (cfr. *casalingo*).

**solino,** da *solo* (perché staccato dalla camicia).

**solìpede,** incr. di lat. *solidĭpes* « dal piede solido » con it. *solo* (opposto di *fissìpede*, v.).

**solipsismo,** comp. moderno di lat. *solus* ' solo ' e *ipse* ' se stesso ' col suff. di dottrina *-ismo*: « (la filosofia) del solo se stesso ».

**solitario,** dal lat. *solitarius*, abbreviaz. di *solit(at)arius*, deriv. di *solĭtas, -atis*, come *abitudinario* rispetto a *abitùdine*; cfr. PROLETARIO.

**sòlito,** dal lat. *solĭtus*, part. pass. di *solere* (v. SOLERE), un tempo col signif. di ' essere integro, stabile ', poi reso astr. e avvicinato alla famiglia di *suescĕre*; cfr. SOLDO.

**solitùdine,** dal lat. *solitudo, -ĭnis*, astr. di *solus*, secondo il rapporto di lat. tardo *gratitudo -ĭnis* rispetto a *gratus*.

**sollazzo,** lat. *solacium* ' conforto, sollievo ', incr. col pref. *so(b)-*.

**solleccione** (pianta), lat. tardo *senecio, -onis* ' crescione ', incr. con *(in)salata* (v. INSALÉGGIOLA) e con *so(b)-*. Lat. *senecio* è un deriv. di *senex* ' vecchio '.

**sollecitare,** dal lat. *sollicitare*, verbo denom. da *sollicĭtus*.

**sollecitatore,** dal lat. *sollicitator, -oris*.

**sollecitazione,** dal lat. *sollicitatio, -onis*.

**sollécito,** dal lat. *sollicĭtus* ' completamente agitato ', comp. di *sollus* variante di *solĭdus* di provenienza osca e *cĭtus*, part. pass. di *ciere* ' mettere in movimento, agitare '. Il tema di *sollus* è *solido-* con sincope e assimilaz. progressiva osca (v. SOLDO). La rad. di *ciere* è KYĒ attestata anche in greco; con un ampliam -U-, nella forma KYEU, oltre che in gr., anche nelle aree armena e indiana.

**sollecitùdine,** dal lat. *sollicitudo, -ĭnis*.

**solleone,** da *sol(e)* e *leone.*

**solleticare,** forma metatetica del XV sec. da *sollecitare,* risultante dall'incr. con *leticare* (v. LITIGARE) e il pref. *so(b)-.*

**sollético,** sost. deverb. da *solleticare.*

**sollevare,** lat. *sublevare,* comp. di *sub-* e *levare* ' alzare '; v. LEVARE.

**sollevazione,** dal lat. *sublevatio, -onis.*

**sollievo,** sost. deverb. ant. da *sollevare,* con dittongaz. della voc. aperta accentata.

**sollo** ' sòffice ', incr. di *sciolto* con *mollo.*

**sollucherare,** comp. di ant. *lucherare* ' stralunare gli occhi ', denom. da *luchera* (v.) e il pref. *so(b)-:* « sgranare gli occhi (perché portati in alto dalla beatitudine) ».

**sollùchero,** sost. deverb. da *sollucherare.*

**solo,** lat. *sōlus,* ampliamento aggettiv. in *-lo* dal tema SĒ/SŌ che dà vita alla particella di separazione *se-;* v. SEVERO, SOBRIO, SICURO e spec. SECÈRNERE.

**solstizio,** dal lat. *solstitium,* comp. di *sol* ' sole ', e un tema *-stitium* della famiglia di *stare sistère,* con norm. apofonia di *-ă-* in *-ĭ-* in sill. interna aperta; cfr. INTERSTIZIO.

**soltanto,** da *solo tanto.*

**solùbile,** dal lat. tardo *solubĭlis,* agg. verb. di *solvère.*

**solubilità,** dal lat. tardo *solubilĭtas, -atis.*

**solutivo,** da *soluto* con ampliam. durativo in *-ivo.*

**soluto** (arc.), dal lat. *solutus,* part. pass. di *solvère,* da un più ant. *so-lŭ-tus* incr. con *volūtus,* part. pass. di *volvo;* v. SCIÒGLIERE, VÒLGERE e VOLUTA.

**solutore,** dal lat. tardo *solutor, -oris,* nome d'ag. di *solvère,* in it. nome d'agente nel sistema di *risòlvere.*

**soluzione,** dal lat. *solutio, -onis,* nome d'azione di *solvère,* formato sul tema del part. pass. *solūtus;* v. SOLUTO.

**sòlvere,** dal lat. *solvère,* comp. di *sŏ-* di separazione (v. SECÈRNERE) e *lavère,* con norm. passaggio in sill. interna aperta di *-ăv-* in *-ŭ-,* poi consonantizzata in *-v-,* v. LAVARE e cfr. SCIÒGLIERE.

**soma,** lat. tardo *sauma,* variante di *sagma,* dal gr. *ságma* ' sella, basto ' v. SALMA e cfr. SMERALDO.

**somaro,** lat. tardo *saumarius,* deriv. di *sauma* con trattam. non tosc. di *-ariu* in *-aro.*

**somàtico,** dal gr. *sōmatikós,* deriv. di *sôma, -atos* ' corpo '.

**somatologìa,** da gr. *sōmato-,* tema dei casi obliqui di *sôma, -atos* e *-logìa.*

**someggiare,** verbo denom. iterat. da *soma.*

**somiero,** dal frc. ant. *somier* (lat. tardo *saumarius,* che è in it. *somaro).*

**somigliante,** part. pres. di *somigliare.*

**somigliare,** lat. *similiare,* verbo denom. da *similis* con norm. passaggio di *-i-* protonica a *-o-* dav. a labiale.

**somma,** lat. *summa,* forma femm. sostantiv. di *summus;* estr. dalla locuzione *summa (linea);* v. SOMMO.

**sommacco** (arbusto), dall'ar. *summāq.*

**sommare,** verbo denom. da *somma.*

**sommario** (sost.), dal lat. *summarium,* neutro sostantiv. di *summarius,* deriv. di *summa.*

**sommèrgere,** dal lat. *submergère,* comp. di *sub-* e *mergère,* dalla rad. MEZG ' immergere ', bene attestata nelle aree baltica e indiana; cfr. MERGO e IMMÈRGERE.

**sommergìbile,** agg. verb. di *sommèrgere.*

**sommersione,** dal lat. tardo *submersio, -onis,* nome d'azione di *submergère,* tratto da una forma di part. in *-s-,* che ha soppiantato quella più ant. in *-t-;* v. IMMERSO.

**sommesso,** dal lat. *submissus,* part. pass. di *submittère.*

**somministrare,** dal lat. *subministrare,* comp. di *sub-* e *ministrare* ' porgere ', verbo denom. da *minister;* v. MINISTRO.

**somministratore,** dal lat. *subministrator, -oris.*

**somministrazione,** dal lat. tardo *subministratio, -onis.*

**sommissione,** dal lat. *submissio, -onis* ' l'abbassarsi ', nome d'azione di *submittère;* v. MISSIONE.

**sommità,** dal lat. tardo *summĭtas, -atis.*

**sommo,** lat. *summus,* superl. di un agg. tratto da *sub-* nel senso del ' movimento dal basso in alto ' e perciò equival. al vertice estremo verso l'alto. Formazioni parallele, da una base di partenza *up-* (invece che *sup-*) si hanno nelle aree indo-iranica e germanica (ted. *auf*); cfr. SU e SO(B)-.

**sommossa,** forma femm. sostantiv. di *sommosso,* part. pass. di *sommuòvere.*

**sommozzatore,** nome d'ag. di nap. *sommozzare,* incr. di *soppozzare* (v.) e *sommèrgere.*

**sommuòvere,** dal lat. *submovere* incr. con it. *muòvere.*

**sonaglio,** dal provz. ant. *sonalh,* lat. *sonacŭlum,* nome di strum. di *snare.*

**sonante** (s. f.), dal ted. *Sonant,* estr. da *(Kon)sonant;* v. CONSONANTE.

**sonare,** lat. *sonare,* da una rad. S(W)ENĒ, attestata nelle aree celtica e indiana, sia pure in modo non sempre coerente; cfr. SUONO.

**sonda,** dal frc. *sonde.*

**sondaggio,** dal frc. *sondage.*

**sondare,** dal frc. *sonder,* lat. volg. *subundare* ' immergere ', verbo denom. da *unda* col pref. *sub-* ' sotto '.

**sonetto,** dal provz. *sonet,* dimin. di *son* ' suono '.

**sònico,** dall'ingl. *sonic* (cfr. *ultrasònico*).

**sònito,** dal lat. *sonĭtus, -us,* astr. dalla rad. S(W)ENĒ di *sonare,* il cui supino è regolarm. *sonĭtum;* v. SONARE.

**sonnacchioso,** lat. *somniculosus,* deriv. da *somnicŭlus,* dimin. di *somnus.* Incr. con gli iterat. vezzegg. in *-acchiare* come *ridacchiare.*

**sonnàmbulo,** dal frc. *somnambule,* formato sul lat. *somnus* e *-ambŭlus* come appare in *(fun)ambulus;* cfr. ÀMBULO.

**sonnecchiare,** lat. volg. *somniculare,* verbo denom. da *somnicŭlus,* dimin. di *somnus.* Il verbo it. si comporta di fronte a un presunto *sonnare* (v. ASSONNARE), come *punzecchiare* rispetto a *ponzare.*

**sonnìfero,** dal lat. *somnĭfer, -fĕri,* comp. di *somnus* e *-fer* ' portatore di '.

**sonno,** lat. *somnus,* parola antichissima da un tema SWOPNO- attestata in forma costante, anche nelle aree celtica, baltica, armena, indiana, e, con la rad. al grado ridotto, nelle aree slava e greca (gr. *hýpnos*). La rad. SWEP non e è alla base, sopravvive in forme verb. indoiraniche e germaniche e nel causativo lat. *sopire;* v. SOPIRE. Per la nozione di ' dormire ' opposta al ' vegliare ' v. DORMIRE.

**sonnolento,** dal lat. tardo *somnolentus.*

**sonnolenza,** dal lat. tardo *somnolentia.*

**sonòmetro** ' misuratore dei fenomeni acustici ', da *-metro* comp. con lat. *-sŏnus,* secondo elemento di composti a prefisso (*absŏnus, consŏnus, dissŏnus*) o di comp. nominali (*altisŏnus, clarisŏnus, multisŏnus*).

**sonorità,** dal lat. tardo *sonorĭtas, -atis.*

**sonoro,** dal lat. *sonorus,* agg. tratto da *sonor, -oris* ' suono '.

**sontuosità,** dal lat. tardo *sumptuosĭtas, -atis.*

**sontuoso,** dal lat. *sumptuosus,* deriv. di *sumptus, -us* ' dispendio ' (astr. di *sumĕre* ' prendere ', v. SUNTO), passato prima a indicare ' carico ' e poi ' peso '; cfr. PRESUNTUOSO.

**soperchiare, soperchierìa, soperchio,** lat. *\*supercŭlus,* agg. deriv. dall'avv. *super,* col suo verbo denom., e il relativo astr. Per la forma parallela *\*subt-icŭlus,* v. SOTTECCHI. Per le altre forme analoghe v. SOVERCHIO e sim.

**sopire,** dal lat. *sōpire,* verbo causativo della rad. SWEP ' dormire ' con corrispond. nelle aree indiana e germanica settentr. e anormale allungam. della voc. radicale.

**sopore,** dal lat. *sopor, -oris,* astr. di un presunto *\*sopĕre* ' essere addormentato ' (con la *-ŏ-* breve della radice), come *calor* lo è di *calere.*

**soporifero,** dal lat. *soporifer, -fĕri,* comp. di *sopor* e *-fer.*

**soppalco,** da *palco* col pref. *so(b)-.*

**soppanno,** da *panno* col pref. *so(b)-.*

**soppedàneo,** dal lat. tardo *suppedaneum* ' sgabello per i piedi ', deriv. di *pes, pedis,* col suff. *-aneus* e col pref. *sub-,* incr. con it. *so(b)-.*

**soppelo,** comp. di *pelo* col pref. *so(b)-.*

**sopperire,** lat. *supp(lere),* passato alla coniugaz. in *i* e incr. con (*off*)*erire,* variante di (*off*)*rire, riferire* e sim.; cfr. SUPPLIRE.

**soppesare,** da *pesare* col pref. *so(b)-.*

**soppiantare,** dal lat. *supplantare,* verbo denom. da *planta* ' pianta dei piedi ', col pref. *sub-;* v. PIANTA.

**soppiatto,** da *piatto* col pref. *so(b)-.*

**sopportare,** lat. *supportare,* comp. di *sub-* e *portare;* v. PORTARE.

**sopportazione,** dal lat. tardo *supportatio, -onis.*

**soppozzare,** lat. volg. *\*subputjare,* verbo denom. da *puteus* ' pozzo ' e il pref. *sub-* ' immergersi nel pozzo '; cfr. SOMMOZZATORE.

**soppressare,** da *pressare* col pref. *so(b)-.*

**soppressata,** forma sostantiv. del femm. del part. *soppressato* (v. SOPPRESSARE), precisamente « (carne) compressa (con sale) ».

**soppressione,** dal lat. *suppressio, -onis,* nome di azione di *supprimĕre;* v. PRESSIONE.

**sopprìmere,** dal lat. *supprimĕre,* comp. di *sub-* e *premĕre,* con norm. apofonia di *-ĕ-* in *-ĭ-* in sill. interna aperta.

**sopra-** e **sopra(d)-,** lat. *supra ad* e quindi con raddopp. consonantico delle parole composte di tradiz. spontanea, per es. *soprattutto, sopraffatto;* cfr. SOVRA-, per es. *sovrabbondante.*

**sopra,** lat. *supra,* forma irrigidita di abl. femm. da *sup(ĕ)rā,* con sincope della voc. interna rispetto a *supĕrus* (cfr. *infrā* rispetto a *infĕrus*). *Supĕrus* è forma aggettiv. di *super* (cfr. SUPER-), forma essenzialmente oppositiva di *\*sup-;* lat. *sub-,* v. SO(B), che indica oltre che stasi su una superficie, il movimento dal basso in alto, e quindi « più in alto »,

mentre la forma compar. è data da *-ter* in *subter* (v. SOTTERFUGIO) che vale «più aderente alla superficie » e cioè « sotto ». Fuori del lat., e senza la *s-* iniz., il tipo si ritrova nelle aree indiana, celtica, germanica (ted. *über*) e, anche se meno trasparente nell'iniziale, nel gr. *hypér.*

**soprabbondare** e deriv., v. SOVRABBONDARE e deriv.

**sopràbito,** da *sopra* e *àbito.*

**sopracciglio,** lat. *supercilium* incr. con *sopra(d)-* e *ciglio.*

**sopracciò,** da *sopra(d)-* e *ciò.*

**sopraffare,** da *sopra(d)-* e *fare.*

**sopraffino,** da *sopra(d)-* e *fino.*

**sopraggittare** (arc.), comp. di *sopra(d)-* e *gittare,* incr. di *gettare* (v.) e *agitare.*

**sopraggitto,** sost. deverb. da *sopraggittare.*

**sopraggiùngere,** comp. di *sopra(d)-* e *giùngere.*

**sopraluogo,** dalla locuzione aggettiv. (*visita*) *sopra luogo.*

**soprammattone,** dalla locuzione (*mattone*) *sopra(d) mattone.*

**sopranazionale,** comp. moderno di *sopra* e *nazionale.*

**soprannaturale,** da *sopra(d)-* e *naturale.*

**soprannome,** dal lat. medv. *supernomen* incr. con *sopra(d)-* e *nome.*

**soprannominare,** calco sul lat. tardo *supernominare,* da *sopra(d)-* e *nominare.*

**soprannumerario,** dal lat. tardo *supernumerarius,* deriv. di *numĕrus* col pref. *super,* incr. con it. *sopra(d)-.*

**soprannùmero,** da *sopra(d)-* e *nùmero.*

**soprano** (sost. femm.), lat. volg. *\*superanus,* deriv. di *super* (cfr. SOVRANO), come lat. volg. *\*subtanus* (v. SOTTANA) è stato tratto da *subtus* ' sotto '. Per un'altra derivazione da lat. *super,* v. SOPERCHIARE e sim.

**soprappiù,** da *sopra(d)-* e *più.*

**soprapporre,** v. SOVRAPPORRE.

**soprassalto,** da *sopra(d)-* e *salto.*

**soprassedere,** dal lat. tardo *suprasedere,* class. *supersedere,* incr. con it. *sopra(d)-.*

**soprassello,** lat. tardo *supersellium,* comp. di *super* e *-sellium* (deriv. da *sella*), incr. con *sopra-, asse,* e il dimin. *-ello.*

**soprassoldo,** da *sopra(d)-* e *soldo* ' paga '.

**soprastare,** v. SOVRASTARE.

**soprastruttura,** da *sopra-* e *struttura.*

**soprattassa,** da *sopra(d)-* e *tassa.*

**soprattutto,** da *sopra(d)-* e *tutto.*

**sopravalutare,** da *sopra-* e *valutare.*

**sopravanzare,** da *sopr(a)-* e *avanzare.*

**sopravvenire,** dal lat. *supervenire* incr. con it. *sopra(d)-.*

**sopravvento,** da *sopra(d)-* e *vento.*

**sopravveste** (arc.), da *sopra(d)-* e *veste;* cfr. SOTtoveste.

**sopravvivere,** dal lat. tardo *supravivĕre* (class. *supervivĕre*), incr. con *sopra-* e *vivere.*

**soprelevare,** da *sopr(a)-* e *elevare.*

**soprintèndere,** da *sopr(a)-* e *intèndere,* sul modello del lat. tardo *superintendĕre,* calco sul gr. *episkopéō.*

**sopruso,** da *sopr(a)-* e *uso.*

**soqquadro,** dalla locuzione *sotto squadro,* propria di un'impalcatura erroneamente spostata, e riferita allo scompiglio che essa provoca.

**sor-**, lat. *su(pe)r*, allineato in senso oppositivo con *sub*, incr. con SO(B)-, v.; cfr. SUR.

**sor**, abbreviaz. in posizione proclitica di *senior*, *-oris*, dal tema dei casi obliqui, *s(eni)or(em)*, anziché da quello del nom. *se(nio)r*; v. SER.

**sorba**, da *sorbo*.

**sorbetto**, dal turco *şerbet* incr. con *sorbire*.

**sorbire**, lat. volg. *sorbire, class. *sorbēre*. La rad. ideur. è SREBH, con connessioni baltiche e greche e col valore approssimativo di ' succhiare, inghiottire '; cfr. SORSO.

**sorbo**, lat. *sorbus*, privo di connessioni evidenti.

**sorcino**, dal lat. *soricinus*, deriv. di *sorex, -ĭcis*.

**sorcio**, lat. *sorex, -ĭcis*, passato alla declinaz. in *-o*, parola di prob. orig. mediterr., insieme col gr. *hýraks* ' sorcio '.

**sòrdido**, dal lat. *sordĭdus*, risal. a *sordes* ' sudicio ', da un tema SWORDO- sopravv. nell'area germanica con il valore di ' nero ' (ted. *schwarz*).

**sordina**, da *sordo*, con suff. di strum.

**sordità**, dal lat. *surdĭtas, -atis*.

**sordo**, lat. *surdus*, prob. tratto da *(ab)surdus* ' discordante ' per indicare la monotonia propria del sordo, nel doppio senso di ' ciò che non ode ' e di ' ciò che non si fa udire '; v. ASSURDO.

**sorella**, lat. *soror*, calco su *fratello*; v. SUORA.

**sorgente**, part. pres. di *sórgere*, sostantiv. al genere femm.: *(acqua)* sorgente.

**sórgere**, lat. *surgĕre* da *su(b)*- e *regĕre* ' dirigere dal basso in alto ', poi usato in senso intrans. La forma sincopata irradia dal pres. indic. *su(b)r(ĭ)go*, con norm. apofonia di *-ĕ-* in *-ĭ-* in sill. interna aperta e successiva sincope (cfr. SORTO). Per la forma parallela, transitiva e non sincopata, *subrigĕre*, v. SORRÈGGERE.

**sorgivo**, da *sórgere* col suff. *-ivo*, appoggiato al tema dell'inf. anziché a quello del part. pass. per accentuarne il valore attivo e non passivo.

**sorgo**, lat. *surĭcum (granum)* ' grano di Soria ', col passaggio arc. da gr. *-y-* a lat. *-u-*. In età romanza si ha la leniz. settentr. di *-c-* in *-g-* e la caduta di voc. breve in sill. interna aperta.

**soriano**, da *Sorìa*, nome medv. della *Siria*, da un lat. volg. *Suria* con passaggio arc. dello *-y-* gr. al lat. *-u-*; incr. invece per l'accento col gr. *Syría*.

**sorite**, dal lat. *sorites* che è dal gr. *sōreitēs*, deriv. di *sōrós* ' mucchio '.

**sormontare**, da *montare* col pref. *sor-*.

**sornacchiare**, dal longob. *snarhhjan* (ted. *schnarchen* ' russare '), incr. con it. *sonnacchioso* e *sonnecchiare*, e poi soppiantato in parte da *hrūzzan*; v. RUSSARE.

**sornione**, incr. di *sordo* con il dialettale (umbro) *ciorgnone*.

**soro** ' uccello giovane ', dal frc. ant. *sor*, lat. medv. *saurus* ' giallastro ', risal. al franco *saur* ' gialliccio, secco '.

**sororale**, dall'arc. *sorore*, come calco su *filiale*.

**sorore** (arc.), dal lat. *soror, -oris*; v. SUORA.

**sorpassare**, da *passare* col pref. *sor-*.

**sorpasso**, sost. deverb. da *sorpassare*.

**sorprèndere**, da *prèndere* col pref. *sor-* « prendere dal di sopra ».

**sorpresa**, femm. sostantiv. del part. pass. di *sorprèndere*.

**sorra**, dal catalano *sorra* e questo dall'ar. *sorra*.

**sorrèggere**, da *règgere* col pref. *so(b)*- e col signif. del lat. *subrigĕre*, variante trans. e non sincopata dell'intrans. *surgĕre*; v. SÓRGERE.

**sorretto**, part. pass. di *sorrèggere*, secondo il rapporto di *retto* a *reggere*; cfr. invece SORTO.

**sorrìdere**, lat. volg. *subridēre, class. *subridēre* da *sub-* e *ridere* ' ridere delicatamente '; v. RÌDERE.

**sorso**, lat. volg. *sorsum*, incr. di class. *sorptum*, part. pass. di *sorbere*, con *morsum, -i* ' morso '; cfr. SORBIRE.

**sorta**, dal frc. ant. *sorte*, deriv. da lat. *sors sortis*.

**sorte**, lat. *sors sortis*, ant. SR-TI-S, nome d'azione di *serĕre* ' allineare ' e cioè « l'atto di disporre (le tavolette per l'estrazione a sorte) »; v. SERIE.

**sortilegio**, dal lat. medv. *sortilegium*, comp. di *sors sortis* e *-legium*, tema nominale di *legĕre* ' raccogliere ' (cfr. *sortilĕgus* ' indovino ') che riappare in *spicilegium, sacrilegium, florilegium*.

**sortire**[1] (avere in sorte), lat. *sortire* (trans.), verbo denom. da *sors sortis*.

**sortire**[2] (uscire), dal frc. *sortir* (lat. *sortiri*, intrans.) ' uscire in sorte ' poi ' uscire ' in genere.

**sortita**, calco sul frc. *sortie*.

**sorto**, part. pass. di *sórgere*, formato secondo la serie di *cògliere-colto, tògliere-tolto, sciògliere-sciolto*, come *erto-èrgere, torto-tòrcere, scorto-scòrgere*; cfr. invece SORRETTO. Tuttavia un part. *sortus* è attribuito dal gramm. Festo a Livio Andronico. SÓRGERE.

**sorvegliare**, da *vegliare* col pref. *sor-* ' dal di sopra '.

**sorvolare**, da *volare* col pref. *sor-*.

**sorvolo**, sost. deverb. estr. da *sorvolare*.

**so(s)-**, lat. *subs*, ampliam. di *sub*, v. SO(B)-, dav. alle cons. sorde *c, t, p, q* della parola seguente.

**sosia**, dal lat. *Sosia* (che è dal gr. *Sōsías*), nome di un personaggio dell'*Amphitruo* di Plauto, di cui Mercurio prende le sembianze.

**sospèndere**, lat. *suspendĕre*, comp. di *su(b)s*- e *pendĕre* ' pesare '.

**sospensione**, dal lat. *suspensio, -onis*, nome di azione di *suspendĕre*.

**sospensivo**, dal lat. medv. *suspensivus*, ampliam. durativo del part. pass. *suspensus*.

**sospensorio**, dal lat. tardo *suspensorius*.

**sospeso**, lat. *suspensus*, part. pass. di *suspendĕre* ' appendere '; v. PESO.

**sospettare**, lat. *suspectare*, intens. di *suspicĕre*, comp. di *su(b)*- e *specĕre* (v. SPECCHIO), con norm. apofonia di *-ĕ-* in *-ĭ-* in sill. interna aperta.

**sospetto**[1] (agg.), lat. *suspectus*, part. pass. di *suspicĕre*.

**sospetto**[2] (sost.), sost. deverb. da *sospettare*, indipendente dal lat. *suspectus, -us* che significa il ' guardare (ammirativo) dal basso in alto '.

**sospingere**, da *spingere* col pref. *so(s)-*.

**sospirare**, lat. *suspirare*, comp. di *su(b)s*- e *spirare*; v. SPIRARE.

**sospiro**, sost. deverb. da *sospirare*.

**sossopra**, da *so(b)*- e *sopra*; cfr. SOTTOSOPRA.

**sosta**, sost. deverb. da *sostare*.

**sostantivo**, forma sostantiv. del lat. tardo *(nomen) substantivum* « (nome provvisto di) sostanza (e perciò autonomo) »: opposto di *aggettivo* « (nome) aggiuntivo ».

**sostanza**, dal lat. *substantia* « quanto sta sotto (le apparenze) »: astr. di *substare*; v. SOSTARE.

**sostanziale**, dal lat. tardo *substantialis*.

**sostanzialità**, dal lat. tardo *substantialĭtas, -atis*.

**sostare,** lat. *substare* ' star saldo ', nel senso di ' sostenere ', comp. di *sub-* e *stare*; v. STARE.

**sostegno,** sost. deverb. da *sostenere*, il cui tema è determinato dalla prima pers. sg. del pres. indic.: lat. volg. *tenjo* (class. *teneo*); cfr. *contegno*, *convegno*.

**sostenere,** lat. *sustinere*, comp. di *su(b)s-* e *tenere*, con norm. apofonia di *-ĕ-* in *-ĭ-* in sill. interna aperta.

**sostentamento,** dal lat. tardo *sustentamentum*.

**sostentare,** dal lat. *sustentare*, verbo intens. di *sustinere*, deriv. dal part. pass. *sustentus*.

**sostentazione,** dal lat. *sustentatio, -onis*.

**sostituire,** dal lat. *substituĕre*, comp. di *sub-* e *statuĕre*, con norm. apofonia di *-ă-* in *-ĭ-* in sill. interna aperta e il passaggio alla coniugaz. it. in *-i-*; v. STATUIRE.

**sostituto,** dal lat. *substitutus*, part. pass. di *substituĕre*; v. STATUTO.

**sostitutore,** dal lat. tardo *substitutor, -oris*, nome d'agente di *substituĕre*.

**sostituzione,** dal lat. tardo *substitutio, -onis*, nome d'azione di *substituĕre*.

**sostrato,** dal lat. *substratus, -us*, astr. nel sistema di *substernĕre*, comp. di *sub-* e *sternĕre*; v. STRATO e SUPERSTRATO e cfr. SUBSTRATO.

**sostruzione,** dal lat. *substructio, -onis*, nome d'azione nel sistema di *substruĕre* (v. COSTRUIRE), incr. con it. *so(s)-*.

**sottàbito,** da *sott(o) àbito*.

**sottacere,** dal lat. tardo *subticere*, comp. di *sub* e *tacere* con norm. apofonia di *-ă-* in *-ĭ-* in sill. interna aperta, incr. con it. *tacere* e il pref. *so(b)-*.

**sottaceto,** da *sott(o) aceto*.

**sottana,** lat. volg. *subtana (vestis)* ' veste appartenente allo strato inferiore ', ampliam. in *-anus* dell'avv. *subtus*, v. SOTTO, e cfr. SOPRANO.

**sottecchi,** lat. volg. *subticŭle*, da un deriv. in *-icŭlus* dell'avv. *subtus*, parallelo a *superculus*, postulato da *soperchio* (v.).

**sottèndere,** dal lat. *subtendĕre*, comp. di *sub-* [non di *sus*, v. SO(S)-] e *tendĕre*.

**sottentrare,** comp. di *sott(o)* e *entrare*.

**sotterfugio,** dal lat. tardo *subterfugium*, comp. di *subter*, ampliam. di *sub* col suff. compar. *-ter* (mentre l'oppositivo è *-er*, v. SUPERIORE e SOPRA) e *-fugium*, tema di *fugĕre*; v. FUGGIRE.

**sotterra,** locuzione avv. da *sott(o t)erra*.

**sotterraneo,** dal lat. *subterraneus*.

**sotterrare,** verbo denom. da *sotterra*.

**sottigliare** (arc.), lat. tardo (IV sec.) *subtiliare*, verbo denom. da *subtilis*; v. SOTTILE.

**sottigliezza,** astr. da *sottile*, incr. con *sottigliare*, quasi fosse esistito un *sottiglio*.

**sottile,** lat. *subtīlis*, termine tecnico dei tessitori, per definire i fili *sub tela* « che passano sotto l'ordito » (v. TELA), prob. da *sub-t(el)-ilis*, col norm. suff. *-ilis* per le derivaz. da sost.; cfr. *aedilis*.

**sottilità,** dal lat. *subtilĭtas, -atis*.

**sottintèndere,** comp. di *sott(o)* e *intèndere*.

**sotto¹** (avv.), lat. *subtus*, avv. deriv. dalla prep. *sub*, v. SO(B)-, mediante il suff. *-tus* che indica movimento dal luogo: perciò « dalla superficie su cui si trova *sub* (in giù) » per arrivare a ' sotto '. Le formazioni in *-tas* dell'area indiana sono le sole corrispondenze evidenti di questi tipi lat. in *-tus*.

**sotto-²** (primo elemento di composiz. nominale), da *sotto*, locale o modale.

**sottobanco,** da *sotto* (loc.) e *banco*.

**sottobosco,** da *sotto* (loc.) e *bosco*.

**sottocapo,** da *sotto* (modale) e *capo*.

**sottocchio,** da *sott(o)* (loc.) *occhio*.

**sottoccupato, sottoccupazione,** da *sotto* (modale) e *occupato*, *occupazione*.

**sottocosto,** da *sotto* (loc.) e *costo*.

**sottocutaneo,** calco sul lat. tardo *subcutaneus*.

**sottofascia,** da *sotto-* (loc.) e *fascia*.

**sottofondazione,** da *sotto-* (loc.) e *fondazione*.

**sottogoverno,** calco su *sottobosco* per definire una attività deteriore di governo.

**sottolineare,** verbo denom. da *linea* col pref. *sotto-*.

**sottolio,** da *sott'olio*.

**sottomano,** da *sotto* (loc.) e *mano*.

**sottomarino,** agg. deriv. da *mare* col pref. *sotto-* (loc.)

**sottomesso,** da *sotto* (loc.) e *messo*.

**sottométtere,** da *sotto-* e *méttere*, calco sul lat. *submittĕre*.

**sottomissione,** dal lat. *submissio, -onis*, nome di azione di *submittĕre*, incr. con it. *sottométtere*.

**sottomùltiplo,** da *mùltiplo* e *sotto-* (modale).

**sottopancia,** da *sotto* (loc.) e *pancia*.

**sottoporre,** da *sotto-* (modale) e *porre*, calco sul lat. *supponĕre*.

**sottoprodotto,** da *sotto-* (modale) e *prodotto*.

**sottoproletariato,** da *sotto-* (modale) e *proletariato*.

**sottórdine,** da *sott'ordine*.

**sottoscala,** da *sotto scala*, locuzione sostantiv.

**sottoscrittore,** dal lat. *subscriptor, -oris*, nome di agente di *subscribĕre*, incr. con *sottoscrivere*; v. SCRITTORE.

**sottoscrìvere,** calco sul lat. *subscribĕre* con *sotto* (loc.) al posto di *sub-*; v. SCRÌVERE.

**sottoscrizione,** dal lat. *subscriptio, -onis*, nome di azione di *subscribĕre*, incr. con *sottoscrivere*.

**sottosegretario,** da *sotto-* (modale) e *segretario*.

**sottosopra,** da *sotto sopra*; cfr. SOSSOPRA.

**sottospecie,** da *sotto-* (modale) e *specie*.

**sottostare,** da *sotto-* (loc.) e *stare*.

**sottostazione,** da *sotto-* (modale) e *stazione*.

**sottosuolo,** da *sotto-* (loc.) e *suolo*.

**sottosviluppo,** da *sotto-* (modale) e *sviluppo*.

**sottotenente,** da *sotto-* (modale) e *tenente*.

**sottotetto,** da *sotto tetto* (locuzione sostantiv.).

**sottotìtolo,** da *sotto-* (modale) e *tìtolo*.

**sottovalutare,** calco su *sopravalutare*.

**sottoveste,** calco su *sopravveste* (v.).

**sottovoce,** da *sotto voce*.

**sottraendo,** dal lat. *subtrahendus*, part. fut. passivo di *subtrahĕre*; v. SOTTRARRE.

**sottrarre,** lat. *subtrahĕre* incr. con it. *trarre* (v.).

**sottrazione,** dal lat. tardo *subtractio, -onis*, nome d'azione di *subtrahĕre*; v. TRAZIONE.

**sottufficiale,** da *sotto-* (modale) e *ufficiale*.

**sovente,** dal frc. ant. *sovent*, lat. *subinde* ' subito dopo ', comp. di *sub* e *inde*.

**soverchiare,** verbo denom. da *soverchio*.

**soverchio,** variante di *soperchio*, lat. *superculus*, con leniz. settentr. di *-p-* in *-v-*; v. SOPERCHIARE.

**sovesciare,** lat. *subversiare*, verbo intens. di *subvertĕre*, v. SOVVERTIRE, incr. con ROVESCIARE.

**sovièt,** dal russo *sovièt* ' comitato, consiglio '.

**sovra-** e **sovra(d)-**, lat. *supra ad.*, con leniz. settentr. di *-pr-* in *-vr-*; v. SOPRA.

**sovrabbondanza**, dal lat. tardo *superabundantia*, incr. con it. *sovr(a)-* e *abbondanza*.

**sovrabbondare**, dal lat. tardo *superabundare*, incr. con it. *sovr(a)-* e *abbondanza*.

**sovraccàrico**, da *sovra(d)-* e *càrico*.

**sovrano**, dal frc. ant. *soverain* (lat. *\*superanus*, cfr. it. SOPRANO), incr. con it. *sovra*.

**sovrapporre**, dal lat. *superponère*, incr. con it. *sovra(d)-* e *porre*.

**sovrapposizione**, da *sovrapporre*, secondo il rapporto di *posizione* rispetto a *porre*; v. POSIZIONE.

**sovraproduzione**, da *sovra-* e *produzione*.

**sovrastare**, dal lat. *superstare* incr. con it. *sovra-*.

**sovreccitare**, da *sovr(a)* e *eccitare*.

**sovrimporre**, dal lat. *superimponère*, incr. con it. *sovr(a)* e *imporre*.

**sovrimposta**, da *sovr(a)* e *imposta*.

**sovrumano**, da *sovr(a)* e *umano*.

**sovvàggiolo**, v. SOBBÀGGIOLO.

**sovvenire¹** (verbo), lat. *subvenire* 'soccorrere' da *sub-* e *venire* (v. VENIRE). Il costrutto impersonale *mi sovviene* deriva da *(il ricordo) mi sovviene*.

**sovvenire²** (sost., 'memoria'), dal frc. *souvenir* incr. col verbo it. *sovvenire*.

**sovventore**, dal lat. tardo *subventor*, nome d'agente nel sistema di *subvenire* 'soccorrere' (dal tema del supino *ventum*).

**sovvenzione**, dal lat. tardo *subventio, -onis*, nome d'azione del sistema di *subvenire*.

**sovversione**, dal lat. tardo *subversio, -onis*, nome d'azione di *subvertère*; v. VERSIONE.

**sovversivo**, dal frc. *subversif*, inserito nel sistema di *sovversione* secondo il rapporto di *diversivo* rispetto a *diversione*.

**sovvertire**, dal lat. *subvertère*, comp. di *sub-* e *vertère*, passato alla coniugaz. it. in *-i-* come tutti gli altri comp. p. es. *avvertire, convertire, divertire*, ecc.

**sozzo**, dal provz. *sotz*, lat. *sucïdus*; v. SÙCIDO.

**spaccare**, dal longob. *spahhan* 'fèndere'.

**spacciare**, dal provz. *despachar*, attrav. un ant. *dispacciare*; cfr. DISPACCIO.

**spada**, lat. *spatha* (dal gr. *spáthē* 'spatola'), con leniz. settentr. di *-th-* in *-d-*.

**spadroneggiare**, verbo denom. da *padrone* con suff. iterat. *-eggiare* e pref. *s-¹* durativo.

**spaesato**, da *paese* col suff. *-ato* e il pref. *s-²* sottrattivo.

**spaginare**, verbo denom. da *pagina*, calco su *impaginare* con *s-¹* estrattivo al posto di *in-* illat.

**spagliare¹**, verbo denom. da *paglia* con *s-²* sottrattivo.

**spagliare²** 'traboccare', da un tema mediterr. *\*palia*.

**spagnoletta**, da *spagnolo*, per riferimento alla provenienza del tipo di serramenti.

**spago**, lat. tardo *spacus*, con leniz. settentr. di *-c-* in *-g-* (e con applicazioni gergali nel senso di 'paura'). *Spacus* è forse da *scapus* 'assicella' e cioè 'rocchetto (di fili)', privo di connessioni attendibili fuori d'Italia.

**spaiare**, verbo denom. da *paio* con *s-¹* estrattivo. opposto ad *appaiare* con *a(d)-* allativo.

**spalancare**, verbo denom. da *palanca* con *s-²* sottrattivo « togliere le palanche (di riparo o chiusura) ».

**spalare¹** (con la pala), verbo denom. da *pala¹* con *s-¹* durativo.

**spalare²** (dei pali), verbo denom. da *palo* con *s-²* sottrattivo.

**spalla**, lat. *spat(ŭ)la* 'spatola', dimin. di *spatha* (v. SPADA), poi equival. a 'scapola, spalla' con sincope tardiva della voc. postonica *-ŭ-* in modo che da *-tla-* si è avuto *-lla-*, anziché *-cchia* (per es. *Pracchia* da lat. *pratŭla*); v. SECCHIA.

**spallare¹** (con le spalle), verbo denom. da *spalla*.

**spallare²** (con le palle), calco su *impallare*, con la sostituz. di *s-¹* estrattivo a *in-* illativo.

**spallato** (di cavallo dalle spalle malate), da *spallare¹*.

**spalmare**, verbo denom. da *palma (della mano)* con *s-¹* durativo.

**spalto**, dal longob. *spalt* (cfr. ted. *spalten* 'fendere, dividere'): « (bastione) dalle molte aperture ».

**spampanare**, verbo denom. da *pàmpano* (v. PÀMPINO) con norm. pass. it. di *-i-* ad *-a-* in sill. postònica di parola sdrucciola, e con *s-¹* durativo.

**spanare¹** (di terra), verbo denom. da *pane¹* 'pane (di terra)', con *s-²* sottrattivo.

**spanare²** (delle viti), verbo denom. da *pane²* 'avvitatura (della vite)' con *s-²* sottrattivo.

**spàndere**, lat. *(e)xpandère*, comp. di *ex-* di provenienza e di *pandère* 'aprire', verbo a infisso nasale, di struttura ideur. ma con connessioni attendibili solo nel quadro di una alternanza della rad. PAD/PAT. Questa è provata dal part. pass. *passus* da *\*pat-to-s*, che giustifica perciò un collegamento con *patere*; v. PATENTE, PATÌBOLO.

**spanna**, dal longob. *spanna*.

**spannare**, verbo denom. da *panna¹* con *s-²* sottrattivo.

**spannocchio** 'gambero marino', da *pannocchia* con *s-¹* estrattivo-durativo, quasi « una pannocchia che si svolge ».

**spappolare**, verbo denom. da *pappa* con suff. *-olare* di iterat. e pref. *s-¹* durativo.

**spàragio**, dal plur. *(a)spàragi* che è dal lat. *asparăgi*; v. ASPÀRAGO.

**sparagnare**, incr. di lat. medv. *sparniare* (glosse di Reichenau, VIII sec.) con *guadagnare*. La forma lat. risale all'alto ted. ant. *sparēn* 'risparmiare'; cfr. RISPARMIARE.

**sparare** (in tutti i signif.), da *parare* 'preparare, ornare', con *s-²* sottrattivo e cioè « sottrarre all'ordine preesistente ».

**sparato**, da *sparare*, nel senso di « aperto (sul davanti) », opposto a *parato* « coperto (sul davanti) ».

**sparecchiare**, calco su *apparecchiare* con *s-¹* estrattivo, al posto di *a(d)-* allativo.

**spareggio**, da *pareggio* con *s-²* sottrattivo.

**sparere** 'sparire' (arc.), lat. tardo *disparere*; cfr. SPARUTO.

**spàrgere**, lat. *spargère*, dalla rad. SPHER 'spargere, seminare', ampliata in *-g-* in lat., allo stato semplice nel gr. *speirō*, nel ted. *Spreu* 'balla di grano' oltre che nell'area armena.

**spariglìare**, verbo denom. da *pariglia* con *s-²* sottrattivo.

**sparire**, calco su *apparire* con *s-¹* estrattivo e durativo al posto di *a(d)-* allativo e momentaneo.

**sparlare**, da *parlare* con *s-²* sottrattivo e peggiorativo.

**sparnazzare**, incr. di *spàrgere* e *starnazzare*.

**sparo**[1] (colpo), sost. deverb. da *sparare* nel solo signif. di ' sparare con un'arma da fuoco '.

**sparo**[2] (pesce), lat. *sparus*, con una connessione solo nell'area germ.

**sparpagliare**, incr. di *spàrgere* e *spagliare*[2].

**sparso**, lat. *sparsum*, supino di *spargĕre*, modellato sul tema di perf. *sparsi*.

**spartiacque**, da *sparti(re)* e *acque*.

**spartineve**, da *sparti(re)* e *neve*.

**spartire**, da *partire*[1] con *s*-[1] durativo.

**spartito**, part. pass. sostantiv. di *spartire* e cioè « (libro) spartito », che trascrive separatamente le parti dei singoli esecutori.

**spartitràffico**, da *sparti(re)* e *tràffico*.

**sparto**, dal lat. *spartum* che è dal gr. *spárton*.

**sparuto**, part. pass. dell'ant. *sparere* (v.) secondo il rapporto di *tenuto* rispetto a *tenere*.

**sparviero**, dal provz. *esparvier*, risal. al franco *sparwari*.

**spasa** ' cesta piatta e larga ', femm. sostantiv. di lat. *expansa*, part. pass. femm. analogico di *expandĕre*; v. SPÀNDERE e SPASO.

**spàsimo**, lat. *spasmus*, dal gr. *spasmós*, deriv. di *spáō* ' io tiro ', con norm. epentesi it. di -*i*- nel gruppo -*sm*- in posizione postonica; cfr. ANSIMARE.

**spasmo**, dal lat. *spasmus*; v. SPÀSIMO.

**spasmòdico**, agg. di *spasmo* che sostituisce \**spàsmico* e risale a un gr. *spasmódēs* ' che ha aspetto di spasmo ' (da *spasmós* e -*eídēs*) col suff. it. -*ico*.

**spaso**, lat. (*e*)*xpansus*, part. pass. analogico di *expandĕre*, sul modello di *pransum*, ant. \**prand-to-m* rispetto a *prandere*, mentre il part. pass. di *pandĕre* era *passus*, ant. \**pat-to-s*; v. SPÀNDERE.

**spassare**, lat. volg. \*(*e*)*xpassare*, intens. di *expandĕre*, dal part. regolare *expassus*; v. SPASO.

**spassionato**, da *passione* col suff.- *ato* e il pref. *s*-[2] sottrattivo.

**spasso**, sost. deverb. da *spassare*.

**spàstico**, dal gr. *spastikós*, appartenente al sistema di *spasmós* e *spáō*; v. SPÀSIMO.

**spata**, dal lat. *spatha* che è dal gr. *spáthē*; cfr. SPADA.

**spato** (minerale), dal ted. *Spat*; cfr. FELDSPATO.

**spàtola**, dal lat. *spatŭla*; v. SPALLA.

**spauracchio**, nome di strumento da *spaurare*.

**spaurare**, **spaurire**, lat. volg. \*(*e*)*xpavire*, class. *expavere*, incr. con *paura* (v.).

**spavaldo**, lat. *pavens*, -*entis* (v. PAURA) con *s*-[2] sottrattivo, incr. con *ribaldo*.

**spaventare**, lat. volg. \*(*e*)*xpaventare*, intens. di *expavere*, tratto dal part. pres. *expăvens*, -*entis*, con *ex*- di espansione.

**spavento**, sost. deverb. da *spaventare*.

**spaziale**, da *spazio* (*aereo*) col suff. di agg. -*ale*.

**spaziare**, dal lat. *spatiari*, verbo denom. da *spatium*.

**spazientire**, verbo denom. da *paziente* con *s*-[2] sottrattivo.

**spazio**, dal lat. *spatium*, collegabile con *patere*, qualora sia ammissibile una variante SPET della rad. PET; v. PATENTE.

**spazioso**, dal lat. *spatiosus*.

**spaziosità**, dal lat. tardo *spatiosĭtas*, -*atis*.

**spazzaneve**, da *spazza(re)* e *neve*.

**spazzare**, lat. *spatiari* ' passeggiare '; v. SPAZIARE.

**spazzino**, da *spazzare* col suff. di mestiere -*ino* (come *imbianchino* o *stagnino*).

**spazzo** ' suolo ' (arc.), lat. *spatium*; v. SPAZIO.

**spàzzola**, incr. di *spazzare* e *spàtola*.

**specchio**, lat. *specŭlum*, nome di strum. da -*specĕre*, dalla rad. fondam. SPEK, che indica il ' guardare durativo ', attestata nelle aree indo-iranica, greca (con metatesi, *sképtomai*) e, limitatamente a forme nominali, germanica; v. SPIA.

**speciale**, dal lat. *specialis*; v. SPECIE.

**specialità**, dal lat. tardo *specialĭtas*, -*atis*.

**specie**, dal lat. *species*, astr. di -*specĕre* come *facies* di *facĕre*; v. SPECCHIO e cfr. SPEZIE.

**specificare**, dal lat. tardo *specificare*, comp. di *species* e il tema denom.-causativo -*ficare*.

**specificazione**, dal lat. medv. *specificatio*, -*onis*.

**specìfico**, dal lat. medv. *specificus*.

**specillo**, dal lat. *specillum*, dimin. di *specŭlum*; v. SPECCHIO.

**spècimen**, dal lat. *specīmen*, deriv. da -*specĕre* (v. SPECCHIO), come *regimen* da *regĕre*.

**speciosità**, dal lat. tardo *speciosĭtas*, -*atis*.

**specioso**, dal lat. *speciosus*.

**speco**, dal lat. *specus*, -*us*, privo di connessioni evidenti.

**spècola**, dal lat. *specŭla* ' osservatorio '; v. SPECCHIO.

**spècolo**, dal lat. *specŭlum*; v. SPECCHIO.

**speculare**[1] (agg.), dal lat. *specularis*, agg. di *specŭlum* ' specchio '.

**speculare**[2] (verbo), dal lat. *speculari* ' osservare ', verbo denom. da *specŭlum*.

**speculativo**, dal lat. tardo *speculativus* (in senso filosofico).

**speculatore**, dal lat. *speculator*, -*oris* (in senso filosofico).

**speculazione**, dal lat. *speculatio*, -*onis* (in senso filosofico).

**spedale**, lat. *hospitale*, con la voc. iniz. aggregata all'articolo *lo spedale* (v. OSPEDALE) e con la leniz. settentr. di -*t*- in -*d*-.

**spedalità**, astr. di *spedale*.

**spedare**, verbo denom. da *piede* con *s*-[2] sottrattivo, e senza dittongo perché in posizione fuori d'accento.

**spedire**, dal lat. *expedire*, verbo denom. da *pes pedis* con *ex*- sottrattivo e cioè « liberare (dalla presa) per i piedi », opposto di *impedire* con *in*- illativo « ostacolare (mediante presa) per i piedi »; v. IMPEDIRE.

**spedito**, dal lat. *expeditus*, part. pass. di *expedire*.

**spedizione**, dal lat. *expeditio*, -*onis*, nome d'azione di *expedire* (in senso militare).

**speglio**, dal provz. *espelh*, lat. *specŭlum*; v. SPECCHIO.

**spègnere**, lat. (*e*)*xpingĕre* ' scolorire ', incr. con *extingĕre* ' scolorire ' e *extinguĕre* ' spegnere ', comp. di *ex*- sottrattivo e *pingĕre* (v. PÌNGERE). L'inf. è ricalcato sulle forme in -*ngi*- da -*ngi*-, per es. la seconda pers. sg. *expingis*, it. *spegni*. Però cfr. SPÈNGERE.

**spelare**, verbo denom. da *pelo* con *s*-[2] sottrattivo.

**spelèo**, dal lat. scient. *spelaeus* (agg.), tratto dal sost. *spelaeum* che è dal gr. *spélaion* ' grotta '.

**speleologìa**, dal gr. *spélaion* ' grotta ' e -*logia*.

**spelare**, verbo denom. da *pelle* con *s*-[2] sottrattivo.

**spelonca**, lat. *spelunca* che è dal gr. *spélynks*, -*yngos*.

**spelta**, lat. tardo *spelta*, forse di orig. germ.

**speme**, lat. *spem*, accus. sg. di *spes* ' speranza ', forma analogica su *rem*. *spes* ricalcata sul rapporto *res*-*rem*. Il tema radic. \*SPĒS aveva il plur. lat. arc. *speres* e l'accus. sg. *sperem* è ricordato in età tarda. La forma semplice SPĒ- ha connessioni germaniche, baltiche e slave; cfr. SPERARE.

**spèndere**, lat. *(e)xpendĕre* 'pagare', da *pendĕre* 'pesare' e *ex-* estrattivo.

**spèndita**, incr. di *spèndere* e *véndita*.

**spèngere**, lat. *expingĕre*, forma norm. tosc., variante di *spègnere* (v.) fondata sulla prima pers. sg. *spengo*, con *e* al posto della *i* dav. a *ng*.

**spennare**, verbo denom. da *penna* con *s-²* sottrattivo.

**spennellare**, da *pennello* con *s-¹* durativo.

**spenzolare**, verbo denom. da *pènzolo* (v.) con *s-¹* durativo.

**spepa**, sost. deverb. da un presunto *\*spepare*, verbo denom. da *pepe* con *s-¹* durativo.

**spera**, lat. tardo (e arcaico) *spaera* (class. *sphaera*), dal gr. *sphaîra*, secondo l'uso arc., senza aspiraz.

**speràbile**, dal lat. *sperabilis*.

**speranza**, dal lat. tardo *sperantia*, astr. di *sperare*.

**sperare**, lat. *sperare*, verbo denom. da *spes, spei* (v. SPEME), ant. tema in sibilante, passato poi alla quinta declinaz.

**spèrdere**, da *pèrdere* con *s-¹* durativo.

**sperequazione**, da *perequazione* con *s-²* sottrattivo.

**spergiurare**, dal lat. *periurare*, comp. di *iurare*, verbo denom. da *ius* con *per-* nel senso di 'oltre', (v. PÈRDERE) e il pref. it. *s-¹* durativo; v. GIURARE.

**spergiuro¹** (agg.), incr. di lat. *periurus* e it. *spergiurare*.

**spergiuro²** (sost.), sost. deverb. da *spergiurare*.

**spericolato**, da *perìcolo* col suff. *-ato* e *s-²* sottrattivo.

**sperimentare**, dal lat. tardo *experimentare*, verbo denom. da *experimentum* incr. con it. *sperimento*.

**sperimento**, dal lat. *experimentum* con la voc. iniz. passata all'articolo: da *l(o) esperimento* a *lo (e)sperimento*.

**sperma**, dal lat. tardo *sperma* 'seme', che è dal gr. *spérma*, da *speírō* 'sémino'.

**spermaceti**, dalla formula lat. *sperma ceti* « seme di cetaceo », intesa come plur.

**spermàtico**, dal lat. *spermaticus* che è dal gr. *spermatikós*.

**spermatozòo**, comp. moderno del gr. *spérmato-* tema dei casi obliqui di *spérma* e *zôion* 'animale vivente': « animale allo stato di seme ».

**sperone**, dal lat. medv. (glossa VIII sec.) *sporonus*, incr. con frc. *éperon*, dal franco *sporo*; cfr. SPRONE.

**sperperare**, lat. crist. (Itala) *perperare*, verbo denom. da *perpĕrus, -a, -um* 'di traverso': « (gettare) di traverso » con it. *s-¹* durativo; cfr. IMPROPERARE.

**sperpetua**, prob. da *(lu)x perpetua*, formula del *requiem* per i morti.

**sperso**, da *perso* (v.), part. pass. analogico di *pèrdere* con *s-¹* durativo.

**sperticato**, da *pèrtica* con *s-¹* durativo: « (prolungato) come (e oltre) una pertica ».

**spesa**, lat. tardo (*pecunia*) *expensa*, part. sostantiv. di genere femm. da *expendĕre*; v. SPÈNDERE.

**spesso**, lat. *spissus* 'spesso, calcato', part. pass. di un presunto *\*spidĕre* (cfr. *sessus* rispetto a *sedere*) con qualche connessione baltica e greca.

**spettàbile**, dal lat. *spectabilis*.

**spettabilità**, dal lat. tardo *spectabilitas, -atis*.

**spettàcolo**, dal lat. *spectaculum*, nome di strum. di *spectare*; v. SPETTARE.

**spettare**, dal lat. *spectare*, verbo intens. di *-specĕre*; v. SPECCHIO.

**spettatore**, dal lat. *spectator, -oris*.

**spettegolare**, verbo denom. da *pettégolo* con *s-¹* durativo.

**spettinare**, da *pettinare* con *s-²* sottrattivo.

**spettro**, dal lat. *spectrum* 'fantasma', nome di strum. di *-specĕre* 'guardare'; v. SPECCHIO.

**spettroscopio**, da *spettro-* (in senso ottico) e *-scopio*.

**spezie**, dal lat. medv. *species* 'droga' (class. *species* 'specie'); v. SPECIE.

**spezzare**, verbo denom. da *pezzo* con *s-¹* durativo.

**spia**, dal got. *\*spaiha* (cfr. SPIONE), dalla rad. ideur. SPEK; v. SPECCHIO.

**spiaccicare**, da *\*piatticare*, verbo denom. iterat. da *piatto* 'appiattire', incr. con l'elemento onomatop. *pl.... cc'....* e il pref. *s-¹* durativo.

**spiacere**, da *piacere* con *s-²* sottrattivo.

**spiaggia**, da *piaggia*, attrav. un presunto verbo denom. *\*spiaggiare* con *s-¹* durativo.

**spianare**, lat. *(e)xplanare*, verbo denom. da *planus* con *ex-* durativo; v. PIANO.

**spiantare**, lat. *(e)xplantare*, verbo denom. da *planta* con *ex-* sottrattivo; v. PIANTA.

**spiare**, dal gotico *\*spaihôn*, verbo denom. da *\*spaiha*, dalla rad. SPEK; v. SPECCHIO.

**spiattellare**, verbo denom. da *piattello*, dimin. di *piatto* con *s-²* sottrattivo; v. PIATTO.

**spiazzare**, verbo denom. da *piazza* con *s-²* sottratt.

**spiazzo**, sost. deverb. da *\*spiazzare* 'fare una piazza'.

**spiccare**, calco su *appiccare* con *s-¹* estrattivo al posto di *a(d)-* allativo; v. APPICCARE.

**spicchio**, lat. *spiculum*, dimin. di *spica*; v. SPIGA.

**spicciare**, dal frc. ant. *despeechier* 'sbarazzare', lat. *\*dispedicare*, cfr. IMPICCIARE (dal frc. *empeechier*, lat. tardo *impedicare*.

**spicciare**, calco su *appicciare* con *s-¹* estrattivo al posto di *a(d)-* allativo.

**spicciolare¹** (staccare), verbo denom. da *picciòlo* con *s-²* sottrattivo.

**spicciolare²** (scambiare), verbo denom. da *spìcciolo*.

**spìcciolo**, incr. di *pìcciolo* con *spicciare*.

**spicco**, sost. deverb. da *spiccare*.

**spicilegio**, dal lat. *spicilegium*, comp. di *spica* e *-legium*, tema di *legĕre* 'raccogliere'; cfr. *florilegio, sortilegio, sacrilegio*.

**spicinare**, da una serie onomatop. *p.... c'*, cfr. SPIACCICARE con *s-¹* durativo.

**spiedo**, dal frc. ant. *espiet*, che è dal franco *speut* 'spiedo'.

**spiegare**, lat. *(e)xplicare*, comp. di *ex-* e *plicare*, con la leniz. settentr. di *-c-* in *-g-*; v. PIEGARE.

**spiegazione**, dal lat. *explicatio, -onis* incr. con *spiegare*.

**spiegazzare**, verbo denom. da *piega* col suff. iterat. peggiorativo *-azzare* (come in *scopiazzare, starnazzare*) e *s-¹* durativo.

**spietato**, da *pietà* col suff. *-ato* e *s-²* sottrattivo.

**spifferare**, verbo denom. da *piffero* con *s-¹* durativo-intensivo.

**spìffero**, sost. deverb. da *spifferare*.

**spiga**, lat. *spica* 'punta', con leniz. settentr. di *-c-* in *-g-*, cfr. SPICCHIO. *Spica* è privo di connessioni fuori del lat. e vaga è, all'interno del lat., quella con *spina*, che si ritrova solo nell'ant. umbro.

**spiganardo**, dal lat. *spica nardi* 'spiga del nardo', incr. con it. *spiga*: cfr. SPIGONARDO.

**spigare**, lat. *spicare*, verbo denom. da *spica*, con leniz. settentr. di *-c-* in *-g-*.

**spigato**, lat. *spicatus*, part. pass. di *spicare*, incr. con it. *spiga*.

**spigliato**, calco su *impigliato* con *s-²* sottrattivo al posto di *in-* illativo.

**spignorare**, da *pignorare* con *s-²* sottrattivo.

**spigo** ' lavanda ', lat. *spīcum* ' punta ', con leniz. settentr. di *-c-* in *-g-*; cfr. SPICCHIO e v. SPIGA.

**spìgola** (pesce), dimin. di *spiga*, per l'aspetto spi͏noso del dorso.

**spigolare**, verbo denom. da *spiga* con il suff. iterat. *-olare*.

**spìgolo**, dal lat. *spicŭlum*, con leniz. settentr. di *-c-* in *-g-*; v. SPICCHIO.

**spigonardo**, da *spigo* e *nardo*; cfr. SPIGANARDO.

**spigrire**, verbo denom. da *pigro* con *s-²* sottrattivo; cfr. *impigrire* con *in-* illativo.

**spilla**, lat. *spīnŭla*, con caduta norm. della voc. postonica in parola sdrucciola: *spinŭla* è dimin. di *spina*.

**spillaccherare**, verbo denom. da *pillàcchera* con *s-²* sottrattivo.

**spillare**, verbo denom. da *spillo*.

**spillàtico**, da *spillo* col suff. *-àtico*, come *legnàtico* da *legna*.

**spilluzzicare**, da *\*piluccicare*, iter. di *piluccare*, con correzione della serie *-cci-* in *-zzi-* (perché ritenuto di provenienza settentr.) e con *s-¹* durativo; con raddopp. della *-l-* perché incr. con *spillo*.

**spilorcio**, da ant. *pilorcio*, ampliato mediante *s-¹* durativo-intensivo.

**spiluccare**, da *piluccare* con *s-¹* durativo.

**spilungone**, lat. *perlongus* ' lunghissimo ', comp. di *per-* e *longus*, incr. con *pilus* (cfr. spagn. *pilongo*), e in it. poi con *spina*.

**spina**, lat. *spīna*, privo di collegamenti, al di fuori di quello, vaghissimo, con lat. *spica* (v. SPIGA) e con l'antico umbro *spina*.

**spinacio**, dal persiano *aspanākh* incr. con *spina*.

**spinale**, dal lat. tardo *spinalis*, deriv. da *spina* (nel senso di « spina dorsale »).

**spinare**, verbo denom. da *spina* con *s-²* sottrattivo, assorbito dalla *s-* di *spina*: « sottrarre le spine ».

**spinato**, da *spina* con suff. *-ato* « provvisto di spine ».

**spincione**, da una serie onomatop. *sp....c'....*

**spinello** (varietà di rubino), da *spina* « a forma di spina ».

**spineto**, lat. *spinetum*.

**spinetta**, dal nome dell'inventore Giovanni Spinetto (sec. XV-XVI).

**spingarda**, dal frc. ant. *espingarde*, deriv. del franco *springan* (ted. *springen*): « la saltatrice »; cfr. SPRINGARE.

**spingere**, lat. volg. *\*(e)xpingĕre*, comp. di *ex-* e *pangĕre* ' ficcare ' con norm. apofonia di *-ă-* in *-ĭ-* in sill. interna dav. a *-ng-* (e *-nc-*). *Pangĕre* appartiene alla rad. germ. *PAG*, bene attestata nel gr. *pḗgnymi* ' io pianto ' e nell'area germanica (per es. ted. *fangen* ' prendere '). Per la forma parallela PAK ' fissare ' (in senso figur.) v. PACE.

**spinite**, da *spina* (*dorsale*) e *-ite*, suff. di malattia acuta.

**spino**, lat. *spinus*, *-i* e *spinus*, *-us*; v. SPINA.

**spinoso**, dal lat. *spinosus*.

**spinta**, forma femm. sostantiv. del part. pass. di *spingere*, formato analogicamente secondo lo schema di *stringere-strinto*, *pingere-pinto*, *tingere-tinto*.

**spinte**, o **sponte**, dal lat. *sponte* (v. SPONTANEO) incr. con it. *spinta*.

**spinterògeno**, comp. di *-geno* e gr. *spinthḗr*, *-êro*ͼ ' scintilla '.

**spiombare**, verbo denom. da *piombo* con *s-²* sottrattivo.

**spionaggio**, calco sul frc. *espionage* incr. con *spione*.

**spione**, dal franco *spēho*: cfr. SPIA, che è invece dal gotico *\*spaíha*.

**spippolare**, verbo denom. da *pìppolo* con *s-²* sottrattivo.

**spira**, dal lat. *spira* che è dal gr. *speîra* ' spira '.

**spiràbile**, dal lat. *spirabĭlis*, agg. verb. di *spirare*.

**spiraglio**, dal provz. *espiralh*, lat. *spiracŭlum*, nome di strum. di *spirare*.

**spirante**, dal lat. *spirans*, *-antis*.

**spirare**, dal lat. *spirare*, di prob. orig. onomatop. secondo la serie *sp....r....*

**spirèa**, dal lat. *spiraea* che è dal gr. *speiraía*.

**spiritare**, verbo denom. da *spirito*, inteso soprattutto come « spirito (maligno) ».

**spiritismo**, dall'ingl. *spiritism*.

**spìrito**, lat. *spirĭtus*, *-us*, astr. di *spirare* (cfr. SPIRTO), che conserva la voc. interna per il suo valore religioso-superstizioso.

**spirituale**, dal lat. *spiritualis*.

**spiritualità**, dal lat. tardo *spiritualĭtas*, *-atis*.

**spiro**, sost. deverb. da *spirare*.

**spirocheta**, dal lat. scient. *spirochaeta*, comp. di gr. *speîra* ' spira ', e *khaítē* ' chioma ': « dalla chioma a spirale ».

**spirto**, lat. *spirĭtus*, con norm. caduta di voc. postonica in parola sdrucciola; cfr. SPIRITO.

**spittinare**, dalla serie onomatop. *sp.... tt....*

**spiumacciare**, verbo denom. da *piumaccio* con *s-¹* durativo.

**spizzicare**, verbo denom. da *pìzzico* con *s-¹* durativo.

**spìzzico**, sost. deverb. da *spizzicare*.

**splèndere**, dal lat. *splendēre* (passato alla coniugaz. in *-ĕ-*), con qualche vaga connessione baltica.

**splèndido**, dal lat. *splendĭdus*.

**splendore**, dal lat. *splendor*, *-oris*.

**splenètico**, dal lat. *spleneticus*.

**splènico**, dal lat. *splenĭcus* che è dal gr. *splēnikós* ampliam. di *splḗn*, per la cui radice v. LIENALE, mentre per la formazione cfr. RENE.

**spocchia**, incr. di *sportŭla*, nel signif. tardo di ' regalo ' e *specchio*.

**spodestare**, verbo denom. da *podestà* e *s-²* sottrattivo.

**spoetizzare**, da *spoeti(ci)zzare*, verbo denom. da *poètico* con *s-²* sottrattivo.

**spoglia**, lat. *spolia*, plur. di *spolium*, con alcune connessioni greche, baltiche e germaniche (ted. *spalten* ' fèndere '), risal. al signif. di « ritaglio ».

**spogliare**, lat. *spoliare*, verbo denom. da *spolium*; v. SPOGLIA.

**spoglio**, sost. deverb. da *spogliare*.

**spola**, dal gotico *\*spōla*.

**spoliazione**, dal lat. *spoliatio*, *-onis* nome d'azione di *spoliare*; v. SPOGLIARE.

**spollaiare**, calco su *appollaiare* con *s-¹* estrattivo al posto di *a(d)-* allativo.

**spollinare**, verbo denom. da *(pidocchio) pollino* con *s-²* sottrattivo.

**spolmonare**, verbo denom. da *polmone* con *s-²* sottrattivo.

**spolverare**, verbo denom. da *polvere* con *s-¹* estrattivo, opposto di *impolverare* con *in-* illativo.

**sponda,** lat. *sponda* ' legno da letto ', di struttura ideur. ma privo di qualsiasi connessione.

**spondàico,** dal lat. *spondaĭcus,* deriv. da *spondēus,* incr. con *alcaĭcus.*

**spondèo,** dal lat. *spondēus* che è dal gr. *spondeíos,* deriv. di *spondḗ* ' libazione ', astr. di *spéndō* ' io libo ': « (ritmo di carmi) attinenti a riti di libazione ».

**spondilite,** dal lat. *spondўlus* che è dal gr. *spóndylos* ' vertebra ', con il suff. *-ite* di malattia acuta.

**spongioso,** dal lat. *spongiosus.*

**sponsale,** dal lat. *sponsalis,* agg. tratto da *sponsus;* v. SPOSA e cfr. SPOSALIZIO.

**spontaneo,** dal lat. *spontanēus,* deriv. di *\*spons spontis* « autonomia spirituale », sopravv. solo nei casi genit. e abl.: di struttura ideur. ma priva di connessioni evidenti; cfr. SPINTE (O SPONTE).

**spopolare,** verbo denom. da *pòpolo* con *s-2* sottrattivo.

**spoppare,** verbo denom. da *poppa* con *s-2* sottrattivo.

**spora,** dal gr. *sporá,* astr. di *speírō* ' io semino '.

**sporàdico,** dal lat. *sporadĭcus* che è dal gr. *sporadikós* ' disperso ', da *sporás, -ádos,* collettivo di *spéirō* ' io sémino '.

**sporangio,** comp. moderno di gr. *sporá* (v. SPORA) e *angeíon* ' involucro '.

**sporcare,** lat. *spurcare,* verbo denom. da *spurcus.*

**sporcizia,** dal lat. *spurcitia.*

**spòrco,** lat. *spurcus* « impuro », connesso con *spurius* (v. SPURIO), e quindi di prob. orig. etrusca. La pronuncia it. aperta della *o* è dovuta a incr. con *porco.*

**spòrgere,** lat. *(e)xporrigĕre* incr. con it. *pòrgere* (v.).

**sport,** dall'ingl. *sport* (frc. ant. *desport;* cfr. DIPORTO).

**sporta,** lat. *sporta* ' paniere ', con reazione antietrusca nella voc. *-o-* per *-u-* dall'etrusco *\*spurta* e questo dal gr. *spyrís, -idos,* con caduta della voc. interna e assordimento della *-d-* in *-t-.*

**sportello,** dimin. di *porta* incr. con *spòrgere.*

**sportivo,** dal frc. *sportif* inserito negli agg. in *-ivo.*

**sporto,** forma sostantiv. di *sporto,* part. pass. di *spòrgere;* v. PÒRTO³.

**spòrtula,** dal lat. *sportŭla,* dimin. di *sporta* ' cestino ', figur. « onorario (di giudici o sacerdoti) ».

**spòsa (e sposo),** lat. *spōnsa,* femm. sostantiv. di *sponsus,* part. pass. di *spondĕre* ' promettere ', verbo iterat. di *\*spendo* (gr. *spéndō* ' io libo '), attestato anche nell'area ittita. La promessa non è cioè in orig. altro che una libazione continuata. La forma *sponsus* invece di *\*spondĭtus* prova il carattere non causativo della formaz. La *ò* aperta it. prova tradiz. settentrionale.

**sposalizio** (agg. e sost.), dall'agg. lat. *sponsalicius* ' che riguarda gli sponsali ', derivato da *sponsalia* (v. SPONSALE) incr. con it. *sposare.*

**sposare,** lat. *sponsare,* intens. di *spondere;* v. SPOSO.

**sposo,** lat. *sponsus;* v. SPOSA.

**spossare,** verbo denom. da *possa* con *s-2* sottratt.

**spossessare,** verbo denom. da *possesso* con *s-2* sottrattivo.

**spostare,** verbo denom. da *posto* con *s-2* sottrattivo.

**spranga,** dall'alto ted. ant. *spanga* (ted. *Spange*) incr. con gotico *\*sparra;* v. SBARRA.

**sprangare,** verbo denom. da *spranga.*

**sprazzare,** variante della serie onomatop. *spr....zz....* attestata anche da *sprizzare* e *spruzzare* (v.).

**sprazzo,** sost. deverb. da *sprazzare.*

**sprecare,** lat. volg. *\*dispergicare,* iterat. da *dispergĕre,* comp. di *dis-* e *spargĕre* con norm. apofonia di *-ă-* in *-ĕ-* in sill. interna chiusa; v. SPÀRGERE.

**spreco,** sost. deverb. da *sprecare.*

**spregiare,** verbo denom. da *pregio* con *s-2* sottrattivo.

**spregio,** sost. deverb. da *spregiare.*

**spregiudicato,** da *pregiudizio* incr. con *giudicare* e il pref. *s-2* sottrattivo.

**sprèmere,** lat. volg. *\*(e)xprĕmĕre,* class. *exprimĕre,* comp. di *ex-* e *premĕre* con norm. apofonia di *-ĕ-* in *-ĭ-* in sill. interna aperta; v. PRÈMERE.

**sprezzare,** lat. volg. *\*(e)xpretiare,* verbo denom. da *pretium* con pref. *ex-* sottrattivo; v. PREZZO e cfr. SPREGIARE.

**sprezzo,** sost. deverb. da *sprezzare.*

**sprigionare,** verbo denom. da *prigione* con *s-1* estrattivo.

**sprimacciare,** da *spiumacciare* incr. con *primo.*

**springare,** dal franco *springan* (ted. *springen);* cfr. SPINGARDA.

**sprizzare,** da una serie onomatop. *spr....zz;* cfr. SPRAZZARE, SPRUZZARE.

**sprocco,** dal longob. *sproh* ' germoglio ', incr. con *brocco* (v.).

**sprofondare,** verbo denom. da *profondo* con *s-1* durativo.

**sproloquio,** dal lat. *proloquium,* astr. di *prolŏqui,* comp. di *pro-* e *loqui* (v. LOCUZIONE) con *s-1* durativo.

**spronare,** verbo denom. da *sprone.*

**sprone,** dal franco *sporo;* cfr. SPERONE.

**sproporzionato,** deriv. in *-ato* ' fornito di ', da *proporzione* con *s-2* sottrattivo-negativo.

**spropòsito,** da *pròposito* con *s-2* sottrattivo.

**sprovveduto,** da *provveduto* con *s-2* sottrattivo (spec. rispetto a qualità intellettuali).

**sprovvisto,** da *provvisto* con *s-2* sottrattivo.

**spruzzare,** dalla serie onomatop. *spr....zz...;* cfr. SPRAZZARE, SPRIZZARE.

**spruzzo,** sost. deverb. da *spruzzare.*

**spudorato,** dal lat. *expudoratus,* deriv. di *pudor* (v. PUDORE) col suff. *-atus* e il pref. *ex-* sottrattivo.

**spugna,** lat. volg. *\*spungia,* class. *spongia,* dal gr. *spongía.* Il passaggio da *-o-* a *-u-* è dovuto al gruppo *-ng-;* cfr. *unguis,* da ONGwHIS (v. UNGHIA), *unguo* da ONGWO (v. ÙNGERE).

**spulare,** verbo denom. da *pula* con *s-2* sottrattivo.

**spulciare,** verbo denom. da *pulce* con *s-2* sottrattivo.

**spuma,** lat. *spuma,* con connessioni approssimative nelle aree indoiranica, baltica, slava, germanica; collegato in qualche modo con *pumex, -icis,* v. PÓMICE: di lontane orig. onomatop.

**spumare,** lat. *spumare,* verbo denom. da *spuma.*

**spùmeo,** dal lat. *spumĕus.*

**spumoso,** dal lat. *spumosus.*

**spuntare¹,** calco su *appuntare* con *s-1* estrattivo al posto di *a(d)-* allativo.

**spuntare²,** verbo denom. da *punta* con *s-2* sottrattivo.

**spuntino,** dimin. di *spunto,* applicato all'alimentazione.

**spunto,** sost. deverb. da *spuntare².*

**spuntone,** da *punta* incr. con *spuntare².*

**spunzone,** incr. di *spuntone* e *punzone.*

**spurgare,** dal lat. *expurgare,* comp. di *ex* e *purgare;* v. PURGARE.

**spurio**, dal lat. *spurius* ' bastardo ', di orig. etrusca; v. SPORCO.

**sputare**, lat. *sputare*, intens. di *spuĕre*, di larghissima anche se disordinata attestazione ideur. La forma lat. risale a SPEU, quella germanica (ted. *speien*) a SPEI, quella slava e baltica a (S)PYEU, quella indiana a STHĪ-W, quella gr. (*ptў̄ō*) a PYEU.

**sputo**, lat. *spūtum*, corrispond. a una forma neutra sostantiv. del part. pass. di *spuĕre*; v. SPUTARE.

**squadernare**, verbo denom. da *quaderno* con *s*-¹ durativo.

**squadra** (strum. e poi gruppo di soldati o atleti), da *squadro*¹.

**squadrare**, lat. volg. *(e)xquadrare*, comp. di *ex*- durativo e *quadrare*, verbo denom. da *quadrus* ' quadrato '; v. QUADRO.

**squadro**¹ (operazione tecnica), sost. deverb. da *squadrare*.

**squadro**² (pesce), lat. tardo *squatus*, privo di connessioni attendibili, incr. con *quadro*.

**squagliare**, da *quagliare* con *s*-² sottrattivo-negativo.

**squalificare**, da *qualificare* con *s*-² sottrattivo.

**squàllido**, dal lat. *squālĭdus*, incr. con it. *pàllido*. *Squalĭdus* è tratto dal verbo *squalēre* ' esser squamoso ', e questo a sua volta da *squālus* ' squamoso ', con connessioni non stringenti nelle aree greca e slava.

**squallore**, dal lat. *squalor, -oris* incr. con it. *squàllido*.

**squalo**, dal lat. *squālus*, con connessioni ideur. attendìbili ma vaghe; cfr. SQUAMA.

**squama**, dal lat. *squāma*, con un unico collegamento possibile, il lat. *squā(lus)*.

**squamoso**, dal lat. *squamosus*.

**squarciare**, lat. volg. *(e)xquartiare*, verbo denom. da *quartus* (v. QUARTO) con *ex*- dispersivo e un trattam. settentr. (*squarsàr*) diverso dal tosc. (sarebbe *squarzare*), toscanizzato poi in *squarciare*; cfr. SQUARTARE.

**squarcio**, sost. deverb. da *squarciare*.

**squarquoio**, forma letteraria da un ant. *scarquoio*, dissimilato da un più antico *scarcoio*, risultato norm. tosc. di *scaracorio*, risal. alla serie onomatop. di *scaracchiare* (v.) e a una più ant. di *screaticare*; v. SCREARE.

**squartare**, lat. volg. *(e)xquartare*, verbo denom. da *quartus* (v. QUARTO) e il pref. *ex*- estrattivo; cfr. SQUARCIARE.

**squassare**, dal lat. *quassare*, intens. di *quatĕre* (v. SCUÒTERE) con it. *s*-¹ intensivo.

**squattrinato**, da *quattrini* col suff. *-ato* e *s*-² sottrattivo.

**squero** (' cantiere '), dal venez. *squero*, incr. di gr. *eskhárion* ' scalo ' e it. *squadrare*.

**squilibrare, squilibrato, squilibrio**, calchi su *equilibrare, equilibrato, equilibrio*, in cui *s*-² sottrattivo ha preso il posto di *e*-, a torto ritenuto prefisso equivalente a un *a(d)*- o ad un *in*-, mentre si tratta di un unico primo elemento di composiz. *equi*-.

**squilla**¹ ' campana ', dal provz. *esquilla* e questo dal gotico *skilla* (ted. *Schelle*).

**squilla**² ' cipolla ', dal lat. *scilla* che è dal gr. *skilla*, incr. con *squilla*³.

**squilla**³ ' gambero ', lat. *squilla*, privo di connessioni ideur. attendibili.

**squillare**, verbo denom. da *squilla*¹.

**squillo**, sost. deverb. da *squillare*.

**squinternare**, verbo denom. da *quinterno* con *s*-² sottrattivo.

**squisito**, dal lat. *exquisitus*, part. pass. di *exquirĕre*, comp. di *ex*- e *quaerĕre*, con norm. passaggio di *-ae*- interna a *-ī*-; v. QUESITO.

**squitrinare** (XV sec.), dal lat. *scrutinare* con metatesi consonantica dalla serie *scr....t* alla serie *sc....tr* e anticipazione vocalica dalla serie *u....i* alla serie *ui....i*; v. SCRUTINARE.

**squitrino**, dal lat. *scrutinium* incr. con it. *squitrinare*.

**squittinare**, incr. di arc. *squitrinare* (XV sec.) ' convocare i comizi ' con *scrutinare*.

**squittinio**, incr. di *squittinare* e *scrutinio*.

**squittire**, dalla serie onomatop. *sc....tt*.

**sradicare**, lat. volg. *(e)xradicare*, verbo denom. da *radix, -icis* con pref. *s*-² sottrattivo; v. RADICE.

**sragionare**, verbo denom. da *ragione* con *s*-² sottrattivo-privativo.

**sregolato**, da *regola* col suff. aggettiv. *-ato* e il pref. *s*-² sottrattivo.

**srotolare**, calco su *arrotolare* con *s*-² sottrattivo al posto di *a(d)*- allativo.

**sta**, lat. *(ĭ)sta* con caduta della voc. iniz. in una serie proclitica (v. ESTO), per es. in *stamattina, stasera*.

**stabbiare**, lat. *stabulare*, verbo denom. da *stabŭlum*.

**stabbio**, lat. *stabŭlum*, nome di strum. di *stare*; v. STARE.

**stàbile**, dal lat. *stabĭlis*, agg. verb. attivo di *stare*.

**stabilire**, dal lat. *stabilire*, verbo denom.-causativo di *stabĭlis*.

**stabilità**, dal lat. *stabilĭtas, -atis*.

**stabulario**, dal lat. *stabularium*, reso sost.

**stabulazione**, dal lat. *stabulatio, -onis*.

**stacanovismo**, dal nome del minatore russo Aleksej Grigor'evic Stachanov (n. 1905) che raggiunse nel 1935 un massimo individuale nell'estrazione del carbone.

**staccare**, verbo denom. da *tacca* con *s*-² sottrattivo.

**staccia** (arc.) ' travicello ', dal frc. *estache* (gotico *staka* ' palo ').

**staccio**, lat. volg. *setacjum*, lat. tardo *saetacium*, da *saeta* ' setola ' (v. SETA), attrav. una tradiz. romagnola che elimina energicamente le voc. protoniche (v. SETACCIO e cfr. SCURE, STAIO), con il rafforzam. norm. di *-cj*- in *-ccj*- dopo l'accento.

**staccionata**, formaz. collettiva e accresc. da *staccia*.

**stadera**, lat. *statera* dal gr. *statḗr, -ḗros* (moneta), con leniz. settentr. (romagnola) di *-t*- in *-d*-; cfr. STATERE.

**stadio**, dal lat. *stadium* che è dal gr. *stádion*, misura di lunghezza; cfr. STAGGIO.

**staffa**, dal longob. *staffa* ' predellino '.

**staffetta**, dimin. di *staffa*, personificato: « l'uomo che ha il piede sulla staffa » e perciò è una « piccola staffa lui stesso ».

**staffiere**, da *staffa* col suff. *-iere* di orig. frc.

**staffile**, da *staffa*, perché in orig. era una striscia di pelle per reggere la staffa.

**stàfilo-**, primo elemento di comp. scient. da gr. *staphylḗ* ' grappolo '.

**stafilococco**, comp. di *stafilo*- e *cocco*⁴.

**stafiloma**, da *stafilo*- e *-oma*, suff. che definisce depositi o formaz. più o meno arieggianti alle cancerose.

**staggio** (pezzo di legno), lat. volg. *stadjum*, class. *stadium* (v. STADIO), trattato come class. *modius* che diventa it. *moggio*.

**staggire** ' sequestrare ', dal frc. *saisir* (che è il franco *sakjan*; cfr. ted. *Sache*), incr. con (*o*)*staggio*.

**stagione**, lat. *statio*, *-onis*, nome d'azione di *stare*: riduzione tosc. di un settentr. *stasgiòn* con leniz. di *-tio* in *-sgjo-*; cfr. it. STAZZO.

**stagliare**, da *tagliare* con *s-*[1] durativo.

**stagnare**[1] ' fermare la fuoriuscita di un liquido ', dal lat. *stagnare*, verbo denom. da *stagnum*; v. STAGNO[2].

**stagnare**[2], verbo denom. da *stagno* (metallo).

**stagnare**[3], verbo denom. da *stagno* ' palude '.

**stagno**[1] ' metallo ', lat. *stăgnum*, forse di orig. gallica.

**stagno**[2] ' palude ', lat. *stăgnum*, privo di connessioni attendibili.

**staio**, lat. *s*(*ex*)*tarius* ' sesta parte del congio ', con dissimilaz. sillabica.

**stalagmite**, deriv. moderno di gr. *stálagma*, *-atos* ' goccia ' col suff. *-ite* proprio dei minerali.

**stalattite**, deriv. moderno di gr. *stalaktós*, agg. verb. di *stalázō* ' cado goccia a goccia ', col suff. *-ite* proprio dei minerali.

**stalinismo**, dal nome di *I. V. Stalin*, pseudonimo di *Iosif Vissariònovic' Dzugasvili* (1879-1953).

**stalla**, dal gotico *\*stalla*.

**stallaggio**, da *stallare* incr. con *passaggio*, *pedaggio*, e l'arc. *ostellaggio*.

**stallare**, verbo denom. da *stalla*.

**stallìa** ' sosta ', da *stallo*.[1]

**stallo**[1] ' seggio ', sost. deverb. da *stallare*.

**stallo**[2] (termine aviatorio), dall'ingl. *stall*.

**stamane** (*stamani*), lat. *ista* (v. STA) *mane* (v. MANE).

**stamattina**, comp. di *sta* e *mattina*.

**stambecco**, dal ted. *Steinbock* « caprone o becco delle rocce », incr. con it. *becco*.

**stamberga**, dal longob. *stainberga* « casa di pietra », incr. con *stanga* e (*al*)*bergo*.

**stambugio**, incr. di *stamberga* e *pertugio* (o anche *bugio* per ' buco ').

**stame**, lat. *stamen*, *-ĭnis* (dalla lingua dei tessitori), appartenente al sistema di *stare*, incr. per il signif. con *nēmen*, *-ĭnis* ' filo '. Deriv. in *-mēn/mōn* dalla rad. STHĀ si trovano anche nelle aree greca, indiana, baltica, germanica.

**stamigna** (tessuto), lat. *staminea*, femm. sostantiv. di *staminĕus*, agg. tratto da *stamen*, *-ĭnis*; v. STAME.

**stamno**, dal gr. *stámnos* (tipo di vaso).

**stampa**, sost. deverb. da *stampare* anteriore all'arte della stampa ed equival. perciò da principio, a « figura impressa ».

**stampare**, dal franco *stampōn* ' pestare ' (ted. *stampfen*).

**stampella**, dimin. di *stampa*, nel senso di « (gruccia) che lascia un'impronta ».

**stampiglia**, dallo sp. *estampilla*, deriv. di *estampar* ' stampare '.

**stampita** (termine musicale), dal provz. *estampida*, incr. col suff. di part. femm. it. in *-ita*.

**stampo**, sost. deverb. da *stampare*, posteriore all'introduz. dell'arte della stampa.

**stanare**, verbo denom. da *tana* con *s-*[1] estrattivo.

**stanco**, incr. di *stracco* e di *manco*.

**stand**, dall'ingl. (*to*) *stand* ' stare ' e cioè « luogo di sosta (per cose o persone) ».

**standardizzare**, verbo denom. dall'ingl. *standard* ' norma ' e perciò « ridurre a tipi normali ».

**stanga**, dal gotico *\*stanga* (ted. *Stange*).

**stànnico** e sim., deriv. chimico in *-ico* da lat. *stannum*, variante di *stagnum*; v. STAGNO.

**stanotte**, da *sta* e *notte* come in *sta*(*mane*), *sta*(*mattina*).

**stante**, dal lat. *stante*, dapprima in costruzioni orig. di abl. assoluto come *seduta stante*, poi irrigidito come cong. *stante la scarsità* (*di affari*) « in connessione con la scarsità (di affari) ».

**stantìo**, ampliam. aggettiv. in *-i*(*v*)*o*, del part. pres. *stante*, con la perdita della *-v-* intervocalica; v. *bacìo*, *restìo*, *solatìo*.

**stantuffo**, forse dal ted. medio *Stampfe* ' pestello ', incr. con *tuffo*.

**stanza**, astr. da *stans stantis*, part. pres. di *stare* « insieme di cose che stanno (concluse in sé) », per es. una camera o una unità ritmica che sia.

**stappare**, verbo denom. da *tappo* con *s-*[2] sottrattivo.

**stare**, lat. *stare*, da una rad. antichissima STHĀ di valore momentaneo, che vale ' arrestarsi '. La forma verb. di aoristo atematico è largamente attestata, nelle aree greca (*éstē*), indiana (*asthāt*) con gli inf. corrispond. nelle aree baltica e slava. Le forme raddoppiate del perf. compaiono nelle aree greca e indiana, e nel lat. *steti*. Il pres. indic. è raddoppiato come nel gr. *títhēmi*, nel sanscrito *tisthāmi*, e così nell'area celtica, oppure è ampliato, ma senza raddopp. come nell'armena, baltica, slava, osco-umbra, germanica (ted. *stehen*). Una forma isolata è il pres. non raddoppiato né ampliato del lat. *stare*; cfr. STABBIO, STAZIONE.

**starna**, lat. volg. *\*starna*, tema mediterr. incr. con lat. *sturnus*; v. STORNO[2].

**starnare** (termine di caccia), lat. volg. *\*(e)xtarnare*, incr. di class. *exenterare* con *extraneare* (v. ESTRANEO) o *\*extraginare* (v. TRASCINARE).

**starnazzare**, verbo denom. da *starna* con suff. iterat. *-azzare* « battere le ali a terra e spargere polvere come la starna », incr. per il signif. con *stèrnere*. Cfr. per il suff. *strombazzare*, *scopiazzare*.

**starnutare**, v. STERNUTARE.

**stasare**, calco su *intasare* con *s-*[1] estrattivo al posto di *in-* illativo; v. INTASARE.

**stasera**, da *sta* e *sera*, come in *sta*(*mattina*), ecc.

**stasi**, dal gr. *stásis*, nome d'azione del sistema di *hístēmi* ' io sto '.

**statale**, da *stato* come concreta amministrazione.

**statario**, dal lat. medv. *statarius* (v. STARE) « (giudizio) che sta sul posto » e cioè pronunziato immediatamente dopo il fatto e nello stesso luogo.

**state**, lat. *aestas*, *-atis*, con passaggio della voc. iniz. ad articolo; cfr. invece ESTATE.

**statere**, dal gr. *statér*, *-êros*; cfr. STADERA.

**stàtica**, forma femm. sostantiv. di *stàtico* ricalcato sul senso di altre discipline (v. GRAMMÀTICA) e i tipi gr. corrispond. a *grammatikē* (*tékhnē*).

**stàtico**, dal gr. *statikós*, agg. pertinente a *stásis*; v. STASI.

**statino**, da (*e*)*statino*; v. ESTATE.

**statista**, da *stato* come amministrazione ed entità politica concreta.

**statistica**, femm. sostantiv. di *statistico* che sottintende ' arte ' o ' scienza '.

**statistico**, da *stato*[2] col suff. *-istico*.

**stato**[1] (condizione), dal lat. *status*, *-us*, astr. di *stare* e qui ripreso per indicare invece l'aspetto filosofico ed universale.

**stato**[2] (organizzazione), lat. *status, -us* ' condizione ', incr. con it. *stare.*

**-stato** (secondo elemento di comp. nominali), dal gr. *-státēs* (sost.) e dal gr. *statós* (agg.).

**statolatria**, calco su *idolatrìa*, con *stato* al posto di *ido(lo).*

**statore**[1] (epiteto di divinità), dal lat. *stator, -oris*, nome d'agente di *stare* col signif. « che fa resistere ».

**statore**[2] ' parte fissa di una macchina, opposto di *rotore* ', dall'ingl. *stator.*

**statua**, dal lat. *statua*, sost. deverb. da *statuĕre*; v. STATUIRE.

**statuale**, dal lat. *statualis* ' attinente a statua ', incr. per il signif. con it. *stato*[1].

**statuario**, dal lat. *statuarius.*

**statuire**, dal lat. *statuĕre*, verbo denom. da *status, -us*, che funge da causativo di *stare*, in concorrenza con *sistĕre* quando non ci siano pref., e in esclusività quando ci siano pref.; passato in it. alla coniugaz. in *-ire*; v. COSTITUIRE, DESTITUIRE, ISTITUIRE, PROSTITUIRE, RESTITUIRE, SOSTITUIRE.

**statu quo**, dalla locuz. lat. abbreviata *statu quo (ante)* « nello stato nel quale (era prima) ».

**statura**, dal lat. *statura*, astr. di *stare*, come *natura* lo è di *nasci.*

**statuto**, dal lat. tardo *statutum*, forma sostantiv. del regolare part. pass. di *statuĕre*; v. STATUIRE.

**stazionare**, calco sul frc. *stationner.*

**stazionario**, dal lat. tardo *stationarius*, deriv. di *statio, -onis*, nome d'azione di *stare.*

**stazione**, dal lat. *statio, -onis*, nome d'azione di *stare* (v.).

**stazza**, lat. volg. *\*stadja*, class. *stadia*, plur. di *stadium* trattato, invece che come *maggio* (v. STAGGIO), come *mezzo.*

**stazzo**, lat. *statio*; cfr. STAGIONE.

**stazzone** ' stazione ', lat. *statio, -onis.*

**steàrico**, dal gr. *stéar, -atos* col suff. it. *-ico*, aggiunto al tema del nominativo.

**steatite**, dal gr. *stéar, -atos* col suff. *-ite*, proprio dei minerali, agg. al tema dei casi obliqui.

**steatopigio**, comp. di gr. *stéato-*, tema dei casi obliqui di *stéar* ' grasso ', e di *pygé* ' deretano ', col suff. aggettiv. *-ico.*

**stecca**, dal gotico *\*stika* ' bacchetta ' (ted. *Stecken*).

**stecchire**, verbo denom. da *stecco.*

**stecco**, da longob. *stĕk* ' palo '.

**stégola**, dimin. di lat. *stiva* ' manico dell'aratro ', trattato come parola franca che muta il *-v-* intervocalico in *-g-*, come per es. in *ùgola*; incr. con *tégola*, perché, provenendo da *i* lunga lat., avrebbe dovuto dare *\*stìgola*; v. STIVA[1].

**stela** (stele), dal gr. *stélē.*

**stella**, lat. *stella*, ant. *\*stelna* che con la sua *-l-* ha una corrispond. nell'area armena in forma atematica, come il ted. *Stern* con la sua *-r-* ha una corrispond. nel gr. *(a)stḗr*. Le forme in *-r-* si ritrovano nelle aree celtica e tocaria; nell'area indoiranica *-l-* ed *-r-* si confondono e le forme corrispond. sono ambigue.

**stellante**, dal lat. *stellans, -antis.*

**stellare**[1] (agg.), dal lat. tardo *stellaris* « proprio delle stelle ».

**stellare**[2] (verbo), dal lat. *stellare* « ornare di stelle », verbo denom. da *stel-.*

**stellato**, dal lat. *stellatus.*

**stellionato** (termine del diritto romano), dal lat. *stellionatus, -us*, astr. di *\*stellionare*, verbo denom. da *stellio, -onis.*

**stellione**, dal lat. *stellio, -onis* ' ramarro stellato ', simbolo di « impostore », deriv. da *stella.*

**stelloncino**, doppio deriv. di it. *stella* nel senso di ' asterisco '.

**stelo**, lat. *stilus*, forse in qualche connessione con *sti(mŭlus)*, per il senso comune, reale o figurato, di ' cosa puntuta '; v. STÌMOLO.

**stemma**, dal lat. *stemma* ' corona ', che è dal gr. *stémma*, astr. di *stéphō* ' incorono '.

**stemperare**, da *temperare* con *s-*[1] durativo.

**stendardo**, dal frc. ant. *estendart*, oggi *étendard*, forse deriv. da *\*estendre* ' estendere ', lat. *extendĕre.*

**stèndere**, lat. *(e)xtendĕre*, comp. di *ex-* e *tendĕre*; v. TÈNDERE.

**stenebrare**, da *tenebrare* con *s-*[2] privat.

**stenodattilografìa**, da *steno(grafia)-dattilografìa.*

**stenografìa**, dal gr. *stenós* ' stretto ' e *-grafìa.*

**stenògrafo**, dal gr. *stenós* e *-grafo.*

**stenogramma**, dal gr. *stenós* ' stretto ' e *-gramma.*

**stenosi**, dal gr. *stenós* ' stretto ' e il suff. *-osi* di malattia cronica.

**stentare**, lat. *(e)xtentare* ' sforzarsi ', comp. di *ex-* sottrattivo e *tentare*, intens. di *tenere*; v. TENERE.

**stenterello**, doppio dimin. di *stento*; cfr. *vanerello* rispetto a *vano.*

**stento**, agg. estr. da *stent(at)o.*

**stentòreo**, dal lat. *stentorĕus*, deriv. di *Stentor* che è dal gr. *Stḗntōr*, personaggio dell'*Iliade* il cui grido uguagliava quello di cinquanta persone.

**steppa**, dal russo *step*'.

**sterco**, dal lat. *stercus, -ŏris*, privo di connessioni attendibili.

**stercorario**, dal lat. *stercorarius.*

**stèreo-**, dal gr. *stereós* ' fermo, solido '.

**stereografìa**, da *stereo(radio)grafìa.*

**stereometrìa**, da *stereo-* e *-metrìa.*

**stereoscopìa**, da *stereo-* e *-scopìa.*

**stereotipato**, incr. di *stereotipìa* e *stereòtipo* col suff. *-ato* di part. pass.

**stereotipìa**, da *stereo-* e *-tipìa.*

**stereotìpico**, da *stereotipìa.*

**stereòtipo**, estr. da *stereotìp(ic)o*, come *stento* da *stentato.*

**stèrile**, dal lat. *sterìlis*, con corrispond. nelle aree indiana, greca, armena, germanica, più da lontano connesso forse con la rad. STER di lat. *sternĕre* (v. STÈRNERE). La bestia senza figli sarebbe quella « che si può facilmente distendere (perché ha il ventre disteso, liscio) », come *agìlis* rispetto ad *agĕre* indica colui « che si spinge o si guida (agevolmente) ». La forma STER senza ampliam. e con valore verb., appare anche nelle aree indiana e gr. (gr. *stratós* ' truppa ', v. STRATÈGICO).

**sterilità**, dal lat. *sterilìtas, -atis.*

**sterlina**, agg. sostantiv. nella forma femm. da *(lira) sterlina*, ingl. *(pound) sterling* ' genuino '.

**sterminàbile**, dal lat. tardo *exterminabìlis.*

**sterminare**, lat. *(e)xterminare*, verbo denom. da *termĭnus* con *ex-* di allontanamento « scacciare dai confini »: da questo signif. poi passato a ' eliminare ', ' annientare '.

**sterminato**, dal lat. *exterminatus*, fermo al signif. etimol. di « ciò che è sprovvisto di confini ».

sterminatore, dal lat. tardo *exterminator, -oris.*

sterminio, dal lat. tardo *exterminium.*

stèrnere (arc.), dal lat. *sternĕre,* ampliato in *-n-* dalla rad. STER (v. STÈRILE), che si ritrova nelle aree indiana e celtica e, con forme nominali, nelle aree germanica e greca (v. STERNO). Per l'ampliam. in *-A-* v. STRATO, e per quello in *-U-* v. STRUMENTO.

sterno, dal gr. *stérnon;* cfr. ted. *Stirn* 'fronte' e cioè « superficie liscia (del corpo) ».

sternutare (e var. *star-* e *tire*), lat. *sternutare,* verbo intens. di *sternuĕre,* con numerose, ma irregolari connessioni nelle aree celtica, armena, greca (gr. *ptárnymai* 'io sternuto'). Incr. con formaz. onomatop. come lat. *stridĕre;* v. STRÌDERE.

sternutire, v. la prec.

sternuto, lat. tardo *sternutum,* con regolare forma participiale come *tributum, statutum* rispetto a *tribuĕre, statuĕre.*

stero, dal frc. *stère* che è dal gr. *stereós,* introdotto in occasione dell'adozione del sistema decimale.

sterpare, lat. *extirpare,* verbo denom. da *stirps, stirpis* col pref. *ex-* sottrattivo; v. STERPO.

stèrpo, lat. volg. *\*stírpum,* class. *stirps, stirpis* 'tronco' (femm.), privo di connessioni ideur., v. STIRPE. Incr., per la *è* aperta it., con *nerbo.*

sterquilinio 'letamaio', dal lat. *sterquilinium,* adattamento di un più ant. *sterculinum,* incr. di uno *\*stercorinum* con *inquilinus,* v. STERCO.

sterrare, verbo denom. da *terra* con *s-²* sottrattivo.

sterzare¹, verbo denom. da *sterzo.*

sterzare², verbo denom. da *terzo* con *s-²* sottrattivo: « sottrarre un terzo ».

sterzo, dal longob. *sterz* 'manico dell'aratro', esteso a indicare la parte anteriore di qualsiasi veicolo, e in particolare il volante.

stèssere, da *tèssere* con *s-²* sottrattivo.

stesso, lat. *(i)ste ipse* incr. con *istum ipsum,* attrav. la fase arc. *(i)stesso.*

stesura, da lat. tardo *tensura,* astr. di *tendĕre,* incr. con *stèndere.*

stetoscopio, comp. moderno di gr. *stêthos* 'petto' e *-scopio;* « osservatorio del petto ».

stia- (*stiacciare, stiantare, stiavo* varianti tosc. di *schia-*); v. SCHIA-.

stia, lat. *stipa,* sost. deverb. da *stipare* (v. STIPARE), con leniz. settentr. di *-p-* a *-v-* così rimasta nelle aree marittime veneziana e genovese (v. STIVA), e ulteriorm. svolta fino alla caduta della *-v-* nelle aree continentali dell'Italia settentr.

stibio 'antimonio', dal lat. *stibium,* gr. *stíbi.*

sticomanzia, dal gr. *stikhos* 'verso' e *-manzìa.*

sticometrìa, dal gr. *stikhos* 'verso' e *-metrìa.*

sticomitia (parte dialogica del dramma ant.), dal gr. *stikhomythía,* comp. di *stikhos* 'verso', *mýthos* 'discorso' e suff. di astr. *-ia.*

stigliare, verbo denom. da *tiglio* 'fibra' con *s-²* sottrattivo.

stiglio (mobilio), lat. tardo *usitilium,* sg. tratto dal pl. *utensilia.*

stigma, dal lat. *stigma, -átos* 'marchio', che è dal gr. *stígma* 'puntura', e questo da *stízō* 'pungo'.

stigmatizzare, dal gr. tardo *stigmatízō* 'imprimo un marchio'.

stilare, verbo denom. da *stilo* 'agire con lo stilo'.

stile¹, lat. *stilus* incr. per il signif. con *stilo* 'pugnale'. Lat. *stilus* pare da una rad. STEI 'pungere' am-

pliata con *-L-.* Per altri ampliam. v. STÌMOLO, (I)STIGARE, (DI)STÌNGUERE.

stile², lat. *stilus* incr. con frc. *style.*

stilema, da *stile* col suff. *-ema* proprio delle unità grammat.; v. *fonema, lessema, morfema.*

stilìstica, dal ted. *Stilistik.*

stilita, dal gr. eccl. *stylítēs,* deriv. da *stýlos* 'colonna'.

stilla, dal lat. *stilla* che ha un'unica connessione nel gr. *stílē,* senza la cons. doppia: tema medit.

stillare, dal lat. *stillare,* verbo denom. da *stilla.* v. STILLA.

stillicidio, dal lat. *stillicidium,* comp. di *stilla* e *-cidium,* tema di *cadĕre* usato come secondo elemento di comp. (cfr. *gelicidium*), con norm. apofonia di *-ă-* in *-i-* in sill. interna aperta.

stilo-, dal gr. *stylos* 'colonna'.

stilo, dal lat. *stilus.*

stilòbate, dal gr. *stylobátēs,* comp. di *stýlos* e il tema *-bátēs;* cfr. *básis* 'base'.

stilogràfico, dall'ingl. moderno *stylograph,* comp. di lat. *stilus,* erroneamente trascritto *stylo-* e il tema del gr. *gráphō* 'io scrivo'.

stima, sost. deverb. tratto da *stimare.*

stimàbile, dal lat. *(ae)stimabĭlis* incr. con it. *stimare,* calco ciceroniano sul gr. *aksían ékhōn.*

stimare, lat. *(ae)stimare,* verbo denom. dall'agg. *\*aestĭmus,* tratto da *aes* 'bronzo' con un suff. di superl., come *optĭmus* è tratto da *ops* 'ricchezza' per indicare il migliore: *\*aestĭmus* è dunque « il più bronzeo, il più prezioso » e quindi ' degno di essere apprezzato'; cfr. *victĭma* 'la più adeguata'; v. VITTIMA, OTTIMO.

stìmmate dal lat. *stigmăta,* plur. di *stigma, -ătis,* con desinenza di plur. *e-:* dal gr. *stígma, -atos* 'puntura'; v. STIGMA.

stimolante, part. pres. di *stimolare,* talvolta, per il signif., calco sul ted. *anregend.*

stimolare, dal lat. *stimulare,* verbo denom. da *stimŭlus.*

stimolatore, dal lat. tardo *stimulator, -oris.*

stìmolo, dal lat. *stimŭlus,* che pare deriv. da una rad. STEI ampliata con *-m-.* Con l'ampliam. *-l-* appare in lat. *stilus* (v. STILE), con l'ampliam. *-Gw-* (con o senza l'infisso nasale) in *(in)stigare, (di)stinguĕre;* v. ISTIGARE, DISTÌNGUERE.

stinco, dal longob. *skinkā* 'femore, coscia', con dissimilaz. del primo *k* rispetto al secondo. Alla famiglia del longob. *skinkā* appartiene il ted. *Schinken* 'prosciutto', che anche nel frc. *jambon* è definito attrav. un derivato di 'gamba'.

stingere, da *tingere* con *s-²* sottrattivo.

stintignare, incr. di *stentare* con *intignare;* v. INTIGNARE.

stipa, lat. *stipa,* sost. deverb. da *stipare;* v. STIPARE e cfr. STIA e STIVA.

stipare, lat. *stipare* 'pigiare', con corrispond. formalmente esatti nelle aree baltica e germanica; cfr. il ted. *steif* 'rigido'.

stipe (raccolta di ex voto), dal lat. *stips, stipis;* v. STIPENDIO.

stipendiare, dal lat. *stipendiari* incr. con il verbo denom. it. di *stipendio:* 'pagare un servizio'.

stipendio, dal lat. *stipendium,* ant. *\*stipi-pendium,* comp. di *stips* 'moneta', poi ' offerta' e *-pendium,* tema di *pendĕre* 'pagare'. *Stips* va unito con *stipare* per il suo valore primitivo di 'moneta segnata' cioè « compressa (dallo stampo) ». Per *-pendium* v. PÈNDERE.

stìpite, dal lat. *stipes, -ĭtis*, quasi un nome d'agente rispetto a *stipare*; cfr. *termes, fomes, caespes* e molti altri nomi analoghi di etimol. oscura.

stipo, sost. deverb. da *stipare*, in senso passivo.

stipsi, dal gr. *stýpsis* 'l'astringere'.

stipula[1] 'pagliuzza', dal lat. *stipŭla*, in qualche modo connesso con *stipare*; cfr. STOPPIA.

stipula[2], sost. deverb. da *stipulare*.

stipulare, dal lat. *stipulari*, verbo denom. da *stipŭla* 'pagliuzza': 'agire con la pagliuzza' voleva dire 'prendere un impegno (spezzandola)'.

stipulazione, dal lat. *stipulatio, -onis*.

stiracchiare, iterat. peggiorativo di *stirare* in senso figur. deriv. come *ridacchiare, rubacchiare* da *ridere* e *rubare*.

stirare, da *tirare* con *s-1* durativo.

stirizzire, calco su *intirizzire*, con *s-2* sottrattivo al posto di *in-* illativo.

stiro, sost. deverb. da *stirare*.

stirpe, dal lat. *stirps stirpis*, parola di struttura mediterr. (cfr. *urbs urbis*); cfr. ESTIRPARE e TARPARE.

stìtico, dal lat. *styptĭcus* che è dal gr. *styptikós* 'astringente' da *stýphō* 'restringo'.

stiva[1] (dell'aratro), lat. *stiva*, privo di connessioni ideur., di prob. orig. mediterranea.

stiva[2], sost. deverb. di *stivare*.

stivale, dal frc. ant. *estival*, deriv. di *estive* 'gambo', che è il lat. *stipa*, estr. da *stipŭla* 'pagliuzza'; v. STÌPULA[1].

stivare, lat. *stipare* con leniz. settentr. (genov. o venez.) di *-p-* in *-v-*; cfr. STIA, STIPA.

stizza, sost. deverb. da *stizzare*, verbo denom. da *tizzo* con *s-1* durativo; v. TIZZO.

stoccafisso, dall'ol. *stocvisch* «pesce (*visch*) seccato su bastoni (*stoc*)».

stocco[1] (arma), dal provz. *estoc*, che è dal franco *stok* 'bastone'.

stocco[2] (fusto del granoturco), dal longob. *stok* (ted. *Stock* 'bastone').

stoffa, dal frc. *étoffe*, sost. deverb. da *étoffer*.

stòico, dal lat. *stoĭcus* che è dal gr. *stōïkós* 'proprio della *Stoá*', il Portico per eccellenza, dove insegnava il caposcuola degli stoici, Zenone (III sec. a. C.).

stola, dal lat. *stola*, veste femm. romana che è dal gr. *stolế*, astr. di *stéllō* 'io vesto'.

stolidità, dal lat. *stolidĭtas, -atis*.

stòlido, dal lat. *stolĭdus*, che presuppone un verbo *stolēre* come *pavere* rispetto a *pavĭdus*, connesso con lat. *stultus*; v. STOLTO.

stollo, dal longob. *stollo* 'puntello'.

stolone, lat. *stolo, -onis* 'gemma, germoglio', con connessioni nelle aree greca e armena.

stoltezza, lat. *stultitia*; cfr. STOLTIZIA.

stoltiloquio, dal lat. *stultiloquium*, comp. di *stultus* 'stolto' e il tema nominale *-loquium* di *loqui*; v. LOCUZIONE.

stoltizia, dal lat. *stultitia*; cfr. STOLTEZZA.

stolto, lat. *stultus*, part. pass. di un perduto *stolēre* da una rad. STEL, che ricompare nell'area germanica (ted. *still* 'tranquillo'). *Stultus* è colui che «si è messo tranquillo». Per *stolēre* da cui *stolĭdus*; v. STÒLIDO.

stomacare, dal lat. *stomachari* 'adirarsi', che è dal gr. *stomakhéō* 'son disgustato', incr. con it. *stòmaco*.

stòmaco, lat. *stomăcus*, dal gr. *stómakhos*, propr. 'orifizio' perché ampliam. di *stóma* 'bocca' (v. STOMÀTICO), con voc. *a* conservata in it. all'interno di parola sdrucciola.

stomàtico, dal gr. *stomatikós*, deriv. di *stóma, -atos* 'bocca'.

stomatite, dal gr. *stóma, -atos* 'bocca' col suff. *-ite* di malattia acuta.

stomatologìa, dal gr. *stóma, -atos* e *-logìa*.

stonare, verbo denom. da *tono* con *s-2* sottrattivo.

stop, dall'ingl. (*to*) *stop* 'fermare'.

stoppa, lat. *stuppa*, dal gr. *stýppē*.

stoppare, verbo denom. da *stop*.

stoppia, lat. volg. *stupŭla*, variante di *stipŭla*; v. STÌPULA[1].

storace, dal lat. tardo *storax, -acis*, adattamento arc. del gr. *stýraks, -akos*.

stòrcere, lat. (*e*)*xtorquere* incr. con it. *tòrcere*.

stordire, verbo denom. da *tordo* in senso figur. con *s-1* durativo.

storia, dal lat. (*hi*)*storia* che è dal gr. *historía* 'ricerca'.

stòrico, dal lat. (*hi*)*storĭcus* che è dal gr. *historikós*.

storiografìa, storiogràfico, storiògrafo, dal gr. *historiographía, historiographikós, historiográphos*, comp. di *historia* e *-graph-* di *gráphō* 'io scrivo'.

storione, dall'alto ted. ant. *sturio* (ted. *Stöhr*).

stormire, dal franco *stormjan*.

stormo, dal franco *storm* 'rumore, battaglia' (ted. *Sturm*).

stornare, da *tornare* con *s-2* sottrattivo, calco sul frc. *détourner*.

stornello, dimin. del provz. *estorn* 'tenzone poetica'.

storno[1], sost. deverb. da *stornare*.

storno[2] (uccello), lat. *sturnus*, con qualche vaga connessione nelle aree germanica e greca.

storpiare, lat. volg. *(e)xturpiare*, verbo denom. da *turpis* col pref. *ex-* di estrazione; v. TURPE.

storpio, agg. estr. da *storpi(at)o* e avvicinato a *storto*.

storta, forma femm. sostantiv. di *storto*.

storto (part. pass. di *stòrcere*), lat. (*e*)*xtortus*; v. TORTO.

stortura, astr. di *stòrcere*, tratto da *storto*.

stoviglia, lat. medv. *(u)s(i)tivilja*, incr. di lat. medv. *usìbilis* (al n. pl., cfr. *usivilia* VIII sec.) e *usitilia*, VIII sec. incr. del prec. con class. *utilia*: con la norm. assimilaz. della voc. *-i-* all'articolaz. labiale seguente *-v-*.

stozzo (cesello), da longob. *stozza* 'tronco' poi 'maglio'; v. STUZZICARE ma cfr. TOZZO[2].

stra-, lat. (*e*)*xtra-*, forma irrigidita ad avv. dall'abl. femm. *ext(ĕ)ra*, risal. a un nom. *exter, extĕrus*, compar. e appositivo di *ex* 'fuori di'; cfr. INTRA.

stràbico, estr. da *strabismo*.

strabiliare, verbo denom. da *bile* col pref. *stra-* 'fuori', incr. con *terribile*: «fare uscir fuori la bile per lo spavento».

strabismo, dal gr. *strabismós*, deriv. di *strabós* 'strabico'.

straboccare, verbo denom. da *bocca* col pref. *stra-* 'fuori': «uscir fuori dalla bocca».

strabuzzare, dal gr. *strabízō* 'guardo da strabico', incr. con *aguzzare* e il pref. *stra-*.

stracàrico, da *stra-* nel senso figur. di 'sopra' e *càrico*.

**straccale** (tirante), da *tirale*, forma aggettiv. da *tiro* (cfr. TIRANTE), con s-¹ durativo e incr. con *straccare*.

**straccare**, verbo denom. da *stracco*.

**stracchino**, dimin. di *stracco*, nel senso di « (formaggio dal latte di mucche) stracche », perché discese al piano; v. STRACCO.

**stracciare**, lat. volg. *distractiare*, da *dis-* e *tractiare*, forma intens. e denom. da *trahĕre* e dal suo tema di part. *tractus*, attrav. una tradiz. settentr. del tipo *strasàr*, poi toscanizzata.

**straccio**, sost. deverb. da *stracciare*.

**stracco**, dal longob. *strak* ' rigido ', ' teso '.

**stracollare** ' slogare ', verbo denom. da *collo* col pref. *stra-* ' fuori ': « metter fuori (posto) il collo (del piede) ».

**stracotto**, part. pass. di *stracuòcere* ' cuocer molto ', comp. di *stra-* e *cotto*.

**strada**, lat. tardo *(via) strata* « (via) massicciata », con leniz. settentr. di *-t-* in *-d-*; v. STRATO.

**stradiotto** (soldato mercenario venez.), dal venez. ant. *stradioto* che è dal gr. *stratiótēs* con la leniz. venez. di *-t-* in *-d-*: con la correzione tosc. in *-tt-* della *-t-* semplice, ritenuta a torto dialettale.

**stradivario**, dal nome del liutaio cremonese Antonio Stradivari (1643-1737).

**strafalciare** (arc.), da *falciare* e *stra-* « falciar fuori, a vanvera »; v. FALCIARE.

**strafalcione**, da un nome d'azione di *strafalciare* incr. col suff. di accresc.

**strafare**, da *fare* e *stra-*: « far troppo ».

**straforare**, da *traforare* con s-¹ durativo.

**straforo**, sost. deverb. da *straforare*.

**strafottente**, part. pres. di *strafóttere*, comp. di *fóttere* e *stra-* in senso intensivo figur.

**strage**, dal lat. *strāgēs*, *-is*, astr. formato dalla rad. STER di *sternĕre* (v. STERNERE), ampliato in ST(E)RĀ (cfr. STRATO), e con un ulteriore ampliam. in *-G*, privo di corrispondenza fuori d'Italia. La nozione di ' strage ' si è sviluppata perciò in lat. da quella di ' stendere a terra '.

**stragiudiziale**, comp. di *stra-* e *giudiziale*; cfr. ESTRAGIUDIZIALE.

**stragno** ' strano ' (arc.), lat. *(e)xtraneus*; v. ESTRANEO.

**stralciare**, verbo denom. da *tralcio* con s-¹ estrattivo e applicato in senso figur.

**stralcio**, sost. deverb. da *stralciare*.

**strale**, dal longob. *strāl* ' freccia '.

**stralunare**, verbo denom. da *luna* (' bianco degli occhi ') col pref. *stra-* « metter gli occhi fuori della loro ' luna ' ».

**stramazzare**, verbo denom. da *mazza* col pref. *stra-*: un tempo trans. « metter fuori con la mazza », poi intrans. « rimaner fuori (per causa della mazza) »: opposto per la sua durativ. a *ammazzare* (v.) che è formato col pref. *a(d)-*, allativo e momentaneo.

**stramazzo** (materasso), incr. di *strame* e *ma(tera)sso*, di orig. settentr. poi reso nell'apparenza più tosc. col passaggio da *-asso* in *-azzo*.

**stramba** ' fune ', forma femm. sostantiv. di *strambo* nel senso di ' torto '.

**strambo**, lat. tardo (gloss.) *strambus*, variante di *strabus* (dal gr. *strabós* ' strabico ') nel senso figur. di ' asimmetrico ' e perciò « anormale ».

**strambotto**, dal frc. ant. *estribot*. sost. deverb. da *estribar* ' staffilare ', incr. con it. *strambo*.

**strame**, lat. *stramen*, *-inis*, nome di strum. deriv. dalla forma ST(E)RĀ (v. STRAGE) della rad. STER (v. STÈRNERE). Una connessione non perfetta di *stramen* si trova nel gr. *strôma*, *-atos* che risale però a un ampliam. diverso della rad. STER (e cioè Ē/Ō), che in lat. manca.

**strampalato**, da *tràmpoli* col suff. *-ato* e il pref. s-² sottrattivo: « sfornito dei tràmpoli (e perciò in difficoltà di movimento nei luoghi in cui son necessarî) »; *strampolato* si incrocia poi con *impalato* e sim.

**strangolare**, lat. *strangulare*, dal gr. *strangalóō*.

**strangolatore**, dal lat. tardo *strangulator*, *-oris*.

**straniare**, dal lat. tardo *extraneare* (v. ESTRANEO), incr. con it. *stranio*.

**straniero**, dal frc. ant. *estrangier* incr. con *stranio*.

**stranio**, incr. di lat. *(e)xtraneus* e it. *strano*; cfr. invece STRAGNO.

**strano**, lat. *(e)xtraneus*, forse attrav. la forma intermediaria umbra *stràino*. Lat. *extraneus* è tratto da *extra* come *intraneus* da *intra*; cfr. ESTRANEO.

**straordinario**, dal lat. *extraordinarius*, comp. di *extra* e *ordinarius*; v. ORDINARIO.

**strapazzare**, calco su *impazzare*, dal verbo denom. da *pazzo*: « agire da pazzo », verso l'esterno, su qualche altro, mentre con *in-* si riferisce all'interno.

**strapazzo**, sost. deverb. da *strapazzare*.

**strapiombare**, verbo denom. da *piombo* col pref. *stra-* e cioè « agire col piombo fuori (della linea verticale) ».

**strapiombo**, sost. deverb. da *strapiombare*.

**strappare**, dal franco *strappōn*.

**strappo**, sost. deverb. da *strappare*.

**strapuntino**, dimin. sostantiv. di *strapunto*.

**strapunto**, da *trapunto*, part. pass. di *trapùngere* con s-¹ durativo; v. PÙNGERE.

**straripare**, verbo denom. da *ripa* col pref. *stra-* « (agire) fuori della ripa »; v. RIPA.

**strascicare**, incr. di *strascinare* e *caricare*.

**stràscico**, sost. deverb. da *strascicare*.

**strascinare**, da *trascinare* con s-¹ durativo.

**stratagemma**, dal lat. *stratagema* che è dal gr. *stratēgēma*, *-atos*, con assimilaz. della prima *-e-* alla *-a-* precedente, e raddopp. della cons. postonica.

**strategìa**, dal gr. *stratēgìa*.

**stratègico**, dal gr. *stratēgikós*.

**stratego**, dal gr. *stratēgós*, comp. di *stratós* ' esercito ' e *-agó-*, tema di nome d'agente da *ágō* ' conduco '.

**stratificare**, dal lat. degli alchimisti *stratificare*, comp. di *stratum* e del tema di denom. causativo *-ficare* (v.).

**stratigrafìa**, da *strati(radio)grafia* ' radiografìa a strati '.

**strato**, lat. *stratum*, forma sostantiv. di *stratus*, part. pass. di *sternĕre* orig. STR̥TO-, dalla rad. STER (v. STÈRILE) ampl. in ST(E)RĀ, e in questa forma attestata anche nelle aree indiana e baltica. Questa forma di rad. ampliata si trova anche alla base di *strages*, *-is*, ulteriorm. ampliata mediante *-g-*; v. STRAGE.

**stratosfera**, dal frc. *stratosphère*, calco su *atmosphère*, per indicare la regione « sovrapposta (alla tropo)sfera ».

**stratta**, da *tratta* (v. TRATTO) con s-¹ durativo.

**stravagante**, lat. medv. *(e)xtràvagans, -antis*, comp. di *vagari* e *extra-*; v. VAGARE.

**stravedere**, da *travedere* con *s-¹* durativo.

**stravecchio**, da *vecchio* con *stra-* nel senso figur. di ' sopra '.

**stravìncere**, da *vincere* con *stra-* nel senso figur. di ' sopra '.

**stravizio**, da *vizio* con *stra-* nel senso figur. di ' sopra '.

**ᵹtravizzo** (convito), forse dal serbocroato *zdravica* (leggi *-izza*).

**stravòlgere**, da *travolgère* con *s-¹* durativo.

**strazio**, lat. *(di)stractio*, nome d'azione di *distrahère* nel senso di « tirare in due direzioni opposte, lacerare ».

**strebbiare**, da *trebbiare* con *s-¹* durativo-intensivo.

**strega**, lat. *striga* dal gr. *stríks, strigós*.

**stregare**, lat. tardo *strigare*.

**stregua**, in orig. ' quota ', incr. di *tregua* con *strenna*.

**stremare**, verbo denom. da *stremo*; cfr. RASTREMARE.

**stremo**, forma aferetica di *(e)stremo*.

**strenna**, lat. *strena* con raddopp. della cons. postonica. *Strena* è forma sostantiv. femm. dell'agg. *strenus* ' beneagurante ', considerato dagli antichi di orig. sabina, ma privo di conness. attendibili.

**strenuo**, dal lat. *strenŭus*, ampliam. di *strenus* ' coraggioso, attivo '; v. STRENNA.

**strèpere, strepire**, dal lat. *strepĕre* (v. STREPITARE), passato in parte alla coniugaz. in *-ire*.

**strepitare**, dal lat. *strepitare*, intens. di *strepĕre*, verbo di orig. onomatop. secondo la serie *cons. occl. + r.... cons. occl.*; cfr. CREPITARE, STERNUTIRE, STRÌDERE.

**strèpito**, dal lat. *strepĭtus, -us*, astr. di *strepĕre*.

**streptococco**, comp. moderno di gr. *streptós* ' inanellato ' e *kókkos*; v. COCCO.

**streptomicina**, dal lat. scient. *streptomyces*, comp. di gr. *streptós* (v. STREPTOCOCCO) e *mýkēs* col suff. *-ina* di preparati medicinali.

**stretta**, forma sostantiv. femm. di *stretto*, part. pass. di *stringere*.

**stretto**, forma sostantiv. maschile di *stretto*, part. pass. di *stringere*, lat. *strĭctus*.

**strettoia** ' strozzatura in una strada ', incr. di *stretto* e *(scorciat)oia*.

**stria**, dal lat. *stria* ' riga ', forse da *\*strigia*, dalla rad. STREI-G di *stringère*; v. STRÌNGERE.

**striare**, dal lat. *striare*, verbo denom. da *stria*.

**striatura**, dal lat. *striatura*, astr. di *striare*.

**stricnina**, dal gr. *strýkhnos* ' noce vomica ' col suff. *-ina* di medicinali.

**strìdere**, dal lat. tardo *stridĕre*, class. *stridēre* di orig. onomatop. dalla serie *(s)tr.... d*, collegabile con la forma priva di *s-* del gr. *trízō*: più o meno risal., entrambe le forme, a voci di uccelli; cfr. STREPITARE.

**stridore**, dal lat. *stridor, -oris*.

**strìdulo**, dal lat. *stridŭlus*, agg. tratto da *stridĕre*; v. STRÌDERE.

**strigare**, lat. *(e)xtricare*, verbo denom. da *tricae, -arum* ' fastidi ' con *ex-* sottrattivo: *tricae*, privo di connessioni attendibili, potrebbe derivare dal gr. *trikhes* ' peli '. *Extricare* si è mantenuto in it. attrav. una tradiz. settentr. con leniz. di *-c-* in *-g-*; cfr. DISTRIGARE.

**strige**, dal lat. *strix, strigis* (mitico uccello notturno) che è dal gr. *stríks, strigós*.

**strìgile** ' raschiatoio ', dal femm. lat. *strigĭlis*, agg. verb. sostantiv. da una rad. STREIG ' radere, tosare ', attestato nelle aree baltica e germanica (ted. *streichen* ' cancellare ').

**striglia**, lat. *strigĭla*, variante di *strigĭlis*; v. STRÌGILE.

**strigliare**, lat. volg. *\*strigilare*, verbo denom. da *strigĭlis* incr. con it. *striglia*.

**strillare**, lat. volg. *\*stridulare*, verbo denom. da *stridŭlus*; v. STRÌDULO.

**strillo**, sost. deverb. da *strillare*.

**striminzire**, incr. di *stremare* e *\*mincire*, verbo denom. da *mencio* con allineamento fonosimbolico delle voc. in *-i-*.

**strimpellare**, da *trimpellare* con *s-¹* durativo.

**strinare** ' abbruciacchiare penne e peli di animali ', lat. volg. *\*(u)strinare*, verbo denom. da *ustrina* ' luogo di combustione dei cadaveri ', cfr. *latrina* (da *\*lavatrina*) « luogo dove si lava »: tratto dalla rad. EUS, al grado ridotto US, attestata nelle aree lat. *(uro)*, greca *(heúō)*, indiana e, solo in forme nominali, anche nell'area germanica; cfr. USTIONE.

**stringa**, lat. volg. *\*stringa*, sost. deverb. da *stringĕre*.

**stringere**, lat. *stringĕre*, forma a infisso nasale di una rad. STREI- ampliata con *-G-*, di struttura ideur. ma priva di connessioni attendibili: normalmente priva di infisso nasale al part. pass. *strictus*, per cui v. STRETTO.

**strippare**, verbo denom. da *trippa* con *s-¹* durativo.

**striscia**, da una serie onomatop. *str.... c,'* incr. con *biscia*; cfr. STRUSCIARE.

**stritolare**, da *tritolare*, iterat. di *tritare*, con *s-¹* durativo.

**strizzare**, lat. volg. *\*strictiare* verbo intens. di class. *stringĕre*.

**strofa**, v. STROFE.

**stròfanto**, dal lat. scient. *strophantus*, comp. di gr. *stróphos* ' cordone ' e *ánthos* ' fiore ': « dai fiori disposti a cordone ».

**strofe**, dal gr. *strophḗ* « voltata (del coro) ».

**strofinare**, dal longob. *straufinōn*; cfr. STROPICCIARE.

**strologare**, verbo denom. da *(a)stròlogo* con la caduta della voc. iniz.

**strombazzare**, verbo denom. da *tromba* col suff. *-azzare* (v. SCHIAMAZZARE) e *s-é* durativo.

**strombettare**, verbo denom. da *tromba* col suff. iterat. vezzegg. *-ettare* e il pref. *s-¹* durativo.

**strombo** (pesce), dal lat. *strombus* che è dal gr. *strómbos*.

**stroncare**, da *troncare* con *s-¹* durativo-intensivo.

**stronfiare** ' sbuffare ', da *tronfiare* con *s-¹* durativo.

**stronzio**, dal lat. scient. *strontium*, tratto dal nome delle miniere di *Strontian* (Scozia).

**stronzo**, dal longob. *strunz* ' sterco '.

**stropicciare**, dal gotico *\*straupjan* col suff. iterat. *-icciare*, attestato attrav. forme settentr. come *stropezar* già nel XIII sec.; cfr. STROFINARE.

**stroppiare**, variante di *storpiare* incr. con *troppo*.

**stroppo**, lat. *stroppus* ' corda ', dal gr. *stróphos*.

**strozza**, dal longob. *strozzà* ' gola '.

**strozzare**, verbo denom. da *strozza*.

**strozzino**, da *strozzare* col suff. *-ino* di mestiere, come *spazzino* da *spazzare*.

**strubbiare** ' sciupare ', incr. di *strebbiare* e *strusciare*.

**strùggere**, da *(di)struggere*, passato al signif. di ' liquefare '.

**strullerìa, strullo**, da *trulleria, trullo* con *s-¹* durativo.

**struma** 'scrofola', dal lat. *struma*, privo di connessioni attendibili.

**strumento**, lat. (*in*)*strumentum*, nome di strum. da *instrŭere*; v. STRUTTURA.

**strusciare**, lat. volg. (*e*)*xtrusare*, intens. di *extrudĕre* 'cacciar fuori', da *ex*- e *trudĕre*, incr. con *strisciare*. *Trudĕre* ha connessioni nelle aree germanica e slava; la forma presumibile (e non perfettamente regolare) della rad. è TREUD.

**strutto**, forma sostantiv. del part. pass. di *strùggere* nel senso di « (grasso) liquefatto ». Lat. (*de*)*structus*, è con un -*c*- non primitivo: la forma norm. avrebbe dovuto essere rispetto a *destruĕre* \**destrŭtus*, come *dirŭtus* rispetto a *diruĕre*; v. DIRUTO.

**struttura**, dal lat. *structura*, astr. di *struĕre* 'costruire', che appartiene alla grande famiglia della rad. STER (per cui v. STÈRILE, STERNERE, STRATO) ampliata in EU/U, col grado ridotto della prima sill.: forma attestata, o necessariamente presupposta, nelle aree indiana, germanica, celtica.

**struzzo**, dal lat. *struthio*, *-onis* che è dal gr. *strúthiōn*, dimin. di *strúthos*.

**stucco**, dal longob. *stukki* 'scorza'.

**studente**, dal lat. *studens*, *-entis*, part. pres. di *studĕre* 'appoggiarsi' poi 'applicarsi a qualche cosa'. *Studere* mostra una variante con *s*- iniz. della rad. che, senza *s*-, compare nel lat. *tundĕre* 'battere' (v. CONTUSO). Ha un parallelo esatto nel gotico *stautan* 'battere'.

**studiare**, verbo denom. da *studio*.

**studio**, dal lat. *studium*, astr. di *studere* (come *gaudium* da *gaudere*).

**studioso**, dal lat. *studiosus*.

**stuello** (tampone), dimin. di *stipa* « mucchietto di cose stivate insieme », incr. con *stoppa* (v.), passato attrav. \**stopello* e la leniz. settentr. totale della -*p*- a \**stoello*, donde *stuello*. Possibile anche un incr. con \**tubellus*, dimin. di *tuber*; v. TÙBERO.

**stufa**, sost. deverb. da *stufare*.

**stufare**, lat. volg. \*(*e*)*xtufare*, verbo denom. da \**tupus*, preso in età arc. dal gr. *tŷphos* 'vapore, febbre' e incr. col class. *typhus* 'arroganza, gonfiore', con *ex*- durativo.

**stufo**, agg. estr. da *stuf*(*at*)*o*.

**stuoia**, lat. volg. \**stórja*, class. *storĕa*, preso prob. dalla famiglia gr. di *storénnymi*.

**stuolo**, lat. tardo *stolus*, dal gr. *stólos* 'spedizione militare', deriv. da *stéllō* 'armo, spedisco'.

**stupefare**, dal lat. *stupefacĕre*, comp. di *stupe*- (v. STUPIRE) e *facĕre*, incr. con it. *fare*.

**stupefazione**, dal lat. tardo *stupefactio*, *-onis*.

**stupendo**, dal lat. tardo *stupendus*, part. fut. passivo di *stupere* 'stupire'.

**stupidità**, dal lat. *stupidĭtas*.

**stùpido**, dal lat. *stupĭdus*, deriv. da *stupēre*; v. STUPIRE.

**stupire**, dal lat. *stupere*, passato alla coniugaz. in -*i*-. Variante con *s*- iniz. di una rad. che significa dapprima 'battere' ed è attestata, senza *s*-, nelle aree greca (*týptō* 'io batto'), slava, indiana.

**stupore**, dal lat. *stupor*, *-oris*.

**stuprare**, dal lat. *stuprare*.

**stupratore**, dal lat. *stuprator*, *-oris*.

**stupro**, dal lat. *stuprum* che sembra discendere dalla rad. STUP 'battere' poi « colpire (l'immaginazione) » (v. STUPIRE). Lo stupro è stato per questa **via** definito in latino eufem. come « colpo ».

**sturare**, da *turare* con *s*-² sottrattivo-negativo.

**sturbare**, lat. (*e*)*xturbare*, deriv. da *turbare* (v. TURBARE) col pref. *ex*-.

**stuzzicare**, lat. *tuditare*, verbo denom. da *tudes*, *-ĭtis* 'martello', incr. con longob. *stuzzjan* 'troncare' (cfr. STOZZO) e it. *pizzicare*.

**su**, ant. *suso*, lat. *susum*, ant. *sursum*, da *subs* e *vorsum* « dal basso verso (l'alto) », v. VERSO. Raddoppia la cons. della parola che segue per analogia con *so*(*b*)-, v.

**suacia** (pesce), lat. tardo \**suax*, *-acis*, dal gr. tardo *sýaks*, *-akos*.

**suadente**, dal lat. *suadens*, *-entis*, part. pres. di *suadere*; v. SOAVE.

**suasorio**, dal lat. *suasorius*.

**sub**-, lat. *sub*-, v. SO(B)-, con signif. spaziale a) di opposizione al movimento verso l'alto e cioè 'sotto', b) verso l'antecedente e cioè 'dopo', e c) con signif. modale di attenuazione.

**sub**, da (*pescatore*) *sub*(*acqueo*).

**subàcido**, dal lat. *subacĭdus* con *sub*- di attenuazione.

**subacqueo**, da *sub*-, *acqua* e il suff. aggettiv. -*eo* (cfr. *igneo*, *terreo*).

**subaffittare**, da *affittare* con *sub*- di successione.

**subalpino**, dal lat. *subalpinus*.

**subalterno**, dal lat. tardo *subalternus*.

**subàlveo**, da *sub*- 'sotto' e *àlveo*.

**subbia** (arnese per scalpellino), lat. *subŭla* 'lesina', ant. \**sū-dhl-a*, nome di strum. di *suĕre* 'cucire'; v. CUCIRE.

**subbiare**, verbo denom. da *subbia*.

**subbietto**, dal lat. *subiectus*, part. pass. di *subicĕre*; v. SOGGETTO.

**subbio**, lat. tardo (*in*)*subŭlum*, sost. deverb. da *insubulare*, verbo denom. da *subŭla* con *in*- introduttivo.

**subbuglio**, sost. deverb. da un perduto \**subbugliare*, lat. tardo *subbulliare*, deriv. da *subbullire*, comp. di *sub*- e *bullire*; v. SOBBOLLIRE e cfr. SCOMBUGLIARE.

**subcosciente**, da *sub*- che abbassa e attenua, e *cosciente*.

**sùbdolo**, dal lat. *subdŏlus*, comp. di *sub*- di attenuazione e *dolus* 'inganno'; v. DOLO.

**subentrare**, dal lat. tardo *subintrare*, comp. di *sub* di successione e *intrare*; v. ENTRARE.

**subire**, dal lat. *subire*, comp. di *sub* e *ire*: con influenze semantiche in it. dal frc. *subir*.

**subissare**, calco su *abissare*, con *su*(*b*) al posto di *a*- a torto ritenuto pref.

**subisso**, sost. deverb. da *subissare*.

**subitàneo**, dal lat. *subitaneus*, deriv. di *subĭtus* 'improvviso', come *praesentaneus* di *praesens*, *-entis*.

**sùbito**¹ (agg.), dal lat. *subĭtus* « che viene senz'esser visto, improvviso, immediato », comp. di *sub*- attenuativo e *ire*.

**sùbito**² (avv.), dal lat. *subĭto*, forma irrigidita dell'abl. dell'agg. *subĭtus*; v. SUBITO¹.

**sublimare**, dal lat. tardo *sublimare*, verbo denom. da *sublimis*.

**sublimazione**, dal lat. tardo *sublimatio*, *-onis*.

**sublime**, dal lat. *sublimis*, comp. di *sub*- e *limus* 'obliquo': « che sale dal basso in alto obliquamente »: e se si considera che *limus* viene riferito solo agli occhi, si ha il senso prob. di « salire per quanto obliquamente possano vedere gli occhi ». *Limus* è privo di connessioni attendibili.

**subliminale,** dall'ingl. *subliminal* e questo dal lat. *sub limine* col suff. aggettiv. *-al.*

**sublimità,** dal lat. *sublimĭtas, -atis.*

**sublocare,** da *sub-* di successione e *locare.*

**sublunare,** dal lat. tardo *sublunaris,* da *sub-, luna* e il suff. aggettiv. *-aris.*

**subodorare,** dal lat. medv. *subodorari* 'fiutare', comp. di *sub-* e *odorari,* verbo denom. da *odor, odoris*; v. ODORE.

**subordinare,** dal lat. medv. *subordinare,* comp. da *sub-* e *ordinare.*

**subordinazione,** dal lat. medv. *subordinatio, -onis.*

**subornare,** dal lat. *subornare* 'allestire, corrompere', comp. di *sub-* e *ornare*; v. ORNARE.

**subornatore,** dal lat. tardo *subornator, -oris.*

**subornazione,** dal lat. medv. *subornatio, -onis.*

**subsannare,** dal lat. tardo *subsannare,* comp. di *sub-* e *sannare,* verbo denom. da *sanna* 'smorfia', che è dal gr. *sánnas.*

**substrato** (cfr. *sostrato*), dal lat. *substratus, -us,* astr. nel sistema di *substernĕre* 'stendere sotto'.

**suburbano,** dal lat. *suburbanus.*

**suburbicario,** dal lat. tardo *suburbicarius.*

**suburbio,** dal lat. *suburbium.*

**suburra,** dal lat. *Suburra,* nome (di discendenza mediterr.) di un quartiere malfamato della Roma antica.

**succedaneo,** dal lat. *succedanĕus* 'sostituto', dal tema di *succed(ĕre),* come *consentaneus* dal tema di *consentire.*

**succèdere,** dal lat. *succedĕre,* comp. di *sub-* e *cedĕre* 'andare', e cioè « venire dal di sotto, subentrare ».

**successione,** dal lat. *successio, -onis,* nome d'azione di *succedĕre.*

**successivo,** dal lat. tardo *successivus.*

**successo,** dal lat. *successus, -us,* da ant. *\*sub-ced-tu-s,* astr. di *succedĕre.*

**successore,** dal lat. *successor, -oris,* nome d'agente di *succedĕre.*

**successorio,** dal lat. tardo *successorius.*

**succhiare,** lat. volg. *\*succulare,* verbo denom.-iterat. da *succus* 'sugo'; v. SUCCO.

**succhiello,** dimin. di un ant. *succhio,* lat. *sucŭlus* 'porcellino', dimin. di *sus* 'maiale': così chiamato per la forma attorcigliata; v. SUINO.

**succiare,** lat. volg. *\*suctiare,* intens. di *sugĕre,* attrav. una tradiz. settentr. *susàr,* toscanizzata poi in *succiare*; v. invece SUZZARE.

**succìdere** 'tagliare alla base', dal lat. *succidĕre,* comp. di *sub-* e *caedĕre* 'tagliare' con norm. passaggio di *-ae-* in *-ì-* in sill. interna; v. -CIDA.

**sùccino** 'ambra gialla', lat. *sucĭnum* con norm. raddopp. della cons. postonica in parola sdrucciola. *Sucĭnum* ha forse una connessione baltica nel lituano *sâkas* 'resina'.

**succinto,** dal lat. *succinctus,* part. pass. di *succingĕre,* comp. di *sub-* e *cingĕre*; v. CINTO.

**sùcciola** 'castagna lessa', sost. deverb. da *succiare* con suff. dimin.

**succo,** dal lat. *succus,* variante di *sucus,* privo di connessioni attendibili, salvo forse con la famiglia non identica di *sugĕre*; v. SÙGGERE.

**succosità,** dal lat. tardo *sucosĭtas, -atis,* incr. con it. *succo.*

**succoso,** dal lat. *sucosus* incr. con it. *succo.*

**sùccubo,** forma maschile tratta dal lat. *succŭba* 'concubina', sost. deverb. da *succubare* 'giacer sotto', comp. di *sub* e *cubare* (v. COVARE). *Succŭba* è l'opposto di *incŭbus*; v. ÌNCUBO.

**succulento,** dal lat. *suculentus* incr. con it. *succo.*

**succursale,** dal lat. eccl. *succursalis* che definisce una chiesa sussidiaria, deriv. da *\*succursus,* astr. di *succurrĕre*; v. SOCCORRERE.

**sùcido,** dal lat. *sucĭdus* 'unto (specialm. della lana)', deriv. di *sucus*; v. SUCCO e cfr. SÙDICIO.

**sud,** dal frc. *sud* che è dall'ingl. ant. *suth.*

**sudare,** lat. *sudare,* ant. verbo denom. dal tema nominale *\*swoido-,* attestato nelle aree indo-iranica e germanica (ted. *Schweiss*); cfr. SUDORE.

**sudario,** dal lat. *sudarium* 'fazzoletto'.

**sudatore,** dal lat. *sudator, -oris.*

**sudatorio,** dal lat. *sudatorius.*

**suddetto,** da *su-* e *detto* incr. con *so(b)-.*

**suddiaconato,** dal lat. tardo *subdiaconatus, -us.*

**suddiàcono,** dal lat. tardo *subdiacŏnus*; cfr. DIÀCONO.

**suddistinguere,** dal lat. tardo *subdistinguĕre,* comp. di *sub-* e *distinguĕre*; v. DISTINGUERE.

**suddistinzione,** dal lat. tardo *subdistinctio, -onis.*

**sùddito,** dal lat. *subdĭtus,* part. pass. di *subdĕre* 'sottomettere', comp. di *sub* e *\*dĕre,* forma atematica lat. della rad. DHĒ (v. FARE), con la norm. perdita dell'aspiraz. all'interno della parola.

**suddivìdere,** dal lat. tardo *subdividĕre,* comp. di *sub* e *dividĕre*; v. DIVIDERE.

**suddivisione,** dal lat. tardo *subdivisio, -onis.*

**sùdicio,** incr. di *sùcido* e *sudore,* con conseg. metatesi.

**sudore,** lat. *sudor, -oris,* da ant. *\*swoidos,* incr. di *\*swoido-* (v. SUDARE) e *sweides,* attestato anche nell'area greca. Con ampliam. in *-r* o *-s* si ritrova nelle aree baltica, celtica, greca (*widrós*), armena.

**sudorifero,** dal lat. *sudorĭfer, -fĕri,* comp. di *sudor* e *-fer,* tema di nome d'agente di *fero* 'io porto'.

**suffetto** (sostituito), dal lat. *suffectus,* part. pass. del verbo *sufficĕre,* comp. di *sub* e *facĕre* con norm. apofonia di *-ă-* in *-ĕ-* in sill. interna chiusa.

**sufficiente,** dal lat. *sufficiens, -entis,* part. pres. di *sufficĕre,* comp. di *sub* e *facĕre* (v. FARE), con norm. apofonia di *-ă-* in *-ĭ-* in sill. interna aperta.

**sufficienza,** dal lat. tardo *sufficientia.*

**suffisso,** dal lat. *suffixus,* part. pass. di *suffigĕre,* comp. di *figĕre* 'attaccare' e *sub* (in senso temporale); v. FISSO.

**suffragàneo,** dal lat. eccl. *suffraganeus,* deriv. di *suffragari.*

**suffragare,** dal lat. tardo *suffragare,* class. *suffragari,* verbo durativo appartenente al sistema di *suffrangĕre,* comp. di *su(b)-* e *frangĕre* (v. FRÀNGERE). con l'allungam. della voc. radicale (cfr. REFRATTARIO). Il signif. del nostro « suffragare » risale invece al « fragore (della acclamazione)»; cfr. FRAGORE.

**suffragetta,** dall'ingl. *suffragette,* derivaz. scherz. del frc. *suffrage* 'l'atto di votare'.

**suffragio,** dal lat. *suffragium* 'voto', astr. di *suffragari.*

**suffrùtice,** dal lat. scient. *sùffrutex, -icis,* comp. di *su(b)* e *frutex*; v. FRÙTICE.

**suffumigare** dal lat. *suffumigare,* comp. di *su(b)* e *fumigare* 'affumicare'.

**suffumigio,** sost. deverb. estr. dal verbo *suffumigare,* prima nella forma plur. *suffumigi* e poi nel sg. dedotto da questa.

**suffusione,** dal lat. *suffusio, -onis,* nome d'azione di *suffundĕre*; cfr. SOFFONDERE, SOFFUSIONE, SOFFUSO.

**sugaia** ' concimaia ', astr. da *sugo*.

**sugante** ' che asciuga ', part. pres. di un ant. *sugare* ' concimare ', verbo denom. da *sugo* incr. con *asciugare*.

**suggellare**, verbo denom. da *suggello*.

**suggello**, lat. *sigillum* incr. col pref. *su-*, intendendosi così per parte radicale quella che era invece il dimin.; v. SIGILLO.

**sùggere**, lat. *sugĕre* con norm. raddopp. di cons. postonica in parola sdrucciola. Lat. *sugĕre* ha corrispond. dirette nelle aree celtica e germanica. Un parallelismo più lontano si può trovare con la rad. di lat. *sucus* (v. SUCCO), che esce con cons. sorda anziché sonora, secondo le varianti ad es. di PAK/PAG; v. PACE.

**suggerire**, dal lat. *suggerĕre*, comp. di *su(b)-* e *gerĕre* passato alla coniugaz. in *-i-*; v. GERIRE.

**suggestione**, dal lat. *suggestio, -onis*, nome d'azione di *suggerĕre* ' sottoporre una proposta ', tratto dal part. *suggestus*; v. GESTO.

**suggestivo**, incr. dell'ingl. *suggestive* con la famiglia dell'it. *suggerire*.

**suggesto** ' palco ', dal lat. *suggestum*, forma sostantiv. del part. pass. di *suggerĕre* ' portar sotto '; v. GESTO.

**sùghero**, lat. *sūber, -ĕris* con leniz. norm. di *-b-* in *-v-* e trattam. « franco » della *-v-* in *gh-*, cfr. GHIERA, e i trattam. alternanti di *uva/ugola, sevo/sego, stiva/stegola*.

**sugna**, lat. *axungia*, comp. di *axis* (v. ASSE) e un tema di *unguo* « unto per le assi (dei carri) »; v. ÙNGERE.

**sugo**, lat. *sūcus* con leniz. settentr. di *-c-* in *-g-*; v. SUCCO.

**sugosità**, dal lat. *sucosĭtas, -atis* incr. con it. *sugo*.

**sugoso**, dal lat. *sucosus* incr. con it. *sugo*.

**suicida, suicidio**, calchi su *omicida, omicidio*, col pref. lat. *sui* (genit. del pron. rifl.) al posto di *omi-*; cfr. -CIDA.

**suino**, dal lat. *suinus*, risal. a una forma ideur. SWĪNO-, sopravv. nel ted. *Schwein*. Der. di *sus* ' maiale ', adattabile sia all'animale selvatico che al domestico, attestato in quasi tutte le aree ideur. nella forma sū-, ad es. nel gr. *hýs* e nel ted. *Sau* ' scrofa '.

**sulfamìdico**, comp. di lat. *sulph(ur)* incr. con it. *solfo* e *amide*: col suff. chimico *-ico*.

**sulfùreo**, dal lat. *sulphurĕus*, deriv. di *sulphur*; v. ZOLFO.

**sulla** (erba), parola mediterr.

**sultano**, dall'ar. *sulṭān*.

**sùmere**, dal lat. *sumĕre* ' prendere ', comp. di *sus-* (da un più ant. *subs*) e *emĕre* con la sincope della voc. nella prima pers. sg. del pres. indic. *sumo* da \**susĕmo* come *pono* da \**posĭno*. La forma sincopata è stata poi estesa a tutte le altre forme, per es. all'inf.: così *ponĕre* e *sumĕre* al posto di \**posinĕre* e \**susemĕre*. La sincope è stata precoce, anteriore al rotacismo, che avrebbe dato invece, intervenendo in tempo, \**surĕmo*, \**porĭno*.

**summa**, dal lat. *summa*, forma femm. sostantiv. di *summus*: « la parte più alta (di una dottrina) »; cfr. SOMMA.

**summùltiplo** ' sottomultiplo ', incr. di lat. *submultĭplex* e it. *multiplo*.

**sunto**, da una forma sostantiv. di lat. *sumptus*, part. pass. di *sumĕre*; v. SÙMERE.

**suntuario**, dal lat. *sumptuarius*, deriv. da *sumptus, -us* ' carico, spesa ', astr. di *sumĕre*.

**suo**, lat. *suus*, da una forma di partenza SEWO-, che riappare, col grado ridotto della rad. in SWO- nelle aree indoiranica, baltica, slava, germanica, greca. Si tratta di una forma tematica alla cui base sta il pron. di terza pers. S(W)E; v. SÉ.

**suòcera**, lat. tardo *socĕra*, class. *socrus, -us*, che sopravvive in forme corrispond. discendenti da un primitivo SWEKRŪ (meno legato al masch.) nelle aree indiana, slava, germanica, celtica, di fronte al tipo SWEKURĀ sopravviv. nelle aree gr. (*hekyrá*) e armena, e parallelo alla forma del lat. tardo. L'elemento iniz. SWE- si identifica forse con il pron. di terza pers. rifl.; cfr. SÉ e SUO. Mancano elem. per interpretare la seconda parte -K(E)R e varianti.

**suòcero**, lat. pop. *socĕrus*, class. *socer*, risal. alla stessa base di partenza (SWE-K-) di *socrus* e attestato con perfetta regolarità nelle aree indoiranica, greca (*hekyrós*), baltica, germanica (da essa il ted. *Schwager* ' cognato '). A differenza del valore lat., quello ideur. si riferisce ai « genitori del marito », con i quali soltanto si aveva una convivenza effettiva e rapporti costanti, mentre i « genitori della moglie » non mantenevano nell'ordinamento patriarcale orig. che rapporti affettivi.

**suola**, lat. *sola*, plur. di *solum* ' suolo ', incr. per il signif. con *solĕa*; v. SOGLIA.

**suolo**, lat. *sŏlum*, da un orig. SELO-/SOLO-, attestato nelle aree slava, baltica, germanica; v. SALA¹.

**suono**, lat. *sonus*, della famiglia di *sonare*; v. SONARE.

**suora**, lat. *soror* ' sorella ', it. ant. *suoro*, poi passato alla declinaz. in *-a-*. *Soror* deriva da un ant. tema SWESOR, alternante un tempo nei casi obliqui con SWESER. Questo tema, nella prima parte pare risalire, come quello di *socer socrus*, al tema SWE- (v. SÉ, SUO, SUÒCERA, SUÒCERO). Si trova conservato nelle aree indoiranica, baltica, armena, slava, germanica (ted. *Schwester*), celtica, mentre in greco, come avviene per il termine che indica il fratello, in seguito a una transitoria fase matriarcale, il tema SWESOR è adibito ad altri signif. Per lo svolgim. it. v. SORELLA. La seconda parte è invece identica a quella di *uxor*, per cui v. USSORICIDA.

**super-**, dal lat. *super*, opposto di \**sup-*, v. SOPRA: cfr. SO(B)-, SOMMO e SOTTO.

**superàbile**, dal lat. *superabĭlis*.

**superaffollamento**, da *super-* e *affollamento*.

**superalcòlico**, da *super-* e *alcòlico*.

**superalimentazione**, da *super-* e *alimentazione*.

**superallenamento**, da *super-* e *allenamento*.

**superamento**, dal lat. tardo *superamentum*.

**superare**, dal lat. *superare*, verbo denom. da *supĕrus*; v. SÙPERO.²

**superbia**, lat. *superbia*.

**superbio** (arc.), lat. *superbus* incr. con *superbia*; cfr. CAPARBIO.

**superbire**, dal lat. *superbire* v. denom. da *superbus*.

**superbo**, dal lat. *superbus*, ant. \**super-bho-s*, der. da *super* come *probus*, ant. \**probhos* (v. PROBO), deriva da *pro*: « colui che sta sopra » rispetto a « colui che sta davanti (per buone qualità) ».

**superdecorato**, da *super-* e *decorato*.

**supererogazione**, dal lat. tardo *supererogatio, -onis*, comp. di *super-* ed *erogatio, -onis*; v. EROGAZIONE.

**superfetazione,** dal lat. medv. *superfetatio, -onis,* nome d'azione del lat. *superfetare,* verbo denom. da *fetus, -us* col pref. *super-.*

**superficiale,** dal lat. tardo *superficialis.*

**superficie,** dal lat. *superficies,* comp. di *super* e *facies* con norm. apofonia di *-ă-* in *-ĭ-* in sill. interna aperta.

**superfluità,** dal lat. tardo *superfluĭtas, -atis.*

**superfluo,** dal lat. *superflŭus,* deriv. da *superflŭere:* « ciò che scorre sopra »; v. FLUIRE.

**superiore,** dal lat. *superior, -oris,* compar. « rideterminato » di *supĕrus* che già conteneva elementi di opposiz. comparativa (v. SOPRA e SÙPERO) rispetto alla base di partenza *sup-:* per la forma ancor più rideterminata *subter* v. SOTTERFUGIO.

**superiorità,** dal lat. medv. *superiòritas, -atis.*

**superlativo,** dal lat. tardo *superlativus,* agg. deriv. da *superlatus,* part. pass. nel sistema di *superferre,* comp. di *super* e *ferre,* calco sul gr. *hyperthetikós,* ampliam. in *-ikós* dell'agg. verb. di *hypertíthēmi.*

**supermercato,** calco sull'ingl. *supermarket.*

**supernazionale,** da *super-* e *nazionale* nel senso superl. di « nazionalistico ». Per il resto v. SOPRANAZIONALE.

**superno,** dal lat. *supernus* che si comporta di fronte a *supĕrus* (da *super*), come *infernus* di fronte a *infĕrus* (da un presunto *\*infer*); v. INFERNO.

**supernutrizione,** da *super-* e *nutrizione.*

**sùpero¹,** sost. deverb. da *superare:* « ciò che rimane ».

**sùpero²,** dal lat. *supĕrus,* agg. tratto dalla prep. *super* (v. SUPER- e SOPRA), come *infĕrus* da *\*infer;* v. ÌNFERO.

**superproduzione,** da *super-* e *produzione.*

**supersònico,** dall'ingl. *supersonic.*

**supèrstite,** dal lat. *superstes, -ĭtis,* comp. di *super* e *stet-,* tema di *stare* seguìto da un elemento *-t-* di nome d'agente, con norm. apofonia di *-ă-* in *-ĕ-* in sill. postonica chiusa, e in *-ĭ-* in sill. interna aperta.

**superstiz~one,** dal lat. *superstitio, -onis,* opposto di *religio, -onis* e cioè « soprastruttura » di fronte a « raccolta selezionata (di formule) »; v. RELIGIONE.

**superstizioso,** dal lat. *superstitiosus.*

**superstrato,** calco su *sostrato,* con *super-* al posto di *so(b)-.*

**superumerale** ' scapolare ', dal lat. tardo *superhumerale,* comp. di *super, umĕrus* (con errata aspiraz.), e il suff. aggettiv. *-ale* in forma di neutro; v. ÒMERO.

**superuomo,** calco sul ted. *Uebermensch,* da *super-* (*Ueber*) e *uomo* (*Mensch*).

**supervacaneo,** dal lat. *supervacaneus,* deriv. da *supervacuus,* comp. di *super* e *vacuus;* v. VACUO.

**supervisione,** dall'ingl. *supervision,* comp. di lat. *super* e *visio, -onis,* nome d'azione di *videre;* v. VISIONE.

**supervisore,** dall'ingl. *supervisor.*

**supino¹,** dal lat. *supinum* (*verbum*), per indicare, in confronto ai temi verb. « declinabili », quello che ha raggiunto lo stato finale (e immobile) di « esser supino ».

**supino²,** dal lat. *supinus,* deriv. di *\*sup-,* class. *sub* con passaggio di signif. chiarito dalla opposizione di *pronus* « volto in avanti (rispetto alla terra) », perciò *supinus* « volto dal basso in alto (rispetto alla terra) »; cfr. SO(B)-.

**suppellèttile,** dal lat. *supellex, -ectīlis* risultante dall'incr. di un nom. *supellex,* comp. di *super* e *\*lex* (v. LETTO), con un agg. *\*supellectilis,* sopravv. nei casi obliqui: la tentazione di vedere un doppio pref. *sub* e *per* al posto di *super* ha dato occasione ai primi tentativi di grafìa doppia (*suppell-*) in lat., grafìa che si è imposta in it.; *\*supellectīlis* può essere interpretato come agg. verb. di *\*superlegĕre* ' raccoglier sopra ', parallelo a *sublegĕre* ' raccoglier sotto, di nascosto '.

**suppergiù,** da *su per giù.*

**supplemento,** dal lat. *supplementum,* deriv. di *supplere;* v. SUPPLIRE.

**supplente,** part. pres. sostantiv. di *supplire.*

**suppletivo,** dal lat. medv. *suppletivus.*

**suppletorio,** dal lat. medv. *suppletorius.*

**sùpplica,** sost. deverb. da *supplicare.*

**supplicare,** dal lat. *supplicare,* verbo denom. da *supplex;* v. SÙPPLICE.

**supplicatore,** dal lat. tardo *supplicator, -oris.*

**supplicazione,** dal lat. *supplicatio, -onis.*

**sùpplice,** dal lat. *supplex, -ĭcis,* comp. di *sub-* e del tema di nome d'agente *-plex* « che si piega prosternandosi » incroc. con *sub vos placo* per gli impieghi figurati nel campo dei numerali, DUPLICE, SEMPLICE.

**supplire,** dal lat. *supplere* ' completare ', comp. di *plere* ' riempire ', passato alla coniugaz. in *-i-* e *sub* ' sotto ': cioè « riempire dal di sotto »; cfr. SOPPERIRE.

**supplizio,** dal lat. *supplicium,* astr. da *supplex* con valore letterale e cioè « messo in ginocchio ».

**supporre,** dal lat. *supponĕre* incr. con it. *porre.*

**supporto,** dal frc. *support,* di prob. orig. ingl. dove *support* vale anche ' sostegno '.

**suppositorio,** dal lat. tardo *suppositorium,* neutro sostantiv.

**supposizione,** dal lat. *suppositio, -onis,* nome di azione di *supponĕre;* v. POSIZIONE.

**supposta,** forma sostantiv. femm. di *supposto,* part. pres. di *supporre* nel signif. letterale di « (cosa) messa sotto »; v. POSTO.

**suppurare,** dal lat. *suppurare,* verbo denom. da *pus puris* (v. PUS), con pref. *sub-* ' sotto '.

**suppurazione,** dal lat. *suppuratio, -onis.*

**supremazìa,** dal frc. *suprématie* che è dall'ingl. *supremacy,* deriv. del lat. *supremus* con suff. d'astr.

**supremo,** dal lat. *supremus,* superl. di *supĕrus* formato per mezzo del suff. *-mo-* aggiunto a *\*suprē,* caso strumentale di *sup(ĕ)rus;* cfr. *extremus* superl. di *extĕr(us), postremus* di *post(ĕ)rus* e v. ESTREMO.

**sur,** incr. di *su* e di *super* in posizione proclitica.

**sur-,** dal frc. *sur* (lat. *super*), per es. *surriscaldare, surclassare.*

**sura** ' polpaccio ', dal lat. *sura,* privo di connessioni attendibili.

**surclassare,** verbo denom. da *classe* col pref. frc. *sur-* ' sopra '.

**surrealismo,** dal frc. *surréalisme* (XX sec.) « superamento del realismo ».

**surrenale,** agg. da *surrene.*

**surrene,** dal pref. frc. *sur* ' sopra ' e *rene.*

**surrettizio,** dal lat. *subrepticius,* deriv. di *subrepĕre,* comp. di *sub* ' sotto ' e *repĕre* ' strisciare '; v. RÈTTILE.

**surriscaldare,** da *riscaldare* col pref. *sur-* ' sopra '.

**surrogare,** dal lat. *subrogare,* comp. di *rogare* ' chiedere ' e *sub* ' sotto ': « al posto di »; cfr. SUCCEDERE, SUBENTRARE.

**surrogato,** forma sostantiv. del part. pass. di *surrogare.*

**surrogazione,** dal lat. tardo *subrogatio, -onis.*

**suscettìbile,** dal lat. tardo *susceptìbìlis,* agg. verb. di *suscipĕre* ' prender su di sé ', comp. di *subs-* ' di sotto in su ' e *capĕre,* con norm. apofonia di *-ă-* in *-ì-* in sill. interna aperta e in *-ĕ-* in sill. interna chiusa.

**suscettivo,** del lat. tardo *susceptivus.*

**suscitare,** dal lat. *suscitare,* comp. di *su(b)s* ' dal basso in alto ' e *citare* (intens. di *ciere*) ' metter in movimento ' (v. CITARE), che definisce un movimento verticale (cfr. SUSTA); opposto a lat. *incitare* con *in-* illativo, che indica movimento orizzontale.

**suscitatore,** dal lat. tardo *suscitator, -oris.*

**susina,** forma sostantiv. femm. dell'agg. *susino* « (prugna) di Susa »; cfr. DAMASCHINA « (prugna) di Damasco ».

**susino,** da *Susa,* città persiana.

**suso,** lat. *sūsum,* più ant. *sursum* da *\*sub-vorsum;* v. SU.

**suspicione,** dal lat. *suspicio, -onis,* nome d'azione di *suspicĕre* ' sospettare ', comp. di *su(b)s-* ' di sotto in su ' e *-specĕre* ' guardare ' (v. SPETTARE), con normale apofonia di *-ĕ-* in *-ì-* in sill. interna aperta.

**susseguire,** dal lat. *subsĕqui* incr. con it. *seguire.*

**sussidiare,** dal lat. *subsidiari* ' venire in aiuto ' incr. con it. *sussidio.*

**sussidiario,** dal lat. *subsidiarius.*

**sussidio,** dal lat. *subsidium* ' disposizione (di truppe) in riserva ', da *subsidĕre* incr. con *sussidio,* comp. di *sub-* ' sotto ' e *sidĕre* ' fermarsi '; *sidĕre* risulta da una forma raddopp. con la rad. al grado ridotto SI-SD, e si comporta di fronte a *sedēre* come *sistĕre* di fronte a *stāre.* Paralleli di *sidĕre* si trovano anche, sia pure non identici, nell'area indo-iranica.

**sussiego,** dallo sp. *sosiego* ' calma ', sost. deverb. da *sosegar* ' calmare '.

**sussistenza,** dal lat. tardo *subsistentia.*

**sussistere,** dal lat. *subsistĕre* ' resistere ', comp. di *sub-* e *sistĕre,* forma raddopp. di *stare* che sottolinea il valore momentaneo del verbo; v. ASSÌSTERE.

**sussultare,** dal lat. *subsultare,* comp. di *sub-* e *saltare* con norm. apofonia di *-ă-* in *-ŭ-* in sill. interna dav. a *-l-* non seguita da *-i-;* v. SALTARE.

**sussulto,** sost. deverb. da *sussultare.*

**sussunzione,** dal ted. *Subsumption,* comp. delle forme lat. *sub-* e *sumptio, -onis* ' presa ', nome d'azione di *sumĕre* ' prendere '; v. SÙMERE.

**sussurrare,** dal lat. *susurrare,* verbo denom. da *susurrus* incr. con *sussurro.*

**sussurratore,** dal lat. *susurrator, -oris.*

**sussurro,** dal lat. *susurrus,* sentito in it. non più come forma raddopp. ma come forma comp. con *su(b)-.* Dalla rad. SWER[2], attestata da un verbo norm. nell'area indiana, il lat. ha fatto una parola arieggiante all'onomatopea *s....r,* col raddopp. della sill. radicale e quello della cons. liquida.

**susta,** sost. deverb. da *\*sustare,* lat. *suscitare* con norm. caduta della voc. breve postonica; v. SUSCITARE.

**sutura,** dal lat. *sutura,* astr. di *suĕre* ' cucire '. Questo risale a una rad. SYŪ/SŪ ampliata con *-y-* o con *-w-,* attestata in modo evidente nelle aree indiana, slava, baltica, germanica, e, meno chia-

ram., anche nella greca. Il part. pass. è *sūtus;* cfr. TUTELA, VOLUTA.

**suzione,** dal lat. scient. *suctio, -onis,* nome d'azione di *sugĕre* ' succhiare '.

**suzzàcchera,** ' bevanda con aceto e zucchero ', dal gr. *oksysákkharon,* comp. di *oksýs* ' acido ' e *sákkharon* ' zucchero ' (cfr. ZOZZA), con passaggio tosc. di *-ar-* in *-er-* fuori d'accento.

**suzzare,** lat. volg. *\*suctiare,* intens. di *sugĕre* ' succhiare '; cfr. SUCCIARE.

**svagare,** lat. *evagari,* verbo denom. da *vagus* ' errante, vago ', incr. col pref. it. *s-*[1] durativo; v. VAGO.

**svago,** sost. deverb. da *svagare.*

**svaligiare,** verbo denom. da *valigia* con *s-*[2] sottrattivo.

**svalutare,** verbo denom. da *valuta* con *s-*[2] sottratt.

**svampare,** verbo denom. da *vampa* con *s-*[1] estrattivo e durativo.

**svanire,** da *vanire* con *s-*[1] durativo.

**svantaggio,** da *vantaggio* con *s-*[2] sottrattivo-oppositivo.

**svànzica,** dal ted. *zwanzig* ' venti (soldi) ', che costituivano la lira austriaca.

**svaporare,** dal lat. *evaporare,* verbo denom. da *vapor, -oris* col pref. *e(x)-* estrattivo, incr. con it. *s-*[1] durativo.

**svariare,** da *variare* con *s-*[1] durativo.

**svariato,** da *variato* con *s-*[1] durativo.

**svario,** sost. deverb. da *svariare* con valore peggiorativo.

**svarione,** accresc. e peggiorativo di *svario.*

**svasare,** verbo denom. da *vaso* con *s-*[1] estrattivo.

**svasato,** part. pass. di *svasare,* verbo denom. da *vaso* con *s-*[1] estrattivo-durativo.

**svàstica,** dal sanscrito *svastika-,* agg. deriv. da *svasti-* ' benessere '.

**svecchiare,** verbo denom. da *vecchio* con *s-*[2] sottrattivo.

**sveglia,** sost. deverb. da *svegliare.*

**svegliare,** dal provz. ant. *esvelhar,* lat. *\*exvigilare;* cfr. VÌGILE.

**sveglio,** agg. estr. da *svegl(ia)to.*

**svelare,** verbo denom. da *velo* con *s-*[2] sottrattivo.

**svelenire,** verbo denom. da *veleno* con *s-*[2] sottrattivo.

**svèllere,** lat. *evellĕre* incr. con it. *s-*[1] estrattivo. Lat. *evellĕre* è comp. di *e(x)* e *vellĕre* ' strappare ', da una rad. WELĒ (v. EVÈLLERE), con difficili legami fuori d'Italia, ma non lontana dalla famiglia di lat. *lana;* v. LANA.

**svelto**[1], part. pres. di *svèllere,* allineato secondo il rapporto di *scelto* rispetto a *scégliere.*

**svelto**[2], prob. dallo sp. *suelto,* propr. ' sciolto '.

**svenare,** verbo denom. da *vena* con *s-*[2] sottrattivo.

**svéndere,** da *véndere* con *s-*[1] durativo-peggiorativo.

**svenévole,** agg. verb. attivo di *svenire.*

**svenire,** da *venire* nel senso di ' venir meno ' e quindi con *s-*[2] sottrattivo.

**sventare,** verbo denom. da *vento* con *s-*[1] durativo. « dar vento (nel fornello di una mina) » e quindi ' diminuire l'efficacia dello scoppio '.

**sventato,** part. pass. di *sventare* in senso figur.: ' vuoto (di ogni pericolosità) '.

**svèntola,** da *vèntola* con *s-*[1] durativo.

**sventolare,** da *ventolare* con *s-*[1] durativo.

**sventrare,** verbo denom. da *ventre* con *s-*[2] sottrattivo.

**sventura,** da *ventura* con *s-*[1] intensivo (e durativo) opposto di *avventura* con *a(d)*- allativo (e moment.): più tardi intens. di ' disgrazia '.

**svergognare,** verbo denom. da *vergogna* con *s*-¹ durativo e intensivo; v. VERGOGNA.

**svernare,** verbo denom. da *verno* con *s*-¹ durativo.

**svèrza** ' scheggia ', da *verza* (ant.), sost. estr. dal settentr. *verzèla*, lat. volg. *virgella*, dimin. di *virgŭla* e questo di *virga* (v. VERGA). *Verza* è divenuto *sverza* incr. con *scheggia*.

**sverzino,** ' cordone della frusta ', da *sverza*.

**svesciare,** verbo denom. da *vescia* con *s*-¹ durativo; v. VESCIA.

**svestire,** da *vestire* con *s*-² sottrattivo.

**svettare**¹ ' agitare la vetta ', verbo denom. da *vetta* con *s*-¹ durativo.

**svettare**² ' potare ', verbo denom. da *vetta* con *s*-² sottrattivo.

**svezzare,** verbo denom. da *vezzo* con *s*-² sottrattivo, opposto ad *avvezzare* con *a(d)*- aggiuntivo.

**sviare,** verbo denom. da *via* con *s*-² estrattivo.

**svicolare,** verbo denom. da *vìcolo* con *s*-² sottrattivo.

**svignare,** verbo denom. da *vigna* con *s*-² sottrattivo.

**svilire,** verbo denom. da *vile* con *s*-¹ durativo-intens.

**sviluppare,** da *viluppare* (v. VILUPPO), con *s*- estrattivo e durativo, opposto a *inviluppare* con *in*- introduttivo.

**sviluppo,** sost. deverb. da *sviluppare*.

**svincolare,** verbo denom. da *vìncolo* con *s*-² sottrattivo.

**svisare,** verbo denom. da *viso* con *s*-² sottrattivo.

**sviscerare,** verbo denom. da *vìscere* con *s*-¹ durativo.

**sviscerato,** part. pass. di *sviscerare* nel senso di ' approfondito '.

**svista,** sost. femm. sostantiv. da *(cosa) vista* e cioè da *visto*, part. pass. di *vedere* e *s*-² sottrattivo; v. VISTA.

**svitare,** verbo denom. da *vite* con *s*-² sottrattivo, opposto di *avvitare* con *a(d)*- aggiuntivo.

**svitato,** part. pass. di *svitare* in senso figur.

**sviticchiare,** verbo denom. da *viticchio* con *s*-² sottrattivo.

**svogliato,** da *voglia* col suff. -*ato* e il pref. *s*-² sottrattivo.

**svolazzare,** da *volare* con il suff. iterativo-peggiorativo -*azzare* (cfr. SCHIAMAZZARE) e il pref. *s*-¹ durativo.

**svòlgere,** da *vòlgere* con *s*-¹ durativo.

**svolta,** incr. di *svòlgere* e *volta*.

**svoltare**¹, verbo denom. da *svolta*.

**svoltare**², da *voltare* con *s*-² sottrattivo, opposto di *involtare* con *in*- introduttivo.

**svuotare,** verbo denom. da *vuotare* con *s*-¹ estrattivo.

# T

**tabacco**, dall'ar. *ṭubbāq*, nome della *ìnula viscosa*, incr. col termine haitiano *tobaco*, attrav. lo sp. *tobaco*, inserito fra i nomi it. in *-acco*, p. es. *cosacco*, *bivacco*.

**tabàgico**, dal frc. *tabagique*.

**tabagismo**, dal frc. *tabagisme*.

**tabarro**, parola mediterr. connessa con la glossa lat. tarda *tabae* 'pelles *Libycae*', e provvista del suff. euro-africano *-arro*.

**tabe**, dal lat. *tabes* 'disfacimento', appartenente al sistema di *tabēre* 'liquefarsi, corrompersi', risal. a una rad. TĀ 'fondersi', variamente ampliata nelle singole aree ideur., indoiranica, greca, germanica, slava, armena, celtica.

**tabella**, dal lat. *tabella*, dimin. di *tabŭla*; v. TÀVOLA e cfr. TAVELLA.

**tabellione** 'notaio', dal lat. tardo *tabellio, -onis*, funzionario che doveva redigere gli atti pubblici detti *tabellae*.

**tabernàcolo**, dal lat. tardo *tabernacŭlum*, in età pagana col valore di 'tenda', dimin. di *taberna*; v. TAVERNA.

**tabì**, dall'ar. *'attabì*, dal nome di un quartiere di Baghdād, dove si lavoravano le stoffe.

**tablino** 'stanza della casa romana (tra l'atrio e il peristilio)', dal lat. *tablinum*, deriv. di *tabŭla*, forse dai ritratti (*tabulae*) degli antenati che dovevano abitualmente contenere; v. TAVOLA.

**tablòide**, dall'ingl. *tabloid*.

**tabù**, dal frc. *tabou* che è dall'ingl. *taboo*, parola polinesiana, dalla forma orig. *tabu* o *tapu*.

**tabulare**, verbo denom. dal lat. *tabŭla*, per indicare la compilazione delle « tavole » di una funzione matematica.

**tabulario**, dal lat. *tabularium* 'archivio', deriv. di *tabŭla*.

**tacca** 'incavo', anche figur., dal got. *taikn* (ted. *Zeichen* 'segno'); cfr. TACCO, TACCIA, TECCA.

**taccagno**, dallo sp. *tacaño* incr. con l'it. (*at*)*taccato* (*al danaro*).

**taccheggiare**, verbo denom. da *tacca* per indicare un furto « a piccole tacche » (cioè 'segni' o 'colpi') a carico di singole merci esposte in vendita.

**tacchettare**, verbo denom. da *tacco* col suff. iterat. *-ettare*.

**tacchino**, dimin. di *tacco*, sopravv. nel contado tosc., deriv. da una serie onomatop. *t.... c....*

**taccia**, dal frc. *tache* 'macchia', in qualche modo collegato con la famiglia del got. *taikn*; v. TACCA.

**tacciare**, verbo denom. da *taccia*.

**taccio**, dal frc. ant. *tasche*, lat. medv. **taxa**, **sost.** deverb. da *taxare*; v. TASSARE.

**tacco**, forma maschile di *tacca*, specializzato nelle scarpe.

**tàccola**[1] 'difettuccio', dimin. di *tacca*.

**tàccola**[2] (uccello), dal longob. *tāhhala*.

**taccuino**, dall'ar. *taquim*, lat. medv. *tacuinum*.

**tacere**, lat. *tacere*, con chiare connessioni solo nell'area germanica, e con prob. natura di causativo di fronte a un presunto *tacĕre*.

**tacheòmetro** (strum. per rilievi topografici), comp. del gr. *takhéōs* (da *tákhos, -eos* 'velocità') 'velocemente' e *-metro*: « che misura velocemente ».

**tachi-**, primo elemento di comp., dal gr. *takhŷs* 'veloce'.

**tachicardia**, da *tachi-* e *-cardìa*.

**tachigrafìa**, da *tachi-* e *-grafìa*.

**tachìmetro**, da *tachi-* e *-metro*.

**tacitare**, verbo denom. da *tàcito*, con valore causativo.

**tacitiano, tacitismo**, dal cognome di P. Cornelio Tacito, storico romano del I-II sec. d. C.

**tàcito**, dal lat. *tacĭtus*, part. pass. di *tacere* 'silenzioso' e anche 'messo a tacere', secondo la sua natura intrinseca di verbo causativo; v. TACERE.

**taciturnità**, dal lat. *taciturnĭtas, -atis*.

**taciturno**, dal lat. *taciturnus*, deriv. da *tacĭtus* per analogia di *nocturnus* da *noct-*.

**tafanario**, da *tafano* perché parte del corpo dei quadrupedi preferita dai tafani.

**tafano**, lat. rustico (di tipo osco-umbro) *\*tafanus*, class. *tabanus*, parola mediterr. forse sopravvivente nel tipo onomastico etrusco *taphane*, soprannome che si potrebbe tradurre con « Pungente ».

**tafferìa** 'piatto per la polenta', dall'ar. *ṭaifūriyya*.

**tafferuglio**, dall'ar. *tafarrug* originariam. 'baldoria', attrav. un intermediario venez. *\*tafarugio*, corretto toscanamente con l'introduz. della doppia *-ff-*, il passaggio *-ar-* (non accentato) in *-er-*, e la correzione di *-gio* in *-glio*.

**taffettà**, dal frc. *taffetas*, che è dal persiano *tāftè*.

**taffiare** 'mangiare golosamente' lat. volg. *\*taflare*, verbo denom. da lat. rustico *\*tafla* 'tavola', umbro *tafla*. Il signif. di partenza è dunque « mettere in tavola »; cfr. TAVOLA.

**taglia**, sost. deverb. di *tagliare* per indicare sia foggia d'abito, sia premio a chi assicuri la cattura di un criminale.

**tagliacarte,** da *taglia(re)* e *carte.*

**taglialegna,** da *taglia(re)* e *legna.*

**tagliando,** da *tagliare* col suff. *-ando* di part. fut. passivo: « destinato a esser tagliato ».

**tagliapietre,** da *taglia(re)* e *pietre.*

**tagliare,** lat. tardo *taliare,* verbo denom. momentaneo da *talea* ' boccio, punta '; v. TALEA.

**tagliatella,** dimin. di *(fettuccia) tagliata,* divenuto sost.

**tagliatelli,** da *tagliatelle* rese maschili perchè incr. con *spaghetti.*

**taglieggiare,** verbo denom. da *taglia* col suff. iterat. *-eggiare.*

**tagliente,** part. pres. di lat. volg. *\*talire,* verbo denom. da *talea* (v. TALEA), durativo rispetto a *taliare,* perciò equival. a « essere in grado di tagliare ».

**tagliere,** dal frc. ant. *tailloir,* lat. volg. *\*taliatorium,* nome di strum. di lat. tardo *taliare.*

**taglio,** sost. deverb. da *tagliare.*

**tagliola,** lat. volg. *\*taljòla,* class. *taleŏla,* dimin. di *talea* (v. TALEA), per la sua forma che ricorda una margotta.

**taglione,** lat. *talio, -onis,* nome d'agente deriv. da *talis* come *Cato* da *catus* « l'appuntito », *Naso* da *nasus* « il nasuto ». Il detto delle XII tavole in base a questo vo inteso « se qualcuno abbia mutilato altri di un membro e non lo compensa, sia messo in condizione di esser (soprannominato) Talio ».

**taièr,** dal frc. *tailleur* nella pronuncia tosc.

**tait,** dall'ingl. *tight* (pronuncia *tàit*).

**tàlamo,** dal lat. *thalămus* che è dal gr. *thálamos.*

**talare,** dal lat. *talaris,* agg. deriv. da *talus* ' mallèolo ': « (l'abito che arriva) al malleolo ». *Talus* è privo di connessioni attendibili.

**talasso-** (primo elemento di comp.), dal gr. *thálassa* ' mare '.

**talassocrazìa,** dal gr. *thalassokratía,* comp. di *thálassa* ' mare ', *krátos* ' potenza ' e il suff. *-ia* di astr.

**talassografìa,** da *talasso-* e *-grafìa.*

**talassoterapìa,** da *talasso-* e *-terapìa.*

**talché,** da *tale* e *che.*

**talco,** dall'ar. *ṭalaq.*

**tale,** lat. *talis,* deriv. dal tema TO/TĀ dei pron. dim., larghissimamente attestato (v. ESTO). L'ampliam. *-alis* è attestato invece solo in Italia; cfr. QUALE.

**tàlea,** dal lat. *talea* ' getto, punta ', di prob. orig. mediterr. Per il suo verbo denom., v. TAGLIARE.

**talento**[1] (insieme di doti intellettuali), dal lat. crist. *talentum* (v. TALENTO[1]), in quanto simbolo dei doni dati da Dio.

**talento**[2] (moneta e misura), dal lat. *talentum,* adattamento arc. del gr. *tálanton* con norm. apofonia di *-ă-* in *-ĕ-* in sill. interna chiusa.

**talismano,** dal persiano *ṭilismān* (plur. di *ṭilism*).

**tàllero** (vecchia moneta ted.), dal ted. *T(h)aler* e questo da *(Joachims)taler (Münze)* « moneta di Joachimstal (Boemia) » dove era orig. coniata.

**tallio,** dal lat. scient. *thallium* che è dal gr. *thallós* ' germoglio ' perché collegato alla zona verde dello spettro.

**tallo,** dal lat. *thallus* che è dal gr. *thallós* ' germoglio '; cfr. *thállō* ' fiorisco '.

**tallonare,** dal frc. *talonner.*

**talloncino,** dimin. di franc. *talon* ' cedola madre ' di un registro a matrice.

**tallone,** lat. tardo (gloss.) *talo, -onis* incr. con *callo; talo-* è ampliam. di *talus* ' mallèolo '; v. TALARE.

**talmùd,** dall'ebr. *talmūd* ' studio '.

**talora,** comp. di *tale* e *ora.*

**talpa,** lat. *talpa,* parola mediterr.; cfr. TOPO.

**taluno,** da *tale* e *uno.*

**talvolta,** da *tale* e *volta.*

**tamagno,** lat. *tam magnus* attrav. una tradiz. settentr.

**tamanto,** incr. di lat. *tam magnus* con it. *tanto.*

**tamarindo,** dall'ar. *tamar hindī* « dattero dell'India ».

**tamarisco,** dal lat. tardo *tamariscus,* incr. di *tamărix, -icis* e *lentiscus;* v. TAMERICE.

**tambellone** ' grosso mattone ', dal lat. *tabella* (v. TAVELLA), col suff. di accresc. *-one,* incr. con *tamburare* nel senso di ' batter fortemente '.

**tamburo,** dall'ar. *ṭambur,* nome di uno strum. musicale.

**tamerice,** lat. *tamărix, -icis,* parola mediterr., forse iberica, con passaggio tosc. di *-ar-* in *-er-* fuori d'accento.

**tampoco,** dallo sp. *tampoco,* comp. di *tan* ' tanto ' e *poco.*

**tamponare,** dal frc. *tamponner,* verbo denom. da *tampon.*

**tampone,** dal frc. *tampon* ' tappo ', forma nasalizzata di *tapon;* cfr. TAPPO.

**tam-tam,** di orig. onomatop., attrav. tradiz. creolo-africana.

**tana,** lat. *(caverna sub)tana* e cioè con la sola parte finale superstite della parola, non più sentita come deriv. attrav. il suff. *-anus.*

**tanaceto,** dal lat. tardo *tanacetum,* deriv. prob. di parola mediterr.

**tanca** ' recinto per il bestiame ', parola mediterr., irradiata da area paleosarda.

**tandem,** dal lat. *tandem* ' finalmente ', irradiato dall'Inghilterra per indicare la « (bicicletta) finalmente (a due posti) ».

**tanfo,** dal longob. *thampf* (ted. *Dampf* ' vapore ').

**tangente,** forma sostantiv. del part. pres. di *tàngere:* da *(linea) tangente.*

**tàngere,** dal lat. *tangěre,* con una sola chiara connessione fuori d'Italia, nell'area greca.

**tànghero,** dal dialettale *tango* (abruzz., pugliese, calabrese) incr. con *cànchero, gàmbero.*

**tangìbile,** dal lat. *tangibĭlis,* agg. verb. passivo di *tangěre* ' toccare '.

**tango,** dallo sp. del Sudamerica, di orig. forse onomatop.

**tànnico,** dal frc. *tannique,* deriv. di *tanner* ' conciare ', verbo denom. da *tan.*

**tannino,** dal frc. *tanin.*

**tantafèra,** forma assimilata di *cantafèra.*

**tantalio** (metallo raro), deriv. moderno da *Tantalo,* per la difficoltà di isolarlo, introdotto da A. G. Ekeberg nel 1802.

**tanto,** lat. *tantus* (agg.) e *tantum* (avv.). Lat. *tantus* rappresenta un agg. in *-to-* tratto da un avv. *tam,* proprio come il suo correlativo *quantus* (v. QUANTO), dipende dall'avv. *quam.* Il lat. *tam,* per quanto tratto dal tema fondam. dei dimostrativi ideur. (v. ESTO), non ha corrispondenze esatte fuori d'Italia (*quam* solo nell'area armena).

**tantosto,** da *tan(to) tosto.*

**tapino,** dal lat. medv. (IX sec.) *tapinus* che è dal gr. *tapeinós* ' meschino '.

**tapioca,** dal portogh. *tapioca,* parola proveniente dalle lingue tupì o guaranì del Brasile; cfr. MANIOCA.

**tapiro,** dal portogh. *tapir* e questo dalle lingue del Brasile tupì o guaranì.

**tappa,** dal frc. *étape,* risal. all'ol. ant. *stapel* ' deposito '.

**tappare,** verbo denom. da *tappo.*

**tappeto,** dal lat. *tap(p)etum,* variante di *tapete,* formato sul plur. *tapetia,* risal. al gr. *tapétia,* deriv. di *tápēs, -ētos* di prob. orig. iranica.

**tappezzare,** lat. volg. *tapitiare,* verbo denom. da *tapitium,* incr. di *tapēte* e *capitium* ' cappuccio ', incr. poi con it. *tappeto.*

**tappo,** dal gotico *tappa.*

**tara**[1] ' detrazione dalle misure lorde ', dall'ar. *ṭarḥ* ' detrazione '.

**tara**[2] ' difetto ', dal frc. *tare.*

**tarabuso** (airone), dal lat. *buteo, -onis,* attrav. tradiz. settentr. (perciò *-buso,* non *buzzo*) incr. con *taurus,* per l'immagine del muggire che richiama col suo verso, quasi « airone taurino ». Lat. *buteo* è di prob. orig. onomatop. da una serie *bu.... ba.*

**tarantella,** dimin. di *taràntola* per *tarant(ol)ella,* per indicare il ballo morboso determinato dal morso di questo ragno.

**tarantello** (salume), da *Tàranto,* spaccio importante della specialità.

**taràntola,** da *Tàranto,* e cioè dall'area in cui la specie animale è particolarmente diffusa.

**tarato,** dal frc. *taré.*

**tarchiato,** incr. di *torchiato* e *marchiato* cioè « sottoposto a pressione dall'alto e quindi sviluppato in larghezza ».

**tardare,** lat. *tardare,* verbo denom. da *tardus.*

**tardi,** lat. *tarde,* avv. di *tardus;* v. TARDO.

**tardìgrado,** dal lat. *tardigrădus,* comp. di *tardus* ' lento ' (v. TARDO) e *-grădus,* tema di nome di agente del verbo *gradi* ' procedere '; v. GRADO.

**tardità,** dal lat. *tardĭtas, -atis.*

**tardivo,** lat. tardo (note tironiane) *tardivus;* v. TARDO.

**tardizia,** calco su *primizia,* sostituendo l'avv. *tardi* a *prima,* ritenuto elemento costitutivo di *primizia.*

**tardo,** lat. *tardus,* privo di connessioni attendibili, anche se come struttura potrebbe risalire a un TṚDU-, parallelo a MḶDU-, sopravv. in *mollis;* passato alla declinaz. in *-o* anziché a quella in *-i,* e con il vocalismo *-ar-* invece di *-or-* perché di tradiz. rustica, osco-umbra.

**targa,** dal provz. *targa,* franco *targa* ' scudo '.

**targare,** verbo denom. da *targa.*

**tari,** forse dall'ar. *dirāhim,* plur. di *dirham,* moneta d'argento risal. a sua volta al gr. *drakhmē.*

**tariffa,** dall'ar. *ta'rifa.*

**tarlatana** (tessuto di cotone), dal frc. *tarlatane.*

**tarlo,** lat. volg. *tarmŭlus,* dimin. di *tarmus* (gloss.), class. *tarmes, -ĭtis;* v. TARMA.

**tarma,** lat. *tarmes, -ĭtis,* attrav. una tradiz. settentr. La parola lat. è di orig. mediterr.; cfr. TÈRMITE.

**taroccare,** lat. *altercari* (v. ALTERCARE), nel senso di « rispondere (con una carta potente) », incr. con i tipi *baloccare, balocco.*

**tarocco,** sost. deverb. da *taroccare.*

**tarpano,** prob. da *tarpa,* forma dialettale per *talpa,* simbolo di ottusità e rozzezza.

**tarpare,** dal frc. *étraper* ' tagliare col falcetto ', che è il lat. *exstirpare;* v. ESTIRPARE, STIRPE.

**tarsìa,** dall'ar. *tarṣī'.*

**tarso,** dal gr. *tarsós* ' pianta del piede '.

**tartagliare,** dalla serie onomatop. *tr.... tl...;* cfr. TARTASSARE.

**tartana** (imbarcazione), dal provz. ant. *tartana* ' falcone '.

**tàrtareo,** dal lat. *tartarĕus.*

**tàrtaro**[1] (incrostazione), dal lat. medv. *tàrtarum.*

**tàrtaro**[2] (inferno pagano), dal lat. *Tartărus* che è dal gr. *Tártaros.*

**tàrtaro**[3] (popolazione di razza mongolica), dal russo *Tatary,* incr. con *tàrtaro*[1], per il timore che i « Tàtari » provocavano.

**tartaruga,** dal lat. tardo *tartarucus* (Tab. devot.) ' demone repellente ', che è dal gr. *Tartarûkhos* « che domina (*-ûkhos*) il Tàrtaro », con leniz. settentr. di *-c-* in *-g-.*

**tartassare,** lat. *taxare,* intensivo-desiderativo di *tangĕre,* incr. con l'onomatop. *tartagliare.*

**tartuca** ' tartaruga ' (arc.), dal prov. *tartuga,* forma dissimilata di lat. tardo *tart(ar)uca,* *tart(r)uca.*

**tartufo,** lat. volg. *territufer,* all'accus. *territufrum,* forma rustica parallela al plur. *territubĕra* (Petronio), comp. di *terra* e *tuber,* perciò « tubero di terra » (v. TÙBERO). La forma lat. volg. è stata trasmessa, con dissimilaz. di *-frum* in *-fum* in relazione alla doppia *-rr* precedente, ed è stata poi incr. con *tartaruga.* Nel valore metaforico di « ipocrita », dal frc. *Tartuffe* di Molière (1664).

**tasca,** tema paleo-europeo-alpino, introdotto forse attrav. l'alto ted. antico (IX sec.).

**tascapane,** da *tasca* (*per*) *pane.*

**taso** ' gruma delle botti ', dal frc. ant. *tas* ' mucchio ' e questo dal franco *tas* ' covone '; cfr. INTASARE, STASARE.

**tassa,** dal lat. medv. *taxa,* sost. deverb. da *taxare;* v. TASSARE.

**tassàmetro,** comp. di it. *tassa* e *-metro,* calco sul frc. *taximètre.*

**tassare,** dal lat. *taxare,* intensivo-desiderativo di *tangĕre;* v. TATTO.

**tassativo,** agg. in *-ivo* da *tassato* nel senso di « fissato (permanentemente).

**tassazione,** dal lat. *taxatio, -onis.*

**tassello,** incr. di lat. *tessella,* dimin. di *tessĕra* ' dado ' e *taxillus* ' dado, dimin. di *tālus,* che è privo di connessioni attendibili (cfr. TALLONE). *Taxillus* è perciò un dimin. analogico sui modelli di *axilla* rispetto a *ala, maxilla* rispetto a *mala.*

**-tassi** (elemento di composizione nominale), dal gr. *táksis* ' disposizione '.

**tassì,** dal frc. *taxi,* abbreviaz. di *taximètre* « (vettura a) tassàmetro ».

**tassidermìa,** comp. moderno del gr. *táksis* ' disposizione, ordinamento ', *dérma* ' pelle ', e il suff. di astr. in *-ia.*

**tasso**[1] (conifera), lat. *taxus,* privo di connessioni attendibili.

**tasso**[2] (animale), lat. *taxus* (gloss.), variante di *taxo, -onis* (gloss.), dal germ. occidentale *thahsu* (ted. mod. *Dachs*).

**tasso**[3] (saggio di interesse), sost. deverb. da *tassare,* in parte sotto l'influenza del frc. *taux.*

**tasso**[4] (pianta velenosa), dal gr. *thápsos* (femm.).

**tassobarbasso**, dall'emiliano *tas barbàs* che è il latino *verbascum* (risal. a uno strato preindeuropeo e spec. ligure), con passaggio di -*v*- a -*b*-, frequente nella zona: incr. con *barba* e associato a *tasso*[4].

**tassonomìa**, comp. moderno del gr. *táksis* ' ordinamento ' e -*nomìa*.

**tastare**, lat. volg. *\*tastare*, incr. di *taxare* e *gustare*; v. TASSARE e GUSTARE.

**tasto**, sost. deverb. da *tastare*.

**tàtaro**, proprio dei Tatari, popolazione mongolica detta comunemente in it. dei *Tartari*; v. TÀRTARO[2].

**tàttica**, dal gr. *taktikḗ* (*tékhnē*) « arte della disposizione (delle truppe) ».

**tàttico**, dal gr. *taktikós*, agg. di *táksis*, nome d'azione di *tássō* ' metto in ordine, dispongo '.

**tàttile**, dal lat. *tactĭlis*, agg. verb. da *tactus*, part. pass. di *tangĕre* ' toccare '.

**tatto**, dal lat. *tactus, -us*, astr. di *tangĕre* ' toccare '.

**tatuaggio**, dal frc. *tatouage*, nome d'azione di *tatouer*.

**tatuare**, dal frc. *tatouer* che è dall'ingl. *to tattoo* (dal polinesiano *tatau*).

**taumatùrgico**, dal gr. *thaumatūrgikós*, agg. di *thaumatūrgós*.

**taumaturgo**, dal gr. *thaumatūrgós*, comp. di *thaûma, -atos* ' miracolo ' e -*ūrgós*, tema di nome d'agente della rad. di *ergon*, quindi ' fattore ': « fattore di miracoli ».

**taurino**, dal lat. *taurinus*, deriv. di *taurus*; v. TORO.

**tauromachìa**, dal gr. *tauromakhía*, comp. di *taûros* ' toro ', *mákhē* ' battaglia ' e suff. di astr. -*ìa*.

**tautologìa**, dal gr. *tautología*, comp. di *tautós* ' lo stesso ', *lógos* ' discorso ' e il suff. di astr. -*ìa*.

**tautosillàbico**, comp. di gr. *tautós* ' lo stesso ' e *sillàbico*.

**tavella** (grosso mattone), lat. *tabella*, dimin. di *tabūla*; v. TÀVOLA e cfr. TABELLA.

**taverna**, lat. *taberna*, privo di connessioni attendibili, ancorché formato parallelamente ad altri tipi chiarissimi come *caverna* (da *cavus*) o *cisterna* (da *cista*), di prob. orig. da un tema mediterr. TABA.

**tàvola**, lat. *tabūla*, con precoce leniz. di -*b*- in -*v*-, a differenza di *sabūla* (neutro plur.) (v. SABBIA), e *\*flabūla* (da *fabūla*) (v. FIABA). Lat. *tabūla* trova una sola corrispond. nell'umbro *tafla*, nessuna invece fuori d'Italia: perciò forse dimin. di mediterr. TABA; v. TABERNA.

**tavolato**, dal lat. *tabulatum* incr. con it. *tàvola*.

**tavolino**, dimin. di *tàvola*, con norm. cambiamento di genere grammat., per es. *un donnino*.

**tàvolo**, sost. norm. estr. dal dimin. *tavolino*.

**tazza**, dall'ar. *ṭāsa*.

**te** (pronome), lat. *tē*, accus. sg. di *tu* (v. TU). Lat. *te* è un ant. *te-d*, che, con altri ampliam., riappare nelle aree osco-umbra, germanica (ted. *dich*), baltica e slava; una forma parallela TWE, è presupposta nelle aree gr. (gr. *sé*), armena, indo-iranica.

**tè**, dal frc. *thé* (ingl. *tea*), e questi da *t'e* della varietà dialettale cinese di Amoy.

**te'**, forma abbreviata di *tieni*, imperat., sottratto alla dittongaz. per la forza e insieme la brevità che ne deriva alla voc. accentata.

**tèa** (varietà di rosa), dalla locuzione *rosa tea* « rosa (color) tè », riprodotta dall'ingl. *tea* ' tè ' (pronuncia *ti*), pronunciato però all'italiana.

**teatino** (di congregazione religiosa), dal lat. *Teatinus* « chietino », deriv. da *Teate* ' Chieti ' perché vescovo di Chieti era Pietro Caraffa, uno dei fondatori (1524).

**teatrale**, dal lat. *theatralis*.

**teatro**, dal lat. *theatrum* che è dal gr. *théatron*, deriv. da *theáomai* ' sono spettatore '.

**tebàide**, dal nome della reg. dell'ant. Egitto, prossima all'Etiopia, rifugio di molti eremiti cristiani, prob. attrav. il frc. *Thébaïde*.

**teca** ' astuccio, luogo di custodia ', dal lat. *theca* che è dal gr. *thḗkē*; anche come secondo elemento di comp., per es. lat. (*biblio*)*theca*, dal gr. (*biblio*)*thḗkē*, it. (*cine*)*teca*, (*disco*)*teca*, (*eno*)*teca*, ecc.

**tecca** ' macchia ', dal franco *tekan* ' segno '; cfr. frc. ant. *teche* e gotico *taikn* ' segno ' (ted. *Zeichen*); v. TACCA.

**tecchia** ' macchia, scheggia ', incr. di *tecca* con *macchia*.

**tecchio** ' grosso ', dialettalmente ' pezzo ', ' scheggia ', lat. *titŭlus*; v. TÌTOLO e cfr. TICCHIO[2].

**téccola**[1] ' macchia ', dimin. di *tecca*.

**téccola**[2] (uccello), da *tàccola* incr. con *tecca*.

**tècnico**, dal lat. *technĭcus* che è dal gr. *tekhnikós*, deriv. di *tékhnē* ' arte '.

**tecnicolore**, dall'ingl. *technicolor*, sistema brevettato di film a colori.

**tecnocrazìa**, calco su *burocrazìa*, mediante la sostituz. di *tecn(ic)o*- a *buro*-.

**tecnologìa**, dal gr. *tekhnología*, comp. di *tékhnē* ' arte ' e -*logía*.

**tecnològico**, dal gr. *tekhnologikós*.

**teco**, lat. *tecum*, da *cum* posposto a *te* come in *meco*.

**teda**, dal lat. *taeda* ' pino resinoso ', che risale a gr. *daís daídos*, attrav. un intermediario etrusco, come prova il passaggio della cons. iniz. dalla sonora -*d*- alla sorda -*t*-.

**tedesco**, lat. medv. *theodiscus*, da una forma ted. *\*thiodisk*- calco sul lat. *vulgaris* per indicare, contro la lingua letteraria che era il latino, la lingua parlata dal popolo. La forma ted. *deutsch* rappresenta lo svolgim. ulteriore di questo agg. col passaggio, secondo le regole della seconda mutazione consonantica, del -*d*- a -*t*- e del (*th*-) a (*d*-). Il tema di partenza si trova nel gotico *thiuda* ' popolo ', e si ritrova nelle aree baltica, celtica, umbra: significa esattamente il « popolo (concepito come assemblea) »; cfr. TUTTO.

**tedio**, dal lat. *taedium*, legato al verbo impersonale *taedet* ' mi disgusta ', privo di connessioni attendibili fuori del lat. e solo con difficoltà collegabile con *taeter*; v. TETRO.

**tedioso**, dal lat. *taediosus*.

**téga** ' baccello ', lat. *theca* (v. TECA), con leniz. sett.

**tegame**, dal gr. *tḗganon*, it. merid. *tíganu* incr. con forme settentr. del tipo *ti(g)án*, risal. al dimin. gr. *tēgánion*. Inserito poi nei collettivi in -*ame* come *legame, legname*.

**tegghia**, lat. *tēgŭla* secondo il trattam. norm. di *macchia* di fronte a *maglia*.

**teglia**, lat. *tēgŭla* (nel senso di ' coperchio '), secondo il trattam. settentrionaleggiante di *maglia* di fronte a *macchia*.

**tégola**, dal lat. *tēgŭla*; cfr. TETTO.

**tegumento,** dal lat. *tegumentum* ' copertura ', nome di strum. deriv. da *tegĕre*; v. TETTO.

**teiera,** da *tè*, secondo il rapporto di *lattiera* a *latte*, *fruttiera* a *frutta*.

**teismo,** dal gr. *theós* ' dio ' col suff. it. *-ismo* di dottrina.

**tela,** lat. *tela*, ant. *texla*, nome di strum. da *texĕre*; v. TÈSSERE.

**telaio,** lat. volg. *telarium*, deriv. da *tela* (v. TELA), con norm. trattam. tosc. di *-ariu* in *-aio*.

**tele-**[1], dal gr. *tèle* ' lontano '.

**tele-**[2], abbreviaz. di *tele(visione)*.

**telearmi,** da *tele-*[1] e *armi*.

**telecàmera,** da *tele-*[1] e *càmera* nel senso di apparecchio fotografico.

**telecomando,** da *tele-*[1] e *comando*.

**telecomunicazioni,** da *tele-*[1] e *comunicazioni*.

**telecrònaca,** da *tele-*[2] e *crònaca*.

**teleferica,** dall'ingl. *telpherage* (1883), comp. di *tele-*[1] e il gr. *phérō* ' io porto ', inserita in una formula frc. (*ligne*) *téléphérique*.

**telèfono,** comp. moderno di *tele-*[1] e gr. *phōnē* ' suono '.

**telefotografia,** da *tele-*[1] e *fotografia*.

**telegènico,** da *tele-*[2] e *-gènico*, calco su *fotogènico*.

**telegiornale,** da *tele-*[2] e *giornale*.

**telegrafia,** da *tele-*[1] e *-grafia*.

**telegràfico,** da *tele-*[1] e *-gràfico*.

**telègrafo,** da *tele-*[1] e *-grafo*.

**telegrafònico,** da *telegra(fo)-fònico*.

**telegramma,** da *tele-*[1] e *-gramma*.

**telèmetro,** dal frc. *télémètre* che è dal gr. *tèle* e *métron* ' misura '.

**telemicròfono,** da *tele-*[1] e *micròfono*.

**teleobbiettivo,** da *tele-*[1] e *obbiettivo*.

**teleologìa,** dal gr. *télos, téleos* ' fine ' e *-logìa*.

**teleòstei,** comp. moderno da gr. *téleios* ' completo ' e *ostéon* ' osso ': « dallo scheletro completo ».

**telepatìa,** da *tele-*[1] e *-patìa*.

**telerìa,** da *tela* col suff. collettivo *-erìa* (*maglierìa*, *seterìa*).

**telescopio,** da *tele-*[1] e *-scopio*.

**telescrivente,** da *tele-*[1] e *scrivente*.

**telespettatore,** da *tele-*[2] e *spettatore*.

**televisione,** da *tele-*[1] e *visione*.

**televisivo,** da *televisione*, secondo il rapporto di *visivo* a *visione*.

**televisore,** da *televisione* secondo il rapporto di *revisione* e *revisore*.

**tellina,** dal gr. *tellínē*.

**tellure** (arc.), dal lat. *tellus, -uris*, risal. a una rad. TELĒ attestata nelle aree indiana, slava, baltica, germanica, celtica, ma con un raddopp. consonantico *-ll-* e una quantità lunga della *-ŭ-* che rimangono oscuri; v. anche TÌTOLO.

**tellùrico,** dal frc. *tellurique* incr. con it. *tellure*.

**télo,** da *tela*.

**tèlo,** da lat. *telum*, privo di connessioni attendibili.

**tema**[1] ' argomento ', dal lat. *thema* che è dal gr. *théma, -atos*, astr. di *títhēmi* ' pongo '.

**tema**[2] ' timore ', sost. deverb. da *temere*.

**temàtico,** dal gr. *thematikós* « appartenente al nucleo della parola ».

**temerario,** dal lat. *temerarius*, agg. deriv. dall'avv. *temĕre* ' alla cieca ', forma irrigidita di strum. o abl. di un ant. *temus, *temĕris*, che trova la sua corrispond. esatta nel sanscrito *tamas*. La parola lat. è in connessione con *tenĕbrae*, per cui v. TÈNEBRA.

**temere,** lat. *timere*, privo di connessioni attendibili.

**temerità,** dal lat. *temerĭtas, -atis*; v. TEMERARIO.

**tèmolo,** dal gr. tardo *thýmallos*, attrav. una tradiz. settentr. *tèmol*, priva di voc. finale, pronuncia incerta di quella immediatamente postonica, e aperta della accentata.

**tèmpera,** sost. deverb. da *temperare*.

**temperamento,** dal lat. *temperamentum* « giusta proporzione (di elementi costitutivi) ».

**temperante,** dal lat. *temperans, -antis*.

**temperanza,** dal lat. *temperantia*.

**temperare,** dal lat. *temperare*, antico verbo denom. da *tempus*, quando ancora aveva nei casi obliqui la forma alternante *tempes-* (v. TEMPO), e il signif. di « taglio ». Il signif. orig. è dunque « tagliare (al fine di mescolare e armonizzare) ».

**temperato,** dal lat. *temperatus*.

**temperatura,** dal lat. *temperatura* « proporzione (di caldo e di freddo) ».

**temperie,** dal lat. *temperies*, astr. di *temperare*, col valore iniz. di ' mescolanza '.

**temperino,** da *temperare* col suff. di strum. *-ino*.

**tempesta,** dal lat. *tempestas*, astr. di *tempus*, gradatamente associato a un senso peggiorativo.

**tempestivo,** dal lat. *tempestivus*, deriv. di *tempestas* quando non aveva ancora nessuna sfumatura peggiorativa.

**tempestoso,** dal lat. tardo *tempestosus* incr. con it. *tempesta*.

**tempia,** lat. *tempŏra* (plur.) ' tempie ', incr. con *templum* nel senso di ' trave di sostegno '. *Tempus, -ŏris* nel senso di ' tempia ' sembra avere connessioni nelle aree slava, greca, indiana. Nulla di comune ha con *tempus* ' tempo '; v. TEMPO.

**tempio,** dal lat. *templum*, lo spazio delimitato dall'augure in cielo e in terra, all'interno del quale egli compie le sue osservazioni. *Templum* è un ant. *tem-lo-* deriv. dalla rad. TEM' ' tagliare ' e quindi chiaramente legato, per quanto riguarda la radice, al gr. *témenos* ' tempio '.

**templare,** dal lat. medv. *templaris* ' cavaliere del tempio ' e cioè di un ordine che aveva sede presso il tempio di Salomone a Gerusalemme.

**tempo,** lat. *tempus, -ŏris*, anticam. *tempos, -ēses* in orig. « divisione (del tempo) » e quindi risal. alla rad. TEM' ' tagliare ' ampliata con l'elemento -P-, e conservata senza ampliam. nel lat. *templum* (da *tem-lo-m*), v. TEMPIO, e in gr. *témenos* ' tempio ' e *témnō* ' io taglio '.

**tèmpora** (plur.), dal lat. *tempŏra*, plur. di *tempus, -ŏris* nel senso di ' stagioni '.

**temporale**[1] ' delle tempie ', dal lat. tardo *temporalis*, deriv. di *tempŏra* ' tempie '; v. TEMPIA.

**temporale**[2] ' del tempo (della vita terrena) ', dal lat. *temporalis*, deriv. di *tempus* ' tempo '; v. TEMPO.

**temporale**[3] (sost.), dall'agg. *temporale*[2], con senso peggiorativo come lat. *tempestas* rispetto a *tempus* ' tempo '.

**temporalità,** dal lat. tardo *temporalĭtas, -atis*.

**temporaneo,** dal lat. tardo *temporaneus* ' tempestivo ', deriv. di *tempus* ' tempo '.

**temporario,** dal lat. tardo *temporarius*, deriv. di *tempus* ' tempo '.

**temporeggiare,** dal lat. medv. *temporizare* ' passare il tempo '.

**tempra,** sost. deverb. da *temprare*.

**temprare,** lat. *temperare* (v. TEMPERARE), con norm. caduta della voc. protonica.

**temulento** ' ubriaco ', dal lat. *temulentus*, v. ASTEMIO.

**tenace,** dal lat. *tenax, -acis*, agg. deriv. da *tenere*, secondo lo schema di *audax* rispetto a *audere*, *mordax* rispetto a *mordere*.

**tenacia,** dal lat. *tenacia*.

**tenacità,** dal lat. *tenacĭtas, -atis*.

**tenaglia,** dal lat. tardo *tenacŭla*, plur. di *tenacŭlum* con leniz. del gruppo *-c(u)l-* in *-g(u)l-* come nel caso di *maglia* rispetto a *macchia*, entrambi corrispond. a lat. *macŭla*. La forma norm. sarebbe stata *tenacchia*.

**tenda,** lat. medv. *tenda*, sost. dev. da cl. *tendĕre*.

**tender,** dall'ingl. *tender*, nome d'agente di *to tend* ' accompagnare '.

**tèndere,** lat. *tendĕre*, ampliam. in *-d-* della rad. TEN (dello stesso signif.) che insiste sull'aspetto momentaneo, mentre l'ampliam. in *-ē-* di *tenere* (v. TENERE), sottolinea l'aspetto durativo. Le forme semplici sono conservate soprattutto nei temi di aoristo e perf. arc. nelle aree indiana e nel perf. arc. del lat. *tetĭni* (v. INTENTO[1]). Forme ampliate si trovano nelle aree indiana, greca (*teinō* ' io tendo '), germanica, baltica.

**tèndine,** lat. medv. *tendo, -ĭnis*, nome di agente da *tendĕre*; v. TÈNDERE.

**tènebre,** dal lat. *tenĕbrae*, forma dissimilata da un più ant. *temasra* identico al sanscrito *tamisra-*, come il tema *temos* di *temère* è identico al sanscrito *tamas* (v. TEMERARIO). Buone corrispond. si trovano poi anche nelle aree baltica e germanica (ted. *finster* ' buio '). La *ĕ* interna di *tenĕbrae* è il normale risultato di *-ă-* in sill. interna davanti a gruppo di consonanti.

**tenebrosità,** dal lat. tardo *tenebrosĭtas, -atis*.

**tenebroso,** dal lat. *tenebrosus*.

**tenente,** da *(luogo)tenente*.

**tenere,** lat. *tenere*, forma ampliata in *-ē-* della rad. TEN ' tendere ', per sottolinearne l'aspetto durativo (cfr. TÈNDERE). Il perf. *tetĭni* conserva invece la rad. senza alcun ampliam.

**tènero,** lat. *tener, -ĕri*, prob. legato alla famiglia di *tenere*, come *(in)teger* a quella di *tangĕre*: « tenero » è quello « che si tiene (o si tende) (agevolmente) ».

**tenia,** dal lat. *taenia*, che è dal gr. *tainía* ' nastro ', poi « verme (a forma di nastro) ».

**teniere** ' impugnatura ', dal provz. *teneire*, risal. a lat. *tenere*.

**tennis,** dall'ingl. *(lawn) tennis* e questo dal frc. *tenez* ' prendete! '.

**tenore,** lat. *tenor, oris*, nome d'azione di *tenere* ' continuità ', ' tenuta '; nella terminologia grammat. ' accento musicale ', e cioè ' altezza della voce '; infine in quella musicale ' la più alta delle voci virili ': passata in quest'ultimo signif. alla categoria dei nomi d'agente: « colui che ha una voce alta ».

**tensione,** dal lat. tardo *tensio, -onis*, nome d'azione (spec. in senso medico) di *tendĕre*, tratto da un part. analogico *tensus* al posto dell'orig. *tentus*, che è rimasto nel sistema di *tenere*.

**tentàcolo,** dal lat. scientifico *tentacŭlum*, nome di strumento di *tentare*, iterat. di *tenere* nel senso di ' tastare '.

**tentare,** incr. di lat. *tentare*, iterat. di *tenere* e *temptare*, iterat. di *tempĕre*, deriv. da un ampliam. in *-p-* della stessa rad. TEN ' tendere '. Il verbo ampliato in *-p-* si trova anche nell'area baltica.

**tentatore,** dal lat. *temptator, -oris*.

**tentazione,** dal lat. *temptatio, -onis*.

**tentennare,** lat. *tintinnare* ' sonare il campanello ', passato a un signif. metaforico; v. TINTINNARE.

**tentoni,** avv. estr. da *tentare* col suff. *-oni* che definisce la posizione di un corpo; cfr. CARPONI, COCCOLONI.

**tenue,** dal lat. *tenuis*, agg. passato alla declinaz. in *-i* (cfr. *mollis, suavis*), attestata, con varî gradi della rad. nelle aree indiana, slava, baltica, germanica (ted. *dünn* ' sottile '), celtica, greca. La forma di partenza TEN-U- risale alla rad. TEN ' tendere ' e al signif. di ' tenue ' è arrivato attrav. « ciò che è teso ».

**tenuità,** dal lat. *tenuĭtas, -atis*.

**tenuta,** forma sostantiv. femm. del part. pass. di *tenere*, ottenuto col suff. *-uto* che è irradiato dai modelli lat. del tipo *solutus, statutus*, soppiantando *tento*.

**tenzone,** dal provz. *tensō*, che rispecchia lat. *(con)tentio, -onis*, nome d'azione di *contendĕre*, piuttosto che il semplice *tentio, -onis* (gloss.), calco sul gr. *tásis*, nome d'azione di *teinō* ' io tendo '.

**teobroma** ' pianta del cacao ', dal lat. scient. *theobroma*, tratto dalla formula gr. *theôn brôma* « cibo degli dei ».

**teocrazìa,** dal gr. tardo *theokratía*, comp. di *theós* ' dio ' e *-kratía*; v. ARISTOCRAZÌA, DEMOCRAZÌA e cfr. TECNOCRAZÌA.

**teodicèa,** dal frc. *théodicée*, comp. di *theós* ' dio ' e *díkaios* ' giusto ', e cioè « giustificazione di Dio ».

**teodolite,** dall'ingl. *theodolite*.

**teogonìa,** dal gr. *theogonía*, comp. di *theós* ' dio ' e *-gonía*, astr. di *gignomai* ' io gènero '.

**teologìa,** dal lat. tardo *theologĭa* che è dal gr. *theología*, comp. di *theós* ' dio ' e *-logía*, astr. di *légō* ' discorro ', allineato con le parole it. in *-logía*.

**teològico,** dal lat. tardo *theologĭcus* che è dal gr. *theologikós*.

**teòlogo,** dal lat. class. *theolŏgus* che è dal gr. *theológos*.

**teorema,** dal lat. tardo *theorema* che è dal gr. *theόrēma* ' meditazione ', deriv. di *theōréō* ' esamino '.

**teorètico,** dal frc. *théorétique* che è dal gr. *theōrētikós*.

**teorìa,** dal lat. tardo *theoria* che è dal gr. *theōría*, inserito negli astr. in *-ìa*.

**teòrico,** dal lat. tardo *theorĭcus*.

**teosofìa,** dal gr. tardo *theosophía*, comp. di *theós* ' dio ' e *-sophía* ' sapienza '.

**teòsofo,** dal gr. tardo *theósophos*, deriv. da *theosophía*.

**tèpalo,** dal frc. *tépale*, specie di incr. fra *pétale* e *sépale*.

**tepefatto,** dal lat. *tepefactus*.

**tepente,** dal lat. *tepens, -entis*, part. pres. di *tepere* ' esser caldo '; v. TIÈPIDO.

**tepidario,** dal lat. tardo *tepidarium*.

**tepore,** dal lat. *tepor, -oris*, ant. tema in sibilante, identico al sanscrito *tapas* ' calore ' e ' ascetismo '.

**teppa,** dalla *compagnia della Teppa*, associazione di

gaudenti che ha preso nome dalla parola lombarda *teppa*, ' musco, zolla erbosa ', di lontana orig. mediterr. del tipo TIPPA.

**terapèutico,** dal gr. *therapeutikós,* deriv. da *therapeúō* ' io curo '.

**terapìa,** dal gr. *therapeía,* astr. di *therapeúō* ' io curo '.

**-teràpico,** da *-terapìa* col suff. *-ico* di agg.

**teratologìa,** dal gr. *teratología* ' discorso di cose mostruose ', comp. di *téras, -atos* ' mostro ' e *-logía* ' discorso '.

**terebinto,** dal lat. *terebinthus,* parola mediterr., di orig. comune col gr. *terébinthos;* cfr. TERPENE e TREMENTINA.

**terèdine** (mollusco marino), dal lat. *teredo, -ĭnis* che è dal gr. *terēdṓn, -ónos,* appartenente alla fam. della rad. TER ' fregare ' di *teiro* ' io frego '; cfr. TRITARE.

**tèrgere,** dal lat. *tergĕre,* privo di connessioni attendibili, ma di rad. ideur.: incr. con it. *(im)mèrgere.*

**tergiversare,** dal lat. *tergiversari,* comp. di *tergum* ' tergo ' e *versari* ' voltare ': « voltare le spalle »; v. TERGO.

**tergiversatore,** dal lat. tardo *tergiversator, -oris.*

**tergiversazione,** dal lat. *tergiversatio, -onis.*

**tergo,** dal lat. *tergum,* privo di connessioni attendibili.

**teriaca,** dal gr. *thēriakḗ (antídotos)* « (medicina contro) gli animali velenosi », deriv. da *thērion,* dimin. di *thér* ' animale selvatico '; cfr. TRIACA.

**terme,** dal lat. *thermae,* risal. alla formula greca *thermaí (pēgaí)* « calde sorgenti ».

**tèrmico,** agg. in *-ico* tratto da *termo-* (v.).

**termidoro,** parola introdotta dalla Rivoluzione francese (1793), comp. di gr. *thermós* ' caldo ' e *dôron* ' dono ': « che porta il dono del caldo ».

**tèrminal** ' capolinea ', dall'ingl. *terminal.*

**terminale,** dal lat. tardo *terminalis.*

**terminare,** dal lat. *terminare,* verbo denom. da *termĭnus.*

**terminazione,** dal lat. *terminatio, -onis.*

**tèrmine¹** ' limite ', dal lat. *termĭnus* incr. con *termen, -ĭnis,* entrambi risal. a una rad. TER, ampliata con -M-, e attestata in Italia e in Grecia, prevalendo nella prima il valore attivo e simbolico, nella seconda quello obiettivo e letterale.

**termine²** ' vocabolo ', dal lat. medv. *tèrminus,* secondo un uso figur. del precedente.

**terminologìa,** comp. di *tèrmine²* e *-logìa.*

**tèrmite,** dal lat. *termes, -ĭtis,* variante di *tarmes, -ĭtis,* di prob. orig. mediterr. da un tema TARMA, incr. con lat. *terĕre* ' fregare, corrodere '; v. TARMA e TRITARE.

**termo,** abbreviaz. di *termo(sifone).*

**termo-,** dal gr. *thermós* ' caldo ', identico al lat. *formus* (v. FORCIPE), usato in it. sia nel senso orig. aggettiv., sia in quello sostantiv. di « calore ».

**termocauterio,** da *termo-* e *cauterio.*

**termochìmica,** da *termo-* sost. e *chìmica.*

**termodinàmica,** da *termo-* sost. e *dinàmica.*

**termoelèttrico,** da *termo-* sost. e *elettrico.*

**termòforo,** da *termo-* sost. e *-foro.*

**termògeno,** da *termo-* sost. e *-geno.*

**termoiònico,** da *termo-* sost. e *iònico.*

**termologìa,** da *termo-* sost. e *-logìa.*

**termòmetro,** comp. (XVII sec.) dal gr. *thermós* ' caldo ' e *-metro.*

**termonucleare,** da *termo-* agg. e *nucleare.*

**termos,** dal frc. *thermos* e questo dal gr. *thermós;* v. TERMO-.

**termosifone,** dal frc. *thermosiphon,* comp. di gr. *thermós* ' caldo ' e *siphón* ' conduttura '.

**termòstato,** comp. di *termo-* sost. e *-stato,* dal tema del verbo gr. *histēmi* col senso di ' stabilizzatore '.

**termotècnica,** da *termo-* sost. e *tècnica.*

**terna,** femm. sostantiv. del lat. *ternus;* v. TERNO.

**ternario,** dal lat. *ternarius.*

**ternato,** part. pass. di un presunto \**ternare,* verbo denom. da *terna,* col valore di « comprendere in una terna ».

**terno,** forma sostantiv. del lat. *ternus* (tratto dal plur. *terni*), distributivo da \**trĭ-no-,* e cioè tratto dalla forma norm. di *tres* in composiz. (attestata anche nelle aree indiana, greca, ecc.), per es. *triennium,* v. TRIENNIO: per *trīnī* da \**tris-no,* v. TRINO.

**terpene,** sost. estr. dal ted. *Terpentin,* che risale al lat. medv. *terebinthina (resina);* v. TEREBINTO.

**terra,** lat. *terra,* ant. \**ters-a,* risultante dall'ampliam. di un tema in sibilante passato alla prima declinaz. La forma in sibilante sopravvive nei deriv. \**teresnos,* \**terestris* per cui v. TERRENO, TERRESTRE. Il signif. fondam. è quello, attestato nelle aree italica e celtica, di « secca », collegato con la famiglia di *torreo* (v. TÒRRIDO, TOSTO¹), opposto perciò alla nozione di « acqua ».

**terracqueo,** dal lat. medv. *terraqueus,* comp. di *terra* e *aqua.*

**terraglio,** lat. volg. \**terracŭlum* ' complesso di terra accumulata ', con leniz. settentr. di *-c(u)l* in *-g(u)l-* (cfr. *monticŭlus*) nel toponimo piemontese *Montiglio;* v. MONTE.

**terragno,** lat. volg. \**terraneus;* cfr. *extraneus,* v. ESTRANEO.

**terramara,** voce emiliana assimilata da *terra mala;* così chiamata perché contenente resti umani più o meno bruciati.

**terrapieno,** dal lat. medv. *terraplenum,* calco su *terrae motus* e cioè « ripieno di terra » contrapposto a « movimento di terra ».

**terrazziere,** dal frc. *terrassier,* nome d'agente da *terrasse* « terrazza ».

**terrazzo,** forma sostantiv. di lat. volg. \**terracjum,* attrav. una tradiz. settentr. \**teràs,* rielaborata toscanamente con *-zz-* al posto di *-s-.*

**terremoto,** lat. *terrae motus* « movimento della terra »; cfr. TREMOTO.

**terreno,** lat. *terrenus,* in parte sostantiv. Lat. *terrenus* è un ant. \**teres-nos,* con *terra,* da cui ha preso la doppia *-rr-;* v. TERRA.

**tèrreo,** dal lat. *terrĕus.*

**terrestre,** dal lat. *terrestris,* ant. \**teres-tris,* incr. con *terra,* da cui ha preso la doppia *-rr-.*

**terrìbile,** dal lat. *terribĭlis,* agg. verb. attivo di *terrere,* verbo causativo della rad. TER-S ' tremare '; v. TERRORE.

**terrìcolo,** dal lat. *terricŏla,* comp. di *terra* e del tema di *colĕre;* cfr. *agricŏla.*

**terrificare,** dal lat. *terrificare,* causativo rideterminato del già causativo *terrere;* v. TERRORE.

**terrìfico,** dal lat. *terrifĭcus.*

**terrina,** dal frc. *terrine,* originariam. « (recipiente) di terra ».

**territoriale,** dal lat. *territorialis.*

**territorio,** dal lat. *territorium,* calco su *praetorium* e *dormitorium*, analizzati in modo non norm.; v. TERRA.

**terrone**, incr. di *terremoto* e *meridione*.

**terrore**, astr. di *terrere* ' spaventare '. *Terrere* (che dovrebbe essere \*torrere come causativo, ma si confonderebbe con *torrere* ' seccare ') deriva da una forma \*ters-ere, ampliam. in -s della rad. TER ' tremare '. Gli ampliam. in -s sono attestati nelle due forme TRES e TERS: per la rad. TER non ampliata, v. TREMARE.

**terroso**, dal lat. *terrosus*.

**terso**, dal lat. *tersus*, part. pass. di *tergère*, formato sul perf. *tersi* (al posto del norm. \*tergĭtus o *terctus*).

**terzana**, dal lat. *tertiana* (*febris*) e cioè « febbre propria di ogni terzo giorno ». in cui ha le punte acute.

**terziario**, dal lat. *tertiarius* « che contiene un terzo ».

**terziglio**, dallo sp. *tresillo*, dimin. di *tres* ' tre ', incr. con *terzo*.

**terzino**, da *terzo*, perché nella squadra di calcio, sta in terza linea.

**terzo**, lat. *tertius*, da un ant. \*tri-tiyo-, attestato anche nelle aree iranica, umbra, germanica (ted. *dritter*) e celtica, di fronte al primitivo \*tr̥-tiyo- attestato nelle aree indiana e baltica.

**terzuolo**[1] (di fieno), da *terzo* e cioè « di terzo (taglio) ».

**terzuolo**[2] (uccello), dal provz. *tersol*, risal. a un lat. volg. \*tertjòlus, dimin. di *tertius*.

**tesa**, forma femm. sostantiv. di *teso*, part. pass. di *tèndere*, lat. *tensus*.

**tesaurizzare**, dal lat. tardo *thesaurizare*, verbo denom. da *thesaurus*.

**teschio**, lat. volg. \*test(ŭ)lum, class. *testŭla*, dimin. di *testu* ' coperchio ', incr. con *testa* ' conchiglia '; cfr. TESTÙGGINE.

**tesi**, dal lat. *thesis* (dal gr. *thésis*), nome d'azione di *títhēmi* ' pongo '.

**teso** (part. pass. di *tèndere*), lat. *tensus*, forma parallela a *tentus*.

**tesoreggiare**, verbo denom. durativo da *tesoro*.

**tesoro**, lat. *thesaurus* che è dal gr. *thēsaurós*.

**tessella**, dal lat. *tessella*, dimin. di *tessèra*; v. TÈSSERA.

**tèssera**, dal lat. *tessèra* ' tavoletta quadrata ', risal. al gr. *tessará(gōnos)* ' quadràngolo ', con la sottrazione del secondo elemento come nel lat. *arra* (v. ARRA), rispetto a *arrăbo, -onis* o nell'it. *chilo* rispetto a *chilo(grammo)*. *Tessăra-* diventa *tessèra* per la norm. apofonia di -ă- in -ĕ- in sill. interna dav. a -r-.

**tèssere**, lat. *texère*, parola antichissima dalla rad. TEKУ che indica il lavoro del taglialegna e del carpentiere, attestata in forma nom. nelle aree indoiranica, greca (*téktōn* ' carpentiere '), slava, germanica (ted. *Deichsel* ' accetta '), celtica. Il « tessere » sarebbe dunque inteso come un « disporre i fili di stoffa » come precedentemente « si disponevano blocchi di legno ». Per un derivato in -*la*; v. TELA.

**tèssile**, incr. di lat. *textĭlis* e it. *tèssere*; cfr. TÈSTILE.

**testa**, lat. *testa* ' corazza di tartaruga ', poi ' recipiente ', poi « testa », privo di connessioni attendibili; cfr. TESCHIO e TESTÙGGINE.

**testàceo**, dal lat. *testaceus*, deriv. da *testa* nel senso di « guscio ».

**testamentario**, dal lat. *testamentarius*.

**testamento**, dal lat. *testamentum*, deriv. da *testari*; v. TESTARE.

**testardo**, da *testa* col suff. peggiorativo -*ardo*.

**testare**, dal lat. *testari*, verbo denom. da *testis* ' teste '; v. TESTE.

**testata**[1], da *testa* in senso proprio e figur.

**testata**[2] « roba compresa in uno o fra due testi », da *testo*.[1]

**testàtico**, da *testa*, secondo lo schema di *spillàtico*, *legnàtico*, *focàtico*.

**teste**, dal lat. *testis*, ant. \*tristis attrav. \*terstis, comp. di *trĭ-* (v. TERNO) e -*sto*, tema di *stare*: « colui che sta nel tre » come *caelestis*, *agrestis* indicherebbero « colui che sta in cielo », « colui che sta nel campo ».

**testé**, da un più ant. *testeso*, deriv. da *teso teso*.

**testìcolo**, dal lat. *testicŭlus*, dimin. di *testis*, ' testicolo ', impiego figurato di *testis* ' testimone ', soprattutto al plurale *testes*.

**testificare**, dal lat. *testificari*, verbo denominat.-causativo di *testis* ' testimone ', comp. con -*ficare*, tema di verbo denom.-causativo da -*fex*.

**tèstile**, dal lat. *textĭlis* (cfr. TÈSSILE), agg. verb. del tipo *missĭlis*, *fictĭlis*.

**testimone**, sg. creato sul plur. *testimoni*; v. TESTIMONIO.

**testimoniale**, dal lat. tardo *testimonialis*, in forma anche sostantiv.

**testimonio**, dal lat. *testimonium* ' testimonianza ', deriv. da *testis*, come *patrimonium* da *pater*: « ciò che compete al testimone » rispetto a « ciò che compete al padre »: in it. poi personificato.

**testo**[1] (composiz. scritta), dal lat. *textus, -us* ' intreccio ' (in senso proprio e figurato), astr. di *texère*; v. TÈSSERE.

**testo**[2] (recipiente), lat. *testu*, collegato con *testa*, e, come questa, privo di connessioni attendibili; v. TESCHIO e TESTA.

**testuale**, dal lat. medv. *textualis*.

**testùggine**, lat. volg. \*testugo, -ĭnis, incr. di class. *testudo, -ĭnis* con i nomi in -*ugo*, -*ĭnis*, con regolare raddopp. di cons. postonica in parola sdrucciola. Lat. *testudo* è ampliam. di *testu* ' coperchio ', privo di connessioni attendibili, cfr. TESCHIO, TESTA, e, per la derivazione, IRUDINICOLTURA.

**testura**, dal lat. *textura*, astr. di *texère*; v. TÈSSERE.

**tetànico**, dal gr. *tetanikós*, agg. di *tétanos* ' tensione '.

**tètano**, dal gr. *tétanos* ' tensione, rigidezza ', forma raddopp. della rad. TEN di *teinō* ' io tendo '.

**tetra-**, dal gr. *tétra-*, primo elemento di comp. nominali nel sistema di *téttares* ' quattro '; cfr. QUATTRO, QUADRI-.

**tetracordo**, dal gr. *tetrákhordon*, comp. di *tetra-* ' quattro ' e *khordé* ' corda '.

**tetraedro**, dal gr. *tetráedron*, comp. di *tetra-* ' quattro ' e *hédra* ' base '.

**tetràgono**, dal gr. *tetrágōnos* ' quadrato ', comp. di *tetra-* ' quattro ' e un tema estr. da *gōnía* ' angolo '. Il signif. di ' resistente ' è venuto alla parola attrav. la sua associaz. alla nozione del ' cubo ', simbolo di solidità.

**tetralogìa**, dal gr. *tetralogía*, comp. di *tetra-* ' quattro ' e l'astr. di *lógos* ' discorso '.

**tetràmetro**, dal gr. *tetrámetros*, comp. aggettiv. da *tétra-* ' quattro ' e *métron* « misura ».

**tetrapodìa**, da *tetra-* e -*podìa*.

**tetràpoli,** dal gr. *tetrápolis,* comp. di *tétra-* ' quattro ' e *pólis* ' città '.

**tetrarca,** dal lat. *tetrarcha* che è dal gr. *tetrárkhēs,* comp. di *tetra-* ' quattro ' con un tema di nome di agente da *árkhō* ' io governo '.

**tetrarchìa,** dal gr. *tetrarkhía,* astr. di *tetrárkhēs.*

**tetràstico,** dal lat. tardo *tetrastĭchos* che è dal gr. *tetrástikhos,* comp. di *tetra-* ' quattro ' e *stíkhos* ' verso '.

**tetràstilo,** dal gr. *tetrástylos,* comp. di *tetra-* ' quattro ' e *stýlos* ' colonna '.

**tetro,** dal lat. *taeter taetri,* senza connessioni attendibili fuori del lat., collegabile con lat. *taedet* ' disgusta, annoia ', cui pare legato dallo stesso rapporto di *(in)tĕger* rispetto a *ta(n)go* e *piger* rispetto a *piget.*

**tetta,** parola onomatop. del ' succhiare ' dalla serie *t.... th....* attestata anche nell'area greca; cfr. ZIZZA.

**tetto,** lat. *tectum,* neutro sostantiv. di *tectus,* part. pass. di *tegĕre* ' coprire ', da una rad. (S)TEG, attestata in varî gradi d'alternanza e con varî ampliam. nelle aree indiana, baltica, celtica, greca (*stégō* ' copro ') e germanica (ted. *Dach* ' tetto ').

**tettoia,** lat. *tectoria,* forma femm. sostantiv. di agg., per es. nella formula (*opera*) *tectoria,* e con norm. trattam. tosc. di *-oria* in *-oia.*

**tettònica** ' struttura ', forma sostantiv. femm. dell'agg. **tettònico,** dal lat. tardo *tectonicus* che è dal gr. *tektonikós* « relativo al costruire », deriv. da *téktōn;* v. TÈSSERE.

**ti** (pron. personale atono), lat. *te,* con norm. passaggio di *e* a *i* in posizione atona, e applicato anche al caso dat.: *ti vedo, ti dico,* equivalgono non solo a lat. *te video,* ma anche a *\*te dico* invece di *tibi dico.*

**tiara,** dal lat. *tiara* che è dal gr. *tiára,* di orig. asiatica.

**tibia,** dal lat. *tibia* ' stinco ' e ' flauto ', privo di connessioni evidenti.

**tibìcina,** dal lat. *tibicina,* femm. di *tibicen;* v. TIBÌCINE.

**tibicine,** dal lat. *tibĭcen, -ĭnis,* comp. di *tibia* ' flauto ', e *-cen* tema di nome d'agente, da *canĕre* ' cantare, suonare ', con norm. passaggio di *-ă-* in *-ĕ-* in sill. postonica chiusa, e in *-ĭ-* in sill. interna aperta.

**tiburio,** dal lat. medv. *tiburium,* incr. di *ciborium* con *tugurium;* v. CIBORIO e TUGURIO.

**tiburtino,** dal lat. *tiburtinus* « appartenente a Tibur », cioè a Tivoli.

**tic, ticchettìo,** voci onomatop. da una serie *t.... k....t.*

**ticchio¹** ' capriccio ', da una serie onomatop. *t.... k,* trasferita a valore fonosimbolico.

**ticchio²** ' macchia ', incr. di *tecchio* ' scheggia ' (v.), con la serie onomatop. di *ticchio.*

**tic-tac,** serie onomatop., arricchita nel suo aspetto iterat., dalla alternanza vocalica *i...a...;* cfr. ZIG-ZAG.

**tièpido,** lat. *tepĭdus,* agg. in *-idus,* norm. corrispond. a un verbo in *-ēre* come *tepere.* Questo risale alla rad. TEP che indica il calore in senso proprio e in quello figur. dell'ascetismo indiano come mostra la parola indiana *tapas* (identica al lat. *tepor,* v. TEPORE). La rad. TEP è attestata nelle aree indoiranica, slava, celtica.

**tifa** (pianta di palude), dal lat. scient. *typha* che è dal gr. *týphē.*

**tiflite,** dal gr. *typhlós* ' cieco ', riferito all' « (intestino) cieco », col suff. *-ite* di malattia acuta.

**tiflologìa,** dal gr. *typhlós* ' cieco ' e *-logìa.*

**tifo,** dal gr. *týphos* ' fumo, eccitazione, febbre esaltante '.

**tifòide,** da *tifo-* col suff. *-òide.*

**tifone,** dal cinese *t'ai-fung* « vento (*fung*) da Formosa (*T'ai*) », attrav. intermediarî ingl. e portogh. (ingl. *typhoon,* portogh. *tufâo*).

**tiglio,** lat. *tilia,* privo di connessioni attendibili.

**tigna,** lat. volg. *\*tinja,* class. *tinĕa,* privo di connessioni attendibili.

**tignola,** lat. volg. *\*tinjòla,* tardo *tineŏla,* dimin. di *tinea.*

**tignoso,** lat. volg. *\*tinjosus,* tardo *tineosus.*

**tigre,** lat. *tigris,* dal gr. *tigris.*

**tilde,** dallo sp. *tilde,* lat. *titŭlus,* con metat. (*\*til(ŭ)tus*) e leniz. del *-t-* in *-d-.*

**timballo,** dal frc. *timbale* (XV sec.), incr. dello sp. *atabal* col frc. *cymbale* ' cémbalo '.

**timbrare,** dal frc. *timbrer.*

**timbro,** dal frc. *timbre* ' tamburo, bollo '.

**timidità,** dal lat. *timidĭtas, -atis.*

**tìmido,** dal lat. *timĭdus,* norm. agg. di verbo in *-ĕre;* v. TEMERE.

**timo¹** (anatom.), dal gr. *thymós* ' anima, centro della vita '.

**timo²** (botan.), dal lat. *thymum,* che è dal gr. *thýmon,* di prob. orig. mediterr.

**timone,** lat. tardo (Epifanio) *timo, -onis,* class. *temo, -onis,* ant. *\*tenks-mon,* più o meno lontanamente connesso con la rad. TEN di *tendĕre* e collegato con forme nominali abbastanza evidenti nelle aree baltica e germanica.

**timorato,** dal lat. medv. *timoratus.*

**timore,** dal lat. *timor, -oris,* astr. di *timere* e *timĭdus,* secondo il rapporto di *calor* a *calere, calĭdus.*

**timoroso,** dal lat. tardo *timorosus.*

**timpanite,** dal gr. *tympanìtēs,* deriv. di *týmpanon* ' tamburo ' perché con questa malattia la pelle del ventre è tesa come quella di un tamburo.

**timpa** (rilievo del terreno), tema mediterr.

**tìmpano,** dal lat. *tympănum* che è dal gr. *týmpanon.*

**tina,** lat. *tina* ' bottiglia ', privo di connessioni attendibili.

**tinca,** lat. tardo *tinca,* privo di connessioni attendibili.

**tinello,** dimin. di *tino.*

**tìngere,** lat. *tingĕre* ' immergere in un liquido ', con connessioni nelle aree greca e germanica.

**tinnire,** dal lat. *tinnire,* da una serie onomatop. *t....n,* presente anche nell'area slava. Per la forma intens. *tintinnire,* v. TENTENNARE e TINTINNARE: cfr. lat. *fritinnire,* v. FRINIRE.

**tino,** lat. volg. *\*tinum,* variante (accresc.) di *tina* ' bottiglia '.

**tinta,** forma femm. sostantiv. di *tinto,* part. pass. di *tìngere,* lat. *tinctus.*

**tintinnare,** dal lat. *tintinnare,* variante di *tintinnire,* forma intens. di *tinnire,* rimasto legato al signif. letterale solo nell'ambito eccl. La parola lat. deriva da una serie onomatop. *t....n,* attestata anche nell'area slava; v. TENTENNARE.

**tintore,** lat. tardo *tinctor, -oris,* nome d'agente di *tingĕre.*

**tintorio,** dal lat. *tinctorius.*

**tintura,** dal lat. *tinctura,* astr. di *tingĕre.*

**tiorba** (strum. musicale), forse dal veneto *tiorba,* adattamento dello slavo *torba* ' sacco da viaggio '. Secondo alcuni, incr. con la nozione di ' orbo ', perché strum. spesso usato da sonatori « orbi ».

**-tipìa** (secondo elem. di composiz. nominale), dal gr. *týpos* ' impronta ' col suff. *-ìa* di astr.

**tìpico,** dal gr. *typikós,* attrav. il lat. tardo *typĭcus.*

**tipo,** dal lat. *typus* che è dal gr. *týpos* ' impronta '.

**tipògrafo,** dal lat. rinascimentale *typògraphus,* comp. di gr. *týpos* ' impronta ' e *-gráphos,* tema di nome d'agente da *gráphō* ' io scrivo '.

**tiptologia** (' esprimersi per mezzo di piccoli colpi '), comp. moderno del gr. *týptō* ' io batto ' e *-logia*.

**tiraggio,** dal frc. *tirage,* nome d'azione di *tirer* ' tirare '.

**tirannicida,** dal lat. *tyrannicida,* comp. di *tyrannus* e *-cida,* calco su *homicida;* v. -CIDA.

**tirannicidio,** dal lat. *tyrannicidium,* comp. di *tyrannus* e *-cidium;* v. -CIDIO.

**tirànnico,** dal lat. *tyrannĭcus* che è dal gr. *tyrannikós.*

**tirànnide,** dal lat. *tyrannis, -ĭdis* che è dal gr. *tyrannís, -idos.*

**tiranno,** dal lat. *tyrannus* che è dal gr. *týrannos.*

**tirare,** lat. volg. *\*tirare,* termine militare per indicare « l'introdursi nella vita militare » poi il « debuttare » infine il « trarre ». Legato a lat. class. *tiro, -onis,* privo di connessioni attendibili.

**tirchio,** incr. di *pirchio* ' villano, avaro ' e *tirare.*

**tiretto,** incr. di *cassetto* con *tirare* (piemontese-lombardo *tirèt*).

**tiritera,** da una serie onomatop. *t....r* accompagnata all' alternanza vocalica *i....e,* e incr. con *tirare.*

**tiro,** sost. deverb. da *tirare.*

**tirocinio,** dal lat. *tirocinium* ' apprendistato ', calco su *tubicinium* ' suono della tromba ' e cioè originariam. « segnale (di tromba) per le reclute ». Per *tiro, -onis* « recluta », cfr. v. TIRÀRE.

**tiròide,** dal gr. *thyroeidés* « (cartilagine) a forma (-*eidés*) di scudo oblungo » (*thyreós*) ».

**tironiano,** dal nome di Tirone, segretario di Cicerone, presunto autore dei segni di abbreviaz. detti « Note tironiane ».

**tirso,** dal lat. *thyrsus* che è dal gr. *thýrsos;* cfr. TORSO.

**tisana,** dal lat. *tisăna,* forma popolare di *ptisăna,* dal gr. *ptisánē* ' decotto di orzo sbucciato ', incr. per l'accentazione, non sdrucciola ma piana, con il modello greco.

**tisi,** dal lat. *phthisis* che è dal gr. *phthísis,* nome di azione di *phthínō* ' mi consumo '. Il corrispond. ereditario lat. di gr. *phthísis* è invece *sitis;* v. SETE.

**tìsico,** dal lat. *phthisĭcus* che è dal gr. *phthisikós.*

**titànico,** dal gr. *titanikós.*

**titanio,** nome moderno di un minerale, tratto da *Titania* (nome della moglie del **re** degli **Elfi** *Oberon*), a sua volta risal. a *Titano.*

**titano,** dal lat. *Titanus* che è dal gr. *Titán, -ânos.*

**titillamento,** dal lat. tardo *titillamentum.*

**titillare,** dal lat. *titillare,* forma raddopp. intens. di un verbo di orig. onomatop. secondo la serie *t....l....*

**titillazione,** dal lat. *titillatio, -onis.*

**titolare**[1] (agg. e sost.), da *titolo.*

**titolare**[2] (verbo), dal lat. tardo *titulare,* verbo denom. da *titŭlus.*

**titolo,** dal lat. *titŭlus,* possibile forma raddopp. di ant. TELO- ' piano, tavola ', attestato nelle aree germanica e indiana e risal. a una rad. TELĔ, più largam. attestata, per cui v. TELLURE.

**titubanza,** dal lat. *titubantia.*

**titubare,** dal lat. *titubare,* da una serie onomatop. *t....b....*

**tizio,** dal gentilizio romano *Titius* (deriv. dal prenome *Titus*) per indicare, secondo l'uso dei giur. medv., una persona qualsiasi.

**tizzo,** lat. *titio,* tramandato secondo la forma del nom. Lat. *titio* è di prob. orig. onomatop. secondo la serie *t....t....*

**tizzone,** lat. *titio, -onis* (v. TIZZO), tramandato regolarm., secondo il tema dei casi obliqui.

**tmesi,** dal lat. tardo *tmesis* che è dal gr. *tmêsis,* nome d'azione di *témnō* ' io taglio '.

**to'** (toh!), da *togli!,* in senso proprio e figur.

**toboga,** dal frc. *toboggan* risal., attrav. l'ingl. del Canada, a una lingua indigena (algonchina) del Nordamerica.

**toc-toc,** serie onomatop. per indicare il « battere a una porta ».

**tòcca,** dal longob. *tōh* (ted. *Tuch*) ' stoffa ', poi « (pezzo) di stoffa »; v. TÒCCO[1].

**toccante,** calco sul frc. *touchant.*

**toccare,** lat. medv. *toccare,* verbo denom. dalla serie onomatop. *toc-toc.*

**tócco**[1] (atto di toccare), sost. deverb. da *toccare.*

**tócco**[2] ' toccato ', agg. estr. da *tocc(at)o.*

**tòcco**[1] ' pezzo ', da *tòcca* ' pezzo di stoffa '.

**tòcco**[2] (copricapo), da *tòcca* ' stoffa ', secondo il rapporto di *pezzo* ' pezzo ' a *pezza* ' stoffa ' (v. PEZZA). Specialm. diffuso nei dialetti settentr.

**toeletta,** dal frc. *toilette,* ant. dimin. di *toile* e perciò « piccola tela (da riparo) ».

**tofana** (acqua), dal nome di Giulia Tofana, megera siciliana del XVII sec.

**toga,** dal lat. *toga,* astr. di *tegĕre* (v. TETTO), con una corrispond. particolarmente evidente, per quanto riguarda il grado forte della rad., nell'area germanica (ted. *Dach* ' tetto ').

**togato,** dal lat. *togatus.*

**tògliere** (**tòrre**), lat. *tollĕre,* allineato nella serie di *cògliere* (lat. *colligĕre*), per cui la prima pers. sg. è *tolgo* (invece che *\*tollo*), come *colgo,* forma regolarm. sincopata di lat. *colligo.* Lat. *tollĕre* è la forma tematica di un ant. rad. TELĀ ' sollevare ', con un infisso nasale, e quindi è passata attrav. una fase TELNĀ, al grado ridotto TḶNĀ, fino all'ant. *\*tolno,* immediatamente anteriore a *tollo.* La rad. TELĀ è attestata nelle aree greca (per es. nel perf. *tétla-men* uguale al perf arc. *te-tul-ĭmus*), indiana, germanica e, con lo stesso elemento nasale del lat., nell'area celtica; cfr. TOLLERARE.

**tolda,** dal portogh. *tolda,* forse dall'ar. *ẓulla* ' tenda '.

**tolemàico,** dal lat. *Ptolemaïcus* che è dal gr. *Ptolemaïkós,* deriv. di *Ptolemaîos,* nome di Claudio Tolomeo, astronomo (circa 100-circa 178 d. C.).

**tolleràbile,** dal lat. *tolerabĭlis* incr. con it. *tollerare.*

**tolleranza,** dal lat. *tolerantia* incr. con it. *tollerare.*

**tollerare,** lat. *tolerare,* con raddopp. della cons. postonica in parola sdrucciola, irradiante dalla prima pers. sg.: lat. *tolĕro,* it. *tòllero. Tolerare* è la forma durativa di *tollĕre,* ant. *\*tolnĕre,* inserita nel sistema partendo da un verbo denom. tratto da un tema sibilante *\*tolus, -ĕris* « il prodotto di ciò che si è sollevato » (come *genus* è il « prodotto di ciò che si è generato »); cfr. TÒGLIERE.

**tolto**, part. pass. di *tògliere*, formato sul modello di *cògliere, còlto* (v. CÒGLIERE), al posto dell'originario *\*lato*, lat. *(t)lātus*, per cui v. LATORE.

**tomaia**, dal gr. tardo *tomárion* ' ritaglio (di cuoio) ', deriv. da *tomé*, astr. di *témnō* ' io taglio '.

**tomare** (cadere), dal frc. ant. *tumer* e questo dal franco *tūmōn* ' voltarsi '.

**tomba**, lat. tardo *tumba*, dal gr. *týmba*, variante di *týmbos*.

**tombare** ' cadere ', incr. di *tomare* e *tomba*; cfr. frc. *tomber*.

**tómbola**, sost. deverb. estr. da *tombolare*, quindi « caduta » (anche dei dadi, nel gioco corrispondente).

**tombolare**, forma iterat. di *tombare*.

**tómbolo**[1], sost. deverb. da *tombolare*.

**tómbolo**[2] ' duna ', dal lat. *tumŭlus* (v. TÙMULO), incr. con lat. medv. (X sec.), *tumba* ' rilievo di terreno (in zona paludosa) ', che ha subìto in qualche modo l'influenza di lat. *cumba*, dall'opposto signif. di avvallamento, e di orig. gallica.

**-tomìa**, dal gr. *-tomía*, forma astr. di *tomé* ' taglio ' (appartenente al sistema di *témnō* ' io taglio ').

**tomismo**, dal lat. *Thomas* ' Tommaso ', per indicare la dottrina di San Tommaso d'Aquino (1226-1274).

**tomo**, dal lat. *tomus* che è dal gr. *tómos* ' sezione ', appartenente al sistema di *témnō* ' io taglio '.

**tómolo**, dal lat. medv. *tùmulus, tùminus*, risal. all'ar. *thumn* ' un ottavo '.

**tònaca**, lat. *tunĭca*, con norm. passaggio it. di *-i-* postonica in *-a-* in parola sdrucciola; con la *ò* aperta per incr. con *mònaca*. Lat. *tunĭca* è di orig. mediterr. o forse semitica, come gr. *(khi)tón*; cfr. TÙNICA.

**tonale**, da *tono*, in senso musicale.

**tonare**, lat. *tonare*, da una rad. (S)TENĔ, attestata nelle aree indiana e germanica, senza *s-* iniz. (nel ted. per es. *Donner* ' tuono '), e nelle aree greca, baltica e slava con la *s-* iniz. e il signif. piuttosto di ' gemito ' che di ' tuono '.

**tonchio**, dimin. di *(An)tonio*, quasi fosse un lat. volg. *\*(An)toncŭlus*, soprannome personale di un coleottero, secondo un procedim. di personificazione paragonab. a quello di *barbagianni*.

**tóndere**, lat. *tondĕre*, passato alla coniugaz. di *fóndere*. Il verbo lat. è un iterativo-causativo di *\*tendĕre*, ampliam. in *-d-* di una rad. TEM' ' tagliare ', attestata nel gr. *témnō* ' io taglio ', e nelle aree slava e celtica; cfr. TOSA.

**tondo**, da *(ro)tondo* (v.).

**tónfano**, dal longob. *tumpfilo* ' specchio d'acqua ', incr. con i tipi *mànfano*.

**tonfo**, dal longob. *tumpf* ' rumore di caduta '.

**-tonìa**, dal gr. *tónos* ' tono ', con suff. it. di astr. *-ia* (*atonìa, ipotonìa*).

**tònico**, dal gr. *tonikós*, in senso musicale e grammat.

**tonificare**, da *tono-* col tema verbl. di denom.-causativo *-ficare*, calco sul frc. *tonifier* (XIX sec.).

**tonneggiare** ' spostare una nave con l'aiuto di un cavo ', verbo denom. da gr. *tónos* ' corda tesa ', trasmesso attrav. tradiz. genov. con la cons. nasale *-n-*, raddopp. (ingiustificatamente) in Toscana.

**tonneggio**, sost. deverb. da *tonneggiare*.

**tonnellata**, dallo sp. *tonelada*, deriv. da *tonel* ' barile ' e questo dal lat. tardo (gloss.) *tunna*, di prob. orig. gallica.

**tonno**, lat. volg. *\*tunnus*, class. *thynnus*, dal gr. *thýnnos*, introdotto in età arc.

**tono**, dal lat. *tonus* che è dal gr. *tónos*, della famiglia di *teínō* ' io tendo ': « tensione ».

**tonsilla**, dal lat. *tonsillae* (solo al plur.), dimin. di *toles, -ium*, ant. *\*tonsles*, privo di connessioni attendibili.

**tonsura**, dal lat. *tonsura*, astr. di *tondere* ' tosare '.

**tonto**, lat. *(at)tonĭtus*, con norm. caduta di voc. interna postonica, incr. con *stólto*. *(At)tonĭtus* è norm. forma di part. pass. di una rad. bisillabica (S)TENĔ; v. TONARE.

**topazio**, dal lat. imp. *topazius* che è dal gr. *topázion*, deriv. di *Tópazos*, nome di un'isola del mar Rosso.

**tòpica**, dal lombardo *tòpica*, sost. deverb. da *topicà* ' inciampare ' verbo denom. iterat. parallelo all'it. *intoppare* « urtar in un toppo (o ceppo) »; v. TOPPO.

**tòpico**, dal lat. tardo *topicus* che è dal gr. *topikós*, agg. deriv. da *tópos* ' luogo '.

**topinambùr**, dal nome di una tribù brasiliana della regione di Pernambuco, attrav. il frc. *topinambour*.

**topo**, lat. tardo *talpus*, variante di *talpa* (v. TALPA), attrav. un dialetto settentr. che cambia *\*talp* in *\*taup-*.

**topografìa**, dal lat. tardo *topographĭa*, incr. per l'accento col gr. *topographia*, comp. di *tópos* ' luogo ' e *-graphía*, astr. di *gráphō* ' io scrivo '.

**topògrafo**, dal gr. *topográphos*, comp. di *tópos* ' luogo ' e *grapho-*, tema di nome d'agente di *gráphō* ' io scrivo '.

**toponimìa**, dal frc. *toponymie*, astr. di *toponyme* ' nome di luogo '.

**topònimo**, da gr. *tópos* ' luogo ' e *ónyma* variante dor.-eol. di attico *ónoma* ' nome '.

**toponomàstico**, dall'agg. *onomàstico* col pref. *topo-*: « (appartenente) al nome dei luoghi »; v. ONOMÀSTICO.

**tòppa** ' pezza o grosso bottone ', forma in certo senso dimin. da *toppo* (v.).

**tòppo** ' ceppo ', lat. medv. *toppus* (XII sec.), dal frc. ant. *top*, che è dal franco *top* ' ciocca di capelli '; cfr. ted. *Zopf* ' nodo della treccia ' e v. TUPPÈ e TÒPICA.

**torace**, dal lat. *thorax, -acis* che è dal gr. *thóraks, -akos* ' corazza '.

**toràcico**, dal gr. tardo *thōrakikós*.

**torba**, dal frc. *tourbe* (franco *torba* ' torba ', ted. *Torf*).

**tórbido**, lat. *turbĭdus*, agg. che presuppone un verbo *\*turbĕre* ' esser torbido ', secondo il rapporto di *liquĭdus* rispetto a *liquere*. Capostipite della famiglia lat. è però il sost. *turba* per cui v. TURBA e cfr. TÓRMENO.

**tòrcere**, lat. *torquere*, allineato con *mòrdere*, da una rad. TERKw ' volgere ', da cui un norm. causativo col grado forte della rad.: con una variante TREKw, attestata anche nell'area greca dal verbo *trépō* ' io volgo '.

**torchiare**, lat. tardo *torculare*, verbo denom. da *torcŭlum*.

**torchio**, lat. *torcŭlum*, nome di strum. in *-lo-* di *torquere*; v. TÒRCERE.

**torcia,** dal frc. *torche,* forse lat. *\*torca,* variante di *torques* ' collana ', deriv. di *torquĕre;* v. TÒRCERE.

**torcicollo,** da *torce(re)-* e *collo.*

**torcoliere,** nome d'agente, di mestiere, da *tòrcolo.*

**tòrcolo,** dal lat. *torcŭlum;* v. TORCHIO.

**tordaio,** lat. *turdarium,* con il regolare trattam. tosc. di *-ariu* in *-aio.*

**tordela** (varietà di tordo), dal lat. *turdela,* deriv. di *turdus* (v. TORDO), secondo il procedim. che si trova in altri nomi di animali come *mustela* ' faina ' e *nitela* ' scoiattolo '.

**tordo,** lat. *turdus,* con connessioni, sia pure non perspicue, nell'ampio territorio delle aree celtica, germanica (ted. *Drossel*), baltica, greca, slava.

**torero,** dallo sp. *torero* da *toro* ' toro ', col suff. *-ero* che è il lat. *-arius.*

**torèutica,** dalla formula gr. *toreutikḗ (tékhnē)* ' (arte) cesellatrice '.

**torio,** dal lat. scient. *thorium,* tratto dal nome del dio scandinavo del tuono, *Thor.*

**torlo,** lat. *torŭlus* ' rigonfiamento ', con norm. caduta della voc. interna postonica (cfr. TUORLO). *Torŭlus* è dimin. di *torus* per cui v. TORO².

**torma,** lat. *turma,* di prob. orig. mediterr., insieme con *turba;* v. TURBA.

**tormalina,** dal frc. *tourmaline,* prob. dal singalese (Ceylon) *toramalli.*

**tórmeno** ' altura ', lat. *turbo, -ĭnis* ' tròttola ' (v. TÙRBINE) incr. con *tèrmine,* sopravv. come nome loc., per es. *Tormini* (Brescia). Lat. *turbo, -ĭnis* appartiene alla famiglia di *turba* e *\*turbĕre;* v. TÓRBIDO.

**tormenta,** dal frc. *tourmente,* lat. *tormenta,* plur. di *tormentum.*

**tormentare,** dal lat. tardo *tormentare,* verbo denom. da *tormentum.*

**tormentatore,** dal lat. tardo *tormentator, -oris.*

**tormento,** lat. *tormentum,* ant. *\*torcmentom,* nome di strum. tratto dal verbo *torquere;* v. TÒRCERE.

**tornante** ' serpentina di strada ', calco sul frc. *tourniquet,* incr. con *tournant.*

**tornare,** lat. *tornare,* verbo denom. da *tornus;* v. TORNIO.

**tornasole,** comp. di *torna(re)* e *sole.*

**tornata,** astr. di *tornare* per indicare una riunione periodica.

**tornatura,** da *tornata* nel senso di ' voltata ' col suff. astr. in *-ura* per indicare una misura costante di superficie e di lavoro; cfr. *versura, visura, voltura.*

**torneare,** dal provz. *torneiar.*

**tornèo,** sost. deverb. da *torneare.*

**tornese** (moneta), dal frc. ant. *torneis,* lat. medv. *turonensis:* « (moneta della città di) Tours ».

**tornio,** lat. *tornus,* dal gr. *tórnos:* rifatto inesattamente in it. dal plur. *torni.*

**torno** ' giro ', sost. deverb. da *tornare;* cfr. TURNO.

**toro¹** (animale), lat. *taurus,* con chiare corrispond. nelle aree greca *(taûros),* baltica, slava e solo approssimative nelle aree celtica e germanica (ted. *(S)tier).*

**toro²** (elemento architettonico), dal lat. *torus,* nel senso primo di ' fune ', applicato poi all'architettura: privo di connessioni attendibili.

**toro³** ' letto ', dal lat. *torus* (v. TORO²), nel senso ulteriore di ' corde intrecciate, materasso ', infine ' letto '.

**torpèdine** (pesce e arma), dal lat. *torpedo, -ĭnis,* nome astr. di *torpere:* « l'atto di intorpidire »; v. TÒRPIDO.

**torpedone,** accresc. di *torpedo,* nome di carrozzeria automobilistica aerodinamica di creazione spagnola e quindi dallo sp. *torpedo,* che è dal lat. *torpedo, -ĭnis.*

**tòrpido,** dal lat. *torpĭdus,* agg. collegato con *torpère* ' essere in stato di torpore ', da una rad. TERP, con formaz. parallele nelle aree baltica e slava.

**torpore,** dal lat. *torpor, -oris,* astr. di *torpere;* v. TÒRPIDO.

**tòrre¹** (v. TÒGLIERE), formaz. parallela a *còrre* rispetto a *cògliere.*

**tórre²,** lat. *turris* parola mediterr. attestata dal gr. *týrrhis* e dal nome dei « popoli delle Torri », i *Tyrrhēnoi* o « Tirreni ».

**torrefare,** dal lat. *torrefacĕre,* comp. di *torrē-,* tema di *torrere* « far seccare » e *facĕre,* incr. con it. *fare:* quindi causativo doppio o « rideterminato »; v. TÒRRIDO.

**torrente,** dal lat. *torrens, -entis,* part. pres. di *torrere* nel senso intrans. di « esser secco », incr. per il signif. con *corrente.*

**tòrrido,** dal lat. *torrĭdus,* agg. corrispond. a un verbo causativo dalla rad. TERS « far diventar secco », attestata nelle aree germanica (ted. *Durst* ' sete '), greca, armena; cfr. TERRA e TOSTO¹.

**torrone,** dallo sp. *turrón,* deriv. da *turrar* ' arrostire ', risal. al lat. *torrere;* v. TÒRRIDO.

**torsione,** dal lat. tardo *torsio, -onis,* nome d'azione di *torquere,* tratto da un presunto part. pass. *\*torsus,* accanto alla coppia regolare del part. *tortus* e di *tortio, -onis,* come nome d'azione. *\*Torsus* è stato creato per analogia sul perf. *torsi.*

**torso,** lat. tardo *tursus,* identico a un adattamento arc. del gr. *thýrsos* e opposto al lat. class. *thyrsus;* v. TIRSO.

**tórsolo,** dimin. di *torso.*

**tórta,** lat. tardo *torta* nella formula it. « (pasta) torta » e cioè « ravvolta ». *Torta* è forma femm. di *tortus,* part. pres. norm. di *torquere,* v. TÒRCERE e TORSIONE. Allineata, per la pronuncia chiusa della *ó* con i tipi *corta, sorta* femm. di *córto, sórto.*

**tortigliare,** lat. volg. *\*tortiliare,* verbo denom. da *tortĭlis;* v. TÒRTILE.

**tortiglione,** accresc. di un *\*tortiglio,* sost. deverb. di *tortigliare.*

**tòrtile,** dal lat. *tortĭlis,* agg. verb. passivo di *torquere,* tratto dal part. pass. norm. *tortus,* come *missĭlis, fictĭlis,* ecc.

**torto,** lat. *tortus* più ant. *\*torctos,* part. pass. di *torquere,* in senso proprio e figur.: in questo secondo caso, sostantiv.

**tórtora,** lat. *turtur, -ŭris,* passato alla declinaz. in *-a. Turtur* appartiene alla serie onomatop. *tur....tur;* cfr. TUBARE.

**tortuosità,** dal lat. tardo *tortuosĭtas, -atis.*

**tortuoso,** dal lat. *tortuosus,* deriv. da *tortus, -us,* astr. di *torquere.*

**tortura,** dal lat. tardo *tortura,* astr. di *torquere* e inteso perciò come « attorcimento ».

**torvo,** dal lat. *torvus,* forse da più ant. *\*torcvos,* collegato con *torquere:* colui che guarda di traverso sarebbe quello « che ha (lo sguardo) torcibile », secondo lo schema di *arvus (ager)* « campo arabile » o *caedua* (*silva*) « bosco ceduo »; cfr. PROTERVO.

**torzone**, accresc. di *torso* « torsolo, buono a nulla », attrav. una tradiz. settentr. corretta (senza giustificazione) nei dialetti centro-merid. col passaggio di -rs- a -rz-.

**tosa**, femm. sostantiv. del lat. *tonsus*, part. pass. di *tondere* ' tosato '; v. TÓNDERE.

**tosare**, lat. volg. *tonsare*, intens. di *tondere* ' tosare '; v. TÓNDERE.

**toscano**, dal lat. *tuscanus*, ampliam. di *tuscus*; v. TOSCO.[1]

**tósco**[1] ' etrusco ', lat. *tuscus* e questo da ant. *turscos*, derivaz. italica dalla rad. TURS del nome etnico degli Etruschi, nella tradiz. gr. detti *Tyrs(ēnoí)*.

**tòsco**[2] ' veleno ', lat. *toxĭcum*, forma sostantiv. del gr. *toksikòn* (*phármakon*) « (veleno) per la freccia », agg. di *tókson* ' freccia '. La parola lat. ha subìto la caduta norm. della voc. interna postonica; cfr. invece TÒSSICO.

**tosone** ' vello ', lat. *tonsio*, *-onis*, nome d'azione di *tondere* ' tosare ', incr. con frc. *toison* (XII sec.).

**tosse**, lat. *tussis*, nome d'azione di *tundĕre* ' battere ' e perciò « battito »: da una forma orig. *tud-ti-s*; v. CONTÚNDERE.

**tòssico** (sost. e agg.), dal lat. *toxĭcum* (v. TÒSCO[2]): adattato in it. a impieghi di agg.

**tossicoloso**, dal lat. tardo *tussiculosus*, deriv. di *tussicŭla*, dimin. di *tussis*.

**tossilàggine**, dal lat. *tussilago*, *-ĭginis*, doppio ampliam. di *tussis* (v. TOSSE), in -il- e in -ago, -ĭnis, secondo il modello ad es. di *lactilago*. Il raddopp. della -g- rispecchia il norm. trattam. delle cons. postoniche in parole sdrucciole.

**tossina**, da *tossi(ci)na* e cioè dall'agg. *tòssico* con il suff. -ina, proprio di medicamenti o di prodotti chimici.

**tossire**, lat. *tussire*, verbo denom. da *tussis*.

**tostare**, lat. tardo *tostare*, intens. di *torrere* dal part. pass. *tostus*; v. TOSTO[1].

**tosto**[1] ' duro ', lat. *tostus*, part. pass. del sistema di *torrere* (v. TÒRRIDO), ant. *tr̥stos*, che riappare identico come agg. nell'area baltica, mentre è part. pass. di un verbo *tersère* ' seccare ', che compare identico nell'area greca (*térsetai* ' secca ') e, ampliato, in quella armena.

**tosto**[2] ' sùbito ', lat. *tostus* nel senso di « rapidamente scaldato (non cotto) ».

**totale**, dal lat. medv. *totalis*, deriv. di *totus* ' intero '.

**totalizzare**, dal frc. *totaliser*.

**tòtano**, lat. volg. *totĭdus*, dal tema dei casi obliqui del gr. *teuthís*, *-idos*, incr. con suff. in nasale, e voc. interna -a-, norm. in posiz. postonica di parola sdrucciola.

**totem**, dall'algonchino (lingua indigena dell'America settentr.) (o)totem(an), attrav. il frc. *totem*.

**tovaglia**, dal franco *thwahlja* ' tovagliolo ', attrav. il provz. *toalha*.

**tozzare** ' rompere ', incr. di *toccare* e *mozzare*.

**tozzo**[1] ' massiccio ', estr. da un part. *tozzato*, incr. di *cozzare* e *toccare* e cioè « ammaccato appena toccato, non rifinito ».

**tozzo**[2] ' pezzo (di pane) ', incr. del settentr. *tòcco* (v. TÒCCO[1]), con *mozzare*; cfr. però STOZZO.

**tra**, lat. (*in*)*tra*, ant. abl. femm. di un agg. *intĕrus* ' interno ', deriv. da *in-* con il suff. compar. -tero-. Dal valore di « all'interno di (un solido) » è pas-

sato in it. al valore di « all'interno (di una linea delimitata da due punti) ».

**tra-**[1] (anche *tras-*), lat. *trans*, part. pres. irrigidito a prep. del verbo *trare*, forma durativa di *terĕre* ' forare ' e figur. ' attraversare '; v. ENTRARE e cfr. TRITO.

**tra-**[2], lat. (*ul*)*tra*; v. OLTRE.

**tra-**[3], lat. (*in*)*tra*; v. TRA.

**trabacca**, dal lat. medv. *trabum* ' tenda ' incr. con *baracca* (v.).

**traballare**, da *tra-*[3] e *ballare* come *travedere* è un ' vedere ridotto o sbagliato '; v. BALLARE.

**trabante** ' alabardiere ', dal ted. *Trabant*.

**tràbea**, dal lat. *trabĕa*, specie di toga, privo di connessioni attendibili.

**trabeato**, dal lat. *trabeatus*.

**trabeazione**, nome d'azione tratto da *trabeato*, trasferito dalla sfera dell'abbigliamento a quella dell'architettura.

**trabìccolo**, dal lat. *trabicŭlum*, variante di *trabecŭla*, dimin. di *trabs*, *trabis* (v. TRAVE), e analizzato *trabic-ŭlum*, con successivo raddopp. della cons. postonica in parola sdrucciola.

**traboccare**, dal provz. *trabucar* incr. con it. *bocca*.

**tracannare**, verbo denom. da *canna* con *tra-*[1].

**traccagnotto**, dimin. di un *traccagno*, incr. di *tarchiato* e *taccagno*.

**traccheggiare**, verbo iterat. di *traccare*, lat. volg. *trahicare*, intens. di *trahĕre*: « tirare (in lungo) ».

**traccia**, sost. deverb. da *tracciare*.

**tracciare**, lat. volg. *tractjare*, intens. di *trahĕre* « tirare una linea », col passaggio di -ctj- a -cc'-, opposto a *drizzare* (v.) col passaggio di -ctj- a -zz-.

**trachèa**, dal gr. *trakheîa* (*artēría*) « (arteria) aspra »: così detta perché i suoi anelli costitutivi sono sensibili alla palpazione.

**trachite**, dal gr. *trakhýs* ' aspro ' col suff. -ite, proprio dei minerali.

**tracolla**, dallo sp. *tiracol* incr. con *tra-*[1] e *collo*.

**tracollare**, verbo denom. da *collo* con *tra-*[1].

**tracoma**, dal gr. *trákhōma*, deriv. di *trakhýs* ' aspro ' a causa dell'asperità delle palpebre che provoca.

**tracotante**, dal provz. (*ol*)*tracuidàn*; v. OLTRACOTANTE.

**tradire**, lat. *tradĕre* ' consegnare ', passato alla coniugaz. in -i-, e influenzato nel signif. dall'uso peggiorativo della tradiz. evangelica, nella quale Gesù è « consegnato », e cioè « tradito » da Giuda. *Tradĕre* è comp. di *trans* e *dare* con norm. apofonia di -ă- in -ĕ- in sill. interna dav. a -r-.

**traditore**, dal lat. *tradĭtor*, *-oris*, nome d'agente di *tradĕre*, che ha seguìto nel suo svolgim. semantico.

**tradizione**, dal lat. *traditio*, *-onis*, nome d'azione di *tradĕre*, rimasto aderente alla nozione di « consegna (nel tempo) ».

**traducìbile**, dal lat. *traducibĭlis*, agg. verb. passivo di *traducĕre*.

**tradurre**, dal lat. *traducĕre* ' trasportare ' incr. con it. *condurre*, venuto a significare « tradurre » per un equivoco di L. Bruni (1370-1444) nell'interpretare un passo di Gellio, nel quale si parlava di un vocabolo gr. « trasportato » nella lingua di Roma.

**traduttore**, dal lat. *traductor*, *-oris*, nome d'agente di *traducĕre*, col signif. orig. di ' trasportatore '.

**traduzione**, dal lat. *traductio*, *-onis*, nome d'agente di *traducĕre*, col signif. orig. di ' trasposizione '.

**traente**, dal lat. *trahens, -entis*, part. pres. di *trahĕre*.

**trafelare**, verbo denom. da *fiele* con *tra-*[1] « attraversare il fiele, passare a fil di spada, languire », con la *e* non dittongata perché fuori d'accento.

**trafficare**, dal catalano *trafegàr*, lat. volg. *\*transfaecare* « traversare, trasferire la feccia » (v. FECCIA). La mediaz. settentr. appare attrav. la correzione (ingiustificata) di -*f*- in -*ff*-.

**tràffico**, sost. deverb. da *trafficare*.

**trafìggere**, lat. *transfigĕre* incr. con it. *figgere, crocifìggere*.

**trafilare**, dal lat. medv. *\*transfilare* (cfr. *transfillarius*, XIII sec.), verbo denom. da *filum* con la prep. *trans*; v. TRA-[1].

**trafiletto**, calco sul frc. (*en*)*trefilet*.

**traforare**, lat. *transforare*, comp. di *trans* e *forare*; v. FORARE.

**trafugare**, incr. di *trafurare* e *fugare*.

**trafurare**, da *furare* e *tra-*[2].

**tragedia**, dal lat. *tragoedia* che è dal gr. *tragōidía*, comp. di *trágos* ' caprone ', *ōidé* ' canto ' e suff. -*ia* di astr.

**tragediògrafo**, dal lat. *tragoediográphus*, che è dal gr. *tragōidiográphos*.

**tragedo**, dal lat. *tragoedus* che è dal gr. *tragōidós*.

**traggo**, prima pers. del verbo *trarre*, formato da *trassi* e *tratto* sul modello di *leggo* rispetto a *lessi* e *letto*.

**traghettare**, inf. risultante dall'incr. di un tipo *traggo* e un tipo *getto* col pref. *tra-*[1] attrav. prob. mediaz. venez.; cfr. TRAGITTO.

**traghetto**, sost. deverb. da *traghettare*.

**tràgico**, dal lat. *tragĭcus* che è dal gr. *tragikós*; v. TRAGEDIA.

**tragicommedia**, dal lat. *tragicomoedia*, comp. di *tragĭcus* e *comoedia*; cfr. TRAGEDIA e COMMEDIA.

**tragittare**, incr. di lat. volg. *\*traiectare* con it. *gire* quasi si trattasse di un orig. *transitare* con valore transitivo.

**tragitto**, sost. deverb. da *tragittare*.

**traglia**, (specie di slitta) lat. *tragŭla*, nome di strum. da *trahĕre* (v. TRARRE), con allungam. della voc. radicale come in *tēgŭla* rispetto a *tegĕre* o *rēgŭla* rispetto a *regĕre*.

**traguardare**, da *guardare* con *tra-*[3].

**traguardo**, sost. deverb. da *traguardare*; cfr. *traballare, travedere*, ecc.

**traiettoria**, dal lat. *traiectus* ' gettato attraverso ', part. pass. di *traicĕre* col suff. -*orio*, poi sostantiv.: « (linea) traiettoria » e cioè « gettata attraverso (lo spazio) ».

**trainare**, dal frc. *trainer*, lat. volg. *\*traginare*, durativo di *trahĕre*; v. TRANARE.

**tralasciare**, da *lasciare* con *tra-*[2].

**tralce e tralcio**, lat. volg. *\*tralux, -ŭcis*, forma sabineggiante rustica per class. *tradux, -ŭcis*, nome d'azione di *traducĕre* ' trasportare '. Da *\*tralŭcem*, forma dell'acc., si è avuto, con norm. caduta della voc. interna postonica *tralce*, dal cui plur. *tralci* si è ricavato il nuovo sg. *tralcio*.

**traliccio**, lat. volg. *\*trilicjum*, incr. di *trilix, -ĭcis* (v. TRALICE) e *licium* (v. LICCIO), con norm. raddopp. consonantico nel gruppo -*cjo*- dopo l'accento: incr. con *trave*, quasi ne fosse un dimin., in cui la prima sill. sola rappresentasse la parte radicale.

**tralice**, lat. *trilix, -ĭcis* « a filo triplo », comp. di *tri-* ' tre ' e *licium* ' filo ' (v. LICCIO) incr. con *traliccio*.

**tralignare**, verbo denom. da un arc. *\*ligna*, lat. volg. *\*linja*, class. *linea* (v. LINEA) col pref. *tra-*[2].

**tralùcere**, dal lat. *tralucere*, comp. di *trans-* e *lucere*, incr. con it. *lùcere*; v. LÙCIDO.

**tram**, dall'ingl. *tram-car* « carro di spedizione ».

**trama**, lat. *trama*, privo di connessioni attendibili, di orig. mediterr.

**tramaglio**, lat. volg. *\*trimacŭlum* « rete di tre maglie », incr. con *trama*. La forma class. è *macŭla*, per la quale v. MAGLIA, che la continua con leniz. del gruppo -*c(u)l*- in -*g(u)l*-.

**tramandare**, da *mandare* con *tra-*[1].

**tramare**, verbo denom. da *trama*.

**trambasciato**, da *ambascia* col suff. -*ato* ' provvisto di ' e *tra-*[2].

**trambusto**, dal provz. *tabust* ' chiasso ' incr. con it. *tramestare*.

**tramestare**, da *mestare* con *tra-*[2].

**tramezzare**, verbo denom. da *tramezzo*.

**tramezzo**, forma sostantiv. di lat. (*in*)*termedius* incr. con it. *tra-*[2].

**tràmite**, dal lat. *trames, -ĭtis* ' sentiero traverso ', nome d'agente da *trama* (v. TRAMA), incr. con i tipi *comes, -ĭtis, pedes, -ĭtis* e sim.

**tramoggia**, lat. *trimodia* « che (contiene) tre moggi », comp. di *tri-* (v. TRE) e *modius* (v. MOGGIO), incr. con it. *tra-*[1].

**tramontano**, dal lat. *transmontanus*, comp. di *trans, mons* ' monte ' e il suff. -*anus*: « oltremontano ».

**tramontare**, verbo denom. da *monte* col pref. *tra-*[2].

**tramonto**, sost. deverb. da *tramontare*.

**tramortire**, verbo denom. da *morto* con *tra-*[1] del tipo di *travedere, traballare, traguardare*.

**tràmpolo**, dall'alto ted. medio *trampeln* ' calpestare '.

**tramutare**, da *mutare* con *tra-*[1].

**tranare** (ant.) ' trainare ' (v.), lat. volg. *\*traginare*, intens. di *trahĕre*, con lat. -*g*- conservato come in *tragum* quasi si avesse una variante non aspirata della rad. TRAG(H); cfr. TRARRE, TRATTA, TRAGLIA.

**trancia**, dal frc. *tranche* ' taglio '; cfr. TRINCIARE.

**tranello**, sost. deverb. con suff. dimin. da *tranare* « (azione subdola) per trascinare (in un'insidia) ».

**tranghiottire** (ant.), lat. tardo *transgluttire*; v. GHIOTTO, INGHIOTTIRE.

**trangugiare**, verbo denom. da un tipo lucchese *gogio* ' gozzo ', adattamento tosc. di una forma settentr. *goz* (v. GOZZO), incr. con *tranghiottire* (v.).

**tranne**, da *tra*', seconda pers. dell'imperat. di *trarre*, con *ne* enclitica: « tògline ».

**tranquillare**, dal lat. *tranquillare*, verbo denom. da *tranquillus*.

**tranquillità**, dal lat. *tranquillĭtas, -atis*.

**tranquillo**, dal lat. *tranquillus*, che deriva dalla rad. di *quies* ' quiete ' con un suff. -*lo* provvisto di raddopp. affettivo: « al di là della serenità ».

**trans-**, dal lat. *trans*, part. pres. di *\*trare*; v. ENTRARE e cfr. TRA-[1].

**transalpino**, dal lat. *transalpinus*, comp. di *trans* e *alpes* col suff. -*inus*: « che si riferisce all'al di là delle alpi ».

**transatlàntico**, da *trans-* e *atlantico*.

**transazione**, dal lat. tardo *transactio, -onis*, nome

d'azione di *transigĕre* (v. TRANSÌGERE), deriv. dal part. pass. *transactus*, che non altera la voc. interna perché di quantità lunga; v. ATTO, AZIONE.

**transenna,** dal lat. *trasenna* ' rete per uccelli ', di probabile origine etrusca, incrociato con il lat. *transĭtus*.

**transetto,** dal frc. *transept* e questo dall'ingl. *transept* che risale al lat. *saeptum* ' chiusura ' col pref. *trans*; v. SIEPE.

**transeunte,** dal lat. *transiens, -euntis*, part. pres. di *transire* (v. TRÀNSITO). A differenza del nom. sg. in *-iens* tratto dalla rad. al grado ridotto I e il suff. al grado norm. *-ent-*, i casi obliqui sono tratti dal grado norm. E(I) col suff. al grado forte *-ont-* (poi *-unt-*).

**trànsfuga,** dal lat. *transfŭga*, nome d'azione di *transfugĕre*; v. FUGGIRE.

**transiberiano,** da *trans-* e *siberiano*.

**transìgere,** dal lat. *transigĕre*, da *trans* e *agĕre* ' spinger di là ', con norm. apofonia di *-ă-* in *-ĭ-* in sill. interna aperta.

**transistor,** dall'ingl. *transistor*, abbreviaz. di *tran(sfer-re)sistor*.

**transitare,** dal lat. *transitare*, verbo denom. da *transĭtus*.

**transitivo,** dal lat. tardo *transitivus*.

**trànsito,** dal lat. *transĭtus, -us*, astr. di *transire*, comp. di *trans-* e *ire* ' passare attraverso '.

**transitorio,** dal lat. tardo *transitorius*.

**transizione,** dal lat. *transitio, -onis*, nome d'azione di *transire*.

**translùcido,** dal lat. *translucĭdus*, comp. di *trans* e *lucĭdus*.

**transoceànico,** da *trans-* e *oceànico*.

**transpadano,** dal lat. *transpadanus*, comp. di *trans* e *padanus* ' del Po '.

**transpolare,** da *trans-* e *polare*.

**transtiberino,** dal lat. *transtiberinus*, comp. di *trans* e *Tibĕr* ' Tevere '; cfr. TRASTEVERINO.

**transumare,** dal frc. *transhumer*, comp. di *trans-* e *humer*, verbo denom. dal tema lat. *humus* ' terra ': « andare al di là della terra (consueta) ».

**transunto,** dal lat. *transsumptum*, neutro sostantiv. del part. pass. di *transsumĕre*, comp. di *trans* e *sumĕre* ' prendere '; v. SUNTO.

**transustanziare,** dal lat. medv. *transsubstantiare*, verbo denom. da *substantia* col pref. *trans*.

**transustanziazione,** dal lat. medv. *transsubstantiatio, -onis*.

**tran-tran,** da una serie onomatop. *tr....n*, indicante un movimento lento e monotono.

**tranvai,** dall'ingl. *tramway*, riprodotto graficamente, e associato alla forma it. *vai*, del verbo *andare*.

**tranvìa,** calco sull'ingl. *tramway* con la sostituz. di *via* a *way*.

**trapanare,** verbo denom. da *tràpano*.

**tràpano,** lat. volg. *trepănum*, incr. di *trypănum* che è dal gr. *trŷpanon* e *trepĭdus*, associato poi in it. ai tipi in *tra-* di *traforare* (v.) e sim.

**trapassare,** da *passare* e *tra-³* e cioè « passare oltre », incr. con *tra-²* e cioè « passare tra parte e parte ».

**trapelare,** verbo denom. da *pelo* col pref. *tra-¹*.

**trapelo** ' bestia da tiro di rinforzo ', lat. *protelum* ' tiro ', in senso rustico, sottoposto a metatesi di *t....p* al posto di *p....t* e associato a *tra-²*. Lat.

*protelum* è un ant. *pro-tend-slo-m*. nome d'azione in *-slo-* di *protendĕre* « l'azione di tendere in avanti »; v. PROTÈNDERE.

**trapezio,** dal lat. tardo *trapezium* che è dal gr. *trapézion*, dimin. di *trápeza* ' tavola '.

**trapezòide,** dal gr. *trapezoeidés* « dall'aspetto di trapezio ».

**trapiantare,** dal lat. tardo *transplantare* incr. con *tra-¹* e *piantare*.

**trappista,** dal nome dell'abbazia della *Trappe* in Normandia (XII sec.).

**tràppola,** dimin. del longob. *trappa* ' laccio '.

**trapùngere,** da *pùngere* col pref. *tra-¹*.

**trarre,** lat. *trahĕre*, con norm. caduta della voc. interna postonica. *Trahĕre* ha connessioni approssimative nell'area germanica che risalgono però a una iniz. DH- e non TH. Effettivamente la rad. TRAGH, presupposta da *trahĕre* è anormale dal punto di vista ideur. (cfr. TRATTA). Per la variante lat. *trag-* invece di *trah-* v. TRANARE.

**trasalire,** calco sul frc. ant. *tressaillir*, comp. di *tres* (lat. *trans-*) e *saillir* ' saltare ' (lat. *salire*).

**trasandare,** comp. di *tras-* (v. TRA-¹) e *andare* ' andare oltre ', perciò « trascurare ».

**trasbordare,** dal frc. *transborder* incr. con it. *tras-*; v. TRA-¹.

**trasbordo,** sost. deverb. da *trasbordare*.

**trascendentale,** dal lat. medv. *trascendentalis*.

**trascendente,** dal lat. *trascendens, -entis*, part. pres. di *trascendĕre*; v. TRASCENDERE.

**trascéndere,** dal lat. *trascendĕre*, comp. di *trans-* e *scandĕre* ' salire ', con norm. apofonia di *-ă-* in *-ĕ-* in sill. interna chiusa; cfr. SCÉNDERE e SCALA.

**trascinare,** incr. di lat. volg. *tragīnare* (v. TRAINARE) col pref. *tras-* v. TRA-¹, e conseguente valore fortemente durativo.

**trascolorare,** verbo denom. da *colore* col pref. *tras-*; v. TRA-¹.

**trascórrere,** dal lat. *transcurrĕre*, comp. di *trans* e *currĕre*; v. CORRERE.

**trascrìvere,** dal lat. *transcribĕre*, comp. di *trans* e *scribĕre*; v. SCRÌVERE.

**trascrizione,** dal lat. *transcriptio, -onis*, nome di azione di *transcribĕre*, incr. con it. *tras-*; v. TRA-¹.

**trascurare,** da *curare* col pref. *tras-* (v. TRA-¹), che assume qui valore addirittura negativo, passando cioè dal valore di « andare al di là della cura » a quello di « uscire dalla cura », e cioè « non curare ».

**trasecolare,** verbo denom. da *sècolo* col pref. *tra-²*: « andar fuori del secolo ».

**trasferire,** dal lat. *transferre*, comp. di *trans* e *ferre*, incr. con it. *conferire, deferire*.

**trasfigurare,** dal lat. *transfigurare*, verbo denom. da *figura* col pref. *trans-* ' oltre '.

**trasfigurazione,** dal lat. *transfiguratio, -onis*.

**trasfóndere,** dal lat. *transfundĕre*, comp. di *trans* e *fundĕre*; v. FÓNDERE.

**trasformare,** dal lat. *transformare*, verbo denom. da *forma* con pref. *trans-*.

**trasformazione,** dal lat. tardo *transformatio, -onis*.

**trasfusione,** dal lat. *transfusio, -onis*, nome d'azione di *transfundĕre* dal tema del part. pass.; v. FUSO.

**trasgredire,** dal lat. *transgrĕdi*, comp. di *trans* e *grădi* (v. GRADO), con apofonia di *-ă-* in *-ĕ-* anziché in *-ĭ-* in sill. interna dav. a cons. dentale.

**trasgressione,** dal lat. *transgressio, -onis*, nome d'azione di *transgrĕdi*; v. INGRESSO.

**trasgressore,** dal lat. tardo *transgressor, -oris,* nome d'agente di *transgrĕdi,* formato sul part. *transgressus;* v. INGRESSO.

**traslato,** dal lat. *translatus,* part. pass. nel sistema di *transferre,* da un tema *\*tlāto-;* v. LATORE.

**traslazione,** dal lat. *translatio, -onis,* nome d'azione di *transferre;* v. LATORE.

**traslitterazione,** dall'ingl. *transliteration.*

**traslocare,** calco su *collocare* con la sostituz. di *tras-* (v. TRA-[1]) a *col-* (da *com-*).

**trasloco,** sost. deverb. da *traslocare.*

**trasméttere,** dal lat. *transmittĕre,* comp. di *trans* e *mittĕre,* incr. con it. *méttere* e *tras-;* v. TRA-[1].

**trasmigrare,** dal lat. *transmigrare,* comp. di *trans* e *migrare* (v. MIGRARE), incr. con it. *tras-;* v. TRA-[1].

**trasmigrazione,** dal lat. tardo *transmigratio, -onis.*

**trasmissìbile,** dal lat. *trasmissus* (v. MESSO) incr. con gli agg. verb. passivi it. in *-ìbile.*

**trasmissione,** dal lat. *transmissio, -onis,* nome di azione di *transmittĕre.*

**trasmissore,** dal lat. tardo *transmissor, -oris,* nome d'agente di *transmittĕre.*

**trasmittente,** dal lat. *transmittens, -entis,* part. pres. di *transmittĕre.*

**trasmodare,** verbo denom. da *modo* col pref. *tra(n)s-.*

**trasmutare,** dal lat. *transmutare,* comp. di *trans* e *mutare.*

**trasmutazione,** dal lat. *transmutatio, -onis.*

**trasognare,** comp. di *sognare* e *tra,* come in *travedere, traguardare, traballare* ecc.

**trasparente,** dal lat. medv. *tràsparens, -entis,* comp. di *parere* 'apparire' e *trans-* 'attraverso'.

**trasparire,** verbo tratto dal part. *trasparente.*

**traspirare,** dal lat. medv. *transpirare,* comp. di *spirare* e *trans-* 'attraverso'.

**traspirazione,** dal lat. medv. *transpiratio, -onis.*

**trasporre,** dal lat. *transponĕre,* comp. di *trans-* e *ponĕre,* incr. con it. *porre* e *tras-;* v. TRA-[1].

**trasportare,** dal lat. *transportare,* comp. di *portare* e *trans-,* incr. con it. *tras-;* v. TRA-[1].

**trasporto,** sost. deverb. da *trasportare.*

**trassare,** verbo denom. tratto dalla forma sostantiv. *trassi,* terza pers. sg. rifl. di *trarre* « si trae su una Banca ». Di lì si è venuti a « *\*trassare una Banca* » e, al passivo, a « *una Banca trassata* »; cfr. TRATTARIO.

**Trastévere,** lat. *trans Tibĕrim.*

**trasteverino,** dal lat. *transtiberinus.*

**trasto** 'banco dei rematori', lat. *transtrum* 'trave tra due muri', forse da una derivaz. aggettiv., poi sostantiv., da *trans* (paragonab. a *intra* da *in-, extra* da *ex-*), non ancora irrigidita in un caso unico.

**trastullare,** verbo denom. da *trastullo.*

**trastullo,** lat. volg. *\*transtrullum,* dimin. di *transtrum:* « piccola trave (per saltimbanchi) ».

**trasudare,** da *sudare* con *tra.*

**trasverso,** dal lat. *transversus,* v. TRAVERSO.

**trasvolare,** dal lat. *transvolare,* comp. di *volare* e *trans* (v. VOLARE), incr. con it. *tras-;* v. TRA-[1].

**tratta,** forma femm. sostantiv. di *tratto,* part. pass. di *trarre,* lat. *tractus,* da una rad. anormale TRAGH.

**trattàbile,** dal lat. *tractabĭlis,* agg. verb. di *tractare.*

**trattabilità,** dal lat. *tractabĭlitas, -atis.*

**trattare,** lat. *tractare,* intens. di *trahĕre.*

**trattario** 'chi è oggetto della tratta', deriv. di *tratta;* cfr. TRASSARE.

**trattato,** dal lat. *tractatus, -us,* astr. di *tractare.*

**trattatore,** dal lat. tardo *tractator, -oris.*

**trattazione,** dal lat. *tractatio, -onis.*

**trattenere,** da *tenere* con *tra-[2],* incr. con *trattare.*

**tratto** (sost. maschile), lat. *tractus, -us,* astr. di *trahĕre.*

**trattoio** (imbuto), lat. *traiectorium* incr. con *tractorium:* trattato secondo la regola toscana che muta *-oriu* in *-oio.*

**trattore[1]** (addetto ai bozzoli della seta, o motore), nome d'agente di *trarre* dal part. pass. *tratto,* secondo il rapporto di *fattore* rispetto a *fatto,* di *rettore* rispetto a *retto,* di *dottore* rispetto a *dotto,* già valido per il lat.

**trattore[2]** (oste), dal frc. *traiteur,* inserito, in base al suo rapporto con *traiter* 'trattare', nel sistema it. di *trattare.*

**tratturo,** dalla formula *(iter) tractorium* « itinerario tracciato », trasmesso con l'impronta merid. che rende lat. *-oriu* con *-uro* (la forma tosc. sarebbe stata *\*trattoio,* v. TRATTOIO 'imbuto').

**trauma,** dal gr. *traûma, -atos* 'ferita'.

**traumàtico,** dal gr. *traumatikós.*

**travagliare,** dal frc. *travailler,* lat. *\*tripaliare,* verbo denom. da *tripalium* « strum. di tortura a tre pali ».

**travaglio,** sost. deverb. da *travagliare.*

**travasare,** verbo denom. da *vaso* con *tra-[2].*

**trave,** lat. *trabs, trabis,* chiaramente connesso con deriv. di un tema alternante TREBO-, che definisce costruzioni di legno nelle aree celtica, baltica, germanica (ted. *Dorf* 'villaggio').

**travedere,** da *tra-[3]* e *vedere.*

**travéggole,** dimin. risal. a *\*travegghe,* sost. deverb. pl. tratto da una prima pers. sg. *traveggo* (al posto di *travedo*); v. VEGGENTE e VEGGO.

**traversa,** femm. sostantiv. di lat. *transversus.*

**traversare,** lat. *transversare,* intens. di *transvertĕre.*

**traverso,** lat. *transversus,* part. pass. di *transvertĕre.*

**travertino,** lat. *(lapis) tiburtinum* 'pietra di Tivoli', incr. con *traver(sare).*

**traviare** (verbo), denom. da *via* con *tra-[1].*

**travisare,** verbo denom. da *viso* con *tra-[1].*

**travòlgere,** da *vòlgere* con *tra-[1].*

**trazione,** dal lat. *tractio, -onis,* nome d'azione di *trahĕre;* v. TRARRE e TRATTA.

**trazzera** 'pista degli armenti in Sicilia', dal frc. ant. *dreciere,* astr. di *drecier* 'dirizzare'.

**tre,** lat. *tres,* da una forma ideur. di nom. plur. TREYES, attestata nelle aree indiana, greca (*treis*), slava, in forma identica, e limitata alla parte radicale nelle altre aree, per es. la germanica (ted. *drei,* ingl. *three*); cfr. TRI-.

**trebbia,** lat. rustico *trĕbla,* class. *trĭbŭlum,* deriv. come nome di strum. dalla rad. di *terĕre,* ampliata con *-ĭ-,* ma col grado ridotto della sill. radicale nella forma TRĬ. Dalla forma TERĒ si hanno invece documenti nelle aree greca, germanica, celtica; v. TRITARE.

**trebbiano** (vitigno), lat. *trebulanus,* agg. di un toponimo *Trebŭla,* assai diffuso nell'Italia centro-merid. nelle aree già di lingua osco-umbra. *Trebŭla* 'Casale' è un deriv. collettivo di *\*trebo-* « casa » (osco *trííbúm*); cfr. TRAVE.

**trebbiare**, lat. *tribulare* ' pigiare ', verbo denom. da *tribŭlum*: « strumento per battere i cereali ».

**trebbio** ' crocicchio ', lat. volg. *trivjum*, class. *trivium*, neutro sostantiv. di (*punctum*) *trivium* « (punto) fornito di tre vie » (v. VIA e TRI-). Il trattam. del gruppo -*vio*- in -*bbio* è quello norm., ad es. nel caso di *cavea*, lat. volg. *cavja*, v. GABBIA.

**trecca** ' rivendùgliola ', sost. deverb. da *treccare*.

**treccare** ' rivendere, imbrogliare ', lat. volg. *triccare* (con geminazione affettiva) da class. *tricari*, verbo denom. da *tricae, -arum*, parola priva di connessioni attendibili; v. STRIGARE.

**treccia**, lat. volg. *trichia* (dal gr. dell'età imp. *trikhía* ' fune ', deriv. da *thríks, trikhós* ' pelo '), trattato come *brachium* nell'it. *braccio*.

**treccone** (rivendùgliolo), sost. deverb. da *treccare* (v.) con suff. di nome d'agente.

**trecento**, lat. volg. *trĕcenti*, class. *trĕcenti*, incr. con it. *cento*.

**tredici**, lat. *tredĕcim*, con forme parallele ma non identiche nelle altre aree ideur., per es. gr. *triskaídeka*, ted. *dreizehn*.

**tréfolo** ' capo della fune ', lat. volg. *trifĭlus*, forma rustica per class. *trifĭdus*, comp. di *tri*- (v. TRI-) e -*fĭdus* (cfr. BÌFIDO), secondo elemento di comp. nominale tratto dalla rad. di *findĕre* (v. FÉNDERE). La -*i*- di -*ilus* è stata regolarm. sostituita da -*ŭ*- dav. a -*l*- non seguita da -*i*-, dando luogo all'it. -*olo*.

**tregenda**, lat. volg. *transienda* ' passaggio ', forma di part. fut. passivo da *transire* ' passare ', prob. attrav. una tradiz. settentr., corretta poi in Toscana con la sostituz. di -*ge*- a -*sgje*- e assimilaz. da *a*.... *e* alla serie *e*.... *e*.

**treggèa** ' confettura ', dal provz. ant. *tragea*, risal. a un lat. *tragemăta*, dal gr. *tragémata* ' frutta secca '.

**treggia** (veicolo), lat. volg. *treiia*, class. *trahea* (Virg.), incr. di *tragŭla* ' slitta ' (v. TRAGLIA), e osco *veia* ' carro '; cfr. VEGGIA.

**treggiaia** (pista), da *treggia*, come *carraia* da *carro*.

**tregua**, dal franco *treuwa* ' patto, trattato ' (cfr. ted. *Treue* ' fedeltà '), attrav. una forma assoggettata poi a metatesi.

**tremare**, lat. volg. *tremare*, forma durativa-intensiva di *tremĕre* ' tremare ', con esatte connessioni nelle aree tocaria e baltica. Alla forma TREM si accompagna una forma parallela TRES attestata nelle aree indo-iranica, greca, celtica e, nella variante TERS, nel lat. *terrere* (v. TERRORE). La rad. primitiva sarebbe dunque TER, poi variamente ampliata: in lat. con lo stesso elem. -EM che si trova in *pr-em(ĕre)*; v. PRÈMERE. Per un ampliam. di tipo -EP v. TRÈPIDO.

**tremebondo**, dal lat. *tremebundus*, forma participiale di *tremĕre*, secondo il rapporto di *moribundus* a *mori*.

**tremendo**, dal lat. *tremendus*, part. fut. passivo di un *tremĕre*, trans. e quindi « che è da paventare »: si avvicina così al valore causativo « che fa paura ».

**trementina**, lat. *terebinthina* (resina) « (resina) del terebinto », deriv. dal gr. *terébinthos* (v. TEREBINTO). La parola lat. *terebinthina* si è incr. con la famiglia di *tremare*.

**trèmola** ' pesce torpedine ', femm. di *trèmolo*.

**tremolare**, lat. volg. *tremulare*, iterativo di *tremare*; v. TREMARE.

**trèmolo**, lat. *tremŭlus*, senza sincope per il forte senso iterat.

**tremore**, dal lat. *tremor, -oris*, astr. di *tremĕre*; v. TREMARE.

**tremoto**, incr. di lat. *terrae motus* con la famiglia di *tremare*; cfr. TERREMOTO.

**trèmulo**, dal lat. *tremŭlus*, agg. tratto da *tremĕre*.

**treno**[1] ' convoglio ', dal frc. *train*, parallelo all'it. *tràino* (v.).

**treno**[2] ' canto funebre ', dal lat. tardo *threnus* che è dal gr. *thrênos*.

**trenta**, lat. *triginta*, con norm. caduta di -*g*- fra due -*i*- come in *digĭtus* (v. DITO). La pronuncia aperta della seconda -*i*- prevale su quella della prima -*ī*-. Questa si trova attestata anche nelle aree indiana e slava, in opposizione a *tri*- per cui v. TRI-. La seconda parte della parola, da ant. -*kn*- dovrebbe dare *(tri)cen(ta)* invece di *(tri)gin(ta)*, che è irregolare anche per la cons. sonora -*g*- al posto della sorda -*c*-; v. VENTI.

**trepestìo**, dal frc. ant. *treper* ' saltare ', franco *trippōn* ' saltare ', incr. con *calpestìo* (v.).

**trepidare**, dal lat. *trepidare*, verbo denom. da *trepidus*; v. TRÈPIDO.

**trepidazione**, dal lat. *trepidatio, -onis*.

**trèpido**, dal lat. *trepidus* che presuppone un verbo *trepēre* « esser trepidante » e, attrav. la rad. TREP, ha buone connessioni nelle aree greca, indiana, baltica, slava. Più lontano, sarebbe immaginabile un legame soltanto con una rad. più elementare TER, ampliata con -P, come già è stato riconosciuto con -M (v. TREMARE) e con -S (v. TERRORE).

**treppiare** ' scalpitare ' (arc.), dal frc. ant. *treper* ' saltare ', franco *trippōn*.

**treppiede**, da *tre* e *piedi*, reso artificialmente al sg.

**tresca**, sost. deverb. da *trescare*.

**trescare**, da un gotico *thriskan* ' pestare ', ' ballare sull'aia ' (ted. *dreschen* ' trebbiare '). Da « ballare » si è avuto un ulteriore svolgim. semantico fino a « legame amoroso ».

**tréspide** ' trespolo ' (arc.), lat. volg. *trespes, -ĭdis*, class. *tripes, -ĕdis*.

**tréspolo**, lat. volg. *trespŭlus*, forma rustica con -*l*- al posto di -*d*- rispetto a un presunto *trespĕdus*, class. *tripes, -ĕdis* da *tri*- e *pes* (v. TRÉSPIDE). Il passaggio di -*il*- a -*ŭl*- è dovuto al fatto che dopo -*l*- manca la voc. -*i*-, necessaria perché si mantenga una -*i*- precedente.

**tressette**, da *tre sette*, per l'importanza che nel gioco ha il punto equival. ai tre sette.

**tri-**, pref. che indica il valore di ' tre ', dal lat. *trĭ*- che è la forma al grado ridotto di TREI, regolare nelle lingue ideur. quando si trova come primo elemento di composiz. Per la variante *trī*- v. TRENTA.

**triaca**, forma sincopata per TERIACA (v.).

**trìade**, dal lat. tardo *trias triàdos*, che è dal gr. *triás, -ádos*.

**triangolare**, dal lat. tardo *triangularis*.

**triàngolo**, dal lat. *triangŭlum*, comp. di *tri*- e *angŭlus*.

**triario**, dal lat. *triarius*, orig. al plur. per indicare i soldati della terza linea.

**trias**, dal lat. *trias* che è dal gr. *triás* ' trìade ', perché i terreni di questo periodo geologico sono disposti su tre strati.

**trìbade,** dal lat. *tribas, -ădis* che è dal gr. *tribás, -ádos,* deriv. di *tríbō* 'io sfrego'.

**tribale,** dal frc. *tribal,* agg. di *tribu.*

**tribolare,** lat. tardo *tribulare* 'tormentare (in senso cristiano)', mantenuto intatto per la forte concentrazione mentale che suscitava; cfr. SPÌRITO.

**tribolazione,** dal lat. *tribulatio, -onis* (in senso cristiano).

**trìbolo,** dal lat. *tribŭlus* che è dal gr. *tríbolos* 'spino'.

**tribordo,** dal frc. *tribord* (ol. *stierboord* 'bordo del timone').

**trìbraco,** dal lat. *tribrăchus* che è dal gr. *tríbrakhys,* comp. di *tri-* e *brakhýs* 'breve': «di tre brevi».

**tribù,** dal lat. *tribus, -us,* unità costitutiva fondam. dello stato romano arc., incr. col frc. *tribu* e quindi allineato per l'accento con le parole it. del tipo *virtù.* La parola lat. *tribus* è antichissima, e non è escluso che sia connessa con la nozione di 'tre': si tratterebbe cioè di un comp. di *tri-* con la rad. BHŪ (v. FUI) col signif. di «essenza corrispondente a un terzo (della totalità)». Ma mancano paralleli attendibili sia in lat. sia fuori del lat. Da *tribus* deriva l'importante famiglia del verbo *tribuĕre* (v. TRIBUTO). Per i comp. con *-bho-* che si inseriscono nella declinaz. in *-o,* v. PROBO.

**tribuna, tribunale,** dal lat. *tribunal, -alis* «(palco) del tribuno».

**tribunato,** dal lat. *tribunatus, -us.*

**tribunizio,** dal lat. *tribunicius.*

**tribuno,** dal lat. *tribunus,* deriv. da *tribus* come *domĭnus* da *domus,* e il dio *Portunus* da *portus.*

**tributario,** dal lat. *tributarius.*

**tributo,** dal lat. *tributum,* forma sostantiv. del part. pass. di *tribuĕre* «assegnare (alla tribù)», verbo denom. arc. da *tribus,* v. TRIBÙ; cfr. *statuĕre* da *status,* per cui v. STATUIRE.

**tricheco,** dal lat. moderno (XVIII sec.) *trichechus,* comp. del gr. *thríks, trikhós* 'pelo', e il tema di *ehkō* 'io ho': «che ha setole (sul labbro superiore dei maschi)».

**trichìasi,** dal lat. tardo *trichiăsis* che è dal gr. *trikhíasis,* da *thríks trikhós* 'pelo'.

**trichina,** dal gr. *trikhínē,* forma femm. sostantiv. dell'agg. *tríkhinos* 'di pelo'.

**triciclo,** comp. di *tri-* e *ciclo.*

**tricìpite,** dal lat. *triceps, -ipĭtis,* comp. di *tri-* e *caput* con norm. apofonia di *-ă-* in *-ĭ-* in sill. interna aperta e di *-ă-* in *-ĕ-* in sill. postonica chiusa.

**triclinio,** dal lat. *triclinium* che è dal gr. *triklínion,* deriv. da *tri-* 'tre' e *klínē* 'letto'.

**tricolore,** dal frc. *tricolore* (XIX sec.), e questo dal lat. tardo *tricŏlor, -oris,* comp. di *tri-* e *color* 'colore'.

**tricorde,** dal lat. tardo *trichordis* che è dal gr. *tríkhordos,* comp. di *tri-* e *khordé* 'corda'.

**tricorne,** dal lat. *tricornis,* comp. di *tri-* e *cornu* 'corno'.

**tricorno,** incr. di *tricorne* e *corno.*

**tricosi,** dal gr. *thríks, trikhós* 'capello', col suff. *-osi* di anomalie o malattie croniche.

**tricromìa,** dal gr. *tríkhrōmos* 'che ha tre colori', col suff. di astr. *-ìa.*

**tricùspide,** dal lat. *tricuspis, -ĭdis,* comp. di *tri-* e *cuspis;* v. CÙSPIDE.

**tridente,** dal lat. *tridens, -entis,* comp. di *tri-* e *dens;* v. DENTE.

**tridentino,** dal lat. *tridentinus,* agg. di *Tridentum* 'Trento'.

**triduano,** dal lat. tardo *triduanus.*

**triduo,** dal lat. *triduum,* ant. *\*trĭdĭwom* 'spazio di tre giorni', con la *i* lunga sotto l'influenza di *trìmus* 'di tre anni'. Il tema DIWO- nasce da una forma sostantiv. DI-W-, che è attestata nel paradigma di DYEU- (v. DÌ), nelle aree indiana, armena, greca (per es. *Diós* 'di Giove' da DIW-ÓS). Le parole norm. in lat. (*Jovis* e *dies*) derivano invece dalle forme DY-EU (v. GIOVEDÌ) e DÌ. La forma primitiva della rad. che indica la «luce irradiante» (non quella riflessa) è DEI. Da questa, al grado ridotto, si ha altro ampliam. importante mediante -N-, per es. in (*nun*)*dĭnae*; v. NÙNDINE.

**triedro,** comp. di *tri-* e *-edro* (v.).

**triennale,** dal lat. tardo *triennalis.*

**trienne,** dal lat. tardo *triennis,* comp. di *tri-* e *annus* col suff. aggettiv. *-i* e la norm. apofonia di *-ă-* in *-ĕ-* in sill. interna chiusa.

**triennio,** dal lat. *triennium.*

**trifase,** da *tri-* e *fase* con valore aggettiv. «che ha tre fasi».

**trifàuce,** dal lat. *trifaux, -aucis,* comp. di *tri-* e *faux faucis* 'gola'; v. FAUCE.

**trìfido,** dal lat. *trifĭdus,* comp. di *tri-* e un tema aggettiv. *-fido* estr. da *findĕre;* cfr. TRÉFOLO e v. FÈNDERE.

**trifoglio,** lat. *trifolium,* comp. di *tri-* e *folium.*

**trìfola,** da *\*trùfolo,* forma dissimilata di *\*tartùfolo,* dimin. di *tartufo,* docum. in varî dialetti, incr. con nomi in *tri-*; v. TARTUFO e cfr. TRUFOLARE.

**trìfora,** calco su *bìfora* (v.) con *tri-* al posto di *bi-.*

**triforcato,** dal lat. *trifurcus* incr. con *biforcato;* v. FORCA.

**triforcuto,** dal lat. *trifurcus* incr. con *biforcuto;* v. FORCA.

**triforme,** dal lat. *triformis,* comp. di *tri-* e *forma;* v. FORMA.

**trìgamo,** dal lat. tardo *trigămus* che è dal gr. *trígamos,* comp. di *tri-* e il tema di *gaméō* 'mi sposo'.

**trigèmino,** dal lat. *trigemĭnus,* comp. di *tri-* e *gemĭnus;* v. GEMELLO.

**trigèsimo,** dal lat. *trigesĭmus,* ordinale di *trigint(a),* mediante il suff. ordinale *-tĭmus* (proprio anche dei superl.), per es. (*in*)*tĭmus;* cfr. VIGÈSIMO.

**triglia,** dal gr. *trígla,* attrav. un lat. volg. *\*triglja.*

**trìglifo,** dal lat. *triglỹphus* che è dal gr. *tríglyphos,* comp. di *tri-* e *glyphé* 'intaglio'.

**trigonometrìa,** comp. moderno di gr. *trígōnon* 'triangolo' e *-metrìa.*

**trilàtero,** dal lat. tardo *trilatěrus,* comp. di *tri-* e *latus, -ěris;* v. LATO.

**trilingue,** dal lat. *trilinguis,* comp. di *tri-* e *lingua* col suff. aggettiv. *-i* (v. LINGUA), calco sul gr. *tríglōssos.*

**trilione,** calco su *bilione,* con *tri-* al posto di *bi-.*

**trillare,** lat. *trit(ti)lare,* voce docum. in modo malcerto, presso Varrone, con norm. caduta della voc. protonica: deriv. da una serie onomatop. *tr....tl.*

**trilobato,** comp. di *tri-* e *lobo* col suff. *-ato* 'provvisto di'.

**trilogìa,** dal gr. *trilogía,* comp. di *tri-, lógos* 'discorso' e suff. *-ia* di astr.

**trilustre,** dal lat. *lustrum,* nel senso di 'periodo quinquennale', incr. con i tipi *trienne, trilingue.*

**trimembre,** dal lat. tardo *trimembris*, comp. di *tri*- e *membrum* col suff. aggettiv. *-i*; v. MEMBRO.

**trimestre,** dal lat. *trimestris* ' di tre mesi ' sostantiv. *Trimestris* deriva da *tri*- e *\*mens-tris*, aggettivo da *\*mens* ' mese ', forma orig. di *mensis*; v. MESE.

**trimetro,** dal lat. *trimĕtrus* che è dal gr. *trímetros*, comp. aggettiv. di *tri*- e *métron* ' misura '.

**trimpellare,** da una serie onomatop. *tr....mp* con un suff. iterat.; cfr. STRIMPELLARE.

**trina,** lat. *trina*, femm. sg. di *trīni*; v. TRINO.

**trinca,** prob. dallo sp. *trinca* ' riunione di tre cose '.

**trincare,** dal ted. *trinken* ' bere '.

**trincèa,** dal frc. *tranchée* incr. con *trinciare*.

**trincetto,** sost. deverb. da *trinciare* con suff. dimin. *-etto*.

**trinchetto** (varietà di vela), dimin. di *\*trinco*, forma sostantiv. di lat. volg. *\*trinĭcus*, ampliam. di *trinus* ' triplice ' e cioè « triangolare » (per la forma della vela), v. TRINO.

**trinciare,** dal frc. ant. *trenchier*, risal. a un lat. volg. *\*trincare*, variante di *truncare*; v. TRONCO.

**trìnita,** lat. *trinĭtas*, in forma di nominativo, sopravviv. ad es. nel famoso ponte fiorentino « a Santa Trìnita ».

**trinità,** dal lat. tardo *trinĭtas, -atis*, astr. di *trinus* ' triplice '.

**trino,** dal lat. *trinus*, singol. tratto dal plur. *trīni*, da *\*tris-no-*, numerale distributivo di *tres*. Per *terni*, che deriva invece da *trĭ-no-*, v. TERNO.

**trinòmio,** calco su *binomio*, con sostituz. di *tri*- a *bi*-.

**trio,** calco di *tri*-, in quanto primo elemento di comp., su *duo* (dal lat. *duo*).

**trionfale,** dal lat. *triumphalis*.

**trionfare,** dal lat. *triumphare*, verbo denom. da *triumphus*; v. TRIONFO.

**trionfatore,** dal lat. *triumphator, -oris*.

**trionfo,** dal lat. *triump(h)us*, risal. al gr. *thríambos* ' processione bacchica ', attrav. l'etrusco che assordisce ed aspira la cons. *-b*; e con il passaggio di *-ă* in *-ŭ* in sill. interna, sotto l'influenza della serie labiale *-mp(h)*.

**tripartire,** dal lat. tardo *tripartire*, verbo denom. da *pars partis* col primo elemento *tri*-.

**tripartizione,** dal lat. tardo *tripartitio, -onis*.

**triplano,** incr. di *tri*- con *(bi)plano*: « a tre piani ».

**triplicare,** dal lat. *triplicare*, verbo denom. da *triplex*; v. TRÌPLICE.

**triplicazione,** dal lat. tardo *triplicatio, -onis*.

**triplice,** dal lat. *triplex, -ĭcis*, comp. di *tri*- e di *-plex*, nome d'azione della rad. PLEK ' intrecciare ' con valore figur. di moltiplicazione: « moltiplicante tre volte ». La rad. PLEK è attestata senza altri ampliam., anche nelle aree greca e indiana; cfr. DÙPLICE.

**triplicità,** dal lat. tardo *triplicĭtas, -atis*.

**triplo,** dal lat. *triplus* che è dal gr. *triplûs* incr. con lat. *duplus*.

**trìpode,** dal lat. tardo *tripus, -ŏdis* che è dal gr. *trípŭs, -odos*, comp. di *tri*- e *pús podós*, cfr. l'adattamento arc. *\*tripos*; v. TRIPODE.

**tripodìa,** dal gr. *tripodía*, comp. di *tri*-, *pús podós* ' piede ' e il suff. di astr. *-ia*.

**trìpolo** ' farina fossile ', da *Tripoli*, capitale della Libia, dal cui territorio un tempo proveniva.

**trippa,** dall'ar. *ṭarb* ' omento '.

**tripudiare,** dal lat. *tripudiare*, verbo denom. da *tripudium*.

**tripudio,** dal lat. *tripudium* ' danza in tre tempi ', astr. di *tripodare*, con passaggio di *-ŏ*- a *-ŭ*-, forse per influenza della cons. labiale precedente; *tripodare* è a sua volta verbo denom. da *\*tripos*, adattamento arc. del gr. *tripūs, -podos*; cfr. TRÌPODE.

**triregno,** dal lat. medv. *triregnum* « (tiara) a tre diademi », comp. di *tri*- e *regnum*.

**trireme,** dal lat. *triremis*, comp. di *tri*-, *remus* e suff. *-i* di agg.

**tris** (combinaz. di gioco), incr. di *tr(i*-) con *(b)is*.

**trisagio,** « tre volte santo », dal gr. tardo *triságios*, comp. di *trís* ' tre volte ' e *hágios* ' santo '.

**trisàvolo,** incr. di *tri*- e *(bi)sàvolo*.

**trisezione,** da *tri*- e *sezione* ' taglio '.

**trisìllabo,** dal lat. *trisyllăbus* che è dal gr. *trisýllabos*.

**trisma,** dal lat. scient. *trismus* che è dal gr. *trismós* ' stridore ', incr. con i tipi *crisma, prisma*.

**triste,** dal lat. *tristis*, privo di connessioni.

**tristezza,** lat. *tristitia*.

**tristizia,** lat. *tristitia*.

**tristo,** lat. imp. (Appendix Probi) *tristus*, agg. in *-o* da *tristis*; v. TRISTE.

**trisulco,** dal lat. *trisulcus*, comp. di *tri*- e *sulcus*; v. SOLCO.

**tritare,** lat. volg. *\*tritare*, intens. di *terĕre*; v. TRITO.

**trito,** lat. *tritus*, part. pass. di *terĕre*, risultante dall'ampliam. in *-i* della rad. TER (al grado ridotto); attestato anche, con un ulteriore ampliam., nelle aree tocaria e gr. (gr. *tríbō* ' frego '), cfr. (SETTEN)TRIONE. Per il durativo *\*t(e)rare*; v. ENTRARE e TRA[1]-.

**tritolare,** iterat. di *tritare*, dal lat. medv. (X sec.) *tritulare*.

**tritolo,** accorciamento di *tri(nitro)tol(uene)*, comp. di *nitro*- con *tri*- più *toluene*. Questo risulta dal suff. chimico *-ene* aggiunto a *tolu*, pianta leguminosa da cui si estrae un balsamo e originaria del territorio di Santiago de Tolu (Colombia).

**tritone,** dal lat. *Triton, -onis* che è dal gr. *Trítōn, -ōnos*.

**trìttico,** dal gr. *triptykhos*, agg. comp. di *tri*- e *ptykhē* ' piega ': « piegato in tre ».

**trittongo,** dal gr. *tríphthongos* ' che ha tre suoni ', comp. di *tri*- e *phthóngos* ' suono '; cfr. DITTONGO.

**tritura,** dal lat. *tritura*, astr. di *terĕre* ' fregare ', tratto dal part. pass. *tritus*; v. TRITO.

**triturare,** dal lat. tardo *triturare*.

**triturazione,** dal lat. tardo *trituratio, -onis*.

**triunvirale,** dal lat. *triumviralis*.

**triùnvirato,** dal lat. *triumviratus, -us*.

**triùnviro,** dal lat. *triumvir, -īri*, nom. e genit. sg. tratti dalla formula al genit. plur. *(sententia) trium virorum* « a parere dei tre uomini ».

**trivella,** lat. volg. *\*terebella*, dimin. di *terebra* ' succhiello ', incr. col tema *tri*- di *trito*.

**trivello,** lat. tardo (gl.) *terebellus*, dimin. di lat. tardo *terebrum*; v. TRIVELLA.

**triviale,** dal lat. *trivialis*.

**trivio,** dal lat. *trivium*, forma sostantiv. di un *(punctum) trivium* « (punto) fornito di tre vie »; cfr. BIVIO e v. TREBBIO.

**trocàico,** dal lat. *trochaĭcus* che è dal gr. *trokhaïkós*.

**trocantere,** dal gr. *trokhantér, -êros* ' rilievo (del

femore)', nome d'agente di un presunto *tro-khaínō 'io ruoto', perché ad esso si appoggiano i muscoli della coscia.

**trochèo,** dal lat. *trochaeus* che è dal gr. *trokhaîos* 'snello' da *trokhḗ* 'corsa'.

**trofèo,** dal lat. tardo *trophaeum,* class. *tropaeum* che è dal gr. *tropaîon,* deriv. da *tropḗ* 'sconfitta': «(monumento) relativo alla sconfitta (dei nemici)». L'aspiraz. di *trophaeum* è paragonab. a quella che ha dato origine all'it. *golfo* rispetto al gr. *kólpos,* senza aspiraz.

**-trofìa,** secondo elemento di parole comp., dal gr. *-trophía,* deriv. di *trophḗ* 'nutrimento'.

**-trofio,** secondo elemento di parole comp., dal gr. *-tropheîon,* deriv. di *tréphō* 'io nutro'.

**troglodita,** dal gr. *trōglodýtēs,* comp. di *tróglē* 'caverna' e *dýtēs* 'palombaro', da *dýō* 'mi immergo'.

**troglodìtico,** dal gr. *trōglodytikós.*

**trògolo,** dal longob. *trog* con suff. dimin.

**troia,** lat. tardo *troia* (glosse di Cassel, VIII sec.), presunta definiz. di una varietà di maiale ripieno come il *porcus troianus,* ricalcato sul «Cavallo di Troia» ripieno di uomini.

**tromba,** da una serie onomatop. *tr....mb.*

**trombosi,** dal gr. tardo *thrómbōsis* 'coagulazione', da *thrómbos* 'grumo'.

**troncare,** lat. *truncare,* verbo denom. da *truncus.*

**trónco,** lat. *truncus,* agg. e agg. sostantiv.: privo di connessioni attendibili, anche se si può pensare da una parte agli agg. formati in *-cus* che definiscono difetti fisici, e dall'altra alla famiglia di *trux,* quasi un incr. di *mancus* e *trux,* v. TRUCE.

**tronfiare,** incr. di lat. *triumphare* (v. TRIONFARE) e lat. *conflare* (v. GONFIARE).

**tronfio,** agg. deverb. da *tronfi(at)o* (v. TRONFIARE), secondo il rapporto di *gonfio* (v.) rispetto a *gonfi(at)o.*

**troniera** 'apertura per bocche da fuoco', da *trono,* forma arc. per 'tuono'; v. TRUONO.

**trono,** lat. *thronus* che è dal gr. *thrónos.*

**tropèolo** (pianta), dal lat. scient. *tropaèolom,* risal. a *tropaeum* con suff. di dimin.; v. TROFÈO.

**tròpico,** dal lat. tardo *tropïcus* (*circŭlus*), calco sul gr. *tropikós* (*kýklos*) «circolo di rivolgimento».

**tropismo,** dal gr. *trópos* 'direzione' col suff. *-ismo.*

**tropo** 'traslato', dal lat. *tropus* che è dal gr. *trópos,* deriv. di *trépō* «io volgo (ad altre direzioni)».

**troppo,** lat. medv. *troppus* (Lex Alamannorum, sec. VIII) 'gregge', dal franco *throp* 'mucchio', 'branco', in it. impiegato avverbialmente; cfr. TRUPPA.

**troscia** 'pozzanghera', da una base mediterr. DRAUSCIA, TRAUSCIA.

**trota,** lat. tardo *tructa,* privo di connessioni attendibili, attrav. una tradiz. veneziano-romagnola con *-t* scempia da *-ct.*

**trottare,** dall'alto ted. ant. *trottōn,* forma intens. di *treten*; cfr. ted. *treten* 'camminare'.

**trotto,** sost. deverb. da *trottare.*

**tròttola,** sost. deverb. da *trottolare.*

**trottolare,** da *trottare* col suff. iterat. *-olare.*

**trovare,** lat. volg. *tropare,* lat. tardo *contropare* «esprimersi con tropi», verbo denom. da *tropus* (v. TROPO), con leniz. settentr. di *-p-* in *-v-.*

**trovatore,** dal provz. ant. *trobador,* caso obliquo nella declinaz. del nom. *trobaire,* lat. volg. *tropator*; inserito fra i nomi d'agente it. in *-tore.*

**trovero,** dal frc. *trouvère,* lat. volg. *tropator,* al caso nom.

**truccare,** lat. volg. *trudicare,* iterat. di *trudĕre* (v. INTRUSO), in parte incr. col provz. *trucar* risal. al gotico *thruks* 'spinta' (ted. *Druck*).

**trucco**[1] (cosmetico), sost. deverb. da *truccare.*

**trucco**[2] 'inganno', dal frc. *truc.*

**truce,** dal lat. *trux trucis* 'crudele', con un chiaro collegamento solo nell'area celtica, ancorché di signif. passivo e non attivo. *Trux* appare poi in *trucidare* (v. TRUCIDARE), verbo denom. da un comp. *truci-cida,* parallelo a *homicida,* che avrà signif. «uccisore di un violento» con signif. perciò non necessariamente ostile.

**trucia** 'miseria', sost. deverb. dal frc. ant. *trucher* 'vagabondare'.

**trucidare,** dal lat. *trucidare,* verbo denom. da *truci-cida*; v. TRUCE.

**trucidatore,** dal lat. tardo *trucidator, -oris.*

**truciolare,** lat. volg. *tortiolare,* forma iterat. di un *tortiare,* intens. di *torquere* (v. TÒRCERE) attrav. una tradiz. emiliana *tors(lär),* toscanamente corretta in *truc(iolare).*

**trùciolo,** sost. deverb. da *truciolare.*

**truculento,** dal lat. *truculentus,* deriv. di *trux* (v. TRUCE), secondo il rapporto di *purulentus* a *pus* e *violentus* a *vis*: quasi *trux* fosse sentito come sostantivato.

**truffa,** dal provz. *trufa,* che è forma metatetica dal lat. volg. *tufra,* lat. tardo (gloss.) *tufĕra* 'tartufo', e cioè «pallottola»: secondo l'impiego simbolico di *balla* «invenzione (innocente)», poi «inganno».

**truffaldino,** dal nome di un personaggio della Commedia dell'arte, reso particolarmente noto da Carlo Gozzi.

**trufolare,** verbo denom. da un *trùfolo*; v. TRÌFOLA.

**trullare** 'scorreggiare', verbo denom. da *trullo*[3].

**trullerìa,** astr. di *trullo*[1] secondo il rapporto di *furberìa* a *furbo.*

**trullo**[1] 'costruzione', dal gr. tardo (VII sec.) *trúllos* 'cupola'.

**trullo**[2] 'grullo', accorciamento di *(ci)trullo* (v.).

**trullo**[3] 'scorreggia', da una serie onomatop. *tr....ll.*

**truono** (trono) 'tuono', lat. volg. *tronus,* estr. da *tronĭtus,* forma metatetica di *tonĭtrus,* risultante dall'incr. di *tonĭtus, -us,* astr. di *tonare* con *tonĭtrum,* nome di strum. dello stesso verbo; v. TUONO.

**truppa,** dal frc. *troupe,* risal. al franco *throp* 'branco, mucchio'; cfr. TROPPO.

**trust,** dall'ingl. *trust* «credito (dato ai partecipanti a un consorzio)».

**trùtina** 'sostegno della bilancia', dal lat. *trutĭna* 'bilancia', adattamento arc. del gr. *trytánē,* con norm. apofonia di *-ă* in *-ĭ* in sill. interna aperta.

**tse-tse,** dal frc. *tsé-tsé* e questo da una lingua bantu dell'Africa.

**-ttero,** secondo elemento di comp., dal gr. *pterón* 'ala' (per es. *dìttero, emìttero*).

**tu,** lat. *tu,* tema fondam. del pron. di seconda pers., attestato allo stato puro anche nelle aree iranica, armena, greca, baltica, slava e germanica (ted. *du*), e con un ampliam. *-am* nel sanscrito; v. anche TE e TUO.

**tuba**[1] 'cappello', femm. di *tubo.*

**tuba**[2] 'tromba', dal lat. *tuba,* forse collettivo di *tubus*; v. TUBO.

**tubare,** dal lat. tardo *(tu)tubare,* di orig. onomatop., secondo la serie *tu.... tu,* verso della civetta, cfr. la variante *tur....* in *turtur,* v. TÓRTORA.

**tubèrcolo,** dal lat. *tuberculum* ' piccola escrescenza ', dimin. di *tuber;* v. TÙBERO.

**tubercolosi,** da *tubèrcolo* col suff. *-osi* delle malattie croniche, per i *tubercoli* che la malattia provoca nel tessuto polmonare.

**tùbero,** dal lat. *tuber, -ĕris,* incr. di *tumor* (v. TUMORE) e *uber* (v. UBERTOSO).

**tuberoso,** dal lat. *tuberosus.*

**tubino,** dimin. di *tuba².*

**tubo,** dal lat. *tubus,* privo di connessioni evidenti.

**tubolare,** incr. di *tubo* e *vascolare.*

**tucano** (uccello), dal portogh. *tucano* e questo da una lingua brasiliana, prob. il tupì.

**tufaceo,** dal lat. *tofaceus* incr. con it. *tufo.*

**tuffare,** dal longob. *tauff(j)an* ' immergere ', ted. *taufen* ' battezzare '.

**tufo,** lat. tardo (gloss.) *tufus,* class. *tofus,* prob. connesso con l'etrusco *tupi.*

**tufoso,** dal lat. *tofosus* incr. con it. *tufo.*

**tugurio,** dal lat. *tugurium,* inserito nella famiglia di *tego,* ma conservando la voc. *-u-* e un suff. di derivaz. in *-urium* che sono privi di connessioni attendibili; cfr. *promunturium.*

**tuia** (conifera), dal gr. *thýia.*

**tulipano,** dal turco *tülbent* ' turbante ', attrav. il frc. *tulipan* (XVII sec.); cfr. TURBANTE.

**tulle,** dal nome della città di Tulle, capoluogo del dipartimento francese della Corrèze.

**tumefare,** dal lat. *tumefacĕre* incr. con it. *fare.* Il tema *tumĕ-* appartiene al verbo *tumēre* per cui v. TUMORE.

**tumidità,** dal lat. tardo *tumiditas, -atis.*

**tùmido,** dal lat. *tumidus,* agg. di *tumere* ' esser gonfio '; v. TUMORE.

**tumore,** dal lat. *tumor, -oris,* astr. del verbo *tumēre* ' esser gonfio '; v. TÙMULO.

**tumulare,** dal lat. *tumulare,* verbo denom. da *tumulus;* v. TÙMULO.

**tùmulo,** dal lat. *tumulus,* da una rad. TEWĔ, al grado ridotto TŪ, ampliata con -M, quale appare nelle aree indiana, greca, baltica, germanica (ted. *Daumen* ' pollice '), celtica, e ulteriorm. con *-l-* (anche nelle aree germanica e indiana); cfr. CÙMULO. Per la forma semplice della rad. v. TUTTO.

**tumulto,** dal lat. *tumultus, -us,* astr. di un presumibile verbo iterat. *\*tumulĕre* che si comporta rispetto a *tumere* « gonfiare a ripetizione » come *singultus* rispetto a *\*singulĕre;* v. SINGULTO.

**tumultuare,** dal lat. *tumultuari.*

**tumultuario,** dal lat. *tumultuarius.*

**tumultuoso,** dal lat. *tumultuosus.*

**tundra,** dal frc. *toundra* e questo dal lappone.

**tungsteno,** dallo svedese *tungsten,* comp. di *tung* ' pesante ' e *sten* ' pietra '.

**tùnica,** dal lat. *tunica;* v. TÒNACA.

**tunicato,** dal lat. *tunicatus.*

**tunnel,** dall'ingl. *tunnel* e questo dal frc. ant. *tonnel,* dimin. di *tonne* ' botte '.

**tuo,** lat. *tuus,* dal possessivo ideur. TEWO-, attestato anche nelle aree baltica e greca *(téos);* opposto a TWO- attestato nelle aree indo-iranica, armena, greca *(sós);* v. TE e TU.

**tuono,** lat. volg. *\*tonus,* sost. deverb. da *tonare;* v. TONARE e TRUONO.

**tuorlo,** v. TORLO.

**tuppè** (acconciatura dei capelli), dal frc. *toupet,* dimin. del frc. ant. *top;* v. TOPPO.

**turare,** lat. volg. *\*turare,* attestato nel lat. class. solo nei comp. *ob-turare, re-turare,* privo di connessioni attendibili.

**turba¹** ' folla ', dal lat. *turba* (v. TÓRBIDO), che, insieme col gr. *týrbē* risale prob. a un tema mediterraneo.

**turba²** ' disturbo ', dal frc. *trouble* incr. con it. *(dis)turbare.*

**turbamento,** dal lat. *turbamentum.*

**turbante,** dal turco *tülbent* ' turbante '; cfr. TULIPANO.

**turbare,** dal lat. *turbare,* verbo denom. da *turba.*

**turbatore,** dal lat. *turbator, -oris.*

**turbina,** dal frc. *turbine,* deriv. di lat. *turbo, -inis.*

**tùrbine,** dal lat. *turbo, -inis,* appartenente al sistema di *turba* (v. TÓRBIDO), come se fosse esistito un verbo *\*turbēre,* rispetto al quale si sarebbe formato *turbo,* come lat. medv. *tendo, -inis* (v. TÈNDINE) rispetto a *tendĕre.*

**turbo-,** da *turbina* come primo elem. di comp. nom.

**turbolento,** dal lat. *turbulentus,* deriv. di *turba* (v. TURBA¹), secondo il rapporto di *violentus* a *vis.*

**turcasso,** dal gr. medv. *tarkásion* (risal. al persiano *tīrkash),* incr. con *turco* e il suff. it. settentr. *-asso.*

**turchese,** dal frc. ant. *turqueise:* « (pietra) turca ».

**turchino,** incr. di *turchese* e *turco.*

**turcimanno,** dall'ar. *targiumān* incr. con *turco;* v. DRAGOMANNO.

**turco,** dal nome etnico dei Turchi, *türk.*

**tùrgere,** dal lat. *turgēre,* passato alla coniugaz. in *-ĕre.* Di struttura ideur. ma privo di connessioni evidenti: forse ampliam. in *-g-* di un più semplice *tur-;* v. TURIONE e cfr. OTTURARE.

**turgidità,** dal lat. tardo *turgiditas, -atis.*

**tùrgido,** dal lat. *turgidus,* agg. del verbo di stato *turgēre.*

**turgore,** dal lat. tardo *turgor, -oris,* astr. di *turgere.*

**turìbolo,** dal lat. *turibulum,* nome di strum., tratto da *tus turis* ' incenso '. adattamento arc. del gr. *thýos* ' incenso '.

**turiferario,** dal lat. medv. *turiferarius,* deriv. dal class. *turifer,* comp. di *tus, turis* e *-fer,* nome di agente di *ferre* ' portare '.

**turione,** dal lat. *turio, -onis* ' getto, gemma ', appartenente forse alla famiglia di *turgere,* senza ancora l'ampliam. in *-g;* cfr. OTTURARE.

**turismo,** da *turista.*

**turista,** dall'ingl. *tourist,* deriv. di *to tour* ' far viaggi ', risal. al frc. *tour* ' giro '.

**turlupinare,** dal frc. *turlupiner,* verbo denom. da *Turlupin,* soprannome del comico Henri Le Grand (m. 1634).

**turno,** dal frc. ant. *torn* incr. con frc. *tour;* cfr. TORNARE.

**turpe,** dal lat. *turpis,* privo di connessioni attendibili.

**turpiloquio,** dal lat. tardo *turpiloquium,* comp. di *turpis* e *-loquium;* v. COLLOQUIO.

**turpitùdine,** dal lat. *turpitudo, -inis,* astr. di *turpis.*

**turrito,** dal lat. *turritus,* deriv. di *turris;* v. TORRE².

**tuscànico,** dal lat. *tuscanicus,* doppio deriv. di *tuscus;* v. TOSCO¹.

**tuta,** dal frc. *tout-de-même* « tutto della stessa (stoffa) ».

**tutela,** dal lat. *tutela,* astr. di *tutus* ' sicuro ', come *cautela* rispetto a *cautus. Tūtus* è part. pass. (cfr. SUTURA), della rad. TEWĒ, senza ampliam. in -*m*- (v. TÙMIDO), attestata allo stato puro nell'area indiana. Il pres. *tueor,* ant. *\*toveor,* corrisponde a un valore causativo « faccio sviluppare, faccio sicuro, guardo », ed è da questo che deriva il part. pass. *tuĭtus;* v. INTÙITO e cfr. TUTTO.

**tutelare,** dal lat. tardo *tutelaris.*

**tùtolo** (tórsolo), dal lat. *tutŭlus* ' ornamento della testa di forma conica ', che è da *\*tulus* (gr. *týlos* « rigonfiamento »), incr. con *titŭlus;* v. TÌTOLO.

**tutore,** dal lat. *tutor, -oris,* nome d'agente del sistema di *tueri,* tratto dal part. pass. *tutus;* v. TUTELA.

**tutorio,** dal lat. *tutorius.*

**tutto,** lat. volg. *\*tŭttus,* equival. a *tōtus,* da cui è distinto per la voc. *u* urbana al posto della *o* rustica; distinto da *tutus* attrav. il raddopp. affettivo. *Totus,* forma rustica per *\*tutus* significa originariam. « quello che è arrivato a maturità perfettamente integro, senza menomazioni ». Nella forma sostantiv. femm. delle lingue osco-umbre significa la totalità sociale e cioè la « città »: così nelle aree baltica, germanica (v. TEDESCO), celtica. Per la rad. TEWĒ v. TUTELA.

# U

**uadi,** dall'ar. *wādī* 'letto del fiume provvisto d'acqua solo nel periodo delle piogge'.

**ubbìa,** lat. *obli(v)ia* 'insieme di cose cadute in dimenticanza' e perciò 'storditezza' (v. OBLÌO), col passaggio di *o-* in *u-* come in *oboedire* che diventa *ubbidire*.

**ubbidire,** v. OBBEDIRE.

**ubbriaco,** dal lat. tardo *ebriacus* con un suff. adatto a nome proprio deriv. da *ebrius* (v. EBBRO), incr. col pref. *ob-* per sottolineare l'opposizione di signif. con *sobrius*: « colui che va verso l'ebbrezza » contro « colui che si astiene dall'ebbrezza ».

**ùbere** 'fertile', dal lat. *ūber, -ĕris,* originariam. sost. con valore di 'mammella', presente nelle aree indiana, greca (gr. *ûthar*), germanica, con le forme alternanti ŌUDH(E)R/ŪDHER.

**ubertà,** dal lat. *ubertas, -atis.*

**ubertoso,** dal lat. *ubertus* incr. con *uberosus.*

**ubicare,** incr. dell'ingl. *ubication* (XVII sec.) con i verbi it. in *-icare.*

**ubino** 'cavallino veloce', dal frc. *hobin* che è dall'ingl. *hobby.*

**ubiquità,** dal lat. medv. *ubìquitas, -atis,* astr. dall'avv. *ubìque* 'dappertutto'.

**uccello,** lat. tardo *aucellus,* doppio dimin. masch. di class. *avis* (femm.), attrav. *\*avicellus, avicŭla,* con riduzione di *au* protonica iniz. in *u-* e con raddopp. della cons. quasi si presupponesse un ant. pref. *o(b)-.* Lat. *avis* trova corrispond. regolari, oltre che nelle lingue osco-umbre in Italia, nell'area indo-iranica; in gr. una forma notevolmente ampliata, *o(w)i(ōnós)* 'uccello'; cfr. UOVO.

**uccìdere,** lat. *occidĕre,* comp. di *ob-* e *caedĕre* con norm. passaggio di *-ae-* in *-ī-* in sill. interna. *Caedĕre* non ha connessioni attendibili, cfr. -CIDA. *o-,* davanti a gruppo di cons. in posizione protonica, diventa *u-* come in *ubbidire, ufficio, uggioso.*

**uccisione,** dal lat. *occisio, -onis,* nome d'azione di *occidĕre.*

**uccisore,** dal lat. *occisor, -oris,* nome d'agente di *occidĕre.*

**udibile,** dal lat. tardo *audibĭlis,* agg. verb. di *audire,* incr. con it. *udire.*

**udienza,** dal lat. *audientia* incr. con it. *udire.*

**udire,** lat. *audire* con il passaggio iniz. di *au-* protonica a *u-.* Invece *au(dio),* passa a *o(do)* perché in posizione tonica. All'interno del latino, *audio* si collega con *oboedio* (v. OBBEDIRE); è privo di connessioni attendibili, al di fuori.

**uditivo,** dal lat. medv. *auditivus* incr. con it. *udire.*

**udito,** dal lat. *auditus, -us* incr. con it. *udire.*

**uditore,** dal lat. *auditor, -oris* incr. con it. *udire.*

**uditorio,** dal lat. *auditorium* (agg. e sost.), incr con it. *udire.*

**uf,** da una serie onomatop. che indica l'aprirsi della bocca.

**ufficiale** (agg. e sost.), dal lat. tardo *officialis* incr. con it. *ufficio* (v.).

**ufficio,** dal lat. *officium,* comp. di *op(i)-* (v. ÒPERA) e *-ficium,* tema di nomi d'azione; cfr. *artificium* e v. ARTIFICIO. Il passaggio da *of-* a *uf-* è analogo a quello di lat. *occidĕre* a it. *uccìdere.*

**ufficiosità,** dal lat. tardo *officiosĭtas, -atis* incr. con it. *ufficio.*

**ufficioso,** dal lat. *officiosus* incr. con it. *ufficio.*

**uffo** 'anca', dal long. *huf* 'fianco'.

**ufo,** dalla interiez. onomatop. *uf,* associata non solo alla noia ma alla bocca « aperta (allo sbadiglio) ».

**uggia,** lat. volg. *\*ūdja* 'umidità' (Castellani) astr. di *udus* v. ULÌGINE; col trattam. di *-djo-* come in *modius* che diventa il *moggio*; cfr. UZZA.

**uggiolare,** lat. *eiulare,* verbo denom. iterat. dalla interiez. *ei,* incr. con *ululare*; v. ULULARE.

**uggioso,** lat. volg. *\*odjosus,* class. *odiosus,* con passaggio di *o-* in *u-* in posiz. protonica, v. UCCIDERE, e col trattam. di *-djo-* come in *modius* che diventa it. *moggio*; cfr. invece UZZA.

**ugna,** v. UNGHIA.

**ùgola,** lat. *\*uvŭla,* dimin. di *uva,* calco per il signif. sul gr. *staphylé,* col passaggio di *-v-* in *-g-* paragonab. a quello da *parvŭlus* a *pàrgolo,* da *sevo* a *sego* o da *stiva* a *stégola,* favorito dall'incr. con *gola*; cfr. UVULARE.

**ugonotto,** dal frc. *huguenot,* deriv. dal ted. *Eidgenosse,* incr. con il nome proprio *Hugues* 'Ugo'.

**uguale,** lat. *aequalis* con leniz. di *-qu-* in *-gu-* (cfr. *seguo* che è il lat. *sequor*) e assimilaz. della voc. atona iniz. alla *-u-* seguente. Lat. *aequalis* è deriv. da *aequus*; v. EQUO.

**ugualità,** dal lat. *aequalĭtas, -atis* incr. con it. *uguale.*

**uguanno** 'quest'anno', lat. *hocque anno* con leniz. del *-qu-* in *-gu-.*

**uguanotto** 'pesce giovane', lat. volg. *\*hocquanninus* (v. VANNINO e cfr. AVANNOTTO), con il suff. di animale giovane in *-otto* e la leniz. di *-qua* in *-gua.*

**uistitì** (scimmia), dal frc. *ouistiti,* formaz. onomatop. dal verso della scimmia stessa.

**ulano,** dal turco *oghlan* 'giovanotto', attrav. le lingue centroeuropee.

**ùlcera,** dal lat. *ulcus, -ĕris,* passato alla prima declinaz., da una rad. ideur. ELK col signif. di 'lacerazione' o 'ferita', che compare identica nelle aree greca (*hélkos*) e indiana e ammette forse un collegamento con *ulcisci* ' vendicarsi (sott. con ferite) '.

**ulcerare,** dal lat. *ulcerare*.

**ulcerazione,** dal lat. *ulceratio, -onis*.

**ulceroso,** dal lat. *ulcerosus*.

**ulema** (dottore della legge islamica), dal turco *ulema* (plur. ' i dotti ') che risale all'ar. *'ulamā'*, plur. di *'alim*.

**uligine,** dal lat. *uligo, -ĭnis*, astr. di *\*ulus*, variante sabineggiante di *ūdus* e questa, forma contratta di *uvĭdus*, agg. di un verbo di stato, *uvere*, privo di connessioni evidenti: forse da una rad. EUGW; cfr. ÙMIDO.

**uliginoso,** dal lat. *uliginosus*.

**ulivo,** v. OLIVO.

**ulna,** dal lat. *ulna*, ant. *\*olīna*, che trova connessioni, sia pure disturbate, nel gr. *ōlénē* ' gomito ' e nelle aree indo-iranica, baltica, slava, germanica, per es. nel ted. *Ellen(bogen)* ' gomito '.

**ulteriore,** dal lat. *ulterior, -oris*, compar. rideterminato di *\*ulter*; cfr. *ultra* e v. OLTRE.

**ultimare,** dal lat. tardo *ultimare*, verbo denom. da *ultĭmus*.

**ultimatum** (ultimato), dal lat. della diplomazia *ultimatum*, forma sostantiv. del part. pass. neutro del lat. *ultimare*: « intimazione finale ».

**ùltimo,** dal lat. *ultĭmus*, forma di superl. di *uls* ' al di là ', da un tema di dimostrat. OL (cfr. *olle* ' ille ' del lat. arc.) e *olim* ' una volta ' (v. OLTRE) con una corrispond. sola fuori d'Italia, nell'area celtica, e precisamente in irlandese. Connessioni meno strette si hanno con la famiglia di *alius* (v. ALTRO), la quale viceversa ha corrispond. ideur. meno povere.

**ulto,** dal lat. *ultus*, part. pass. di *ulcisci* ' vendicare '.

**ultore,** dal lat. *ultor, -oris*, ant. *\*ulctor*, nome d'agente di *ulcisci*, privo di connessioni attendibili, salvo forse con *ulcus, -ĕris* (v. ÙLCERA). La vendetta consisterebbe dunque nel ferire l'avversario.

**ultra,** dal lat. *ultra* (v. OLTRE), prima come pref., per es. *ultra(potente)*, oggi anche come sost. indeclinabile nel senso di ' estremista di destra '.

**ultrasònico,** da *ultra-* e *sonico*.

**ultravioletto,** da *ultra-* e *violetto*.

**ultròneo,** dal lat. tardo *ultroneus*, deriv. di *ultro* ' spontaneamente ', come *idoneus* da *id(e)oneus* (v. IDONEO) o *spontaneus* da *sponte*; v. OLTRE.

**ululare,** dal lat. *ululare*, verbo tratto da una serie onomatop. *l...l...*, attestata nelle aree indiana, baltica, greca (*hylô* ' abbaio ', *ololýzō* ' lancio gridi acuti ').

**ululato,** dal lat. *ululatus, -us*.

**ulva,** dal lat. *ulva*, privo di connessioni attendibili.

**umanista,** dal lat. del sec. XV *humanista* « insegnante di lettere classiche ».

**umanità,** dal lat. *humanĭtas, -atis*.

**umanitario,** dal frc. *humanitaire* (XIX sec.).

**umano,** dal lat. *hūmanus*, legato certo a *homo, -ĭnis* (v. UOMO), ma con la voc. *ū* non spiegata, dovuta forse a qualche incr.

**umbilico,** dal lat. *umbilicus*; v. OMBELICO.

**umbone,** dal lat. *umbo, -onis*, da una rad. ENEBH, che definisce sia l'ombelico che il centro dello scudo e il pernio della ruota; attestata nelle aree indo-iranica, greca, germanica, baltica, celtica. Da

questa rad. deriva anche il gruppo di *umbilicus*; v. OMBELICO e BELLICO.

**umbràtile,** dal lat. *umbratĭlis*, deriv. di *umbra* (v. OMBRA), come *aquatĭlis* da *aqua*.

**umettare,** dal lat. *umectare*, verbo denom. da *umectus*, legato alla famiglia di *umĭdus* e *umĕre* (v. ÙMIDO), attrav. un incr. col tipo di *frutectum* (collettivo da *frutex, -ĭcis*).

**umidità,** dal lat. tardo *humidĭtas, -atis*; v. ÙMIDO.

**ùmido,** dal lat. *ūmĭdus*, agg. del verbo di stato *ūmere* ' essere umido ', che talvolta, sotto l'influenza di *humus*, si scrive *humĭdus* (cfr. UMIDITÀ). Una connessione assai vaga potrebbe essere stabilita attraverso la rad. EUGW (v. ULÌGINE), ampliata per mezzo di -SM- e cioè presupponendo una forma ant. *\*uksmeo*, da cui *ūmeo*.

**ùmile,** dal lat. *humĭlis* ' aderente alla terra ', agg. deriv. da *humus* ' terra '; v. UMUS.

**umiliare,** dal lat. tardo *humiliare*.

**umiliazione,** dal lat. tardo *humiliatio, -onis*.

**umiltà,** dal lat. *humilĭtas, -atis*; cfr. OMERTÀ.

**umore,** dal lat. *ūmor, -oris*, astr. di *ūmere* ' essere umido ', e applicato dalla medicina ippocratica ai quattro liquidi biologici fondamentali (sangue, flemma, bile gialla, bile nera).

**umorismo, umorista,** dall'ingl. *humorism, humorist*, in parte attrav. mediazione frc.

**umoroso,** dal lat. tardo *umorosus*.

**umus** (humus), dal lat. *humus* ' terra ', parola fondam., la più antica di questo signif., attestata nelle aree indiana, tocaria, ittita, greca (*kthōn*), slava, baltica, celtica da una forma primitiva GHYOM variamente ma regolarm. alternante. Per il collegam. con *homo* v. UOMO.

**unànime,** dal lat. *unanimis*, comp. di *unus* ' uno solo ' e *animus* col suff. *-i* di agg.

**unanimità,** dal lat. *unanimĭtas, -atis*.

**unciale,** dal lat. *uncialis*, deriv. di *uncia*; v. ONCIA.

**uncinato,** dal lat. *uncinatus*.

**uncino,** dal lat. *uncinus*, agg. sostantiv. di *uncus*, corrispond. esattamente al gr. *ónkos* e a parole delle aree baltica, germanica, indiana e, meno chiaramente, dell'area celtica.

**undècimo,** dal lat. *undecĭmus* ordinale di *undĕcim*; v. ÙNDICI.

**ùndici,** lat. *undĕcim*, comp. di *un(us)* e *decem* con assimilaz. della *-e-* interna alla *-i-* della sill. finale.

**ùngere,** lat. *ungĕre*, variante di *unguĕre*, deriv. dal perf. *unxi* sul modello di *iungĕre* rispetto a *iunxi*. Lat. *unguĕre* è esattamente paragonab. col sanscrito *anakti* ' unge ' dalla rad. ENGW. Forme nominali si trovano nelle aree celtica, germanica, baltica.

**unghia,** lat. *ungŭla*, dimin. di *unguis*, parola largamente diffusa nelle aree ideur. ma fortemente disturbata nella tradiz., come provano il gr. *ónyks* e il ted. *Nagel* ' chiodo '. Le altre aree che la attestano sono la indo-iranica, la slava, la baltica, la celtica e, anche, l'armena.

**unguentare,** dal lat. tardo *unguentare*, verbo denom. da *unguentum*.

**unguentario,** dal lat. *unguentarius*, deriv. di *unguentum*.

**unguento,** dal lat. *unguentum*, ampliam. di *unguen*, deriv. di *unguĕre*; v. ÙNGERE.

**unguicolato,** dal lat. *unguicŭlus*, dimin. di *unguis* col suff. *-ato*: « fornito di unghie o artigli (non di zoccoli) ».

**ungulato,** dal lat. *ungulatus.*

**uni-,** dal lat. *uni-* elemento di composiz. tratto da *unus* con l'adattamento di *-u-* in *-i-* secondo il trattam. regolare delle voc. brevi in sill. interna aperta.

**uniate,** dal russo *uniat* (sost.): « unito (con la chiesa cattolica) ».

**unicamerale,** da *uni-, camera* e suff. *-ale.*

**unicellulare,** da *uni-, cèllula* e suff. *-are.*

**ùnico,** dal lat. *unĭcus,* ampliam. di OINO-, attestato anche nelle aree germanica e slava; v. UNO.

**unicorno,** dal lat. *unicornis,* comp. di *uni-* e *cornu,* incr. con it. *corno.*

**unificare,** dal lat. tardo *unificare,* comp. di *uni-* e *-ficare,* tema di verbo denom.-causativo, da *-fex.*

**uniforme** (agg.), dal lat. *uniformis,* comp. di *uni-* e *forma* col suff. *-i* di agg.

**uniforme** (sost.), dal frc. *uniforme.*

**uniformità,** dal lat. *uniformĭtas, -atis.*

**unigènito,** dal lat. eccl. *unigenĭtus,* comp. di *uni-* ' uno solo ' e *genĭtus,* part. pass. di *gignĕre;* v. GENITORE.

**unilaterale,** comp. di *uni-* e *lato,* incr. con *laterale.*

**uninominale,** comp. di *uni-* e *nome,* incr. con *nominale.*

**unione,** dal lat. tardo *unio, -onis.*

**unire,** lat. *unire,* verbo denom. (non class.) da *unus.*

**unisono,** dal lat. tardo *unisŏnus,* comp. di *uni-* e *sŏnus* « che ha un sol suono ».

**unità,** dal lat. *unĭtas, -atis.*

**unitario,** dal frc. *unitaire* (XVII sec.).

**unitivo,** dal lat. tardo *unitivus.*

**univalve,** da *uni-* e *valva* con sostituz. del suff. aggettiv. it. *-e* al sostantiv. *-a.*

**universale,** dal lat. *universalis,* tratto da *universum,* in senso filosofico; v. UNIVERSO.

**universalità,** dal lat. tardo *universalĭtas, -atis.*

**università,** dal lat. class. *universĭtas, -atis* ' totalità ' (astr. di *universum*) nel medioevo ' corporazione ', specializzata alla fine in quella degli studenti.

**universo** (agg. e sost.), dal lat. *universus* e *universum,* comp. di *uni-* e *versus,* part. pass. di *vertĕre* « volto in una sola direzione » e quindi « tutto intero »; v. VERSO[3].

**univoco,** dal lat. tardo *univŏcus,* comp. di *uni-* e *-vŏcus,* tema di *vocare* ' chiamare '.

**uno,** lat. *unus,* ant. *oinos* che, nel signif. di « uno », è comune alle aree celtica, baltica, germanica (ted. *ein*) e, nel signif. dell'unità del gioco dei dadi, anche all'area greca. Con un altro suff. *\*oi-ko-* si trova nell'area indiana: OINO/OIKO- voleva dire in orig. ' unico '; ' uno ' era rappresentato da SEM; v. SÉMPLICE.

**-unque,** secondo elemento di agg. e avv. indefiniti relativi (*qualunque, comunque*), incr. di lat. *-cumque* (da *\*quom-que*) e lat. *umquam* (da *\*quom-quam*) che ha perduto il *qu-* iniz. per dissimilaz. rispetto al *-qu-* interno.

**unto** (agg. e sost.), lat. *unctus* e *unctum,* part. pass. di *unguĕre* (v. ÙNGERE), con la *u* mantenuta secondo la regola fiorentina perché da *\*uncto,* con *n* più cons. gutturale: in opposizione al tipo senese *onto.*

**untore,** dal lat. *unctor, -oris,* nome d'agente di *unguĕre.*

**unzione,** dal lat. *unctio, -onis,* nome d'azione di *unguĕre.*

**uòmini,** dal lat. *homĭnes;* v. UOMO.

**uomo,** lat. *homo, -ĭnis,* legato alla famiglia di *humus,* che definisce perciò l'uomo come la « (creatura) terrena », in opposizione alle creature celesti, gli dèi. È una interpretaz. tipica delle aree nord-occidentali del mondo ideur., che comprende, oltre all'Italia, quella celtica, germanica, nel ted. (*Bräuti*)*gam,* e baltica. Le definizioni concorrenti sono quelle dell'uomo come « essere pensante » (ted. *Mann,* ind. *manuṣya*) o come « essere mortale » nelle aree armena e greca (gr. *brotós*).

**uopo,** lat. *opus* (neutro indecl.) ' necessità ', forma irrigidita di *opus, -ĕris* ' lavoro '. *Opus* ha una corrispond. esatta nel sanscrito, mentre forme del tipo *ŏp-* compaiono nel sanscrito e nell'area germanica (ted. *üben* ' esercitare '). La rad. OP alterna con EP[2], cfr. *epulae* e v. EPULONE.

**uosa,** lat. tardo (VII sec.) *hosa,* dal franco *hosa* (cfr. ted. *Hose*) ' calzone '; cfr. il deriv. USATTO.

**uovo,** lat. tardo *ŏvus,* class. *ōvum,* da una base *ōw-* attestata nelle aree latina, greca (*ōión* da *\*ōwyon*) e iranica, contro i tipi OI/EI delle aree slava e germanica (ted. *Ei*). Il tipo con *-w-* potrebbe essere in qualche relazione col tipo *avis* ' uccello '; v. UCCELLO.

**ùpupa,** dal lat. *upŭpa,* forse in qualche connessione col gr. *épops;* cfr. BÙBBOLA.

**uragano,** dallo sp. *huracán,* che deriva dal nome del dio delle tempeste presso gli indigeni dell'America Centrale.

**urango,** dal frc. *orang-outang* (XVIII sec.); cfr. ORANGUTÀN.

**uranio,** deriv. moderno del lat. *Uranus,* che è dal gr. *Uranós* ' dio del cielo ', applicato nel sec. XVIII al nome del pianeta e, col suff. *-io,* nel XX, a un elemento metallico, importantissimo ai fini della energia nucleare.

**uranografìa,** dal gr. tardo *ūranographía,* comp. di *ūranós* ' cielo ' e *-graphía,* tema astr. di *gráphō* ' io scrivo '.

**uranometrìa,** dal gr. *ūranós* ' cielo ' e *-metrìa.*

**urato,** da *ùrico* (v.) mediante sostituz. del suff. chimico *-ato* a *-ico.*

**urbanèsimo,** da *urbano* nel senso di « cittadino, agglomerato » (contro il « rustico, sparso »), e il suff. *-ésimo,* dal gr. *-ismós* con norm. introduz. di *-i-* nel gruppo *-sm-* dopo l'accento; cfr. SPÀSIMO.

**urbanìstica,** femm. sostantiv. di (*scienza*) *urbanistica,* la sistemazione delle città esistenti, la pianificazione delle nuove.

**urbanità,** dal lat. *urbanĭtas, -atis,* astr. di *urbanus,* nel senso di « proprio del viver cittadino (e cioè civile) ».

**urbano,** dal lat. *urbanus* ' cittadino ', nel senso di « civile », opposto a « rustico », deriv. di *urbs* ' città '; v. URBE.

**urbario,** dal ted. *Urbar(buch)* « (libro delle terre) dissodate ».

**urbe,** dal lat. *urbs, -is* ' città ', parola di orig. mediterr.; cfr. ORBE.

**ùrea,** dal gr. *ûron* ' orina ', attrav. il frc. *urée.*

**urèdine** (ruggine delle piante), dal lat. *uredo, -ĭnis,* astr. di *urĕre* ' bruciare '; v. USTIONE.

**uremìa,** comp. moderno di gr. *ûron* ' orina ' e *-emìa.*

**urente** ' bruciante ', dal lat. *urens, -entis,* part. pres. di *urĕre* ' bruciare ', v. USTIONE.

**uretere**, dal gr. *ūrētḗr, -êros*, nome d'agente di *ūréō* ' orino '.

**ùretra**, dal lat. tardo *urethra* che è dal gr. *ūréthra*, deriv. di *ūréō* ' orino '. L'accentaz. it. sdrucciola dipende dall'allineam. con i tipi *geòmetra* o *ànitra*.

**urgente**, dal lat. *urgens, -entis*, part. pres. di *urgére*; v. ÙRGERE.

**urgenza**, dal lat. *urgentia*.

**ùrgere**, dal lat. *urgére*, passato alla coniugaz. in *-ère*, da una rad. WREG oppure WERG² alternante con URG, attestata, in forme non sempre perspicue, nelle aree germanica, greca, baltica, slava, indiana.

**urì**, dall'ar. *al-ḥūr* « (fanciulle) dagli occhi neri ».

**-uria**, secondo elemento di comp. attinenti all'attività dell'urinare, dal tema gr. di *ûron* ' urina ' col suff. *-ia* di astr.

**uricemìa**, da *(acido) urico* e *-emìa*.

**ùrico**, deriv. moderno col suff. chimico *-ico*, dal gr. *ûron* ' orina '.

**urìna**, dal lat. *urina*, con fragili connessioni ideur.

**urlare**, lat. *ululare*, con dissimilaz. di *l* in *r* dav. a *l* seguente, e norm. caduta di voc. protonica.

**urlo**, sost. deverb. da *urlare*.

**urna**, dal lat. *urna*, ant. *\*urcna*, che, come l'agg. *urceus*, pare di orig. mediterr., con la parallela forma gr. *hýrkhē* ' terrina '.

**uro**, dal lat. *urus*, animale conosciuto da Cesare attrav. i Germani; cfr. ted. *Auer(ochs)*.

**urogallo** ' gallo cedrone ', dal lat. scient. *urogallus*, comp. di gr. *ūrá* ' coda ' e lat. *gallus*; v. GALLO.

**urologìa**, comp. moderno di gr. *ûron* ' orina ' e *-logìa*.

**urrà**, dal frc. *hourra* di orig. onomatop.

**urtare**, dal provz. ant. *urtar*, forse risal. al franco *hrūt* ' ariete '.

**urticacea**, forma femm. sostantiv. dal lat. *urtica*; v. ORTICA.

**urto**, sost. deverb. da *urtare*.

**usare**, lat. volg. *\*usare*, intens. di *uti*; v. USO¹.

**usatto** (calzatura), dimin. di *uosa*.

**usbergo**, dal provz. ant. *ausberc*, che è dal franco *halsbërg*, comp. di *hals* ' collo ' e *berg* ' protezione '.

**uscio**, lat. volg. *\*ustjum*, tardo *ūstium* (Marc. emp.), class. *ōstium*, secondo il rapporto di *ū* urb. e *ō* rust. Deriv. da OS ' imboccatura ' (v. ORALE), con un ampliam. in -T- presente nell'area baltica, sempre col valore orig. di ' imboccatura '; cfr. il nome loc. *Ostia* « imboccatura (del Tevere) » e v. OSTIO.

**uscire**, lat. *exire*, comp. di *ex-* e *ire* (v. GIRE) incr. con *uscio*; cfr. ESCIRE.

**usignolo**, lat. volg. *\*luscinjòlus*, dimin. maschile di *luscinia*, con l'*l-* iniz. considerata come articolo. *Luscinia* è privo di connessioni evidenti e *luscus* ' guercio ', che foneticamente somiglia, è inafferrabile nel signif.; cfr. ROSIGNOLO.

**usitare**, dal lat. *usitari*, verbo intens. di *uti*; v. USO¹.

**usitato**, dal lat. *usitatus*, part. di un intens. rideterminato del già intens. *\*usare* (v. USARE), deriv. da *uti* (v. USO¹).

**uso¹** (agg.), dal lat. *usus*, part. pass. di *uti*; v. USO¹.

**uso²** (sost.), lat. *usus, -us*, astr. di *uti* ' usare ', da una base OIT, attestata anche nelle lingue oscoumbre, ma priva di connessioni ideur. fuori d'Italia.

**ùssero**, dall'ungh. *huszár*, che è dal verbo croato *gusâr*, e questo dal gr. medv. *khōsários* ' che fa scorrerie '.

**ussita**, dal nome di Giovanni Huss (Jan Hus, 1369-1415), riformatore religioso boemo.

**ussoricida** (*uxoricida*), comp. di lat. *uxor* ' moglie ' e il tema *-cida* (v. -CIDA). Lat. *uxor* dovrebbe essere composto della rad. EUK attestata anche nell'area armena col valore di ' apprendere, acquistare ' e di SOR che si trova come secondo elemento anche in *soror* da SWE-SOR. I signif. contrapposti sarebbero allora quelli di « (moglie) che si prende come compagna » di fronte a « (sorella) che già si ha come compagna »; v. SUORA.

**ustione**, dal lat. *ustio, -onis*, nome d'azione di *urère*, che ha corrispond. verb. esatte nel gr. *heúō* ' brucio ' e nel sanscrito, e corrispond. solo nominali e solo derivate nell'area germanica.

**usto**, dal lat. *ustus*, part. pass. di *urère*.

**ustolare** ' mugolare ', dal lat. *ustolare*, intens.-iterat. di *urère*, deriv. dal part. *ustus*: « (si mugola perché) si brucia (per qualche voglia) ».

**ustorio**, dal lat. *ustor, -oris*, nome d'ag. di *urère*.

**ustrino** (luogo di cremazione), dal lat. *ustrina*.

**usuale**, dal lat. tardo *usualis*, deriv. da *usus* sost.

**usuario**, dal lat. tardo *usuarius*, deriv. da *usus* sost.

**usucapione**, dal lat. *usucapio, -onis*, nome d'azione di *usucapère*.

**usucapire**, dal lat. *usūcapère*, giustapposizione di *usū* abl. di *usus, -us* e *capère* ' prendere ', senza apofonia, e incr. con it. *capire*.

**usufruire**, verbo denom. estr. da *usufrutto*, secondo il rapporto lat. di *fructus* a *frui* e di it. *frutto* a *fruire* (v.).

**usufrutto**, dal lat. *ususfructus* da *usus* (*et*) *fructus* « uso (e) frutto ».

**usufruttuario**, dal lat. tardo *usufructuarius*.

**usura¹** ' interesse esagerato in un capitale ', dal lat. *usura*, originariam. semplice astr. di *uti* ' usare '.

**usura²** ' logorio ', dal frc. *usure*.

**usuraio**, da *usura¹*.

**usurario**, dal lat. *usurarius* ' ciò di cui si ha l'uso '.

**usurpare**, dal lat. *usurpare*, giustapposizione di *usu* abl. di *usus, -us* (v. USO¹) e *\*rapare*, forma durativa di *rapère* (v. RAPIRE), con caduta della voc. atona; cfr. *surgo* da *\*surrigo*, v. SÓRGERE.

**usurpativo**, dal lat. tardo *usurpativus*.

**usurpatore**, dal lat. tardo *usurpator, -oris*.

**usurpazione**, dal lat. *usurpatio, -onis*.

**ut** (nota musicale), dalla prima parola dell'inno, dedicato a S. Giovanni da Paolo Diacono, e utilizzato da Guido d'Arezzo per denominare le note musicali.

**utènsile** (agg.), dal lat. *utensĭlis*, deriv. di *uti* ' usare ', senza però un chiaro passaggio dal tema del verbo a quello dell'agg. verb.: forse incr. con *pensĭlis*.

**utensile** (sost.), forma di sg. tratto dal plur. *utensĭli* (dal lat. *utensilia*) reso maschile.

**utente**, dal lat. *utens, -entis*, part. pres. di *uti*.

**utenza**, da *utente*, con valore di collettivo: « (la massa) degli utenti ».

**uterino**, dal lat. tardo *uterinus*.

**ùtero**, dal lat. *utèrus*, con connessioni alquanto disturbate nelle aree indiana, greca, baltica (cfr. anche VENTRE), rispetto al quale rispecchierebbe un deriv. della rad. UT (al grado ridotto) alternante con WET, al grado normale (e, con infisso nasale, WENT).

ùtile, dal lat. *utĭlis*, agg. verb. di *uti* ' usare ', tratto direttam. dalla rad. OIT di *uti* (v. USO[1]) come *agĭlis* da *agĕre* e *facĭlis* da *facĕre*.

utilità, dal lat. *utĭlĭtas*, *-atis*.

utilitario, dal frc. *utilitaire*.

utilizzare, dal frc. *utiliser*.

utopìa, nome artificiale coniato da Tommaso Moro (1516) con gli elementi gr. *ū-* ' non ', *tópos* ' luogo ' e il suff. astr. *-ìa*.

uva, lat. *uva*, forse da un ant. UGwA, con connessioni nelle aree baltica e slava.

uvìfero, dal lat. tardo *uvĭfer*, *-fĕri*, comp. di *uva* e *-fer*, tema di nome d'agente: « portatore d'uva ».

uvulare, dal frc. *uvulaire* (XVIII sec.); cfr. ÙGOLA.

uxoricida e sim., v. USSORICIDA e sim.

ùzza, variante di *uggia* come *mezzo* rispetto a *moggio* (lat. *medius* e *modius*); cfr. UGGIA.

ùzzolo, dimin. di *uzza*.

**V**

vacante, dal lat. *vacans, -antis*, part. pres. di *vacare*.

vacare, dal lat. *vacare* « esser libero (per divertimento) » poi « (per lavoro) », con connessioni italiche nella forma WA-K e connessioni ideur. solo con altri ampliam.; cfr. VANO, VASTO. La forma primitiva della rad. deve essere perciò, in forma lat., vā- alternante con vă-.

vacazione, dal lat. *vacatio, -onis*.

vacca, lat. *vacca*, parola antichissima che trova corrispond. esatta nell'area indiana e quindi appartenente alla terminologia delle offerte della casta sacerdotale.

vaccino[1] (agg.), dal lat. *vaccinus*, deriv. di *vacca*.

vaccino[2] (sost.), dalla formula (*pus*) *vaccino* con l'agg. sostantiv.

vacillare, dal lat. *vacillare*, privo di connessioni evidenti, con una sfumatura iterat. nel suff. -illare; cfr. VAGELLARE.

vacillazione, dal lat. *vacillatio, -onis*.

vacuità, dal lat. *vacŭĭtas, -atis*.

vacuo, dal lat. *vacuus*, deriv. di *vacare* (cfr. *caeduus* rispetto a *caedĕre*).

vademecum, dal lat. *vade mecum* ' vieni con me '.

vàdere, lat. *vadĕre* con connessioni chiare nell'area germanica (cfr. GUADO); sopravv. nelle forme verbali accentate sulla rad. (*vado, vo, vai, va, vanno*) contro *andiamo, andate, andare*, v. ANDARE e cfr. VO. La forma della rad. è WAD[2].

vado, v. VÀDERE.

vagabondo, dal lat. *vagabundus*, part. di *vagari*, secondo lo schema di *moribundus* da *mori*.

vagare, dal lat. *vagari*, verbo denom. da *vagus*; v. VAGO.

vagellare, lat. *vacillare*, attrav. una tradiz. settentr. del tipo *vazelàr* con la norm. leniz. della -*c*- intervocalica; v. VACILLARE.

vagello ' caldaia dei tintori ', lat. *vascellum*, doppio dimin. di *vas* ' vaso ', attrav. una tradiz. settentr. del tipo *\*vasgèl* con relativa leniz., e sua correzione tosc. da -*sge*- in -*ge*-.

vagheggiare, verbo denom.-durativo da *vago*.

vagina, dal lat. *vagina*, privo di connessioni attendibili.

vagire, dal lat. *vagire*, ampliam. in -*g*- di un elemento onomatop. *ua.... ua.*

vagito, dal lat. *vagitus, -us*, astr. di *vagire*.

vaglia[1] ' assegno ', da *vaglia*, terza pers. sg. del congiunt. di *valere*, lat. *valeat*; v. VALERE.

vaglia[2] ' pregio ', sost. deverb. da *valere* (con la prima pers. sg. *vaglio*) come *voglia* v. da *volere* (prima pers. *voglio*).

vagliare, lat. volg. *\*valliare*, verbo denom. da *vallus*, dimin. di *vannus* (attrav. *\*vannŭlus*) ' setaccio '. Privo di connessioni attendibili.

vaglio, sost. deverb. da *vagliare*.

vago, dal lat. *vagus* ' errante ', privo di connessioni attendibili.

vagolare, verbo iterat. da *vagare* col suff. -*olare*.

vagone, dal frc. *wagon* che è dall'ingl. *wagon* ' carro, vagone '.

vaiare, verbo denom. da *vaio*.

vainiglia, dallo sp. *vainilla*, dimin. di *vaina* (lat. *vagina*), perché il frutto ha la forma di una lunga guaina.

vaio (agg. e nome di varietà di scoiattolo), lat. *varius* con norm. trattam. tosc. di -*ariu* in -*aio*. *Varius* è privo di connessioni attendibili.

vaiolo, lat. volg. *\*varjòlum*, dimin. di class. *varium*, reso sostantivo; cfr. VARICELLA.

valanga, dal piemontese alpino *valanca* (cfr. frc. *avalanche*), forma metatetica di un tema mediterr. LAVA (v.) col suff. mediterr.-ligure -*anca*.

valchiria, dal ted. *Walküre*, risal. allo scandinavo *valkyrja*, comp. di *valr* ' cadavere ' e *kyrja* ' colei che sceglie '.

valdese, dal nome di Valdo, riformatore religioso lionese (n. intorno al 1140).

vale, dal lat. *vale*, seconda pers. dell'imperat. del verbo *valere* ' sta bene '; v. VALERE.

valere, lat. *valere* ' esser valido ', ant. verbo della sovranità tratto da una rad. WELĒ, attestata senza ampliam. anche nelle aree celtica e tocaria, con un ampliam. in dentale nelle aree baltica, slava, germanica (ted. *walten, verwalten*).

valeriana, dal lat. medv. *valeriana*, tratto da *Valeria*, nome lat. di una provincia della Pannonia inferiore.

valetudinario ' cagionevole ', dal lat. *valetudinarius*, ancora privo del signif. peggiorativo proprio della parola it.

valetùdine ' salute ', dal lat. *valetudo, -ĭnis*, astr. di *valere*, che si mantiene privo di sfumature peggiorative.

valgo, prima pers. sg. di *valere*, secondo il modello di *colgo, scelgo* rispetto a *cògliere, scègliere*, e cioè attrav. una prima pers. plur. *\*vagliamo* identica a *cogliamo, scegliamo*.

valicare, lat. *varicare*, verbo denom. iterat. di *varus* « (dalle gambe) volte in fuori », con dissimilaz. di -*r*- in -*l*- dav. alla -*r*- successiva; cfr. VARCARE.

validità, dal lat. tardo *validĭtas, -atis*.

vàlido, dal lat. *valĭdus*, agg. di *valere*; v. VALERE.

**valigia**, dall'ar. *walīha* ' sacco da grano '.

**valle**, lat. *vallis*, legato in qualche modo con la famiglia di *valvae, -arum* e *volvěre*; v. VÒLGERE.

**vallèa** ' vallata ', dal frc. *vallée*, deriv. di *val*, lat. *vallis*; v. VALLE.

**valletto**, dal provz. *vallet*, dimin. di lat. medv. *vassallus*, attrav. una forma intermedia *\*vass(a)let*.

**valore**, dal lat. *valor, -oris*, astr. di *valere*; v. VALERE.

**valsente**, incr. di *valente* e *valso*.

**valso**, part. pass. di *valere*, formato sul pass. rem. *valsi*, secondo lo schema di *mosso* rispetto a *mossi*. Il pass. rem. a sua volta, anziché dal class. *valui* deriva da un lat. volg. *\*valsi* come *(ri)solsi* deriva non dal lat. class. *solvi* ma dal volg. *\*solsi*, a sua volta formato sulla base dei perf. class. *arsi, sparsi* da *ardere, spargěre*.

**valuta**, femm. sostantiv. del part. pass. normale di *valere*.

**valva**, dal lat. *valvae, -arum* ' battenti, imposte ', legato in qualche modo con *volvěre*; v. VÒLGERE.

**valvassore**, dal provz. *valvassor*, lat. medv. *vassus vassorum* ' vassallo dei vassalli '; cfr. BARBASSORO.

**vàlvola**, forma sg. presa dal plur. lat. *valvŭlae* ' gusci di un baccello ', dimin. di *valvae*; v. VALVA.

**valzer**, dal ted. *Walzer*, nome d'agente di *walzen* ' trebbiare ' e ' ballare '.

**vamp**, dall'anglo-americano *vamp*, abbreviaz. di *vampire*; v. VAMPIRO.

**vampa**, forma femm. da *vampo*.

**vampiro**, dal serbocroato *vampir*.

**vampo**, lat. *vapor* incr. con *lampo*; v. VAPORE.

**vanagloria**, dalla locuzione lat. *vana gloria*.

**vàndalo** ' barbaro ', dal nome dei *Vàndali*, popolazione germanica che saccheggiò Roma nel 455 d. C.

**vaneggiare**, verbo denom. iterat. di *vano*.

**vanello** (uccello), dal provz. moderno *vanelo*.

**vanescente**, dal lat. *vanescens, -entis*, part. pres. di *vanescěre* ' svanire ', verbo denom. incoat. di *vanus*; v. VANO.

**vanesio**, da *Vanesio*, nome proprio del protagonista della commedia di G. B. Fagiuoli, *Ciò che pare non è* (1724), deriv. da *vano*.

**vanessa** (farfalla), dal lat. scient. *vanessa*, nome di un personaggio di J. Swift (1667-1745).

**vanga**, lat. tardo *vanga*, di prob. orig. germanica, e forse della stessa famiglia del ted. *Wange* ' guancia '.

**vangelo**, lat. crist. *(e)vangelium* che è dal gr. crist. *euangélion*, comp. di *eu-* ' bene ', *ángelos* ' messaggero ' e *-ion* suff. di derivaz.: con il sg. it. rifatto sul plur. *vangeli*; cfr. EVANGELO.

**vaniloquio**, dal lat. tardo *vaniloquium*, comp. di *vanus* e *-loquium*; cfr. COLLOQUIO, TURPILOQUIO.

**vanità**, dal lat. *vanĭtas, -atis*, astr. di *vanus*.

**vanni** (plur.) ' penne delle ali ', lat. *vannus* ' crivello ' (per l'analogia del movimento), privo di connessioni evidenti.

**vannino** ' puledro giovane ', lat. volg. *\*(hocq)uanninus* e cioè « (puledro) appartenente a questo anno »; cfr. UGUANNOTTO.

**vano**, lat. *vanus*, ant. *\*vas-no-s* dalla rad. WĀ-, ampl. con -s- e attestata nelle aree celtica e germanica; v. VASTO. Per un altro ampliam. (WA-K), v. VACARE.

**vantaggio**, dal frc. *avantage*, deriv. dal lat. tardo *abante* (v. AVANTI) incr. con it. *vantare*.

**vantare**, lat. tardo *vanitare*, verbo denom. intens. da *vanus*; v. VANO.

**vànvera**, variante sonora dell'ant. *fànfera* e sim. (v. FANFARONE) con passaggio toscano da *-ar-* a *-er-* fuori d'accento.

**vaporàbile**, dal lat. tardo *vaporabĭlis*.

**vaporare**, dal lat. *vaporare*.

**vapore**, lat. *vapor* ' esalazione ', con connessioni evanescenti nelle aree greca e baltica.

**vaporoso**, dal lat. tardo *vaporosus*.

**varare**, lat. volg. *\*varare*, verbo denom. da *vāra* ' sostegno biforcuto ', deriv. a sua volta da *vārus* ' dalle gambe volte verso l'interno ', parola priva di connessioni ideur. evidenti; cfr. VALICARE, VARCARE.

**varcare**, lat. *varicare* ' allargare le gambe ', con norm. caduta della voc. protonica, verbo denom. iterat. da *varus*; v. VARARE e cfr. VALICARE.

**varco**, sost. deverb. da *varcare*.

**variàbile**, dal lat. tardo *variabĭlis*.

**variare**, dal lat. *variare*, verbo denom. da *varius*.

**variazione**, dal lat. *variatio, -onis*.

**varice**, dal lat. *varix, -ĭcis*, privo di connessioni evidenti: allineata, per l'accento, con i tipi *radice, cornice*.

**varicella**, dal frc. *varicelle*, incr. di lat. *varix* e frc. *variole*; cfr. VAIOLO.

**varicocele**, comp. mod. di lat. *varix, -ĭcis* ' varice ' e gr. *kélē* ' gonfiore ', calco su *kirsokélē* (da *kirsós* ' varice ').

**varicoso**, dal lat. *varicosus*.

**variegato**, dal lat. tardo *variegatus*, part. pass. di *variegare*, comp. di *varius* (v. VARIO) e del tema durativo di *agěre*, che è *\*agare*.

**varietà**, dal lat. *variĕtas, -atis*, astr. di *varius* con norm. passaggio da *-iĭtas* a *-iĕtas*; v. PIETÀ.

**vario**, dal lat. *varius*; v. VAIO.

**variopinto**, comp. di *vario* e *pinto*, part. pass. di *pìngere*.

**varo**, sost. deverb. da *varare*.

**vasca**, lat. volg. *\*vasca*, estr. da *vascŭla*, plur. di *vascŭlum*, dimin. di *vas*; v. VASO.

**vascello**, lat. *vascellum* ' vasetto ', doppio dimin. di *vas*; v. VASO (attrav. *vascŭlum*).

**vascolare**, da *vàscolo* col suff. it. *-are*.

**vàscolo**, dal lat. *vascŭlum*, dimin. di *vas*.

**vaselina**, dall'anglo-americano *vaseline*, marchio di fabbrica (1877) risultante dal ted. *Wasser*, gr. *élaion* e suff. di prodotti terapeutici *-ine* (it. *-ina*).

**vasello**, dimin. di *vaso*.

**vaso**, lat. tardo *vasum*, class. *vas*, privo di connessioni fuori d'Italia.

**vassallo**, dal lat. medv. *vassallus*, ampliam. di *vassus* ' servo ' (Legge degli Alamanni, VII sec. d. C.), di prob. orig. celtica.

**vassoio**, lat. volg. *\*vassorium*, incr. di *vas* ' vaso ' e *missorium* ' piatto '.

**vastità**, dal lat. *vastĭtas, -atis*.

**vasto**, dal lat. *vastus* ' devastato ', deriv. dalla rad. WĀ ampliata con -s- (v. VANO), e col suff. *-to-*: così attestata anche nelle aree celtica e germanica (ted. *Wüste* ' deserto ').

**vate**, dal lat. *vates*, che si ritrova identico nell'area celtica, e in forme simili in quella germanica.

**vaticinare**, dal lat. *vaticinari*, verbo denom. da *\*vaticen* « che canta (*-cen*) come profeta (*vati-*) ». *-Cen* è da *-can* con norm. passaggio di *-ă-* in *-ě-* in sill. chiusa, in *-ĭ-* in sill. aperta dopo l'accento

**vaticinatore**, dal lat. *vaticinator -oris*.

**vaticinio**, dal lat. *vaticinium*, comp. di *vates* e *-cinium*, tema di nome d'azione della rad. di *canĕre*.

**ve**[1] (avv.), v. VI[1].

**ve**[2] (pron.), v. VI[2].

**vè**, troncamento di *ve(di)*!

**vecchio**[1] (agg.), lat. tardo *veclus*, class. *vetŭlus*, dimin. di *vetus* ' vecchio ', parola che in una civiltà di allevatori, si identificava col signif. di « anno »; v. VÈTERE.

**vecchio**[2] (sost.) vitello marino ', lat. *vitŭlus* ' vitello ', dimin. rustico con *i* al posto di *ĕ* (cfr. *viget* e v. VIGORE, in confronto di *vegeo*, v. VÈGETO) da *vetus* ' vecchio '.

**veccia**, lat. volg. *\*vicja*, class. *vicia*, con norm. raddopp. della *-c'-* dav. a *-i-*. *Vicia* è priva di connessioni ideur.

**vece**, lat. *vicem*, accus. di un tema radicale *\*vix* da una rad. che riappare forse nell'area germanica (ted. *Wechsel* ' cambio '), e che ha un parallelo verb. nel gr. *(w)eíkō*; v. VICENDA.

**veda**, dal sanscrito *veda*, forma sostantiv. del perf. *veda* ' io so ', identico al gr. *(w)oîda* al lat. *vidi* e al ted. *weiss* ' io so '.

**vedere**, lat. *videre*; termine fondam., dalla rad. WEID, largamente attestato, che definisce il ' vedere ' come mezzo di conoscenza. Il perf. significa « ho visto e quindi so », ed è attestato nelle aree indiana, greca, germanica (v. VEDA), armena, slava, celtica, latina. Le forme ampliate con *-ē-* si ritrovano, oltre che in lat., nelle aree baltica, slava, germanica, greca. Per il part. pass. orig. v. VISO.

**vedetta**, da *veletta*, adattamento dal portogh. *veleta*, dimin. di sp. *vela*, estr. a sua volta da *velar* ' vigilare ', e incr. poi con *vedere*.

**vèdico**, da *veda*.

**vèdova**, lat. *vidŭa*, con norm. inserimento della *-v-* nella serie *-ua-* in iato (cfr. *Gènova* rispetto a lat. *Genŭa*, *rovina* rispetto a lat. *ruina*). *Vidŭa* è antichissima parola ideur. dalla forma simbolica WIDHE-WĀ, che significa propr. « la priva ». Attestata anche nelle aree celtica, germanica (ted. *Witwe*), baltica, slava, indiana, in forma meno perspicua in gr. dove, sotto l'influenza di una fase matriarcale (v. FRATE), *ē(w)itheos* significa ' celibe '. Prob. connessione più lontana è quella di lat. *(di)vidĕre*; v. DIVÌDERE.

**védovo**, lat. *vidŭus*, forma maschile allineata accanto alla femm.

**vedretta**, da *vedreta* dei dialetti lombardo-alpini, e questa, incr. di *vedar* ' vetro ' e *\*veterecta*, plur. di *\*veterectum*, variante di *veteretum* ' campo incolto ' e perciò quasi « vecchio campo di vetro ».

**veduta**, femm. sostantiv. di *veduto*, part. pass. regolare di *vedere* (cfr. VISTA e VISO). Le forme in *-uto* sono state estese all'intera coniugaz. in *-ere* partendo dai tipi lat. *tributum*, *statutum* da *tribuĕre*, *statuĕre* che, dopo avere consolidato il rapporto di *tenuto* rispetto a *tenere* sono poi passati alla coniugaz. in *-ire*; v. STATUIRE.

**veemente**, dal lat. *vehĕmens*, *-entis* prob. incr. di un ant. *\*vēmens* ' privo di mente ' (cfr. *vecors*), con il part. medio del verbo *vehĕre* ' trasportare ': « che si muove (velocemente) ».

**veemenza**, dal lat. *vehementia* astr. di *vehemens* *-entis*.

**vegetale**, dal lat. medv. *vegetalis*.

**vegetare**, dal lat. *vegetare*, nel lat. tardo equival. a ' crescere ', nel class. ' rinforzare ', verbo denom. da *vegĕtus*; v. VEGETO.

**vegetariano**, dall'ingl. *vegetarian*.

**vegetativo**, dal lat. medv. *vegetativus*.

**vegetazione**, dal lat. tardo *vegetatio*, *-onis*.

**vègeto**[1] ' florido ', dal lat. *vegĕtus* legato al verbo *vegere* ' animare ', ricco di connessioni lat. (v. VIGERE, VELOCE, VIGORE), ma privo di connessioni ideur. evidenti fuori d'Italia.

**vegeto-**[2], primo elemento di comp. nominale che vale *vegetale*.

**veggente**, part. pres. di *vedere*, ricalcato sulla prima pers. sg. *veggio*, regolare svolgim. del lat. *video*, attrav. lat. volg. *\*vidjo*; v. VEGGIO[2].

**veggenza**, astr. di *veggente*.

**vegghiare**, lat. *vigilare*, verbo denom. da *vigil*, *-ilis* con norm. caduta della voc. protonica; v. VÌGILE.

**veggia** ' botte ', lat. tardo *veia* dall'osco *veia* ' carro ', cfr. TREGGIA.

**veggio**[1], forma abbrev. di *(la)veggio* forma settentr. di *lapideus* ' di pietra ', con leniz. di *-p-* a *-v-*.

**veggio**[2], prima pers. sg. del verbo *vedere*, lat. volg. *\*vidjo*, class. *video*.

**veggo**, prima pers. sg. del verbo *vedere*, tratta dalla prima plur. *veggiamo* secondo il rapporto di *leggo* a *leggiamo*, che soppianta la forma originaria *veggio* (v.).

**veglia**, sost. deverb. estr. da *vegliare*; cfr. VIGILIA.

**vegliardo**, dal frc. *vieillard*, incr. con it. *veglio*.

**vegliare**, dal provz. *velhar* che è il lat. *vigilare*; cfr. VIGILARE.

**veglio**, dal provz. *vielh* che è il lat. *vetŭlus*.

**vegnente**, lat. *veniens*, *-entis*, part. pres. di *venire*.

**veìcolo**, dal lat. *vehicŭlum*, nome di strum. tratto da *vehĕre*; v. VETTORE.

**vela**, lat. *vela*, *-orum* inteso come sg. Il sg. *velum* risale a WEKSLOM come mostra il dimin. *vexillum*; v. VESSILLO. Si tratta dunque di un deriv. in *-slo* della rad. WEGH ' trasportare ' (v. VETTORE), attestato anche nell'area slava.

**velame**, dal lat. *velamen*, *-inis* deriv. da *velare*[1].

**velare**[1] (agg.), deriv. da *velo* (del palato).

**velare**[2] (verbo), lat. *velare*, verbo denom. da *velum* ' velo '; v. VELO.

**velario**, dal lat. *velarium*, deriv. di *velum* ' velo '.

**velenífero**, dal lat. *venenifer*, *-fĕri*, incr. con it. *veleno*.

**veleno**, lat. *venenum* dissimilato da *n*.... *n* in *l*.... *n*. *Venenum* deriva da ant. *\*venesnom* ' filtro amoroso '; cfr. *Venus*, *-ĕris*, sua forma personificata; v. VENERDÌ.

**velenoso**, dal lat. tardo *venenosus* incr. con it. *veleno*.

**veletta**[1] ' piccola vela ', dimin. di VELA.

**veletta**[2] ' piccolo velo ', dimin. di VELO.

**velia** (uccello) lat *\*veliŭla*, dimin. di una base mediterr. WELA, leggermente dissimilata da *li*.... a *i*.... ' e trattato come *baiŭla* in it. *balia*; cfr. AVELIA.

**vèlico**, agg. di *vela*.

**veliero**, incr. del frc. *voilier* e dell'it. *vela*.

**velino** (carta velina), dal frc. *vélin* ' pergamena ', che è lat. *vitulinus* ' di vitello ', incr. con it. *velo*.

**vèlite**, dal lat. *vēles*, *-itis*, incr. di *vēlox* e *miles*, *-ĭtis*.

**velìvolo,** dal lat. *velivŏlus,* comp. di *velum* ' vela ' (v. VELA), e il tema di *volare* (v. VOLARE).

**velleità,** dal lat. medv. *velleĭtas, -atis,* astr. di *velle,* inf. del verbo *volo,* inteso come sost. Lat. *velle* è ant. inf. atematico risultante dalla rad. *\*vel* e il tema di inf. *-se,* cfr. *esse* da *es-se:* v. VOLERE.

**velleitario,** da *velleità,* nel signif. di ' volitivo (non conclusivo) ', e non secondo quello di ' volontario ' rispetto a *volontà.*

**vellicare,** dal lat. *vellicare* ' pizzicare ', iterat. e vezzegg. di *vellĕre* ' strappare il pelo '.

**vellicazione,** dal lat. *vellicatio, -onis.*

**vello,** lat. *vellus, -ĕris,* da un ant. *\*vel-nos,* che trova una corrispond. esatta nell'area armena. Corrispond. lat. sono da una parte il verbo *vellĕre* ' strappare ' da *\*vel-do,* dall'altra il sost. *villus;* v. VILLOSO. Per corrispond. più lontane v. LANA.

**velloso,** dal lat. *villosus* incr. con it. *vello;* v. VILLOSO.

**velluto¹** (agg.), lat. tardo *villutus;* v. VILLOSO.

**velluto²** (sost.), forma sostantiv. del precedente: « (drappo) velluto ».

**velo,** lat. *velum,* ant. *\*veslom* appartenente alla stessa famiglia di *vestis;* v. VESTE.

**veloce,** dal lat. *velox, -ocis* ' agile ', comp. di *-ox* ' dall'aspetto di ' e di *\*vegslo-* (deriv. di *vegeo*) ' vigoroso '; v. VÈGETO, VÌGILE, VIGORE. Per gli agg. lat. in *-ox* v. ATROCE, FEROCE.

**velocìpede,** comp. moderno del lat. *velox, -ocis* ' veloce ' e *pes pedis* ' piede ': quasi calco sul gr. *ōkýpūs* ' piè-veloce '.

**velocità,** dal lat. *velocĭtas, -atis.*

**velòdromo,** dal frc. *vélodrome,* calco su *hippodrome,* con *vélo-* al posto di *hippo-.*

**veltro,** dal provz. *veltre* che è il lat. tardo *vertrăgus,* risal. al gallico.

**vena,** lat. *vena,* privo di corrispond. attendibili.

**venale,** dal lat. *venalis,* deriv. da *venum* ' vendita ', v. VÉNDERE. *Venum* può corrispondere a un ant. WESNO- attestato nell'area indiana o a un ant. WĒ²(NO-) attestato nell'area slava. Forme meno aderenti si trovano nelle aree greca (*wônos* ' prezzo di acquisto '), armena, ittita.

**venalità,** dal lat. tardo *venalĭtas, -atis.*

**venatorio,** dal lat. *venatorius,* deriv. di *venari* ' andare a caccia ', appartenente a una famiglia lessicale WEN¹, che indica la conquista e la caccia, attestata nelle aree indo-iranica, baltica, germanica, per es. ted. (*ge*)*winnen* ' vincere '.

**vendemmia,** lat. *vindemia,* comp. di *vino-* ' vino ' e *-demia* ' levata ', astr. di *demĕre* ' levare ', con rafforzam. it. del gruppo *-mj-* dopo l'accento.

**vendemmiaio** (mese del calendario della rivoluzione francese), dal frc. *vendémiaire.*

**vendemmiare,** lat. *vindemiare* incr. con it. *vendemmia.*

**vendemmiatore,** lat. *vindemiator, -oris,* incr. con it. *vendemmia.*

**véndere,** lat. *vendĕre,* da *vén*(*um*) *dăre* con sincope della prima sill. atona e apofonia di *-ă-* in *-ĕ-* in sill. interna dav. a *-r-.* Per *venum* v. VENALE.

**vendetta,** lat. *vindicta* (v. VÌNDICE), femm. sostantiv. del part. pass. di un presunto *\*vindicĕre.*

**vendibile,** dal lat. *vendibĭlis,* agg. verb. di *vendĕre;* v. VÉNDERE.

**vendicare,** lat. *vindicare,* verbo denom. da *vindex, -ĭcis* (v. VÌNDICE), parallelo a *iudicare,* verbo denom. da *iudex.*

**vendicatore,** dal lat. *vindicator, -oris,* incr. con it. *vendicare.*

**venditore,** dal lat. *vendĭtor, -oris,* nome d'agente di *vendĕre.*

**-véndolo** (secondo elemento di comp.), dal lat. medv. *-vèndulus,* calco su comp. gr. e biz. in *-pōlēs.*

**veneficio,** dal lat. *veneficium,* astr. da *venefĭcus.*

**venèfico,** dal lat. *venefĭcus,* ant. *\*vene*(*ni*)*fĭcus,* comp. di *venenum* e *-fĭcus,* forma aggettiv. dei nomi di agente in *-fex.*

**veneràbile,** dal lat. *venerabĭlis.*

**venerabilità,** dal lat. tardo *venerabilĭtas, -atis.*

**venerando,** dal lat. *venerandus.*

**venerare,** dal lat. *venerari,* verbo denom. da *venus, -ĕris,* originariam. « agisco col filtro amoroso »; v. VENERDÌ.

**veneratore,** dal lat. *venerator, -oris.*

**venerazione,** dal lat. *veneratio, -onis.*

**venerdì,** lat. *venĕris dies* « giorno di Venere ». *Venus* è forma personificata di un ant. sost. neutro che indicava il ' filtro amoroso ' da cui deriva anche *venenum,* ant. *\*venes*(*nom*), v. VELENO. Un tema identico a *venus* si trova, debolmente attestato, nell'area indiana spec. in comp. col valore ' che ama '. Importanti sono i verbi incoat. deriv. col suff. *-sk-* attestati nell'area indiana e germanica (ted. *wünschen* ' desiderare '). Per la forma, non ampliata, WEN², v. VENIA.

**venèreo,** dal lat. *venereus,* deriv. di *venus, -ĕris.*

**venètico,** dal nome etnico (sost.) degli (antichi) Veneti col suff. aggettiv. *-ico.*

**venia,** dal lat. *venia,* da una rad. generica WEN², specializzata nel senso della concessione, anziché in quello dell'azione amorosa, che è proprio solo degli ampliam. con WENOS, v. VENERDÌ.

**veniale,** dal lat. *venialis.*

**venire,** lat. *venire,* verbo fondam. dalla rad. GWEM, attestata nelle aree indiana, baltica, armena, greca (gr. *bainō*) e germanica (ted. *kommen*). La differenza tra i valori di ' andare ' e ' venire ' non è primitiva, perché il valore della rad. definisce il movimento momentaneo, libero dalla nozione di avvicinamento, allontanamento, durata.

**venoso,** dal lat. *venosus.*

**ventaglia** (parte della visiera dell'elmo), dal provz. *ventalha,* deriv. da *ventàr,* a sua volta verbo denom. da lat. *ventus;* v. VENTO.

**ventaglio,** dal frc. *éventail,* deriv. di *vent* ' vento '.

**ventèsimo,** incr. di lat. *vigesĭmus* e it. *venti;* cfr. VIGÈSIMO.

**vénti,** lat. tardo *vinti* (due volte in iscrizioni), class. *vigĭnti,* risal. a una forma ideur. WIKMTI nom. accus. duale neutro attestato nelle aree iranica e greca (gr. *wikati* nel dialetto dor.). Dalla forma regolare, che avrebbe dovuto essere *\*vicenti,* il lat. *viginti* si distacca, sia per il passaggio di *-c-* a *-g-* (omesso nell'avv. numerale *vicies* ' venti volte ', v. VICENNIO), sia per la voc. *-i-* invece di *-e-,* senza che se ne possa dare una spiegazione valida. Il pref. *wī-* è un surrogato, parallelo ma indipendente, rispetto al norm. DWI- (v. DUE). Dal punto di vista romanzo, la leniz. totale di *-g-* intervocalica è abbastanza tardiva perché non si è avuta contrazione in -ĭ- (e cioè it. *vinti), ma contrazione di i chiusa con i aperta con risultante -i- aperta e cioè it. venti.

**ventilabro,** dal lat. ventilabrum, nome di strum. di ventilare; v. VENTILARE.

**ventilare,** dal lat. ventilare, verbo denom. iterat. da ventus (v. VENTO), con mancato passaggio a *ventulare per analogia con gli elementi onomatop. del tipo sibilare; cfr. VENTOLARE.

**ventilatore,** dall'ingl. ventilator (XVIII sec.).

**ventilazione,** dal lat. ventilatio, -onis.

**vento,** lat. vĕntus, formaz. tematica derivata già in età ideur. da WĒ-NT-, part. pres. della rad. WĒ[1] 'soffiare'. I temi definiti da suff. participiale come ventus si trovano nelle aree tocaria, ittita, celtica, germanica (ted. Wind). Con altro ampliam. si trova nell'area indo-iranica; come verbo semplice si trova nelle aree indiana e greca (per es. gr. (á)wē(si) 'soffia'); come verbo ampliato, nelle aree slava e germanica (ted. wehen 'soffiare').

**vèntola,** sost. deverb. da ventolare.

**ventolare,** lat. *ventulare, class. ventilare, v. VENTILARE, con norm. passaggio della voc. interna -ĭ- a -ŭ- dav. a -l- non seguita da -ĭ-.

**ventosa,** lat. tardo (cucurbĭta) ventosa « (zucca) piena di vento »; v. VENTO.

**ventosità,** dal lat. tardo ventosĭtas, -atis.

**ventoso,** dal lat. ventosus; v. VENTO.

**ventrale,** dal lat. tardo ventralis; v. VENTRE.

**ventre,** lat. venter, ventris, con vaghe somiglianze con la famiglia di utĕrus: qui al grado norm. della rad. WET e con infisso nasale, là al grado ridotto UT; v. ÙTERO.

**ventrìcolo,** dal lat. ventricŭlus, dimin. di venter; v. VENTRE.

**ventriglio,** dal provz. ventrilh, che è il lat. ventricŭlus; v. VENTRÌCOLO.

**ventriloquo,** dal lat. tardo ventrilŏquus, comp. di venter e loquo-, tema di loqui, cfr. il deriv. in -loquio, ventriloquio; cfr. TURPILOQUIO, SOLILOQUIO.

**ventura,** lat. ventura, neutro plur. del part. fut. di venire inteso come sg. femm., poi sostantiv.

**venturo,** dal lat. venturus, part. fut. di venire.

**venustà,** dal lat. venustas, -atis (da *venustĭtas), astr. di venustus, sec. il rapporto di honestas e honestus.

**venusto,** dal lat. venustus, ampliam. di venus, -ĕris (v. VENERDÌ), secondo il rapporto onustus rispetto a onus, -ĕris, e robustus rispetto a robus, forma arc. di robur 'forza'.

**venuta,** femm. sostantiv. di venuto.

**venuto,** part. pass. da un perf. lat. volg. *venui (it. venni, formato dal modello di tenui, it. tenni) che si è sostituito a *ventus (supino ventum).

**vepre** 'pruno', dal lat. vepres, -ium (plur.) privo di connessioni etimologiche.

**vèr** 'verso', v. VERSO[4].

**vera** 'sponda del pozzo' 'fede nuziale', lat. tardo (gloss.) viria, class. viriae, -arum 'braccialetto', forse di orig. gallica, passato in it. attrav. una tradiz. settentr. (veneta) che rende -iria in -era (anziché toscanamente -eia); cfr. GHIERA.

**verace,** dal lat. verax, -acis, che si riferisce a un agg. di agente sullo schema e in opposizione a fallax, e quindi « che (dice) il vero » contro « colui che inganna »; v. VERO.

**veranda,** dal portogh. veranda (indostano varanda 'altalena'), attrav. mediazione ingl. e frc.

**veratro,** dal lat. verātrum 'ellèboro', di orig. mediterr.

**verbale**[1] (agg.), dal lat. tardo verbalis, deriv. di verbum.

**verbale**[2] (sost.), da (processo) verbale.

**verbasco** (pianta), dal lat. verbascum, parola mediterr. con suff. mediterr. ligure -asco.

**verbena,** dal lat. verbena, femm. sostantiv. da *verbenus, deriv. di *verbesnos e cioè agg. di un tema in -os *verbos, -ĕris di cui conosciamo il plur. verbĕra (v. VERBERARE): « l'erba dei colpi (simbolici) con i quali il re colpiva o toccava (il testo di un trattato o la testa del pater, patratus) ».

**verberare,** dal lat. verberare « operare con lo staffile », verbo denom. da verbĕra, plur. di *verbos; cfr. VERBENA, con connessioni nelle aree baltica e slava.

**verbigrazia,** dal lat. verbi gratia 'per effetto di una parola, per esempio'; v. VERBO e GRAZIA.

**verbo,** dal lat. verbum 'parola', abbreviaz. di verbum (temporale) « parola che indica (il tempo dell'azione) ». Da un tema ideur. WERDHO-/WORDHO-, attestato nelle aree latina, baltica, germanica (ted. Wort 'parola'), risal. a una rad. più semplice WER attestata nelle aree indo-iranica, greca, slava.

**verbosità,** dal lat. tardo verbosĭtas, -atis.

**verboso,** dal lat. verbosus.

**verde,** lat. virĭdis con norm. caduta della voc. interna atona. Virĭdis appartiene al gruppo del verbo virere 'esser verde' privo di connessioni attendibili fuori d'Italia; cfr. VÉRZA.

**verdèa,** dal lat. viridaria secondo una tradiz. settentr. *verdera, incr. con una tosc. *verdaia.

**verdesca** (pescecane), da verde con suff. accresc., poi sostantiv. in forma femm.

**verdetto**[1] (decisione di magistratura), dall'ingl. verdict, che è dal lat. vere dictum « detto secondo il vero ».

**verdetto**[2] (vino), dimin. di verde.

**verdicchio,** dimin. marchigiano di verde per indicare un vitigno e un vino.

**verduco,** dallo sp. verdugo 'germoglio' da lat. virĭdis.

**verdura,** collettivo in -ura da verde).

**verecondia,** dal lat. verecundia, astr. di verecundus.

**verecondo,** dal lat. verecundus, agg. participiale di vereri 'aver rispetto' (cfr. facundus rispetto a fari) con connessioni, sia pure non impeccabili, nelle aree germaniche (per es. ted. (be)waren 'conservare'), greca e celtica; cfr. SERVO.

**vérga,** lat. virga 'ramo flessibile' con vocalizzazione dial. di -i- al posto di -e- (cfr. vigor e vitulus), ma senza connessioni attendibili; v. VÉRGINE.

**vergaio** 'pastore', lat. volg. *virgarius, deriv. di virga 'colui che tiene la verga', con norm. trattam. tosc. di -ariu in -aio.

**vergare,** verbo denom. da verga sullo schema di rigare 'disporre in riga', rispetto a riga.

**vergato,** lat. virgatus 'rigato' deriv. di virga; v. VERGA.

**vergella,** lat. tardo virgella dimin. di virgŭla; v. VÉRGOLA e cfr. VERZA.

**vèrgere,** dal lat. *vergĕre* ' inclinarsi ', da una rad. WERG, presente, sia pure in modo non perspicuo, anche nell'area indiana.

**verginale,** dal lat. *virginalis,* incr. con it. *vérgine.*

**vérgine,** lat. *virgo, -ĭnis,* che originariam. insiste nell'aspetto positivo (« fiorente ») piuttosto che in quello negat. (« intatto ») della giovinezza. Legato perciò alle famiglie di *virere* e in particolare ai suoi ampliam. in *-g-* di *virga* ' ramo flessibile, germoglio '; v. VERGA e VERDE.

**verginità,** dal lat. *virginĭtas, -atis,* incr. con it. *vérgine.*

**vergogna,** lat. *verecundia,* astr. di *verecundus* con norm. caduta della voc. interna atona e leniz. settentr. di *-c-* in *-g-* (cfr. FOGNARE, GRAGNOLA) e passaggio di *-ndj-* in *-nj-*; v. VERECONDO e cfr. GONZO.

**vérgola** ' piccola rigatura ', dal lat. *virgŭla,* dimin. di *virga,* incr. con it. *verga* (v.).

**vergolato,** dal lat. *virgulatus,* incr. con *vérgola.*

**verìdico,** dal lat. *veridĭcus,* comp. di *verus* e *-dĭcus,* forma aggettiv. dal tema di nome di agente *-dex* da *dicĕre:* « che dice la verità ».

**verificare,** dal lat. medv. *verificare,* comp. di *verus* e *-ficare,* tema di verbo denom. dal tema di nome di agente in *-fex:* « che rende vero, che constata ».

**verisìmile,** dal lat. *verisimĭlis,* comp. di *verus* e *simĭlis:* « simile al vero ».

**verità,** lat. *verĭtas, -atis,* astr. di *verus;* v. VERO.

**verme,** lat. *vermis,* paragonab. esattamente nell'area germanica col tipo del ted. *Wurm* ' verme ', mentre le connessioni in altre aree ideur. presuppongono, anziché WERMI-, la base KWŖMI-. Così nelle aree indo-iranica, baltica, slava celtica.

**vermena,** lat. *verbena,* incr. con *verme* cui si associa il comportamento delle piante rampicanti.

**vermicolare,** da *vermìcolo* col suff. aggettiv. *-are.*

**vermicolite,** da *vermìcolo* col suff. *-ite* di minerali, così chiamata per la forma che questi minerali assumono se riscaldati.

**vermìcolo,** dal lat. *vermicŭlus* dimin. di *vermis;* v. VERME.

**vermiforme,** calco sui comp. lat. in *-formis:* da *verme* e *-forme* (v.).

**vermìfugo,** comp. di *verme* e *-fugo.*

**vermiglio,** dal provz. *vermelh,* lat. *vermicŭlus,* dimin. di *vermis* nel senso tardo di « cocciniglia » e del rispettivo colore.

**verminare** ' avere i vermi ' dal lat. tardo *verminari,* verbo denom. da *vermen, -ĭnis;* v. VERMINE.

**verminazione** (veterinaria), dal lat. *verminatio, -onis.*

**vèrmine,** lat. *vermen, -ĭnis,* variante di *vermis* come *sanguen* accanto a *sanguis;* v. VERME.

**verminoso,** dal lat. *verminosus.*

**vermo,** da *verme* passato alla declinaz. in *-o,* forse attrav. una tradiz. settentr. *\*verm;* v. VERME.

**vermocane** (malattia del cavallo) comp. di *vermo* e *cane.*

**vermut,** dal ted. *Wermut* ' assenzio ', uno degli ingredienti del vino.

**vernaccia** (vite e vino), da *Vernassa* (Spezia), nome dialettale ligure del villaggio, toscanizzato nel toponimo *Vernazza,* e « tradotto » nel nome della vite e del vino in *-accia.*

**vernàcolo** (agg. e sost.), dal lat. *vernacŭlus* ' dome-

stico ', deriv. di *verna* ' schiavo nato in casa ', di prob. orig. etrusca.

**vernice,** lat. medv. (VIII sec.) *veronicē* ' resina odorifera ' e questo dal nome di *Berenice,* città della Cirenaica, dalla cui reg. sarebbe pervenuta la sostanza in parola. La forma it. presenta la norm. caduta della voc. protonica.

**verno,** abbreviamento di *(in)verno,* parola da non confondersi con lat. *vernus,* deriv. di *ver* e perciò equival. a « primaverile ».

**vero,** lat. *verus* ' vero ' nel senso di « meritevole di esser creduto », come mostra la forma slava corrispond. *vĕra* ' fede '. Il tipo WĒRO-, oltre che nell'area slava, è attestato nelle aree celtica e germanica (ted. *wahr*); cfr. SEVERO.

**verone,** prob. accresc. di *vera* ' sponda del pozzo ' e quindi « grossa sporgenza »; v. VERA.

**verònica** (pianta), dal lat. medv. *verònica,* incr. del gr. tardo *berenikion,* nome di pianta (da Esichio), col nome personale *Verònica.*

**verosimigliante,** incr. di *verosimile* e *somigliante;* v. SOMIGLIANTE.

**verosìmile,** da *verisìmile,* incr. con *vero.*

**verretta** (dardo), dimin. del lat. *veru,* incr. con *ferro;* v. VERRINA.

**verricello,** lat. volg. *\*verricellum,* dimin. del lat. tardo *verricŭlum* ' rete a strascico ', nome di strum. di *verrĕre* ' trascinare ' da una rad. WERS[1] ' battere, trascinare ' attestata nelle aree baltica e slava.

**verrina** (trapano), lat. *veruina,* dimin. di *veru* ' spiedo ' nome di strum. chiaramente attestato nelle aree celtica e germanica oltre che in quella latina e osco-umbra: da una base di partenza GwERU-.

**verro,** lat. *verres* ' maschio del maiale ' più anticam. ' maschio ' in genere, così chiaramente attestato nell'area indiana e greca. Più anticam. ancora, questo tema WERS[2] dava l'imagine del « fecondare », conservata ad es. in deriv. indiani e nel gr. *(w)érsē* indicanti la pioggia.

**verruca** ' porro ', lat. *verruca,* ampliam. di un tema WERSU ' sporgenza, cima ' che con diverso grado d'alternanza si trova anche nelle aree baltica e slava.

**verrucaria** (pianta), dal lat. *(herba) verrucaria* così chiamata perché ritenuta antidoto contro le verruche.

**versante** ' declivio ' dal frc. *versant,* part. sostantiv. di *verser,* dal lat. *versare;* v. VERSARE.

**versare,** lat. *versare* ' voltare ' intens. di *vertĕre;* v. VÈRTERE.

**versàtile,** dal lat. *versatĭlis* ' movibile ', agg. verb. di *versare* come *volatĭlis* rispetto a *volare.*

**versicolore,** dal lat. *versicŏlor, -oris,* comp. di *versi-* ' che volta ' (tema del part. pass. di *vertĕre,* v. VERSO[3]) e *color* v. COLORE: « che muta colore ».

**versificare,** dal lat. *versificare,* comp. di *versus -us* ' verso ' v. VERSO[2] e *-ficare:* « ridurre in versi »

**versificatore,** dal lat. *versificator -oris.*

**versificazione,** dal lat. *versificatio, -onis.*

**versione,** dal lat. medv. *versio, -onis,* costruito come nome d'azione di *vertĕre* ' vòlgere '.

**versipelle,** dal lat. *versipellis,* comp. di *versi-* tema del part. pass. di *vertĕre* ' che volta ' (v. VERSO[3]) e *pellis* (v. PELLE): « che muta pelle ».

**verso**[1] ' direzione ', lat. *versus, -us,* astr. di *vertĕre* ' volgere '.

**verso**[2] ' rigo ', lat. *versus, -us,* astr. di *vertĕre* ' volgere ', specializzato in senso letterario.

**verso**[3] (prep.), lat. *versum,* irrigidito come prep., v. VERSO[4].

**verso**[4] ' rovescio ', lat. *versum,* neutro sostantiv. del part. pass. di *vertĕre,* da un più ant. *\*vert-to-s.*

**versta** (misura di distanza), dal russo *verstà.*

**versura** (unità di misura di superficie agricola), lat. *versura* ' conversione, svolta ', applicata alla svolta dell'aratro giunto alla fine della superficie considerata.

**vèrtebra,** dal lat. *vertĕbra* ' articolazione ', nome di strum. da *vertĕre.*

**vertebrato,** dal lat. *vertebratus* ' articolato '.

**vèrtere,** dal lat. *vertĕre* ' volgere ', deriv. da una importante rad. WERT, chiaramente attestata nelle aree indiana e germanica nel signif. proprio di « volgere in senso verticale » per es. nel senso letterale della ruota del carro nel sanscrito *vártate* o in quello figur. del « divenire » nel ted. *werden.* Con ulteriori ampliam. si hanno corrispond. nelle aree baltica e slava.

**verticale,** dal lat. *verticalis,* deriv. da *vertex, -ĭcis;* v. VÈRTICE.

**vèrtice,** dal lat. *vertex, -ĭcis,* deriv. da *vertĕre* « volgere (verso l'alto) ». Ad esso si oppone la forma arc. *vortex* (v. VÒRTICE), specializzata nell'attorcigliamento verso il basso.

**verticillo,** dal lat. *verticillus* ' contrappeso del fuso ', dimin. di *vertex, -ĭcis.*

**vertìgine,** dal lat. *vertigo, -ĭnis,* astr. di *vertĕre* ' volgere ', non più verso l'alto ma « in giro, disordinatamente ».

**vertiginoso,** dal lat. *vertiginosus.*

**veruno,** lat. *vere unus* « veramente uno solo ».

**vérza**[1] (cavolo), lat. volg. *\*virdja,* plur. neutro di *\*virdis,* forma sincopata di *virĭdis;* v. VERDE.

**vèrza**[2] ' scheggia ', estr. da un settentr. *verzela* forma equival. a *vergella* (v.).

**verzellino** (uccello) ' raperino ', dimin. di *verde* incr. con *vérza.*

**verzicare,** verbo denom. e iterat. da *verde,* incr. con *vérza.*

**verzìcola** (combinazione di carte), adattamento di *versìcolo,* inteso come di provenienza settentr. e con valore di « piccola serie ».

**verziere,** dal frc. ant. *vergier,* lat. *viridarium* « deposito di cose verdi ».

**verzino** (pianta), dall'ar. *wars,* nome di pianta tintoria.

**verzura,** incr. di *vérza* e *verdura.*

**véscia,** lat. volg. *\*vissja,* plur. di class. *vissium,* astr. di *vissire* ' emetter gas ', di orig. onomatop. secondo una serie *v.... ss.*

**vescica,** lat. *vesica* con variante *vensica* e quindi collegata con *venter,* ma solo in modo poco attendibile con forme di altre aree ideur. La forma palatalizzata *-sci-* è dovuta alla posizione davanti a *-i-* accentata.

**vescicante,** lat. tardo *vesicans, -antis,* part. pres. di *vesicare* ' gonfiare ', sostantiv.: incr. con *vescica.*

**vescicaria** (pianta), dal lat. *(herba) vesicaria,* incr. con it. *vescica.*

**vescicazione,** dal lat. tardo *vesicatio -onis,* incr. con it. *vescica.*

**vescìcola,** dal lat. *vesicŭla,* dimin. di *vesica,* incr. con it. *vescica.*

**vescicoso,** dal lat. tardo *vesicosus,* incr. con it. *vescica.*

**vesco** (arc.), lat. *viscum;* v. VISCHIO.

**véscovo,** lat. *episcŏpus,* dal gr. *episkopos* (v. EPISCOPO), con leniz. settentr. di *-p-* in *-v-* e aferesi della voc. iniz.: *ille episcŏpus* divenuto *il(le e)piscŏpus.*

**vespa,** lat. *vespa,* da ant. *\*vopsa,* chiaram. attestato nelle aree germanica e baltica, e, in forma meno perspicua, nelle aree celtica e slava.

**vespasiano,** calco sul frc. *(colonne) vespasienne,* in relazione coll'imperatore Vespasiano (9-79 d. C.) che mise una tassa sugli orinatoi, a carico dei lavandai che ne traevano ammoniaca.

**vesperale,** dal lat. *vesperalis.*

**vespertilio** ' pipistrello ', dal lat. *vespertilio, -onis,* soprannome tratto con assimilaz. da *rt.... n* in *rt.... l* attraverso *\*vespertinio, -onis* da *vespertinus* « appartenente al vespro ».

**vespertino,** dal lat. *vespertinus,* deriv. di *vesper* ' sera '.

**vespiere** (uccello), da *vespa,* perché se ne ciba.

**vespro** (*vèspero*), lat. *vesper, -ĕri,* collegato con gr. *hésperos* e con parole (alquanto divergenti) nelle aree celtica, armena, baltica, slava; cfr. ÈSPERO.

**vessare,** dal lat. *vexare,* verbo desiderativo da una rad. WEGH, forse collegata con quella di *vehĕre,* ma non vincolata, come quella, al trasporto del carro. Il suo valore principale di ' scuotere ' appare nelle corrispond. germ.; per es. ted. *Wage* ' bilancia ' e greca: *gaiè(w)okhos* « scuotitore (*wókhos*) della terra (*gaiè*) ».

**vessatore,** dal lat. *vexator, -oris.*

**vessazione,** dal lat. *vexatio, -onis.*

**vessillario,** dal lat. *vexillarius.*

**vessillifero,** dal lat. tardo *vexillĭfer, -fĕri.*

**vessillo,** dal lat. *vexillum,* dimin. di *velum* ' vela ' (non « velo ») anticam. *\*vekslom;* v. VELA.

**vestale,** dal lat. *vestalis,* deriv. di *Vesta,* dea del focolare personificato, e in questo senso collegata col gr. *hestía* ' focolare '.

**veste,** lat. *vestis,* nome d'azione della rad. WES ' vestire ' attestata in forme verb. nelle aree indo-iranica, tocaria, greca (*hénnymi* ' io vesto '), armena e, con un ampliam. nell'area germanica e ittita. Le forme nominali, largamente diffuse, rappresentano svolgim. indipendenti. WES sembra potersi analizzare ulteriormente in W-ES in cui w sarebbe il grado ridotto di EU che si trova ad es. nel lat. *induĕre;* v. INDUMENTO.

**vestiario,** dal lat. *vestiarium.*

**vestibolo,** dal lat. *vestibŭlum,* forse da *\*ve(sti-)stabŭlum* « deposito delle vesti » con norm. apofonia da *-ă-* in *-ĭ-* in sill. interna aperta; cfr. *prostibulum,* v. POSTRÌBOLO.

**vestigio,** dal lat. *vestigium,* ' impronta del piede ', astr. di *vestigare* ' seguire una traccia o un'impronta ' privo di connessioni attendibili anche se collegabile con un tema WESTO- come *castigare* rispetto a *castus* o *fatigare* rispetto a *fatis.* La rad. è forse WES che in sanscrito vale ' abitare '.

**vestimento,** dal lat. *vestimentum,* deriv. di *vestire;* v. VESTIRE.

**vestire,** lat. *vestire,* verbo denom. da *vestis;* v. VESTE.

**vestito,** lat. *vestitus, -us,* astr. di *vestire.*

**vestitore,** dal lat. tardo *vestitor, -oris.*

**vestitura,** dal lat. tardo *vestitura.*

**veterano,** dal lat. *veteranus,* ampliam. di *vetus, -ĕris;* v. VÈTERE.

**vètere,** per es. «(S. Maria Capua) Vètere», dal lat. *vetus, -ĕris,* parola ideur. della forma primitiva WETOS 'anno', che nel gr. (w)étos mantiene il valore di «anno», nell'area indiana e germanica e in parte italica lo applica a valori di allevamento bovino senza apprezzamento peggiorativo, mentre nelle aree latina, baltica e slava assume il valore francamente peggiorativo di 'vecchio' opposto a 'nuovo', perché si applica agli ovini («vecchi» a un anno) e, nelle regioni produttrici, anche al vino (ugualmente «vecchio» a un anno); cfr. VIETO e VECCHIO da una parte, VITELLO dall'altra.

**veterinaria,** dal lat. tardo *veterinaria* (sott. *ars*).

**veterinario,** dal lat. tardo *veterinarius* «colui che si occupa delle *veterinae,* o bestie adatte soltanto alla soma, non più alla corsa»: deriv. da *vetus, -ĕris* 'vecchio'; v. VÈTERE.

**veto,** dal lat. *veto,* prima pers. sg. del verbo *vetare* 'vietare' (v.).

**vetraio,** lat. *vitrarius,* col norm. trattam. tosc. di *-ariu* in *-aio.*

**vetrario,** dal lat. *vitrarius,* deriv. da *vitrum,* incr. con it. *vetro* (v.).

**vetr(i)ata,** dal lat. *vitreum,* incr. con *vetro* e col suff. collettivo *-ata:* «quantità di vetri».

**vétrice** (salice), lat. *vitex, -ĭcis,* incr. con *\*vitrix, -icis,* femm. di *vitor, -oris* 'panieraio', entrambi risal. alla famiglia di *vière* 'curvare', largamente attestata nelle aree indoiranica, baltica, slava con forme verb., e nella germanica, greca, celtica solo con forme nominali: da una forma primitiva WEYĒ.

**vetriola** (pianta), lat. volg. *\*vitrjòla,* class. *vitreŏla* forma di femm. sostantiv. di *vitreŏlus,* dimin. di *vitrĕus;* v. VETRIATA.

**vetriolo,** lat. medv. *vitriòlum,* neutro sostantiv. di class. *vitreŏlum.*

**vetro,** lat. *vitrum,* privo di connessioni attendibili.

**vetrofanìa,** dal frc. *vitrauphanie,* comp. di *vitrail* 'vetrata' (plur. *vitraux*) e gr. *phan-,* tema di *phaínō* 'io appaio', col suff. di astr. *-ie.*

**vetroso,** dal lat. medv. *vitrosus,* incr. con it. *vetro.*

**vetta,** lat. *vitta* 'benda intorno al capo', passata poi a simboleggiare la parte alta del capo. Lat. *vitta* mostra raddopp. espressivo di un più ant. *\*vīta,* femm. sostantiv. di *\*vītus,* part. pass. di *viere,* cfr. il sanscrito *vīta-* 'avvolto': v. VÉTRICE, e cfr. VILLA.

**vettore,** dal lat. *vector, -oris,* nome d'agente di *vehĕre* 'trasportare col carro' con corrispond. esatte nelle aree indo-iranica, baltica e slava, mentre corrispond. nominali, variamente derivate, si trovano in greco e nelle aree germ. e celtica; cfr. VESSARE e v. VIA.

**vettovaglia,** lat. tardo *victualia* 'vìveri', nom. plur. di *victualis* «ciò che si riferisce al vitto» con norm. inserimento di *-v-* nel gruppo vocalico *ua* (come in *Gènova, védova* e *rovina* rispetto a lat. *Genua, vidua* e *ruina*); v. VITTO.

**vettura¹** (trasporto), lat. *vectura,* astr. di *vehĕre;* v. VETTORE.

**vettura²** (veicolo), dal frc. *voiture* (XVIII sec.).

**vetustà,** dal lat. *vetustas, -atis,* ant. *\*vetustĭtas.*

**vetusto,** dal lat. *vetustus,* deriv. di *vetus, -ĕris* (v. VÈTERE) come *onustus, venustus* (v. ONUSTO, VENUSTO), da *onus* e *venus.*

**vezzeggiare,** verbo denom. durat. da *vezzo.*

**vezzo,** lat. *vitium* 'difetto', astr. di un presunto *\*vire* con la *i* radicale di quantità breve per analogia con i tipi come *initium* rispetto a *ire; \*vire* sarebbe cioè verbo denom. da *vis* 'violenza', di cui *violare* sarebbe l'iterat. (v. VIOLARE) e *vitare* (v. VITANDO) potrebbe essere l'intens. Di *\*vire* esiste solo la II pers. sg. *vis* 'tu vuoi' inserita nel sistema di *volo, velle,* ciò che prova l'antichissima mentalità magica del detto «volere è potere»; cfr. VIZIO, VITANDO.

**vi¹** (avv.), forma atona dell'avv. *ivi* (v.); cfr. VE¹.

**vi²** (pron.), forma atona del pron. *voi* (v.); cfr. VE².

**via,** lat. *via,* ant. *veha,* orig. WEGHYĀ, astr. di *vehĕre* e cioè «strada per carri». Ha corrispond., oltre che con le lingue osco-umbre, nelle aree baltica e germanica (ted. *Weg*). Per la rad. WEGH v. VETTORE e cfr. VESSARE. La forma it. si è poi irrigidita nell'avv. (*andar via*) e nella prep. (*tre via tre*).

**viabilità,** dal lat. tardo *viabĭlis* col suff. di astr. it. *-ità.*

**viadotto,** dall'ingl. *viaduct,* calco su *aqueduct,* mediante sostituz. di lat. *via* a lat. *aqua.*

**viaggio,** dal provz. *viatge,* che è il lat. *viatĭcum;* v. VIÀTICO.

**viale,** deriv. aggettiv. di *via,* poi sostantivato.

**viandante,** comp. di *via* e *andante,* part. pres. di *andare.*

**viàtico,** dal lat. *viatĭcum,* forma sostantiv. che indica «ciò che serve (a vivere) durante il viaggio» e, nella lingua crist. «per l'ultimo viaggio». *Viatĭcus* è tratto da *via* come *rustĭcus* da *rus.*

**viatore,** dal lat. *viator, -oris.*

**viatorio,** dal lat. *viatorius.*

**viavai,** comp. di *vieni* e *vai* (con una alternanza onomatop. come in *tic tac, zig zag*), incr. con *via.*

**vibice,** dal lat. tardo *vibex, -ĭcis,* class. *vibĭces* (solo plur.) 'lividure', privo di connessioni attendibili.

**vibrare,** dal lat. *vibrare,* con vaghe connessioni nelle aree germanica e indiana.

**vibrazione,** dal lat. tardo *vibratio, -onis.*

**vibrione,** dal lat. scient. moderno *vibrio, -onis,* nome d'agente da *vibrare* (per i rapidi movimenti di questi microrganismi).

**viburno,** dal lat. *viburnum* 'lentiggine' di orig. mediterr.

**vicario,** dal lat. *vicarius,* deriv. di *\*vix;* v. VECE.

**vice-,** dal lat. *vice* 'in luogo di', abl. irrigidito di *\*vix;* v. VECE.

**vicedòmino,** dal lat. tardo *vicedomĭnus,* comp. di *vice* 'in luogo di' e *domĭnus* 'signore'; cfr. VISDÒMINO.

**vicenda,** lat. *\*vicenda,* part. fut. passivo di *\*vicĕre,* verbo connesso con *\*vix, vicis* (v. VECE), da confr. con gr. (w)eikō 'cedo', dalla rad. WEIK¹/WIK. *\*Vicenda* è un neutro plur. sostantiv., che significa «le cose (uguali) via via destinate a succedersi» inteso poi in un sg. collettivo «l'insieme delle cose che si susseguono».

**vicennale** 'ventennale', dal lat. *vicennalis.*

**vicennio,** dal lat. *vicennium,* comp. di *vic(ies)* 'venti volte', *annus* e *-ium* suff. di astr.: con norm. apofonia di *-ă-* in *-ĕ-* in sill. interna chiusa. L'elemento *vic-* è quello orig., non ancora ridotto a *vig-* come in *viginti*; v. VENTI.

**viceversa**, dal lat. *vice versa* « voltata la vicenda, invertito l'ordine ».

**vicinale**, dal lat. *vicinalis* « che si riferisce ai vicini »; v. VICINO.

**vicinante**, dal lat. tardo *vicinans, -antis*, part. pres. di *vicinare* 'esser vicino', verbo denom. da *vicinus*; v. VICINO.

**viciniore**, dal lat. *vicinior, -oris*, comparat. di *vicinus*; v. VICINO.

**vicinità**, dal lat. *vicinĭtas, -atis*.

**vicino**, lat. *vicinus* « abitante del (medesimo) *vicus* o borgo »; v. VICO.

**vicissitùdine**, dal lat. *vicissitudo, -ĭnis*, astr. di un *\*vicissus* « sottoposto a alternative ». Questo risulta da un più ant. *\*vice-cessus*, comp. di *vice-* abl. di *\*vix, vicis*, (v. VECE) e *cessus*, part. pass. di *cedĕre* 'andare', con dissimilaz. sillabica ridotto a *\*vicessus*, poi assimilato da *i.... e* in *i.... i*. Dal nome d'azione parallelo *\*vi(ce)-cessis*, con lo stesso procedimento si è avuto *\*vicissis* e l'accus. irrigidito usato come avv. *vicissim* 'reciprocamente'.

**vico**, lat. *vicus*, originariam. organizzazione di famiglie associate, a poco a poco deviata verso il valore topografico, prima di « rione », poi di « via », infine di « vicolo ». Parola antichissima, da un tema WOIKO- chiaram. attestato nel gr. *oîkos* e nel sanscrito *veça-*, con altri ampliam. nell'area germanica e invece, nella forma atematica WIK-, nell'area indo-iranica e baltica.

**vicolo**, dal lat. *vicŭlus*, dimin. di *vicus*; v. VICO.

**video**, dal lat. *videre* come *audio* da *audire*.

**vidimare**, dal frc. *vidimer*, verbo denom. dalla formula cancelleresca lat. di approvazione *vidĭmus* 'abbiamo visto'.

**vie**, da *via* (prep.) e, per es. *vie più*.

**vietare**, lat. *vetare*, con la generalizzazione delle forme dittongate, proprie in orig. solo delle sill. accentate: *io vieto* rispetto a *noi vetiamo*. Il signif. di 'vietare' ostacola il collegamento con forme ideur. pure foneticamente legittime.

**vieto**, lat. *vetus* 'vecchio'; v. VÈTERE.

**vigere**, lat *vigēre*, passato alla coniugaz. in *-ĕre*, legato evidentem. a *vegere*, (v. VÈGETO), con una variante della rad. in *-i-* che deve rappresentare un elemento dialettale dell'Italia ant., cfr. VITELLO e VÌNDICE, e forse un resto di oscillazione mediterranea *e/i*; cfr. MENTA.

**vigèsimo**, dal lat. *vigesĭmus*, incr. di *vicesĭmus* e *viginti* (v. VENTI). *Vicesĭmus*, viene dal regolare *vicent-* col suff. di ordinale *-tĭmo-*, identico a quello di superl., per es. in *intĭmus*, con un procedim. che si trova solo nel lat. e nell'area indo-iranica.

**vigilanza**, dal lat. *vigilantia*.

**vigilare**, dal lat. *vigilare*, verbo denom. da *vigil, -ĭlis*; cfr. (S)VEGLIARE.

**vigilatore**, dal lat. tardo *vigilator, -oris*.

**vigilazione**, dal lat. tardo *vigilatio, -onis*.

**vìgile**, dal lat. *vigil*, deriv. di *vigēre*, (v. VÌGERE) come *pugil* è deriv. di *pu(n)gĕre*; v. PÙGILE.

**vigilia**, dal lat. *vigilia*, ant. neutro plur. di *vigilium* « tempo di quelli che vegliano » inteso poi come sg. femm. « veglia, una parte della notte », applicato infine a signif. eccl.

**vigliaccio**, sost. deverb. da *vigliare* con suff. peggiorativo.

**vigliacco**, dallo sp. *bellaco*, incr. con *vile*, attrav. una tradiz. settentr. corretta (ingiustificatamente) col passaggio da *-aco* in *-acco*.

**vigliare** 'spazzare l'aia dopo la battuta', lat. volg. *\*viliare*, verbo denom. da *vilia* « vigliacci, cose vili »; v. VILE.

**viglietto**, dallo sp. *billete*, senza intermediarî frc. (v. BIGLIETTO), incr. col suff. it. *-etto*.

**vigna**, lat. volg. *\*vinja*, class. *vinea*, femm. sostantiv. di *vinĕus* 'di vino'; v. VINO.

**vigneto**, lat. *vinetum*, incr. con it. *vigna*; v. VINO.

**vignetta**, dal frc. *vignette*, dimin. di *vigne* perché dalle vigne venivano presi i primi ornamenti figurativi nelle stampe.

**vigogna** (animale delle Ande), dal frc. *vigogne* e questo dallo sp. *vicuña*, risal. alla lingua indigena queciua.

**vigore**, dal lat. *vigor, -oris*, astr. di *vigere* (v. VÌGERE), con la variante dialettale *i* al posto della *e* orig.; v. VÌGERE e cfr. VITELLO e PINNA.

**vilàiet** (prov. turca), dal turco *vilâyet*, che è dall'ar. *wilāya*, territorio governato da un *walī*.

**vile**, lat. *vilis*, privo di connessioni attendibili.

**vilificare**, dal lat. tardo *vilificare*, comp. di *vilis* e *-ficare*, tema di verbo denom. dai nomi d'agente in *-fex*.

**vilipèndere**, dal lat. *vilipendĕre*, comp. di *vili-* e *pendĕre* e cioè « pesare come vile », « valutare come vile ».

**villa**, lat. *villa* 'fattoria, casa di campagna', ant. WEIKSLĀ-, ampliam. di *vicus* (v. VICO), che avrebbe però dovuto dar *vila*: il raddopp. consonantico è dovuto a ragioni affettive, come in *vitta* da *\*vita*; v. VETTA.

**villaggio**, dal frc. ant. *village*, lat. *villatĭcus*, deriv. di *villa* secondo il modello di *silvatĭcus* da *silva*.

**villano**, lat. tardo *villanus* 'appartenente alla villa (rustica)'.

**vìllico**, dal lat. *villĭcus*, deriv. di *villa*.

**villoso**, dal lat. *villosus* (v. VELLOSO), variante dialettale con *i* invece della *ĕ* di *vellus* (v. VÌGERE), come in *vitŭlus* rispetto a *vetus* e in *vigor* rispetto a *vegeo*.

**villotta** (canto popolare friulano), da *villa* e cioè « (canto) campagnolo ».

**viltà**, dal lat. *vilitas, -atis*, astr. di *vilis*.

**vilucchio**, lat. volg. *\*volucŭlum*, nome di strum. di *volvĕre*, incr. con *viluppo*.

**vilume** 'ammasso di persone o cose', lat. *volumen, -ĭnis*, incr. con *vile*; v. VOLUME.

**viluppo**, sost. deverb. da *viluppare*, dal frc. ant. (X sec.) *(en)velloper*, cfr. lat. medv. (XIII sec.) *voluppus* (e *viluppus*) 'involto'. L'ampliam. *-uppo* deriva dall'incr. di *volvĕre* (e *volucŭlum*, v. VILUCCHIO) con lat. tardo *faluppa* (gloss.) 'paglia minuta', di orig. mediterr.

**vìmine**, lat. *vimen, -ĭnis*, deriv. di *viere*; v. VÉTRICE e VETTA.

**vimineo**, dal lat. *viminĕus*, deriv. di *vimen, -ĭnis*; v. VÌMINE.

**vinaccia**, lat. volg. *\*vinacja*, class. *vinacĕa*, forma femm. sostantiv. collettiva di un neutro plur. di *vinaceus* (v. VINO), con norm. raddopp. del gruppo *-cj-* in *-cc-* dopo l'accento.

**vinacciolo**, lat. volg. *\*vinacjòlus*, lat. tardo *vina-*

*ciŏlus* originar. ' fornito di vinaccioli ', incr. con *vinacea, -orum* ' vinaccioli ', per il raddopp. consonantico con *vinaccia*.

**vinaio,** lat. *vinarius*, sostantiv., e trattato secondo la regola tosc. di *-ariu* in *-aio*.

**vinario,** dal lat. *vinarius*.

**vìncere,** lat. *vincĕre*, da una rad. WEIK[2] con infisso nasale, attestata anche nell'area celtica germanica baltica col signif. durativo di ' combattere ' e quello conclusivo di ' vincere '.

**vincibosco** ' madreselva ', dal tema di lat. *vincire* ' legare ' (v. VINCIGLIO) e *bosco*.

**vincido** ' flessibile ', lat. *\*vincĭdus* ' che lega ', agg. deriv. da *vincire* ' legare '; v. VINCIGLIO.

**vinciglio,** lat. *\*vincilium*, deriv. di *vincŭlum* ' legame ', legato a *vincire* ' legare ', con l'infisso nasale esteso al di là del tema di pres.: da rad. WEI-EK colleg. al sanscrito *vi-vyakti* ' abbraccia '.

**vinco** ' vìmine ', lat. volg. *\*vincus* ' flessibile ', estr. da *vinculum*; v. VINCIGLIO.

**vincolare,** dal lat. tardo *vinculare*.

**vìncolo,** dal lat. *vincŭlum*, nome di strum. da *vincire* ' legare '; v. VINCIGLIO.

**vìndice,** dal lat. *vindex, -ĭcis*, comp. di *\*vin-* variante dialett. di *ven-* come *vigor* rispetto a *vegeo*, *vitŭlus* rispetto a *vetus*, che indica la ' stirpe ' o comunità di discendenza di un gruppo di famiglie (con una personalità giuridica opposta a *ius* che definisce la personalità giuridica dello Stato) e di *-dex* tema radicale di nome d'ag. della rad. DEIK di *dicĕre* (cfr. *iudex*; v. GIUDICE). La forma in *-e* corrisponde alla regola dell'apofonia che in sill. postonica chiusa vuole *-ĕ-*, non *-ĭ-* (cfr. VENDETTA, VENDICARE). Il tema *wen-* trova corrispond. nelle aree germanica e celtica.

**vìnea** (macchina militare degli antichi Romani), dal lat. *vinea* (v. VIGNA), per la sua forma che ricorda un pergolato.

**vingone** ' canale di scolo ', da un tema mediterr. ligure (A)VINCO con suff. accresc.

**vinìcolo** (agg.), dal lat. *vinicŏla*, sost. ' coltivatore di vino ' reso agg.: comp. di *vinum* e *colĕre* ' coltivare '; cfr. VITÌCOLO.

**vinìfero,** dal lat. tardo *vinĭfer, -fĕri*, comp. di *vinum* e *-fer*, tema di nome d'agente: « portatore di vino ».

**vino,** lat. *vinum*, da un tema mediterr., donde deriva pure il gr. *(w)oînos*; cfr. ENO-.

**vinolento,** dal lat. *vinolentus*, tratto da *vinum* come *opulentus* o *violentus* da *ops* e *vis*.

**vinolenza,** dal lat. *vinolentia*.

**vinoso,** dal lat. *vinosus*.

**viola**[1] (fiore), dal lat. *viŏla*, parola mediterr. di orig. comune col gr. *(w)ion*, poi fornita di suff. dimin.

**viola**[2] (strum. musicale), dal provz. *viola*.

**violàbile,** dal lat. *violabĭlis*, agg. verb. di *violare*.

**violàceo,** dal lat. *violaceus*.

**violare,** dal lat. *violare*, verbo iterat. di *\*vire*, (v. VEZZO e cfr. VIZIO), denom. da *vis* ' forza, violenza '. *Vis* a sua volta rappresenta un tema ideur. wī attestato come forma nominale nel gr. *(w)ís*. In forma ampliata con *-s-*, al nom. plur. lat. *vires*.

**violatore,** dal lat. *violator, -oris*.

**violazione,** dal lat. *violatio, -onis*.

**violento,** dal lat. *violentus*, tratto da *vis*, (v. VIOLARE), come *opulentus* da *ops*.

**violenza,** dal lat. *violentia*, astr. di *violentus*.

**violetto,** da *viola*[1].

**viòttola, viòttolo,** doppio dimin. di *via*.

**vìpera,** lat. *vipĕra*, ant. *\*vivipăra* e cioè comp. di *vivo-* ' vivo ' (v.) e *-para* tema femm. di agente da *parĕre* ' partorire ': « che partorisce figli vivi »; v. PARTO e cfr. VIVÌPARO.

**vipèreo,** dal lat. *viperĕus*.

**viperino,** dal lat. *viperinus*.

**viperina** (erba), dal lat. *viperina*, forma sostantiv. da *(herba) viperina*.

**viraggio,** dal frc. *virage*.

**viràgine,** dal lat. *virago, -ĭnis*, deriv. di *vir*, (v. VIRTÙ) e prob. da un suo denominativo *\*virare* ' agire in modo virile ', come *vorago* da *vorare*; v. VORÀGINE.

**virago,** dal lat. *virago* in forma di nom.

**virale,** da *virus*, lat. *virus* ' veleno ' più ant. *\*visos*, ant. tema ideur. WĪSO- o WĪSO-, attestato nelle aree celtica, greca, indo-iranica col signif. costante di ' veleno '. Lat. *\*visos* ha subito il norm. rotacismo in *virus* nel IV sec. a. C.

**virare,** dal frc. *virer*, incr. di lat. *gyrare* e *vibrare*.

**virente,** dal lat. *virens, -entis*, part. pres. di *virere* ' verdeggiare '; v. VERDE e VÉRZA.

**virgineo,** dal lat. *virginĕus*; v. VÉRGINE.

**virginia** (tabacco e sigaro), dal nome dello stato nordamericano della Virginia, antica colonia inglese così chiamata (1584) dalla « regina vergine », Elisabetta d'Inghilterra.

**virgola,** dal lat. *virgŭla*, dimin. di *virga*; v. VERGA, VÉRGOLA.

**virgulto,** dal lat. *virgultum*, neutro sostantiv. di *virgultus* « fornito di *virgŭlae* (e cioè di ramoscelli) ».

**viridario,** dal lat. *viridarium* ' deposito di verde ' e cioè « piccolo giardino », deriv. di *virĭdis*; v. VERDE.

**virilità,** dal lat. *virilĭtas, -atis*.

**virile,** dal lat. *virilis*, deriv. di *vir*, sost., e perciò con la voc. lunga del suff. *-ĭlis*.

**virtù,** lat. *virtus, -utis*, astr. delle qualità virili, poi trasfigurato in senso crist. *Vir* risale a un tipo WIRO- attestato nelle aree osco-umbra, baltica, indiana. Esso è rimasto solo rappresentante delle qualità virili in lat., mentre la parola parallela NER sopravvive nelle aree osco-umbra, gr. (*anér*), armena, indiana, celtica.

**virtuale,** dal lat. medv. della filosofia scolastica *virtualis*.

**virtuoso,** dal lat. tardo *virtuosus*.

**virulento,** dal lat. tardo *virulentus*, deriv. da *virus* ' veleno '; cfr. *lutulentus* da *lutum* ' fango ', *violentus* da *vis*.

**virulenza,** dal lat. tardo *virulentia*.

**virus,** dal lat. *virus*; v. VIRALE.

**visavì,** dal frc. *vis-à-vis* ' viso a viso '; v. VISO.

**vìscera, vìscere,** dal lat. *viscus, -ĕris*, privo di connessioni attendibili. La forma it. *viscera* è presa dal plur. *viscĕra, -orum* e su di essa si è fatto il nuovo plur. femm. *vìscere*, al posto dell'orig. maschile *vìsceri*.

**viscerale,** dal lat. tardo *visceralis*.

**vischio,** lat. volg. *\*viscŭlum*, dim. di *viscum* ' vischio ', parola mediterr. da cui pure il gr. *(w)iksós*.

**vìscido,** dal lat. *viscĭdus* che presupporrebbe un verbo *\*viscĕre* ' esser vischioso '; v. VISCHIO.

**visciola,** dal longob. *wihsila* e cfr. la variante BÌSCIOLA.

**visconte,** dal provz. *vescomte* (lat. medv. *vicecomes*,

-*ĭtis*, comp. di *vice-* v. VECE e *comes*, v. CONTE)
« vice-conte ».

**viscoso,** dal lat. tardo *viscosus.*

**visdòmino,** da *vicedomĭnus*, v. VICEDÒMINO, incr. con *visconte* in regioni dell'Italia settentr.

**visìbile,** dal lat. tardo *visibĭlis*, agg. verb. passivo di *videre*; v. VEDERE.

**visibilio,** dalla formula lat. del Credo *visibilium omnium et invisibilium* ' di tutte le cose, visibili e invisibili '.

**visibilità,** dal lat. tardo *visibĭlitas, -atis.*

**visiera,** dal frc. (XIII sec.) *visiere*, deriv. di *vis*; v. VISO.

**visione,** dal lat. *visio, -onis*, nome d'azione di *videre.*

**visìr,** dall'ar. *wazīr*, (cfr. AGUZZINO), attrav. il turco *vezīr* ' ministro '.

**visita,** sost. deverb. estr da *visitare.*

**visitare,** dal lat. *visitare*, iterat. di *visĕre* (intens. desiderativo di *videre*) attestato anche nell'area germ. con lo stesso ampliam. WEID + SE/SO.

**visitatore,** dal lat. tardo *visitator, -oris.*

**visitazione,** dal lat. *visitatio, -onis.*

**visivo,** dal lat. tardo *visivus*, agg. durativo deriv. da *visus*, part. pass. di *videre*, in orig. *\*vid-to-s.*

**viso,** lat. *visus, -us*, astr. di *videre*, passato poi al valore concreto di ' volto ' ' faccia '.

**visone** (martora), dal frc. *vison*, incr. del ted. *Wiesel* ' donnola ' con frc. ant. *voison* ' puzzola '.

**vispo,** da una serie onomatop. *v.... sp.*

**vista,** femm. sostantiv. di *visto*[1], part. pass. di *vedere.*

**visto**[1] (part. pass.), lat. volg. *\*visĭtus*, incr. di lat. *visus* con *positus.*

**visto**[2] (sost. maschile), forma sostantiv. di *visto*[1].

**visuale,** dal lat. tardo *visualis*, deriv. di *visus, -us*, poi anche sostantiv. nella forma femm. ' la visuale '.

**visura** ' controllo visivo ', incr. di un part. pass. *\*viso* (lat. *visus*), cfr. VISTO, VEDUTA, del sistema di *vedere* con gli astr. in *-ura* del tipo *cultura, scultura.*

**vita,** lat. *vita*, astr. di *vivus*, deriv. già in età ideur. mediante il suff. *-tā*, perciò da *\*vivĭtā*, secondo un procedim. attestato anche nelle aree celtica, baltica, slava; v. VÌVERE.

**vitaiolo,** calco sul frc. *viveur.*

**vitalba,** lat. *vitis alba*, incr. con it. *vite.*

**vitale,** dal lat. *vitalis.*

**vitalità,** dal lat. *vitalĭtas, -atis.*

**vitalizio** (agg. e sost.), dal lat. medv. *vitalicius* e *vitalicium.*

**vitamina,** comp. moderno (XX sec.) di *vita, am-(moniaca)* e *-ina*, suff. di prodotti medicinali.

**vitando,** dal lat. *vitandus*, part. fut. passivo di *vitare*, verbo evidentem. intens., collegabile al semplice *\*vire* (v. VEZZO) e al suo iterat. *violare* (v. VIOLARE) solo attrav. una interpretazione integralmente magica, per la quale l'intensità del volere si identifica con la « inesistenza » dell'oggetto avversato e questo viene praticamente « evitato »; (cfr. EVITARE).

**vite** (pianta e strum.), lat. *vitis*, nome d'azione di *viere* v. VÉTRICE che significa ' curva ' poi ' pianta rampicante generica ' poi ' vite ': da una parte come pianta, dall'altra come strum., perché l'una e l'altra si arrampicano e avvolgono.

**vitello,** lat. *vitellus* dimin. di *vitŭlus*, e questo dimin. di *vetus* nel suo valore originario di ' an-

no ': « (bestiola) di un anno » e perciò sicuramente ovina (cfr. PECORA), con la variante italica di *-ĭ-* al posto di *-ĕ-* (cfr. *vigere* rispetto a *vegere*, v. VÌGERE, e *villosus* rispetto a *vellus*, v. VELLO).

**viticchio,** lat. volg. *\*viticŭlum*, deriv. da *viticŭla* ' piccola vite '.

**viticolo,** dal lat. tardo *viticŏla*, comp. di *viti-* e *-cola* come *agricŏla*, passato ad agg.; cfr. VINÌCOLO.

**viticoltore,** calco su *agricoltore.*

**viticoltura,** calco su *agricoltura*; v. COLTURA.

**vitifero,** dal lat. *vitĭfer, -fĕri*, comp. di *vitis* ' vite ' e *-fer*, tema di nome d'agente: « portatore di viti ».

**vitigno,** lat. volg. *\*vitinjus* tardo *vitinĕus*, deriv. di *vitis.*

**vitivinìcolo,** da *viti(colo-)vinìcolo.*

**vìtreo,** dal lat. *vitrĕus*, deriv. di *vitrum*; v. VETRO.

**vìttima,** dal lat. *victima* forma sostantiv. di un agg. *\*victĭmus* che si comporta, di fronte a un tema radicale *\*vix*, come *optĭmus* ' ottimo ' di fronte a *\*ops* ' ricchezza ' o *\*aestĭmus*, superl. tratto da *aes* (v. STIMARE). *\*Vix* deve significare ' ricambio adeguato ' e si confronta con la famiglia del ted. *Wechsel*, ' cambio ' o *Woche* ' settimana '. *Victima* è dunque la « miglior (cosa) che ricambia adeguatamente, e cioè pareggia ».

**vittimario,** dal lat. *victimarius.*

**vitto,** dal lat. *victus, -us* ' il modo di vivere ' astr. di *vivĕre* tratto dalla rad. GwEYĒ, che è stata ampliata con *-c-* per analogia con le cons. della ant. serie labiovelare: quasi si trattasse in *vivo* ' io vivo ' non di GwI-WO-, ma di GwĪGwŌ. Invece di avere come astr. in *-tu \*vītus* (come in *vita*, v. VITA), si è avuto perciò *victus.*

**vittore,** dal lat. *victor, -oris*, nome d'agente di *vincĕre*, tratto dal part. pass. *victus.*

**vittoria,** dal lat. *victoria.*

**vittoriale,** dal lat. tardo *victorialis.*

**vittorioso,** dal lat. tardo *victoriosus.*

**vittrice,** dal lat. *victrix, -icis*, nome d'agente femm. di *vincĕre.*

**vituperàbile,** dal lat. *vituperabĭlis.*

**vituperando,** dal lat. *vituperandus.*

**vituperare,** dal lat. *vituperare*, comp. *a)* di *parare* (v. RICUPERARE e IMPROPERIO) con norm. apofonia di *-ă-* in *-ĕ-* in sill. interna dav a *r*; *b)* di *vitu-* adattamento di *\*viti-* (da *vitium*, v. VEZZO) alla cons. labiale del secondo elemento della composiz. Il signif. primitivo è dunque quello di « procurare (e cioè constatare) un difetto (spec. nelle osservazioni augurali) ».

**vituperativo,** dal lat. tardo *vituperativus.*

**vituperatore,** dal lat. *vituperator, -oris.*

**vituperazione,** dal lat. *vituperatio, -onis.*

**vituperio,** dal lat. tardo *vituperium.*

**viva!,** terza pers. del congiunt. pres. di *vìvere.*

**vivace,** dal lat. *vivax, -acis*, agg. di *vivĕre* come *audax* da *audere* ' osare ' o *edax* da *edĕre* ' mangiare '.

**vivacità,** dal lat. *vivacĭtas, -atis.*

**vivagno** ' cimosa ', da *vivo* col suff. *-agno* per indicare una approssimazione e una attenuazione: « prossimo al vivo della stoffa ».

**vivaio,** lat. *vivarium* con norm. trattam. tosc. di *-ariu* in *-aio.*

**vivanda,** dal frc. *viande* (lat. *vivenda*) nel signif. ant. generico, non ancora passato a 'carne', incr. con it. *vivere*.

**vìvere,** lat. *vivĕre*, dalla rad. GwEYĒ, ampliata per mezzo di -w- e attestata in forme verb., oltre che in lat., nelle aree indiana, baltica, celtica; cfr. VITA, VITTO. Le forme senza l'ampliam. -w- sono limitate alle aree greca e iranica.

**vìveri,** plur. di *vivere* impiegato in una formula abbreviata del tipo (*roba da*) *vivere*.

**viverra,** dal lat. *viverra* 'furetto' con connessioni celtiche e baltiche significanti « scoiattolo » e risal. a una serie onomatop. propria del rosicchiare *v.... r..., v.... r.*

**vìvido,** dal lat. *vivĭdus*, agg. deriv. da *vivĕre*.

**vivificare,** dal lat. crist. *vivificare*, calco sul gr. *zōopoiéō*, comp. di *vivus* e del verbo denom. del nome d'agente *-fex*.

**vivificatore,** dal lat. crist. *vivificator, -oris*.

**vivificazione,** dal lat. crist. *vivificatio, -onis*.

**vivìfico,** dal lat. crist. *vivificus*.

**vivìparo,** dal lat. tardo *vivipărus*, comp. di *vivus* e *paro-*, tema di *parĕre* 'partorire'; v. VÌPERA.

**vivisezione,** dal lat. scient. (XIX sec.) *vivisectio, -onis*, comp. di *vivus* (v. VIVO) e *sectio, -onis* (v. SEZIONE).

**vivo,** lat. *vivus*, agg. antichissimo, tratto dalla rad. GwEYĒ 'vivere', ampliata in -wo- e connessa con identici agg. nelle aree indiana, slava, baltica, celtica; cfr. VÌVERE, VITTO, VITA.

**viziare,** dal lat. *vitiare*, verbo denom. da *vitium*; v. VEZZO.

**vizio,** dal lat. *vitium*; v. VEZZO.

**viziosità,** dal lat. *vitiosĭtas, -atis*.

**vizioso,** dal lat. *vitiosus*.

**vizzo,** lat. volg. *vitjum*, incr. di *a*) class. *vietus* 'appassito', part. pass. di *viescĕre*, incoat. di *viere b*) *vitus* 'avvolto', part. pass. di *viere*, v. VETTA, *c*) *vĭtium*, v. VEZZO.

**vo,** prima pers. sg. dell'indic. pres. di *andare*, ant. *vao* da *vado* (v. VÀDERE), cfr. *sao* (v. SO), sotto l'influenza di *dò*, *sto*.

**vocabolario,** dal lat. medv. *vocabolarium* 'raccolta di vocaboli'.

**vocàbolo,** dal lat. *vocabŭlum*, nome di strum. da *vocare* 'chiamare, denominare'.

**vocale¹** (agg.), dal lat. *vocalis*, deriv. di *vox, vocis* 'voce'.

**vocale²** (sost.), da (*littera*) *vocalis* « lettera provvista di voce o sonorità ».

**vocativo,** dal lat. tardo *vocativus* (*casus*), calco sul gr. *klētikĕ* (*ptôsis*).

**vocazione,** dal lat. *vocatio, -onis*, nome d'azione di *vocare*, verbo denom. da *vox*; v. VOCE.

**voce,** lat. *vox, vocis*, che appartiene allo strato più arc. delle formaz. dipendenti dalla rad. WEKw e trova corrispond. esatte nelle aree tocaria, indo-iranica, greca e anche baltica. Delle forme ampliate in -ES/-OS si hanno esempi nelle aree indo-iranica, greca (*wépos*), umbra (*vepor*), ma non latina. Delle forme verb., il lat. ha solo un verbo denom. da *vox*; v. VOCAZIONE.

**vociferare,** dal lat. *vociferari*, verbo denom. da *vocifer* « portatore (*-fer*) di voci (*-voci*) ».

**vociferatore,** dal lat. tardo *vociferator, -oris*.

**vociferazione,** dal lat. *vociferatio, -onis*.

**voga,** sost. deverb. da *vogare*, sia nel senso proprio che in quello figur. di « mettere in uso ».

**vogare,** lat. *vocare* 'chiamare' con leniz. settentr. (prob. venez.) di -c- in -g-: applicato a impieghi marinareschi.

**voglia,** sost. deverb. da *volere*, estr. dalla prima pers. sg. *voglio* (lat. volg. *voljo* da *voleo*) invece di *volo*, come *vaglia* da una prima pers. sg. *vaglio*, lat. *valeo*, e come *doglia* da una prima pers. *doglio*, lat. *doleo*.

**voi,** lat. *vos* con la norm. sostituz. della -s finale con una -i (v. NOI e POI). *Vos* trova corrispond. nelle aree indo-iranica, slava, baltica. Per la forma atona v. VI², VE².

**voivoda,** dal serbocroato *vojvoda*, comp. di *voda* 'duce' e *voj* 'esercito'.

**volanda** 'spolvero della farina che si solleva', da *volare* secondo il modello di *girànd(ol)a*.

**volano,** dal frc. *volant* prescindendo dalla grafia.

**volante,** dal frc. *volant*, tenendo conto della grafia.

**volantino,** dimin. di (*foglietto*) *volante*.

**volare,** lat. *volare*, verbo durativo di una rad. GwOLU, superstite, al di fuori del lat., solo nell'area indiana, in cui il vedico *garu-tman* « alato » indica il nome di un uccello: parola tipica della casta sacerdotale, specializzata nelle osservazioni augurali e sopravv. perciò solo nelle aree estreme del mondo idur.

**volàtica** (irritazione della pelle), forma sostantiv. femm. dal lat. *volaticus* 'errante', deriv. da *volare*, come *erraticus* da *errare*.

**volàtile,** dal lat. *volatĭlis*, deriv. di *volare*.

**volatore,** dal lat. *volator, -oris*.

**volenteroso,** incr. di *volonteroso* con *volentieri*.

**volentieri,** dal frc. ant. *volentiers*, che è il lat. *voluntarie* 'volontariamente'.

**volere,** lat. volg. *volere* (class. *velle*), ricalcato su *potere* (v. POTERE): così il pass. rem. *volli* da lat. *volui* già analogo a *potui*. La rad. WEL¹ di *volo* ha una corrispond. atematica esatta nell'area baltica, con un ampliam. nelle aree slava e germanica (ted. *wollen*). Nelle aree greca e indo-iranica è sostituito da WEK.

**volframio,** dal ted. *Wolfram*, che significa « escremento (ted. medio *râm*) di lupo (*wolf*) ».

**volgare,** dal lat. *vulgaris*.

**volgarità,** dal lat. *vulgarĭtas, -atis*.

**vòlgere,** lat. *volvĕre* con un part. pass. *voltus*, v. VÒLTO, (al posto di *volūtus*), che ha dato una prima pers. sg. *vòlgo* sullo schema di *còlto, còlgo* (v. COGLIERE). Da *vòlgo* si è avuto *vòlgere*. Dalla rad. WEL³ 'vòlgere', con un ampliam. -w- si sono avute le forme parallele del lat. *volvĕre* e delle aree germanica, greca, armena. Senza l'ampliam. -w- si hanno forme nelle aree slava, celtica, e di nuovo armena e germanica (ted. *Welle* 'onda').

**volgo,** dal lat. *vulgus, -i*, privo di connessioni attendibili.

**vòlgolo** 'involto', dal lat. tardo (gloss.) *volvŭlus* 'convolvolo', nome di strum. da *volvĕre*, incr. con it. *vòlgere*; cfr. VÒLVOLO.

**volitivo,** dal lat. medv. della filosofia scolastica *volitivus*, deriv. da *volo* 'voglio'.

**volizione,** deriv. moderno (XVII sec.) del precedente, secondo il tipo *affettivo-affezione*.

**volo,** sost. deverb. da *volare*.

**volontà,** dal lat. *voluntas, -atis*, che è da *volunt-*

*ĭtās*, astr. di un part. pres. *volens-* \**voluntis* ‘volente, volenteroso’ (parallelo nell'alternanza a *iens, euntis*) di *volo, velle* ‘volere’.

**volontario**, dal lat. *voluntarius*, da \**volunt(it)arius*, deriv. di *voluntas, -atis*.

**volonteroso**, da *volontarioso*, deriv. da *volontario*, col suff. *-oso*: col trattam. merid. di *-ariu* in *-aro* in *volontaro(so)* e poi quello fiorentino di *-ar-* atono in *-er-*, *volonteroso*; cfr. VOLENTE-ROSO.

**volontieri**, incr. di *volentieri* con *volontà*; v. VOLEN-TIERI.

**volpe** (animale e carie del frumento), lat. *vulpes*, con connessioni (disturbatissime) nelle aree baltica, greca (*alópēks*) e altre minori.

**volpino**, dal lat. *vulpinus*, deriv. di *vulpes*.

**vòlta**[1] ‘giro, turno, arco’, lat. volg. \**volvĭta*, sost. deverb. estr. da \**volvitare*, intens. di *volvěre*; v. VÒLGERE.

**volta**[2] (misura elettrica), dal nome di A. Volta (1745-1827).

**voltaggio**, dal frc. *voltage*.

**voltàico**, dal frc. *voltaïque* (XIX sec.).

**voltare**, lat. volg. \**volvitare*, intens. di *volvěre*; v. VOLGERE.

**volteggiare**, verbo denom. da *volta*[1] nel senso di ‘giro’.

**voltìmetro**, da *volta*[2] e *-metro*.

**vòlto**, part. pass. di *vòlgere* (v.) allineato su *còlto* (v.) rispetto a *còlgo*, e \**còlgere, \*còljere, cògliere* (v.).

**vólto** ‘faccia’, lat. *vultus, -us* ‘viso’, con una connessione esatta nell'area germanica (gotico *wulthus*, che traduce però il gr. *dóksa* ‘gloria’).

**voltolare**, verbo iterat. di *voltare*.

**voltolino** (uccello), sost. deverb. deriv. da *voltolare*.

**voltura**, astr. di *vòlgere*, da *vòlto* secondo lo schema di *còlto* e *coltura*, *sculto* e *scultura*.

**volùbile**, dal lat. *volūbĭlis*, agg. verb. attivo di *volv-ěre* secondo il regolare tema in *-ū-*; v. VO-LUTA.

**volubilità**, dal lat. *volubĭlĭtas, -atis*.

**volume**, dal lat. *volūmen, -ĭnis* ‘rotolo’, che è dal tema *volū-* di *volūtus* (v. VOLUTA). Dal movimento del ‘girare’ è nata la nozione geometrica, da questa quella del libro.

**voluminoso**, dal lat. tardo *voluminosus* ‘sinuoso’, incr. col signif. geometrico dell'italiano.

**voluta**, dal lat. *volūta*, forma femm. sostantiv. di *volūtus*, part. pass. di *volvěre*, in cui *-ū-* fa parte integrante della rad. come nei casi di rad. mo-nosill. quali *tūtus* (v. TUTELA) o *sūtus* (v. SUTURA).

**voluttà**, dal lat. *voluptas, -atis* ‘piacere’, astr. di *volup*, forma neutra di un agg. \**volupis* ‘grade-vole’. Si tratta forse di un incr. fra la rad. WEL[1] con ampliam. in *-P-* come appare nel gr. (*w*)*él-pomai* ‘spero’, e la famiglia del lat. *cupio*; e cioè di un ant. \**Volpia*, nome della dea del Piacere, che, sotto l'influenza di *cupio* sarebbe diventata la dea *Volupia* a noi nota.

**voluttuario**, dal lat. tardo *voluptuarius*.

**voluttuoso**, dal lat. *voluptuosus*.

**vòlvolo** ‘occlusione intestinale’, dal lat. tardo (gloss.) *volvŭlus* ‘convolvolo’, deriv. di *volvěre*; cfr. VÒLGOLO.

**vòmere**[1] (sost.), lat. *vōmis, -ěris*, prob. da un ant. WOGwHS-M- con connessioni alquanto disturbate nelle aree germanica, baltica e greca.

**vòmere**[2] (verbo) e **vomire**, dal lat. *voměre*, con chiara corrispond. nelle aree indiana e greca, per es. (*w*)*eméō*, e una corrispond. non verb. ma nominale nell'area germanica. La rad. è bisilla-bica, WEMĒ.

**vòmico**, dal lat. medv. *vòmicus* nella locuzione (*nux*) *vomica* ‘noce vomica’: «che fa vomitare».

**vomitare**, dal lat. *vomitare*, intens. di *voměre*.

**vòmito**, dal lat. *vomĭtus, -us*, astr. di *voměre* ‘vo-mitare».

**vomitorio**, dal lat. *vomitorius*, deriv. di *vomĭtus*, part. pass. di *voměre*.

**vóngola**, dal napoletano *vóngola*, variante di *gón-gola*, lat. *conchŭla*, dimin. di *concha* ‘conchi-glia’ (v.).

**vorace**, dal lat. *vorax-, acis*, deriv. di *vorare* se-condo il rapporto di *audax* rispetto a *audere* ecc.

**voracità**, dal lat. *voracĭtas, -atis*.

**voràgine**, dal lat. *vorago, -ĭnis*, nome d'agente di *vorare*: «(la forza) che inghiotte»; cfr. VIRÀGINE e IMÀGINE.

**voraginoso**, dal lat. tardo *voraginosus*.

**-voro**, secondo elemento di comp. del lat. *-vŏrus*, tema di *vorare* ‘divorare’ (per es. *carnìvoro, frugìvoro*).

**vòrtice**, dal lat. *vortex, -ĭcis*, forma arc. di *vertex*, specializzata nel definire l'attorcigliamento verso il basso, contro quello verso l'alto rimasto legato a *vertex*; v. VÈRTICE.

**vorticoso**, dal lat. *vorticosus*.

**vosco** (arc.), lat. pop. *vòbiscum*, class. *vobiscum* e cioè *vobis*, seguito da *cum* enclitico; cfr. MECO, TECO.

**vossignoria**, forma accorciata di *vos(tra) signoria*.

**vostro**, lat. arc. *voster, -stri*, class. *vester*, arc. *voster*, deriv. da *vos* (v. VOI), col suff. *-tero* di opposizione fra due.

**votare**[1] ‘dare il voto’, lat. volg. \**votare*, intens. di *vověre*; v. VOTO.

**votare**[2] ‘togliere il contenuto’, v. VUOTARE.

**votazza**, incr. di *gottazza* con *vuotare*.

**votivo**, dal lat. *votivus*, deriv. di *votum*.

**voto**, lat. *votum*, neutro sostantiv. del part. pass. di *vovere* ‘consacrare, desiderare’, da cui ‘vo-tare’. *Vovere* appartiene a una famiglia lessicale WEGwH/EUGH, rappresentata nella prima forma nell'area indiana e armena, nella seconda nella iranica e greca (*éukhomai* ‘prego’ e ‘mi vanto’).

**vulcanizzare**, dall'ingl. *to vulcanize* (XIX sec.) e questo da *Vulcan* ‘vulcano’.

**vulcano**, dal lat. *Vulcanus*, dio del fuoco e fabbro degli dei, applicato all'isola omonima nel gruppo delle Lipari. Di orig. etrusca.

**vulgata**, femm. sostantiv. dalla formula lat. (*lec-tio*) *vulgata* «lettura diffusa, comune», e cioè dal part. pass. del verbo lat. *vulgare*, denom. da *vul-gus*, v. VOLGO e cfr. DIVULGARE.

**vulgo**[1] (avv.), dal lat. *vulgo*, abl. di *vulgus, -i* e cioè «per il volgo», da cui ‘comunemente’.

**vulgo**[2] (sost.), v. VOLGO.

**vulneràbile**, dal lat. tardo *vulnerabĭlis*.

**vulnerare** ‘ferire’, verbo denom. da *vulnus, -ěris* ‘ferita’, ampliam. in *-nus* di una rad. WELĒ[2] che indica volta a volta il combatti-mento, la ferita e la morte, secondo le aree ideur. Attestata nelle aree celtica, germanica, baltica, ittita, greca.

**vulneraria** (pianta), dal lat. medv. *vulneraria*.

**vulnerario,** dal lat. *vulnerarius*.

**vulva,** dal lat. *vulva*, incr. dell'ant. *vulba* con *valvae* (v. VALVA). *Vulva* è l'ant. termine dell'utero, da un orig. GwELBH-, attestato nelle aree indiana e greca, e in greco sopravv. anche nel nome del fratello *adelphós* « co-uterino »: prova di una fase matriarcale della società greca preistorica, dove non esisteva un fratello per paᴜte di paᴅre (v. FRATE). Per *ē(w)ítheos* ' celibe ' che pure provava una matriarcalità preistorica greca, v. VÉDOVA.

**vuotare,** verbo denom. da *vuoto* col dittongo generalizzato anche in posizione non accentata per distinguerlo da *votare* ' deporre la scheda '; cfr. NUOTARE e NOTARE.

**vuoto,** lat. volg. \**vocĭtus*, part. pass. di \**vocēre*, forma parallela a \**vacēre* (sopravv. nel comp. *vacefiĕri*), verbo di stato corrispond. al class. *vacare* (v. VACARE). \**Vocĭtus* ha avuto la leniz. settentr. totale che elimina il -*c*- intervocalico, dando vita all'arc. *voito*. Questo, perdendo il secondo elemento del dittongo (cfr. *prete* da *preite*, v. PRETE) si è confuso con le forme parallele con *o* aperta, per es. *ruota*, seguendole anche nella dittongazione.

# W

**watt** (misura elettrica), dal nome del fisico inglese Giacomo Watt (1739-1819).

# X

**x** (indicazione dell'incognita algebrica), dallo sp. ant. che abbreviava con *x* (pronunciato *sh* come nel nostro *sci*), l'arabo *shai'* ' cosa ', applicato a indicare l'incognita algebrica. - Per le altre forme v. s.

# Y

**yacnt,** dall'ol. ant. *jaghte*, attraverso l'inglese.

**yoga,** dal sanscrito *yoga* ' unione '. Per le altre forme v. I.

# Z

**zabaione**, dal lat. tardo *sabaia* 'specie di birra', proveniente dalle regioni illiriche, con suff. accresc.

**zàcchera**, dal longob. *zahhar* 'liquido gocciolante'; cfr. PILLÀCCHERA.

**zaffare**, verbo denom. da *zaffo*.

**zafferano**, dall'ar. *za'farān*.

**zaffirino**, dal lat. *sapphirīnus*, incr. col suff. *-ino*, indi con it. *zaffiro*.

**zaffiro**, dal lat. *sapphīrus*, che è dal gr. *sáppheiros*, attrav. una tradiz. settentr. che si è voluto correggere, sostituendo la *s-* iniz. con *z-*.

**zaffo**, dal longob. *zapfo* con la seconda mutazione consonantica a cui corrisponde, con la sola prima, il got. *\*tappa*, per cui v. TAPPO.

**zagaglia**, dal berbero *zagāja* 'punta della lancia'.

**zàgara**, dall'ar. *zahr*, attrav. il siciliano.

**zàino**, dal longob. *zain(j)a* 'cesto'.

**zamberlucco**, dal turco *yaghmurluk*, comp. di *yaghmur* 'pioggia' e *luk* 'paletò', attrav. tradiz. prob. venez. (invece del regolare *giamberlucco* arc.).

**zambra** 'camera, camerino', dal frc. *chambre* attrav. una tradiz. padana *\*sambra*, corretta in Toscana con la *z-* iniz.

**zambracca**, da *zambra*, incr. con *baldracca*.

**zampa**, incr. di *\*gampa* poi *gamba* (v.), con *zanca*, nel lat. medv. 'scarpa'.

**zampillare**, da una serie onomatop. *z.... mp* con suff. *-illare* di verbo iterat.

**zampogna**, lat. *symphonia* (dal gr. *symphōnía*) attrav. una prob. mediazione romagnola *\*smpogna* poi corretta nel tosc. *zam*, v. SAMPOGNA.

**zana**, dal longob. *zain(j)a* con la semplificaz. del dittongo *ai* in *a*; v. FRALE e cfr. ZÀINO.

**zanca**, lat. medv. *zanca* dal gr. biz. *tzánga* 'scarpa ornata degli imperatori bizantini».

**zàngola**, dimin. di *\*zanga*, deriv. di *zana* (v.).

**zanna**, dal longob. *zann* 'dente' (cfr. ted. *Zahn*). La variante *sanna* porta un'impronta padana.

**Zanni** (maschera popolare), dal venez. *Zani* 'Giovanni', toscanizzato con la cons. doppia. Risale al soprannome usuale nel '500 per i servi bergamaschi.

**zanzara**, lat. tardo *zinzala*, deriv. di *zinziare*, verbo onomatop. dalla serie *z.... nz*; cfr. ZIRLARE.

**zappa**, lat. tardo (gloss.) *sappa* di orig. mediterr. sopravv. nelle reg. settentr., e quindi toscanizzato con *z-* al posto di *s*.

**zar**, dal russo *zar* risal. al lat. *Caesar* 'imperatore'.

**zara** (gioco), dall'ar. *zahr* 'dado'.

**zatta**[1] (varietà di popone), incr. di ant. *ciampa*

'ostacolo' e qui «bitorzolo» con frc. *patte* 'gamba', toscanizzato poi in *zatta*; v. ZATTA[2].

**zatta**[2] 'zattera', adattamento tosc. da un ligure *ciata* (v. CHIATTA), secondo il rapporto di *piaccia* (del Boiardo) al tosc. *piazza*.

**zàttera**, da *zatta*[2] col suff. *-era*; cfr. *gàzzera* rispetto a *gazza*, v. GAZZA.

**zavorra**, lat. *saburra*, parola mediterr. di tipo occidentale, arrivata all'it. attrav. aree dialettali settentr. (ligure o veneta) e perciò corretta (senza ragione) da *sa-* in *za-*.

**zàzzera**, dal longob. *zazza* 'ciocca di capelli', col suff. in *-era* di *maschera* o *chicchera* (v.).

**zeba** 'capra' (arc.), tema mediterr.

**zebra**, dal portogh. *zebra* 'cavalla selvatica', parola di orig. africana, forse associata con *zèfiro*, per la leggenda delle cavalle fecondate dal vento.

**zebù**, dal frc. *zébu*, introdotto dal naturalista Buffon (1707-1788) che lo aveva appreso approssimativamente dai presentatori dell'animale in una fiera: forse di orig. tibetana.

**zecca**[1] 'acaro', dal longob. *zëkka*.

**zecca**[2] (dove si coniano le monete), dall'ar. (*dār as-*)*sikka* «casa della moneta».

**zecchinetta**, da (*Lan*)*dsknecht*; v. LANZICHENECCO con suff. doppio.

**zecchino**, dimin. di *zecca*[1].

**zèfiro**[1] (tessuto), dal frc. *zéphyr*, che è dal lat. *zephўrus*.

**zèfiro**[2] (vento), dal lat. *zephўrus*, che è dal gr. *zéphyros*.

**zelare**, dal lat. eccl. *zelari*, verbo denom. da *zelus*.

**zelatore**, dal lat. eccl. *zelator*, *-oris*.

**zelo**, dal lat. eccl. *zelus*, originariam. 'gelosia', che è dal gr. *zêlos* 'emulazione, invidia'; cfr. GELOSO.

**zendado**, dal gr. *sindón* (v. SÌNDONE), attrav. una tradiz. settentr. che ha suggerito la sostituz. tosc. di *z-* a *s-*, mentre ha mantenuto la forma lenita del suff. *-ado* per *-ato*.

**zendale**, dal provz. *sendal* (risal. al tema di *sìndone*), con la correzione tosc. di *s-* in *z-*.

**zenit**, dall'ar. *samt* (letto erroneamente *sanit*) *aru'ūs* «direzione delle teste», cfr. AZIMUT: di provenienza settentr. e quindi con la correzione di *s-* in *z-*.

**zénzero**, lat. *zingĭber* (dal gr. *zingíber*), con assibilaz. settentr. di *-g-* in *-z-* e leniz. totale di *-b-* intervocalico.

**zeppa**, dal longob. *zeppa* 'bietta, cuneo'; cfr. ZÌPOLO.

**zeppare,** verbo denom. da *zeppa*; cfr. INZEPPARE[1].

**zeppo,** agg. estr. dal part. pass. *zepp(at)o*; v. ZEPPARE.

**zerbino**[1] da *Zerbino* personaggio dell'Ariosto, risal. a un *Gerbino* del Boccaccio, con l'iniz. assibilata secondo il norm. trattam. emiliano.

**zerbino**[2], dimin. di un lombardo *zerp* 'sodaglia' v. GERBIDO, e cioè « tappeto incolto, rozzo ».

**zero,** lat. medv. *zèphyrum* (XIII sec.), risal. all'ar. *ṣifr* 'nulla', (cfr. CIFRA), incr. con lo sp. ant. *zero*.

**zeta,** dal gr. *zêta*.

**zetètico,** dal gr. *zētētikós*, deriv. di *zētéō* 'ricerco'.

**zeugma,** dal gr. *zeûgma, -atos* 'aggiogamento'.

**zia,** v. ZIO.

**zibaldone,** incr. di *zabaione* con un tipo romagnolo *zibanda*: « cibo mescolato grossolanamente ».

**zibellino,** dal russo *sobolj*, attrav. prob. mediaz. del frc. *zibeline*, incr. con it. *bellino*.

**zibetto,** dal lat. medv. *zibethum*, che è dall'ar. *zabād*.

**zibibbo,** dall'ar. *zabīb* 'uva passa'.

**zigano** dal frc. *tsigane* 'zingaro'; cfr. ZÌNGARO.

**zigare,** da una serie onomatop. *z.... g....* che indica voci stridule di animali; cfr. CIGOLARE.

**zigolo,** da una serie onomatop. *z.... g....*; v. ZIGARE.

**zigomo,** dal gr. *zýgōma, -atos*, passato alla declinaz. in *-o*. *Zýgōma* è nome di strum. dal verbo *zygóō*, denom. da *zygón* 'giogo'.

**zigrino,** dal venez. *sagrìn* (v. SAGRÌ), risal. al turco *saǧri* 'pelle della groppa degli animali'.

**zigzag,** dal frc. *zigzag* inserito in una serie onomatop. che comprende non solo la successione consonantica *z.... g* ma anche quella vocalica *i.... a* con valore iterat.; cfr. TICTAC, VIAVAI.

**zimarra,** dallo sp. *zamarra*, risal. al basco *echamarra*.

**zimbello** 'uccello da richiamo' o 'oggetto di scherno', dal provz. *cembel* 'piffero' (con la introduz. non giustificata del tosc. *z-* all'iniz.) risal. al lat. volg. *cymbellum*, dimin. di *cymbălum* (dal gr. *kýmbalon*); v. CÉMBALO.

**zimino,** dall'ar. *samin*, attrav. tradiz. ligure e conseg. toscanizzazione di *s-* in *z-*.

**zimologìa,** comp. moderno di gr. *zýmē* 'fermento' e *-logìa*.

**zinco,** dal ted. *Zink*.

**zincografìa,** da *zinco* e *-grafìa*.

**zincone** 'mozzicone', dal longob. *zinka* 'punta'.

**zincotipìa,** da *zinco* e *-tipìa*.

**zìngaro,** dal gr. medv. *(A)tsínganoi*, tribù dell'Asia minore, con sostituz. del suff. *-ano*, v. ZIGANO, con *-aro*.

**zinna** 'mammella', dal longob. *zinna* 'merlo, sporgenza'.

**zinnia,** dal lat. scient. *Zinnia* che è dal nome del medico e botanico G. G. Zinn (1727-1759).

**zinzino** (quantità minima), da una serie onomatop. *z....nz* con suff. dimin.

**zio,** dal gr. *theios*, con la pronuncia già affricata della cons. iniz.

**zìpolo,** dal longob. *zippil* 'punta' (ted. *Zipfel*); cfr. ZEPPA.

**zirbo** 'omento', lat. medv. (XI sec.) *zirbus*, dall'ar. *ṭarb* 'intestini'.

**zirconio** (metallo), dal lat. scient. *zirconium*, che è dal frc. *jargon*, risal. più o meno direttam. al gr. *hyákinthos* 'giacinto'.

**zirlare,** lat. *zi(nzi)lulare* con dissimilaz. sillabica, dissimilaz. di *l.... l* in *r.... l* (cfr. la *zinzala* che diventa *zanzara* (v.) e *ululare* che diventa *urlare*), infine caduta di voc. atona io *zìr(u)lo*, lo *zir(u)lare* (v.).

**ziro** 'grande orcio', dall'ar. *zīr*.

**zit(t)ella,** vezzegg. di *zitta*, forma toscanizzata di *citta* 'ragazza' (abbreviaz. di *piccitta*).

**zitto,** forma toscanizzata della serie onomatop. it. *sst*, frc. *ch.... t*.

**zizza** 'mammella', dal longob. *zizza* (ted. *Zitze*); v. TETTA.

**zizzània,** dal lat. crist. *zizania*, plur. di *zizanium* 'loglio', che è dal gr. *zizánion*, con rafforzam. di *-z-* in *-zz-* per ragioni affettive.

**zìzzolo** 'giùggiolo', dal lat. *zizyphus*, che è dal gr. *zízyphon*, con sostituz. del suff. *-olo* a *-yphus* e raddopp. norm. di cons. protonica in parola sdrucciola; v. GIÙGGIOLO.

**zòccolo,** lat. volg. *soccŭlus*, dimin. di *soccus* (v. SOCCO), attrav. una tradiz. settentr. cui si reagisce con la *z-* tosc. al posto della *s-* anche se storicamente giustificata.

**zodìaco,** dal lat. *zodĭacus*, che è dal gr. *zōidiakós*, deriv. di *zōídion (kýklos)* « circolo delle figure celesti ». *Zōídion* è dimin. di *zôion* 'essere vivente' poi 'immagine (celeste)'.

**-zòico,** dal gr. *zôion* 'animale', col suff. aggettiv. *-ico*.

**zolfa,** variante di *solfa* (v.).

**zolfo,** lat. *sulp(h)ur*, con *z-* secondo una tradiz. centromerid. *Sulp(h)ur* è la parola mediterr. con la speciale aspirazione *-p(h)-* che si trova nel rapporto di *fungus* (v. FUNGO) rispetto a gr. *spóngos*, e di *golfo* rispetto a gr. *kólpos*; v. GOLFO.

**zolla,** dal ted. medio *Zolle* 'massa compatta (di sterco)'.

**zombare** 'picchiar forte', da una serie onomatop. *z....mb*.

**zompare** 'saltare', da una serie onomatop. *z.... mb*, incr. con *zampa*.

**zona,** dal lat. *zona*, che è dal gr. *zônē* 'cintura', risal. alla famiglia del verbo *zónnymi* 'cingo'.

**zonzo,** da una serie onomatop. *z.... nz*; cfr. GIRONZOLO.

**zoo-**[1], dal gr. *zôion* 'animale', primo elemento di composiz. nominale.

**zoo**[2] 'giardino zoologico', forma abbreviata da *(giardino) zoo(logico)*, su modelli ingl. e ted.

**zoòfilo,** da *zoo-* e *-filo*.

**zoòfito,** dal gr. *zōíophyton*, comp. di *zôion* 'animale' e *phytón* 'pianta'.

**zooiatrìa,** comp. moderno da *zoo-* e *-iatrìa*.

**zoologìa,** comp. moderno da *zoo-* e *-logìa*.

**zooprofilassi,** comp. moderno da *zoo-* e *profilassi*.

**zootecnìa,** dal frc. *zootechnie* (XIX sec.) inserito nel sistema di *zoo-* e *-tecnìa*, astr. di gr. *tékhnē* 'arte'.

**zootomia,** comp. moderno di *zoo-* e *(ana)tomìa*.

**zoppo,** lat. tardo (glosse, VI sec.) *cloppus*, attrav. una tradiz. settentr. *\*ciop*, resa toscanamente con *z-* (cfr. ZATTA). L'orig. lontana sembra onomatop., secondo una serie *cl.... p*, adatta al rumore dissimmetrico del passo degli zoppi.

**zostera** (pianta marina), dal lat. scient. *zostera*,

class. *zoster, -eris,* che è dal gr. *zōstḗr* 'cintura', nome d'agente di *zónnymi* 'cingo'. Così chiamata perché ha foglie nastriformi.

**zòtico,** lat. volg. *\*(i)djotĭcus,* class. *idiotĭcus,* dal gr. *idiōtikós,* deriv. di *idiṓtēs* (v. IDIOTA), con trattam. di *-djo-* come in *mezzo* (v.) da *\*medjus,* class. *medius.*

**zozza,** da *suzzà(cchera)* (v.), intesa come forma settentr., da correggere, introducendo *z-* al posto di *s-.*

**zuavo,** dall'arabo-berbero *zwāwa,* nome di una tribù da cui i francesi trassero le prime truppe indigene dell'Africa settentrionale (XIX sec.).

**zucca,** lat. tardo *cucutia* (v. COCUZZA), attrav. una forma metatetica *\*(co)zucca.* Lat. *cucutia* ha svariate connessioni approssimative all'interno del lat. (v. CUCÙRBITA) e si deve ritenere di orig. mediterranea.

**zùcchero,** dall'ar. *sukkar* (cfr. SACCARINA), con norm. passaggio tosc. di *-ar-* fuori d'accento in *-er-.*

**zuffa¹** 'ciuffo', dal longob. *zupfa* 'ciuffo'; v. CIUFFO e AZZUFFARE.

**zuffa²** 'polenta', dal longob. *supfa* 'brodo', attrav. tradiz. settentr. e correzione di *s-* in *z-.* Per il gotico *\*suppa* v. ZUPPA.

**zufolare,** lat. volg. *\*sufolare* (class. *sibilare*), forma rustica con *-f-* al posto di *-b-* e con l'adattamento della voc. protonica *-i-* alla cons. labiale seg. (*suf-*): di lontana orig. onomatop., v. SÌBILO

**zùfolo,** sost. deverb. da *zufolare.*

**zulù,** dal nome di una popolazione bantu dell'Africa merid., attrav. il frc. *zoulou* (XIX sec.).

**zum,** voce onomatopeica.

**zuppa,** dal gotico *\*suppa* 'fetta di pane inzuppata' (cfr. ZUFFA²), con adattamento tosc. di *z-* al posto di *s-.*

**zuppare,** verbo denom. da *zuppa.*

**zuppo,** da *zupp(at)o.*

**zuzzurellone,** forma onomatop. dalla serie *z.... z.... r.... l,* simbolica del parlare bambinesco.

INDICI

# INDICE DELLE RADICI E TEMI INDEUROPEI

## A

| | | |
|---|---|---|
| AG | ' condurre ' | v. *agile, agro²*, *ambage, indigitamento* |
| ĀG/AG | ' parlare ' | v. *adagio²*, *indìgete* |
| AGRO- | ' punta ' | v. *agrippa* |
| AGwNO- | ' pecora ' | v. *agnello* |
| AIDH | ' ardere ' | v. *edile, estate* |
| AIGRO- | ' malato ' | v. *egro* |
| AIS | ' servire ' | v. *corruscare* |
| AI-WO- | ' età ' | v. *evo* |
| AK | ' essere acuto ' | v. *acido, acciaio, aceto, acre, agro* |
| AKS | ' articolazione ' | v. *asse, ascella, ala, coscia* |
| AKw | ' acqua ' | v. *acqua* |
| AL¹ | ' alimentare ' | v. *adulto, alto, alunno* |
| AL² | ' altare ' | v. *altare* |
| ALI- | ' altro ' | v. *alquanto, altro* |
| ALNO- | ' ontano ' | v. *alno, ontano* |
| AMBH | ' intorno ' | v. *ambi-* |
| ANĀT | ' anitra ' | v. *anitra* |
| ANĒ | ' respiro ' | v. *alito, anelare, animo, inane* |
| ANG/ANK | ' punta ' | v. *angolo* |
| AP | ' acqua ' | v. *acqua* |
| APO *cfr.* PO- | prep. abl. | v. *abolire* |
| APRO- *cfr.* (K)APRO- | ' cinghiale ' | v. *capra* |
| ARĒ *e* RĒ | ' adattare ' | v. *arma, armento, arte, arto, diserto, irritare, rito* |
| ARG | ' brillare ', ' argento ' | v. *argento, argilla, arguire* |
| ARK | ' proteggere ' | v. *arce* |
| ARŎ | ' arare ' | v. *arare, aratro* |
| AS | ' esser secco ', ' bruciare ' | v. *ara, arido* |
| AT | ' svolgersi ' | v. *anno* |
| AU | particella | v. *o(d)* |
| AUKw/UKw | ' olla ' | v. *olla* |
| AUS/OUS | ' orecchio ' | v. *orecchia* |
| AUSOS/USOS *cfr.* AWES | ' aurora ' | v. *aurora, ostro²* |
| AUT | ' ruotare ' | v. *autunno* |
| AWEG | ' crescere ' | v. *aumento, ausilio* |
| AWES *cfr.* AUSOS/USOS | ' oro ' | v. *oro* |
| AWI- | ' uccello ' | v. *avi-, oca, uccello* |
| AYES | ' rame ' | v. *eneo, (e)stimare* |

## B

| | | |
|---|---|---|
| BAK | ' bastone ' | v. *bacchio* |
| BELO- | ' forza ' | v. *debole* |

## BH

| | | |
|---|---|---|
| BHĀ | ' parlare ' | v. *facondo, fama, fato, favola, fiaba, confessare* |
| BHĀ-S | ' autorizzare ' | v. *fasti* |

| | | |
|---|---|---|
| BHABĀ | 'fava' | v. *fava* |
| BHAD *cfr.* DHAD | 'fasti' | v. *fasto*[1] |
| BHAGO- | 'faggio' | v. *faggio* |
| BHARS | 'farro' | v. *farina, farro* |
| BHEBHRU- | 'castoro' | v. *bévero* |
| BHEDH | 'scavare' | v. *fossile* |
| BHEID | 'fendere' | v. *fendere* |
| BHEIDH/BHIDH | 'fidarsi' | v. *fede, fiducia* |
| BHEL | 'foglio' | v. *foglia* |
| BHENGH *cfr.* PI-W | 'spesso' | v. *pingue* |
| BHER[1] | 'portare' | v. *-fero, fertile, forse, fortuito, obbrobrio, rimproverare* |
| BHER[2] | 'ribollire' | v. *fermento, fervere* |
| BHER[3] | 'forare' | v. *ferire, forare* |
| BHEUDH *cfr.* DHEUBH | 'fondo' | v. *fondo*[1] |
| BHEUG(H) | 'fuggire' | v. *fuggire* |
| BHEWĒ/BHŪ | 'crescere', 'essere' | v. *fiat, fui, futuro* |
| BHLAGH(S)MEN | 'flamine' | v. *flamine* |
| BHLEG | 'brillare' | v. *fiamma, flagrante, folgore, fulgere* |
| BHLŌS | 'fiore' | v. *fiore* |
| BHŌ | 'entrambi' | v. *ambo* |
| BHOIKO- | 'fuco' | v. *fuco*[1] |
| BHRATĒR | 'fratello' | v. *frate* |
| BH(R)EGH | 'rompere' | v. *frangere* |
| BH(R)UG(w)H | 'profittare' | v. *frugale, fruire, frumento, frutto, fungere* |

## D

| | | |
|---|---|---|
| DAIWER | 'cognato' | v. *levirato* |
| DAKRU | 'lacrima' | v. *lacrima* |
| DAPNO- | 'offerta sacrificale' | v. *danno, dape* |
| DE/DO | preposizione | v. *quando* |
| DEI/DI | 'luce attiva' | v. *dì, Giove, nundine, triduo* |
| DEIK/DIK | 'indicare' | v. *dicere, dire, dito, éndice, indice* |
| DEK[1] | 'esser conveniente' | v. *decente, degno* |
| DEK[2] | 'ricevere mentalmente' | v. *discente, docente* |
| DEKM | 'dieci' | v. *dieci* |
| DEKS | 'destro' | v. *destro* |
| DEL | 'dolere' | v. *dolere* |
| DELEGH *cfr.* DLONG | 'lungo' | v. *dolico-, lungo* |
| DEM | 'casa' | v. *duomo* |
| DEMĀ | 'addomesticare' | v. *domare, indomito* |
| DER-M | 'dormire' | v. *dormire* |
| DEU/DU | 'buono' | v. *buono* |
| DEUK/DUK | 'condurre' | v. *duca, duce* |
| DLONG *cfr.* DELEGH | 'lungo' | v. *lungo* |
| DNSU- | 'denso' | v. *denso* |
| DŌ | 'dare' | v. *dare, dono, dote* |
| DUSMO- | 'arbusto' | v. *dumo* |
| DWĀ/DŪ | 'durare' | v. *domentre, durare* |
| DWEI-S | 'odiare' | v. *diro* |
| DWI(S) | 'due volte' | v. *bis, venti* |
| DWŌU | 'due' | v. *due* |

## DH

| | | |
|---|---|---|
| DHABH | 'fabbro' | v. *fabbro* |
| DHAD *cfr.* BHAD | 'fasto' | v. *fasto*[1] |
| DHĒ | 'porre' | v. *condito, credere, faccenda, facie, fare, feziale, recondito, sacerdote, suddito, infesto, manifesto* |
| DHEDHRI- | 'febbre' | v. *febbre* |
| DHEGwH/DHeGwH | 'bruciare' | v. *debbio, face* |
| DHĒ(I) | 'creare', 'allattare', 'nutrire' | v. *fecondo, felice, femmina, feto, fieno, figlio* |
| DHEIGHOS | 'muro' | v. *fingere* |
| DHEN/DHON | 'fonte' | v. *fonte* |
| DHER-MO- | 'solido' | v. *conferva, fermo, ferruminare, fòrnice* |

| | | |
|---|---|---|
| DHEUBH *cfr.* BHEUDH | ' suolo ' | v. *fondo*[1] |
| DHĪGw | ' configgere ' | v. *fibbia, fibula* |
| DHRAGH/TRAGH | ' trascinare ' | v. *trarre, tratta* |
| DHUGH | ' succhiare ' | v. *figlia* |
| DHULI- | ' polvere ' | v. *fuliggine* |
| DHŪMO- | ' fumo ' ' spirito ' | v. *fumo* |
| DHUSKO- | ' fosco ' | v. *fosco* |
| DHWER[1]/DHURĀ/DHWORO- | ' porta ' | v. *foro*[2], *fuori* |
| DHWER[2] | ' scatenarsi ' | v. *foia, furia* |

## E

| | | |
|---|---|---|
| ED/D | ' masticare ' | v. *dente, edace, edule, esca, inedia, obeso, pranzo* |
| ĒD/ŌD | ' entrare in possesso ' | v. *custode, erede, mercede* |
| EGNI- | ' fuoco ' | v. *igneo* |
| EG(H)Ō | ' io ' | v. *io* |
| EI | tema di pron. dimostrat. | v. *desso, esso, già, indi, iterare, ivi* |
| EI/I | ' andare ' | v. *gire, ire* |
| EISĀ | ' ira ' | v. *ira* |
| EK | tema di pron. dimostrat. | v. *ecco* |
| EKS | tema di preposizione | v. *es-, s-*[1] |
| EKWO- | ' cavallo ' | v. *equino* |
| EL | ' essere in movimento ' | v. *allegro* |
| EL/OL | tema di pron. dimostrat. | v. *egli* |
| ELK | ' lacerare ' | v. *ulcera* |
| EM *cfr.* NEM | ' prendere | v. *dirimere, esempio, premio* |
| EMBU | ' acqua ' | v. *imbuto* |
| EN | preposizione | v. *in* |
| ENDH/ṆDH | ' inferiore ' | v. *imo, ìnfero, ìnfimo* |
| (E)NEBH/OMBH | ' ombelico ' | v. *ombelico, umbone* |
| ENĒT | ' anta ' | v. *anta* |
| E(N)G(w)HI- | ' serpe ' | v. *angue, anguilla* |
| ENTER/ṆTER | ' intermedio ' | v. *inter-* |
| EP[1] | ' essere adatto ' | v. *appo, atto*[2] |
| EP[2] *cfr.* OP | ' lavorare ' | v. *epulone, opera* |
| EP[3]/OP | ' prendere ', ' scegliere ' | v. *optare* |
| EPI/OPI | preposizione | v. *opaco* |
| ERĒ[1] | ' remare ' | v. *arare, remo* |
| ERĒ[2] | ' separare ' | v. *raro* |
| ERS | ' andare errando ' | v. *errare* |
| ES/S | ' essere ' | v. *essere, sia, fui* |
| ETI | ' ancora ' | v. *e* |
| EU *cfr.* W-ES | ' vestire ' | v. *indumento, omento, veste* |
| EUK | ' procurare ' | v. *ussoricida* |
| EUS | ' bruciare ' | v. *busto, strinare, ustione* |

## G

| | | |
|---|---|---|
| GEL | ' pungere ' (per il freddo) | v. *gelo, ghiaccio* |
| GELĒ | ' globulo ' | v. *ghianda* |
| GEM | ' germogliare ' | v. *gemello, gemma* |
| GENĒ[1]/G(E)NŌ | ' accorgersi ' | v. *cògnito, conoscere, gloria, ignaro, ignorare, narrare, nobile, noto* |
| GENĒ[2] | ' generare ' | v. *(beni)gno, cenere, genio, genitore, germano*[2]*, germe, indigeno, nascere* |
| GENU[1]/GONU | ' ginocchio ' | v. *genuino, ginocchio* |
| GENU[2] | ' mascella ' | v. *gengiva* |
| GER | ' adunare ' | v. *gregge, grembo* |
| GERĒ | ' seccare ', ' grano ' | v. *grano* |
| GES | ' portare ' | v. *gerente* |
| GEUS | ' gustare ' | v. *gusto* |
| GLAKT | ' latte ' | v. *latte* |
| GLEB | ' afferrare una zolla ' | v. *ghieva, globo* |
| GL-OM | ' ghiomo ' | v. *glutine* |

# GH

| | | |
|---|---|---|
| GH | prefisso grammaticale | v. *ci, ciò* |
| GHABH *cfr.* KAP | ' entrare in possesso ' | v. *avere* |
| GHAIS | ' esitare ' | v. *esitare* |
| GHASTO- | ' mano ' | v. *asta, presto* |
| GHEI-M | ' inverno ' | v. *iemale, inverno* |
| GHE(N)D | ' prendere ' | v. *edera, prendere* |
| GHENS | ' anitra ' | v. *anserino* |
| GHER¹ | ' recingere ' | v. *arella, coorte, corte, giardino, orto* |
| GHER² | ' desiderare ' | v. *esortare* |
| GHERD *cfr.* KERD | ' cuore ' | v. *cuore* |
| GHĒRO- | ' vuoto ' | v. *erede* |
| GHERS | ' eccitare ' | v. *orrendo* |
| GHEU | ' versare ' | v. *fondere, futile* |
| GHIYĀ | ' a bocca aperta ' | v. *iato, deiscente* |
| GHOSTI- | ' straniero ' | v. *oste²* |
| GHRZDHO- | ' orzo ' | v. *orzo* |
| GH(Y)ES/GH(y)ES | ' ieri ' | v. *ieri* |
| GHyOM | ' terra ' | v. *umus, uomo* |

# Gw

| | | |
|---|---|---|
| GwEL *cfr.* GwER | ' inghiottire ' | v. *gola, inghebbiare, inghiottire* |
| GwELBH | ' utero ' | v. *vulva* |
| GwEM | ' andare ' | v. *inventare, venire* |
| GwER | ' inghiottire ' | v. *gorgo, gramigna, vorace* |
| GwERĒ | ' esser grato ' | v. *grato, gratuito* |
| GwEREU | ' grave ' | v. *grave* |
| GwERU | ' spiedo ' | v. *ghiera², verrina* |
| GwEYĒ | ' vivere ' | v. *vipera, vita, vivere* |
| GwOLU | ' volare ' | v. *volare* |
| GwOUS | ' bovino ' | v. *bove, bue* |
| GwṚDU- | ' lento ' | v. *ingordo* |
| GwRENDH | ' stridere ' | v. *freno²* |

# GwH

| | | |
|---|---|---|
| GwHAU | ' favorire ' | v. *favorire* |
| G(w)HEL | ' giallo ', ' fiele ' | v. *fiele, fulvo, giallo* |
| GwHEN | ' colpire con corpo con- tundente | v. *fendere* |
| GwHER | ' fiera ' | v. *fiero* |
| GwHERMO- | ' caldo ' | v. *forcipe* |
| GwHISLO- | ' filo ' | v. *fibra, filo, nichilismo* |
| GwHRĀ | ' fragrante ' | v. *fragrante* |

# K

| | | |
|---|---|---|
| KAD | ' cadere ' | v. *cadere* |
| KA(I)D | ' tagliare ', ' rovinare ' | v. *casso², ceduo, -cida, cielo* |
| KAL | ' alterare nascondendo ' | v. *caligine, calunnia* |
| KAN | ' cantare ' | v. *canto, carme* |
| KAP *cfr.* GHABH | ' prendere ' | v. *aucupio, capire, discepolo, occupare* |
| (K)APRO- *cfr.* APRO- | ' caprone ' | v. *capro* |
| KARO- | ' caro ' | v. *caro* |
| KĀS | ' istruire ' | v. *casto* |

| | | |
|---|---|---|
| **KAS** | ' astenersi ' | v. *carenza, carestia, casto* |
| KE | tema pronominale | v. *eccetera* |
| KED/KED | ' cedere ' | v. *cedere, necessario* |
| KEI | ' insediarsi ' | v. *cive* |
| KEL¹/KOL-Ĕ | ' salire ' | v. *colle, colonna, culmine* |
| KEL² | ' scuro ' | v. *colombo* |
| KEL³ | ' nascondere ' | v. *celare, cella, ciglio, colore* |
| KELĀ¹ | ' chiamare ' | v. *calende, celebre, chiamare* |
| KELĀ² | ' battere ' | v. *calamità, chiodo, clade, clava, incolume, procella* |
| KEN | ' cominciare ' | v. *recente* |
| KENK | ' cingere ' | v. *cingere* |
| KENS | ' dichiarare ' | v. *censire* |
| KER¹-T *cfr.* (S)KER | ' tagliare ' | v. *carne, cena, corteccia, cuoio* |
| KER² | ' cardare ' | v. *cardine, carminare* |
| KER³ | ' sporgenza ' | v. *cerebro, cervo, corno* |
| KERD *cfr.* GHERD | ' cuore ' | v. *cuore* |
| KERĔ¹ | ' rompere ' | v. *carie* |
| KERĔ² | ' crescere ' | v. *cereale, creare, crescere, sincero* |
| KERP | ' coglier frutti ' | v. *carpire* |
| KERS | ' correre ' | v. *carro, correre, corso, curro* |
| KES | ' tagliare ' | v. *castrare, castro* |
| KEU-D | ' battere ' | v. *incùdine* |
| KEUDH | ' tesoro ' | v. *custode, guscio* |
| KI | tema pronominale | v. *citeriore* |
| KLEI | ' chinare ' | v. *chinare, clivo* |
| KLEU¹ | ' udire ' | v. *cliente, inclito* |
| KLEU² | ' lavare ' | v. *cloaca* |
| KM̥TO- | ' cento ' | v. *cento* |
| KNEIGwH | ' appoggiarsi ' | v. *connivente, renitente* |
| KNID | ' odore ', ' vapore ' | v. *nidore* |
| KŌ | ' tagliare ' | v. *cote* |
| (K)ŌD/OD | ' odiare ' | v. *odio* |
| KO(M) | preposizione | v. *con* |
| KOP | ' taglio ' | v. *capone, cafone* |
| (K)ŌS *cfr.* ŌS | ' bocca ' | v. *orale, orlare* |
| (K)OST *cfr.* OSS, OST(H) | ' osso ' | v. *costa* |
| KRED | ' fede ' | v. *credere* |
| KREI/KRI | ' setacciare ' | v. *certo, discreto, cernere, creta, crivello, crimine* |
| KREM | ' bruciare ' | v. *cremare* |
| KREU (-EN, -ER) | ' sangue ' | v. *cruore, cruento* |
| KRP | ' corpo ' | v. *corpo* |
| ḰSWEKS *cfr.* SWEKS | sei (numer.) | v. *sei* |
| KUB | ' giacere ' | v. *cubare, covare, incubare, incubo, soccombere, succubo* |
| KUP | ' cupido ' | v. *cupido* |
| KUTI- | ' pelle ' | v. *cute* |
| KWAP | ' vapore ' | v. *vapore* |
| KYĔ-W | ' muovere ' | v. *citare, sollecito* |
| KYEIP | ' gettare ' | v. *dissipare* |

## Kw

| | | |
|---|---|---|
| KwEI¹ | ' cruccio ' | v. *cura, curioso, sicuro* |
| KwEI² | ' pagare ' | v. *pena* |
| KwEI³ | ' cumulo ' | v. *cumulo* |
| KwEI⁴-N | ' insudiciare ' | v. *inquinare* |
| KwEL | ' andare attorno ' | v. *colere, collo* |
| KwER | ' recipiente ' | v. *cortina, inquilino* |
| KwES | ' soffiare lamentoso ' | v. *querela* |
| KwETWOR | ' quattro ' | v. *quattro, quaresima, quarto, quaranta, quaterna* |
| KwI- | ' chi ' | v. *che, quale* |
| KwOINĀ | ' prezzo ' | v. *prezzo* |
| KwO- KwOTERO- | ' quale dei due ' | v. *neutro* |
| KwRMI- *cfr.* WER-MI- | ' verme ' | v. *verme* |
| KwŪ | avverbio interrogativo | v. *ove* |
| KwYĔ | ' quiete ' | v. *tranquillo, cheto, quiete* |

# L

| | | |
|---|---|---|
| LĂ | ' lamento ' | v. *lamento, latrare* |
| LAB | ' scivolare ', ' cadere ' | v. *labe, lapsus, **lava**, **lavoro*** |
| LA(I)D | ' stancare ', ' ferire ' | v. *lasso, ledere* |
| LAK[1] | ' strappo ' | v. *lacerare* |
| LAK[2] | ' lago ' | v. *lacco, lago* |
| LAKw | ' laccio ' | v. *allettare, delizia, dilettare, laccio, **lezio*** |
| LA(M)B | ' lambire ' | v. *lambire* |
| LAS(K) | ' desiderare ' | v. *lascivo* |
| LAT(H) | ' nascondere ' | v. *latente* |
| LAU | ' lavare ' | v. *lavare, loia, lozione* |
| LĔ | ' lasciare ' | v. *lasso[1], lene* |
| LEG | ' raccogliere ' | v. *leggere, legno, legume* |
| LEGH | ' giacere ' | v. *letto, suppellettile* |
| LEGHU/LEGHU | ' leggero ' | v. *levare, lieve* |
| LEIB | ' libare ' | v. *libare* |
| LEIG | ' legare ' | v. *legare[1]* |
| LEIGH | ' leccare ' | v. *leccare* |
| LEIKw | ' lasciare ' | v. *delinquere, lesso, lisciva, **prolisso*** |
| LEI | ' fregare ' | v. *linimento, obliare* |
| LEN | ' flettere ' | v. *lento* |
| LET/LĕT | ' lato ' | v. *lato* |
| LEU[1] | ' fango ' | v. *loto, polluzione* |
| LEU[2] | ' sciogliere ' | v. *lue* |
| LEUBH | ' piacere ' | v. *libito* |
| LEUDHO-[3] | ' popolo ' | v. *libero* |
| LEUG | ' rompere ' | v. *lugubre, lussare, lutto* |
| LEUK | ' luce riflessa ' | v. *luce, luna* |
| LEUK-S | ' luce riflessa ' | v. *lustrare, lustro[3]* |
| LEU-S | ' purificare ' | v. *lustrare[2], lustro[2]* |
| LIP(P) | ' grasso ' | v. *lippo(so)* |
| ḶMO- | ' olmo ' | v. *olmo* |
| LUKwO- *cfr.* WḶKwO | ' lupo ' | v. *lupo* |

# M

| | | |
|---|---|---|
| MĂ | ' maturare ' | v. *mane, mattino, maturo* |
| MĂK/MAK | ' sviluppare in lunghezza' | v. *emaciare, macerare, macìa, macro-, magro, **mascella*** |
| MAN-U- | ' mano ' | v. *mano* |
| MARI- | ' laguna ' | v. *mare* |
| MĂTER | ' madre ' | v. *madre, materia* |
| MAWṚT/MARUT | ' Marte ' | v. *Marte, mavorzio* |
| MBHRO- | ' pioggia ' | v. *embrice, imbrifero* |
| ME | pron. di prima persona | v. *me, mio* |
| MĔ | ' misurare ' | v. *mese* |
| MED | ' medicare ', ' meditare ' | v. *medico, meditare, modo, moggio* |
| MEDHU | ' miele inebriante ' | v. *mefite* |
| MEDHYO- | ' mezzo ' | v. *mezzo* |
| MEG(H)Ĕ | ' grande ' | v. *ma, maggio[2], maggiore, magno, massimo* |
| MEI[1] | ' passare ' | v. *meato, mutare* |
| MEI[2] | ' piccolo ' | v. *minimo, minuto* |
| MEIG | ' batter gli occhi ' | v. *nittitante* |
| MEIGw | ' migrare ' | v. *migrare* |
| MEIGH | ' mingere ' | v. *meggia, mingere* |
| MEIK[1]/MEIG | ' mescolare ' | v. *mescere, mica[1], misto* |
| MEIK[2] | ' brillare ' | v. *mica[2]* |
| MEIT/MIT | ' lanciare ', ' mettere ' | v. *mettere* |
| MEL[1] | ' meglio ' | v. *meglio, migliore, molto, multa* |
| MEL[2]/MOL | ' mole ' | v. *mole, molesto* |
| MELĔ | ' macinare ' | v. *emolumento, immolare, mola, mulino* |
| MELG | ' mungere ' | v. *mungere* |
| MeLI | ' miglio ' | v. *miglio[2]* |

| | | |
|---|---|---|
| MEL(L) | 'miele' | v. *miele* |
| MEL | 'male' | v. *male*[1] |
| MEMSRO- | 'carne' | v. *membro* |
| MEN[1] | 'pensare' | v. *memento, commento, mente, menzione, moneta, monito* |
| MEN[2] | 'sporgere' | v. *eminente, imminente, menare, mento, minaccia, monte* |
| MEN[3] | 'piccolo' | v. *meno, mignolo* |
| MEN[4] | 'rimanere' | v. *mansione, rimanere* |
| MER[1] | 'attrarre' | v. *meritare* |
| MER[2] | 'chiaro' | v. *mero* |
| MER[3] | 'consumare' | v. *morbo, mordere* |
| MER[4] | 'morire' | v. *morire, morte* |
| MET | 'mietere' | v. *messe, mietere* |
| MEU | 'spostarsi' | v. *muovere* |
| MEZG | 'immergere' | v. *immergere, mergo, smergo, sommergere* |
| MĪLO- | 'gruppo' | v. *milite* |
| MLĀ, MLDU- | 'molle' | v. *flacco, mogio, moglie, molle* |
| MOI-R/N | 'proteggere' | v. *munire, muro* |
| MRAK | 'marcire' | v. *fràcido, marcire* |
| MṚMĪK | 'formica' | v. *formica* |
| MUS | 'topo' | v. *mustela* |
| MUS(KĀ) | 'mosca' | v. *mosca* |

# N

| | | |
|---|---|---|
| NAS(S) | 'naso' | v. *nari, naso* |
| NATR- | 'serpe' | v. *natrice* |
| NAUS | 'barca' | v. *nave* |
| NE | tema di dimostrativo | v. *il* |
| NE/N̥ | particella | v. *in-*[2] |
| NE/NO/N̥ | pronome di 1ª pers. pl. | v. *noi* |
| NEBH *cfr.* SNEUDH | 'nuvola' | v. *nebbia, nembo* |
| NEDH/NODH | 'nodo' | v. *nodo* |
| NEGH[1] | 'notte' | v. *notte* |
| NEGH[2] | 'collegare' | v. *nesso* |
| NEGᵂ/NOGᵂ | 'nudo' | v. *nudo* |
| NEI | 'splendere' | v. *nitido* |
| NEK | 'danneggiare' | v. *nuocere* |
| NEM *cfr.* EM | 'prendere' | v. *dirimere, nemesi, novero, numero* |
| NEPŌT- | 'nipote' | v. *nipote* |
| NEPTU- | 'umido' | v. *nettunio* |
| NER | 'virile' | v. *virtù* |
| NEU[1] | 'fare un cenno' | v. *annuire, nume, nunzio, nutazione* |
| NEU[2]/NU | 'noce' | v. *noce* |
| NEWN̥ | 'nove' | v. *nove* |
| N̥EWO- | 'nuovo' | v. *nuovo* |
| N̥GᵂEN | 'ghiandola' | v. *inguine* |
| NIZDO- | 'nido' | v. *nido* |
| NOMN̥ | 'nome' | v. *nome, nuncupativo* |
| N̥SI- | 'spada' | v. *ensiforme* |

# O

| | | |
|---|---|---|
| OD | 'odorare' | v. *odore, olire* |
| ŌD/OD | 'odiare' | v. *uggioso* |
| OGDOWO- | 'ottavo' | v. *ottavo* |
| OI-W *cfr.* ŌW | 'uovo' | v. *uovo* |
| OINO- | 'uno solo' | v. *uno, niuno, no* |
| OIT | 'usare' | v. *uso* |
| OKTŌU | 'otto' | v. *otto* |
| OKᵂ | 'occhio' | v. *occhio* |
| OL | tema di dimostrativo | v. *oltre, ultimo* |

| | | |
|---|---|---|
| OLENĂ | 'spalla' | v. *ulna* |
| OMSO- | 'omero' | v. *omero* |
| ONDHSRĂ | 'ombra' | v. *ombra* |
| ONOS | 'peso' | v. *onere* |
| ON(U)GH | 'unghia' | v. *unghia* |
| OP *cfr.* EP² | 'lavorare' | v. *ogni, opera, opulento, uopo* |
| OR/R̥ | 'sorgere' | v. *oriente, origine* |
| ORBHO- | 'privo' | v. *orbo* |
| ŌS¹ *cfr.* (K)ŌS | 'bocca' | v. *orale, uscio* |
| ŌS²/OS | 'pianta' | v. *orno* |
| OSS, OST(H) *cfr.* (K)OST | 'osso' | v. *osso, costa* |
| ŌUDHER/ŪDHER | 'mammella' | v. *ùbere* |
| ŌW *cfr.* OI-W | 'uovo' | v. *uovo* |

## P

| | | |
|---|---|---|
| PĂ | 'padre' | v. *padre,* cfr. *pane, pascere, pascolare, pastore* |
| PĂG/PAG | 'piantare' | v. *compagine, pagina, spingere* |
| PAK/PAG | 'pattuire' | v. *pace, patto* |
| PAP | 'sbocciare' | v. *papavero* |
| PAU | 'piccolo' | v. *parvità, poco, povero* |
| PĔ | 'patire' | v. *patire* |
| PED¹ | 'piede' | v. *piede* |
| PED² | 'cadere' | v. *peggio* |
| PeD/PeT *cfr.* (S)PET | 'spazio libero' | v. *passo, patente* |
| PEIK/PEIG | 'incidere', 'dipingere' | v. *pìngere, spegnere, spengere* |
| PEIS | 'pestare' | v. *pestare* |
| PEK-T | 'strappare il vello', 'pettinare' | v. *pettine, petto* |
| PEKU | 'gregge' | v. *pecora* |
| PEKʷ | 'cuocere' | v. *cucina, cuocere* |
| PEL¹ | 'buccia' | v. *paglia, pelle, pelvi* |
| PEL² | 'grigio' | v. *pallido, pollino¹* |
| PEL³, *cfr.* PHEL | 'cadere' | v. *fallire* |
| PEL⁴ | 'pulire' | v. *pulire* |
| PELĂ | 'superficie piana' | v. *palese, palma¹, plaga, piano¹* |
| PEL-D | 'battere' | v. *espellere, impellere, interpellare, polso, repellente* |
| PELĔ | 'riempire' | v. *pieno, plebe* |
| PEN¹ | 'penetrare' | v. *penati* |
| PEN² | 'tendere verticalmente' | v. *pendere, pondo* |
| PENKʷĔ | 'cinque' | v. *cinque, quinto* |
| PENTH¹ | 'soffrire' | v. *patos* |
| PENTH² | 'strada' | v. *ponte* |
| PER¹/PeR | 'produrre' | v. *imparare, impero, parare, parto, vipera* |
| PER²/PR̥ | 'passare' | v. *fiordo, porta, porto* |
| PER³ | 'battere' | v. *premere* |
| PER(I) | 'al di là' | v. *per, peri-* |
| PERKʷU- | 'quercia' | v. *quercia* |
| PERWO- | 'storto' | v. *pravo* |
| PERYO- | 'sperimentare' | v. *pericolo, perito* |
| PES | 'coda' | v. *pene* |
| PETĔ/POT | 'dirigersi velocemente verso una meta' | v. *émpito, impetigine, impeto, petizione, potente, ripetere* |
| PEU¹ | 'tagliare' | v. *potare, putare* |
| PEU² | 'figlio' | v. *puerile* |
| PEUG | 'colpire' | v. *pugile, pugno* |
| PEWĔ/PŪ *cfr.* PŪR | 'purificare' | v. *piro-, purificare, puro* |
| PEZD | 'pidocchio' | v. *pedicello* |
| PEZD/POZD | 'peto' | v. *peto, podice* |
| PĪ- | 'pino' | v. *pino* |
| PIK | 'pece' | v. *pece* |
| PISKI- | 'pesce' | v. *pesce* |
| PI-W *cfr.* BHENGH | 'grasso' | v. *pingue* |
| PLAG/PLAK | 'battere' | v. *piaga, piangere* |
| PLAK | 'concordare' | v. *piacere* |

| | | |
|---|---|---|
| PLEK cfr. PHLEK | 'piegare' | v. *implicito, piegare, semplice* |
| PLEU | 'navigare' | v. *pioggia, piovere* |
| PḶT(H) | 'piatto' (agg.) | v. *pianta* |
| PO- var. di APO | 'da' (prep.) | v. *porre* |
| POL | 'polvere' | v. *polenta, polline, polta, polvere* |
| PORKO- | 'maiale domestico' | v. *porco* |
| POS(T) | 'poi' | v. *poi* |
| POTI- | 'signore' | v. *potissimo* |
| PRAI | 'davanti' | v. *pre-, privo* |
| PREK/PṚK | 'richiedere' | v. *postulare, prece, pregare, proci* |
| PRET | 'scambiare' | v. *interprete, prezzo* |
| PREU | 'formicolare' | v. *prudere, pruina* |
| PRI | 'davanti' | v. *primo, priore* |
| PṚKĀ | 'zolla' | v. *forra, porca* |
| PṚMO- | 'primo' | v. *pranzo, primo* |
| PŪR cfr. PEWĒ | 'fuoco' | v. *fuoco* |
| PŪ, -T | 'pus' | v. *pus, putire* |
| PYERSEN | 'gamba' | v. *pedignone* |

## PH

| | | |
|---|---|---|
| PHEL cfr. PEL[3] | 'ingannare' | v. *fallire* |
| PHLEK cfr. PLEK | 'piegare' | v. *flettere* |

## R

| | | |
|---|---|---|
| RĔ | 'contare' | v. *irrito, ragione* |
| REBH | 'rabbia' | v. *rabbia* |
| REG | 'dirigere' | v. *ergere, ergo, porgere, re, reggere, regina* |
| RĒ(I) | 'ricchezza' | v. *reale[2], rio[1]* |
| REI | 'scorrere' | v. *rio[2]* |
| REIK | 'rompere' | v. *rissa* |
| REP | 'prendere golosamente' | v. *rapire* |
| RĒP | 'strisciare' | v. *repere* |
| REUDH/RUDH | 'rosso' | v. *rosso, rovente, rovere, rovo, ruffiano, rutilante* |
| REUG[1]/RUG | 'ruggire' | v. *ruggire, ruttare* |
| REUG[2]/REUKH | 'incidere' | v. *roncare, ruga* |
| REU-M | 'rumore' | v. *rumore* |
| REUP/REUB | 'rompere' | v. *rompere, rupe* |
| REWOS | 'campagna' | v. *rurale* |
| REZG | 'treccia' | v. *resta[2]* |
| ṚKYO- | 'orso' | v. *orso* |
| RŌD/RĀD | 'rodere' | v. *radere, rodere* |
| ROS | 'rugiada' | v. *rorido* |
| RŪ/RU | 'rovinare' | v. *rovina* |

## S

| | | |
|---|---|---|
| SĀG | 'andare in cerca' | v. *sagace* |
| SAK | 'sacro' | v. *sacro, sancire* |
| SAL | 'sale' | v. *sale* |
| SAN | 'scorrere' | v. *sangue, sanie* |
| SĀP | 'fecondare' | v. *prosapia* |
| SAP | 'sapere' | v. *sapere* |
| SAPĀ | 'mosto' | v. *sapa* |
| SĀT | 'abbastanza' | v. *saturo, saziare* |
| SĀWEL | 'sole' | v. *sole* |
| SĒ[1] | 'seminare' | v. *insito, innestare, sativo, seme* |
| SĒ[2] | 'tardi' | v. *sera, seriore, sezzo* |
| SĒ/SE | prefisso di allontanam. | v. *secernere, sobrio, solo* |
| SED | 'sedere' | v. *sede, sella, soglio, sussidio, nido* |

| SEGH | ' conquistare ' | v. *schema* |
|---|---|---|
| SEI | ' lasciare ' | v. *sito*[1] |
| SEK | ' tagliare ' | v. *sasso, scibile, scure, secante, setto*[2] |
| SEKH | ' socio ' | v. *soccio, socio* |
| SEKw | ' seguire ' | v. *esecutore, estrinseco, seguire, sequestro* |
| SEL[1] | ' alzarsi ' | v. *console, consiglio, esule, presule, salire, saltare* |
| SEL[2] | ' consolare ' | v. *consolare* |
| SEL[3] | ' solido ' | v. *solido* |
| SeLIK | ' salice ' | v. *salce* |
| SELK | ' tirare ' | v. *solco* |
| SELO- | ' suolo ' | v. *soglia, suolo* |
| SELOS | ' palude ' | cfr. *mare* |
| SELWO- SeLWO | ' intiero ' | v. *salvo* |
| SEM | ' uno ' | v. *scemare, semi-, semplice, sempre, simile* |
| SENGwH | ' cantare ' | v. *singulto* |
| SeNI- | ' sinistro ' | v. *sinistro* |
| SeNO- | ' vecchio ' | v. *signore* |
| SEN-T | ' pensare ' | v. *senno, sentire* |
| SEPELYO | ' onoranza funebre ' | v. *seppellire* |
| SEPTM̥ | ' sette ' | v. *sette* |
| SER[1] | ' tagliare ' | v. *sarchio* |
| SER[2] | ' allineare ' | v. *serie, sorte* |
| SERO- | ' siero ' | v. *siero* |
| SERP | ' serpeggiare ' | v. *serpente* |
| SKALP | ' scolpire ' | v. *scalpello, scolpire* |
| SKAND | ' salire ' | v. *scala, scandire* |
| (S)KAND | ' ardere ' | v. *accendere, candido* |
| SKAT | ' scaturire ' | v. *scaturire* |
| SKEBH | ' grattare ' | v. *scabbia* |
| SKeBH | ' appoggiarsi ' | v. *scanno* |
| (S)KER cfr. KER[1] | ' tagliare ' | v. *scorza, cuoio* |
| SKER-IBH | ' scrivere ' | v. *scrivere* |
| (S)KEU | ' prestare attenzione ' | v. *cauto* |
| (S)KLEUD | ' chiudere ' | v. *chiudere* |
| SKOITO- | ' scudo ' | v. *scudo* |
| SKHEL | ' inciampare ' | v. *scèllere* |
| SK(H)ELD(H) | ' scindere ' | v. *scindere* |
| SKŪ | ' coprire ' | v. *scuro* |
| SKwĀ/SKwA | ' squama ' | v. *squallido, squalo, squama* |
| SKwENTH | ' scintilla ' | v. *scintilla* |
| (S)LĒG | ' cessare ' | v. *lasciare* |
| SLEI-MO- | ' fango ' | v. *limaccia, limo* |
| (S)MER | ' ricordare ' | v. *memore* |
| (S)MGHEZL(Y)O-, (S)MI-GHZ-LI- | ' mille ' | v. *mille* |
| (S)MUK/(S)MUG | ' muco ' | v. *muco, muggine, mungere* |
| (S)NĀ | ' bagnarsi ' | v. *nuotare* |
| (S)NEIGwH | ' neve ' | v. *neve* |
| SNEU/SNU | ' allattare ' | v. *nutrice* |
| SNEUDH cfr. NEBH | ' nuvola ' | v. *nube, nubile* |
| (S)NEURO- | ' tendine ' | v. *nerbo, nervo* |
| SNUSO- | ' nuora ' | v. *nuora* |
| -SOR | ' compagna ' | v. *suora, ussoricida* |
| SPARO- | ' abbondante ' | v. *prospero* |
| SPĒ | ' speranza ' | v. *speme, sperare* |
| SPEK | ' osservare ' | v. *aruspice, specchio* |
| SPEND | ' libare ' | v. *spontaneo, sposo* |
| (S)PET/SPED cfr. PeD/PeT | ' spazio libero ' | v. *spandere, spaso, spazio* |
| (S)PEUD | ' vergognarsi ' | v. *pudore* |
| SPID | ' calcare ' (verbo) | v. *spesso* |
| SPLEND | ' splendere ' | v. *splendere* |
| SPOL | ' ritagliare ' | v. *spoglia* |
| SPEU (e var.) | ' sputare ' | v. *sputare* |
| SPHER | ' spargere ' | v. *sprecare* |
| SREBH | ' sorbire ' | v. *sorbire* |
| SREU | ' scorrere ' | v. *fiume* |
| (S)TAURO- | ' toro ' | v. *toro*[1] |

| | | |
|---|---|---|
| STEI, STEIG(w) | ' pungolare ' | v. *distinguere, istigare, stilo, stimolo* |
| STEIP | ' schiacciare ' | v. *stipare, stipulare* |
| STEL | ' essere tranquillo ' | v. *stolto* |
| STEL/STER | ' astro ' | v. *stella* |
| STELĚ | ' estendere ' | v. *lato*[2] |
| STENĚ | ' tuonare ' | v. *tonare, tonto* |
| STER | ' stendere ' | v. *industria, istruire, prosternare, sterile, sternere* |
| ST(E)R-Ā | ' stendere ' | v. *strage, strato* |
| ST(E)R-EU | ' stendere ' | v. *costruire, struttura, strumento* |
| (S)TEUD | ' battere ' | v. *contuso, ottundere, studente, tosse* |
| STEUP | ' battere ' | v. *stuprire, stupro* |
| STREI | ' stringere ' | v. *stria, stringere* |
| STREIG | ' raschiare ' | v. *strigile* |
| STROUZDHO- | ' tordo ' | v. *tordo* |
| STHĀ | ' fermarsi ' | v. *stame, stare* |
| SŪ/SU | ' suino ' | v. *suino* |
| SUK/SUG | ' succhiare ' | v. *succo, suggere* |
| S(w)E | pronome riflessivo | v. *sé, suo* |
| SWĀDU- | ' dolce ' | v. *soave, suadente* |
| SWED/SWET | ' compagno ' | v. *sodale* |
| SWEDH | ' esser solito ' | v. *consueto* |
| SWEI | ' tacere ' | v. *tacere* |
| S(w)EKS *cfr.* KSWEKS | ' sei ' | v. *sei, sesto* |
| SWEKURO- SWEKRŪ | ' suocero ', ' suocera ' | v. *suocero, suocera* |
| SWENĚ | ' sonare ' | v. *sonare* |
| SWEP | ' dormire ' | v. *sonno, sopire, sopore* |
| S(w)ER[1] *cfr.* WER | ' osservatore ' | v. *servo, verecondo* |
| SWER[2] | ' sussurro ' | v. *sordo, sussurro* |
| SWER[3] | ' pesare ' | v. *serio* |
| SWESOR | ' sorella ' | v. *suora* |
| SWOIDO- | ' sudore ' | v. *sudore* |
| SWORDO- | ' sudicio ' | v. *sordido* |
| SYŪ/SŪ | ' cucire ' | v. *sutura* |

## T

| | | |
|---|---|---|
| TĀ | ' fondersi ' | v. *tabe* |
| TAG | ' toccare ' | v. *inte(g)ro, tangere, (tar)tassare, tatto* |
| TAK | ' tacere ' | v. *tacere* |
| TEG | ' coprire ' | v. *tegola, tetto, toga* |
| TEKy | ' lavorare il legno ' | v. *tessere* |
| TELĀ | ' sollevare ' | v. *togliere, tollerare, latore* |
| TELĚ | ' stendere a terra ' | v. *tellure* |
| TELO- | ' piano ', ' tavola ' | v. *titolo* |
| TEM[1] | ' tagliare ' | v. *tondere, temperare, tempo, tempio* |
| TEM[2] | ' spregiare ' | v. *contennendo, contumace, contumelia* |
| TEMOS | ' tenebra ' | v. *intemerato, temerario, tenebra* |
| TEMP | ' tempia ' | v. *tempia* |
| TEN-D | ' tenere ' | v. *tendere, tenere, tenero, tenue* |
| TENG | ' tingere ' | v. *tingere* |
| TEP | ' calore artificiale ' | v. *tepore, tiepido* |
| TER | ' tremare ' | v. *tremare* |
| -EM | ' tremare ' | v. *tremare* |
| -EP | ' tremare ' | v. *trepidare* |
| TERĚ | ' fregare ' | v. *trebbia, trito* |
| TERG | ' tergere ' | v. *tergere* |
| TERKw/TREKw | ' torcere ' | v. *protervo, torcere, tortile, tormento, torvo* |
| TER-M | ' limite ' | v. *termine* |
| TERP | ' torpore ' | v. *torpido* |
| TERS | ' seccare ' | v. *terra, torrido, tosto*[1] |
| TEWĚ | ' gonfiarsi ' | v. *tumore, tumulo, tutela, tutto* |
| TEWO/TWE/TU | pronome di 2ª persona | v. *te, tu, tuo* |
| TO/TĀ | tema di dimostrativo | v. *taglione, tale, tanto* |
| TRDU- | ' lento ' | v. *tardo* |
| TREBO- | ' trave ' | v. *trave* |

| | | |
|---|---|---|
| TRE/TRI | ' tre ' | v. *terzo, teste, tre* |
| TREUD | ' spingere ' | v. *strusciare* |
| TURG | ' esser gonfio ' | v. *turgere* |
| TWERĒ | ' aprire ' | v. *aperto, aprire, coprire* |
| TYEGw | ' sacrificio allontanante ' | v. *sacro* |

## U

| | | |
|---|---|---|
| UDOR/Ṇ *cfr.* WED/UD | ' acqua ' | v. *lontra, onda* |
| UGwĀ | ' uva ' | v. *uva* |

## W

| | | |
|---|---|---|
| WĀ(-s) | ' essere vuoto ' | v. *vacare, vasto, vano* |
| WAD[1] | ' pegno ' | v. *predio* |
| WAD[2] | ' andare ', ' passare ' | v. *vadere* |
| WAK(K)Ā | ' mucca ' | v. *vacca* |
| WĀT- | ' vate ' | v. *vate* |
| WĒ[1] | ' vento ' | v. *vento* |
| WĒ[2] | ' vendere ' | v. *venale* |
| WED/UD *cfr.* UDOR | ' acqua ' | v. *onda* |
| WEG | ' vigoroso ' | v. *vegeto, vigile* |
| WEGH | ' trasportare ' | v. *convesso, vela, vessare, vessillo* |
| WEGwH/EUGH | ' voto ' | v. *voto* |
| WEI | ' volere energicamente ' | v. *invitare* |
| WEIB/WEIP | ' vibrare ' | v. *vibrare* |
| WEID | ' vedere ', ' sapere ' | v. *veda, vedere* |
| WEIDH/WIDH | ' dividere ' | v. *dividere, vedova, vittima* |
| WEIK[1] | ' scambiare ' | v. *vece, vicenda* |
| WEIK[2] | ' combattere ' | v. *vincere* |
| WEIKSLĀ *cfr.* WOIKO- | ' territorio di una tribù ' | v. *villa* |
| WEKw | ' voce ' | v. *vocale, voce, precone* |
| WEL[1] | ' volere ' | v. *volere* |
| WEL[2] | ' volgere ' | v. *volgere* |
| WELĒ | ' amministrare ' | v. *valere* |
| WELĒ-D *cfr.* WḶNĀ | ' strappare ' | v. *avulso, convulso, vello, svellere* |
| WEMĒ | ' vomitare ' | v. *vomitare* |
| WEN[1] | ' andare a caccia ' | v. *venatorio* |
| WEN[2] | ' desiderare ' | v. *venia* |
| WENOS | ' filtro amoroso ' | v. *venerdì, veleno* |
| WE(N)T | ' cavità addominale ' | v. *ventre utero* |
| WER *cfr.* (S)WER | ' osservare ' | v. *servo* |
| WERBOS | ' pianta ' | v. *verbena* |
| WER(DHO)- | ' parola ' | v. *verbo* |
| WERG[1] | ' inclinarsi ' | v. *vergere* |
| WERMI- *cfr.* KwṚMI- | ' verme ' | v. *verme* |
| WĒRO- | ' vero ' | v. *vero* |
| WERS[1] | ' trascinare ' | v. *verricello* |
| WERS[2] | ' fecondare ' | v. *verro* |
| WERSU | ' sporgenza ' | v. *verruca* |
| WERT | ' dirigere in linea verti- cale, retta ' | v. *vertere* |
| WES | ' abitare ' | v. *vestigio* |
| W-ES *cfr.* EU | ' vestire ' | v. *veste, velo* |
| WESP | ' sera ' | v. *vespro* |
| WESṚ | ' primavera ' | v. *(prima)vera* |
| WETOS | ' anno ' | v. *vecchio, vedretta, vetere* |
| WEYĒ-EK | ' legare ' | v. *vétrice, vétta, vite, vinciglio* |
| WĪ | ' forza ' | v. *vezzo, violenza, vitando, vizio* |
| WIDHEWĀ | ' vedova ' | v. *vedova* |
| WIKṂTI | ' venti ' | v. *venti* |
| WIRO- | ' uomo virile ' | v. *virile, virtù* |
| WISO- | ' veleno ' | v. *virus* |

| | | |
|---|---|---|
| WḶKwO-/LUKwO- | 'lupo' | v. *lupo* |
| WḶNĂ *cfr.* WELĔ-D | 'lana' | v. *lana* |
| WḶNOS | 'ferita' | v. *vulnerare* |
| WḶPE- | 'volpe' | v. *volpe* |
| WḶTU- | 'faccia' | v. *vólto* |
| WOGwHS-M- | 'vomero' | v. *vòmere* |
| WOIKO- *cfr.* WEIKSLĂ | 'tribù' | v. *vico, vicolo* |
| WOPSĂ | 'vespa' | v. *vespa* |
| WOS/US | pronome di 2ᵃ pers. pl. | v. *voi* |
| WREG/WERG | 'premere' | v. *ùrgere* |

## Y

| | | |
|---|---|---|
| YĔ | lat. *iacĕre* | v. *gettare* |
| YĔKwR/Ṇ | 'fegato' lat. *jecur* | v. *epa* |
| YEM/IM | 'doppio frutto' | v. *gèmino, gemello, imagine, imitare* |
| YEU | 'giovare' | v. *giocondo, giovare* |
| YEUDH | 'combattere' lat. *iubere* | v. *fideiussore* |
| YEUG | 'aggiogare' | v. *coniuge, giogo, giumento, giungere* |
| YEWOS | 'formula portafortuna' lat. *ius* | v. *giudice, giure, giusto* |
| YUW-EN | 'giovane' | v. *giovane, giuniore, Giunone* |

# INDICE DEI TEMI MEDITERRANEI

## A

## B

# D

| | | |
|---|---|---|
| DAMMA | (animale) | v. *daino* |
| DRAUSIA *cfr.* TRAUSIA | ' pozzanghera ' | v. *troscia* |

# E

| | | |
|---|---|---|
| (E)RUKA | ' bruco ' | v. *ruga*[1] |

# F

| | | |
|---|---|---|
| FAIK | lat. *faex* | v. *feccia* |
| FALA (PALA) | lat. *falarica* | v. *falàrica* |
| FALASKA | (pianta) | v. *falasco* |
| FALK *cfr.* KALK, LANK | (forma arcuata) | v. *falce* |
| FALOPPA | (paglia) | v. *viluppo, loppa* |
| FAMULO- | ' servo ' | v. *fàmulo* |
| FARA | (roccia) | v. *faraglione* |
| FARFARA | (insetto) | v. *farfalla* |

# G

| | | |
|---|---|---|
| GABA | ' gozzo ' | v. *gavòcciolo* |
| GALA *cfr.* KALA | (sasso) | v. *galestro* |
| GALENA | lat. *galena* | v. *galena* |
| GALLA | lat. *galla* | v. *galla* |
| GAURA | lat. mediev. *gaurus* | v. *gora* |
| GAVA | ' fossato ' | v. *gavone* |
| GIGARO | (pianta) | v. *gigaro gighero* |
| GLARA | lat. *glarea* | v. *ghiaia* |
| GRAMA | ' intreccio ' | v. *gramolare* |
| GRAPPA/GREPPA *cfr.* KRAP(P)A | ' sasso ' | v. *greppo* |
| GRAVA, GRAVINA | ' greto ' | v. *grava, gravina, greto* |

# GH

| | | |
|---|---|---|
| GHASENA | ' sabbia ' | v. *arena*[1] |
| G(H)ERBA | ' erba ' | v. *erba, gerbido* |

# I

| | | |
|---|---|---|
| IBEK | ' capro selvatico ' | v. *becco*[2] |
| ILEK/ELEK | lat. *ilex* | v. *elce, ilice, leccio* |

# K

| | | |
|---|---|---|
| KABALLO- | lat. *caballus* | v. *cavallo* |
| KALA | ' insenatura ' | v. *cala, calanco* |
| KALK | ' tallone ' | v. *calce*[2], *calx* |
| KAMOK | lat. *camox* | v. *camoscio* |
| KABANNA/KAPANNA | ' capanna ' | v. *capanna* |
| KANT(H)A | (cavallo) | v. *cantèo* |

| | | |
|---|---|---|
| KAPA | (coppa) | v. *capruggine* |
| KAPPAR | lat. *cappăris* | v. *cappero* |
| KARSA | ' roccia ' | v. *carsico* |
| KASA | ' capanna ' | v. *casa* |
| KEPA | lat. *cepulla* | v. *cipolla* |
| KIKADA | lat. *cicada* | v. *cicala* |
| KIKIRBITA/KUKURBITA | (pianta) | v. *cicerbita* |
| KIMRA/GIMRA | (pianta) | v. *cembro, còrniolo* |
| KITRO- | (frutto) | v. *cedro* |
| (K)LANA | ' acqua stagnante ' | v. *chiana, bagno*[2] |
| KLAPPA | ' roccia ' | v. *chiappa*[2]*, ciàppola* |
| KLAVA | ' cono di deiezione ' | v. *chiavica* |
| KORBA | ' cesto di vimini ' | v. *corba* |
| KRA(P)PA v. GRAPPA | | |
| KRODA | ' roccia ' | v. *croda* |
| KRUK | lat. *crux* | v. *croce* |
| KUB | ' gomito ' | v. *cubito* |
| KUBRNO- | lat. *gubernum* ' timone ' | v. *governare* |
| KUKKA | ' punta ' | v. *cócca, cocolla, cocuzza* |
| KUKKUMA | (recipiente) | v. *cogoma, cuccuma* |
| KUNI- | lat. *cunicŭlus* | v. *coniglio* |
| KUNIKLO- | ' galleria ' | v. *cunicolo* |
| KUPAR- | lat. *cupressus* | v. *cipresso* |
| KUSP | ' punta ' | v. *cuspide* |

### KH

| | | |
|---|---|---|
| KHITON | (veste) | v. *tonaca* |

### L

| | | |
|---|---|---|
| LABUR- | gr. *labýrinthos* | v. *labirinto* |
| LÀDANO | ' resina ' | v. *laudano* |
| LABRNO | (pianta) | v. *avornello* |
| LA(M)BRUS | (frutto) | v. *lambrusco* |
| LAKKA | ' forma del terreno', ' tumore alle gambe delle bestie ' | v. *lacca* |
| LAMA | ' piano paludoso ' | v. *lama* |
| LANK | ' piatto ' | v. *lance, bilancia* |
| LANKA | ' ansa di fiume ' | v. *lanca* |
| LAPPA | (pianta) | v. *lappola* |
| LASTRA | (pietra) | v. *lastra* |
| LATTA | ' lamina ' | v. *latta*[1] |
| LAURO- | (pianta) | v. *lauro* |
| LÈMURI | lat. *lemŭres* | v. *lemuri* |
| LENTISCO | (pianta) | v. *lentischio* |
| LEPRO- | lat. *lepus* | v. *lepre* |
| LIGUSTRO- | (pianta) | v. *ligustro* |
| LIK | lat. *licet* | v. *lecito* |
| LILIO- | lat. *lilium* | v. *giglio* |
| LIMA | ' cosa ruvida ' | v. *lima* |

### M

| | | |
|---|---|---|
| MAGIUSTA | (frutto) | v. *magiostra* |
| MAKKA | ' ammaccare ' | v. *macchia* |
| MALGA | ' pascolo montano ' | v. *malga* |
| MALVA | (pianta) | v. *malva* |
| MANDIO- | ' bovino giovane ' | v. *manzo* |
| MANTA | (veste) | v. *mantello* |
| MANTEKA | ' burro ' | v. *manteca* |
| MAPPA | lat. *mappa* ' tovaglia ' | v. *mappa, nappa* |

| | | |
|---|---|---|
| MARGA | ' marna ' | v. *margu* |
| MARRA[1] | ' zappa ' | v. *marra*[1] |
| MARRA[2] | ' mucchio ' | v. *marino*[2], *marra*[2] |
| MARU | (magistrato) | v. *mar(r)one* |
| MARUT | ' Marte guerriero ' | v. *morte* |
| MASKA | ' guancia ', ' strega ' | v. *masca* |
| MASTRUCA | (pelliccia) | v. *mastruca* |
| MATTA | ' stuoia ' | v. *matta*[2], *mattaione*, **mattone** |
| MAURO | lat. *maurus* | v. *moro* |
| MENTA | lat. *menta* | v. *menta* |
| MESPIL | lat. *mespĭlum* | v. *nèspolo* |
| MINIO- | lat. *minium* | v. *minio* |
| M(O)LUBD | gr. *mólybdos* | v. *piombo* |
| MORA | (bacca) | v. *mora*[2] |
| MOR(R)A | ' mucchio ', ' poggio ' | v. *mora*[1], *morena* |
| MUKU | (pianta) | v. *mugo* |
| MULU | (animale) | v. *mulo* |
| MUSAK | ' roccia puntata ' | v. *mùrice* |
| MUSU | lat. mediev. *musum* | v. *muso* |
| MUTTA | ' mucchio ' | v. *motta* |

## N

| | | |
|---|---|---|
| NAPPA | ' cavolo ' | v. *napo* |
| N(A)SA | ' isola ' | v. *isola, ischia* |
| NASSA | lat. *nassa* | v. *nassa* |
| NATTA | ' cisti ' | v. *natta*[2] |
| NEPA | ' ginestrone ' | v. *nepa, nepitella* |
| NURRA | ' mucchio ' | v. *nuraghe* |

## O

| | | |
|---|---|---|
| OPLO- | (pianta) | v. *oppio* |
| ORB *cfr.* URB | ' spazio abitato ' | v. *orbe* |

## P

| | | |
|---|---|---|
| PALA (FALA) | ' rotondità ' | v. *palato, pala*[2], **palazzo** |
| PALLA | (sopravveste) | v. *palla*[2], *pallio* |
| PALTA | ' fango ' | v. *pantano* |
| PAMPNO- | lat. *pampĭnus* | v. *pàmpino* |
| PARGA/PERGA *cfr.* BARKA, BARGA | ' capanna ' | v. *pergola* |
| PATTA | ' spazzatura ' | v. *patarino* |
| PELTRO- | (lega metallica) | v. *peltro* |
| PENTIMA | ' pendio su lago vulca- nico ' | v. *pentima* |
| POPLO-/BOBLO- | ' crescita ' | v. *popolo* |
| PŎPLO- | lat. *popŭlus* | v. *pioppo* |
| PORRO- | lat. *porrum* | v. *porro* |
| PRUNO- | lat. *prunus* | v. *pruno* |
| PRUTAN/PURSTAN | ' signore ' | v. *pritaneo* |
| PULA | ' pulviscolo ' | v. *pula* |

## R

| | | |
|---|---|---|
| RAK/RAG | ' grappolo ' | v. *racchio, racemo* |
| (A)RAKHSNA | lat. *araneus* | v. *ragno* |
| RAIA | (pesce) | v. *raia, razza*[2] |
| RAVA | ' detrito ' | v. *ravaneto, rave* |
| RESINA | lat. *resina* | v. *rèsina* |
| ROKKA | ' pietra appuntita ' | v. *ròcca* |

# S

| | | |
|---|---|---|
| SABINA | (pianta) | v. *sabina* |
| SABURRA | lat. *saburra* | v. *zavorra* |
| SAGA | ' fune ' | v. *sàgola* |
| SAITA | ' setola ' | v. *seta* |
| SALA | ' erba ' | v. *sala*³ |
| SAPPA | (strumento) | v. *zappa* |
| SIMLA | lat. *simĭla* | v. *semola* |
| SKANDA | ' orzo ' | v. *scandella* |
| SKUPA | (pianta) | v. *scopa*¹ |
| SOKA | ' fune ' | v. *soga, cuoio* |
| SOKKO- | lat. *succus* | v. *socco* |
| SP(H)ONGO- | lat. *fungus* | v. *fungo* |
| SRAGA | (frutto) | v. *fragola* |
| STARNA | (uccello) | v. *starna* |
| STILLA | ' goccia ' | v. *stilla* |
| STIRP | ' tronco ' | v. *stirpe* |
| SULP(H) | lat. *sulphur* | v. *solfo, zolfo* |
| STIVA | ' manico dell'aratro ' | v. *stiva* |
| SUBURRA | lat. *suburra* | v. *suburra* |
| SURK | lat. *sorex* | v. *sorcio* |

# T

| | | |
|---|---|---|
| TABA | ' tavola ' | v. *taverna* |
| TABARRO- | lat. *tabae* | v. *tabarro* |
| TAKSA | (conifera) | v. *tasso*¹ |
| TALEA | (radice) | v. *talea* |
| TALPA | (animale) | v. *talpa* |
| TANA | (pianta) | v. *tanaceto* |
| TANKA | ' recinto per il bestiame ' | v. *tanca* |
| TARMA | lat. *tarmes -ĭtis* | v. *tarma, termite* |
| TASKA | ' borsa ' | v. *tasca* |
| TEREBINTO- | gr. *terébinthos* | v. *terebinto* |
| TIMPA | ' rilievo del terreno ' | v. *timpa* |
| TIPPA | ' zolla erbosa ' | v. *teppa* |
| TRAMA | lat. *trama* | v. *trama* |
| TRAUSIA | ' pozzanghera ' | v. *troscia* |
| TURBA | ' folla ', ' confusione ' | v. *torbido, turba* |
| TURMA | ' folla ' | v. *torma* |
| TURSI | ' torre ' | v. *torre, tosco*¹ |

# TH

| | | |
|---|---|---|
| THUKO | lat. *ficus* | v. *fico* |
| THUMO- | gr. *thýmon* | v. *timo* |

# U

| | | |
|---|---|---|
| ULVA | (pianta) | v. *ulva* |
| URB cfr. ORB | ' zona abitata ' | v. *urbe, orbe* |
| URKA | ' recipiente ' | v. *orca, orcio, urna* |

# V

| | | |
|---|---|---|
| VELA | (uccello) | v. *avelia* |
| VERATRO- | ' elleboro ' | v. *veratro* |
| VERB(ASCO-) | (pianta) | v. *tassobarbasso* |
| VIOLA | lat. *viola* | v. *viola* |
| VISKO- | lat. *viscum* | v. *vischio* |
| VOINO- | lat. *vinum* | v. *vino* |
| VROD- | lat. *rosa* | v. *rosa* |

# INDICE DEI TEMI ONOMATOPEICI O FONOSIMBOLICI

## B

| | | |
|---|---|---|
| *b.... b* | ' poltiglia ' | v. *(s)bobba* |
| *b.... bb* | (voce infantile, ' balbet-<br>tare ') | v. *babbeo, babbo* |
| *b.... lb* | lat. *balbus* | v. *balbettare* |
| *ba, bat* | ' a bocca aperta ' | v. *bah, badare* |
| *babau* | (voce del cane) | v. *babao, babau* |
| *bè* | gr. *bê* (forse voce della<br>pecora) | v. *bè* |
| *bu* | ' mugolìo ' | v. *bu, bua, buffare* |
| *bu.... ba* | lat. *bubo, buteo* | v. *(tara)buso* |

## BH

| | | |
|---|---|---|
| *bhl (dhl)* | ' battere ' lat. *fligĕre* | v. *conflitto* |
| *bhr.... g* | lat. *frigo* | v. *friggere* |
| *bhr.... n* | lat. *fritinnire* | v. *frinire* |

## C, C'

| | | |
|---|---|---|
| *c.... c* | lat. *cachinnus* | v. *cachinno* |
| *c.... c.... l* | lat. *coacŭla* | v. *quaglia* |
| *c.... s* | ' meraviglia ' | v. *caspita* |
| *c.... s.... c* | lat. *quisquiliae* | v. *quisquilie* |
| *c'.... mp* | ' saltellare ' | v. *ciompo* |
| *c'.... nc', ng* | (rumore sonoro ripetuto) | v. *ciancia, cincia, cincin, cincischiare, cionco, cian-<br>gottare, cinguettare* |
| *c'.... rl* | (rumore sordo ripetuto) | v. *ciarlare* |
| *c'.... t* | (rumore secco) | v. *ciottolo* |
| *ci.... ci* | ' poltiglia ' | v. *ciocia, cicisbeo  cischero* |
| *ci.... l* | ' stridere ' | v. *cigolare* |
| *ci.... t* | ' piccolo ' | v. *citto* |
| *cia.... c* | (schiocco) | v. *ciac, ciacchete, ciacciare, ciambola, ciocciare, ciuc-<br>ciare* |
| *ciu.... c'* | ' sibilare ', ' succhiare ',<br>' ragliare ' | v. *ciucca, ciuco* |
| *cl.... cr* | (rumore gracchiante) | v. *chiaccherare* |
| *cl.... s* | ' caduta  del  metallo  in<br>fusione ' | v. *cliscè* |
| *cliu.... cliu* | voce dell'allocco | v. *chiu, civetta* |
| *cr.... c (cfr. gr.... c)* | lat. *crocire* | v. *cric, cricchio, crocchiare, crosciare, crocidare, scric-<br>chiolare, chicchirichì* |
| *cr.... cl (cfr. gl.... gl, gr....<br>gr)* | ' inghiottire  rumorosa-<br>mente ' | v. *curculione* |
| *cr.... p* | lat. *crepare* | v. *crepitare, cretto, gretto* |

| | | |
|---|---|---|
| cr.... v | lat. *corvus, cornix* | v. *corvo, cornacchia* |
| cu.... c' | (piccolo cane) | v. *cucciolo* |
| cu.... cu | (voce cupa d'uccello) | v. *cuculo* |
| cu.... cu | (simbolo d'affetto) | v. *cucco* |

## D

| | | |
|---|---|---|
| d.... l | (voce infantile) | v. *daddolo* |
| dn.... dn | (suono armonioso) | v. *dindo, dindon, dondolare* |
| dr.... n | (trillo) | v. *drin* |

## DH

| | | |
|---|---|---|
| dhl (bhl) | 'battere' lat. *fligĕre* | v. *conflitto* |

## F

| | | |
|---|---|---|
| fru.... fru | 'ronzio sonoro' | v. *frufru, frullare* |
| fru.... sj | 'ronzio sordo' | v. *frusciare* |

## G

| | | |
|---|---|---|
| g.... g | (balbettio snobistico) | v. *gagà* |
| g.... gn | 'lamentarsi' | v. *gagnolare* |
| g.... n | 'guaire' lat. *gannire* | v. *gannire* |
| g.... n(n) | 'canzonare' lat. *gannat* | v. *ingannare* |
| gi.... gi | 'gemere' | v. *Giacomo* |
| gl.... c | 'singhiozzare' lat. *glocire* | v. *chiocciare* |
| gl.... gl | 'inghiottire' | v. *gola, arzigogolare* |
| gn.... gl | 'gonfiarsi di soddisfazione' | v. *gongolare, ghingheri, gingillo* |
| gr.... c | lat. *gracitare, gracŭla* | v. *gracidare, gracchia* |
| gr.... gr (cfr. cr.... cl) | 'inghiottire rumorosamente' | v. *gorgogliare, gargagliare, garrire, grugnire, ghironda* |
| gr.... ll | lat. *grillus* | v. *grillo* |
| gru | lat. *grus* | v. *gru* |

## GH

| | | |
|---|---|---|
| gh.... r | lat. *hirundo* | v. *rondine* |

## I

| | | |
|---|---|---|
| i.... a | (di azione ripetuta in senso inverso) | v. *tic tac, via vai, zig zag* |
| iu.... iu | lat. *iubilare* | v. *giubilare* |

## L

| | | |
|---|---|---|
| l.... l | 'rumore ripetuto' | v. *lallazione* |
| l.... mb | lat. *lambĕre* | v. *lambire* |

## P

| p....f | 'rumore di battuta di affetto' | v. pàffete, paffuto |
| p....p | (rigonfiamento) | v. peppola, poppa, pupa |
| p....t....n | (rumore crescente) | v. patapùm, patatùnfete |
| p....zz | 'estremità pungente' | v. pizzare, pizzo |
| pa....up | (rumore sgradevole) | v. paupulare |
| pl....c' | 'pestare nel fango' | v. spiaccicare, spicinare |
| pl....pl | 'palpitare' lat. papilio | v. palpitare, palpebra, padiglione, farfalla, parpaglione |
| pl....r (cfr. phl) | 'battere' lat. plorare | v. plorare |

## PH

| phl (cfr. pl....r) | lat. flere | v. flebìle |

## R

| r....b....b | (rumore ripetuto) | v. ribobolo |
| r....c | lat. raccare | v. ragliare |
| r....g | (verso dell'asino) | v. ragliare |
| r....mb | 'rumore cupo' | v. rombare |
| r....n | 'gracidare' | v. rana |
| r....ng | 'rumore stridulo' | v. ringhiare |
| r....ntl | 'rumore affannoso' | v. rantolare |
| r....nz | 'rumore lieve di tono grave' | v. ronzare |
| r....t | 'rodere' | v. ratto[4] |
| r....z | 'rumore di movimento rapido' | v. ruzzare |

## S

| s....b....l | 'fischiare' lat. sibilare | v. sibilare, scivolare, zufolare |
| s....cc....r | 'scarabocchiare' | v. schiccherare |
| s....ss | 'agitare acqua' | v. sèssola |
| sbr....f | (simbolo del soffiare) | v. sbruffare |
| sc....c' | 'comprimere' | v. schiacciare |
| sc....fl | 'rumore nell'inghiottire' | v. scuffiare |
| sc'....p | 'colpo improvviso' | v. scippo |
| sc....tt | (voce di uccello) | v. squittire |
| sc....zz | 'rumore di particelle liquide lanciate lontano' | v. schizzare |
| sci....sci | 'agitar l'acqua' | v. sciare[1] |
| scl....f | 'colpo improvviso' | v. schiaffo |
| scl....p | 'esplodere' | v. schiappare, schioppo, schiattare |
| scr....(c) | 'raschiare', 'sputare' lat. screare | v. screare, scaracchiare, squarquoio, escreato |
| scr....c' | (voce di uccello) | v. scricciolo |
| sp....c' | (voce di uccello) | v. spincione |
| sp....m | 'gorgogliare' lat. spuma | v. spuma |
| sp....r | 'soffiare' lat. spirare | v. spirare |
| sp....t | (voce di uccello) | v. spittinare |
| spr....zz | (gorgogliare anche in senso luminoso) | v. sprazzare, sprizzare, spruzzare |
| sr....sr | 'rumore sordo sommesso' lat. susurrus | v. sordo, assurdo, sussurro |
| ss....t | 'silenzio' | v. zitto |

| str.... d | 'rumore stridente' lat. stridere | v. stridere |
| str.... p | 'rumore sgraziato' lat. strepĕre | v. strepitare |
| str.... sc' | 'serpeggiare' | v. striscia, strusciare |
| s.... z | 'fischiare' | v. sizza |

## T

| t.... c | (rumore sordo) | v. tacchino |
| t.... c | 'colpetto' | v. ticchio, toc toc, tic tac |
| t.... c.... t | 'colpetto ripetuto' | v. ticchettio |
| t.... n | 'suono improvviso' lat. tinnire | v. tintinnare |
| t.... r | (trascinare in lungo) | v. tiritera |
| t.... t | 'crepitare' lat. titio | v. tizzo |
| t.... t.... b | 'ondeggiare' lat. titubare | v. titubare |
| t.... tl | 'solletico' | v. titillare |
| t.... th | 'succhiare' ted. Zitze | v. tetta, zizza |
| tr.... ll | 'scorreggia' | v. trullo[3] |
| tr.... mp, mb | (sonorità) | v. trimpellare, tromba |
| tr.... n | (simbolo di suono monotono) | v. tran tran |
| tr.... tl | 'suono interrotto' | v. trillare, tartagliare |
| tr.... tr | 'tremare' | v. intirizzire |
| tu.... tu | (voce di uccello) | v. tubare |
| tur.... tur | (voce di uccello) | v. tortora |

## U

| uf | (simbolo di bocca aperta e noia) | v. uf |

## Z

| z.... g | (voce stridula di animale) | v. zigare, zigolo |
| z.... mb | 'battere' | v. zombare |
| z.... mp | 'uscir fuori vivacemente' | v. zampillare |
| z.... nz | (voce di insetto), lat. zinzala | v. zanzara |
| z.... nz | (simbolo di piccolo) | v. zinzino |
| z.... nz | (simbolo di girare ripetuto) | v. zonzo |
| z.... z | (di pronuncia infantile) | v. zuzzurellone |

CARTINE

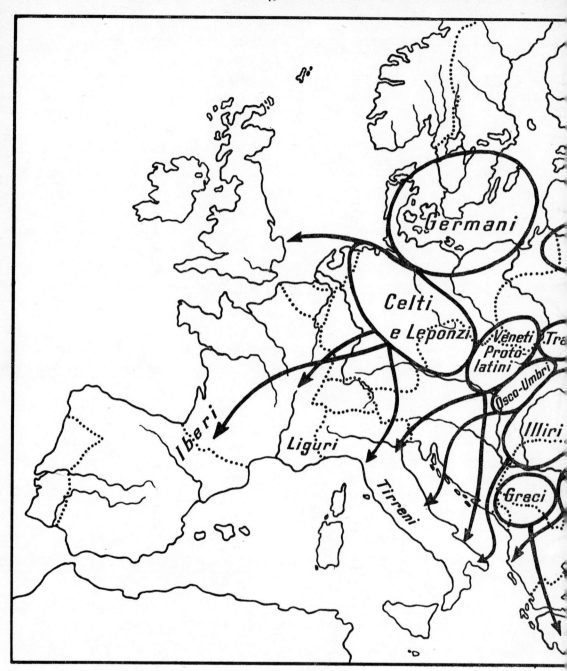

1. – Le aree lessicali indeuropee nel II millennio a. C.

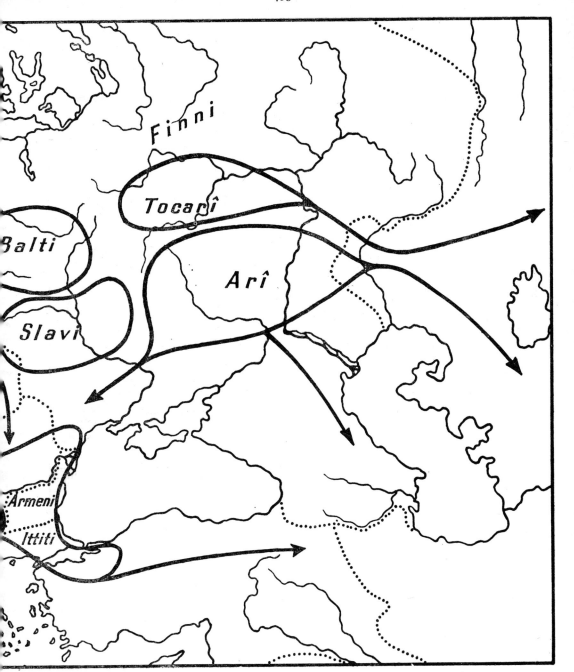

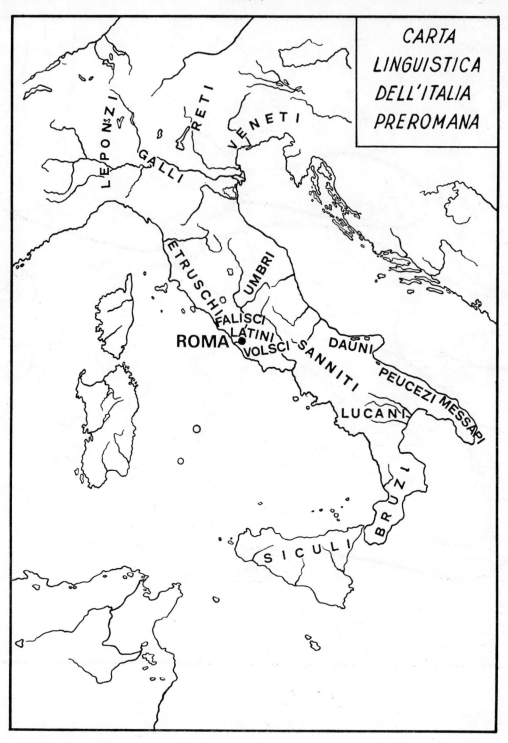

CARTA
LINGUISTICA
DELL'ITALIA
PREROMANA

LEPONZI

RETI

VENETI

GALLI

ETRUSCHI

UMBRI

FALISCI

LATINI

ROMA

VOLSCI

SANNITI

DAUNI

PEUCEZI MESSAPI

LUCANI

BRUZI

SICULI

2. – L'Italia preromana.

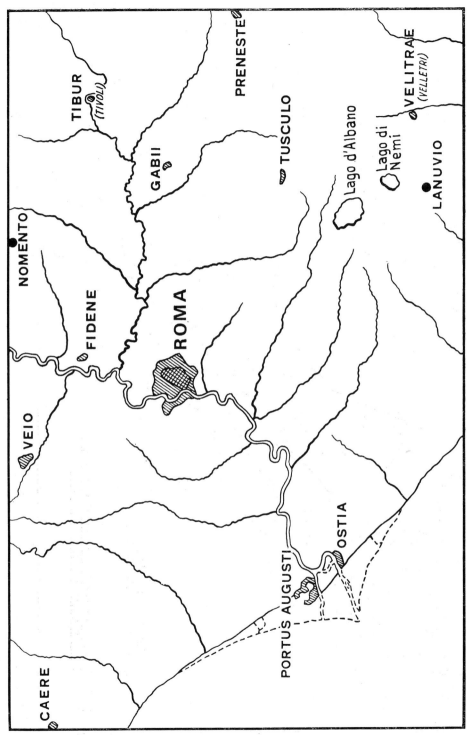

3. – Il minuscolo territorio da cui il latino è irradiato nel IV secolo a. C. [Da Baratta, Fraccaro, Visintin, *Atlante storico*, p. 15].

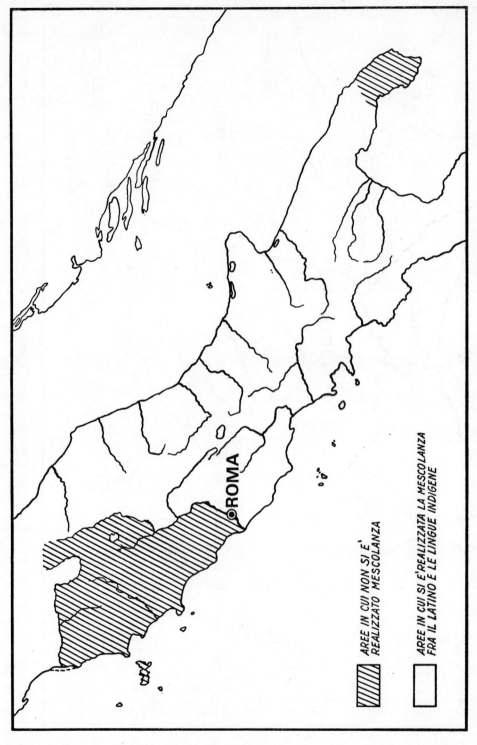

4. – L'Italia immediatamente anteriore alla diffusione del latino. [Da BARATTA, FRACCARO, VISINTIN, *op. cit.*, p. 17].

AREE IN CUI NON SI È REALIZZATO MESCOLANZA

AREE IN CUI SI È REALIZZATA LA MESCOLANZA FRA IL LATINO E LE LINGUE INDIGENE

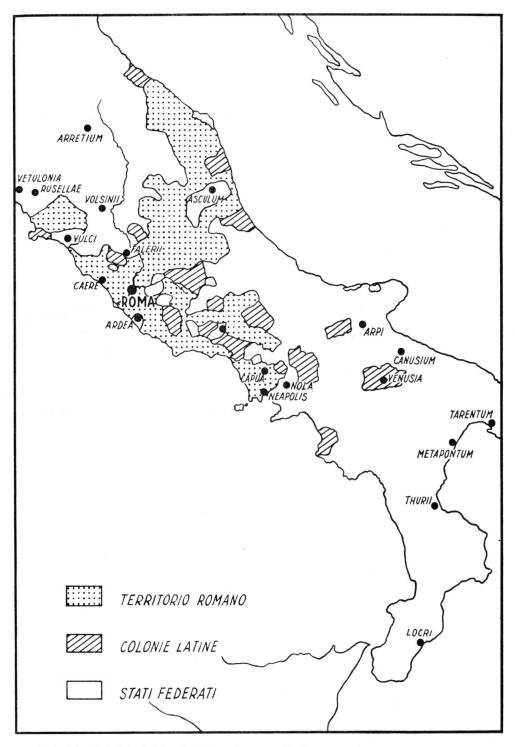

5. – Primi focolai di latinità nel III secolo a. C. [Da Devoto, *Storia della lingua di Roma*, tav. VII].

19. - Devoto.

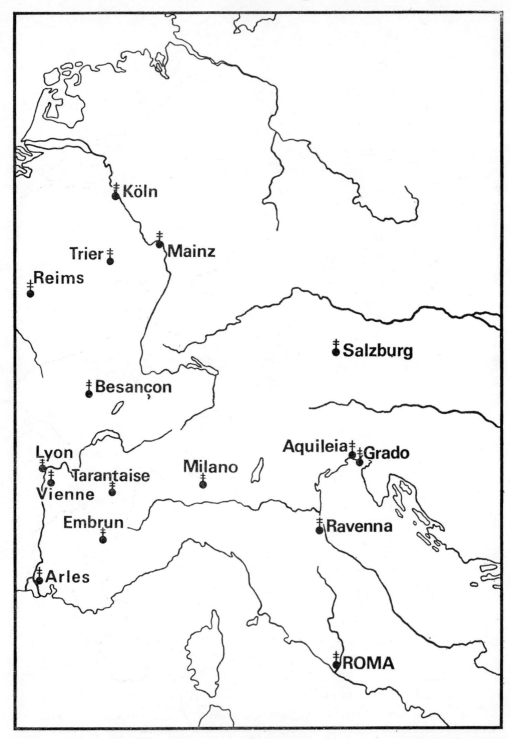

6. – La tradizione latina nei centri ecclesiastici medievali (IX secolo). [Da HEUSSI-MULERT, *Atlas Zen Kirchengeschichte*, V. Cr.].

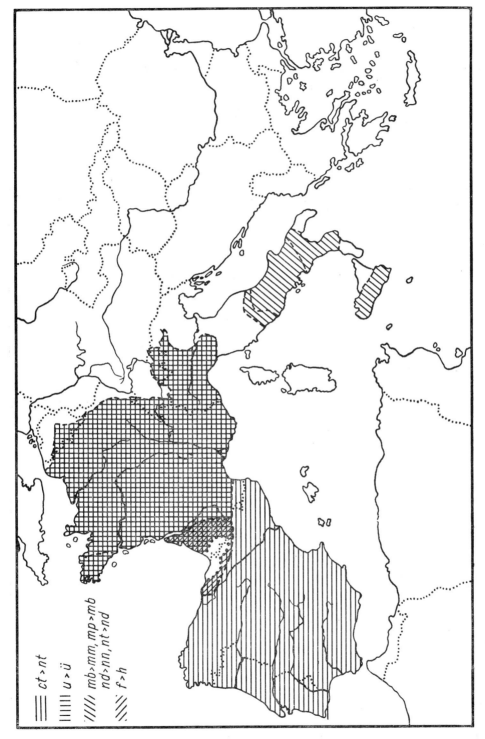

7. – Le alterazioni fondamentali del latino. [Da WARTBURG, *Die Entstehung der romanischen Völker*, Halle 1939, p. 48].

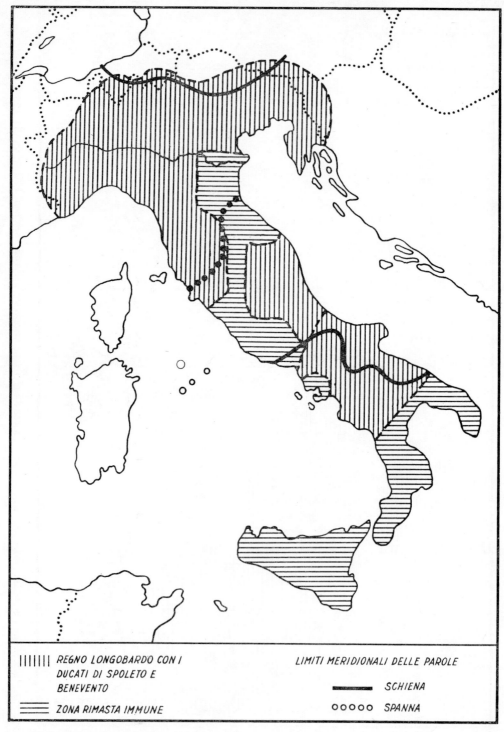

8. – L'espansione longobarda. [Adattamento da WARTBURG, *op. cit.*, p. 151].

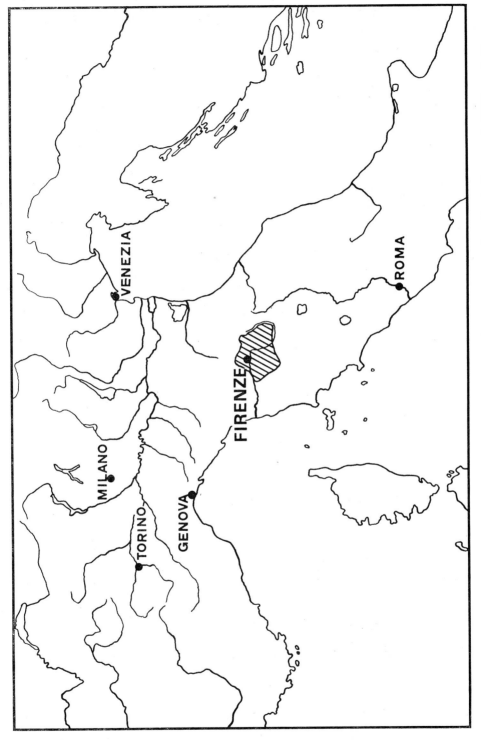

9. – Il minuscolo territorio da cui è irradiata la lingua letteraria italiana. [Da *Enciclopedia italiana*, vol. XIX, p. 836].

STAMPATO A FIRENZE
NEGLI STABILIMENTI TIPOGRAFICI
« E. ARIANI » E « L'ARTE DELLA STAMPA »
LUGLIO 1976